中国石油石化科技创新大会论文集

上册

徐凤银 宋 宁 张 舒 黄 凌 等◎编

中国石化出版社
HTTP://WWW.SINOPEC-PRESS.COM
·北京·

图书在版编目(CIP)数据

中国石油石化科技创新大会论文集 / 徐凤银等编
. —北京：中国石化出版社，2023. 11
ISBN 978-7-5114-7358-5

Ⅰ. ①中… Ⅱ. ①徐… Ⅲ. ①石油工程-工程技术-中国-文集 Ⅳ. ①TE-53

中国国家版本馆 CIP 数据核字(2023)第 211902 号

未经本社书面授权，本书任何部分不得被复制、抄袭，或者以任何形式或任何方式传播。版权所有，侵权必究。

中国石化出版社出版发行
地址:北京市东城区安定门外大街 58 号
邮编:100011 电话:(010)57512500
发行部电话:(010)57512575
http://www. sinopec-press. com
E-mail:press@ sinopec. com
北京富泰印刷有限责任公司印刷
全国各地新华书店经销
*
880 毫米×1230 毫米 16 开本 95. 5 印张 2723 千字
2023 年 11 月第 1 版 2023 年 11 月第 1 次印刷
定价:380. 00 元(上、下册)

《中国石油石化科技创新大会论文集》

编 委 会

主　任：徐凤银

副主任：（按姓氏笔画排序）

王玉华　王凌　邢颖春　竹蔚文　江厚顺　孙丙向
孙冬胜　孙柏铭　芦文生　杜吉洲　李冰　吴志平
何文渊　宋云昌　张孝明　张宝生　张鹏　陈朋超
金衍　赵喆　荆少东　钟伟荣　段海涛　祝效华
袁明　袁霞光　雍瑞生　熊新强　戴彩丽

委　员：（按姓氏笔画排序）

于群　万永平　万波　马从照　王小龙　王小军
王子威　王为民　王永东　王伟　王良军　王现中
王定国　王轶　王勇　王艳雄　王海生　韦勇
尤晟　牛小兵　文龙　文章　田文君　毕治强
朱瑞彬　刘中民　刘琤　祁兴国　牟汉生　孙进法
杨东进　杨勇　李伯华　李景耀　何发岐　何希鹏
佟伟　邹刚　沙晓东　沈华　宋宁　宋永
张尚虎　张晓宇　张浩文　张继昌　张超　张舒
陈宝　陈涛　陈斌　林进　罗凯　罗贯伟
金东生　周家雄　胡英杰　钟凡　祝颖　姚广玉
秦永强　钱祖国　高宏义　唐海忠　黄凌　曹自成
隋武　蒋金生　韩志群　程嘉猷　曾飞鹏　路智勇
谭宾　熊亮　潘大江　魏弢　魏登峰

序

中国经济社会发展已经从高速增长进入高质量发展阶段，石油石化行业以高质量发展我国石油工业为己任，以科技创新支撑为引领高质量发展，以质量变革、效率变革和动力变革为遵循，持续推进品质升级、效率升级和产业升级，构建具有清洁低碳、智慧高效和经济安全的现代油气产业体系，保障国家能源安全。

为全面贯彻落实党的二十大精神，加快实施创新驱动发展战略，强化企业科技创新主体地位，打造国家战略科技力量，提升石油石化行业科技自强自立，中国石油学会认真贯彻中国科协“科创中国”行动计划，充分发挥全国一级学会的纽带桥梁作用和平台优势，联合中国石油、中国石化、中国海油、国家管网、国家能源、中国中化和延长石油等单位共同举办了“中国石油石化科技创新大会暨新技术成果展”。

大会邀请行业各级主管领导，中国科学院、中国工程院院士，石油石化行业内知名专家学者、业界精英和著名厂商齐聚北京，参会单位与人员、涉及领域和研讨内容等方面均具有广泛代表性、重要影响力和深厚实践基础，是石油石化行业的一次盛会。与会领导、专家重点围绕石油石化领域科技研发布局、关键核心技术攻关、科技创新平台和生态建设、科技管理体制机制创新、新技术新成果转化与规模化应用、产业数字化转型、绿色低碳发展等展开深度交流，分享业内最佳实践和创新成果，互鉴创新思想和先进理念，为石油石化企业科技创新发展提供新经验、新思路、新方向和新路径。同时，自动化、数字化、智能化等技术被深入应用到石油石化各个领域，极大促进石油石化企业高质量发展。

为进一步促进大会交流、技术创新和成果转化，中国石油学会大会组委会在认真审核筛选大会论文基础上，优选部分论文汇编出版本论文集，系统地梳理了近年来我国油气勘探开发与新能源技术和装备、炼油化工技术与装备、油气储运技术与装备、石油工程技术与装备及石油工程建设与装备等领域的创新成果与关键技术，提出一系列前沿理论认识和具有广阔应用前景的先进技术，分享石油石化相关理论的创新思路、技术突破升级的成功经验、现场推广应用的典型案例等，对持续推动我国石油石化领域科技创新具有十分重要的理论和实践意义。鉴于此，特向参与论文撰写和为编审出版作出积极贡献的同行们表示祝贺，向参与本次大会的各石油化工企业、高校、研究院所及相关单位的领导、专家与科技工作者表示衷心感谢。

贾承造

中国科学院院士

前　言

科技传递精彩，创新辉煌未来。在全党全国贯彻落实党的二十大精神和习近平总书记重要指示精神，奋力谱写中国式现代化建设石油石化新篇章的铿锵足音中，我们迎来了一场科技盛会——中国石油石化科技创新大会暨新技术成果展。本次大会旨在全面贯彻落实创新驱动发展战略，强化企业科技创新主体地位，以科技创新支撑引领石油石化企业高质量发展。国内外石油石化科技领域各级领导和知名专家学者云集北京，集智碰撞议韬略，群英荟萃展硕果，共同探讨石油石化领域科技战略布局、关键核心技术攻关、科技创新平台和生态建设、科技管理体制机制创新、新技术新成果转化与规模化应用、产业数字化转型、绿色低碳发展等议题，分享业内最佳实践和创新成果，互鉴创新思想和先进理念，为石油石化企业科技创新发展提供新经验、新思路、新方向和新路径，助力我国石油石化行业高水平创新发展。

高质量创新，促进高质量发展。习近平总书记指出，中国式现代化关键在科技现代化。我们要深刻认识和把握习近平总书记关于科技创新的重要论述，坚定战略自信、创新自信，以高水平科技自立自强，谱写中国式现代化新篇章。作为中国石油学会与中国石油、中国石化、中国海油、国家管网、国家能源、中国中化和延长石油等单位的联合活动，本次大会具有广泛影响力和深厚实践基础，必将成为创新驱动的“梦工厂”，展示创造成果的“大舞台”。我们希望通过这次大会，搭建起石油石化企业与科研、设计、工程、制造、服务单位间的高水平技术交流与合作平台，促进科技创新，引领和推动石油石化行业高质量发展。

集众才聚众智，谋良策开新局。本次大会得到国家有关部委、中国石油、中国石化、中国海油、国家管网、国家能源、中国中化、延长石油、高等院校和科研院所等单位领导、专家和广大科技工作者的大力支持。大会共征集论文 500 余篇，中国石油学会学术交流部组织专家认真审核，择优收入 232 篇辑册成集并公开出版发行。全集共分五篇，分别为油气勘探开发与新能源技术和装备篇、炼油化工技术与装备篇、油气储运技术与装备篇、石油工程技术与装备篇、石油工程建设与装备篇，由徐凤银整体策划，宋宁、张舒、黄凌等负责审稿排版，徐凤银最终审定，内容涵盖油气勘探开发，炼油化工，石油工程技术，石油工程建设，新能源，碳捕获、利用与封存(CCUS)等方面，具有较高的理论创新和现实参考价值，将进一步推动石油石化行业科技进步和创新发展。

携手并进，再谱科技创新新华章。衷心感谢各位专家学者和业内精英的莅临和支持，感谢各位参会者的积极参与和奉献。同时，也要向所有工作人员表示感谢，正是大家的辛勤付出，才让这场盛会得以成功举行。在未来的日子里，让我们携手共进，共同推动石油石化行业科技进步和创新发展，为实现高水平科技自立自强和高质量发展贡献力量！

本书编委会

2023 年 11 月

目 录

上 册

第一篇 油气勘探开发与新能源技术和装备篇

第一篇　油气勘探开发与新能源技术和装备篇

随着我国经济高质量发展对油气及新能源的重大需求，油气行业全面贯彻新发展理念，向着清洁、低碳、高效、安全的能源公司转型。新能源和油气勘探开发已全面进入深层、深水、非常规三大领域，新能源和油气资源拥有巨大发展潜力，但也面临着工程技术难度更大、地质赋存规律与勘探开发生产规律科学认知程度更低、所需技术装备要求更高等理论与技术挑战，未来国际油气竞争格局将从资源主导向技术主导转变，创新理论与技术、掌握低成本高效勘探与开发技术是参与国际油气竞争的制胜法宝。本篇汇集了近年来国内油气勘探开发领域的科技工作者在深层、深水、非常规油气、新能源、人工智能等勘探开发领域理论、技术与装备研发所取得的进展，展现了我国油气勘探开发与新能源技术与装备的广阔发展前景。

数字化转型赋能基业长青世界一流企业建设的思考

刘　合　姚尚林　苏　健

（中国石油勘探开发研究院）

摘　要　近年来，中石油集团公司党组围绕贯彻落实中央和国资委部署要求，逐步健全完善公司发展战略体系顶层设计，丰富完善了创新、资源、市场、国际化、绿色低碳五大发展战略，提出了“四个坚持”兴企方略、“四化”治企准则以及人才强企、提质增效、低成本发展、文化引领“四大战略举措”，明确了“两个阶段、各三步走”的战略路径，决心力争在本世纪中叶全面建成基业长青的世界一流企业。从“世界一流”到“基业长青的世界一流”，体现了集团公司党组对中央精神更深入的领会，对事业价值目标更高层次的追求，以及对企业发展规律更深刻的把握。本文分析了基业长青世界一流企业的内涵和主要特征，构建了基业长青世界一流企业指标体系，提出了能源行业基业长青世界一流企业指标，分析了能源央企数字化转型目标，构建了转型指标模型，提出了能源央企数字化转型工作建议，探索数字化转型赋能基业长青世界一流企业建设敏捷之路和最佳实践。

关键词　基业长青；世界一流；数字化转型；能源央企

1　基业长青世界一流企业的内涵和主要特征

1.1　世界一流

在美国《商业词典》中，“世界一流”被定义为能够成为其他企业的标准和标杆的企业；美国《财富》杂志认为公司创新能力、产品服务质量、管理水平、社区与环境责任、吸引与留住人才、全球经营运作能力是评价一个公司是否一流的标准。

国内学者认为，“世界一流”是指拥有极强的规模实力、国际化经营能力和核心竞争力，具备世界一流的技术水平、品牌影响力、管理水平、人才队伍和企业文化，在国际资源配置中发挥重要作用，对所在产业发展具有较强的话语权和影响力，在全球经济舞台上处于第一方阵的翘楚企业。

国资委在中央企业创建世界一流示范企业工作中明确：具有全球竞争力世界一流企业的核心内涵是要做到三个领军、三个领先、三个典范，力争用3年左右时间在部分细分领域和关键环节取得实质性突破，在整体上取得显著成效。做到三个领军就是要成为在国际资源配置中占主导地位的领军企业，成为引领全球行业技术发展的领军企业，成为在全球产业发展中具有话语权和影响力的领军企业。做到三个领先就是要在全要素生产率和劳动生产率等方面领先，在净资产收益率、资本保值增值率等关键绩效指标上领先，在提供的产品和服务品质上领先。做到三个典范就是要成为践行绿色发展理念的典范，成为履行社会责任的典范，成为全球知名品牌形象的典范。习近平总书记在中央深改委第二十四次会议上明确提出，要“加快建设一批产品卓越、品牌卓著、创新领先、治理现代的世界一流企业”，2022年5月份中办、国办印发《关于加快建设世界一流企业的意见》，对建设世界一流企业进一步作出全面部署。

1.2　基业长青

对于基业长青，最早提出来的是丰田的稻盛和夫，他提出，从企业发展角度来看，长期主义价值观是企业基业长青的密码。

威廉·大内在其1981年出版的《Z理论》一书中，通过研究日本企业的文化提出了实现基业长青需要关注的七个方面，即畅通的管理体制、基层管理者享有充分的权利、中层管理者起到承上启下的作用、长期雇佣职工、关心员工福利、创造生动的工作环境、重视员工的培训和考核。汤姆·彼得斯在其著作《追求卓越》一书中则突出了崇尚行动、价值驱动、贴近顾客、不离本行、自主创新、精兵简政、以人助产和宽严并济的管理理念。《基业长青》作者吉姆·柯林斯将基业长青定义为：企业保持战略定力、与时俱进、守正创新，实现“利润之上的追求”，达到永续经营，真正发展成百年基业。

基业长青的企业基本特质是：一是具有明确的核心理念，同时具备掌控连贯性和变化性的能力。企业能够从经营做法和商业谋略中，分离出它们永恒不变的核心价值和经久不衰的使命，不放弃核心价值观和高要求的行为标准，凝聚志同道合的人才，带动公司快速发展；同时刺激进步，积极改变除了核心理念以外的任何东西。二是设立宏伟、艰难、大胆的目标（Big, Hairy, Audacious Goal），驱动整个组织共同去实现，同时激起公司的进步。三是大胆实验，在不断的“试错”中淘汰无效方法，保留可行方案，找到更好、更有效的方法利于公司进步。四是永不满足，比起关注竞争对手，基业长青的企业更加关注超越自身，提升员工能力，为未来打造稳固的基础，在无形中提高竞争优势。

1.3　基业长青世界一流企业的内涵

“世界一流”强调当前具有竞争优势，是企业外在实力的体现；“基业长青”强调持续保持竞争优势，是企业内生动力的结果。因此，“基业长青世界一流”既是体现了内在发展活力和外在竞争实力的结合，也是企业发展的时间和空间的结合，需要通过内生动力和外在实力的循环互动，打造竞争优势并动态更新、持续保持。

基业长青世界一流企业首先应该是当前各行业的领先企业，所谓领先不是单指某个方面领先，而应该是全方位的领先，既包括产品服务、规模体量、经营业绩等硬实力，还包括品牌形象、企业文化、管理水平等软实力，这些领先来源于其独特的竞争优势，该竞争优势是领先企业区别于其他企业最明显的特点，具有唯一性和排他性。其次，基业长青世界一流企业应该是能快速适应全球竞争形势变化并持续保持竞争优势的长寿企业，所谓长寿是指底蕴深厚、长远发展，经营多年依然充满活力、历久弥新，长寿企业一定坚持长期经营的理念，秉持匠人精神，坚守主业、精益求精，不过分关注短期业绩，有一颗为员工、为顾客及社会奉献的心，与利益相关者和谐共生发展。

1.4　基业长青世界一流企业的主要特征

基业长青世界一流企业，首先是在行业内领先的世界一流企业，同时也是能够长期保持竞争优势，持续做到世界一流的企业。研究认为，能实现基业长青世界一流的企业应该具有下面的几个特征：

（1）发展质量效益好：规模实力强，主营业务突出，资源基础雄厚。经营效率高，盈利水平在行业中领先，持续盈利能力突出，资产创效能力高。保持质量、成本、效益之间的最优统一，产品结构合理，业务有序接替，实现科学发展、量效双增。

（2）资源配置效率高：资源统筹能力强，能在全球范围内选择投资机会，布局业务，构建企业的整体竞争优势，优化资源配置的手段多、效果好。善于引导各类要素协同向先进生产单元和高效业务集聚，把要素禀赋所决定的比较优势转化为竞争优势。

（3）创新驱动能力强：具有开放包容的创新文化，科技创新基础强，具有研发投入的基础和实力，充足的研发人员和资金投入、行业领先的核心技术等。发挥科技创新的引领和支撑作用，构建产学研用相结合的技术创新体系，以创新驱动产业链供应链优化升级。

（4）持续发展基础实：在保持传统业务优势的同时，积极培育发展新业务，实现良性循环与可持续发展，适应时代的发展。在追求自我生存和永续发展的过程中，既考虑近期企业经营目标的实现，又在已领先的竞争领域和未来预期扩张的经营环境中保持持续盈利增长和能力的提高，保证企业在相当长的时间内长盛不衰。

（5）员工综合素质强：注重创新性人才培养，持续完善培养、选拔、使用的长效机制，加快培育接替人才，合理配备队伍梯次。员工既具有优秀的文化知识、语言、思想、判断能力、心理承受能力、自我约束能力和健康的身体等基本素质，又具有在所从事的专业岗位上所需要的专业理论、专业技术、专业技能以及创新意识、创新能力等专业素质，还具有优良的思想政治品质和职业道德品质。

（6）企业管理水平高：管理基础持续夯实，管理制度更加规范，管理决策更加科学有效，精益管理全面推行，以管理信息化为支撑的数字化转型大力推进，建立起比较完善的现代企业制度和现代管理体系，管理的科学化、规范化、法治化水平不断提高。运用前沿数字化技术结合前沿管理科学的理论和方法追求企业极致运营效率，对内通过构建创新型组织鼓励大胆创新，对外有一套收购和整合机制捕捉创新机会。

(7) 公司形象品牌佳：具有良好的企业形象和声誉，企业知名度、美誉度高。有很高的品牌价值和影响力，在行业中拥有充分话语权。企业发展成果全员共享，员工归属感强、满意度高。具有独特的品牌魅力，品牌忠诚度和品牌追随度高，在消费者中具有一定的品牌溢价。

(8) 企业文化实力强：具有丰富独特的企业文化，体现全体员工的共同价值观，能够充分调动员工积极性，提高凝聚力。企业文化“软实力”与规模效益“硬实力”互为促进、共同发展，企业文化具有高度的亲和力、感召力、吸引力、凝聚力和竞争力，员工和消费者对企业文化具有高度认同感。

这八点特征兼顾了基业长青世界一流企业的硬实力和软实力，其中发展质量效益好、资源配置效率高、创新驱动能力强、持续发展基础实这四点强调硬实力，体现了基业长青世界一流企业的“外在”竞争实力；员工综合素质强、企业管理水平高、公司形象品牌佳、企业文化活力强这四点强调软实力，体现了基业长青世界一流企业的“内生”要素活力。这八点特征也兼顾了公司当前的发展和在未来环境变化中转型的发展，只有内外兼有，短期长期相结合，企业才能具有持续竞争优势，实现永续经营。

2 基业长青世界一流企业指标体系

2.1 指标体系的构建

基业长青世界一流企业的评价涉及范围多、因素广，涵盖企业经营的全过程，既要体现企业当前发展的硬实力和软实力，也要体现企业动态发展的过程。

今年在中办、国办印发《关于加快建设世界一流企业的意见》后，集团公司发展计划部会同有关部门和单位编制了《集团公司加快建设世界一流企业实施方案》，以供给高效、产品卓越、品牌卓著、创新领先、治理现代为维度，构建了集团公司建设世界一流企业指标体系。

通过深入研究大量业内外评价指标体系构建方法，结合发展计划部的指标体系，侧重于构建一套通用型的基业长青世界一流企业指标体系。以产品卓越、品牌卓著、创新领先、治理现代为框架，结合基业长青世界一流企业的内涵和特征，增加永续发展。

2.1.1 一级指标和二级指标

以产品卓越、品牌卓著、创新领先、治理现代、永续发展五个标准为一级指标，二级指标突出“世界一流”的目标追求，按照一流的“业绩、技术、管理、人才、国际化、品牌、产品、治理、服务、文化、转型发展”十个方面，构建一套五个维度三个层次的综合评价指标体系。

产品卓越是企业发展的硬实力，要求企业必须能够提供卓越的产品和服务，具备较好的产品供给水平和服务水平。

品牌卓著是企业发展的软实力，要求企业具有良好的企业形象声誉和充满活力的企业文化，品牌价值高，社会影响力较强。

创新领先是企业发展的发动机，要求企业必须具有较强的自主创新能力，注重科技创新能力和创新性人才的培养。

治理现代是企业发展的护航舰，要求企业必须具有良好的企业管理水平，打造具有中国特色的现代企业制度。

永续发展是企业发展的稳定器，要求企业必须适应新形势、新要求、新变化，与内外部环境共同演进，持续稳健发展。

2.1.2 三级指标

依据通用性与差异性相结合、全面性与可获性相结合、定量与定性相结合的原则，选取最能体现基业长青世界一流企业内涵和特征的三级指标，构建基业长青世界一流企业的综合评价体系（表1）。

(1) 通用性与差异性相结合。为使指标体系具有较强的适用性，三级指标选取时以通用性指标为主，使不同行业的企业具有可比性；同时兼顾不同行业特点设置个性化指标，使指标能够有效反映出行业差异。

(2) 全面性与可获性相结合。为对企业进行多角度综合评价，三级指标选取时尽可能多的选取相关指标，力求全面反映基业长青世界一流企业的内涵和特征；同时，考虑到数据获取的可行性，对所有相关指标进行合理筛选，确保指标体系具有较强可操作性。

(3) 定量与定性相结合。为减少人为主观因素的干扰，三级指标选取时以定量指标为主，采用统一的标准和口径，保证数据的客观精准；同时，对于某些难以量化的二级指标，适当设置定性指标，由行业资深专家进行评价打分。

表1　基业长青世界一流企业指标体系表

一级指标	二级指标	评价内容
产品卓越	有效供给	评价企业的产品供给水平，是否具有较高的产量和销售量
	营销服务	评价企业的产品服务水平，是否在市场上具有较高的占有率
品牌卓著	品牌形象	评价企业的品牌价值和行业影响力，是否具有知名度和美誉度，在行业中拥有充分的话语权
	企业文化	评价企业的企业文化水平，是否具有愿景使命和核心价值观，提高全体员工的凝聚力
	国际化经营	评价企业发展的国际化水平，是否能在全球范围内选择投资机会，统筹资源
创新领先	自主创新	评价企业的科技创新水平，是否具有较强的研发投入能力，是否拥有自主知识产权或发明专利
	人才培养	评价企业的员工综合素质，是否重视创新性人才的培养，员工素质能否满足企业快速发展的需要
治理现代	运营管理水平	评价企业的管理水平，比如资产管理效率、成本控制力等
	治理体系治理能力	要求企业按照现代企业制度，构建权责法定、权责透明、协调运转、有效制衡的公司治理机制
永续发展	价值创造	评价企业的资产创效水平，是否主业突出，盈利水平领先
	转型发展	评价企业可持续发展的水平，是否能够根据政策和环境的变化及时调整发展战略，在保证传统业务的同时，积极发展新业务

2.2　能源行业基业长青世界一流企业指标

能源行业的基业长青世界一流企业指标体系在通用性指标体系的基础上，结合能源行业的特点设置行业特性指标，构建了包括5个一级指标、11个二级指标和37个三级指标的综合评价指标体系(表2)。

表2　基业长青世界一流企业指标体系表(能源行业)

维度	二级指标	指标名称	单位
产品卓越	有效供给	油气产量☆	千桶/日
		原油加工量☆	千桶/日
		成品油销售量☆	千桶/日
		化工品商品量	千桶/日
	营销服务	国内成品油市场占有率◇	%
		国内天然气市场占有率◇	%
品牌卓著	品牌形象	品牌价值☆	亿美元
		品牌得分	
		PIW排名☆	
		财富500强排名☆	
	企业文化	企业发展愿景◇	定性指标
		价值理念◇	定性指标
		企业行为准则◇	定性指标
	国际化水平	跨国指数☆	%
		境外权益油气产量占比☆	%
创新领先	自主创新	研发投入强度☆	%
		发明申请专利数☆	件
		数字化成熟度◇	定性指标
	人才培养	研发人员占比	%
		高级管理人才数量◇	
		集团公司科技领军人才◇	

续表

维度	二级指标	指标名称	单位
治理现代	管理水平	总资产周转率☆	次
		资产负债率☆	%
		单位油气操作成本☆	美元/桶
		全员劳动生产率☆	万美元/人
		成本费用利润率☆	%
	治理体系治理能力	激励方式多样性☆	定性指标
		治理体系治理能力现代化◇	定性指标
永续发展	价值创造	净利润☆	亿美元
		净资产收益率☆	%
		营业收入利润率☆	%
	转型发展	油气储量接替率☆	%
		天然气产量占比☆	%
		绿色投资强度☆	%
		新能源发展水平	定性指标
		温室气体排放量☆	百万吨 CO_2 当量
		ESG 排名	

3 数字化转型赋能基业长青世界一流企业建设

3.1 能源央企数字化转型目标

对于能源央企而言，打造“基业长青世界一流企业”不仅是企业合理的发展目标，更是职责使命所在。企业强则国家强，企业兴则国家兴。全面建设社会主义现代化国家，必须有一批能够体现国家实力和国际竞争力、引领全球科技和行业产业发展的世界一流企业做支撑。习近平总书记强调：“加快建设一批产品卓越、品牌卓著、创新领先、治理现代的世界一流企业，在全面建设社会主义现代化国家、实现第二个百年奋斗目标进程中实现更大发展、发挥更大作用。”这一要求为中央企业/大型国企加快建设世界一流企业指明了方向、提供了遵循。

以“基业长青世界一流企业”作为能源央企建设目标，数字化转型目标同样也从技术能力、业务能力、组织能力三个层面进行设定。

从技术能力上看，能源央企需通过数字化转型成为原创技术策源地。以数字技术和工业技术深度融合为根本手段，通过数字技术应用突破本产业的核心工业技术，汇聚本产业的全部工业技术，打造以泛产业链技术牵引为特色的原创技术策源地。

从业务能力上看，能源央企需通过数字化转型成为现代产业链链长。以数字经济和实体经济深度融合为根本宗旨，以数字化业务模式转变改变本企业生产方式，同时突破产业边界重构产业链形态，推动全产业链生产方式的转变，打造以产业平台为掌控者、数字生态核心为特点的现代产业链链长。

从组织能力上看，能源央企需通过数字化转型成为未来社会排头兵。着眼于人类文明新形态、人类共同体的未来，能源央企的深化改革更需要掌舵新时代方向，系统性推动生产要素在全社会的系统性重构，建设引领性的新型社会组织生产关系，从而对其他所有制企业、一带一路上的其他国家企业形成示范，打造以示范借鉴、组织治理更有效率更具公平等为特点的未来社会排头兵。

3.2 能源央企数字化转型指标模型

能源央企数字化转型的指标体系建议设立四个一级指标，包括能力建设目标中的技术能力、业务能力和组织能力三个方面，以及价值效益目标。其中，从短期来看，能力建设指标是监测评估的重心所在；从长期来看，价值效益指标必须得到关注和重视(图1)。

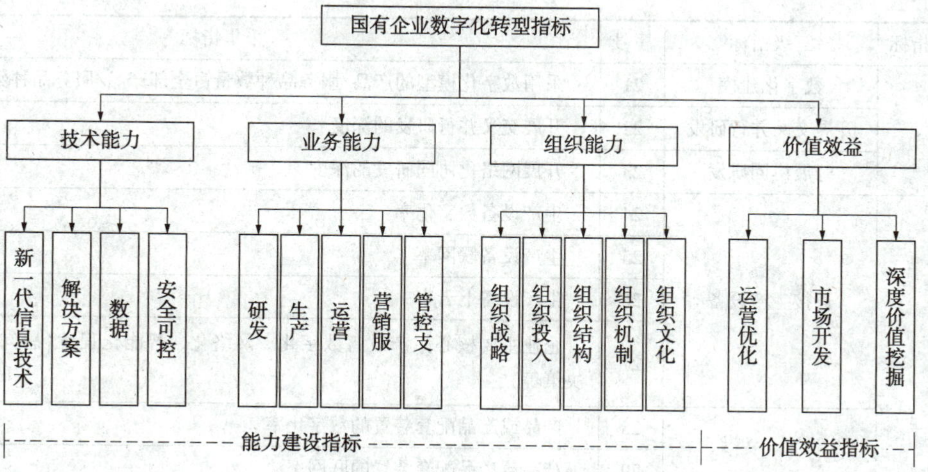

图1　能源央企数字化转型指标框架

其中，按照能源央企数字化转型构成/能力模型，技术能力可细分为新一代信息技术、解决方案、数据和安全可控四个二级指标，业务能力可细分为研发、生产、运营、营销服、管控支五个二级指标，组织能力可细分为组织战略、组织投入、组织结构、组织机制、组织文化五个二级指标。按照能源央企数字化转型价值模型，价值效益可细分为运营优化、市场开发、深度价值挖掘三个二级指标。

在二级指标之下，通过对业界数字化转型关键控制要点的总结，构建关键的三级指标。在三级指标之下，通过量化技术和准量化技术建立具体的采集和监测指标，从而建立全部指标体系，见表3。

表3　能源央企数字化转型指标体系参考

一级指标	二级指标	三级指标	序号	采集指标
技术能力	新一代信息技术	前瞻技术引领	1	企业数字化转型中已应用的新一代信息技术的种类和范围
			2	企业应用关键新一代信息技术(云、大数据、AI、区块链等)的能力层级
		统一技术架构	3	企业可共享的统一技术架构的实施情况
			4	企业信息系统/业务应用上云率
	解决方案	原创技术	5	百人专利拥有量(含数字技术和工业技术)
		数字孪生	6	企业在数字孪生领域的技术和应用水平
		敏捷 IT	7	企业在信息化、数字化建设方面的敏捷程度
		泛在互联	8	企业在物联网方面的技术应用水平
		软件定义	9	企业在软件开发方面的能力水平
			10	百人软件著作权拥有量(含管理软件和工业软件)
		数据驱动	11	企业通过数据驱动推动业务活动和管理决策的能力层级
		平台支撑	12	企业在数字化平台建设和运营方面的能力水平
	数据	数据治理	13	企业级数据标准化的范围
		数据集中共享	14	数据集成与共享达到的层级
		数据资产化	15	企业数据资产化的实现水平
	安全可控	信息安全	16	企业在信息安全领域的发展水平
		自主可控	17	企业在信息技术自主可控方面的发展水平
			18	百人专利拥有量(含数字技术和工业技术)
			19	硬件设备国产化率
			20	软件应用国产化率

续表

一级指标	二级指标	三级指标	序号	采集指标
业务能力	研发	数字化建模	21	采用数字化模型的产品/服务品种数量占全部产品/服务品种数量的比例
		开展交叉并行研发	22	开展交叉并行研发的深度
		开展协同研发	23	开展网络化协同研发的深度
	生产	连接生产设备	24	生产设备数字化率
			25	生产设备联网率
			26	生产设备上云率
			27	企业主要核心生产设备数字化、网络化、智能化程度(感知、通信、执行、决策等)
		连接产品	28	产品或产品配套装置的数字化率
			29	产品或产品配套装置的联网率
			30	产品或产品配套装置的上云率
			31	企业主要核心产品或产品配套装置的数字化、网络化、智能化程度(感知、通信、执行、决策等)
		开展智能化生产	32	企业开展智能化生产的程度
	运营	连接服务设施	33	服务设施数字化率
			34	服务设施联网率
			35	服务设施上云率
			36	企业主要核心服务设施数字化、网络化、智能化程度(感知、通信、执行、决策等)
		开展智能化运营	37	企业开展智能化运营的程度
	营销服	连接客户	38	企业与主要客户进行数字化连接的深度
		客户需求洞察	39	企业对主要客户进行数字化画像和需求洞悉的能力层级
		快速响应	40	企业对主要客户进行快速服务响应的能力层级
		开展在线销售	41	在线销售收入占企业总销售收入的比例
		开展服务化延伸	42	企业基于数字化手段开展服务化延伸的能力层级
			43	企业基于数字化手段开展服务化延伸的范围
		开展个性化定制	44	企业基于数字化手段开展个性化定制的能力层级
			45	企业基于数字化手段开展个性化定制的范围
	管控支	连接资产	46	企业与核心资产(包括固定资产、设备设施、物料仓储等有形资产，工艺方法、知识专利等无形资产，以及司库理财等现金证券资产)进行数字化连接的深度
		连接员工	47	企业与员工进行数字化连接的深度
		连接工作环境	48	企业与企业工作环境(涵盖办公区、作业区、后勤服务区、通勤、差旅等环境，包括健康、安全、安保、节能、环保等内容)进行数字化连接的深度
		开展在线采购	49	在线采购金额占企业总采购金额的比例
		开展智能决策	50	企业通过数字化、智能化手段进行业务决策的应用水平
		开展一体化管控	51	企业实现管理和业务一体化的能力层级
		连接生态伙伴	52	企业通过数字化手段与产业链生态伙伴(供应商、分销商、合作伙伴等)进行数字化连接的深度
		开展网络化协同	53	企业基于数字化手段开展网络化协同的能力层级
			54	企业基于数字化手段开展网络化协同的范围

续表

一级指标	二级指标	三级指标	序号	采集指标
组织能力	组织战略	业务战略	55	企业战略中对未来业务场景/企业业务构成描绘的清晰度
			56	企业战略中对未来商业模式选择的清晰度
			57	企业战略中对未来生态环境判断和企业生态系统构建的清晰度
			58	企业战略中对未来企业核心能力打造描述的清晰度
		组织战略	59	企业战略中对当前组织进行变革以及变革方向的认识深度
		技术战略	60	企业数字化战略中对技术蓝图(含工业技术和数字技术)描绘的清晰度
	组织投入	人才投入保障	61	企业信息化、数字化专职人员占比
			62	企业本科及以上学历员工占比
			63	企业吸引高端创新人才的能力层级
		资金投入保障	64	企业数字化转型资金投入占企业销售收入的比例
			65	部门数字化转型自筹投入占企业数字化转型资金投入的比例
	组织结构	组织变革	66	企业组织变革启动立项和执行授权情况
		敏捷型组织	67	企业平均管理幅度
			68	员工参与网络化协作的层级
	组织机制	数字化治理机制	69	企业一把手对数字化转型工作的参与程度
			70	企业数字化治理机制的层级
		人才开发和激励机制	71	企业通过数字化手段进行人才开发的能力层级
			72	企业通过数字化手段对员工进行赋能的能力层级
			73	企业通过数字化手段开展灵活用工的能力层级
			74	人才绩效管理达到的层级
	组织文化	愿景牵引	75	企业组织文化的特点构成
		创新导向	76	企业文化模式的层级
价值效益	运营优化	提升效率	77	按流程完成所需天数计算，企业所有业务流程(三级)的效率提升比例
			78	企业提升效率实际表现与预期差距
			79	以10分制为标准折算，企业自主监测或第三方监测的员工满意度提升率
			80	员工满意提升实际表现与预期差距
		降低成本	81	营业成本节约比例
			82	销售费用节约比例
			83	管理费用节约比例
			84	财务费用节约比例
			85	企业降低成本实际表现与预期差距
		提高质量	86	产品/服务/项目质量合格率提升比例
			87	企业提高质量实际表现与预期差距
	市场开发	主营业务增收	88	主营业务收入增速
			89	企业主营业务增收实际表现与预期差距
		新业务增长	90	新业务收入增速
			91	企业新业务增长实际表现与预期差距
		产业链发展	92	以10分制为标准折算，企业自主监测或第三方监测的产业链生态伙伴满意度提升率
			93	产业链生态伙伴满意提升实际表现与预期差距
			94	以10分制为标准折算，企业自主监测或第三方监测的客户满意度提升率
			95	客户满意提升实际表现与预期差距

续表

一级指标	二级指标	三级指标	序号	采集指标
价值效益	深度价值挖掘	绿色环保	96	万元产值综合能耗
			97	企业生产运营过程(不含产品)碳排放减少比例
			98	企业绿色环保实际表现与预期差距
		风险防范	99	企业在保障国家安全和社会稳定方面的实际表现与预期差距
			100	企业应对市场风险(含政策、需求、竞争、价格等因素)的实际表现与预期差距
			101	连续安全生产天数
			102	企业在应对安全生产的实际表现与预期差距
		公共产品	103	以10分制为标准折算，企业自主监测或第三方监测的公共产品/服务满意度提升率
			104	企业社会公共产品/服务实际表现与预期差距

4　能源央企数字化转型工作建议

新时代企业数字化转型的核心价值在于生产要素投入的转变。习近平总书记在署名文章《不断做强做优做大我国数字经济》中强调：“不能为数字化而数字化”。数字化转型投入巨大，需要产生相应的价值回报。在数字时代背景下，建立在工业化、私有制基础之上的西方经济学体系出现了价值悖论，遭遇到挑战。面向新时代，“高质量发展”作为全新的价值观目标，或是解决这一悖论难题、重构数字时代经济学理论基础的根本所在。建议以数字化转型推动能源央企生产要素体系深化改革，赋能基业长青世界一流企业建设。

具体内容如下：

(1) 强化顶层设计，制定能源央企生产要素体系改革总体方案

一是立足国务院国资委履行出资人的职责，针对能源央企数字化转型的重大决策事项，制定生产要素体系改革总体方案，纳入国资监管。二是按照《数字中国建设整体布局规划》要求，在党中央集中统一领导下，与国务院各有关部门按照职责分工，完善政策措施，强化资源整合和力量协同，形成工作合力；在统一政策精神指引下借助各部委工作协同，推动能源央企生产要素体系改革不断深入，助力企业数字化转型，推动全产业高质量发展。三是制定能源央企生产要素体系改革的指标监管体系、国企领导人考核体系和评价体系，通过量化指标衡量土地、劳动力、资本、技术、数据等生产要素的准备情况、投入情况和市场化机制配置情况，更好地保障企业改革方向，推动企业加快数字化转型发展。

(2) 聚焦技术要素，打造企业数字科技创新力量

一是加快数字新兴产业培育，布局新一代信息技术为核心的等战略性新兴产业，继续鼓励企业通过整合信息化资源、加大数字化建设投入等方式成立数字科技公司，加快产业新旧更迭和动能转换。二是重点针对云计算、大数据、区块链等通用型数字技术新型基础设施领域，以资本为手段推动相关资产在国资国企体系内的优化重组，改变当前相关要素按行业进行建设和运营的分散格局，实现技术要素跨行业、跨领域的优化配置。三是指导企业继续完善收入分配制度，使收入分配进一步向一线技术和科研人员倾斜，助力企业吸引高端技术人才，打造科技创新力量。

(3) 聚焦数据要素，形成企业数据资源资产

一是与数字科技公司组建同步，鼓励和指导企业通过整合数据资源、投资建设数据分析和应用能力等方式成立数据科技公司，逐步打造集团内、产业内、跨行业统一的数据运营商，形成集团内、产业内、跨行业统一的数据交易市场，切实推动数据要素产业化、市场化。二是立足国资监管，依托有能力的核心国有企业打造国资国企体系的统一数据平台，以国资监管、国资公共服务为核心应用，逐步统一数据治理标准，打造跨行业统一的数据共享中心。

(4) 聚焦知识要素，前瞻打造国有企业AI大模型

一是依托具有投入意愿、投入实力的骨干中

央企业，联合重点高校、实验室，通过合资共建、自研开发、投资收购、战略合作等多种手段，创新机制，共同投入布局基础大模型，以快赢方案获得市场反馈，逐步打造形成国内领先、国际一流水平的能源央企大模型。二是在形成国内独立自主可控的大模型的基础上，扩大协同范围，鼓励和指导更多国资央企战略协同形成1+N的大模型多层次运营体系，即一家企业运营基础大模型，N家企业运营分行业场景二次训练的定制化模型，以国资央企的巨大体量共促大模型进一步深化演进。三是以新型智库建设为精神指引，依托人工智能等技术打造国资国企智慧决策公共服务平台，改变当前国企智库体系按行业进行建设和运营的分散格局，为广大企业提供跨行业、无差别的知识公共服务，先行推动国资国企体系内智力资源、智库资源的优化配置。

参 考 文 献

[1] 孙柏林．虚拟化背景下的“数字人”[J]．计算机仿真，2023，(01)：15.

[2] 范旭强，杨兆明，陈建荣．完整准确全面贯彻新发展理念加快建设世界一流企业对策研究[N]．北京石油管理干部学院学报，2023，(02)：15.

[3] 王兴成．企业信息化探索[N]．重庆工学院学报，2004，(12)：30.

[4] 张毅．数字化及智能制造数字化转型是什么[J]．起重运输机械，2021，(07)：15.

[5] 邹俊燕，徐明慧，庞晓静．城市大脑发展现状、典型实践与路径建议[J]．信息通信技术与政策，2021，(11)：15.

[6] 李鑫．推进城市大脑建设为全国城市治理现代化提供“浙江样板”[N]．中国建设报，2019，(06)：28.

[7] 陈宝仁．城市大脑助力城市治理智能化转型升级[J]．城市管理与科技，2021，(01)：05.

[8] 张代艳，卢梦梦，张瑞哲．杭州经验[N]．南昌日报，2020，(09)：14.

[9] 侯瑞．城市会思考，生活更美好——杭州“城市大脑”发布11大系统、48个应用场景[J]．信息化建设，2019，(07)：15.

[10] 单志广．智慧城市中枢系统的顶层设计与建设运营[J]．人民论坛·学术前沿，2021，(06)：18.

[11] 本清松，彭小兵．人工智能应用嵌入政府治理：实践、机制与风险架构——以杭州城市大脑为例[N]．甘肃行政学院学报，2020，(06)：20.

[12] 李文钊．数字界面视角下超大城市治理数字化转型原理——以城市大脑为例[J]．电子政务，2021，(03)：08.

[13] 宋娟，冯妍．智慧化油田的发展与未来[J]．中国总会计师，2018，(01)：15.

[14] 曾豪能．探索“新能源”战略背景下的智慧型安全油库建设研究[J]．中国石油和化工标准与质量，2022，(03)：15.

[15] 刘合，赵喆，张国生，苏健．石油资源型城市转型的思考与探索——以大庆市(大庆油田)为例[J]．大庆石油地质与开发，2019，(09)：18.

[16] 李斌，刘伟，毕永斌，李力．智慧油田建设与发展[J]．石油科技论坛，2018，(06)：25.

[17] 安博会前瞻：技术与业务双驱动下的物联视频行业，《网络(https：//mp. weixin. qq)》，2018.

[18] 朱妍．能源系统拥抱智能新时代[N]．中国能源报，2022，(12)：12.

[19] 张晓光．中国石化数据资产管理研究[N]．石油化工管理干部学院学报，2021，(04)：30.

[20] 图解浙江“城市大脑”建设应用行动方案[J]．信息化建设，2019，(07)：15.

[21] 潘涛，万宏，吴谋远等．世界一流石油企业评价指标体系构建及应用[J]．国际石油经济，2019，27(07)：01-09.

[22] 戴厚良．坚持依法合规治企和强化管理，为建设基业长青的世界一流企业提供坚强保障[J]．北京石油管理干部学院学报，2022，29(04)：13-15.

[23] 戴厚良．全面深入学习贯彻党的二十大精神，奋力推进基业长青世界一流企业建设[J]．北京石油管理干部学院学报，2022，29(05)：5-10.

[24] 赵前．基于世界一流企业特征的石油公司比较研究[J]．中国石油企业，2022，(09)：72-79.

[25] 吉姆·柯林斯，杰里·波勒斯．基业长青[M]．北京：中信出版集团股份有限公司，2019.

页岩油纳米剂周期驱替开发潜力及可行性

许 宁 户昶昊 孙洪军 王 玲

(中国石油辽河油田公司)

摘 要 纳米准智能采油剂将渗吸与驱替相结合有望发展新一代开发技术，具有页岩油水平井体积压裂开发后补能、降递减、提高采收率的应用前景。通过鄂尔多斯盆地长 7^1 亚段页岩油岩心静态渗吸、开发方式接续和周期驱替等实验，认识到纳米剂和滑溜水压裂液的渗吸排油呈现空窗期、高速期、快速期和低速渗吸排油期 4 个阶段性变化特征，并可由此确定合理闷井时间；开发方式接续实验显示渗吸后转驱替的驱油效率仍有较大提高。质量体积分数 0.02%的纳米剂接续驱替的驱油效率达 38.0%，与渗吸驱油效率合计达 74.67%，残余油饱和度较水驱残余油饱和度降低 7.43%；周期驱替能够更好发挥纳米剂渗吸排驱微纳米孔喉剩余油、提高微观波及体积的作用，驱油效率较连续驱替提高 14.1%(注入 0.478PV 时)；启动压力梯度和采出量等效法分析认为可实现长水平井现有井网井距条件下的常压注入和驱替。因此蓄能体积压裂开发后尽早转向纳米剂周期驱替开发是大幅度提高页岩油、致密油采收率的重要方向。

关键词 页岩油；纳米剂；周期驱替；渗吸；实验

世界上页岩油、致密油资源丰富，是重要的战略性接替资源。依靠水平井蓄能缝网体积压裂，获得了较高初期产量，但是也面临持续补充地层能量困难、早期产量递减快、准天然能量开发采收率低等问题。纳米剂主要有纳米颗粒驱油剂和 2D 智能纳米驱油剂等，是新一代高效驱油、洗油剂，有望超越化学驱成为低渗透、特低渗透、超低渗和页岩油未来渗吸、驱替的主力，纳米技术具有改变石油和天然气开发技术前景的潜力。围绕纳米剂驱油机理开展了很多研究和实验，包括岩心驱替、红外光谱、高效液相色谱表征、纳米 SiO_2 粒度和 Zeta 电位分析、界面张力测定、耐盐性能评价、接触角测试、静态与动态渗吸实验，粘度、耐温、抗剪切、抗老化流变性测定、分子动力学模拟、毛细作用分析测试、低场核磁分析、表/界面性能、润湿性、防膨性、纳米流度改性剂驱油性能在线可视模拟评价实验等。本文围绕页岩油体积压裂焖井渗吸生产后的接续开发方式，在渗吸实验基础上进一步开展多介质驱替、周期驱替及启动压力梯度测试等系列实验，为纳米剂在非常规油藏开发中的应用和开发方式选择提供重要参考。

1 渗吸驱油效率阶段性变化特征

随着低渗致密储层压裂驱油技术发展，前置大液量注入，补充地层能量，闷井渗吸置换，完善低成本高效率压驱配套技术为致密储层改造进步方向。为更加全面和深入了解闷井、渗吸、置换、排油规律，理论指导实践，利用 ZN 油田页岩油岩心开展了地层水、压裂液、表活剂、纳米剂等静态常压平行渗吸对照定量实验，取得渗吸速度和驱油效率变化规律等认识。

1.1 实验材料

油藏温度下的静态渗吸实验除围压外，其他条件相似于油藏闷井渗吸过程，但是该类实验耗时长，工作量大，需要精心选择实验材料、实验方法。本次实验选用长 7_1^1 页岩油(深度 1595.0~1594.5m)2.5cm×5cm 岩心 6 块。实验用驱替液除了地层水(总矿化度 40.0g/L)、滑溜水压裂液之外，还有纳米驱油剂 iNanoW1.0，为中国石油纳米化学重点实验室提供，配置了质量浓度 0.02%和 0.1%两个浓度的驱替剂，分别称为低浓度纳米剂(低纳米剂)和高浓度纳米剂(高纳米剂)；表面活性剂(ERDS-1)，为中国石油辽河油田分公司勘探开发研究院勘探开发试验中心研发，质量浓度分别为 0.05%和 0.2%，油水界面张力分别为 1.79×10^{-2}mN/m 和 1.96×10^{-3}mN/m，分别称为低浓度表活剂(低表活剂)和高浓度表活剂(高表活剂)。实验基础数据统计见表 1。

表 1　渗吸与驱替实验岩心基础数据统计

样品号	干重/g	湿重/g	长度/cm	直径/cm	孔隙体积/cm^3	孔隙度/%	渗透率/mD	饱和油量/cm^3	含油饱和度/%	物性评价	渗吸液
3	60.30	62.80	5.015	2.361	2.50	11.39	0.205	1.46	58.40	页岩油	滑溜水压裂液
4	56.48	58.95	4.863	2.499	2.47	10.36	0.183	1.62	65.59	页岩油	高浓度纳米剂
10	60.04	62.58	5.141	2.499	2.54	10.08	0.215	1.80	70.87	页岩油	地层水
11	67.14	69.99	5.723	2.505	2.85	10.11	0.204	1.98	69.47	页岩油	低浓度表活剂
12	53.25	61.76	5.087	2.501	2.51	11.07	0.190	1.84	71.31	页岩油	高浓度表活剂
13	55.61	57.95	4.742	2.501	2.34	10.05	0.169	1.50	64.10	页岩油	低浓度纳米剂

1.2　实验方法、结果与分析

油藏温度下的静态渗吸实验除围压外，其他条件相似于油藏闷井渗吸过程，主要实验步骤包括：①岩心标号、洗油，烘干，测试岩心干重、长度、直径等基础参数；②气测岩心孔隙度、渗透率；③抽真空并加压饱和模拟地层水，利用岩心湿重与干重差计算孔隙度（水测孔隙度）；④用与地层油相同粘度的模拟油驱替岩心，建立岩心的饱和油束缚水状态，模拟油密度 0.84g/cm^3，50℃粘度 5.99mPa · s；⑤饱和油的岩心老化 10d；⑥擦净后的岩心放入渗吸瓶，加入不同渗吸液，在地层温度下恒温渗吸，连续记录渗吸出的原油体积。

本实验采用体积法结合核磁共振测量渗吸实验中岩心油水相的数量变化。体积法通过渗吸瓶收集排出的原油，读取与渗吸瓶直连的毛细管瓶壁刻度，根据液面变化来计量排出油的体积。除了无围压，实验环境接近体积压裂后的油藏岩石渗吸，而且实验全过程可视、观察连续、操作简单、计量方便。体积最小读数误差 0.01cm^3，系统相对误差小于 3.3%。

油藏温度常压静态可视平行渗吸实验直到连续 5d 观测不到新增渗吸排出油量时结束，实验结果如图 1 所示，结果显示：

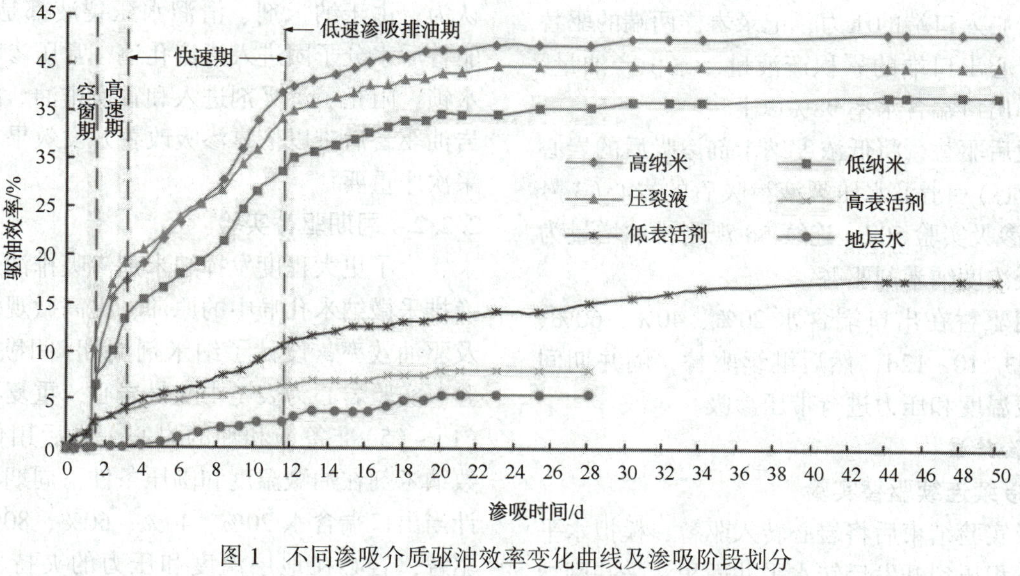

图 1　不同渗吸介质驱油效率变化曲线及渗吸阶段划分

（1）纳米剂和滑溜水压裂液渗吸置换的驱油效率显著高于表面活性剂、地层水。

（2）渗吸驱油效率呈现阶段性变化。纳米剂、压裂液的渗吸曲线形态可以划分出渗吸排油空窗期、高速渗吸排油期、快速渗吸排油期和低速渗吸排油期 4 个阶段。以实验所用长 71 页岩油岩心为例，渗吸排油空窗期 0.5~1d，高速渗吸排油期 1~2d，快速渗吸排油时间在 8~9.5d，之后进入低速渗吸排油阶段。这一实验结果和认识对闷井时间优化具有指导作用。现场多以井口压力变化决定开井时间，难以反映井底的潜在可采油量(已聚集油量)。而低速渗吸排油期因为排油速度慢、时间长、时效差，可以在生产中持续进行，无需继续闷井，因此开井放喷时间以快速排油期结束为宜。通过相似准则即可由实验结果推算现场合理闷井时间。

(3) 排油空窗期是渗吸排油宏观现象之一。岩心浸入渗吸液后，理论上或者以在线核磁测量，瞬间就有原油被渗吸置换和排出。但是这些排出的原油，需要经由岩心内部到表面，从小油滴聚集成大油滴，大油滴浮力超过重力、粘滞力等，上升到液面，才可以被观测或者到达井底对生产有效，这段原油经渗吸置换被排出、聚集长大并上浮到液面或井底所需时间就是排油空窗期。排油空窗期的长短除了受到油滴运移距离和压裂后岩块平均尺寸大小(特征长度)影响外，也与储层致密性、微纳米孔喉连通性和孔隙结构复杂性有关。油滴运移距离越长、压后岩块尺寸越大、储层渗透率越低，孔隙结构越复杂，空窗期越长。

油田现场合理闷井时间可以借助相似准则由实验数据计算得到。

2　接续连续驱替与周期驱替潜力

2.1　实验步骤

渗吸后连续驱替和周期驱替实验在渗吸实验结束后进行，符合页岩油开发现状。主要实验步骤是对岩心进行驱油。采用恒速法驱替，记录不同时刻岩心入口端的压力，记录岩样两端的驱替压差，岩心出口端的累积产液量、累积产油量，直到岩心出口端含水率98%以上。

渗吸后驱替，将低浓度纳米剂渗吸后的岩心(13号岩心)和滑溜水压裂液渗吸后的岩心(3号岩心)在渗吸实验50d、连续5d观测排油增量为零后转低浓度纳米剂驱替。

周期驱替在出口端含水20%、40%、60%、80%时闷井10~12d，然后继续驱替，闷井期间模拟油藏温度和压力进行带压渗吸。

2.2　实验结果

2.2.1　接续连续驱替实验

渗吸实验结束后将岩心转入驱替，模拟水平井蓄能体积压裂开发后转水平井面积注采井网纳米驱，实验结果显示(图2)：

(1) 渗吸后驱替的驱油效率仍有较大提升。质量体积分数0.02%的纳米剂渗吸驱油效率36.67%。转驱替后驱油效率38.00%，与渗吸合计驱油效率74.67%，较渗吸提高1.04倍，显示纳米剂驱替作为蓄能体积压裂的接续开发方式能够较大幅度提高驱油效率；

(2) 纳米剂注入体积倍数1.0PV之前，驱油效率提高较快，之后驱油效率增速和增幅大大减缓，因此长水平井驱替规模以1.0PV为上限经济效益较高；

(3) 质量体积分数0.1%和0.02%的纳米剂渗驱后残余油饱和度较水驱残余油饱和度分别降低了10.57%和7.43%，因此，纳米剂渗驱是致密油、页岩油提高采收率的重要方向。

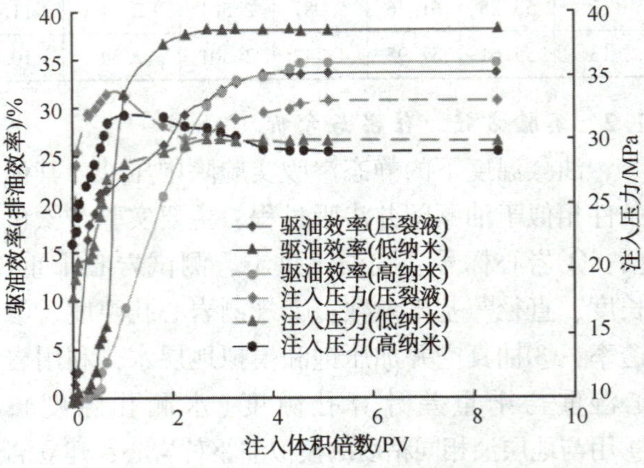

图2　渗吸后转连续驱替实验结果曲线

反向方式接替，即先驱替，之后渗吸，实验显示无助于提高驱油效率：各种驱替剂、渗吸剂的组合，驱替后再渗吸50d以上都未见油。分析认为，由于纳米剂、滑溜水压裂液都是水溶剂，驱替后水分子团进入渗流孔道，常压渗吸时发生水锁，阻止了渗吸剂进入和置换排油。因此，页岩油驱替后难以依靠渗吸改善开发效果，先焖后采次序重要。

2.2.2　周期驱替实验

为了更大程度发挥纳米剂渗吸排油作用，置换排采微纳米孔喉中的原油、提高微观波及体积及驱油效率，设计了纳米剂周期(间歇)驱替实验。实验岩心为表1中9号岩心，重复实验步骤(1)~(5)准备饱和油的岩心，之后用低体积分数纳米剂在油藏温度和围压条件下周期驱替。设计当出口端含水20%、40%、60%、80%时停止驱替，岩心在地层温度和压力的夹持器中渗吸10~12d，实验结果如图3所示。与连续驱替相比，周期驱替驱油效率又有较大幅度提高，注入体积倍数6.854PV驱油效率达到最高78.6%，比连续驱替驱油效率提高了27.2%。其中，0.478PV时驱油效率较连续驱替提高14.1%。油藏现场，注入1~2个月，停注10~15d左右(根据油藏条件合理闷井时间确定)的周期驱替较根据含水变化决定周期时间更具操作性。非常规油藏周期驱替在于发挥纳米剂渗吸排油、扩大微观波及体积等作用，不同于提高低渗层动用程度、降含水等目的常规油藏周期驱替。

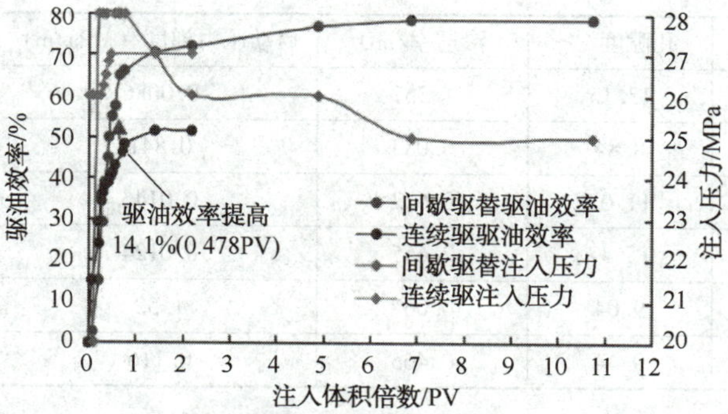

图 3　周期驱替与连续驱替驱油效率、注入压力实验对比曲线

之前各实验已经证实体积压裂渗吸开发之后进行驱替开发仍有较大的提高驱油效率的潜力，周期驱替实验则进一步发现周期驱替驱油效率高于连续驱替，蓄能体积压裂开发之后采用周期驱替方式有助于进一步提高驱油效率和采收率，改善开发效果。

3　接续驱替开发可行性

国外特低渗和超低渗油藏提高采收率的注入试验证明，注入能力对于水力压裂储层不是问题，水力压裂作业极大地改善了井的生产能力和注入能力，极大地增加了自由流体和储层基质的接触面积。启动压力梯度分析和采出量等效法进一步分析了转驱替的可行性。

3.1　*启动压力梯度法预测注入压力*

3.1.1　实验方法与步骤

启动压力梯度实验中流量采用光电式微流量检测仪计量，用气瓶和低压定压装置作为压力源。应用压差-流量法，分为单相和多相流体启动压力梯度实验分别进行。单相实验步骤为：①将岩心烘干 24h 后测量岩心基本参数；②将岩心放入夹持器中抽真空同时饱和油，老化 24h 后根据饱和油前后岩心重量差确定岩心孔隙体积；③按图 4 所示连接仪器，注意保证在实验温度下压力容器中的压力为一个大气压；④利用手摇泵略微压缩压力容器中气体体积，待压力平稳后通过高精度压差传感器和微流量计量装置测量岩心两端压差及出口端流量；⑤逐步缓慢地增加压力容器中气体的压力，等待压差和流量基本平稳后读取相应值。

两相启动压力梯度实验步骤为：①岩心标号、洗油，烘干，测试岩心干重、长度、直径等基础参数；②实验岩心气测孔隙度、渗透率；③抽真空并加压饱和模拟地层水，利用岩心湿重与干重差计算孔隙度(水测孔隙度)；④用煤油驱替岩心约 10PV，建立岩心的饱和油束缚水状态，以模拟油作为驱替介质，记录不同驱替压力下的稳定压力及稳定流量，最后停泵，记录压力不再降低时的稳定压力。实验装置如图 4 所示。

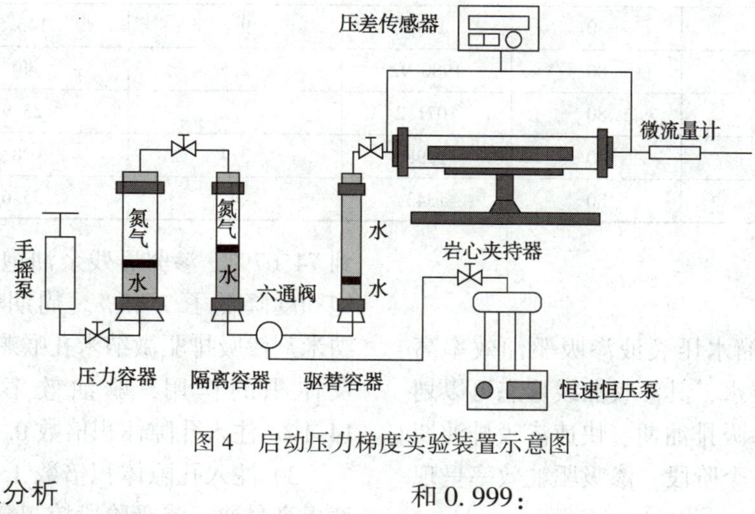

图 4　启动压力梯度实验装置示意图

3.1.2　实验结果及分析

启动压力梯度实验结果见表 2。分析启动压力梯度与储层渗透率关系，无论是单相还是两相流体启动压力梯度均与储层渗透率具有高度相关的幂函数关系(式 1~2)，相关系数分别为 0.986 和 0.999：

单相：$D_p = 0.0103K^{-1.714}(R = 0.986)$　　(1)

两相：$D_p = 0.0438K^{-1.307}(R = 0.999)$　　(2)

式中，D_p 为启动压力梯度，MPa/m；K 为储层渗透率，mD。

根据启动压力梯度实验结果，长 7^1、长 7^2 亚段现有井距400m的长水平井可以实现连续注水和驱替。

表2　ZN油田启动压力梯度实验岩心及结果统计

	序号	井号	井深/m	层位	孔隙度/%	渗透率/mD	启动压力梯度/(MPa/m)
单相	1	L52-4	1209.79	长2(C2)	13.15	1.357	0.0086
	2	N51-H702D	1665.12	长7(C7)	8.84	0.083	0.841
	3	N175Z2-5	2070.19	长8(C8)	11.07	0.622	0.0146
两相	1	L52-4	1211.52	长2(C2)	15.47	2.655	0.0124
	2	N51-H702D	1670.52	长7(C7)	9.04	0.067	1.52
	3	N175Z2-5	2072.88	长8(C8)	9.44	0.465	0.116

3.2　采出量等效法预测注入压力

在页岩油水平井筒附近，受大规模压裂影响，储层渗流条件大为改善，以达西渗流为主。在采出和注入满足达西渗流和储层渗透率不变的条件下，根据产液量和对应的生产压差，由下式可以计算注水量和注入压力，结果见表3。

$$Q_{inj}=Q_L\times(P_{inj}+0.01h_w-P_{res})/(P_{res}-P_f) \quad (3)$$

$$P_{inj}=Q_{inj}\times(P_{res}-P_f)/Q_L+P_{res}-0.01h_w \quad (4)$$

式中，Q_{inj}，日注水量，m^3/d；Q_L，日产液量，m^3/d；P_{inj}，注水压力(井口)，MPa；P_{res}，油藏平均压力，MPa；P_f，生产井井底流压，MPa；h_w，水平段垂深，m。

采用放喷时井口压力、产量等数据，地层压力由蓄能压裂物质平衡方程计算，根据式(4)预测注水井口压力如表3所示，多数页岩油水平井压裂后注水压力都较低，在地层压力下降到饱和压力之前转注有利于页岩油水平井驱替。

表3　水平井注水压力预测表

井号	注水井口压力/MPa	日注水量/(m^3/d)	水平段深度/m	初期井口压力/MPa	初期日产液量/(m^3/d)	油藏压力/MPa
N179-H601	6.7	80	1390.74	2.8	84.3	18.7
L83-H1	9.0	80	1480	3.8	85.3	20.3
Z161-H701	16.1	80	1435.8	1.2	65	21.1
N218-H1	11.8	80	1948	3.4	64.6	25.5
N175-H1	10.0	80	1904	9.6	146.5	28.2
N175-H3	19.1	80	1980.92	2.5	40	26.5
L63-H202	16.4	80	1071.2	1.2	23.9	13.9
L208-H201	10.7	80	1198	3.7	28	16.0
L208-H203	10.3	80	1343	4	35.6	18.0

4　认识与结论

1）纳米剂和滑溜水压裂液渗吸驱油效率高于表面活性剂、地层水，其渗吸曲线形态可以划分出空窗期、高速渗吸排油期、快速渗吸排油期和低速渗吸排油期4个阶段，渗吸驱油效率呈现阶段性变化特征；

2）渗吸后再驱替的驱油效率仍有较大提升。质量体积分数0.02%的纳米剂渗吸驱油效率与之后驱替的驱油效率相近，总的“现实(生产)”驱油效率达到67.97%，最终(理论)驱油效率达到74.67%，渗驱后残余油饱和度较水驱残余油饱和度降低了7.43%。周期驱替能够更好发挥纳米剂渗吸排驱微纳米孔喉剩余油、提高微观波及体积的作用，驱油效率较连续驱替提高14.1%(注入孔隙体积倍数0.478PV时)；

3）注入孔隙体积倍数1.0PV之前，驱油效率提高最快，渗吸阶段控制合理闷井时间，驱替阶段控制适当注入量是页岩油实现高效开发的重要因素。

4）启动压力梯度、采出量等效法和渗吸接续驱替实验等显示蓄能体积压裂开发后能够实现常压转驱，页岩油、致密油纳米剂驱替不但必要，而且可行。

鸣谢

本实验由中国石油辽河油田公司勘探开发研究院勘探开发试验中心蒋美忠全程负责，肖传敏、杨松协助完成，有关专家提供指导，特此表示感谢！

参 考 文 献

[1] 杨智，邹才能．“进源找油”：源岩油气内涵与前景[J]．石油勘探与开发，2019，46(1)：173~184.

[2] 焦方正．鄂尔多斯盆地页岩油缝网波及研究及其在体积开发中的应用[J]．石油与天然气地质，2021.11：1181~1187.

[3] 郭焦锋，王婕，孟凡达．对标国际一流，切实推进中国页岩油上游产业高质量发展[J]，中国石油勘探，2019.9：547-551.

[4] 赵跃军，李宜霖，董驰，等．纳米颗粒材料在油气田开发中的应用进展[J]．能源化工，2021.2：1-6.

[5] 王瀚，苏玉亮，王文东，等．基于格子 Boltzmann 方法的页岩纳米多孔介质流体流动模拟[J]．石油学报，2023，44(3)：534-544.

[6] 李佳，陈明贵，耿向飞，等．低界面张力活性纳米流体的研制与渗吸驱油机理分析[J]．油田化学，2021.6：284-290.

[7] 陈刚．纳米驱油技术应用研究——以 QSS-46 井组为例[J]．钻采工艺，2021.03：110-113.

[8] 雷群，罗健辉．纳米驱油剂扩大水驱波及体积机理[J]．石油勘探与开发，2019，46(5)：937-942.

[9] 陈世军，先思蓉．油田用纳米驱油剂提高采收率的机理与影响因素[J]．化工技术与开发，2020.11：50-54.

[10] ZHANG H，et al. Enhanced oil recovery (EOR) using nanoparticle dispersions：Underlying mechanism and imbibition experiments [J] Energy Fuels. 2014，28 (5)：3002-3009.

[11] NIKOLOV A. KONDIPARTY K. WASAN D. Nanopraticle self in a nanofluid film spreading on a solid surface [J]. Langmuir 2010，26(11)；7665-7670.

[12] CHENGARA A. NIKOLOV AD. WASAN DT. et al. Spreading of nanofluids driven by the structural disjoining pressure gradient[J]. J Colloid Interface Sci. 2004. 280 (1)：192-201；

[13] KAO R L，et al. Mechanisms of oil removal from a solid furface in the presence of anionic micellar solutions[J]. Colloid Surf. 1988. 34(4)：389-398；

[14] TROKHYMCHUK A. et al. A simple calculation of structural and depletion forces for fluids/suspensions confined in a film[J]. Langmuir. 2001，17(16)：4940-4947；

[15] KONDIPARTY K，et al. Dynamic spreading of nanofuluids on solids. Part Ⅰ：experimental [J] Langmuir，2012. 28(41)：14618-14623

[16] MORADI B，et al. Experimental study of water-based nanofluid alternating gas injection as a novel enhanced oil-recovery method in oil-wet carbonate reservoirs [J]. J Nat Gas Sci Eng，2015，27：64-73；

[17] MOSLAN M S，et al. Wettability alteration of dolomite rock using nanofluids for enhanced oil recovery [J]. Mater Sci Forum，2016，864：194-198；

[18] 王小聪．现场水配制纳米驱油剂及其驱油机理[J]，石油学报，2021.42(3)：350-357.

[19] 姚文鸿，俞力．江苏油田纳米溶液驱油实验研究[J]．石油化工应用，2011，30(1)：8-12.

[20] 张景楠，田磊，张红卫．纳米流体强化驱油机理研究进展[J]．油田化学，2021.3：184-190.

[21] 郇国栋．纳米驱油剂性能评价探索[J]．油田化学，2021.2：291-295.

[22] 耿向飞．致密储层纳米流度改性剂的微流控模拟评价[J]．油田化学，2019.6：267-270；

[23] 郭建春，马莅，卢聪．中国致密油藏压裂驱油技术进展及发展方向[J]．石油学报，2022，43(12)：1788-1797.

[24] 郭建春，陶亮，胡克剑，等．页岩储层水相渗吸作用规律实验[J]．石油学报，2022，43(9)：1295-1304.

[25] 朱秀川，胡钦红，蒙冕模，等．页岩储层渗吸过程中水的微观分布及其气测渗透率动态响应特征[J]．石油学报，2022，43(4)：533-547.

[26] 黄兴，窦亮彬，左雄娣，等．致密油藏裂缝动态渗吸排驱规律[J]．石油学报，2021，42(7)：924-935.

[27] 王付勇，曾繁超，赵久玉．低渗透/致密油藏驱替-渗吸数学模型及其应用[J]．石油学报，2020，41(11)：1396-1405.

[28] 李耀华，宋岩，徐兴友，等．鄂尔多斯盆地延长组7段凝灰质页岩油层的润湿性及自发渗吸特征[J]．石油学报，2020，41(10)：1229-1237.

[29] 杨柳，等．致密油储层压裂液返排及渗吸机理[M]．中国石化出版社，2020.4。

[30] 付京，姚博文，雷征东，等．北美超低渗致密油藏提高采收率技术现状[J]．西南石油大学学报(自然科学版)，2021，43(5)：166183.

四川盆地龙王庙组压溶作用发育控制因素及减孔模型

杨伟强[1,2]　邹华耀[2]　张纪喜[1]　祖克威[1]　王　义[1]　许西挺[1]　李盈楠[1]

[1. 中国石化中原油田分公司勘探开发研究院；2. 中国石油大学(北京)地球科学学院]

摘　要　压溶作用是深层-超深层碳酸盐岩储层减孔的关键成岩作用，而龙王庙组现今的压溶作用研究以描述现象和对储层的破坏作用为主，缺乏对压溶作用破坏储层的定量评价。本研究运用岩石学、沉积学，围绕缝合线发育分布及其控制因素，取得了以下认识。(1)四川盆地龙王庙组发育4种主要的岩石类型和3种不同形状的缝合线。(2)龙王庙组压溶作用受岩相类型及其结构组分的影响。洁净的颗粒白云岩，即不含云泥，颗粒含量为50%~70%，胶结物含量为25%~30%的颗粒白云岩，具有最强的抗压溶能力。(3)龙王庙组颗粒白云岩、泥粒白云岩、粒泥白云岩、泥晶白云岩中埋藏胶结物平均含量依次为7.1%、4.7%、1.9%和0.4%。龙王庙组压溶形成的物质由缺乏孔隙的泥晶白云岩向富含孔隙的颗粒白云岩迁移，厚层颗粒滩的抗压溶能力最强，有利于优质储层孔隙的保存。

关键词　四川盆地；龙王庙组；压溶作用；控制因素；减孔模型

2012年，川中地区发现安岳特大型气田，证实了寒武系龙王庙组发育优质颗粒白云岩储层。高能颗粒滩沉积和准同生期暴露是龙王庙组早期储层发育的基础，但是龙王庙组同样还经历了漫长的埋藏期(>5亿年)和较深的埋藏深度(5000~8000m)，埋藏阶段的成岩作用对孔隙的保存同样至关重要。此外，压实-压溶作用的定量化研究也是沉积期古地貌恢复的重要内容之一。

碳酸盐岩脱离海水环境，进入相对封闭的埋藏环境，流体-岩石间的交互变弱，使得后期成岩作用的成储效应相对有限，更为重要的早期储层孔隙的保存，其中对储层影响最为显著的是压溶作用。压溶作用是颗粒在应力的作用下，首先相互接触并溶蚀；其次，溶解的物质向外扩散；最后溶解的物质在无压环境下沉淀。压溶作用通过两种方式降低孔隙：一是缝合作用减孔，二是压溶引起的胶结。前人对密西西比Smackover组进行研究发现，压实、压溶和胶结的共同作用将颗粒碳酸盐岩的粒间孔隙度降低到0%，在原始40%的孔隙度中，压实作用减孔12.8%，压溶作用破坏了14.7%，压溶作用引起的胶结减少12.5%。缝合线按照成因也可以分为三类(沉积型、构造型、擦痕)，本文主要讨论沉积型缝合线特征及其发育分布控制因素。压溶作用影响因素较多，可划分为两类，一类与自身属性有关，另一类与外部环境相关。与岩石自身属性相关的主要有原始矿物成分、不溶残余物的含量、白云岩化作用等。外部环境的影响主要有静岩压力、构造应力、油气充注等。本文主要讨论本身属性(岩相、结构组分)对压溶作用的影响。

一些学者在龙王庙组的研究中发现随着埋深增大，可见切割泥-粉晶白云石晶体的缝合线构造，沿着缝合线界面形成不均匀的白云岩化作用，并普遍认同早期白云岩化作用增强了岩石的抗压溶能力；晚期的埋藏白云岩化对储层的积极作用较弱，以充填为主，更多的是对储层的破坏作用。此外，也有些学者就缝合线构造的启闭性进行讨论，一部分学者认为缝合线可以作为流体的渗流提供良好的通道；另外一些学者认为缝合线被压溶残渣充填，而不具备储、渗性。总而言之，对于龙王庙组压溶作用以描述其现象以及对储层的破坏作用为主，但局限于描述，缺乏定量评价岩相、结构组分对缝合线构造发育分布的影响、压溶作用对储层破坏的定量评价和对压溶作用引起的胶结作用的相关研究。包括的具体问题：①定量评价结构组分、岩相对缝合线构造发育分布的影响；②不同的岩石类型埋藏期胶结物是差异发育规律；③颗粒滩储层压溶-胶结作用减孔模型。

1 地质背景

四川盆地寒武系经历了下寒武统筇竹寺组(炭质页岩、页岩及泥岩)和沧浪铺组(粉砂岩、泥岩及砂岩)填平补齐作用后，四川盆地龙王庙组自西向东地势相对平坦，以缓坡台地为主，受古陆的影响，局部发育少量陆源碎屑沉积，岩性以白云岩、灰岩为主(图1)，局部发育混积岩及膏盐岩，纵向上可划分为1个三级层序，4个四级层序。龙王庙组沉积之后，海水向东南方向退去，沉积了以泥质白云岩、云质粉砂岩为主的中寒武统高台组沉积。四川盆地龙王庙组分布广泛且厚度较为稳定，与上下地层均呈整合接触，地层厚度在62~300m。

研究区龙王庙组沉积相自西向东划分为内缓坡相、中缓坡相、外缓坡-盆地相；以内缓坡、中缓坡沉积为主，内缓坡内部可细分为颗粒滩、台坪、混积潮坪、滩间海、潟湖亚相；中缓坡内可划分为颗粒滩、滩间海亚相(图1)。不同相带的岩石学特征如表1所示。

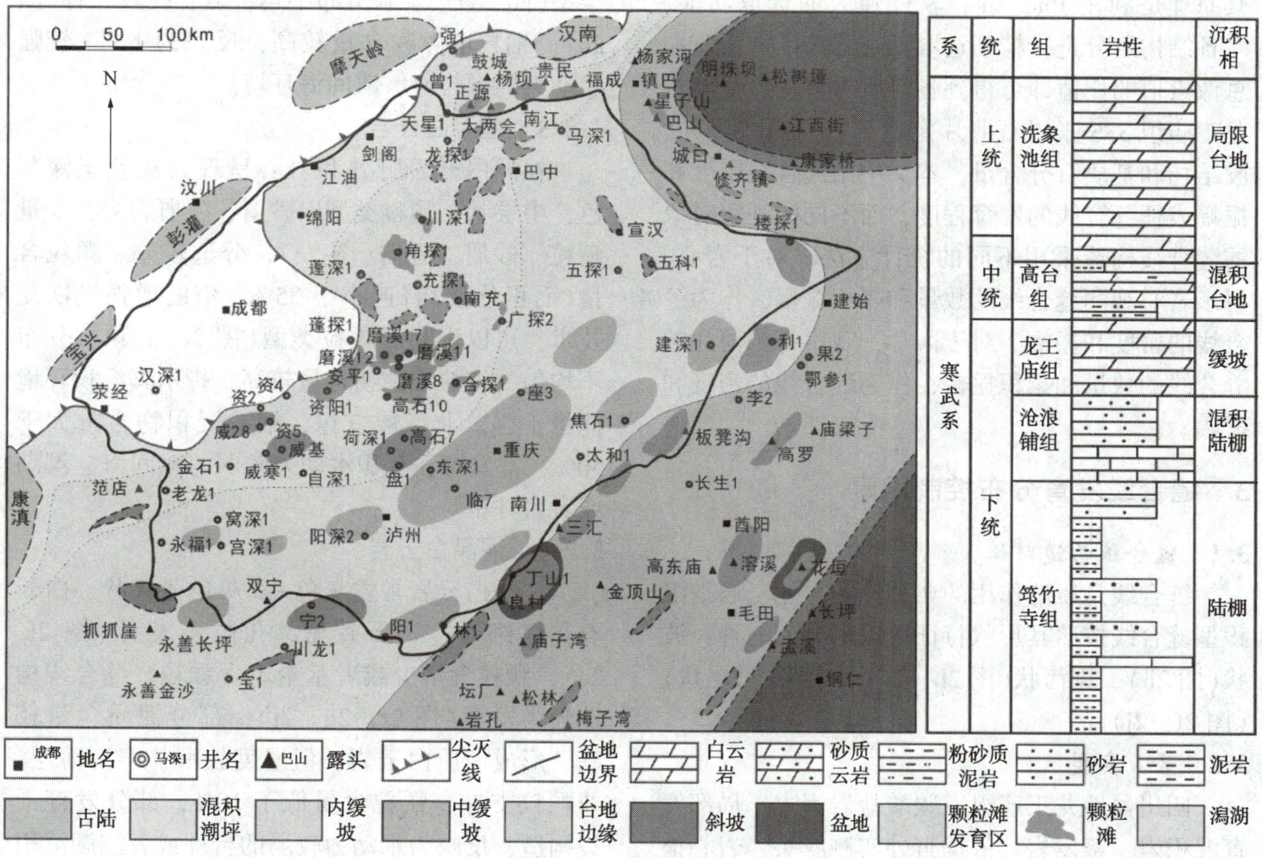

图1　四川盆地龙王庙组沉积相平面展布及寒武系地层柱状图(据杨伟强等修改)

表1　四川盆地龙王庙组沉积相类型及特征

相		亚相	沉积岩性
缓坡沉积	内缓坡	颗粒滩	颗粒白云岩，中-细晶白云岩，粉晶白云岩，泥粒白云岩，粒泥白云岩
		混积潮坪	砂质白云岩，粉砂质白云岩，云质砂岩，云质粉砂岩，泥质白云岩
		台坪	泥粉晶白云岩，粒泥白云岩，灰质泥晶白云岩，白云质泥晶灰岩
		潟湖	泥粉晶白云岩，膏质白云岩，膏岩
		滩间海	泥粉晶白云岩，粒泥白云岩，泥质白云岩
	中缓坡	颗粒滩	颗粒灰岩，颗粒白云岩，泥粒灰岩
		滩间海	泥晶灰岩，粒泥灰岩，泥质灰岩

2 样品与实验方法

本次对4口井的岩心(磨溪12、磨溪11、高石10和五探1)和7个露头(杨坝、福成、范店、板凳沟、梅子湾、修齐镇和正源剖面)进行了研究。所有样品均未经明显风化，制备普通薄片258张，铸体薄片372张。薄片经茜素红染色，在Nikon ECLIPSE LV100N POL偏光显微镜下观察并拍照。

采用图像分析方法进行岩石薄片定量研究，其原理是利用Photoshop软件强大的选取功能，对各结构组分进行精细选取，查看选区像素值和总像素值的比值即可得到各自所占百分含量。对龙王庙组336张岩石薄片定量统计岩石中颗粒、胶结物和基质百分含量。本文中用缝合线密度和振幅表征缝合线的发育程度，而不同的观察对象的缝合线构造采用不同的统计方法。对于岩心，每米岩心观测缝合线的数量和累积振幅，作为缝合线的密度和振幅。对于薄片，观察每张薄片的缝合线的数量和累积振幅，作为缝合线的密度和振幅。

3 缝合线发育分布控制因素

3.1 缝合线构造特征

缝合线是压溶作用的典型产物，龙王庙组沉积型缝合线按照其形状特征可以划分为三种：波状(图2h)、锯齿状(图2b，2e)和束状(马尾状)(图2f，2j)。

3.2 岩石类型

四川盆地龙王庙组以碳酸盐岩为主，局部发育混积岩、蒸发岩。依据野外实测露头、岩心描述以及显微镜下岩石薄片鉴定，为避免矿物成分对结论的干扰，所选样品均为白云岩，采用邓哈姆的碳酸盐岩分类方法，具体识别出四种：颗粒白云岩、泥粒白云岩、粒泥白云岩、泥晶白云岩。

3.2.1 颗粒白云岩

颗粒白云岩常为灰色中厚层状，部分为块状，连续沉积的厚度在2~8m。颗粒类型以砂屑、鲕粒为主(图2a，2b)，其次为粉砂屑、藻砂屑。受白云岩化、重结晶作用影响，颗粒结构常被破坏，可见颗粒边界形态(图2a)，颗粒含量(面积分数)多在55%~65%，粒径分布在0.15~0.8mm间。颗粒多由粉细晶白云石构成，部分由泥晶白云石构成。颗粒间为亮晶白云石胶结，可识别出1~3期胶结物(图2a，2b)，不含灰泥，颗粒含量高，发育交错层理、平行层理、波痕等构造，反映为高能沉积环境的颗粒滩。

3.2.2 泥粒白云岩

泥粒白云岩为灰色至深灰色，中至厚层，颗粒类型由粉砂屑、似球粒、鲕粒、砂屑和砾屑构成(图2c，2d，2h)，分选较差，颗粒含量(面积分数)大于55%，受后期成岩改造，颗粒结构难以识别，借助增强光恢复技术，可以识别出颗粒类型(图2d)。颗粒分布不均，缝合线较发育(图2d)。细粒填隙物含量较高，反映为中等-较强水动力的颗粒滩、滩间海环境。

3.2.3 粒泥白云岩

粒泥白云岩野外和岩心呈现为灰色至深灰色，中层状。颗粒类型以砂屑、生屑为主，少量鲕粒、砂屑、砾屑(图2e)，分选较差。颗粒含量(面积分数)普遍小于35%，借助增强光恢复技术，可以识别出颗粒类型(图2e)。颗粒分布不均匀，细粒填隙物含量较高，指示其沉积环境能量不强。非颗粒支撑，细粒沉积物含量大于50%，常发育在沉积水动力较弱的滩间海、潟湖或者台坪中。

3.2.4 泥晶白云岩

泥晶白云岩常委灰色-浅灰色薄层状，白云石晶体细小，岩石致密，孔隙不发育(图2f，2g)，颗粒含量少或者基本不含颗粒，缝合线构造较为发育(图2f，2g，2j)，部分泥质含量较高，形成泥质白云岩，但厚度较薄，多为薄层。非颗粒支撑，颗粒含量低于10%，部分发育干裂构造，反映为水动力较弱的台坪或者潟湖沉积环境中。

3.3 岩相对压溶的控制作用

从龙王庙组岩心观察的结果发现，缝合线发育程度与岩相类型密切相关。泥晶白云岩和粒泥白云岩中的缝合线发育特征与泥粒白云岩和颗粒白云岩存在明显不同。观察的岩心均为白云岩，排除了矿物成分对结果的影响。

龙王庙组的颗粒白云岩、泥粒白云岩、粒泥白云岩和泥晶白云岩中缝合线的密度和振幅依次增大(图3)。结果与前人关于四川盆地飞仙关组、阿布扎比Khuff组研究成果一致。其中，泥晶白云岩中缝合线的密度和振幅是颗粒白云岩的两倍(图3)，说明颗粒白云岩对压溶作用有较强的抵抗作用。不同的岩石类型的颗粒和基质含量存在差异。泥晶基质粒径较小(<4μm)，比表面积远大于颗粒，同等情况下更有利于缝合线的形成。因此，不含基质的颗粒白云岩对压溶作用有较强的抵抗力，有利于孔隙的保存。

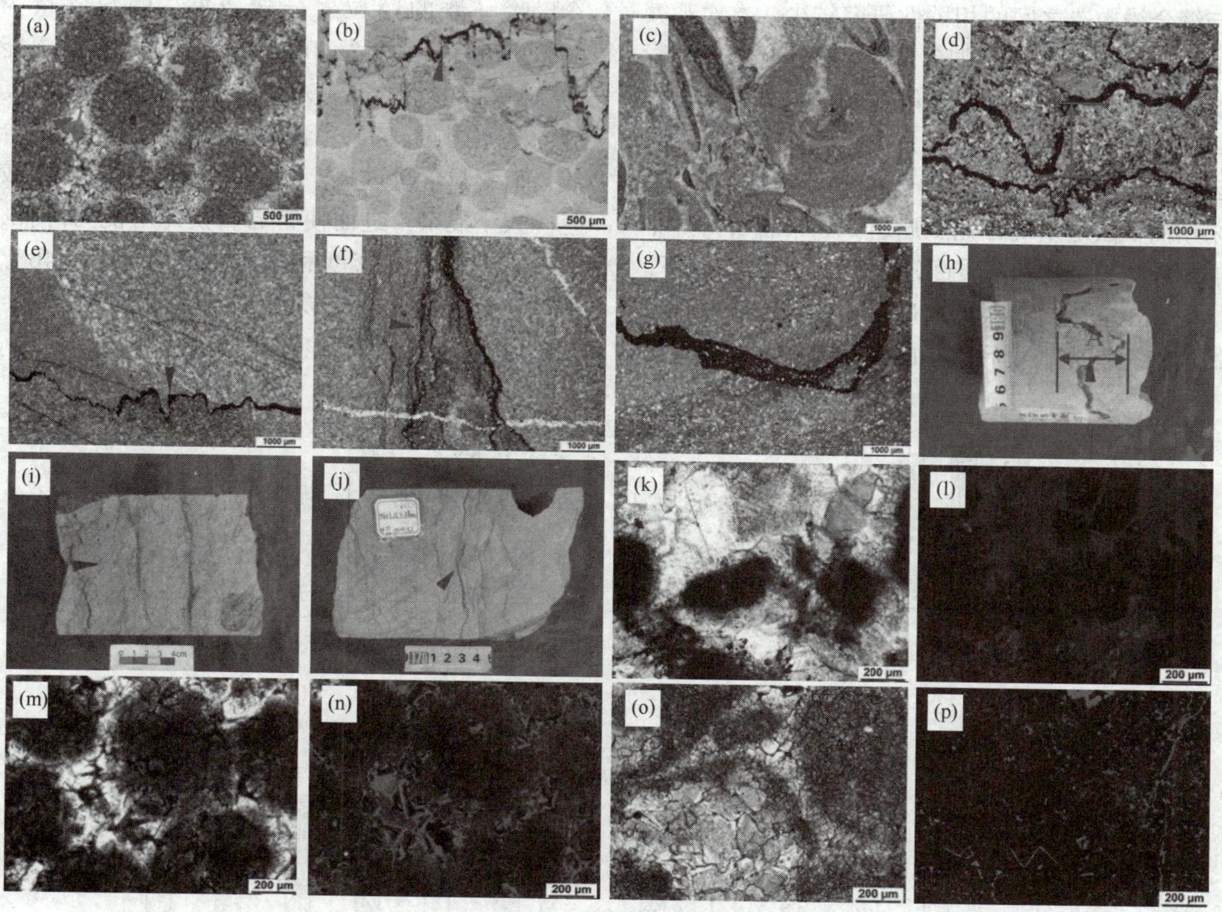

图2　四川盆地龙王庙组颗粒滩野外露头及薄片照片

a，鲕粒颗粒白云岩，单偏光，高石10；b，鲕粒颗粒白云岩，锯齿状缝合线(蓝色箭头)，单偏光，高石10；c，泥粒白云岩，单偏光，高石10；d，泥粒白云岩，波状、锯齿状缝合线，单偏光，高石10；e，粒泥白云岩，锯齿状缝合线，单偏光，高石10；f，泥晶白云岩，束状/马尾状(蓝色箭头)，单偏光，高石10；g，泥晶白云岩，束状/马尾状(蓝色箭头)，单偏光，高石10；h，泥粒白云岩，高振幅波状缝合线，A为缝合线振幅，高石10；i，粒泥白云岩，低振幅锯齿状缝合线(蓝色箭头)，高石10；j，泥晶白云岩，束状/马尾状(蓝色箭头)，磨溪12；k，砂屑颗粒灰岩，单偏光，板凳沟；l，为照片k同视域阴极光下照片，砂屑发光较暗，粒间胶结物发光较亮，板凳沟；m，鲕粒颗粒白云岩，单偏光，高石10；n，为照片m同视域阴极光下照片，鲕粒发光较暗，粒间胶结物发光较亮，高石10；o，残余颗粒白云岩，单偏光，杨坝；p，为照片o同视域阴极光下照片，发光较暗，杨坝。

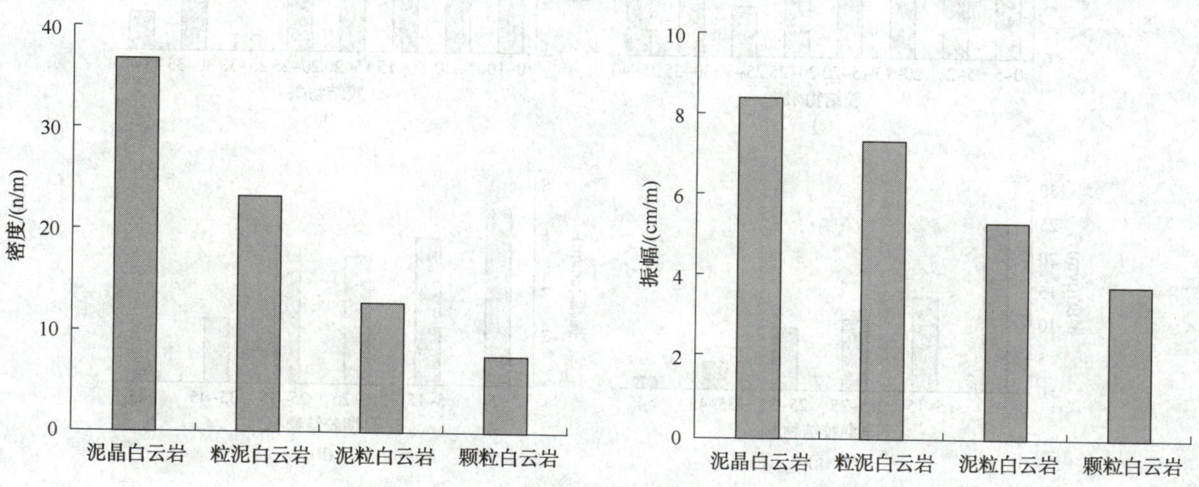

图3　四川盆地龙王庙组岩心中不同岩石类型缝合线参数分布

3.4 结构组分对缝合线的影响

前人已经开展较多关于岩相与缝合线相关性的研究，但关于结构组分(颗粒、胶结物、基质)与缝合线构造之间的相关性研究较少。本次观察的岩心均为白云岩，排除了矿物成分对结果的影响。此外，龙王庙组白云化作用发生早于压溶作用，岩石的大部分结构成分得以保存，排除了白云岩化过程中对缝合线形成的差异改造的影响。采用面积法定量统计龙王庙组336张岩石薄片中的颗粒、胶结物和基质百分含量，具体结果如下。

龙王庙组缝合线的密度和振幅随着颗粒含量的增加呈现先增大后减小的趋势(图4)，低谷出现在颗粒含量为50%~70%的范围内。这与岩石的沉积环境有关，颗粒含量在50%~70%的岩石分选较好，沉积水动力强，基质含量低，比如现今巴哈马滩的鲕粒岩分选较好，鲕粒含量为60%，初始孔隙度为40%，具有较强的抗压溶能力。颗粒含量低于50%时，岩石呈现非颗粒支撑，基质含量较高，容易遭受压溶和形成缝合线。而颗粒含量过高，则反映岩石中颗粒分选较差，大小混杂，进而使得岩石抗压溶能力降低，致使岩石缝合线密度和振幅增高(图4a，4b)。因此，分选良好的碳酸盐岩(颗粒含量为50%~70%)具有较强的抗压溶作用能力。

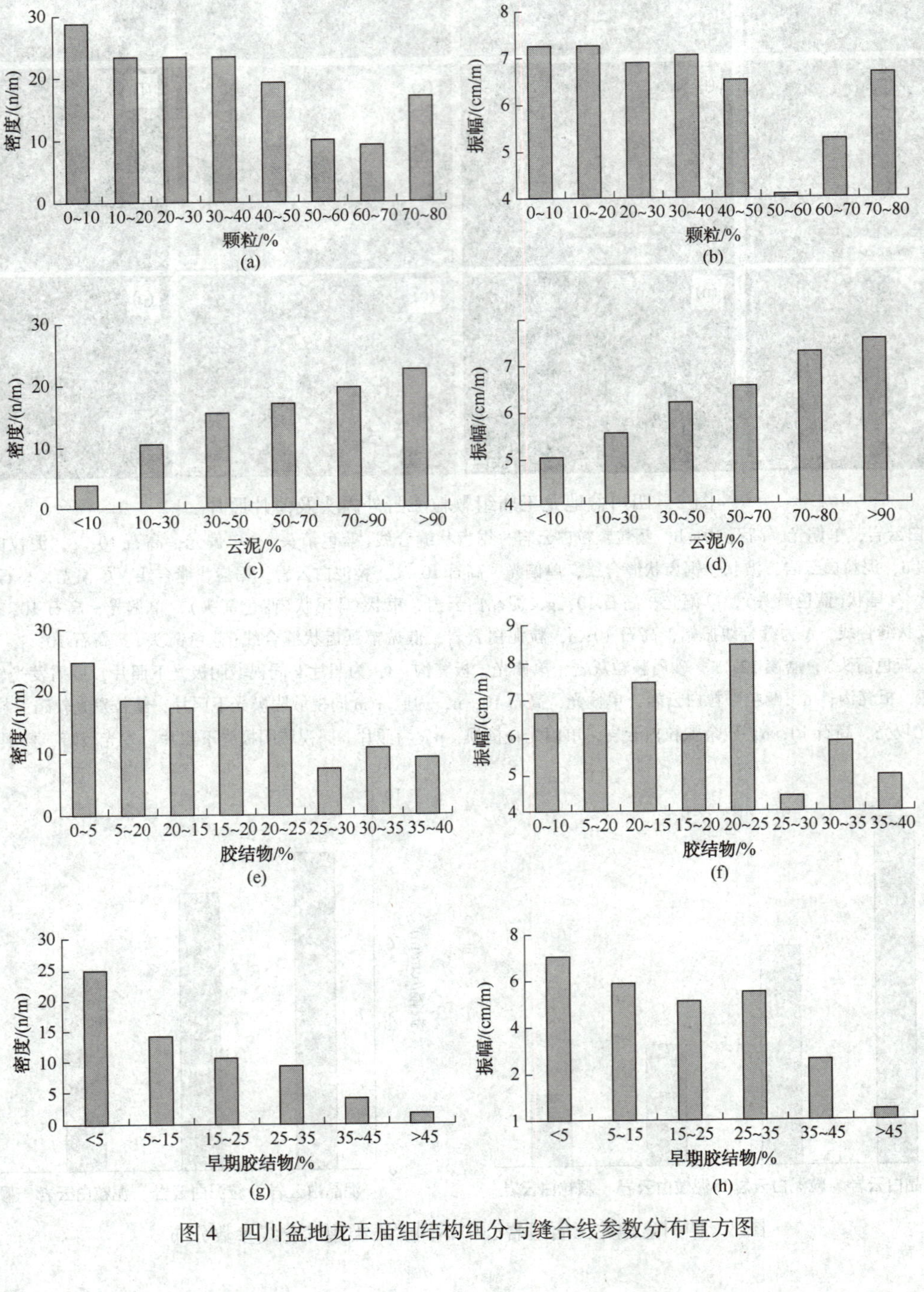

图4　四川盆地龙王庙组结构组分与缝合线参数分布直方图

基质通常被认为是导致岩石非均质性和缝合线形成的主要原因。龙王庙组缝合线的密度和振幅随着基质含量的增加而增加(图 4c，4d)。基质的存在反映岩石原始沉积环境水动力不强，岩石分选差，大小混杂，岩石的非均质性强，有利压溶作用的发育和缝合线的形成。其次，基质的粒径小，比表面积远大于颗粒，同等情况下，更容易遭受压溶而形成缝合线。

对于岩石中的胶结物来说，随着胶结物含量的增加，岩石中缝合线的密度逐渐降低，而胶结物含量与缝合线振幅的相关性较差(图 4e，4f)，但是当胶结物含量大于 25%时，缝合线的密度和振幅都较低。胶结物含量为 25%~30%的岩石中缝合线密度和振幅最低。这种结果没有区分胶结物的期次。龙王庙组胶结物进一步可划分为海底胶结物、大气淡水胶结物和埋藏胶结物。埋藏胶结作用与埋藏期的孔隙流体、热液等相关，其中大部分是龙王庙组漫长的埋藏期中压溶作用形成的。统计形成在缝合线之前的早期胶结物(海底胶结物、大气淡水胶结物)含量，发现随着早期胶结物含量的增加，岩石中缝合线的密度和振幅逐渐降低(图 4g，4h)。较高含量的早期胶结物，有利于抑制后期压溶作用。

4　压溶对储层的破坏作用

4.1　胶结物期次

前人从密西西比 Smackover 组的研究中发现，压实、压溶和胶结将颗粒灰岩的粒间孔隙度降低到 0。其中，压实作用破坏了 12.8%，压溶作用破坏了 14.7%，压溶引起的胶结减少 12.5%。有学者通过元素示踪、物质守恒发现，埋藏期 47%~90%的胶结物来源于压溶作用，也有学者认为埋藏期的胶结物主要来源是压溶作用。龙王庙组(519~524Ma)胶结物可分为海底胶结物、大气淡水胶结物和埋藏胶结物。海底胶结物的矿物主要为高镁方解石，阴极发光下发暗红色或者不发光(图 2k，2l)。高镁方解石比方解石不稳定，遭受大气淡水时更容易被溶蚀。大气淡水胶结作用是发生在近地表的大气淡水成岩环境，以等轴环边状胶结为主(图 2m，2n)，显示出比海底胶结物更强的阴极发光。亮晶胶结物部分或完全封堵孔隙是造成岩石孔隙度降低，但龙王庙组气候干旱，大气降水较少，大气淡水胶结作用不太发育。埋藏胶结作用与埋藏期的孔隙流体、热液等相关，其中大部分是龙王庙组漫长埋藏期中压溶作用形成，充填于孔隙中心的块状胶结物，晶体较粗大，以细-粗晶为主，不具或极弱阴极发光(图 2o，2p)。

4.2　不同岩相的胶结物含量

采用面积法对薄片不同类型胶结物含量进行定量统计。不同岩石类型埋藏期胶结物含量如图 5 所示。埋藏期胶结物含量从高到低依次为颗粒白云岩、泥粒白云岩、粒泥白云岩、泥晶白云岩，平均含量依次为 7.1%、4.7%、1.9%和 0.4%。

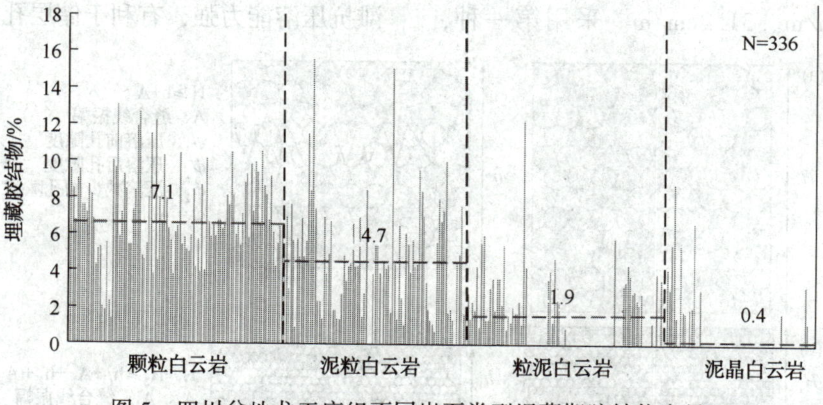

图 5　四川盆地龙王庙组不同岩石类型埋藏期胶结物含量

4.3　减孔模式

颗粒在压力的作用下，首先相互接触并溶蚀；其次，溶解的物质向外扩散；最后溶解的物质在无压环境下胶结。压溶作用降低孔隙主要通过缝合作用和压溶引起的胶结作用。理想条件下，岩石发生压溶，随后压溶形成的物质就近沉淀，不发生迁移，进而形成缝合线。这种情况下，压溶作用形成的胶结物含量与缝合线振幅大致相当。当把岩石划分成不同的类型，分析不同岩石类型中埋藏期胶结物含量与缝合线振幅的关系发现，不同的岩石类型存在差异。采用埋藏期胶结物和缝合线振幅的比值反映不同岩石的差异，其中颗粒白云岩为1.5，泥粒白云岩为0.7，粒泥白云岩为0.3，泥晶白云岩为0.1(图6)。泥晶白云岩和粒泥白云岩缝合线的密度和振幅远大于颗粒白云岩，但岩石中埋藏期的胶结物含量却远低于颗粒白云岩，反映压溶形成的物质由缺乏孔隙的泥晶白云岩、粒泥白云岩向富含孔隙的颗粒白云岩、泥粒白云岩迁移，这也造就了颗粒白云岩中的埋藏期胶结物高于压溶作用形成的量。但粒泥白云岩、泥晶白云岩中压溶产生的物质也并未完全迁移到富含孔隙的岩石中沉淀。基于此，建立龙王庙组颗粒碳酸盐岩的减孔量模型。

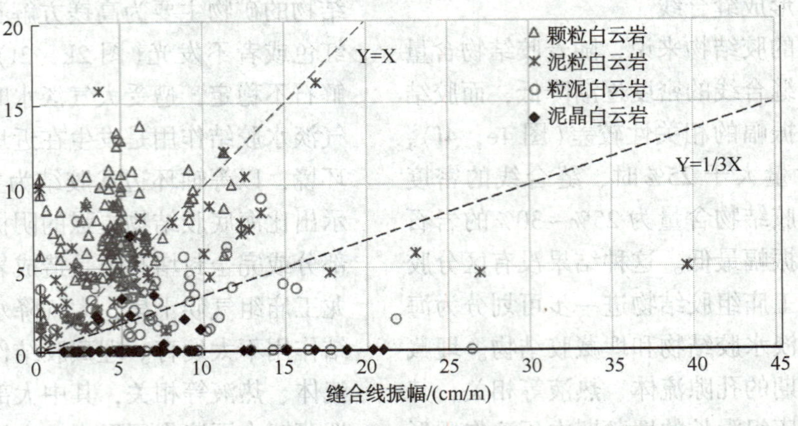

图6　四川盆地龙王庙组不同岩石类型与缝合线振幅散点图

分两种极端情况讨论，一是只有颗粒碳酸盐岩因压溶作用形成的物质在颗粒碳酸盐岩中沉淀，这是颗粒碳酸盐岩因压溶作用减少的最小孔隙度(图7a)。二是颗粒碳酸盐岩和临近细粒碳酸盐岩压溶形成的物质均在颗粒碳酸盐岩粒间孔隙中沉淀，这是颗粒碳酸盐岩因压溶作用减少的最大孔隙度(图7b)。统计不同岩石类型的缝合线平均振幅，发现颗粒白云岩、泥粒白云岩、粒泥白云岩、泥晶白云岩、颗粒灰岩、泥晶灰岩缝合线振幅分别为3.8cm/m、5.3cm/m、7.3cm/m、8.4cm/m、9.8cm/m、31.2cm/m。采用第一种，得到不同岩相最小的减孔量为3.8%、5.3%、7.3%、8.4%、9.8%、31.2%，颗粒白云岩因为压溶减少的孔隙度最低。地层不可能为均质沉积，不同区带发育的沉积样式存在差异，四川盆地龙王庙组发育3种与颗粒滩相关的水体向上变浅的沉积组合：多期颗粒滩垂向叠置、颗粒滩-台坪(混积潮坪)、滩间海-颗粒滩(-台坪)，不同颗粒滩组合的颗粒岩比例存在差异。采用第二种模型，颗粒岩比例越高，则因为压溶产生的胶结物相对越少，有利于储层的保存，即厚层连续颗粒滩抗压溶能力强，有利于储层孔隙的保存(图7)。

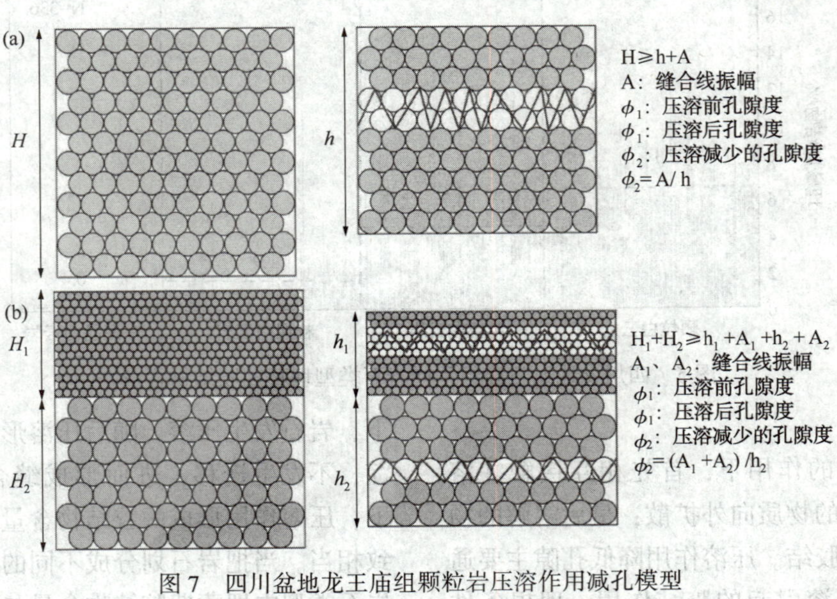

图7　四川盆地龙王庙组颗粒岩压溶作用减孔模型

5 结论

（1）四川盆地龙王庙组可以识别出4种主要的岩石类型，龙王庙组缝合线按照其形状特征可以划分为3种：波状、锯齿状和束状（马尾状）。

（2）龙王庙组压溶作用受不同岩相类型及其岩石中结构组分的影响。洁净颗粒白云岩，即不含陆源碎屑与灰泥，颗粒含量为50%～70%，胶结物含量为25%～30%的颗粒白云岩，缝合线不发育，具有强抗压溶能力。较高含量的早期胶结物，有利于抑制后期压溶作用。

（3）龙王庙组颗粒白云岩、泥粒白云岩、粒泥白云岩、泥晶白云岩中埋藏胶结物平均含量依次为7.1%、4.7%、1.9%和0.4%。泥晶白云岩和粒泥白云岩缝合线的密度和振幅远大于颗粒白云岩。建立龙王庙组颗粒碳酸盐岩的减孔量模型，并发现厚层的颗粒滩抗压溶能力最强，有利于优质储层孔隙的保存。

参考文献

[1] Gundersen，E.，Renard，F.，Dysthe，D.K.，et al.，2002. Coupling between pressure solution creep and diffusive mass transport in porous rocks[J]. Journal of Geophysical Research：Solid Earth[J]，107（B11），11-19.

[2] Heydari，E.，2000. Porosity Loss，Fluid Flow，and Mass Transfer in Limestone Reservoirs：Application to the Upper Jurassic Smackover Formation，Mississippi[J]. AAPG Bulletin，84(1)，100-118.

[3] 任影，钟大康，高崇龙，等.2015. 川东及其周缘地区下寒武统龙王庙组储集层特征与控制因素[J]. 古地理学报，17(6)：829-840.

[4] 田艳红，刘树根，赵异华，等.2015. 川中地区下寒武统龙王庙组优质储层形成机理[J]. 桂林理工大学学报，35(02)：217-226.

[5] 杨雪飞，王兴志，杨跃明，等.2015. 川中地区下寒武统龙王庙组白云岩储层成岩作用[J]. 地质科技情报，34(1)：35-41.

[6] 韩波，何治亮，任娜娜，等.2018. 四川盆地东缘龙王庙组碳酸盐岩储层特征及主控因素[J]. 岩性油气藏，30(1)：75-85.

[7] 周进高，徐春春，姚根顺，等.2015. 四川盆地下寒武统龙王庙组储集层形成与演化[J]. 石油勘探与开发，42(2)：158-166.

[8] 张建勇，罗文军，周进高，等.2015. 四川盆地安岳特大型气田下寒武统龙王庙组优质储层形成的主控因素[J]. 天然气地球科学，26(11)：2063-2074.

[9] 谢武仁，杨威，李熙喆，等.2018. 四川盆地川中地区寒武系龙王庙组颗粒滩储层成因及其影响[J]. 天然气地球科学，29(12)：1715-1726.

[10] 邢梦妍，胡明毅，高达，等.2017. 高磨地区龙王庙组滩相储层特征及主控因素[J]. 桂林理工大学学报，37(01)：3-46.

[11] 李北康.2016. 川中下寒武统龙王庙组白云岩阴极发光特征与成岩流体[D]. 成都：成都理工大学，59-97.

[12] 柳妮.2015. 川中南地区下寒武统龙王庙组白云岩储层形成机理研究[D]. 成都：成都理工大学，45-69.

[13] 周进高，房超，季汉成，等.2014. 四川盆地下寒武统龙王庙组颗粒滩发育规律[J]. 天然气工业，34(8)：27-36.

[14] 杨伟强，刘正，陈浩如，等.2020. 四川盆地下寒武统龙王庙组颗粒滩沉积组合及其对储集层的控制作用[J]. 古地理学报，22(02)：251-265.

[15] Zhang，X.H.，Luo，W.J.，Wen，L.，et al.，2018. Sedimentary facies evolution characteristics and petroleum geological significance of Cambrian Group in Sichuan Basin[J]. Fault-Block Oil & Gas Field，25(4)，419-425.

[16] Andrews，L.M.，Railsback，L.B.，1997. Controls on stylolite development：Morphologic，lithologic，and temporal evidence from bedding-parallel and transverse stylolites from the U.S. Appalachians[J]. The Journal of Geology，105(1)，59-73.

[17] Humphrey，E.，Gomezrivas，E.，Neilson，J.，et al.，2020. Quantitative analysis of stylolite networks in different platform carbonate facies[J]. Marine and Petroleum Geology，114，104203.

[18] Peacock，D.C.P.，Azzam，I.N.，2006. Development and scaling relationships of a stylolite population[J]. Journal of Structural Geology，28(10)，1883-1889.

[19] Zhou.L.，Wang，G.，Hao，F.，et al.，2022. The quantitative characterization of stylolites in the limestone reservoirs of the Lower Triassic Feixianguan Formation，northeastern Sichuan Basin：Insights to the influence of pressure solution on the quality of carbonate reservoirs[J]. Marine and Petroleum Geology，105612.

[20] Flügel，E.，Munnecke，A.，2010. Microfacies of carbonate rocks：analysis，interpretation and application[M]. Springer，265-290.

[21] 杨伟强，黎霆，兰才俊，等.2022. 四川盆地下寒武统龙王庙组白云岩分布与控制因素[J]. 地球科学，已接收.

[22] Reeder, S. L., Rankey, E. C., 2008. Interactions Between Tidal Flows and Ooid Shoals, Northern Bahamas[J]. Journal of Sedimentary Research, 78(3), 175-186.

[23] Koehn, D., Ebner, M., Renard, F., et al., 2012. Modelling of stylolite geometries and stress scaling [J]. Earth and Planetary Science Letters, 341-344, 104-113.

[24] Paganoni, M., Al, H. A., Morad, D., et al., 2016. Impact of stylolitization on diagenesis of a Lower Cretaceous carbonate reservoir from a giant oilfield, Abu Dhabi, United Arab Emirates [J]. Sedimentary Geology, 335, 70-92.

[25] Morad, D., Nader, F. H., Gasparrini, M., et al., 2018. Comparison of the diagenetic and reservoir quality evolution between the anticline crest and flank of an Upper Jurassic carbonate gas reservoir, Abu Dhabi, United Arab Emirates [J]. Sedimentary Geology, 367, 96-113.

[26] Finkel, E. A., Wilkinson, B. H., 1990. Stylolitization as source of cement in Mississippian Salem Limestone, west-central Indiana[J]. AAPG bulletin, 74(2), 174-186.

[27] Wong, P. K., Oldershaw, A., 1981. Burial cementation in the Devonian, Kaybob reef complex, Alberta, Canada[J]. Journal of Sedimentary Research, 51(2), 507-520.

[28] Walter, L. M., 1986. Relative efficiency of carbonate dissolution and precipitation during diagenesis: a progress report on the role of solution chemistry[M], 1-12.

[29] BOUCOT A. J., 陈旭, SCOTESE C. R., 等. 显生宙全球古气候重建[M]. 科学出版社, 2009: 1-100.

东部老油田低勘探区的油气重要发现及启示
——以东濮凹陷西南洼为例

徐田武　张洪安　段金宝　袁　波　慕小水

（中国石化中原油田分公司）

摘　要　西南洼是东濮凹陷中的一个次级洼陷，油气勘探程度低，之前认为该区烃源岩不发育，勘探潜力低。近年来的钻探的一些探井，方2、方3、何301等井陆续获得了工业油气流，表明该区仍存在较大勘探潜力。本文从油气源对比分析入手，采用饱和烃色质谱及天然气碳同位素等分析测试手段，发现该区存在3种成因类型的原油和二种成因的天然气；三种成因的原油分别为低伽玛蜡烷指数的淡水环境原油、中伽玛蜡烷指数的咸水环境原油及高伽玛蜡烷指数的超咸水环境原油；二种成因的天然气分别为来自上古生界的煤型气和来自古近系湖相泥岩和上古生界煤系源岩形成的混合气。油源对比表明，中伽玛蜡烷指数的原油主要来自沙三上层系的咸化源岩；低伽玛蜡烷指数的原油主要来自沙三中层系的淡水源岩；高伽玛蜡烷指数的原油主要来自沙三下-沙四上层系的超咸化源岩。在油源对比的基础上，对包裹体资料分析表明西南洼存在两期成藏，早期主要为上古生界的煤成气成藏，主要为馆陶沉积时期；晚期为古近系的油气成藏，距今1~3Ma。通过典型油气藏的解剖，西南洼油气成藏具有“多源供烃、背景控藏、断砂控富”的特征，存在3种(“多级断阶“、y型和反y型)油气成藏模式，纵向的大断裂高效输导对西南洼的油气成藏起到重要的作用，围绕大断裂周边形成的各类圈闭将是西南洼未来的油气勘探重点领域。

关键词　西南洼；东濮凹陷；伽玛蜡烷指数；煤成气；大断裂

东濮凹陷位于渤海湾盆地西南部，是一个多沉积韵律的新生代断陷湖盆，其中东部为鲁西隆起，西部为内黄隆起，南部为开封坳陷，北部为临清凹陷，沉积面积约为5300km^2。东濮凹陷是一个既富油又富气的凹陷。经过四十余年的勘探开发，现已探明石油58573.07×10^{4}t，天然气1389.51×10^{8}m^3，东濮凹陷内的油气分布具有较强的非均质性，其中近92%的原油探明储量集中分布在北部2000km^{2}的地区内（图1），而将近3000km^{2}的广大南部地区的油气分布比较“贫瘠”，仅占原油探明储量的8%。北部每kM^{2}的原油探明储量丰度约为23×10^{4}t/km^2，而南部每km^{2}的原油探明储量丰度仅为1.5×10^{4}t/km^2，探明储量丰度两者相比，北部地区是南部地区的15.3倍。依据十三五资源评价的结果，东濮凹陷北部地区剩余油气资源潜力大，其将仍是勘探的重点领域，但是将近3000km^{2}的南部地区是否仍还值得大规模的勘探，一直成为勘探家们关注的热点问题。

本文通过近年来陆续获得工业油气流的探井分析，认为西南洼地区存在多套烃源岩，改变了之前西南洼地区源岩发育层系单一、“皮厚肉薄”的传统认识。源岩认识的突破重新燃起了人们对西南洼的勘探希望，认为西南洼陷仍具有较大勘探潜力。2022年部署的何301井，3mm油嘴自喷，日产油37.76m^3、日产气3439m^3，上

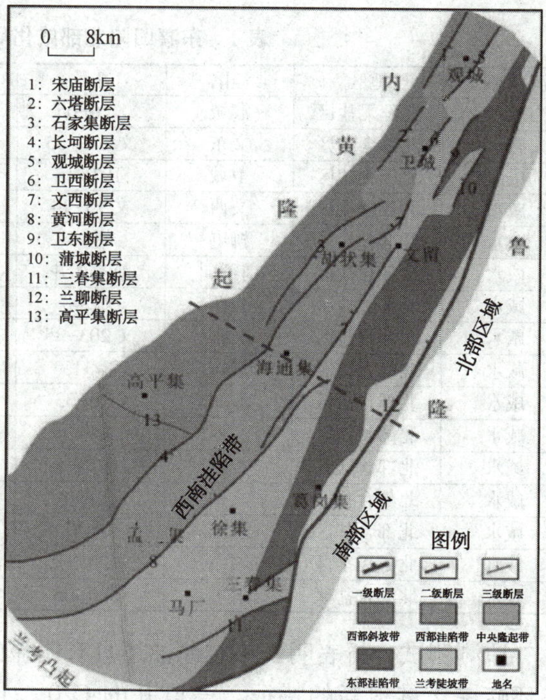

图1　西南洼区域分布位置图

报预测储量 1358×10^4t。由此给我们带来的启示是在一个成熟探区内相对低勘探区，不要放弃持续研究并探索，重新对成藏要素的再评价、再认识，将会带来意想不到的勘探效果。

1 区域基本地质情况

西南洼地区位于东濮凹陷的西南部，其西部为西部斜坡带，东部为中央隆起带，北与海通集洼陷相邻，南依兰考凸起，沉积面积约为 800km^2(图 1)。在东倾的长垣断层和西倾的黄河断层夹持下，研究区为一个双断型洼陷。自上而下发育地层为第四系(平原组)、新近系(明化镇组和馆陶组)、古近系(东营组、沙河街组等)、中生界及上古生界等地层。长垣断层和黄河断层对研究区的构造展布和沉积演化具有重要影响，东倾的长垣断层是西部斜坡带与西南洼的分界断层，西倾的黄河断层是西南洼与中央隆起带的分界线。该地区的油气勘探始于 1976 年，共钻井 52 口，工业油气流井 19 口，已发现赵庄、南湖、方里集油气田，累计探明石油储量 81.28×10^4t、天然气 5.79×10^8m^3、控制石油储量 125×10^4t，预测储量 1358.01×10^4t。

2 油气源对比

伽玛蜡烷指数(伽玛蜡烷/C30 霍烷)是一种典型的生物标志化合物，其可以判识不同类型的沉积环境及水体咸度，通过该典型生物标志化合物分析，发现西南洼地区存在多类型的烃源岩。

2.1 咸水环境中的油源对比

西南洼存在一种类型的原油，其伽玛蜡烷指数介于 0.5~1.0 之间，在西南洼的不同构造带均发现了此类原油，例如方里集构造中的方 2 井，沙三中原油(3951.8~3965.6m)的伽玛蜡烷指数为 0.52，南何家构造中的何 301 井，沙二下原油(3794.8~3822.9m)的伽玛蜡烷指数为 0.80，赵庄油田的赵 4-3 井，沙二下原油(3002.3~3125.9)的伽玛蜡烷指数为 0.53，上述三口井的原油伽玛蜡烷指数与北部沉积咸化湖盆中的烃源岩伽玛蜡烷指数具有相似性(表 1)，表 1 统计了东濮凹陷北部咸化湖盆中烃源岩的伽玛蜡烷指数，统计分析表明北部高丰度烃源岩的伽玛蜡烷指数介于 0.5~1.0 之间，与西南洼不同构造带的原油具有较强的亲缘性，由此可以推测西南洼地区存在一种咸化环境中的烃源岩。

表 1　东濮凹陷北部咸化环境源岩伽玛蜡烷/C30 霍烷分布表

沉积环境	地区	洼陷	井号	层位	深度	岩性	TOC	G/C30
咸水	北部无盐区	濮城	濮 6-65	沙四上 2	3563.65	灰色泥岩	0.8213	0.529279
咸水	北部含盐区	文东	文 203-35	沙三中 4	3297.73	灰色泥岩	0.5448	0.55906
咸水	北部含盐区	卫城	卫 18-5	沙三中 9	2705.42	深灰色页岩	1.6	0.562923
咸水	北部含盐区	文西	文 15-14	沙三上 5	2376.5	深灰色页岩	2.58	0.623037
咸水	北部含盐区	柳屯	胡 96	沙三中 3	3888.01	黑灰色页岩	2.4	0.681853
咸水	北部含盐区	前梨园	前参 2 井	沙三下 5	4276.59	深灰色页岩	2.257	0.729494
咸水	北部含盐区	文西	文 248	沙三下 6	3382.7	深灰色页岩	1.97	0.759804
咸水	北部含盐区	文东	文 203-35	沙三中 4	3294.15	深灰色页岩	4.2	0.788776
咸水	北部无盐区	濮城	濮 115	沙三上 7	3131.5	深灰色页岩	1.99	0.791885
咸水	北部含盐区	濮城	濮 6-33	沙三中 7	3433.8	灰色泥岩	1.219	0.807092
咸水	北部含盐区	文西	文古 1	沙一下	1967.6	灰色泥岩	0.8	0.844474
咸水	北部含盐区	卫城	卫 18-5	沙三中 8	2651.15	深灰色页岩	2.09	0.867829
咸水	北部含盐区	文西	文古 1	沙一下	2020.5	色白云质泥	0.88	0.877473
咸水	北部含盐区	卫城	卫 20	沙三中 3	2388	深灰色页岩	2.41	0.912861
咸水	北部无盐区	文东	文 203-35	沙三中 6	3387.38	深灰色页岩	1.09	0.956023
咸水	北部含盐区	濮城	濮 6-65	沙三上 8	3053.55	黑色页岩	1.081	0.96129

地测测试分析表明，该类原油还具有明显的三环萜烷含量中等的特征，三口井的 C20-21-23 三环萜/17α-C30 藿烷比值分别为 0.8、1.5、0.5，介于 0.5~1.5 之间，C20-21-23 三环萜为厂字型或上升型且 C23 三环萜烷含量低于 C30 霍烷的特征(图 2)。方 2、何 301 及赵 4-3 井的原油 ααα20RC27-C28-C29 规则甾烷为“L”型(图 3a)，指示原油的生烃母质以藻类为主，三口井的 C29ααα20S/(20S+20R)为分别为 0.57、0.51、0.32，表明方 2、何 301 井的原油处于成熟阶段，赵 4-3 井的原油处于低熟阶段。通过烃源岩的分析，发现西南洼咸化环境中的该类原油(图 3a)，与沙三上烃源岩的色质谱图具有较强的相似性，例如赵 4-3 井沙三上 3530~3538m

处的烃源岩质谱图形态(图 3b)和特征生物标志化合物均与上述原油具有较强的相似性，推测西南洼中该类原油主要来自沙三上咸水环境中的源岩。

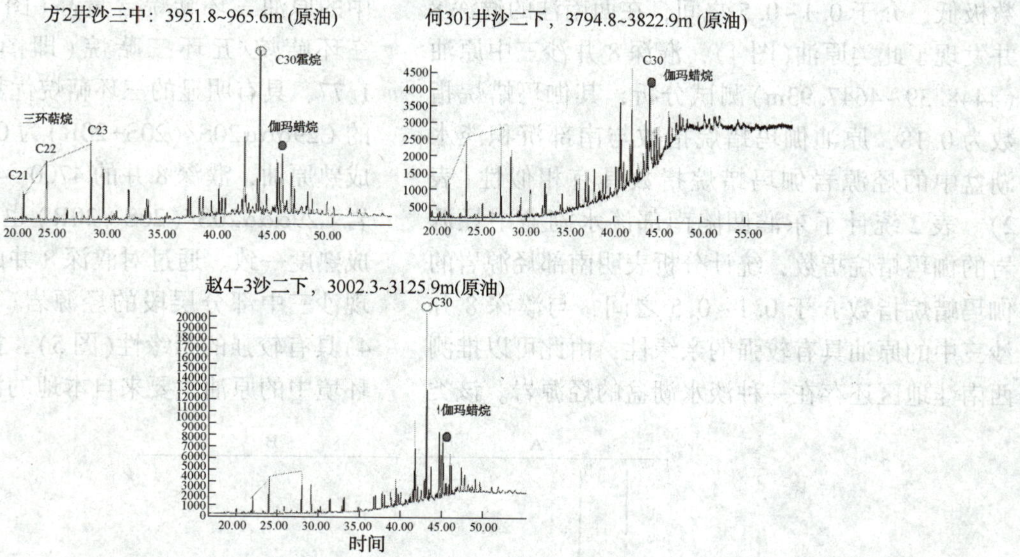

图 2　东濮凹陷西南洼咸化环境原油色质谱图

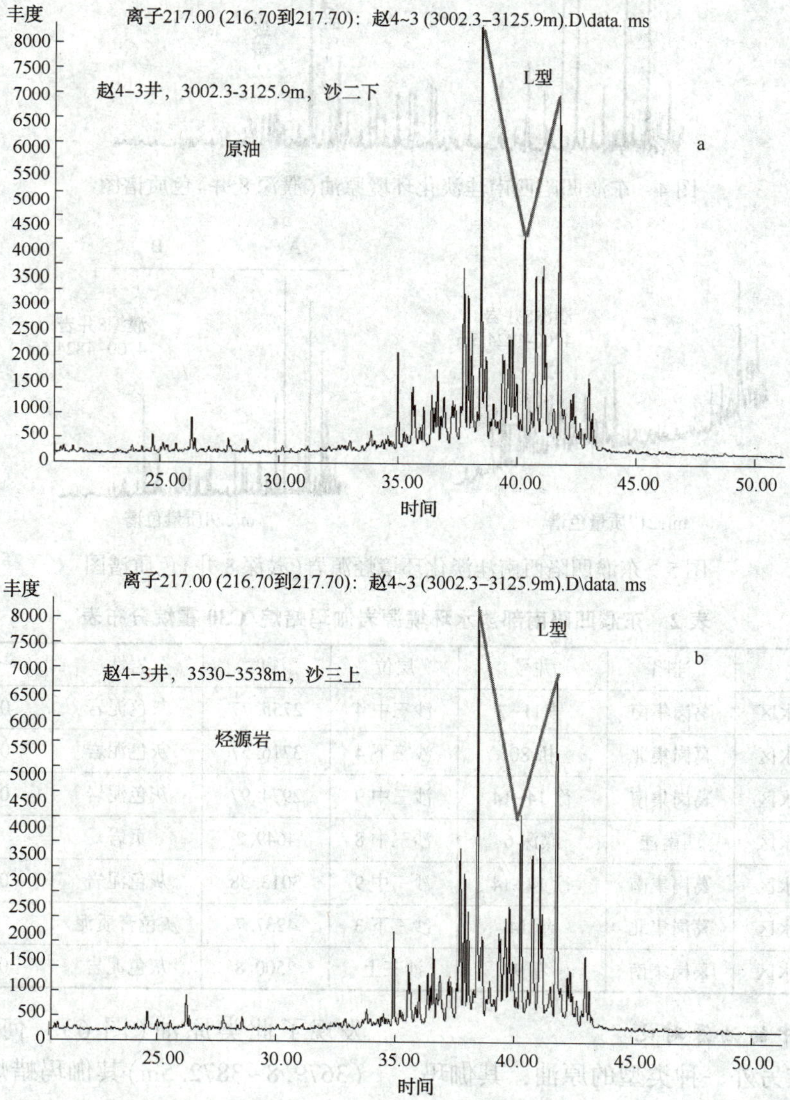

图 3　东濮凹陷西南洼赵 4-3 油源对比质谱图(咸化源岩)

2.2 淡水环境中的油源对比

西南洼另外一种类型的原油，其伽玛蜡烷指数极低，介于0.1~0.5之间，在西南洼的濮深8井发现了此类原油(图4)，濮深8井沙三中原油(4448.39~4647.93m)测试分析，其伽玛蜡烷指数为0.18，原油伽玛蜡烷指数与南部沉积淡水湖盆中的烃源岩伽玛蜡烷指数具有相似性(表2)。表2统计了东濮凹陷南部淡水湖盆中烃源岩的伽玛蜡烷指数，统计分析表明南部烃源岩的伽玛蜡烷指数介于0.1~0.5之间，与濮深8井沙三中的原油具有较强的亲缘性，由此可以推测西南洼地区还存在一种淡水湖盆的烃源岩。该类原油与前面咸水环境中的原油具有明显的差异性，咸水环境中的三环萜烷含量低，而淡水环境中的原油三环萜烷含量高(图4中的A部分)，三环萜烷/五环三萜烷(即图4中的A/B)为1.77，具有明显的三环萜烷优势的特征，其原油的C29ααα20S/(20S+20R)为0.51，表明原油为成熟原油，濮深8井的4700~4824.5m处的烃源岩C29ααα20S/(20S+20R)也为0.51(图5a)，成熟度一致。通过对濮深8井的烃源岩分析，发现沙三中部分层段的烃源岩(图5b)与原油(图4)具有较强的亲缘性(图5)，推测西南洼中淡水环境中的原油主要来自本地的沙三中层系。

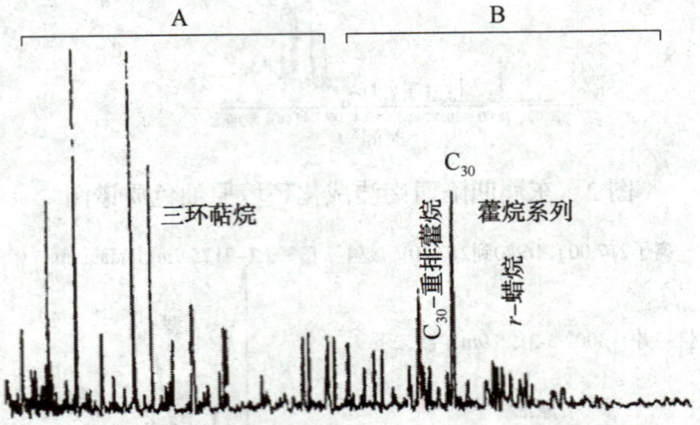

图4　东濮凹陷西南洼淡化环境原油(濮深8井)色质谱图

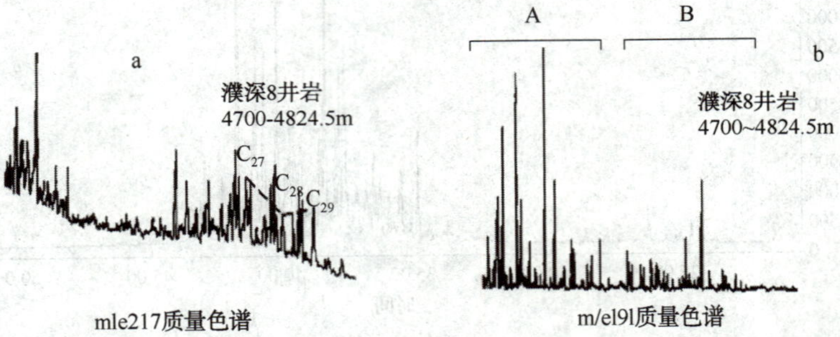

图5　东濮凹陷西南洼淡化环境烃源岩(濮深8井)色质谱图

表2　东濮凹陷南部淡水环境源岩伽玛蜡烷/C30霍烷分布表

沉积环境	地区	洼陷	井号	层位	深度	岩性	TOC	G/C30
淡水	南部淡水区	葛岗集南	马11-7	沙三中4	2755.77	灰色泥岩	0.5277	0.181506
淡水	南部淡水区	葛岗集北	桥80	沙三下4	3716.57	灰色泥岩	0.5415	0.365576
淡水	南部淡水区	葛岗集南	徐14-14	沙三中9	2974.97	灰色泥岩	0.5609	0.189044
淡水	南部淡水区	西南洼	濮深6	沙三中8	4649.2	页岩	0.67	0.279598
淡水	南部淡水区	葛岗集南	徐14-14	沙三中9	3013.38	灰色泥岩	0.7348	0.150744
淡水	南部淡水区	葛岗集北	新14	沙三下3	4237.7	灰色膏质泥	0.75	0.706495
淡水	南部淡水区	葛岗集南	春9	沙三上	2500.8	灰色泥岩	0.9042	0.240648

2.3 超咸水环境中的油源对比

西南洼还存在另外一种类型的原油，其伽玛蜡烷指数大于1，在西南洼的何3井、何301井发现了此类原油(图6)，何3井沙二下原油(3679.8~3872.5m)其伽玛蜡烷指数为2.59，何301井，沙二下(3824.5m)原油的伽玛蜡烷指数为3.34。如此高的伽玛蜡烷指数在东濮凹陷比较少见。通过对东濮凹陷不同地区的烃源岩色质谱大数据的分析，发现沙三下和沙四上的部分高丰度烃源岩和上述两井的原油具有一定的相似性(表3)，沙三中和沙三上几乎没有如此高的伽玛蜡烷指数的源岩发育。沙三下和沙四上部分源岩具有此类特征，通过对东濮凹陷盐岩纵向分布特征来看，主要为东濮凹陷区域文23盐(沙三下-沙四上)发育层段，推测该类原油与文23盐的分布具有一定的关系。该类原油具有明显的三环萜烷及伽玛蜡烷指数高的“双高”特征(图6)。由于西南洼地区沙三下-沙四上地层埋藏深度大，最深处可达7000~8000m，现无探井钻探到洼陷深部烃源岩，故无法测试到该区沙三下-沙四上烃源岩样品。通过类比，推测该类原油主要来自文23盐发育层系(沙三下-沙四上)。

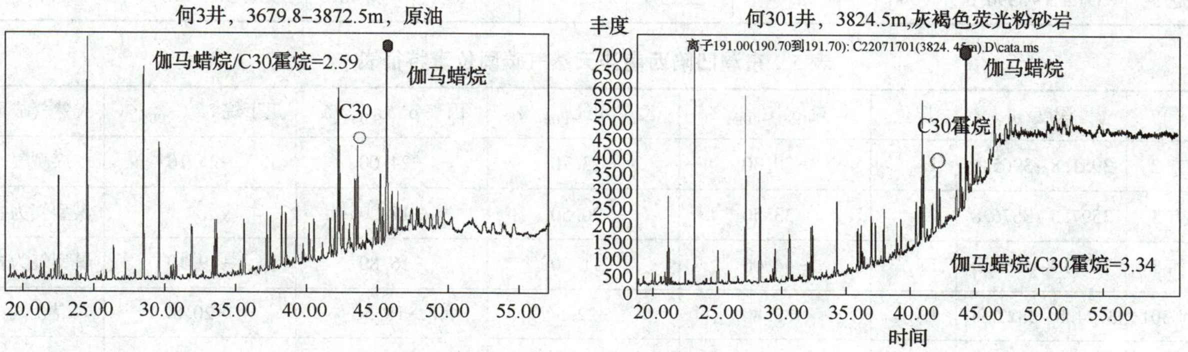

图6　东濮凹陷西南洼超咸水环境原油色质谱图

表3　东濮凹陷超咸水环境源岩伽玛蜡烷/C30霍烷分布表

沉积环境	地区	洼陷	井号	层位	深度	岩性	TO C	G C30
咸水	北部含盐区	文西	文201	沙三下2	3684.8	深灰色泥岩	2.63	2.173968
咸水	北部含盐区	文西	文201	沙三下2	3684.8	深灰色页岩	2.63	2.313391
咸水	北部无盐区	海通集	胡83	沙三上10	3828	深灰色页岩	1.08	2.334913
咸水	北部含盐区	濮卫次洼	卫79-8	沙四上4	3467.5	深灰色泥岩	1.45	2.359139
咸水	北部含盐区	濮卫次洼	卫79-8	沙四上4	346796	深灰色泥岩	1.3	2.551837
咸水	北部含盐区	濮卫次洼	卫79-8	沙四上2	3358.3	深灰色页岩	0.81	2.574447
咸水	北部无盐区	濮城	濮6-65	沙四上2	3562.5	灰色泥岩	1608	2.811139
咸水	北部含盐区	文西	文250	沙三下3	3675.5	深灰色泥岩	1.32	2.975768
咸水	北部含盐区	海通集	胡122	沙四上3	3721.43	深灰色泥岩	1.198	3.102735
咸水	北部含盐区	文西	文250	沙三下3	3674.5	深灰色页岩	1.01	3.147235
咸水	北部含盐区	文西	文250	沙三下3	3682.5	深灰色泥岩	1.21	3.450491
咸水	北部无盐区	濮城	濮深20	沙三下2	4555.28	灰黑色页岩	1.29	4.369138

2.4　天然气来源对比

通过近年来的钻探，发现西南洼地区天然气富集，方2井沙三上，8mm油嘴套管放喷，最高日产油179.5m^3、气16000m^3；方3井沙二下测试，3mm油嘴放喷，日气35890m^3；何301井沙二下，3mm油嘴自喷，日产油37.76m^3、日产气3439m^3；孟4井沙二下；6mm油嘴求产获日产101199m^{3}的工业气流。通过对上述井的天然气进行采样分析，不同井的天然气组分及其碳同位素如表4、表5所示。

表4　东濮凹陷西南洼天然气组分特征表

井位	深度/m	层位	CO_2	N_2	CH_4	C_2H_6	C_3H_8	烃类	非烃	$C_1/(C_1-C_5)$
方2	3951.8~3965.6	$Es_2^{下}$	4.69	3.24	85.94	3.41	1.46	92.07	7.93	0.93
方3	3597.5~3676.8	$Es_2^{下}$	2.45	4.11	90.58	2.21	0.32	93.43	6.57	0.97

续表

井位	深度/m	层位	CO_2	N_2	CH_4	C_2H_6	C_3H_8	烃类	非烃	$C_1/(C_1-C_5)$
何3	3678.9~4052.9	Es_2下	2.58	1.79	93.20	1.82	0.33	95.39	4.37	0.98
何301	3794.8~3822.90	Es_2下	1.08	/	89.27	5.90	1.61	98.92	1.08	0.90
孟4	3525~3607.5	Es_2下	1.22	0.95	93.67	3.48	0.56	97.83	2.17	0.96
赵4-1	2865.4~3291.9	Es_2下	2.23	3.91	58.16	13.30	10.82	93.86	6.14	0.62
赵4-3	3002.3~3125.9	Es_2下	1.96	2.03	43.01	18.88	18.12	96.01	3.99	0.45
赵5	3912.5~3990.0	Es_3上	3.94	2.73	71.59	9.83	5.46	93.33	6.67	0.77

表5　东濮凹陷西南洼天然气碳同位素特征表

井位	深度/m	层位	甲烷 $\delta^{13}C_{PDB}$/‰	乙烷 $\delta^{13}C_{PDB}$/‰	丙烷 $\delta^{13}C_{PDB}$/‰	正丁烷 $\delta^{13}C_{PDB}$/‰	天然气成因
方2	3951.8~3965.6	Es_2下	-30.30	-23.70	-24.00	-25.10	煤型气
方3	3597.5~3676.8	Es_2下	-33.50	-20.50	-17.20		煤型气为主
何3	3678.9~4052.9	Es_2下	-34.00	-11.20	-16.80	-19.10	煤型气为主
何301	3794.8~3822.90	Es_2下	-37.80	-22.5	-18.5	-20.8	混合气
赵4-1	2865.4~3291.9	Es_2下	-38.30	-24.50	-22.80	-23.00	油型气为主
赵4-3	3002.3~3125.9	Es_2下	-37.80	-24.60	-23.20	-23.30	油型气为主
赵5	3912.5~3990.0	Es_3上	-39.90	-25.00	-22.70	-22.40	油型气为主

通过天然气组分的分析，发现西南洼天然气组分存在差异，位于西南洼陷的方里集构造(方2、方3)、孟居构造(孟4井)和南何家构造(何3、何301)的天然气具有干燥系数大，$C_1/(C_1-C_5)$均大于或等于0.9，CH_4含量高，C_2H_6、C_3H_8等含量偏低的特征(表4)；而赵庄构造(赵4-1、赵4-3、赵5)的天然气具有干燥系数小、$C_1/(C_1-C_5)$介于0.45~0.80之间，CH_4含量低，C_2H_6、C_3H_8等含量偏高的特征(表4)。

根据天然气不同组分的碳同位素分析，也发现了西南洼存在多种成因的天然气，一种为天然气甲烷、乙烷碳同位素均偏重，天然气甲烷碳同位素介于-34.0‰~-30.3‰，平均值为-32.6‰、乙烷同位素介于-23.7‰~-11.2‰，平均值为-18.5‰，该类气体主要分布在方里集构造的方2、方3井区和南何家构造的何3井区；另外一种天然气甲烷、乙烷碳同位素相对偏轻的特征，天然气甲烷碳同位素介于-37.8‰~-39.9‰，平均值为-38.7‰、乙烷同位素介于-24.5‰~-25‰，平均值为-24.7‰，主要分布在赵庄构造的赵4-1、赵4-3、赵5井区；还有一种天然气甲乙烷碳同位素介于上述两者之家，具有混合气的特征，天然气甲烷碳同位素相对偏轻，更偏向赵庄油田天然气甲烷碳同位素特征，乙烷碳同位素介于上述两者之间。

依据戴金星1992发表的论文中的天然气成因判识图版，对西南洼地区的天然气组合和碳同位素进行投点，结合天然气组分和碳同位素特征，判断出西南洼地区存在两种类型的天然气，一种为煤成气，主要为方2井，另外一种为混合气，主要分布在方里集、南何家及赵庄构造(图7)。另外通过对方2、方3井的稀有气体同位素的分析，发现该井的$^{40}Ar/^{36}Ar$分别为2264，2345，属于煤成气的范畴。氩同位素$N(^{40}Ar/N(^{36}Ar)$值主要受控于源岩年代积累效应和源岩K质量分数的影响。东濮凹陷天然气成因$N(^{40}Ar/N(^{36}Ar)$值标准为：煤成气为958~1754(平均为1313)；油型气为343~628(平均为471)；混合气为683~890(平均为777)。

综上各类测试分析所示，西南洼存在两大类三小类天然气，一种为煤成气，主要分布在方里集构造，该类天然气以方2井为代表；另外一种天然气为混合天然气，以南何家构造的何301井为代表，在混合气中，赵庄油田的天然气更偏向油型气，其他地区的混合气更偏向煤成气。

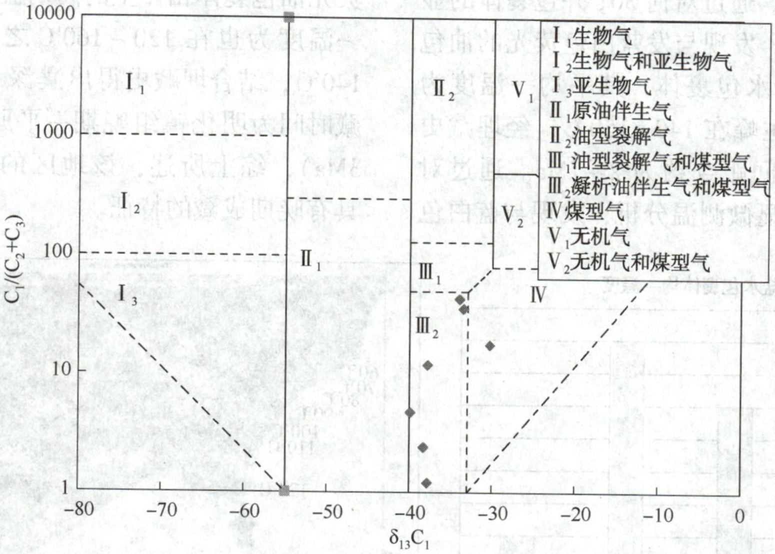

图 7　东濮凹陷西南洼不同成因天然气成因判识(图版据戴金星，1992)

3　西南洼陷油气成藏期次

目前，确定油气成藏时期的方法主要有构造演化史法、油气藏饱和压力法、烃源岩演化史法、储集层成岩作用法、油藏地球化学法和储集层有机岩石学法等。本文主要采用流体包裹体均一温度法对东濮凹陷西南洼油气成藏进行研究。流体包裹体根据镜下特征和成分分析结果，可以分为烃类包裹体和盐水包裹体。

3.1　烃类包裹体

烃类包裹体的荧光颜色由火红色→橙色→黄色→绿色→蓝白色变化，反映出有机质从低成熟向高成熟演化。通过对西南洼陷不同井的烃类包裹体的分析，发现其荧光颜色主要以蓝白色为主，例如何 301 井目的层系及濮深 8 井均具有此类现象，这表明该区的油气充注主要以成熟原油充注为主。

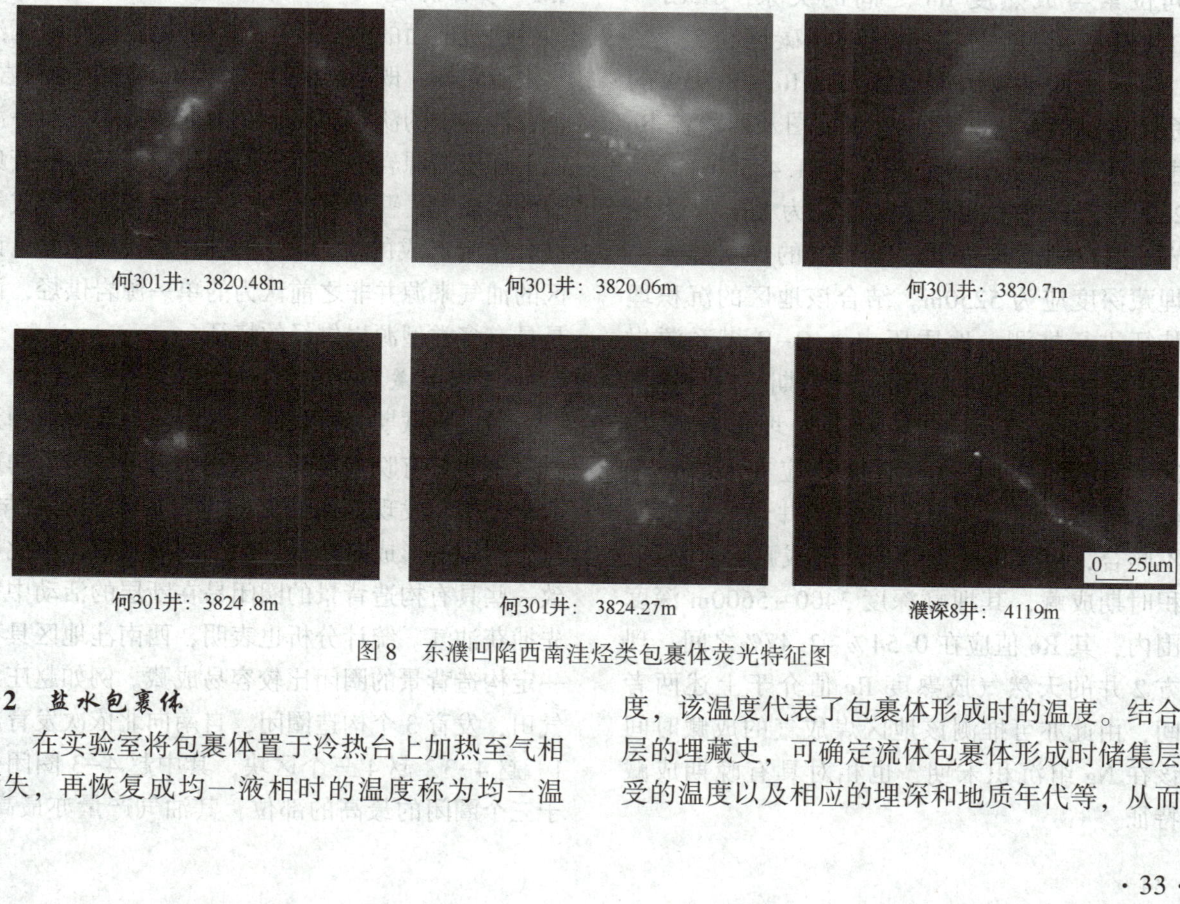

图 8　东濮凹陷西南洼烃类包裹体荧光特征图

3.2　盐水包裹体

在实验室将包裹体置于冷热台上加热至气相消失，再恢复成均一液相时的温度称为均一温度，该温度代表了包裹体形成时的温度。结合储层的埋藏史，可确定流体包裹体形成时储集层经受的温度以及相应的埋深和地质年代等，从而判断油气充注的时间。通过对何301井包裹体的显微测温分析(图9)，发现与发蓝白色荧光的油包裹体伴生的同期盐水包裹体，其平均一温度为120~160℃之间，主峰在140~150℃，经埋藏史图投点，其充注时间距今约为2~7Ma。通过对濮深8井包裹体的显微测温分析，发现与蓝白色荧光油包裹体相伴生的同期盐水包裹体，其平均一温度为也在120~160℃之间，主峰在130~140℃，结合埋藏史得出濮深8井沙三段原油成藏时间为明化镇组晚期—平原组中期(距今1~3Ma)，综上所述，该地区的原油充注时间晚，具有晚期成藏的特征。

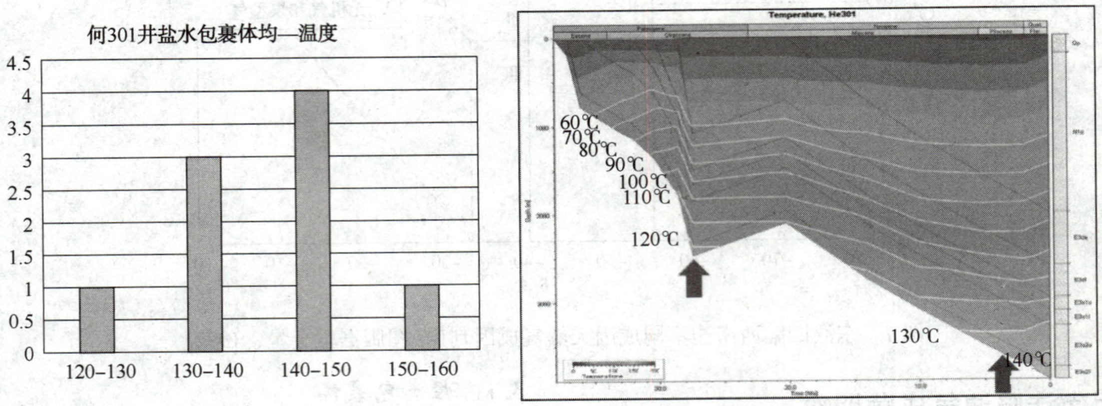

图9　何301井与烃类相伴生的盐水包裹体均一温度及埋藏史图

3.3　天然气成藏时间

通过前面气源的分析，发现方2井位于典型的煤成气区域内，其他井的天然气均存在一定程度上的混合，不能作为典型样本进行天然气成熟度的计算。本次研究以方2井甲烷碳同位素为基准点，进行煤成气成藏时间的厘定。依据煤成气甲烷碳同位素与成熟度Ro之间的关系，δ13C1≈14.13LgRo-34.39，方2井的甲烷碳同位素为-30.3‰，由此推算出煤成气来自Ro≈1.95%的煤系源岩，结合方2井的埋藏史图及西南洼Ro与埋藏深度关系图等资料($y=1.4556\ln(x)+4.2822$，公式中y为深度，单位为km，x为烃源岩的Ro值)，推算Ro=1.95%的煤系源岩距今埋藏深度应为5250m。结合该地区的沉积埋藏特征进行推测，地质历史上C-P煤系源岩Ro=1.95%，主要为Ng组沉积末期。东营组沉积时期，该区C-P的煤系源岩埋藏深度在3500~4800m之间，Ro值推测应在0.58%~1.43%之间，可见与现今的方2井煤成气成熟度不吻合，应该不是主要天然气成藏期；在Ng沉积时期成藏，其埋藏深度3400~5600m深度范围内，其Ro值应在0.54%~2.47%之间，现今方2井的天然气成熟度Rc值介于上述两者之间，由此亦可推测该地区煤成气的成藏时间应该在Ng组沉积末期，也相对具有晚期成藏的特征。

4　油气主控因素

通过对西南洼典型油气藏的油气源对比及成藏时期的厘定，结合其区域地质发育特征，建立了西南洼油气成藏具有"多源供烃、背景控藏、断砂控富"的油气成藏特征。

4.1　多源供烃

通过前面的油气源对比，可见西南洼地区油气来源多样，既有沙三上的咸水环境中的源岩，也有沙三中的淡水源岩，还有超咸水沙三下-沙四上环境的源岩，气源来源也比较复杂，既有典型的煤成气，譬如方2井，也有油型气和煤成气混合作用形成的混合气(何301等井)。可见该区的油气来源并非之前认为的单一源岩供烃，而是具有多类型源岩供烃的特征。

4.2　背景控藏

油气成藏期分析表明，西南洼地区原油和天然气主要具有晚期成藏的特征。通过该区的构造演化分析，发现西南洼圈闭定型时期相对较早，具有圈闭的形成时期早于油气的成藏期，由此导致一些具有构造背景的圈闭易在断层的活动中首先捕获油气。统计分析也表明，西南洼地区具有一定构造背景的圈闭比较容易成藏。例如赵庄油气田，发育3个构造圈闭，自南向北依次发育赵1、赵4-3、赵4三个区块，其中赵4-3圈闭位于三个圈闭的最高的部位，其油气产量亦最高，累产原油为 1.88×10^{4}t；而赵 1 及赵 4 断块区，圈闭位置相对较低，原油累产也相对低，分别累产为 5836、1894t；位于构造更低部位的低断块部位含油气性较差甚至不成藏，例如位于低断块部位的桑 2 井就未获得工业性油气流。

4.3 断砂控富

在构造背景控藏的宏观背景下，断层的发育特征和组合样式，以及砂体的储层特征及厚度对西南洼地区得油气富集起到决定性作用。目前西南洼油气的主要目的层系是沙二段，而主要源岩层系位于其下覆的沙三段和上古生界煤系源岩。纵向上如无大断层的输导难以成藏，可见断裂的纵向输导对该区的油气成藏起到至关重要的作用。油气藏主要分布在一些长期活动的二级断裂及其相关的伴生圈闭中。例如长垣断层、黄河断层等，断层长期活动，对油气的纵向输导起到重要的作用，与二级大断层相伴生的次级断层对大断裂输导上来的油气起到分流作用，也是比较容易成藏的。以孟居地区为例，孟居地区油气主要分布在与黄河断层同向的切穿沙三段烃源岩的断层附近，如孟 4 井和孟 6 井。远离该断层的井位未见工业性油流，如孟 3 井、孟 5 井和孟 1 井。

依靠大断层输导上来的油气，在沙二段相对储层发育好的砂体中富集成藏。例如方 3、何 301、孟 4 井都证实了在沙二段储层中，储层相对厚度大、物性好的砂体油气更加富集。例如孟 4 井的油气分布主要分布在沙二下亚段上部较好的的储层物性中，而物性较差的沙二下亚段下部砂体，油气显示就相对较差。

5 油气成藏模式

通过前面的油气源对比以及成藏主控等因素的分析，结合该地区的地质特征，可以把西南洼的油气成藏划分为 3 种类型，分别为赵庄-桑村集地区的油气藏为"多级断阶"成藏模式，孟居构造具有"y 型"油气成藏的特点及方里集中地区油气藏为"反 y 型"油气成藏模式。

"多级断阶"成藏模式主要分布在赵庄-桑村集地区(图 10)，该地区的工业油气流井主要分布主要沿着长垣断层走向分布，而远离长垣断层的钻井未获得工业性油气流，如赵 3 井和桑 2 井。该模式种的原油主要来自沙三上偏底部的烃源岩，天然气主要来自古近系湖相暗色泥岩所生成的油型气，混有一定成分的 C-P 煤系源岩的煤成气。油气主要是通过大断裂长垣断层纵向输导作用而成藏，与长垣断层斜交的次生断层在其活动期主要起到分流长垣断层输导上来的油气，而非活动时期主要起封闭作用。由于长垣断层长期活动，油气纵向调节作用较强，越靠近长垣断层，油气分布层位就越新，越远离长垣断层，断层纵向调节能力偏弱，油气成藏层位就具有越老的特征。

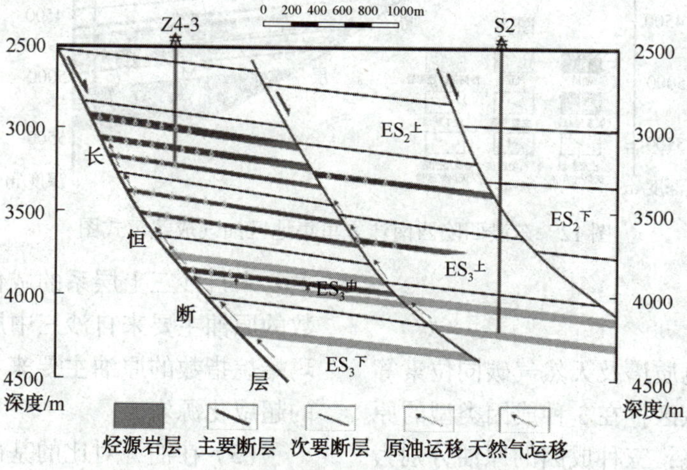

图 10 东濮凹陷系南洼赵庄地区油气成藏模式

孟居构造具有"y 型"油气成藏的特点(图 11)，孟 4 井在沙二下亚段开采到工业性气流，在沙三段仅收集到少量的气体。其中，沙二下亚段天然气的甲烷含量为 93.68%，非烃含量为 2.5%，为干气，具有煤成气的特征；沙三段天然气甲烷含量为 84.50%，非烃含量为 6.41%，为湿气，偏油型气的特征。在孟居地区油气成藏的过程中，NE 向西倾基底断层主要起输导作用，输导上来的 C-P 煤系源岩所产生的煤成气和古近系湖相泥岩所产生的原油，NE 向东倾断层和 NWW 向次生断层主要起封闭作用，主要为古近系湖相泥岩所产生的油气。

方里集中地区油气藏为“反 y 型”油气成藏模式(图 12)，切穿基底的长垣断层是油气输导的主要通道，NE 向西倾断层主要起封闭作用，方里集地区已有的油气显示，该区在沙二下亚段以气藏为主，气源判识表明其主要为 C-P 的煤系源岩所产生的煤成气；远离长垣断层的地区，煤成气沿着长垣断层的伴生断层具有输导分流作用，与沙三段湖相泥岩所生的油型气相混合，形成混合气藏或者油藏。

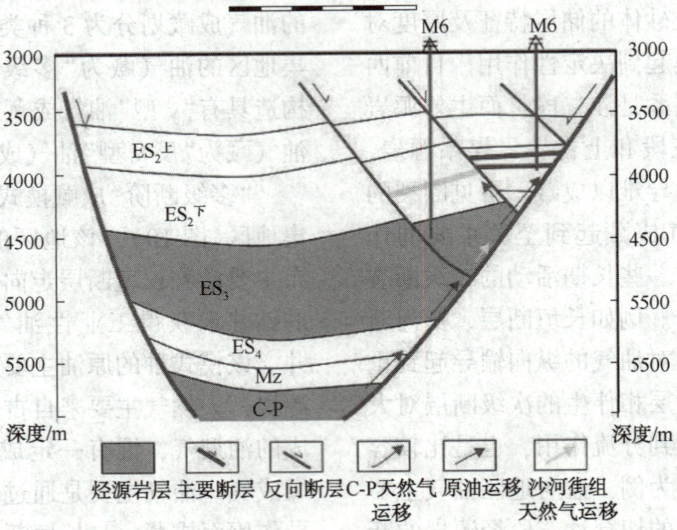

图 11　东濮凹陷西南洼孟居地区油气成藏模式图

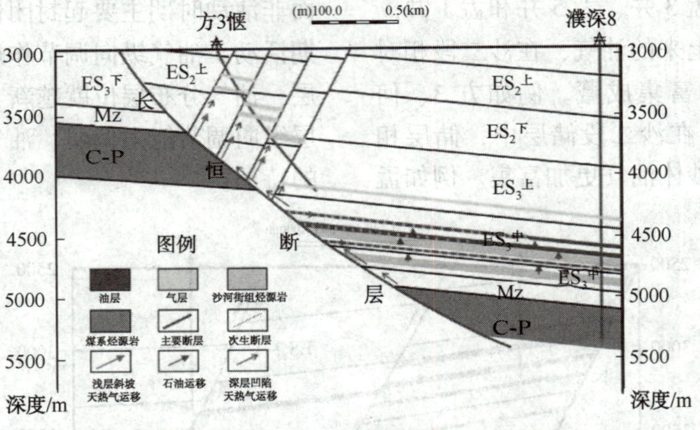

图 12　东濮凹陷西南洼方里集地区油气成藏模式图

6　认识与结论

(1) 采用饱和烃色质谱及天然气碳同位素等分析测试手段，发现该区存在 3 种成因类型的原油和二种成因的天然气；三种成因的原油分别为低伽玛蜡烷指数的淡水环境原油、中伽玛蜡烷指数的咸水环境原油及高伽玛蜡烷指数的超咸水环境原油；二种成因的天然气分别为来自上古生界的煤型气和来自古近系湖相泥岩和上古生界煤系源岩形成的混合气。

(2) 油源对比表明，中伽玛蜡烷指数的原油主要来自沙三上层系的咸化源岩；低伽玛蜡烷指数的原油主要来自沙三中层系的淡水源岩；高伽玛蜡烷指数的原油主要来自沙三下-沙四上层系的超咸化源岩。

(3) 在油源对比的基础上，对包裹体资料分析表明西南洼陷存在两期成藏，早期主要为上古生界的煤成气成藏，主要为馆陶沉积时期；晚期为古近系的油气成藏，距今 1-3Ma。

(4) 通过典型油气藏的解剖，西南洼油气成藏具有“多源供烃、背景控藏、断砂控富”的特征，存在 3 种(“多级断阶“、y 型和反 y 型)油气成藏模式，纵向的大断裂高效输导对西南洼的油气成藏起到重要的作用，围绕大断裂周边形成的各类圈闭将是西南洼未来的油气勘探重点领域。

（5）勘探无止境，老油田低勘探区或多或少的都存在一定的勘探难题，对于源岩在深层，油气在浅层的这种类型，“深源浅找”，沿着断裂进行勘探，定能发现油气田。

参考文献

[1] 边雷博．东濮凹陷西南洼沙河街组油气成藏特征研究[D]．北京：中国石油大学(北京)，2018.

[2] 武晓玲，卢福长，张云献，等．东濮凹陷濮深 8 井油气源烃源岩地球化学特征[J]．石油勘探与开发，2000，27(5)：32-35.

[3] 张云献，罗小平，彭渤莹，等．东濮凹陷濮深 8 井原油地球化学特征及油源对比[J]．西安工程学院学报，1999，21(3)：17-20.

[4] 戴金星．各类烷烃气的鉴别[J]．中国科学(B)，1992，2：185-193.

[5] 国殿斌，万涛，李继东，等．东濮凹陷方里集构造带油气来源及成藏期[J]．地球科学与 环境学报，2017，39(4)：531-538.

[6] 常俊合，李新军，吕红玉，等. 东濮凹陷文留潜山构造文古 2 井原油地球化学特征和油源研究[J]. 石油与天然气地质，2004，25(1)：44-48.

[7] 孙秀丽，陈红汉，宋国奇，等. 东营凹陷胜坨地区深层油气成藏期及其主控因素分析[J]．石油学报，2010.

[8] 戴金星，戚厚发．我国煤成烃气的 δ13C1-Ro 关系[J]．科学通报，1989，34(9)：690-692.

辽河大洼油田中央突起地温场研究

孙洪军　林中阔　邱树立　李续儒

（中国石油辽河油田公司）

摘　要　大洼油田位于辽河盆地西部凹陷，靠近大洼断层一侧受到中央突起影响底部基岩起伏变化剧烈。目前大洼油田仅对油层开展了试油测温以及非稳态测温，尚未针对东营组一段开展测温和岩心测试。因此在现有资料较少的情况下，通过测井曲线进行多元回归，开展了大洼油田东营组一段现今地温梯度、大地热流、1300m、1600m 深度的温度场特征研究。结果表明，大洼油田东营组一段储层现今地温梯度介于 2.79~3.08℃/100m 之间，平均为 2.93℃/100m；大地热流为 50.868~86.301mW/m^2，平均值为 57.623±4.097mW/m^2。呈现处靠近断裂、突起的一侧热流高，凹陷中部热流低的情况。通过现有资料分析，地温场分布主要受基底起伏、地下水分布和断裂影响，其他因素影响较小。表现为凸起区温度高、凹陷区温度低的特征，同时水文地质条件对地温影响的范围和程度也较为深刻。随着基岩埋藏深度的加大，浅部地层水对地温的影响逐步减小，基岩埋深逐步成为主要控制作用的过程。

关键词　大洼油田；中央突起；温度预测；地温场；地热资源富集特征

1　前言

近年来，随着对能源需求不断增长以及传统化石燃料燃烧造成的环境污染促使人们寻找替代能源，做出能源转型。2020 年 9 月，习近平总书记在七十五届联合国大会上提出“双碳”目标，我国力争 2030 年前 CO_2 排放达到峰值，努力争取 2060 年前实现碳中和目标。为了加快能源转型的步伐，我国制定了一系列相关方案用以提高化石能源的使用效率和清洁度，降低碳排放，同时大力发展新能源和低碳清洁能源，调整主力能源的结构(图 1)。现阶段，煤炭、石油、天然气等化石能源燃烧排放 CO_2是影响全球气温上升进而造成海平面升高、极端天气的直接原因。在“双碳”目标规范下，煤炭、石油等化石能源即将进入缩减阶段以及对能源需求的不断增长，中国可再生能源预计在 2040 年左右超越传统化石能源作为主要的能源供应将成为现实。

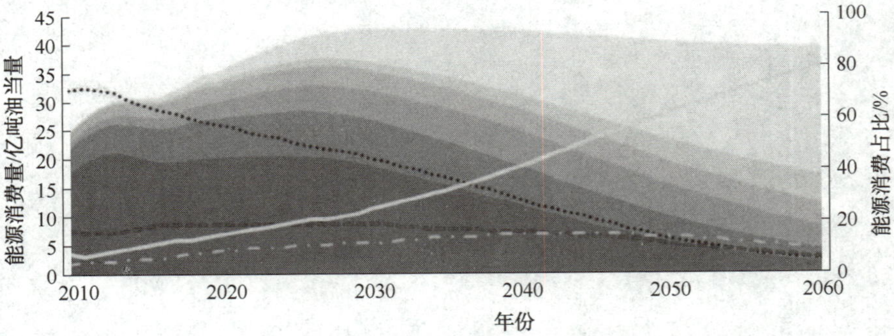

图 1　中国能源消费展望

地热属于储量大、储能高、清洁无污染的可再生能源，中国地热资源丰富，总量占比约为世界 1/6。地热资源遍布全国，水热型地热年可开采量折合为 1.25×10^{12}t 标准煤，目前地热直接利用规模世界第一。大力推进地热资源开发利用，改善我国能源结构，对于解决日趋严重的气候变化问题具有重要意义。早在 2017 年，国家发改委等三部门就发布了《地热能开发利用“十三五”规划》，提出增加地热供暖面积，完善地热能开发利用管理、政策体系等目标，我国地热产业进入了飞速发展期。“十四五”现代能源体系规划中指出，积极发展地热能等新能源，推进地热供热及制冷，支持各地区因地制宜开展绿色地热能低碳能源示范等。为实现“双碳”目标，传统能源行业面临转型压力，许多传统油气企业逐渐布局地热能开发利用，中核集团在西藏谷露进行高温地热能开发，华北油田今年新增地热供暖市场已达 $1250\times10^4m^2$，在建地热供暖重点项目 9 项，预计年底可建成 $704\times10^4m^2$ 供暖面积，大庆油田开展单井闭式循环取热供暖实验，探索废弃井用于地热开发利用。截至 2017 年，中石化在雄县地热供暖能力达 $450\times10^4m^2$，打造出地热取代煤取暖的“雄县模式”。尤其是对于中国各大油田区而言，具有地热和油气资源、基础设施和技术上的多重优势，可以将废弃、闲置井改造用于地热资源开发。

辽河盆地是一个中新生界的断陷盆地，位于华北板块的东北部，是渤海湾裂谷的一部分。按照第三系底面起伏、主要断裂构造特征及盆地沉降-沉积特点，辽河盆地被划分为 7 个次级构造单元，分别为沈北凹陷、大民屯凹陷、西部凸起、西部凹陷、中央凸起、东部凹陷和东部凸起，主体形成“三凹四凸”的构造格局。根据我国油田地热资源量评价，辽河油田是地热资源条件好，市场需求大，有地方政策支持，开发利用基础好的 I 类油田。研究区大洼油田构造上位于辽河盆地中央凸起南部倾没带和西部凹陷东部陡坡带的交汇处，是由大洼断层牵引而形成的西南倾没的断鼻构造。西部凹陷平均热流为 $66mW/m^2$，表明凹陷是一个较高的热流值和较高地热梯度的“热盆”。通过辽河油田研究院的前期地热普查结果来看，大洼地区初步估算资源量为 $13\times10^8m^3$，可采资源量热能 $0.76\times10^{17}J$，具有相当的地热能潜力。大洼油田紧邻县城需求端，距其东侧换热站约 2～5km，能够满足大洼县城约 $200\times10^4m^2$ 居民供暖需求(表 1)。

本文以大洼研究区的区域地质研究为背景，参考《辽河断陷地热基本特征与油气资源》、综合构造、水文地质以及研究区地热背景等资料，在优选前人的测温数据基础上，通过进行测井曲线-温度-深度多元回归预测研究区东营组一段的温度数据，并且描述温度数据的平面展布情况，描述大洼油田现今地温场展布特征，且进一步探讨大洼油田地热异常的主控因素(图 2)。

表 1　辽河油田区地热资源评价结果

油田	热储层系	岩性	面积/km^2	地热资源量/$\times10^{18}J$	地热水资源量/$\times10^8m^3$	可采资源量/$\times10^{18}J/a$	资源丰度/($\times10^{15}J/km^2$)
辽河	新近系馆陶组	砂岩、砂砾岩	6237	73.62	2789.2	0.11	11.8
	古近系东营组	砂砾岩、砂岩	4024	120.87	2567.77	0.18	30.04
	古近系沙河街组	含粒粗砂岩-细砂岩	2486	102.71	1126.22	0.15	41.31
	古潜山	花岗岩、玄武岩	2393	742.56	2002.1	1.15	310.3
	按油田统计		15140	1039.76	8485.29	1.56	159.96

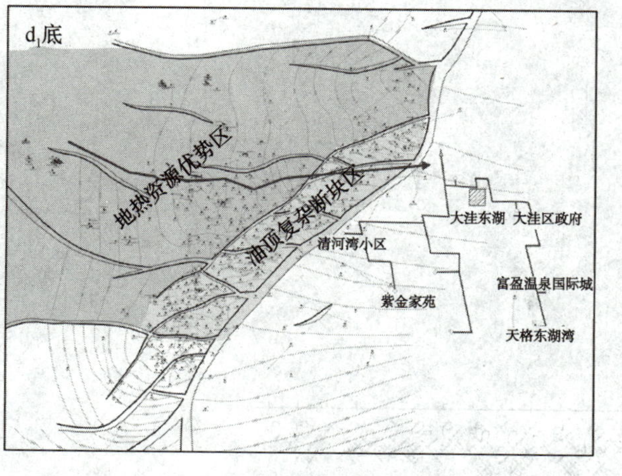

图 2　辽河大洼油田地热资源分布

2　地温场特征描述

2.1　温度数据准备

地温场特征主要包含地温梯度和大地热流这两个基本参数，地温的测量和地温资料的分析是研究地热状况的基础，并对研究区域内地热资源评价具有重要意义。大洼油田目前不存在完整的测温曲线，因此本研究收集了大洼油田 290 口井近 1000 个非稳态测温数据以及 50 口井的近 150 条试油测温数据。由于试油温度是在完井之后或者关井时间较长，井温近乎达到与地层平衡的状态下测量的数据，普遍认为较为准确。根据井开发状况显示，非稳态测温数据往往伴随调层作业、注水等操作温度数据具有相对较大偏差。因此需要针对开发状态对测温温度数据进行筛选，删除因作业而受影响的温度数据，最后保留47个试油温度数据，170个非稳态测温数据作为温度原始数据。大洼油田温度随地层深度变化如图3所示，这一现象符合传导型地温场的一般规律。然而，也存在一些温度数据较为离散，表现为偏高或偏低，这些数据可能是由于记录偏差导致的。在进行数据预处理时，应将这些不可靠的数据删除，选择较为可靠的温度数据作为分析地温场特征的基础资料。

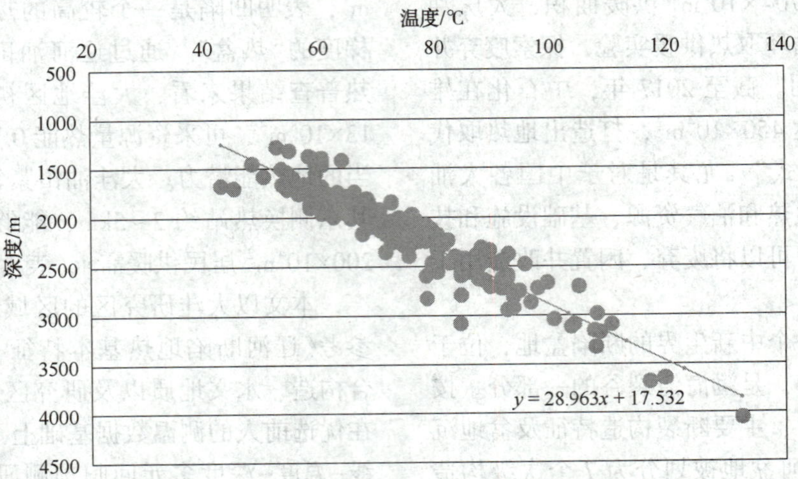

图3　大洼油田温度随地层深度变化图

但由于现有温度主要针对油层，东营组一段为主要含水层，其测温资料较少，而且前期没有进行相应层段岩石取芯岩石热导率测试以及通过西部凹陷浅部层段现有热导率测试结果来看，热导率测量存在误差并且无法定量化衡量。因此，难以通过传统一维稳态热传导方程计算深部温度，在这种情况下我们提出根据现有测井曲线多元回归的方法进行温度预测，优选深度、声波测井、自然伽马、普通电阻率（R2.5）测井曲线进行自变量回归分析，得到不同实测曲线分类的回归方程，相关系数 Multiple R 分布于0.95~0.97之间表示多元回归分析有较好的回归结果。如图4、表2所示，多元回归结果显示能够在现有资料匮乏的条件下近似得到目的层段的温度分布情况。

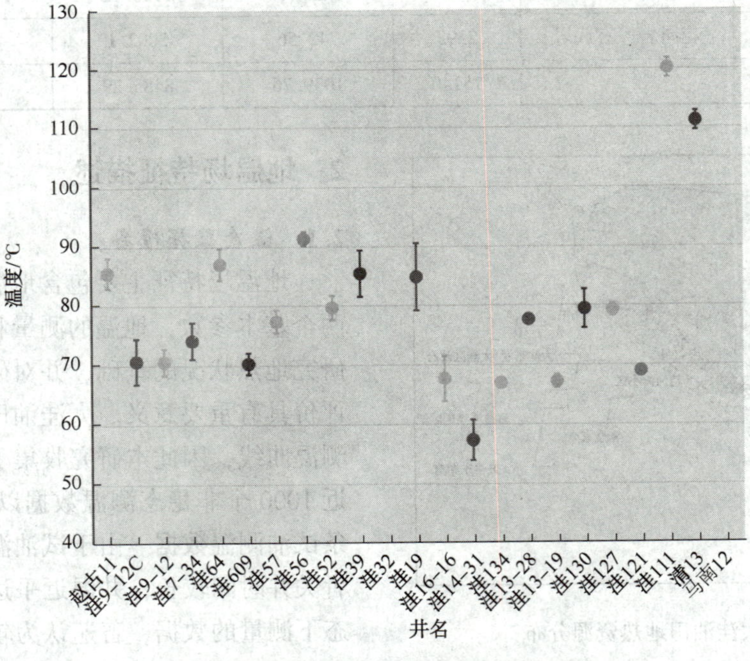

图4　实测温度与预测温度误差散点图

表 2　测井曲线-深度-温度回归方程

参数	方程	R
Depth-T	T=9.75+0.0296 * Depth	0.920
Depth-AC-GR-R25-T	T=16.05 * 0.0306 * Depth-0.0067 * AC-0.0518 * GR+0.0447 * R25	0.970
Depth-AC-GR-T	T=26.98+0.0296 * Depth-0.03147 * AC-0.0519 * GR	0.973
Depth-GR-R25-T	T=8.924+0.0318 * Depth-0.01359 * GR+0.0326 * R25	0.952

2.1.1　地温梯度

地温常年保持恒定的层、带称为恒温带。年恒温带的深度和相应的温度能在一定程度上反应地区近地表处浅层的热状况。目前大洼油田缺少恒温带测温资料，据周边的实测数据和恒温带温度、深度和年平均温度资料综合结果推算大洼油田研究区年恒温带深度为 30m，恒温带温度为 10.5℃，研究区内不同区域的恒温带温度和恒温带深度基本保持一致。地温梯度是指地下的温度随深度变化率，通过预测的温度进行地温梯度计算。地温梯度的计算公式为：

$$G=\frac{T-T_0}{Z-Z_0} \qquad (1)$$

式中，G 为地温梯度,℃/1m；T 为测点温度,℃；T_0为恒温带温度，10.5℃；Z 为测温深度(100m)；Z_0为恒温带深度(30m)。

采用东营组一段 1480m 深度的温度值，通过反距离插值的方法获得大洼油田东营组一段地温梯度平面等值线图如图 5 所示。经统计，大洼油田东营组一段整个地温梯度变化介于 2.79～3.08℃/100m 之间，平均为 2.93℃/100m。地温梯度相对较高的区域主要分布在靠近大洼油田断层一侧中央突起与西部凹陷的基岩隆起区。其中位于研究区南部的复杂断块地温梯度较高、研究区中部的大洼断裂东侧的基岩隆起区和复杂断块处以及断层西侧突起与凹陷的过渡带区域。研究区中部复杂断块处大多呈现断裂区地温梯度升高的情况，但也存在地温梯度较低的区域，一方面是受到上层馆陶高含水层的地下水补给，另一方面大洼油田经过长期开发部分井温降低且现存大量温度测量数据为非稳态测温对地温场描述产生影响。无论是非稳态测温还是回归预测都对原始地层温度的描述产生一定量的偏差，因此地温梯度分布只能作为参考用于描述整体的地温变化规律，更加准确的地温展布，需要进一步的开展稳态数据测试。

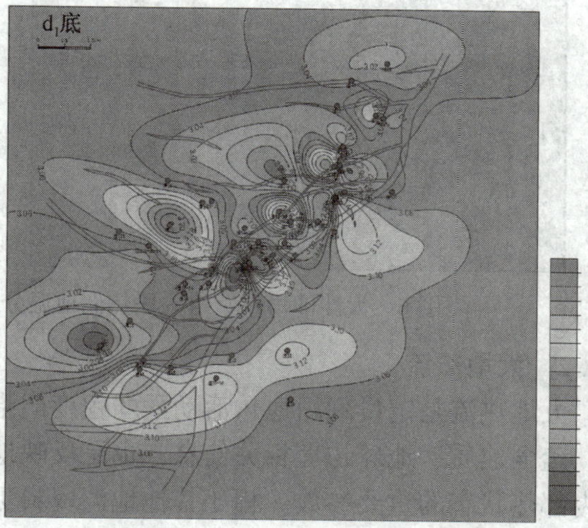

图 5　大洼油田东一段地温梯度分布

根据辽河油田现有全区的纵向温度分布可得，基岩埋藏深度对 1000～2000m 深度地温起主要控制因素，基岩隆起区明显高于凹陷区。在温差最大的 1000～1500m 深度区间，差值常常可以达到 15℃以上。由岩石热传导性引起的这种地温差异，清楚地表现为地温高低和基岩起伏相对应的情况，甚至在浅部地下强烈干扰的深度范围同样可以察觉这种相关关系。通过多元回归分析得出东营组一段顶底 1300m、1600m 不同深度地层的温度。本区地温场在纵向上的变化特征，同区域上的变化规律基本一致。即在一定深度内，地温梯度随深度的增加呈递增的趋势，而不同区域同一深度的温度又有所差异。受到现有测井曲线测量差异的影响，不同深度的预测井位不同最终形成的等值线图形态有较大差异。如图 6 所示，1300m 深度时地温介于 48.27～52.95℃之间，平均值为 50.33℃；1600m 深度时地温介于 55.63～60.75℃之间，平均值为 58.73℃，随着深度加深地下水下渗作用影响逐渐让位于基岩埋深成为东营组地热场的主要控制因素。从图中可以明显看到浅部 1300m 深度受到馆陶地层水下渗作用严重，总体上规律性不强，但在研究区中部位置形成相对高温区，而研究区北部有相对低温，分布为 48.5～49.7℃。地层深度 1600m 处可见复杂断块处地温梯度较高，相对于地下水下渗作用，断裂和埋藏深度对地温场的形成有更强的控制作用。

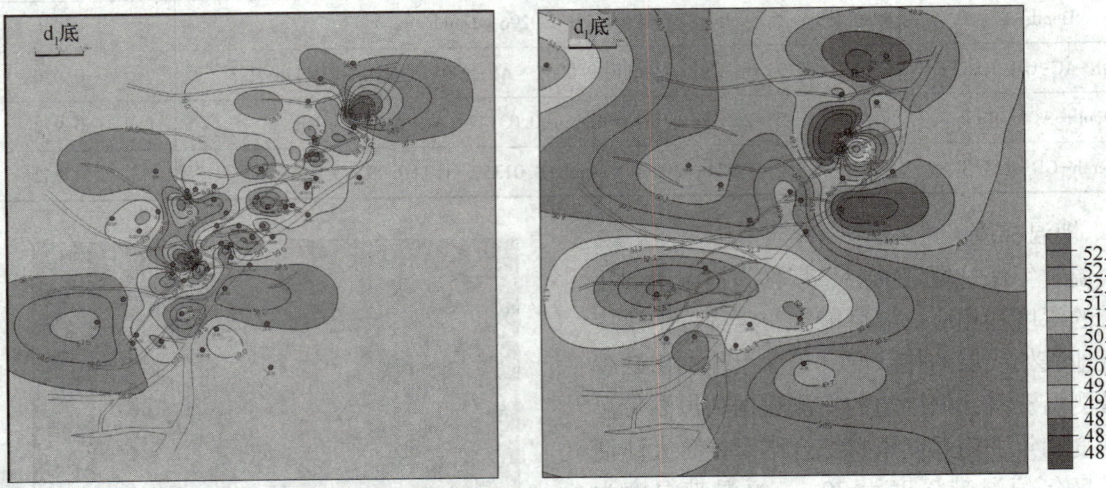

图 6 大洼油田东营组一段热储地温分布图(左图为深度 1600m；右图为深度 1300m)

2.1.2 大地热流

大地热流是定量刻画地热活动强弱程度的指标，蕴含地质、地球物理相关信息，也是反映地球内部热状态的重要参数。相比其他地温资料更能真实和直接反映区域地热特征，然而和其他热参数一样，浅部各种干扰条件得到区别较大的结果。前人对渤海湾盆地现今地温场研究显示，该盆地的地温梯度和大地热流普遍较高，具备形成大型地热田的地热地质背景。因此，盆地内的地热资源开发利用前景广阔，可能为地热领域提供新的资源保障。

一维稳态条件下大地热流值等于岩石热导率与垂向地温梯度之积，表达式为：

$$q = -k \cdot G \tag{2}$$

式中，q 为大地热流，mW/m^2；k 为岩石热导率，W/m · K；G 为地温梯度，℃/km。

热流值正确与否取决于地温梯度和岩石热导率是否能反映真实情况。以地温梯度来说，辽河地区地下水活动对地温的干扰比较突出，多层地下水较强烈的活动，大大影响了真实的地温梯度。根据研究结果统计，约 1/3 的东营组或沙河街二、三段热流比沙三、四段低了 40%，由于东营组受地下水影响比较明显且包含热导率与原位真实值的误差，致使东营组的热流绝大多数不能得到有效利用。由于实际条件限制不可能大量研究相对不受干扰的基岩段的地温梯度与热导率以获得可信的热流值，主要着眼点放在受干扰相对较小的深处与隔水层段，例如沙三段及其以下的层位，现根据现有资料统计入表 3。辽河盆地岩石热导率介于 0.621～3.531W/(m · K)之间，可以看出热导率随深度加深和地层变老而增加，且不同岩性之间的热导率差别较大。

表 3 辽河盆地各岩层段及不同岩性热导率数据表

地层年代/测试数量/个	热导率范围/[W/(m · K)]	热导率平均值/[W/(m · K)]	地层年代/岩性	热导率范围/[W/(m · K)]	热导率平均值/[W/(m · K)]
E_d(45)	0.721～2.531	1.36±0.409	砂岩	0.721～3.043	1.536±0.505
E_{S1}(20)	1.081～2.196	1.598±0.297	泥岩	0.621～3.309	1.544±0.455
E_{S2}(16)	1.026～1.924	1.544±0.264	灰岩	2.254～2.742	2.478±0.183
E_{S3}(45)	0.978～2.914	1.643±0.417	白云岩	3.244～3.530	3.388±0.143
E_{S4}(11)	0.974～2.552	1.738±0.477	火山岩	1.365～3.531	2.339±0.592
Mz	1.829～3.309	2.520±0.460			
Z(4)	2.254～3.531	2.882±0.523			
AnZ(2)	2.294～2.329	2.311±0.017			

目前大洼油田缺少直接测量的岩石热导率数据，因此需要估算相应的大地热流，而东营组整体热导率分布于 0.732~2.531W/(m·K)之间，差异较大。同时在实际研究时，研究目标区的大地热流的获取是比较难的，有时需要推算相应的值。辽河盆地各地层计算出的热流值相差甚大可达2~3倍，因为东营组和沙一、沙二段岩性中碎屑岩占比很大为含水层，且受到浅部地层水活动低温流体的影响，故应尽量选取较深部区域的岩石热导率如沙三、四段。

现有资料表明辽河盆地处于渤海湾盆地的东北方向的中、新生代的断陷盆地，通过前人测量的大地热流资料估算，辽河盆地整体地表热流约 64.9±9.21mW/m²，高于中国大陆地区平均大地热流 61.5mW/m²，其中包括辽河油田等在内的东部油田，地热赋存条件好、资源量丰富，具备一定的地热资源开发利用条件。根据预测的温度情况分布，最终选取平均 2500m 平面预测温度进行大地热流描述。如图 7 所示，T1357 测线来看，现有大洼油田基岩隆起区中生界埋深很浅，根据计算只有 2141m，因此要根据每口井不同的岩性地层进行近似平均计算，采取相对较深区域的岩石热导率以表征更加真实的热流情况避免受到浅部地层水的下渗影响，见图 7。

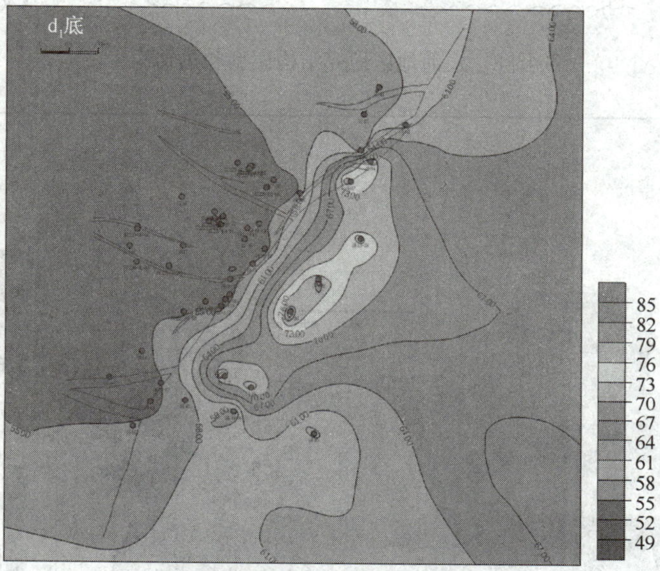

图 7 大洼油田大地热流分布图

大洼油田现今大地热流介于 50.868~86.301mW/m²，平均值为 57.623±4.097mW/m²。大洼油田整体上断层附近及东部热流高于西部，如在洼 609、洼 19-26 附近高达最高的 85mW/m²向西部凹陷处逐步降低，明显的体现了基底起伏以及岩性的影响，同时计算时充分考虑了地表径流向下的下渗作用，选取相对较深的沙三、四段的岩石热导率，在断层附近基底起伏区则根据 2500m 深度时，洼 19-26、洼 609 等井都已进入中生界地层，岩石有较高的热导率。通过此种方法可以在资料较少的情况下描述出近似分布的大洼油田大地热流。

3 地热异常主控因素

3.1 壳幔结构

地球内部热状态是地热学研究的重要参数，壳幔结构是最根本的控热因素，地壳浅部放射性元素衰变产生的地壳热流和地壳深处及上地幔的热流构成了地表热流壳幔热流直接影响深部温度状况。如图 8~9 所示，我国东部裂陷盆地因受构造活动影响来自深部的地幔热流较大，向西地幔热流所占逐步减小。辽河盆地的莫霍面埋深大约在 33km 左右，地壳相对较薄，处于一个区域幔隆的位置。整个区域的莫霍面埋深变化不大，这意味着地热系统的热源机制受到壳幔热量配分差异的制约。通过建立辽河地区地壳结构模型表明，该地区拥有非常特殊的薄地壳结构，为幔源热向上传递提供了良好的条件，从而为地热资源的开发利用提供了有利的地质基础。辽河盆地地幔热流为 40.2mW/m²，能够占到盆地地表热流的 61%。

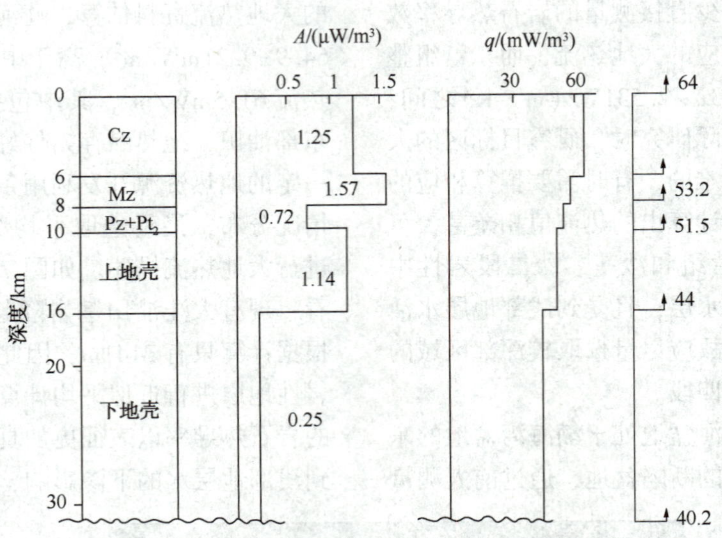

图 8　辽河地区地壳结构模型和热结构

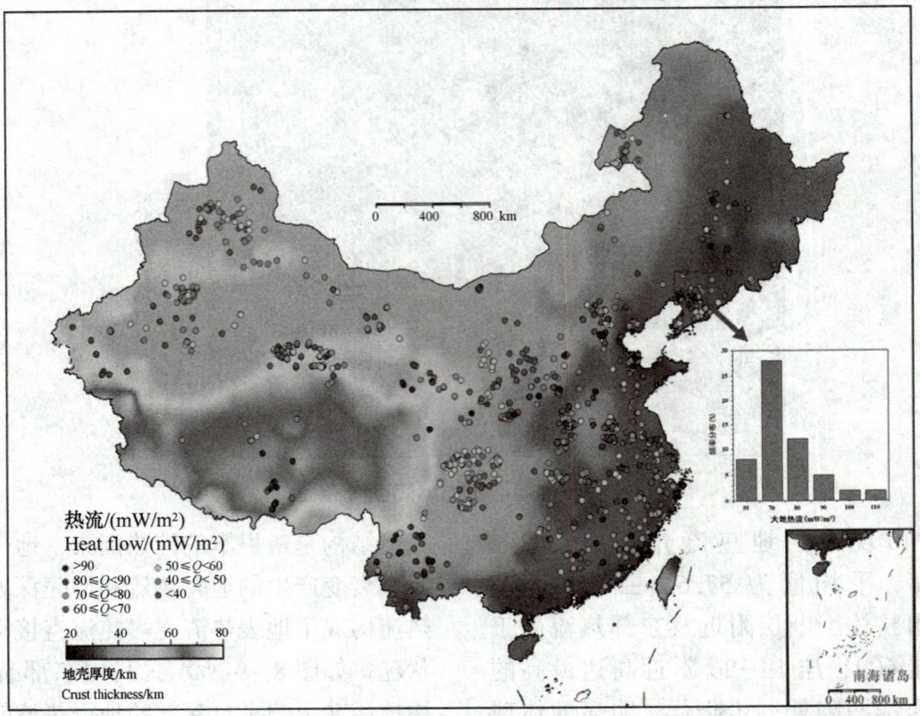

图 9　中国陆区地壳厚度与大地热流空间分布关系(修改自)

3.2　放射性热源分析

除开地幔热源提供的热量外，地壳部分放射性元素的衰变所产生的热量也是地表热流的主要来源之一。向地壳提供热源的放射性元素主要是 U^{238}、U^{235}、Th^{232}、K^{40} 等半衰期与地球龄相当的同位素元素因衰变而产生的热量。着重分析新生界放射性元素及其在测定的热流值中所提供的热量组成以及对地温的控制作用。考虑到取样的随机性且大体符合于实际地质结构特点，得到沙河街组如下放射性热源(表 4)。

表 4　沙河街组放射性热源

井号	取样深度/m、岩性、时代	$U/10^{-6}$g/g	$Th/10^{-6}$g/g
锦 94	945、砂岩、Ed	2.61	8.25
	1005、泥岩、ES_1	2.88	10.46
	1030、粉砂岩、ES_1	1.69	6.97
	1058、砂岩、ES_1	2.37	9.87
	1110、砂岩、ES_1	1.91	7.00
双 53	2614、泥岩、ES_1	2.76	12.77
	2669、泥岩、ES_1	3.43	11.09
	3290、泥岩、ES_2	3.45	12.48

续表

井号	取样深度/m、岩性、时代	$U/10^{-6}$g/g	$Th/10^{-6}$g/g
开2	2184、泥质砂岩、ES_3	2.93	11.99
	2195、泥质砂岩、ES_3	3.39	11.70
	2210、泥岩、ES_3	2.70	9.93
	2225、泥岩、ES_3	3.30	13.47
双31	2890、砂岩、ES_3	1.61	6.18
欢4	2440、粉砂岩、ES_4	1.91	7.97
齐11	2620、砂质泥岩、ES_4	2.18	8.27
	2662、泥岩、ES_4	2.49	9.96
界3	3960、灰岩、O	1.22	4.09
曙古60	1817、硅质岩、Z	1.35	3.79
齐2-21-6	2433、花岗片麻岩、AnZ	1.22	14.68

采用下述经验公式计算：

$$A=0.317\rho(0.73U+0.20Th+0.27K) \quad (3)$$

式中，ρ 为岩石密度，g/cm^3，U 和 Th 以PPM为单位，K 以%为单位，A 的单位取 10^{13} cal/cm^3·S，试取沙一段及其以下地层密度为2.3g/cm^3，东营及以上地层为2.1g/cm^3，求得 $A_{Q-Ed}=2.709$，$A_{ES1+2}=3.367$，$A_{ES3}=3.550$，$A_{ES4}=2.960$HGU。假定代表剖面：Q+Nm+Ng+Ed=1700m，ES1+2=500m，ES3=500m，ES4=500m，可得平均约3km厚的新生界平面上为1cm^{2}的柱体由放射性元素产生之热量为893380HGU。约为62.79mW/m^{2}的1/17左右，因此辽河地区浅部的地温特征不是由于浅部放射性元素的特殊富集或贫乏的影响。

3.3 断裂活动的影响

断层影响储层中流体的流动，同时促进渗透性和含水层的发育，在地热田的形成中起着重要作用。研究区内断裂活动发育，共发育有32条断裂带(图10)，其中陈家-大洼断层贯穿深、浅层。盆地内断裂构造的组成、特征及活动强弱，不仅为导水和供热提供了有利的通道，也影响了地热田的自然对流。断层活动带中强烈的热水将沿着断层带形成的上升通道向上流动到地表，形成地热表现，断层附近的浅层将出现热流的高值异常，形成高地温异常的深部地质背景。不同的构造背景决定了地热系统的聚热模式、水运移通道、赋存空间。同时机械摩擦也会产生部分热量，沿断裂带地温梯度和大地热流值则相对较高，是热源的主要控制因素。

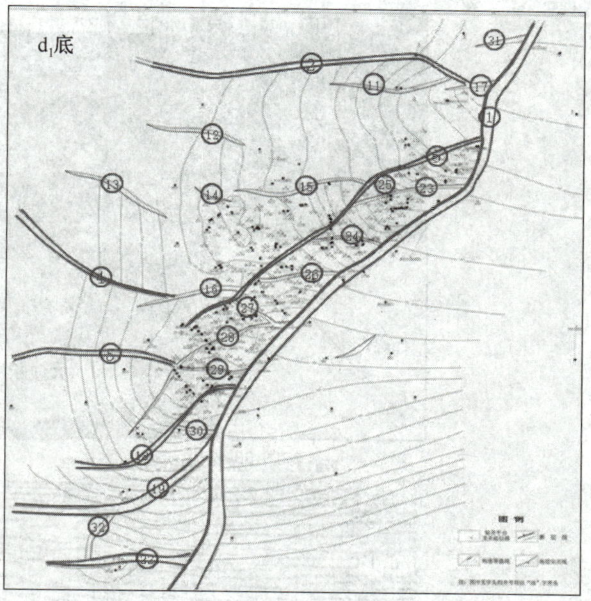

图10　大洼东营组一段底部断层分布

3.4 岩浆岩侵入及基底起伏作用的影响

岩浆岩的侵入作用是地热形成的重要地质过程之一。当岩浆熔融体从地壳深处向地表上升时，随着压力的降低和温度的升高，热量被释放到周围的地层中起到附加热源作用，这种热量就是岩浆热。同时热量会沿着这些断裂和裂缝向地表释放，地壳中的断裂和裂缝则为热量释放到地表上提供通道。此外，岩浆岩的侵入作用还会改变周围岩石的性质，形成热储层和导热通道，进一步促进地热资源的形成。中、新生代辽河盆地火山活动十分频繁，然而至东营组沉积时期西部凹陷火山活动基本停止，在凹陷南部形成相对较厚的火山岩系。来自地幔的高温岩浆以喷发形式覆于沉积物之上的则为自上而下的供热，这些以岩浆喷发和侵入形式而形成的岩浆岩形成自下而上的热源。同时下方太古界产热率较高的花岗岩和中生界热导率高的火山岩和碎屑岩也提供了良好的热源，因此岩浆热源不是影响地温分布的主要因素。

辽河盆地基底起伏导致的隆起和凹陷详见的格局，影响着区域地温场和地表热流的分布情况，使深部来的热流产生后再分配，向具有高热导率值的基岩隆起区部位集中。辽河盆地内其中凹中凸起的结构导致水平方向上热传导能力的差异，引起温度场发生变化，表现为凹陷带低地温，凸起带高地温(图11)。

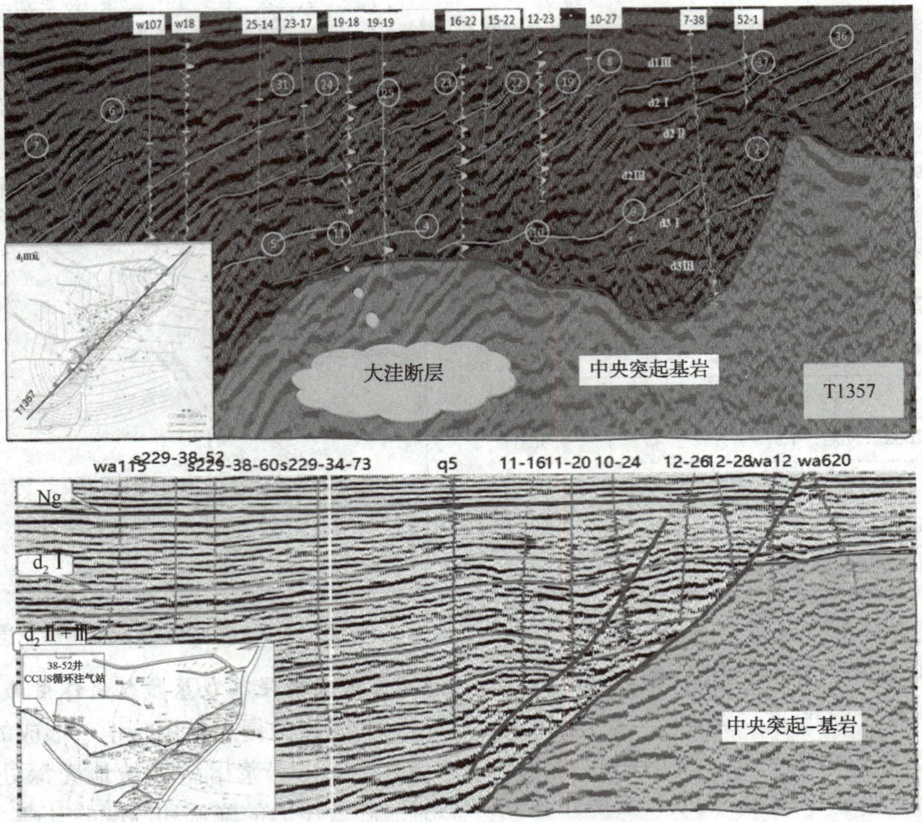

图 11　大洼油田基底起伏

3.5　地下水作用的影响

辽河盆地新生代透水岩系的高度发育，整个盆地几乎都处在地下水活动控制之下。上第三系馆陶组承压含水层与下伏下第三系为区域性不整合接触，大洼含水层无论在纵向或横向上均很稳定，具有均匀的含水性、水质好，为油田区的主要供水层，含水极为丰富，目前 90% 供水量均来自馆陶组。浅层低温、低地温梯度主要是馆陶组地下水对地温的干扰作用，狭长的盆地地形使冷水以良好的径流条件沿含水层强烈活动。东营组受浅层馆陶组地下水的不同程度影响，只是随着深度不断增加，径流的条件减弱，地温趋于正常。新生界内地温梯度由上到下逐渐增大。资料显示，在较浅埋深区域约 1000m 处，地下水的强烈干扰导致了相对低温异常。此外，在大约 1500m 处，西部凹陷的大部分地区已经穿过了馆陶组含水层，地层水的影响逐渐减弱，而基岩埋藏深度的影响逐渐扩大。在 2000m 深度左右，地下水活动的影响基本消失，基岩埋深起伏成为影响地下温度的主要控制因素。

4　结论

（1）通过对现有试油温度、以及非稳态数据利用多元回归分析将温度-深度-声波测井-自然伽马测井-普通视电阻率测井 R2.5 建立数学关系，能够在资料有限的情况下刻画出热储温度分布情况，残差 R 介于 0.920～0.973 之间证明各参数之间与温度有较好的相关性，能够根据现有数据预测温度。

（2）辽河盆地大洼油田东营组一段顶底 1300m 深度时，地温介于 48.27～52.95℃之间，平均值为 50.33℃；1600m 深度时，地温介于 55.63～60.75℃之间，平均值为 58.73℃；热储中深地温梯度介于 2.79～3.08℃/100m 之间，平均为 2.93℃/100m；现今大地热流介于 50.868～86.301mW/m^2，平均值为 57.623±4.097mW/m^2。在深度较浅时，由于受到浅部地层水的影响难以形成有规律的低温分布，随着深度范围增加浅部地层水下渗作用影响逐步减小，断层对热流传导以及基底埋深成为控制地热高温异常的主要因素。

（3）影响研究区域地温场形成的因素是多种多样，不同因素对地层的影响范围、强弱都是多方面的。大洼油田研究区并没有形成大面积显著的地热异常，地热场分布受到多种因素的影响，地下水活动、断裂构造和基底起伏形态等是主要的影响因素。地表径流及浅部地下水活动带走一部分热量，影响到浅部热流形成，从而造成研究层位热流降低，最终导致了浅部地温偏低。沿断裂两侧可以看到较明显的地温梯度升高。同时基岩的起伏幅度、形态与规模，决定着深处传来的热量再分配，凹凸起伏影响着地温高低。以上因素是控制大洼油田地温分布的主要因素。

参考文献

[1] 周守为，朱军龙．助力"碳达峰、碳中和"战略的路径探索[J]．天然气工业，2021，41(12)：1-8.

[2] 马永生，蔡勋育，罗大清，等．"双碳"目标下我国油气产业发展的思考[J]．地球科学，2022，47(10)：3501-3510.

[3] 於世为，孙亚方，胡星．"双碳"目标下中国可再生能源政策体系完善研究[J]．北京理工大学学报(社会科学版)，2022，24(04)：93-102.

[4] 方昆升，汪彪．碳中和目标下的美丽中国低碳发展路径研究[J]．气候变化研究快报，2023，12(02)：352-360.

[5] 汪集旸，胡圣标，庞忠和，等．中国大陆干热岩地热资源潜力评估[J]．科技导报，2012，30(32)：25-31.

[6] 王贵玲，陆川．碳中和目标驱动下地热资源开采利用技术进展[J]．地质与资源，2022，31(03)：412-425.

[7] Zuoxian Luo，Xuemei Lu. Characteristics and prospect of geothermal industry in China under the "dual carbon" target[J]. Energy Geoscience，2023：100199.

[8] Oguz Ozan Yolcan. World energy outlook and state of renewable energy：10-Year evaluation[J]. Innovation and Green Development，2023，2(4)：100070.

[9] The 13th Five-Year Plan for Geothermal Energy Development and Utilization[Z]//PRC National Development and Reform Commission，National Energy Administration，PRC Ministry of Natural Resources. http://www.nea.gov.cn/136035635_14863708180701n.pdf. 2017. 1

[10] 14th Five-year plan for renewable energy development[Z]//PRC National Development and Reform Commission，National Energy Administration. http://www.nea.gov.cn/1310524241_16479412513081n.pdf. 2022. 1

[11] 郝伟林，谢迎春，周鹏，等．谷露地热田水文地球化学特征[J]．世界核地质科学，2022，39(02)：321-329.

[12] 王丹玲，张子健．华北油田持续发力地热市场两年开拓市场突破2700万平方米[N]. 2023. 9. 4-.

[13] 汪艳勇，彭会君，庞志庆，等．大庆油田新能源产业发展对策探讨[J]．油气与新能源，2022，34(02)：82-87.

[14] 新华网．中国石化：地热能源温暖雄安新区[Z]. http://www.xiongan.gov.cn/2018-03/07/c_129824543.htm；中国雄安官网. 2018

[15] 宋先知，许富强，宋国锋．废弃井地热能开发技术现状与发展建议[J]．石油钻探技术，2020，48(06)：1-7.

[16] 陆晓如．油田参与地热正当时——专访中国科学院院士汪集暘[J]．中国石油石化，2023，(14)：14-17.

[17] 胡望水，卫拥军，张自其．辽河盆地反转期构造特征[J]．西安石油学院学报(自然科学版)，2002，(05)：5-15.

[18] 朱芳冰，周红．辽河盆地西部凹陷沙河街组砂岩碳酸盐胶结物特征[J]．地球科学，2022，47(12)：4724-4730.

[19] 王社教，闫家泓，黎民，等．油田地热资源评价研究新进展[J]．地质科学，2014，49(3)：771-780.

[20] 吕亳龙，马建国，解红军，等．油田地热利用概况及对策建议[J]．石油石化节能，2018，8(08)：32-35.

[21] 王社教，李峰，闫家泓，等．油田地热资源评价方法及应用[J]．石油学报，2020，41(05)：553-564.

[22] 霍超，林倚天，李刚，等．碳中和背景下中国地热资源勘查技术研究进展[J]．科学技术与工程，2023，23(12)：4917-4927.

[23] 胡学宝．大洼油田地质特征认识[J]．化工管理，2016，(22)：144.

[24] Xiaoguang Li. Accumulation conditions and key exploration & development technologies of heavy oil in Huanxiling oilfield in Liaohe depression，Bohai Bay Basin[J]. Petroleum Research，2020，5(1)：18-38.

[25] 邱楠生，胡圣标，何丽娟．沉积盆地热体制研究的理论与应用[M]．石油工业出版社，2004.

[26] 邱楠生，王绪龙，杨海波，等．准噶尔盆地地温分布特征[J]．地质科学，2001，(03)：350-358.

[27] 徐明，朱传庆，田云涛，等．四川盆地钻孔温度测量及现今地热特征[J]．地球物理学报，2011，54(04)：1052-1060.

[28] 余恒昌．矿山地热与热害治理[M]．矿山地热与热害治理，1991.

[29] 吴炳伟，张巨星，李荣辉．辽河断陷地热资源研究[J]．资源与产业，2008，(01)：39-44.

[30] 唐晓音，钟畅，杨树春，等．中国海及邻区盆地现今地温场特征及其影响因素[J]．地质学报，2023，97(03)：911-921.

[31] 饶松，肖红平，王朱亭，等．渤海湾盆地馆陶组热

储特征与地热资源评价[J]. 天然气工业，2023，43(05)：141-152.
[32] 汪集旸，汪缉安，王永玲，等. 下辽河盆地大地热流[J]. 地质科学，1986，(01)：16-29.
[33] 姜光政，高堋，饶松，等. 中国大陆地区大地热流数据汇编(第四版)[J]. 地球物理学报，2016，59(08)：2892-2910.
[34] 饶松，高腾，肖红平，等. 中国油区地热开发利用进展[J]. 科技导报，2022，40(20)：65-75.
[35] 邱楠生，胡圣标，何丽娟. 沉积盆地地热学[M]. 北京：中国石油大学出版社，2019.
[36] 汪集旸，汪缉安. 辽河裂谷盆地地幔热流[J]. 地球物理学报，1986，(05)：450-459.
[37] 毛小平，汪新伟，李克文，等. 地热田热量来源及形成主控因素[J]. 地球科学，2018，43(11)：4256-4266.
[38] 王贵玲，蔺文静，刘峰，等. 地热系统深部热能聚敛理论及勘查实践[J]. 地质学报，2023，97(03)：639-660.
[39] Zhiliang He，Jianyun Feng，Jun Luo，et al. Distribution，exploitation，and utilization of intermediate-to-deep geothermal resources in eastern China[J]. Energy Geoscience，2023：100187.
[40] Goran Marinković，Petar Papić，Darko Spahić，et al. Case study of mountainous geothermal reservoirs (Kopaonik Mt.，southwestern Serbia)：Fault - controlled fluid compartmentalization within a late Paleogene - Neogene core - complex [J]. Geothermics，2023，114：102799.
[41] Bo Wang，YongSheng Zhou，Jun Zhong，et al. Tectonic geothermal feature of Northwest Yunnan and the influence on seismic activity[J]. Chinese Journal of Geophysics，2022，65(9)：3419-3433.
[42] 王贵玲，蔺文静. 我国主要水热型地热系统形成机制与成因模式[J]. 地质学报，2020，94(07)：1923-1937.
[43] 郭清海. 岩浆热源型地热系统及其水文地球化学判据[J]. 地质学报，2020，94(12)：3544-3554.
[44] 关健，方石. 地热系统的概念与传热机制综述[J]. 地质与资源，2021，30(02)：207-213.
[45] 陈振岩，仇劲涛，王璞珺，等. 主成盆期火山岩与油气成藏关系探讨[J]. 沉积学报，2011，29(04)：798-808.
[46] 陈墨香，汪集旸，汪缉安，等. 华北断陷盆地热场特征及其形成机制[J]. 地质学报，1990，(01)：80-91.
[47] 常健，邱楠生，赵贤正，等. 渤海湾盆地冀中坳陷现今地热特征[J]. 地球物理学报，2016，59(03)：1003-1016.
[48] 卫万顺，郑桂森，栾英波. 北京平原区浅层地温场特征及其影响因素研究[J]. 中国地质，2010，37(06)：1733-1739.

中深层超稠油 SAGD 开发后期余热利用研究

郗　鹏　王国栋　王中元

（中国石油辽河油田公司）

摘　要　针对中深层超稠油 SAGD 汽腔到顶开发效果急剧变差及 SAGD 开发后期余热如何有效利用等问题，采用数值模拟方法，厘清 SAGD 剩余油分布模式，分析余热利用的可行性，确定余热利用的首选目标区域，评价挖潜方式，优化部署界限及操作参数。研究结果表明：SAGD 生产井下部油藏动用程度较低，且底部形成温场，剩余油饱和度较高；底部挖潜时应规划合理避水厚度，最大限度挖掘油藏潜力，提高 SAGD 开发余热利用效率，提高油藏采出程度。该研究对中深层超稠油 SAGD 开发后期余热利用具有借鉴意义。

关键词　超稠油；蒸汽辅助重力泄油；剩余油；加密井

蒸汽辅助重力泄油技术(SAGD)是实现稠油和油砂开采的有效技术。该技术首先由 Butler 提出，主要原理为通过在油藏底部部署一对水平井，上部井作为注汽，下不井作为采用井，通过连续注入高干度的蒸汽，使油藏粘度降低，在重力的作用下热油及冷凝物流入生产井井底被采出，完成稠油油藏的开采。SAGD 技术在加拿大 Athabasca 油砂开采中的功应用，目前 SAGD 技术成功应用于国内辽河、新疆等其他地区稠油油藏的开采。

当 SAGD 汽腔接近油层顶部后开发效果逐渐变差，油藏温场整体提高，但是生产井间、生产井底部油层无法充分动用，2000 年 Policar 和 Cyr 提出了在原有的 SAGD 井组中间加密一口水平井，汽腔连通后可直接转入 SGAD 生产，有效动用井间的剩余油，提高 SAGD 井组的采收率。

D84 块兴 VI 组油藏为中深层块状底水超稠油油藏，该块于 1999 年开始采用常规直井蒸汽吞吐，2006 年利用直平组合井网转 SAGD 开发。开采过程中逐渐暴露出一些问题：D84 块兴 VI 组油藏高轮次吞吐后转 SAGD 生产，目前汽腔快速到达油层顶部，油汽比迅速下降，生产效果变差，数值模拟及观察井显示，SAGD 井组间以及生产井底部剩余油未能得到有效动用。针对 D84 兴 VI 组油藏汽腔到顶开发效果变差的问题，提出在生产井间底部署加密水平井，充分利用原 SAGD 井网的热量，挖潜井间剩余油，改善 SAGD 后期开发效果，提高油藏的采出程度。

1　区块概况

D84 块构造位置位于辽河断陷盆地西部凹陷西斜坡中部，目的层为古近系沙河街组的沙三段兴隆台油层兴 VI 组，油藏埋深 720～810m，油层厚度在 10～60m 之间，平均厚度 33.7m，平均有效孔隙度 27.0%，渗透率 1.9μm^2，为高孔高渗储层，20℃时原油密度为 1.001g/cm^3，50℃地面脱气原油粘度为 16.8×10^4mPa·s，油藏类型为块状底水超稠油油藏。

D84 兴 VI 组油藏 1999 年采用直井 70m 井距正方形井网投入开发，2006 年至 2017 年开展直平组合 SAGD 先导试验及扩大实施，共实施 SAGD 井组 37 个，截止 2021 年底，区块日注汽 3290t/d，日产液 4741t/d，日产油 861t/d，含水 81.8%，油汽比 0.26，采注比 1.44，累注汽 2991×10^4t，累产油 1078×10^4t，油汽比 0.36，采出程度 39.4%。

2　剩余油分布研究

根据数值模拟结合观察井、生产动态开展兴 VI 剩余油综合研究，研究显示兴 VI 组局部剩余油较为富集，剩余油分布主要分为六个模式：夹层遮挡区域剩余油富集；横向汽腔未波及区域剩余油富集；蒸汽超覆 θ 角剩余油富集；水平井下部避底水剩余油富集；地层起伏下部未控制区剩余油富集；注汽井点不完善剩余油富集，水平井下部是余热利用挖潜的主要目标区(图 1)。

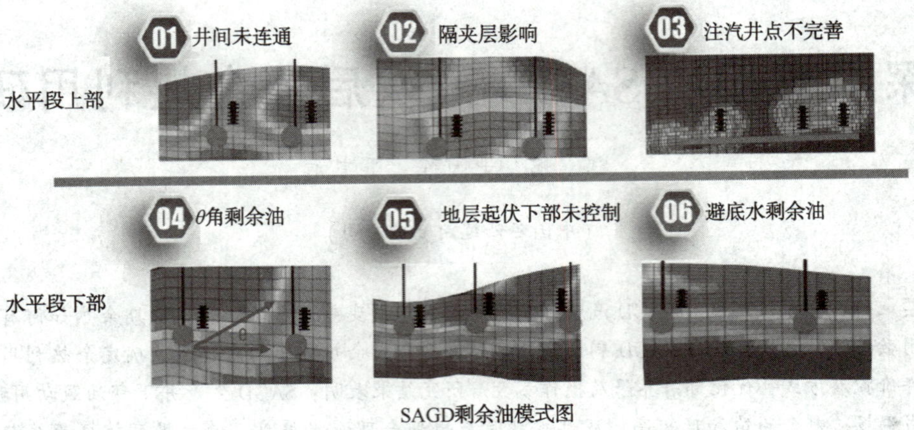

图1　兴VI组剩余油分布模式

3　井组数值模拟分析SAGD底部余热挖潜可行性

模型选取兴H62、H63、H64井组。平面网格划分考虑注采井距；垂向网格划分考虑底水及水平段所在层位。数值模拟平面网格步长10m×10m；垂向网格步长最小1m；总网格数为56×108×50＝302400个，依据储层的热物性试验及流体实验数据得到数值模拟油藏参数(表1)，井组产量拟合误差小于5%。

表1　岩石及流体参数

岩石的压缩系数	7.8×10^{-5}	1/MPa
岩石的体积热容	2100	KJ/m³-℃
岩石的导热系数	150	KJ/m-day-℃
油的导热系数	11.5	KJ/m-day-℃
水的导热系数	53.5	KJ/m-day-℃
岩石热传导率	9.64E+04	J/(m*day*C)
油相热传导率	1.15E+04	J/(m*day*C)
水相热传导率	5.35E+04	J/(m*day*C)

3.1　SAGD开发后压力系统及剩余油分布规律

从兴H62井组温度场、压力场、饱和度场剖面图来看(图2)，虽沿水平段方向温场分布不均，但水平段上部汽腔均已连片分布，形成一个较大汽腔，而水平井下方温度较低，水平段上方压力稳定在3MPa，而水平段下方因蒸汽未波及，动用程度低，压力保持在4~5MPa左右，水平段上方油藏动用程度较高，剩余油饱和度均已降至0.25以下，水平井下方含油饱和度为0.6左右，动用厚度不足3m。

3.2　底部挖潜避水厚度研究

加拿大底水油藏SAGD生产时，对厚度小于5m、含油饱和度30%~50%的底水层，可以直接把水平生产井布置在底水层，不考虑避射厚度，控制SAGD汽腔操作压力与底水层压力保持平衡，防止底水锥进或者蒸汽漏失。加拿大油砂埋藏较浅，大部分底水油藏的压力系数一般不超过0.6，对于水层厚度大于5m的油藏，从目前统计来看，底水避射厚度3~5m，且高粘度的原油能够有效阻挡底水锥进和蒸汽漏失。

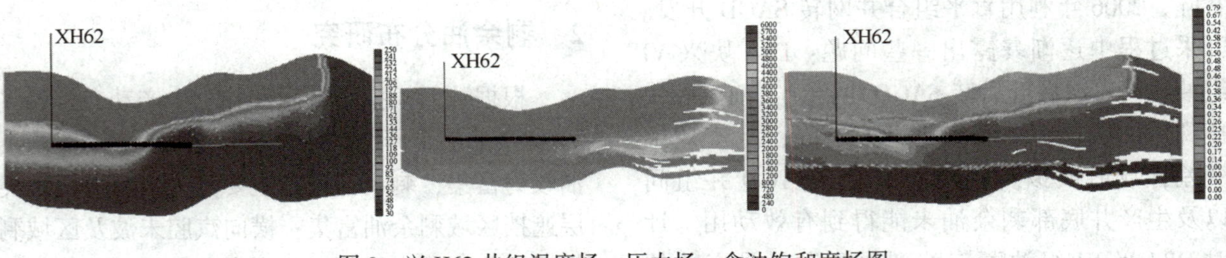

图2　兴H62井组温度场、压力场、含油饱和度场图

建立兴Ⅵ组单井组理想模型，采用了不同倍水体模拟了底水对底部挖潜井的影响，从计算结果来看，因SAGD为稳压开采，转入SAGD后水平井上方地层压力基本稳定在3.5MPa，而水平段下方地层压力依据水体大小下降幅度不同，最终压力稳定在3.5~4MPa，总体来看不同水体大

小对 SAGD 开发效果影响较小，采收率虽略有差异，但不显著。

从含油饱和度场图来看，水平段下方与底水之间油层含油饱和度仍在 60%以上，处于未动用状态，底水未发生明显锥进现象。

从压力及温度场图来看，水体越大，水平段下方压力越大，但总体维持在 3.5～4.3MPa 之间，而温度变化相对敏感，即水体越大水平段下方加热范围越小。

在上述明确不同水体大小对开发效果影响基础上，进一步开展不同水体大小避底水界限研究。以 10 倍水体为例，部署水平井距底水 1/2/3/4/5/6/7m，从含水率曲线来看，距底水 1～3m 时，生产开始含水即达到 99%以上；距底水 4m 以上，含水率随距离增加而逐渐下降，尤其是 5m 以上，含水率变化较为稳定(表 2)。以瞬时油汽比 0.1 为限，从日产油变化曲线来看，水平井日产油高峰期产量可达 20t/d，稳产期约 2～3 年，距底水距离越大，生产时间越短，累产油越低，下方储量损失越大，采出程度越低。因此，针对不同水体大小，得出不同距底水界限。

表 2　不同水体大小及避底水界限

水体大小	距底水界限
1 倍	3m
3 倍～5 倍	3m～5m
10～20 倍	5m～7m

4　挖潜方式研究

依据兴Ⅵ现阶段蒸汽波及状况及开发特点，结合避底水界限研究，开展 4 项调整方式研究：①保持原注采关系，继续 SAGD 生产；②距底水 5m 部署水平井，预热联通后转 SAGD；③距底水 5m 部署水平井，预热联通后转 N2 辅助 SAGD；④距底水 5m 部署水平井，实施重力火驱。

从数值模拟计算结果来看，在现有水平井下方部署加密井，近 20m 油层得以有效动用，采收率提高 5.2%～6.8%，其中开展多介质辅助 SAGD(N2)与常规 SAGD 相比采收率接近，油汽比提高 0.02，经济效益明显。重力火驱虽然在注气井点成功点火，但注入的空气很快窜入汽腔，火线无法有效维持，因此在现有水平井下方、距离油水界面 5～7m 处部署水平井开展 SAGD 方式，可充分动用油层下方剩余储量，提高油层动用程度及整体开发效果(图 3)。

5　操作参数优化

5.1　预热方式

在上水平井继续进行驱泄复合开发的同时，开展下水平井预热方式优选。分别计算了蒸汽吞吐、伴热生产、电加热、循环预热等方式，从计算结果分析：蒸汽吞吐及伴热生产易形成继承性高温，即蒸汽仍在原有的腔体内波及，其他未动用区域多周期后温度仍然较低；电加热及循环预热效果较好，因电加热方式预热时间相对较长(2～3 年)，因此推荐采用循环预热方式(图 4)。

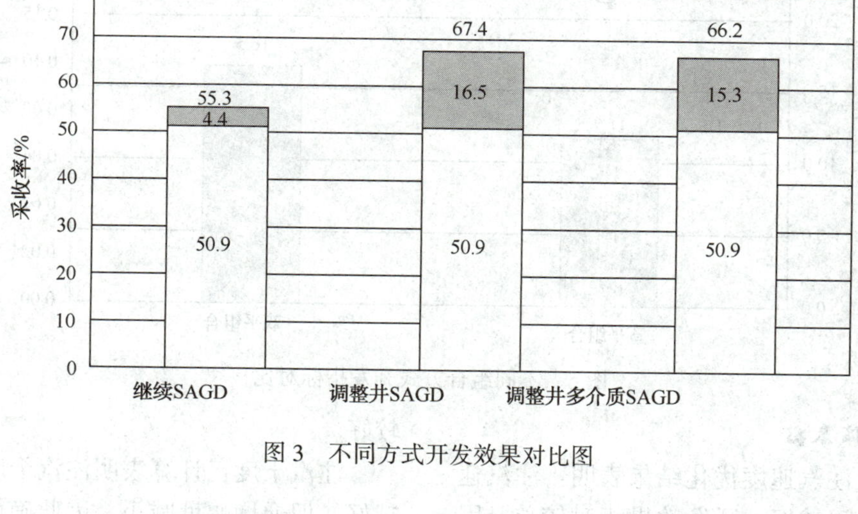

图 3　不同方式开发效果对比图

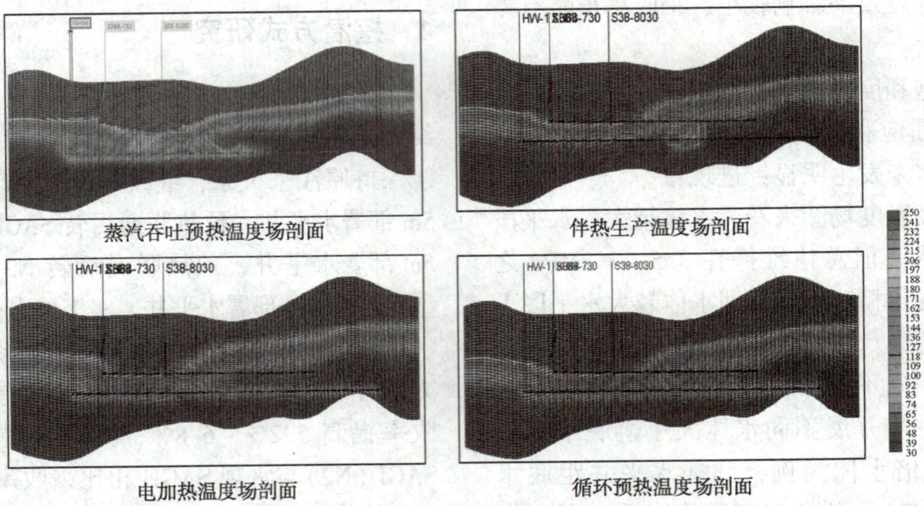

图4　不同方式温度剖面场图对比

依据现场实施经验及热损失计算，循环预热阶段注汽速度为80～100t/d，据此依据热量计算公式计算了不同注汽速度下将注采井间油藏加热至80℃时所需的热量，结果表明，基于油藏温度40℃、注汽速度80～110t/d时，循环预热时至少需要336～422d。

$$\sum Q = Q_1 + Q_2 + Q_3$$

$$Q_1 = \pi(R^2 - r^2)h(1-\phi)\rho C(t_1 - t_0)$$

$$Q_2 = \pi(R^2 - r^2)h\phi S_o \rho_o C_o(t_1 - t_0)$$

$$Q_3 = \pi(R^2 - r^2)h\phi S_w \rho_w C_w(t_1 - t_0)$$

式中，$\sum Q$ 为总加热量，kJ；Q_1 为加热预热范围内岩石至预热温度的热量，kJ；Q_2 为加热预热范围内原油至预热温度的热量，kJ；Q_3 为加热预热范围内水至预热温度的热量，kJ；R 为油层的预热半径，m；r 为油层套管外半径，m；h 为水平井段长，m。

5.2　井网组合方式

对比直平组合及双水平井组合两种方式对开发效果的影响，计算结果表明，两种方式采收率有所差距，其中直平组合方式因注汽直井与所部署水平井垂向距离较大，造成汽腔发育及向下方扩展缓慢，产量高峰推迟近1年时间，同时脚尖部分直井轨迹仅钻开油层上部，造成射孔位置距水平井更远，如采用直井注汽汽腔更加难以扩展，因此最终推荐双平组合方式(图5)。

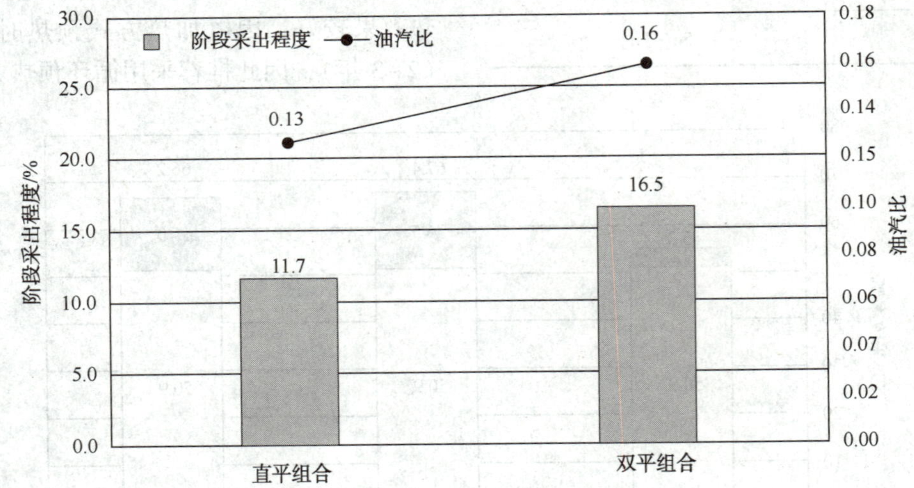

图5　不同组合方式开发指标对比

5.3　SAGD操作参数

注汽速度：注汽速度优化结果表明：注汽速度越大，生产时间越短，开发效果相对较差，因此在保证井底干度的同时注汽速度以150～200t/d较好。

注汽干度：计算表明注汽干度越高生产效果越好，但递增幅度减小，因此确保井底干度达到0.7即可。

采注比：合理的采注比更有益于汽腔的扩展，数模计算表明将采注比控制在 1.1~1.2 开发效果较好。

6 现场应用

2021 年在兴 H62 和兴 H63 之间部署底部挖潜加密井 H62-1，该井水平段长度 332m，避底水 22m，钻遇油层 11m，完钻后测得油藏温度 85℃，首轮仅少量注汽后平均日产油迅速达 11.1t/d，含水 78.7%，大大提高了兴 H62 井组产量，预计提高采收率 12%(图 6)。

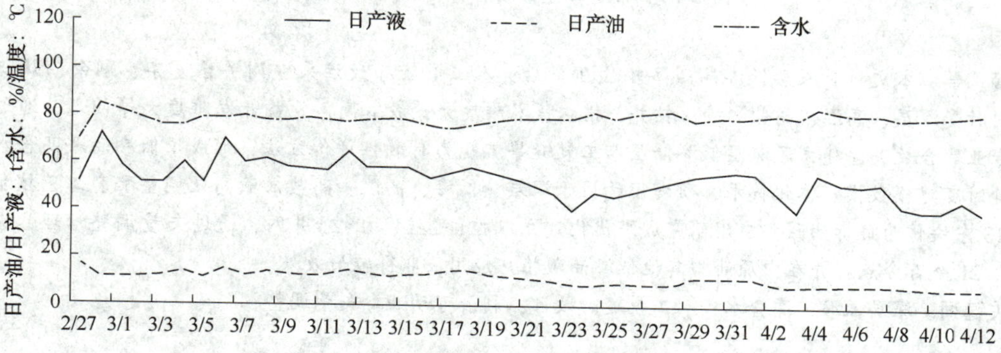

图 6　兴 H62-1 生产曲线

7 结论

（1）SAGD 生产方式未剩余油富集区主要为汽腔未连通、θ 角、两端起伏不平及避底水区、隔夹层遮挡等 6 种，水平井下部是余热利用挖潜的主要目标区。

（2）挖潜区域存在底水时，需开展底水油藏避水部署界限研究，最大限度减少储量损失，提高油藏整体动用程度

（3）SAGD 生产井下部动用程度低，剩余储量大，且油藏温场已经形成，挖潜井投产后少量注后汽迅获得速高产，是快速提高井组产量重要措施。

参 考 文 献

[1] 吴霞．蒸汽辅助重力泄油技术研究进展[J]．特种油气藏，2007，14(01)：7-10.

[2] Butler，R. M. and Stephens，D. J. " The Gravity Drainage of Steam Heated to Parallel Horizontal Wells"，J. Can. Pet. Tech.（April-June，1981）：90-96.

[3] Griffin，P. J. and Trofimenkoff，P. N. "Laboratory Studies of the Steam - Assisted Gravity Drainage Process"，AOSTRA J. of Research，Vol. 2，No. 4，（1986）：197-203.

[4] Yang，G. and Butler，R. M. "Effects of Reservoir Heterogeneities on Heavy Oil Recovery by Steam Assisted Gravity Drainage"，40 th Annual Technical Meeting of CIM，Banff，(1989).

[5] 徐杰，徐玲，胡伟．稠油油藏氮气辅助蒸汽驱增油机理实验[J]．天然气与石油，2015，33(04)：42-46.

[6] 李浩哲，熊彪，张荷等．国外稠油油藏单井 SAGD 开发技术综述[J]．天然气与石油，2017，35(01)：84-88.

[7] 李苒，陈掌星等．特超稠油 SAGD 高效开发技术研究综述[J]．中国科学技术科学，2020，50(06)：729-741.

[8] Polikar M，CYR TJ，COATSR M. FAST-SAGD：halfthe wells and 30% less steam[C]. SPE65509，200：1-6.

[9] CYR T J，COATESR M，POLIKAR M. Steam-Assistedgravity driange heavy oil recovery process；United States，625733413[P]. 2001.

[10] 杨兆臣，于兵等．超稠油溶剂辅助 SAGD 启动技术油藏适应性研究[J]．特种油气藏，2020，27(04)：67-72.

深层低渗油藏高含水期提高采收率技术

熊运斌[1]　罗波波[1]　邓彩云[1]　刘峰刚[1]　郭天魁[2]

[1. 中国石化中原油田分公司；2. 中国石油大学(华东)]

摘　要　本文针对深层低渗油藏多轮次压裂后，人工裂缝导致注采井网关系复杂、剩余油认识难度大；同时受深层、高温、高盐影响，钻井、措施技术难度大，成本高，效益开发难度大等问题，通过多学科多专业联合攻关，建立了深层低渗储层人工裂缝导流能力时效性评价方法，形成了低渗油藏高含水期人工裂缝时变建模数模一体化技术，研发了适用于深层、低渗、高温、高盐油藏高效调整配套工艺技术。选择文13东块作为目标油藏，应用研究成果优化建立双控(缝控、相控)井网，通过矢量调整治理，提高采收率2.21个百分点，并在中原油田其他低渗油藏推广应用，取得较好效果。

关键词　深层低渗；高含水；人工裂缝时效性；剩余可动油；矢量调整

中石化低渗油藏储量14.4×10^{8t}，标定采收率仅16.4%。低渗油藏虽然地质条件差、效益开发难度大，但随着我国经济的快速发展，对石油产品的需求越来越大，进一步提高低渗油藏的采收率迫在眉睫。

中原油田深层低渗油藏主要分布在文东、文南、桥口等油田，石油地质储量2.72×10^{8t}，储量占比48.1%，是油田稳产的压舱石，目前综合含水92.68%，采出程度仅19.51%。受油藏埋藏深(大于3000m)、高温(大于110℃)、高压(原始压力系数1.7~1.8)、高盐影响(大于25×10^4mg/L)，与中原油田其他类型油藏相比，该类油藏开发水平相对较低，进一步提高采收率的潜力大。攻关该类油藏的高效调整技术，实现效益提高采收率，对国内同类油藏的效益挖潜具有重要的指导意义。

1　目标油藏概况

文13东块位于文东背斜东翼，主要层位沙三中4-10，含油面积9.3km^2，地质储量1569×10^4t，标定采收率为29.86%，油藏中深-3410m，孔隙度16.7%，平均渗透率35.5mD，原始地层压力61.4MPa，原始压力系数1.80，原始地层温度135℃，原始地层水矿化度(31~34)×10^4mg/L，水型为$CaCl_2$型。

1987年投入开发，1990年开始注水，目前油藏共有油水井133口，开油井52口，日产液1155.5t，日产油60.0t，综合含水93.3%，采出程度28.68%；开水井52口，日注水量1929m^3，累积注采比1.15。

2　低渗油藏提高采收率技术研究

2.1　深层低渗储层人工裂缝导流能力时效性评价方法

通过数模与物模相结合的方法，开展了人工裂缝扩展、支撑剂压实、生产阶段微粒侵入堵塞全过程模拟研究，明确了不同阶段人工裂缝导流能力损伤规律，实现了人工裂缝导流能力动态定量预测。

2.1.1　人工裂缝扩展模拟

基于研究区实际参数，应用三维水力压裂裂缝扩展数值模拟技术，揭示了地质条件和施工参数等因素对于裂缝扩展形态的影响程度和规律，定量评价人工裂缝的扩展形态参数，指导压裂方案的优化设计。

不同压裂液粘度条件下，压裂液粘度从5mPa·s到100mPa·s，无天然裂缝条件下，缝长减小62.7%，缝宽增加82.0%、导流能力增加105.9%(图1)。

不同压裂液量条件下，压裂液量从200-500m^3，无天然裂缝条件下，裂缝缝长、缝宽、导流能力分别增加83.2%、36.4%、21.4%(图2)。

不同排量条件下，排量3~6m^3/min，无天然裂缝条件下，随着排量增加，缝长呈减小趋势，减小23.7%、缝宽、缝高呈增大趋势，分别增大14.9%、20%，导流能力增加13.5%(图3)。

随着杨氏模量增加，无天然裂缝条件下，缝长增加12.5%、缝宽减小14.7%、导流能力减小14.3%，缝高不易控制(图4)。

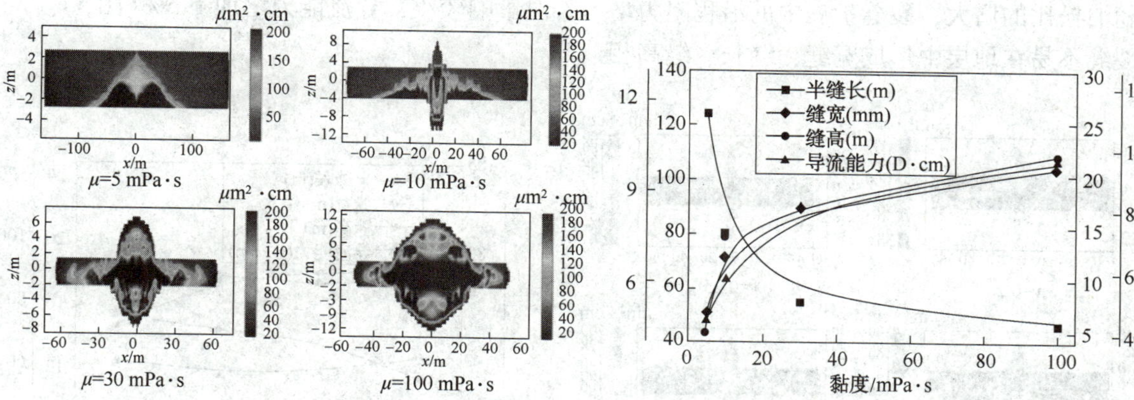

图 1　不同压裂液粘度条件下的裂缝扩展形态及裂缝参数变化规律

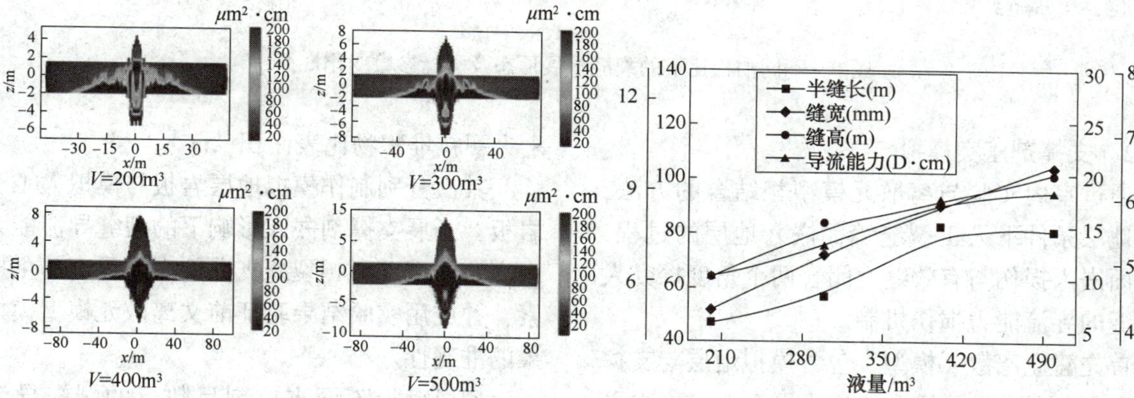

图 2　不同压裂液量条件下的裂缝扩展形态及裂缝参数变化规律

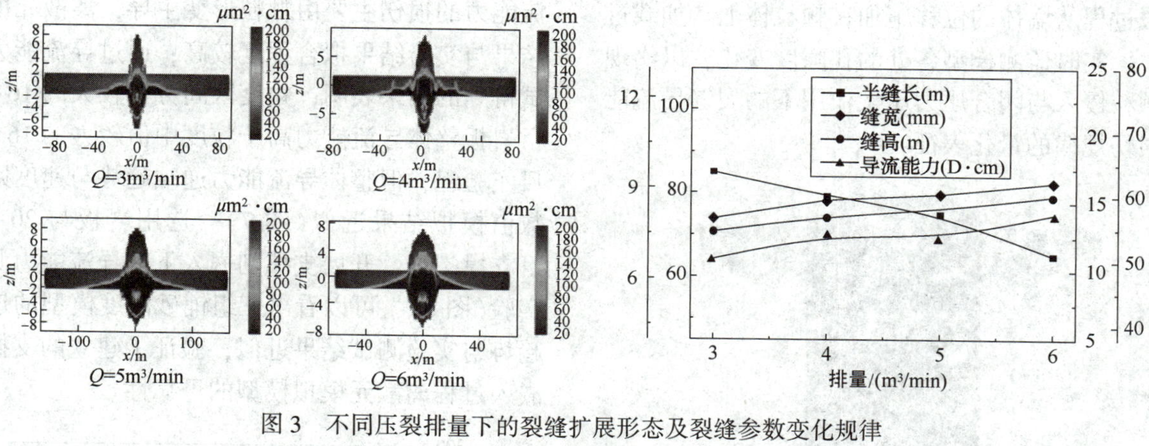

图 3　不同压裂排量下的裂缝扩展形态及裂缝参数变化规律

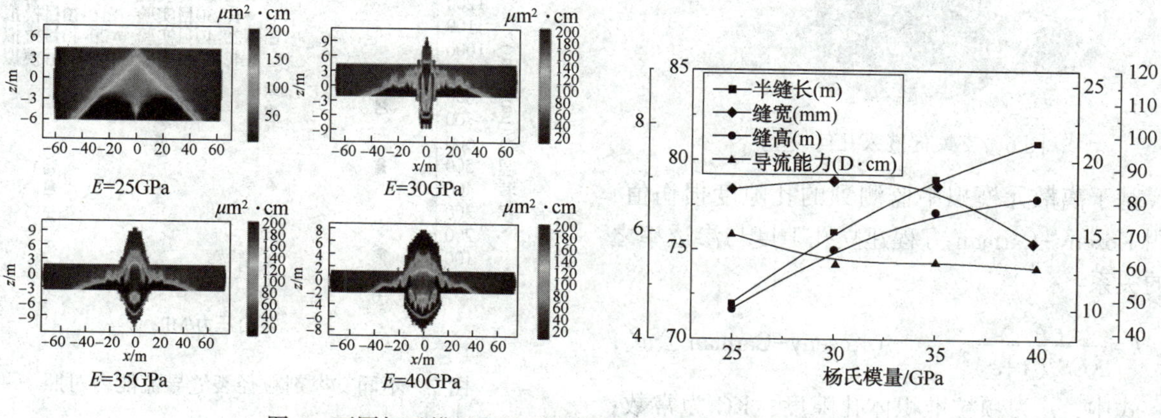

图 4　不同杨氏模量下的裂缝扩展形态及裂缝参数变化规律

随泊松比的增大，裂缝扩展中的沿程阻力增大，裂缝不易在地层中形成宽缝，缝长、缝高相对影响较小，导流能力增加 1.5%(图 5)。

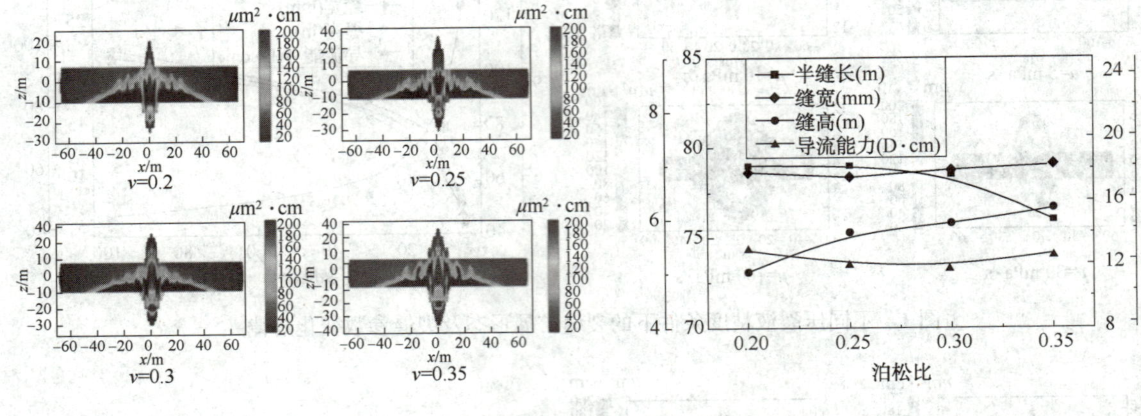

图 5　不同泊松比下的裂缝扩展形态及裂缝参数变化规律

2.1.2　支撑剂压实模拟

通过室内实验与离散元模型相结合的方法，模拟地层条件下人工裂缝缝面嵌入地层的过程，从壁面嵌入损伤与有效缝宽闭合两个角度探究人工裂缝的导流能力损伤机制。

首先建立离散元模型，包含模拟地层与支撑裂缝两部分(图 6)。模型墙体边界由上、下水平加载板与圆柱形墙体组成，围压与闭合压力通过伺服过程从墙体的位移施加在颗粒体上。加载过程中，实时监测模型各处的孔隙度变化，以实现对颗粒侵入与闭合压力压实作用下的裂缝导流能力损伤规律的量化表征。

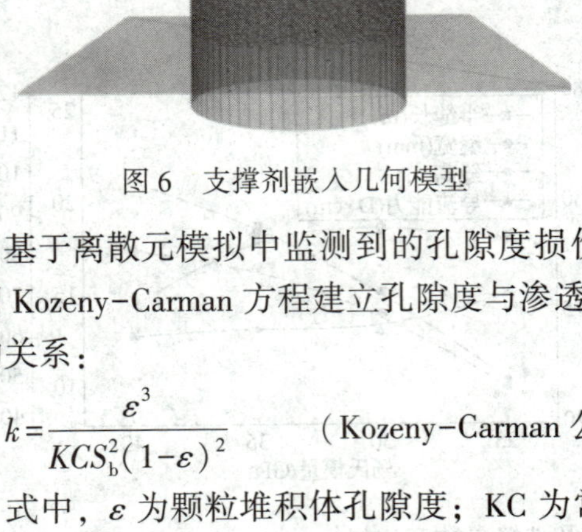

图 6　支撑剂嵌入几何模型

基于离散元模拟中监测到的孔隙度损伤值，应用 Kozeny-Carman 方程建立孔隙度与渗透率之间的关系：

$$k=\frac{\varepsilon^3}{KCS_b^2(1-\varepsilon)^2} \qquad \text{(Kozeny-Carman 公式)}$$

式中，ε 为颗粒堆积体孔隙度；KC 为常数；S_b 为颗粒堆积物比表面积，m^{-1}。

其次分别制作模拟地层岩板与模拟人工裂缝岩板，开展支撑剂嵌入影响下的裂缝导流能力室内实验，探究影响裂缝支撑剂嵌入程度的主控因素，并应用实验结果验证前文离散元模型模拟结果的准确性。

通过模拟不同支撑剂目数下的裂缝导流能力，在支撑目数小于 16~30 目时，人工裂缝导流能力的损伤主要由颗粒形变主导，离散元模拟结果与实验结果拟合程度较高；通过导流能力测试得到的结果表明，粒度区间分布较大的 16~30 目岩板整体导流能力高于粒度中值较大的 16~20 目实验组，但整体导流能力递减趋势与速度则与数值模拟结果近似(图 7)。选用岩板与 20~40 目支撑裂缝，开展支撑剂嵌入下的导流能力测试实验(图 8)，可以看出三组铺砂浓度模型的递减趋势与实验测试结果近似，验证了建立的支撑剂嵌入过程离散元模拟模型的可靠性。

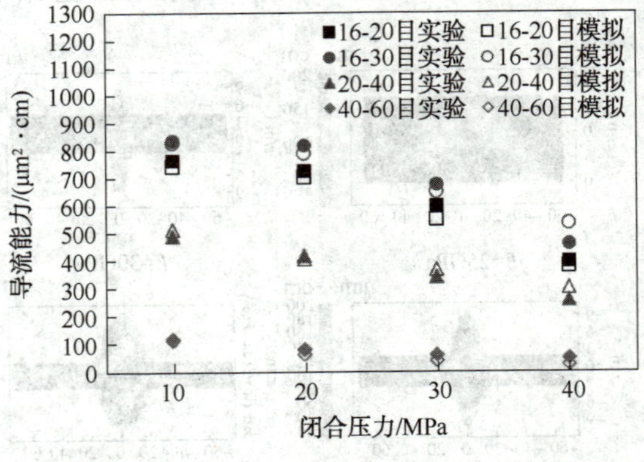

图 7　不同支撑剂粒径裂缝导流能力对照

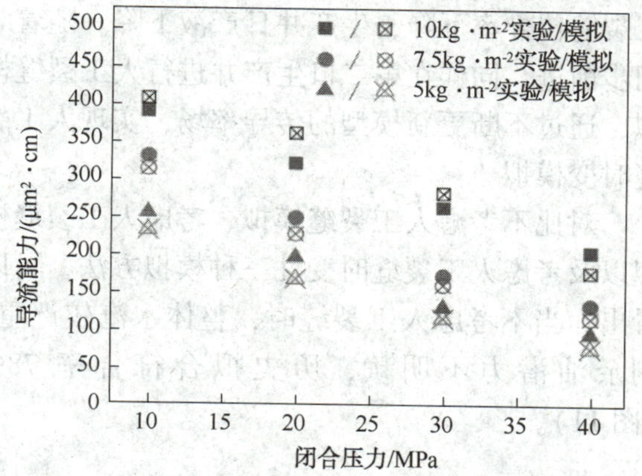

图 8　不同铺砂浓度裂缝导流能力对照

2.1.3　生产阶段储层微粒侵入损伤模拟

以闭合压力 41MPa、支撑剂粒径 20~40 目的实验组为例，对比钢板嵌入实验可知，人工裂缝导流能力的损伤可分为以下几个阶段：初始状态下，人工裂缝导流能力初值为 64μm²·cm，而在 3~8h 内，裂缝导流能力因支撑剂的嵌入作用发生首次骤降，导流能力降至 53μm²·cm；嵌入过程结束后支撑剂的压实破碎造成了裂缝导流能力的进一步损伤，相较于嵌入损伤，支撑剂破碎造成的导流能力损伤幅度降低，但持续时间延长，最终在实验进行 28h 左右时，裂缝导流能力降至 45μm²·cm；对于钢板实验组，此时的裂缝导流能力趋于稳定，而对于岩板实验，流体携带储层可动微粒会继续侵入裂缝，造成裂缝导流能力的时变性损伤(图 9)。

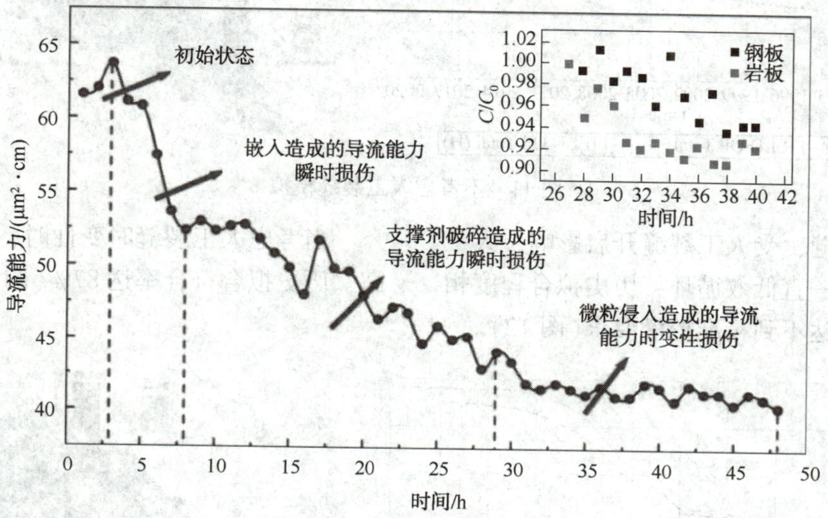

图 9　人工裂缝导流能力损伤阶段划分(闭合压力 41MPa，支撑剂粒径 20~40 目)

室内实验与数值模拟得到的人工裂缝导流能力动态损伤趋势，可以看出，当储层流体中的固相体积分数设置为 0.225%时，数值模拟与室内长期导流能力实验得出的导流能力损伤结果匹配程度最高，因此在后续的数值模拟计算中，选取该值作为人工裂缝缝周颗粒场的边界条件(图 10)。

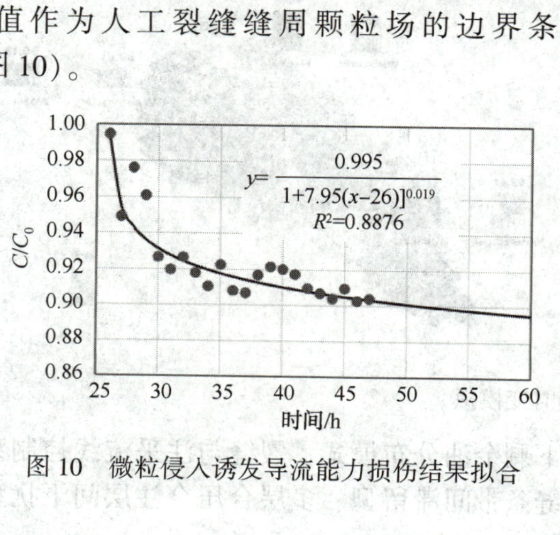

图 10　微粒侵入诱发导流能力损伤结果拟合

结合前期的实验数据及拟合结果，应用有限差分法对深层过滤网格模型进行求解，计算裂缝动态渗透率损伤分布。开发了人工裂缝导流能力时效性预测软件，在确定压裂设计方案、裂缝几何尺寸、储层物性参数的前提下，可预测生产过程中裂缝导流能力动态损伤(C/C0)曲线，首次实现人工裂缝导流能力的全过程可视化模拟与预测。

2.2　深层低渗油藏时变人工裂缝建模数模一体化技术

通过建立人工裂缝双重介质模型，应用人工裂缝时效性变化规律，得到考虑裂缝导流能力时效性的剩余油预测结果，剩余油认识精度从 78%提高到 87%，明确人工裂缝影响下的剩余油分布模式。

2.2.1　人工裂缝建模

在基质建模的基础上，首先建立不同时段压

裂的单井人工裂缝模型，根据生产动态数据计算单条裂缝影响范围，通过局部网格加密，建立人工裂缝单井模型；通过在基质中嵌套人工裂缝单井模型，建立含有人工裂缝的三维地质模型。

2.2.2　人工裂缝时变数值模拟

在相渗时变的基础上，通过在第一口生产井中嵌入人工裂缝模型，生产井日产液增加，随着产出液的增多，地层压力下降，基于人工裂缝导流能力预测结果，人工裂缝渗透率逐渐减小，人工裂缝传导率下降，生产井日产液下降。随着时间步前进，同样在第二口生产井进行人工裂缝模拟，通过不断更新模型的传导率场，实现人工裂缝时变模拟。

对比不考虑人工裂缝模拟、考虑人工裂缝模拟以及考虑人工裂缝时变性三种模拟方法，可以看出，当不考虑人工裂缝时，整体水淹较严重，剩余油潜力不明确，历史拟合符合率 78%(图 11)。

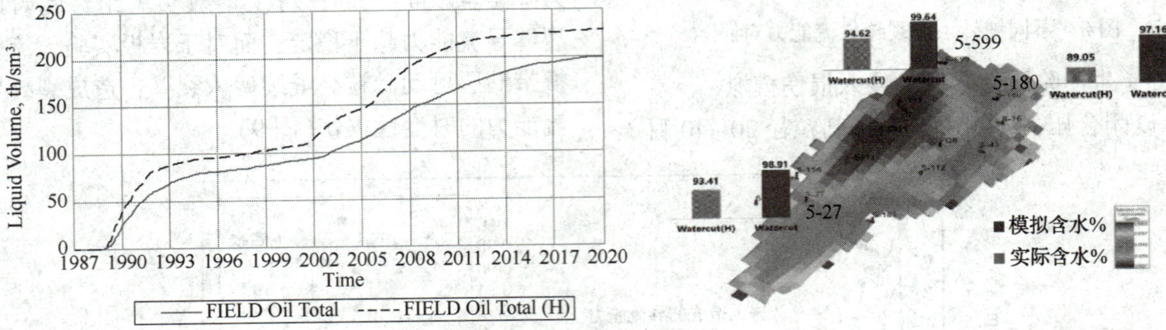

图 11　不考虑人工裂缝模拟

考虑人工裂缝，受人工裂缝开启影响，人工裂缝周围注入水一直低效循环，历史拟合程度相对增加，但仍然达不到精准挖潜要求(图 12)。

当考虑人工裂缝时变性时，模拟精度明显提高，历史拟合符合率达 87%(图 13)。

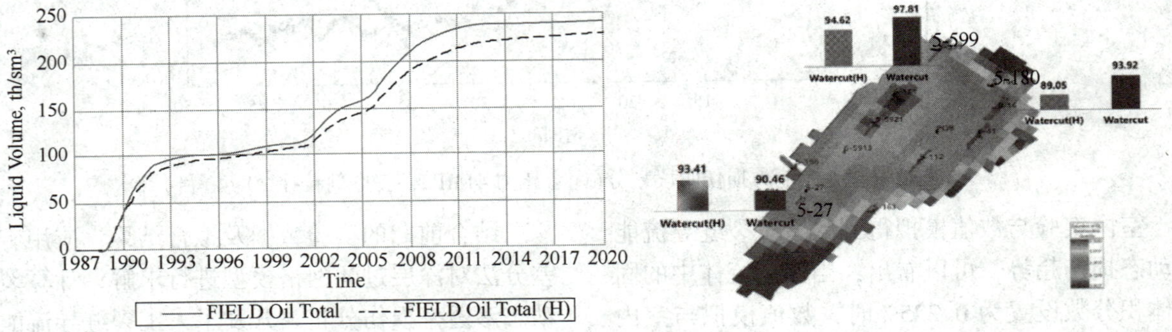

图 12　考虑人工裂缝模拟

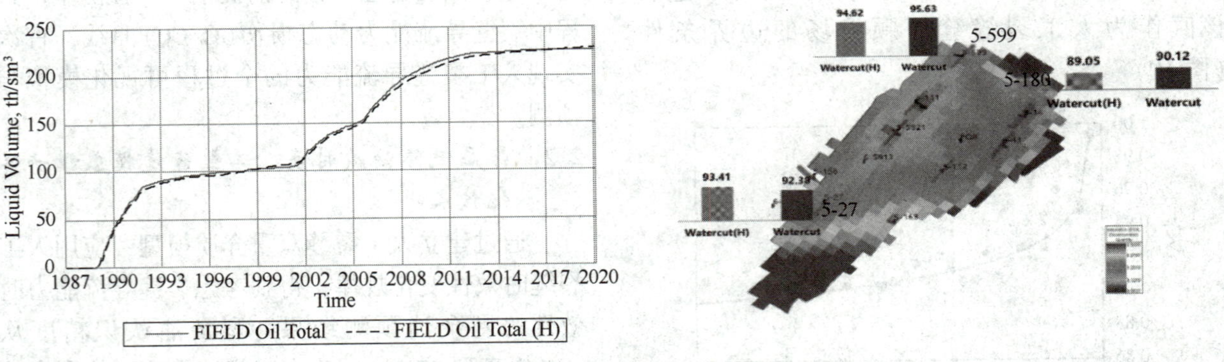

图 13　考虑人工裂缝时变模拟

2.2.3　剩余油分布规律

基于数值模拟结果，建立了 3 类人工裂缝影响下剩余油分布模式：裂缝与注采流线控制型、裂缝条带间滞留型、多层合压合注层间干扰型。

其中裂缝与注采流线控制型剩余可动油占比最大，占62.1%。

表1　人工裂缝影响下剩余油分布模式统计表

分布模型	剩余油潜力模式			分布区域	剩余可动储量占比/%
平面	裂缝与注采流线控制型	水线侧向		裂缝侧翼，水线侧向	51.7
	裂缝条带间滞留型	夹角外		裂缝与注采流线夹角范围外	10.4
		裂缝条澡	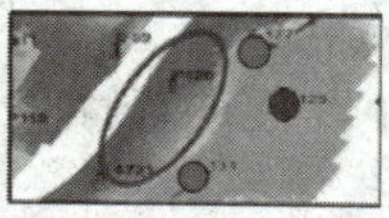	裂缝条带间，水线波及不到的滞留区	16.3
层间	多层合压合注层间干扰型	导间干扰		动形程度较低的小层	21.6

2.3　深层、低渗、高温、高盐油藏高效调整配套工艺技术

2.3.1　深层双层套管开窗侧钻技术

针对 Φ139.7mm、Φ244.5mm 双层套管开窗，没有有效的开窗工具的难题，首创深层双层套管专用配套开窗工具，包括YDY加长型液压卡瓦斜向器（图14）和特制加强复式铣锥（图15），YDY加长型液压卡瓦斜向器由导向器和坐封器构成。

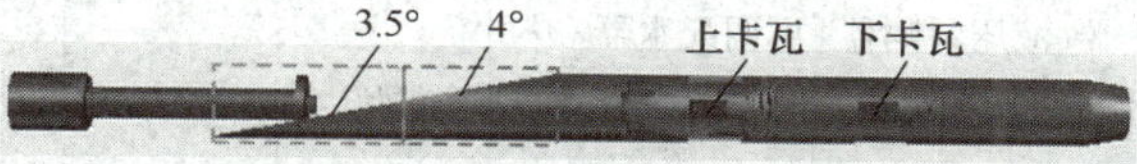

图14　YDY加长型液压卡瓦斜向器

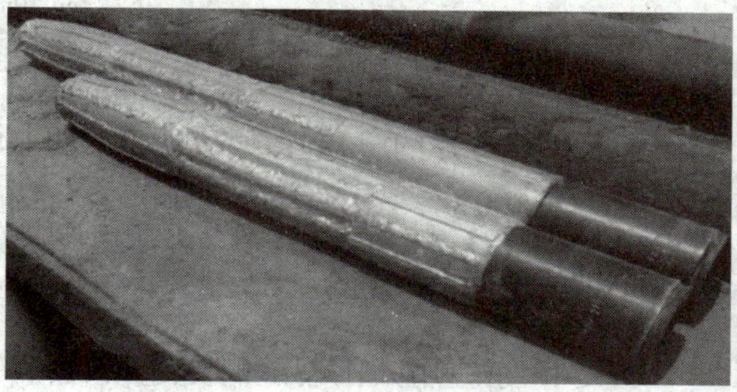

(a)特制加强铣锥

(b)锥体冠部破窗齿

图15　特制加强复式铣锥

导向器结构：采用双角度超硬复合斜面结构确保定向准确，上部斜面设计角度3.5°，下部斜面设计角度4.0°，3.5°斜面和4°斜面相交于导向器的中心线，保证导向器斜面具有较大的分叉角（表2）。

表2　常规斜向器与YDY斜向器对比

类型	钢级	本体长度/m	斜面长度/m	卡瓦数量	斜面角度/°	液压缸数量	抗冲击能力
常规斜向器	高硬度	3.48	2.0	2组	3	1~2个	强
YDY斜向器	超硬型	4.50	1.7	2组	3.5~4	3个	很强

坐封器结构：全液压驱动，双卡瓦坐封，三缸联动加压，坐封力30~45t，能承受较大的周

向载荷和轴向载荷；斜向器整体加长至4.5m，使座挂卡瓦位置整体下移1.5~2m，确保下窗口距斜向器上卡瓦有足够的安全距离，提高其座挂的可靠性。

特制加强复式铣锥，如图15所示，采用双切削刃复合超硬材质切削齿的布齿方案，优化齿面结构，保证切削齿具有良好的切削性能，减少切削齿受冲击损伤程度，延长使用寿命；增加锥体冠部破窗齿的数量，有利于快速分叉，达到快速开窗并脱离老井眼的目的。

现场实施深部双层套管开窗侧钻19井次，成功率100%。钻井工程质量优良率100%，平均钻井周期38.3d，缩短68.2%。平均侧钻费用由原来的745万元下降到470万元。

2.3.2　低成本精细分注技术系列

针对深层低渗油藏套变，隔层小，4in套等分注难度大的问题，研发扩张式封隔器及浮动式水力锚、同心测调一体化分注工具，实现了4in套、小隔层注水井精细分注及高效测调(表3)。

首次解决了套变井无法分注的难题，可实现套变段内径≥106mm的井筒分注要求，耐压差35MPa，耐温130℃。

技术系列现场应用121井次，成功率100%，有效期2年以上。

表3　复杂井况分注管柱结构及适用条件

类型	分注管柱结构	适用条件				
		深度/m	耐压差/MPa	耐温/℃	层段	备注
套变井	安全接头+可调配水器+浮动式水力锚+扩张式注水封隔器+可调配水器+扩张式注水封隔器+可调配水器+……+球座·筛管+丝猪	3500	35	130	两级三段	套变段内径≥106mm
4in套	安全接头+可调配水器+水力锚+封隔器+可调配水器+封隔器+…+球座+筛管+丝堵	3500	35	130	两级三段	内径≥40mm
大井斜	安全接头+水力锚+扶正器+液压封隔器+可调配水器+扶正器+液压封隔器+水力卡瓦+可调配水器+……+斜井球座+筛管+丝堵	3500	35	130	两级三段	适用井斜：45°-60*
小隔层	安全接头+支撑卡瓦+可调配水器+水力锚+封隔器+可调配水器+封隔器+可调配冰器+……+球座+筛管+丝堵	3500	35	130	三级四段	适用于隔层2m-10m

2.3.3　深层低渗油藏复杂井况分层压裂技术

随着开发逐步精细化，大井段多层合压已不能满足精细开发的需要。面对复杂井况、隔层小等问题，自主研发滑套式水力喷射系列工具(图16)，解决了喷嘴脱落、喷枪断裂问题，完善了水力喷射压裂技术，实现了近水层/隔层小(隔层厚度1~2m)、套变井(变径Φ108mm)、4″、4½″套管等类型井的分层压裂。现场实施24井次，成功率100%。

图16　滑套式水力喷射工具

3　典型单元先导试验

在文13东应用人工裂缝时变建模数模一体化技术，精准剩余油预测的基础上，根据3类剩余油分布类型，优化建立双控(缝控、相控)井网。

3.1　平面上建立基于人工裂缝及沉积微相的矢量注采井网，提高水驱控制程度

平面上考虑储层发育，人工裂缝方向，剩余油的形态、面积、储量、富集程度，对井网井距进行优化，通过大网连小网、变角度组网动用裂缝与注采流线控制型及裂缝条带间滞留型剩余油，改善水驱效果。治理井组11个(图17)，累增油4096t。

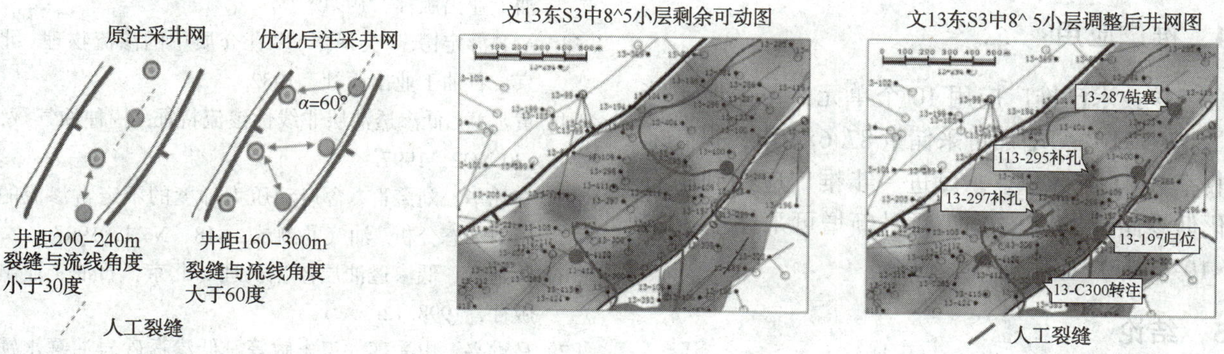

图 17　文 13 东油藏变角度组网实例

3.2　层间上强化细分注水，分层压裂引效，提高层间水驱动用程度

针对多层合注、合压造成的层间干扰型剩余油，根据剩余油富集区形态通过侧钻、大修、转注等手段以 150~200m 井距重建二三类层独立矢量井网，在此基础上通过细分注水、分层压裂等，提高二三类层水驱动用程度。恢复重建二三类层矢量井网 13 个，增加水驱动用储量 32. 9×10^4t。

3.3　通过优化注采参数，实现均衡驱替

因井况、效益等原因无法调整的区域，优化注采参数（图 18），实现均衡驱替。顺裂缝方向控制注入水量及产出液量，垂直裂缝方向补充地层能量、提液。实施动态调参、调水 68 井次，新增见效井 21 口，累增油 770t。

文 13 东油藏通过矢量调整治理，日产油上升 25. 4%，累增油 1. 77×10^4t，连续 2 年自然递减保持在 7%以内，提高采收率 2. 21 个百分点。

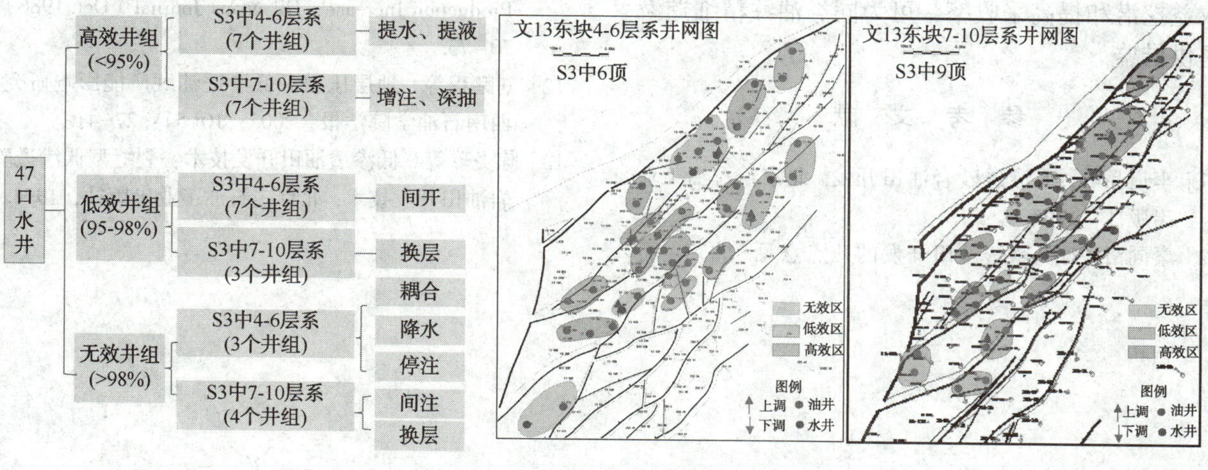

图 18　文 13 东油藏优化注采实例

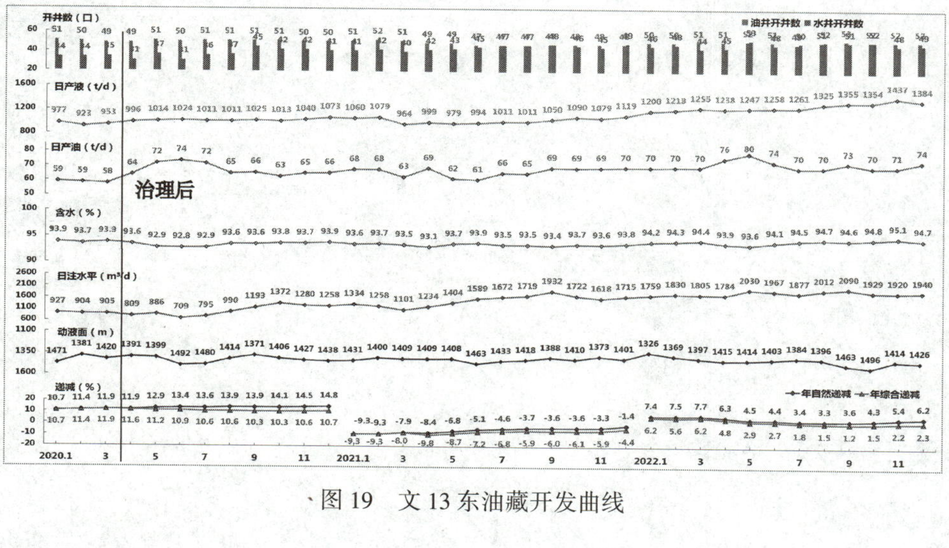

图 19　文 13 东油藏开发曲线

4 推广应用

该技术已推广应用10个单元，覆盖地质储量4295×10^4t，增加可采储量87.6×10^4t，提高采收率2.04个百分点。可进一步推广应用到中石化低渗储量14.4×10^8t，预计新增可采储量3024×10^4t，推广应用前景广阔。

5 结论

（1）首次建立人工裂缝导流能力损伤评价方法、运用人工裂缝时变建模数模一体化技术，剩余油预测精度提高9个百分点，矢量调整提高采收率2.21个百分点。

（2）攻关形成适用于深层、低渗、高温、高盐油藏的低成本配套工艺技术，国内首创深层双层套管开窗侧钻技术，满足了矢量化井网调整的需要，实现了效益挖潜。

（3）深层低渗油藏进入特高含水期，层间和平面矛盾加剧，通过地质工程一体化创新，实现效益挖潜和提高采收率，可为同类油藏精细挖潜提供借鉴。

参考文献

[1] 李道品等. 低渗透砂岩油田开发. 北京：石油工业出版社，1997.

[2] 秦同洛. 对低渗透油田开发的几点意见. 北京：石油上业出版社，1994.

[3] A. E 薛定愕.（英译本）多孔介质中的渗流物理. 北京：石油工业出版社，1982.

[4] 黄延章. 低渗透油层非线性渗流特征. 特种油气藏，v20 NO2，1997.

[5] 李凡华，刘慈群. 含启动压力梯度的不定常渗流的压力动态分析. 油气井测试，v18，No.1，1997.

[6] 黄延章 . 低渗透油层渗流机理 . 北京：石油工业出版社，1998. 12.

[7] 马洪兴，史爱萍，王志敏等，低渗透砂岩油藏水锁伤害研究，石油钻采工艺，2004，26(4)：49~52.

[8] 刘恩新，宋东勇，崔巨师等，低渗透油田油层伤害机理及保护措施研究，断块油气田，2003，10(6)：39~42.

[9] Holditch S. A. Jennings etc. The Optimization of Well Spacing and Fracture Length in Low Permeability Gas Reservoirs. SPE7496.

[10] P. F. Lemon and H. J Patel. Effects of Fracture and Reservoir Parameters on Recovery from Low Permeability Gas Reservoir. SPE 5111.

[11] Soliman，M. Y. Numerical Model Estimates Fracture Production Increase，Oil &Gas Journal（Oct. 1986），70~73.

[12] 刘鹏程等 . 地层压敏对低渗透油藏产能影响研究，西南石油学院学报，2005，10(5)：27-41.

[13] 陈炎珍等 . 低渗透油田开发技术：裂缝型低渗透砂岩油田开发技术. 北京：石油工业出版社，1994.

高含硫气井油套管形态三维成像监测技术

徐　菲　黄　华　李晓蕾　罗　庆

（中国石化中原油田分公司石油工程技术研究院）

摘　要　针对普光高含硫气井套管变形持续加剧，传统套变监测技术无法透过油管准确监测套管变形的现状，本文研究了一种可透过油管三维扫描监测套管变形的套变监测系统，角向分辨率30°，测量动态范围60~473.1mm；基于套变模拟标准实验形成了套变类型智能识别及定量计算方法，实现了套管的三维形态监测评价，现场应用测试成功率100%，套变计算准确率大于90%。结果表明：油套管形态三维成像监测技术实现了不动管柱条件下对油套管进行变形监测，有效指导了高含硫气田的风险评估及安全管控。

关键词　高含硫气井；静态磁聚焦；油套管形态；三维成像；量化评估

1　前言

普光气田地处大巴山南麓，地质构造复杂，嘉陵江组盐膏层发育，区域内多轮地震诱发盐膏岩蠕变，投产前主体70%以上井存在套管变形损坏。受盐膏层蠕变影响，套管变形持续加剧，部分井已出现套管挤压油管现象，可能导致套管错断和密封失效，存在硫化氢泄漏和安全管控措施无法实施的风险，准确监测井下套管损伤变形状况，及早及全及准评价井筒完整性，对于高含硫气田的高效开发及全生命周期安全运行具有重要意义。

普光气田 H_2S 浓度高达150000ppm以上，采用一体化永久式完井管柱，生产井必需透过油管监测评价套管的变形情况。一要在超深高温条件下透过油管精确探测7寸套管毫米级变形，二要在诸多形态类似的套变测试曲线中智能识别不同类型的套变形态，三要有效降低井下干扰信号，提高定量计算精度。受测试条件及测量精度的限制，国内外常用的多臂井径和涡流电磁测井技术无法实现过油管对套管变形形态进行定量解释评价。

针对以上难题，本文提出了一种可透过油管三维扫描监测套管变形的监测技术，研发了静态磁聚焦阵列套变监测系统和三维成像解释方法，首次实现了透过镍基合金油管定量监测套管毫米级三维变形，为保障普光气田全生命周期安全运行提供了技术支撑。

2　油套管形态三维成像监测技术

2.1　油套管形态三维成像监测方法

受测量原理限制，传统涡流电磁方法可以监测油管和套管中涡流电磁场分布状况，确定套管径向变形最严重点的套变极值，但不能全井周监测套管变形情况。针对普光套管特性及尺寸，通过正反演仿真计算和室内测试实验，提出了基于静态磁聚焦的套变监测方法，首创研制了静态磁聚焦阵列套变监测系统，实现了套变三维探测，角向分辨率30°。

（1）静态磁聚焦阵列监测方法

为了更有效透过油管检测套管信息，创新双磁体同轴反向发射方案，将仪器磁密度传感器阵列放置于极性相对的两个磁极子中间，利用极性相对的两个磁极子聚焦产生磁场穿透油管到达套管，如图1所示。在直径30mm的圆周上设计了2组48个磁场传感器组成阵列，分别接收油管和套管各方位的磁场响应，如图2所示，实现了角向分辨率30°，解决小体积磁场透过油管聚焦大尺寸套管难题。

（2）数值仿真计算和室内物理模型验证

根据普光投产前多臂井径及完井资料，在三维有限元仿真软件里设计了磁场仿真模型，建立了双层管柱条件下标准理论数值模型，如图3、图4所示，实现了多种套变情况数值解析，验证了方法可行性。

利用普光管材加工了套变三维标定装置，依据数值模拟设计了测试样机，测试数据说明：与仿真结果基本吻合，测量信噪比大于15dB，最小识别分辨率1mm，验证了静态磁阵列监测方法的可行性，如图5、图6所示。

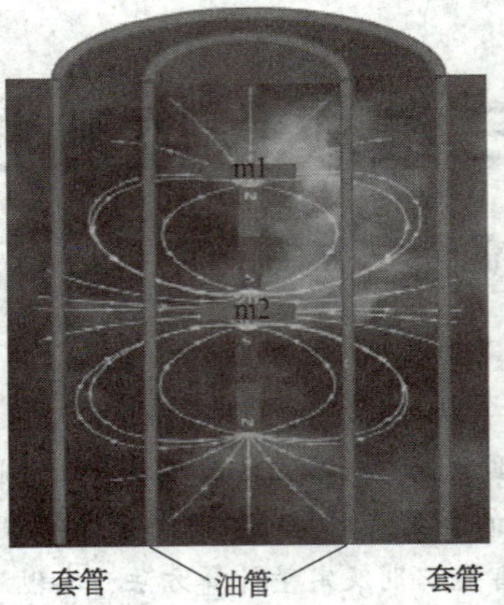

图 1　聚焦磁场示意图

图 2　传感器阵列分布结构图

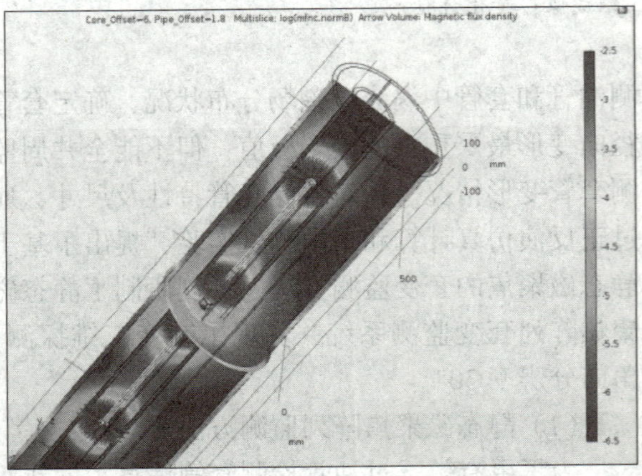

图 3　油、套管偏心磁场仿真模型

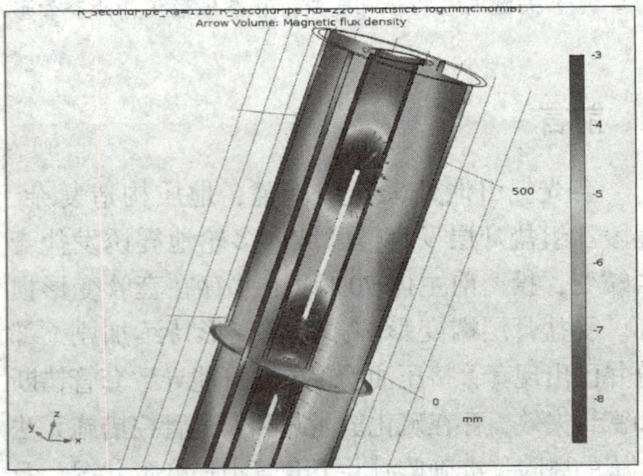

图 4　套管挤压磁场仿真模型

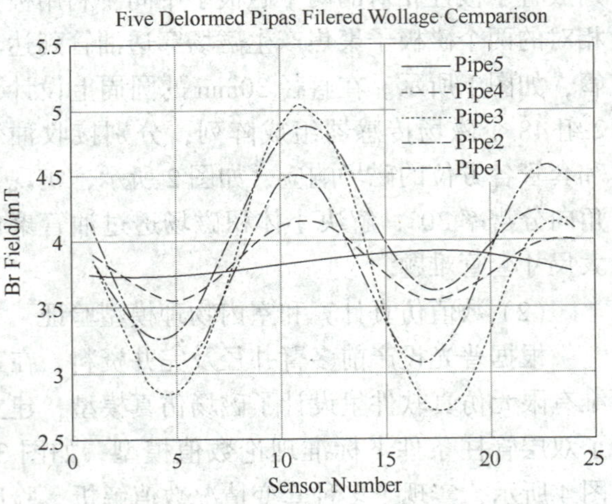

图 5　挤压变形仿真结果

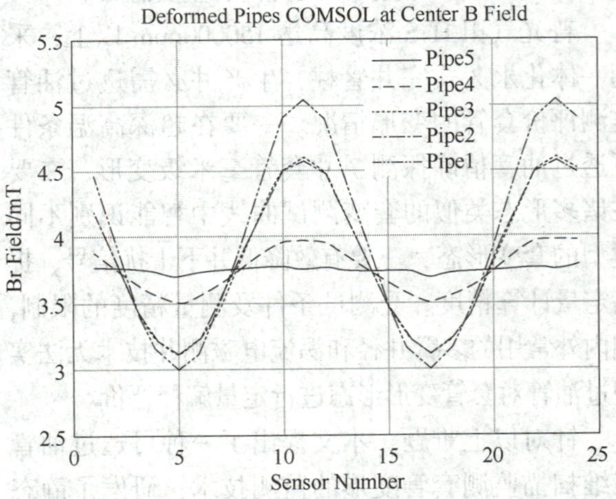

图 6　挤压变形测量结果

(3) 静态磁聚焦阵列套变监测系统研制

基于机械结构设计，开展了系统布线、电路机械集成、数据采集通讯协议、仪器骨架及外壳加工制造等研究，研制了世界首套阵列套变监测系统，见图 7，主要技术指标优于其他同类产品(表 1)。

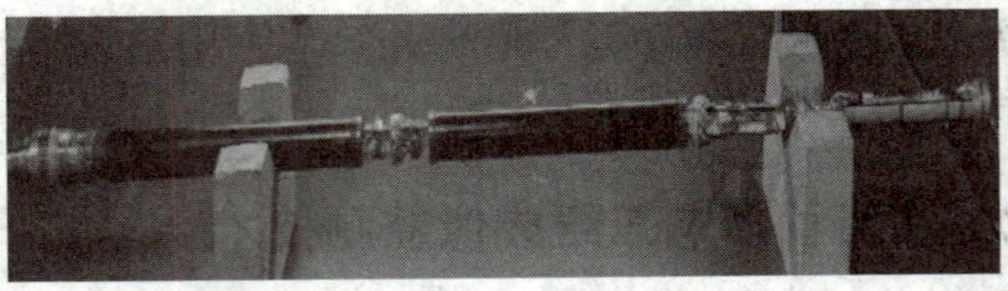

图 7　仪器内芯

表 1　静态磁聚焦阵列监测系统技术指标

仪器参数	规格	仪器参数	规格
外径	43mm	工作温度	-20～175℃
总长度	2037mm	工作压力	≤138MPa
抗 H_2S	≤25%	重量	13.6kg
油管测量范围	60～127mm	角向分辨率	30°
套管测量范围	90～473.1mm	变形分辨率	5%
最佳测量速度	1.5～9.1m/min	偏心分辨率	1%

2.2　套管变形缺陷智能识别方法

针对不同类型套变测试曲线形态类似、难以准确识别的难题，采用普光现役油、套管加工了孔洞、裂缝、腐蚀、单面挤压变形、双面挤压变形、3×90°挤压变形、递变挤压变形、弯曲变形 8 类不同损伤变形物理模型，建立了套变标准试验井。通过仪器记录及差分提取，形成了覆盖 8 大类，4465 组套变电磁响应特征的样本库，首创了基于样本库训练的机器学习套损套变类型智能识别方法，实现了不同类型套损套变快速智能识别，识别准确率 95%以上。

（1）数据样本特征提取方法

如图 8 所示，利用实验井管子缺陷数据提取各种缺陷样本，进行差分处理，根据深度数据构成多层数据，即将连续的多组数据合并为一组数据。对每一个样本数据进行 Fisher 处理，将样本投影到一个多维空间中，选择 Fisher 处理后的多维数据作为特征值，进行神经网络的模型训练，实现模型构建。最后输入测试数据，进行差分测试数据和归一化后，利用各个探头信号和信息，进行孔缝判断。如果直接判断孔缝缺陷，则不继续处理数据，否则进行多层数据构建和 Fisher 处理。将降维后的特征输入到模型中进行缺陷识别，对神经网络缺陷识别进行弯曲孔缝和节箍修正，输出最终识别结果。

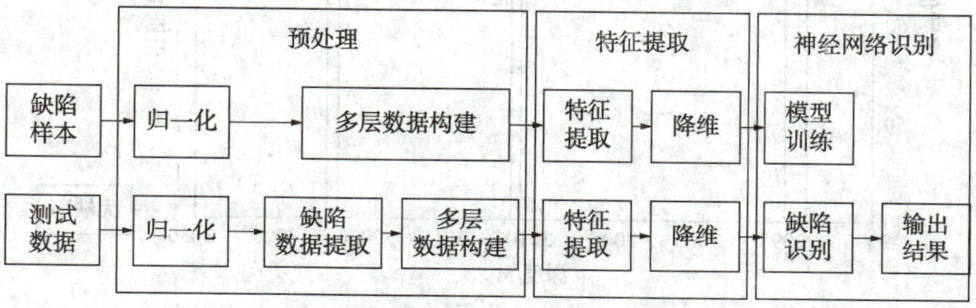

图 8　智能识别方法流程

在特征处理时，通过构建深度学习的多层自动编码器对信号进行编码，获得多维特征。利用 Fisher 线性判别方法对多维特征进行投影降维处理，通过求解最佳投影矩阵，实现了套变样本“同类相聚、异类相斥”的最优化分布。

采用 Fisher 线性判别方法对不同套损套变模拟实验的测试数据进行了降维特征提取，结果显示：降维到三维时，同类缺陷变形特征分布集中，不同类的特征能区分，说明降维后特征能有效识别不同类型的套损套变形态(图 9)。

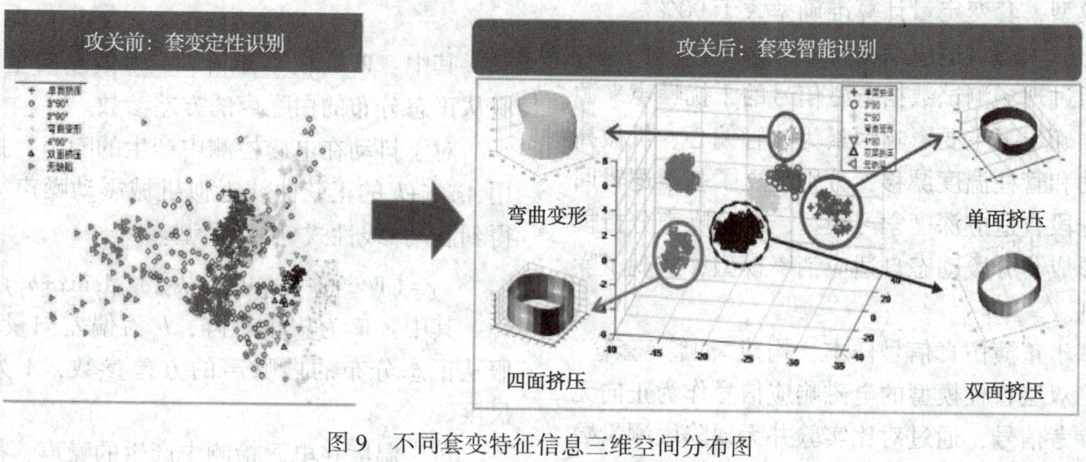

图 9　不同套变特征信息三维空间分布图

（2）分类识别方法

通过涡流套变阈值矩阵设计，建立了适用于高含硫气井的套变响应特征自学习分类计算模型，经过样本学习和阈值迭代更新，实现了现场实测数据的套变类型智能识别。

随机挑选套变电磁响应特征样本和现场实测

数据，利用部分套变数据进行样本学习，使用未参加学习的套变数据样本进行识别验证，准确率大于95%(表2)。

表2　标准样本识别验证结果

缺陷类型	识别准确率	缺陷类型	识别准确率
单面挤压	100%	四面挤压	96.59%
三面挤压	97.73%	弯曲变形	100%
直角挤压	98.86%	无缺陷	100%
双面挤压	100%	套管节箍	100%

D40＊-3井套变类型识别结果与多臂井径测井数据对比(表3)，缺陷识别准确，2990~3030m井段的缺陷识别图见图10。

表3　D40＊-3井变形段识别率

缺陷类型	变形段识别率	识别准确率	误判率	误差/m
2911-2967	100%	90.00%	10.00%	3
2991-3029	100%	100%	0%	0
3128-3174	100%	93.91%	6.09%	2
3221-3255	100%	100%	0	0
3373-3420	100%	94.68%	5.32%	2
3430-3470	100%	99.00%	1.00%	0

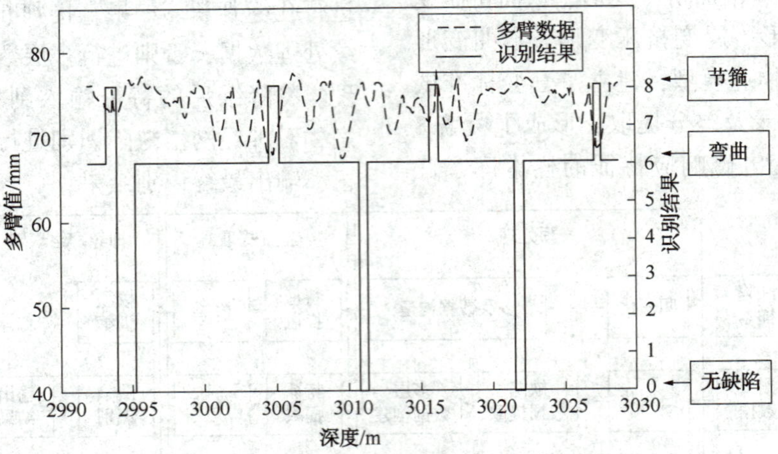

图10　D40＊-3井缺陷识别对比图

2.3　套管变形缺陷量化评估方法

针对透过油管间接测量导致多解性强的问题，创新形成了电磁检测智能降噪方法，提出了油管内涡流电磁与套管多臂井径拟合思路，运用高阶迭代拟合数学方法，建立了多项式套变形态计算模型，套变定量计算准确率大于90%。

(1) 动态自适应消噪方法

通过现场测试数据电磁信号的干扰噪声来源分析，确定了主要影响因素为油管偏心、机械高频抖动和管柱温度漂移，分别建立了基于逻辑回归的分段自适应深度学习模型，结合噪声分析模型，形成了分段动态自适应消噪模型，实现了噪声抑制。

基于正演仿真信号样本，构建"油管+套管"无缺陷双层管柱模型的电磁响应信号作为正向无噪声参考信号，通过对比实验井无缺陷段测量数据，建立正向仿真信号和每个深度的无缺陷实验井测量信号的Pearson线性拟合函数。

$$y=W^{T}x+b \tag{1}$$

其中，W，b为权重矩阵与偏差值。

对于油管偏心在电磁检测中产生的噪声，在线性模型中添加白噪声项$N(0,\ \sqrt{s})$得到线性-噪声模型，在模型中加入定义输入数据x为时间，目标数据y为噪声信号，模型定义如下：

$$y=(W^{T}x+b)+N(0,\ \sqrt{s}) \tag{2}$$

其中：W为权重矩阵，b为偏差向量，s为服从正态分布的白噪声的方差参数。

对于抖动在电磁检测中产生的噪声，提出使用$A\sin x+b$的正弦曲线近似机械震动噪声，从而得到震动-线性式-噪声模型：

$$y=(W^{T}x+b_{1})+N(0,\ \sqrt{s})+(A\sin x+b_{2}) \tag{3}$$

其中：W为权重矩阵，b_{i}为偏差向量，s为服从正态分布的白噪声的方差参数，A为震动尺度。

对于温度在电磁检测中产生的噪声，提出采用*softmax*函数计算温度所带来的线性偏移加权系数，输入数据x为时间，目标数据y为噪声信号，定义新的深度-震动-线性-噪声模型为：

$$y=softmax(W_1^T depth+b_1)\times\begin{bmatrix}W_2^T x+b_2\\ A\sin x+b_3\\ N(0,\sqrt{s})\end{bmatrix} \quad (4)$$

其中：W_i，b_i 为权重矩阵与偏差值。

（2）多项式套变形态拟合模型

通过推导径向和轴向分量磁场响应解析公式，分析了套变响应标准数据与内径关联度，建立了静态磁场与变形的关系式。

基于背景场解析求解，得到圆柱形永磁体的径向分量、轴向磁场分量。

径向分量模型：

$$B_\rho=\frac{\mu_0 I}{\pi}\sqrt{\frac{a}{\rho}}\sum_{i=0}^{1}\frac{(-1)^i}{k_i}\left[\left(1-\frac{1}{2}k_i^2\right)K(k_i)-E(k_i)\right] \quad (5)$$

圆柱形永磁体的轴向磁场分量：

$$B_z=\frac{\mu_0 nI}{2\pi}[f_z(\rho,\ z+t_{PM})-f_z(\rho,\ z)] \quad (6)$$

其中：

$$f_z(\rho,\ t)=\frac{1}{\sqrt{(\rho+a)^2+t^2}}\left[\frac{\rho-a}{\rho+a}II(h,\ k)-K(k)\right]$$

$$k-\sqrt{\frac{4\rho a}{(\rho+a)^2+t^2}}$$

$$II(h,\ k)=\int_0^{\pi/2}\frac{da}{(1+h\sin^2\alpha)\sqrt{1-k^2\sin^2\alpha}}$$

通过对套变标准井静态磁聚焦和多臂井径测试数据解析表明，典型特征模型套管多臂井径测量数据和偏移后静态磁聚焦阵列套变响应关联性大于0.92，如表4、图11所示，说明可将静态磁聚焦阵列套变数据定量转换为套管内径数据。

表4　同一井段静态磁聚焦阵列与多臂井径测试数据关联度

特征模型	关联度	特征模型	关联度
D1	0.99380887	D3	0.92329098
D2	0.98577839	D4	0.97294212

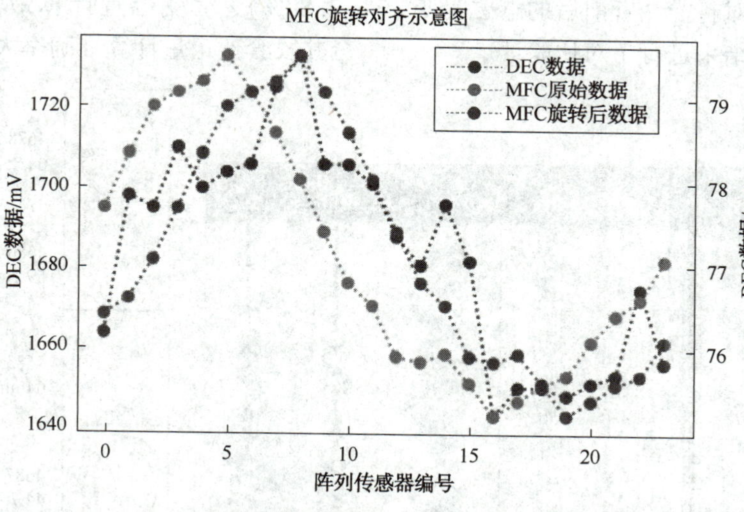

图11　同一井段静态磁聚焦阵列与多臂井径测试曲线对比图

优选线性拟合方法，利用标准样本特征数据建立了阵列套变定量计算模型。

$$y=0.0547x-19.54 \quad R^2=0.902 \quad (7)$$

式中，X 为套管多臂井径单臂值；Y 为静态磁聚焦套变单支磁场传感器响应。

为了提高计算精度，优选三次迭代数学模型，提高了拟合相关度，降低了计算误差，模型自检验相关度达到96%，最大计算误差小于10%。运用C++与OpenGL编程，研制了套管形态三维成像解释平台，实现了阵列套变监测数据解析、拟合计算、套管形态三维交互成像等功能（图12、图13）。

3　现场应用

成果在普光主体和大湾气田成功应用了10井次，测试成功率100%，套变形态识别率大于95%，套变计算误差小于10%，有力保障了普光高含硫气田套变重大风险降级及安全管控。在中原储气库群建设中推广应用56井次，准确评价了井下管柱的技术状况，支撑了储气库的安全高效建设。现场应用实现了不用停产、不取油管情况下对油气井进行套管监测，解决了超高深、高压、储气库等多层结构油气井无法监测的难题。

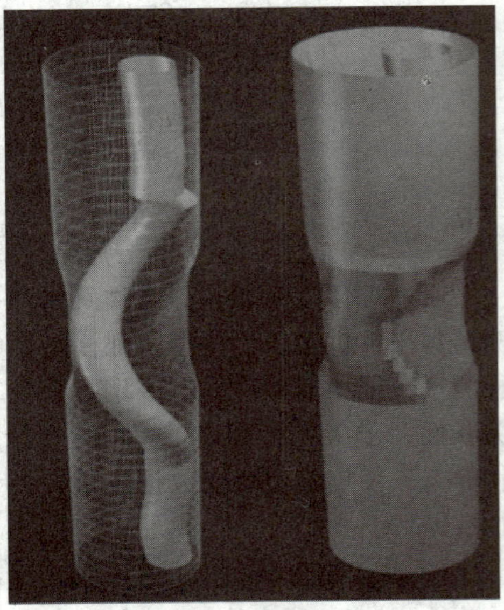

图 12　套变卡住油管变形错断

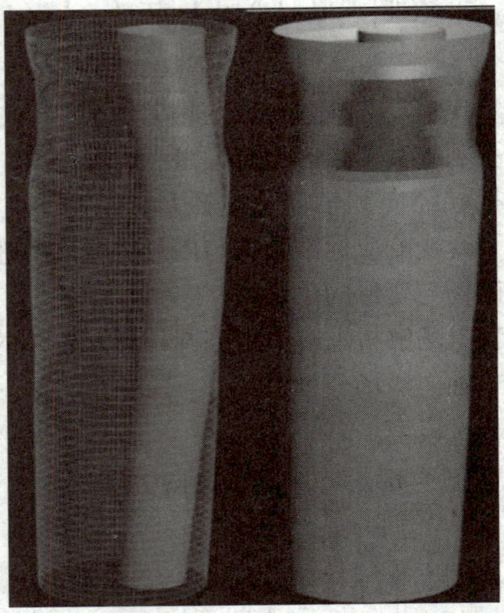

图 13　套变导致油管偏心

其中 P20＊-1 井分别开展了过油管多臂井径+涡流电磁+静态磁聚焦阵列套变监测、动管柱作业打捞油管后多臂井径+静态磁聚焦阵列套变监测现场试验，并对打捞油管前后的电磁套变监测与多臂井径测试结果进行了对比验证。

结果显示：打捞管柱前油管内电磁套变监测计算值为 43. 47mm，打捞管柱后套管内多臂井径套变测量值为 44. 76mm，误差 1. 29mm（2. 88%），套变位置计算最大误差小于 0. 4m，全井段套变定量计算准确率大于 90%（图 14）。

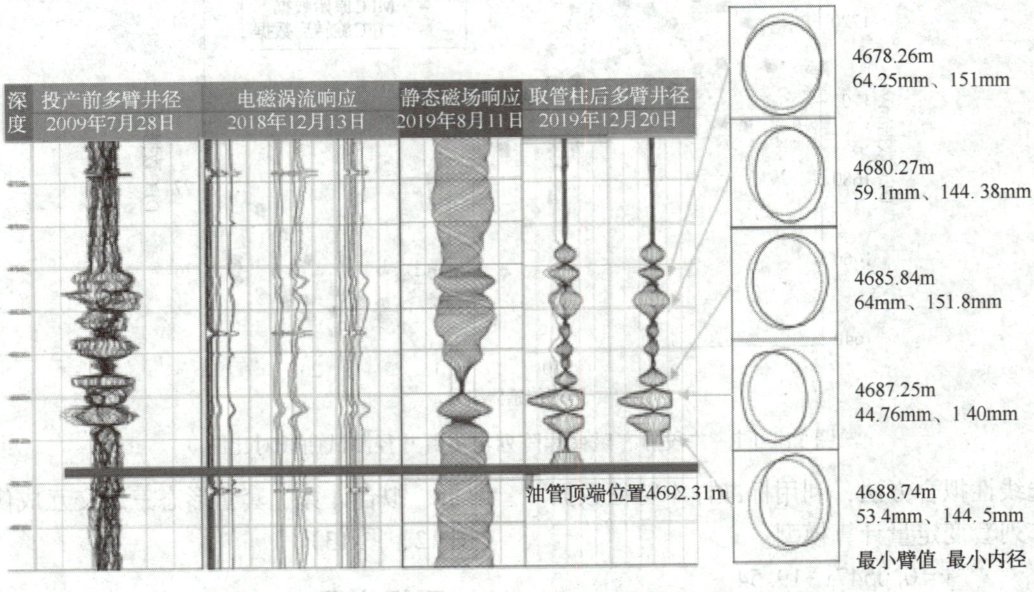

图 14　P20＊-1 井打捞管柱前后套变测试资料对比图

4　结论与认识

（1）研制的静态磁聚焦阵列套变监测系统，角向分辨率 30°，可探测四层管柱信息，首次实现了透过油管对套管三维形态扫描监测。

（2）创新研发了高含硫气井油套管监测及定量评价技术，实现了不动管柱条件下套变的快速精准识别及三维成像，有效指导了高含硫气田的风险识别及安全管控，对保障气田全生命周期安全平稳生产具有重要意义。

（3）该技术具有自主知识产权，有力提升了该领域技术的国际竞争力，在普光气田和储气库应用效果明显，下步可推广应用到国内超高深气井、非常规油气井、海上不动管柱油气井及地面多层管结构监测等领域。

参 考 文 献

[1] 罗庆，黄华，徐菲，等. 新型组合井况监测仪在普光高含硫气井的应用[J]. 断块油气田，2019，02，240-243.

[2] 石俊生，古小红，尚磊，等. 普光高含硫气田套管变形井的修井新工艺[J]. 天然气工业，2010，30(2)：78-79.

[3] 黄平捷. 多层导电结构厚度与缺陷电涡流检测若干关键技术研究[D]. 浙江大学，2004.

[4] 于伟恒. 基于 Fisher 线性识别方法反演大震破裂尺度的研究[D]. 中国地震局工程力学研究所，2016. 9-14.

[5] 马海志. BP 神经网络的改进研究及应用[D]. 东北农业大学，2015. 8-15.

[6] 吴姗，郭利杰. 基于模糊聚类及 BP 神经网络的采矿方法选择研究[J]. 中国矿业，2016，25(z2)，281-285.

[7] 黄华，徐菲，罗庆，等. 油气井套管变形段位置及其缺陷的涡流检测[J]，无损检测，2020，42(10)：40-48.

[8] Tianyu Ding, Zhaohe Yang, Hua Huang, Pingjie Huang, Dibo Hou, Guangxin Zhang. A method for characterizing defects in multi-layer conductive structures by combining pulsed eddy current signals with PCA component [C], Review of Progress in Quantitative Nondestructive Evaluation (QNDE), 2019, 5.

[9] 姬建飞，袁胜斌，倪朋勃，等. 油气井套管变形段位置及其缺陷的涡流检测[J]，无损检测，2020，42(10)：40-48.

[10] 辛海涛，杨殿军，康靖. BP 神经元网络算法在高新技术产品评价中的应用[J]，商业经济，2010，24(12)：26-28.

火驱开发储层矿物变化规律与机理研究

史海涛[1]　樊佐春[1,2]　程建平[1]　张鲁庭[1]　姜　越[1]　杜文拓[1]　李思曈[1]

[1. 中国石油辽河油田公司；2. 中国地质大学(武汉)]

摘　要　火驱采油是最早开展的热采技术之一，其适用范围广、采收率高，已成为稠油油藏注蒸汽开发后期有效的接替方式。火驱地下燃烧温度的判断，是火驱开发中制定调控措施的重要依据。通过室内高温氧化试验模拟火驱地下燃烧过程，分析了辽河油田D块杜家台油层不同温度环境下碳酸盐矿物、富铁矿物和硬石膏的特征及含量变化，确定了硬石膏的形成机理及其含量与火驱温度的关系，制定了硬石膏为参数的火驱地质温度计，并对火驱后取心井不同深度火驱燃烧温度进行计算。研究成果对火驱燃烧温度判别具有重要价值和指导意义。

关键词　火驱温度；碳酸盐矿物；富铁矿物；硬石膏

1　引言

火驱采油是最早开展的热采技术之一，是一种有效的提高采收率技术。由于国内开展火烧油层研究起步较晚，且该技术驱油机理复杂，其驱油效果与多因素有关，目前已取得一系列成熟技术，但大多都是基于物理模拟实验和数值模拟进行的工艺技术等方面的研究。国外对火烧油层研究的物理装置主要有燃烧釜、燃烧管、三维比例物理模型、热重分析仪、差示扫描量热仪等，在开展物理模拟实验和数值模拟的基础上，合理选择先导试验区，开展先导试验研究，目前已取得一定成果，但对储层岩矿和流体火驱前后的地球化学变化特征目前尚缺乏直观准确的认识，影响火驱效果评价。

2　地质概况

辽河油田D块位于辽河坳陷盆地西部凹陷西斜坡中段，古近系沙四段杜家台油层是本区主力含油层系。杜家台油层是在半干旱古气候作用下，由洪水季节形成的扇三角洲前缘亚相沉积体。D块于2005年转火驱开采，目前已取得较好的开发效果，但不同井组火驱燃烧效果差异较大。认识火驱地下燃烧温度，是评价火驱燃烧状态和制定开发调控措施的重要依据。取心井分析结果表明，火驱过程中的高温氧化作用，导致储层矿物发生溶解、分解以及交代等反应。本次研究基于室内高温氧化试验，模拟地下火驱燃烧过程，分析不同温度环境下储层中碳酸盐矿物、富铁矿物及硬石膏变化规律和机理，确定了硬石膏的形成机理，

建立了以硬石膏为参数的火驱地质温度计，对指导现场火驱燃烧温度判别具有重要意义。

3　实验条件

实验采用SXJD-V16-10电阻丝燃烧釜，加热温度范围100~1000℃，升温时间40min。实验用岩心来自辽河油田D块取心井K039井，并将岩心粉碎且均匀混合。将岩心分别在150℃、250℃、350℃、450℃、550℃、650℃、750℃、850℃等8个温度下，置于燃烧釜中进行高温燃烧8h。待岩心冷却后，开展X射线衍射全岩定量分析、重矿物、扫描电镜等实验分析。

4　碳酸盐矿物特征

4.1　碳酸盐矿物分类及性质

杜66块储层中碳酸盐矿物主要有方解石、白云石和菱铁矿。

方解石的主要成分为$CaCO_3$，遇冷的稀盐酸发生起泡。储层中的有机酸能够溶蚀大量碳酸盐矿物，这种溶蚀作用是碎屑岩储层成岩过程中产生规模性次生溶孔的重要机制。碳酸盐矿物中，方解石通常比白云石更易溶解。方解石加热到600℃式，开始分解生成CaO和CO_2。

白云石的主要成分为$CaMg(CO_3)_2$，成分中常含有Fe和Mn，含铁多时，则成为铁白云石$Ca(Mg,Fe)(CO_3)_2$，遇冷的稀盐酸微弱起泡或不起泡，其在薄片中常具自形的菱形切面，可被

铁的氧化物染色。白云石加热到700℃时可分解为CO_2、CaO、MgO。

菱铁矿的主要成分为$FeCO_3$，是还原环境沉积物中十分常见的矿物，其在410℃已分解氧化生成少量磁铁矿，在530℃时完全分解并全部氧化生成磁铁矿，之后向赤铁矿转化。

4.2 碳酸盐矿物高温变化规律

杜家台油层主要矿物组成为：长石、石英、粘土矿物和碳酸盐矿物。碳酸盐矿物主要为方解石、白云石和菱铁矿，富铁矿物主要有黄铁矿、磁铁矿和赤铁矿。火驱过程中随着火驱温度的升高，储层流体性质不断发生变化，由于储层中有机酸以及Na^+、K^+、Mg^{2+}等离子含量增加，碳酸盐矿物不断发生溶解和高温分解，含量发生变化（图1，表1）。

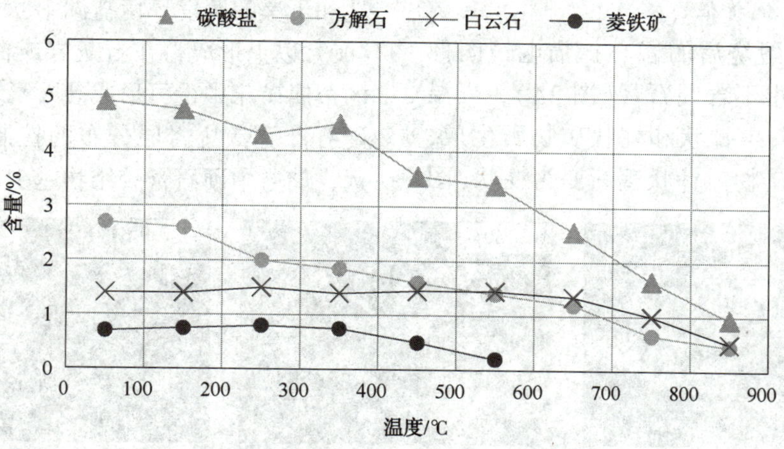

图1　不同温度下碳酸盐矿物相对含量曲线

表1　不同温度下碳酸盐矿物含量统计表

样品编号	温度/℃	含量/%			
		方解石	菱铁矿	白云石	碳酸盐
1	原始	2.70	0.70	1.40	4.90
2	150	2.60	0.75	1.40	4.75
3	250	2.00	0.80	1.50	4.30
4	350	1.85	0.75	1.40	4.50
5	450	1.60	0.50	1.45	3.55
6	550	1.40	0.20	1.45	3.40
7	650	1.20		1.35	2.55
8	750	0.65		1.00	1.65
9	850	0.45		0.50	0.95

实验过程中随温度升高，长石等矿物不断发生分解，释放出Na^+、K^+、Mg^{2+}等离子。同时原油中有机质发生加氧反应生成羧酸，造成储层流体pH值发生变化。流体性质的变化，引起碳酸盐矿物不断发生溶解和高温分解。碳酸盐矿物变化分三个阶段：

（1）方解石溶解阶段（T<350℃）

引起方解石溶解的因素有3个，一是该阶段原油以低温氧化反应为主，使储层中有机酸含量增加，溶解部分方解石。二是高温作用下（T<270℃），储层中的碳酸氢钠、长石等矿物发生分解，储层流体的盐度随Na^+、K^+、Mg^{2+}等离子含量增加而增加。随储层盐度的增加，方解石溶解度增加。三是火驱现场监测结果表明，杜66块火驱阶段流体的pH在7.3~7.7左右，这种环境是更易于方解石交代高岭石，生成蒙皂石、二氧化碳和水。

（2）菱铁矿分解阶段（350~550℃）

该阶段方解石仍然以溶解为主，当温度高于410℃，菱铁矿开始氧化分解，生成少量磁铁矿，在530℃时完全分解并全部氧化生成磁铁矿，之后向赤铁矿转化。

(3) 方解石和白云石分解阶段(T>550℃)

该阶段以碳酸盐矿物的氧化分解为主，碳酸盐含量急剧降低。温度高于600℃，方解石发生氧化分解，生成氧化钙和二氧化碳；700℃左右，方解石继续分解，白云石的氧化分解开始，生成氧化钙、氧化镁和二氧化碳。

5 硬石膏变化规律

5.1 硬石膏微观变化特征

根据不同温度煅烧后的岩心扫描电镜图像(图2)，原始岩石中不含硬石膏(图2A)，当温度高于250℃，有新生针状和柱状矿物石生成，随温度升高，新生矿物由针状逐渐变为柱状(图2B~D)。温度大于450℃，出现纤维状、放射状矿物集合体，温度继续升高，这种集合体逐渐增多(图2E~I)。能谱分析结果表明，这种针状、柱状和纤维状矿物为硬石膏(图3)。

5.2 硬石膏的性质及形成机理

硬石膏($CaSO_4$)是一种硫酸盐矿物，晶体呈针状、柱状或板状，晶体聚集在一起呈放射状或纤维状。硬石膏主要是化学沉积产物，形成于陆地和干旱的蒸发环境盐湖中，也可由石膏加热至400℃以上形成，在石灰岩或白云岩受热液交代的金属矿床中也可形成硬石膏。化学沉积形成的硬石膏受膏盐岩层分布的控制，距离膏盐层越远，储层中硬石膏胶结物越少。

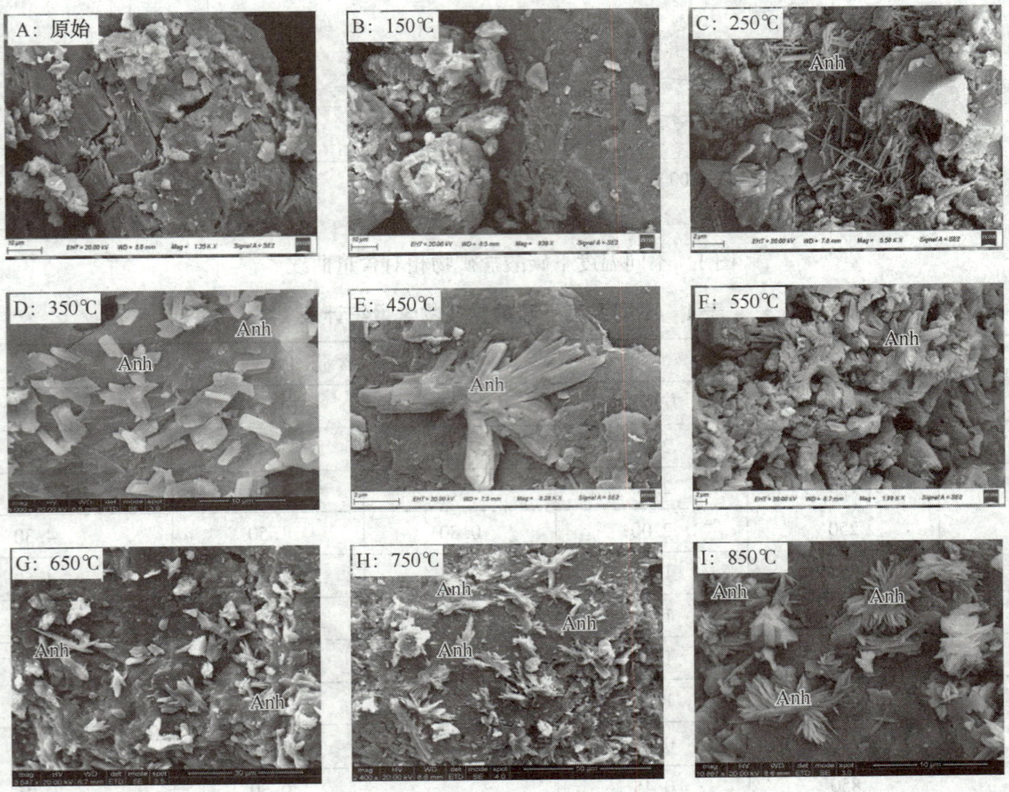

图2　不同煅烧温度岩心扫描电镜图像

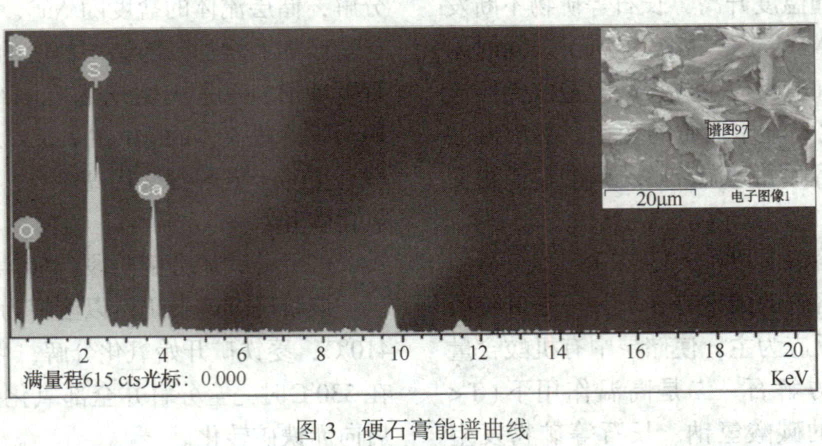

图3　硬石膏能谱曲线

5.3　火驱储层中的硬石膏成因分析

辽河坳陷西部凹陷沙四段杜家台油层沉积时期属于盆地初期扩张阶段，沉积类型为扇三角洲前缘亚相，洪水季节是其主要沉积期，水体补给量大于蒸发量，不具备形成膏岩层的沉积条件。沙四段上覆地层沙三段沉积时期是辽河断陷盆地发育的鼎盛时期，湖盆大幅度下沉，水体最深，沉降速度大于沉积速度，形成欠补偿沉积，沉积类型主要为半深湖-深湖相的浊流沉积，储层岩性主要为层-块状的含砾砂岩、砂砾岩、不等粒砂岩和巨厚层状砂砾岩与褐灰色泥岩互层沉积。沙四段下伏地层为中生界灰黑色玄武岩和灰白色凝灰岩，上覆和下伏地层均不具备沉积膏盐岩的条件。综合以上分析，高温作用后储层中的硬石膏(图 2)非沉积成因形成，属于热液交代型成因。

由于杜家台储层中含有黄铁矿、方解石和白云石，高温作用下，黄铁矿加热分解生成 SO_2 和 SO_3(公式 1~公式 3)，方解石、白云石加热分解生成 CaO。SO_3 与 CaO 反应生成硬石膏(公式 4)。这种方法也是烟气脱硫和工业制备脱硫石膏的常用技术。

综上所述，杜 66 块火驱后储层中的硬石膏属于黄铁矿、方解石、白云石热交代作用产物，随温度升高，三种矿物加热分解量逐渐增加，产生的硬石膏逐渐增多，硬石膏的形状由针状、柱状逐渐过渡为放射状硬石膏集合体。因此，硬石膏的含量和形状可作为杜 66 块火驱燃烧温度判别的标志矿物。

$$FeS_2+O_2 \longrightarrow FeS+SO_2 \quad (公式1)$$

$$FeS+O_2 \longrightarrow 2Fe_2O_3+4SO_2 \quad (公式2)$$

$$2SO_2+O_2 \longrightarrow 2SO_3 \quad (公式3)$$

$$SO_3+CaO \longrightarrow CaSO_4 \quad (公式4)$$

5.4　火驱硬石膏地质温度计

地质温度计是能够用来确定地质作用温度的地质产物。目前应用比较普遍的地质温度计主要有矿物包裹体地质温度计、同位素地质温度计、同质多象温度计、泥质矿物温度计、矿物分解温度、固溶体分解温度、矿物中的放射性裂变径迹、镜质组反射率、生物标志化合物等。基于不同温度煅烧后储层矿物变化规律，建立了火驱硬石膏地质温度计。

1. 150~350℃阶段。黄铁矿发生氧化，生成赤铁矿，Fe^{2+} 含量减少，Fe^{3+} 含量增加。250℃开始，碳酸盐矿物与黄铁矿反应，生成针状硬石膏，随温度升高，硬石膏晶体逐渐增大变为柱状；

2. 450 ~ 550℃ 阶段。黄铁矿继续氧化，550℃时完全氧化分解、消失；Fe^{3+} 含量增加，岩石颜色由黄灰色向黄褐色过度。硬石膏含量增加，晶体逐渐变为放射状、纤维状几何体；

3. 650~850℃阶段。方解石在 600~650℃时发生氧化分解，白云石在 750℃时发生氧化分解，碳酸盐矿物含量明显降低；放射状、纤维状硬石膏集合体逐渐增多。

6　应用效果

K039 井为辽河油田 D 块 2016 年完钻的火驱后取心井，该井 943.0m 岩石扫描电镜图像可见柱状硬石膏，零星分散在碎屑颗粒表面(图 4A)，判断 943.0m 处火驱温度在 350℃左右。从 944.8m 岩石扫描电镜图像可见纤维状硬石膏集合体(图 4B)，判断 944.8m 处火驱温度大于 450℃。949.7m 岩石扫描电镜图像中可见八面体黄铁矿颗粒，其周围未发现硬石膏(图 4C)，判断火驱温度小于 150℃。

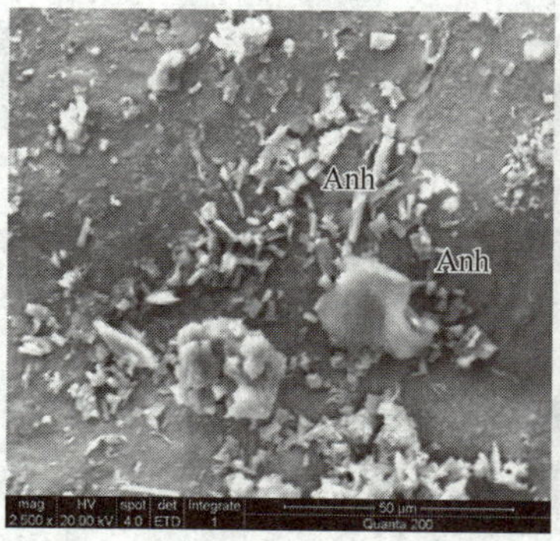

(a)943.0m

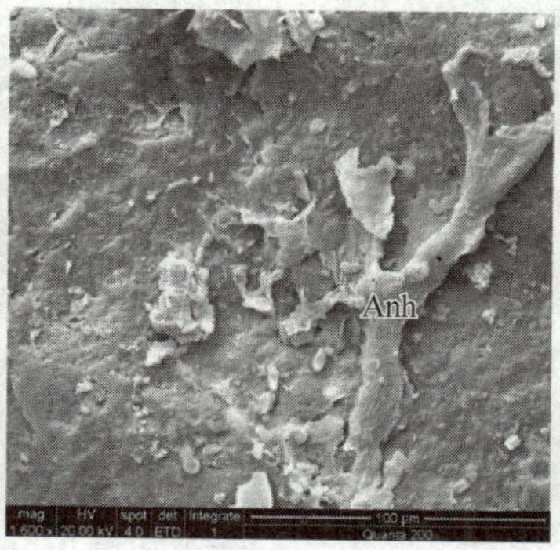

(b)944.8m

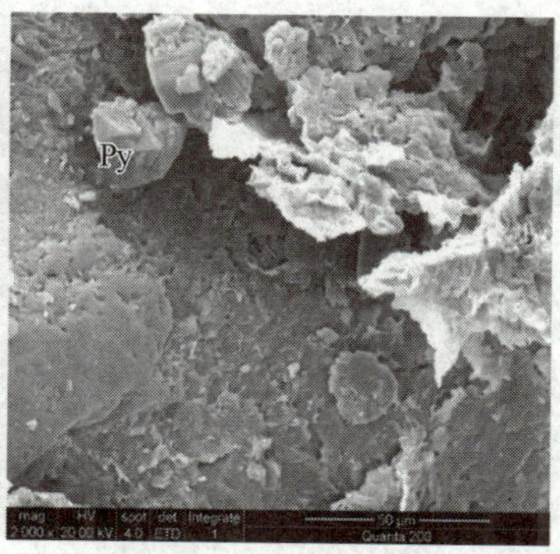

(c)949.7m

图 4　K039 井岩石扫描电镜图像

Anh：硬石膏；Py：黄铁矿

7 结论与认识

(1)确定了高温氧化作用下储层中碳酸盐矿物、富铁矿物氧化反应过程和硬石膏的形成机理。火驱过程中储层中的碳酸盐矿物、富铁矿物受温度影响较大，随温度升高，方解石不断发生溶解和分解，生成 CaO 和 CO_2；黄铁矿发生氧化反应，生成磁黄铁矿、赤铁矿和 SO_2，SO_2 继续氧化生成 SO_3，SO_3 与 CaO 发生反应生成硬石膏($CaSO_4$)。

(2)建立了以硬石膏为参数的火驱地质温度计。250℃开始，碳酸盐矿物与黄铁矿反应，生成针状硬石膏，随温度升高，硬石膏晶体逐渐增大变为柱状；温度大于 450℃，硬石膏晶体逐渐变为放射状、纤维状几何体，随温度升高，放射状、纤维状硬石膏集合体逐渐增多。利用硬石膏地质温度计，对火驱后储层燃烧温度进行了计算。

参 考 文 献

[1] 杨俊印，闫红星，刘家林等．杜 66 块火驱典型产出流体变化特征[J]．特种油气藏，2020，27(3)：96-99.

[2] 史海涛．辽河西部凹陷杜 66 块沙四段沉积构造模型及储层开发研究[D]．中国地质大学(北京)，2018：15-20.

[3] 史海涛，颜丹平，荐鹏等．火驱储层变化特征及受效层段确定[J]．中国矿业，2016，25：366-369.

[4] 王德滋，谢磊．光性矿物学[M]．北京：科学出版社 2008：51-77.

[5] 李小平，杜家元，丁琳等．硬石膏-褐铁矿-高岭石-白云石矿物序列成因及古气候意义[J]．吉林大学学报(地球科学版)，2014，44(1)：213-221.

[6] 陈忠，颜文，陈木宏等．南沙海槽表层沉积自生石膏：黄铁矿组合的成因及其对天然气渗漏的指示意义[J]．海洋地质与第四纪地质，2007，27(2)：91-100.

[7] Elias A D，De Ros L F，Mizusaki A M，Kawashita K. Isotopic evidence on the diagenetic evolution of coastal sabkha reservoirs from the Solim es Basin，northern Brazil. Gondwana Research，2007，11(4)：553-567.

[8] Gluyas J，Jolley L，Primmer T. 1997. Element mobility during diagenesis：Sulphate cementation of Rotliegend sandstones，Southern North Sea. Marine and Petroleum Geology，14(7)：1001- 1011.

[9] 马鹏杰，张世奇，佟昕等．东濮凹陷文东地区沙三段储集层硬石膏胶结的形成机制[J]．矿物岩石地球化学通报，2014，34(4)：772-779.

[10] Altun N. Assessment of marble waste utilization as an alternativesorbent to limestone for SO_2 control[J]. Fuel Processing Technology，2014，128：461-470.

[11] Mehrara H，Roozbehani B，Shishehsaz M R，et al. Using Taguchi method to determine optimum process conditions for flue gas desulfurization through an amine scrubber[J]. Clean Technologies and Environmental Policy，2014，16：59-67.

[12] 武春锦，吕武华，梅毅等．湿法烟气脱硫技术及运行经济性分析[J]．化工进展，2015，34(12)：74-80.

[13] 徐刚，任中山，闫方兴等．一种硫铁矿制备脱硫石膏的系统和方法[P]．发明专利，2017.

大民屯凹陷沙四段页岩油叠前地震反演与应用

陈　昌　田　志　方　红　张子璟

（中国石油辽河油田公司）

摘　要　大民屯凹陷沙四段湖相页岩油地层岩性复杂、有效厚度薄、储层变化快，利用常规的叠后地震方法预测“甜点”的精度较低，制约了页岩油资源的经济有效动用。针对研究区页岩油地质特征，以提高“甜点”预测精度为导向，探索形成了地震资料优化处理、叠前弹性参数联合反演、有效裂缝预测等多项关键技术。在地震资料处理方面，形成了以“全程Q补偿”为核心的宽频保幅处理技术思路，道集质量和频带宽度得到有效改善，提高了地震解决复杂地质问题的能力；在储层预测方面，综合应用叠前参数联合反演技术和AVOZF反演技术，实现了岩性、脆性、*TOC*含量及有效裂缝等地质参数的高分辨率预测，明确了大民屯沙四段页岩油“甜点”分布的有利区，落实Ⅰ类、Ⅱ类“甜点”面积143km^2。现场实践结果表明，新钻的水平井地质评价结果与储层预测吻合程度高，储层的钻遇率达66.4%。研究结果为大民屯凹陷页岩油资源的勘探开发提供了有力技术支撑。

关键词　页岩油；储层预测；叠前反演；“甜点”预测；大民屯凹陷

随着非常规油气地质理论的发展以及工程改造技术的持续进步，在北美地区及中国部分盆地已经勘探发现多个页岩油气藏。不同于海相沉积环境，中国东部地区的渤海湾盆地主要发育湖相页岩油藏，沉积环境相变快，储层非均质性强，如何高效准确地确定页岩油的“甜点”区是当前研究的热点及难点问题之一。近年来，通过加强地质基础理论研究发现，大民屯凹陷沙河街组四段生油指标好、地层厚度大、原始地层压力保持好、脆性矿物含量高，且油气显示普遍，具备页岩油气连续成藏的条件。通过攻关研究，目前已经形成了部分针对大民屯凹陷沙四段页岩油“甜点”表征的地球物理技术：肖佃师等基于遗传算法的最优化反演技术预测了大民屯页岩油层段矿物组分含量及干酪根含量等关键参数，有效地指导了页岩油纵向“甜点”层位的优选；刘兴周等研究认为，结构成熟度和成分成熟度是控制沙四段储层条件的关键因素，并提出利用自然电位幅度差来识别优质储层；李晓光等提出大民屯页岩油“三品质”评价方法，并建立了页岩油“甜点”评价标准，有效地指导了该区页岩油“甜点”的选区工作。截至目前，工区内钻遇该套地层的完钻探井137口，其中目的层有油气显示的井51口。虽然井控程度较高，但在实际的地质评价中，要确定页岩油“甜点”的分布特征，实现经济有效动用，还存在如下问题亟需解决：①高分辨率的有效储层预测。纵向上，沙四段页岩油层段具有典型“三明治”结构特征，地层厚度变化大，部分区域单层有效厚度最低不到2m；平面上，沉积相变快，多期扇体叠加连片分布，不同区域岩性差异大，地震上无明显的沉积间断现象，常规的叠后稀疏脉冲反演技术识别有效储层精度偏低。②“甜点”分布规律复杂。研究表明，“甜点”的分布受岩性、物性、含油性和脆性等多因素共同控。储层薄、类型多、空间变化快的特点，导致地质“甜点”预测精度低，储层钻遇率低，目前的储层预测技术难以指导水平井的优化部署及压裂层段优选。

针对上述难点问题，综合应用测井、录井、叠前叠后地震资料，以提高页岩油“甜点”识别准确率为导向，开展页岩油“甜点”地震-地质一体化高精度预测的关键技术攻关，探索形成了地震资料优化处理、叠前弹性参数联合反演、有效裂缝预测等多项关键技术，为大民屯地区页岩油资源的精细评价提供了技术保障，有力的支撑了大民屯凹陷湖相页岩油勘探部署工作。相关研究成果对国内外同类型页岩油储层的高精度预测也有一定的借鉴意义。

1　地质概况

大民屯凹陷位于渤海湾盆地辽河坳陷的北部地区，南接西部凹陷，西距沈阳市25km，勘探面积约 800km^2(图 1)。大民屯凹陷在平面上呈不规则三角形，南宽北窄，四周为 3 条边界断层所围限，是在太古宇的变质岩和元古界碳酸盐岩、石英岩组成的双重基底之上发育的新生代陆相凹陷。此次研究的目的层段为古近系沙四下亚段，位于大民屯凹陷中央地区。沙四下亚段沉积时期，构造升降引发区域性的水退和水进，伴随湖平面振荡性变化，地层呈旋回性变化。岩性具有典型"三明治"结构特征：顶层为一油组，岩性为油页岩、粉砂油页岩，中间为二油组，岩性为粉砂岩、泥质白云岩，下部为三油组，岩性为油页岩夹薄层泥灰岩、白云岩。地层厚度为 20~220m，*TOC* 含量为 2.0%~12.8%，R_o为 0.4%~0.6%，有机质均以 I 型为主，有少量 II_1 型和 II_2 型。生烃强度约为 4200×10^4t/km^2。油气显示活跃，普遍具有高压异常，最新预测显示该套地层具有 20.9×10^8t 油气资源量，是页岩油勘探的重点目标。

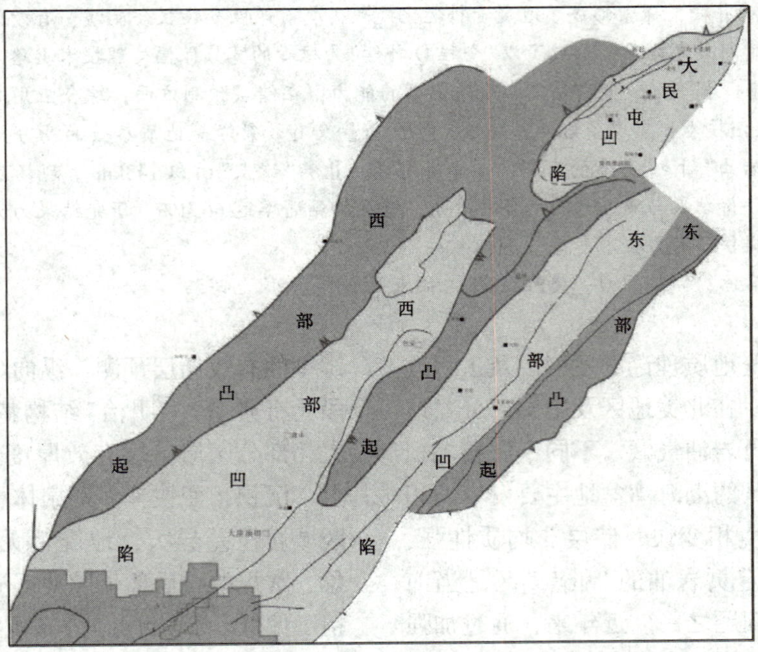

图 1　工区地理位置

2　地震预测关键技术

2.1　地震资料处理技术

叠前反演对地震资料的要求较高，原始地震资料的可靠性直接关系储层预测的效果。因此，在反演前，要进行叠前资料质控分析并对 CRP 道集进行一些必要的特殊处理，以求在现有资料品质的情况下，尽可能的满足叠前反演的需要。研究区叠前 CRP 道集存在随机噪音干扰多和能量分布不均匀等问题。处理上，围绕页岩油储层预测，制订了以"全程 Q 补偿"为核心的宽频保幅处理技术思路，采用叠前保幅保真去噪、井控宽频处理、宽方位处理的技术对策，有效地改善了叠前地震资料的成像质量，主频提高 10Hz，分辨能力提高 16m，提高了地震资料解决复杂地质问题的能力。从去噪前后道集对比，部分噪音被压制后，道集明显光滑，从噪音模型来看，没有伤到有效波，道集质量改善显著，为沙四段页岩油三段式内幕结构研究和"甜点"地震预测奠定了基础。

2.2　岩石物理分析技术

按照先识别优势岩性，再预测优质储层的思路开展岩石物理分析，综合纵波阻抗、横波阻抗、纵横波速度比、杨氏模量等多种弹性参数与表征优质"甜点"的储层参数，如 *TOC*、岩性、孔隙度等开展多维度交互分析，优选敏感弹性参数，建立"甜点"的地球物理表征标准。

2.2.1　岩性敏感参数

研究区沙四段岩性主要为油页岩、砂岩、白云岩、含碳酸盐岩油页岩、粉砂质油页岩。测井上，油页岩表现为低速度、高声波、低密度、低伽马、高电阻等特征；砂岩表现为中高速度、中低声波、中高密度、中高伽马、低电阻等特征；白云岩表现为高速度、低声波、高密度、高伽马、低电阻等特征。选择 V_p/V_s、横波阻抗 I_s、纵波阻抗 I_p和密度 *Den* 等弹性参数开展两两交会分析(图 2)，并建立岩石物理模板。由图 2 可以看出：I_p-V_p/V_s交会图识别岩性效果最好，横波阻抗可以区分油页岩类，砂岩及白云岩等三大类岩性，V_p/V_s可有效区分含碳酸盐岩油页岩、粉砂质油页岩。

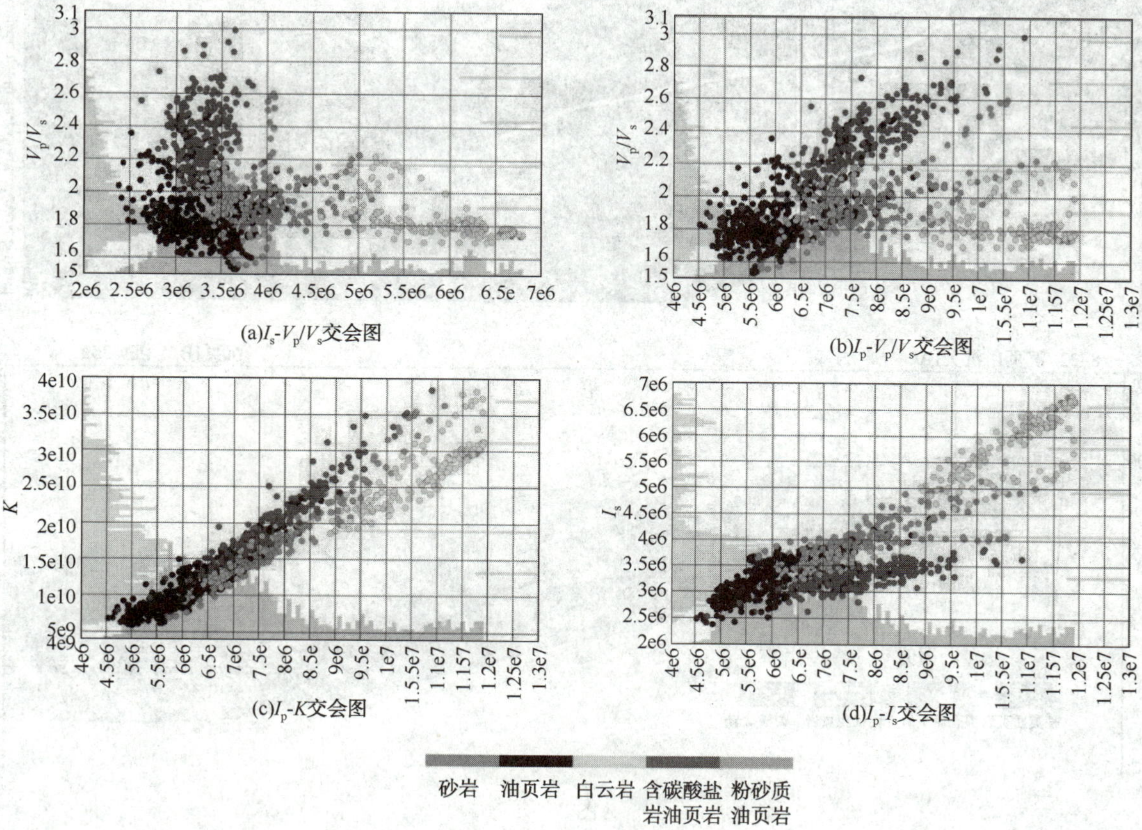

图 2　岩性敏感弹性参数交会分析

2.2.2　储层敏感参数

在岩性预测的基础上，对控制地质“甜点”分布的关键参数脆性指数 *BRI*，总有机碳含量 *TOC* 进行分析。首先利用测井曲线计算得到 *BRI* 和 *TOC* 曲线，然后采用弹性参数分别与 *BRI* 和 *TOC* 进行交会分析，结果表明 I_p与 *BRI* 之间相关性最好，脆性矿物含量高的岩性具有高阻抗特征。I_s与 *TOC* 含量之间相关性最好，油页岩类 *TOC* 含量高，具有低横波阻抗特征。

2.3　复杂岩性预测技术

根据岩石物理分析结果，I_s-V_p/V_s可有效区分 5 类岩性，因此，采用叠前弹性参数联合反演进行岩性预测，该反演方法要求保证原始数据的准确可靠，地震数据要经过相对保幅处理，构造解释要尽量准确。该方法在求解过程中考虑了 V_p、V_s和 *Den* 之间的关系，利用叠前同时反演直接求得密度体，避免了累计误差，稳定性好，可靠性强，为精细定量预测提供了基础保证。首先，将优化处理后的叠前 CRP 道集转化为近、中、远 3 个角道集数据，分别针对不同角度道集数据提取子波，进行井震标定。反演时，以叠前角道集数据体为输入，在模型约束下开展多参数同时反演，得到纵、横波阻抗、密度、波速比等预测结果。实际处理过程中，不同子波可均衡不同角度部分叠加数据体之间振幅、频率和相位差异，使得反演结果更准确。图 3 为过 Sy1 井的横波阻抗反演剖面和实钻地质剖面的对比，从地质剖面可以看出，Sy1 井上、下主要发育油页岩，中间发育厚度为 10m 左右的泥质云岩，并且沿着井轨迹方向逐渐变厚。根据岩石物理分析的结果将云岩类的横波阻抗门槛值定为 $4.9\times10^6 kg\cdot m^{-2}\cdot s^{-1}$ 横波阻抗反演剖面表明在井轨迹发育一套高阻抗云岩条带，为 Sy1 提供了准确的入靶点。

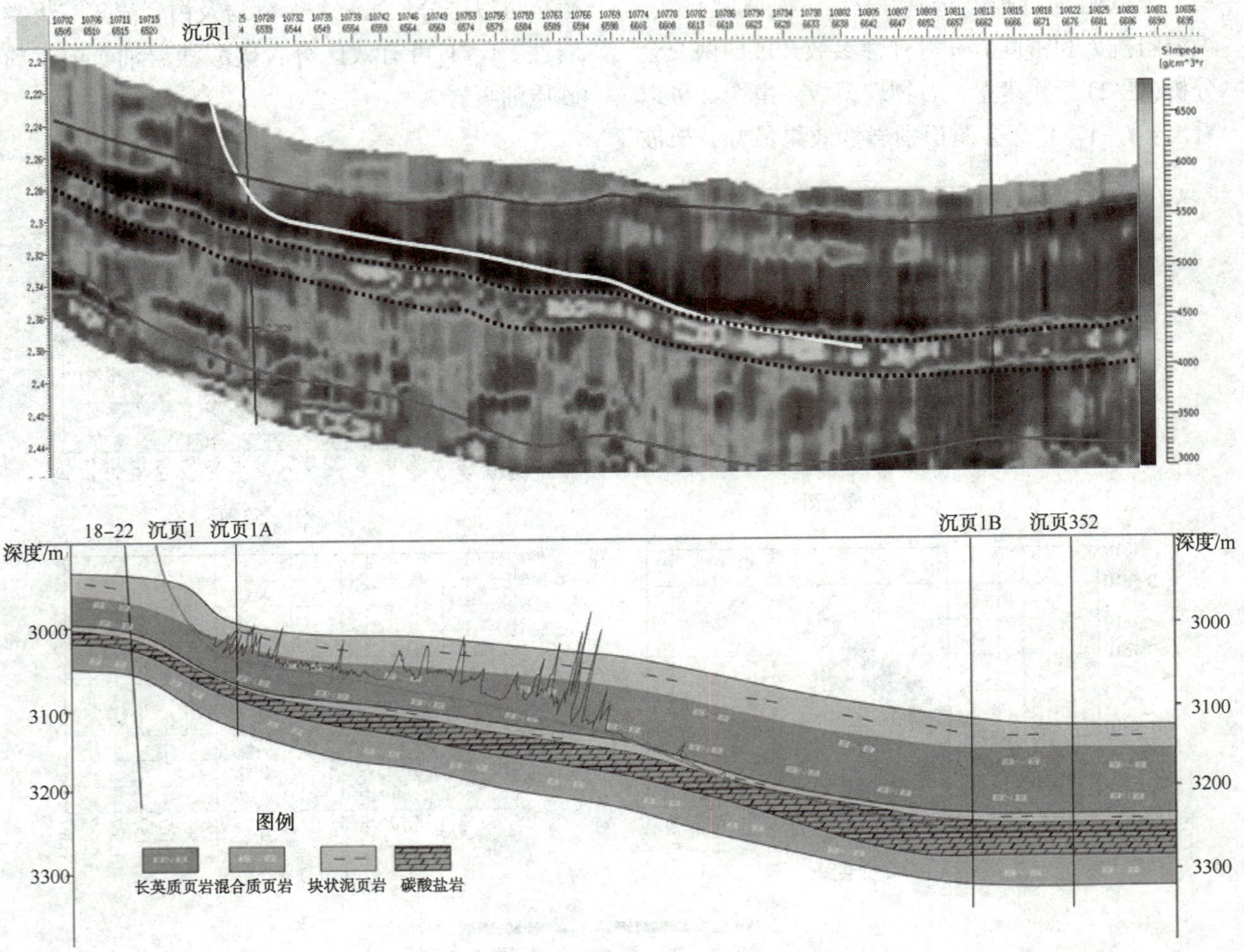

图 3

通过反演明确了沙四段优势岩性发育特征，其中，一油组和三油组的含碳酸盐岩油页岩相对发育，白云岩厚度较薄，二油组的白云岩厚度较大，油页岩不发育。以二油组为例，利用横波阻抗反演结果提取白云岩的厚度(图4)，从图中可以看出，工区的西南侧 s229 井附近和东北侧的 s224 井附近是白云岩发育的厚度中心，厚度为 20~40m，由两侧向工区中部白云岩厚度逐渐减薄。基于岩性预测结果，分析认为 s229 井附近和 s224 井附近应该是优势岩性白云岩的集中发育区，可作为下一步页岩油勘探的重点目标区。

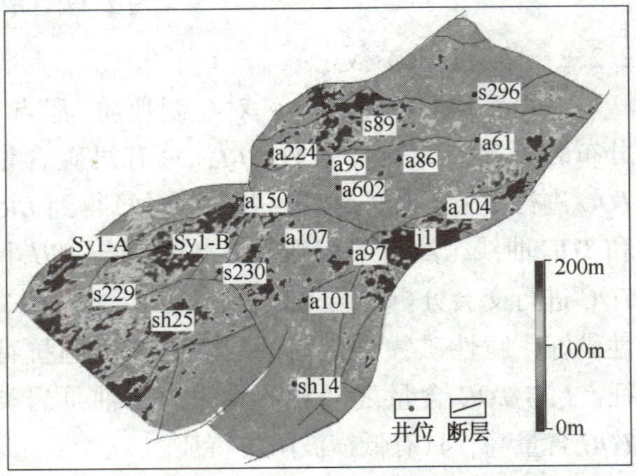

图 4　二油组泥质云岩厚度分布预测

2.4　储层参数预测技术

基于岩石物理分析模板，分别建立起 *TOC* 含量、脆性指数 *BRI* 与弹性参数的回归关系，然后将反演得到弹性参数体转化为 *TOC* 含量数据体和脆性指数 *BRI* 数据体。以二油组为例，基于数据体提取该层 *TOC* 含量和脆性指数 *BRI* 的均方根值。预测结果表明，*TOC* 含量的分布存在 3 个厚度中心，分别位于 s224—s89 附近、Sy1 井附近以及 a97 东侧。脆性矿物集中发育在工区的西南地区，在其他地区脆性指数相对较低。

2.5　有效裂缝预测技术

对于非常规油藏，裂缝的发育程度与油气的饱和度具有较大的相关性，如何精确地预测储层的裂缝发育情况，对于寻找“甜点”区至关重要。利用地震资料预测裂缝的方法较多，主要分为叠前和叠后2种手段。叠后的方法是利用相干、曲率、蚂蚁体等构造类属性；叠前的方法包括多方位的VSP，纵波AVAZ，横波分裂等技术。目前，比较经济有效的一种手段是AVAZ(AVOZ)方法，即利用地震资料的振幅随偏移距和方位角变化关系。地震频率的衰减和裂缝密度场的空间变化有关，沿裂缝走向方向随偏移距衰减慢，而垂直裂缝走向方向随偏移距衰减快，裂缝密度越大衰减越快。但是，传统的AVOZ反演方法表征的各向异性程度不仅与裂缝发育程度有关，还与地应力有关。为解决有效裂缝的预测问题，Sun等提出叠前各向异性频散反演方法(AVOZF)，该方法在AVOZ方法的基础上，将与流体有关的频率信息引入到AVOZ方法中。因此，该方法能够检测到与裂缝流体有关的各向异性信息，用于表征有效裂缝的发育程度。此次研究将该方法应用到大民屯沙四段页岩油的有效裂缝预测中。图5为过Sy1井轨迹的AVOZF有效裂缝反演剖面，可以看出，AVOZF反演剖面上指示有效裂缝仅发育在Sy1井的Ⅰ组的中段及Ⅱ组的前半段。实际地质评价结果也显示，Sy1井主要含油层段就是Ⅰ组的中间17—12段以及Ⅱ组的上半段7—4段，二者吻合程度很高。综合评价认为，Sy1井储层钻遇率达66.4%，较攻关前同比提高38%。

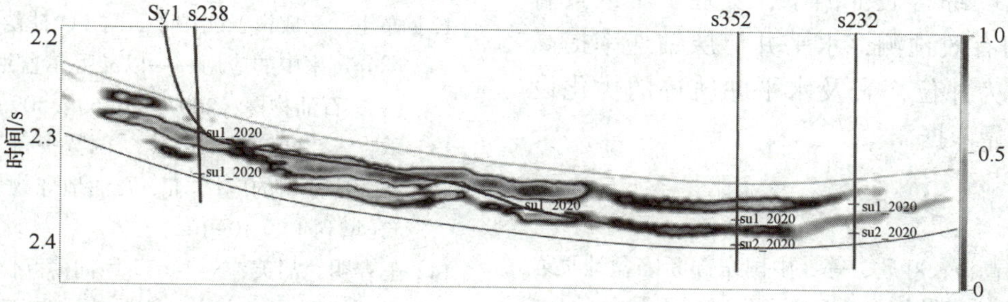

图5　Sy1有效裂缝预测剖面

3　应用效果

基于岩性、*TOC*含量、脆性指数、裂缝分布等参数的预测结果，依据大民屯凹陷页岩油“甜点”分类评价标准，构建页岩油“甜点”地震标准，然后，基于多属性融合技术计算得到反映“甜点”分布特征的数据体。基于“甜点”数据体，按照标准，提取得到一、二、三油组的“甜点”预测分布图，共落实Ⅰ类、Ⅱ“甜点”面积143km^2。图6为二油组提取的甜点平面分布特征。图中Ⅰ类“甜点”为红色，Ⅱ类为黄色，Ⅲ类为蓝色。由图6可以看出，工区的西南部S229井区和东北部的S104井区为页岩油“甜点”集中发育区。从实际的钻探效果上看，在研究区内优选了11口老井进行二次试油，地层测试或压裂后均见到油气，其中7口井日产油达到2.00t/d以上，证实了研究区页岩油的勘探潜力。2019年，针对一油组的含碳酸盐油页岩型和Ⅱ组的泥质白云岩型的页岩油，在工区西南部“甜点”区部署实施Sy1井，该井水平段长度为1795m，钻遇一油组含碳酸盐油页岩厚度为1245m，Ⅱ组泥质白云岩厚度为550m。经测井“三品质”评价，共解释Ⅰ类层厚度为530m(10)层，Ⅱ类层厚度为920m(3层)，储层钻遇率高，与地震“甜点”预测符合率高。该井分23段进行大规模压裂，压后4mm油嘴放喷，日产油为12.69t/d，日产气为1194m^3/d，抽油机生产，最高日产油为16.87t/d。钻探成果表明：基于叠前地震储层预测的“甜点”预测技术为大民屯地区沙四段页岩油“甜点”选区、选层提供了有力依据，有效地提高了储层的钻遇率，为后续该区页岩油的经济有效动用打下了良好基础。

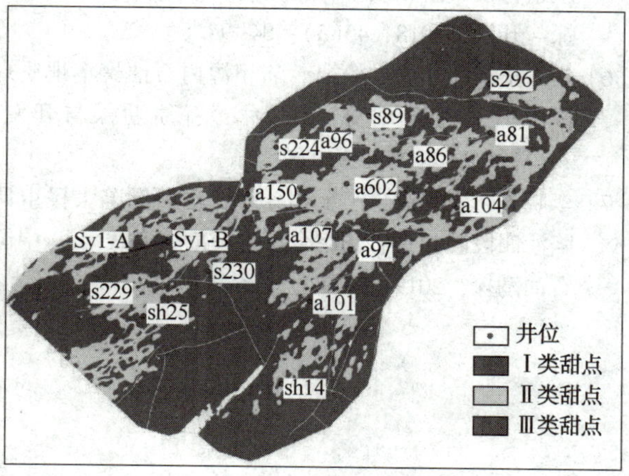

图6　二组页岩油“甜点”预测平面图

4 结论

(1) 基于岩石物理分析明确了对岩性、*TOC*含量、脆性指数等敏感的弹性参数，为叠前反演预测页岩油"甜点"奠定了基础。

(2) 针对大民屯凹陷沙四段页岩油岩性复杂、地层薄、变化快的地质特征，提出"全程Q补偿"为核心的宽频保幅处理技术思路以及叠前弹性参数联合反演、AVOZF裂缝反演等多种针对性技术，得到弹性参数、*TOC*含量、脆性指数和有效裂缝等多个数据体。

(3) 依据页岩油"甜点"分类评价标准，构建地震"甜点"综合表征因子，实现了工区页岩油"甜点"的有效预测，水平井储层钻遇率提高到66.4%，为井位部署及水平井轨迹的优化设计提供了可靠依据。

参 考 文 献

[1] 武晓玲，高波，叶欣，等．中国东部断陷盆地页岩油成藏条件与勘探潜力[J]．石油与天然气地质，2013，34(4)：455-462.

[2] 赵贤正，周立宏，蒲秀刚，等．陆相湖盆页岩层系基本地质特征与页岩油勘探突破——以渤海湾盆地沧东凹陷古近系孔店组二段一亚段为例[J]．石油勘探与开发，2018，45(3)：12.361-372.

[3] 贾承造，郑民，张永峰．中国非常规油气资源与勘探开发前景[J]．石油勘探与开发，2012，39(2)：8.129-136.

[4] 杨雷，金之钧．全球页岩油发展及展望[J]．中国石油勘探，2019，24(5)：553-559.

[5] 柳波，石佳欣，付晓飞，等．陆相泥页岩层系岩相特征与页岩油富集条件——以松辽盆地古龙凹陷白垩系青山口组一段富有机质泥页岩为例[J]．石油勘探与开发，2018，45(5)：84-94.

[6] 焦方正，邹才能，杨智．陆相源内石油聚集地质理论认识及勘探开发实践[J]．石油勘探与开发，2020，47(6)：1067-1078.

[7] 李晓光，刘兴周，李金鹏，等．辽河坳陷大民屯凹陷沙四段湖相页岩油综合评价及勘探实践[J]．中国石油勘探，2019，24(5)：636-648.

[8] 肖佃师，卢双舫，陆正元等．辽河坳陷大民屯凹陷沙四段页岩油层矿物组分含量反演方法及应用[J]．石油与天然气地质，2016，37(1)：37-44.

[9] 刘兴周，吴文柱，孙晶莹等．短轴物源型致密砂岩"甜点"储层测井划分方法初探——以大民屯凹陷西部斜坡带为例[J]．石油地质与工程，2015，29(4)：63-66.

[10] LIU Xingzhou，TIAN Zhi，CHEN Chang. Total organic carbon content prediction in Lacustrine shale using extreme gradient boosting machine learning based on Bayesian optimization[J]. Geofluids，2021：1-18.

[11] 李合群，孟小红，赵波．地震数据Q吸收补偿应用研究[J]．石油地球物理勘探，2010，45(2)：190-195.

[12] 郭建，王成彬，胡中平，等．Q补偿技术在提高地震分辨率中的应用——以准噶尔盆地Y1井区为例[J]．石油物探，2007，46(5)：509-513.

[13] 丁吉丰，裴江云，包燚．"两宽一高"资料处理技术在大庆油田的应用[J]．石油地球物理勘探，2017，52(增刊1)：10-16.

[14] 王春明，胡英，刘卫东．面向薄互储层的叠前宽频保幅处理技术[J]．科学技术与工程，2013，13(16)：4617-4621.

[15] 包燚，陈志德，王成，等．松辽盆地古龙页岩油保真宽频宽方位各向异性地震处理技术[J]．大庆石油地质与开发，2021，40(5)：106-120.

[16] HACKERT C L，PARRA J O. Improving Q estimates from seismic reflection data using well-log-based localized spectral correction[J]. Geophysics，2004，69(6)：1521-1529.

[17] 张广智，杜炳毅，李海山，等．页岩气储层纵横波叠前联合反演方法[J]．地球物理学报，2014，57(12)：4141-4149.

[18] 梁兵，杨建礼，张春峰，等．叠前弹性参数反演在黄珏油田的应用[J]．石油勘探与开发，2007，补卷(2)：202-206.

[19] 王祥，马劲风，王德英，等．渤中凹陷西南部烃源岩TOC含量预测[J]．石油地球物理勘探，2020，55(6)：1330-1342.

[20] 李远，程飞，雷栋，等．基于页岩岩石物理分析技术的TOC和脆性预测[J]．石油地球物理勘探，2018，53(增刊2)：204-210.

辽河坳陷清水洼陷深层天然气成藏地质特征及勘探潜力

蔡国钢　杨光达　张东伟　周　艳　翁文胜　汪百齐　王伟成

（中国石油辽河油田公司勘探开发研究院）

摘　要　辽河油田陆上资源3500m以上中浅层探明率达61.4%，已进入高成熟勘探阶段，勘探增储走向深层势在必行。尤其是近年来双兴1井的成功，揭示了深层天然气资源潜力的良好苗头。针对深层有无资源潜力、是否发育规模储集体等问题，展开攻关研究，明确了深层烃源岩规模与品质、沉积物源及储集体分布、油气成藏模式，形成了具有辽河特色深层天然气成藏地质特征认识，为储量发现提供依据。

关键词　天然气；深层；清水洼陷；成藏地质特征；勘探潜力

渤海湾盆地总体属于低气油比盆地，表现为天然气以溶解气为主，气层气和气顶气较少，气油储量比平均为29.38。深层天然气（埋深大于3500m）集中分布在冀中坳陷和临清坳陷东濮凹陷；中层天然气（1500~3500m）主要分布在辽河坳陷、黄骅坳陷和临清坳陷东濮凹陷；浅层天然气（埋深小于1500m）以济阳坳陷最为富集，接近浅层天然气探明储量的90%。当前各坳陷正加大深层勘探力度，有望改变以往资源结构。

辽河坳陷已发现天然气主要集中在中浅层，深层面积近4000km^{2}的广大领域仍处勘探早期，具有很大的资源勘探潜力。近年来，通过加强新领域的勘探实践，在清水地区沙三段深层发现了高成熟天然气。双兴1井在古近系沙四段5028.7~5060.7m的深层砂岩中，压裂后5mm油嘴，日产气近4×10^{4}m^3，天然气甲烷同位素分析测试值为-30‰，表现为高成熟演化类型，它的发现拉开了深层天然气的勘探序幕。

1　地质背景

清水洼陷为辽河坳陷新生界埋藏最深、规模最大的断陷湖盆。该区位于辽河断陷西部凹陷中南部，为典型东断西超的狭长箕状湖盆，构造线整体走向北东，东侧紧邻中央凸起，西侧为双台子—双南断裂背斜带，北接兴隆台潜山带，南侧与鸳鸯沟洼陷隔隆相望，洼陷构造带面积约200km^2，最大埋深区域位于清水洼陷的北部。受东侧台安—大洼断层持续活动的控制，清水洼陷为西部凹陷继承性的沉积-沉降中心。自新生代以来经历了地壳拱张、裂陷和坳陷三大地质发育阶段，沉积了沙四段、沙三段、沙一二段、东营组、馆陶-第四系五个构造层，代表了新生代湖盆形成和演化的五个阶段。

初始裂陷期（沙四段沉积期）：湖盆沉积-沉降中心位于清水洼陷的北部，地层沉积受断层控制不明显，洼陷基底正断层发育，东侧边界断层（台安-大洼断裂）逐渐开始发育。强烈裂陷期（沙三段沉积期）：东侧边界断层强烈活动，控制沉积作用明显，地层厚度变化大，基底断层活动减弱，形成东断西超的半地堑结构。构造回返期（沙一二段沉积期）：边界断层活动渐弱，总体上表现为断坳结构，沉降-沉积中心向西南迁移，地层沉积分布范围广。晚期边界断裂受区域应力改造，与伸展、走滑相关的盖层断裂开始发育。断坳转换期（东营组沉积期）：边界断裂强烈走滑活动导致构造反转，洼陷东西两侧差异升降明显，西侧主要发育东西走向、南掉的阶梯式断层，东侧依托台安—大洼断层发育北东走向北掉断层，并呈锐角与之相交。沉积地层分布范围广，厚度变化较大。坳陷期（馆陶-第四系沉积期）：构造活动明显减弱，以坳陷整体变形为主要特征，沉积地层厚度变化不大。对东营期的走滑变形有明显的继承作用，发育断层多为继承性正断层。

总体上，清水洼陷现今构造形态主要受断、坳两期断裂系统控制，以沙三段中部（最大湖泛面MFS）大套泥岩地层为界，可划分为上下两个断裂系统，即下部断裂系统和上部断裂系统（图1）。

下部断裂系统发育在沙四、沙三段下部构造层，多为拉张正断层，控制洼陷格局和地层沉积；上部断裂系统主要在沙一二段及上部构造层发育，多为走滑正断层，控制地层沉积作用不明显。

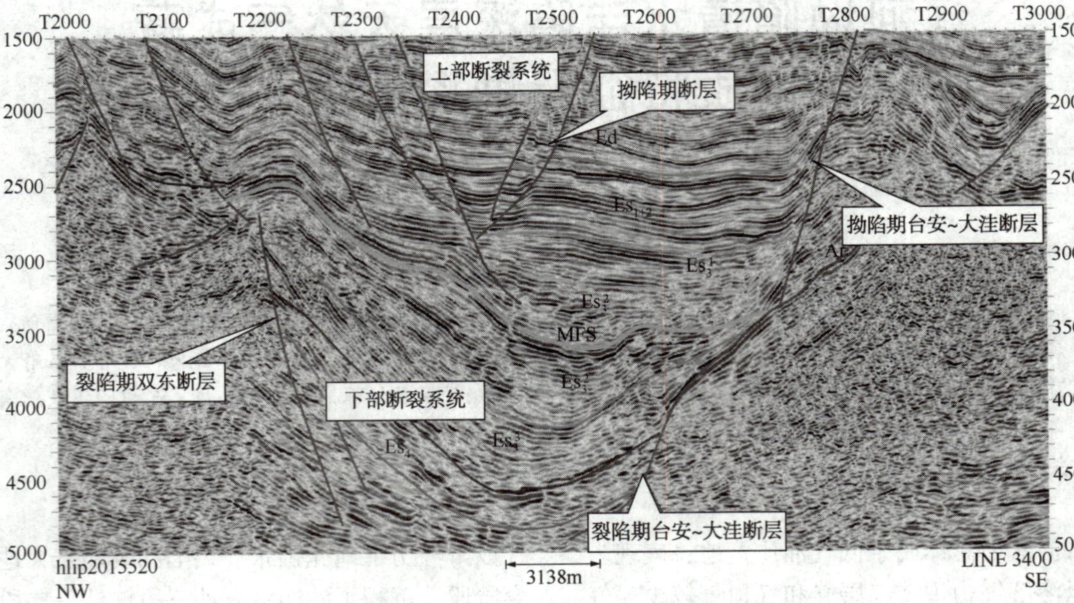

图1　清水洼陷构造形态解释剖面图

裂陷期沉积了巨厚的烃源岩，后来构造活动逐渐减弱，沙一二期开始发生走滑活动，仅有少数断层断至沙三上部地层，使得沙三期最大湖泛面之下的深层原生油气藏得以完好保存，清水洼陷中深层也成为高成熟天然气勘探的有利场所。

2　烃源岩特征

2.1　烃源岩厚度

清水洼陷主力烃源岩是沙四段和沙三中亚段湖相泥页岩，厚度大、分布广，它的规模存在为深层气藏提供了充足的气源条件。据钻井数据，并结合地震资料分析，清水洼陷沙四段烃源岩（图2）最大厚度达400m，西侧斜坡部位厚度较薄，一般为50~100m。沙三段中亚段烃源岩（图3）最大厚度800m，沉积中心靠近控凹断层一侧，厚度普遍大于600m，西侧斜坡部位厚度变薄，一般为50~400m。

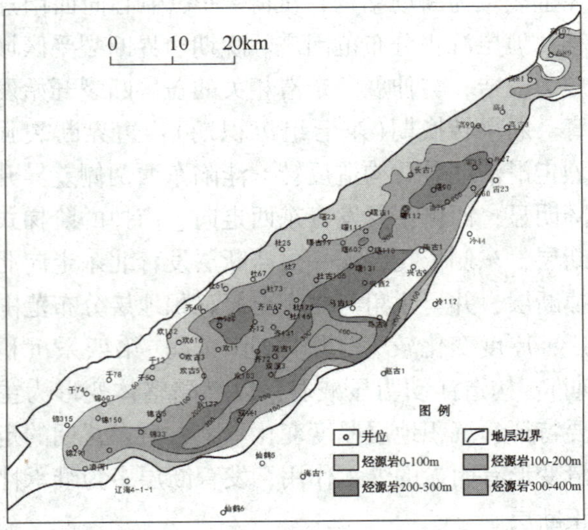

图2　清水洼陷沙四段源岩等厚图

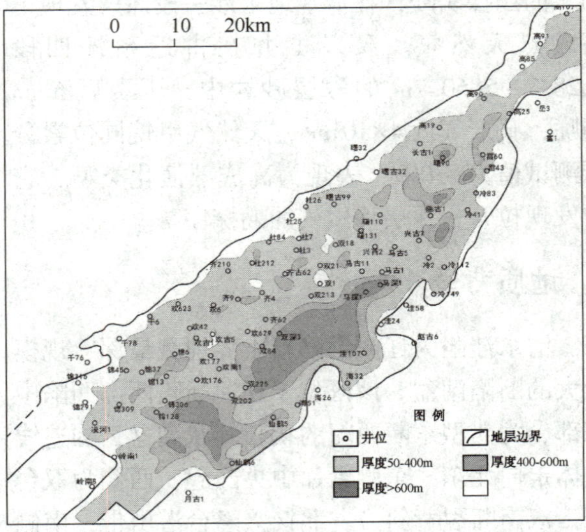

图3　清水洼陷沙三中段源岩等厚图

2.2　烃源岩类型

镜检结果显示清水洼陷烃源岩类型为Ⅱ$_1$型，结合热解数据（图4），认为主要为Ⅱ$_1$－Ⅱ$_2$型，少数样品点有机质类型为Ⅰ型和Ⅲ型。综合沉积相研究成果，分析认为在清水洼陷中心，有机质类型为Ⅰ型，Ⅱ$_1$-Ⅱ$_2$型沿洼陷中心呈环状分布，Ⅲ型有机质分布在洼陷边缘。

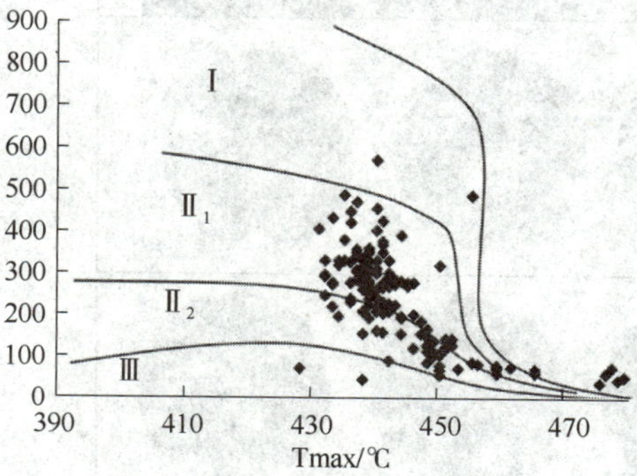

图 4　清水洼陷深层有机质类型判别图版

2.3　有机质丰度

据清水洼陷地区 11 口探井沙三段烃源岩地化数据，有机碳丰度指标显示该区沙三段烃源岩为好烃源岩。沙三上亚段 TOC 含量介于 0.68%～7.32%，平均值为 1.92%，生烃潜力 S_1+S_2 含量介于 0.49～45.53mg/g，均值为 6.04mg/g，氯仿沥青“A”含量介于 0.08%～0.64%，均值为 0.27%；沙三中亚段 TOC 含量平均值为 1.61%，S_1+S_2均值 4.06%；氯仿沥青“A”含量均值为 0.472%；沙三下亚段 TOC 含量介于 0.67%～2.29%，平均值为 1.49%，生烃潜力 S_1+S_2 含量介于 0.43～13.31mg/g，均值为 2.21mg/g，氯仿沥青“A”含量介于 0.006%～1.005%，均值为 0.243%。

2.4　热演化程度

分析清水洼陷地区沙三段烃源岩的干酪根镜质体发射率(Ro)数据，共 70 个样品点，总体上处于成熟-高成熟演化阶段。沙三段烃源岩的干酪根镜质体反射率(Ro)主体随着埋深的增加逐渐增大(图 5)。由图可知，清水洼陷地区沙三段烃源岩在 3000m 左右进入成熟阶段，在 4300m 左右达到高成熟阶段。

清水洼陷地区沙三段烃源岩热解最高峰温 Tmax 主体随着埋深的增加逐渐增大，部分样品点的 Tmax 值随埋深的增加呈现不变的特征(图 6)。由图可知，清水洼陷地区沙三上亚段烃源岩主要处于低成熟阶段，沙三中亚段烃源岩主要处于成熟阶段，部分达到高成熟和过成熟阶段，沙三下亚段烃源岩主要处于成熟-高成熟阶段。

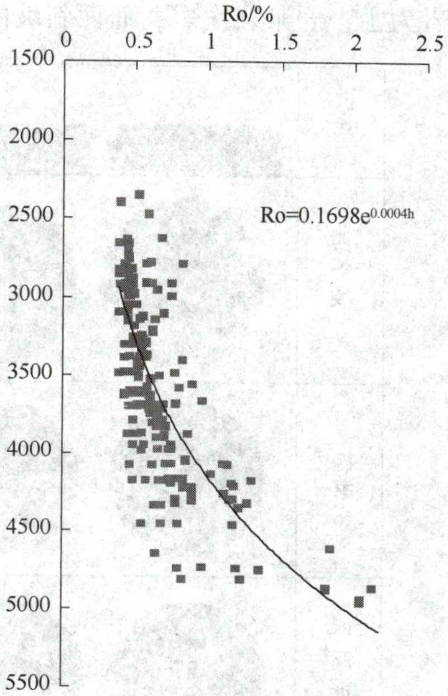

图 5　沙三段深度与 Ro 关系图

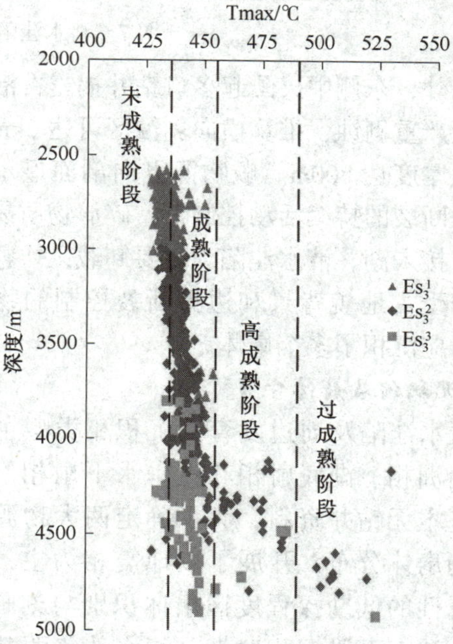

图 6　沙三段热解最高峰温 Tmax 剖面

3　储集体特征

3.1　物源体系

据沙三段重矿物特征对比(图 7)，位于清水洼陷北侧的马深 1 井和冷家地区重矿物分析锆石含量均小于 35%，电气石含量均在 3%以下，而西斜坡锆石含量均大于 35%，电气石含量均大于 3%。表明清水洼陷东侧物源重矿物特征与北部冷家地区相类似，同受来自东部中央凸起的物源控制。通过沙三中段岩屑成分统计分析，洼陷内的清东-清北扇体与冷家地区母岩性质相近，以变质岩为主，岩浆岩次之；而西斜坡的齐家和欢喜岭地区母岩则以岩浆岩为主，变质岩次之。

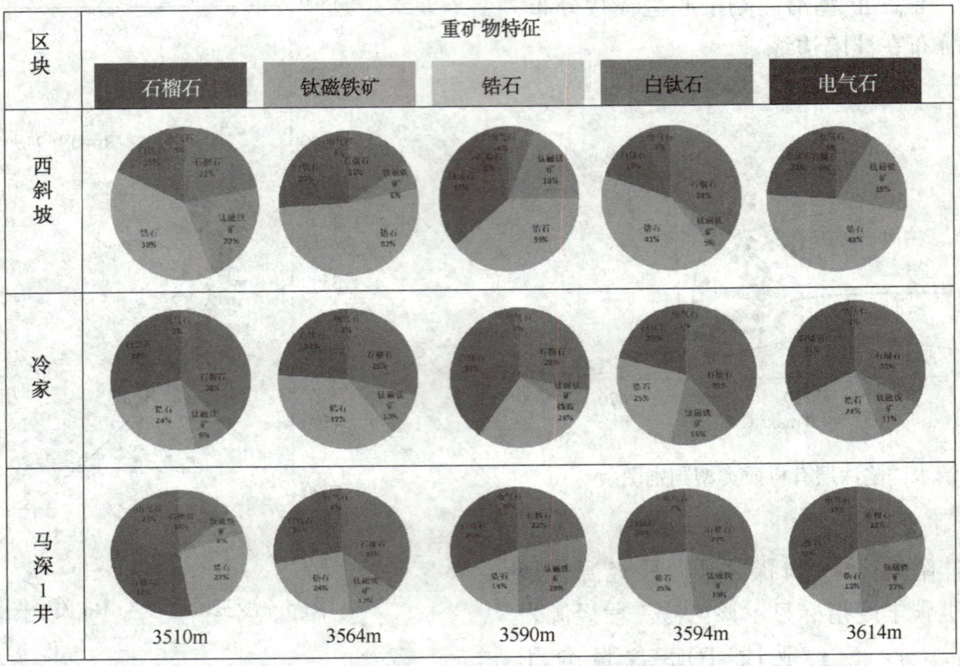

图7　清水洼陷周边沙三中段重矿物特征对比图

另外，东侧中央凸起多口钻井揭露古潜山地层遭受严重剥蚀，推算横向剥蚀区可达6km，纵向剥蚀厚度达800m。顺物源方向剖面显示，在边界大断裂的持续活动控制下，碎屑物质易整体滑塌直接入湖，清水洼陷为主要卸载区。整体上为一个受古地貌背景和边界断裂控制的物源体系，对应沉积了多个扇体。

3.2　沉积相及扇体分布

清水洼陷及周边发育的沉积相类型主要有扇三角洲相、湖底扇相和近岸水下扇相。由于深层基本无钻井资料，为了确定两大物源体系控制的扇体分布，开展了以地震相为主，辅以地震属性的低勘探程度区扇体识别与刻画。结果显示沙三下段沉积时期，清水洼陷西部缓坡带为缓坡型扇三角洲相，洼陷中心为湖底扇相，洼陷东部陡坡带为陡坡型扇三角洲相图(图8)。此时，湖盆水域面积较小，水体相对较浅，处于低位体系，地形差异最大，主要发育古地貌沟槽控制的扇三角洲砂体。沙三中段沉积时期，洼陷西部缓坡带和洼陷中心主要为大面积的湖底扇相，而东部陡坡带则为近岸水下扇相(图9)。该时期清水洼陷处于水进体系域，此时，湖盆水域面积达到最大，水体达到最深，东侧发育清北-清东两大近岸水下扇砂体，是清水洼陷深层主要储集体。

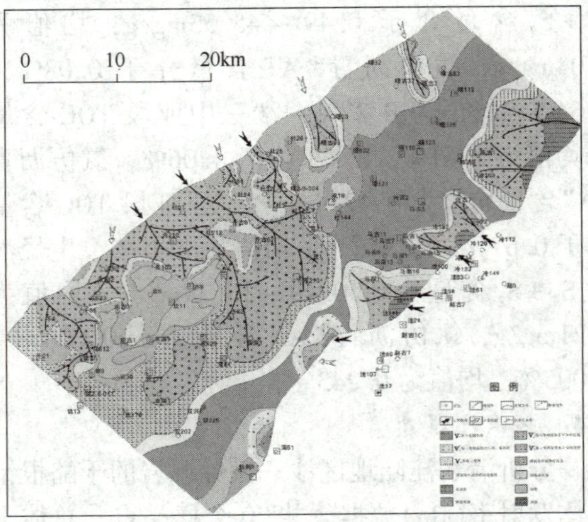

图8　清水洼陷周边沙三下亚段沉积相图

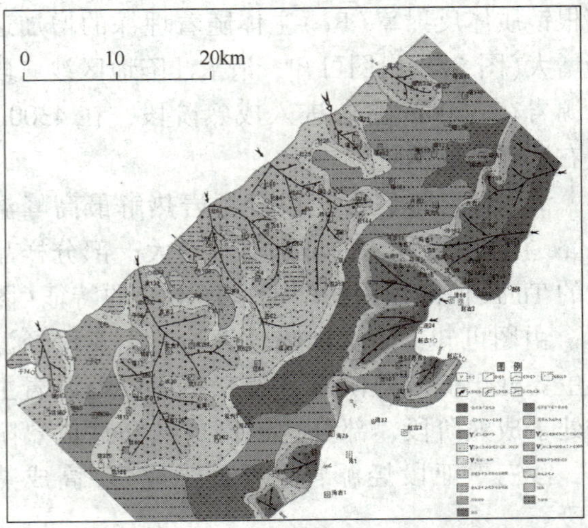

图9　清水洼陷周边沙三中亚段沉积相图

3.3 储层特征

3.3.1 储集岩性

根据清水洼陷周边探井沙三中段岩石薄片鉴定结果，岩性有岩屑长石砂岩、岩屑砂岩、砂砾岩、砂质砾岩和长石岩屑砂岩等，其中以岩屑长石砂岩和长石岩屑砂岩为主。石英含量为16~37%，平均值为27%，含量偏低。长石含量为15~55%，平均值为35%；岩屑的岩性以变质岩和岩浆岩为主，平均含量为36%。碎屑岩填隙物中杂基以泥质为主，平均值为3.3%，泥质含量较低；胶结物以方解石和石英为主。从石英、长石和岩屑的含量来看，清水洼陷深层碎屑岩为低成分成熟度，矿物和岩屑不稳定，有利于次生孔隙的发育。

3.3.2 储层孔隙特征

镜下薄片显示深层砂岩孔隙以粒内溶孔和粒间溶孔为主，其次是粒间扩大孔，原生粒间孔隙少见。粒内溶孔为为长石、岩屑等碎屑颗粒部分溶蚀形成的孔隙。粒间溶孔是由于颗粒间的胶结物、杂基及颗粒表面被溶蚀所形成的胶结物溶孔和杂基溶孔，主要是碳酸盐胶结物部分溶蚀形成的孔隙，还有菱铁矿和高岭石等溶蚀形成的孔隙。

3.3.3 储层物性特征

通过研究区沙三段48口井岩心实测孔隙度与渗透率分析(图10)，认为沙三段碎屑岩储层主要为中-低孔、低渗-特低渗型致密储层。孔隙度值集中分布在5%~20%之间，渗透率值集中分布在0.1mD~100mD之间。

尽管物性致密，但从目前取得的资料分析，辽河坳陷深层3500m以下的储集层绝大部分物性都高于天然气储层物性下限值，可以满足天然气的储集条件。

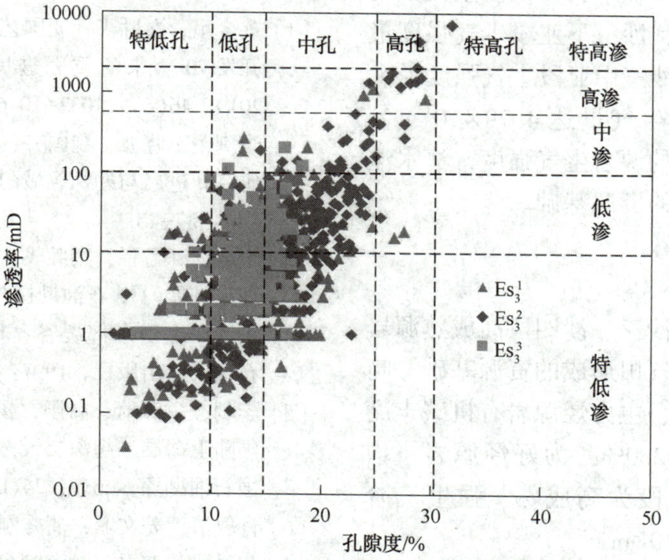

图10 清水洼陷周边沙三段实测孔隙度与渗透率交汇图

4 成藏模式及勘探潜力

4.1 深层天然气成藏模式

清水地区发育断、坳两期断裂系统，由于沙三中湖泛面附近暗色泥岩的封盖分隔为上、下两个成藏组合，深层天然气属于下部成藏组合，为一个封闭的原生气藏(图11)。油气成藏史研究揭示该区主要有两期油气充注，早期以油为主，晚期以高熟天然气为主。东营时期，油气大量生成，在晚期断层活动的沟通下，在上部储集体中聚集成藏。馆陶、明化镇时期，清水洼陷深层烃源岩生成大量高熟气，而早期形成的古油藏及液态烃，随着埋深、温压的增大，也逐渐向天然气藏裂解转化，但由于受湖泛期厚层烃源岩所覆盖，油气在烃源岩内部储层中富集，形成原生气藏。因此，以沙三中湖泛面为界，清水洼陷发育上、下两套成藏组合。目前，上部成藏组合勘探程度较高，下部成藏组合尚处于勘探空白区，具有很大的勘探潜力。

4.2 勘探潜力

清水洼陷发育沙四、沙三段两套烃源岩，分布范围广、厚度大。其中，沙四段烃源岩厚度主体在200m以上，最大厚度达400m，沙三中段源岩厚度主体在400m以上，最大厚度800m。烃源岩指标证实，沙四段深层烃源岩TOC最大值达3.2%以上，中心区Ro最大可达2.5%；沙三中段深层烃源岩 TOC 最大值为 2.49%，Ro 普遍大于 1.3%；沙三下段深层烃源岩 TOC 最大值为 3.35%，Ro 普遍大于 2.0%，可形成高成熟天然气。

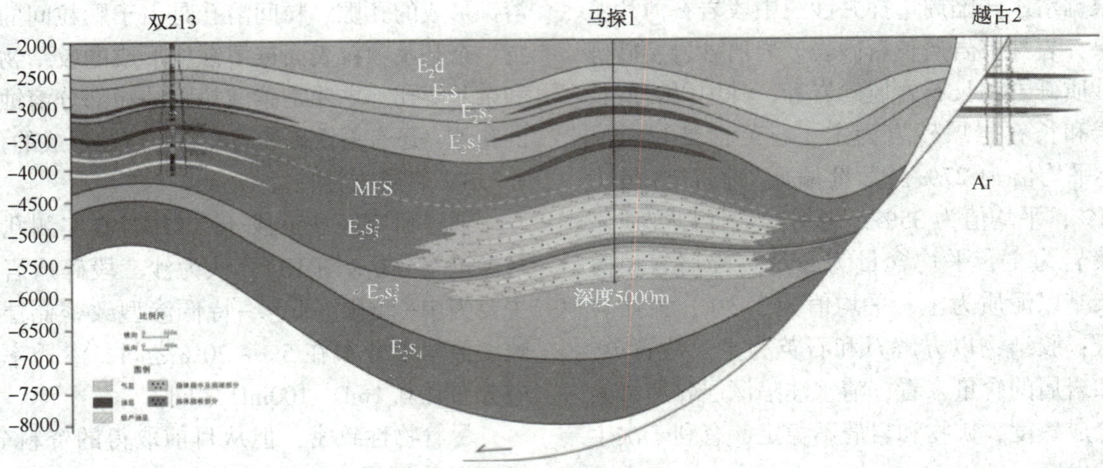

图 11　西部凹陷清水洼陷成藏模式图

利用软件模拟清水洼陷深层源岩的生烃强度，并计算资源量。结果显示，沙四段生气强度最大值 $140\times10^8 m^3/km^2$，沙三下亚段生气强度最大值 $500\times10^8 m^3/km^2$，沙三中亚段生气强度最大值 $650\times10^8 m^3/km^2$。总生气量达 $4.79\times10^{12} m^3$，参照我国已发现大气田的源岩生气强度，清水洼陷深层具备形成大气田的资源基础。

5　结论

（1）清水洼陷深层沙三、沙四段高成熟源岩的规模发育，奠定了大气田形成的资源基础。暗色泥岩厚度大，分布广，主力烃源岩有机碳丰度大于 1.5%，平均值为 2.0%，为好烃源岩，均处于成熟－高熟演化阶段为高成熟、强生气阶段，总生气量达 $4.79\times10^{12} m^3$。

（2）东侧陡岸带储集体的规模发育，基于重矿物和岩屑成分的分析，证实其东侧紧邻的中央凸起为长期的继承性物源供给区，清水洼陷为主要卸载区。沙三下低位期，水体相对较浅，主要发育清北扇三角洲扇体；沙三中水进期，水体大幅加深，坡度变陡，主要发育断裂控制的清北－清东近岸水下扇体。

（3）受清水洼陷断、拗两期断裂影响，加之沙三中湖泛期区域泥岩的封盖作用，划分为上、下两个成藏组合，深层天然气属于下部成藏组合，属于封闭成藏系统。油气在烃源岩内部储层中富集，形成原生气藏，具有很大的勘探潜力。

参　考　文　献

[1] 戴金星，秦胜飞，胡国艺，等．新中国天然气勘探开发 70 年来的重大进展[J]．石油勘探与开发，2019，46(6)：1037-1046.

[2] 李剑，王晓波，魏国齐，等．天然气基础地质理论研究新进展与勘探领域[J]．天然气工业，2018，38(4)：37-45.

[3] 宋岩，陈孟晋，秦胜飞，仇明祥．中国天然气地质理论进展[J]．石油勘探与开发，2004(01)：8-11.

[4] 王涛．中国东部裂谷盆地油气藏地质[M]．北京：石油工业出版社，1997：28-32.

[5] 李剑，佘源琦，高阳，杨桂茹，李明鹏，杨慎．中国陆上深层—超深层天然气勘探领域及潜力[J]．中国石油勘探，2019，24(04)：403-417.

[6] 肖敦清，姜文亚，蒲秀刚，王娜，岳云福，孙超囡，代昆，滑双君．渤海湾盆地歧口凹陷中深层天然气成藏条件与资源潜力[J]．天然气地球科学，2018，29(10)：1409-1421.

[7] 周旭红，李军，王延山，赵佳，李德星．辽河坳陷陆上深层天然气勘探潜力研究[J]．岩性油气藏，2011，23(03)：23-28.

[8] 丁志刚，吴敬哲，于涛，李东风．下辽河西部凹陷下第三系地层及沉积特征[J]．辽宁工程技术大学学报(自然科学版)，2011，30(S1)：30-33.

[9] 谢玉华，朱筱敏，赵坤．辽河西部凹陷古近系层序地层格架[J]．科技导报，2010，28(06)：58-64.

[10] 冯有良，鲁卫华，门相勇．辽河西部凹陷古近系层序地层与地层岩性油气藏预测[J]．沉积学报，2009，27(01)：57-63.

中深层超稠油开发中的 SAGD 技术改进及应用

李玉君[1,2]

(1. 国家能源稠(重)油开采研发中心；2. 中国石油辽河油田特种油开发公司)

摘　要　我国的陆相超稠油油藏具有埋藏深、储层非均质性强、油品粘度高的特点。利用传统的蒸汽吞吐开采工艺进行开发，采油速度低、油汽比低、采收率低，吨油成本高，油藏开发经济效益低或者亏损。针对这一情况，在引进加拿大的 SAGD 开发技术(平平组合)的基础上，创新发展了直平组合 SAGD 技术，即在一个 SAGD 开发井组中，多口直井注汽，一口水平井采油的开发方式。直平组合方式 SAGD 技术充分利用了原吞吐开发方式井网，利用早期吞吐形成的热连通和地下温场；同时直平组合可以通过对注汽直井井位以及其注汽井段、注汽参数的调整，来有效解决储层非均质性造成的蒸汽腔扩展不均问题，使水平井段产液均衡，提高了蒸汽腔形成的速度。该技术在辽河油田杜 84 块曙一区中深层超稠油油藏获得了成功的应用，共培育出日产百吨的油井 7 口，采油速度达到 3.6%，油汽比 0.25，连续 4 年百万吨稳产，建成了国内最大的中深层超稠油 SAGD 开发示范区。

关键词　超稠油；SAGD；蒸汽吞吐；平平组合；直平组合；水平井

1　稠油油开发技术及国内应用

石油又称原油，是目前应用最广泛的化石燃料，按其原油粘度为第一指标，密度为辅助指标，可以将其划分为稀油和稠油两大类，为了开发的方便，根据粘度的不同，又将稠油划分为普通稠油、特稠油和超稠油(沥青)三大类(表 1，图 1)

表 1　中国原油分类标准

原油分类		地层原油粘度/mPa·s	原油密度/g·cm^3
稀油		<50	<0.92
稠油	普通稠油	50~1000	0.92~0.95
	特稠油	1000~10000	0.95~0.98
	超稠油	10000~50000	>0.98

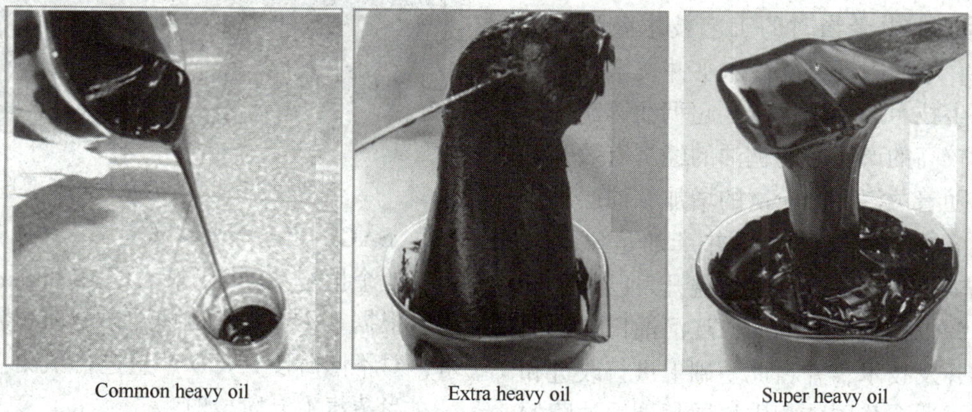

图 1　稠油分类实物图

原油的粘度对温度非常敏感(图 2)，因此在稠油开发中，主要针对原油的粘度，采取对油藏加热的热采的方式进行开发。

稠油储量规模大，据统计截至 2018 年底，全球大约探明储量 1900×10^8t，我国稠油储量约 150×10^8t，是我国油气勘探开发重要领域之一。由于开发成本大，开采技术难度大，稠油储量动用程度低，全球稠油采出程度约为 10%~15%，国内稠油采出程度约为 5%~7%。

目前稠油开发方式主要为蒸汽吞吐方式：先向油井注入一定量的蒸汽，关井一段时间，待蒸汽的热能向油层扩散后，再开井生产的一种开采

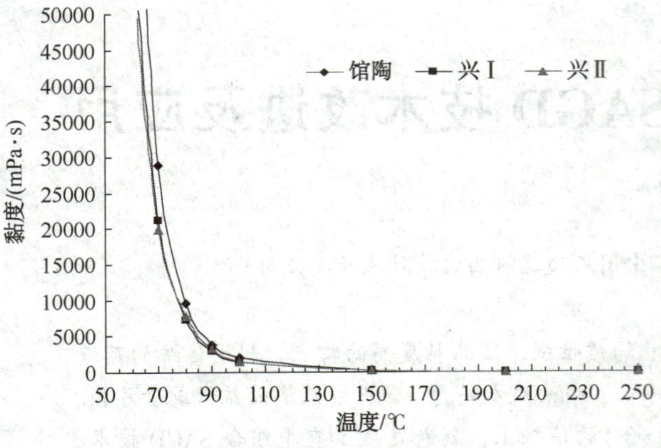

图 2 研究区原油粘温曲线

稠油的一种生产方法。蒸汽吞吐开发方式的过程可分为三个阶段，即注汽、焖井及回采。这种开发方式适用于埋深浅、粘度相对较低(低于 1×10^4mPa·s)的油藏，这种开发方式开采成本高，油藏最终采收率仅为25%左右；对于中深层(深度超过300m)超稠油(粘度高于 5×10^4mPa·s)油藏来说，蒸汽吞吐开采成本更高，采收率更低，在原油价格低于60美元/桶情况下，没有经济效益。

辽河油田曙一区杜84块是我国也是全世界唯一的陆相、中深层超稠油油藏，储层非均性强，突进系数一般在24左右；油藏埋藏深，主力油层馆陶油藏埋深在640m左右，原油粘度高，平均原油粘度在 10×10^4mPa·s左右，油层厚度平均在75m以上。该油藏发现于上个世纪70年代中后期，由于当时的工艺技术条件，直至20世纪90年代中期，随着水平井技术以及高干度蒸汽发生技术的不断进步，超稠油蒸汽吞吐试采获得了较高的产能，超稠油的经济有效开采成为可能。随着蒸汽吞吐轮次的增加，油层压力下降，综合含水大幅上升，单井产油量急剧减少，吨油成本过高，蒸汽吞吐效益开发已经不能进行下去，为了扭转这一局面，辽河油田借鉴加拿大超稠油开发技术，并在此基础上进行改进和创新，形成了适合我国陆相中深层超稠油油藏的SAGD开发方式。

2 SAGD 技术原理及改进

2.1 SAGD 开发技术原理

蒸汽辅助重力泄油技术简称SAGD(Steam Assisted Gravity Drainage)，是R. M. Butler博士1978年根据注水采盐原理提出的浅层超稠油开采技术。

R. M. Butler提出的SAGD开采技术通常是采用双水平井模式，上面的水平井连续注蒸汽，利用蒸汽液化释放的热能降低原油粘度，使流动着的原油和蒸汽液化水的混和物在重力的作用下，流向下部的生产水平井，下部的生产水平井可以连续生产(图3)。

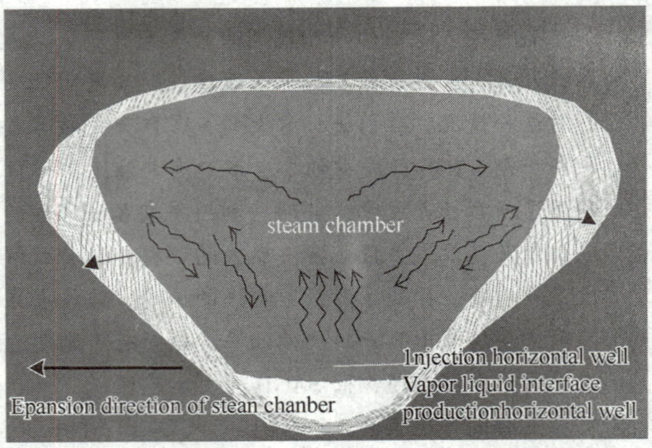

图 3 SAGD 生产示意图

SAGD井组开发过程可以分为启动和生产两大阶段，在启动阶段，通常采用上、下水平井同时注蒸汽进行循环，使上下水平井形成有效泄油通道(图4)，然后转入生产阶段，即上水平井连续注蒸汽，下水平井连续产油。

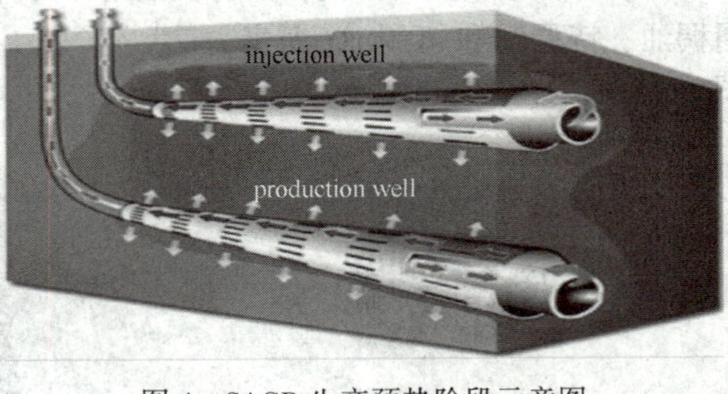

图 4 SAGD 生产预热阶段示意图

2.2 SAGD 产量预测公式

上个世纪70年代末，R. M. Butler博士及其团队根据SAGD技术机理结合物理和数值模拟结果，对不同阶段SAGD产量进行预测：

当蒸汽上升阶段时：

$$q=3L\left(\frac{kga}{mv_s}\right)^{\frac{2}{3}}(\phi\Delta S_o)^{\frac{1}{3}}t^{\frac{1}{3}} \quad (1)$$

蒸汽腔上升到顶部产量达到高峰且稳定时，所需要的时间：

$$t=0.44h\sqrt{\frac{\phi\Delta S_o mv_s h}{kg_a}} \quad (2)$$

式中：

$$\frac{1}{mv_s}=\int_{T_{S+R}}^{T_S}\frac{dT}{v(T-T_R)} \quad (3)$$

蒸汽腔向外扩展时的产量预测公式：

$$q=2L\sqrt{\frac{1.3kg\alpha\phi\Delta S_o h}{m\nu_s}} \quad (4)$$

当蒸汽腔达到油藏边界时产量预测公式：

$$q=2.28L\sqrt{\frac{1.3kg\alpha\phi\Delta S_o h}{m\nu_s}}-2.6L\left(\frac{hkga}{wm\nu_s}t\right) \quad (5)$$

式中，g 为重力加速度度，m/s^2；h 为生产井以上部分油层厚度，m；k 为油相的有效渗透率，m^2；L 为水平井水平段长度，m；m 为原油粘度系数；q 为油产量，m^3/d；t 为时间，d；T_R 为油层初始温度，℃；T_S 为蒸汽腔温度，℃；w 为水平生产井距泄油边界的距离，m；α 为油层热扩散系数，m^2/s；v_s 为原油运动粘度，m^2/s；ϕ 为油层孔隙度，小数；ΔS_o 为蒸汽温度下的可动油饱和度($S_{Oi}-S_{Or}$)，小数。

从上面的公式中可以看出，在特定的油藏 *SAGD* 开发中，影响产量最大的因素就是水平井水平段长度，为了更加直观的指导生产，根据油藏实际参数，做出馆陶油藏水平井段长度与产量的关系图(图5)。

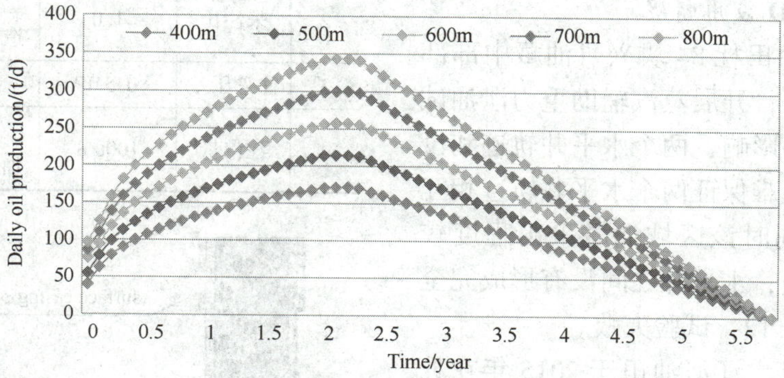

图5　杜84馆陶油藏水平段长度与产量关系图

从图5可以看出，水平段越长，高峰期产量越大，累产油越多，但是全生命生产时间基本相同。

2.3　适合陆相中深层超稠油油藏的SAGD技术改进

加拿大稠油油藏为海相沉积，储层非均质性弱，双水平井之间储层物性、含油性等变化很小，因此在预热阶段，基本上不会出现蒸汽腔发育不均衡的情况；同时都是在油藏开发初期即采用SAGD开发方式，油藏内不会出再因压力不均造成的蒸汽外溢情况。杜84块为陆相沉积，储层非均质性强，双水平井之间储层物性变化大，同时前期又经历了蒸汽吞吐开发，油藏压力场不均称，注入蒸汽很容易外溢，双水平井预热周期长，调控困难。

为了解决这一难题，辽河油田创新采用了直平组合的SAGD开发方式，即利用直井注汽，水平井连续生产(图6)。

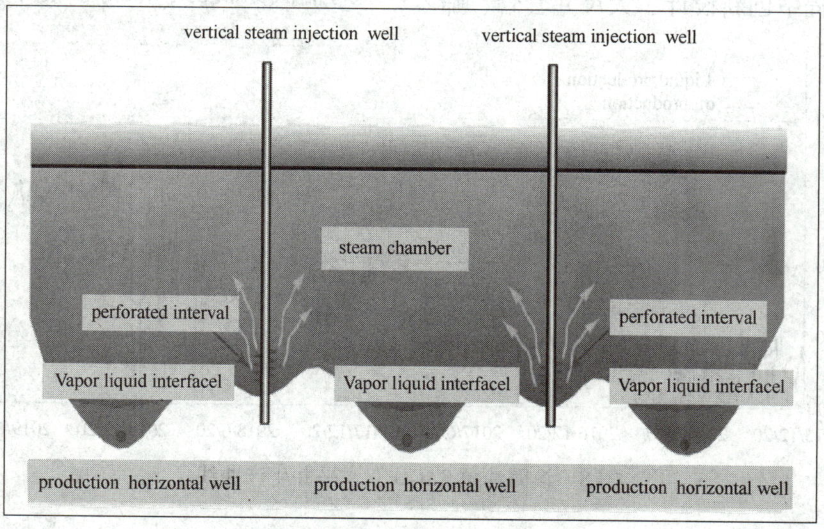

图6　直平组合SAGD示意图

直平组合中，产油量可以由以下公式预测：

$$q=N\pi\left(L_i\sqrt{\frac{1.3kg\alpha\phi\Delta S_o h}{m\nu_s}}+\frac{1.61kga}{m\nu_s h}t\right)\quad(6)$$

水平井产量达到高峰值时的时间预测如下：

$$t=0.45h\left(\frac{L}{N}-1.57L_i\right)\sqrt{\frac{\kappa\Delta S_o m\nu_s h}{kg_a}}\quad(7)$$

式中，N 为直井注汽井的个数；π 为圆周率；L_i为注汽直井之间的距离，m；其他的符号同上式。

3　现场应用情况

3.1　双水平井 SAGD 应用情况

1997 年，辽河油田杜 84 块兴Ⅵ油藏中部部署一个双水平井井组，开展蒸汽辅助重力泄油试验，受当时钻井水平影响，两个水平井轨迹和设计规划变化较大，很难保证两个水平井轨迹相互平行、距离相离。同时该区域油藏采出程度较高，储层非均质性强，水平井之间没有形成完全的热连通，油汽比 0.12，试验失败。

在此经验基础上，辽河油田于 2015 年在杜 84 馆陶油藏又进行了一次双水平 SAGD 试验，本次试验在井位选取、钻井、完井以及预热等方面做了大量的工作。首先在井位选取上，选取了馆陶油藏边部油藏动用程度较小的区域，以保证区域油藏压力场基本均衡；钻井过程中利用磁导向技术，使 SAGD 双水平井水平段轨迹保持水平，垂向误差±0.5m，高点与低点垂深不超过 1.0m；水平段横向摆动±1.0m；注采井间垂向距离 5.0m，两个水平井垂直投影在一条线上；在井筒设计上，为满足高峰期 1000~1200t 排液需求，在完井过程中创新设计了大尺寸套管、筛管(图 7)，同时筛管采用外缝宽 0.5mm、内缝 0.8~1.0mm 梯型的宽筛缝设计，提高过流面积，降低生产压差；并优化水平井全井段，使全角变化率小于 6°，设计了 30m 稳斜段，保证电潜泵成功下入；在预热过程中，利用数值模拟技术对预热参数进行优化(表 2)，以保证预热工作的顺利完成。

表 2　循环预热参数优化

序号	项目	参数界限	目标
1	操作压力	5.0~5.5MPa	防止蒸汽大量进入地层，造成动用不均；保证举升
2	采注比	1.0	防止蒸汽大量进入地层，造成动用不均
3	注采压差	<0.5MPa	防止注采井间局部突破
4	注汽量	100t/d	实现前 2/3 水平段均匀加热

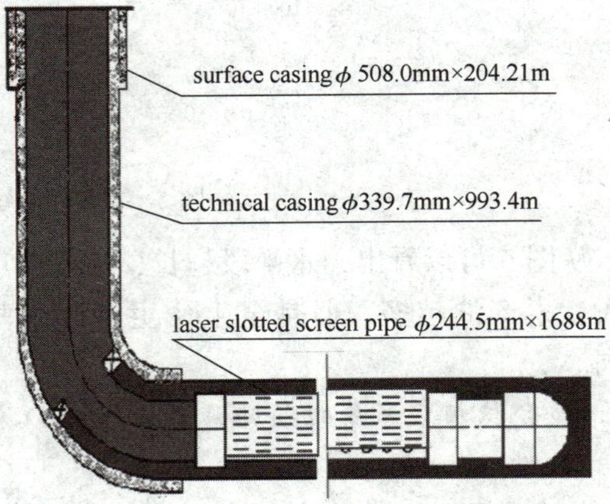

图 7　大井眼水平井井身结构示意图

通过 3 年多的调控，该井于 2018 年 12 月进入 SAGD 连续生产阶段，井组日产油达 125t/d，瞬时油汽比 0.39，取得了较好的效果(图 8)。

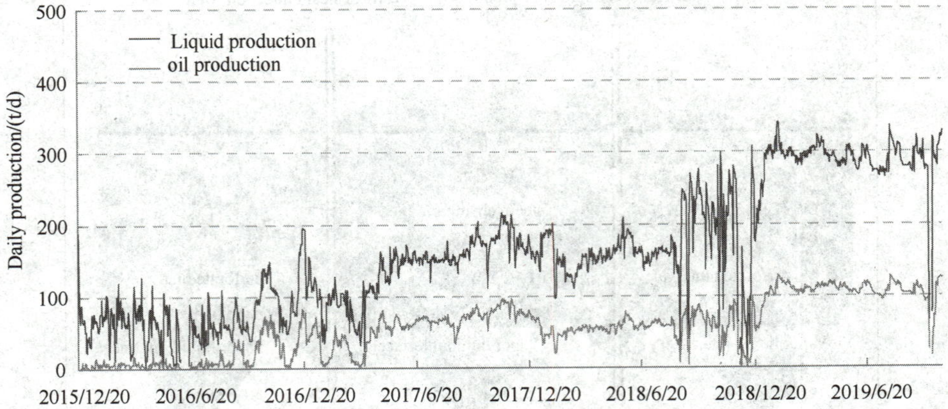

图 8　馆陶油藏 SAGD 双水平井生产曲线

3.2 直平组合SAGD应用情况

辽河油田超稠油油藏初期采用的是直井、蒸汽吞吐方式进行开采，随着蒸汽吞吐轮次的增加，单井产量太低、吨油成本过高，蒸汽吞吐方式已经不能进行下去时采用的SAGD方式。在双水平井SAGD开发方式转换试验失败后，创新应用直平组合SAGD开发方式。

采取直井与水平井组合方式具有以下有利条件：

(1) 利用现有的直井作为注汽井，可大大节约钻井费用；

(2) 蒸汽吞吐后期，油藏温场基本形成，吞吐井之间的汽窜有助于加快水平生产井和注汽直井之间的热连通；

(3) 通过优选直井的井位以及调控直井的注汽井段和注汽量，能够有效解决陆相油藏储层非均质性强造成的水平段加热不均的问题。

辽河油田于2005年2月在杜84馆陶油藏进行了8个井组的直平组合SAGD先导试验，取得了较好的生产效果，并成功的培育出7口日产百吨的SAGD直平组合井组(表3)。

表3　SAGD先导试验区生产数据

井号	投产时间	日产液/(t/d)	日产油/(t/d)	含水/%	井口盆度/℃	水平段长度/m	油层厚度/m
杜84-馆平10	20060906	409	901	74.1	180	380.59	118
杜88-馆平11	20068225	425	102	75.9	166	424.30	115
杜84-馆平12	20060223	300	112	77.6	174	272	114
杜84-馆平13	20061026	473	101	78.0	115	382.80	113
杜84-馆平14	20070311	578	115	88.1	168	379.30	101
杜84-馆平15	20090101	705	153	7.1	691	372.50	113
杜84-馆平16	10106007	208	3	82.8	177	371.90	106
杜84-馆平17	20000101	523	112	78.6	176	407.10	106

4 结论

(1) SAGD开发方式适合陆相中深层超稠油油藏，能够大幅提高单井产量和油藏采收率；

(2) 通常情况下，水平段长度越大，单井产量越高，单井全生命生产周期和水平段长度无关。

(3) 双水平式的SAGD开发方式，适用于原始或接近原始未开发油藏；直平组合方式更加适用于已开发油藏，特别适用于蒸汽吞吐油藏中后期的调整。

(4) SAGD开发方式在陆相油藏预热过程中，周期较长，一般都要在3年及以上的预热期。

参考文献

[1] 李玉君，任芳祥，杨立强，等．稠油注蒸汽开采蒸汽腔扩展形态4D微重力测量技术[J]．石油勘探与开发，2013，40(3)：381-384.

[2] 陈浩，苏朱刘，严良俊等．瞬变电磁法在曙一区超稠油SAGD动态监测中的应用[J]．石油开然气学报，2011，33(7)：104-107.

[3] 赵庆辉，刘其成，于涛．蒸汽辅助重力泄油蒸汽腔发育特征研究[J]．西南石油大学学报(自然科学版)，2008，30(04)：123-126.

[4] ButlerRM. Steam-assisted gravity drainage: concept, de-velopment, performance and future[J]. Journal of-Canadi-an Petroleum Technology, 1994, 33(2): 44-50.

[5] 张兴源，李婷，解阳波，等．夹层对蒸汽辅助重力泄油的影响[J]．特种油气藏，2017，24(5)：120-125.

[6] 杨智，孟祥兵，吴永彬，赵慧龙，罗池辉，甘衫衫．风城浅层超稠油油藏双水平井关键技术及发展方向[J]．特种油气藏，2021，28(1)：92-97.

薄互层稠油火驱开发特殊性分析

刘如杰　柴　标　李燕敏　刘　莹　王泽宇　李　妍

（中国石油辽河油田公司）

摘　要　杜66断块属于典型薄互层状普通稠油藏，经蒸汽吞吐降压后转火驱开发。分析薄互层稠油油藏蒸汽吞吐转火驱氧化反应、驱动方式、储层及动用非均质、能量传递等特殊性，综合数值模拟、动态分析等方法分析特殊性对火线波及影响，提出动态监测、注采参数、火驱井网优化对策，有效提高了火线平面和纵向波及程度。研究成果可以指导薄互层稠油火驱方案调整及动态调控，对同类油藏火驱开发具有指导意义。

关键词　薄互层；火驱；特殊性；参数；井网

1　国内外火驱开发情况

火烧油层是提高石油采收率的方法之一，亦是作为油田开采中、后期转换开发方式的有效途径，与注蒸汽开发对比，具有油藏适用范围广、热量利用率高、驱油效率高等优势。国外美国、罗马尼亚、委内瑞拉和前苏联进行过现场试验及工业化应用，并取得显著经济效果。国内自1958年开展火驱技术研究和现场试验，20世纪末在新疆、辽河、胜利和河南油田开展现场试验。辽河和新疆稠油火驱试验推广规模最大，已建成多个先导试验区和工业化生产区，其中辽河高3618块为厚层稠油藏，辽河锦91块为边底水油藏，新疆红浅为块状油藏，辽河杜66断块为薄互层稠油藏且为开发规模最大、产量最高的开发单元。开发过程中火驱井组效果差异较大，有必要分析薄互层稠油蒸汽吞吐转火驱储层参数、非均质性、注采参数等特殊性对开发效果影响，指导火驱方案调整和动态调控。

2　薄互层稠油火驱特殊性

薄互层多层油藏储层非均质性强，加之蒸汽吞吐后转火驱开发，相较于其他类型油藏火驱存在氧化反应、驱动方式、储层及动用非均质、能量传递等特殊性。

2.1　高温氧化与低温氧化共存

火驱是空气中氧气在油层内燃烧产生热量驱动原油从注气井流向生产井，燃烧过程中氧与燃料结合发生复杂物理和化学反应，燃烧温度不同发生氧化反应的程度也不同。室内热重力试验分析，高温氧化反应需要温度大于370℃，原油中胶质和沥青质会发生热裂化反应，生成较小的烷烃和芳烃；低温氧化反应温度区间为110~340℃之间，原油中弱键断裂，生产水和部分氧化物。

受储层非均质影响，纵向吸气程度差异变大，燃烧过程高温氧化和低温氧化同时存在。统计110井次注空气井吸气剖面，主力吸气层集中在油层中上部，且吸气程度与小层厚度和渗透率相关性高，及厚度越大、渗透率越高，吸气量越大。主要原因是油井经过多轮次蒸汽吞吐，储层非均质性加剧，吸气优势通道形成，空气优先进入压力梯度小的主力动用层，加之气体超覆影响，吸气不均加剧。吸气程度好主力层氧化反应强，燃烧推进速度快，高温氧化程度高，利于火线波及；吸气程度差非主力层氧化程度差，低温氧化为主，易形成胶质堵塞油层，阻碍燃烧推进，影响火线波及。

2.2　火线波及、蒸汽波及和水洗波及共存

火驱过程中从注气井到生产井之间可划分为已燃区、燃烧区、蒸发区、凝结区、集水带、集油带、未受影响区共7部分，各区之间由于温度的差异存在过渡带。燃烧区与蒸发区之间火线波及占主导，蒸发区与凝结区之间蒸汽波及占主导，凝结区、集水带、集油带之间水洗波及占主导。空气燃料持续注入，燃烧过程才能维持下去，受储层非均质影响，各小层之间燃料供应存在差异。

吸气程度高的小层，燃料供应充足，燃烧反应剧烈，燃烧区温度高，反应生成水以过热蒸汽存在，蒸汽波及效率高，原油黏度下降幅度大，

小层产油量高；吸气程度低的小层，燃料供应不充足，低温氧化为主，火线波及慢，蒸汽波及慢，水洗波及粘性指进严重。

2.3　储层与动用非均质共存

由于油藏形成于辽河凹陷西部斜坡缓慢抬升过程中，超覆扇三角洲沉积，近物源、高坡降、水动力条件变化不稳定，沉积物分选差，砂、泥、砾粗细混杂，主流河道、分流间微相、河口坝微相均有分布，砂岩层正韵律、反韵律、复合韵律都存在，储层非均质性。受储层非均质特征影响，蒸汽吞吐阶段小层间热利用率存在差异，小层动用状况同样存在差异，即在蒸汽吞吐末期存在储层非均质和动用非均质的现象。非均质油藏转驱后，动用不均使储层的非均质性进一步加剧，特别是压力不均衡及回采水率的差异将影响直井蒸汽驱过程中热量的利用和交换。

平面上，火线主要沿沉积河道、储层物性好、吞吐动用程度高的方向波及，沿着主河道方向火线推进速度是垂直于主河道方向的2倍以上。压力低，回采水率高小层燃料供应充足，火线推进速度快，火线突破后进一步降低低动用层火线推进(图1)。

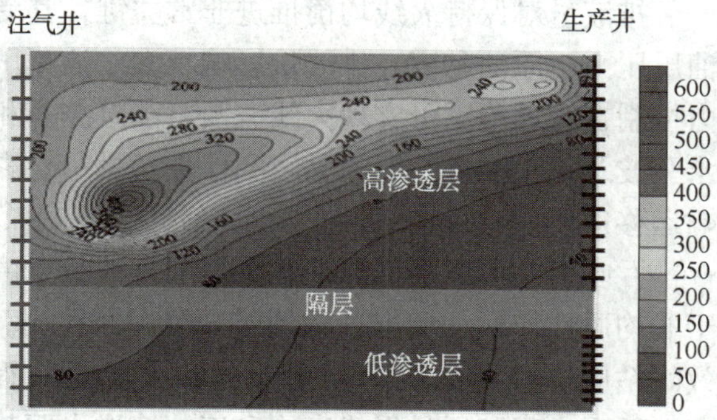

图1　数模试验火驱温度场示意图

3　薄互层火驱动态调控关键环节

3.1　油藏动态监控

现场试验中，薄互层油藏火驱的燃烧过程、火线推进、生产动态更加复杂，需要对注气井、生产井、观察井的资料进行监控，定期进行分析，从分析中发现问题，及时采取调控措施，使油层燃烧的更好、更合理，获得更好经济效益。

注气井每12小时录取油压、套压、井口温度、注气量、累计注气量、吸气剖面等，确保注气连续稳定，保证充足燃料供应。生产井除录取日常管理资料(生产时间、冲程、冲次、泵径、油压、套压、井口温度、日产液油含水、含砂、功图、液面等)外，还需要录取伴生气组分、油样分析、水组分分析、C/O比监测等，及时判断油井见效情况，并根据伴生气组分及气量高低，调整注入量。观察井监测温度压力变化，收集不同时期数据变化，辅助判断火线推进方向的速度。

3.2　注气参数控制

3.2.1　驱替厚度

火驱驱替层段太厚，形成空气超覆造成窜槽型燃烧，不利于火线推进；驱替厚度太薄，顶底盖层热损失大，不能形成有效驱替。现场试验发现，影响纵向吸气程度的主要为油层厚度和渗透率级差，有效吸气层厚度15~20m，渗透率级差小于3时吸气较均匀(图2)。新转驱空气井采取优化射孔层段方式调整驱替层段，增加高温氧化比例，降低低温氧化比例。优化射孔标准：驱替厚度界限为10~15m、驱替层数界限为4层、单层厚度界限大于2m、渗透率级差界限小于3、净总比界限大于0.6、连通系数界限大于0.8。

3.2.2　分层注气

薄互层油藏笼统注气不利于提高火驱采收率，杜66火驱空气井大多由采油井老井转注，不具备优化射孔条件，实施分层注气可实现分段点火和分段注气，解决层间吸气不均矛盾，实现火线均衡推进。现场采用同心双管分层注汽管柱，操作过程如下：先预注空气，内外管

环空对上部油层注气，内管对下部油层注气；点火时先对上部油层点火，再对下部油层点火注气。分层注气井组见效率对比笼统注气提高23%。

3.2.3　注气强度

火驱燃烧需要足够氧化剂和燃烧温度，试验指出，正常燃烧速度一般为0.04~0.16m/d之间，在一定燃烧速度下，空气注入速度与火线距离呈正比，油层燃烧过程随着火线推进，注气强度应逐渐加大。强度太低，不能提供氧化剂和有效驱动力，燃烧速度慢，火线温度低，燃烧由高温氧化转为低温氧化，堵塞火线前进通道，甚至会造成油层局部熄火的可能，影响开发效果。强度太高，优势通道火线推进快，易引发气窜和能量外溢，空气耗费量高，体积扫油效率降低，不利于火驱安全效益开发。

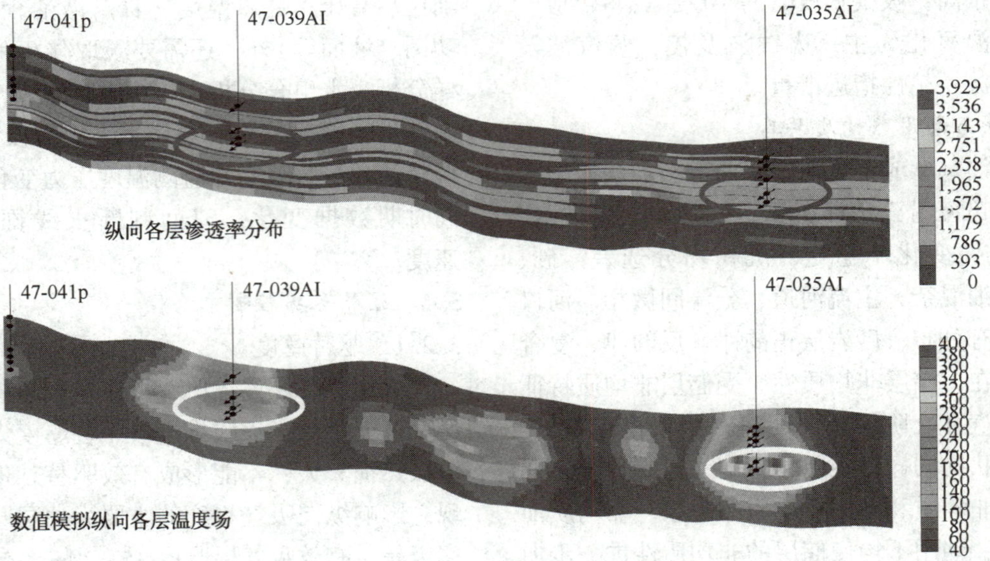

图 2　数模试验渗透率差异造成温度差异示意图

数模结果表明，经济有效注空气强度设计值为 $1100m^3/(d \cdot m)$ 左右。现场试验过程中，油藏非均质、动用非均质、火线推进差异较大，根据井组见效特点判断火驱燃烧阶段动态调整空气强度。火线形成阶段需要足够空气保证燃烧温度，形成有效驱动力，注空气强度设计界限为 $500 \sim 800Nm^3/m$；热效驱替阶段，燃烧稳定，根据观察井温度压力资料，井组见效生产特征，注空气强度界限为 $800 \sim 1200Nm^3/m$。

3.2.4　注气压力

注气压力对提高地层能量、提升燃烧速率、加快火线推进至关重要。注气压力与注气强度成正相关。提高注入压力，保证足够的注采压差，能够提高多层火驱采油速度，减小层间干扰导致的各层吸气量差异，提高油藏动用程度。现场试验要保证注气压力大于 5MPa。

3.3　生产参数控制

3.3.1　恢复生产井点

蒸汽吞吐后由于地层压力低，开发效果差，低产低效井关井 324 口。转火驱后，平面井网不完善会造成火线波及不均，为保证正常驱替，需要复产生产井。复产井的实施要与油藏条件、井网井距、复产时机和复产方式相结合。现场实践表明：沉积构造上，河道复产井生产效果好于分流间，单井日产油是分流间的 1.3 倍。储层物性上，油层厚度 > 22m、孔隙度 > 20%、渗透率 > 900mD、含油饱和度>25%、连通系数>0.8 的复产井效果好。井距上，100m 的井距边井好于 140m 的井距角井，井距大于 140m 的边缘井效果最差，即井距越小，复产效果越好。复产时机上，在建立燃烧阶段，产量取决于地层压力，地层压力越高，日产越高；火线形成阶段，产量取决于累注气量，累注气量越高，日产越高；热效驱替阶段，产量取决于燃烧状态，CO_2 含量越高，日产越高。

3.3.2　生产井排液量

排液量对保持火线均衡推进非常关键，其受油层压力、原油黏度、排气量影响较大。油藏压力控制在合理范围可实现火线波及、蒸汽波及和水驱波及正常推进，原油黏度和伴生气排量会影响运移速度。

吞吐引效可以降低原油黏度增加排液量。由于非均质性导致油墙推进举例差异较大，吞吐引效降粘应综合考虑层间动用差异和火驱见效程度。低采出程度层易形成高饱和度油墙增大驱替阻力，火驱见效慢，应考虑选注分层引效；高采出程度层降低注汽强度引效或不引效，确保布偶先均匀推进。高温氧化井见效程度好，应降低引效规模，减轻对地层“三场”(温度场、压力场和饱和度场)破坏，并降低引效强度，周期间按照 5%幅度递减，日排液量 20~25t 之间；增压受效井火线推进一般，应增加注汽规模，降低近井地带原油黏度，排液量控制在 20t 以上。

伴生气是指油层中空气与原油发生反应产生混合烟道气，驱动地层原油向生产井流动并采出。随着火驱规模的不断扩大，火驱开发效果的不断改善，火驱注气强度逐步增加，由于纵向动用不均，部分生产井单向气窜严重。现场通过控制排注比调整排气量，在火线形成阶段较低排注比可实现油藏压力回升，排注比控制在0.6~0.8之间；在热效驱替阶段，排注比控制在0.8~1。

3.4 井网控制

杜66薄互层稠油火驱开发井网有面积井网和线性井网两种，其中面积井网为100m×141m反九点，线性井网为100m×100m。

数值模拟显示，线性井网开发时，高部分注气，低部位采油，上倾构造注入空气可以获得稳定重力驱，同时抑制蒸汽超覆作用，提高了纵向的驱油效率，减缓了火线到达生产井的时间，增加了油井的有效生产期，改善了火驱效果，所以随着地层倾角的增加，火驱采油速度和推进速度都提高。现场实践表明，上倾方向见伴生气时间7个月，产气稳定，伴生气含量符合高温燃烧标准，油井见效时间9个月；下倾方向仅1口井见气，见气时间13个月，产气极少，呈现增压受效特征，油井见效时间18个月。

数值模拟显示，井距对反九点法井网采出程度影响不大，但随着注采井距的增加，火驱的见效时间变长，空气油比也增大。反九点法井网有效注采比井多，见效迅速(最快3个月)。但1口注气井对应8口生产井，火线推进极不均匀，现场调控难度大。现场实践表明，面积井生产井见效以增压受效为主，100m井距边井见效快于141m井距角井。

4 结论

（1）薄互层稠油油藏蒸汽吞吐转火驱开发，在方案设计阶段应充分考虑燃烧过程、驱动方式、储层动用非均质等特殊性，方案实施阶段，以提高火线波及为方向，设定科学合理的井网井距和注采参数，提高火驱采收率。

（2）对地层倾角较大区域，优先选择线性火驱井网，充分利用重力驱，驱油效率高，现场调控简单。

（3）火驱现场调控应综合火驱燃烧阶段和生产井见效程度，平衡好排液量与排气量之间关系。

参 考 文 献

[1] 张岳清山，王艳辉．火驱采油方法的应用[M]．北京：石油工业出版社，2000：16-18.

[2] 史海涛．辽河西部凹陷杜66块沙四段沉积构造模型及储层开发研究[D]．中国地质大学(北京)，2017.

[3] 周鹰．稠油重力泄水辅助蒸汽驱蒸汽超覆研究[J]．特种油气藏，2018，25(04)：99-102.

[4] 张锐，等．稠油热采技术[M]．北京：石油工业出版社，1999：438.

[5] 冷冰．火驱同心双管分层注气管柱研制及试验[J]．特种油气藏，2020，27(04)：149-155.

[6] 李燕敏．杜66块稠油火驱改善效益技术对策[J]．世界石油工业，2021，28(05)：78-82.

[7] 白玉．火驱效果主控因素分析及调控对策研究[D]．陕西：西安石油学院，2020.

地震建模一体化技术在水平井设计中的应用

钟张起

（中国石化中原油田分公司）

摘　要　为了提高低丰度油藏的储量动用水平，中原油田加大了水平井投资力度。常规利用地震数据方法进行水平井设计不能满足低丰度油藏的开发要求，为了提高水平井油层钻遇率，需要地震建模一体化技术来提高水平井设计的质量。统计濮东采油厂26口水平井数据，水平井油层钻遇率不仅较低，而且波动很大。地震剖面的波形显示模式的缺点是构造解释精度相对较低，是导致水平井油层钻遇率低的主要原因之一。利用地震建模一体化技术，设计Q58-P1水平井，在位图显示模式下，沿地震面进行了层面追踪和断层追踪，重新修正数据并建立了Q101断块的构造模型和属性模型。对101断块进行了地质储量的敏感性和不确定性分析，通过经济评价，符合钻井要求。2023年，濮东采油厂已实施水平井2口，水平井油层钻遇率为73.9%，与之前相比钻遇率有显著提高。

关键词　油田开发；地震建模一体化技术；水平井设计；油层钻遇率；地震显示模式

石油和天然气是不可再生资源，随着世界人口的增长和人们生活水平的提高，能源需求日趋紧张。近年来，低丰度油藏大量投入开发，成为老区增产和稳产的主要措施之一。低丰度油藏具有以下特征：储层厚度薄，含油饱和度低，渗透率低，非均质严重；注水过程中存在启动压力梯度，能量补充困难。目前，中原油田处于开发的后期，随着开发的不断深入，低丰度油藏的比例逐年增加。如何高效开发低丰度油藏，是许多油田面临的共同挑战。

对常规技术下难以开发的低丰度油藏，利用水平井技术使这部分储量经济有效动用成为可能。当前，水平井开发技术在国内外都已由探索阶段发展到成熟应用阶段，并由单一水平井向整体井组、侧钻水平井、多分支水平井发展。

为了提高低丰度油藏的储量动用水平，中原油田也加大了水平井投资力度，用于濮东采油厂的水平井投入也在逐年增加。虽然我国的井眼轨迹控制技术处于世界领先水平，但对于复杂断块油藏，地质构造复杂，低序级断层发育，很难准确判定这些低序级断层的走向、倾向、倾角等断层要素。水平井对井眼轨迹的设计精度要求更高，由于构造变化大，濮东采油厂的水平井油层钻遇率较低。储层建模是近年来发展起来的新技术，它可以实现对油气储层的定量表征及对各种尺度的非均质性的刻画。常规的利用地震数据方法进行水平井设计不能满足低丰度油藏的开发要求，为了提高水平井油层钻遇率，需要地震建模一体化技术来提高水平井设计的质量。

1　水平井开发现状

自从2007年濮东采油厂第一口水平井投产以来，截至2022年底，采油厂共计完钻了26口水平井。对水平井钻遇油层数据进行统计，在26口水平井中，有10口油井因为没有钻遇油层或储层与设计差距较大，没有形成水平段，以斜井的方式完井。该类井实际钻遇油层与设计存在重大差距，导致没有完成水平井段的钻进，这类井称为缺陷，则缺陷占比38.5%。

统计26口水平井数据，水平段设计长度平均为236.6m，钻遇油层厚度平均为81.9m。定义钻遇油层与设计长度的百分比为水平井油层钻遇率，则水平井油层钻遇率平均为33.6%。统计濮东采油厂水平井油层钻遇率数据，绘制直方图，如图1所示。水平井油层钻遇率最高99.8%，最低为0%，说明水平井油层钻遇率波动很大。

2　水平井设计中存在问题

2.1　地震剖面显示模式

目前采油厂进行水平井设计时，首先把地震数据加载到地震解释软件中，打开任意地震剖面，根据油藏形成的地质背景，结合已钻井的地质构造分层信息，进行层面追踪和断层解释。地震剖面的振幅显示方式有3种模式，包括波形显

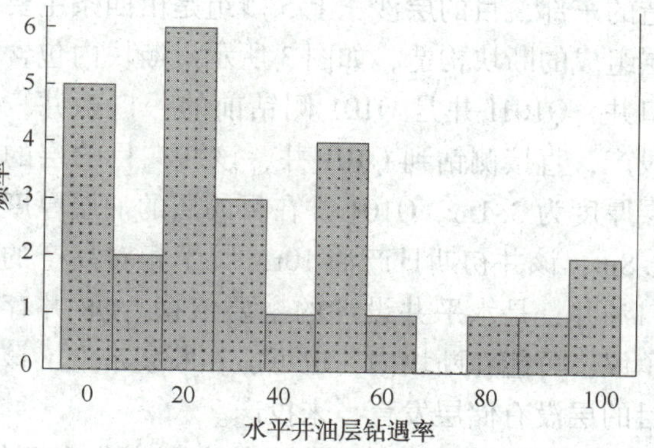

图1　濮东采油厂水平井油层钻遇率直方图

示模式，位图显示模式，波形位图叠合显示模式，如图2所示。

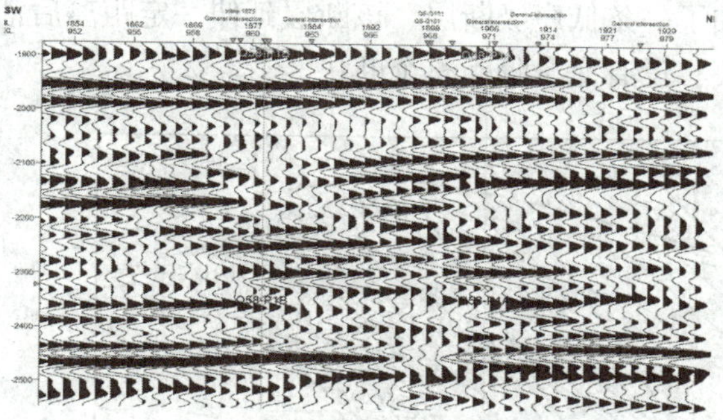

(a)波形显示模式

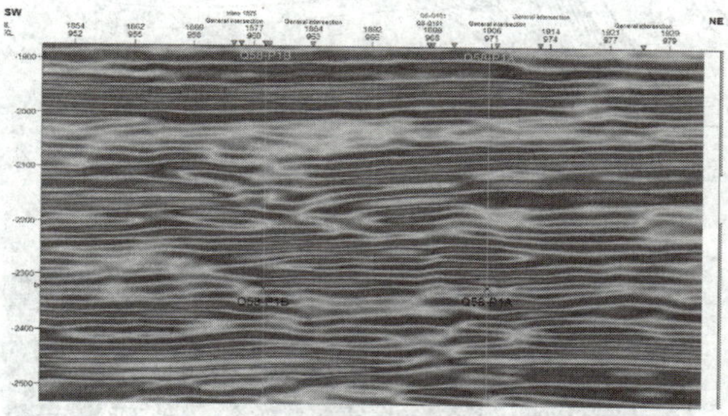

(b)位图显示模式

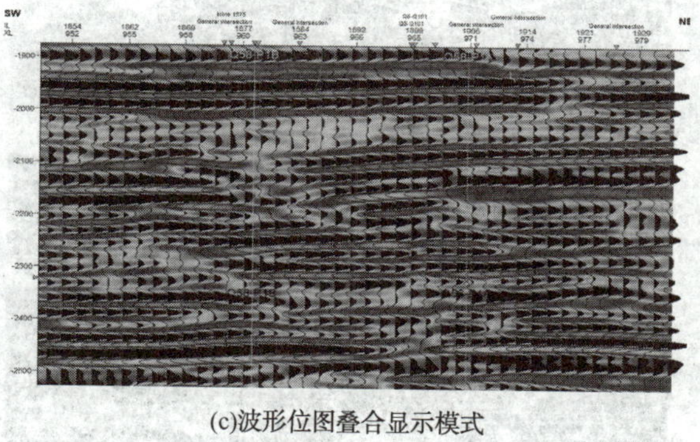

(c)波形位图叠合显示模式

图2　地震剖面的波形显示模式

波形显示模式是常用的地震剖面解释模式，这种模式的优点的波形显示简洁，缺点是构造解释精度相对较低，对直井和斜井的构造解释还可以满足设计要求，对水平井的构造解释误差较大，是导致水平井油层钻遇率低的主要原因之一。

2.2　二维和三维构造存在矛盾

在采油厂油田开发管理模式中，提供初始新井构造的是负责油田静态开发的人员，他们利用地震解释软件（SMT），进行层面和断层的解释，导出层面等值线和断层线到另一个绘图软件（AutoCAD）中，在AutoCAD中绘制成包含井位、断层、等高线等信息的构造图。负责油田动态开发的人员在初始构造图的基础上，依据油水井动态关系，进行断层、分层或等高线的修改和校正，并进一步绘制沉积相图、孔隙度和渗透率等油藏属性图、依据油水井动态变化和见水程度绘制水淹图，依据水淹图，寻找剩余油富集区域或部位，指导新井或侧钻井的部署。

动态开发人员在进行断层或分层等数据修改时，很少考虑修改后的数据在三维构造下进行验证。随着油藏开发过程的不断延长，动态开发人员对构造的修改也不断反复进行，结果导致最新的构造图与初始的构造图可能存在显著的变化，多组二维层面构造在三维构造下出现矛盾，形成的三维构造经常出现扭曲或变形。

2.3　地震数据和建模数据存在矛盾

在进行水平井设计时，静态开发人员负责提供断层、分层、等高线等数据，建模人员把数据导入到建模软件（Petrel）中，建立构造模型和属性模型，加载生产数据和射孔数据等，进行油水井生产数据的历史拟合与产量预测。

地震数据的层面和断层解释，与油藏构造模型的建立，由不同的软件和不同的人员负责。即使建模人员把地震数据导入到建模软件中，负责的人员不同，当开发静态人员提供的数据与开发动态人员提供的数据产生矛盾时，两者又没有足够的证据说服对方时，构建的地质模型就会存在扭曲或变形，导致构造模型的精度或可靠性降低。

2.4　等高线内插法并不能提高解释精度

层面和断层的准确程度或可靠性，追根到底是取决于地震测线的间距、沉积环境的稳定性以及构造运动的剧烈程度，测线间距越密，构造解释的准确性越高，沉积环境越稳定和构造运动越平缓，构造解释的准确性越高。

对一般直井或斜井，在进行新钻井地质设计时，要求是间距为10m的等高线图。对于水平井，在进行新钻井地质设计时，要求是间距为2m的等高线图。表面上看起来，2m的等高线图肯定比10m的等高线图更精确，实际上不一定，有时候还可能会起到相反的作用。在时间相对仓促的情况下，2m的等高线图是由10m等高线图内插得到。在地震测线没有加密(地震数据一般相对稳定)，地震道数没有加密进行构造解释的情况下，单纯的等高线内插法并不能提高构造解释的精度。有时候内插值太密，忽略了地层实际的微构造起伏变化，在实际的钻井过程中，就会经常出现油层追踪失败的现象。

3　Q58-P1水平井井设计

3.1　地质概况

Q101断块位于东濮凹陷中央隆起带桥口构造的东部，目的层沙三上5砂组是由四条主要断层组成的断块构造，如图3所示。断块内包含三口井，Q101f井是Q101侧钻前的一口探井，未投产，直接侧钻到Q101井，该井在目的层的油层厚度为3.1m。Q101井在目的层的油层厚度为2.8m，该井初期日产油10t，属于相对高产的一口油井，是水平井设计的主要依据。Q8井存在争议，可能在断块内，也可能在断裂带上，该井目的层没有储层发育，未投产。

水平井设计前后，构造的主要变化有两处。首先，设计前Q8井处于断裂带上，在断块之外；设计后Q8井在断块内部，修改后断块的面积增加了。其次，在Q101井和Q101f井之间增加了一条低序级断层，该断层延伸一定距离后消失，没有完全隔断整个断块。

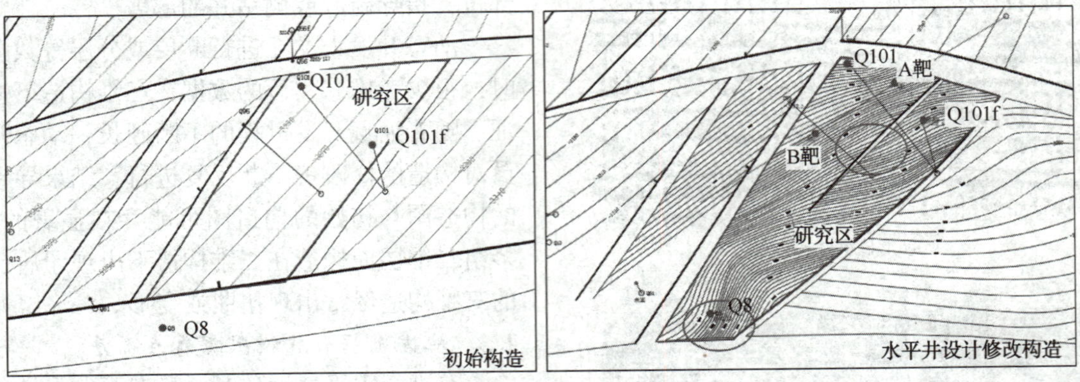

图3　研究区构造位置图

3.2　断层识别

通过Q101断块构造修正前后对比发现，对断层的识别以及准确的位置还存在一定的争议。地震剖面的显示模式有三种，在波形显示模式不能解决的问题，在位图显示模式下就可能得到明确的答案。

地震数据体是有两组垂直方向的测线数据构成的三维空间体，其中一个方向定义为Inline方向，另一个方向定义为Xline方向。把地震数据体转换成Petrel软件识别的格式后，导入Petel软件建立的Q101断块工区。导入井数据、时深转换数据、分层数据等，沿InLine和XLine方向分别做过Q8井的地震剖面，如图4所示。

由图可知，Q8井在目的层附近处于一条大断裂带上，不在Q101断块内，该井在测井数据上没有储层发育，也验证了这种结论。虽然该井在目的层没有油层，在油气生产中是属于非重要井。但该井属于直井，有助于地层对比，虽然该井没

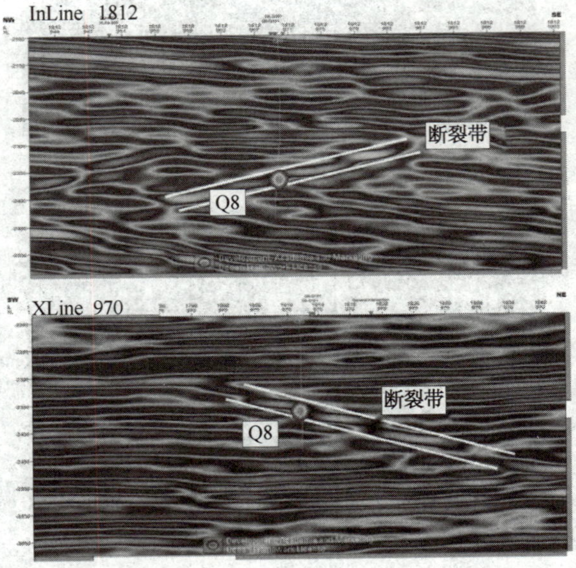

图4　过Q8井InLine和XLine地震剖面

有油层，但可以清楚分析没有油层的原因：不是沉积因素，也不是油水边界因素，而是断层因素。这对刻画断块内的油层分布是有重要意义的。

3.3 地层层面追踪

在波形显示模式下，地层层面的追踪是沿波峰或波谷追踪，在波峰和波谷之间的地震信息以及地震测线之间的信息容易被忽略，导致地层层面解释的精度不够。在位图显示模式下，目的层可以沿上下稳定的地震面追踪，分别沿 InLine 和 XLine 方向进行追踪，然后构建一个二维层面网格。用常规方法也就是通过导出的等高线产生的构造面，与沿地震层面追踪方法生成的构造面进行对比，如图 5 所示。由图可知，常规方法生成的构造面更光滑，地震层面追踪生成的构造面，起伏更大。

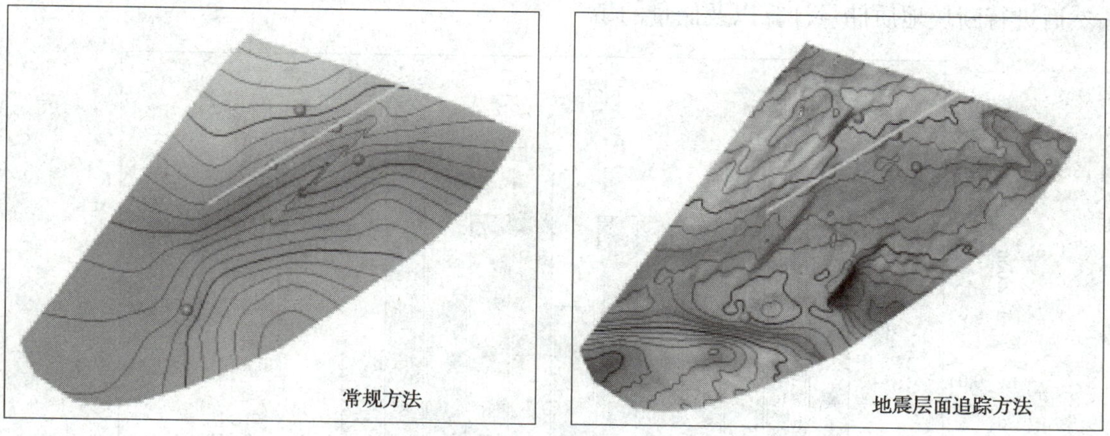

图 5　不同方法生成的构造面对比

为了验证两种方法的可靠性，把两种方法生成的构造面，同时投影到过 Q58-P1 井 A 靶和 B 靶的地震剖面上，如图 6 所示。由图可知，两种方法生成的面在地震剖面上的投影，也就是一条实线额一条虚线，存在明显的差别。地震追踪生成的构造面在地震剖面上的投影，它的起伏变化，更能反映地层真实的起伏变化。因此，该方法生成的构造面精确度更高，它对水平井轨迹的设计十分关键。

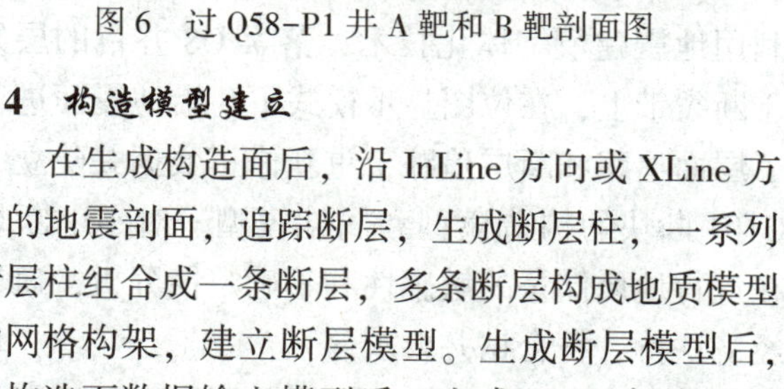

图 6　过 Q58-P1 井 A 靶和 B 靶剖面图

3.4 构造模型建立

在生成构造面后，沿 InLine 方向或 XLine 方向的地震剖面，追踪断层，生成断层柱，一系列断层柱组合成一条断层，多条断层构成地质模型的网格构架，建立断层模型。生成断层模型后，把构造面数据输入模型后，生成 Q101 断块目的层的构造模型，如图 7 所示。由图可知，Q58-P1 井 A 靶和 B 靶点附近属于构造较高部位，有利于油气聚集。

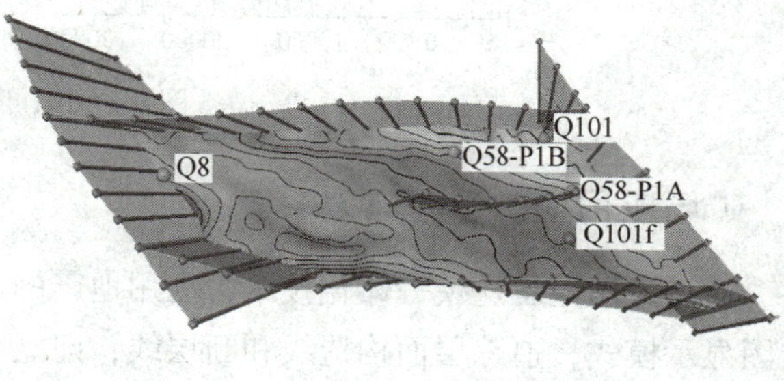

图 7　Q101 断块断层构造模型

3.5 属性模型建立

在构造模型建立后，输入包含沉积相、孔隙度等参数的测井数据，对测井数据进行粗化，利用随机模拟方法，生成沉积相、孔隙度模型，如图 8 所示。由图可知，Q58-P1 井 A 靶和 B 靶点附近属于水下分流河道前缘砂沉积，孔隙度较高，储层物性条件较好。

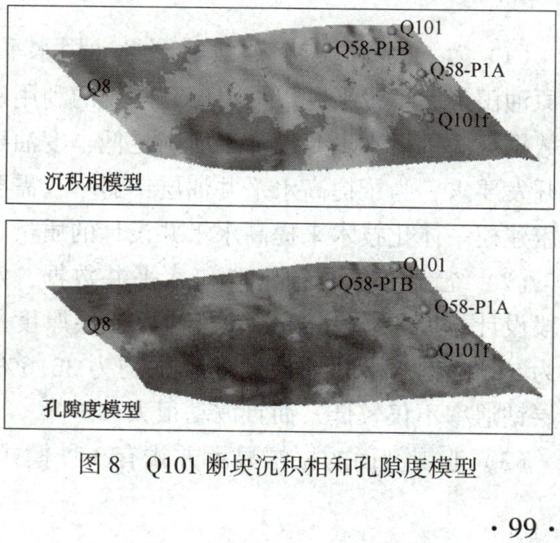

图 8　Q101 断块沉积相和孔隙度模型

3.6 储量分析及评价

在Q101断块地质模型建立后，输入孔隙度、含油饱和度、油水界面、净毛比等参数变化范围，孔隙度变化范围0.12~0.17，含油饱和度的变化范围0.6~0.7，油水界面的变化范围-3280~-3260m，净毛比的变化范围0.75~0.88。然后进行断块地质储量计算以及储量的敏感性分析。从50次储量计算结果分析，地质储量的影响因素从大到小依次为油水界面的高度、孔隙度、含油饱和度、净毛比。改变四个影响因素的参数值，从150次储量不确定性计算结果分析，在50%概率下，Q101断块目的层的地质储量为3.4×10^4t，通过经济评价，符合钻井要求。

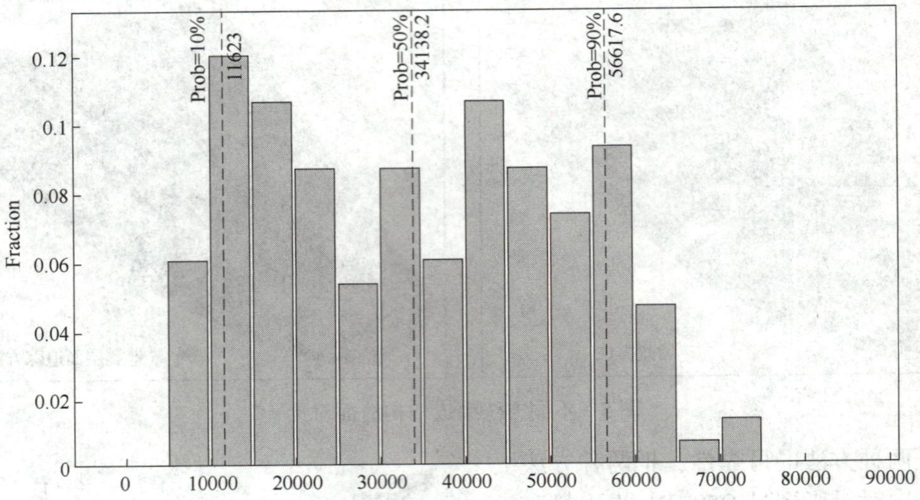

图9 Q101断块储量概率分布

4 矿场应用

通过采用地震建模一体化技术，利用地震的位图显示模式，追踪层面构造线和断层线，建立油藏构造和属性模型，设计水平井轨迹。钻井时，根据实际钻遇油层的情况，及时调整水平井段轨迹。

截至2023年9月，濮东采油厂已完钻水平井2口，设计水平段长度平均为218.5m，钻遇油层平均为161.2m，水平段油层钻遇率为73.8%，与之前相比钻遇率有显著提高。

5 结论

（1）为了提高低丰度油藏的储量动用水平，中原油田加大了水平井投资力度。常规的利用地震数据方法进行水平井设计不能满足低丰度油藏的开发要求，为了提高水平井油层钻遇率，需要地震建模一体化技术来提高水平井设计的质量。

（2）统计濮东采油厂26口水平井数据，水平段设计长度平均为236.6m，钻遇油层厚度平均为81.9m，水平井油层钻遇率平均为33.6%，油层钻遇率不仅较低，而且波动很大。

（3）地震剖面的振幅显示方式有3种模式，包括波形显示模式，位图显示模式，波形位图叠合显示模式。波形显示模式的缺点是构造解释精度相对较低，对水平井的构造解释误差较大，是导致水平井油层钻遇率低的主要原因之一。

（4）油田动态开发和静态开发人员的不同分工，导致最新的构造图与初始的构造图可能存在显著的变化，多组二维层面构造在三维构造下出现矛盾。地震解释软件和建模软件不同，也可能造成建模数据与地震数据的不匹配，导致构造模型的精度或可靠性降低。等高线内插法并不能提高构造解释的精度，经常出现油层追踪失败的现象。

（5）设计Q58-P1水平井位于Q101断块，利用地震建模一体化技术，落实Q8井目的层处于断裂带上，在位图显示模式下，沿地震面进行了层面追踪和断层追踪，重新修正数据并建立了Q101断块的构造模型和属性模型。对101断块在进行地质储量的敏感性和不确定性分析，通过经济评价，符合钻井要求。

（6）截至2023年9月，濮东采油厂已实施水平井2口，设计水平段长度为218.5m，钻遇油层厚度为161.2m，水平段油层钻遇率为73.8%，与之前相比钻遇率有显著提高。

参考文献

[1] Douglas J, Furtado F, Pereira F. On the numerical simulation of waterflooding of heterogeneous petroleum reservoirs[J]. Computational Geoscience, 1997, 1(2): 155-190.

[2] 于翠玲，林承焰．储层非均质性研究进展[J]．油气地质与采收率，2007(04)：15-18+22+111-112.

[3] 杨延东，魏红梅，李柏林．低渗透低品位油藏合理井距优化研究[J]．石油天然气学报，2010，32(03)：353-356.

[4] 钟张起，侯读杰，彭波等．注入压降试井在低能井诊治中的应用[J]．钻采工艺，2014，37(06)：99-101.

[5] 聂彬，刘月田．特低丰度薄层油藏水平井开发效果评价体系研究[J]．油气井测试，2013，22(05)：14-17+75.

[6] 姜洪福，隋军，庞彦明等．特低丰度油藏水平井开发技术研究与应用[J]．石油勘探与开发，2006(03)：364-368.

[7] 牛彦良，李莉．特低丰度油藏水平井开发技术研究[J]．大庆石油地质与开发，2006(02)：28-30+33+104-105.

[8] 吴月先，钟水清，徐永高等．中国水平井技术实力现状及发展趋势[J]．石油矿场机械，2008(03)：33-36.

[9] 吕晓光，王德发，姜洪福．储层地质模型及随机建模技术[J]．大庆石油地质与开发，2000(01)：10-13+16-52.

[10] 胡向阳，熊琦华，吴胜和．储层建模方法研究进展[J]．石油大学学报(自然科学版)，2001(01)：107-112.

[11] 于兴河，陈建阳，张志杰等．油气储层相控随机建模技术的约束方法[J]．地学前缘，2005(03)：237-244.

[12] 钟张起．六西格玛技术在氮气吞吐措施优选中的应用[J]．石油工业技术监督，2022，38(07)：1-5.

[13] 钟张起．六西格玛技术在水驱油藏调剖中的应用[J]．石油地质与工程，2022，36(04)：118-12.

高含硫污水分段氧化精准除硫方法及对深度处理的影响

李春红　尚红超　董佳佳　张三辉　张瑞华

（中国石化集团中原石油勘探局有限公司）

摘　要　高含硫气田产出水硫化氢、COD_{cr}和氨氮含量高，面对从处理后回注向深度处理后回用时代要求，有必要研究除硫、减碳和降氮相互关系，以及对深度处理的影响。本文研究了双氧水氧化、次氯酸钠氧化和两段氧化精准除硫方法。结果双氧水氧化除硫方法反应效率高达95.9%，特异性好；但与COD_{cr}和氨氮反应弱，双氧水易残余，对深度处理不利影响。次氯酸钠氧化除硫方法中，除硫、氧化COD_{cr}和降氮反应同步进行，虽次氯酸钠用量大，除硫反应效率仅24.1%，但次氯酸钠不易残留，氨氮和COD_{cr}去除率分别高达94.5%和32.1%，对深度处理有益。两段法结果表明，第一段在H_2O_2/初始H_2S(w/w)为1.0~1.1条件下，双氧水除硫反应效率高达84.1%，同时无残余；第二段在有效氯/二段起始H_2S(w/w)为11~21的较宽次氯酸钠加量范围，既能全部去除硫化物，又不残余次氯酸钠，实现精准除硫，同时大幅降低氨氮含量，这些对深度处理十分有利。BOD_5检测结果表明，次氯酸钠可氧化复杂结构污染物，增强产出水可生化性。这些发现为增强高含硫气田产出水深度处理效率和处理稳定性提供技术支持。

关键词　硫化氢；双氧水；次氯酸钠；COD_{cr}；氨氮

1　引言

高含硫气田产出水硫化物含量高，浓度1000mg/L以上，极度危险，安全风险大，除硫是产出水处理的首要环节和关键步骤。除硫方法多种多样，有化学氧化法、气提法、硫化物氧化-硝酸盐还原菌生物法、催化空气氧化法。其中化学氧化法反应速度快、适应性强、现场应用广，主要使用双氧水和次氯酸钠，也有使用氯气等。

高含硫气田产出水COD_{cr}含量平均约1500mg/L，氨氮含量平均超过150mg/L，有机物和氨氮含量高，污染性较强。随着社会发展和环保要求提高，时代要求高含硫气田产出水从简单处理后回注转向深度处理后回用，处理工艺从简单的絮凝过滤去除悬浮物转变为预处理（生化处理和臭氧高级氧化去除COD_{cr}和氨氮）和脱盐（RO反渗透膜、电渗析或蒸发降低氯化物）复杂工艺。

高含硫气田使用胺类溶硫解堵剂，导致气田水存在氨氮含量极高的问题。文献报道杨杰等人使用氧化剂去除氨氮效率超过96%，因此有必要研究化学氧化除硫与化学氧化除氨氮（除硫降氮）的相互关系，以及对深度处理中关键环节生化处理的影响。

本文从中国规模最大、特征最典型的高含硫气田普光气田采集了水样，研究了双氧水氧化法、次氯酸钠氧化法和双氧水+次氯酸钠两段氧化法的除硫、减碳和降氮互效关系，以及使用BOD_5/COD_{cr}(B/C)评价上述除硫方法处理后污水可生化性，综合评价对后续深度处理的影响，旨在为高含硫气田产出水深度处理效率和处理稳定性提高奠定基础。

2　材料与方法

2.1　污水样品

污水样品取自1#水处理站接收罐进口，详情见表1。

表1　污水样品详情表

名称	硫化物/(mg/L)	pH	水温/℃	备注
水样20200523	840.1	6.54	35.5	黄色浑浊液体
水样20200524	1648	6.75	34.4	黄色浑浊液体

2.2　实验仪器

主要仪器有磁力搅拌器（HJ-6A，常州丹瑞），高速冷冻离心机（H2050R，湘仪），折光双氧水浓度计（PAL-39S，ATAGO株式会社），分析天平(ME104E/02，梅特勒-托利多)，pH计(S220-K-CN，梅特勒-托利多)，硫化物测定仪(LH-S3H，连华科技)，氨氮测定仪(5B-6D，连华科技)，CODcr微波消解仪(HT-III，青岛海特尔)，紫外可见分光光度计(UV-1901i，岛津)，BOD测定仪(BODTrak™ II，HACH)，离子色谱仪(Aquion RFIC，赛默飞世尔)。

2.3 实验药剂

工业级双氧水，使用双氧水浓度计测定含量27.2%(w/w)；工业级次氯酸钠，使用碘量法(GB 19106—2013)测定有效氯含量8.78%(w/w)。

2.4 实验方法

2.4.1 除硫方法实验

高含硫气田产出水硫化氢含量高，剧毒，需全程佩戴正压式空气呼吸器。

在广口试剂瓶(容积1L)中准确移取1.0L高含硫气田产出水，置于磁力搅拌器上；然后按表2，依次开展双氧水氧化法、次氯酸钠氧化法和双氧水+次氯酸钠两段法实验。药剂投加后，在室温条件下搅拌、密闭反应。双氧水氧化法、次氯酸钠氧化法的反应时间60min(根据现场运行条件确定)；两段法中，第一段加入双氧水后反应30min，然后第二段加入次氯酸钠后反应30min，合计反应60min。

反应结束后，13000rpm室温离心10min，取上清液分析化验。

2.4.2 水质分析化验

使用硫化物测定仪(GB/T 16489—1996)和pH计分析反应前、反应后污水硫化物含量和pH值。

表2 除硫减碳降氮实验详情表

编号	H_2O_2/初始H_2S*	编号	有效氯/初始H_2S*	编号	H_2O_2/初始H_2S*	有效氯/二段起始H_2S*
H_2O_2-1	1.01	NaClO-1	1.67	两段法-1	1.10	3.47
H_2O_2-2	1.30	NaClO-2	2.28	两段法-2	1.07	7.39
H_2O_2-3	1.64	NaClO-3	2.64	两段法-3	1.08	10.81
H_2O_2-4	1.96	NaClO-4	3.20	两段法-4	1.10	14.13
H_2O_2-5	2.29	NaClO-5	3.78	两段法-5	1.10	17.33
H_2O_2-6	2.59	NaClO-6	4.39	两段法-6	1.08	21.26
		NaClO-7	5.35	两段法-7	1.08	28.82
		NaClO-8	6.48	两段法-8	1.10	35.39
				两段法-9	1.10	41.88
				两段法-10	1.09	49.30

*备注：质量比(w/w)

在双氧水实验中，使用钛盐比色法(GB 5009.226—2016)分析反应后污水残余H_2O_2含量。在次氯酸钠实验中，使用N,N-二乙基-1,4-苯二胺分光光度法(HJ 586—2010)分析反应后污水中游离氯含量。在两段法实验中，第一段反应后分析污水残余H_2O_2含量，第二段反应后分析污水游离氯含量。

因高含硫气田产出水含盐量高，使用硫酸汞掩蔽和微波消解法测试污水COD_{cr}含量；使用氨氮测定仪(HJ 535—2009)测试污水氨氮含量。

使用离子色谱仪(HJ 84—2016)测试污水中氯离子、硫酸根、硝酸根的含量。

使用BOD测定仪(哈希BODTrak™ II)分析污水样品的BOD_5含量。根据除硫实验结果，每组选择3个样品，分析BOD_5。需根据样品残余H_2O_2或游离氯含量进行前处理，添加适量的0.1M硫代硫酸钠溶液，在50℃反应30min，反应结束后测试，确保残余H_2O_2或游离氯彻底去除。测试时，按照仪器操作指导作业书，添加适量驯化的接种液，并设置对照组。

3 结果与讨论

3.1 双氧水除硫方法

以双氧水作为唯一除硫药剂，使用水样20200523，开展双氧水除硫实验，考察除硫、减碳和降氮关系，结果见图1。

图1A显示，当H_2O_2/初始H_2S(w/w)为1.01时，硫化物含量从840.1mg/L降低至28.96mg/L，参与除硫反应的双氧水高达到95.9%；随后，残余H_2O_2含量迅速增加，最高达到825mg/L。随着H_2O_2/初始H_2S增加，pH先从6.54增加到7.97，随后缓慢降低至6.27

（图 1B）。COD_{cr}和氨氮含量变化小，分别维持在2200mg/L 和 185mg/L 附近（图 1C）。硝酸根基本保持在 7.8mg/L 不变，但硫酸根从 408.7mg/L 增加到 949.8mg/L（图 1D）。另外，氯化物基本保持在 6600mg/L 水平。

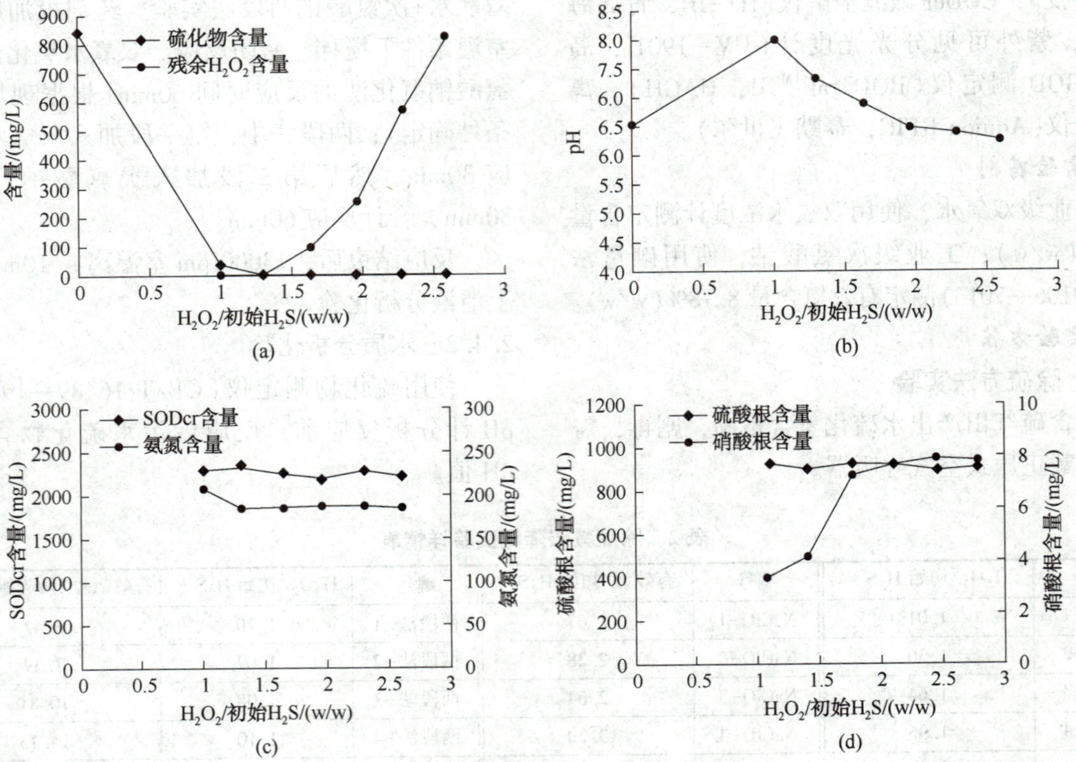

图 1　双氧水氧化除硫方法结果

双氧水除硫实验说明，双氧水除硫反应效率高、特异性好，但是减碳和降氮能力弱。双氧水加入后，优先与硫化物反应；当加量进一步增加，如在 H_2O_2/初始 H_2S 为 1.30 时，部分双氧水与单质硫磺反应，导致 pH 降低和硫酸盐含量增加；但是双氧水与 COD_{cr}和氨氮反应弱，导致 H_2O_2易残留，对后续深度处理产生不利影响。

3.2　*次氯酸钠除硫方法*

以次氯酸钠作为唯一除硫药剂，使用水样 20200523，开展次氯酸钠除硫实验，结果见图 2。

图 2A 显示，当有效氯/初始 H_2S 为 1.67 时，硫化物含量从 840.1mg/L 降低至 192.4mg/L，参与除硫反应的次氯酸钠比例为 48.2%；当有效氯/初始 H_2S 增加至 4.39 时，硫化物含量进一步降低至 31.80mg/L，参与除硫反应的次氯酸钠比例只有 24.1%；当有效氯/初始 H_2S 为 6.48 时，硫化物含量降低至 0mg/L，但游离氯含量增加到 231.6mg/L。随着有效氯/初始 H_2S 增加，pH 逐步下降，最低值为 3.18，然后快速回升到 6.18（图 2B）；COD_{cr} 含量从 2353mg/L 逐步降低至 1597mg/L，去除率达 32.1%；氨氮含量从 296.4mg/L 逐步降低至 16.25mg/L，去除率达 94.5%（图 2C）；硝酸根从 7.2mg/L 增加到 19.2mg/L，硫酸根从 526.6mg/L 增加到 1255.5mg/L（图 2D）。另外，氯离子从 7898mg/L 增加到最高 12231mg/L。

次氯酸钠除硫实验结果表明，次氯酸钠除硫反应效率较低、特异性较差，导致次氯酸钠用量大；但是减碳、降氮能力强，这对后续深度处理比较有利。次氯酸钠除硫与氧化去除氨氮和 COD_{cr}几乎同步进行，早期阶段有约一半的次氯酸钠参与除硫反应；但是随着硫化物含量减少，参与除硫反应的次氯酸钠比例减少。实验发现氨氮氧化速率，几乎不受除硫反应影响，产物硝酸根增加趋势亦证明这一点。硫酸根增加和 pH 变化都表明，随着次氯酸钠加量增加，次氯酸钠氧化单质硫磺。次氯酸钠除硫方法会引起氯离子显著增加。氯离子和硫酸根大幅增加，增加后续生化环节难度和 RO 膜脱盐处理负荷，对深度处理产生较为不利影响。当然，综合来看，次氯酸钠较强的减碳、降氮能力，有益于后深度处理。

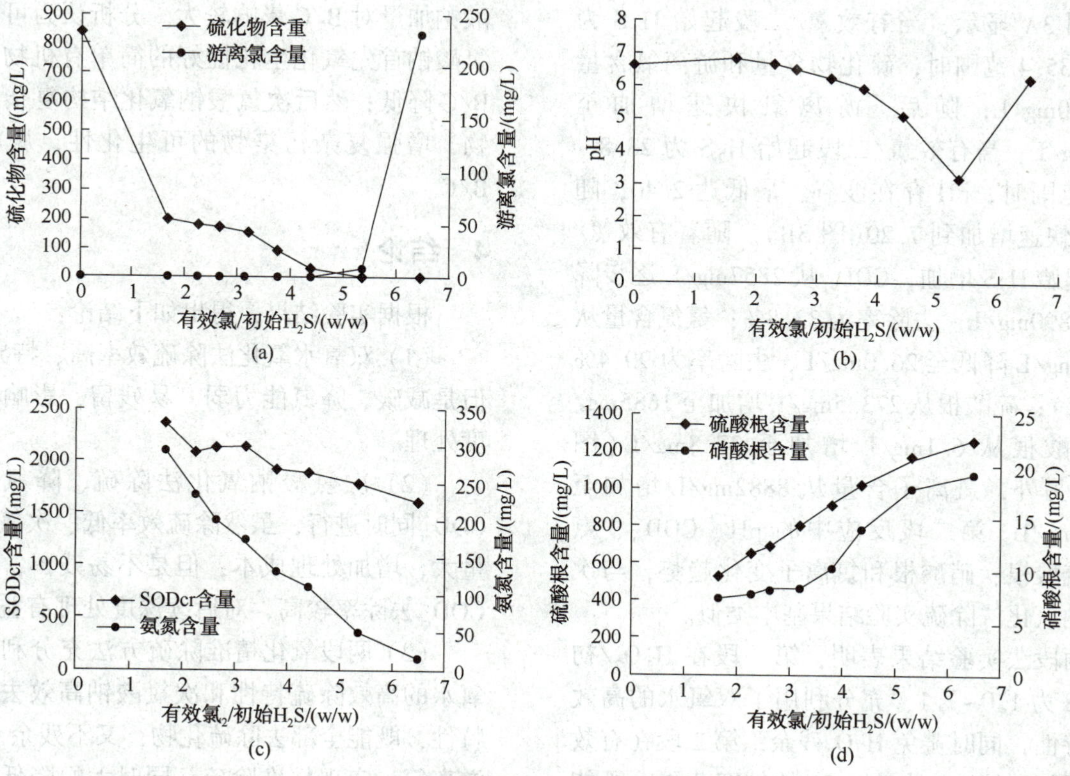

图 2　次氯酸钠氧化除硫方法结果

3.3　两段氧化精准除硫方法

联合双氧水和次氯酸钠两种药剂，使用水样 20200524，开展两段法除硫、减碳和降氮实验。第一段，按照 H_2O_2/初始 H_2S 范围 1.07～1.10 投加双氧水，反应 30min；结束时化验硫化物含量 128.5mg/L、残余 $H_2O_2$0mg/L，参与除硫反应的双氧水比例达到 84.1%。第二段，按照有效氯/二段起始 H_2S 范围 3-50，依次增加次氯酸钠用量，继续反应 30min，实验结果见图 3。

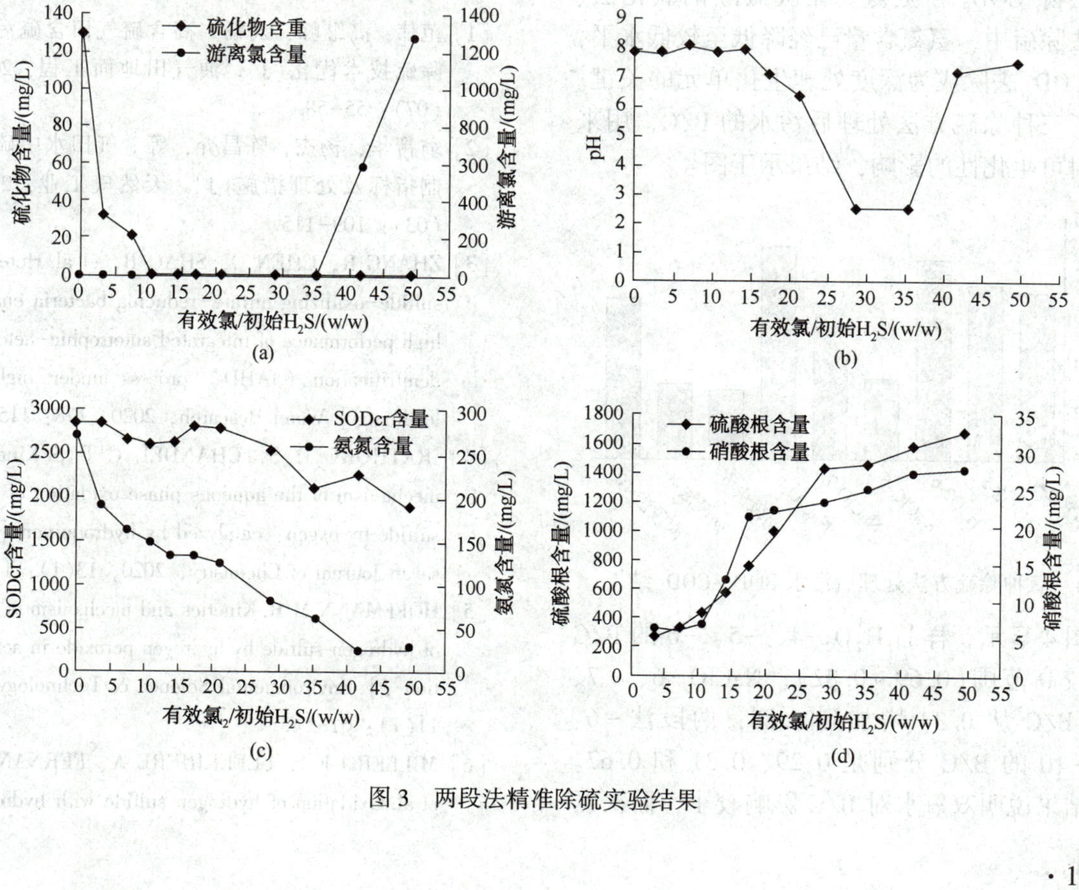

图 3　两段法精准除硫实验结果

图 3A 显示，当有效氯/二段起始 H_2S 为 10.8~35.4 范围时，硫化物含量和游离氯含量均为 0mg/L；随后，游离氯快速增加至 1279mg/L。当有效氯/二段起始 H_2S 为 28.8~35.4 范围时，pH 存在波谷，最低达 2.46，随后 pH 快速增加到 7.20(图 3B)。随着有效氯/二段起始 H_2S 增加，COD_{cr} 从 2857mg/L 逐步降低至 1890mg/L，去除率为 33.8%；氨氮含量从 272.1mg/L 降低至 26.0mg/L，去除率为 90.4%(图 3C)；硫酸根从 273.5mg/L 增加至 1685mg/L，硝酸根从 6.1mg/L 增加至 27.8mg/L(图 3D)。另外，氯离子含量从 8882mg/L 增加至 14927mg/L。第二段反应中的 pH、COD_{cr}、氨氮、硫酸根、硝酸根和氯离子变化趋势，与次氯酸钠氧化法除硫实验结果基本类似。

两段法实验结果表明，第一段在 H_2O_2/初始 H_2S 为 1.0~1.1，充分利用了双氧水的高效除硫特性，同时避免 H_2O_2 残余；第二段在有效氯/二段起始 H_2S 为 11~21 的较宽范围，既能将硫化物全部去除，又不残余游离氯，实现精准除硫；同时还能够大幅降低氨氮含量，这些对于后续深度处理是十分有利的。

3.4 对深度处理生化单元的影响

深度处理的核心环节是生化单元，主要目的是去除 COD_{cr} 和氨氮。在次氯酸钠氧化法、两段法除硫中，氨氮含量已经降低至较低水平，所以 COD_{cr} 去除成为深度处理生化单元的关键。测试了三种除硫方法处理后污水的 B/C，用来评价对可生化性的影响，结果示于图 4。

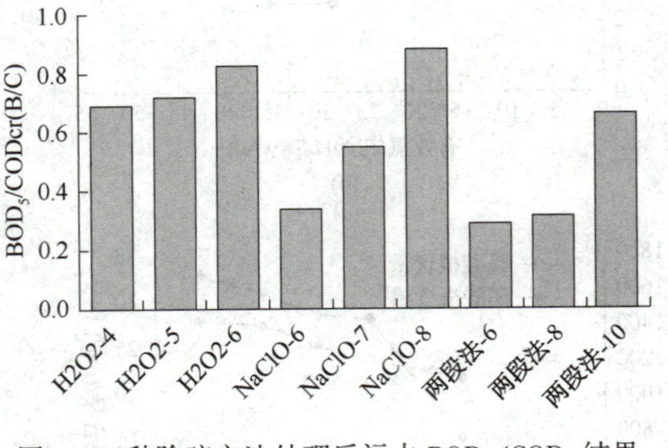

图 4　三种除硫方法处理后污水 BOD_5/COD_{cr} 结果

图 4 显示，样品 H_2O_2-4、-5、-6 的 B/C 保持较高范围(0.69~0.82)；NaClO-6、-7、-8 的 B/C 从 0.34 增加到 0.88；两段法-6、-8、-10 的 B/C 分别是 0.29、0.31 和 0.67。这些结果说明双氧水对 B/C 影响较小，而次氯酸钠加量对 B/C 影响较大。分析认为可能是次氯酸钠首先氧化生化性好的简单有机物，因而 B/C 降低；然后次氯酸钠氧化结构复杂的污染物，增强复杂污染物的可生化性，从而增加 B/C。

4 结论

根据实验结果，得出如下结论：

(1) 双氧水氧化法除硫效率高、特异性好；但是减碳、降氮能力弱，易残留，影响后续深度处理。

(2) 次氯酸钠氧化法除硫、降氮、氧化 COD_{cr} 同时进行，虽然除硫效率低、次氯酸钠用量大，增加处理成本；但是不易残留，氨氮和 COD_{cr} 去除率较高，对后续深度处理有益。

(3) 两段氧化精准除硫方法充分利用了双氧水的高效除硫特性和次氯酸钠高效去除氨氮特性，既能全部去除硫化物，又不残余 H_2O_2 和游离氯，实现精准除硫，同时大幅降低氨氮含量，增加复杂结构污染物可生化性，这些对深度处理是十分有利的。

(4) 上述发现为增强高含硫气田产出水深度处理效率和处理稳定性奠定基础。

参考文献

[1] 范伟，高继峰，刘畅．高含硫气田含硫污水三级除硫技术优化[J]. 油气田地面工程，2017，36(07)：55-58.

[2] 翁帮华，杨杰，陈昌介，等．气田水中硫化物控制指标及处理措施[J]. 天然气工业，2019，39(03)：109-115.

[3] ZHANG R，CHEN C，SHAO B，et al. Heterotrophic sulfide-oxidizing nitrate-reducing bacteria enables the high performance of integrated autotrophic-heterotrophic denitrification (IAHD) process under high sulfide loading[J]. Water Research，2020，178：115848.

[4] RATHORE D S，CHANDEL C P S. Kinetics and mechanism of the aqueous phase oxidation of hydrogen sulfide by oxgen：catalyzed by hydroquinone[J]. Rasayan Journal of Chemistry，2020，13(1)：112-120.

[5] HOFFMANN M R. Kinetics and mechanism of oxidation of hydrogen sulfide by hydrogen peroxide in acidic solution[J]. Environmental Science & Technology，1977，11(1)：61-66.

[6] MILLERO F J，LEFERRIERE A，FERNANDEZ M，et al. Oxidation of hydrogen sulfide with hydrogen per-

oxide in natural waters[J]. Environmental Science & Technology, 1989, 23(2): 209-213.

[7] 朱权云. 高含硫气田产出水脱硫处理研究[J]. 石油与天然气化工, 1993(01): 57-62.

[8] 李毅. 普光高含硫气田产出水中 H_2S 去除技术研究[J]. 油气田环境保护, 2012, 22(04): 11-14.

[9] AZIZI M, BIARD P F O, COUVERT A, et al. Competitive kinetics study of sulfide oxidation by chlorine using sulfite as reference compound[J]. Chemical Engineering Research & Design, 2015, 94: 141-152.

[10] 袁增, 李小斌, 马伶俐, 等. 川东地区气田水处理技术及工程应用[J]. 油气田环境保护, 2020, 30(01): 28-33.

[11] 刘倩, 唐建荣, 喻宁. 气田水回注处理工艺技术探讨[J]. 钻采工艺, 2006(05): 58-60.

[12] 徐国玲, 王慧, 王振华, 等. 高含硫气井新型胺类溶硫剂的性能研究: 溶硫规律和再生性能(上)[J]. 石油与天然气化工, 2015, 44(05): 82-85.

[13] 刘建仪, 刘敬平, 李丽, 等. 含硫气井新型溶硫剂研究与评价[J]. 应用化工, 2013, 42(03): 401-403.

[14] 杨杰, 向启贵. 含硫气田水达标外排处理技术新进展[J]. 天然气工业, 2017, 37(07): 126-131.

[15] 秦芳玲, 宋绍富, 周娟. 采油及炼油厂废水的可生化性研究[J]. 西安石油大学学报(自然科学版), 2007(05): 58-60.

[16] 张力辛来举郑雪丹李艳红. 环境监测中 4 种 COD 测定方法的对比实验[J]. 桂林工学院学报, 2004(02): 231-234.

[17] 曲余玲, 毛艳丽, 翟晓东. 焦化废水深度处理技术及工艺现状[J]. 工业水处理, 2015, 35(01): 14-17.

[18] 何绪文, 张斯宇, 何灿. 焦化废水深度处理现状及技术进展[J]. 煤炭科学技术, 2020, 48(01): 100-107.

安岳气田二叠系栖霞组烃源岩评价技术研究及应用

赵　青[1]　任丽梅[1]　徐平生[2]　杨建东[1]　谢　嘉[1]

(1. 中国石油西南油气田公司；2. 油气藏地质及开发工程国家重点实验室)

摘　要　川中地区中二叠统栖霞组天然气勘探已有30多年的历史，近年来取得了重大突破，在安岳气田勘探获得多口高产工业气井。本文针对安岳气田栖霞组白云岩储层，通过栖霞组天然气样品测试分析，明确天然气组分及碳氢同位素组成特征，开展天然气成因类型判别。根据天然气与源岩的碳同位素对比及储层沥青与源岩的生物标志化合物对比，结合研究区地质条件，明确栖霞组天然气主力烃源层。结果表明安岳气田栖霞组天然气为原油裂解气，气藏主力供烃层为下寒武统筇竹寺组，筇竹寺组生烃强度由裂陷槽向东逐渐减小，研究区主要介于$(40\sim60)\times10^8m^3/km^2$。

关键词　安岳气田；栖霞组；白云岩；烃源岩精细评价；油气源对比分析

中二叠统栖霞组作为继下古生界震旦-寒武系灯影组和龙王庙组最重要的产能接替层之一，自1976年完钻的女基井在栖霞组测试获工业气流以来，经历了近50载的勘探，取得了一系列重要成果。在立体勘探背景下，川中安岳气田钻遇栖霞组的钻井超过了200口，钻进中普见良好的油气显示。2020年磨溪31X1井测试获气$71\times10^4m^3/d$，栖霞组气藏取得重大突破，栖霞组由兼探层系逐渐过渡为主力勘探层系，区内磨溪42、磨溪131井老井上试，磨溪031-H3、磨溪031-H4等滚评井均测试获得百万方高产工业气流，进一步证实了栖霞组白云岩储层巨大的勘探开发潜力。众多学者对白云岩储层的的烃源条件开展大量研究，认为中二叠统及下伏烃源岩的热演化受中晚二叠世发生在盆地西南方向的峨眉山超级地幔柱的影响且具地区差异性。古生界烃源岩在二叠纪以来具有多次生烃过程。中生界烃源岩热演化，主要和前陆盆地阶段的构造过程包括前陆沉积和断裂的逆冲推覆等相关。安岳气田栖霞组天然气具有多套烃源，本次研究过栖霞组天然气样品测试分析，明确天然气组分及碳氢同位素组成特征，开展天然气成因类型判别。根据天然气与源岩的碳同位素对比及储层沥青与源岩的生物标志化合物对比，结合研究区地质条件，明确栖霞组了天然气主力烃源层，以期为下一步的勘探部署提供理论依据。

1　区域地质概况

研究区位于川中安岳气田，面积约$7000km^2$，构造上位于川中古隆起平缓构造区的威远至龙女寺构造群，东至广安构造，西邻威远构造，北邻蓬莱镇构造，西南到河包场、界石场潜伏构造，与川东南中隆高陡构造区相接。川中地区二叠系构造格局总的轮廓表现为由南向北倾伏的单斜，在单斜背景下发育了磨溪构造与龙女寺构造(图1)。

2　天然气地球化学特征与气源分析

2.1　天然气组分特征

川中地区栖霞组天然气以烃类气体为主，CH_4含量高，在92.3%~95.5%之间，C_2H_6含量低，介于0.07%~0.51%，均小于1.00%，痕量C_3H_8，干燥系数大，达到0.99以上，是典型的高演化干气，与埋藏深度大，热演化程度高有关。非烃气体少，主要包含N_2、CO_2、H_2以及H_2S，N_2含量介于0.24%~0.48%，CO_2含量在2.08%~4.38%。川中地区栖霞组含有中低量H_2S，占天然气组分的1.6%~3.1%，含量在$25.3\sim39.5mg/m^3$，相对川西北地区以及川西南地区明显要高，相较于龙王庙组与灯影组气藏也更高。

依据常用的天然气成因判别图版(图2)，认为川中栖霞组天然气演化程度高，川中地区栖霞组气样点主要落入原油裂解气的范围，$\ln(C_1/C_2)$值介于6.3~7.3、$\ln(C_2/C_3)$值介于1.9~2.8。川中栖霞组天然气数据点大部分落在Ro=2.5%的范围以外，主要表现出原油裂解气的特征，这也与岩心和薄片中见到大量的原油裂解沥青吻合。

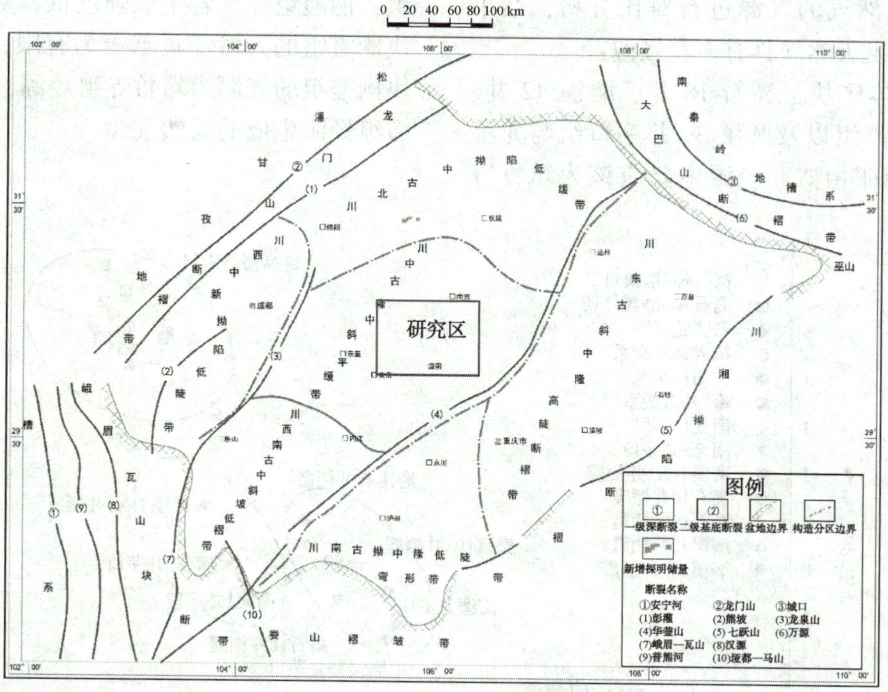

图 1　研究区构造位置示意图

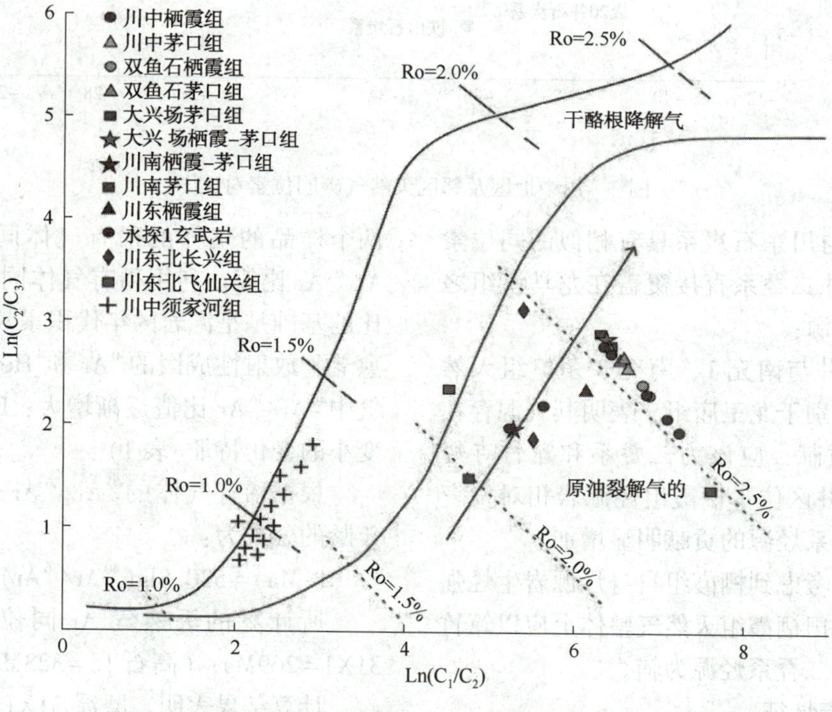

图 2　不同演化阶段干酪根降解气与原油裂解气判识图

2.2　同位素特征

2.2.1　碳同位素特征

川中地区栖霞组天然气 $\delta^{13}C_1$ 值主要分布在-31‰～-33‰，$\delta^{13}C_2$ 值较轻，主要介于-30‰～-34‰，部分气样甲乙烷碳同位素发生倒转。不同井天然气碳同位素存在差异，$\delta^{13}C_1$ 主要与成熟度有关，成熟度越高，$\delta^{13}C_1$ 越重，因此可以认为川中地区栖霞组天然气较川南和川东地区更高，但稍低于川西北双鱼石地区栖霞组天然气。天然气 $\delta^{13}C_2$ 受气源岩母质类型的影响，天然气 $\delta^{13}C_2$ 的差异说明天然气来源有所不同。如高石 19 井，栖霞组天然气 $\delta^{13}C_2$ 碳同位素明显要轻，说明其气源与川中地区其他井有所不同。

根据天然气甲烷和乙烷碳同位素图版（图

3)，可以对天然气的气源进行对比分析，结果表明川中栖霞组天然气具有多套烃源：

高-磨主体区块，高石18井、磨溪42井、磨溪103井栖霞组以及磨溪39井茅口组与龙王庙组天然气特征相似，烃源主要应该为筇竹寺组，栖霞组烃源岩生烃强度低，对高-磨主体区块栖霞组的天然气贡献极为有限，高-磨主体区块栖霞组的气源为筇竹寺组烃源，混有极少量栖霞组烃源生成的天然气。

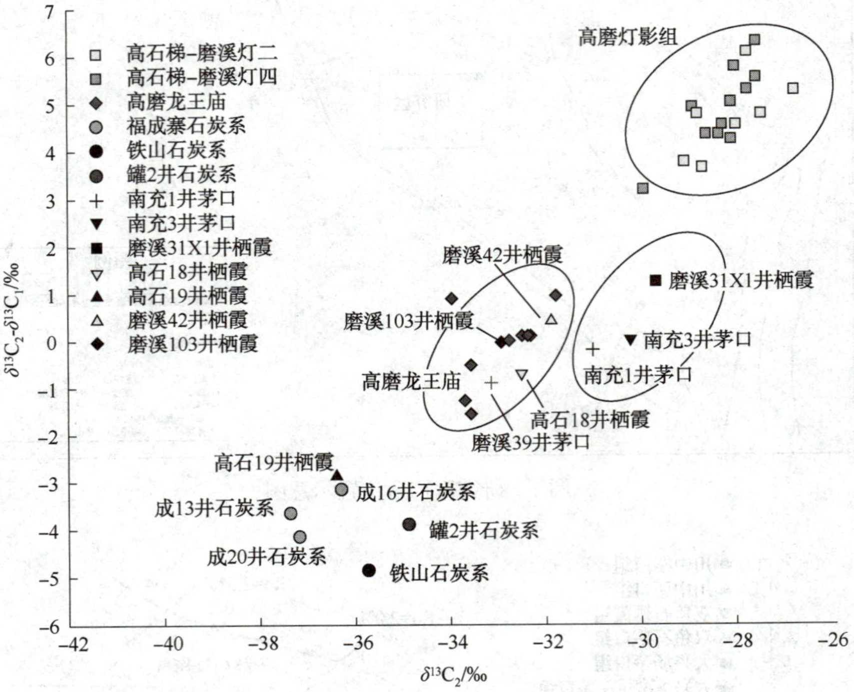

图3　川中地区及邻区天然气碳同位素对比图

高石19井与川东石炭系具有相似的同位素特征，高石19井二叠系直接覆盖在龙马溪组之上，为志留系气源；

磨溪31X1井与南充1、南充3茅口组天然气相似，明显区别于龙王庙组，表明其气源存在二叠系烃源的贡献，应该为二叠系和筇竹寺烃源。磨溪31X1井区位于栖霞组烃源岩相对发育地区，因此二叠系烃源的贡献明显增加。

总体来看，考虑到栖霞组自身烃源岩生烃强度较低，安岳气田栖霞组天然气整体上应以筇竹寺组烃源为主，二叠系烃源为辅。

2.2.2　氢同位素特征

天然气 δ^2H 值除了受烃源岩母质类型、热演化程度影响外，还受到源岩沉积环境的水介质盐度的影响。δ^2H 值有随母源成熟度增高和水介质盐度增大而变重的趋势，研究区栖霞组天然气介于-123‰～-137‰之间，较灯影组和龙王庙组更重，较川西北栖霞组也同样更重。

2.2.3　稀有气体同位素特征

为了更进一步的确定天然气源，本次分析了两个样品的气样的稀有气体同位素，获取了 $^{40}Ar/^{36}Ar$ 比值。利用稀有气体同位素进行气源对比的基础是是源岩的年代积累效应，源岩的时代愈老，放射性成因的 ^{40}Ar 和 ^4He 积累愈多，天然气中 $^{40}Ar/^{36}Ar$ 比值逐渐增大，$^3He/^4He$ 比值不断变小的变化特征(表1)。

根据稀有气体的 $^{40}Ar/^{36}Ar$ 同位素推算源岩年龄的公式为：

$$t(Ma)=530.8\lg(^{40}Ar/^{36}Ar)-1323$$

所计算的天然气Ar同位素年龄，t磨溪31X1=269Ma，t高石18=323Ma。

计算结果表明，磨溪31X1气源年龄为二叠系，高石18井栖霞组天然气为古生界石炭系，本区石炭系并未有地层沉积，因此高石18井应主要是下古生界筇竹寺的气源；磨溪31X1栖霞组天然气的年龄明显要小，表明二叠系烃源的贡献增大，磨溪地区以及磨溪以北区域，栖霞组烃源岩生烃强度增强，对栖霞组气藏的贡献有所增加。

2.3 气源分析

总体上来看，高-磨主体区块，如高石 18，磨溪 42，磨溪 103 井，天然气碳同位素表现出相近的特征(表 1)，并且与龙王庙组天然气更接近，高石 18 井稀有气体同位素$^{40}Ar/^{36}Ar$所计算出来的年龄为 323Ma，所对应的地层年代为石炭纪，但高石 18、磨溪 42、磨溪 103 等井，均缺失志留-石炭系地层，因此认为高-磨主体区块的气源为筇竹寺组烃源岩。

表 1　不同时代源岩天然气$^3He/^4He$—$^{40}Ar/^{36}Ar$同位素组成分布

烃源地质时代	地质年龄/Ma	估算天然气中同位素分布			
		$^{40}Ar/^{36}Ar$		$^3He/^4He$	
现代大气		295.5		140	
第四纪 Q	0~2	295.5~320	295.5~314	140~58.7	140~60.8
晚第三纪 N	2~23	320~350	314~343	58.7~54.4	60.8~52.2
早第三纪 E	23~65	350~427	343~412	54.4~46.7	52.2~38.4
白垩纪 K	65~140	427~562	412~571	46.7~35.6	38.4~22.2
侏罗纪 J	140~208	562~709	571~767	35.6~29.6	22.2~13.5
三叠纪 T	208~250	709~840	767~920	29.6~25.6	13.5~10.0
二叠纪 P	250~290	840~1037	920~1094	25.6~21.4	10.0~7.4
石炭纪 C	290~355	1037~1395	1094~1450	21.4~16.6	7.4~4.6
泥盆纪 D	355~410	1395~1724	1450~1833	16.6~13.8	4.6~3.1
志留纪 S	410~440	1724~2042	1833~2088	13.8~11.9	3.1~2.5
奥陶纪 O	440~510	2042~2632	2088~2841	11.9~9.0	2.5~1.6
寒武纪8 1 30D137	510~570	2632~3536	2841~2686	9.0~7.5	1.6~1.0
震旦纪 Z	570~800	3536~9350	3638~9996	7.5~3.2	1.0~0.2

龙女寺北部地区，栖霞组烃源岩生烃强度增大，如磨溪 31X1 井其碳同位素特征明显区别于其他井，极有可能是受到混合型干酪根类型的下二叠统泥灰岩影响。因此认为龙女寺北部地区栖霞组自身的烃源贡献增加，该地区表现为二叠系和筇竹寺混源。

3 沥青-源岩生物标志化合物特征对比

3.1 饱和烃色谱对比

本次研究对栖霞组储层沥青样品、栖霞组泥灰岩以及筇竹寺组泥岩样品分别进行了饱和烃色谱以及饱和烃色谱-质谱分析。

栖霞组储层沥青正构烷烃主要分布在 nC_{14}~nC_{32}之间，个别样品表现为双峰特征，正构烷烃分布范围较大。$nC_{21}-/nC_{22}+$介于 0.65~1.10，平均值为 0.79；OEP 介于 0.98~1.06，平均值为 1.03；Pr/Ph 介于 0.13~0.53。色谱图上存在较平缓鼓包，但沥青样品正构烷烃分布完整，表明沥青没有受到明显的生物降解作用，正构烷烃的损失应是由于热裂解造成的。

栖霞组泥灰岩正构烷烃分布范围也较大，主峰碳为 nC_{18}~nC_{19}，$nC_{21}-/nC_{22}+$介于 0.65~1.10，平均值为 0.79；OEP 介于 0.98~1.06，平均值为 1.03；Pr/Ph 介于 0.13~0.53。

筇竹寺组泥岩正构烷烃分布表现为前峰型的特征，以 nC_{18}为主峰，与源岩高-过成熟度的特征相符合。筇竹寺组泥岩 Pr/Ph 介于 0.47~0.85 之间，平均 0.61；Pr/nC_{17}介于 0.49~0.94，平均值 0.63；Ph/nC_{18}介于 0.53~1.16，平均 0.69；OEP 介于 0.93~1.04，平均 1.00。

3.2 饱和烃色谱-质谱对比

根据研究区栖霞组沥青、栖霞组烃源岩、筇竹寺组烃源岩饱和烃色谱-质谱图对比来看(图 4，图 5)，甾烷和萜烷生标化合物特征近似，没有找到特殊的生标化合物用于区分下寒武统和下二叠统烃源岩。这正是由于在高-过成熟阶段常规的生物标志化合物具有严重的趋同性，因此利用甾烷和萜烷常规的生物标志化合物难以完成沥青与源岩的对比工作。

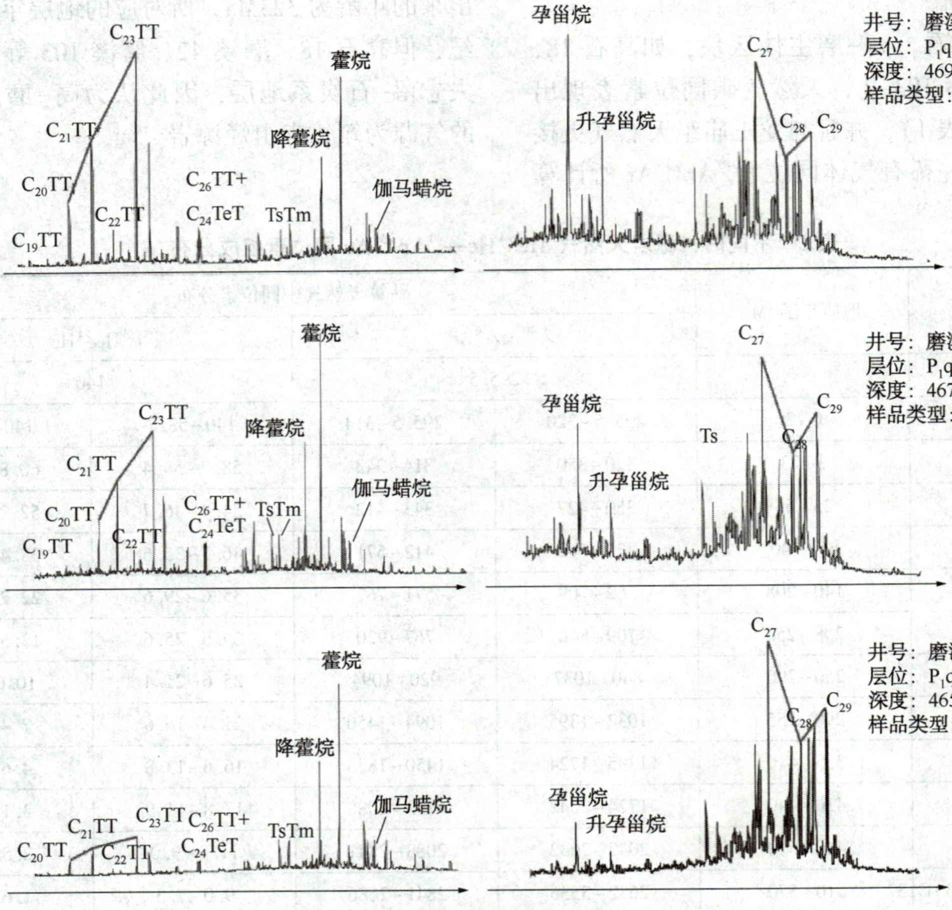

图 4　栖霞组储层沥青萜烷与甾烷谱图对比

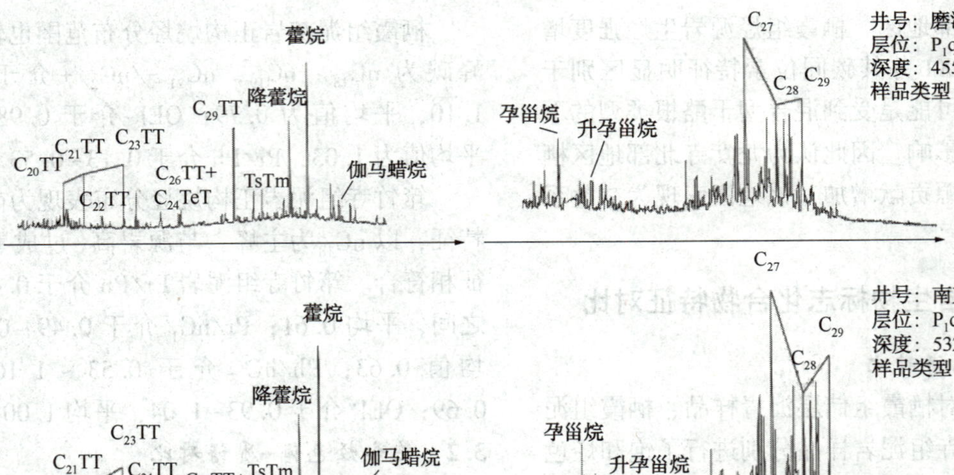

图 5　栖霞组烃源岩与筇竹寺组烃源岩萜烷与甾烷谱图对比

3.3 碳同位素对比

本次项目对磨溪 108 井以及磨溪 42 井栖霞组储层固体沥青进行了碳同位素分析，其值分别为-32.3‰~-33.7‰，均值为-32.9‰，可以看出，栖霞组沥青的碳同位素明显较栖霞组泥灰岩干酪根碳同位素轻，显然栖霞组储层沥青的来源并非是栖霞组泥灰岩(图 6)。

栖霞组储层沥青的碳同位素与筇竹寺组烃源岩干酪根碳同位素相近，并且与灯影组和龙王庙组储层沥青的碳同位素相近，表明磨溪 108 井和磨溪 42 井栖霞组沥青与灯影组和龙王庙组沥青具有相同的来源，为筇竹寺组烃源，这与气源分析的结果一致。

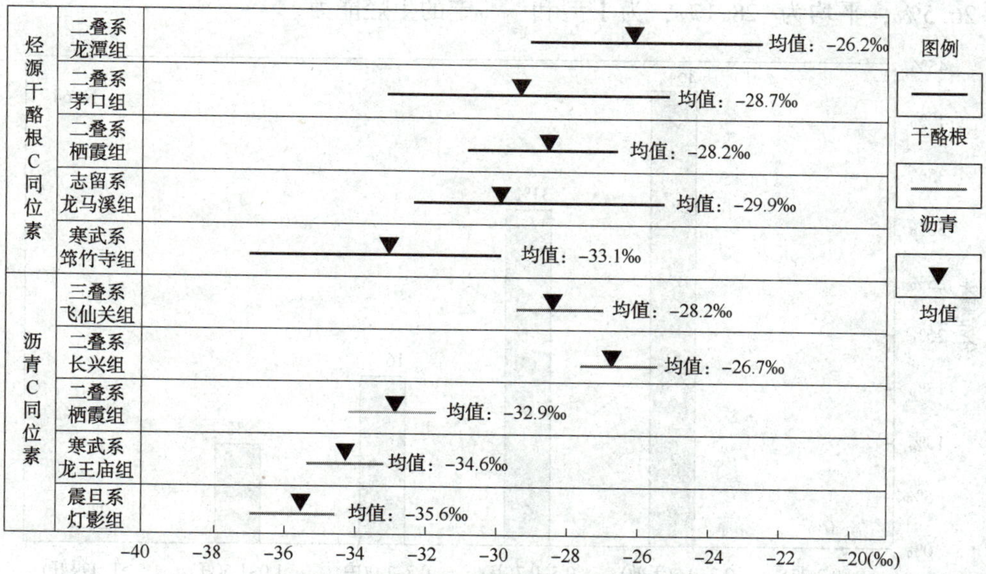

图 6　烃源岩干酪根碳同位素与沥青碳同位素对比

4 烃源岩评价

4.1 川中地区各层位烃源岩评价

4.1.1 下寒武统泥质烃源岩

本次研究针对工区内高石 18 井、蓬探 1 井、磨溪 129H 三口井共 87 个岩屑样品进行了 TOC 分析(图 7)。烃源岩 TOC 的值分布在 0.14%~3.40%之间，平均值为 1.1%。通过观察下寒武统泥质烃源岩的实测 TOC 数据，可以明显地看出其分布特征，TOC 由低至高呈现先增后减的整体趋势，超过 80%的实测样品的 TOC 的值在 0.5%以上，其中约 10%的 TOC 样品值显示为优质烃源岩。干酪根碳同位素 δ13C=-36.6‰~-29.9‰，平均为-33.1‰，主要为Ⅰ型干酪根，为腐泥型。下寒武统烃源岩干酪根同位素烃源岩评价结果表明，本研究区下寒武统烃源岩具备良好的生烃潜力。

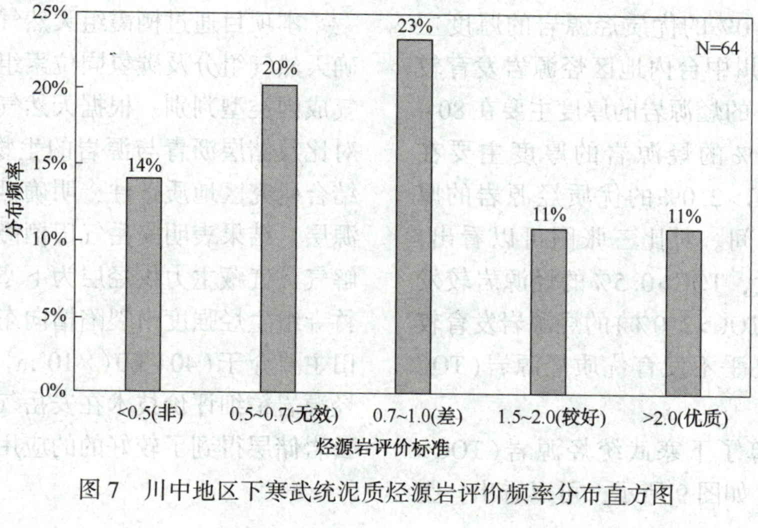

图 7　川中地区下寒武统泥质烃源岩评价频率分布直方图

4.1.2　栖霞组烃源岩评价

本次研究针对工区内南充 8 井、磨探 1 井、蓬探 1 井、磨溪 53 井、高石 18 井五口井共测试了 64 个 TOC 数据，主要分布于 0.255%～2.372%之间，平均值为 0.622%，TOC>0.5%的烃源岩样品的 TOC 均值约 0.78%(图 8)。川中地区栖霞组烃源岩干酪根碳同位素 $\delta^{13}C$ = -29.4‰～-26.5‰，平均为-28.1‰，为Ⅰ型和Ⅱ$_1$型干酪根。通过观察栖霞组的实测 TOC 统计数据，可以明显地看出其分布特征，TOC 由低至高呈现递减的态势，约半数以上的样品 TOC 均在 0.5%以上。烃源岩评价结果表明，本研究去栖霞组样品以非烃源岩-差品质烃源岩为主，但中等、好和很好品质烃源岩亦占据重要部分，占比约达为 28%，整体来看栖霞组地层具备一定的生烃能力。

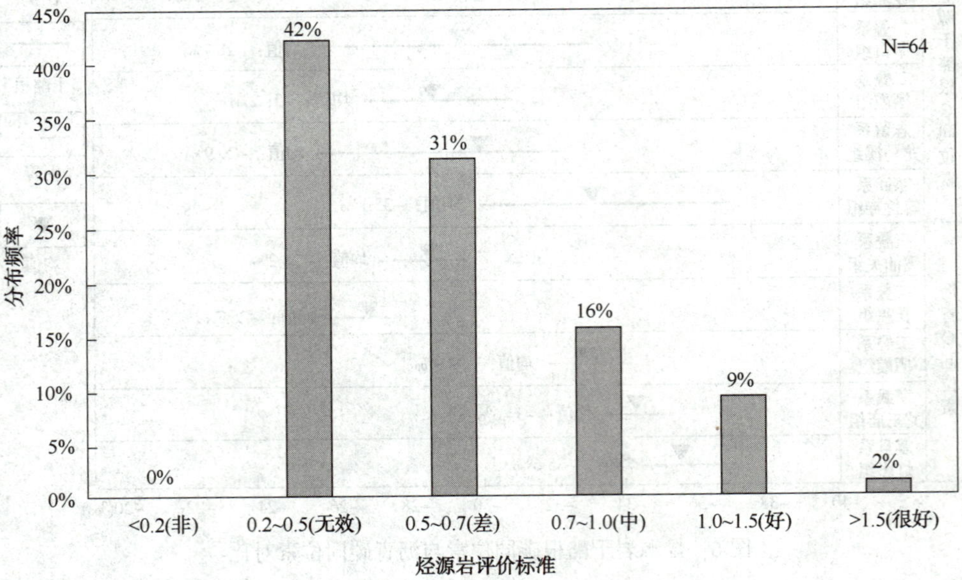

图 8　川中地区栖霞组烃源岩评价频率分布直方图

4.2　*下寒武统泥质烃源岩展布特征与生烃潜力*

通过对研究区 32 口单井下寒武统烃源岩 TOC 含量计算，分别编制了研究区下寒武统 TOC>0.5%、TOC>1%、TOC>2%的烃源岩厚度图(图 9-11)，从三幅平面展布图中均可以看出德阳-安岳裂陷槽内烃源岩最厚，并向东逐渐减薄，TOC>0.5%的烃源岩的厚度主要在 80～480m 之间，TOC>1%的烃源岩的厚度主要在 30～390m 之间，TOC>2.0%的优质烃源岩的厚度主要在 5～85m 之间，川中台内地区烃源岩发育较差，其中 TOC>0.5%的烃源岩的厚度主要在 80～200m 之间，TOC>1%的烃源岩的厚度主要在 30～180m 之间，TOC>2.0%的优质烃源岩的厚度主要在 5～35m 之间。对比三张图可以看出，在高石 120 井区附近，TOC>0.5%的烃源岩较发育，但优质烃源岩(TOC>2.0%)的烃源岩发育较差。东部地区的井几乎不发育优质烃源岩(TOC>2.0%)。

根据成因法计算了下寒武统烃源岩(TOC>0.5%)的生烃强度，如图 9 所示，可以看出，整体上下寒武统筇竹寺组生烃强度大致介于(20～160)×$10^8m^3/km^2$之间，在研究区的西部裂陷槽内，下寒武统烃源岩生烃强度相对高，达到了 100×$10^8m^3/km^2$以上，是研究区震旦系-古生界重要的中心；在研究区的东部地区，生烃强度普遍较低，均低于 20×$10^8m^3/km^2$。

5　结论

本项目通过栖霞组天然气样品测试分析，明确天然气组分及碳氢同位素组成特征，开展天然气成因类型判别。根据天然气与源岩的碳同位素对比及储层沥青与源岩的生物标志化合物对比，结合研究区地质条件，明确栖霞组天然气主力烃源层。结果表明安岳气田栖霞组天然气为原油裂解气，气藏主力供烃层为下寒武统筇竹寺组，筇竹寺组生烃强度由裂陷槽向东逐渐减小，安岳气田主要介于(40～60(×$10^8m^3/km^2$。储层烃源岩烃源岩精细评价技术在安岳气田二叠系栖霞组白云岩储层得到了较好的的应用。

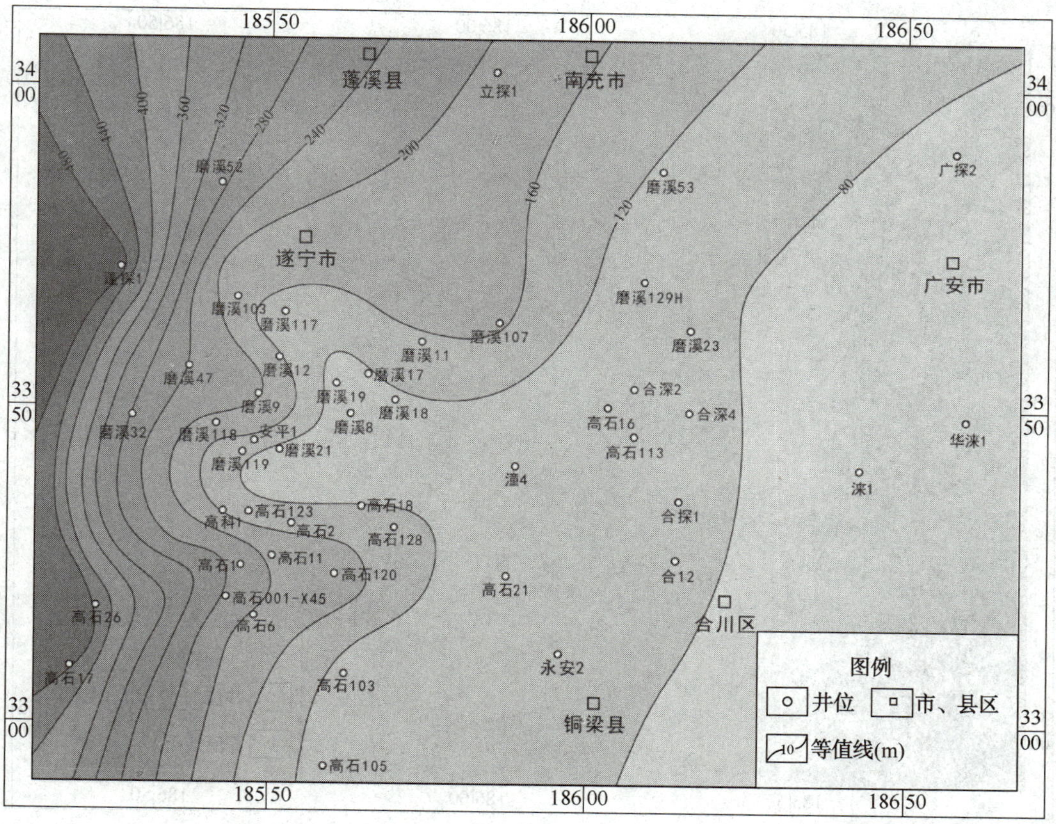

图 9 安岳气田下寒武统烃源岩(TOC>0.5%)厚度图

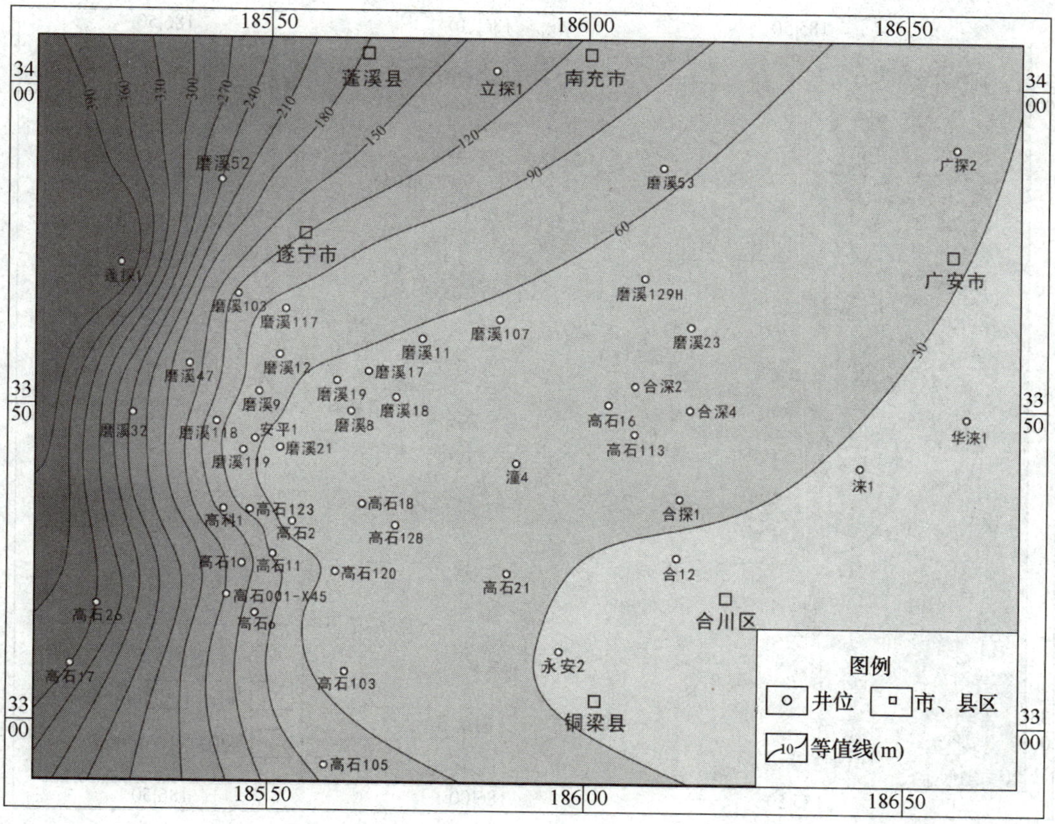

图 10 安岳气田下寒武统烃源岩(TOC>1%)厚度图

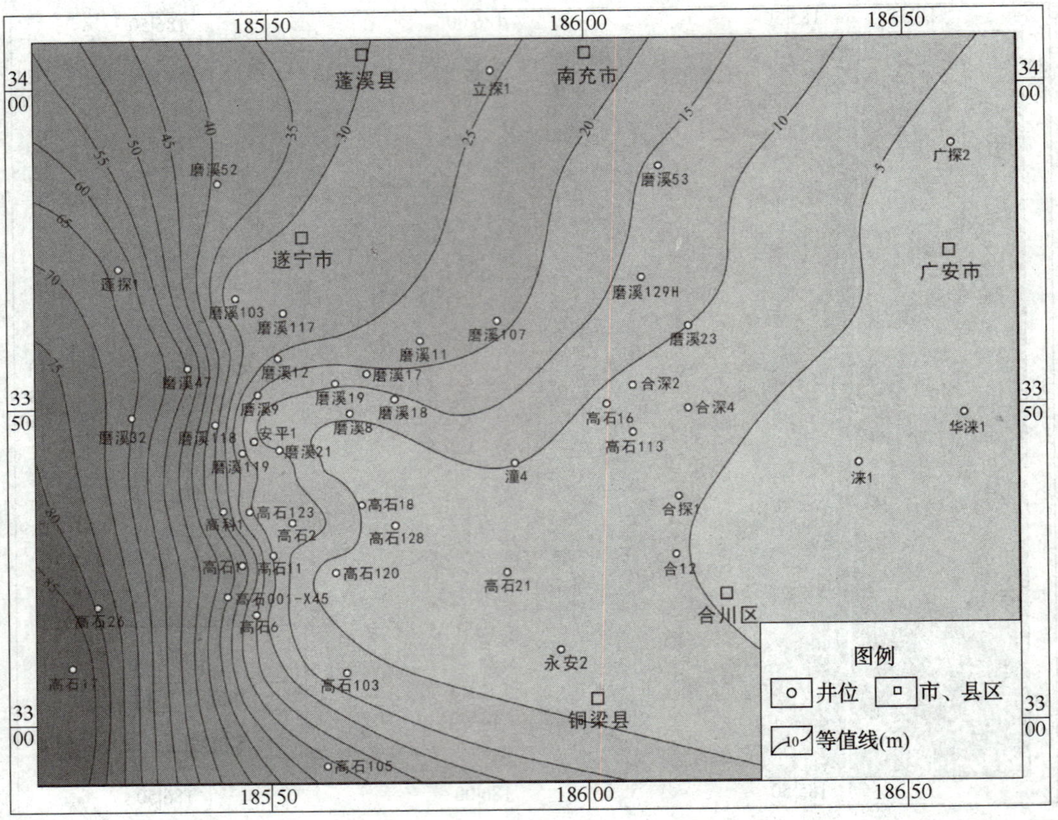

图 11　安岳气田下寒武统烃源岩(TOC>2%)厚度图

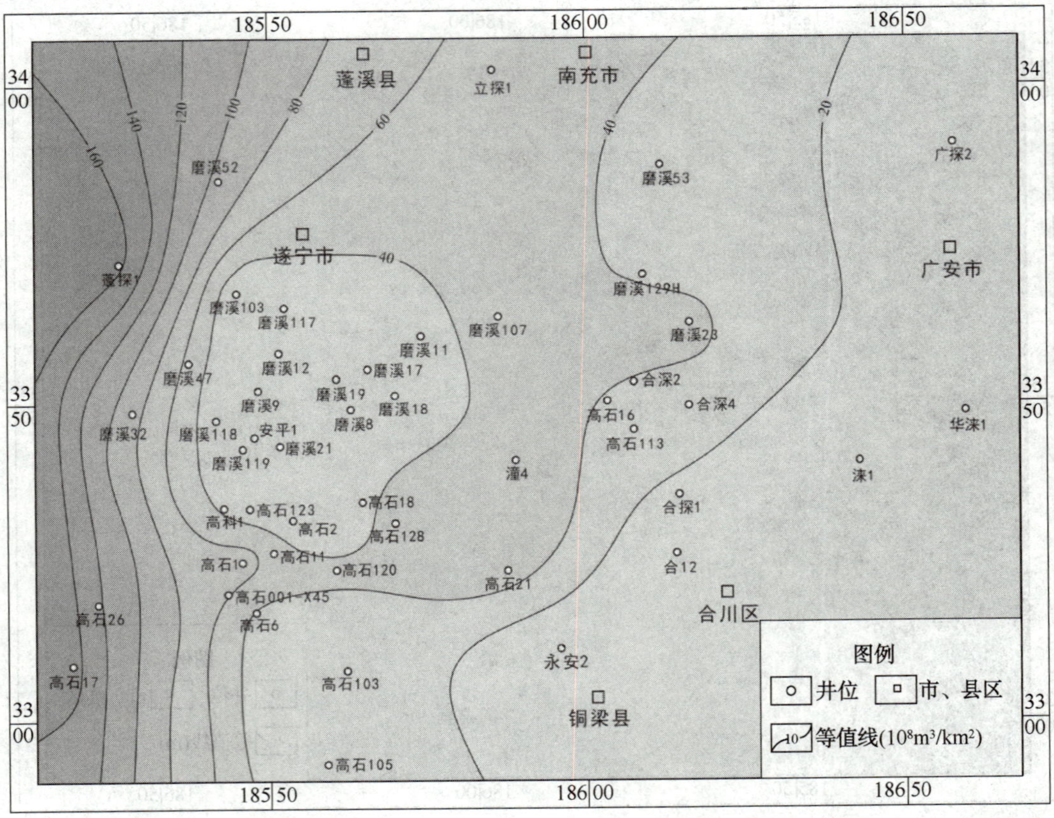

图 12　安岳气田下寒武统烃源岩(TOC>0.5%)生烃强度图

参考文献

[1] 朱传庆，田云涛，徐明，等．峨眉山超级地幔柱对四川盆地烃源岩热演化的影响[J]．地球物理学报，2010，53(01)：25-30.

[2] 汪玉贞，孙玮，刘树根，等．川西中段山前带雷口坡组气藏形成条件及过程[J]．成都理工大学学报(自然科学版)．2021，48(01)：78-83.

[3] 李靖，周世新，郑朝阳，等．川东北地区油气形成过程中稀土元素地球化学特征[J]．中国矿业大学学报．2013，42(04)：12-14.

[4] 腾格尔秦建中郑伦举．黔东南地区震旦系—二叠系海相优质烃源层的时空分布[J]．海相油气地质．2008(02)：93-101.

[5] 陈盛吉，谢邦华，万茂霞，等．川北地区礁、滩气藏的烃源条件与资源潜力分析[J]．天然气勘探与开发．2007(04)：112-118.

[6] 张义杰，柳广弟．准噶尔盆地复合油气系统特征、演化与油气勘探方向[J]．石油勘探与开发．2002(01)：17-23.

[7] 张玺华，陈聪，黄婕，等．四川盆地中二叠世广元—巴中拉张槽的发现及其油气地质意义[J]．中国石油勘探，2019，24(04)：466-475.

[8] 刘刚，周东升．微量元素分析在判别沉积环境中的应用——以江汉盆地潜江组为例[J]．石油实验地质，2007(03)：307-310+314.

[9] 冯洪真，Bernd-D. Erdtmann，王海峰．上扬子区早古生代全岩 Ce 异常与海平面长缓变化[J]．中国科学(D 辑：地球科学)，2000(01)：66-72.

[10] 韩晓涛，鲍征宇，谢淑云．四川盆地西南中二叠统白云岩的地球化学特征及其成因[J]．地球科学，2016，41(01)：167-176.

[11] 黄思静．碳酸盐矿物的阴极发光性与其 Fe，Mn 含量的关系[J]．矿物岩石，1992(04)：74-79.

[12] KORTE C，JASPER T，KOZUR H W，et al. 87Sr/86Sr record of Permian seawaterl[J]. Palaeogeoeoraphy Palaeoclimatoloay Palaeoecoloay，2006，240(1)：89-107.

[13] 黄思静．上扬子地台区晚古生代海相碳酸盐岩的碳、锶同位素研究[J]．地质学报，1997(01)：45-53. DOI：10.19762/j. cnki. dizhixuebao. 1997. 01. 006.

差异化组合缝网压裂技术在低渗透油藏的实践与应用

李燕华　闫治涛　康寿兴　苗　玲　张利萍

（胜利油田东胜精攻石油开发集团股份有限公司）

摘　要　东胜公司低渗透区块主要分布在主要分布在牛庄、大芦湖、正理庄等 13 个油田 31 个区块，探明地质储量 15569.1×10^4t，动用地质储量 9238.1×10^4t，未动用储量 6330.98×10^4t。已动用低渗透油藏 9088×10^4t，主要以“浊积岩、滩坝砂”为主，两者储量占比 82.9%。以樊 142 块为例，前期采用常规压裂投产，年递减率 48.4%，区块为低采出程度、低采收率状态。为解决压后递减大、累产低的开发难题，采用水井压驱注水补能，油井根据区块应力方向、油层钻遇情况、所在砂体位置，进行差异化压裂，实施后初期日油 12.1t，取得良好的开发效果。

关键词　差异化组合缝网压裂；低伤害减阻携砂一体化压裂液；前置 CO_2 压裂技术

1　油藏特征

东胜公司低渗透区块主要分布在主要分布在牛庄、大芦湖、正理庄等 13 个油田 31 个区块（图 1），探明地质储量 15569.1×10^4t，动用地质储量 9238.1×10^4t，未动用储量 6330.98×10^4t。已动用低渗透油藏 9088×10^4t，主要以“浊积岩、滩坝砂”为主，两者储量占比 82.9%（表 1）。

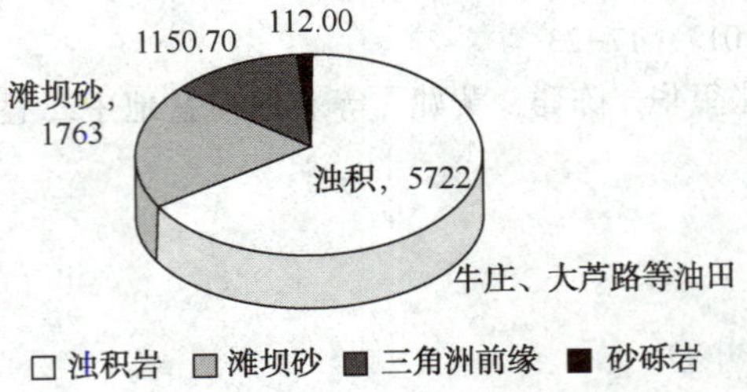

图 1　低渗透油藏类型储量饼状图

表 1　东胜公司低渗透油藏亚类储量汇总表

油藏亚类	渗透率范围/mD	主要特点	主要单元	动用储量/10^4t	储量占比
一般低渗透Ⅰ类	30~50	渗透率相对较高 一般不需压裂	大芦湖油田沙二	259.9	3%
一般低渗透Ⅱ类	10~30	一般需压裂 提高产能	博 3-纯 95. 牛庄沙三中 东辛营 11	3162	29%
特低渗透	<10	需压裂提高产能 注水因难	牛庄油田、正理庄油田、 东风港油田、五号桩柱 23、渤南义 37	5816.2	68%
合计				9238.12	100

以樊 142 块为例，樊 142 块位于山东省高青县境内，区域构造位于金家-正理庄-樊家鼻状构造带中部，正理庄油田北部。该块主要含油层系为沙四上纯下次亚段 1、2 砂组，埋深 2800~3200m，孔隙度 12.4%，渗透率 6.3mD，原始地层压力 42.3MPa，压力系数 1.36，原始地层温度 139℃，为高温异常高压、低孔特低渗的岩性油藏（图 2）。樊 142 块属于滨浅湖滩坝砂沉积，滩坝共生，坝砂厚度大于 2m，物性和含油性好，滩砂呈席状展布，坝砂呈“串珠状”镶嵌于滩砂中。

储层分布稳定，表现出“多”、“薄”的特点。砂体平均厚度 1.4m，其中坝砂平均 3.5m，滩砂平均 1.0m。

地应力方向与断层走向基本一致，自西向东顺时针偏转，东北部地应力受东部断层影响较为严重（图 3）。

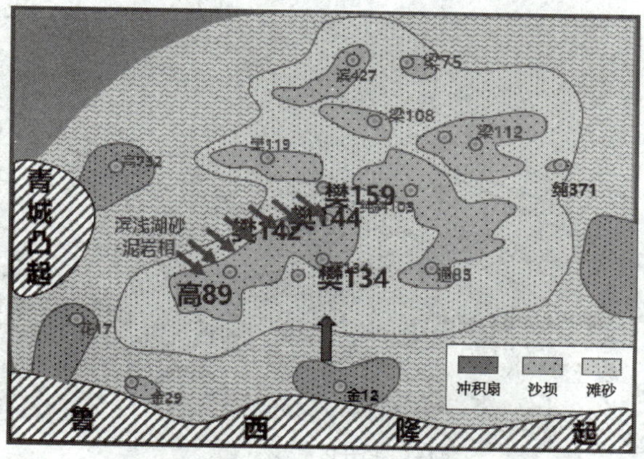

图 2　东营西部沙四上纯下次亚段沉积相平面图

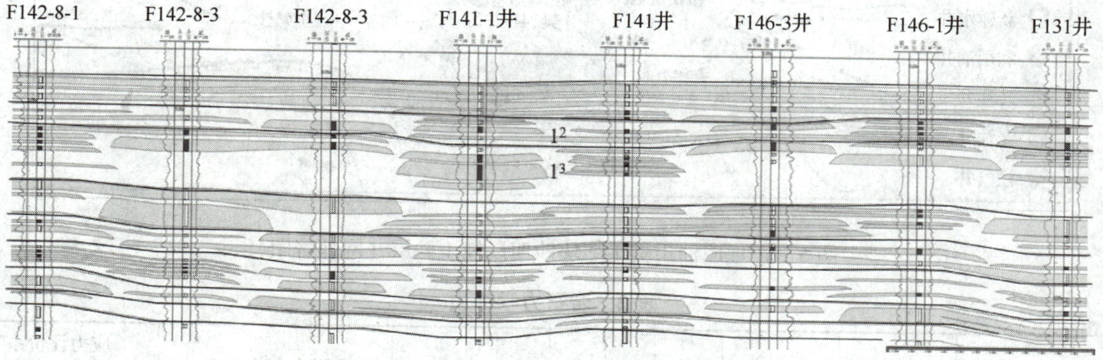

图 3　过樊 142-8-1 井—樊 131 井近东西向砂体对比剖面

樊 141 井区部署总井数 13 口，油井 11 口(新油井 5 口)，水井 2 口，动用面积 2.5km²，动用储量 105×10^4t。樊 141-斜 5 井区部署总井数 13 口，油井 13 口(新油井 7 口)，水井 4 口(新水井 2 口)，动用面积 3.6km²，动用储量 115×10^4t。该块目前地层静压 29.1MPa，压力保持率为 69%。主导思路为水井压驱注水，恢复地层能量，油井采用差异化压裂技术，提升开发效果(图 4)。

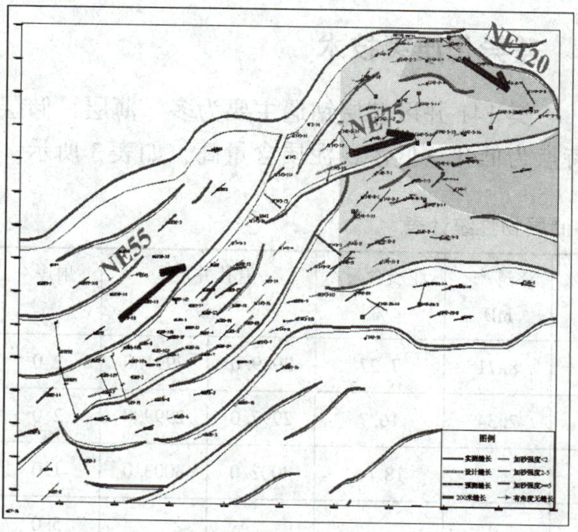

图 4　高 89-樊 142 地区沙四上地应力分布图

樊 142 块存在以下动用难点：(1)丰度低、效益建产少井高产面临巨大挑战。埋藏更深：埋深 3100~3700m，深于全局 64%的剩余可评价储量；物性更差：平均渗透率 3.5mD，低于全局 58%的剩余可评价储量；丰度更低：平均丰度 33×10^4t/km²，劣于全局 72%的剩余可评价储量。(2)地震资料识别难度大，储层预测面临巨大挑战。樊 142 块坝砂单层最大厚度 10m 左右，滩砂单砂体厚度 2m，平面储层变化快；地震资料主频低，同时主力层 1 砂组在地震上表现为空白反射，薄互层滩坝砂储层预测难(图 5)。(3)薄互层油藏缝网压裂技术面临巨大挑战。层薄、泥质含量高、塑性强：脆性指数一般小于 0.4。水平主应力差大：一般大于 8MPa。导致储层裂缝延伸受限、加砂困难且难形成复杂裂缝。

2　岩石力学性质

通过岩石力学性质测试结果，综合岩石脆性和地应力条件对储层压裂后缝网形成能力进行评价：樊 142-1 井岩石脆性指数 45.0%，较强；水平应力差 11.1MPa，中等，应力评价系数 2.81，可以形成复杂缝网(表 2)。

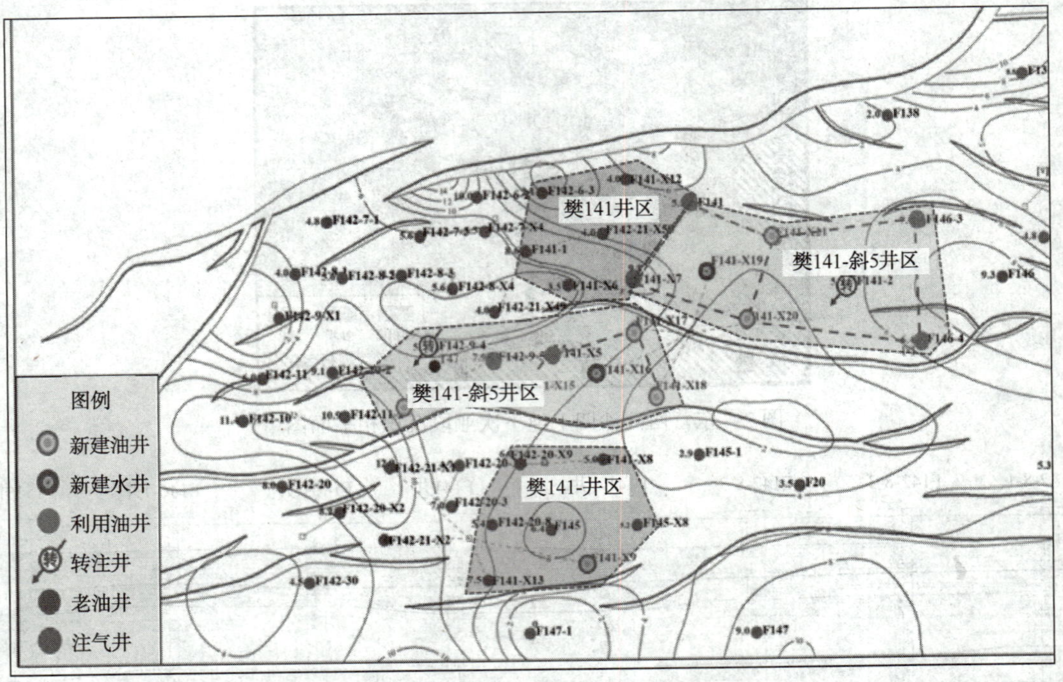

图5　正理庄油田樊142块沙四段纯1砂层井网部署图

表2　岩石力学性质

取芯井	取芯深度/m	围压/MPa	弹性模量/GPa	泊松比	BRIT脆性指数（>40脆性>60脆性很强）	水平应力差/MPa	应力评价系数 $(\sigma_H-\sigma_h)^2/\sigma_h$
						<9利于裂缝转向 >12不利于裂缝转向	<2.25利于缝网形成 >3不利于缝网形成
樊142-1	3104.2	17.00	28.54	0.279	37.4	11.1	2.81
		37.00	36.08	0.259	46.8		
		27.00	33.89	0.232	50.7		

3　水井补能情况

樊145井2006年9月压裂投产，加砂42.2m³，加砂强度3.9m³/m，半缝长237m，对应油井压裂前累注水10005.9m³，目前累注CO_2 1039.3m³；樊142-21-斜50井为注入井，新投未压裂，对应油井压裂前该井注入CO_2 1790m³，同步注水29860m³，目前压驱后注入CO_2 611.2m³。樊141-斜16和樊141-斜19注水井采用分层压驱注水工艺，单井压驱注水量6×10^4m³。

4　差异化压裂技术

樊141井区储层钻遇主要为多、薄层，储层特点为低孔、低渗，泥质含量高，如表3所示。

表3　樊141井区新油井油层物性统计表

井号	电测序号	油层井段/m		厚度/m	孔隙度/%	渗透率/mD	泥质含量/%	射孔井段/m		射厚/m
樊141-斜13	60	2987.5	2991.8	4.3	10.95	8.71	7.27	2989.0	2991.0	2.0
	62	2996.8	3000.5	3.7	8.24	2.34	16.7	2997.0	2999.0	2.0
	63	3002	3003.4	1.4	7.42	2.28	18.64	3002.0	3003.0	1.0
				9.4						5.0

续表

井号	电测序号	油层井段/m		厚度/m	孔隙度/%	渗透率/mD	泥质含量/%	射孔井段/m		射厚/m
樊141-斜6	37	3195.5	3196.25	0.75	7.17	0.56	45.43	3195.5	3196.5	1.0
	38	3197.75	3199.13	1.38	10.32	2.86	47.12	3198.0	3199.0	1.0
	40	3203.13	3204.38	1.25	11.44	2.43	16.21	3203.4	3204.4	1.0
	42	3208.63	3209.75	1.12	12.73	6.48	14.23	3208.5	3209.5	1.0
	44	3214.5	3215.5	1.0	13.6	11.12	7.99	3214.5	3215.5	1.0
	49	3238.25	3239.63	1.38	12.2	4.2	11.3	3238.5	3239.5	1.0
	50	3240.38	3242.75	2.37	9.57	0.7	10.45	3241.0	3242.0	1.0
	53	3250.88	3253.25	2.37	10.15	1.07	12.17	3251.0	3253.0	2.0
	54	3255.5	3257.63	2.13	9.81	1.46	10.16	3255.5	3257.5	2.0
				13.75						11.0
樊141-斜7	38.1	3298	3300	2	12.86	12.69	9.39	3298.0	3300.0	2.0
	39.2	3302	3308.8	6.8	16.33	34.19	4.89	3302.0	3304.0	2.0
					16.33	34.19	4.89	3306.0	3308.5	2.5
				8.8						6.5
樊141-斜12	40	3185.75	3187.63	1.88	9.4	0.82	11.19	3186.0	3188.0	2.0
	45	3196	3196.75	0.75	14.89	4.07	34.73	3196.0	3198.0	2.0
	49	3206.63	3208.13	1.5	12.84	3.16	19.19	3207.0	3210.0	3.0
	50	3208.63	3211	2.37	12.41	3.42	15.21	3236.5	3237.5	1.0
	60	3236.5	3237.5	1	9.7	2.37	14.1	3186.0	3188.0	2.0
				7.5						10.0
樊141-斜8	43	2972.88	2981.88	9	7.03	0.58	45.81	2974.0	2976.0	2.0
	44	2982.75	2985.25	2.5	6.41	0.78	29.7	2982.0	2985.0	3.0
	48	2994.4	2997.8	3.4	12.31	5.48	9.98	2995.0	2997.0	2.0
	54	3024.9	3026.3	1.4	12.66	6.04	50.29	3025.0	3026.0	1.0
	55	3027.5	3029.3	1.8	10.83	3.26	52.45	3027.0	3028.0	1.0
	58	3037.9	3040.6	2.7	8.72	1.25	17.38	3038.0	3040.0	2.0
				20.8						11.0

4.1　以史为鉴，分析传统压裂技术存在弊端

分析2005年以来樊142块常规压裂井资料可知：一是前期压裂采用瓜胶体系，常规压裂工艺，排量4.0m^3/min，加砂强度平均3.5m^3/m，压后滩砂平均初产2.5t/d，坝砂平均初产7.2t/d。二是压后效果方面，西部靠近主体的樊141、145井区初期产量较高，东翼樊146井区、南部樊134区投产效果较差。得出结论：常规压裂技术无法同时满足滩砂、坝砂油藏的有效动用，储层无法得到均衡、充分动用(表4)。

表4　樊142块前期压裂井施工参数及效果统计表

序号	井号	日期	砂厚/层/(m/层)	加砂量/m^3	加砂强度/m^3/m	破裂压力/MPa	半缝长/m	初期油量/(t/d)	自喷天数/d
1	F141-2	2008.1	8.8/7	29	3.3	50.6	149.6	7.5	94
2	F146	2006.11	9.3/2	34	3.66	61.5	176	7.3	50
3	F146-1	2006.12	14.2/7	44	3.49	61	153.5	1.7	23.4
4	F146-X2	2010.9	5.9/1	64	10.8	54.4		2.8	

续表

序号	井号	日期	砂厚/层/(m/层)	加砂量/m^3	加砂强度/m^3/m	破裂压力/MPa	半缝长/m	初期油量/(t/d)	自喷天数/d
5	F146-3	2020.4	16.1/8	16	1	52		2.7	
6	F131	2005.4	6.9/4	36	5.2			2.5	试油
7	F145-1	2008.5	17.1/9	60	3.87	58	210	2.8	26
8	F142-12	2009.5	11.3/4	43	3.81	54.4	126.6	6.9	64.3
平均				40.6	3.5	57.6		4.2	49.1

以樊146-3井为例，该井目的层段有效厚9.3m/6层，跨度高达50.6m，跨度大、砂泥交互严重，泥质最高35.5%。采用笼统压裂方式，排量4.0m^3/min，最高砂比32%时发生砂堵，后期加砂压力迅速上涨，施工排量小，薄互层储层压开的裂缝开启宽度有限，加砂较为困难。由于砂堵实际加砂16m^3，改造程度有限。由此可见，低排量、小规模压裂，储层未得到均衡、充分动用，常规压裂与樊142块油藏匹配程度低。

4.2 升级1.0：引入组合缝网压裂技术，实现滩坝砂油藏有效动用

通过大数据调研，截至2018年12月，在花古102、盐222等块累计实施24井次进行组合缝网压裂，压后平均产能15.2t/d，是常规压裂技术(6.4t/d)2.3倍，增产效果显著，提高了投入产出比。

于是，提出在滩坝砂油藏樊142块开展组合缝网压裂技术试验的想法。

为提高压裂工艺与油藏匹配程度，针对樊142块开发难点，在前期压裂改造经验的基础上，工艺技术迭代升级，提出针对性改造措施，提高油藏开发效果。樊141-斜5井从方案设计到投产设计，再到现场施工实时优化，历经三轮优化，最终确定了“油管浅下实现大排量+合理避射、缝内、层间暂堵实现均衡改造”的工艺思路。该井于2020年12月6日压裂，施工排量7～9m^3/min，破裂压力45.3MPa，停泵压力26.4MPa，加砂86m^3，压裂液用量1066.7m^3，加砂强度5m^3/min，暂堵球70个，层间暂堵剂300kg。压裂后初期初期日液17t，日油10t，含水39%，转抽后日液10.8t，日油9.7t，含水10%，目前日液5.8t，日油5.3t，含水28.6%，累油5657.4t，取得较好的效果(图6)。

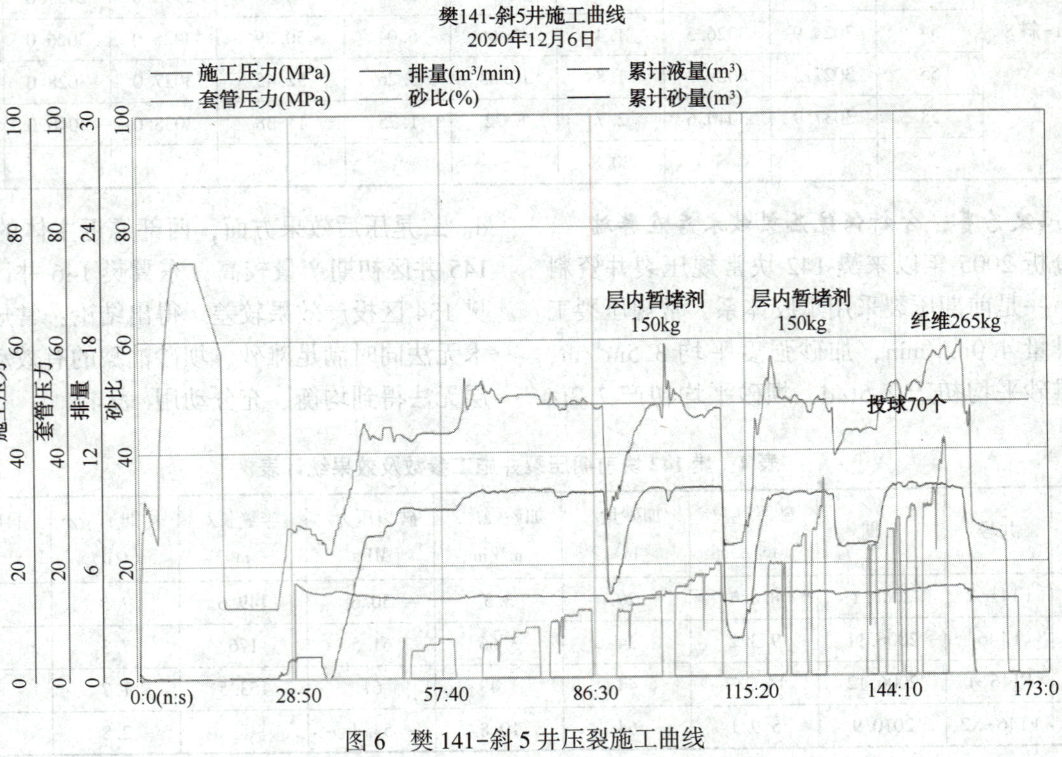

图6　樊141-斜5井压裂施工曲线

樊141-斜5井的成功，为滩坝砂油藏配套组合缝网压裂技术奠定的信心。于是在樊145-斜8、樊131-斜7、樊146-斜6井进行了推广应用，实施效果不理想。

分析原因发现：樊141-斜5井，水平应力差6.5～9.0MPa，平均7.3MPa。脆性指数0.35～0.46，平均0.41。樊146-斜6井，水平应力差6.6～8.4MPa，平均7.5MPa。页岩油脆性指数0.3～0.55，平均0.43；滩坝砂脆性指数平均0.32(图7)。

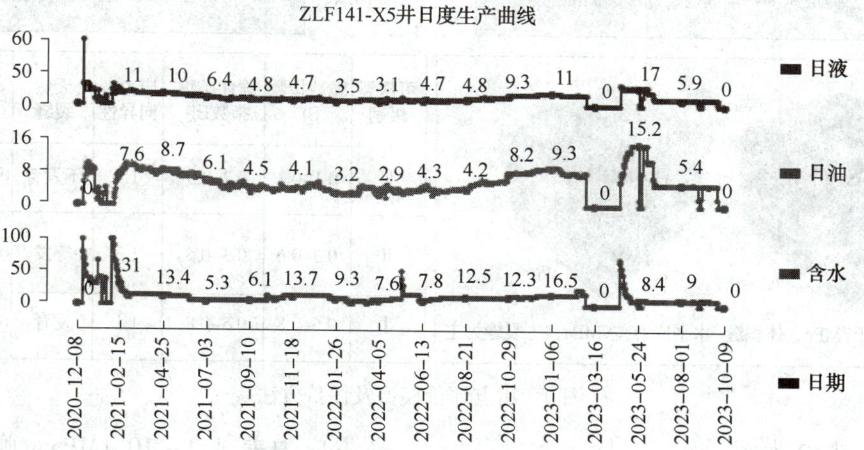

图7　樊141-斜5井生产曲线

通过对比两口井压裂施工参数可知：樊146-斜6井第一段滩坝砂，泥质含量高，脆性指数低，但在设计和施工过程中，低粘液占比高达41.9%，前置胶液用量仅50m³，主缝沟通有效体积小，进而压裂效果不理想。未按照储层发育差异性进行差异化设计，压裂参数设计与油藏匹配程度需进一步优化提升。

4.3　学习总结，找寻影响滩坝砂油藏缝网压裂效果关键点

车408块东沙四上油藏埋深3400～3700m，孔隙度13.7%，渗透率$5.6\times10^{-3}\mu m^2$，属低孔、特低渗的异常高压油藏。该块砂体的主要特征：层多、层薄，厚度变化较大、连通性较差，单砂体厚度0.3～9.7m，平均厚度为1.7m，以小于3m为主。泥质含量高，车408-斜16井砂体平均泥质含量31.75%，车408-斜18井平均泥质含量22.97%。油藏物性特征与樊142块类似，该块车408-斜8、车408-斜9井采用大液量、滑溜水增能、渗析增能压裂后效果不理想，分析区块能量及储层发育状况后，采用预置CO_2+中高粘液体造高导流缝网压裂效果得到大幅提升，于是以一体化理念为指导，建立车408块"学习型曲线"，提出差异化组合缝网压裂思路(图8)。

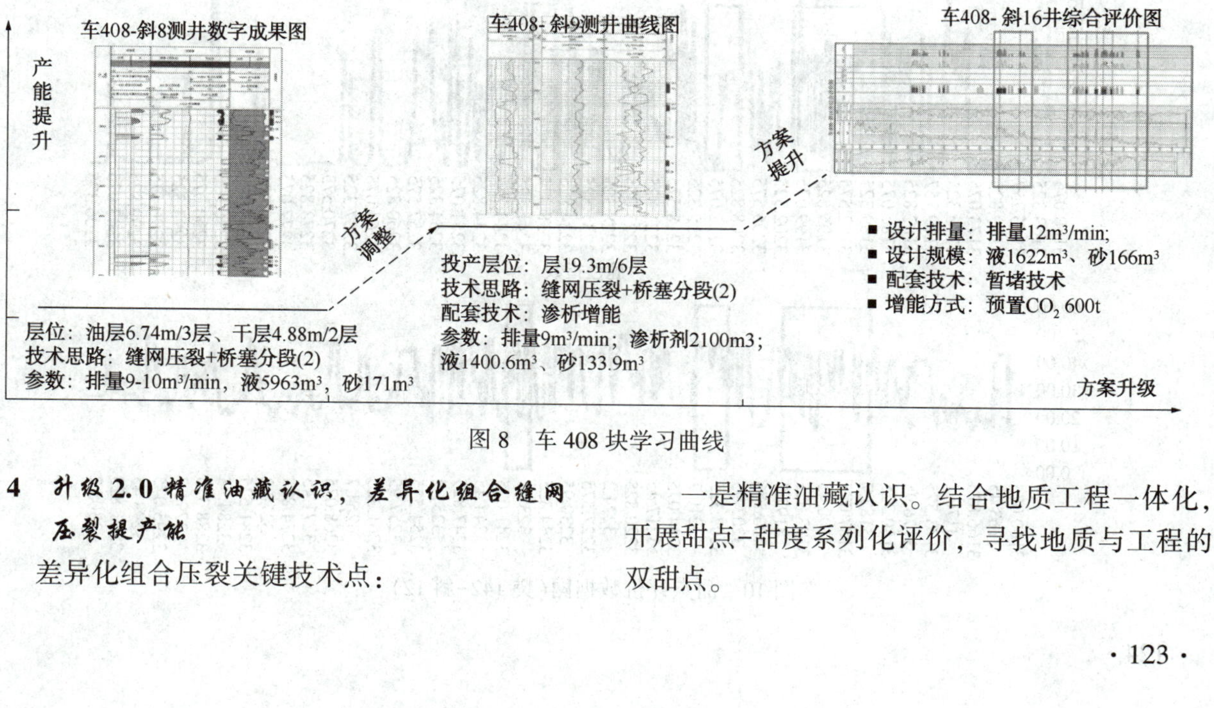

图8　车408块学习曲线

4.4　升级2.0精准油藏认识，差异化组合缝网压裂提产能

差异化组合压裂关键技术点：

一是精准油藏认识。结合地质工程一体化，开展甜点-甜度系列化评价，寻找地质与工程的双甜点。

1）甜点：开展了地质-工程甜点评价研究，在地质甜点的基础上，优选力学甜点，在甜点处形成缝网。

2）甜度：为完善甜点评价模型，提出了地质-工程甜度新理念及评价方法，以较低破裂压力位置确定射孔位置，初步解决了无效段占比高的问题(图9)。

地质甜点：储层厚度、含油性、储层预测准确性

工程甜点：脆性指数、应力差、应力值

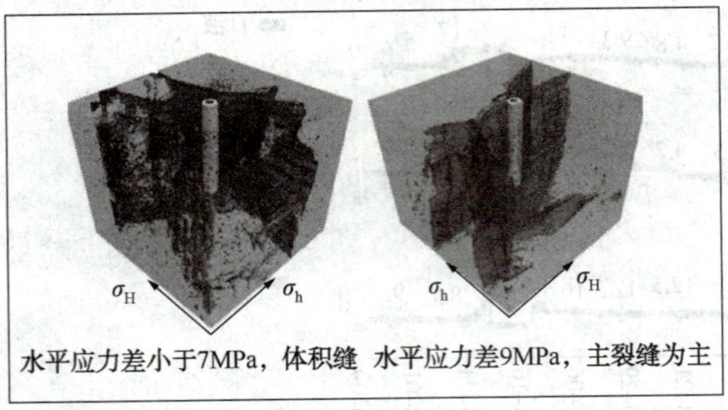

可压裂级别	脆性指数BI²	脆性矿物指数BI²	应力各向异性	天然裂缝	可压指数	可压裂性评价
Ⅲ	0.1–0.3	0.2–0.3	1.5	不发育	0.18–0.32	低
Ⅱ	0.3–0.6	0.3–0.5	1.3	中等发育	0.36–0.58	中等
Ⅰ	0.6–0.8	0.5–0.8	1.1	发育	0.62–0.82	高

图9　甜点评价模型及评价方法

以樊142-斜12为例

樊141-斜12井从钻遇参数看，储层跨度大，多薄层发育，储层厚度在0.8~2.0m，平均1.5m。从脆性指数、主应力差看，滩砂储层水平主应力差4.2~10.1MPa，脆性指数0.38~0.48。投产层位的选择：选择主力应力差小，脆性指数较高、厚度相对较大的储层(图10)。

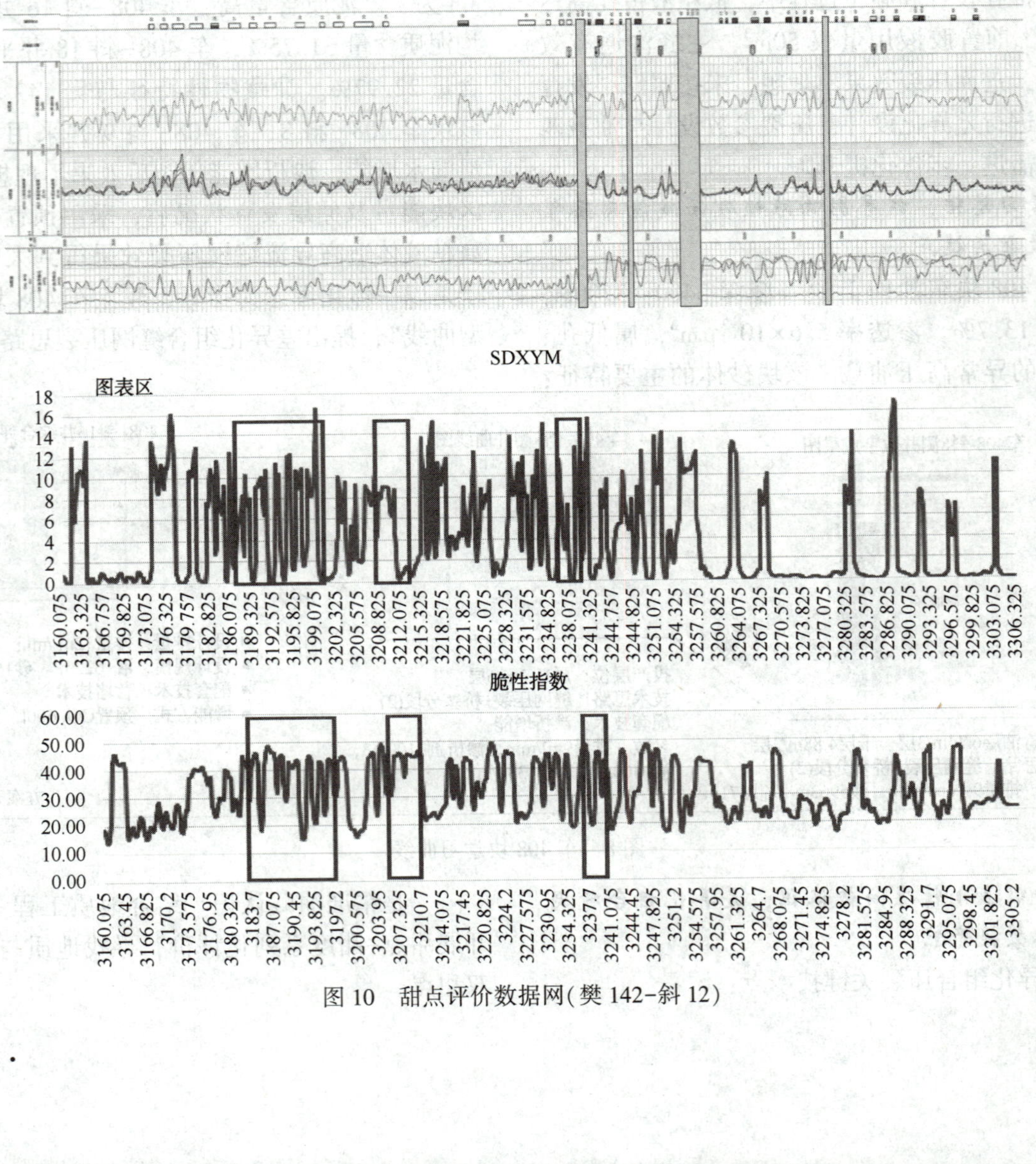

图10　甜点评价数据网(樊142-斜12)

以樊 141-斜 9 为例

樊 141-斜 9 井钻遇储层发育较好且集中，目的层厚度在 5.8m。从脆性指数、主应力差看，该井应力差在 4.2～6.3MPa，脆性指数 0.41～0.45，脆性指数好，水平主应力较小，易形成缝网。投产层位的选择：选择主力应力差小，脆性指数较高、厚度相对较大的双甜点储层（图 11）。

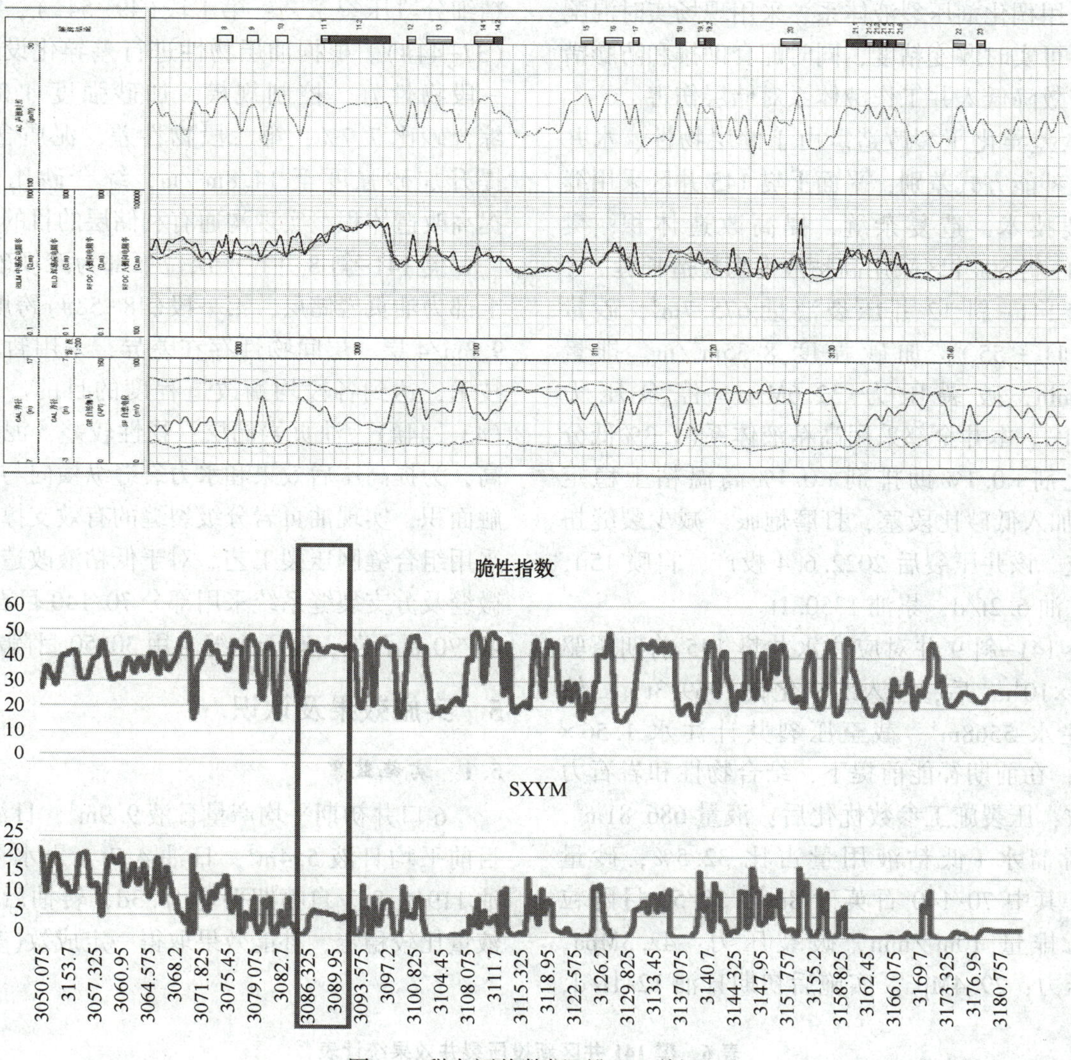

图 11　甜点评价数据（樊 141-斜 9）

二是根据油层发育特点、井网部署情况和地层补能情况，进行差异化压裂设计（表 5）。主要从以下几个方面进行优化设计。

表 5　樊 141 井区新井油井压裂参数统计表

井号	主导压裂技术	压裂液量/m^3	支撑剂量/m^3			排量/(m^3/min)	加砂强度/(m^3/m)	综合砂比/%
			石英砂	陶粒	合计			
樊 141-斜 13	缝网压裂	769	53	28	81	10	8.6	10.5
樊 141-斜 8（第一段）	精细分段+缝网	760.7	14	52	66	12	5.7	8.7
樊 141-斜 8（第二段）	精细分段+缝网	779	42	26	68	12	7.3	8.7
樊 141-斜 6（第一段）	精细分段+套管压裂	457	8	27	35	10	4.2	7.7
樊 141-斜 6（第二段）	精细分段+套管压裂	866	8	74	82	10	14.9	9.5
樊 141-斜 7	套管压裂	881	7	70	77	10	8.8	8.7
樊 141-斜 12	套管压裂	676	11	55	66	10	8.8	9.8

① 优化射孔井段，合理避射，限流法射孔，提高施工排量大幅度提高井底压力，迫使压裂液分流，使破裂压力接近的地层相继被压开。

② 为有效降低入井工作液体系对储层伤害，设计采用稠化剂压裂液体系，采用现场实时混配模式，可实时改变粘度，同时配套助排和防膨措施，有效降低入井工作液体系对储层伤害。

③ 差异化压裂改造。由于储层物性、水井投产及补能方式差别，平面上樊145井区采用缝网压裂技术，造复杂缝，提高改造体积；樊142-21-斜50井区采用高粘液携陶粒造长缝。

樊141-斜12井压裂液量675.7m^3，砂量66m^3(11+55)，加砂强度8.35m^3/m，排量10m^3/min，破裂压力32.6MPa，停泵压力32.5MPa。本井全部采用高粘液体系(1.3%低分子稠化剂+0.1%助排剂+0.1%高温粘土稳定剂)，加入低砂比段塞，打磨炮眼，减少裂缝扭曲效应。该井压裂后2022.6.4投产，自喷15d，初期日油6.2t/d，累油1350.1t。

樊141-斜9井对应注水井樊145前期压驱注水1×$10^4$$m^3$后，注入二氧化碳1969.3t，二轮压驱注水5568m^3。截至压裂共计注水1.56×$10^4$$m^3$；在前期补能前提下，结合物性和岩石力学参数，压裂施工参数优化后：液量686.81m^3，其中滑溜水+低粘液用量占比32.5%；砂量45m^3，其中70/140石英砂8m^3，30/50目陶粒37m^3；排量10m^3/min，破裂压力：42.3Mpa，停泵压力：29.4Mpa。实施后初期日油12.1t/d，目前日油11.1t/d，累油2375.8t。

纵向上针对樊141-斜6、樊141-斜8井投产层位进行差异化改造。樊141-斜6井投产层位为滩坝砂油藏，以半缝长120m为原则，实施精细分段压裂工艺：第1段(49-54#)、第2段(37-44#)。根据油层物性进行差异化设计，第一段物性好，控制规模，加砂强度4.3m^3/m，综合砂比7.7%；第二段物性差，泥质含量高，提升加砂强度至14.8m^3/m，综合砂比9.5%，提高改造体积，实现沟通有利储层的目的。

樊141-斜8井投产层位下部为滩坝砂油藏、上部为油页岩储层，第一段(48-58#)跨度43m，9.3m/4层，层间物性存在差异，采用暂堵压裂技术，达到各段均衡改造程度的目的。第二段(43、44#)为油页岩储层，物性较差，泥质含量高，为提高压后效果和水力裂缝纵横向与油藏接触面积，实现油页岩分级裂缝的有效支撑，设计采用组合缝网压裂工艺。对于低粘液改造形成的微缝及分支裂缝系统采用部分70/140目石英砂+40/70目石英，对于主缝采用30/50目陶粒。

5 实施效果及认识

5.1 实施效果

6口井初期平均产量日液9.9m^3，日油6.7t，目前平均日液5.4m^3，日油4.7t，累水m^3，累油11918.8t。自喷期平均18.3d，转抽后整体上液量比较稳定，补能效果取得一定成效(表6)。

表6　樊141井区新投压裂井效果统计表

井号	生产情况(9.12)									
	投产日期	初期生产情况			目前生产情况			累油/t	累液/t	自喷天数/d
		日液/t	日油/t	含水/%	日液/t	日油/t	含水/%			
樊141-斜13	2022/5/29	7	4.9	30	4	3.6	10.9	1301.7	834.4	17
樊141-斜6	2022/6/1	6	4.3	28.8	4.5	3.9	14	1652.1	903.2	15
樊141-斜7	2022/6/2	6.2	4	36.1	2.9	2.1	29.3	1275.1	1016.1	23
樊141-斜12	2022/6/4	9.1	6	34.1	3.4	2.5	27.2	1662.7	802.6	15
樊141-斜8	2022/6/4	10.6	7	33.5	5.6	4.9	13.1	2517.8	1379.0	22
樊141-斜9	2022/10/23	20.7	13.8	33.5	12	10.9	8.8	3509.4	694.1	18
合计/平均		9.9	6.7	32.9	5.4	4.7	13.9	11918.8	5629.4	18.3

5.2 认识

根据井网井距、储层物性、水井投产及补能方式差别，在樊141井区进行差异化压裂。

平面上樊145井组采用缝网压裂，樊142-

21-斜 50 井组采用高粘液携陶粒造长缝压裂；纵向上樊 141-斜 6、樊 141-斜 8 井进行精细分段，调整加砂强度，配套暂堵、缝网压裂技术等，进行差异化压裂改造。

实施后初期平均产量日液 $9.9m^3$，日油 6.7t，目前平均日液 $5.4m^3$，日油 4.7t，取得初步成效，下一步继续开展注采对应分析，调整注入参数，实现井组高效开发。

参 考 文 献

[1] 闫治涛，康寿兴，李祥同，等. 组合缝网压裂技术在大芦湖油田的应用[C]. 2021 年第三届非常规油气藏开发与油藏动态监测技术研讨会会议论文集. 2021.

碳捕捉、利用与封存新技术的应用和发展

李　伟　朱传宝

（中国石油渤海钻探工程有限公司）

摘　要　全球气候变暖导致在各地极端高温的同时，全球海面温度也创下了历史新高，严重威胁着人类的可持续发展，解决全球变暖问题刻不容缓，这也是一个内容广泛、极其复杂的课题。本文通过碳捕捉、利用与封存新技术的原理分析，着眼于新技术在应用中存在的挑战，研究该技术在应用上的解决全球气候变暖的价值和目前面临的技术、环境和经济方面挑战，对国内外碳捕捉、利用与封存新技术的发展、应用情况进行深度研究和分析。在 CCUS 技术前景光明的同时，还要提高 CCUS 的在人群中的接受度，只有更多的人关注和参与后，才会有更多的资源流入 CCUS 新技术的相关产业，才会促进 CCUS 技术的飞速发展，碳捕集利用与封存是实现碳中和目标不可或缺的重要技术选择，最终创造出 CCUS 技术广阔的应用和发展前景。

关键词　碳捕捉；利用与封存；CCUS；应用；发展

近些年来，全球气候的剧烈变化深刻影响着人类的生存与发展，是全人类共同面临的巨大挑战，也是一个全球性问题，涉及到全人类共同的利益。气候变暖导致海平面上升是当今世界生态面临的最大挑战之一，随着人类活动的不断增长，如工业化、城市化、能源使用级及人类活动等，大量的二氧化碳等温室气体的排放导致了气候变化的严重加剧。温室气体导致气候变化带来的各种各样的不良影响，包括更频繁的自然灾害、海平面上升、生态系统的破坏以及许多生物物种的灭绝，这些严重后果对全球经济、社会和环境都造成了深远的影响，特别是对一些发展中国家造成了灾难性的影响。

为了解决气候变化问题，全球必须采取行动，减缓和适应气候变化，实现碳中和，是人类当前及未来必须完成的最大任务。这需要政策制定者、企业、学术机构、民间社会和个人的合作。国际社会需要采取行动，减少温室气体排放并承担更多的责任。政策制定者需要采取行动，领导减排计划、推动可再生能源、制定适当的税收政策以及加强对清洁技术的支持。企业需要采取行动，制定可持续发展战略、提高能源效率、推广清洁生产和消费，并投资于新的、更清洁的技术。学术机构需要采取行动，提供科学证据和技术支持，培养未来的环境领导者和推动可持续发展的创新。

政府在二十大报告中指出，我国要积极稳妥推进碳达峰碳中和，立足我国能源资源禀赋，坚持先立后破，加强煤炭清洁高效利用，积极参与应对气候变化全球治理。碳捕集利用与封存（CCUS）技术，从固碳端改善生态环境，降低人类活动对自然环境的影响，最大程度上实现人与自然和谐共生的目标。

1　碳捕捉、利用与封存新技术的原理

碳捕捉、利用与封存技术，即 Carbon Capture Utilization and Storage，简称 CCUS 技术。碳捕捉，是指将二氧化碳从工业生产、能源利用或大气中分离出来的过程，主要分为燃烧前捕集、燃烧后捕集、富氧燃烧和化学链捕集；碳输送，是指将捕集的二氧化碳运送到可利用或封存场地的过程；碳利用，是指通过工程技术手段将捕集的二氧化碳实现资源化利用的过程，根据工程技术手段的不同，可分为二氧化碳地质利用、二氧化碳化工利用和二氧化碳生物利用等各种技术。碳封存，是指通过工程技术手段将捕集的二氧化碳注入深部地质储层，实现二氧化碳与大气长期隔绝的过程。

二氧化碳封存又分为地质封存、海洋封存，是指将二氧化碳封存在地质构造中，如石油和天然气田以及枯竭的、不可开采的煤田中，深盐沼池中，即咸水层封存、枯竭油气藏封存；海洋封存，是指将二氧化碳直接释放到海洋水体中或海底。其中，二氧化碳地质利用是将二氧化碳注入

地下，进而实现强化能源生产、促进资源开采的过程，如提高石油、天然气采收率，开采地热、深部咸(卤)水、铀矿等多种类型资源。

该技术和目前的 CCS(Carbon Capture and Storage)技术单纯地将多余的二氧化碳封存相比而言，CCUS 可以将二氧化碳资源化，能产生经济效益，更具有现实操作性和商业价值。

2 碳捕捉、利用与封存新技术的应用和挑战

碳捕捉技术方面，目前，市场上已经有成熟的技术在应用，例如吸附法、吸收法和膜分离法等。在吸附法方面，吸附材料是碳捕获技术中的关键材料之一，吸附材料的好坏直接影响着碳捕捉的效果；在碳利用技术方面，也是 CCUS 的重要环节之一，主要目的就是将捕获的二氧化碳进行有经济价值的转化，并将转化的产品应用到实践中，创造新的价值，如甲醇、乙二醇、碳酸钙纳米颗粒等各种不同的化学品；在碳封存技术方面则是将二氧化碳注入井或地层封存、盐水层进行封存等技术，虽然相对成熟，但可能存在安全风险和环境问题，注入储层后，需要对储层进行不间断监测，防止泄漏，以确保二氧化碳被稳定地封存在储层中。

2.1 碳捕捉、利用与封存新技术的应用

在石油钻探行业的应用是将二氧化碳转变为超临界态，部分性能与水相似，能阻燃、有较强的溶解能力，又被称为“绿色环保溶剂”，注入地层后，少部分随着压裂返排液排出，大部分滞留在地层当中，通过泵注入地层，实现了碳捕捉和碳利用；研究表明超临界态二氧化碳注入地下后，约有 50%至 60%的液态二氧化碳被永久封存于地下，最终成为地壳的一部分，达到了碳利用和封存的目的。

在电力行业的应用是通过碳捕捉、利用和封存二氧化碳来减少温室气体排放。例如，在燃煤电厂排气管道中安装二氧化碳捕集装置，将二氧化碳从烟气中分离出来，然后进行有价值的利用，转换为化学产品或进行地层封存。

交通运输是大气污染源来源之一，也是温室气体排放的重要来源。例如通过生物燃料或燃料电池等技术将二氧化碳转化为能源，或者直接使用新能源汽车。

在农业领域方面，CCUS 技术可以应用于土地管理和农作物生产中。可以使用二氧化碳和氨气生产出尿素应用于农田，来提高农作物的产量，进行良性循环。

上述各种领域和应用场景表明，CCUS 技术具有广泛的应用领域，包括工业、农业等方方面面。通过 CCUS 技术的进一步发展，对更多应用场景进行积极探索，将会开发出更多应用场景，均可进一步推动 CCUS 技术的发展，为减缓气候变化和促进可持续发展做出更大的贡献。

2.2 碳捕捉、利用与封存新技术的挑战

碳捕捉、利用与封存新技术有着广泛的应用，CCUS 技术成本较高，需要大量的能源、人力和资金的投入，对于一些企业和项目来说，可能会存在投入、支出的经济效益问题。但在技术、经济成本和环境风险上面还存在着严峻的挑战，未来，需要采取有效措施降低 CCUS 技术的捕捉、利用和封存成本，提高利用中的经济效益，政府出台相关的税收优惠政策，使其能够在更多的领域得到应用和推广。

2.2.1 技术成本问题

CCUS 技术在实际操作的全流程过程中，各个环节所需要的成本投入成本，主要包括研发、捕集、运输、封存和利用等环节。具体而言，CCUS 技术研发，是将 CCUS 技术与工程项目等多项内容进行融合，力求更多应用 CCUS 技术并大幅度降低成本；捕集环节的成本主要包括设备投资、运行能耗、化学品费用等；运输环节的成本主要包括管道建设、运输费用等；封存环节的成本主要包括储层租赁、封存作业等费用；利用环节才是 CCUS 技术的破解之道，只有更好的利用，才能促进 CCUS 技术的发展。根据不同场景和地区的情况，CCUS 技术的成本也会有所不同。

2.2.2 环境风险

二氧化碳封存在地下储存过程中存在泄漏风险和环境风险，需要采取有效的措施和监测手段来确保其封存安全性和环境可控性。未来需要加强二氧化碳封存技术的定期安全性和环境风险评估，完善相关的监管制度和规范标准，确保二氧化碳利用、封存的安全性和环境可持续性。

2.2.3 经济效益

CCUS 技术的应用可以带来多种经济效益和环境效益，包括减少温室气体排放、提高能源效率、促进经济发展等。具体而言，通过捕集和利

用二氧化碳，可以促进二氧化碳资源的利用，减少能源消耗和温室气体排放；通过捕捉、封存二氧化碳，可以减缓气候变化和地质灾害等风险；同时，CCUS 技术还可以带动相关领域的产业发展，促进就业和国民经济的增长。

2.3 碳捕捉、利用与封存新技术的社会接受度

公众对 CCUS 技术的接受度至关重要，直接影响了 CCUS 技术的发展和应用。尽管在工业环境中已有很多应用 CCUS 技术的例子，但公众对此项技术了解的并不是太多。为了实现净零碳目标，还需要更多区域、更广泛的应用 CCUS 技术。相信随着 CCUS 技术进一步的发展和新技术的崛起，公众的认可和接受对于成功实现净零碳承诺可能变得越来越重要。因为技术的成功实施往往受到公众观点的影响，需要建立对 CCUS 技术的信心，需要宣传 CCUS 技术的优势。

3 碳捕捉、利用与封存新技术的发展前景

为有效解决碳排放问题，碳捕捉、利用与封存新技术已成为全球关注的焦点。美国作为 CCUS 技术的推动者和引领者，已形成相对成熟的 CCUS 技术，在 CCUS 战略规划、资金投入等方面一直处于全球领先地位；欧盟将 CCUS 视为关键工业部门脱碳的优先领域，已通过 CCUS 领域拟资助主题包括：将 CCUS 集成至工业枢纽或集群、通过新技术或改进技术降低碳捕集成本等方面；日本重视碳的循环利用研究，将 CCUS 技术视为日本实现脱碳社会目标的关键技术，并制定了相关的 CCS/CCUS 研究规划与路线图；我国的 CCUS 技术虽然起步较晚，但发展迅速，目前已与国际整体发展水平相当，目前处于工业化示范阶段，但部分关键技术落后于国际先进水平，有着非常大的发展空间。

3.1 碳捕捉、利用与封存新技术的工业方面应用前景

二氧化碳的化工利用是指以化学转化为主要特征，将二氧化碳与其他物质进行化学反应转化为目标产物，主要包括一些大宗基础化学品以及有机燃料等。目前，已经实现的二氧化碳较大规模化学利用的商业化技术主要包括二氧化碳与氨气合成尿素、二氧化碳与氯化钠生产纯碱、二氧化碳加氢合成甲醇、二氧化碳与环氧烷烃合成碳酸酯以及二氧化碳合成水杨酸技术以及部分企业已合成碳酸钙纳米颗粒。其中二氧化碳与氨气合成尿素在农业方面的应用效果良好。

在石油钻探行业的应用是将二氧化碳转变为超临界态，利用压裂泵车注入地层，部分随着压裂返排液排出，大部分被封存在地层当中，防止外来液相和固相的侵入和污染，改善地层流体的性能，提高也储层流动系数和渗透率，最终留在地壳，成为地壳的一部分，在碳利用的同时达到了碳封存的目的。

另外，早期建设已不再产石油天然气的废弃油气井也是碳封存的好地方。油气产出后，油气井中采完石油、天然气剩余的地层岩石空间，本身就是一个良好的二氧化碳地质封存场所，通常具有完整、封闭且稳定的裂缝和地质环境，能保证二氧化碳封存的安全性、稳定性、不泄漏。

煤矿行业方面，中国煤层分布广泛，其中不可开采煤层占有相当比例，是进行二氧化碳地质储存的良好地带，储存潜力巨大。在储层深部不可采煤层或者无开采价值的煤层也是比较好的碳利用、碳封存处理渠道，煤层本身的吸附特性对二氧化碳有较强的吸附力，把二氧化碳埋存在不可开采煤层中，同时还能促使甲烷从煤层中解吸，促进深部煤层气的开采，增加煤层气的采收率。

也可以在深部咸水层封存，也是环保新科技，深部咸水层地质处的水不能作为饮用水，也不具有开采价值，组成成分相对稳定，而且咸水层相对封闭，具有巨大的待开发封存潜力，二氧化碳可溶解其中，并与矿物质缓慢发生反应，形成碳酸盐，可实现对二氧化碳的永久封存。

3.2 碳捕捉、利用与封存新技术的在未来发展前景

虽然我国现有 CCUS 技术起步较晚，整体处于工业示范阶段，规模较小。CCUS 技术的成本是影响其大规模应用的重要因素，随着 CCUS 技术的深度发展，我国 CCUS 技术成本未来有较大下降空间。预计到 2030 年，成本会有大幅度下降。根据目前的技术发展，CCUS 是实现碳中和目标不可或缺的重要技术选择，《“十四五”规划和 2035 年远景目标纲要》(2021) 明确将 CCUS 技术作为重大示范项目进行引导支持。

CCUS 技术将成为我国实现碳中和目标不可或缺的关键性技术之一，需要根据新的形势对 CCUS 的战略定位进行重新思考和评估，并在此

基础上加快推进相关项目，以发展的眼光超前部署。碳封存技术不产生附加经济效益，且存在前期勘探成本和后期监测成本降低，在工业利用市场潜力更大。

从实现碳中和目标的减排需求来看，依照现有的技术发展预测：到2050年，需要通过CCUS技术实现的减排量为6~14亿吨；到2060年，需要通过CCUS技术实现的减排量为10~18亿吨二氧化碳。从我国源汇匹配的情况看，CCUS新技术可提供的减排潜力基本可以满足实现碳中和目标的需求。CCUS的未来发展前景是十分光明的，市场也是十分庞大的。

4 结论

通过本文的研究，不再对长期环境效益持怀疑态度，但总体而言，CCUS作为缓解气候变化影响的作用是积极的，也是实现净零碳目标的重要手段，和其他方法相比，CCUS技术是最具有发展潜力的技术。CCUS技术未来的发展，做一个大胆的预测：二氧化碳很有可能作为一种资源被加以重视。简单地说，人们对CCUS的了解不够，无法形成强烈集中的意见。因此，需要加大宣传力度，让公众了解该技术的好处，并在此类项目中建立信任和社区参与感，才能为CCUS的决策者和支持者需要投入资源。政府应给予CCUS技术的项目以税收优惠，促使企业在投资时优先考虑CCUS技术，引导企业在进行经济活动投资过程中，优先发展CCUS技术，进而发挥CCUS技术在我国实现碳达峰碳中和目标中的关键作用，同时，CCUS的部署更需要是实质性和长期的，有助于碳捕捉、利用与封存新技术的广泛应用和快速发展。

参考文献

[1] 二十大报告(2022年10月16日)

[2] 李伟，高舒慈，卢灿．实施碳捕集，利用与封存技术对省域碳排放效率与经济效率的影响--基于能源成本视角的研究[J]．科技管理研究，2023，43(7)：229-235.

[3] 邓一荣，汪永红，赵岩杰，等．碳中和背景下二氧化碳封存研究进展与展望[J]．地学前缘，2023，30(4)：429-439. DOI：10. 13745/j. esf. sf. 2023. 2. 70.

[4] 王眈莹，闫军营，陈秉伦，等．面向"双碳"目标流程的离子膜电渗析：机遇与挑战[J]．过程工程学报，2023，23(3)：13. DOI：10. 12034/j. issn. 1009-606X. 222150.

[5] 林海周，裴爱国，杨晖，等．一种基于耦合膜分离法和吸附法的二氧化碳捕集系统：202010687801[P][2023-10-12].

[6] 白彦锋，李泳禧，王丽娟．促进碳捕集，利用与封存技术发展与应用的税收优惠政策研究[J]．国际税收，2023(4)：8.

[7] 胡彦峰，张晶宇．中油测井打造井筒完整性评价技术助力CCUS项目开发[J]．中国科技纵横，2023(4)：3-3.

[8] 潘家华，李雨珊．净零碳目标进程的知性悖论与陷阱规避[J]．阅江学刊，2023，15(1)：56-65.

[9] 卢伟，张华，韩永亮，等．页岩油前置超临界二氧化碳压裂造缝技术[J]．油气井测试，2023，32(1)：38-44.

[10] 贺志宏，张文豪，康建宏，等．二氧化碳驱替煤层甲烷过程竞争吸附的耦合数值模拟[J]．矿业研究与开发，2023.

[11] 孙骞，李治平，赖枫鹏．一种非纯二氧化碳咸水层封存的数值模拟方法及系统．CN202211304988.1[2023-10-12].

中国东部断陷地热与油气成藏条件对比分析
——以冀东油田南堡凹陷为例

赵忠新

（中国石油冀东油田公司）

摘　要　中国东部一些断陷盆地中油气资源和地热资源均十分富集。通过对断陷盆地油气资源与地热资源形成的地质背景、地质条件的对比分析，认为油气资源和地热资源在断陷盆地中同一凹陷共同富集的原因，主要在于凹陷的深部地质背景、沉积充填和构造断裂等。例如，这些断陷盆地均具有深部地幔上涌特征，这个特征给地热带来了热源，同时给油气生成演化带来了热动力背景；在盆地的演化过程中，沉积充填了大套的砂体，给油气资源和地热资源提供了不同类型的储存空间；由于构造活动，发育的深断裂不仅将地幔的热量传导到凹陷的中浅层的储盖组合中，形成了规模的地热资源，同时也给油气运移提供了良好的通道。油气资源与地热资源在同一凹陷中富集的区域和层位具有一定的相关性，在同一凹陷的纵向上，油气资源和地热资源一般富集在几个主要的储盖组合中。在断陷凹陷同一储盖组合中，地热资源和油气资源大都富集在大断裂附近，但油气资源受浮力作用一般富集在高部位，而地热资源主要存在于地下热水中，在油藏外围低部位富集。

关键词　断陷盆地；油气；地热；成藏条件；南堡凹陷

中国东部地区由北向南发育一系列大型断陷盆地——东北地区的松辽盆地、华北地区的渤海湾盆地、华中地区的南华北盆地、华东地区的苏北盆地，这些盆地不仅油气富集，地热资源也非常发育。油气资源和地热资源在同一个盆地里富集，是因为其具有深部统一的地幔背景、中深部相似的地质条件和中浅部有利的储盖组合。这样的组合为油气和地热的共同开发、利用互补提供了良好的条件，同时也为中国东部老油区的可持续发展提供了新的潜在资源。

南堡凹陷是中国东部比较典型的断陷凹陷，从20世纪60年代开始勘探开发，主要以油气为主。近几年，随着凹陷内地热资源的开发，凹陷呈现出油气开发、地热利用共同发展的特征。这种现象在中国东部盆地中具有一定的普遍性。本文将南堡凹陷的这种现象及其原因，通过地质条件对比的方法，做一个简单的剖析，为类似凹陷的分析提供一定的借鉴。

1　断陷盆地油气资源与地热资源形成具有统一的地质背景

1.1　中国东部断陷盆地具有深层的地幔背景

渤海湾盆地是一个中新生代继承性发育的断陷盆地。盆地形成的主要动力机制来自于深部地幔上涌，古近纪地层中发育的大量碱性玄武岩可以作为重要证据，由地幔上涌产生的水平伸展是断陷凹陷形成的动力。断陷凹陷发育过程中的构造沉降、沉积充填、抬升剥蚀等过程，为凹陷内部的油气与地热资源形成提供了基础的物质条件，包括油气源和热源、油气储层和热储层、盖层等。断陷盆地广泛发育的地幔背景是油气和地热资源富集的深部背景原因之一（图1）。

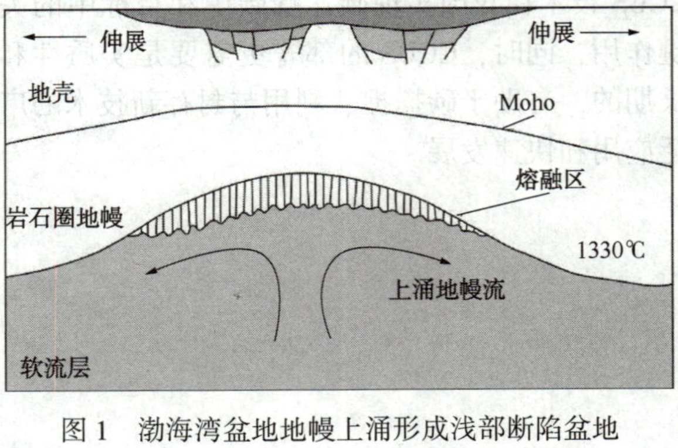

图1　渤海湾盆地地幔上涌形成浅部断陷盆地

1.2　断陷凹陷为油气及地热资源的形成提供物质、空间和成藏条件

断陷盆地中具有油气资源形成的所有物质条件，包括生、储、盖、圈、运、保等，断陷盆地中地热资源形成的物质条件与油气相类似。例如，由于地幔上涌形成的深部热源，深断裂作为

热源的通道，中浅层的有利砂岩或碳酸盐岩作为热储，最后是浅部厚层泥质地层作为盖层。渤海湾盆地南堡凹陷就是一个典型的断陷盆地，其主要热源来自于深部地幔，由凹陷边界的深断裂将深部的热量传导到中浅层的新近系热储中成藏。热储主要为新近系馆陶组，岩性以砂砾岩与泥岩互层为主，盖层主要为馆陶组热储之上的新近系明化镇组底部的泥岩。

2 断陷盆地内油气资源与地热资源具有类似的地质条件

对于地热来说主要有热源、通道、热储和盖层等地热地质条件。油气资源也包括与之对应的油源、运移通道、储层和盖层等地质条件，另外还包括油气的圈闭、保存等。

2.1 大型深断裂沟通油源与热源

对于油气来说油气运移受控于深切源岩的大型控凹、控带及其伴生的断层。在南堡凹陷，控凹断层包括柏各庄断层、西南庄断层、沙北断层等，控制了南堡凹陷及周边凸起的形成发育，这些断层切穿地层深度大、活动时间长，是油气运移的重要通道。控带断层主要发育在南堡凹陷内部，主要包括高柳断层、南堡1号、南堡2号、南堡3号、南堡4号断层等，控制着南堡凹陷内各构造带的发育，这些断层一般与大型控凹断层相接，对凹陷内的油气生成、运移和聚集起到了重要的控制作用。与控带断层伴生的众多次一级断层规模小，对油气的富集与保存起作用。在图2中可以看到南堡凹陷中的含油气范围与控凹、控带及其伴生的断层关系密切，主要分布在这些断层附近。

但是，对于地热资源来说，主要的控热断层相对简单，主要为边界断层和大的控带断层，与这些主断层伴生的次一级断层基本没有控制作用。这些深断裂把热量通过地下水从深部带上来后，通过传导和流动的方式横向运移，让热量均衡分布在热储里。在南堡凹陷里主要指控凹的柏各庄断层、西南庄断层和控带的高柳断层及南堡1、南堡2、南堡4等大型控带断裂。

从图2可以看到，地温梯度等值线大于3.0℃/100m的范围主要发育在靠近西南庄断层、高柳断层及南堡1、南堡2、南堡4号断层附近。主要原因是深层的地热流体主要沿深断裂由深部向浅部运移，进入浅层热储后，沿断层向周边扩散，导致地热异常带主要沿断裂走向分布，且与断层的距离远近呈现一定的规律变化。柏各庄断层上升盘东部局部高值区是受变质岩放射性影响。

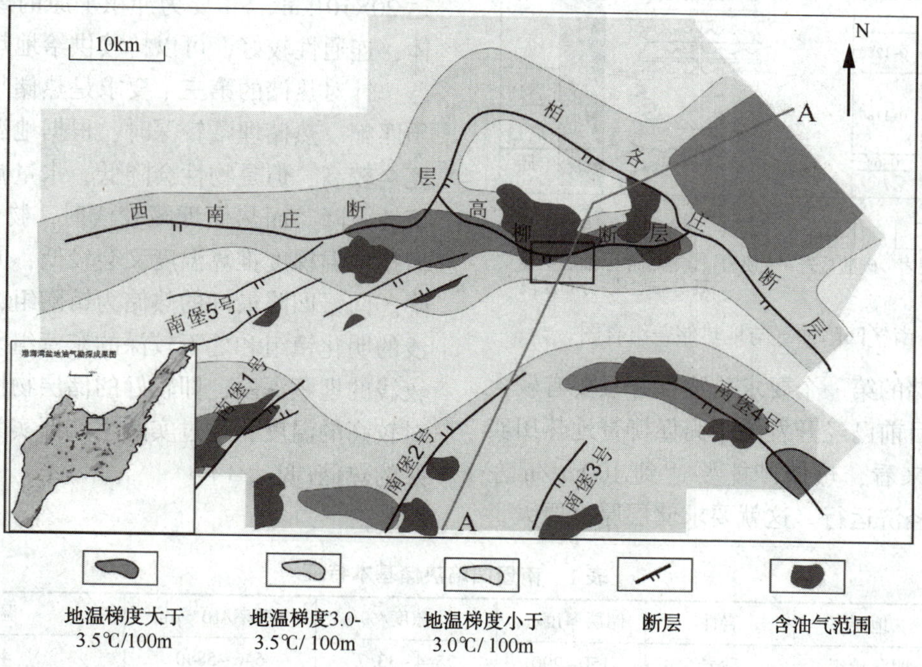

图2 南堡凹陷断层与地热、油气分布

2.2 地热储层与油气储层对比分析

对于油气来说，储层的要求相对较宽泛，砂岩、碳酸盐岩、火山岩均可以作为有效储层。南堡凹陷目前实际生产表明，砂岩孔隙度大于8%

(在高尚堡深层储层下限可以达到6%)，就可以作为油气成藏的潜在储层；而碳酸盐岩和火山岩储层孔隙度更低，3%~5%即可以形成有效储层。南堡凹陷油气储层有6套，浅层的明化镇组、馆陶组砂岩，中深层东营组的砂岩，深层沙河街组的砂岩、火山岩，奥陶系—寒武系碳酸盐岩和周边凸起的中生界砂岩、太古界变质岩，这些储层都已经通过勘探开发证实是有效的储层(图3)。

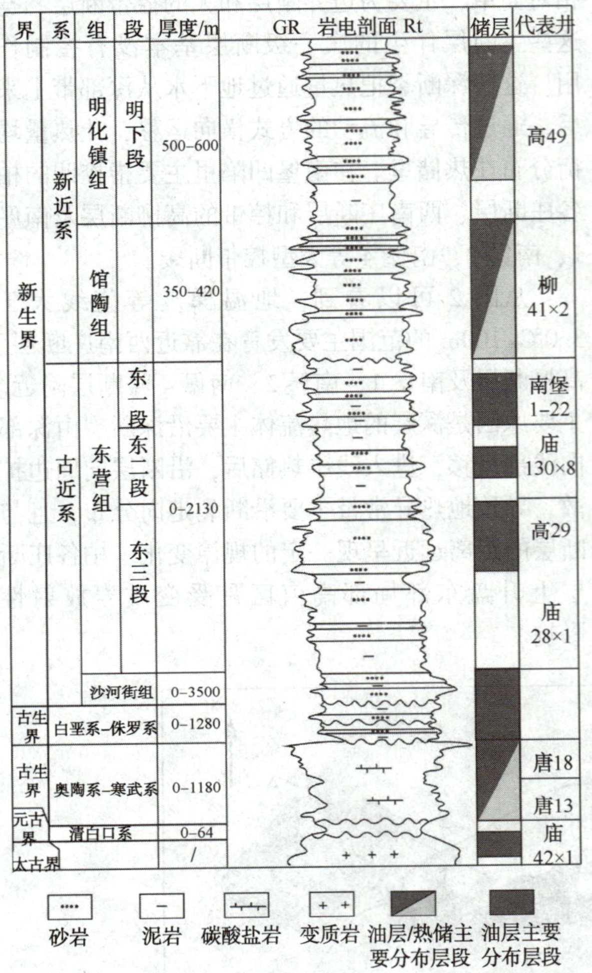

图3　南堡凹陷油气与地热储盖组合图

针对热储的第一个要求是物性好且要有较大的产能，从目前已经开发的高尚堡柳赞地热田实际经济评价来看，热储产能要达到$100m^3/h$左右才能实现经济运行。这就要求储层厚度要大，孔渗条件要好。在南堡凹陷的6套油气储层中，仅有新近系明化镇组、馆陶组的高孔渗砂岩和深层潜山的碳酸盐岩3套热储能达到这一要求。

南堡凹陷新近系明化镇组、馆陶组地层热储以砂岩为主，厚度大，属中高孔、特高渗储层，其基本特征见表1。以高尚堡—柳南地热田馆陶组热储为例，其热储厚度平均为150~300m，孔隙度为28%~35%，渗透率一般在(600~2000)×$10^{-3}\mu m^2$属于高孔、特高渗储层。单井采水量$120m^3/h$，出口温度78~82℃，回灌井平均水量$80m^3/h$。

而南堡凹陷下古生界奥陶系、寒武系热储为本区另一套主要的水热型热储，孔隙度在4.7%~24.7%，渗透率在(0.1~66.4)×$10^{-3}\mu m$(见表1)。该热储主要为裂缝型储层，酸化或压裂后，产量能达到$200m^3/h$，主要分布在周边凸起以及南堡凹陷内部南堡1号~3号、南堡5号等几个深潜山构造，储集类型为裂缝—孔洞型或孔洞—裂缝型。

针对热储的第二个要求是热储规模必须大，并有较好的连通性。地热不仅要求瞬时水量大，还要能持续供给。南堡凹陷新近系馆陶组热储是本区主要的地热储层，这组地层全凹陷均有分布，面积达$2000km^2$，在全渤海湾盆地发育面积达$20\times10^4km^2$，主要为冲积平原的辫状河沉积砂体，连通性较好，可以持续供给地热水。

针对热储的第三个要求是热储与地温梯度必须匹配。热储埋藏较深时，根据地温梯度推算温度会较高，但是物性会降低，水量减少，导致经济性下降。而热储埋藏较浅时，物性相对较好，但按地温梯度推算温度又会较低，同样经济性下降。南堡凹陷最好的热储为馆陶组，不是其上更浅的明化镇组和之下较深的东营组。馆陶组既有较浅的埋藏深度，即较好的储层物性，又具有相对较高的温度，通过实践生产证实为南堡凹陷最好的热储(见表1)。

表1　南堡凹陷热储基本特征

热储层系	地层	岩性	储层厚度/m	孔隙度/%	渗透率/$10^{-3}\mu m^2$	温度/℃
新生界	明化镇组	砂岩	150~290	25.4~33.7	646~5840	46~90
	馆陶组	砂岩	120~450	25.5~35.5	170~3180	62~136
古生界	奥陶系	碳酸盐岩	30~90	4.7~24.7(裂隙)	0.1~66.4	76~178(不同构造位置)
	寒武系	碳酸盐岩	30~150	5.5~17.1(裂隙)	2.7~29.7	65.2~204(不同构造位置)

2.3 地热盖层与油气盖层对比分析

对于油气来说，可以作为储层的层位较多，盖层也相对较多，南堡凹陷针对6套有效储层发育有6套盖层，主要为明化镇组下部厚层泥岩、馆陶组下部火山岩、东二段泥岩、东营组底部泥岩、沙河街组内部泥岩及潜山上部沙河街组泥岩。

而对于地热储层来说，受物性和地温梯度的双重控制，目前认为主要储层为馆陶组砂岩和寒武奥陶的碳酸盐岩，针对性的盖层也主要有2套，明化镇组下部的区域泥岩和深层碳酸盐岩潜山之上的沙河街组泥岩。从图4可以看到，南堡凹陷明化镇组下部的泥岩厚度较大，泥岩集中段的厚度达到200m左右，连续性较好，全凹陷分布。

2.4 油气与地热具有类似的成藏组合

目前在南堡凹陷内，油气与地热具有类似的成藏组合。以高尚堡—柳赞地热田为例，它的成藏模式相对于油气来说较为简单，由深部的热源、深断裂及浅层的热储与盖层共同组成地热田成藏模式。高尚堡—柳赞地热田深部的热源主要来自于渤海湾盆地深部上涌的地幔背景，深断裂为边界断层柏各庄断裂和控带的高柳断层，热源由高柳断层传导到新近系的馆陶组内物性较好的砂砾岩储层中，顶部是明化镇组下部的泥岩盖层（图4）。同时，高尚堡—柳赞地热田也是高尚堡—柳赞油田所在区域，油气源来自于深部的沙河街组烃源岩，沿高柳断层向上运移，在高柳断层两侧的馆陶组地层高部位聚集成藏，明化镇组为区域盖层。

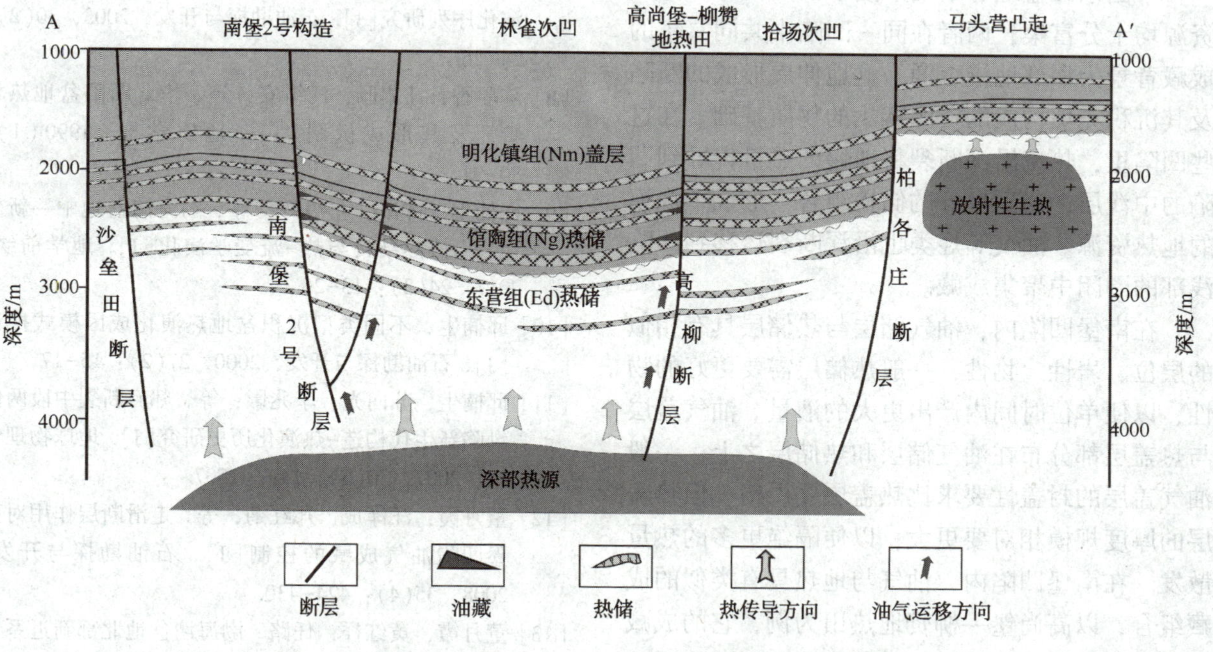

图4 高尚堡—柳赞地热田中-浅层地热成因模式(位置见图2)

3 地热资源与油气资源分布具有互补性

南堡凹陷地热资源赋存的储盖组合较为集中，主要集中在浅部明化镇组—馆陶组和深层沙河街组—潜山的储盖组合中，这两套储盖组合也是油气富集的层位。但油气富集的组合不一定是地热可开发的层位。南堡凹陷主力油气产层—东营组和沙河街组虽然地层温度较高，但物性相对较低，热水产能较小，达不到经济开发的要求。

同一储盖组合中，油气与地热资源在平面上呈现“高部位发育油藏，低部位发育热田”的特征。南堡凹陷的明化镇组—馆陶组是一套油气与地热均富集的有利储层，具有储层累计厚度高、单砂层厚度大、储层物性好的特点。这一套储盖组合中，受浮力作用影响，油气富集在构造高部位，地热资源在高部位油气藏的外围（图5）。从高尚堡—柳赞地热田范围内实际钻探成果来看，构造主体部位是已经投入开发的高尚堡油田，油藏依附于浅层断裂的高部位富集，地热田范围在高部位受限于实际油藏范围，主要分布在油藏外围的低部位。

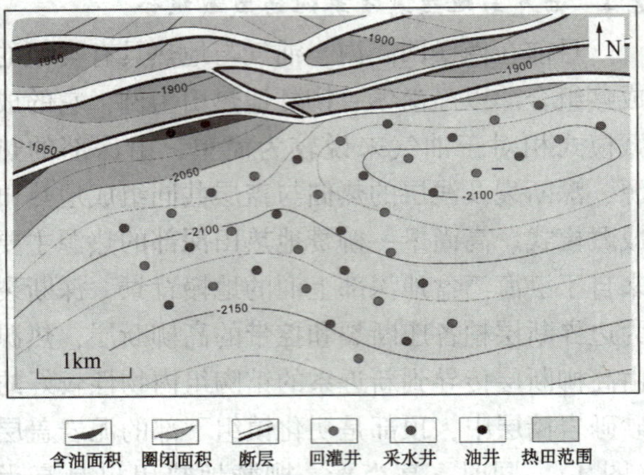

图5　高尚堡地区地热井部署
（底图为油气勘探构造图，位置见图2）

4　结论

中国东部盆地各断陷凹陷中油气资源和地热资源均十分富集，两者在同一凹陷中共同富集的成藏背景为深部地幔上涌、盆地伸展形成的断陷及其沉积充填构成的资源富集的物质基础。在这些凹陷里，热流沿深断裂将地幔的热量传导到凹陷的中浅层，遇到良好的储盖组合，形成了规模的地热资源。油气等烃类也沿深断裂运移到凹陷浅部的圈闭中聚集成藏。

在南堡凹陷内，油气储层与热储层具有相似的层位、岩性、物性，一般热储层需要更好的物性，以便单位时间内产出更大的液量。油气盖层与热盖层都分布在油气储层和热储层之上，一般油气盖层的封盖性要求比热盖层要严格，但热盖层的厚度规模相对要更大，以便隔绝更多的热量散发。在南堡凹陷内，油气与地热具有类似的成藏组合，以高尚堡—柳赞地热田为例，它的成藏模式较为简单，由深部的热源、深断裂及浅层的热储与盖层，上下匹配共同构成地热田成藏模式。与其相邻的油藏，同样需要深部的烃源岩、油源断裂及浅层的油气储层和之上的盖层，共同构成油气藏。

油气资源与地热资源在同一凹陷中富集的区域和层位具有一致性，在纵向上油气资源和地热资源一般富集在几个主要的储盖组合中，且上下叠置。在同一储盖组合中，地热资源和油气资源均富集在大断裂附近。

参考文献

[1] 张薇，王贵玲，刘峰，等．中国沉积盆地型地热资源特征[J]．中国地质，2109，46(2)：255-268.

[2] 王钧．中国地温分布的基本特征[M]．北京：地震出版社，1990.

[3] 威廉·E. 格拉斯利．地热能：第二版[M]．王社教，闫家泓，李峰，等译．北京：石油工业出版社，2017.

[4] 汪集暘，邱楠生，胡圣标，等．中国油田地热研究的进展和发展趋势[J]．地学前缘，2017，24(3)：1-12.

[5] 邱楠生．中国大陆地区沉积盆地热状况剖面[J]．地球科学进展，1998，13(5)：447-451.

[6] 龚育龄．中国东部渤海湾盆地热结构和热演化[M]．北京：中国原子能出版社，2011.

[7] 董月霞，夏文臣，周海民．南堡凹陷第三系火山岩演化序列研究[J]．石油勘探与开发，2003，30(2)：24-26.

[8] 陈墨香，汪集旸，汪缉安，等．华北断陷盆地热场特征及其形成机制[J]．地质学报，1990(1)：80-91.

[9] 邱楠生，许威，左银辉，等．渤海湾盆地中—新生代岩石圈热结构与热-流变学演化[J]．地学前缘，2017，24(3)：13-26.

[10] 邱楠生．不同类型沉积盆地热演化成因模式探讨[J]．石油勘探与开发，2000，27(2)：15-17.

[11] 邱楠生，苏向光，李兆影，等．郯庐断裂中段两侧坳陷新生代构造-热演化历史研究[J]．地球物理学报，2007，50(5)：1497-1507.

[12] 董月霞，汪泽成，郑红菊，等．走滑断层作用对南堡凹陷油气成藏的控制[J]．石油勘探与开发，2008，35(4)：424-430.

[13] 董月霞，黄红祥，任路．渤海湾盆地北部新近系馆陶组地热田特征及开发实践：以河北省唐山市曹妃甸地热供暖项目为例[J]．石油勘探与开发，2021，48(3)：666-676.

[14] 章邦桐，吴俊奇，凌洪飞，等．U-Th-K放射成因热对花岗岩冷却结晶过程影响的计算及地质意义[J]．中国科学(D辑：地球科学)，2007，37(2)：155-159.

[15] 王恩泽，刘国勇，庞雄奇，等．南堡凹陷中深层碎屑岩储集层成岩演化特征及成因机制[J]．石油勘探与开发，2020，47(2)：321-333.

山东省德州市武城县地热供暖项目可行性研究—地热资源评价

柏宗宪　高慧杰　王宇飞

（中国石油冀东油田公司）

摘　要　武城县现有热源供热能力不足，需对供热能力进行补充。事关民生问题，本研究的开展是必要且迫切的。研究区发育第四系、新近系、古近系地层，新生界地层自上而下发育新近系明化镇、馆陶组地层，古近系发育东营组、沙河街组和孔店组地层。本次研究目的层是馆陶组热储层。武城县恒温带深度一般为20m；恒温带温度确定为13.0℃。根据本次地热地质调查及地热井钻探资料，大部分地区地温梯度值3.2℃/100m~3.6℃/100m之间。热储厚度在200~210m，平均孔隙度为33%，渗透率600mD。储层物性好，属高孔高渗储层。产水量一般为100m³/h~120m³/h，本组热储温度为57~68℃左右。武城县城区馆陶组可采地热资源量为1.7302×10^{17}J，折合标准煤0.059×10^{8}t。矿权区馆陶组可采地热资源量为0.4182×10^{17}J，折合标准煤0.014×10^{8}t。武城县馆陶组地热资源可以满足县城长期地热供暖需求。推测武城县地热供暖项目地热井，回灌水位埋深为-35m时，单井回灌量为100m³/h是可靠的。与从附近地区回灌结果显示及与冀东曹妃甸地热回灌对比分析，武城县馆陶组地热井单井自然回灌量能达到100m³/h。在给定单井开采量120m³/h，百分之百回灌，间歇性开采，热田寿命50年的约束条件下，设计井距为400m。

关键词　地热烘暖；武城县；地质特征；地热资源；抽水回灌

1　前言

清洁替代，是指在能源开发上，以清洁能源替代化石能源，走低碳绿色发展道路，逐步实现从化石能源为主、清洁能源为辅向清洁能源为主、化石能源为辅转变。2021年3月15日下午，习近平主持召开中央财经委员会第九次会议，研究促进平台经济健康发展问题和实现碳达峰、碳中和的基本思路和主要举措。2021年2月26日，山东省印发了《2021年山东省公共机构能源资源节约和生态环境保护工作要点》的通知。通知指出："实施节能重点工程。加强新能源推广应用，实施太阳能、地热能等可再生能源应用项目100个"。

武城县隶属山东省德州市，隔京杭运河与河北省相望。武城县辖7镇1街1个省级开发区，面积748km²，人口40万。目前，武城县居民供暖由武城县光明热力公司负责，武城县供热热源为位于县城东南角的热电厂，供热能力约为240×10^4m²，供暖入网面积为436.7×10^4m²，缴费面积为251×10^4m²，共计3.7万户。现有供热系统的现状：流量7255m³/h，缴费面积251×10^4m²。一次网供水温度50~53℃，一次网回水温度35~38℃，小区二次供水温度40~44℃，回水温度32~35℃，系统补水量为150~200m³/h。首站供水压为0.61MPa，回水压力为0.15MPa。

在河北曹妃甸地区，唐山冀东油田新能源开发有限公司已完成地热供暖面积共计256×10^4m²，二期地热供暖项目正在建设中，拟新增供热面积380×10^4m²。截至今年为止，曹妃甸项目已经运行了3个采暖季，运行效果良好，收益较好。在地热能供暖方面，唐山冀东油田新能源开发有限公司拥有足够的技术优势、运行经验和管理经验。

目前，武城县居民供暖由武城县光明热力公司负责，武城县供热热源为位于县城东南角的热电厂，其供热能力约为240×10^4m³，2020—2021年采暖及供热面积达到251.7×10^4m³，超出其供热能力。2021—2022年采暖季，新增供热面积66.7×10^4m³，供暖缺口将达到100×10^4m³。武城县现有热源供热能力不足，需对供热能力进行补充。事关民生问题，本研究项目的开展是必要且迫切的。

2　地热地质特征

2.1　区域地热地质特征

（1）构造单元划分

山东省德州市武城县位于华北平原东南部，构造位置位于华北陆块、华北断陷盆地、临清凹陷、德州凹陷内，是一个中、新生代断陷盆地。与南堡凹陷同属华北断陷盆地，构造背景相似，如表1所示。

表1　曹妃甸区与武城县所处构造背景对比表

地区/构造背景	Ⅰ级	Ⅱ级	Ⅲ级	Ⅳ级
德州市武城县	华北地块	华北断陷盆地	临清坳陷	德州凹陷
唐山市曹妃甸区	华北板块	华北断陷盆地	黄骅坳陷	南堡凹陷

德州凹陷位于沧县、埕宁、鲁西三个隆起带的倾伏交汇处和黄骅、临清、济阳三个坳陷带的收敛部位，如图1所示。其西南与内黄凸起相邻，东南与高唐-堂邑凸起相邻，北与吴桥凹陷相连，东与陵县-宁津凸起为邻，西接隆兴庄-武城凸起。由于其特殊地质条件，使德州凹陷处于隆起背景上的双向断陷盆地内。德州凹陷呈北东走向展布，在盆地内沉积的新生界厚度由NE向SW逐渐变厚，因其受力广而复杂，使盆地内又形成了次级的正负向构造单元，正向构造主要有：西宋门、避雪店、卧虎庄、尤王庄、许家营子等构造带或地垒。负向构造主要有：边临镇向斜、德南向斜、旧城向斜、恩城向斜、夏津向斜等。

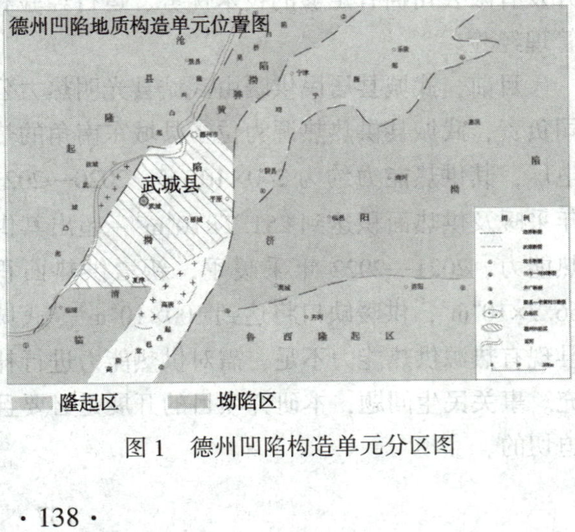

图1　德州凹陷构造单元分区图

（2）主要断层

区内断裂活动，主要受新华夏构造体系的影响，断裂发育方向主要为NNE、NE向，断裂构造均隐伏于新近系之下。本区涉及断裂构造主要有沧东断裂、边临镇-羊二庄断裂等。

（3）区域地层特征

武城县城区位于华北平原的东南部，区域地质构造上属华北地台的中、新生代断陷盆地。中生代以来，受燕山运动和喜马拉雅运动的影响，一直缓慢下降，沉积了巨厚的新生界。第四系为河湖相松散沉积层。新近系为湖相碎屑沉积岩，含石油、石膏。

（4）区域岩浆活动

据钻孔资料揭露，德州凹陷区早在古、新近纪火成岩较发育，大体有四期岩浆活动。第一期在始新世早期（相当于孔店组二段）见有近百米的火成岩，主要为基性玄武岩-安山岩，凝灰岩及凝灰质砂岩；第二期在始新世末期（相当于孔店组末期），火成岩有10层，累计厚度100m以上，主要岩性为中-基性安山岩-玄武岩、凝灰岩；第三期在渐新世（相当于沙河街组中部）见7.5m厚度的玄武岩；第四期在渐新世后期（相当于沙河街组一段），见有多层玄武岩与泥岩、生物灰岩互层。

（5）区域热储特征

根据目前地热勘查技术和经济条件，深度在2000m以浅的地热资源为经济地热资源。在工作区内新近系明化镇组分布较稳定，底板埋深1175.0m~1190.0m，以细颗粒的粘性土、泥岩、砂泥岩为主，根据测井曲线看，渗透率与孔隙度较低，温度不高。其热导率低，阻热性好，故将其与第四系共同作为下伏热储层的盖层来研究。根据地热地质条件，在2000m以浅自上而下划分为馆陶组热储、东营组热储两个热储层。德州凹陷馆陶组地温梯度等值线图如图2所示。

（6）区域地热分布特征

地温反映地球内热能的变化程度，地温的变化是地质构造条件和地质历史的综合反映，影响地壳浅部地温的主要因素一般有基底面的起伏、构造形态、地下水活动和岩浆活动等，区域上凹凸相间的构造特征和断裂带的存在，对本区地壳浅部地温分布特征有着重要的影响。

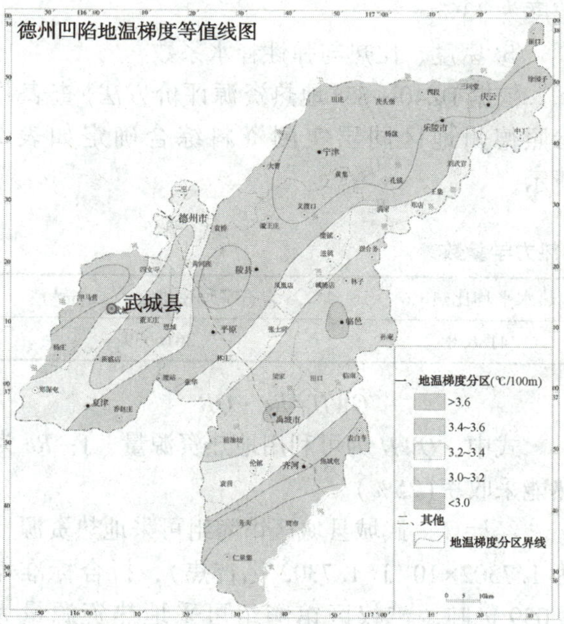

图 2　德州凹陷馆陶组地温梯度等值线图

2.2　采水区地热地质特征

（1）构造特征

武城县位于德州凹陷的中西部的旧城向斜的内侧，东南部位于尤王庄构造。旧城向斜东为恩城向斜，西为隆兴庄-武城凸起，南为尤王庄构造带，北为卧虎庄地垒。旧城向斜走向为近东西向，基底由中生代白垩系、侏罗系组成。

（2）热储特征

根据地质条件及地热资源开发的经济能力，本次工作的主要热储目的层为馆陶组热储。馆陶组热储层是本地区地热井开发的主力水层，已有勘探开发资料较齐全，热储层全区都有分布、单层厚度可达 40m，累计厚度为 200m 左右，孔隙度大、渗率高。与东营组热储相比较，馆陶组热储作为山东德州武城县地热供暖项目主要热储层，具有良好的区位优势。工作区东营组热储砂层孔隙度也较大，温度高，但很难满足该供暖项目需求，可作为今后重点勘查的目的层。

（3）地热水化学性质

馆陶组地下水色度小于 5，无臭、味正常，颜色透明无肉眼可见物，浑浊度小于 1，矿化度 4.45~4.97g/L，水化学类型为 Cl-Na 型。本区浅层水矿化度 1008.29~1108.79mg/L，水化学类型为 HCO_3-Na 型。可以看出在垂向上存在明显的垂直分带性。地热水的常量元素离子以 Cl^-、SO_4^{2-} 及 Na^+ 离子占优势，其次为 Ca^{2+}、HCO^{3-}。从水平方向上来看地热水的常量元素水化学成分变化不大。该区地热水 PH 值 7.5~7.9，均属于中性水。据对已有地热井水测试，馆陶组地热水硬度为 7.05~8.291mmol/l，均属硬水。工作区已有地热井馆陶组地热水矿化度变化不大，4.45~4.97g/l，均属于咸水。该区地下水的腐蚀系数 Kk 值均小于 0，Kk+0.0503Ca^{2+} 大于 0，为半腐蚀性水；锅垢总量 H_0 为 250~500mg/l，属水垢多的水。

3　地热资源评价

前已述及，工作区属中新生代断陷沉积盆地，新生代沉积厚度 2000m~4000m。从经济和技术条件考虑，钻进愈深技术愈复杂，钻井成本愈高，结合地质条件与经济评价综合考虑确定本次最佳目的层为馆陶组热储。

3.1　计算方法及参数确定

（1）地热能储存量的计算

$$Q_R = Q_r + Q_w = Ad\rho_r C_r(1-\varphi)(t_r - t_j) + (A\varphi d + AH\mu)\rho_w C_w (t_r - t_j)$$

该公式考虑了热储层中岩石热储的热能，也考虑了地热水中储存的热能，理论上该公式是合理可行的，关键是获取较准确的计算参数。

（2）地热水资源计算

地热水与浅层地下水有着相似的存储特征和水动力特征，因此地热水资源的计算可借鉴地下水资源计算的方法。

建议采用净储量法，计算公式为：

$$W_{总} = dA\varphi + \mu HA$$

该公式考虑了热储层段内地热水的体积存储量和弹性存储量。热水可采资源量的计算主要结合本区馆陶组油层采收率及储层物性等特征，取热水资源量的 20%。

3.2　地热资源储量计算

① 面积参数

全勘查区地温梯度均大于 3.0℃/m，馆陶组热水温度均大于 40℃，确定面积为 25.65km²。地热供暖项目矿权区面积为 6.2km²。

② 厚度参数

据区内钻孔及物探资料，本地区热储厚度在 200~210m 之间，取其平均值 205m 计算。

③ 温度参数

据井流试验显示，工作区武热 3、4 井温度 63.0℃（武热 2 井出口温度 66℃，但其取水段有部分东营组，在此不予考虑），因此本区馆陶组热储温度为63.0℃。

④ 储层物性

孔隙度(φ)：根据武热2实测资料，孔隙度在馆陶组热储段位于25%~38%之间，大部分区段>30%，结合区域地热地质条件，确定平均孔隙度为33%。

⑤ 密度、比热与弹性释水系数

依据DZ40—85《地热资源评价方法》查表并参照德州地区同层实测资料综合确定如表2所示。

表2　馆陶组热储层热力学参数

岩石平均比热 Cr/(J/Kg℃)	热水平均密度 ρw/(kg/m³)	热水平均比热 Cw	岩石平均密度 ρr/(kg/m³)
894.1	982.05	4186.8	2616639

弹性释水系数(μ)，根据德州地区馆陶组热储资料，$\mu=2\times10^{-4}$。

将上述参数代入公式 $Q_R=Q_r+Q_w=Ad\rho rCr(1-\varphi)(t_r-t_j)+(A\varphi d+AH\mu)\rho_w C_w(t_r-t_j)$ 求得：武城县城区馆陶组地热资源总量为 6.9207×10^{17} J(6.9207亿吉焦)，折合标准煤 0.236×10^8 t。矿权区地热资源总量为 1.6728×10^{17} J(1.6728亿吉焦)，折合标准煤 0.057×10^8 t。

可利用地热资源量QWH：

$$QWH=Re\cdot QR$$

式中，QWH 为可利用地热资源量，J；Re 为热能采收率(25%)。

经计算，武城县城区馆陶组可采地热资源量为 1.7302×10^{17} J(1.7302亿吉焦)，折合标准煤0.059亿吨。矿权区馆陶组可采地热资源量为 0.4182×10^{17} J(0.4182亿吉焦)，折合标准煤0.014亿吨。地热田地热资源量结果表如表3所示。

表3　馆陶组热储层热力学参数

项目	地热资源总量计算		可利用地热资源量计算	
	地热资源量/10^{17}t	折合标准煤/10^7t	可利用资源量/10^{17}J	折合标准煤/10^6t
馆陶组热储	6.9207	2.3620	1.7302	5.9050
矿权区馆陶组热储	1.6728	0.057	0.4182	0.014

注：煤的热值为 2.93×10^{10} J/t。

3.3　热水资源储量计算

$$W总=W弹+W容=\mu HA+dA\varphi$$

将前文数据代入该公式得：$W总=1741.48\times10^6 m^3$

武城县城区馆陶组地下热水储量为 $1741.48\times10^6 m^3$(矿权区 $420.94\times10^6 m^3$)，其中容积储量 $1735.22\times10^6 m^3$(矿权区 $419.43\times10^6 m^3$)，占总量的99.55%，弹性储量为 $7.81\times10^6 m^3$(矿权区 $1.89\times10^6 m^3$)，占总量的0.45%。

本次热储资源量的计算，采用《地热资源地质勘查规范》(GB/T 11615—2010)中的"热储法"进行计算。武城县城区馆陶组地下热水储量为 $1741.48\times10^6 m^3$(矿权区 $420.94\times10^6 m^3$)，其中容积储量 $1735.22\times10^6 m^3$(矿权区 $419.43\times10^6 m^3$)，占总量的99.55%，弹性储量为 $7.81\times10^6 m^3$(矿权区 $1.89\times10^6 m^3$)，占总量的0.45%。可利用资源量 1.7302×10^8 GJ(矿权区 0.4182×10^8 GJ)。

武城县地热供暖面积为 $235.52\times10^4 m^2$，供暖季平均温度为0℃，供暖室外计算温度为−6.5℃，室内采暖设计温度为18℃，计算武城县地热供暖一个供暖期需要消耗热量为 62.37×10^4 GJ。

$(0.4182\times10^8 GJ)\div(62.37\times10^4 GJ)=67$ 年。

武城县馆陶组地热资源可以满足县城长期地热供暖需求。

4　抽水试验与回灌试验

本次研究收集、整理了山东德州市武城县小区多口地热井抽水试验数据，同时也收集到了德州周边东营地区馆陶组地热井回灌试验数据。通过这些数据对武城县馆陶组热储水文地质参数进行了分析预测。

4.1　抽水试验

本地热井位于德州市武城县城区，在大地构造单元上处于华北地台(Ⅰ)、辽冀台向斜(Ⅱ)、临清坳陷(Ⅲ)、德州凹陷(Ⅳ)内。德州凹陷基底由中生代白垩系组成，基底断裂构造发育，其展布方向多为NE-NEE向为主。主要隐伏断裂构造为沧东大断裂。沧东断裂经旧武城、河北省故城、德城区西部，在河北省境内沿 NNE 向继续延伸，走向北东 20°，倾向南东，倾角陡，西盘上升，东盘下降。该断裂为临清拗陷与黄骅拗陷构造单元的分界断裂，切割寒武—奥陶系和石炭—二迭系沉积，控制着上、下第三系地层的发育，新生代以来显张性活动性质(图 3)。

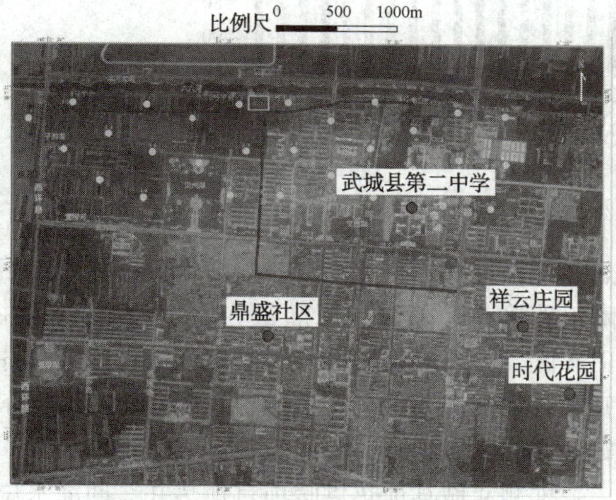

图 3　三口抽水试验井井位分布图

本井取水目的层为新近系馆陶组含砾砂岩，其层段为 1459.00~1562.00m。该层段砂岩层发育，单层厚度大，在 27~39m，渗透性及富水性较好，但地层水矿化度较高，从最终的完井试验和水质化验结果得到了证明。本井单位开采量为 1.928m^3/h·m~2.360m^3/h·m，地下热水矿化度为 4811.10mg/l。

武城地热供暖与河北省唐山市曹妃甸生态新城地热供暖项目相比较，两地开发利用的热储层都是馆陶组热储，两地热储孔隙度、渗透率等储层物性条件相近，武城热储埋深较浅，而且热储累计厚度较大。曹妃甸生态新城地热井开采量 113~126m^3/h，因此武城地热井设计开采为 120m^3/h 是可靠的。

4.2　回灌试验

(1) 武城县地热井回灌现状

本次收集到武城县 2019-2020 供暖季三个地热井回灌实例实例显示，武城县地热井开采出来的地热水全部用于居民供暖，供暖后的地热尾水基本全部回灌到同层热储层中，基本实现了地热水采灌平衡。鼎盛社区 2 口开采井，2 口回灌井。供暖期地热井开采量、回灌量为 95~143m^3/h，运行时间 120d，实现完全同层回灌，回灌效果良好，如图 4 所示。郝王庄镇邱王庄社区开采井和回灌井相距 270m。供暖期地热井开采量、回灌量为 47.6~64.5m^3/h，运行时间 120d，实现完全同层回灌。老城镇京杭名都安置小区供暖期地热井开采量、回灌量为 43.97~67.5m^3/h，运行时间 120d，实现完全同层回灌。

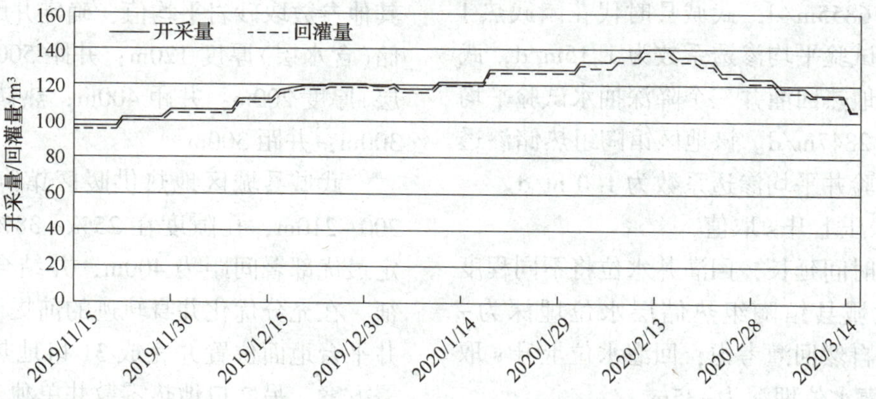

图 4　武城县鼎盛社区地热井 2019-2020 年供暖期开采量及回灌量历时曲线

(2) 冀东曹妃甸新城地热井回灌现状

冀东曹妃甸新城与武城县地热开发层位都是新近系馆陶组地热储层，热储孔隙度、渗透率等物性相近，只是冀东的深度较深，相应的温度较高。冀东曹妃甸新城馆陶组热储层主要为砂岩、砂砾岩，底界埋深在 2100~2700m，热储厚度在 120~300m 之间，热储温度为 80℃左右，地热水总矿化度一般在 1.0~6.0g/L。储层平均孔隙度 30%左右，渗透率一般在 600~1000mD，属中高孔高渗储层。三个供暖期回灌量为 60~80m^3/h，回灌水位埋深为-50m 左右，实现三年 100%同层自然回灌，见图 5。与冀东类似，武城县地热回灌井也可长期实现 100%同层回灌。

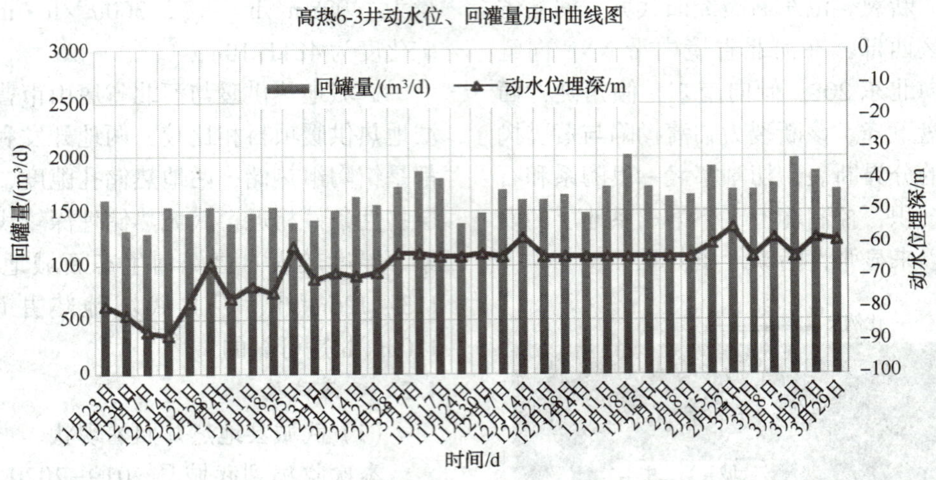

图 5　冀东曹妃甸新城地热井 2018-2021 年供暖期开采量及回灌量历时曲线

(3) 武城县地热井回灌量预测

武城县地热供暖地热井回灌量进行推算：

$$Q=\frac{2.73\times M\times k\times s}{\lg\frac{R}{r}}*a$$

地热井回灌是地热井开采的逆过程，单井开采量计算公式适合单井回灌量计算。但由于回灌过程发生堵塞，所以在计算回灌量时应乘一个系数。

① 含水层厚 M 取值

武城县馆陶热储层厚度为 200m 左右，为了与开采井保持同层位回灌，M 取 150m。

② 渗透系数 k 取值

祥云庄园小区地热井三个降深抽水试验平均渗透系数为 0.6855m/d，武城县时代花园武热 1 三个降深抽水试验平均渗透系数为 1.15m/d，武城县第二中学地热回灌井三个降深抽水试验平均渗透系数为 1.2847m/d。该地区馆陶组热储渗透系 k 取三口试验井平均渗透系数为 1.0^4m/d。

③ 回灌水压上升 s 取值

随着回灌时间延长，回灌井水位将不同程度上升。目前武城县馆陶组热储层水位埋深为-65m 左右，按自然回灌考虑，回灌水位上升 s 取 30m，此时回灌水位埋深为-35m。

④ 影响半径 R 取值

选择三个抽水试验外推涌水量 $120m^3/d$ 时的最大影响半径 549m。

⑤ 井半径 r 取值

武城县地热回灌井设计井径为 Φ177.8mm，内半径 r 为 0.0805m。

⑥ 系数 a 取值

多年生产实践显示，辽河油田矿区馆陶组地热井开采量和回灌量为 1∶1，冀东油田矿区馆陶组地热井开采量和回灌量为 1∶0.8，华北油田矿区、大港油田矿区、天津地区馆陶组地热井开采量和回灌量为 1∶0.3，由于武城县与冀东新城热储物性相近，本次系数 a 取值 1∶0.8。

推测武城县地热供暖项目地热井，回灌水位埋深为-35m 时，单井回灌量为 $100m^3/h$ 是可靠的。

4.3 布井方案

使用中科院地质与地球物理研究所的地热模拟软件结合武城县城区馆陶组热储特征对采灌井井距进行了初步的评估。给定开采量 $100m^3/h$，百分之百回灌，热田寿命 50 年，孔隙度 35%，其他参数取砂岩平均值，确定井距分别如下：热储(含水层)厚度 120m：井距 500m；热储(含水层)厚度 200m：井距 400m；热储(含水层)厚度 300m：井距 300m。

武城县城区地热供暖区馆陶组热储厚度为 200~210m，孔隙度在 25%~38%之间，因此确定最优部署间距为 400m，并结合地面及地质特征，在充分优化井身轨迹的前提下，确定三个钻井平台地面位置并完成 31 口地热钻井的井位部署方案，另 2 口地热零散井单独选址建井，共布置 33 口地热井。

(1) 温度场及水流场分布情况

从模拟图上可以看出，我们取年为时间单位，在 50 年内我们选取第 6 年、第 34 年、第 50 年不同时间段温度场和水流场的分布，可以看到随时间的变化温度和水流波及的范围。我们以开发 50 年为限，认为 400m 井距为佳，如图 6 所示。

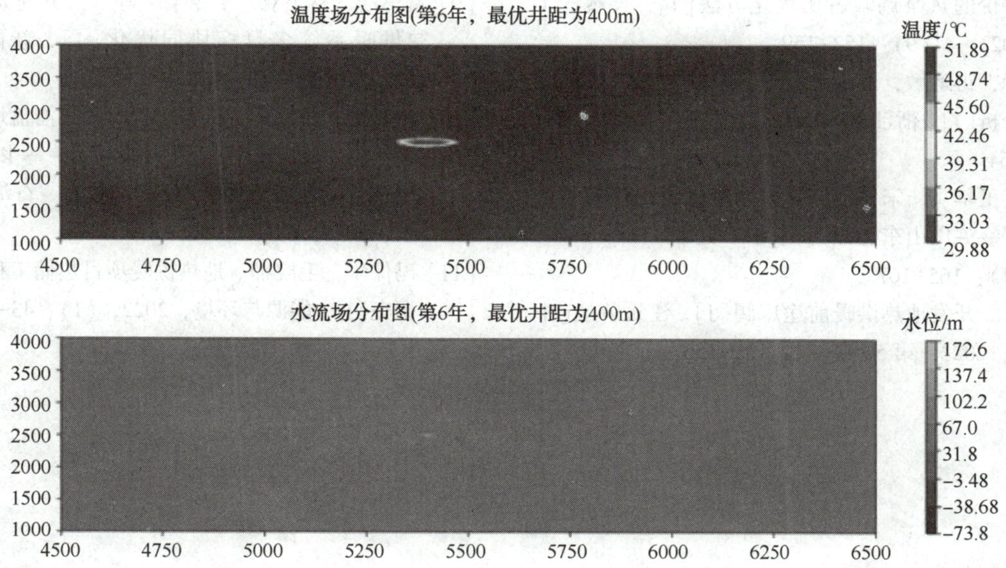

图 6　武城县城区温度场与水流场随时间变化模拟图(第 6 年)

(2) 温度变化与井距关系

从模拟结果可以看出，在 0~300m 井距内热水温度变化比较大，在 200m 内温度变化接近 7℃，而在 400m 及更远的地方，地热温度没有变化，如图 7 所示。

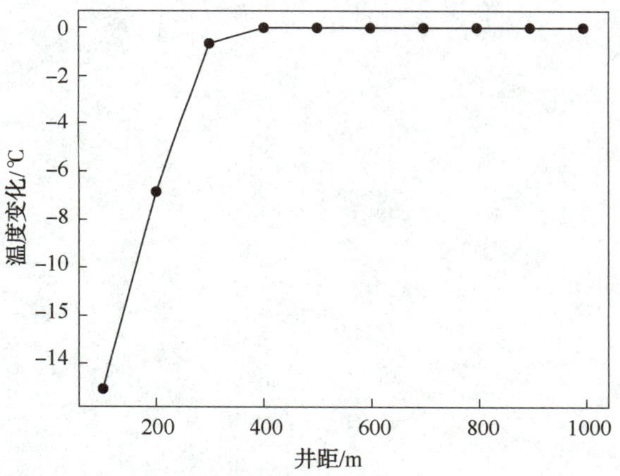

图 7　武城县城区温度变化与不同井距关系曲线图

5　结论

(1) 研究区发育第四系、新近系、古近系地层，新生界地层自上而下发育新近系明化镇、馆陶组地层，古近系发育东营组、沙河街组和孔店组地层。本次研究目的层是馆陶组热储层。

(2) 武城县恒温带深度一般为 20m；恒温带温度确定为 13.0℃。根据本次地热地质调查及地热井钻探资料，大部分地区地温梯度值 3.2℃/100m~3.6℃/100m 之间。

(3) 热储厚度在 200~210m，平均孔隙度为 33%，渗透率 600mD。储层物性好，属高孔高渗储层。产水量一般为 100~120m^3/h，本组热储温度为 57~68℃左右。

(4) 武城县城区馆陶组可采地热资源量为 1.7302×10^{17}J，折合标准煤 0.059×10^8t。矿权区馆陶组可采地热资源量为 0.4182×10^{17}J，折合标准煤 0.014×10^8t。武城县馆陶组地热资源可以满足县城长期地热供暖需求。

(5) 推测武城县地热供暖项目地热井，回灌水位埋深为-35m 时，单井回灌量为 100m^3/h 是可靠的。与从附近地区回灌结果显示及与冀东曹妃甸地热回灌对比分析，武城县馆陶组地热井单井自然回灌量能达到 100m^3/h。在给定单井开采量 120m^3/h，百分之百回灌，间歇性开采，热田寿命 50 年的约束条件下，设计井距为 400m。

参 考 文 献

[1] 王迪，汪新伟，毛翔，等．河北武城凸起地热田地热地质特征[J]．地学前缘，2020，27：269-280.

[2] 赵季初，刘明生，啜云香．山东省武城县地热资源开发利用前景分析[J]．地下水，2018，(3)：68-71.

[3] 山东省武城封存 32 眼地热井 16 个小区启动管道施工改造[J]．地热能，2016，(6)：30.

[4] 景登岩，施志钢，刘福强，等．基于 TRNSYS 的中深层地热供暖系统运行特性研究[J]．可再生能源，2022，40(6)：751-759.

[5] 路传伟，王天任，李延彬，等．地热供暖系统运行分析及优化[J]．科学技术创新，2023，(3)：189-192.

[9] 王社教，康润林，冯学坤，等．基于地热供暖项目

经济评价的热泵调峰占比优化方法[J]. 天然气工业，2021，41(9)：152-159.

[6] 卜宪标，冉运敏，王令宝，等. 单井地热供暖关键因素分析[J]. 浙江大学学报(工学版)，2019，53：957-964.

[7] 刘帅，王华飞，宋伟华，等. 地热供暖工程的经济性分析——以山东德州为例[J]. 建筑经济，2022，43(201)：165-167.

[8] 夏武祥. 开发地热供暖前途广阔[J]. 建筑节能(中英文)，2022，第50卷(8)：155-156

[9] 黄思浩，赵小双，王令宝，等. 公共建筑储热式地热供暖系统多目标协同优化[J]. 新能源进展，2022，10(5)：431-439.

[10] 董月霞，黄红祥，任路，等. 渤海湾盆地北部新近系馆陶组地热田特征及开发实践——以河北省唐山市曹妃甸地热供暖项目为例[J]. 石油勘探与开发，2021，48(3)：666-676.

[11] 冯保华，毛晓楠. 地热供暖项目热储工程评价方法研究[J]. 能源与环境，2022，(1)：43-46.

录井技术在千米桥潜山奥陶系流体综合判别中的应用

闻　竹　孙凤兰

（中国石油渤海钻探工程有限公司）

摘　要　基于录井技术的潜山流体判别一直是行业内的难题，本文通过深入挖掘气测录井，三维定量荧光，轻烃录井以及离子色谱水识别技术特征参数，建立了千米桥潜山各单项技术流体判别方法，并融合建立了综合判别方法及图板，实际应用表明录井技术的流体综合判别方法可有效识别千米桥潜山奥陶系裂缝-溶孔型碳酸盐岩储层流体，取得了良好的应用效果，提高了录井解释评价的准确性，对于勘探效果的提升具有重要意义。

关键词　潜山；气测录井；三维定量荧光；轻烃录井；离子色谱；流体判别

千米桥潜山位于黄骅坳陷北大港潜山构造带东北倾没端，油气主要集中在下古生界奥陶系峰峰组和马家沟组碳酸盐岩储层中，该储层为一套裂缝-溶孔型碳酸盐岩储层，自1998年以来，相继获得高产工业油气流，是大港油田深入勘探开发和天然气上产的关键领域。

裂缝-溶孔型碳酸盐岩储层流体类型判别一直以来是行业内难题之一，千米桥潜山油气藏类型主要为凝析气藏，其中板深4、板深7井等存在一定的油、气、水层识别难点，本文深入挖掘了气测、三维定量荧光、轻烃、离子色谱等各项录井分析化验技术参数信息，结合储层地质特征，建立判别千米桥潜山奥陶系流体以及细化气体的综合解释评价方法。

1　潜山储层录井技术流体判别方法

1.1　气测录井流体判别

油气水层的气测响应特征不同，深化气测组分资料，利用气测录井数据可间接进行流体判别。通过其色谱组分计算甲烷相对含量，衍生的派生参数湿度比、峰基比来间接进行流体判别。

1.1.1　气测派生参数法

通过色谱测得气测组分数据，归纳整理千米桥潜山8口井奥陶系试油试气层气测录井资料，计算分析其气测派生参数并分析特征，通过柱状图，总结发现湿度比（W_h）响应特征明显，绘制其随钻气测湿度比柱状图（图1）。

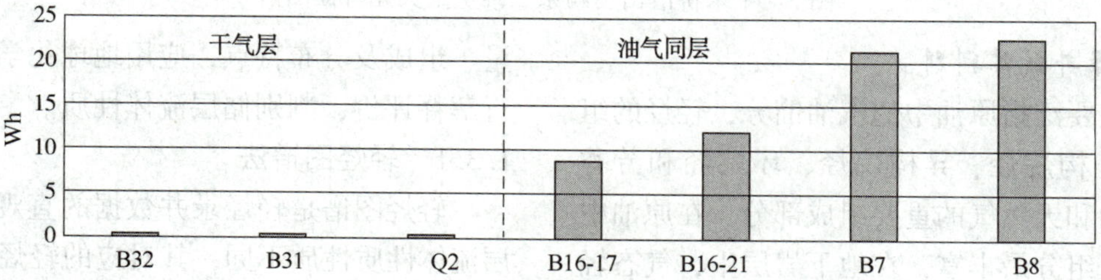

图1　随钻气测 W_h 柱状图

根据以上柱状图分析，总结油气同层及干气层湿度比规律认识，干气层区湿度比 $W_h<1$，凝析油气层区间湿度比 $W_h>7$，基于气测派生参数湿度比（W_h）可初步划分干气层与凝析油气层区间。

1.1.2　气测图板法

归纳完善千米桥潜山20口井奥陶系试油试气层气测录井资料，优选气测特征参数进行规律性认识，气层轻烃含量高，以甲烷含量为主，甲烷相对含量主要集中在80%以上，细化产出效果为干气层的数据点，甲烷相对含量基本达到95%以上，气层气测异常值明显高于水层和干层，基于以上规律性认识优选派生参数峰基比(Y_S)为横坐标，甲烷相对含量为纵坐标，建立千米桥潜山奥陶系气测解释交会图版(图2)。

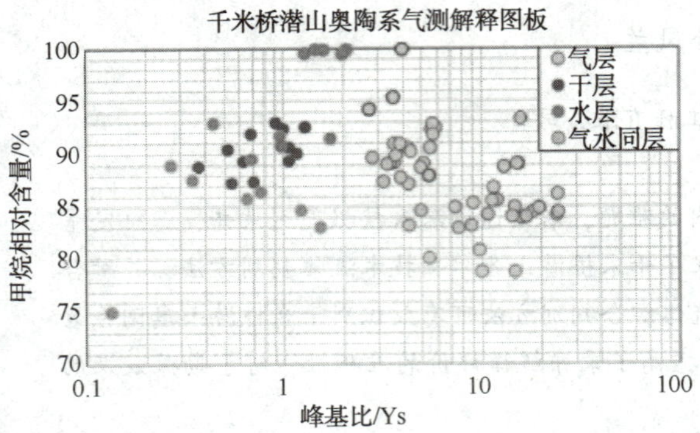

图2　千米桥潜山奥陶系气测解释图板

如图2所示，依据千米桥潜山气测解释图板，若峰基比(Y_S)落点在2以上，甲烷相对含量在80%以上为气层区间，峰基比(Y_S)在2以下，为干层和水层区域范围，要进一步进行储层流体判别，需依靠多项录井分析化验技术综合分析。

1.2　三维定量荧光流体判别

三维定量荧光技术通过分析现场采集岩屑获取指纹图谱，由于不同油质的原油中所含烃类的激发和发射波长不同，其在图谱中所反映的最大荧光强度值和所在波长区间也不同，可准确反映烃类分布规律，在储层流体类型解释评价中具有特别的技术优势。研究区高含凝析油气，采用三维定量荧光技术可以对油气同出层、湿气层、干气层进行快速识别，对研究区已有产出效果的98层岩屑数据三维定量荧光图谱进行分析，总结区域不同流体性质图谱特征，如图3所示：凝析油气层图谱出峰位置固定，形态饱满，为单峰状态，主峰发射波长E_m位于325~375nm之间，激发波长E_x位于260~300nm之间；湿气层图谱为单峰状态，形态较为饱满，出峰位置固定，主峰发射波长E_m位于300~375nm之间，激发波长E_x位于260~280nm之间；干气层图谱可见微弱前锋或不出峰，主峰发射波长E_m位于300nm之前，激发波长E_x位于280nm之前。

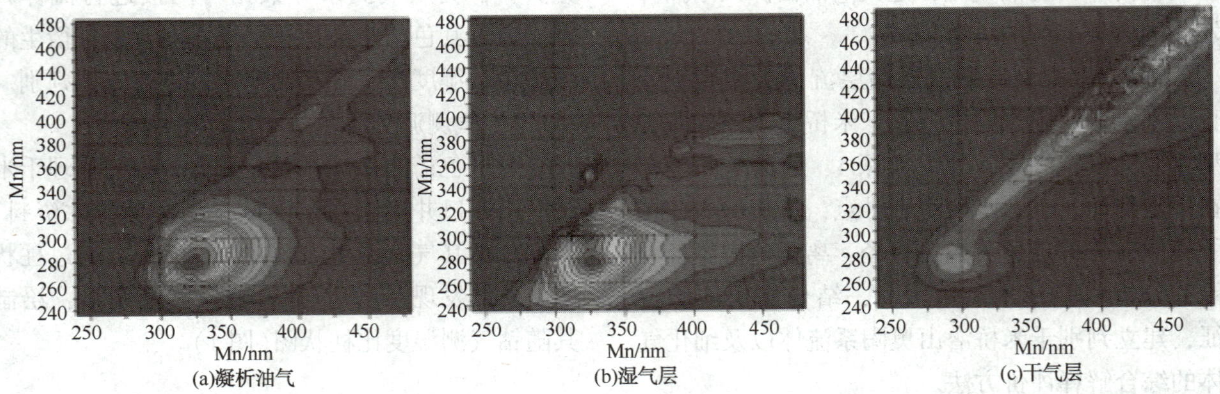

图3　千米桥潜山奥陶系三维定量荧光特征图谱

1.3　轻烃录井流体判别

轻烃主要泛指原油中的汽油馏分，轻烃的组成包含有正构烷烃、异构烷烃、环烷烃和芳香烃，是石油和天然气的重要组成部分，在原油中含量最高，组分最丰富，在地下岩层中，气态轻烃主要以游离态、溶解态或吸附态存在于石油、地下水或岩石中。轻烃录井检测的碳数范围主要是C_1至C_9，弥补了气测录井检测范围的不足，在储集层流体判别方面更具优势。本次研究中轻烃录井以岩屑和钻井液研究对象，通过检测储层样品中105个轻烃(C_1~C_9中的正构烷烃、异构烷烃、环烃、芳烃共103个单体烃)样品的含量、组成及分布特点，应用地球化学的理论，进行解释评价，判别储层流体性质。

1.3.1　轻烃图谱法

轻烃图谱是轻烃录井数据的直观体现，储集层流体性质性质不同，其对应的轻烃录井图谱特征也不同，因此，利用轻烃图谱所展示特征可判别气层中的湿气层与干气层。如图4所示，将轻烃图谱范围分为A、B、C三个区间，黄色覆盖A区间烃组分范围为C_1~C_5(甲烷、乙烷、丙烷、丁烷、戊烷)，红色覆盖B区间烃组分范围为C_6~C_7(已烷、庚烷、甲基环戊烷、苯、环已烷等)，绿色覆盖C区间烃组分范围为C_8~C_9(辛烷、壬烷、甲基环已烷、甲苯等)。湿气层出峰数较低，含气丰度高，C_1至C_5之间轻组分含量高，C_1含量较高(>90%)；湿气层出峰数低，含气丰度高，C_2至以后组分含量低或为0，C_1含量极高(>98%)。

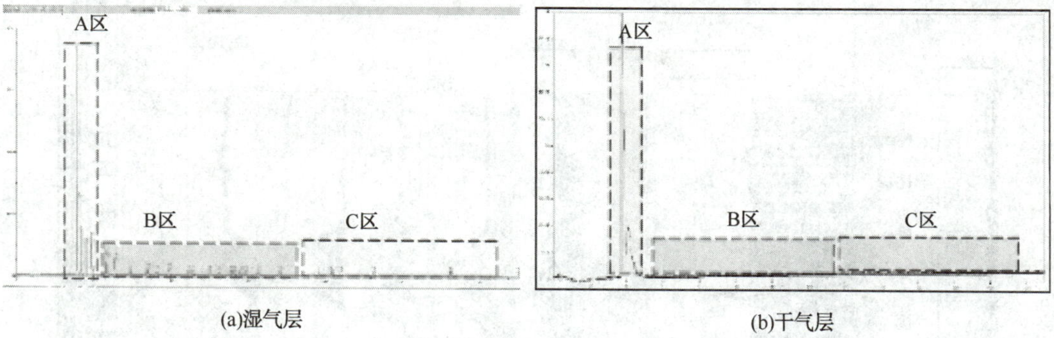

图4　千米桥潜山奥陶系轻烃特征图谱

1.3.2　轻烃四边形图识别法

轻烃图谱法可以直观发现不同流体性质轻烃特征，本研究在此基础上，结合轻烃录井烃组分及原理，优选出四个轻烃敏感参数：出峰数、总烃量(T_h)、C_1相对含量(C_1/T_h)，以及C_1-C_5相对含量($(C_1-C_5)/T_h$)。如图5所示，根据优选参数绘制轻烃四边形图板，可对不同流体性质储层进行快速特征判别。当落点四边形形态偏向上部油气/湿气区，出峰数越高，C_1相对含量(C_1/T_h)小于98%，C_1-C_5相对含量($(C_1-C_5)/T_h$)越高，流体类型越偏向于油气同出层或湿气层；当落点四边形形态偏向下部干气区，出峰数小于2，C_1相对含量(C_1/T_h)大于98%，流体类型越偏向于干气层，产出效果为湿气的Q2井轻烃数据落点凝析油气/湿气区区间。

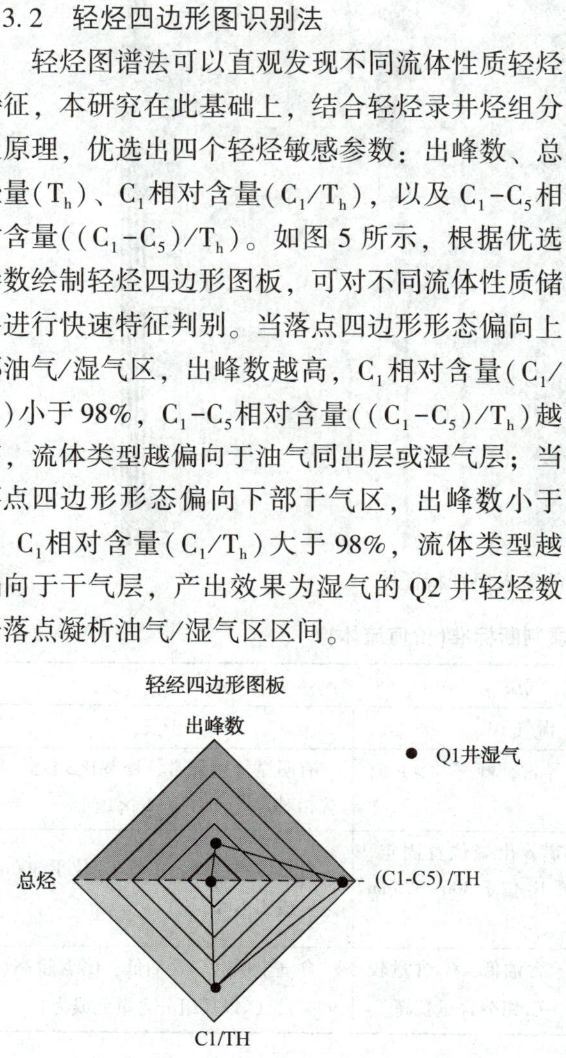

图5　千米桥潜山轻烃四边形图板

1.4　离子色谱水识别

离子色谱法(IC)是利用离子交换原理，连续对共存的多种阴离子或阳离子进行分离、定性和定量的方法。离子色谱技术可测得4种阳离子：Na^+、K^+、Mg^{2+}、Ca^{2+}以及4种阴离子：F^-、Cl^-、SO_4^{2-}、NO_3^-，根据苏林分类，千米桥潜山奥陶系基本以$CaCl_2$水型为主，在此基础上，本研究开展了基于离子色谱技术的解释评价方法研究，总结水识别离子数值法(图6)。

该方法优选离子色谱含水性识别参数，总结千米桥潜山含水指示特征，数据指征Q2井上马家沟组含水特征为，Na^{2+}、Ca^{2+}、Cl^-较于基值有明显抬升，总矿化度升高，Cl^-增长率、总矿化度增长率整体表现较高；同时Q2井含水指示特征为Na^{2+}增长率>50%，Cl^-增长率>40%，总矿化度增长率>40%时需持续关注，指征该层具有含水特征，若原始地层水为高矿化度地层水，则离子质量浓度基值出现明显增大的台阶后呈稳定状态；若原始地层水离子质量浓度低，对钻井液具有稀释作用，则离子质量浓度基值出现明显降低的台阶后呈稳定状态(图6)。

2　千米桥潜山综合评价方法

综上所述，各项录井分析化验技术均可对千米桥潜山储层流体性质判别起到一定指征作用，然而依靠单一录井技术识别流体的准确性不足，若要进一步快速、准确地判别流体，去除其不确定性因素干扰，需要将各项录井技术融合分析，建立各项录井评价参数的综合解释评价判别依据，如表1所示，依据该标准，更有利于气层、湿气层、气层、凝析油气层精细划分。

如表2所示，从离子色谱技术特征和含油气性两个角度建立千米桥潜山录井各项技术含水性综合识别标准，依据该标准，更有利于气水同层、水层、干层精细划分。

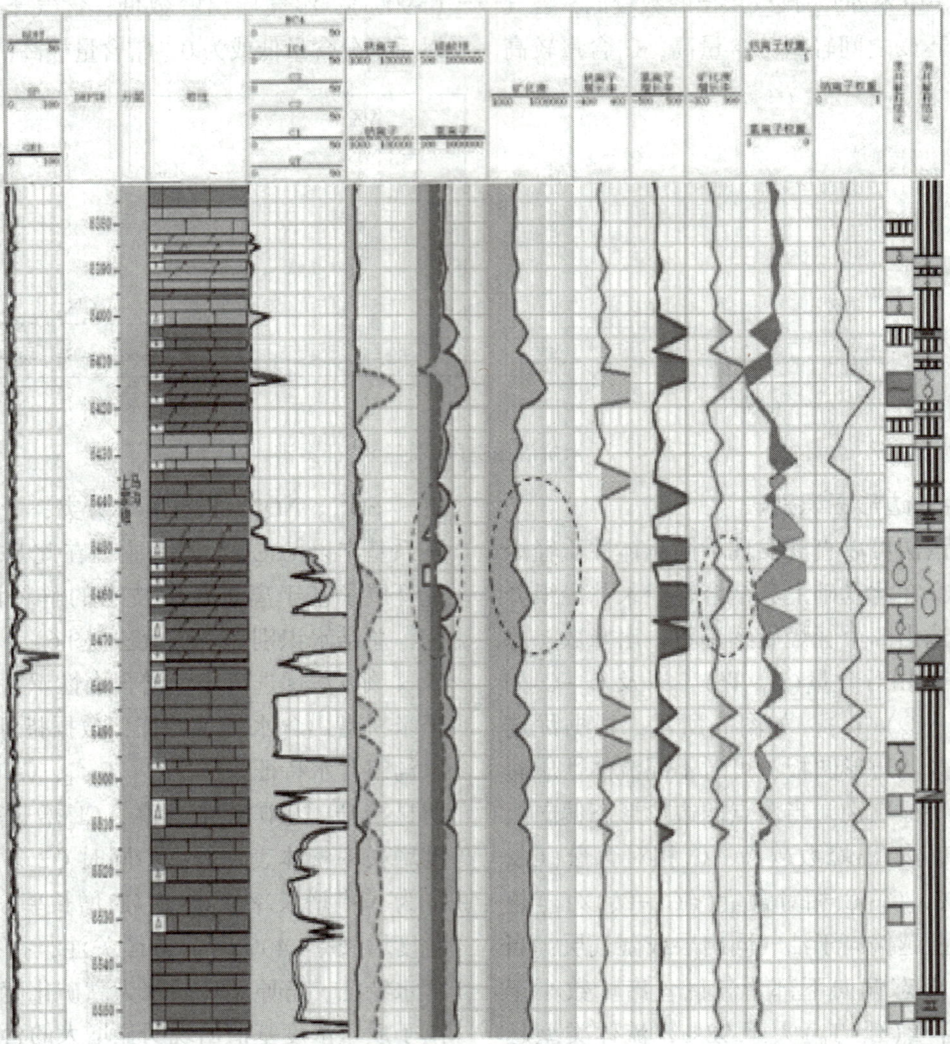

图 6　千米桥潜山离子色谱水识别特征图

表 1　千米桥潜山储流体性质判断标准(价值流体)

录井特征	气层		
	凝析油气	湿气	干气
气测	有明显气测异常，峰基比>1.5，甲烷相对含量>80%，W_h>7。	有明显气测异常，峰基比>1.5，W_h<7。	有明显气测异常，峰基比>1.5，甲烷相对含量>98%，W_h<1。
三维定量荧光	谱图形态饱满，出峰位置固定，出现单峰，主峰 E_m 位于 325~375nm 之间。	谱图形态饱满，出峰位置固定，出现单峰，主峰 E_m 位于 300~375nm 之间。	可见微弱前锋，主峰 E_m 位于 300nm 之前或不出峰。
轻烃	整体含油丰度高，总烃高，出峰数较齐全，C_6以后重组分含量高	含气丰度高，含油低，C_1 含量较高(>90%)，C_1-C_5组分含量较高。	含气丰度高，含油低，C_1 含量高(>90%)，C_2以后组分含量低或为 0。

表 2　千米桥潜山储流体性质判断标准(含水识别)

录井特征	气水同层	水层	干层
含油气性	有明显气测异常，峰基比>1.5，甲烷相对含量>99%或<90%。	没有明显气测异常或峰基比<1.5，三维定量荧光不出峰或只有拉曼峰。	没有明显气测异常或峰基比<1.5，三维定量荧光不出峰或只有拉曼峰。
离子色谱	Na^{2+}、Ca^{2+}、Cl^- 升高，Na^{2+} 增长率>50%，Cl^- 增长率>40%，总矿化度增长率>40%。	较于出气层，氯离子、总矿化度增长率更明显。	各项指数参数平稳。

根据本次研究成果，各项技术资料相互补充印证、参数相互交汇，建立多技术、多参数交汇图板，如图 7 所示，优选全烃峰基比(Y_S)以及轻烃出峰数，建立千米桥潜山奥陶系气测-轻烃综合图板，对于千米桥潜山奥陶系油气藏，峰基比(Y_S)>1.5 时为有效区间，出峰数<5 为干气层区间，出峰数>5 为湿气层区间，峰基比(Y_S)<1.5 时为干层区间(无效区间)。

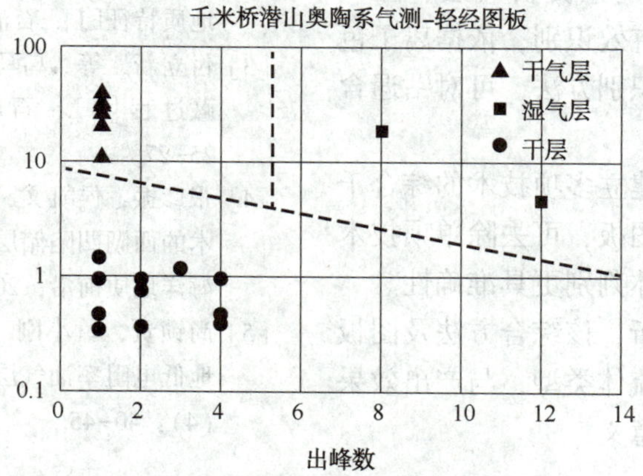

图 7　千米桥潜山奥陶系气测-轻烃解释图板

3　应用实例分析

Q1 井位于千米桥潜山 B4 背斜高点，主要目的层为奥陶系。该井在下马家沟组 4843~4851m 井段钻遇含白云石灰岩，岩屑显示为荧光级别(图 8)，气测异常值较高，峰基比达到 25，甲烷相对含量为 90%，图板落点在气层区间，三维定量荧光图谱如图 8 所示，为单峰形态，主峰发射波长 E_m = 326nm 之前，激发波长 E_x = 275nm，特征显示为油气层/湿气层(如图 4(a)所示)，轻烃图谱展示出含气丰度高，C_1 含量较高(>90%)，C_1-C_5 组分含量较高(如图 3(b)所示)，四边形图板落在油气/湿气区间，录井综合解释为气层，实际产出为气层且为湿气层。

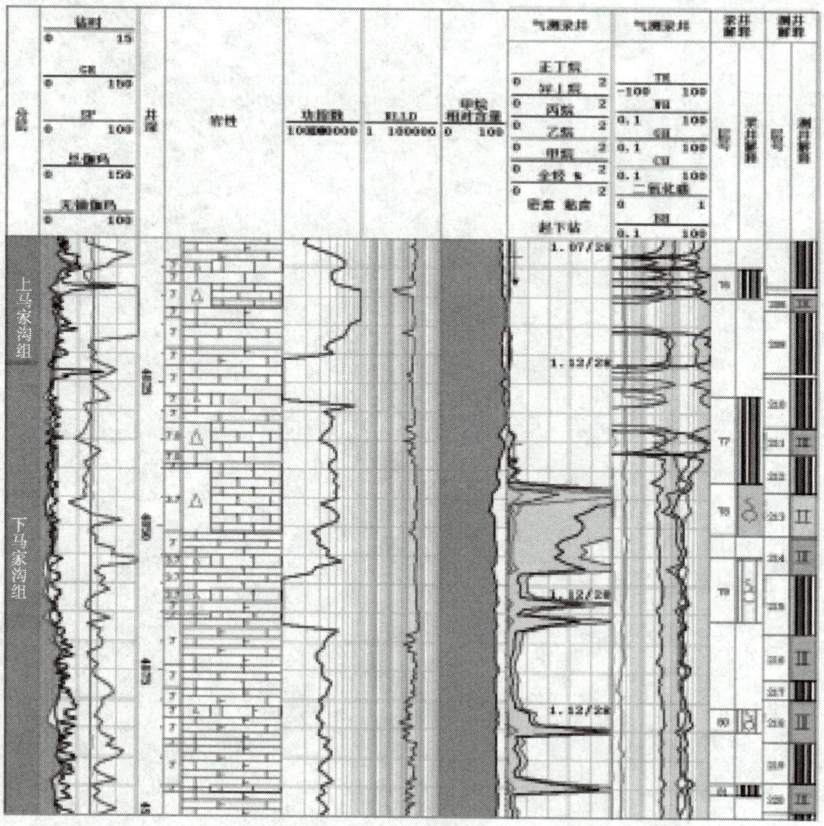

图 8　Q1 井录井综合图

4 结束语

(1) 依据气测录井、三维定量荧光录井、轻烃录井数据分析建立单项录井技术流体判别方法，可进行千米桥潜山奥陶系凝析气层、湿气层、干气层等价值流体的有效识别，依据离子色谱技术建立千米桥潜山水识别方法，可对钻遇含水层进行有效分析。

(2) 融合各录井技术建立多项技术的综合千米桥潜山流体判别标准及图板，可去除单项技术的部分不确定因素，使流体判别更具准确性。

(3) 通过实例应用分析，该综合方法及图板在千米桥潜山能有效判别流体类型，与产出效果结论相同，具有一定推广意义。

参 考 文 献

[1] 何炳振，王振升，苏俊青．千米桥古潜山凝析气藏成因探索[J]. 特种油气藏，2003(04)：1-3.

[2] 于学敏，苏俊青，王振升．千米桥潜山油气藏基本地质特征[J]. 石油勘探与开发，1999(06)：7-9.

[3] 付立新，等．乌马营奥陶系潜山天然气藏特点及成藏过程[J]. 石油勘探与开发，2002，29(5)：25-27.

[4] 张彦振，侯凯文，孙鹏，等. 基于三维定量荧光技术的西湖凹陷储层复杂流体性质快速识别方法[J]. 海洋地质前沿，2020，36(10)：76-83.

[5] 尚锁贵，黄小刚. FLAIR 气测系统及其在渤海湾盆地低电阻率油气层的应用[J]. 录井工程，2007，18(4)：40-45.

跨频段地震储层流体预测技术

陈雨茂　刘浩杰　李民龙　陈　菲

（中国石化胜利油田分公司物探研究院）

摘　要　地震储层预测与流体检测技术是油气勘探开发中的重要技术，而地震岩石物理实验则在地震资料与储层及流体性质之间架起了联系和沟通的桥梁，是非常重要的基础性研究。本文针对现有低频岩石物理系统进行升级改进，以A地区致密砂岩为研究对象，进行规模化跨频段岩石物理参数测试，获得跨频段岩石物理参数变化规律，建立了复杂孔隙结构地震测井一体化岩石物理模型，研发了井震跨频段高精度匹配方法，实现了测井资料的地震频段纵横波速度反演和储层孔隙结构量化表征，形成了跨频段的井震融合储层高精度描述技术，显著提高了储层预测精度。

关键词　跨频段；岩石物理模型；井震匹配；储层预测

东部老油田勘探开发目标日益复杂，储层预测精度不高是制约其高效勘探效益开发的重要瓶颈。充分发挥测井资料纵向分辨率和地震资料横向分辨率优势，开展井震融合是提高储层预测精度的重要手段。岩石物理实验及理论研究表明，测井资料与地震资料存在普遍的速度差异，因频散造成的井震纵波速度差异达到5%~10%以上，测井横波估算误差高达15%，测井频段定量模板与地震频段储层预测结果存较大的系统误差，井震匹配融合难度大。本文针对现有低频岩石物理系统进行升级改进，以A地区致密砂岩为研究对象，进行规模化跨频段岩石物理参数测试，获得跨频段岩石物理参数变化规律。基于实验规律，研发了基于复杂岩石物理模型、井震资料深入融合、地震反演全流程控制的井震融合储层预测技术，有效提升了储层描述的精度和水平。

1　低频岩石物理系统研制及跨频段岩石物理参数测试

1.1　低频岩石物理系统频带拓展

胜利油田物探院低频岩石物理参数测量系统由美国科罗拉多矿业学院的Mike Batzle研究团队与中石化联合研制，实现了岩石物理测试基础能力。但在实际测量中，当信号频率大于100Hz时，测量结果(纵横向应变及计算出的杨氏模量和泊松比)常常会出现异常的抖动。通过观察数值模拟中共振频率发生时(图1)设备的振型可以看出，震源腔位置发生了轻微的扭转现象，因此可以判断，引起该共振现象的扰动为非轴向应力。这与常规认识的轴向应力引起的共振现象存在很大不同，其可在100Hz左右引发共振。而一阶共振频率决定了测量频带的宽度。因此，消除振动频率超过100Hz时的共振现象，即拓展一阶共振频率是实现拓展测量频带的主要方法。

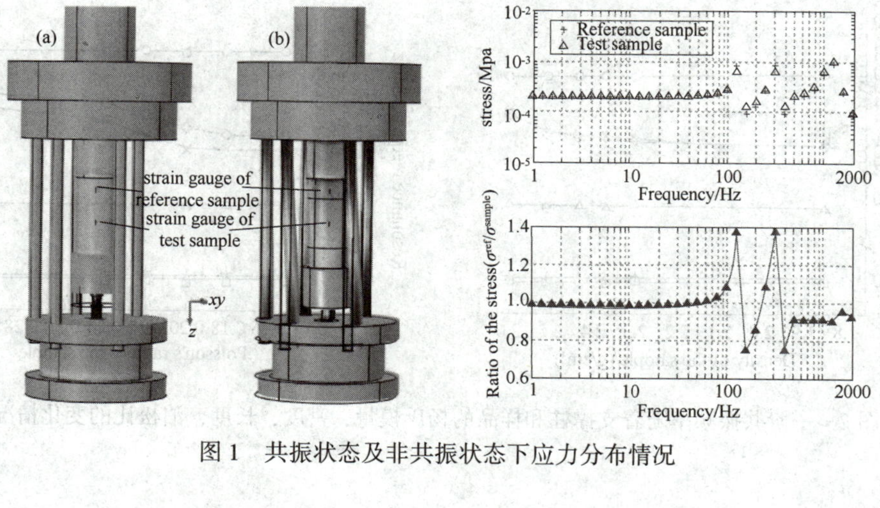

图1　共振状态及非共振状态下应力分布情况

为了找出合适的设备改进方法，需针对所述核心部件中不同的部分进行“多阶共振频率随部件变化”的情况分析。图 2 给出了具体分析结果：当支撑杆杨氏模量或者泊松比增加时，对应的一阶特征频率增加，当支撑杆密度和长度增加时，对应的一阶特征频率减小。当岩石样品的杨氏模量，密度，泊松比发生变化时，一阶特征频率未发生变化。而当样品长度增加时，一阶特征频率增加。上述分析结果表明，支撑杆的材料及形状会对一阶共振频率产生影响。

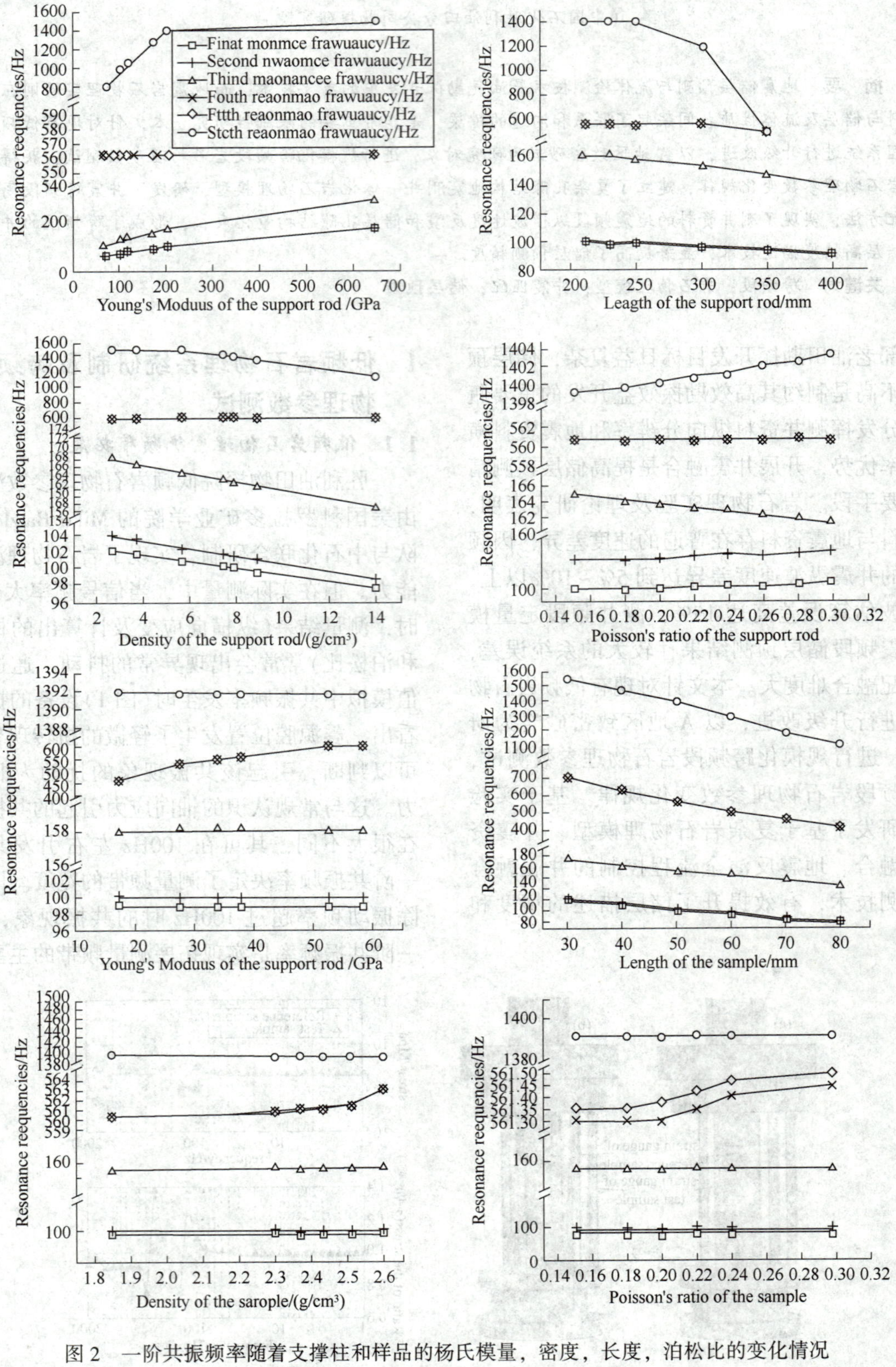

图 2　一阶共振频率随着支撑柱和样品的杨氏模量，密度，长度，泊松比的变化情况

通过实验，将测量杆长度为缩短为 21cm，材料更改为钢材，样品长度 4cm 左右时，并使用夹具控制震源腔，可有效的将测量设备核心部件的一阶共振频率拓展到 2000Hz 以上。为保证设备改进后仍可保持准确、稳定的测试水平，选择标准铝样进行标定测试。图 3 为设备改进前后标准铝样的杨氏模量和泊松比测量结果。从图中可以看出，在改进设备的测量结果中，100Hz 以上的抖动测量点消失了。泊松比同样观测到了类似结果。因此上述改进方法可将现有实验设备的测量频带拓展到 2000Hz。

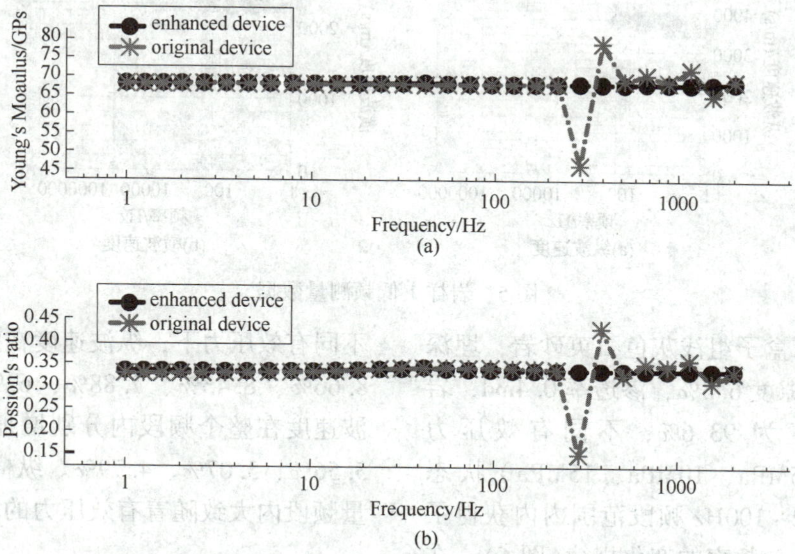

图 3　设备更新前后，标准铝样的杨氏模量和泊松比变化情况

1.2　跨频段岩石物理参数测试

跨频段岩石物理参数测量使用中石化胜利油田物探研究院的低频岩石物理参数测量系统(图 4)及超声测试系统，其中低频岩石物理参数测量基于应力-应变法实现，通过测量待测岩样的纵向应变、水平应变以及参考铝块的纵向应变，继而求得待测样品低频情况下的岩石弹性参数。低频频率范围为 1～100Hz，按照频率对数间隔测试 18 个点，测试高频频率为 1MHZ。

图 4 为低频测试标准样品示意图和实物图，主要包含两个参考铝样，纵横波换能器，测试岩心以及高灵敏应变传感器。在实验中所用参考铝样是一种完全弹性、均质、各向同性的物质，其弹性模量不随温度(－20～100℃)、压力(0～40MPa)、频率发生变化，其杨氏模量为 72GPa，则由岩石应变和参考铝样应变的比值即可算出岩石弹性模量，进而计算岩样纵、横波速度。

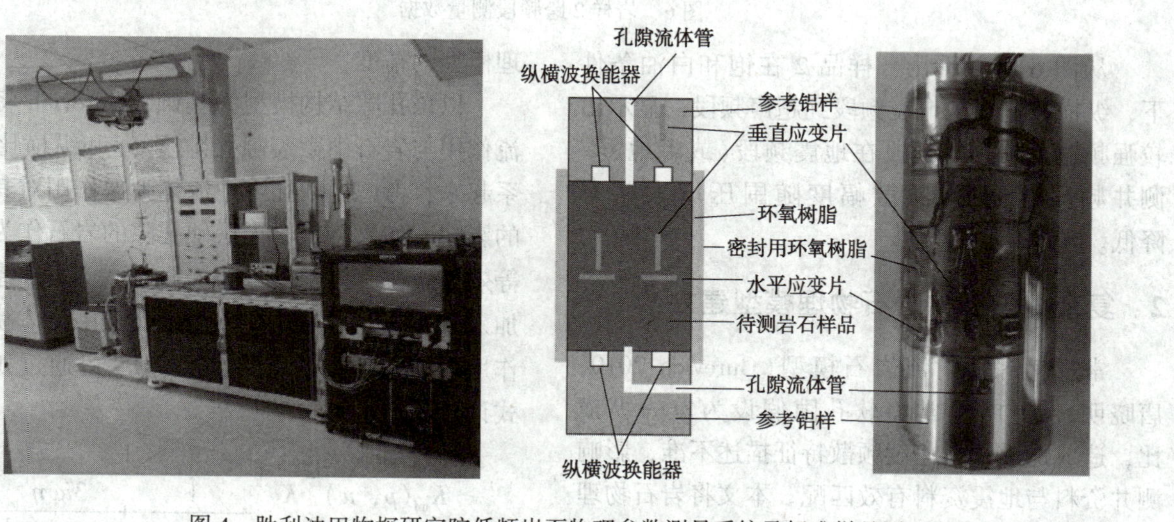

图 4　胜利油田物探研究院低频岩石物理参数测量系统及标准样品图

选取A地区B井岩心开展跨频段岩石物理参数测试，分别测试饱和油（工业级白油#68）和干燥两种情况。

样品1为上石盒子组浅灰色石英砂岩，埋深2350~2355m，孔隙度6.5%，渗透率0.5md，石英含量大于85%。在岩样干燥，有效压力为0Mpa的状态下，对样品1在2~100Hz频段范围内获得了样品纵、横波速度随频率的变化规律（图5），可以得出规律，干燥样品的纵横波速度随频率几乎不发生变化。

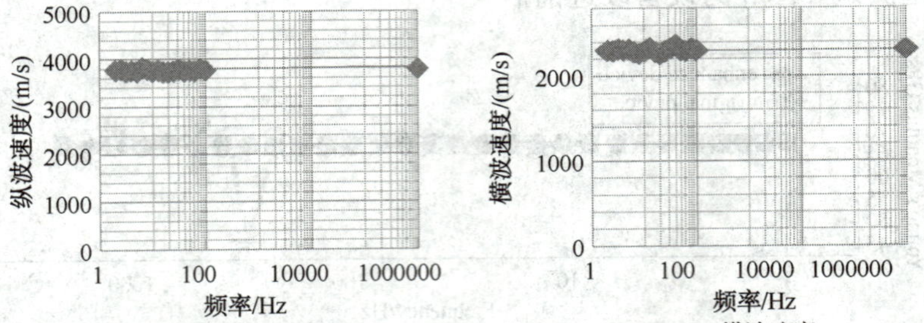

(a)纵波速度　　(b)横波速度

图5　岩样1低频测量数据

样品2为上石盒子组浅灰色石英砂岩，埋深2350~2355m，孔隙度6.3%，渗透率0.4md，岩样含白油饱和度为93.6%，不同有效压力（0MPa、2MPa、5MPa、10MPa、15MPa）状态下，对样品2在2~100Hz频段范围内内获得了样品纵、横波速度随频率的变化规律（图6），在不同有效压力下，纵波速度在整个频段分别增加8.66%、8.43%、7.88%、6.92%、5.98%；横波速度在整个频段内分别增加5.79%、5.94%、5.56%、5.07%、4.79%。纵横波速度增量在测量频段内大致随着有效压力的增加而减小。

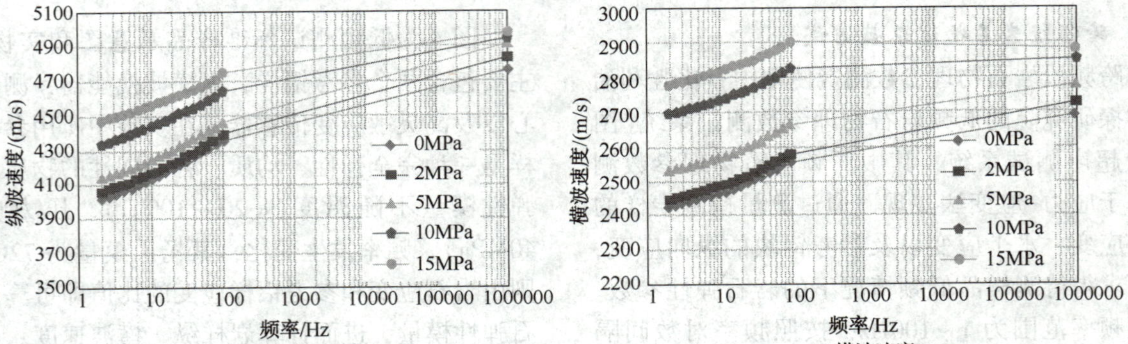

(a)纵波速度　　(b)横波速度

图6　岩样2跨频段测量数据

从图6可以看出，样品2在饱和白油条件下，纵横波速度从地震频段到超声频段，显示出较强频散，频散的频段在地震频段（或者地震-测井频段之间），频散幅度随围压增大略有降低。

2　复杂孔隙结构岩石物理模型建立

常规考虑喷射流岩石模型（Gurevich 2010；唐晓明，2011）通常将软孔隙假设为单一纵横比，造成地震频段速度频散特征描述不准，影响测井资料与地震资料有效匹配。本文将岩石物理模型中的孔隙结构，描述为纵横比相对固定的硬孔隙和不同纵横比软孔隙的组合，提升了岩石物理模型的精度。

以该孔隙结构模型为基础，Gurevich将喷射流作用与岩石中微裂隙孔隙度 ϕ_c 和纵横比 α 联系起来，考虑了软孔隙中流体弛豫作用对其柔度的影响。如果将仅含干燥硬孔隙的岩石作为新的等效基质，其体积模量为 K^{stiff}（通常用 K^h 替代），加入软孔隙并考虑软孔隙与硬孔隙中流体喷射流作用影响时介质等效模量 K_{mf}、μ_{mf} 可通过如下公式计算：

$$\frac{1}{K_{mf}(p,\ w)}=\frac{1}{K_h}+\frac{1}{\dfrac{1}{\dfrac{1}{K_d(p)}-\dfrac{1}{K_h}}+\dfrac{3i\omega\eta}{3\phi_c(p)\alpha_c^2}}$$

$$\frac{1}{\mu_{\mathrm{mf}}(p, w)}=\frac{1}{\mu_{\mathrm{d}}(p)}-\frac{4}{15}\left(\frac{1}{K_{\mathrm{d}}(p)}-\frac{1}{K_{\mathrm{mf}}(p, \omega)}\right) \tag{1}$$

式中，ω 为圆频率，η 为孔隙流体动态粘度，α_{c} 为软孔隙特征纵横比，$\phi_{\mathrm{c}}(p)$为一定有效压力 p 下的软孔隙孔隙度，$K_{\mathrm{d}}(p)$、$\mu_{\mathrm{d}}(p)$分别为一定有效压力下岩石介质中含有纵横比为 α_{c} 和孔隙度 $\phi_{\mathrm{c}}(p)$的软孔隙时的干燥体积与剪切模量。公式(1)右端第二项也可理解为加入特定纵横比的软孔隙并在考虑喷射作用下对体积模量 K^{stiff}改变。在考虑软孔隙作用后，剩余硬孔隙因其不可压缩性，在流体饱和后仍满足 Gassmann 方程，此时硬孔隙完全饱和时的体积模量 K_{sat} 与剪切模量 μ_{sat} 可用如下公式计算：

$$\frac{1}{K_{\mathrm{sat}}(p, \omega)}=\frac{1}{K_{\mathrm{g}}}+\frac{\phi_{\mathrm{s}}\left(\frac{1}{K_{\mathrm{f}}}-\frac{1}{K_{\mathrm{d}}}\right)}{1+\phi_{\mathrm{s}}\left(\frac{1}{K_{\mathrm{f}}}-\frac{1}{K_{\mathrm{g}}}\right)\Big/\left(\frac{1}{K_{\mathrm{mf}}(p, \omega)}-\frac{1}{K_{\mathrm{g}}}\right)}$$

$$\mu_{\mathrm{sat}}(p, \omega)=\mu_{\mathrm{mf}}(p, \omega) \tag{2}$$

实际岩石中的软孔隙的纵横比不可能为一个固定值，而是在一定的范围内呈连续分布的。研究孔隙具有一定分布特征的岩石所具有的喷射流频散和衰减作用则更为必要。在得到岩石中软孔隙纵横比值关于孔隙度的分布数据后，将其离散，对每个离散后的孔隙纵横比与对应孔隙度采用公式(1)的方法计算软孔隙喷射流作用的影响。然后通过迭代加入各纵横比的软孔隙计算基于孔隙分布的岩石的 K_{uf} 和 μ_{uf}。在迭代加入软孔隙的过程中，除首次加入软孔隙以公式(2)计算外，第 k 次加入软孔隙所计算的 K_{uf} 和 μ_{uf} 值，将视作第(k+1)次加入软孔隙的 K^h 和 μ^h；而在 K^h 和 μ^h 基础上加入软孔隙即得第(k+1)次的 K_{d} 和 μ_{d}。整个加入软孔隙的过程可表述为：

$$\frac{1}{K_{\mathrm{uf}}(\alpha_{k+1}^{i})}=\frac{1}{K_{\mathrm{uf}}(\alpha_{k}^{i})}+\left[\left(\frac{1}{K_{\mathrm{d}}(\alpha_{k+1}^{i})}-\frac{1}{K_{\mathrm{uf}}(\alpha_{k}^{i})}\right)^{-1}+\frac{3i\omega\eta}{2\phi_{\mathrm{c}}(p)\alpha_{\mathrm{c}}^{2}}\right]^{-1}$$

$$\frac{1}{\mu_{\mathrm{uf}}(\alpha_{k+1}^{i})}=\frac{1}{\mu_{\mathrm{uf}}(\alpha_{k}^{i})}-\frac{4}{15}\left(\frac{1}{K_{\mathrm{d}}(\alpha_{k+1}^{i})}-\frac{1}{K_{\mathrm{uf}}(\alpha_{k+1}^{i})}\right)+\left[\frac{2j\omega\eta}{5\phi_{\mathrm{c}}(p)\alpha_{\mathrm{c}}^{2}(2+\alpha_{\mathrm{c}}^{2})}\right]^{-1} \tag{3}$$

将所得到 K_{uf} 和 μ_{uf} 再分别代入公式(2)中计算硬孔隙完全饱和时的体积模量 K_{sat} 与剪切模量 μ_{s}at。因为公式(2)实质是弹性模量的柔度形式，这种逐步添加软孔隙的方法具有合理性，并且不论软孔隙是按照纵横比增大的顺序添加还是按相反的顺序添加其计算结果均相同。其特点是将砂岩储层模型简化为岩石基质和不同形状的硬孔隙和软孔隙的组合，使得复杂岩石的表征问题转化为基质性质、孔隙结构特征及岩石的等效流体性质的组合问题，符合力学及岩石学假设条件，具有较强的合理性和可行性。

图 7 为 B 井砂岩样品跨频段实验结果及与本次工作所新构建理论模型对比。可以看出本次工作所给出的频散模型不但能够较好的给出高、低频速度极限值，同时也能较为准确的表征样品在 1~1000Hz 频率范围的速度变化特征，也与实验结果更为接近，验证了双复杂地震频散岩石物理模型的可靠性。

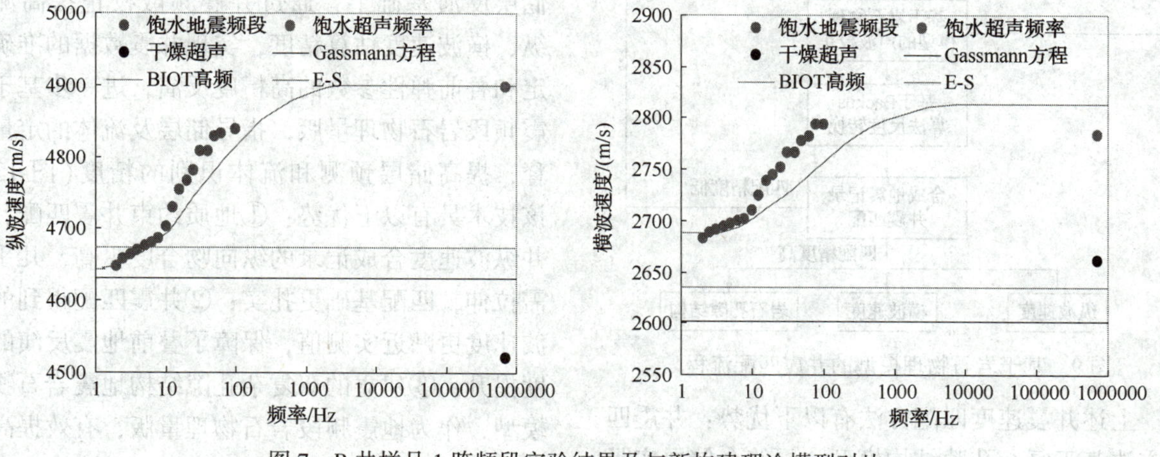

图 7　B 井样品 1 跨频段实验结果及与新构建理论模型对比

进一步利用复杂孔隙结构岩石物理模型和实际测试数据建立了跨频段岩石物理解释量版(图8)。测井频段岩石物理量版中纵横波速度比明显高于地震频段，频散特征明显；测井解释样点与地震频段岩石物理测试样点分布范围与跨频段岩石物理量版一致，验证了岩石物理量版的可靠性。

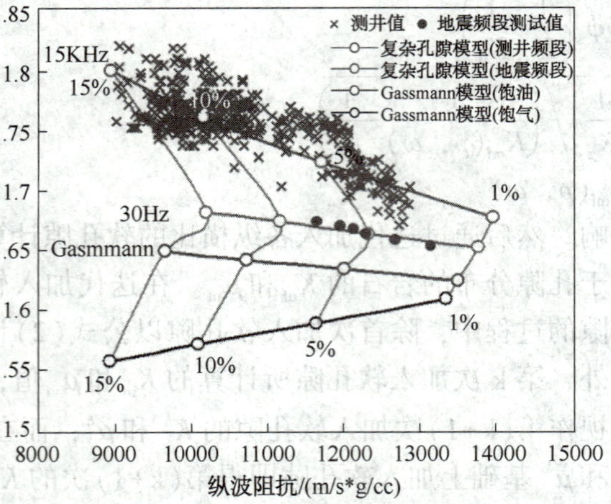

图8　跨频段纵横波速度比及纵波阻抗岩石物理量版

3 基于岩石物理模型的井震匹配

常规基于谐振Q模型的井曲线校正方法通过给定一个特定的比例系数将测井速度校正到地震频率的速度，即假定储层岩石的频散特征是一致的。由于储层岩石在纵向及横向上的物性(孔隙度、渗透率、孔隙结构)变化，造成其频散特征在每一点均有差异。本节利用复杂孔隙结构岩石物理模型，实现对井曲线的逐点速度频散校正，匹配过程如图9所示：

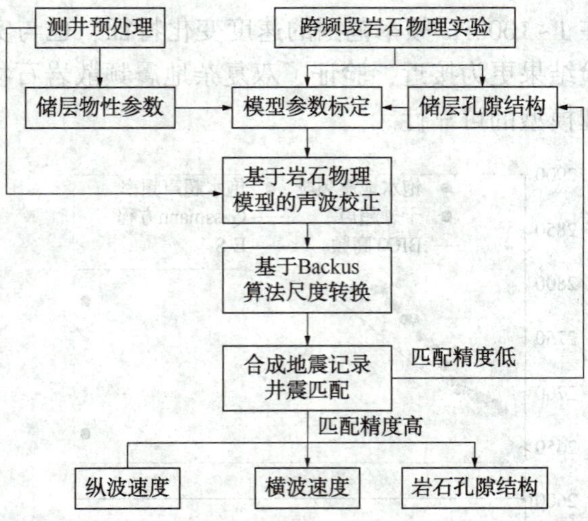

图9　基于岩石物理模型的井震匹配流程

上述井震速度匹配方法有以下优势：井震匹配方法基于复杂孔隙结构模型，更符合储层实际情况；以研究区跨频段岩石物理数据为基础，构建的岩石物理模型更具有针对性；测井速度校正过程中以测井储层物性参数作为约束校正各深度点的岩石物理模型，能体现不同深度储层的频散差异；以井震合成地震记录作为匹配准则，对地震岩石物理实验得到的储层孔隙结构特征进行修正，既充考虑了岩石物理测试点微观准确性，又兼顾了目的层段宏观统计性，井震匹配岩石物理模型更具有代表性。

图10是B井反演得到的纵横比及孔隙度。孔隙扁度大小在一定程度上可以反映储层裂缝的发育情况。从反演的结果看，B井储层发育，储层段(2356~2392m)孔隙度较高，裂隙含量也较高，含油气性好，处于典型的孔隙-裂隙型储层，裂隙孔隙度(软孔隙)最高可达1.5%。储层裂隙发育段与成像测井结果较为吻合，这说明该方法提取的储层裂隙纵横比及其含量是可信的。

利用复杂孔隙结构模型对测井声波速度开展频散校正，B井校正结果(如图11所示)显示：文中方法与谐振Q值速度校正量法均使得测井速度向低速校正，但文中方法在裂隙含量较多的储层位置校正量要高于裂隙含量较少的泥岩段，凸显了喷射流对速度频散的影响，同时合成地震记录相关性更好(图12)。

4　跨频段融合储层高精度描述

常规储层预测反演流程不能很好的消除井震数据在深时域、测量尺度及激发频率上的极大差异，通常会造成井震数据深时关系不匹配、测井纵横波速度估算误差大及岩石物理量版不准确等问题，降低了储层预测及流体识别精度低。

跨频段井震匹配储层高精度描述技术在常规储层反演基础上，通过井震频散校正提高测井纵、横波速度估算精度，实现井震数据的准确标定和叠前弹性参数的高精度反演，进一步基于地震频段岩石物理量版，指导储层及流体的定量解释，提高储层预测和流体识别的精度(图13)。该技术具有以下优势：①地质约束井震匹配，测井纵波速度合成记录的纵向吻合度更高，几乎无需拉伸，匹配基础更扎实；②井震匹配得到的横波速度更贴近实测值，保障了叠前地震反演的精度提升；③建立的双复杂孔隙结构地震岩石物理模型，作为地震频段岩石物理量版，有效提高了储层定量解释精度。

在C地区开展了基于井震融合的储层高精度叠前反演，基于井震匹配方法对该工区22口井声波时差曲线进行校正(图14)。

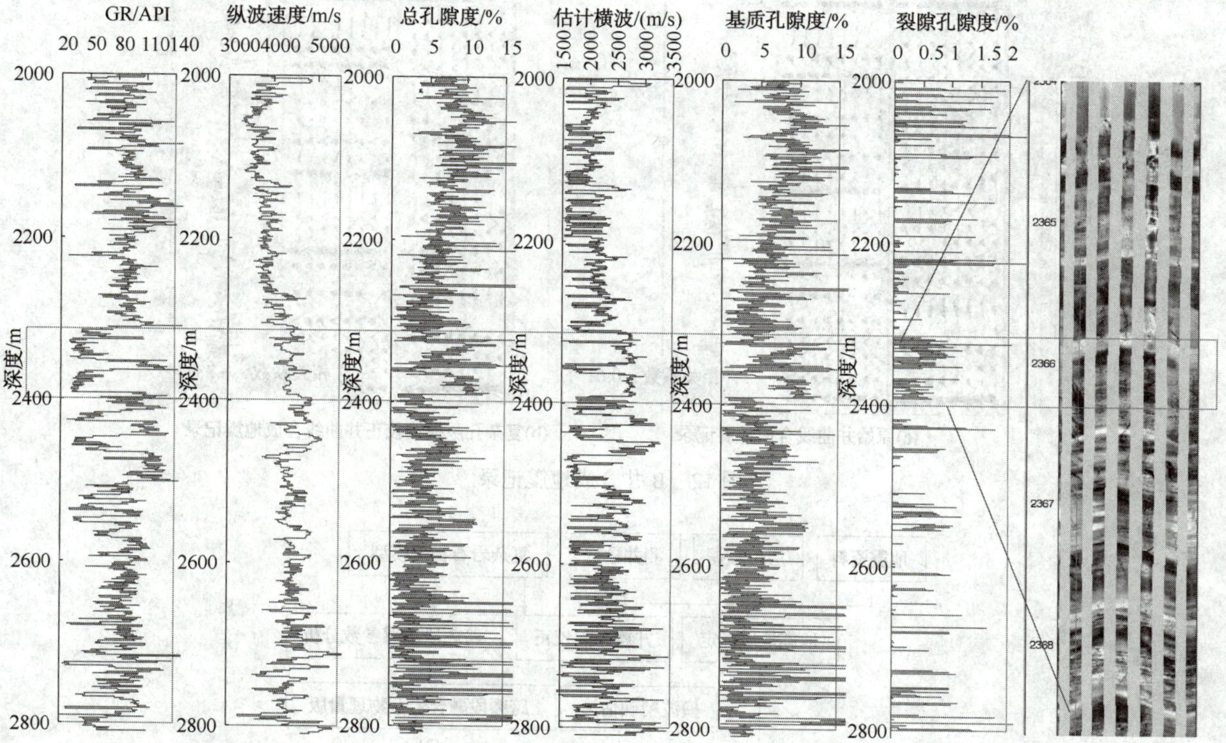

图10　B井孔隙类型反演结果

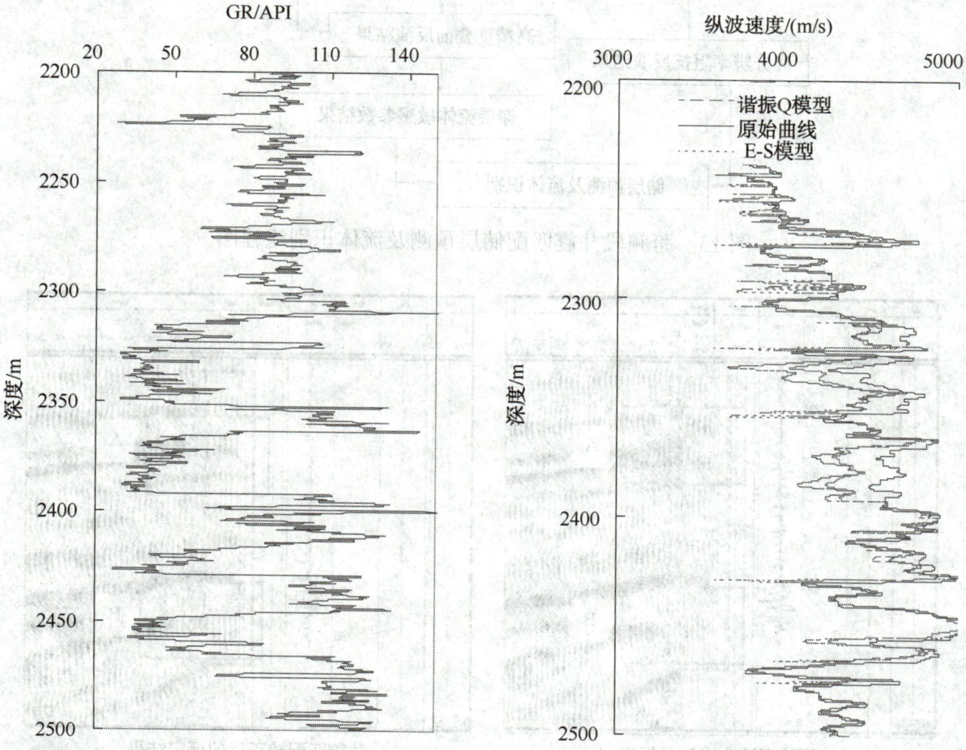

图11　B井基于DC moldel模型的井曲线校正

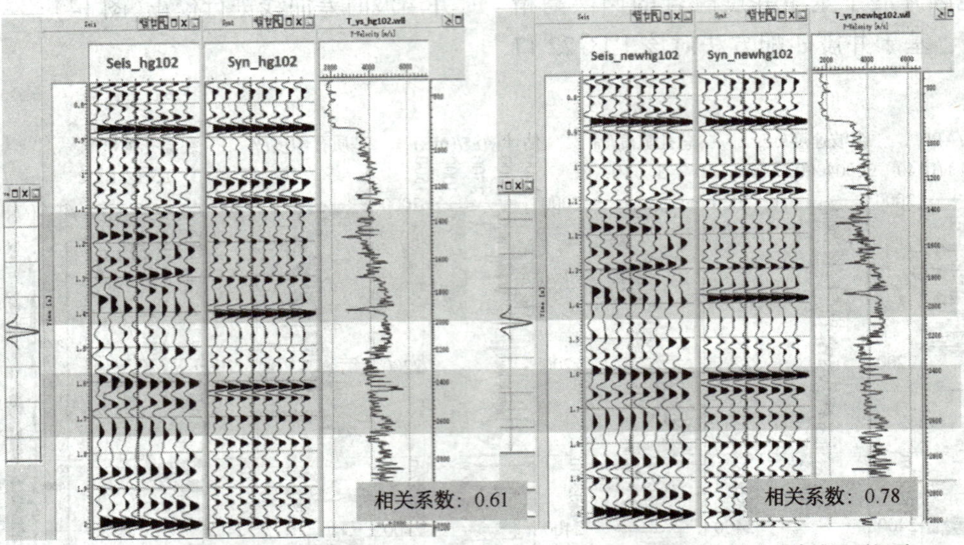

(a)原始井曲线合成地震记录　　(b)复杂孔隙模型校正井曲线合成地震记录

图 12　B 井合成地震记录

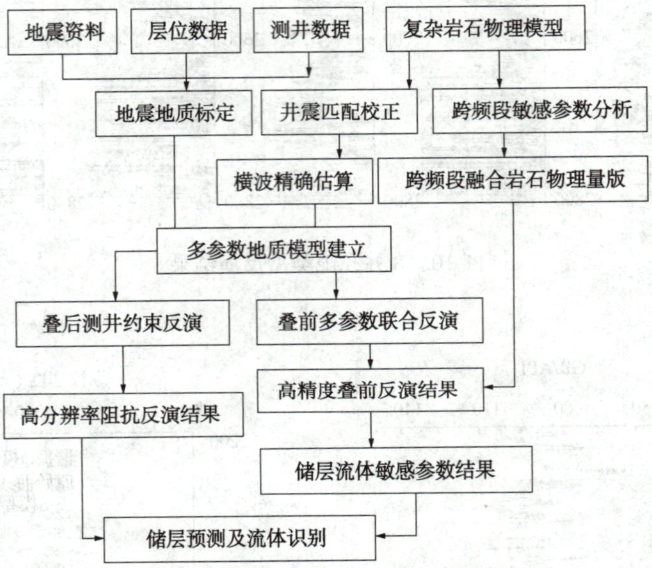

图 13　跨频段井震匹配储层预测及流体识别流程图

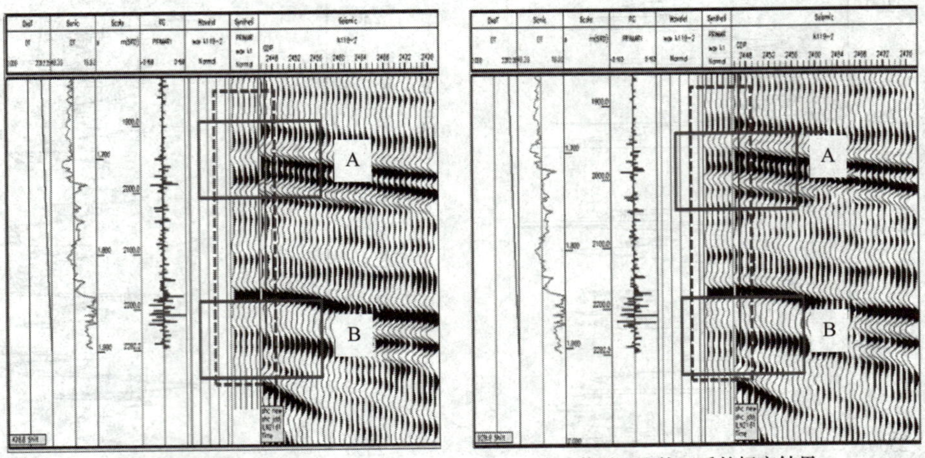

原始声波合成记录标定　　井震匹配校正后的标定结果

图 14　D-2 井井震匹配前后地震合成记录标定结果比较

基于井震匹配方法可以准确获取该区缺少的横波测井资料。图 15 为 D-4 井基于研究模型、CPA 模型、和 Han 模型估算得到的横波速度曲线。研发模型估算横波的合理性体现在以下两个方面：①跨频段模型孔隙纵横比假设更符合研究区储层及泥岩段孔隙结构特征；②复杂孔隙结构模型能够考虑能够更加精细考虑不同地层的速度频散影响。

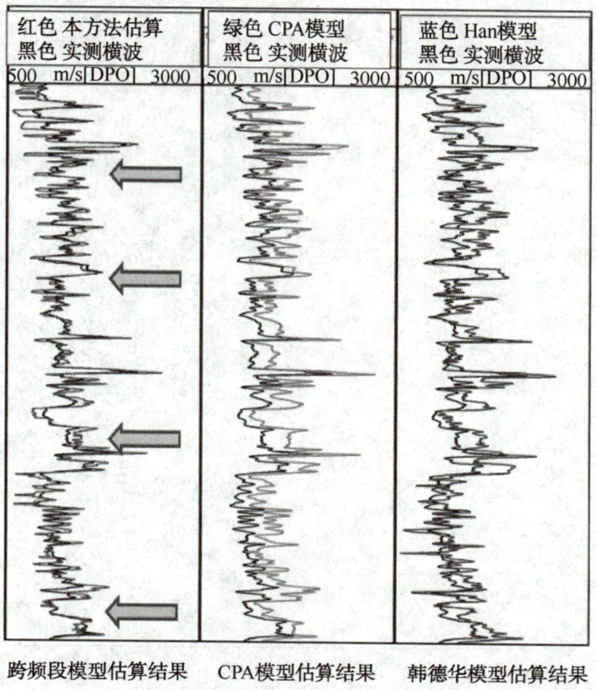

图 15　D-4 井复杂孔隙结构模型、CPA 模型和韩德华模型估算的横波速度比较

图 16 为 C 地区应用跨频段井震匹配反演新流程前后过 D-8 井、D-5 井及 D 井叠前反演储层油气预测结果。从图 16 中可以看出井震匹配前后纵横波速度比剖面均能够反映 D-8 井和 D-5 井的油层，同时跨频段约束叠前反演纵横波速度比剖面能够清晰的反映 D 井 13.9m 厚油层。

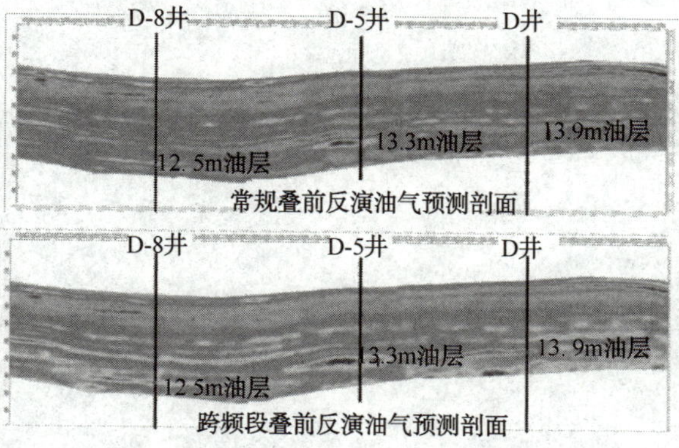

图 16　跨频段融合前后叠前反演油气预测效果比较

通过图 17 中可以看出，纵横波速度比属性在 C 地区油藏可以很好的预测储层及含油气性，其预测结果有效指导了馆下 5 砂组含有面积的确定。

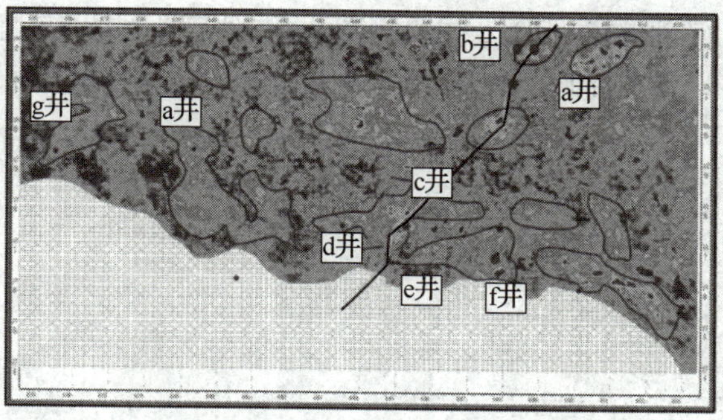

图 17　C 地区馆下段 5 砂组频散属性油气预测图

5　结论

（1）基于胜利油田物探研究院原有低频岩石物理测量系统，改进了测量杆等，将系统测量频段由 200Hz 拓宽到 2000Hz 以上，进行规模化测试，获得 A 地区致密砂岩跨频段岩石物理参数变化规律；

（2）改进原有岩石物理模型，将原模型孔隙结构改进为纵横比相对固定的硬孔隙和不同纵横比软孔隙的组合，模型模拟结果与实验结果更为接近，验证了双复杂地震频散岩石物理模型的可靠性，基于新建岩石物理模型，实现了对井曲线的点速度频散校正；

（3）形成跨频段井震匹配储层高精度描述技术，实现井震数据的准确标定和叠前弹性参数的高精度反演，进一步基于地震频段岩石物理量版，指导储层及流体的定量解释，提高储层预测和流体识别的精度。

参 考 文 献

[1] Chapman, M., Zatsepin, S. V. and Crampin, S. Derivation of a microstructural poroelastic model[J]. Geophysical Journal International, 2002, 151: 427-451.

[2] Batzle, M and Wang, Z J. Seismic properties of pore fluids[J]. Geophysics, 1992, 57(11): 1396-1408.

[3] 刘浩杰，王延光，何惺华．多尺度地球物理资料速度分析．油气地球物理，2006(4)：19-22

[4] 郭洪岩，云美厚，艾印双，等. 地震资料解释中应用测井数据需注意的几个问题. 石油物探，2011，50(6)：625-629.

[5] 韩行吉，杨文采，吴永刚. 地震与声测井资料的匹

配. 石油地球物理勘探，1995，30：27-33.

[6] 邓继新，杜伟，王尚旭．介观尺度孔隙流体流动作用对纵波传播特征的影响研究—以周期性层状孔隙介质为例．地球物理学报，2012，55(5)：2716-2727.

[7] 邓继新，周浩，王欢，等．基于储层砂岩微观孔隙结构特征的弹性波频散响应分析．地球物理学报，2015，58(9)：3389-3400.

[8] 何涛，邹长春，裴发根，等．饱和储层砂岩中流体粘度引起的超声速度频散实验研究．应用地球物理，2010，7(2)：114-126.

[9] 刘炯，马坚伟，杨惠珠．周期性成层 Patchy 模型中纵波的频散和衰减研究．地球物理学报，2009，52(11)：2879-2885.

基于机器视觉的油气站库智能巡检系统探索分析

王　燕　吕　刚　岳　龙　何鹏飞　徐志强　张勇强　李胜鹏

（胜利油田石油开发中心有限公司）

摘　要　近年来，全国各大油田均逐渐提出智能油田建设新理念，"无人值守"概念搬上油气生产舞台。但在实际生产运行中，容易受到安保、机械维护等多方面不确定因素的影响，油气站库实现"无人值守"面临较多痛点、难点、堵点。随着智能化技术的不断提升发展，机器视觉与大数据技术趋于成熟。本文聚焦"油藏经营价值最大化"，将智能化技术与生产经营深度融合，基于机器视觉、大数据、远程监控等技术，以站库、人员等为对象，以图像识别、目标检测等算法为手段，探索分析以"智能巡检、智能识别、智能分析、智能关卡"为一体的油田站库智能巡检系统技术方案，助力油田生产实现用智能管理、靠数据决策，加速释放数智化转型红利，实现油藏经营数字化转型、智能化提升。

关键词　机器视觉；智能巡检油气站库；大数据；无人值守；图像识别；目标检测

近年来，各大油田逐步开始建设智能油田，开展集中监控、无人值守站库的建设工作。油气站库是石油化工行业重要的组成部分，其安全生产和环保问题一直广受关注。国内大型油田如胜利油田、大庆油田等均由于年限较长，站库设施繁多，数智化水平仍处于较低层次。以胜利油田为例，油田发展进入中后期，开采成本增大，退休人数逐年增多，企业发展面临新形势新挑战，通过智能化手段实现扁平化管理，减少人员非必要工作量已成为必然。为保证油气生产长期稳定运行，油气站库必须做好巡检工作。目前油气站库巡检主要以人工主导+信息化系统辅助为主，智能化覆盖不全，并且容易受到人工经验、设备、环境等因素影响，巡检效率较低，劳动强度较大，经常出现巡检不到位、预警不及时等问题。在互联网、数字化技术的大力支撑下，智能巡检技术成为当前的研究热点。机器视觉技术作为新兴智能检测技术，正在不断取得新突破，被广泛应用于工业自动化、智能交通、医疗诊断、安防监控等领域。在油气站库的巡检工作中，利用机器视觉技术，可以对设施设备、人员等进行图像处理、目标检测等操作，实现对站库的智能巡检和智能分析。2013 年，肖广荣等提出基于 WiFi 网络及多种通信技术将巡检设备及人员上传控制中心服务器，实现数据时效性，为工作质量提供技术保障。2015 年，张栋等提出基于北斗卫星的油田管网巡检系统，通过对巡检路线的规划和导航，大大提高了巡检效率。2020 年李平等采用分层设计，基于机器视觉技术提出应用于油气田的智能巡检作业系统。即便如此，智能巡检仍面临严峻挑战，存在诸多问题，需要根据实际应用进行持续优化。

1　智能巡检系统技术方案探索分析

智能化是科技创新制高点，只有抓实数智赋能，才能快速实现"减人/少人/无人值守"目标，大幅度改善员工工作环境，降低劳动强度，提升工作效率。本文针对油气站库实际应用需求与面临难点，提出一套基于机器视觉的智能巡检技术方案，致力于打造数智赋能的利器，实现对油气站库的一体化管控，推动油田开发和生产向现代化、智能化方向快速发展。

1.1　系统基本模块

系统主要包含二维码管理与安防巡检两大模块，整体功能架构如图 1 所示。

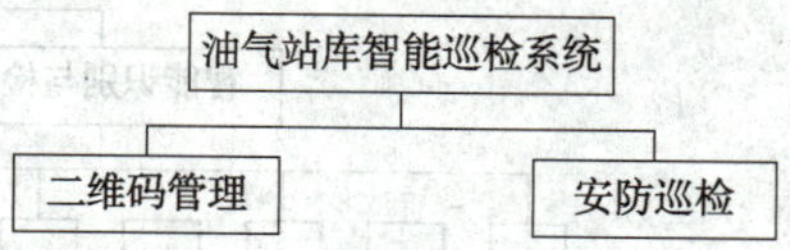

图 1　智能巡检系统架构示意图

1.1.1　二维码管理

二维码管理模块主要为将工业解析协议技术和计算机管理技术引入油气站库智能巡检系统中，将二维码作为巡检内容的定位技术，对巡检地点及全部设施设备进行整体编码并设置所属编号，相关工作人员及时对设备使用、维护等信息进行录入，将其存于服务器中。利用计算机系统生成定时巡检任务，每次巡检前系统将对服务器中储存的设备信息进行详细分析，优化生成巡检路线规划。巡检结束后，巡检结果自动存入后台服务器中并形成分析报告。通过对巡检结果与巡检历史进行综合分析，掌握设备运行状态，规范巡检操作，提高工作效率，并为设备检修提供参考数据。

1.1.2　安防巡检

安防巡检模块主要分为安防智能监控+无人机智能巡检两大部分。如今的视频监控系统覆盖面不够广泛、存在“信息孤岛”，制约了业务应用共享视频的需求，维护难度大。安防巡检模块基于机器视觉的静态视频监控+动态智能无人机巡检，运用机器视觉和大数据技术，嵌入目标检测、图像识别等算法，以集成式手段、联动式控制，实现大数据分析与数据联动共享。该模块主要由图像采集、图像处理、视频监控、目标检测、智能分析、远程控制、报警管理等组成，具备实时监控与展示、巡检数据实时处理、目标检测、预警报警等功能。依赖于监控采集和无人机巡检收集到的信息，实现对数据的采集、存储、分析、传输等功能，并可以根据实际应用场景，对摄像头的部署、无人机的巡检方案进行按需调整。安防巡检模块功能示意图如图2所示。

无人机配备仪器仪表数据读取、设备指示灯识别、阀门状态检测、井口漏油检测、机泵震动检测、有毒有害气体检测、自主巡航、自动起降、实时图传、远程控制、视频监控、智能识别等功能，可以实现对油田站库的日常巡检操作，减少人工巡检的时间及作业强度，实现油区站库全覆盖，起到高效巡检作用。搭载智能传感器，

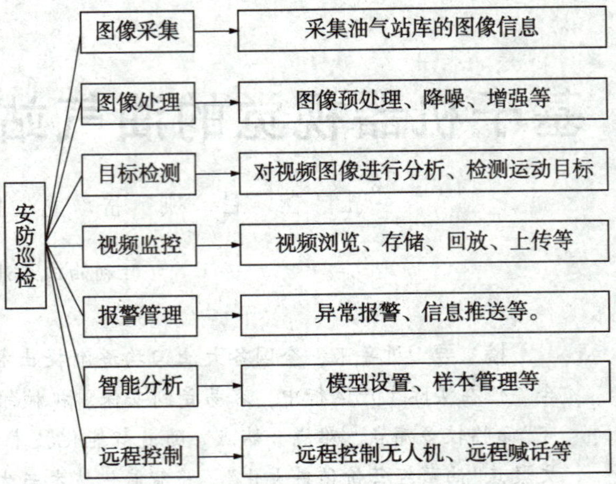

图2　安防巡检模块功能示意图

对巡检路线、目标能够自主识别和定位，并能利用边缘检测算法对位置、设备、仪器仪表等进行识别，根据识别结果进行实时报警。针对盘根漏油、工装检测、皮带打滑、悬绳器脱、光杆松脱、柱塞泵漏水等内容进行监测，在摆脱人工巡检的同时，提高了风险管控精准度。静态视频监控摄像头配备图像识别、目标检测等功能，能够精准识别油气站库中人的不安全行为，如未穿工鞋、未带工帽、违规接打电话等。安防智能监控巡检系统采取“动·静”结合的方式，对油气站库人和物的不安全行为及生产异常情况进行实时监控，及时预警(图4)。无人机智能巡检功能架构图如图3所示。

1.2　系统软件架构

系统软件架构采取标准化封装、模块化设计、分布式架构，移植性高，可靠性强。总体分为数据采集模块、图像处理模块、数据存储模块、数据分析模块、用户界面模块、通信模块(图5)。

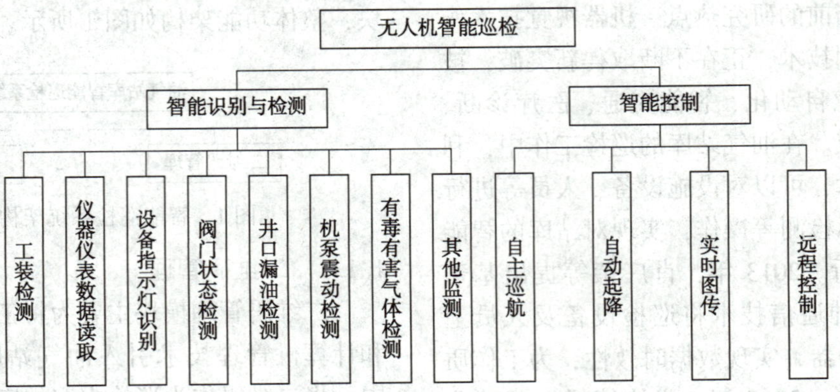

图3　无人机智能巡检功能架构图

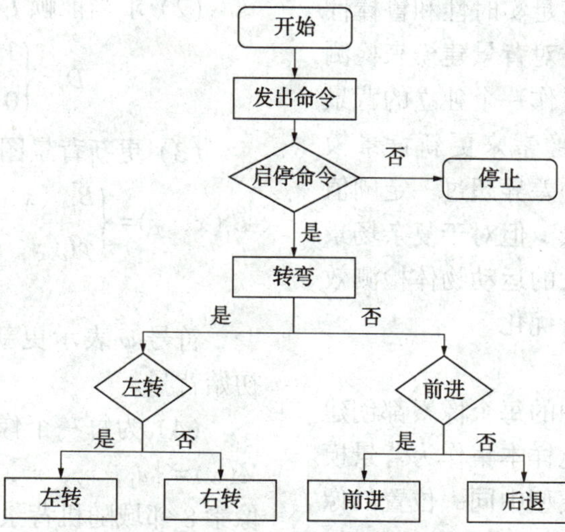

图 4　无人机远程控制流程图

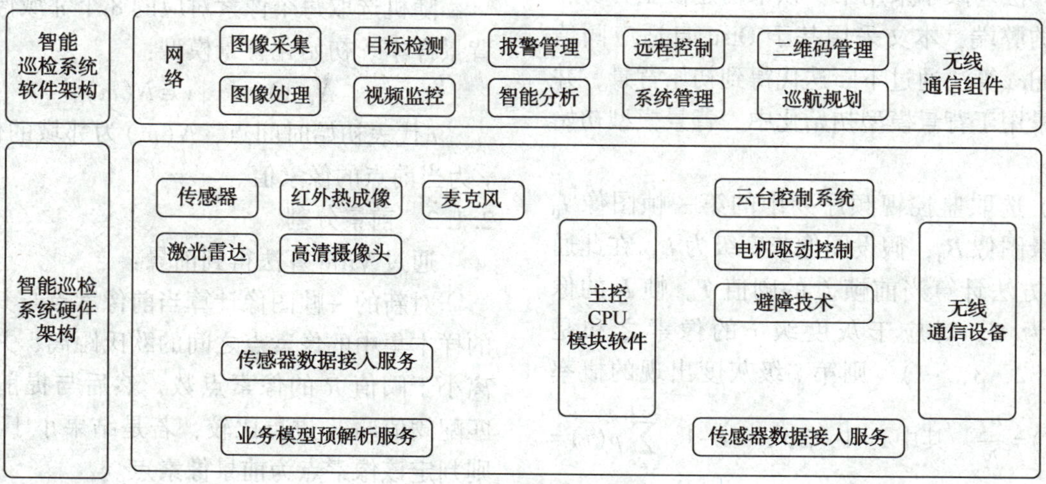

图 5　系统架构图

数据采集模块：负责实时采集油气站库内部的图像和视频数据，并将其传输到后台处理模块。采集设备应具有高清晰度、高帧率和低延迟等特点，以保证数据的质量和实时性。

图像处理模块：负责对采集到的图像数据进行处理和分析，提取出关键特征信息，如仪器仪表异常、油罐液位、管道渗漏等。采用深度学习等技术可以提高处理效率和准确性。

数据存储模块：负责将采集到的数据和图像处理模块提取的特征信息进行存储和管理，方便后续的数据分析和处理。

数据分析模块：负责对存储的数据进行分析和处理，通过数据挖掘和机器学习等技术，识别出异常情况和潜在风险，并提供预警和预测功能。

用户界面模块：用户界面模块应该能够与用户进行交互，提供可视化的界面和操作界面，方便用户对系统进行监控和管理。

通信模块：负责系统内部各个模块之间的通信和数据传输，保证系统的正常运行和数据的可靠传输。可采用 TCP、UDP 等高效可靠的通信协议。

2　主要算法分析

本文所探索的智能巡检系统技术方案中，图像识别和目标检测是技术重点。结合当下时兴的目标检测算法以及各类算法的适用场景及优缺点，本文将 ViBe 算法与 yolov5 算法相结合，优化 vibe 算法，减少噪声和鬼影，利用 yolov5s 网络对前景区域进行二次筛选，实现目标的精准锁定。

2.1　改进的 ViBe 算法

ViBe 算法于 2009 年由 Olivier Barnich 等人首次提出，是一种通用的前景检测算法，具有模型初始化快速简单、且又能满足实时性和鲁棒性较高等特点。核心思想是通过对背景建模来检测前景，该算法将每个像素点看作一个独立的背景模型，并根据像素点的邻域像素来更新背景模型。当像素点与其背景模型的差异超过一定阈值时，就将该像素点标记为前景。但对于复杂场景下的前景检测及形态变化较大的运动物体检测效果不佳，需根据实际应用进行优化。

2.1.1　初始化背景模型

该算法首先为视频序列中的每个像素都创建一个独特的背景样本集，用此样本集作为背景模型。通过将当前像素与背景模型中同一位置的像素作比较来确定当前像素是属于前景还是背景。鉴于该算法局限于采用第一帧来构建模型容易产生鬼影的弊端，本文采用基于 Otsu 自适应阈值的 Surendra 算法通过不断迭代得到初始背景，并将此背景用于背景模型初始化中。背景模型初始化如下：

（1）选取监控视频序列中的第一帧图像 I_0 作为背景图像 B_0，假设图像灰度级为 L，在此通过 Otsu 方法计算当前帧 I_t 的阈值 T。帧 I_t 的像素之和为 N。对应于灰度级 i 的像素之和是 $n_i(i=1, 2, 3, \cdots)$，则第 i 级灰度出现的概率为：$p(i)=\frac{n_i}{N}$。其中 $i=1, 2, 3\cdots L-1$，$\sum_{i=0}^{L-1}p(i)=1$。通过求当前帧 I_t 的平均值和方差，得到最优阈值 R。

（2）求当前帧 I_t 的差分图像 D_t：

$$D_t=\begin{cases}1 & |I_t-I_{t-1}|>T \\ 0 & |I_t-I_{t-1}|\leqslant T\end{cases} \tag{1}$$

（3）更新背景图像 B_t：

$$B_t(x, y)=\begin{cases}B_{t-1}(x, y)D_t=1 \\ \varphi I_t(x, y)+(1-\varphi)\varphi I_{t-1}(x, y)D_t=0\end{cases} \tag{2}$$

符号 φ 表示更新速度。此时 $B_t(x, y)$ 即为初始背景。

（4）为每一个像素 x 都建立一个背景模型：$M(x)=\{v_1, v_2, v_3, \cdots, v_{i-1}, v_i\}$。其中 v_i 表示像素 8 邻域随机背景样本值，$v(x)$ 为待判定的像素点的像素值，$i=1, 2, 3, \cdots, n$。

随机选取每个像素对应的 8 个邻域像素作为背景样本。初始化背景模型：

$$N_t(x)=\{y \mid y\in N(m)\} \tag{3}$$

t 代表初始时间点，$N(m)$ 为邻域的像素值，y 为当前点的像素值。

2.1.2　前景分割

通过 ViBe 算法得到前景：

对新的一帧图像计算当前像素点与其所对应的样本集中的像素点之间的欧氏距离，并统计距离小于阈值 R 的像素点数，然后与提前设定的匹配阈值#*min* 进行比较，若是结果小于该阈值，则判定该像素点为前景像素点。

$$f(x, y)=\begin{cases}1, & \{S_R[v(x)]\cap\{v_1, v_2, v_3, \cdots, v_{n-1}, v_n\}\}<\#min \\ 0, & \{S_R[v(x)]\cap\{v_1, v_2, v_3, \cdots, v_{n-1}, v_n\}\}\geqslant\#min\end{cases} \tag{4}$$

其中“1”和“0”分别表示前景和背景点，$f(x, y)$ 表示检测结果。

通过五帧差分法得到前景：

设 $f_{t-2}(x, y)$、$f_{t-1}(x, y)$、$f_t(x, y)$、$f_{t+1}(x, y)$ 与 $f_{t+2}(x, y)$ 分别为预处理后的五帧图像，其中，$f_t(x, y)$ 为中间帧，让中间帧和前后两帧分别做差分运算：

$$\begin{aligned}D_{13}(x, y)&=|f_t(x, y)-f_{t-2}(x, y)| \\ D_{23}(x, y)&=|f_t(x, y)-f_{t-1}(x, y)| \\ D_{34}(x, y)&=|f_t(x, y)-f_{t+1}(x, y)| \\ D_{35}(x, y)&=|f_t(x, y)-f_{t+1}(x, y)|\end{aligned} \tag{5}$$

此外，让差分结果 $D_{13}(x, y)$ 和 $D_{35}(x, y)$、$D_{23}(x, y)$ 和 $D_{34}(x, y)$ 分别做“与”运算，得到 D_1 和 D_2，最后让 D_1 和 D_2 进行“或”运算得到最终目标结果 $D(x, y)$。在做“或”运算之前先对其进行二值化和中值滤波处理，以避免“空洞”现象的发生。

“与”运算和后处理

通过将 ViBe 算法所得出的前景与五帧差分法得出的前景采用“与”运算的方式获得目标分割结果。

2.1.3　背景模型更新

采取动则更新的策略，在监控视频中，对于始终静止不动的像素点在被判定为背景之后，利用隔时更新的方式，对于长时间静止的像素点，隔一段时间更新一次，只更新运动着的像素点。

2.2　Yolv5 算法

Yolov5 算法是一种高效、准确的目标检测算法，具有很大的应用前景。该算法采用 CSP 网络结构和 Self-training 训练策略，不但可以保证模型精度和速度，还可以提高模型泛化能力。不仅可以检测出图像中的物体，还可以对物体进行分类和定位，同时还支持多物体检测和跟踪。在实时视频监控领域具有较好的应用前景。yolov5 主要分为输入端，backbone，Neck，和 head（prediction）。Yolov5 网络结构图如图 6 所示。

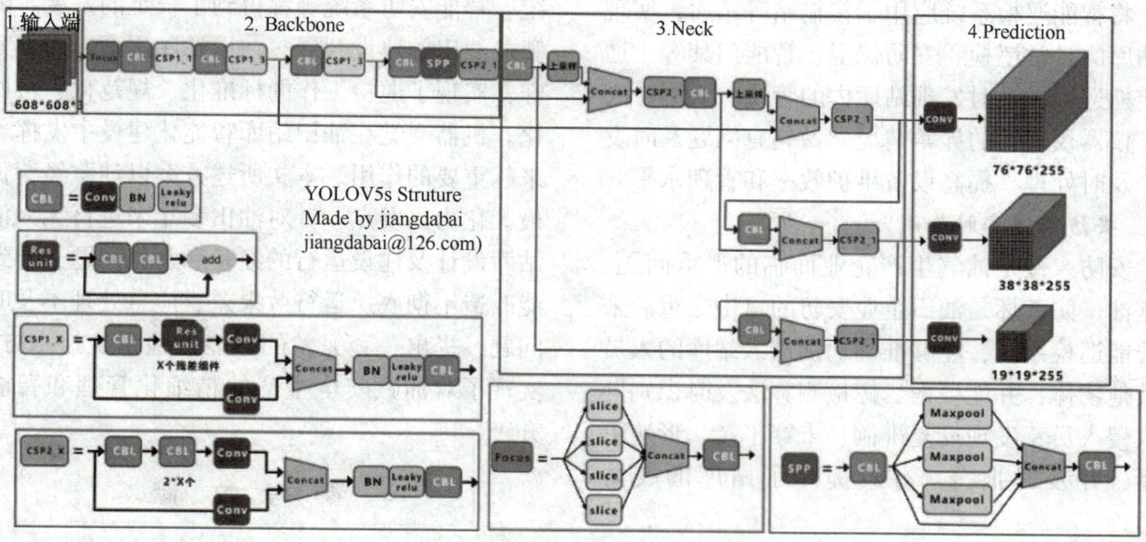

图 6　Yolov5 网络结构图

2.2.1　输入端

采用了 Mosaic 数据增强，四张图像进行拼接，并对图像进行随机缩放，随机裁剪和随机排列。极大改善了数据集小、中、大目标数据不均衡的问题，有助于被遮挡物体的检测，从而提升了模型的检测能力。

2.2.2　backbone

骨干网路部分主要采用的是：Focus 结构、CSP 结构。将 Focus 结构引入了 YOLOv5，用于直接处理输入的图片。Focus 对图片进行切片操作后进行卷积操作，最终得到二倍下采样特征图。如下图 7 所示，4x4x3 的图像切片后变成 2x2x12 的特征图。CSPNet 主要是将 feature map 拆成两个部分，一部分进行卷积操作，另一部分和上一部分卷积操作的结果进行 concate，计算量得到有效降低。

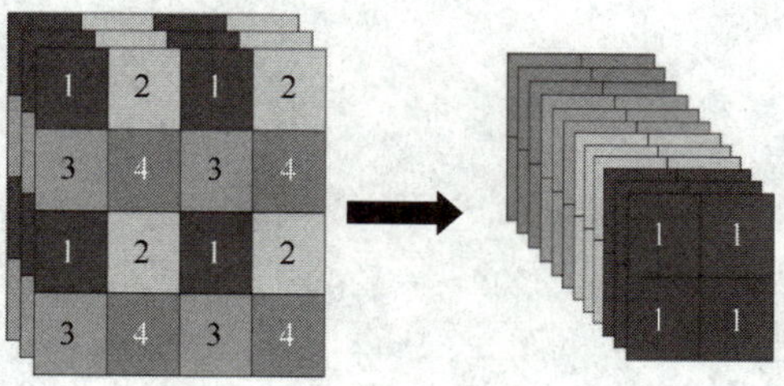

图 7　卷积操作结果图

2.2.3　Neck

采用 FPN+PAN 结构进行丰富的特征融合，如图 8 所示。FPN 层自顶向下传达强语义特征，而 PAN 塔自底向上传达定位特征。

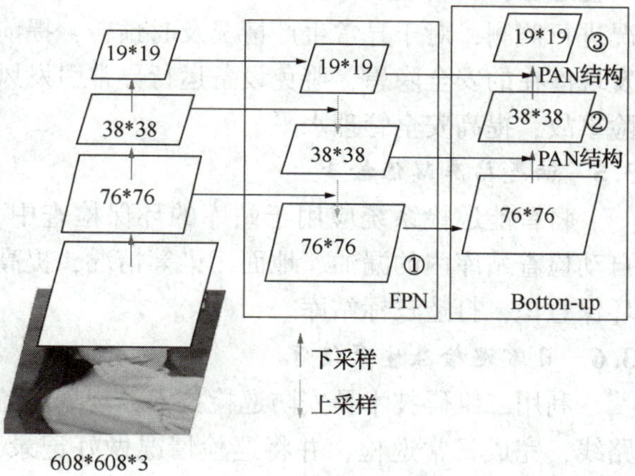

图 8　FPN 与 PAN 结构图

2.2.4　Head

对图像特征进行预测，生成边界框并预测类别。

3　应用场景分析

基于机器视觉的油气站库智能巡检系统采用分布式架构部署，能够满足油气站库不同应用场景的各类需求。主要应用场景包括以下几个方面：

3.1　井场生产实时情况监督

将智能巡检系统应用于井场，实现对井场的

全覆盖监控，及时发现井场漏油、抽油机生产异常、人的不安全行为等，做到对井场的全方面管控、全智能处理。

3.2 集输站（接转站）等站库运行情况监督

将智能巡检系统应用于集输站等站库，实现对站库的日常巡检、安防保卫、智能门禁等。通过定期巡检，及时发现站库内的管线、大罐、阀门、仪器仪表等的异常情况，做到有问题及时发现、及时处理，提高设备维护效率和管理水平。

3.3 安防入侵实时检测

安防入侵是油气生产企业面临的严重问题，防盗油、防破坏是油田企业安防的重中之重。采用智能巡检系统，能够准确识别进入站库的人员及其他物体，并能根据目标检测算法及时识别疑是入侵人员，发现反复徘徊、未穿工装、形迹可疑者，并及时报警，有效提高了站库的安防能力。

3.4 油气站库安全检查

将智能巡检系统应用于油气站库的安全检查，对安全设施、消防设备、电气设备等进行自动化巡检，利用热成像技术对站库内泵的运行情况进行监测，对于异常生产情况及时预警，提前发现潜在的安全隐患，避免设备运行异常引发风险事故，提高安全管理水平。

3.5 油气站库环保检查

将智能巡检系统应用于站库的环保检查中，自动检查站库内的漏油、地面污染等情况，提高环保意识，打造三标站库。

3.6 日常巡检及生产值守

利用二维码技术及安防巡检技术，规划巡航路线，完成日常巡检，并将巡检情况做好记录，便于下次巡检分析。

4 结语

在国家数字经济战略引领下，机器视觉技术日益成熟，智能视频监控系统、工业视觉检测系统、智能安防系统等都得到了长足的发展。随着智能油田的建设开展，油田站库逐渐走向无人值守，实现了巡检工作的标准化、规范化、可回溯化。机器视觉在油田站库智能化建设中发挥着越来越重要的作用。本文所述方案以油藏经营价值最大化为出发点，针对油田多年来进行无人值守站库设计及建设运行的经验和常见问题，导致可能改造不彻底、运行效果差、应急处理不及时等问题，提出一套完整的智能巡检系统技术方案，实现了对油藏安全生产的精细化管理和智能化升级。

参考文献

[1] 肖广荣，马海潮，刘志富．基于移动智能终端的油田巡检系统[J]．西安石油大学学报(自然科学版)，2013，28(03)：104-107+12.

[2] 张栋，陈圣波，李健．基于北斗卫星的油田管网巡检系统的设计与实现[J]．吉林大学学报(信息科学版)，2015，33(06)：694-699.

[3] 李平，马亮，梁潇，朱润平．机器视觉在油气田巡检中的应用[J]．自动化博览，2020(03)：87-89.

[4] 黄鲲．智能巡检系统在广州蓄能水电厂的运用与探索[J]．水电自动化与大坝监测，2009，33(01)：38-40.

[5] 徐英卓，张帆．海洋油气田智能巡检系统研究[J]．天然气勘探与开发，2015，38(04)：65-67+14-15.

[6] 韩光，赵春雪，兰明菊，敖开栓，刘凡．油气田智能巡检系统研究[J]．中国管理信息化，2022，25(20)：104-106.

[7] 陈世毅．基于机器视觉的巡检机器人[D]．中原工学院，2022. DOI：10.27774/d.cnki.gzygx.2022.000063.

基于轮廓线分割加权的油气站库步态识别算法研究

徐志强 王 燕 吕 刚 何鹏飞 张勇强 魏 婕 李胜鹏

（胜利油田石油开发中心有限公司）

摘 要 本文根据油气站库实际应用场景及安全管理需求，将步态识别技术运用于油气站库生产运行当中。针对对冬季长款工服、长款风衣等的识别难点，提出一种用步态轮廓线表示步态特征，并对步态轮廓线进行分割加权的步态识别方法——SCSW(Silhouette Contour Segmentation Weighting)算法。该算法通过采用行人的步态序列中所有基于步态轮廓线所生成的特征矩阵来表示行人的步态特征。首先提取步态轮廓图，并进行形态学和归一化处理。然后提取步态轮廓线，通过质心做一条水平线和一条垂直线，将步态轮廓线分为四部分，以膝盖为基准做一条水平线，总共分为六部分。最后通过加权算法，根据各部分的价值变化对其增加相应的权重。采用PCA对数据进行降维，利用MDA进行分类识别。在CASIA-B步态数据库上进行实验，实验结果表明在穿着长款服饰的情况下，该算法较其他算法具有较高的识别率和良好的鲁棒性。

关键词 步态识别；步态轮廓线；分割加权；SCSW；油气站库；安全管理

步态识别作为一种生物特征识别技术，以它非接触性、远距离、非侵犯性、难于伪装的特点脱颖而出，在社会上受到越来越多研究学者的重视。随着智能油田建设的不断发展，对其安全性和管理效率的要求越来越高，人脸识别已不足以满足当下的应用需求，步态识别逐渐被应用于油气站库安全管理中。但是由于天冷人们习惯于穿着长款服饰以及冬季工装较长，步态识别技术面临识别困境。为解决这个难题，研究学者们皆提出了自己的想法。马勤勇等提出基于步态主运动轮廓线构造特征矩阵，并进行特征表示和分类识别的算法。通过质心将步态轮廓线分为四部分，并去除脚部区域以及右下区域，总共将轮廓线分为三部分。刘丽丽等提出基于最外轮廓线的思想。上述方法虽然很好的避免了脚步阴影以及长款服饰对步态特征的干扰，但是两者都是在删除了部分步态信息的基础上实现的，很容易丢失重要的步态特征，不具有较高的鲁棒性。故此，本文提出一种基于步态轮廓线进行加权分割的步态识别算法。通过提取步态轮廓线，并对其进行加权分割来提高长款服饰状态下的步态识别率。

1 步态预处理

1.1 提取步态轮廓线

文献将步态轮廓图的边线称为步态轮廓线，目前大多数步态识别算法都基于步态能量图(即步态轮廓图的平均图像)进行步态识别，使得步态轮廓图上的信息全部被利用，进而出现数据冗余、算法运行困难的现象。本文采用步态轮廓线表示步态特征，相对步态能量图降低了数据维度，运行效率显著提高，而且能与步态能量图表示相同的步态信息。通过使用行人步态序列中所有基于步态轮廓线生成的特征矩阵表示步态特征。首先提取步态轮廓图，为了后续方便计算，首先对其进行形态学和归一化处理，然后采用Canny边缘检测算子提取步态轮廓线。图1显示了同一目标的步态轮廓图和相对应的步态轮廓线。

图1 步态轮廓图与步态轮廓线

1.2 对步态轮廓线进行分割加权

1.2.1 分割步态轮廓线

将提取的步态轮廓线分成六大部分。首先通过质心做一条水平线和一条垂直线，将步态轮廓线分为四部分，然后以膝盖为基准做一条水平线，总共分为六部分。质心坐标(x_c，y_c)计算如下：

$$x_c = \frac{1}{N}\sum_{x \in N} x,\ y_c = \frac{1}{N}\sum_{y \in N} y \tag{1}$$

式中，(x, y) 表示步态轮廓线上的某一像素点的坐标，N 表示步态轮廓线上总的像素个数，(x_c, y_c) 表示质心位置。

分割情况如图 2 所示，D_1 和 D_2 为人体左手和右手摆动部分，不容易受长风衣的影响，信息比较稳定。由于人们穿着的长款服饰大部分都到膝盖部位甚至以下，从而导致 D_3 和 D_4 部分容易受到干扰。D_5 和 D_6 部分是人体步态特征最重要的部分，含有丰富的运动信息，是步态特征能否被正确识别的关键。通过加权算法，根据各部分的重要性对其增加相应权重。

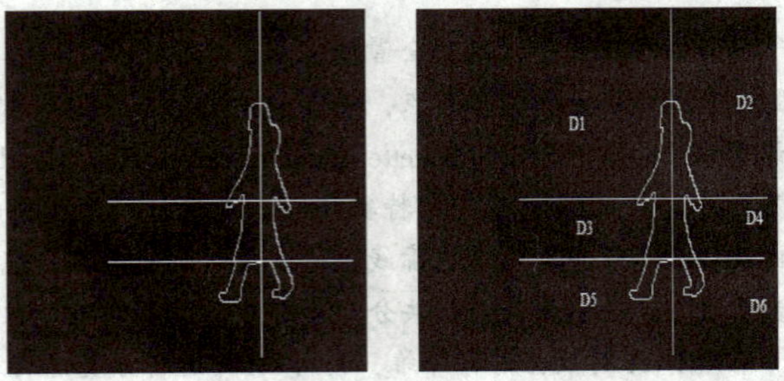

图 2　步态轮廓线区域分割

1.2.2　对分割之后的步态轮廓线进行加权

将步态轮廓线划分为六大部分之后，接下来对其进行权重分配，权重分配公式为：

$$D_i'(x, y) = \sum_{i=1}^{n} W_i D_i(x, y) \tag{2}$$

式中，$D_i (i=1, 2, \cdots, 6)$ 为分割后的某一部分步态轮廓线，$D_i'(x, y)$ 为分配权重之后的步态轮廓线，W_i 为权重值，其中 $W_i = \begin{cases} 0.2;\ i=1 \\ 0.1;\ i=2 \\ 0.1-M;\ i=3 \\ 0.1-M;\ i=4 \\ 0.3+M;\ i=5 \\ 0.3+M;\ i=6 \end{cases}$，$M = 0.1 \times \left[\frac{d_t}{3 * d_{\min}}\right]$，$d_t = \sqrt{(x_t-x_c)^2+(y_t-y_c)^2}$。$(x_t, y_t)$ 为轮廓线中两腿中间的像素值，如图 3 所示。d_t 为像素 (x_t, y_t) 到质心 (x_c, y_c) 的距离，若该距离大于轮廓线上的像素到质心的最小距离的 3 倍，则认定为该行人穿着了长款服饰，应该减少 D_3 和 D_4 的权重，增加 D_5 和 D_6 的权重，以便提高长款服饰状态下的步态识别率。

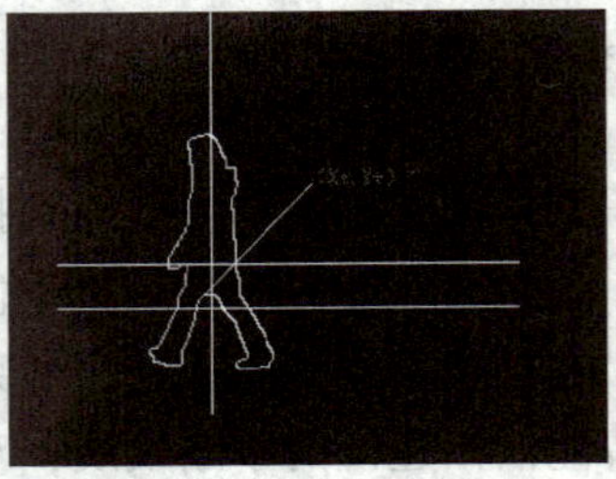

图 3　(x_t, y_t) 位置图

2　步态特征提取

2.1　特征矩阵的构造

为方便存储步态信息，在此采用向量表示六段步态轮廓线。采用轮廓线上的像素点到质心的距离构造特征向量。以 D_1 为例，把此部分的步态轮廓线表示为 n 维行向量 $\alpha = (a_1, a_2, \cdots, a_n)$。其中 a_i 表示第 i 行步态轮廓线上点 (x, y) 到质心 (x_c, y_c) 的距离：$a_i = \sqrt{(x-x_c)^2+(y-y_c)^2}$。同样，依次将 D_2、D_3、D_4、D_5 和 D_6 分别表示为 β、γ、δ、ε 和 θ。

在此假设人体目标 h 的一个步态周期从第 k 帧开始，特征矩阵构造如下：

$$A_h = \begin{bmatrix} \alpha_k \\ \alpha_{k+1} \\ \vdots \\ \alpha_{k+m-1} \end{bmatrix},\ B_h = \begin{bmatrix} \beta_k \\ \beta_{k+1} \\ \vdots \\ \beta_{k+m-1} \end{bmatrix},\ C_h = \begin{bmatrix} \gamma_k \\ \gamma_{k+1} \\ \vdots \\ \gamma_{k+m-1} \end{bmatrix},\ D_h = \begin{bmatrix} \delta_k \\ \delta_{k+1} \\ \vdots \\ \delta_{k+m-1} \end{bmatrix},\ E_h = \begin{bmatrix} \varepsilon_k \\ \varepsilon_{k+1} \\ \vdots \\ \varepsilon_{k+m-1} \end{bmatrix},\ F_h = \begin{bmatrix} \theta_k \\ \theta_{k+1} \\ \vdots \\ \theta_{k+m-1} \end{bmatrix} \tag{3}$$

在上述矩阵中，a_i、β_i、γ_i、δ_i、ε_i、θ_i 分别表示从第 i 帧图像提取的六部分步态轮廓线向量，m 表示提取步态特征的图像帧数，在此取值 $m=200$。

2.2 PCA 降维

本文采用主成分分析法(PCA)对特征矩阵进行降维处理，通过采用较少的主成分来表达较多的样本信息。在此以行人 h 的特征矩阵 A_h 为例，假设训练集中有 l 个目标，对应于特征矩阵：A_1，A_2，…，A_l，则构造如下矩阵：

$$A=\begin{bmatrix}A_1\\A_2\\\vdots\\A_l\end{bmatrix}=\begin{bmatrix}a_{1,1} & a_{1,2} & \cdots & a_{1,n}\\a_{2,1} & a_{2,2} & \cdots & a_{2,n}\\\vdots & \vdots & \ddots & \vdots\\a_{l\times m,1} & a_{l\times m,2} & \cdots & a_{l\times m,n}\end{bmatrix} \tag{4}$$

m 为特征矩阵A_h的行数，n 是本部分轮廓线的高度。

假设 A 的协方差矩阵为 A_{cov}，求 A_{cov} 的特征根和特征向量。n 个特征根按照从大到小的顺序排列为：λ_1，λ_2，…，λ_n，对应的特征向量为：ξ_1，ξ_2，…，ξ_n。取其中与最大的 q 个特征根相对应的特征向量 ξ_1，ξ_2，…，$\xi_{d'}$ 组成主分量变换矩阵 Q：

$$Q=[\xi_1,\ \xi_2,\ \cdots,\ \xi_q] \tag{5}$$

将行人 h 的特征矩阵A_h与主分量变换矩阵 Q 相乘，得到主成分分析(PCA)处理后的矩阵：

$$A_h^Q=A_h\times Q \tag{6}$$

从上面得出结果可以看出特征矩阵A_h的维数从 n 降成 q。通过 PCA 降维处理，使得步态特征矩阵数据量大大减少。按照上述方法依次得到 B_h^Q、C_h^Q、D_h^Q、E_h^Q、F_h^Q。

2.3 MDA 分类识别

多元判别分析(Multiple discriminant analysis，MDA)源于 Fisher 线性判别分析(FDA)。多元判别分析是一种典型的解决多分类问题的线性算法。它能够很好的优化不同类的样本，它将 FDA 扩展到处理多类问题。因此，本文采用 FDA 对步态特征进行分类处理。假设 A_h^Q 如下所示：

$$A_h^Q=\begin{bmatrix}a_{1,1} & a_{1,2} & \cdots & a_{1,d'}\\a_{2,1} & a_{2,2} & \cdots & a_{2,d'}\\\vdots & \vdots & \ddots & \vdots\\a_{m,1} & a_{m,2} & \cdots & a_{m,d'}\end{bmatrix}=\begin{bmatrix}\alpha_1\\\alpha_2\\\vdots\\\alpha_m\end{bmatrix} \tag{7}$$

首先求出其中每一列的均值所构成的向量：$V_h=[v_1,\ v_2,\ \cdots,\ v_{d'}]^T$，其中 $v_i=\frac{1}{m}\times\sum_{i=1}^{m}a_{i,j}$。

并构造两个基础矩阵：$S_w=\sum_{h=1}^{l}S_h$ 和 $S_b=\sum_{h=1}^{l}m_h\times(V_h-V)(V_h-V)^T$，式中 $S_h=\sum_{i=1}^{m}(\alpha_i^T-V_h)(\alpha_i^T-V_h)^T$，$V=\frac{1}{l}\times\sum_{h=1}^{l}V_h$，$m_h$ 表示从行人 h 的步态序列中选取出来用于生成特征的步态图像帧数，即特征矩阵 A_h^Q 的行数。然后令 $S=S_W^TS_B$，将 S 的 n 个特征根按照从大到小的顺序排列为：λ_1，λ_2，…，λ_n，对应的特征向量为：ξ_1，ξ_2，…，ξ_n。令最大的 p 个特征根对应的特征向量构成变换矩阵 P，此时 Fisher 线性判别式 $J(P)$ 达到最大，即 $P=[\xi_1,\ \xi_2,\ \cdots,\ \xi_p]$。最后将通过 PCA 降维得到的矩阵 A_h^Q 与经过多元判别分析得到的变换矩阵 P 相乘得到多元判别分析的结果矩阵：

$$A_h^P=A_h^Q\times P \tag{8}$$

依次按照上述方法得到 B_h^P、C_h^P、D_h^P、E_h^P、F_h^P。本文最终使用这六大特征矩阵表示行人 h 的步态特征。

3 距离计算

假设测试集中的行人为 h_1，其特征矩阵为：$A_{h_1}^P$、$B_{h_1}^P$、$C_{h_1}^P$、$D_{h_1}^P$、$E_{h_1}^P$、$F_{h_1}^P$。训练集中的行人为 h_2，其特征矩阵为：$A_{h_2}^P$、$B_{h_2}^P$、$C_{h_2}^P$、$D_{h_2}^P$、$E_{h_2}^P$、$F_{h_2}^P$。两个行人之间的距离计算如下：

$$\begin{aligned}dis(h_1,\ h_2)=&w_1\times dis_A(h_1,\ h_2)+\\&w_2\times dis_B(h_1,\ h_2)+\\&w_3\times dis_C(h_1,\ h_2)+\\&w_4\times dis_D(h_1,\ h_2)+\\&w_5\times dis_E(h_1,\ h_2)+\\&w_6\times dis_F(h_1,\ h_2)\end{aligned} \tag{9}$$

式中，w_i表示每部分各自的权重，$dis_i(h_1,h_2)$为六大部分各自对应的特征矩阵之间的距离，计算如下：

$$dis_A(h_1,\ h_2)=\frac{nh_2\times\|A_{h_1}^P,\ A_{h_2}^P\|}{\sum_{h_2=1}^{nh_2}\|A_{h_1}^P,\ A_{h_2}^P\|} \tag{10}$$

其中，$\|A_{h_1}^P,\ A_{h_2}^P\|=\sqrt{\sum_{i=1}^{m}\sum_{j}^{p}(ap'_{i,j}-ag'_{i,j})^2}$。$ap'_{i,j}$ 和 $ag'_{i,j}$ 分别是矩阵 $A_{h_1}^P$ 和 $A_{h_2}^P$ 中第 i 行第 j 列的元素。

4 实验分析

本文选取 CASIA-B 数据库中 90° 视角下穿着长款服饰状态下的步态识别序列 021、034、

043 进行实验。其中 nm01、nm02、nm03、cl01 作为训练样本，nm04、nm05、nm06、cl02 作为测试样本。通过与其他算法比较得出下表 1 中的数据。可以看出本文提出的步态识别算法能够很好的识别在穿着长风衣状态下的步态特征。

表 1　90°视角下几种算法穿长风衣状态下的平均识别率

算法	长款服饰
文献[1]	63
文献[2]	75
文献[4]	82.6
文献[12]	83
文献[14]	76.61
本文算法	84.5

5　结论

面对在油气站库实际应用中长款服饰对步态识别结果的影响，本文提出了基于步态轮廓线分割加权的思想，将步态轮廓线分为六部分。通过采用轮廓线上的像素点到质心的距离构成特征矩阵作为步态特征，利用主成分分析进行降维处理，多元判别分析进行分类识别，最终针对各部分的价值对其进行加权处理。并在中国科学院自动研究所 CASIA-B 步态数据库上进行实验，通过实验得出在人们穿着长款服饰的情况下，本文提出的 SCSW 算法具有很好的识别率，可被应用于油气站库生产运行中。

参考文献

[1] 马勤勇，聂栋栋，王申康．基于主运动轮廓线的步态表示与识别[J]．自动化学报，2009，35(05)：519-525.

[2] 刘丽丽．基于最外轮廓的步态识别研究[D]．山东大学，2012.

[3] 王科俊，刘丽丽，贲晛烨，陈薇．基于步态能量图像和 2 维主成分分析的步态识别方法[J]．中国图象图形学报，2009，14(12)：2503-2509.

[4] 郑慧平，李旭健，张阳．基于 SWA-Gabor 特征的步态识别[J]．软件导刊，2018，17(07)：40-43.

[5] 陈玲，杨天奇．基于质心和轮廓关键点的步态识别[J]．计算机工程与应用，2015，51(19)：173-177+188.

[6] 朱靖波，叶娜，罗海涛．基于多元判别分析的文本分割模型[J]．软件学报，2007(03)：555-564.

[7] Shelke P B，Deshmukh P R. Region Based Human Gait Identification Using SVM Classifier[J]. IEEE 2015 International Conference on Computing Communication Control and automation(ICCUBEA)，2015：461-464.

[8] Wang L，Tan T，Ning H，et al. Silhouette analysis-based gait recognition for human identification[J]. IEEE Transactions on Pattern Analysis and Machine Intelligence，2003，25(12)：0-1518.

[9] Zhang F，Zhang X，Cao K，et al. Contour extraction of gait recognition based on improved GVF Snake model[J]. Computers & Electrical Engineering，2012，38(4)：882-890.

[10] Prakash C，Mittal A，Kumar R，et al. Identification of gait parameters from silhouette images[C]. Eighth International Conference on Contemporary Computing. IEEE，2015.

[11] 肖德贵，王磊．基于加权行质量向量的步态识别方法[J]．计算机工程，2011，37(11)：215-217.

[12] 陈欣，杨天奇．不受服饰携带物影响的步态识别方法[J]．计算机工程与应用，2016，52(05)：141-146+153.

[13] 王亮，胡卫明，谭铁牛，基于步态的身份识别，计算机学报，Vol。26，No. 3，pp. 353-360，2003.

[14] 孙卓．基于序列轮廓特征的步态识别研究[D]．西安科技大学，2017.

油田井场光储微电网规划探索

郑元黎　吕　刚　王国强　徐志强　何鹏飞　张勇强　李胜鹏

（胜利油田石油开发中心有限公司）

摘　要　以充分利用可再生能源为核心的新能源系统，将成为油田构建清洁低碳供能体系的有效途径。为高效利用油田井场闲置空地，提高油田井场可再生能源消纳比例，降低运行成本，本文探讨了油田井场光储微电网的规划方法。首先结合油田井场用电特征和典型运行特性，针对油田井场的环境和用电需求，从经济性、可靠性和环保性等方面出发，提出了油田井场光储微电网结构，对光储微电网的电源、储能和负荷等进行了规划设计；其次解释了光伏发电系统数学模型，综合考虑光储微电网运行成本，建立成本来源数学模型，以综合运行成本最低为目标函数，建立了油田井场光储微电网优化调控模型；最后，以某油田区块为例，通过 Matlab 解算优化模型，展示了区块优化调度方案，验证了光储微电网模型的有效性。

关键词　油田井场；光储系统；微电网；优化策略；低碳节能

1　引言

随着能源危机与环境问题的日益突出，新能源利用技术发展迅速。2020 年 9 月，习总书记提出了 2030 年碳达峰、2060 年碳中和的目标，继而又做出了 2030 年可再生能源消费占比达到 25%的承诺。电力是各个行业发展的基础保障，在终端能源消费中的比例不断增加，可见，大力布点新能源、提升可再生能源发电的消纳能力是实现构建清洁、低碳、高效供用能体系的关键环节。油田是进行油气生产的重要基地，能源生产的同时也是耗能大户。现阶段油田的油气生产过程主要依靠传统的化石能源为之提供电能与热能，普遍存在着成本高、综合能效低等问题。这已成为严重影响油田企业效益并制约油田可持续发展的关键因素。目前，随着世界能源变革的来临，依靠传统化石能源供能的石油行业能源替代形势十分严峻。

当前油田的油气生产过程中电负荷与热负荷共存，其中电负荷主要依靠电力公司或自备电厂供能，而热负荷主要采用燃烧天然气或者电加热的方式提供。随着光伏发电、风力发电、地热能源发电等无污染的可再生能源发电技术的进步，部分油田井场内先后建设了分布式发电试点项目以及太阳能集热系统。但是，单个井场内的分布式电源往往独立规划、设计与运行，尚未构建起多井场联动体系，未能充分利用井场间用能时段的互补性及多能互补特性，导致能源利用效率整体较低。

本文有效结合油田典型生产环节的用能设备工作特点与能源提供方式多样化，提出了油田井场光储微电网场景，进行油田光储微电网的建模与用能优化策略研究，并通过 Matlab 验证了某区块井场光储微电网优化调控模型，展示了区块优化调度方案，验证了光储微电网模型的有效性。

2　油田光储微电网场景

2.1　光伏发电过程

井场光伏发电系统是利用光伏电池方阵将太阳辐射能直接转换成电能的发电系统。它由光伏发电系统、电池储能系统、控制器、直流/交流逆变器、光伏发电系统附属设施（直流配电系统、交流配电系统、运行监控和监测系统、防雷和接地系统）等部分组成（图 1）。

（1）光伏发电系统

一个光伏电池只能产生大约 0.5V 电压，远低于实际应用所需要的电压。为了满足实际应用的需要，要把太阳能电池连接成组件，一个组件上，一般太阳能电池的标准数量是 36 片。通过导线连接的太阳能电池被密封成的物理单元被称为光伏电池组件，具有一定的防腐、防风、防雨能力，这种太阳能组件电池与接线盒之间可直接用导线连接，其潜在的质量问题就是边沿的密封以及组件背面的接线盒。

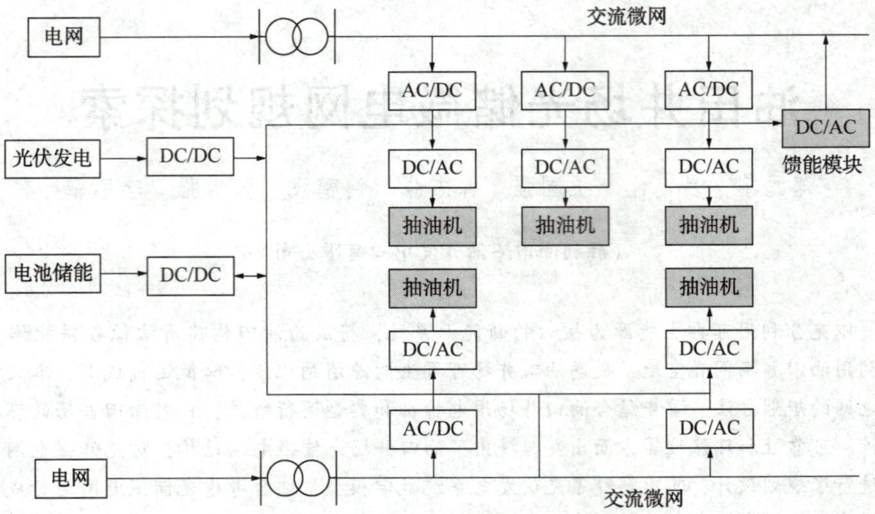

图 1　光伏发电系统

太阳能电池组件的输出功率取决于太阳辐照度、太阳能光谱的分布和太阳能电池的温度。如果太阳能电池组件被其他物体(如鸟粪、树荫等)长时间遮挡时，被遮挡的太阳能电池组件将会严重发热，这就是“热斑效应”。为了防止电池组件由于热斑效应被破坏，需要在电池组件的正负极间并联旁通二极管，避免光照组件所产生的的能量被遮蔽的组件所消耗。

(2) 直流/交流逆变器

逆变器是将直流电变换成交流电的设备，由于太阳能电池发出的是直流电，而最终光伏发电系统需要接入交流负载，这时逆变器是不可或缺的设备。逆变器按运行方式，可分为独立运行逆变器和并网逆变器。独立运行逆变器用于独立运行的太阳能发电系统，为独立的负载供电。并网逆变器用于并网运行的光伏发电系统，将发出的电能馈入电网运行。并网逆变器把光伏阵列产生的直流电转化为和电网同相的交流电能，当电网故障时，逆变器要停止工作，并且使逆变器负载断开，防止“孤岛效应”。

(3) 光伏箱式变压器

在光伏发电系统并网前，根据并网干线的电压选择合适的升压变压器，将逆变器输出的400V 交流电升压到并网需要的 10kV、35kV 或 110kV 等电压等级，满足并网的条件。

2.2 油田光储场景

基于油田井场场景下抽油机的工作特性，采用带油井负荷的光储微电网模式，系统包括太阳能光伏板、储能电池、控制柜、微电网能量管理系统等装置组成(图 2)。太阳能光伏板是微电网产生电能的部分，储能电池起的作用是削峰填谷、能量调节。微电网控制系统的作用是对微电网的能量管理，依据一定的控制策略，在保证抽油机负荷稳定运行的同时，最大限度利用绿色能源并提高经济效益。

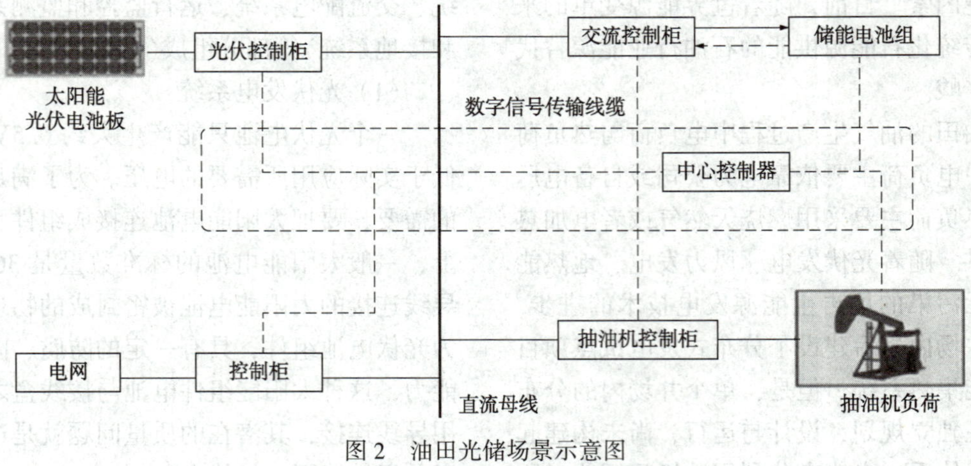

图 2　油田光储场景示意图

3 油田井场光储微电网运行成本最小优化模型

本文主要考虑油田井场光储微电网运行成本这一重要的经济性指标，运行成本目标函数数学模型为：

$$\min C=C_{PV}+C_B+C_M \tag{1}$$

式(1)中，C_{PV}表示光伏系统成本，C_B表示储能系统成本，C_M表示购电成本，下文将进一步说明各系统具体成本构成。

3.1 光伏系统模型

光伏发电具有模块化结构的特点，重量轻便灵活性高且适应性强。光伏发电出力与太阳辐射照度、环境温度、能量转换效率等因素有关，其中辐射照度为关键因素。固定地点一日内的辐射照度可以视为满足一定分布规律的随机变量，根据目前广泛采用的方法，可认为太阳辐射照度近似服从 Beta 分布，光伏机组出力近似为太阳辐射照度的分段函数(图 3)，公式如下：

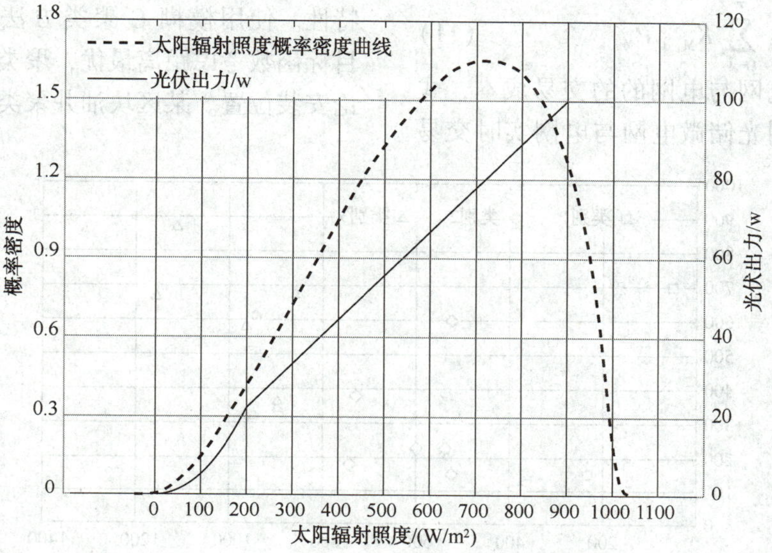

图3　光伏系统出力示意图

$$f_r(r)=\frac{\Gamma(\alpha+\beta)}{\Gamma(\alpha)\Gamma(\beta)}\left(\frac{r}{r_{\max}\alpha-1\frac{r}{r_{\max}\beta-1}}\right) \tag{2}$$

式(2)中，r、$r_{\max}$分别为该时段内太阳实际辐射照度和最大辐射照度；α、β为 Beta 分布的形状参数，由该时段气候地形等因素决定；$\Gamma(\cdot)$为 Gamma 函数。

$$P_{PV}=\begin{cases} P\dfrac{I^2}{I_{std}I_{rPV.\max}} & 0\leqslant I\leqslant I_r \\ P\dfrac{I}{I_{stdPV.\max}} & I_r<I\leqslant I_{std} \\ P_{PV.\max} & I>I_{std} \end{cases} \tag{3}$$

式(3)中，I_r、I_{std}分别表示特定、标准辐射照度点下的太阳能辐射照度，$P_{PV.\max}$表示光伏机组最大出力，即额定出力。

光伏系统成本模型如下式

$$C_{PV}=\sum_{t=1}^{T}\sum_{j=1}^{N_{PV}}K_{PV}P_{PV,t} \tag{4}$$

3.2 储能系统模型

与电网购电成本储能装置作为系统可调度能量的配置，能够保证井场风光储系统功率稳定的输出。依据油田井场实际生产情况、规模等级，综合考虑环境因素、经济效益、用电负荷，微电网系统选用磷酸铁锂电池。储能装置的充放电功率模型为：

$$E_t=E_{t-1}+\left(P_{ch.t}\eta_t-\frac{P_{dch.t}}{\eta_t}\right) \tag{5}$$

式(5)中，E_t表示 t 时刻储能系统的容量；$P^j_{ch,t}$和$P^j_{dch,t}$分别表示储能系统在 t 时刻储能充电/放电功率；η表示储能的充放电效率，一般取 0.7~0.9。

约束条件如下：

$$0\leqslant P_{ch.t}\leqslant P_{ch.t\max} \tag{6}$$

$$0\leqslant P_{dch.t}\leqslant P_{dch.t\max} \tag{7}$$

$$E_{\min}<E_t<E_{\max} \tag{8}$$

$$E_0=E_T \tag{9}$$

式(6)、式(7)分别表示储能的充放电功率约束，t 时刻储能的充放电功率不应超过其功率限额。式(8)表示储能容量约束，式(9)为周期始末储能功率平衡约束，保证储能电池在完成一个调度周期后的电量与调度前保持不变。

储能机组成本模型如下式

$$C_B = \sum_{t=1}^{T}\sum_{j=1}^{N_B} K_B\left(P_{ch,t}^{j}\eta_{ch}^{j} + \frac{P_{dch,t}^{j}}{\eta_{dch}^{j}}\right) \quad (10)$$

3.3 购电模型

当光伏储能不足以平衡井场负荷用电时，需要从电网购电，其成本模型如下：

$$C_M = \sum_{t=1}^{T} K_{M,t} P_{M,t} \quad (11)$$

式 11 表示微电网与电网的的交易成本，式中，$K_{M,t}$ 表示 t 时刻光储微电网与电网实时交易电价；$P_{M,t}$ 表示光储微电网与电网的交易功率，当$P_{M,t}$为正值时表示微电网从配电网处购电，

3.4 功率平衡

$$P_{Load,t} = \sum (P_{dch,t} - P_{ch,t}) + P_{M,t} + P_{PV,t} \quad (12)$$

4 算例应用

4.1 数据处理及参数设置

以某区块为例，该区块共有油井数 20，由于在每个井场安装配套光储成本较高，因此考虑分组方式，建立光储微电网群，可充分发挥互补特性。使用模糊 C 聚类方法对油井进行分组，目标函数考虑距离最优，聚类中心即光储设备理论安装位置。某区块油井聚类结果见图 4。

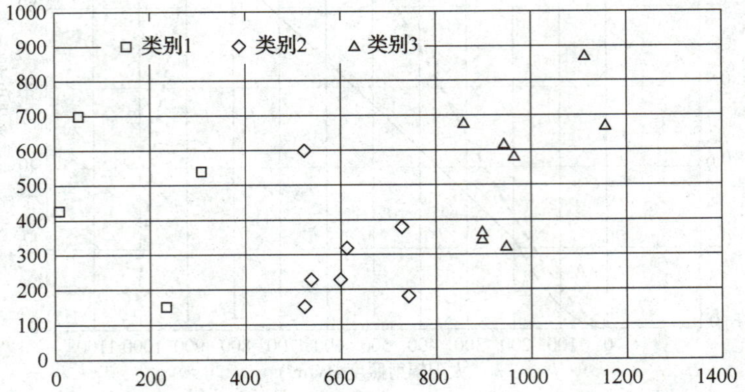

图 4　某区块油井聚类示意图

算例模型设置包括 1 台储能机组，充放电效率为 95%，最大充放电功率为 10kw，见表 1；光储微电网购电采用分时电价见表 2。光伏发电量是根据东营市日太阳辐射照度历史数据预测得到，见表 3。针对建立的模型，本文使用 Matlab 建模软件进行求解。

表 1　储能参数

η_{ch}	η_{dch}	K_B
95	95	10

表 2　山东省商用分时电价

时段类型	峰时段	平时段	谷时段
时段	8：00-11：00 16：00-21：00	12：00-15：00 22：00	0：00-7：00 23：00-24：00
电价/元/kW·h	1.0014	0.6773	0.3532

表 3　光伏发电量

时刻	1	2	3	4	5	6	7	8
光伏发电量/kW·h	0	0	0	0	0	0	1.34	64.23
时刻	9	10	11	12	13	14	15	16
光伏发电量/kW	214.46	347.39	454.51	540.05	552.15	443.10	347.49	305.1
时刻	17	18	19	20	21	22	23	24
光伏发电量/kW	191.18	72.02	1.23	0	0	0	0	0

4.2 调度方案

从图5可以看出，在早晨8：00前，电价较低，光伏设备发电量为0，此时主要通过从电网购电满足负荷需求，且储能充电。8：00后随着太阳辐射照度增加，光伏出力随之增多，且电价较高，在该时段光储微电网的调度策略尽可能多的利用光伏出力，富余电量通过储能充电的方式消纳。18：00后，光伏出力基本下降为0，且此时是分时电价的峰值时段，因此优先考虑储能放电的模式供电。22：00后，储能放电结束，且电价为谷时段，调度策略主要采用从够电网购电的方式。

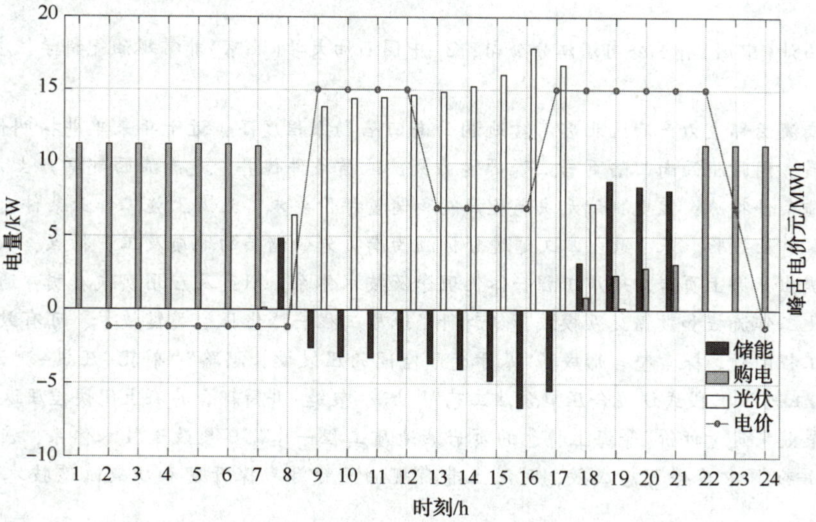

图5　某区块调度方案

综上，光伏设备效率随太阳辐射照度变化，正午阳光较强，光伏设备满额运行。储能设备的充放电策略取决于电价和光伏设备发电，电价较低或光伏设备发电可满足需求时，储能设备充电；电价较高或光伏设备发电不足时，储能设备放电。储能设备具有灵活性，可达到削峰填谷的目的。

将某区块的光伏调度方案与现有调度方案作对比，可以看出光伏调度成本增加了储能成本，减少了购电成本，与现有调度方案相比，总成本更低，提出的光储调度方案具有有效性(表4)。

表4　调度方案比较

	组别	储能成本	购电成本	总成本
光伏调度方案	1	27.10	129.58	156.68
	2	21.04	52.52	73.56
	3	23.94	88.55	112.49
	区块总成本	72.09236	270.6537	342.746
现有调度方案			794.42	794.42

5 结论

本文首先结合油田井场典型运行特性，提出了油田井场典型光储微电网结构；其次解释了光伏系统数学模型及光储微电网成本来源，以综合运行成本最低为目标函数，建立了油田井场光储微电网优化调控模型；最后，以某区块为例，通过Matlab建立优化模型，展示了区块优化调度方案，验证了光储微电网模型的有效性。结果表明：使用光储微电网作为用能补充，使用能策略更具有灵活性，削峰填谷规避电价较高时段，使用能总成本减少。使用光伏新能源发电，可减少碳排放，满足分公司及地方环保要求，在安全、环保方面起到了较大的作用。光储微电网与传统供电模式相比，具有灵活的优点，通过合理地优化调度策略，可以最大限度减少用能成本。

参考文献

[1] 张洪卫，张立清，刘春兰．东营市太阳能资源评估分析[J]．浙江农业科学，2011(06)：1404-1405.

[2] 王贵生，孙士奇，刘军，仇志华，郑炜博，王长江，任宇，马忠贤．含光伏的油田井场直流微电网结构及其功率分配规律研究[J]．电工技术，2022(18)：76-79.

[3] 丁立苹，刘宏亮，任晓勇，达珺，程雅雯．基于油田井场场景下风光储系统优化配置技术研究[J]．石油石化节能，2022，12(04)：1-4+6.

[4] 孙东，张晓杰，刘军，刘洁，仇志华，李炜，王莉．油田井场多能互补系统优化调控策略研究[J]．节能技术，2022，40(02)：154-159+164.

地质工程一体化理念在海上首口页岩油探井中的探索与实践

范彩伟[1]　姜洪丰[1]　高永德[1]　鲜成钢[2]

[1. 中海石油(中国)有限公司湛江分公司；2. 中国石油大学(北京)非常规油气科学技术研究院]

摘　要　南海西部主力产油区北部湾盆地涠西南凹陷勘探程度高，近十年来单井探明储量不断下降，亟需新领域拓展。同时涠西南凹陷页岩油资源潜力大，地质条件优异，是南海西部增产上产的有利领域。页岩油储层地质条件特殊，常规测试无法满足产能和储量评价要求，且海上施工作业条件受限，无法照搬陆地成熟的勘探作业经验。基于此，本文通过分析涠西南页岩油储层的地质及工程特点，从管理创新、技术优化等角度提出了海上页岩油地质工程一体化理念及技术体系。研究及应用实践表明：通过地质工程一体化管理、优化工作流程和数据交互模式，创新研究地质工程一体化压裂关键技术，可有效应对海上页岩油压裂地质与工程问题。探索整合形成了“基于受限空间的压裂设计思路”“射孔-压裂-测试一体化管柱”“多簇限流射孔工艺”“三段式逆混合压裂泵注工艺”“油藏-裂缝-井筒耦合的海上优快控压返排技术”和“三维声波成像压裂效果定量评价”等海上特色的页岩油地质工程一体化压裂改造技术体系，应用于海上首口页岩油 WY-1 井勘探中获得理想成效，对海上非常规油气资源勘探开发和压裂改造技术发展具有重要意义。

关键词　南海西部；页岩油；压裂测试；地质工程一体化

我国页岩油资源丰富，预测可采页岩油资源量约为 $30\times10^8\sim60\times10^8$ t，国家能源局、发改委已批准设立了新疆吉木萨尔、大庆古龙和胜利济阳 3 个国家级页岩油示范区，美国已实现海相页岩油的商业开发，如威利斯顿盆地 Bakken 区带、墨西哥湾盆地 Eagle Ford 区带和二叠盆地 Wolfcamp 区带等。

南海西部是中国海上油气勘探开发的发祥地，随着几十年的勘探开发，常规油气资源勘探程度较高，已经进入勘探晚期，单井探明储量和圈闭面积下降明显，成熟区潜力目标呈现“碎、小、难找”的局面；主力产油区涠西南凹陷采出程度较高，多数油田进入中高含含水期，综合看在常规油气领域储量发现和产量接替难度大，为加快建设南海西部油气资源供给保障中心，迫切需要开拓新的勘探领域。通过钻探和研究发现，南海西部页岩油和中深层低孔渗储层地质条件和各项指标较为优异、分布广泛、预测资源量大，成为本区新领域勘探的重点拓展方向之一。

页岩油储层致密，原油流动能力差，压裂改造是产能释放的主要途径。与陆地相比，海上油气勘探由于平台空间受限、物料补给速度慢、作业成本高等特殊作业环境，导致海上压裂达到陆地同等水平的难度大，加之目前海上平台配套的压裂技术体系薄弱，使得原有的地质工程一体化理念和技术体系适用性较差。

针对这种情况，本文在总结分析涠西南页岩油储层地质特点及相关挑战基础上，从管理创新、技术优化等角度提出了海上页岩油地质工程一体化理念及技术体系，并将其应用于海上首口页岩油井 WY-1 井勘探中获得理想成效，拉开了海上非常规油气资源勘探开发的序幕。

1　涠西南页岩油地质工程特点及面临的挑战

1.1　涠西南页岩油地质特点

北部湾盆地位于中国南海西部油田北部湾海域，是我们近海重要的富油盆地之一。该盆地为新生代陆内裂谷盆地，处在华南板块的西南边缘，总面积约 $2.2\times10^4 km^2$，盆地内沉积了以半深湖—深湖环境为主的始新统流沙港组泥页岩及油页岩地层，是本区主要烃源岩。涠西南凹陷是北部湾盆地页岩油的主要分布区，目前已钻遇油页岩探井累计超 80 口，实钻发现流沙港组二段(以下简称流二段)底部及顶部发育两套稳定分布油页岩层，在快速裂陷条件下的半深水-深水环境，埋深2600~5700m，分布面积约1000km²。按照岩性组合特征本区域页岩油储层分为3类，湖侵早期夹层型页岩油、湖侵中期纹层型页岩油和湖侵晚期基质型页岩油。通过对储层含油性、储集性、可动性、可压性的“四性”评价认为涠西南页岩油存在孔隙结构多样、岩相复杂、非均质性强、整体渗透率性差等地质特点，特别是纵向分布的多种复杂岩相和页理发育导致应力差异大(图1)，给储层评价和压裂增产造成影响。

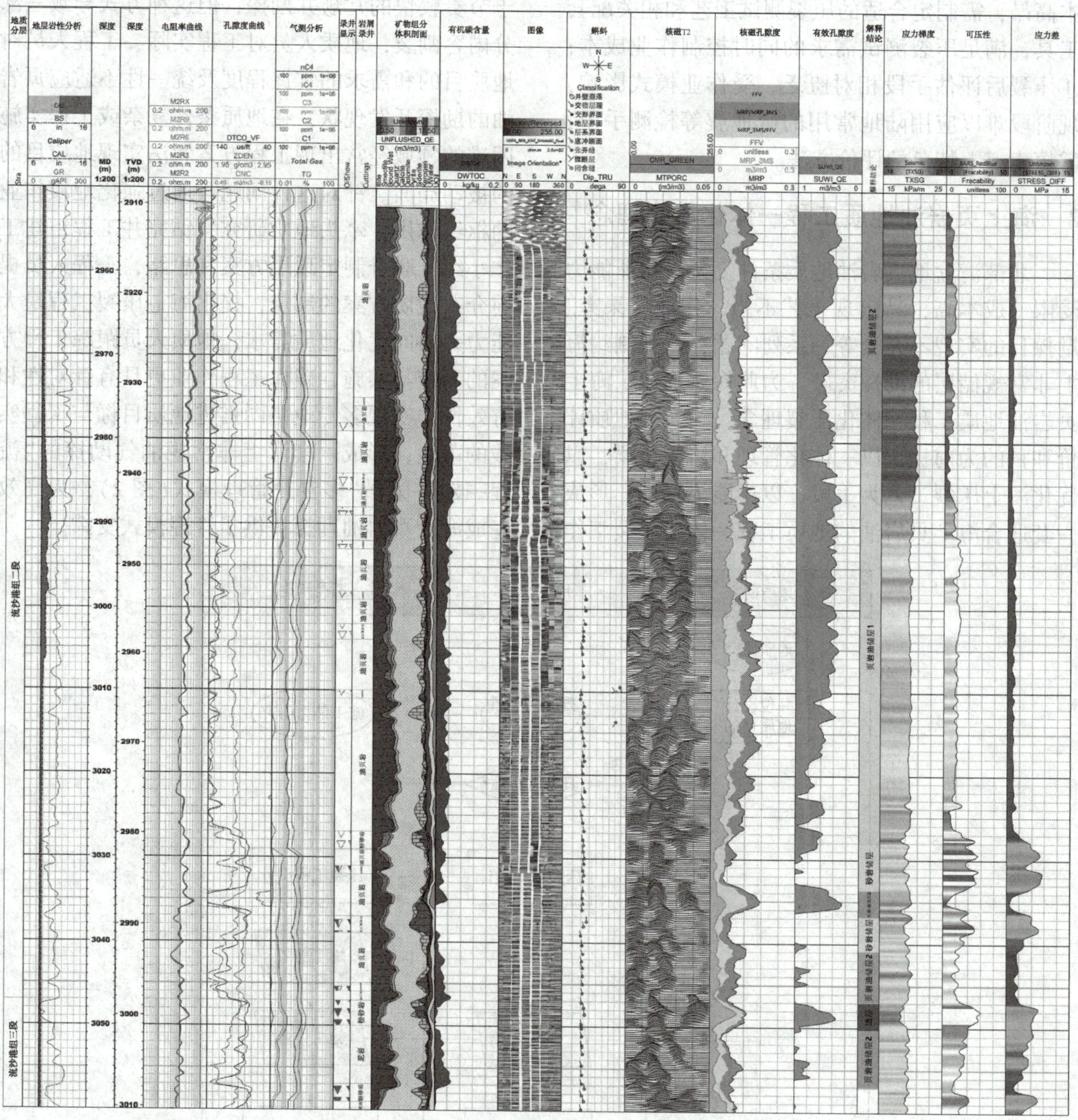

图1　南海西部涠西南凹陷WY-1井地质评价图

1.2　海上页岩油压裂工程作业特点

海上页岩油压裂作业与陆地压裂具有明显的差异，主要体现在以下几点：

① 承载平台小。海上探井压裂的工作量少、不确定性大，加之压裂船资源较少，目前北部湾压裂基本采用钻井平台压裂方式，钻井平台甲板空间小，难以实现陆地大量的设备摆放和作业。②物料补给困难。平台承重能力有限，无法配套足够的压裂物料，使得海上压裂排量平均排量仅为3.5m³/min，平均液量300m³，平均加砂量约30m³，且作业连续性差。③作业成本高昂，成功率要求高。海上压裂综合成本250×10⁴/d，对作业工艺、作业时效和商业成功率要求极高。

复杂的地质和工程条件使得海上页岩油勘探

作业面临以下综合难题：①三种类型页岩油地质条件各异，海上压裂能力受限，缺乏结合工程条件的压裂层位优选技术；②在有限的压裂施工排量下缺乏一体化压裂设计思路，难以确保储层有效压开并延展，地质目标达成风险高；③作业成本高昂，需制定合适的压裂测试工艺和相关配套工具，满足压裂测试需求的同时控制作业成本；④压裂后评估手段相对匮乏，受作业模式影响，现阶段难以应用陆地常用的微地震等检测手段，需探索海上特色的评价方法。

2　海上页岩油地质工程一体化压裂理念

北部湾盆地页岩油地质条件复杂、作业能力受限、成本高，易出现工艺不当、作业效果差、勘探目的实现不充分等一系列问题，严重制约海上非常规储层的勘探突破。为此探索形成了海上页岩油地质工程一体化压裂理念：为实现地质评价和目的为前提，以一体化管理和协同桥梁，以优化海上压裂工艺为手段，以产能为目标，形成一套适合海上页岩油的地质工程一体化压裂工作方式。

2.1　海上压裂一体化组织管理与工作流

海上传统作业工作流程以地质研究、地质作业、钻完井工程作业分块、分阶段递进式为主，该工作流能够实现勘探项目快速推进，常用于对于节奏较快的常规井勘探，但这种方式导致三部分内容割裂，地质人员对工程实际、工程人员对地质目的和需求的掌握程度及统一性不适应页岩油的勘探开发现状，在地质条件复杂或工程实施困难的领域经常出现工程方案无法实现地质目的的被动局面。针对这种问题，通过强化地质作业的枢纽作用，牵头地质研究、钻完井工程组建工作小组，联合制定顶层方案和思路，工程人员提前介入地质方案的制定，提出海上压裂工程最大能力并协同优化地质需求，地质人员跟踪工程方案的制定与实施，确保工程作业更具有针对性和有效性，实现多专业协同推进地质目标与工程实践的落地，形成一套海上非常规油气勘探的“流程-技术-人员”多专业管理模式(图2)，为高效完成海上页岩油勘探提供了管理模式支撑。

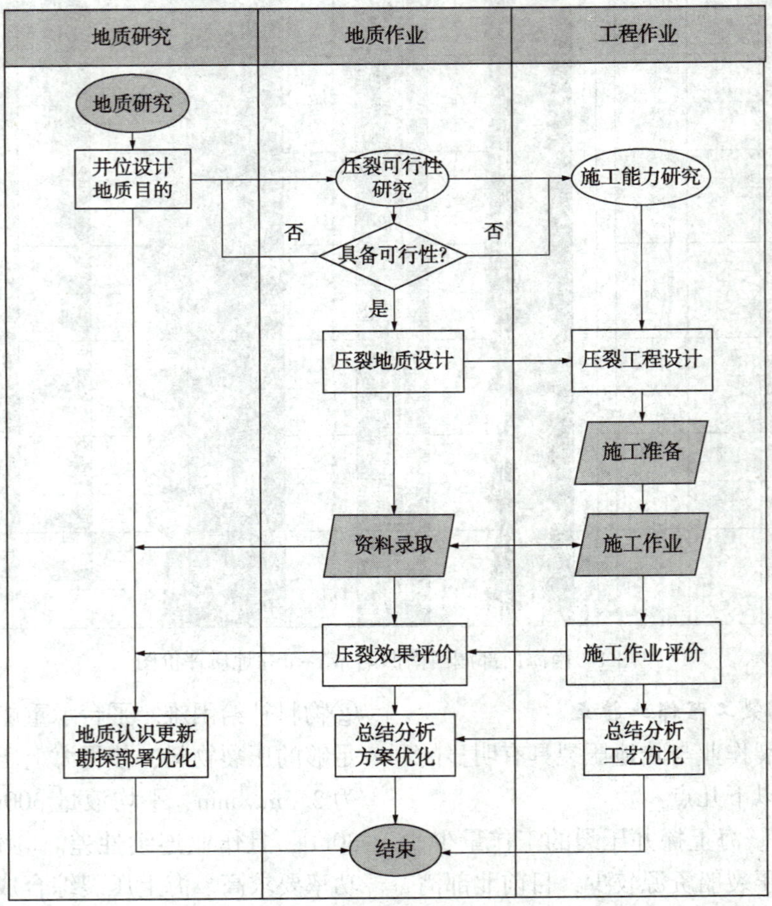

图2　海上页岩油压裂地质工程一体化工作流程图

2.2　海上页岩油数据协同一体化

基于非常规大数据量使用需求，推动数据多专业协同和现场与服务器数据交互，研发标准化数据采集和分发系统，大幅提高数据流转和共享效率，建立了“现场采集+数据库分发+多专业共享+一体化研究”的数据采集到数据应用的资料管理模式。如图3所示，借助于中国海油勘探运营管理系统，整个多专业的现场资料、分析化验、解释分析结果等数据的采集与分发，并将数据的输入、数据库、输出进行标准化，提高数据的质量的管理效率；同时将压裂作业工作流与勘探运营管理系统进行融合，从模型搭建、作业设计到作业实施的工作流程与多专业、多项目的数据进行充分的数据调用和交互，大幅降低各板块业务的数据与成果交互效率，提高了页岩油多专业研究和决策效率。

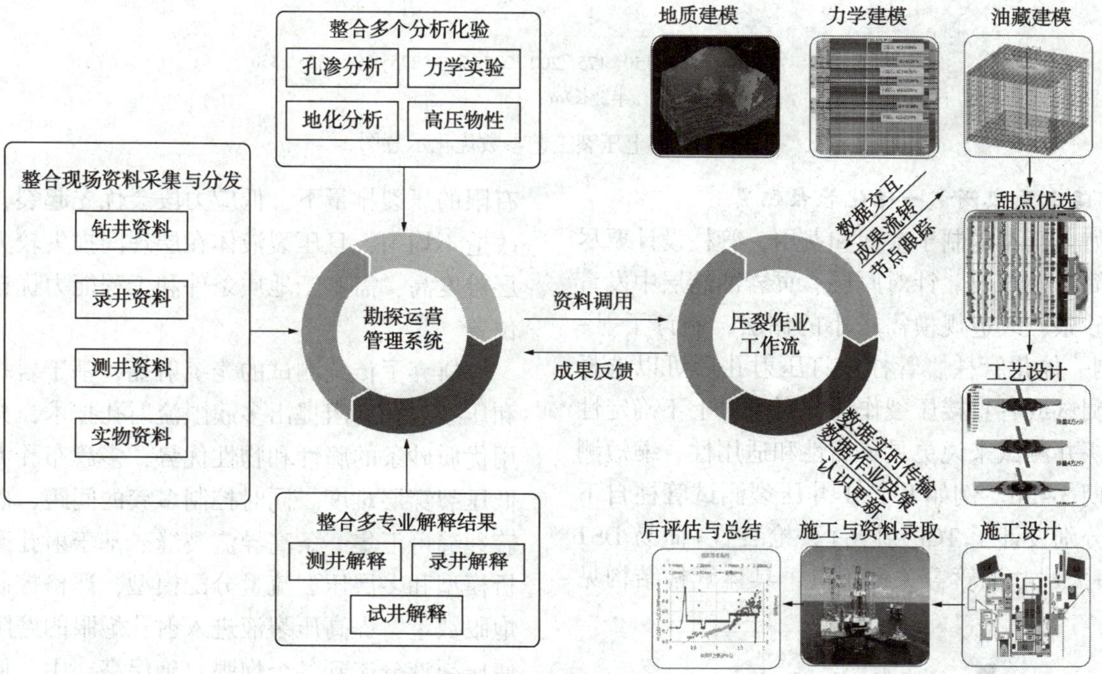

图3　海上页岩油数据流转与应用示意图

3　海上页岩油地质工程一体化压裂测试技术体系

3.1　基于海上受限空间的无量纲导流能力压裂设计技术

海上探井压裂准备周期短、任务紧，以往探井压裂设计方法的时效性较低。以往压裂设计以迭代优化获取压裂参数，指向性不明确，核心参数半缝长、导流能力分别优化，忽略了半缝长、导流能力对水力压裂增产效果的内在联系。

使用无量纲导流能力指导压裂设计，将整个压裂设计过程与影响压裂效果的核心地质参数渗透率紧密结合，提升了压裂设计的有效性和针对性。无量纲导流能力确定的条件下，对于任意给定的裂缝半长，只存在一个最佳的裂缝导流能力，基于储层条件根据经典图版优选最佳无量纲导流能力，从而确定合适的半缝长等工艺参数。无量导流能力 F_{CD} 如下公式所示：

$$F_{CD}=\frac{K_f \times W}{K \times X_f}=\text{Constant}$$

$$\text{Fracture Conductivity}=\text{Constant}(K \times X_f)=K_f \times W$$

式中，F_{CD} 为无量纲导流能力；K_f 为裂缝渗透率，mD；W 为裂缝缝宽，m；K 为储层渗透率，D；X_f 为裂缝半缝长，m；Constant 为无量纲导流能力目标常数。

例如，WY-1井采用甲板空间较小的钻井平台进行压裂测试，根据图版和施工能力（$5\sim7m^3/d$）优选无量纲导流能力常数，根据储层特征和探井短时间测试需求优选了裂缝半长和对应的最佳裂缝导流能力，制订了 $5m^3/d$ 排量、$540m^3$ 液体、$35\sim45m^3$ 支撑剂的压裂规模，在海上可行的实施能力下实现裂缝半长 157.8m，平均导流能力 239.8mD·m，缝高 31.69m，减少了压裂设计中的不确定性和需要优化考虑的敏感参数。提升了压裂设计的时效性和针对性，更符合海上探井压裂准备周期短、任务紧的特点（图4）。

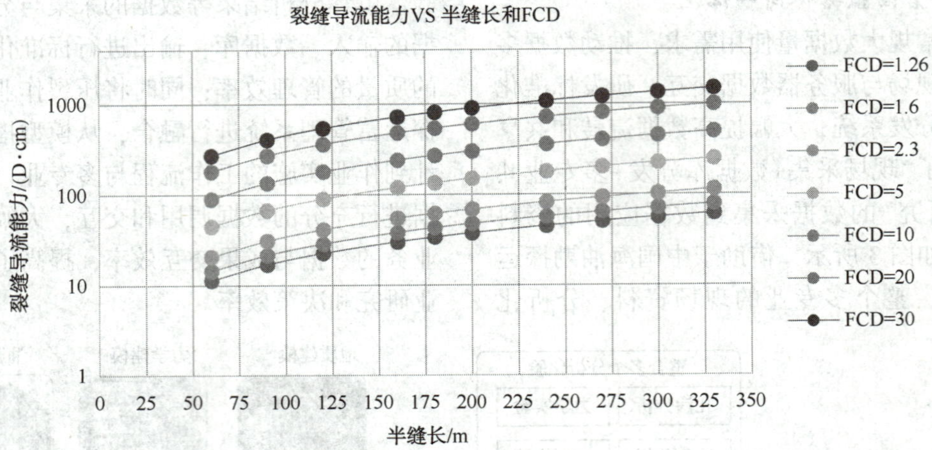

图 4　海上压裂工艺参数优化示意图

3.2　海上压裂测试一体化管柱配置

海上压裂受制于空间和费用，管柱设计要尽可能简单、高效。针对厚层、页岩油储层中发育少量砂条、改造规模需求小的储层，制订了射-压-测一体化管柱。管柱正打压射孔后可以选择常规测试或者直接压裂作业，对于海上不确定性高的探井测试来说更具灵活性和适用性，缩短测试周期 3~5d。例如 WY-1 井压裂测试管柱自下而上分别设计了 TCP 射孔+丢枪装置+简易 DST 工具+大尺寸油管等关键工具，具体管柱结构见图 5。

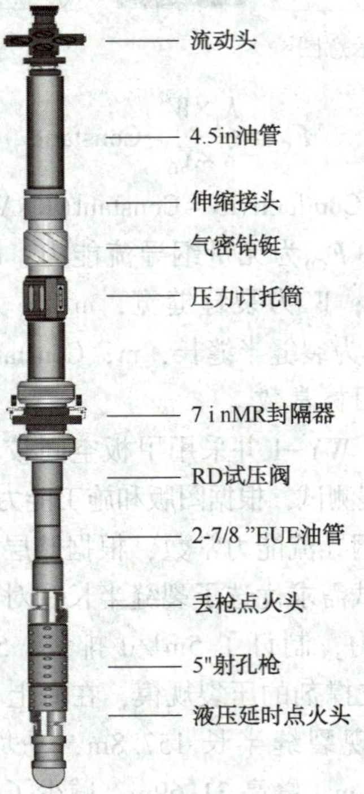

图 5　海上压裂工艺参数优化示意图

3.3　海上多簇限流射孔工艺

页岩油、低孔渗薄互层层间应力差异大，在有限的压裂排量下，低应力段会优先起裂，导致改造不均匀，且压裂液体在层理间损失较大，穿层难度高，需基于地质条件和工程能力优选射孔位置。

摒弃了传统测试的笼统射孔，基于岩相分布和压裂射孔磨阻提出多簇限流射孔技术，充分利用优质砂条的脆性和物性优势，多簇布孔大幅降低压裂穿层难度。同时控制多簇的间距，确保各簇裂缝可汇集一条高导流裂缝。基于射孔磨阻解析模型和多层压裂流量分配模型，严格控制射孔炮眼数量，提高压裂液进入射孔炮眼的磨阻，迫使压裂液分流到各个炮眼，确保高、中、低应力层均能起裂和改造。

射孔磨阻解析模型：

$$\Delta P = 2.34\times10^{-10}\frac{Q^2\rho}{n^2D^4\alpha^2} \tag{3}$$

多层流量分配模型

$$Q_{总} = \sum_{i}^{n} Q_{\mathrm{I}} \tag{4}$$

$$P_{\mathrm{O}} = P_{\mathrm{ci}} + \Delta P_{\mathrm{wi}} + \Delta P_{\mathrm{pfi}} + \sum_{j=1}^{i}\Delta P_{\mathrm{hj}} + \sum_{j=1}^{i}\Delta P_{\mathrm{cfj}} \tag{5}$$

式中，Q 为施工排量，m^3/min；ρ 为为液体相对密度；D 为炮眼穿深，mm；n 为炮眼数量；α 为流量系数；ΔP_{pfi} 为层间沿程磨阻，MPa。

WY-1 井流二段下层序页岩油储层在油页岩中夹杂薄砂条，基于薄砂条的流动性和油页岩的含油性优势，提出“薄砂层聚集段为单元、压开砂岩沟通油页岩”的海上页岩油压裂改造方法，在海上实施能力的缝高改造范围内部署了 3 簇射孔段，每簇 12 孔，相比之前海上压裂笼统射开

10~30m 的传统方案，多簇限流射孔数量大幅减少，通过压裂后评估判断射孔压裂效果更优。

3.4　逆混合三段式压裂泵注工艺

针对海上页岩油层理和页理发育带来的压裂难题，建立物理和数值模型研究明确不同粘度和排量的造缝机理和规律，如图 6、图 7 所示，通过分析发现高粘度液体易穿过层理/纹层，更好地造主缝，低粘度液体有利于造次级裂缝，但对排量要求较高；低粘度液体的滤失量较大，近井层理缝明显，大排量的情况下可以提高缝高和缝网的复杂度。

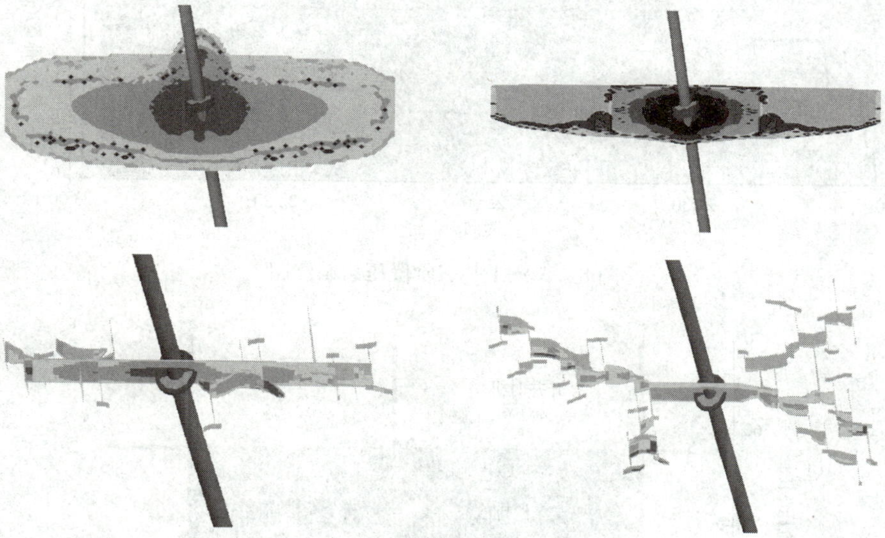

(a)不同粘度液体造缝规律模拟图
(高粘液体改造范围大但裂缝简单)

(b)不同粘度液体造缝规律模拟图
(低粘液体改造范围小但裂缝复杂)

图 6

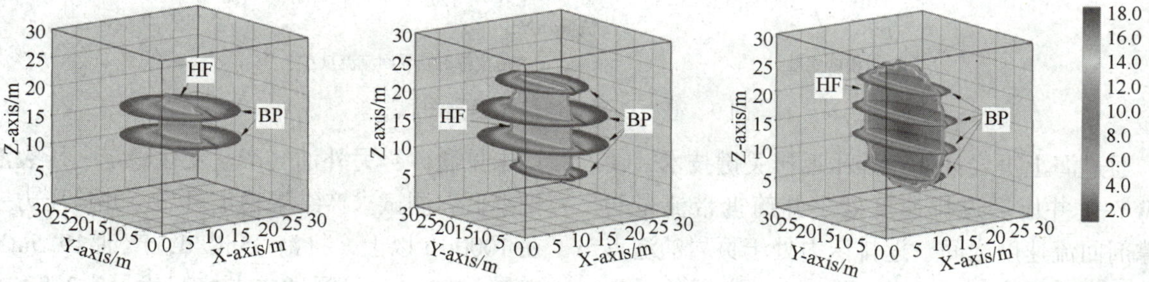

图 7　不同排量裂缝规模和体积示意图

WY-1 井储层纵向非均质性强、层理发育，在最大实施能力下，建立“逆混合三段式”压裂工艺，高低粘液体立体造缝。在海上可实施最高排量下先泵入高粘度液体劈开主裂缝，此阶段不携砂，利用射孔磨阻和高粘度液体确保限流射孔起裂效果(图 8 浅灰色阶段)；第二阶段泵入低粘度液体，提高裂缝复杂度和综合泄流面积(图 8 浅蓝色阶段)；第三阶段再次泵入高粘度液体，先是携带低浓度支撑剂打磨射孔炮眼，降低孔眼磨阻和施工压裂，然后高强度连续加砂将裂缝系统充填、支撑到位(图 8 深灰色阶段)。

3.5　油藏-裂缝-井筒耦合的海上优快控压返排技术

页岩油储层基质流动性很弱，大多需要压裂建立的基质-裂缝双孔介质流动通道释放产能。压后返排方式对维持双孔介质流动通道稳定性、产能释放效果影响较大，因此如何基于海上作业条件及产能要求制定科学返排策略至关重要。

提出“不损害压裂流动性能、加快返排速度、缩减返排时间和成本”的海上探井压裂返排理念，重点开展了压后裂缝闭合研究、裂缝多相流态分析、压裂液返排过程中支撑剂回流规律研究、井筒携砂能力研究四方面的地层-裂缝-井筒的耦合过程研究，搭建优快控压返排可视化图版(图 9)，制定了不同阶段的返排策略和预警值，有效指导压后返排早期、中期、晚期 3 个阶段的放喷操作。

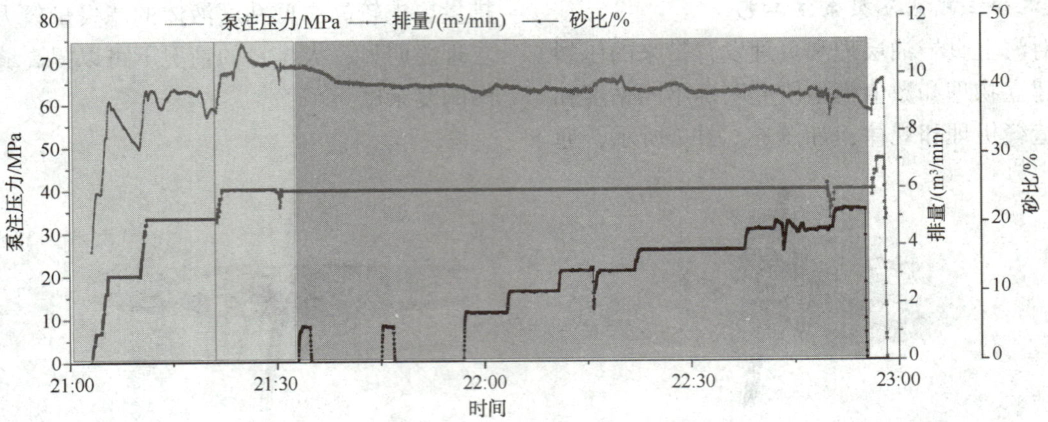

图 8　WY-1 井三阶段压裂泵注图

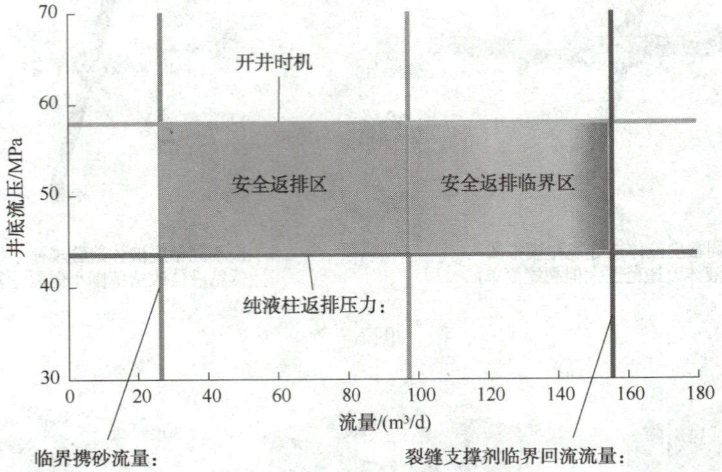

图 9　海上压裂优快控压返排图版

通过海上页岩油优快控压返排关键技术，使得 WY-1 井压后返排速度处于井筒携带流量与支撑剂回流速度之间、返排压力处于页岩油泡点压力与裂缝闭合压力之间(图 10)，应用效果良好。首先，保障了压后裂缝具备高效导流能力，使得返排见油快、含油量提升迅速、且地面井筒均未见脱砂；另外油气产量变化稳定、压裂液返排率低、测试求产结果稳定可靠，井口压力一直在 1000psi 以上，排液 35m^3/d，产油 19.5m^3/d，产气 1589m^3/d；测试成本控制优异，3.8d 内完成了压后返排求产作业，节省测试费用近 1000 万。

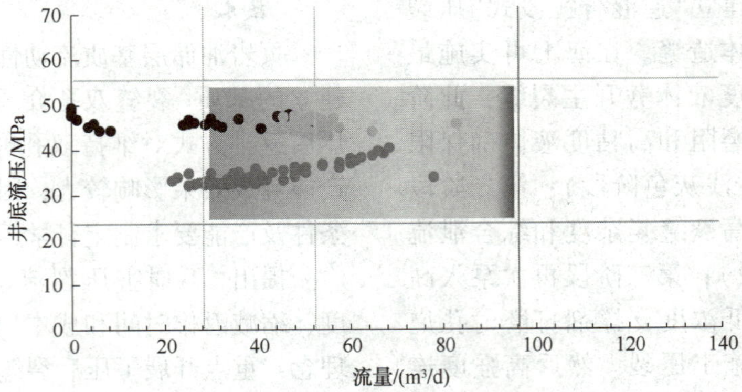

图 10　WY-1 井控压返排投点图

3.6 三维声波成像压裂效果定量评价

海上探井邻井少、平台作业条件受限、成本高，陆地常用的微地震、测斜等压后监测工艺应用难度大，缺乏井下裂缝形态和位置评价的有效手段。

基于井周地层径向及周向速度变化的井孔三维声场理论研究，将三维声波成像应用于海上压裂效果评价中，通过接收不同方位上的声波信号，利用多方位纵波走时层析成像技术可以对井壁附近地层轴向、周向和径向的弹性波速度变化进行三维精细刻画，准确表征各个方向上的裂缝发育效果。通过数值模拟建立径向速度与孔隙度之间的关系，精细评价压裂缝沿井轴方向的延伸距离(图 11)，一定程度上解决了海上探井压裂裂缝定量定量评价的难题。

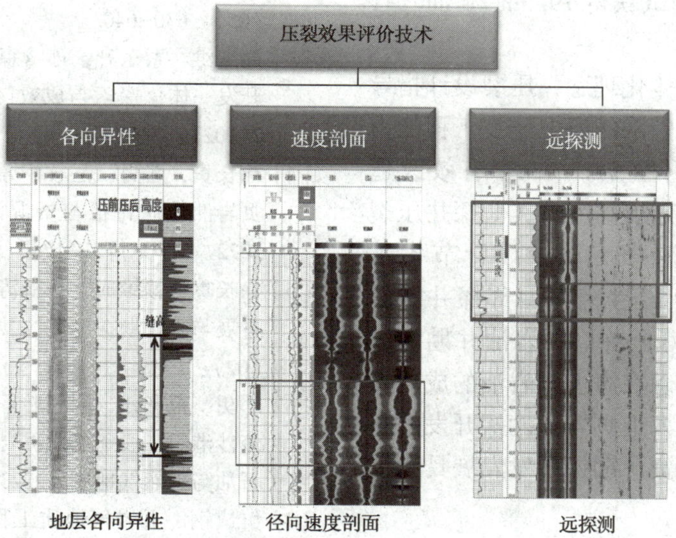

图 11　海上压裂效果评价技术

WY-1 井在压裂前后进行分别进行了一次三位声波测井，通过速度剖面评价压裂缝的高度为 3029~3058m，共 29m(MD)；声波远探测在 12m 范围内见到团簇弧状反射裂缝响应。结合各向异性度分析认为压裂后在井旁产生了较为复杂的裂缝，良好的裂缝相应与压后产能形成了匹配度较高，验证了压裂裂缝延展效果较好，详见图 12。

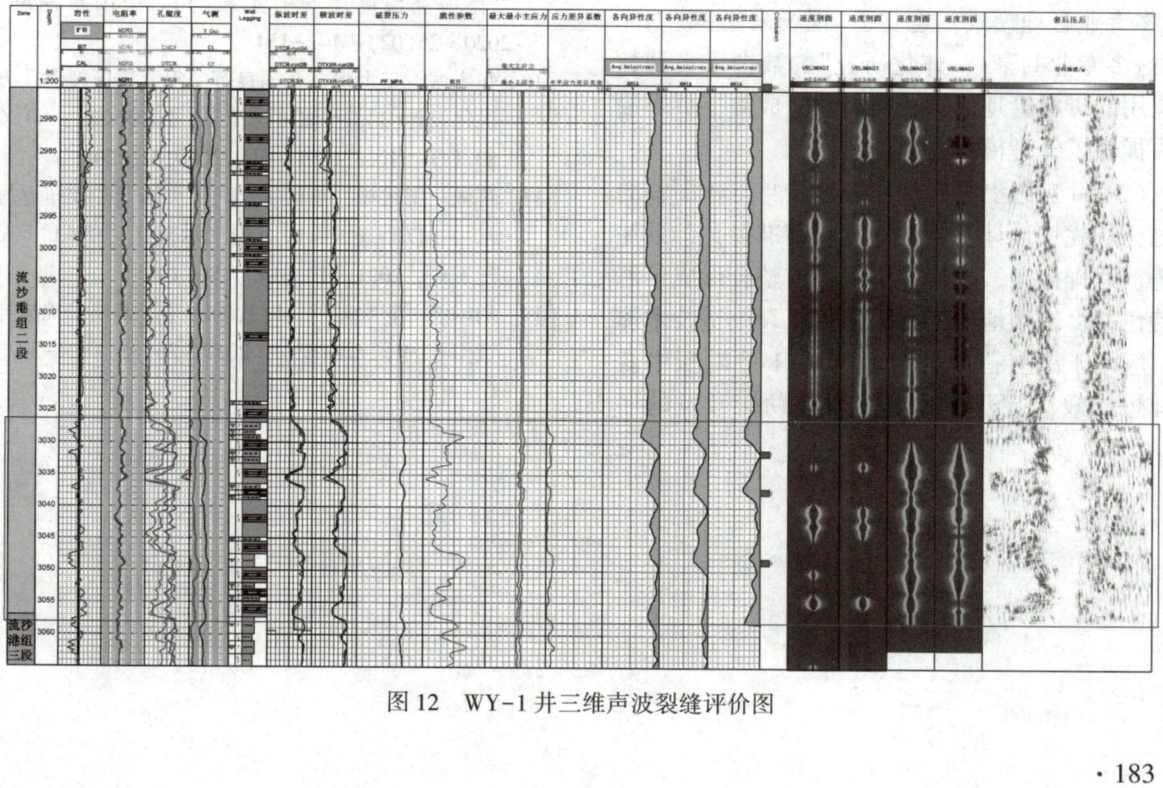

图 12　WY-1 井三维声波裂缝评价图

3.7 整体应用效果

地质工程一体化理念应用于海上首口页岩油井 WY-1 井勘探作业中，结合四性评价、固井质量评价和压裂敏感性分析，优选夹层型页岩油压裂甜点，采用限流三簇三段式压裂工艺，射开 36 孔，借助压裂测试一体化管柱完成 697.3m^3 液，44.9m^3 砂的压裂规模，压后三维声波成像测井显示裂缝纵向、横向改造效果良好，多措并举推动 WY-1 井压裂测试获得 19.5m^3/d 油、日产气 1589m^3/d 的产能。

借助于地质工程一体化理念，压裂设计指导性和效率显著提高，在受限的海上压裂工程能力下将单层压裂排量提升至 7m^3/min，有效改造 29m 的纵向储层，裂缝延展高度较类似探井压裂高度提升 93%，压后返排工期较设计节省了 50%，有效地将 2022 年至今南海西部探井压裂成功率提升到 100%。海上首口页岩油井勘探成功是地质工程一体化理念在海上页岩油的成功探索与实践成果，掀开了海上页岩油勘探开发的序幕，对海上非常规油气资源勘探开发发展具有重要意义。

4 结论

（1）经过多年地质研究和工艺革新，中国海油逐步摸清了海上页岩油地质特征和工程作业难题，提出了海上页岩油地质工程一体化理念，形成一套海上非常规油气勘探的“流程-技术-人员”多专业管理模式，建立了“现场采集+数据库分发+多专业共享+一体化研究”的数据采集到数据应用的资料管理模式，为高效完成海上页岩油勘探提供了管理模式支撑。

（2）针对海上页岩油压裂地质与工程面临的难题，从优快设计、管柱优化、精准射孔、泵注工艺、返排控制、裂缝评价等环节整合形成了海上特色的页岩油地质工程一体化压裂改造技术体系，应用于海上首口页岩油 WY-1 井勘探中获得理想成效，掀开了海上页岩油勘探开发的序幕，对海上非常规油气资源勘探开发具有重要意义。

参考文献

[1] 赵文智，胡素云，侯连华等．中国陆相页岩油类型、资源潜力及与致密油的边界[J]．石油勘探与开发，2020，47(01)：1-10.

[2] 李倩文，马晓潇，高波等．美国重点页岩油区勘探开发进展及启示[J]．新疆石油地质，2021，42(05)：630-640.

[3] 谢玉洪，蔡东升，孙晗森．中国海油非常规气勘探开发一体化探索与成效[J]．中国石油勘探，2020，25(02)：27-32.

[4] 徐长贵，邓勇，范彩伟等．北部湾盆地涠西南凹陷页岩油地质特征与资源潜力[J]．中国海上油气，2022，34(05)：1-12.

[5] 徐长贵，赖维成，张新涛等．中国海油油气勘探新进展与未来勘探思考[J]．中国海上油气，2023，35(02)：1-12.

[6] 邓勇，范彩伟，胡德胜等．北部湾盆地涠西南凹陷流沙港组二段下亚段页岩油储层非均质性特征[J]．石油与天然气地质，2023，44(04)：923-936.

[7] 鲜成钢．页岩气地质工程一体化建模及数值模拟：现状、挑战和机遇[J]．石油科技论坛，2018，37(05)：24-34.

[8] 谢贵琪，林海，刘世铎等．柴达木盆地西部英雄岭页岩油地质工程一体化压裂技术创新与实践[J]．中国石油勘探，2023，28(04)：105-116.

[9] 廖高龙，郭书生，胡益涛等．地质工程一体化理念在南海高温高压井的实践[J]．中国石油勘探，2020，25(02)：142-154.

[10] 张士诚，王世贵，张国良等．限流法压裂射孔方案优化设计[J]．石油钻采工艺，2000(02)：60-63+83. DOI：10.13639/j.odpt.2000.02.020.

[11] 蒋佩，王维旭，李健等．浅层页岩气井控压返排技术——以昭通国家级页岩气示范区为例[J]．天然气工业，2021，41(S1)：186-191.

[12] 刘国强．非常规油气时代的测井采集技术挑战与对策[J]．中国石油勘探，2021，26(05)：24-37.

针对海上深层页岩油目标的OBC三维地震高分辨率处理关键技术研究

盖永浩　张文祥　邓　聪　杨文博　丑纪辉

［中海石油(中国)有限公司湛江分公司；中海油服物探事业部特普数据中心(湛江)］

摘　要　本项目针对海上深层油页岩的成像问题，结合OBC地震资料特点通过多次波压制、速度建模、宽方位OVT偏移、高分辨率处理等方面进行深入研究，将OBC数据和拖缆数据进行联合处理，有效解决了困扰油页岩成像的多次波难以压制、非均质性强，储层物性横向变化快分辨率低、内幕无法有效识别等问题，为海上页岩油地震勘探提供了坚实的资料基础。

关键词　页岩油；OBC和拖缆联合处理；联合多次波预测；联合FWI建模；保幅拓频

涠西南凹陷已证实是富烃凹陷，中浅层勘探程度比较高，开发继续挖潜难度大，急需寻找新的勘探领域和接替储量。涠西南凹陷非常规页岩油可动资源潜力巨大，是未来的重要储量增长点。然而中深层地震成像不清制约了深层勘探，常规拖缆三维地震资料无法满足深层精细勘探的需要。为解决中深层复杂构造地震成像难题，普遍采用两宽一高三维地震资料，因此在涠西南凹陷部署了一块OBC三维地震，采集参数见表1。

利用常规的地震处理手段，页岩油目的层受流二段低速泥岩影响，主频较低，分辨率不足，层序界定和横向对比解释困难；页岩油油层薄，横向非均质性强，常规地震资料难以预测“富砂层”空间展布范围(图1)。

表1　涠西南西区OBC采集参数

观测系统	Patch/8L6km
记录道数	240×8
道间距	25m
接收线距	400m
横纵比	0.52
炮线距	250m
炮点间距	25m
震源容量	4440cuin
震源深度	5m
覆盖次数	24 * 8 = 192

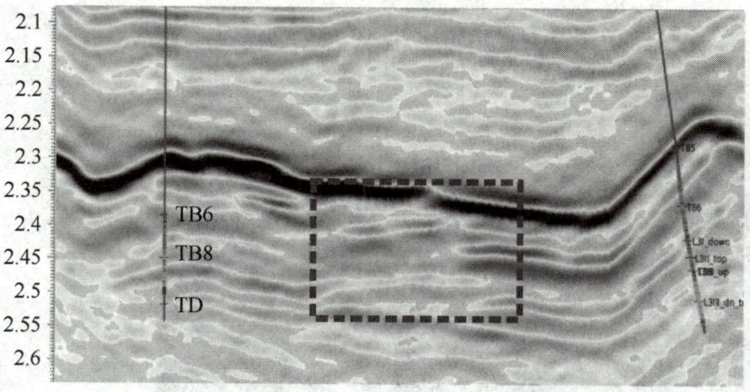

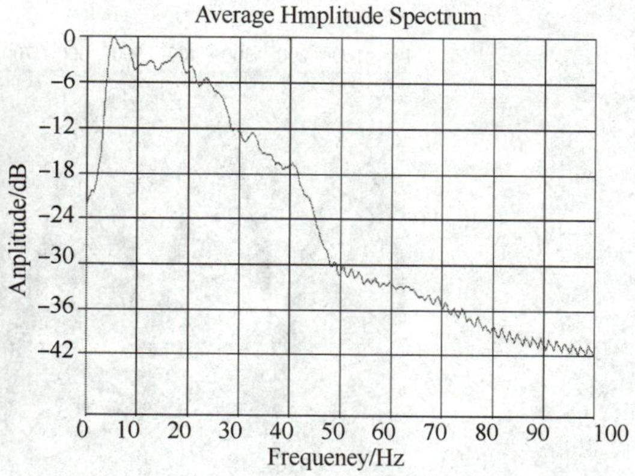

图1　页岩油典型地震剖面(左)及频谱图(右)

针对涠西南凹陷深层勘探面临的地震资料难题，在多次波压制、速度建模、宽方位处理、高分辨率处理几个方面，通过新一轮的处理技术研究，深层的地震信号得到明显改善。

1　页岩油地震处理关键技术

1.1　OBC与常规拖缆数据联合的三维自由界面多次波预测技术

在多次波处理过程中，引入常规拖缆数据偏移数据体，利用其海底反射信息与OBC数据体联合建立自由表面多次波模型，有效压制OBC数据中的自由表面多次波。由于OBC接收器放置在海底，OBC数据缺失海底反射记录，无论使用波场延拓法还是数据驱动褶积法，与海底有关的自由表面多次波很难模拟出来。引入常规拖缆数据的叠前时间偏移数据体，然后通过基于一次波偏移速度场的时域克希霍夫反偏移来获得能够适应于“多次波贡献道”求取的一次波地震记录。在传统自由界面多次波预测方程的基础上，以双检合并的地震记录为输入波场，将反偏移记录为作为预测因子，实现了常规拖缆数据与OBC数据联合的三维自由界面多次波预测。

（1）基于常规拖缆数据偏移数据体的时域克希霍夫反偏移

涠西南OBC工区中存在前期的常规拖缆勘探数据，在其地震数据处理中已经具备了三维叠前时间偏移数据体及相应的速度场。输入叠前时间偏移速度场与三维叠前时间偏移数据体，进行反偏移得到了模拟记录，其中含有极强的多次波干扰(图2)。通过比较模拟记录与原始记录(图3)可知，两记录中的一次波同相轴旅行时基本一致。其浅部位置前者振幅要明显弱于后者，这主要是由于时域克希霍夫反偏移无法模拟强折射波。

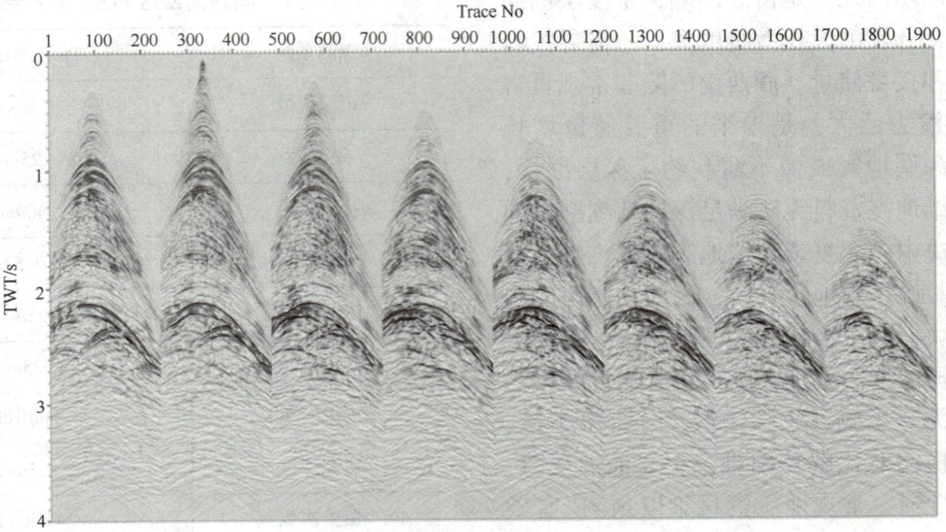

图2　利用时域克希霍夫反偏移方法模拟的炮集记录示例

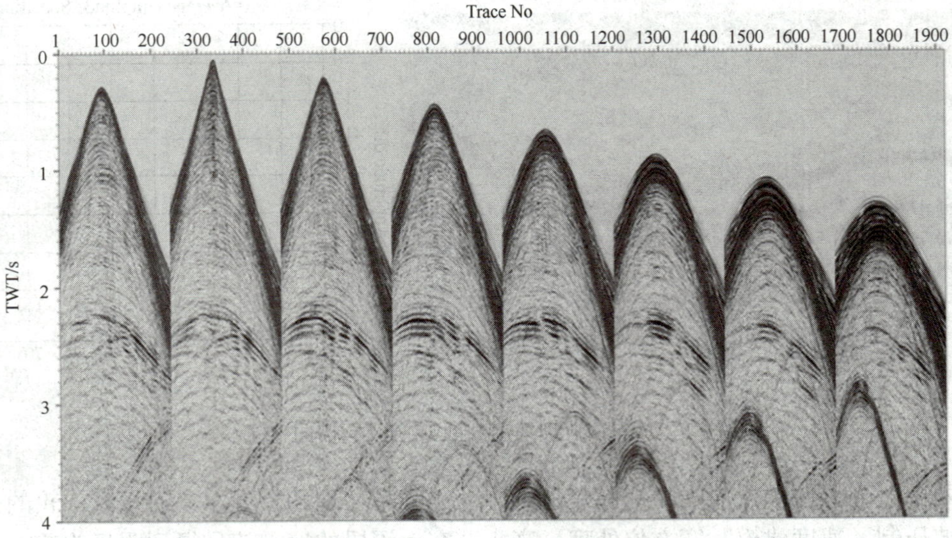

图3　原始P分量炮集记录示例

（2）基于反偏移记录的三维自由界面多次波预测

为避免多次波预测结果中出现空间假频，在多次波预测过程中将OBC缆间距由400m插值为200m。以反偏移记录为自由界面多次波预测因子，然后输入双检合并后的炮集记录进行自由界面多次波预测，获得了仅包含多次波成分的地震记录。通过对比可知，预测多次波记录中包含了丰富的多次波信息，主要多次波同相轴的旅行时与原始记录中的基本一致，实际应用取得了很好的效果（图4），证明了该多次波预测方法的有效性。

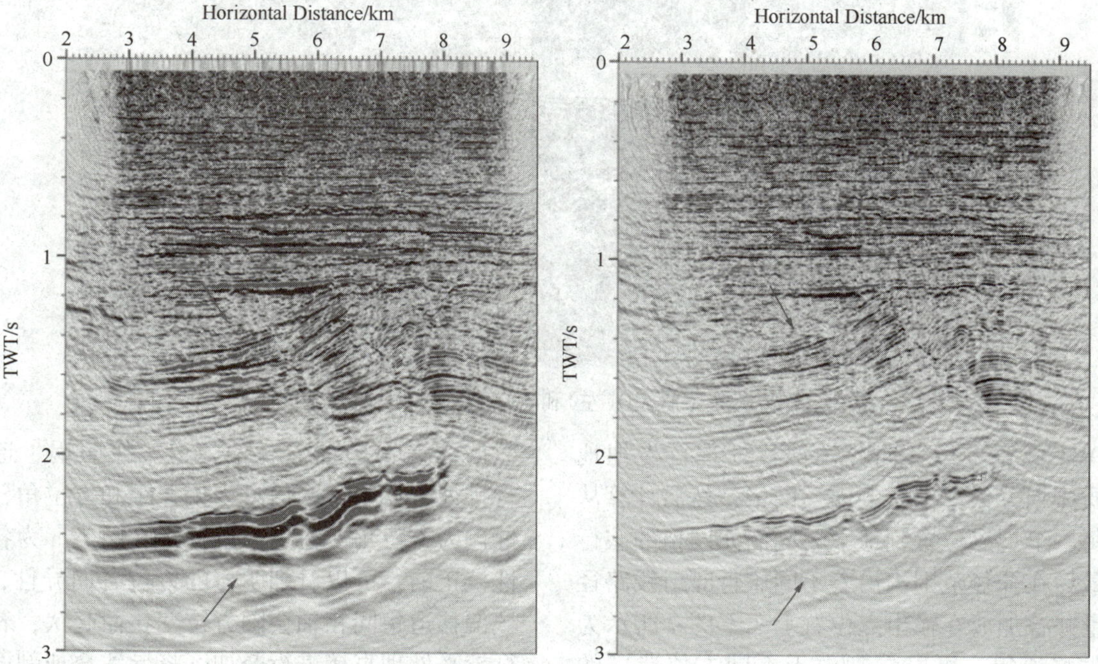

图4　多次波压制前（左）后（右）偏移剖面对比

1.2　高精度联合FWI速度建模技术

以折射信息修正速度趋势，以反射信息提升深层反演能力，提高速度精度速度建模是深度偏移中非常关键的一步，速度模型的准确与否直接关系到深度偏移成像的好坏。全波形反演（FWI）已成为目前研究深层速度的重要工具，主要利用数据中的回转波等信息反演地层速度，由于回转波反演的地层深度有限（图5），因此本次提出用回转波和反射波联合的办法开展全波形反演。

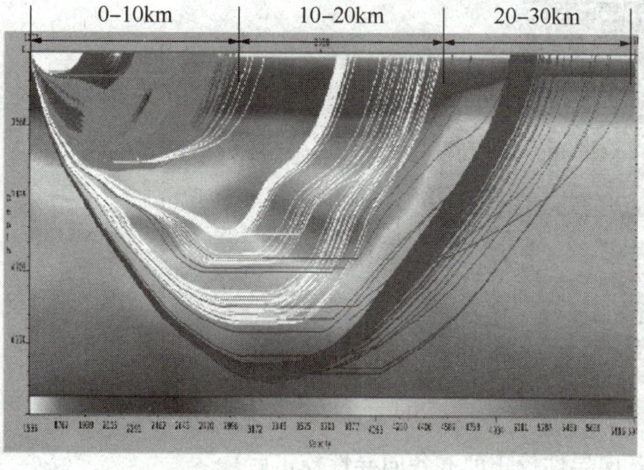

图5　涠西南凹陷回转波FWI更新范围示意图

在研究中，首先利用OBC和拖缆数据通过各向异性速度网格层析建立准确的速度趋势，利用回转波FWI更新中浅层速度模型，利用反射波FWI更新深层的速度模型，结合断控约束和速度扫描等手段不断修正速度模型，深层速度变化识别精度得以明显提高（图6）。

1.3　OVT域宽方位各向异性偏移技术

地下介质是各向异性的，当地震波从不同方向通过整齐排列的垂直或斜交地面的裂缝时，在勘探地震中各向异性主要体现在地震波速度随传播方向发生变化、体波间的相互耦合、横波发生分裂、地震波速度频散依赖于传播方向等。在地震资料叠前偏移处理中，如果不考虑各向异性的影响，采用各向同性的叠前偏移方法处理方法有局限，实际地层为各向异性，而按各向同性介质资料处理时会导致成像质量变差以及倾斜层的空间位置不准确等问题，因此应该采用各向异性偏移方法处理。传统思路划分时只考虑偏移距的大小，即用圆环对资料划分。对于拖缆或窄方位资料，圆环内的资料均匀、方位单一，但对于宽方位资料，无论怎么划分，圆环内的资料均匀性、方位差异都很大。以此作为一个整体进行后续处理不合理，效果也不好。

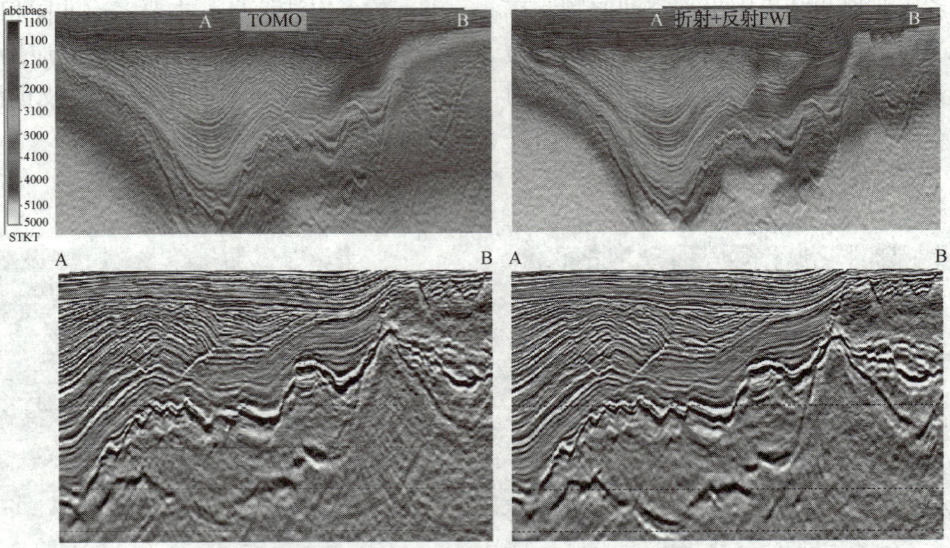

图 6　常规 TOMO(左)和联合 FWI(右)结果对比

OVT 域宽方位各向异性偏移处理首先把地下地质体划分为一个个的面元网格，然后计算从地面每一个炮点位置到地下不同面元网格的旅行时，最后在孔径范围内沿着不同旅行时射线路径取能量并叠加放在输出点位置上。下图 7 所示为 OVT 偏移道集，可以看到由于不同方位造成的各项异性，在同相轴上表现较为明显，随着方位角的变化，同相轴成相应的曲线变化。进行各项异性矫正后的 OVT 偏移道集，可以看到各项异性消除后，道集更为平直。图 7 展示的为 OBC 数据 OVT 域叠前深度偏移道集按照蜗牛道集进行排列，显示道头信息为偏移距和方位角，其中红色为方位角、蓝色为偏移距。图 7-a 为各向异性校正前，可以看到明显的方位各向异性，OVT 域偏移道集同相轴会随方位变化而起伏，若不进行校平处理直接进行叠加，将导致叠加剖面分辨率降低，偏移成像效果受到影响；图 7-b 为各向异性校正后，可以看出经过校平处理后同相轴能量更加聚焦，尤其同相轴在远偏各向异性改善明显，深层信噪比明显提升。

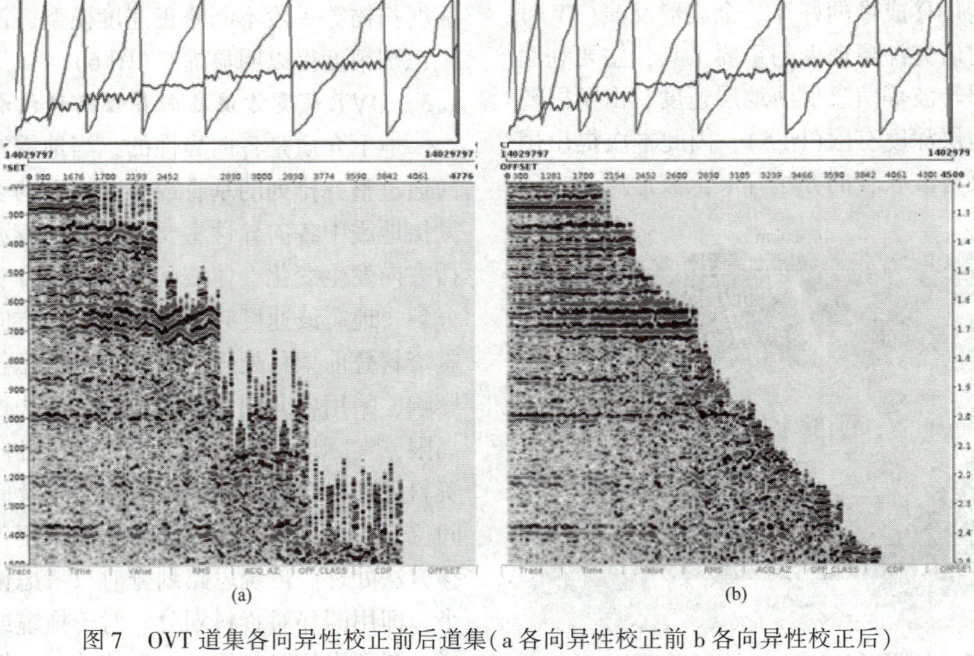

图 7　OVT 道集各向异性校正前后道集(a 各向异性校正前 b 各向异性校正后)

涠西南OBC地震资料经过OVT域宽方位各向异性偏移处理后，成像改善明显。由图8可见OVT偏移成像在以下几个方面有一定优势：涠洲组复杂断块发育区地层成像更清晰；流二段泥岩成像更加清楚；断层归位更为准确；基底成像效果更佳。

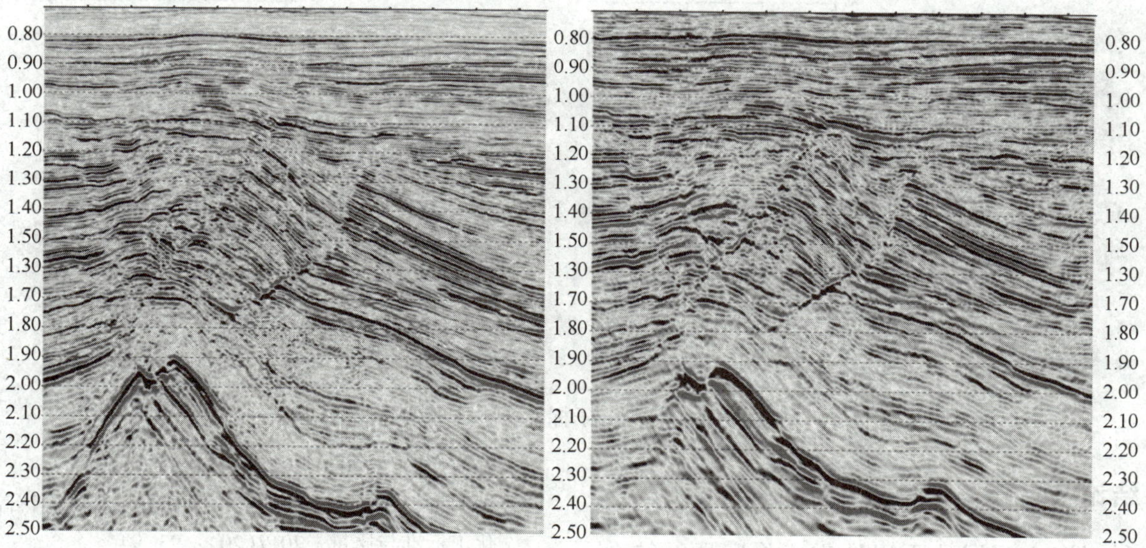

图8　常规偏移(左)与OVT偏移(右)成果对比

1.4　分子标架提高分辨率处理技术

常规处理涠西南中深层地震分辨率低，难以识别富砂层段，为提高地震资料分辨率，国内外许多学者进行了深入研究，其中分子标架高保真提频技术(图9)提出非平稳地震信号的划分方法，建立了非平稳地震道分子标架表示理论，新研发的保幅拓频原理实现非平稳校正，通过散射与吸收分离的理论基础分离算子解决反射系数序列统计特性非白噪情况下实现散射与吸收分离，基于Toeplitz稀疏矩阵分解的盲反褶积算法实现超分辨率反演可以有效地提高合成地震记录的分辨率，在提频的同时，可以有效控制高频噪音。

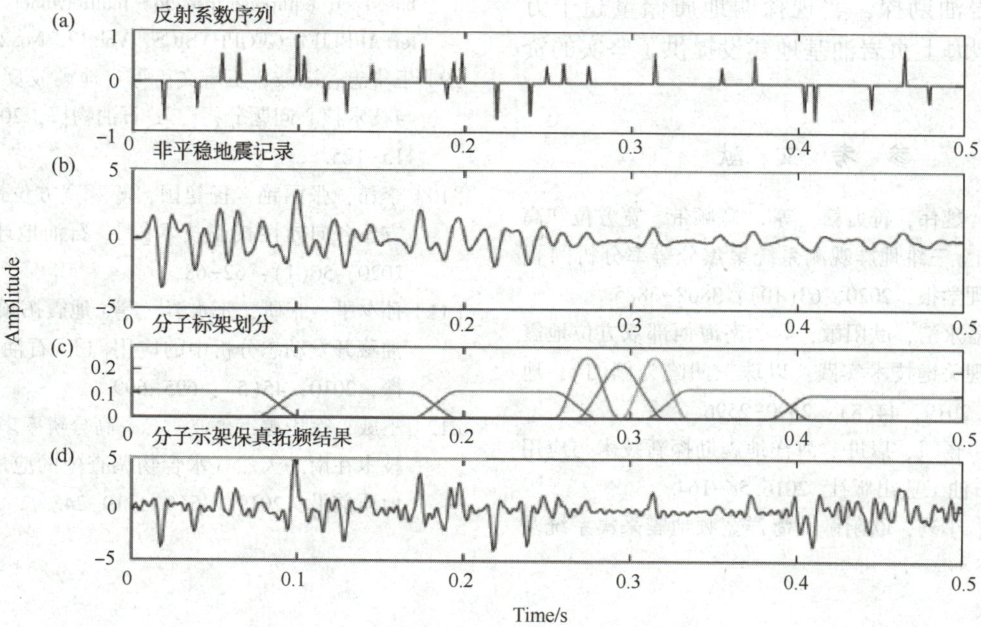

图9　分子标架示意图

下图10为分子标架拓频测试结果，可以看到频带在低频端、高频端均得到有效拓展，提频后保真度高。实钻井已经证实，提频后的低频弱连续地震反射特征正是有利的目标储层，为后期水平井位靶点部署提供了坚实资料基础。

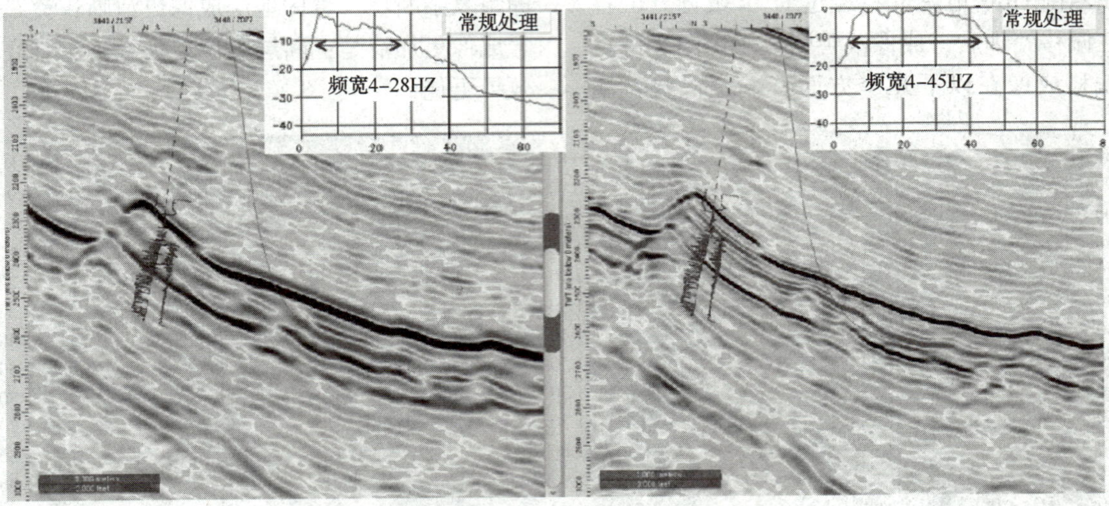

图 10　常规处理(左)与分子标架拓频处理(右)结果对比

2　结论与认识

针对海上深层油页岩地震成像问题，结合 OBC 宽方位资料的特点，通过 OBC 和与拖缆联合多次波压制技术、回转波和反射波联合 FWI 建模技术、宽方位 OVT 域各向异性偏移技术、分子标架的高保真提高分辨率处理技术等应用，有效解决了困扰油页岩成像难题，为海上深层岩页油勘探开发提供了重要的技术支持。应用本技术处理后的 OBC 地震资料成果成功指导了涠西南凹陷页岩油勘探，实现探明地质储量超千万方，为大型海上页岩油基地建设提供了坚实的资料基础。

参 考 文 献

[1] 常紫娟，魏伟，符力耘，等."宽频带、宽方位和高密度"陆上三维地震观测系统聚焦分辨率分析[J]. 地球物理学报，2020，63(10)：3868-3885.

[2] 李列，盖永浩，欧阳敏，等. 南海西部双方位地震资料处理关键技术实践：以珠三凹陷为例[J]，地球科学. 2019，44(8)：2590-2596

[3] 王守君，杨凯，唐进. 海洋地震勘探新技术与应用[M]. 石油工业出版社. 2016. 58-164.

[4] 盖永浩，李列，欧阳敏. 海洋宽频地震采集系统及其应用[J]，2020，27(2)：198-201.

[5] 钟明睿，邓敏. 宽频地震资料处理[J]. 中国石油和化工标准与质量，2017(20)：93-94.

[6] 王兆旗，杨晓利，张金陵. 上下行波场反褶积衰减 OBC 表面多次波方法研究[J]. 地球物理学进展，2016，31(6)：2415-2420.

[7] 李列，谢玉洪，李志娜，等. 海上多次波压制与成像方法研究进展[J]. 地球物理学进展，2015，30(1)：0446-0453.

[8] Wang Dong-Kai, Liu Huai-Shan, Tong Si-You, Zhu Wei-Qiang. Ocean-bottom cable data multiple suppression based on equipoise pseudo-multichannel matching filter. APPLIED GEOPHYSICS, Vol. 12, No. 2: 179-186.

[9] 王华忠，冯波，王雄文，等. 地震波反演成像方法与技术核心问题分析[J]. 石油物探，2015，54(2)，115-125.

[10] 李昂，张丽艳，杨建国，等. 宽方位地震 OVT 域方位各向异性校正技术[J]. 石油地球物理勘探，2020，56(1)：62-68.

[11] 孙夕平，张研，张永清，等. 地震拓频技术在薄层油藏开发动态分析中的应用[J]. 石油地球物理勘探，2010，45(5)：695-699.

[12] 王威，徐华源，孙波，等. 高分辨率多道地震勘探技术在南海天然气水合物调查中的应用[J]. 海洋地质前沿，2019，35(9)，19-24.

杨武寨构造带多油源油气层评价

郭素杰　戴广阔　魏士博　宋义民　黄德远

（中国石油渤海钻探工程有限公司）

摘　要　近年来数据挖掘技术在油气层评价领域得到广泛应用，但是非定量化信息难以纳入其中，笔者根据已有研究成果建立杨武寨多油源油藏评价标准并筛选出敏感含油气性评价指标，利用 Logistic 回归技术将油源信息转换为发生概率问题，建立了油气层综合量化评价模型。应用该模型对杨武寨构造带的多油源油藏进行评价，结果表明：所建立的含油气回归模型总体准确率为 90.3%，具有较高的可靠性；基于知识驱动的 Logistic 回归的综合了专家知识经验及大数据的优势，克服了仅依靠数据进行评价的片面性以及专家经验难以量化的难题。在杨武寨构造带应用 20 口井，29 层经试油验证解释符合率为 82.7%，较此前提高 17.7%，取得了良好的应用效果。

关键词　杨武寨；岩石热解气相色谱；知识驱动；Logistic 回归；多油源原油

油气层评价是油气勘探领域中是具挑战性的学科之一，目前的评价手段主要是基于录井以及测井资料，两个专业均投入了大量的人力物力，如录井领域发展了气测录井、热解分析、轻烃录井等多项技术；测井领域也发展了基于声学、电学及核磁成像学的多项技术。这些技术能对大部分的储层流体性质做出合理的解释，但由于单项技术在解释评价过程中，只能解决一部分问题：例如气测解决含油性，核磁共振解决物性，轻烃解决含水性等，在对非均质储层及复杂油气层进行评价时效果较差。两个领域大多采用图版法、曲线形态法及标准法等，使用参数较为单一，解释的结果多以人工经验为主。为了解决“数据丰富而知识贫乏”这一难题，众多学者将数据挖掘技术引入油气层评价当中，实现了油气层评价的智能化。但是传统的数据挖掘方法仅依靠数据驱动整个挖掘过程，数据未加筛选，较多的无效参数在增加了数据计算量的同时还可能会导致计算精度的下降，且图形等非量化信息，难以纳入模型。针对该问题，笔者在前期研究成果及数据描述的基础上进行参数优选，再引入 Logistic 回归模型，将油源等表征信息定量化，建立多参数的量化评价模型，计算不同类型储层流体的概率值，依据最大隶属原则确定储层类型，较传统的定性分类及多参数建模更合理、更全面。模型的回判验证符合率达到 90.3%，该模型在杨武寨构造带应用 20 口井 472 层，其中 29 层经试油验证，解释符合率达到 82.7%。

1　研究区概况

1.1　地质背景

杨武寨构造带位于饶阳凹陷的南部，南临孙虎断裂构造带，北临元昌楼构造，东临武强断裂构造带，西以皇甫村断层为界，勘探面积约 300km^2，杨武寨构造带自东向西可分为杨武寨东洼槽、中央背斜、西部单斜三部分。区内发育三条边界断层，即献县、虎北、刘村东断层，发育三条 NE 走向的二级断层，即武强、皇甫村、大王庄东断层，这些断层对本区的构造发育及地层沉积起主导作用，同时对油气运移提供通道（图 1）。杨武寨构造带是一复式油气聚集带，通过四十多年的勘探，发现了馆陶组、东三段、沙一下段、沙二段、沙三上段及沙三下段六套含油层系。有沙四+孔店组、沙三段、沙一下段三套生油层系，其中沙三段暗色泥岩、沙一下段特殊岩性为主力烃源岩。

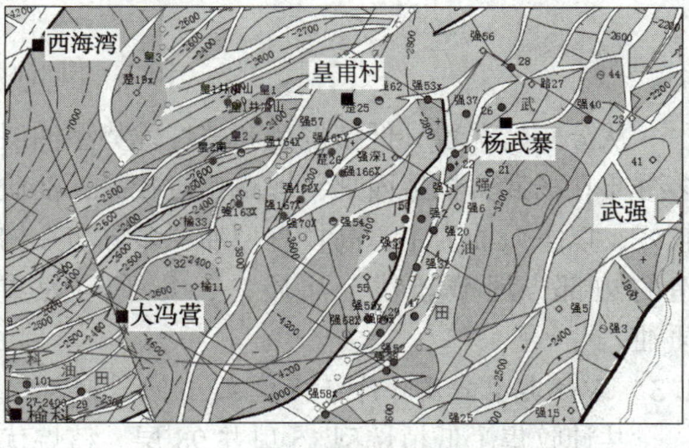

图 1　杨武寨构造带平面图

由于不同的烃源岩生油母质类型不同，埋深不同，生成的原油物理性质差别较大，本区发育的断层，对原油的运移提供了舒畅的通道，因此，纵向上含油段长且不同类型原油交叉成藏，甚至出现混源油藏，给油气层评价工作带来了很大困难。油气层评价人员建立油气水层评价标准时一般按层位或井深为单元，这种评价方法对单一油源形成的不同性质的流体效果显著，但对于多油源地区则不适用。笔者尝试从油源角度入手，应用岩石热解气相色谱资料划分油层类型，建立不同类型油层评价标准，这种淡化地层，注重油层类型的评价模式在实际应用中收到了很好的效果。

1.2　三种类型油层识别

杨武寨地区原油类型较为复杂，有中质油、中质偏重油和重质油，它们与岩石热解气相色谱资料中的Ph/nC18、Pr/Ph参数有很好地对应关系，岩石热解气相色谱分析是把岩石样品加热到300℃，检测岩样中$C_{10}-C_{40}$饱和烃、姥鲛烷(Pr)、植烷(Ph)等参数，由于姥鲛烷、植烷与生油母质关系密切，并且不易遭受水洗、生物降解等破坏，常用做油源追踪之用，Ph、nC18成对出现，也常用Ph/nC18做油源判别参数。

通过对区域资料分析，Ph/nC18、Pr/Ph与原油类型有很大关系，尤其是Ph/nC18，因此，以岩石热解气相色谱资料为依据，将本区原油类型划分为低植烷型、植烷优势型和高植烷型三种，具体划分标准见表1。

表1　油源划分标准

油源类型	Ph/nC18	Pr/Ph
低植烷型	0.5~1.0	<1.0
植烷优势型	1.0~3.0	0.2~0.5
高植烷型	>3.0	0.1~0.4

低植烷型、植烷优势型和高植烷型油层岩石热解气相色谱谱图如图2所示。

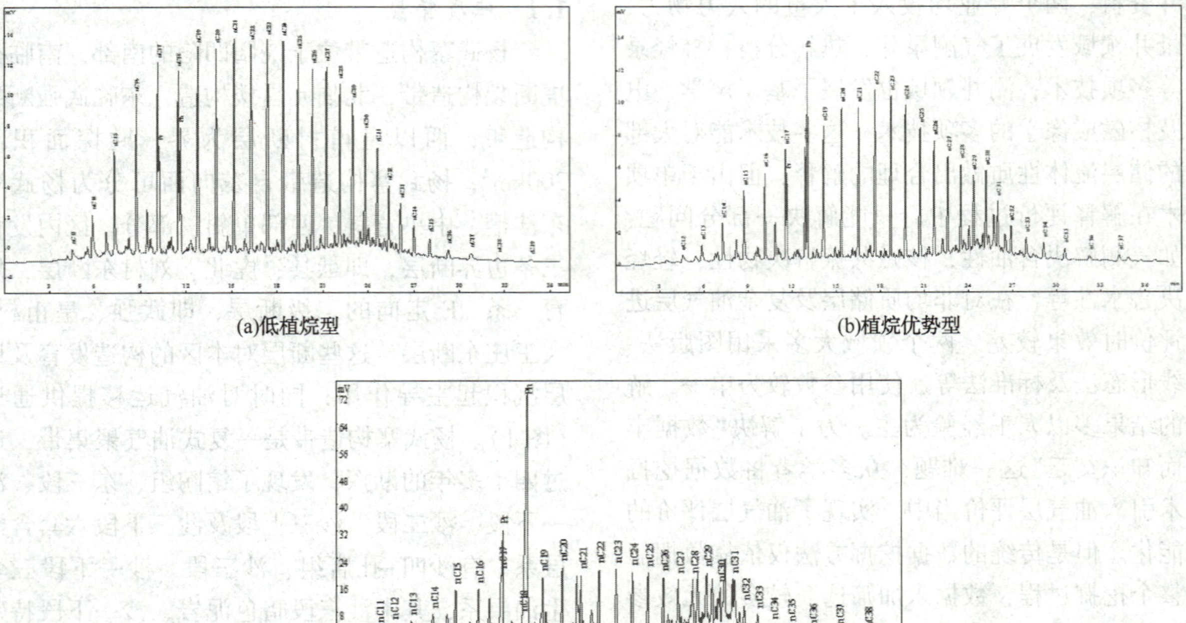

(a)低植烷型

(b)植烷优势型

(c)高植烷型

图2　不同油源气相色谱谱图特征

从分布情况看，低植烷型和植烷优势型油层多分布在杨武寨构造西部，埋藏相对较深，油质较好，以重质油为主；高植烷型油层多分布在构造的边部，埋藏较浅，油质差，几乎均为重质油。

1.3　三种类型油层评价标准建立

共计收集了低植烷型15口井98层，植烷优势型17口井73层，高植烷型10口井42层气测、热解、色谱，试油等资料，通过分析分别建立起解释评价标准(表2)。

低植烷型油质好，录井油气显示活跃，从图版和各项资料响应特征来看，规律性很强。植烷优势型油质中质偏重，录井油气显示较活跃，从图版和各项资料响应特征来看，规律性也较好。

而高植烷型油质偏重，从图版和各项资料响应特征来看，整体规律性较差，其中全烃–甲烷图版、三维图版、色谱形态油水识别效果相对较好（图3）。

表2 不同油源油气层评价标准

油源类型	储层类型	全烃	C1	C3/C2	TPI	色谱形态
低植烷型	油层	>2.5	70~80	>1.0	0.60~0.75	谱峰齐全，基线平直
	油水同层	2.0~5.0	85左右	>1.0	0.55~0.70	谱峰齐全，基线略隆起
	含油水层	<3.5	>85	<1.0	0.50~0.60	峰值低，基线隆起
植烷优势型	油层	2~10	80~95	<1.0	0.45~0.65	谱峰齐全，基线平直，尾部略隆起
	含油水层	<2.0	>90	<1.0	0.30~0.60	峰值低，基线抬升，尾部隆起
高植烷型	油层	>2.0	>95	<1.0	0.30~0.50	谱峰齐全，基线平直
	含油水层	<2.0	>90	<1.0	0.35~0.55	峰值低，基线隆起

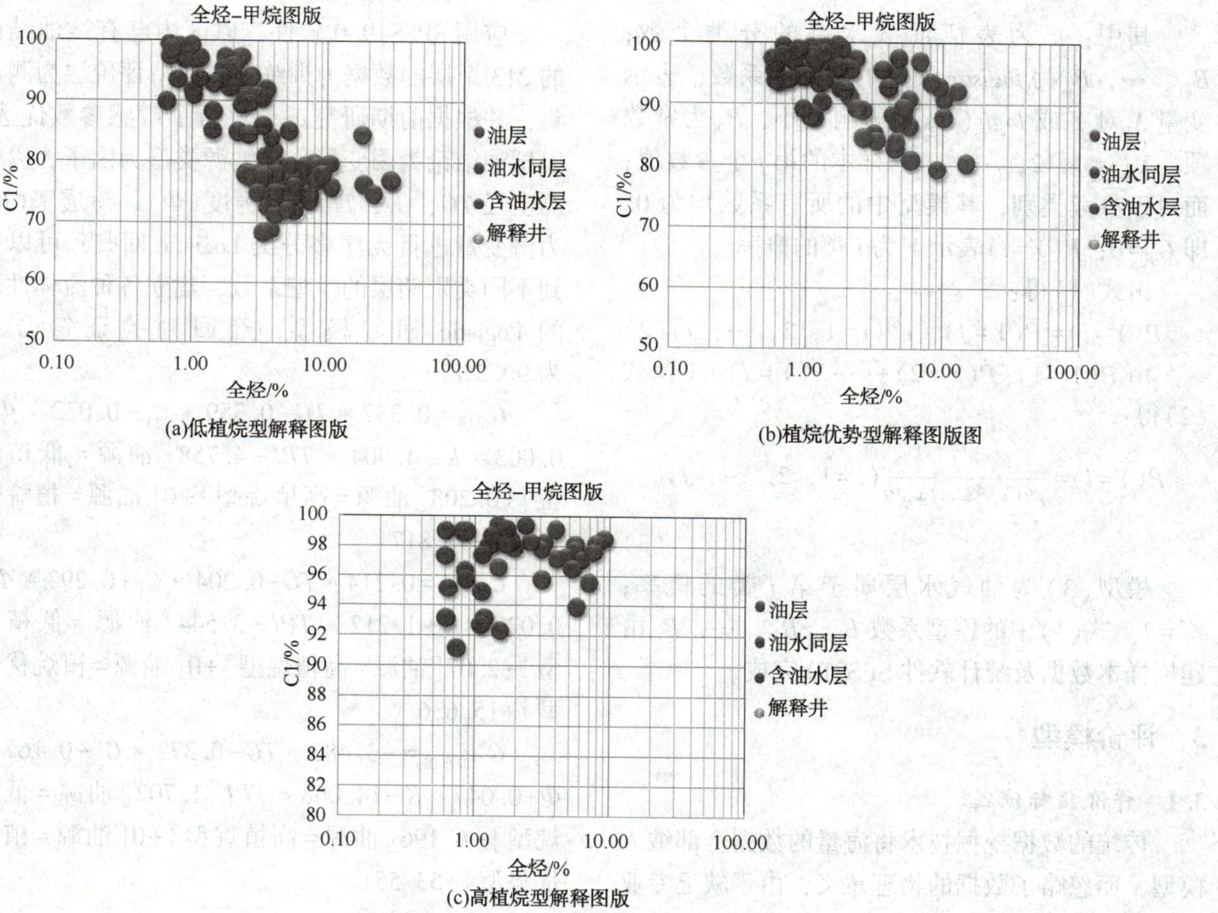

图3 不同油源气测解释图版

从前面分析可以看出，同时油层但由于烃源岩生油母质类型不同，录井响应特征差异很大，仅依靠分析数据在实际识别中很难区分油气水层，需要分别建立评价模型，据此，笔者尝试应用Logistic回归模型将油源特征转换为发生概率问题，并借助于Logit变换和最大似然估计实现各类储层概率与自变量之间关系的非线性拟合回归，进行用于油气层的快速预测与判别。

2 多项Logistic回归原理

Logistic回归音译为逻辑回归，是一种有监督的统计学习方法，主要用于对样本进行分类。也被称为广义线性回归模型，它与线性回归模型的形式基本上相同，在线性回归模型中，输入输出一般是连续的，对于每一个输入的x，都有一个对应的y输出。模型的定义域和值域都可以是

[-∞，+∞]。但是对于 Logistic 回归，输入可以是连续的，也可以是离散的，但输出一般是离散的，即只有有限多个输出值。从整体上来说，通过 Logistic 回归模型，我们将在整个实数范围上的 x 映射到了有限个点上，这样就实现了对 x 的分类。设因变量 Y 有 J 个值(即 Y 有 J 类)，以其中一个类别作为参考类别，其他类别都同它相比较可生成 $J-1$ 个非冗余的 logit(P)变换模型。下面以 $Y=J$ 作为参考类别，则对于 $Y=i(i=1, 2, \cdots, J-1)$，其 *logit* 模型为：

$$Gi=\log\frac{P(Y=i)}{P(Y=J)}=B_{i0}+B_{i1}X_1+B_{i2}X_2+\cdots B_{in}X_{1n} \tag{1}$$

其中：n 为表征油气水层的分类个数；B_{i1}，…，B_{in} 为 *logistic* 回归的偏回归系数，表示变量 X_i 对 Y 或 $logit(P)$ 的影响大小，B_{0i} 为常数项；$X_j(j=1, 2, \cdots, n)$ 为样本的第 j 个参数值；而对于参考类别，其模型中的所有系数均为0，即 $G_J=0$；$P(Y=i)$ 表示 Y 为 i 类的概率。

由式(1)得：

$$P(Y=i)=P(Y=J)\cdot e^{Gi}(i=1, 2, \cdots, J) \tag{2}$$

由 $P(Y=1)+P(Y=2)+\cdots+P(Y=J)=1$ 及式(2)得：

$$P(Y=i)=\frac{e^{G_i}}{e^{G_1}+e_2^{G}+\cdots+e^{G_J}}(i=1, 2, \cdots, J) \tag{3}$$

模型(3)为油气水层属于第 i 类的概率；$e^{GJ}=1$。式(1)中的模型系数 B_{i0}，B_{i1}，…，B_{in} 由建模样本数据及统计软件 SPSS19 完成。

3 评价模型

3.1 评价指标优选

传统的数据挖掘技术将海量的数据全部纳入模型，而忽略了数据的物理意义，由于缺乏专业知识参与到挖掘过程，导致大量无效知识的产生，因此在建立模型之前进行参数优选就尤为重要，通过对前期研究成果进行梳理，将专家知识与数据分析形成优势互补，提高模型的有效性。

通过对已试油资料进行研究发现，在该区对油气层评价较为敏感的因素有：气测全烃(Tg)、全烃曲线峰形、C_1 相对百分含量、总产率指数(TPI)及孔隙度、渗秀率、热解气相色谱谱峰形态。其中气测全烃(Tg)主要反映储层含油气丰度，可以用于油气水性质的初步区分；气测全烃曲线形态可以直接反映储层油气充注的饱满程度，其显示厚度与储层之间的匹配关系可以用于区分储层内流体性质的纵向变化；C_1 相对百分含量是指 C_1 与气测组分烃总量的比值，可以区分轻、重烃的构成关系用于油气性质的区分；TPI 即岩石热解分析的总产率指数，是用于油质评价的主要依据；而孔隙度、渗透率则是储层物性的重要评价指标，可以反应储集空间的大小及储集空间的连通性；热解气相色谱谱峰形态反映的是 C_8-C_{37} 左右的正构烷烃、姥鲛烷及植烷色谱峰及各组分的相对百分含量，在本区主要用于不同油源的识别。

3.2 油气层 Logistic 回归模型

应用 SPSS19.0 软件，以区内已有试油结论的 213 个层的数据为训练集，以待评价层为测试集，并根据前期研究成果进行了敏感参数优选，以试油结论为因变量，以油源类型为因子，以气测全烃 TG、C_1、TPI、孔隙度(Φ)、渗透率(K)为协变量进行无序多分类 Logistic 回归，可以得到不同类别储层的模型系数，建立各种流体性质的 Logistic 回归模型，经回判验证符合率为 90.3%。

$G_{油层}=0.337*TG-0.359*C_1-0.032*\Phi-0.003*K+4.904*TPI-4.758$[油源=低植烷型]+0.208[油源=高植烷型]+0[油源=植烷优势型]+32.817

$G_{差油层}=0.214*TG-0.204*C_1+0.293*\Phi-0.027*K+1.212*TPI-3.544$[油源=低植烷型]-2.07[油源=高植烷型]+0[油源=植烷优势型]+15.636

$G_{含油水层}=-3.483*TG-0.372*C_1-0.167*\Phi+0.047*K-14.068*TPI-1.702$[油源=低植烷型]-6.196[油源=高植烷型]+0[油源=植烷优势型]+53.551

$G_{油水同层}=0$

式中：由于分类以油水同层为参考，油源类型以植烷优势型为参考，因此其对应值为0。

将待评价层数据代入评价模型中求得待评价层不同分类的逻辑值，将逻辑值再代入到式(3)中得到待评价层归属的概率值，根据最大隶属原则判断其归属。

由 SPSS19 得出模型拟合信息见表 3，其显著性水平低于 0.05，可知模型整体的显著性非常高。

表3 模型拟合信息

模型	模型拟合标准	似然比检验		
	-2倍对数似然值	卡方	df	显著水平
仅截距	371.214			
最终	155.958	215.256	28	.000

4 应用实例

近两年Logistic回归技术在杨武寨构造带应用20口井，解释符合率达到82.7%，较之前提高了17.7个百分点。

4.1 低植烷油层

Q163x井是布署在冀中坳陷饶阳凹陷杨武寨构造带西断阶的一口预探井，该井在沙一及沙二段均见到了良好的油气显示，井段3388~3396m（图4中17号层），岩屑录井为油迹细砂岩，井壁取心3颗，2颗油浸细砂岩，气测全烃2.579%，C_1相对百分含量91.7%，峰形饱满，组分齐全，热解Pg16.58 ~ 19.77mg/g，TPI0.576~0.710，孔隙度18.6%，渗透率$32.2\times10^{-3}\mu m^2$，Pr/Ph为0.51，Ph/nC18为0.9056，结合气相色谱谱峰形态判断油源为低植烷油源，将数值代入Logistic回归模型，得出P（油层）=0.47，P（油水同层）=0.15，P（差油层）=0.27，P（含油水层）=0.11，油层概率最高，因此解释为油层。

对井段3387~3391.8m放喷试油，日产油为$13.62m^3/d$，与逻辑回归模型结论一致。

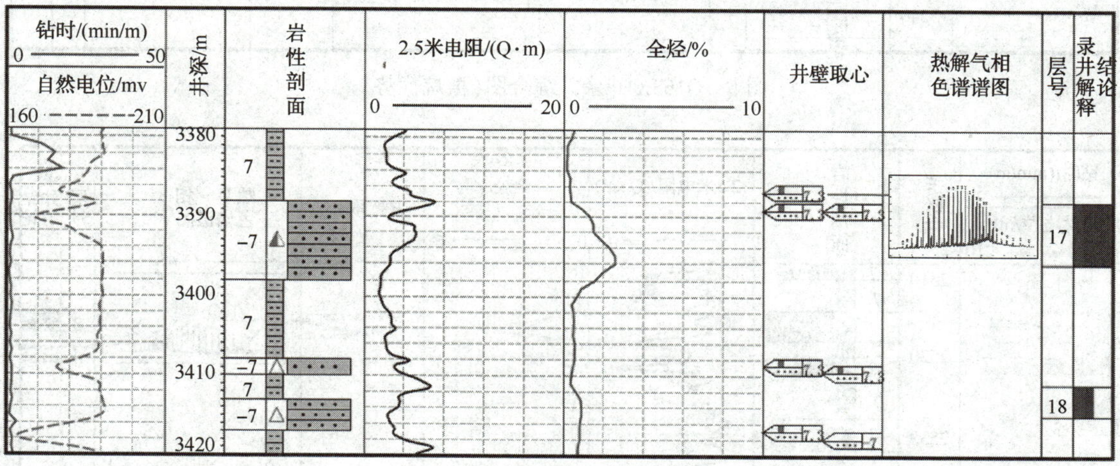

图4 Q163X井录井综合图（低植烷）

4.2 植烷优势油层

而Q163x井的井段4212~4220m（图5中36号层），岩屑录井为油迹细砂岩，井壁取心3颗，其中2颗油浸细砂岩，气测全烃3.361%，C_1相对百分含量92.04%，峰形饱满，组分齐全，热解Pg6.71~12.77mg/g，TPI0.617~0.69，孔隙度16.5%，渗透率$44.76\times10^{-3}\mu m^2$，Pr/Ph为0.2877，Ph/nC18为2.6185，结合气相色谱谱峰形态判断油源为植烷优势油源，将数值代入Logistic回归模型，得出P（油层）=0.81，P（油水同层）=0.03，P（差油层）=0.16，P（含油水层）=0，油层概率最高，因此解释为油层。

对井段4207.2~4217.8m放喷试油，日产油为$13.49m^3/d$，乳化水$2.7m^3/d$，与逻辑回归模型结论一致。

4.3 高植烷油层

Q26-17x井，井段2514~2517m（图6中3号层），岩屑录井为油迹细砂岩，井壁取心4颗，均为油浸细砂岩，气测全烃2.618%，C_1相对百分含量90.57%，峰形饱满，组分齐全，热解Pg19.08~36.07mg/g，TPI 0.391~0.435，孔隙度19.5%，渗透率$89.24\times10^{-3}\mu m^2$，Pr/Ph为0.178，Ph/nC18为10.2339，结合气相色谱谱峰形态判断为为高植烷油源，将数值代入Logistic回归模型，得出P（油层）=0.82，P（油水同层）=0.07，P（差油层）=0.05，P（含油水层）=0.07，油层概率最高，因此解释为油层。

井段2539~2542m（图6中5号层），岩屑录井为油迹细砂岩，井壁取心4颗，其中油浸细砂岩3颗，油斑细砂岩1颗，气测全烃2.567%，C_1相对百分含量92.36%，峰形欠饱满，组分齐全，热解Pg10.36～36.65mg/g，TPI 0.377～0.420，孔隙度22.7%，渗透率$154.95\times10^{-3}\mu m^2$，Pr/Ph为0.2009，Ph/nC18为20.8627，结合气相色谱谱峰形态判断为为高植烷油源，将数值代入Logistic回归模型，得出P(油层)=0.3，P(油水同层)=0.09，P(差油层)=0.01，P(含油水层)=0.6，含油水层概率最高，因此解释为含油水层。

对井段2499～2549m试油，采用射流泵工艺，日产油为$7.4m^3/d$，水$4.4m^3/d$，与解释结论相符。

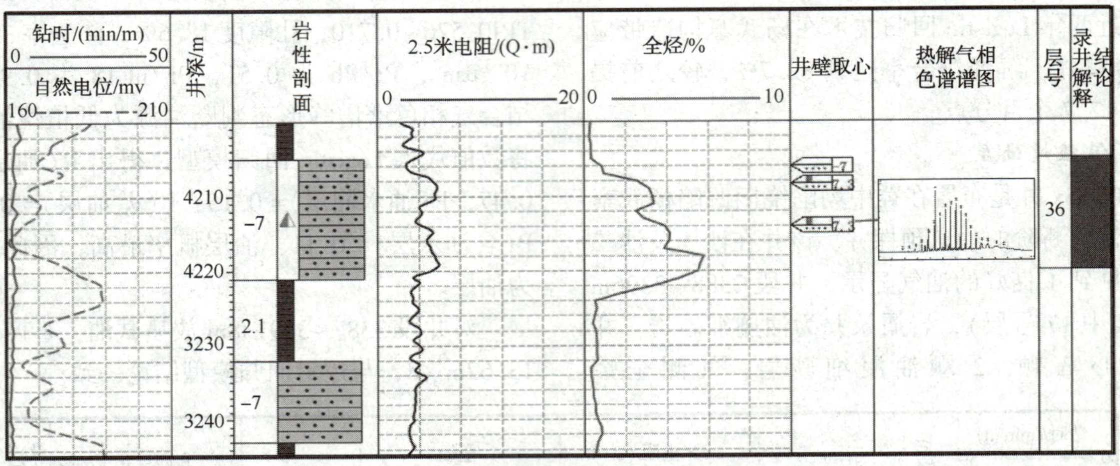

图5　Q163X井录井综合图(植烷优势)

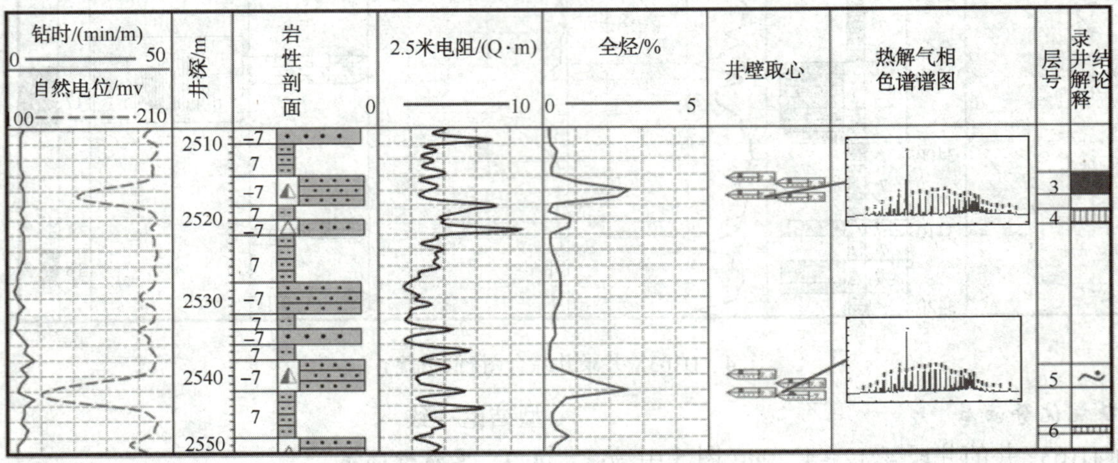

图6　Q26-17X井录井综合图

5　结论与建议

通过对杨武寨构造带三种油源油层进行分析，总结了该区油气水层录井响应特征，明晰了敏感参数，应用Logistic回归技术，将油源等表征信息定量化，把专家知识与数据分析相结合形成优势互补，综合建立了该区多参数量化评价模型，计算不同类型储层流体的概率值，依据最大隶属原则确定储层类型，较传统的定性分类及多参数建模更合理、更全面。，有效的提高了模型的有效性。

在杨武寨构造带对区内已有试油结论的213个层的训练集进行Logistic回归并将其预测类别与试油类别进行对比，结果表明训练集回判验证符合率达90.3%，说明该方法客观、有效。2018、2019年在杨武寨构造带应用20口井，472层，其中29层经试油验证，解释符合率达到82.7%。同时该方法除了解决油气水层识别问题外，还可以解决其他领域类似问题，值得推广。

参 考 文 献

[1] 刘强国，朱清祥．录井方法与原理[M]．北京：石油工业出版社，2011：323-390.

[2] 杜阳阳，王燕，李亚峰，等．低孔低渗储层流体性质测录井综合识别方法研究现状与展望[J]．地球物理学进展，2018，33(2)：571-580.

[3] 李阳，胡晓东，张庭山．数据挖掘技术在录井解释评价中的应用[J]．复杂油气藏，2020，13(01)：5-9.

[4] 郭素杰，姜维寨，孟庆峰，等．数据挖掘技术在复杂油气层评价中的应用探索[J]．录井工程，2019，30(4)：1-7.

[5] 李政宏，刘永福，张立强，等．数据挖掘方法在测井岩性识别中的应用[J]．断块油气田，2019，26(06)：713-718.

[6] 谭锋奇，李洪奇，孟照旭，等．数据挖掘方法在石油勘探开发中的应用研究[J]．石油地球物理勘探，2010，45(01)：85-91+164+172.

[7] 许长福，李雄炎，谭锋奇，等．任务驱动数据挖掘方法的提出及在低阻油层识别中的应用[J]．吉林大学学报(地球科学版)，2012，42(01)：39-46.

[8] 王江荣，罗资琴，文晖，等．基于粗糙集的多项logistic回归模型在油层识别中的应用[J]．工业仪表与自动化装置，2015(3)：28-32.

[9] 朱兆群，林承焰，张宪国，等．基于Logistic回归的高邮凹陷永安地区戴一段含油气性量化评价[J]．中国石油大学学报(自然科学版)，2017，41(5)：41-51.

[10] 宋义民，李毅逵，纪伟等．马西洼槽两种不同油源油层的解释与评价[J]．录井工程，2013，24(02)：49-53+92

[11] 宋义民，李毅逵，刘淑侠，等．冀中探区大柳泉地区生物降解油气层综合解释评价方法[J]．录井工程，2015，26(3)：46-49.

[12] 何晓群．多元统计分析[M]．4版．北京：中国人民大学出版社，2015：227-237.

[13] 张文彤，钟去飞．IBM-SPSS数据分析与挖掘实战案例精粹[M]．北京：清华大学出版社，2013：167-175.

[14] 杨维忠，张甜．spss统计分析与行业应用案例详解[M]．北京：清华大学出版社，2011：102-105

[15] 张文彤，董伟等．SPSS统计分析高级教程北京高等教育出版社，2013：181-189.

基于录井参数的页岩油储层工程品质评价方法

张文雅　张明扬　李　娟

（中国石油渤海钻探工程有限公司）

摘　要　在非常规页岩油气勘探中，工程品质的评价比常规油气更为重要。鄂尔多斯盆地陇东地区长7发育三种不同类型页岩油，砂体呈薄互层状分布、展布规律复杂、对比性较差，水平段甜点优选和可压裂性评价难度大。基于录井采集数据，优选包括表征储层可钻性的钻时、表征储层可压性的XRD矿物和XRF元素分析的脆性矿物含量，以及脆性矿物与断裂韧度之间关系，采用SPSS数学分析法确定各参数权重，构建可压裂指数计算模型，形成了长7页岩油工程品质录井分级评价标准。通过17口新钻井的应用，取得了良好的应用效果，辅助了甜点层优选及有效储层钻遇率的提升，为后期压裂选层提供了一定依据。

关键词　页岩油；录井技术；可钻性；可压性；工程品质

在国内外文献中，均认为页岩的脆性是岩石力学性质的一种现象，而矿物成分又是影响力学性质的最主要因素，那么在矿物成分与脆性之间必然有直接的相关性，这是根据脆性矿物成分来表征岩石脆性的基本依据。另外，在钻压、转速稳定的情况下，钻时越低，反映岩石的可钻性越好，具有较好的可压裂性。针对鄂尔多斯盆地陇东地区长7页岩油粘土矿物含量高，其中发育的薄层砂岩及粉砂质纹层，非均质性强，岩石矿物成分复杂，水平段甜点优选和可压裂性评价难度大的问题，从老井录测试资料入手，基于XRD矿物、XRF元素、钻时等录井资料，建立可压裂指数计算模型，形成了长7页岩油储层工程品质评价方法。相比前期录井评价脆性的方法参数更加多样，角度更加全面，在新钻井应用中取得了良好的效果。

1　工程品质评价

1.1　XRD矿物评价脆性方法

不同矿物的物理力学性质有很大差异，而矿物组成是岩石力学表现的内在成因。RICKMAN（2008）通过对BARNETT页岩矿物组分进行XRD分析，将矿物组分分为三类：砂岩类矿物、碳酸盐类矿物和粘土类矿物。砂岩类矿物主要为石英、长石；碳酸盐岩类主要为方解石、白云石、菱铁矿等；泥岩类主要为蒙脱石、水云母、伊利石、绿泥石、高岭石等。统计结果显示随着砂岩类和碳酸盐岩类矿物含量的增多，脆性指数增大；随着粘土矿物含量的增多，脆性指数减小。目前针对湖相富有机质页岩，多数是以砂岩和碳酸盐岩矿物与砂岩、碳酸盐岩、粘土矿物三者质量之和的比值作为脆性指数计算方法。

1.1.1　脆性矿物评价

传统认为砂岩类和碳酸盐岩类矿物是重要的脆性矿物。而通过对陇东地区长7页岩油XRD矿物数据统计分析，矿物成分主要包括砂岩类、碳酸盐岩类、粘土类和黄铁矿等。在以泥页岩为主的长7页岩油段，富含较高的黄铁矿，从1%～40%不等，主要集中在1%～10%、15%～25%范围内（表1），平均含量达13%（图1）。针对脆性评价首先需明确脆性矿物的问题，以实验结果为基础分析矿物与岩石物理参数表现的关系，结合XRD及力学测试结果，通过矿物含量与岩石弹性参数和力学脆性表现的关系，明确了黄铁矿亦是长7页岩油的脆性矿物。

表1　长7段黄铁矿占比统计表

样品个数	黄铁矿含量/%	黄铁矿平均含量/%	占比/%
25	1～5	4.03	24.04
24	5～10	7.44	23.08
10	10～15	13.45	9.62
16	15～20	17.61	15.38
18	20～25	22.54	17.31
10	25～35	30.29	9.62
1	40	40	0.96

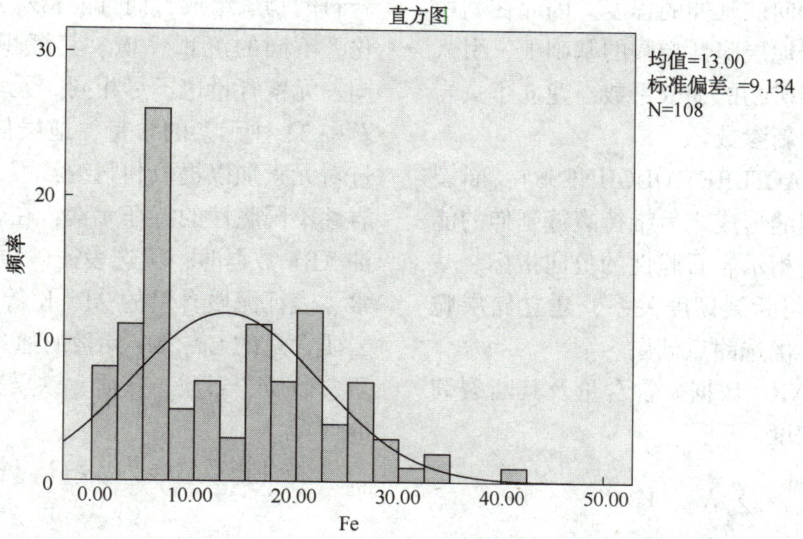

图 1　长 7 段泥页岩黄铁矿占比频率图

因此，在长 7 页岩油段应用 XRD 矿物分析检测出的脆性矿物石英类、碳酸盐岩类加黄铁矿与石英类、粘土类、碳酸盐岩类、黄铁矿矿物质量之和的比值作为长 7 段页岩油脆性指数计算方法。

$$\text{脆性指数 } BI=(V_{石英}+V_{长石}+V_{方解石}+V_{白云石}+V_{黄铁矿})/(V_{石英}+V_{长石}+V_{方解石}+V_{白云石}+V_{黄铁矿}+V_{粘土})\times 100\%$$

式中，BI 为 XRD 矿物计算脆性指数，无量纲；$V_{石英}$ 为石英矿物含量，%。

以 C96 井井段 2055～2060m 为例，气测全烃显示活跃，含油性较好，钻时较低。使用传统公式计算脆性指数仅 57%，加入黄铁矿后计算脆性指数 68%，与传统计算相比提高了 11%，和测井计算脆性指数具有更好的对应关系（图 2）。

图 2　C96 井综合录井图

1.1.2　断裂韧度脆性评价

页岩地层矿物存在弹塑性，一个理想的可压裂区应该是较高的脆性和较低的断裂韧性。XRD 矿物检测的脆性矿物成分能有效地评价储层脆性，这种方法为录井评价脆性指数提供了便捷的条件。但根据矿物含量计算的结果也不能反映页岩地层实际压裂后向前延伸的程度。因此在利用矿物含量评价页岩地层脆性指数的基础上，引入断裂韧度作为每种矿物的加权系数，建立了页岩地层脆性指数评价新参数。

断裂韧度(FRACTURE TOUGHNESS)：断裂韧性能够表征在裂缝形成之后维持裂缝延伸的能力与难易程度，是指示岩石脆性的负向指标。基于XRD矿物含量与断裂韧度关系，建立储层脆性指数评价方法，优选甜点储层。

① 首先结合XRD数据矿物含量及其断裂韧度计算综合断裂韧度：

$$K_c = \sum_{i=1}^{n} K_{ci} \cdot V_i$$

② 应用综合断裂韧度计算储层的反韧度指数：

反韧度指数 $IB = (K_{cmax} - K_{ci}) / (K_{cmax} - K_{cmin})$

式中，IB 为反韧度指数，无量纲；K_{ci} 为第 i 种矿物的断裂韧度，$MPa \cdot m^{1/2}$；V_i 为第 i 种矿物的含量，%。

1.2 XRF元素评价脆性方法

元素录井所获取的化学成分含量不仅能反映岩石的物质组成，而且能指示其沉积环境发生变化。不同的沉积环境、其沉积物的岩石特征不同、元素含量也不尽相同。元素录井可以获取岩石中34种元素的含量，地层信息十分丰富，通过对元素加以提取和归纳，可以寻找到指示不同岩性不同脆性的特征元素，在分析研究长7页岩油XRF数据时，优选表征砂质含量Si、Na等元素、表征泥质含量的Al、K等元素，表征灰质、云质含量的Ca、Mg元素的通过回归计算出的泥质、砂质、云质、灰质、铁质含量进行脆性指数的计算。

脆性指数 $BI = (V_{硅质} + V_{云质} + V_{灰质} + V_{铁质}) / (V_{硅质} + V_{云质} + V_{灰质} + V_{铁质} + V_{泥质}) \times 100\%$

式中，Bl 为XRF元素计算脆性指数，无量纲；$V_{硅质}$ 为元素计算硅质含量，%。

通过对比分析XRF元素与XRD矿物评价的脆性具有较好的一致性，这为基于录井参数评价脆性提供了另一种方法。以CY1井为例，在长7页岩油段应用两种方法综合评判储层脆性，为压裂选层提供更多依据(图3)。

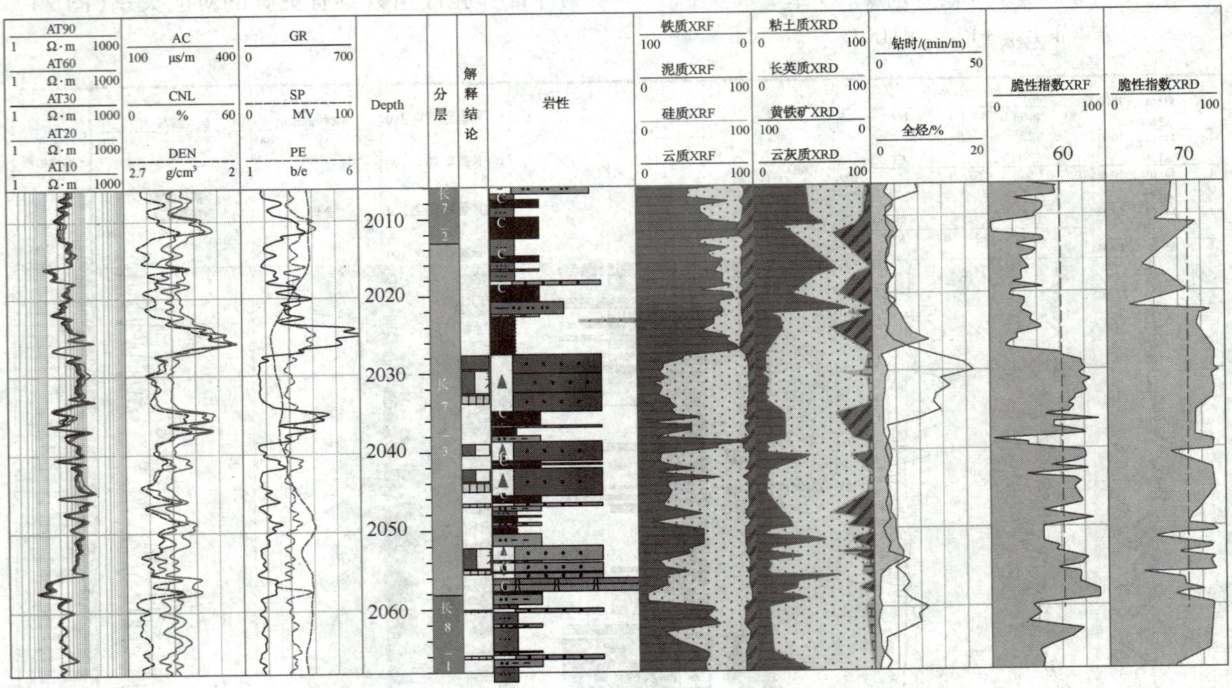

图3 CY1井综合录井图

1.3 可钻性评价方法

钻时参数反映岩石的可钻性，钻遇不同的岩层钻时不同。在钻压、转速稳定的相同背景条件下，钻时越低，反映岩石的可钻性越好，即岩石物性越好，岩石孔缝、孔隙越发育，也侧面反应储层脆性矿物含量高，具有一定的可压裂性。

而钻时指数受钻井工程因素影响较大，由于在不同井段，其转盘转数、钻压等参数也有所变化，所以在不同情况下钻遇相同岩石时所需的钻时是有所差异的。为消除这些参数给钻时所带来的影响，便于遵照统一的基准进行对比分析，采用钻时与围岩钻时比值评价储层可钻性，形成储层可钻性指数计算方法。

$$可钻性指数\ D_n = ROP_{围岩}/ROP_n$$

式中，D_n 为第 n 米井深的可钻性指数(无量纲)；$ROP_{围岩}$ 为围岩平均钻时，min/m；ROP_n：为第 n 米井深钻时，min/m。

2　评价模型及标准

2.1　可压裂性模型

通过以上分析认为钻速较快、脆性指数高，断裂韧度小的页岩油储层为有利压裂段。通过表征矿物脆性的 BI、表征裂缝延伸难易程度的反韧度指数 IB 和表征地层可钻性 Dn 三个参数，应用 SPSS 数学分析确定各参数权重构建长 7 页岩油储层可压裂指数 FI 计算模型。

$$可压裂指数\ FI = 0.43 * BI/100 + 0.35 * IB + 0.22 * D_n$$

式中，FI 为可压裂指数；BI 为脆性指数(XRD/XRF 两种参数可选)；IB 为反韧度指数；D_n 为可钻性指数。

2.2　评价标准

基于录井 XRD 矿物和 XRF 元素分析与钻时数据建立长 7 页岩油储层工程品质评价方法及评价标准(表 2)，为试气选层和储层压裂改造方案制定提供依据。

表 2　长 7 段页岩油脆性分级评价标准

岩石类型	脆性指数/XRF	脆性指数/XRD	反韧度指数/IB	钻时/(min/m)	可钻性指数/D_n	可压裂指数/FI	工程品质	储层可压性
细砂岩	≥60	≥70	≥0.65	较小	≥0.60	≥0.70	好(Ⅰ类)	高
粉砂质泥岩、页岩	40~60	50~70	0.45~0.65	中	0.40~0.60	0.55~0.70	中(Ⅱ类)	中
泥岩	<40	<50	<0.45	较大	<0.40	<0.55	差(Ⅲ类)	低

3　应用实例

应用三参数结合的可压裂指数评价方法，在 C92 井长 7 页岩油井段 1955~2080m 共识别出Ⅰ类储层 3 段，Ⅱ类 3 段，Ⅲ类 2 段共 8 套解释层(图 4)，经可压裂指数模型计算，4#解释层 2003.0~2021.0m、8#解释层 2075.0~2080.0M，可压裂指数分别为 0.85、0.75，综合评价为Ⅰ类储层，具有较好的工程品质。后经试油分别获日产油 21.42T、10.97T 的高产工业油流(表 3)。

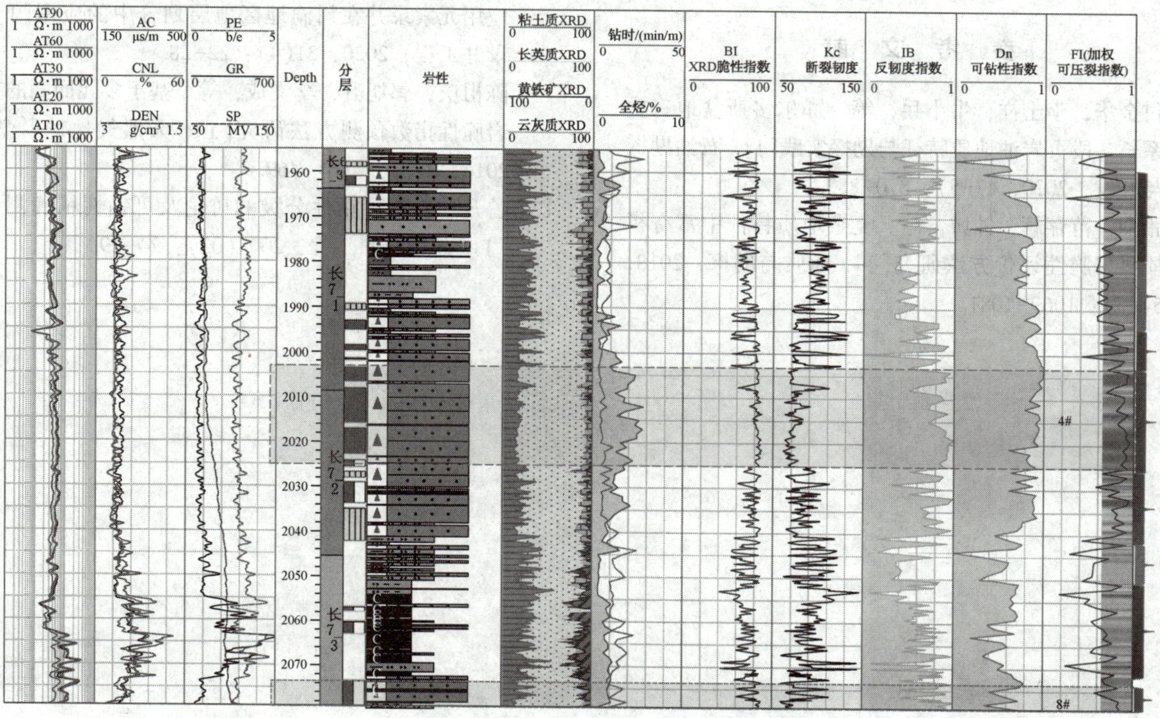

图 4　C92 井脆性评价录井综合图

表 3 C92 井试油统计表

序号	可压裂指数 FI	顶深/m	底深/m	厚度/m	日产油/t	日产水/m^3	累产油/t	累产水/m^3	试油结论
8#	0.75	2075	2080	5	10.97	5.4	15.9	12.8	工业油层
4#	0.85	2003	2021	18	21.42	9.6	46.5	28.8	工业油层

4 结论

X 射线录井技术能够连续、定量的检测岩石矿物和元素含量数据，具有分析速度快、不受样品形状局限的优势。不仅能够灵敏地捕捉到地层变化的信息，在岩性识别、沉积环境划分评价方面具有更加独到的优势。而在工程品质评价方面，通过检测岩石样品实物得到的 XRD 矿物、XRF 元素录井分析数据结合钻时计算的可压裂指数，能够较为全面的评价储层工程品质，亦能为甜点层优选及有效储层钻遇率的提升提供有效的支撑。

另外，从统计大量 XRD 矿物与 XRF 元素分析数据对比情况看，两种录井手段在计算脆性指数上各有优劣。XRD 在统计脆性矿物含量方面更为准确，而 XRF 是通过换算后得出的砂质、灰质、云质等脆性矿物含量，计算结果存在不统一现象，但总体趋势基本一致。鉴于目前 XRF 录井技术的广泛应用，建议继续攻关研究 XRF 元素与破裂压力相关的敏感参数，以进一步提高录井计算脆性指数的准确性和有效性。

参 考 文 献

[1] 付金华，李士祥，牛小兵，等．鄂尔多斯盆地三叠系长 7 段页岩油地质特征与勘探实践[J]．石油勘探与开发，2020，47(5)：870-883.

[2] 张羽，范存辉，钟城，等．复杂地质特征中富有机质页岩脆性评价方法研究[J]．地质与勘探，2018，54(5)：1069-1081.

[3] 杨琳，唐家琼，赵磊，等．元素录井在碳酸盐岩地层分层中的应用：以鄂尔多斯盆地马家沟组为例[J]．天然气技术与经济，2016，10(6)：9-11.

[4] 王冠，刁丽颖，赵玥，等．湖相泥页岩脆性指数计算方法探讨与应用-以黄骅坳陷沧东凹陷孔二段为例[J]．录井工程，2020，32(2)：39-43.

[5] 秦晓艳，王震亮，于红岩，等．基于岩石物理与矿物组成的页岩脆性评价新方法[J]．天然气地球科学，2016，27(10)：1924-1932.

[6] 刘显阳，李士祥，郭芪恒，等．鄂尔多斯盆地延长组长 7_3亚段泥页岩层系岩石类型特征及勘探意义[J]．天然气地球科学，2021，32(8)：1177-1188.

[7] 杨海雨．页岩储层脆性影响因素分析[D]．北京，中国地质大学，2014.

[8] 廖东良，肖立志，张元春．基于矿物组分与断裂韧度的页岩地层脆性指数评价模型[J]．石油钻探技术；2014，4(2)：37-41.

[9] 高阳，郭海平，程乐利，等．元素录井在页岩油水平井开发中的应用-以吉木萨尔凹陷二叠系芦草沟组为例[J]．成都理工大学学报，2021，48(1)：101-110.

[10] 阎荣辉，田伟志，鲍永海，等．元素录井技术在鄂尔多斯盆地致密砂岩水平井地质导向中的研究与应用元素录井在川渝地区地层划分中的应用[J]．录井工程，2020，31(4)：22-28.

[11] 陈祖庆，郭旭升，李文成，等．基于多元回归的页岩脆性指数预测方法研究[J]．天然气地球科学，2016，27(3)：461-469.

[12] 鲁凡．岩石可钻性分级的讨论及可钻性精确测量[J]．超硬材料工程，2007(02)：24-29.

全节点地震“全时间、全空间”处理技术与实践

唐祥功　芮拥军　王延光　梁鸿贤　王胜阁　田　坤

（中国石化胜利油田分公司）

摘　要　“十三五”期间，胜利油田成功实施单点高密度地震技术，为东部成熟探区精细勘探、效益开发提供了技术支撑。“十四五”期间，针对新的技术瓶颈和重大勘探需求，进一步提出并实施了以“节点接收—高效激发—全时空处理—全息解释”为特征的全节点地震技术。与常规有缆采集相比，全节点地震数据信息量更加丰富，对传统处理方法和模式提出了挑战。如何利用全节点采集数据，成为全节点地震技术的一个最重要环节，也是技术难度最大的环节。为此，胜利油田系统论述了节点地震数据特征，开展“核心技术攻关—成熟技术推广—前瞻技术探索”三个层次研究，构建了全节点地震数据池，重点攻关形成了“超大偏移距层析、全空间定制成像、共接收点处理模式”关键技术，探索了被动源浅层结构反演、基于微动理论的被动地震监测等前沿技术，并率先提出了“全时间、全空间”节点地震处理技术概念、框架及流程，打破了传统地震“定长、定观”限制，推动了地震处理技术变革性进步，实现了处理模式的重塑和再造。目前，在胜利油田实施了8块三维满次面积近3000km²，见到了显著的技术优势及成像效果，在勘探开发中发挥了重要作用。

关键词　胜利油田；节点地震；“全时间，全空间”处理技术；节点数据池；检波点域处理技术

“十三五”期间，胜利油田面向济阳坳陷以“薄、小、碎、深、散、隐”为特点的高成熟探区实际需求，结合胜利油田地表与地下地质条件，开展了大规模先导试验，提出并创新形成了单点高密度地震技术体系。先后完成十余块单点高密度三维地震项目，勘探开发成效显著，为我国东部成熟探区精细勘探、效益开发提供了技术支撑。然而，从整体视角审视中国石化各探区存在的勘探开发难题，在复杂山前带、超深层、石炭系等领域还存在新的技术瓶颈和重大勘探需求。“十四五”以来，胜利油田在研判实际勘探需求和技术发展趋势基础上，以单点高密度地震技术为基础，以大幅度提高炮道密度为核心，打造了全节点高密度地震技术框架。

全节点高密度地震技术采用全新的地震采集方式，为地震处理带来了革命性的改变，需要重新审视全节点观测模式下的处理技术问题。为此，胜利油田原创性提出并初步形成了节点地震“全时间、全空间”处理技术体系和流程，全面挖掘海量数据中蕴含的宝贵地质信息，打造了中国石化物探技术新品牌，为油气勘探开发提供新技术利器。

1　胜利油田节点地震发展历程

单点高密度地震技术是现阶段成熟探区解决复杂油藏地质问题的有效技术手段。但随着勘探开发实践的不断深入，发现还存在新的技术瓶颈，需要在控制成本的条件下大幅度提高炮道密度。传统有缆采集在提高炮道密度时存在三方面挑战：一是地震仪带道能力不足；二是有缆检波器大规模布设困难；三是采集施工成本居高不下、采集周期长。为此，胜利油田探索形成全节点地震技术，进而引发地震数据处理模式变革。胜利油田节点地震发展历程，总体可分为早期摸索、主动探索、重点攻关三个阶段。

1.1　早期摸索阶段（2013—2017年）

随着胜利油田非常规油藏的开发，水力压裂的油藏动态监测成为一项重要的工作。2013年，胜利油田在压裂微地震监测技术研究中，试制了50台采用接收、存储全内置一体化的节点设备。实现了HG6井连续50天压裂监测，大大降低了野外采集工作强度，推动了地面微地震压裂监测的推广，初步展示了节点设备在地震数据采集中的独特优势。2016年，进一步提出综合利用超大偏移距稀疏台站和三维地震高密度均匀采样优势的思路，形成直达波与反

射波联合层析反演技术，提高深部位速度建模精度，实现精细速度反演。2017 年，投入 91 台节点仪，在 LJ 三维工区的 423km^2 范围内，采用有缆与节点联合采集方式，实现单炮记录中可识别早至波偏移距达到 20km 以上，彰显了节点采集优势，为后续大规模节点地震奠定了基础。

1.2 主动探索阶段(2018—2020 年)

在大量先导试验的基础上，胜利油田提出以“节点接收—高效激发—全时空处理—全息解释”为主要特征的全节点高密度地震技术。2018 年，首次制定了“并采—混采—全节点”三步走发展战略，在盐家地区完成了首块有缆与节点并采三维采集项目。2019 年，在商河地区首次大规模施工有缆与节点 1∶1 混采三维采集项目，并且三维地震采集炮道密度首次超过 500 万道/km^2。

1.3 重点攻关阶段(2021 年以来)

经过深入探索与可行性分析，在中国石化“十条龙”项目支持下，胜利油田全面开展节点地震技术攻关。2021 年，在济阳坳陷渤南地区实施了中国石化第一块全节点地震项目。项目共投入 4 万个自主研发节点仪，创造了东部老区地震采集记录，标志着单点高密度地震技术再上新台阶。此后，胜利油田相继在胜利东西部探区完成 8 块全节点三维地震，并在中国石化江苏、江汉、华东、南方等勘探区块推广应用。

2 “全时间、全空间”处理技术内涵

2.1 “全时间、全空间”地震特征

相比有缆采集，全节点采集具有自身突出优势和特点。

一是记录时间更长。在电量、存储正常情况下，节点仪可以对采集周期地震信号进行“全时间”记录。与传统有缆模式在震源激发后记录相应长度震动不同，节点仪开机则记录直至关机，并且后续需要根据激发绝对时间进行数据提取(图 1)。根据与激发时间关系，节点模式下记录数据可以分为主动数据和被动数据，而传统有缆模式只包含主动数据。

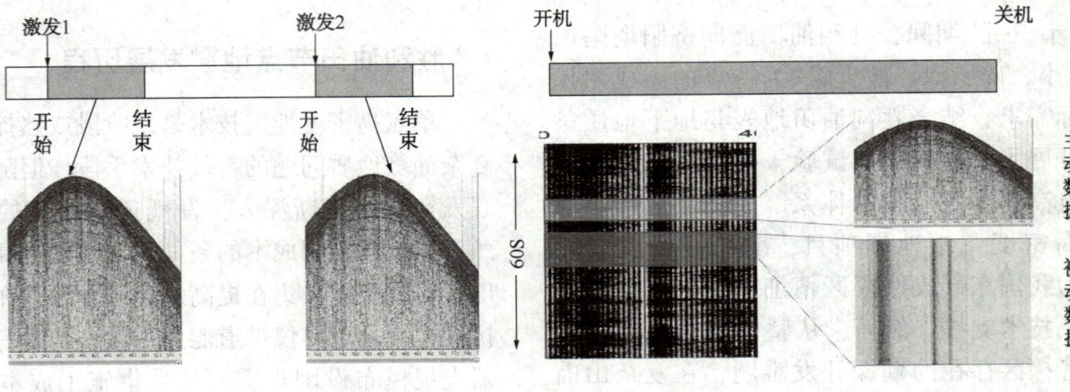

图 1　有缆记录模式(左)与节点记录(右)

二是采集范围更广，在节点设备充足条件下，可以实现采集工区所有检波点位置的完整布设，每个节点能够接收工区“全空间”地震信号。与传统有缆采集模式只在观测系统设计的排列片内接收数据不同，全节点采集的地震数据与激发时布设的全部节点有关，能够接收到更加丰富的时间和空间波场数据(图 2)。

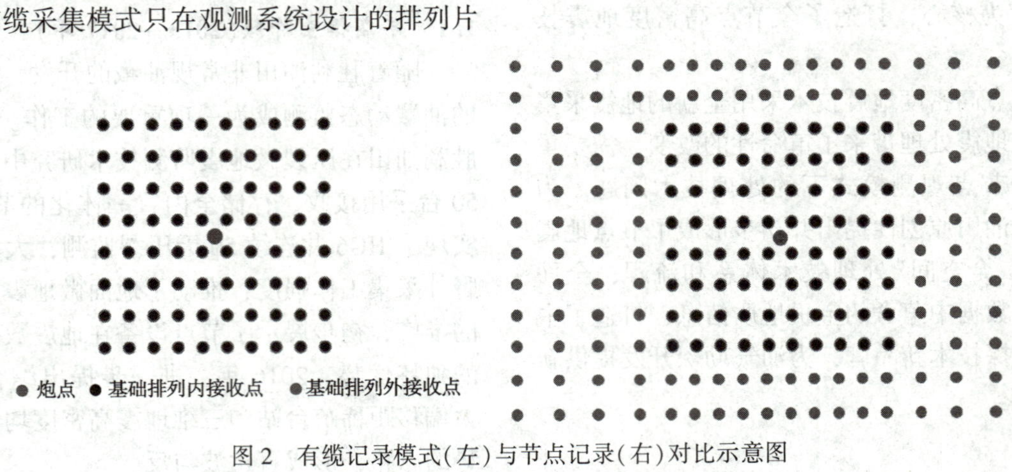

图 2　有缆记录模式(左)与节点记录(右)对比示意图

三是节点采集具有的“全时间、全空间”特点，直接带来了地震数据量的急剧增长，表现出海量规模的特征。以每天施工 2000 炮，7s 记录时长为例，传统有缆采集与节点采集数据比例大约为 1∶6。而节点采集中被动数据所占比例则超过 80%。对胜利油田近年来实施的全节点采集工区的主动数据与被动数据的数据量统计对比可见，即使在可控震源高效采集模式下，全节点采集数据量也较以往增长 3 倍以上(图 3)。

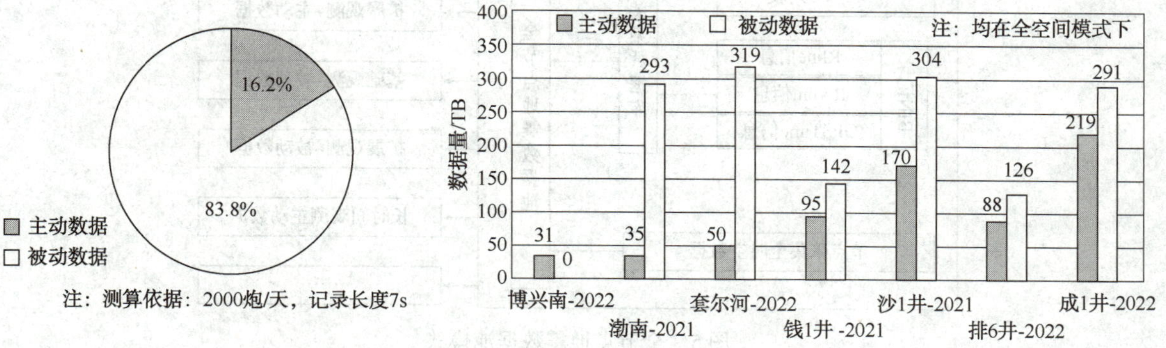

图 3　胜利油田全节点三维主动数据与被动数据统计规模对比

2.2　“全时间、全空间”处理技术的提出

简单沿用以往的处理方法和模式，缺乏对全节点采集数据特点的深刻理解和针对性处理技术，无法充分发挥节点数据“全时间、全空间”的优势。因此，需要从数据特征出发审视“全时间”采集数据和“全空间”采集数据充分利用，以及海量数据高效管理等全节点地震处理问题。为此，提出并建立了节点地震“全时间、全空间”处理技术与流程，重点构建三条技术线。第一，全空间范围内观测系统定制式重建，以宽频全方位处理实现高精度地震成像；第二，充分利用全空间主动地震信息，重视利用各向异性信息，实现深层地质目标精细成像；第三，充分挖掘被动数据的有效信息，最大限度挖掘全节点地震的价值。针对节点地震“全时间，全空间”的采集方式，首先建立了时间上分为“主动与被动”，空间上分为“基础观测与节点覆盖观测”的全新数据管理模式，形成可复制的节点地震全时空处理新模式(图 4)。

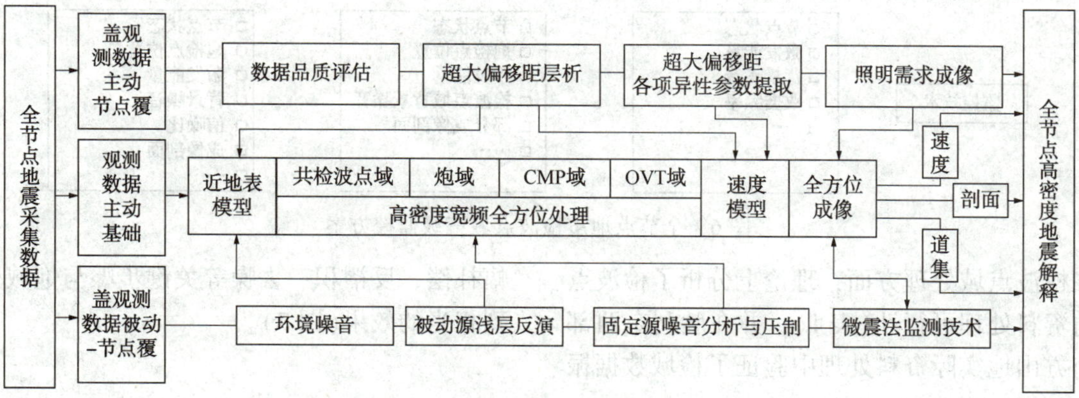

图 4　“全时间、全空间”地震资料处理技术流程

3　“全时间、全空间”处理核心技术进展

“全时间、全空间”节点地震处理概念、技术框架及流程，打破了传统地震“定长、定观”的限制，推动地震资料处理变革性技术进步，实现了处理模式的重塑与再造。

3.1　全节点地震数据池

与有缆采集相比，全节点接收模式带来一系列变革性变化：数据规模由以往的 TB 级向 PB 级转变；数据由“以炮为单位的完整记录”向“以检波点为单位的碎片化记录”转变；处理数据由“一观定终身的单一数据”向“面向多需求定制式的多源数据”转变。节点数据创新管理成为实现“全时间、全空间”处理的首要步骤。

胜利油田制定了全节点采集原始资料转储规范，针对全节点地震数据特点以及处理需求，首次提出了“全节点地震数据池”的概念，以“空间唯一、时间完整”为原则，构建共检波点地震元数据，更加高效、方便的管理地震数据，满足不同处理需求的数据组织形式，确保存储设备与地震数据安全及有效利用(图5)。

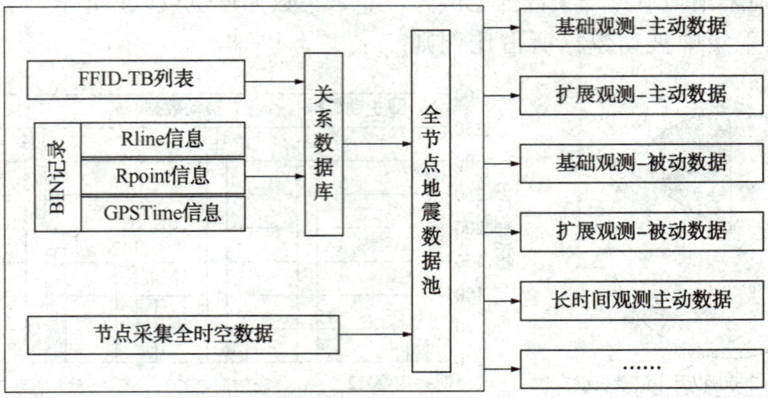

图5　全节点地震数据池模式

3.2　检波点域全节点地震监控与处理技术

在全节点采集中，传统以“炮”为最小单位的数据监控和处理模式，必须对数据进行“提取—切割—合成”处理，数据严重滞后于采集，无法高效满足现场和室内需求。为此，提出并实现了共检波点域质控与处理新方法，改变了传统以“炮集”为单位的处理模式，实现了处理技术流程的重塑。

在采集监控方面，设计了全节点采集数据三级监控方案，形成了“节点状态+稀疏数据”的实时监控技术，更加全面快速的实现现场采集数据监控与评价(图6)。采集现场试验证实了监控方案的有效性，目前已从理论推向了实际生产。

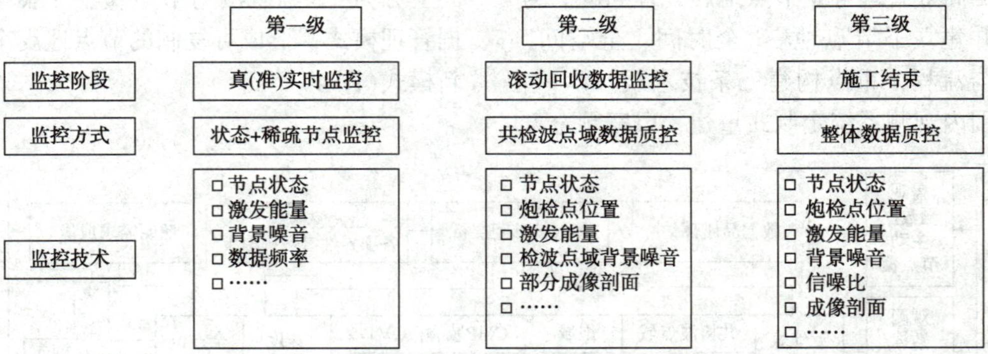

图6　全节点地震检波点域三级监控方案

在检波点域处理方面，理论上分析了检波点域叠前资料处理可行性(表1)，并在胜利东西部以及南方山地实际资料处理中验证了检域数据振幅补偿、反褶积、去噪等关键步骤与炮域处理达到相当的效果(图7)。

表1　检波点域处理技术的可行性理论分析

处理类型	处理技术	影响分析	处理策略
单道处理	指数增益 球面扩散补偿 道均衡 预测反褶积	与数据集分选无关	验证处理技术的可行性，实现处理流程优化
地表一致性处理	地表一致性振幅补偿 地表一致性反褶积 地表一致性剩余静校正	与数据集分选无关	

续表

处理类型	处理技术	影响分析	处理策略
多道处理	3A FK 滤波 FXCNS	受到数据集分选影响	试验处理效果的有效性，实现处理效果的提升

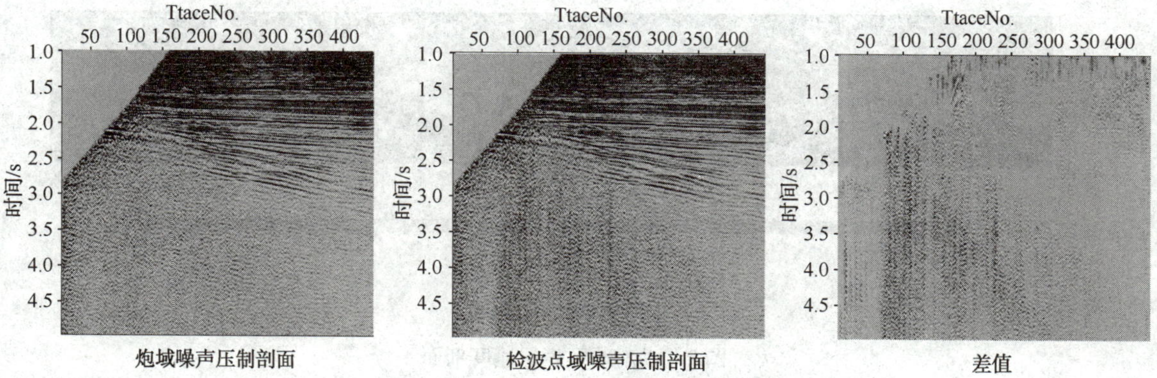

图 7　炮域与检波点域异常噪声去除效果对比

3.3 “全时间、全空间”数据融合速度建模技术

基于全节点接收的超大偏移距数据，波场信息丰富，为充分使用这些信息进行速度建模，开展了针对全节点数据的速度建模研究。

依据全节点数据的“全时间、全空间”特征，研究全空间模式下超大偏移距地震波的传播机理，为全空间信息的利用奠定理论基础，开展早至波和反射波的联合建模技术研究。同时，充分借鉴工程领域的技术思路，开展高密度空间采样下的被动数据表层建模(图 8)。在被动数据表层反演和超大偏移距早至波全波形反演两方面取得重要进展。

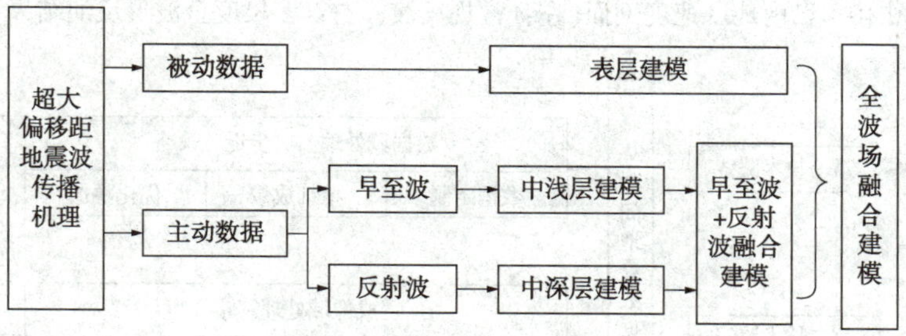

图 8　“全时间、全空间”节点数据地震速度建模技术路线

基于虚震源理论，建立了一条“干涉成像—横波反演—W/D ~ D 反演—纵波建模”的表层建模技术路线，探索了一条节点被动数据利用的技术路线。在渤南地区，开展了现场技术应用，反演获得 300m 以浅地层的精细纵波速度，与传统方法相比，速度精度显著提高(图 9)。

通过正演模拟分析，明确了超大偏移距数据具有“复杂多波至、弱能量、强各向异性”特征，定量表征了射线穿透深度，证明了利用超大偏移距信息反演深层速度的可行性；针对高频数据在全波形反演中容易发生“周波跳跃”现象，采用稳健的分频、分波数反演处理流程，形成了高效稳健的多尺度全波形反演技术，实现高精度速度建模，推动了全波形反演实用化。在渤南地区开展了实际资料应用，取得了显著的效果(图 10)。

3.4 全空间地震数据定制成像技术

理论研究证明“叠前数据域与叠前成像域处理的等价性”，在此基础上提出了全空间定制成像的两条技术路线，形成了全空间地震定制成像的基本方法、技术与流程。一是，提出了以“数据定制—高效成像—道集后处理”为核心的基于地质目标照明需求的保真成像技术(图 11)，提升了油藏描述和含油气评价的精度。二是，采用 GPU 加速的双平方根(DSR)偏移方法，在渤南三维实际数据测试证明能够实现叠前深度偏移结果的“立等可取”，具备了在高密度三维中按需求开展定制成像的能力(图 12)，最大限度发挥全空间数据所蕴含地质信息的作用。

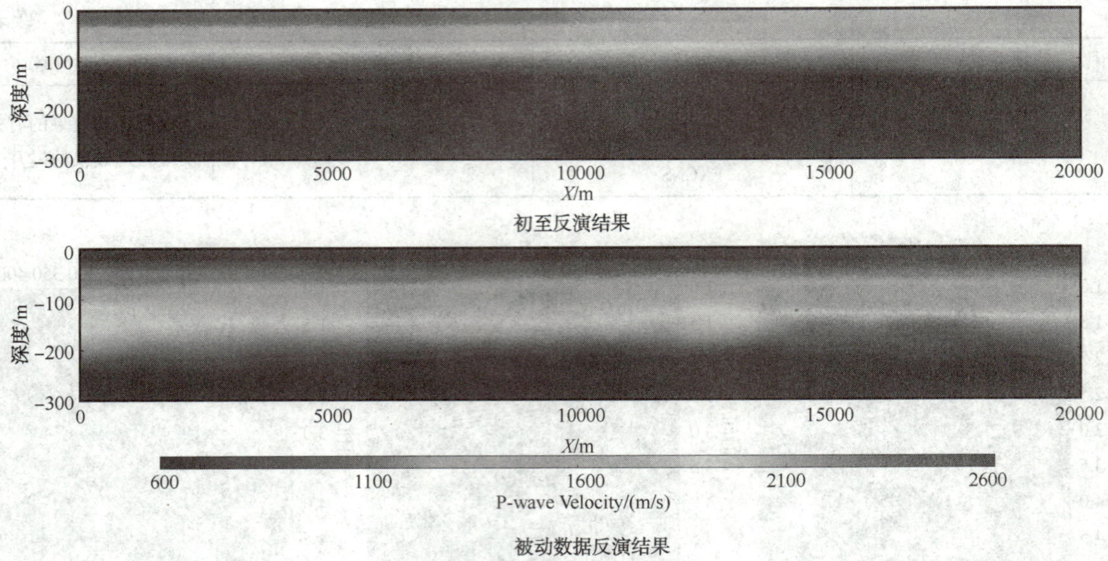

图 9　渤南地区表层速度剖面

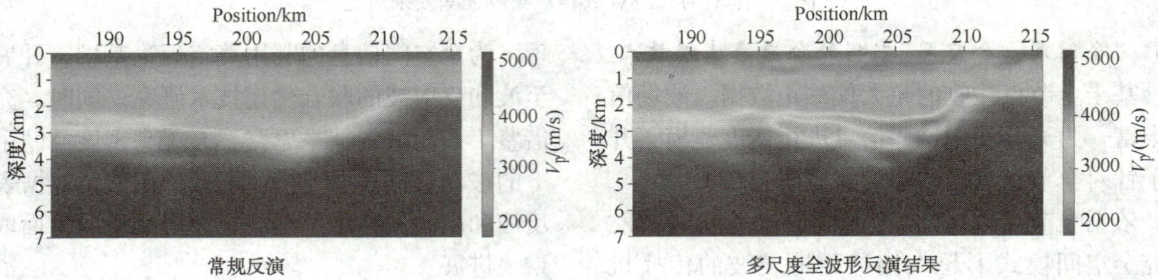

图 10　渤南地区速度剖面(左：常规反演；右：多尺度全波形反演结果)

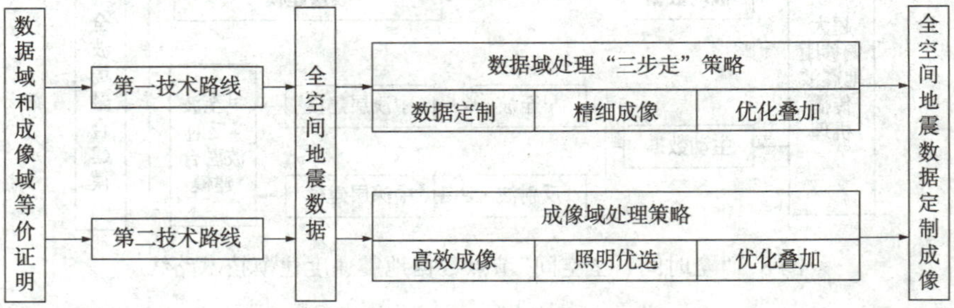

图 11　全空间地震数据定制式成像技术路线

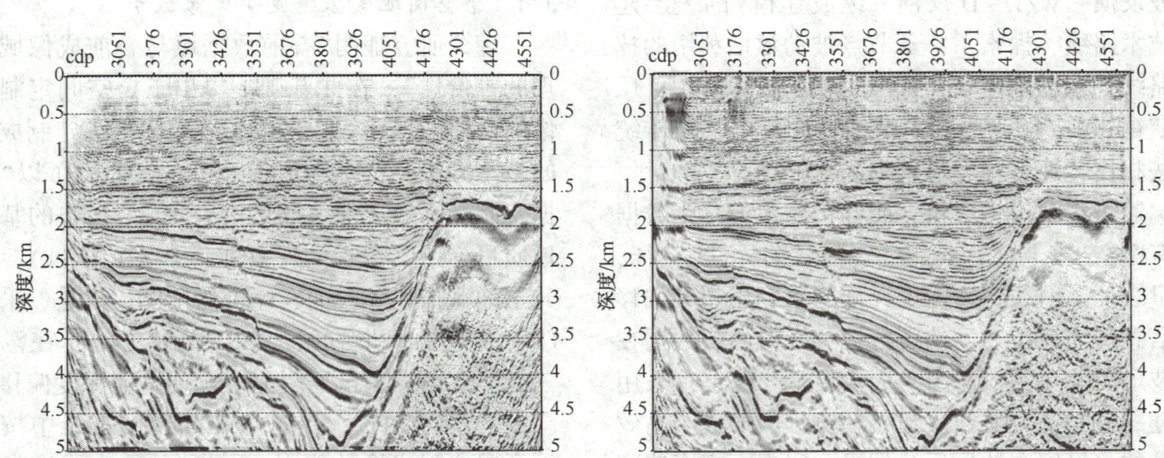

图 12　常规 Kirchhoff 偏移剖面(左)和定制式成像剖面(右)对比

3.5 被动数据智能去噪技术

全节点地震"全时间"接收数据中包含大量被动数据。以往研究表面，被动数据应用前景广阔，但技术难度极大，国内外还未见成熟的技术方案。为此，结合地震处理需求，开展了攻关研究，在被动数据的智能去噪方面，取得了较好的效果。

复杂采集环境中获得的地震原始数据存在严重的噪音干扰。针对全节点"全时间"记录方式，形成了一种基于被动数据深度学习的噪声压制技术路线。通过构建 LN-ResUnet 神经网络结构，融合 DnCNN 的残差学习思想，设计了基于 L1 范数的目标函数和 Res-block 解编码模块，引入数据增强和学习率衰减策略，避免深层网络梯度消失问题，提高了模型泛化能力及收敛速度。在渤南全节点三维中，利用"全时间"记录被动数据充分学习固定源噪音整体特征，增强学习效果，最终去噪效果更加显著(图 13)。

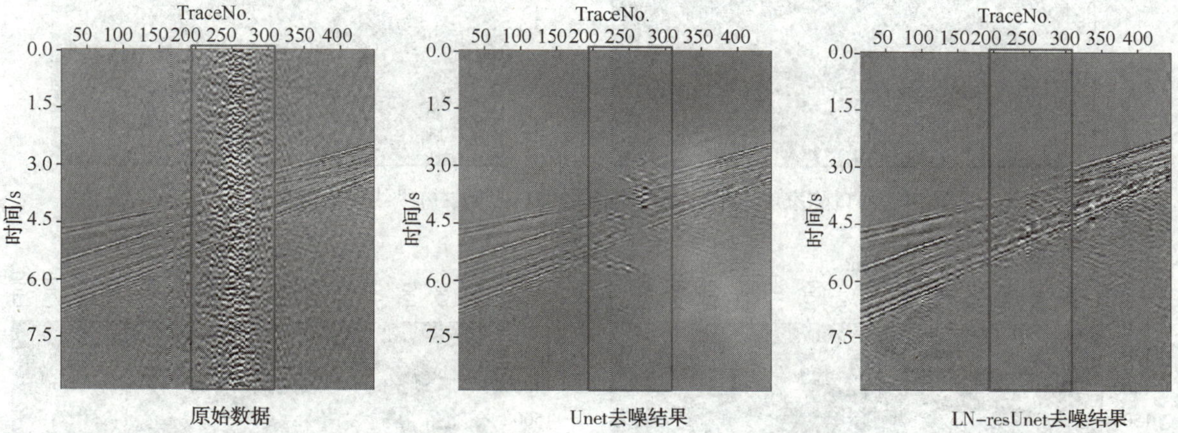

图 13　渤南三维资料去噪结果(左：原始数据；中：Unet 去噪结果；右：LN-resUnet 去噪结果)

4　全节点高密度地震实施效果

目前，已初步形成了完整的全节点地震"全时间、全空间"处理概念、方法、技术和流程。在胜利油田开展的现场应用中，均表现出显著的技术优势及地震成像效果。截至 2023 年 5 月，胜利油田分别在东西部探区共计 8 块三维项目中实施全节点地震，资料满次面积近 3000km^2，在勘探开发中发挥着越来越重要的作用。

4.1 渤南三维应用效果

渤南三维作为中国石化完成的首个全节点高密度地震攻关项目，推动地震技术实现从有缆到无缆的更新换代，标志着中国石化在节点地震技术应用方面取得新突破，实现了向"全时间、全空间"地震技术的跨越发展。该项目全面探索"全时间、全空间"处理技术的方法、技术和流程。在全节点数据质控、检域处理流程、超大偏移距层析建模和定制成像技术方面，取得了技术突破和初步应用效果。

如图 14 所示，该区新老剖面对比，从成像剖面分析可见，全节点地震剖面信噪比高，断裂系统清晰，断层断点、断面刻画清楚，整个埕南断层成像效果从浅到深均得到大幅度提高，整体成像精度大幅提高。

全节点地震成像结果，为渤南坳陷勘探综合研究提供了更加宽方位、高保真的地震数据。通过分方位、分频解释，更好地描述了该区沙三段浊积扇分布特征，指导部署 2 口浊积扇井位。同时，开展页岩油脆性、地应力、裂缝等关键参数的预测，为该区页岩油选区、选层及井轨迹设计提供物探支撑，指导两口页岩油探井的部署。

4.2 套尔河三维应用效果

套尔河三维项目中验证了检域处理的可行性和先进性，实现了处理技术与流程的重塑，打造了全节点地震资料全流程检波点域处理示范工程，并推广到中国石化南方探区全节点地震处理项目中。

全节点地震资料全流程检波点域处理效果显著。套尔河新资料断层断点成像更加清晰、信噪比较高，目的层分辨能力更强，深层复杂中-古生界潜山成像得到显著改善。图 15 所示时间切片中，新资料呈现出更加清晰的河道特征，表现了全节点地震在小尺度目标识别方面的能力巨大提升。

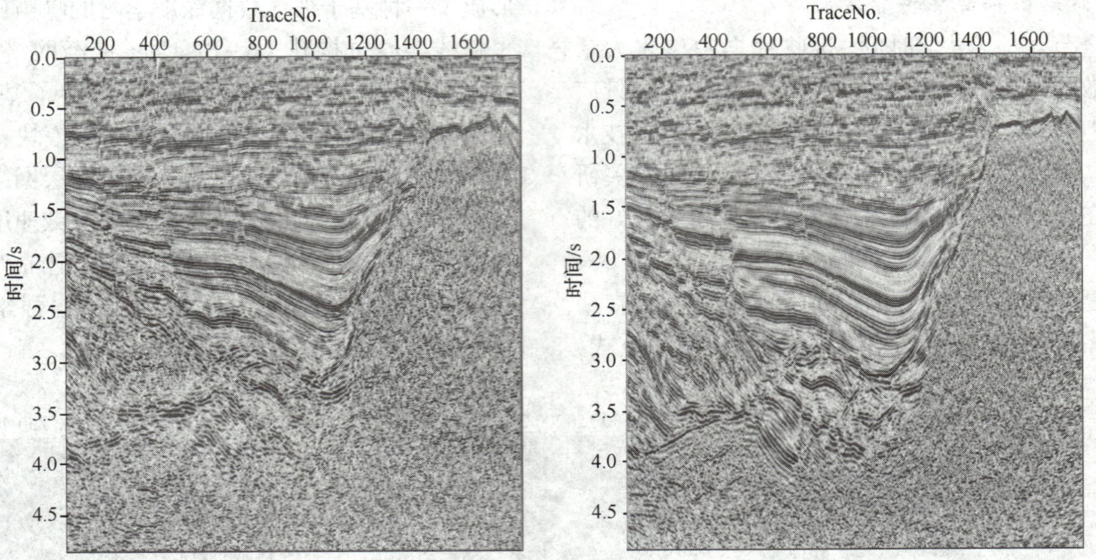

图 14　河口陈家庄三维(左)与渤南-2021 三维(右)纵线成像效果对比

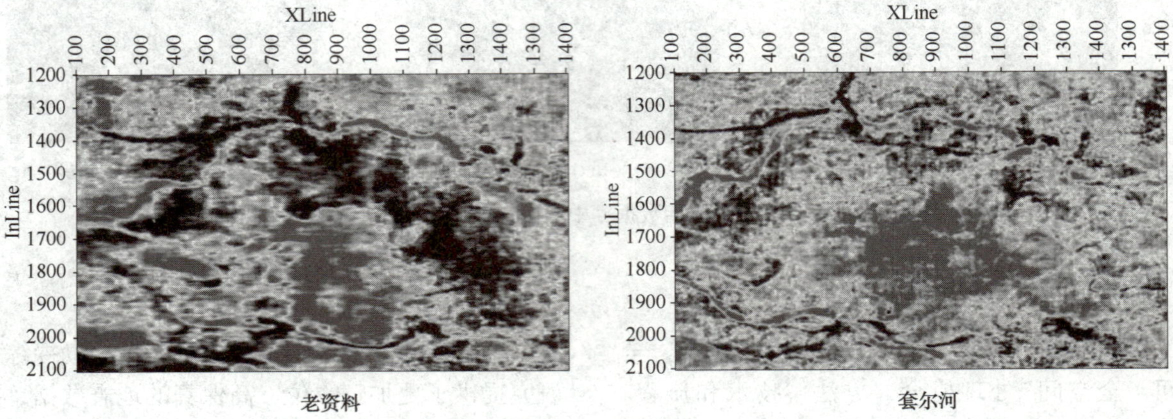

图 15　套尔河地区地震成像时间切片对比

4.3　成 1 井三维应用效果

成 1 井三维是胜利油田在准噶尔盆地实施的全节点采集重点项目，也是中国石化第一块炮道密度超过 1000 万道的超高密度三维，创造了中国石化施工新纪录，代表了中国石化的地震技术的综合水平。如图 16，新资料大幅提升了地震资料品质，下组合实现了从“看不见”到“看得清”的跨越，实现了万米超深层地质体的精细地震成像，准中腹部地震技术获得重大进展，为“深地工程”的实施提供了重要基础资料。

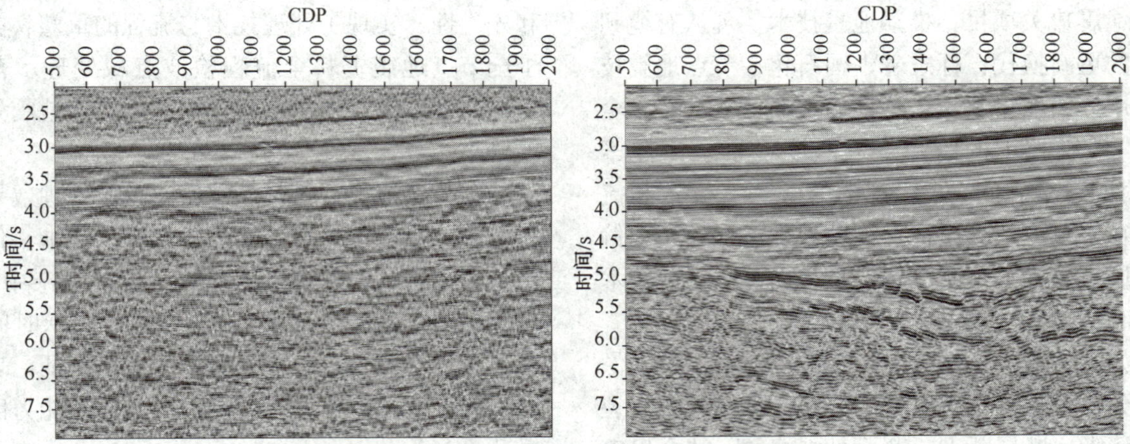

图 16　准噶尔盆地中部 2 区块新老地震资料剖面对比(左：老资料；右：成 1 井三维)

5 结束语

节点地震技术不仅仅是采集从有缆到无缆的转变，以及接收和激发装备的更新换代，更是地震处理和解释的一次变革，是物探技术走向"全时间、全空间"的跨越式发展。全节点地震"全时间、全空间"处理技术，为充分挖掘海量地震数据蕴藏的地质信息提供了一条全新技术路线，具有巨大的发展潜力。但是，全节点地震"全时间、全空间"处理技术还处在发展的初期，仍旧存在一系列理论和技术问题需要进一步研究和深化。

一是全节点地震"全时间、全空间"处理技术首次提出了联合利用"主动数据+被动数据"的思路。今后应该始终秉持"数据的价值是宝贵的"理念，理性判断全节点地震数据造成的存储和计算压力是暂时的。随着相关技术的进步，存储和计算成本大幅度降低，被动数据的价值必然会得到充分体现。

二是全节点地震"全时间、全空间"采集模式带来了巨量的数据，传统"交互+批处理"方式不再适用。巨量规模的地震数据导致处理周期延长，而勘探开发快节奏带来对地震资料的迫切需求，二者形成了的"剪刀差"日趋增大。如何进一步完善地震处理范式，大幅度缩减处理周期，必然会成为今后研究的重点。

苏里格气田气井分类评价方法研究及其应用

刘　庆　李国良　王　颖　高　磊　房金伟　段传丽　林　倩

（中国石油渤海钻探工程有限公司）

摘　要　苏里格气田苏X区块目前已经进入稳产阶段，生产气井数量庞大，日常生产分析任务繁重，对气井进行更为有效的分类评价是很有必要的，便于后续生产管理和增产措施制定。本文阐述了常规气井分类方法在生产应用中存在的问题，通过对区块内多种因素间进行相关性分析，发现前三年平均日产和预测最终累产量之间具有较强的线性关系，因此将前三年平均日产作为气井分类参数较为合理。苏X区块生产时间超过三年的478口生产气井的前三年平均日产分布频率直方图符合后偏态分布规律，分别取拐点1.3万 m^3/d和峰值0.5万 m^3/d作为气井Ⅰ类、Ⅱ类、Ⅲ类井的分类依据。针对生产时间小于三年的气井，建立了单位套压降产气量分类方法，针对苏X区块拟合出两条双指数衰减曲线作为Ⅰ类、Ⅱ类、Ⅲ类气井的分类标准，分类结果较为合理。本文综合应用气井前三年平均日产和单位套压降产气量拟合双指数函数曲线作为分类标准，相较于常规方法，Ⅰ类井比例降低，Ⅲ类井比例增大。气井经过长时间的生产，受储层性质和产水的影响，气井产能发挥受到影响，区别于早期的生产特征。因此，本文中的分类方法更为合理，合理的气井分类便于指导后续气井措施制定，提高管理效率。

关键词　苏里格气田；前三年平均日产；预测最终累产量；单位套压降产气量

苏里格气田位于伊陕斜坡西北侧的苏里格庙地区，区块构造属于鄂尔多斯盆地陕北斜坡北部中带。气藏主要是岩性成藏，储层性质表现为“低孔、低渗、低压、强非均质性”，主力开发层位为二叠系盒8–山1段。目前苏里格气田已进入稳产阶段，开发井数量庞大，动态分析任务繁重。因此，在详细分析气井生产特征的基础上，进行归纳分类，简化动态分析工作的方式方法，提高气井开发指标预测的准确度。笔者重点探讨适合苏里格气田气井分类的方法及其应用。

1　气井常规分类方法的缺点

目前在苏里格气田常用的气井分类方法有储层有效厚度分类法、无阻流量分类法和初期产量分类法见表1。储层有效厚度评价法是对单井储层的静态评价，与气井产能之间并没有对应关系。无阻流量分类法是和初期产量分类法正常情况下能够反映储层的产能情况，但目前苏里格气井都需要在大规模压裂后投产，在试气阶段一点法测试计算的无阻流量和生产早期的初期产量表征的都是生产初期压裂裂缝内的渗流规律，而基质储层属性才是影响后续生产产能的主要原因。

表1　苏里格气田气井常用分类方法

气井类别	气层有效厚度/m	无阻流量/（万 m^3/d）	初期产量/（万 m^3/d）
Ⅰ类	>8	>10	>1.5
Ⅱ类	5~8	4~10	0.8~1.5
Ⅲ类	<5	<4	<0.8

2　动态分类方法

2.1　分类方法

随着气井生产的进行，生产规律特征也随之表现出来，能够一定程度上反映出低渗致密储层物性的特征。气井的最终可采储量是生产过程中重要的评价指标之一，表征了气井的生产潜力，针对生产时间超过3年的生产井，生产数据多，利用不稳定生产方法预测的最终可采储量误差小。因此，本文对苏X区块生产时间大于3年的气井的有效厚度、无阻流量、初期日产量、前三年平均日产量和预测最终可采储量之间进行相关性分析，参数相关性聚类分布图如图1所示，拟合函数见表2。可以看出有效气层厚度、无阻流量和初期日产与预测最终可采储量之间相关性较差，拟合优度 R^2 都比较低，利用这三个参数进行气井分类会带来较大的偏差，影响气井全生命周期分析。但直丛井的前三年平均日产与预测最终可采储量之间的线性关系较强，拟合优度R^2也相对较大，所以应用直丛井的前三年平均日产作为分类参数更为合理。

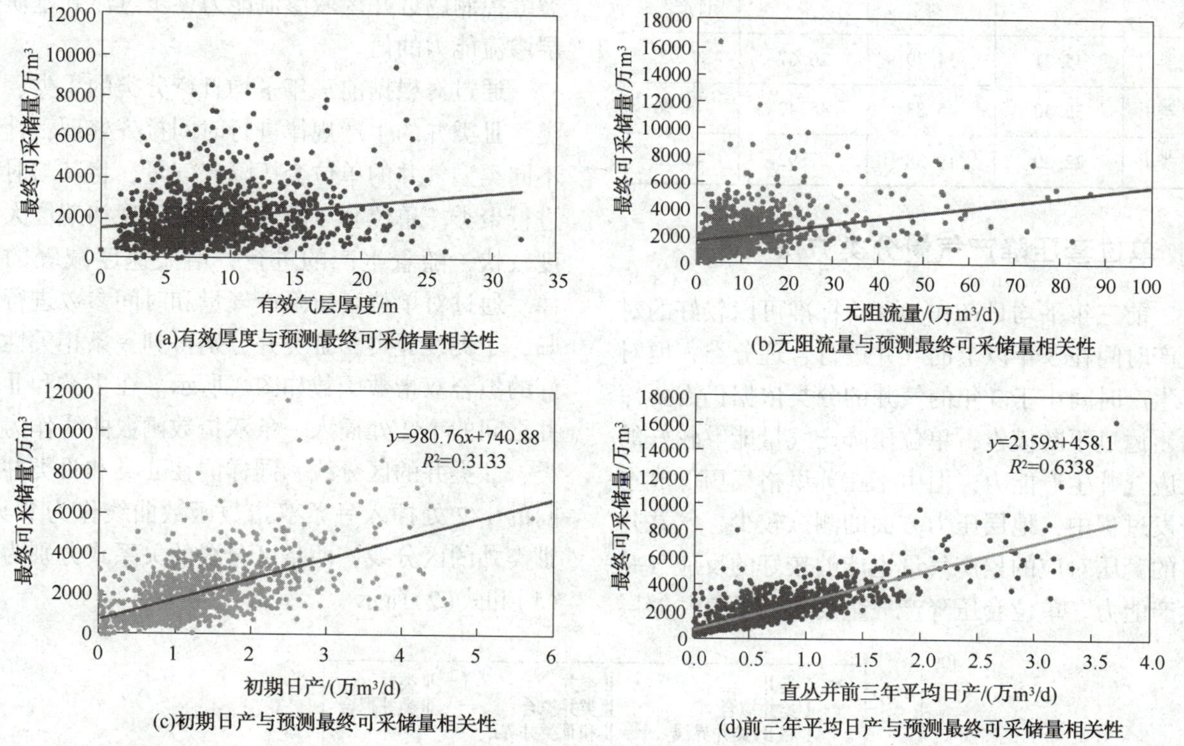

图1　直丛井参数之间的相关性聚类分布图

表2　直丛井参数相关性统计表

相关参数	拟合函数	R^2
有效气层厚度-最终可采储量	$y=59.185x+1472.3$	0.0373
初期日产-最终可采储量	$y=39.722x+1613.8$	0.1372
无阻流量-最终可采储量	$y=980.76x+740.88$	0.3133
前三年平均日产-最终可采储量	$y=2159x+458.1$	0.6338

绘制苏25区块生产时间超过3年的480口生产井前三年平均日产分布直方图(图2)，可以看出呈现先快速增大至峰值，后快速下降至拐点，然后下降幅度减缓，变化特征基本符合偏态分布规律，拟合曲线如图2中所示。这里将拐点P点和峰值G点对应的前三年平均日产分别作为Ⅰ类、Ⅱ类和Ⅲ类井的分类点。在本文中，前三年平均日产大于1.3万m^3/d为Ⅰ类井，介于0.5~1.3万m^3/d为Ⅱ类井，小于0.5万m^3/d为Ⅲ类井。

2.2　分类结果分析

表3是对依据四种分类标准统计的气井分类占比情况，可以看出，根据静态分类、无阻流量和初期日产分类的Ⅰ类井和Ⅱ类井比例较

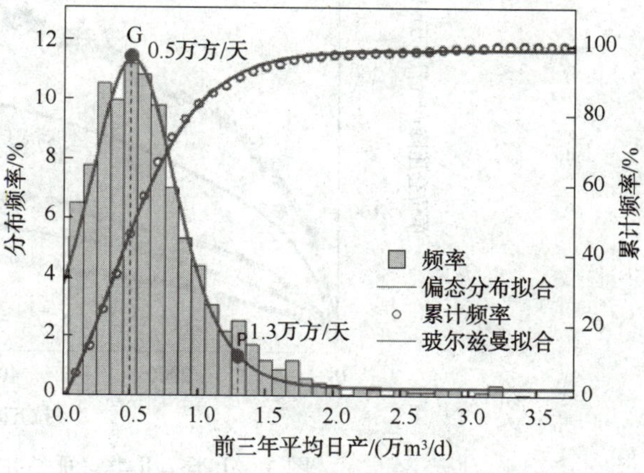

图2　前三年平均日产分布频率图

高，因为受到气井压裂改造效果的影响。根据前三年平均日产分类气井的Ⅰ类井减少，Ⅲ类井增多。研究区属于低渗致密储层，随着生产时间的延长，出水是该区块气井生产不可避免的问题，出水会引起气井产量下降，甚至出水严重导致积液，致使气井无法正常生产，单井最终累产降低。所以，低渗致密储层的气井中Ⅲ类井理论上占比是较高的，如果只根据静态参数和初期生产特征来进行气井分类，存在较大的偏差。

表 3　直丛井不同分类标准气井分布统计表

分类	静态分类/%	无阻分类/%	初期分类/%	前三年平均日产/%
Ⅰ类井	45.21	34.79	26.67	7.92
Ⅱ类井	32.50	45.83	45.42	48.96
Ⅲ类井	22.29	19.38	27.92	43.13

3　单位套压降产气量分类方法

前三年平均日产作为评价标准可以较好的对生产时间在3年以上的气井进行合理分类，但对于生产时间小于3年的气井的分类依据仍需要探索。通过不断摸索，单位压降产气量能够较好的反应气井生产能力，但由于在苏里格气田低成本开发过程中，地层压力方面的测试较少，气井井口的套压对应的累产气量也能够较好的反应气井生产能力。单位套压降产气量反映的是气井储层的生产能力，不同生产阶段对应的值不同，非定值，而是一个随着生产时间的延长，从反映人工裂缝控制的近井区域渗流能力逐步过渡到基质储层渗流能力的值。

通过对根据前三年平均日产分类的Ⅰ类、Ⅱ类、Ⅲ类井的生产规律进行时间拉齐处理，计算不同类型气井的单位套压降产气量，将其与时间进行聚类。单位套压降产量曲线呈现初期增大速度较快，随着生产的进行，增大速度减缓的规律。通过对单位套压降产气量和时间参数进行回归，Ⅰ类、Ⅱ类、Ⅲ类井分别得到一条相关性较好的拟合双指数函数如图3所示。在Ⅰ类和Ⅱ类井之间的1/2处插入一条双指数函数曲线作为Ⅰ类、Ⅱ类井的区分线，同样的在Ⅱ类和Ⅲ类井之间的1/2处插入一条双指数函数曲线作为Ⅱ类、Ⅲ类井的区分线，两条区分线的关系式分别为式(1)和式(2)所示。

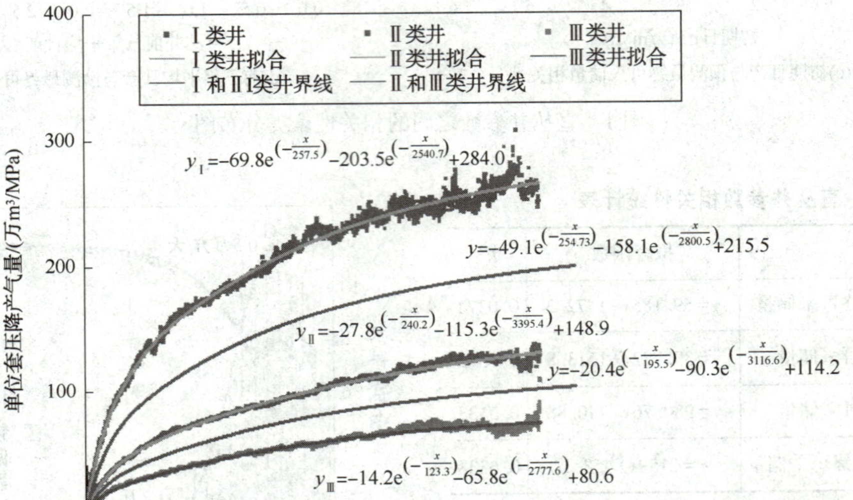

图3　Ⅰ类、Ⅱ类、Ⅲ类井单位套压降产气量与时间关系图

Ⅰ类和Ⅱ类井的判别关系式：

$$y=-49.1e^{\left(\frac{x}{254.73}\right)}-158.1e^{\left(\frac{x}{2800.5}\right)}+215.5 \quad (1)$$

Ⅱ类和Ⅲ类井的判别关系式：

$$y=-20.4e^{\left(\frac{x}{195.5}\right)}-90.3e^{\left(\frac{x}{3116.6}\right)}+114.2 \quad (2)$$

4　结论

(1) 本文通过参数相关性评价，确定前三年平均日产和预测最终累产量间具有较强的线性关系，所以确定前三年平均日产作为气井分类参数。

(2) 以苏里格气田苏X区块为例，生产时间超过三年的478口生产气井的前三年平均日产分布频率直方图符合后偏态分布规律，分别取拐点和峰值作为气井Ⅰ类、Ⅱ类、Ⅲ类井的分类依据。按照新分类标准直丛井前三年平均日产大于1.3万m^3/d的为Ⅰ类井，占比7.98%；小于0.5万m^3/d为Ⅲ类井，占比42.65%；在0.5~1.3万m^3/d之间的为Ⅲ类井，占比49.37%。与传统分类方法对比，Ⅰ类井比例降低，Ⅲ类井比例增大，与随着生产时间延长，地层压力下降且井筒积液影响产能的认识一致，认为前三年平均日产分类法更为合理。

(3) 针对生产时间小于三年的气井，建立了单位套压降产气量分类方法，针对苏 X 区块拟合出两条双指数衰减曲线作为Ⅰ类、Ⅱ类、Ⅲ类气井的分类标准，分类结果较为合理。

参考文献

[1] 胡勇，王继平，王予，等. 地层含水条件下砂岩储层气相渗流通道大小量化评价方法--以鄂尔多斯盆地苏里格气田储层为例[J]. 天然气勘探与开发，2021，44(3).

[2] 白慧，杨特波，侯科锋，等. 苏里格气田东区马五(5)气藏主控因素及富集区优选[J]. 新疆石油地质，2022(043-003).

[3] 梁治国. 苏里格气田苏 10 区块气井生产动态特征分析[J]. 录井工程，2021.

[4] 赵素惠，欧阳诚，华桦，等. 苏里格气田气井分类方法研究[J]. 天然气技术，2010，4(4)：3.

[5] 叶礼友，高树生，杨洪志，等. 致密砂岩气藏产水机理与开发对策[J]. 天然气工业，2015，35(2)：6.

[6] 陈济宇，魏明强，段永刚. 不同气井生产动态分析方法对比分析研究[J]. 天然气勘探与开发，2012，35(4)：4.

[7] 张万茂. 苏东区块地层压力与动储量评价[D]. 成都理工大学[2023-10-19].

[8] 冉新权，李安琪. 苏里格气田开发论[M]. 石油工业出版社，2013.

[9] 李骞，郭平，黄全华. 气井动态储量方法研究[J]. 重庆科技学院学报：自然科学版，2008，10(6)：3.

[10] 罗瑞兰，雷群，范继武，等. 低渗透致密气藏压裂气井动态储量预测新方法--以苏里格气田为例[J]. 天然气工业，2010(7)：4.

[11] 胡勇，戚涛，彭先，等. 基于单位压降采出程度的水驱气藏生产动态分析方法：202011349085[P].

断层滑移指数法在储气库极限承压能力评价中的应用

贾　倩　胡彩云　商　琳　段　彬　郑智峰　万文谨　胡一鸣

（中国石油冀东油田公司）

摘　要　储气库周期注采具有交变载荷和异常高压运行工况，断层、盖层等储气地质体在交变载荷作用下的极限承压能力也是决定运行上限压力的核心因素之一，因此从选址阶段即需要预先开展交变载荷作用下极限承压能力研究及动态密封性评价。本文以南堡M号储气库建库目标区为例，系统介绍断层滑移指数在储气地质体极限承压能力评价的流程、应用及结果分析。研究结果表明，断层滑移指数法在极限承压能力评价中应用可行，应用此方法综合评价出南堡M储气库地质体保持动态密封极限可承受的最大地层压力为29.3MPa，可承受的最大安全地层压力为27.2MPa，大于22.5MPa的原始地层压力，以此为建库安全及运行上限压力设计提供依据，且对国内后续油气藏型储气库安全评价具有借鉴意义。

关键词　地下储气库；断层滑移指数；极限承压能力；地质力学模型

储气库周期注采具有交变载荷和异常高压运行工况，从选址阶段即需预先开展交变载荷作用下动态密封性评价研究。同时，断层、盖层等储气地质体在交变载荷作用下的极限承压能力也是决定运行上限压力的核心因素之一，因此，综合考虑储气库建库可行性、安全高效运行和上限压力优化等生产需求，必须开展交变应力作用下储气地质体极限承压能力评价。

1　地质体极限承压能力评价原理

储气地质体极限承压能力评价主要包括盖层和断层两大对象，盖层承压能力包括毛细管动态封闭能力即渗流完整性和力学完整性两个方面，力学完整性包括抗拉张和抗剪切破坏能力。

根据地质力学原理，储气地质体动态密封性评价核心是研究交变应力作用下储盖层岩石和断层弹塑性变形等特征，重点是通过建立四维地质力学模型，预测油气藏初始应力状态以及开发工程中注入导致的应力增加以及生产导致的应力减小。在获得三维地应力场和岩石变形的基础上，最后综合地质、渗流和力学多学科，采用多参数指标综合评价储气地质体极限承压能力。

2　应用实例

南堡L储气库主要为被断层复杂化的背斜构造，共发育8条主要断层，NPF1、F1、F3为控藏断层。圈闭内断层规模较小，除F1、F2断层切穿玄武岩盖层，其余断层均未断穿盖层，断距多为5~50m，延伸长度0.7~4.7m。为评价储气库建库安全可行性、上限压力，开展了交变应力作用下储气地质体极限承压能力评价。

2.1　盖层极限承压能力评价

盖层极限承压能力主要从抗拉张、抗剪切破坏能力评价。

1. 抗拉张破坏能力

对于盖层抗拉张破坏能力，目前国内外常用的标准是将最小主应力的80%作为其拉张破坏能力的上限，即要求最大注气压力必须小于最小主应力的80%。目前该评价方法已写入欧盟和澳大利亚等国家储气库标准。

根据先导试验针对A井矿场实施的地应力测试，解释得到该区块最小水平主应力梯度平均为1.505MPa/100m，则根据储盖层埋深计算得到储盖层接触面，即储层顶面垂深2273.7m处最小水平主应力为34.2MPa，这与南堡凹陷区域地应力解释结果基本吻合。参照国外常用设计标准，取最小水平主应力的80%作为安全界限，用以评价盖层抗拉张破坏能力。因此，基于矿场地应力实测结果和区域地应力统计图版，评价得到盖层不发生拉张破坏可承受的最大安全注气上限压力为27.2MPa。

2. 抗剪切破坏能力

盖层剪切破坏风险评价是在岩石力学实验研

究基础上，通过对圈闭地应力场及其动态变化特征的研究，以岩石剪切破坏准则，如摩尔-库伦准则为依据，计算出剪切破坏指标，实现风险量化评价。采用前述圈闭地应力-渗流耦合建模技术，通过数值模拟方法评价盖层剪切破坏风险，其主要流程是首先建立刻画地质构造形态和岩石力学参数非均质性的圈闭三维地质力学模型，然后与渗流模拟模型联动计算，最终建立圈闭地应力-渗流耦合三维动态地质力学模型，即可准确模拟反演圈闭初始三维地应力场及其随储气库注采所产生的周期扰动，提供剪切破坏风险指标计算所需的关键参数。

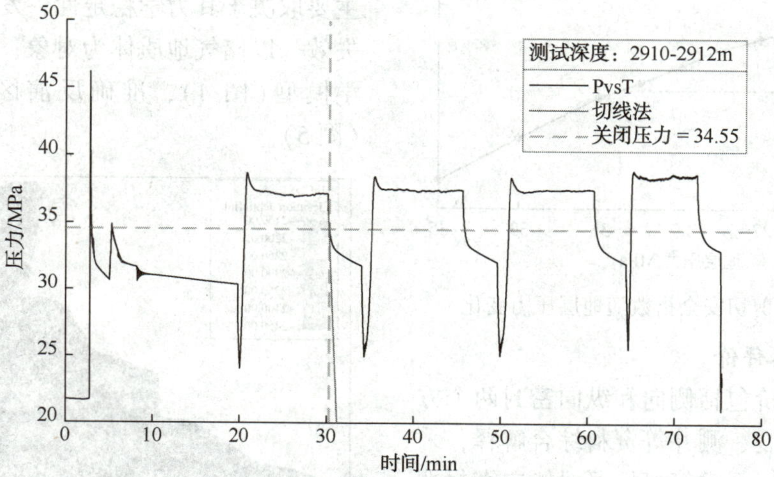

图 1　A 井矿场地应力测试结果曲线

目前，盖层剪切破坏风险评价经典方法是基于岩石力学中的库伦-摩尔准则，以该准则为基础，通过下式计算盖层安全因子：

$$\chi=1-\frac{(\sigma_1-\sigma_3)/2}{c\cos\phi+(\sigma_1+\sigma_3)\sin\phi/2}=1-\frac{\tau_m}{\tau_m^*} \quad (1)$$

式中，τ_m 为某一应力状态下的最大剪应力，MPa；τ_m^* 为剪切破坏发生时的临界剪应力，MPa；c 为内聚力，MPa，ϕ 为内摩擦角，(°)；

显然，当 χ 等于 0 时发生剪切破坏。在工程实际应用评价时，为安全起见，参照盖层拉张破坏评价方法，将剪切安全指数下限取为 0.2，以此为标准评价盖层抗剪切破坏能力。

从上式可以看出，影响盖层剪切破坏风险高低的主要因素包括两类，一是最大和最小有效主应力，其分别等于最大和最小主应力与地层压力之差，二是盖层岩石本身的力学参数，包括单轴抗压强度、内聚力、内摩擦角等。盖层岩石力学参数属不可改变的客观因素。因此，最大和最小有效主应力是影响盖层剪切破坏风险高低的主要因素，其与地层压力的变化密切相关。对于构造复杂的开发中后期气藏，根据矿场测试和地质力学数值模拟反演气藏建库前圈闭三维地应力场，如果盖层局部最大和最小有效主应力差别较大，则由上式计算的剪切安全指数很小甚至接近 0，表明建库前盖层局部已发生一定的剪切破坏，其不适合建库。而对于最大和最小主应力差别较小的气藏，如果由上式评价的剪切破坏风险较低，则还需进一步数值模拟评价气藏改建为储气库高速注采扰动下的地应力场动态变化，计算不同注气上限压力剪切安全指数，预先识别气藏建库盖层完整性失效风险。如果模拟预测的储气库高速注采扰动下盖层局部剪切破坏风险较高，则需通过全面的地质和岩石力学分析，明确导致风险较高的力学机理或注采工况等因素，如局部构造突变导致应力集中或注气压力较高等，对后期气藏建库设计上限压力进行约束。

实验测试净上覆围压下盖层抗压强度平均高达 304.1MPa，抗剪强度为 136.6MPa，远高于目前三维地应力作用强度。根据摩尔-库伦准则（图 2），理论计算得到盖层剪切安全指数为 0.37，高于破坏临界值 0.2。

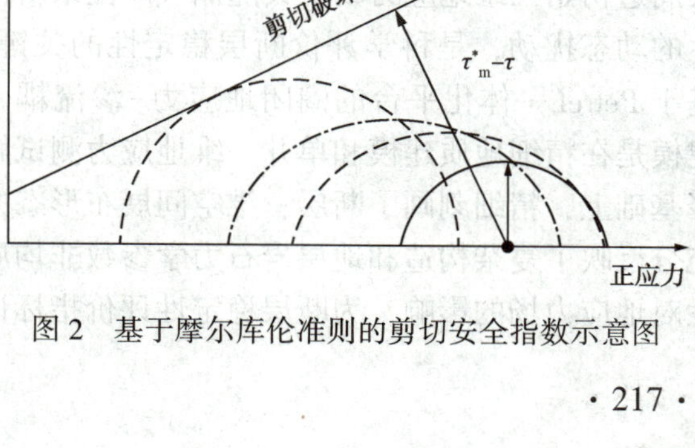

图 2　基于摩尔库伦准则的剪切安全指数示意图

基于有效应力理论反演计算最大极限承压：

$$p_{\max}<\frac{1}{4}(2c\cos\phi+S_1+3S_3) \tag{2}$$

计算盖层拉剪切破坏可承受的最大地层压力为 30.6MPa（图 3）。

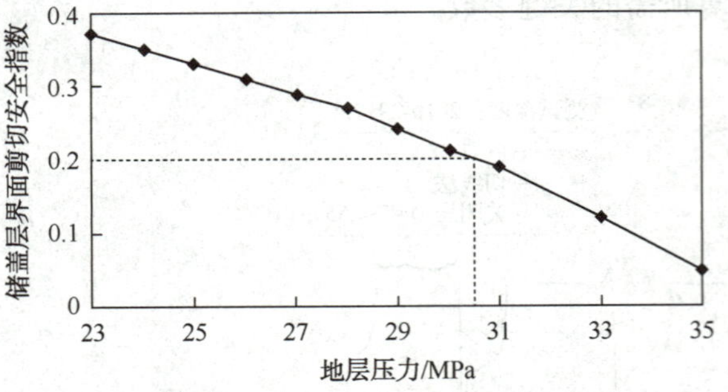

图 3　储盖层界面剪切安全指数随地层压力变化

3.2　断层极限承压评价

断层密封性评价包括侧向和纵向密封两个方面，通过地质、地震、测井等资料综合解释，采用砂泥比、泥岩涂抹系数等指标可对侧向密封性进行较为准确的评价。对于纵向密封性，常规油气藏勘探通过测试和计算原始未受扰动的静态地应力，根据断层走向、倾角等，由静力平衡原理计算出断层面正压力，并结合砂泥比、断层带充填物等特征，定性评价纵向密封性。但地质力学研究和相关矿场实践表明，当由于气藏开发或储气库注采引起区域地应力场的扰动，使得作用在断层面上的剪应力大于有效正应力与摩擦系数之积时，断层将发生失稳滑移，增大纵向密封失效。因此，断层动态密封性评价的难点是研究交变应力下断层纵向密封性，本质是研究地层扰动下的三维动态地应力场和断层力学稳定性。

受实验室断层相似模型制作、三维地应力模拟等多种因素制约，目前难以完全通过物理模拟评价交变应力下断层密封性及其动态演化特征。以 Petrel 地质-地质力学一体化模拟平台为载体，采用如前所述的储气库圈闭地应力-渗流耦合建模技术开展断层动态密封性评价。与盖层剪切破坏风险评价类似，准确反演获得复杂地质构造断层周边初始三维地应力场及其随储气库注采所产生的动态扰动，是科学评价断层稳定性的关键。基于 Petrel 一体化平台的圈闭地应力-渗流耦合建模是在精细地质建模和单井一维地应力测试解释基础上，精细刻画了断层三维空间展布形态并充分反映了复杂构造和地层岩石力学参数非均质性对地应力场的影响，为断层稳定性评价指标计算提供了准确基础参数。在动态地应力场准确反演的基础上，采用三维空间应力张量算法，可计算出任一地层压力下断层面的剪应力和有效正应力。采用断层滑移指数 ST，评价储气库注采扰动下的断层稳定性。

超高压和交变载荷作用下断层极限承压能力主要取决于其力学稳定性，发生滑移将导致密封失效。以储气地质体为对象，建立了四维地质力学模型（图 4），准确反演区域三维地应力场（图 5）。

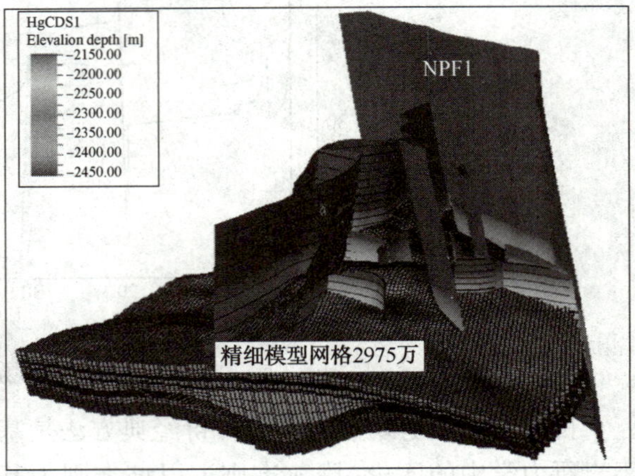

图 4　储盖层和油藏内部、周边断层模型

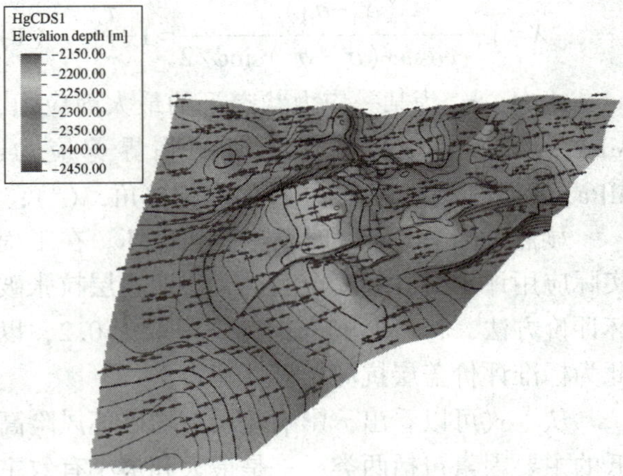

图 5　储层最大水平主应力方向模拟

复杂地质构造不同地应力状态包括正断层、逆断层和走滑断层 3 种，作用在断层面的有效正应力和剪应力将随气藏开发地层压力的衰竭而改变，地层压力下降幅度越大，地应力扰动越明显。当断层发生滑移时，表明气藏开发已使得含气边界的主控断层发生失稳滑移，断层原始纵向密封性遭到一定破坏，该类气藏建库圈闭密封性风险较高，国内外多个断层发育的大气田开发过程中诱发的地震事件即是由于地应力扰动断层失稳滑移导致的结果，充分表明地层压力变化对区域地应力场和断层稳定性具有不同程度的影响，气藏地层压力衰竭后的断层密封性不能等效于其原始状态的静态密封性，并且这种原始密封性在储气库往复注采运行交变应力作用下也可能发生变化。

断层滑移指数数学表达式为：

$$\xi=\tau_s(S_{ij},\ a_{ij},\ p)/(\mu_{f\_cri}[S_n(S_{ij},\ a_{ij})-\alpha p]) \tag{3}$$

式中，τ_s 为断层面上的剪应力，MPa；S_n 为垂直断层面的正应力，MPa；μ_{f_cri} 为断层摩擦系数。

上述参数中，断层面上的剪应力和正应力均与区域三维地应力场、断层特征等有关，在断层滑移指标计算时，采用的是断层面有效正应力，其与储气库注采过程中储层压力变化紧密相关。因此，通过断层临界滑移指标计算，可以获得在储气库注采异常高压或低压条件下断层极限承压能力。

在四维地质力学模拟过程中，影响断层滑移失稳风险的主要参数为断层法向刚度和切向刚度，即 K_n 和 K_s，其取值主要根据非连续介质力学理论和国内外大量的模拟研究和反演结果。国外针对埋藏深度小于 2000m 的储气库，四维地质力学模型时断层法向和切向刚度取值一般分别为 40000MPa/m、15000MPa/m，即 40GPa/m、15GPa/m。在对南堡 M 储气库模拟过程中为了更加准确评估断层滑移激活风险和极限承压能力，分别设置了不同断层力学参数组合的对比方案，且 K_n 和 K_s 取值均较国外保守，具体参数组合见表 1 所示。其数值大小均小于国外模拟取值，使得断层稳定性评价结果趋于更加保守，约束断层极限承压能力大小，保证储气库在更加安全的压力区间运行。

与上述相同，在断层滑移风险量化评价标准参数取值方面，目前大量的实验模拟和现场测试解释反演，断层摩擦系数主要分布在 0.6~0.8 之间。国外针对断层滑移风险评价时，断层摩擦系数一般取值为 0.6，采用公式 3-2-1 反算出断层不发生滑移激活的极限承压能力。断层摩擦系数取值越小，评价的断层极限承压能力越低，即评价的断层极限承压能力越保守。本次研究中，断层摩擦系数分布取为 0.4、0.6(表 1)，取值更为保守。

基于上述理论分析，考虑断层力学参数不确定性，开展不同参数、不同运行工况四维地质力学模拟，得出南堡 M 储气库断层的滑移指数分布在 0.50~0.97，均小于滑移临界值 1.0。其中，NPF1、F4 滑移风险相对较高，确定断层发生滑移激活极限压力为 34.5MPa，最大安全注气压力为 27.6MPa。

表 1　不同模拟方案参数对比

方案	压力系数	K_n、K_s/(MPa/m)	摩擦系数
1	1.0	4000、1500	0.4、0.6
2	1.0	8000、3000	0.4、0.6
3	1.1	4000、1500	0.4、0.6
4	1.1	8000、3000	0.4、0.6
5	1.2	4000、1500	0.4、0.6
6	1.2	8000、3000	0.4、0.6
7	1.3	4000、1500	0.4、0.6
8	1.3	8000、3000	0.4、0.6
9	1.4	4000、1500	0.4、0.6
10	1.4	8000、3000	0.4、0.6

从 F1、F1、F2、F3 4 条断层剪应力和断层滑移指数模拟结果图中可以看出(图 6)，对于断层面上的剪应力而言，储层以上的直接剪应力和区域盖层剪应力相对较大，而浅层和下伏地层剪应力较小，储层区域剪应力也相对较大。引起这种差异的原因为区域盖层玄武岩岩石力学强度较高，使得该区域水平主应力也较大。由于该区域剪应力较大，计算的断层滑移指数也较大，平均值约为 0.75(图 6)。

从 F1 断层滑移指数和极限承压能力模拟图中可以看出(图 7)，区域盖层玄武岩对应的滑移指数相对较大，则计算的极限承压能力相对较小，该区域平均极限承压能力约 34.5MPa。

对断至地表的 NPF1 断层开展滑移指数、极限承压能力模拟(图 8)，统计不同地层压力系数下的储层、盖层区域模拟结果(图 9)，可以看出随着地层压力系数增大，断层滑移指数持续增加。在原始地层压力附近时，断层滑移指数小于 0.8，当地层压力系数为 1.10 时，滑移指数超过 0.8。当地层压力系数接近 1.25 时，滑移指数达到临界值 1.0。通过数学拟合准确求解，此时获得的极限承压能力为 34.5MPa，在此基础上，进一步考虑 80% 的安全系数，计算得到滑移风险最高的 NPF1 断层安全最大注气压力为 27.6MPa，安全注气压力对应的地层压力系数为 1.23。

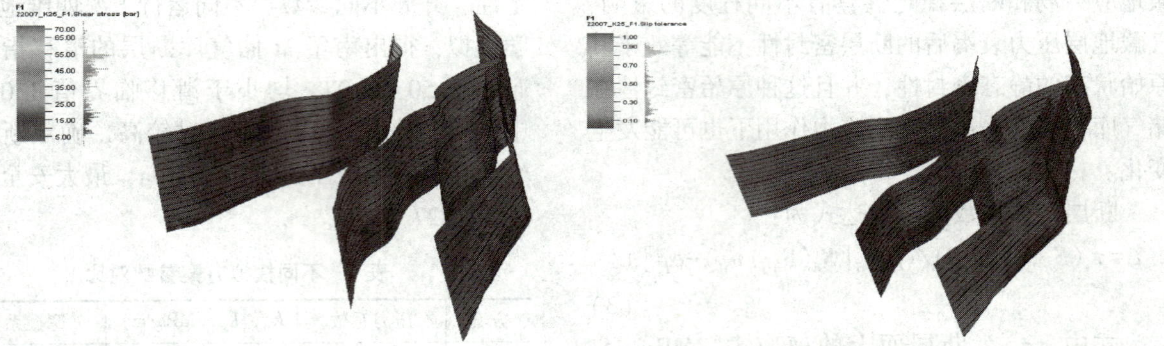

(a)剪应力　　　　(b)滑移趋势指数分布

图 6　F1 等 4 条断层断层剪应力、滑移趋势指数分布模拟

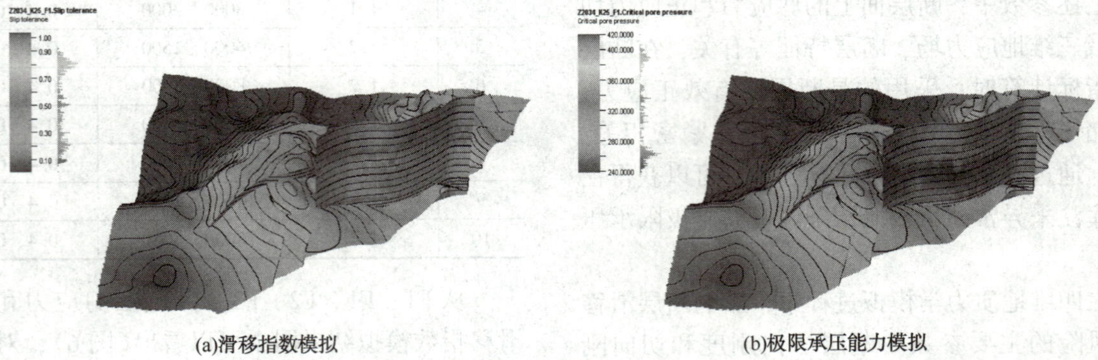

(a)滑移指数模拟　　　　(b)极限承压能力模拟

图 7　F1 断层滑移指数及极限承压能力模拟

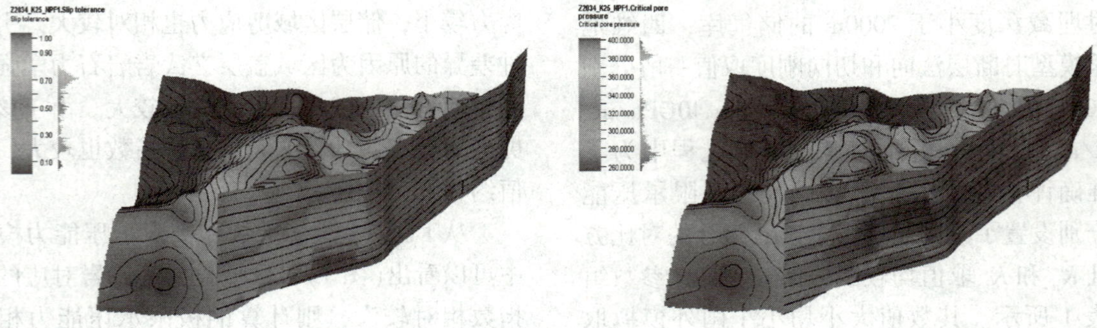

(a)滑移指数模拟　　　　(b)极限承压能力模拟

图 8　NPF1 断层滑移指数及极限承压能力模拟

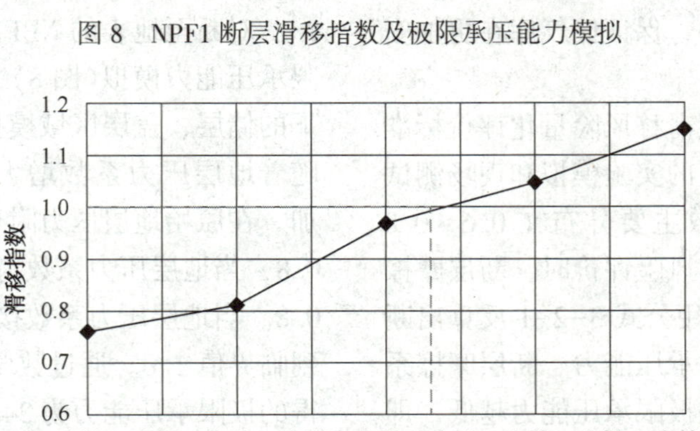

图 9　NPF1 断层滑移指数模拟结果

3.3 极限承压能力结果分析

从地质、渗流、力学三个层面多项指标(表2)，综合评价南堡L储气库地质体保持动态密封极限可承受的最大地层压力为29.3MPa，可承受的最大安全地层压力为27.2MPa，以此作为建库运行上限压力设计的核心依据。考虑深埋地下实际天然断层的复杂性，后期需结合储气库运行动态持续更新优化。

表2 南堡L储气库地质体可承受的最大地层压力评价

对象	分类	密封因素	评价指标	评价结果	极限承压能力/MPa	安全承压能力/MPa
盖层	静态	地质特征	岩性、厚度	400m 玄武岩		—
		毛细管密封	动态突破压力/MPa	12	34.4	34.4
	动态	抗拉张破坏	最小水平主应力/MPa	34.0(区域应力) 34.2(现场实测)	34.0(区域应力) 34.2(现场实测)	27.2
		抗剪切破坏	剪切安全指数	0.37	38.3	30.6
断层	静态	侧向封闭性	SGR(NPFI突破压力)/MPa	上盘突破压力>6.8	29.3	29.3
		垂向封闭性	断面正应力/MPa	18~20	密封能力强	—
	动态	垂向封闭性	临界承压能力/MPa	34.5	34.5	27.6

3 结论

南堡L储气库地质体保持动态密封极限可承受的最大地层压力为29.3MPa，可承受的最大安全地层压力为27.2MPa，大于22.5MPa的原始地层压力，可为建库安全及运行上限压力设计提供理论依据。

参 考 文 献

[1] 庞晶，钱根宝，王彬，等．新疆H气田改建地下储气库的密封性评价[J]．天然气工业，2012，32(2)：83-85.

[2] 丁国生，李春，王皆明，等．中国地下储气库现状及技术发展方向[J]．天然气工业，2015，35(11)：107-112.

[3] 曾大乾，胡宗全，糜利栋，等．不同类型地下储气库库址评价标准体系及筛选平台[J]．天然气工业，2022，42(S1)：117-124.

[4] 范明，陈宏宇，俞凌杰，等．比表面积与突破压力联合确定泥岩盖层评价标准[J]．石油实验地质，2011，33(1)：87-90.

[5] 郑德文．天然气毛细封闭盖层评价标准建立[J]．天然气地球科学，1994，3(5)：29-33.

[6] 胥洪成，张士杰，李翔，等．气藏改建储气库下限压力设计新方法[J]．天然气地球科学，2020，31(11)：1648-1653.

韧性基底黏度对断裂构造影响的数值模拟研究

孙倩倩　张　恒　陈　林　张　璐　刘　昆　唐　明

[中海石油(中国)有限公司湛江分公司]

摘　要　断陷盆地油气资源丰富，在石油工业中具有重要地位。对盖层构造样式影响因素的研究，可为断陷盆地油气勘探和开发提供更多理论资料。以往的研究主要集中在盆地边界几何条件、基底先存断层、基底属性(韧性或刚性)、伸展速率、同沉积作用等因素上，然而对韧性基底黏度对盖层构造样式影响的研究依然不足。本文采用离散元数值模拟的方法，研究了在双侧伸展条件下，韧性基底的黏度对盖层构造样式的影响。研究结果表明，不同基底黏度下，盆地形态相似，均发生均匀伸展，盆地内部断层的断距相差不大。沉降中心始终位于中间位置，在伸展过程中不发生迁移；韧性基底黏度越大，生成断层数量越多。结合实验模拟结果和琼东南盆地长昌凹陷剖面特征，大地热流值较大时，基底黏度较小，所生成的断层数量较少；反之，大地热流值较小时，基底黏度较大，所生成的断层数量较多。

关键词　断陷盆地；构造样式；离散元；韧性基底黏度；长昌凹陷

我国断陷盆地内的油气资源十分丰富，在石油工业中相对重要性首屈一指。运用物理模拟和数值模拟的方法对断陷盆地发育特征的影响因素进行研究，对于盆地构造演化特征分析、提高勘探成功率具有重要意义。

为了更清楚地了解盖层构造样式的影响因素，国内外学者运用物理模拟和数值模拟的方法进行了大量的模拟实验，研究了边界几何条件、先存断层、基底属性、伸展速率、同沉积作用和盖层特征等因素的影响。基底属性在盆地发育和演化中也扮演重要的角色。其中基岩非均质性对断裂发育的影响，主要体现在两个方面，一是岩性接触界面作为构造薄弱面，有利于断裂发育，进而控制盆地构造。二是不同岩性基底具有不同的力学性质，在构造变形过程中对断裂发育的影响存在差异。在具有相同的断裂运动学特征区域，基底岩性是影响断层发育密度及空间分布位置的主要因素之一。周建勋等基于三维物理模拟认为，基底的不均匀伸展可以引起盆地沉降中心的明显改变。共轭剪切变形带的形成可能由于不均匀伸展，但其具体成因机制尚有待于深入研究分析。刘泽等采用有限差分法模拟了东海陆架盆地南部中生代的盆地演化过程，认为东海陆架盆地中生代的成盆过程及属性，与中生代时期上地幔物质流动有着密切关系。刘海伦通过对珠江口盆地珠一凹陷的研究认为，基底的复杂岩性组成和不同的发育时代，形成了岩体边界，影响了下伏断裂的活动性，从而形成复杂的断裂体现和断陷结构。张佳星等通过物理模拟实验认为，韧性基底影响下的上部刚性地层演化形成复式地堑构造，地堑内部发育的断裂数量较多，单一断层断距小；在无韧性基底影响下的上部地层，在拉伸过程中演化为由两个铲式半地堑和一个中央低凸起组成，地堑内断裂数量较少，单一断层断距大。近年来，随着技术的进步和发展，以及构造物理模拟和数值模拟方法的改进，对于基底属性的研究取得了巨大进步，但韧性基底的粘度对盖层构造样式的影响，尚未有系统研究。

离散元模拟是研究构造动力学的有效方法。自 1971 年以来的研究实践表明，其适用于非连续介质的破裂问题研究，已广泛用于研究构造地质中的大变形问题，如岩块的节理破裂、断层及断层相关褶皱、变换构造发育机制、盐构造等诸多地质构造演化过程。

本文研究选择韧性基底粘度属为切入点，采用数值模拟的方法，改变黏度，设置对比模型，通过对盖层演化的断层发育和几何特征分析，总结韧性基底黏度对盖层构造演化影响的一般规律。研究结果为断陷盆地内构造特征发育提供更多可参考的理论资料，对断陷盆地油气勘探和开发具有重要积极意义。

1　模型设置

采用二维颗粒流程序 PFC，在双侧伸展条件下，改变韧性基底黏度，设置对比模型。模型以圆形刚性颗粒集合体模拟主体地层，两侧以及底部以墙体作为边界，通过边界墙体以 0.001m/s 的固定速度运动，模拟断陷盆地的伸展过程。所有初始模型均设定长 120m，高 20m。模型共含有 5 层岩层，每层岩层厚度为 4m，岩层之间设有薄层软弱层来模拟地层层理面(图 1)。在伸展过程中，双侧同时伸展，墙体每伸展 5m，即模型伸展率每增加 8.33%，做一次记录。每次记录后，铺设同沉积地层，同沉积地层的最大高度为 20m，之后继续下一次伸展模拟。

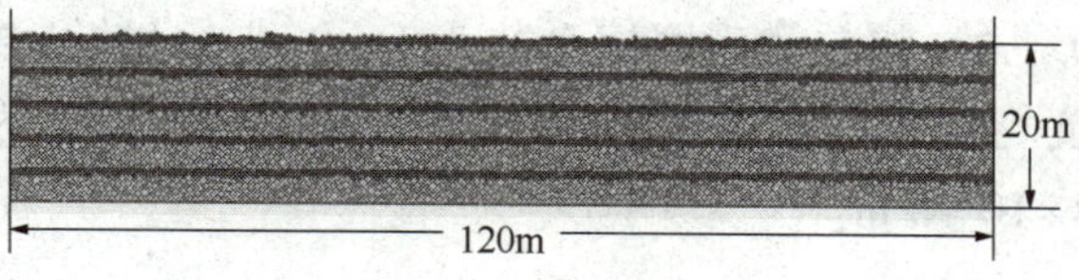

图 1　初始模型图

图 2 中，黄色点表示断尖点，初始状态时，两断尖点有一定距离(12m 或 24m，图 2)，两侧和底部墙以固定速度向两侧伸展，随着两断尖点之间距离增大，下部韧性基底向两侧均匀伸展。韧性基底在两侧刚性基底带动下，向两侧均匀伸展的力学属性模拟了物理砂箱模拟实验中用于模拟韧性基底的实验材料橡皮。

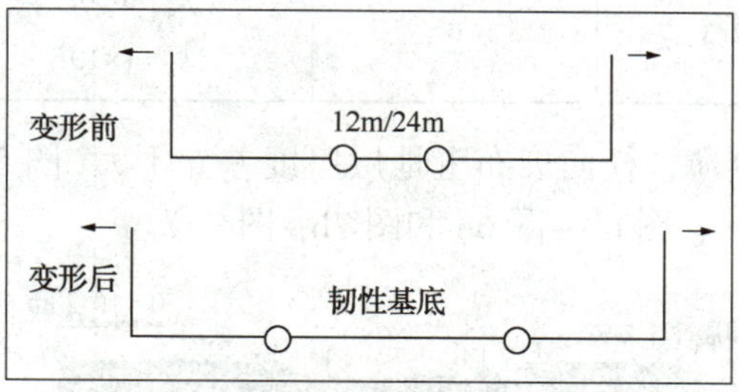

图 2　韧性基底双向伸展模式图

韧性基底部分，由在水平方向上的同一直线排列的多个半径均为 0.1m 的颗粒组成，初始阶段相邻颗粒直径重叠率较大，在伸展过程中设置正中间的颗粒速度为 0，通过赋予从中间到两侧颗粒等差数列的速度值，使相邻颗粒间重叠率逐渐变小并始终保持一致(图 3)，用以模拟高温高压下具有韧性变形能力的泥岩、膏岩等的韧性变形。

图 3　韧性基底双向伸展模拟方法示意图

依据牛顿平板实验，设面积为 A 的两平行平板相距 h，其间充满了流体，下板固定不动，上板受拉力 T 的作用，以匀速 U 向右运动(图 4)，当 h 或 U 不是太大时，沿板的法线方向，两平板间流体的流速呈线性变化，即

$$u(y)=\frac{U}{h}y \tag{1}$$

实验表明，大多数流体存在下列关系：

$$T\propto\frac{AU}{h} \tag{2}$$

则得黏附于上板的流体的切应力 τ 为：

$$\tau=\frac{T}{A}=\mu\frac{U}{h} \tag{3}$$

由此可知，流体黏度 μ 越大，则上板所受的切应力越大，即韧性基底黏度越大，上覆地层所受的切应力越大，因此通过改变韧性基底的颗粒摩擦，来表示不同韧性基底黏度的相对大小。

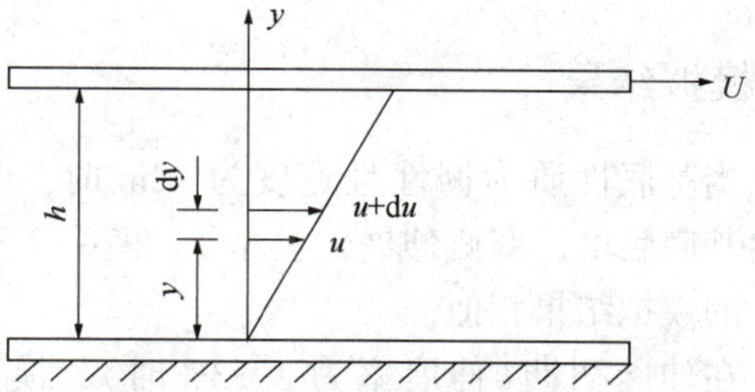

图 4　牛顿平板实验

通过改变两断尖点距离(12m 和 24m)，改变韧性基底黏度(对应颗粒微观摩擦系数为 1、2 和 3)，设置 6 个模型(模型 1~6)(表 1)。

表 1　韧性基底双侧伸展模型

模型编号	伸展方向	基底性质	断尖点距离/m	伸展速度/(m/s)	基底颗粒摩擦系数	基底黏度	盖层摩擦系数/μ_i
模型 1	双向	韧性基底	12	0.001	1	低	0.57
模型 2	双向	韧性基底	12	0.001	2	中等	0.57
模型 3	双向	韧性基底	12	0.001	3	高	0.57
模型 4	双向	韧性基底	24	0.001	1	低	0.57
模型 5	双向	韧性基底	24	0.001	2	中等	0.57
模型 6	双向	韧性基底	24	0.001	3	高	0.57

PFC 中的微观特性包括颗粒尺寸分布、颗粒刚度、颗粒摩擦系数和黏结强度，宏观特性包括弹性常数(杨氏模量、泊松比等)、内摩擦角和黏聚力。PFC 所赋予模型内颗粒的微观力学参数与宏观岩石力学参数是不同的，两者之间有一定的转换关系。为了获得 PFC 中颗粒适当的微观参数，在数值模拟前需要进行数值双轴压缩试验。通过一系列数值双轴压缩实验可得，颗粒间的微观内摩擦系数分别为 1，相当于宏观岩层内摩擦系数分别为 0.57，即岩石内摩擦角为 30°。

模型地层的岩石力学参数设置如下：所有岩层密度均为 2630kg/m^3，所有层颗粒均服从高斯分布。对于厚度为 3m 的脆性岩层，颗粒粒径均匀分布于 0.144m 至 0.230m，微观颗粒间摩擦系数为 1(相当于岩层摩擦系数 0.57，即内摩擦角 30°)，黏结强度为 3×10^{6}N，切向刚度(k_s)为 1×10^{9}N/m，法向刚度(k_n)为 4×10^{9}N/m(相当于岩层黏结强度为 10MPa，杨氏弹性模量为 30GPa，泊松比为 0.25，符合砂岩力学性质)。对于层间软弱层的颗粒粒径均匀分布于 0.083m 至 0.133m，摩擦系数与粘结强度均为 0，切向刚度为 1×10^{9}N/m，法向刚度为 4×10^{9}N/m；法向刚度与切向刚度比值(泊松比)为 0.25。对于底部模拟韧性基底伸展的颗粒，粒径均为 0.1m，颗粒微观摩擦系数为 1、2 或 3，粘结强度均为 0，切向刚度为 1×10^{9}N/m，法向刚度为 4×10^{9}N/m。

表 2　离散元模型微观力学参数表

层名	密度/(kg/m^3)	厚度/m	颗粒粒径/m	颗粒摩擦系数	法向和切向黏结强度/N	颗粒法向(k_n)和切向(k_s)刚度/(N/m)
岩层	2630	3	0.144~0.230	1/2/3	5×10^5	$k_n=3\times10^9$ $k_s=1\times10^9$
层间薄弱层	2630	1	0.083~0.133	0	0	$k_n=3\times10^9$ $k_s=1\times10^9$
韧性基底	2630	0.2	0.1	1/2/3	0	$k_n=3\times10^9$ $k_s=1\times10^9$

2　模拟结果

当基底性质为韧性且宽度为 12m 时，改变韧性基底黏度，双侧伸展，模型 1、模型 2 和模型 3 的模拟结果相似。

在伸展初期(伸展率为 8.33%时)，模型 1 中生成断层 F1~F5，模型 2 中生成断层 F1~F4，模型 3 中生成断层 F1~F3，其 F1 和 F2 为边界断层，倾角均为 53°，其余内部断层倾向均朝向中间部位(图 5a、图 6a 和图 7a)。随着伸展作用的进行，直至伸展结束(伸展率为 41.67%)，边界断层 F1 和 F2 随伸展作用向两侧移动，倾角始终未发生变化，盆地内部均生成多个倾向朝向中间部位的正断层，最终生成断层总数量分别为 12 条、13 条和 14 条，盆地宽度为 104.8m、106.1m 和 105.6m。断陷的沉降中心始终位于中间位置，未随伸展作用的进行发生移动，中间部位沉降量较大，两侧较小，同沉积地层呈中间厚两侧薄，横向展布上地层厚度差异不大(图 5b~图 5e、图 6b~图 6e 和图 7b~图 7e)。

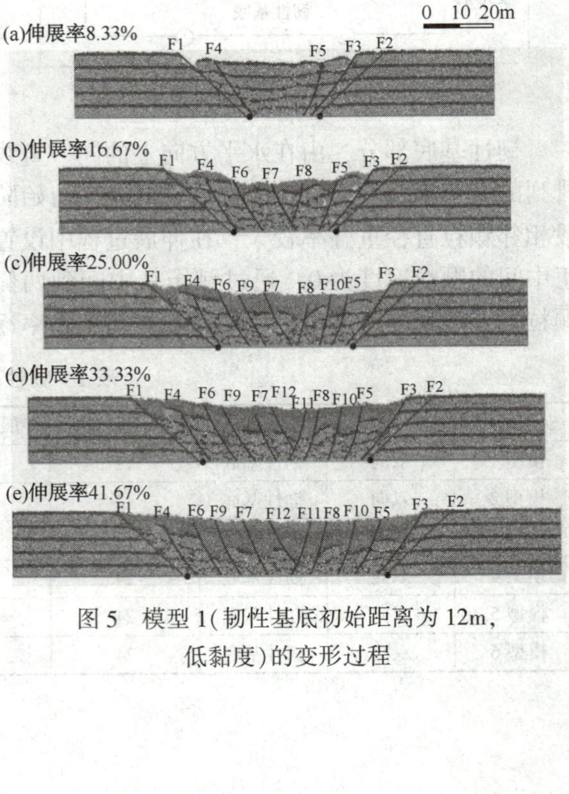

图 5　模型 1(韧性基底初始距离为 12m，低黏度)的变形过程

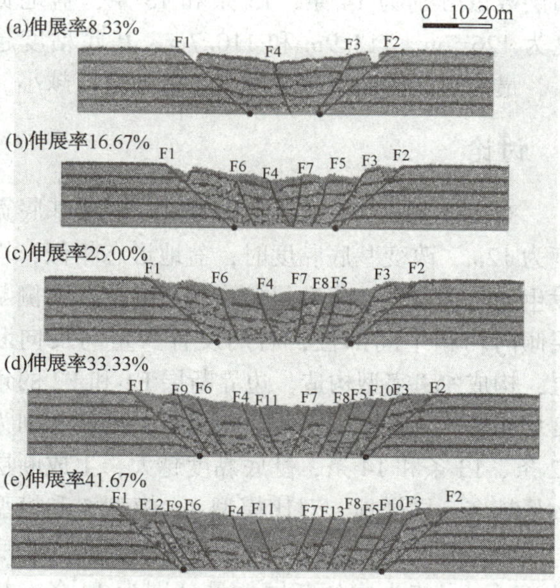

图 6 模型 2(韧性基底初始距离为 12m，中等黏度)

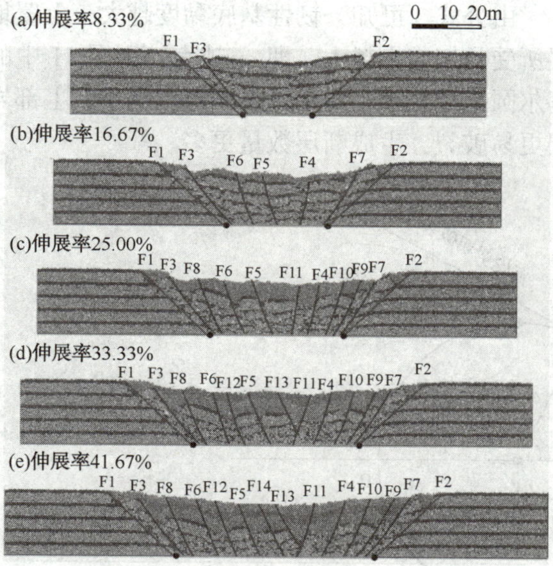

图 7 模型 3(韧性基底初始距离为 12m，高黏度)的变形过程

对比模型 1、模型 2 和模型 3，最终形成的盆地形态相似，边界断层 F1 和 F2 的倾角相等且均为 53°；模型 1、模型 2 和模型 3，最终生成的断层数量分别为 12 条、13 条和 14 条，盆地宽度为 104.8m、106.1m 和 105.6m，基底粘度越大，最终形成的断层数量越多；除模型 1 外，基底粘度越大，盆地宽度越小。

当基底性质为韧性且宽度为 24m 时，改变韧性基底粘度，双侧伸展，模型 4、模型 5 和模型 6 的模拟结果相似。

在伸展初期(伸展率为 8.33%时)，模型 4、模型 5 和模型 6 中均生成断层 F1～F5，其 F1 和 F2 为边界断层，倾角均为 53°，其余内部断层倾向均朝向中间部位(图 8a、图 9a 和图 10a)。随着伸展作用的进行，直至伸展结束(伸展率为 41.67%)，边界断层 F1 和 F2 随伸展作用向两侧移动，倾角始终未发生变化，盆地内部均生成多个倾向朝向中间部位的正断层，最终生成断层总数量均为 14 条、15 条和 15 条，盆地宽度为 126.7m、113.9m 和 110.7m。断陷的沉降中心始终位于中间位置，未随伸展作用的进行发生移动，中间部位沉降量较大，两侧较小，同沉积地层呈中间厚两侧薄，横向展布上地层厚度差异不大(图 8b～图 8e、图 9b～响应 9e 和图 10b～图 10e)。

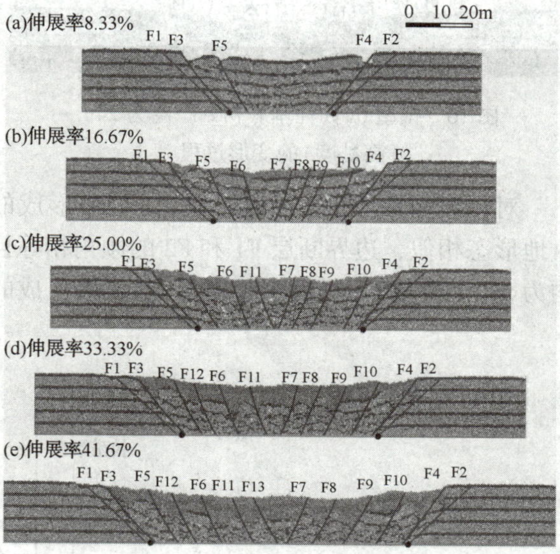

图 8 模型 4(韧性基底初始距离为 24m，低黏度)的变形过程

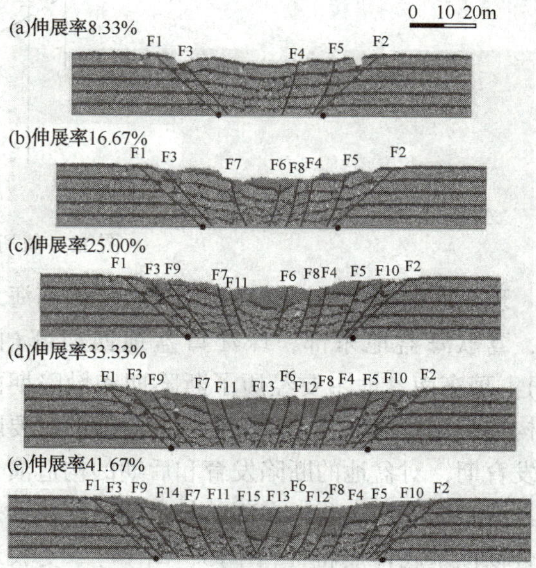

图 9 模型 5(韧性基底初始距离为 24m，中等黏度)的变形过程

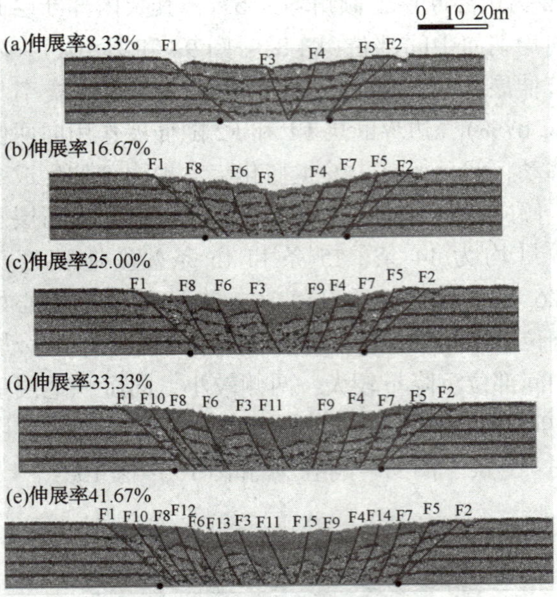

图 10　模型 6(韧性基底初始距离为 24m，高黏度)的变形过程

对比模型 4、模型 5 和模型 6，最终形成的盆地形态相似，边界断层 F1 和 F2 的倾角相等且均为 53°；模型 4、模型 5 和模型 6，最终生成的断层数量分别为 14 条、15 条和 15 条，盆地宽度为 126. 7m、113. 9m 和 110. 7m，基底粘度越大，最终形成的断层数量越多，盆地宽度越小。

3　讨论

对比模型 1、模型 2 和模型 3，韧性基底宽度为 12m，改变基底黏度时，盆地形态相似，均发生均匀伸展，产生数量较多的正断层，两侧断层倾向均朝中间部位，后期发育少量与反向断层，构成“Y”字型构造。边界断层 F1 和 F2 的角度均相等，为 53°，最终生成的断层数量分别为 12 条、13 条和 14 条，基底黏度越大，生成断层数量越多。同样地，对比模型 4、模型 5 和模型 6，结果相同，韧性基底宽度为 24m，改变基底黏度时，最终生成的断层数量分别为 14 条、15 条和 15 条，基底黏度越大，生成断层数量越多。

由公式 3 可知，韧性基底黏度越大，上覆地层所受的切应力越大，即 σ_3越大，则图 11 中的莫尔圆半径变小，莫尔包络线范围变小，上部岩层更易破裂，生成断层数量更多。

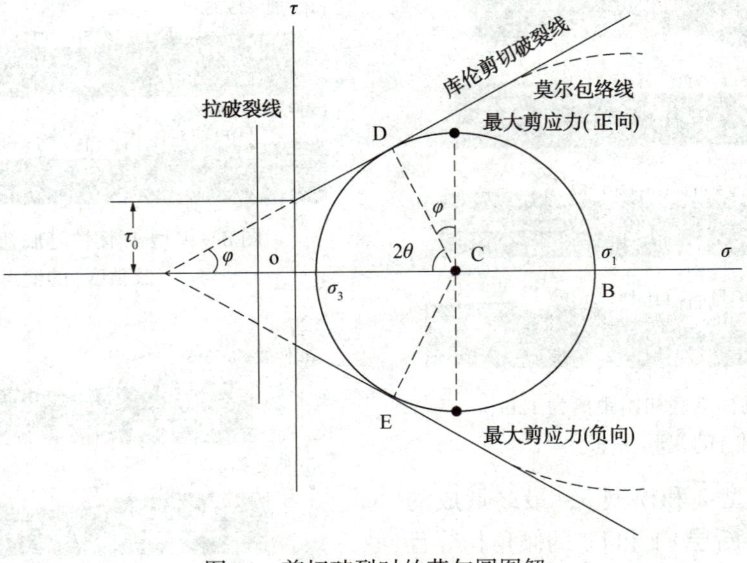

图 11　剪切破裂时的莫尔圆图解

琼东南盆地位于海南岛东南部、中国南海北部，莺歌海盆地东部，珠江口盆地西南部(图 12)。琼东南盆地主要经历了断陷期和坳陷期两个构造演化阶段，其中断陷期作为盆地的主要断裂发育期，对盆地的断陷发育和后期的构造演化都具有重要作用。盆地东部的长昌凹陷整体形态符合韧性基底伸展特征(图 13、图 14)。受大地热流值影响，剖面 1 所处位置大地热流值较大，基底黏度较小，所生成的断层数量较少；反之，剖面 2 所处位置大地热流值较小，基底黏度较大，所生成的断层数量较剖面 1 多。

4　结论

本文通过离散元颗粒流方法来模拟断陷盆地伸展作用，通过改变韧性基底黏度来研究盖层构造样式的变化。模拟结果显示了，韧性基底粘度对断陷盆地内盖层构造样式具有一定影响。主要结论如下：

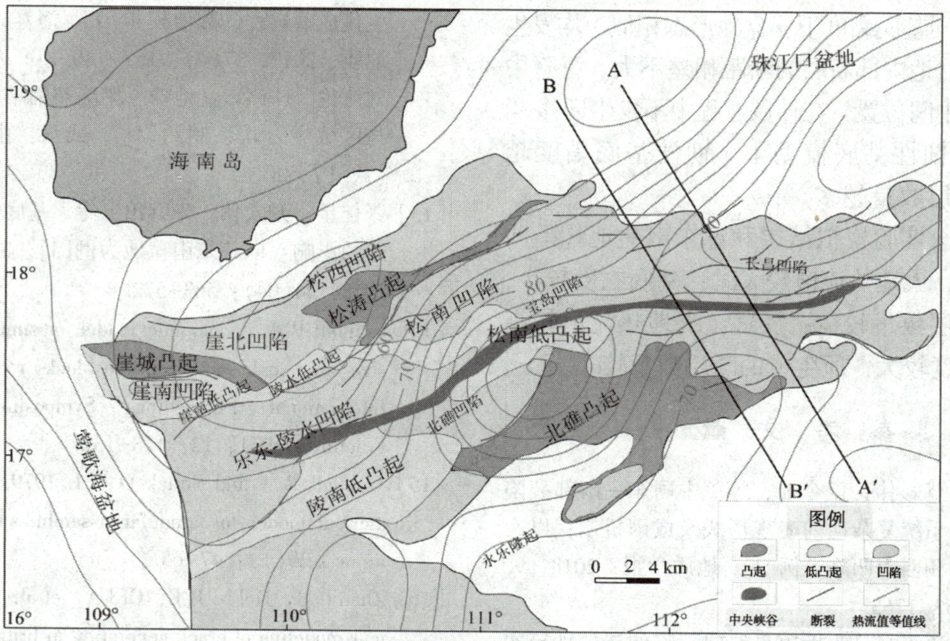

热流值单位：mW/m²

图 12　琼东南盆地构造区域划分与热流值分布叠合图

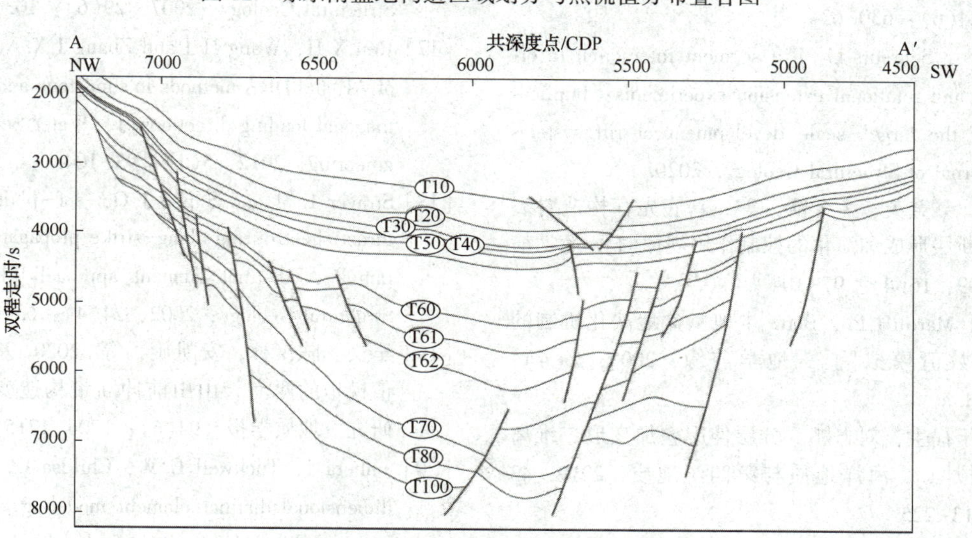

图 13　琼东南盆地典型地质剖面 1

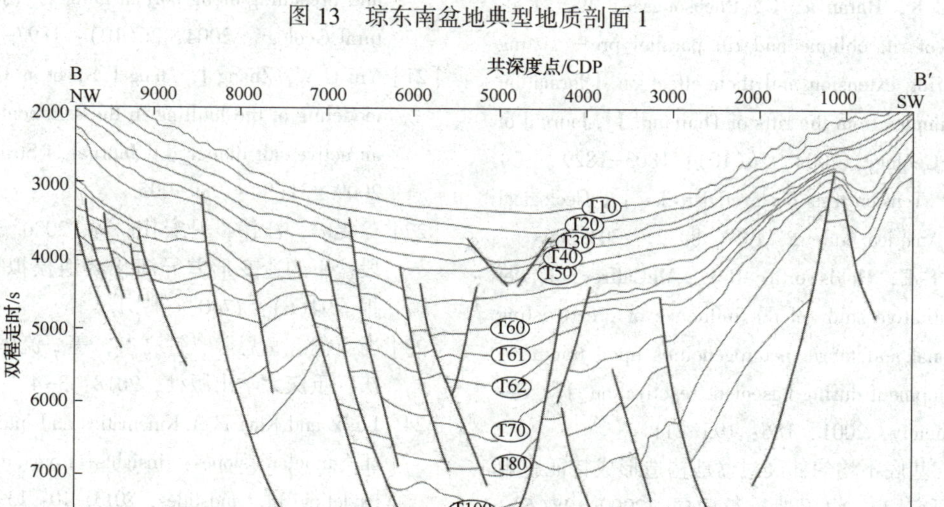

图 14　琼东南盆地典型地质剖面 2

（1）不同基底黏度下，盆地形态相似，均发生均匀伸展，盆地内部断层的断距相差不大。沉降中心始终位于中间位置，在伸展过程中不发生迁移。

（2）在韧性基底模型中，韧性基底黏度越大，生成断层数量越多。

（3）结合实验模拟结果和琼东南盆地长昌凹陷剖面特征，大地热流值较大时，基底黏度较小，所生成的断层数量较少；反之，大地热流值较小时，基底粘度较大，所生成的断层数量较多。

参 考 文 献

［1］童亨茂，范彩伟，孟令箭，等．中国东—南部裂陷盆地断裂系统复杂性的表现形式及成因机制：以南堡凹陷和涠西南凹陷为例［J］．地质学报，2018，92(9)：1753-1765.

［2］周建勋，漆家福．曲折边界斜向裂陷伸展的砂箱实验模拟［J］．地球科学——中国地质大学学报，1999，24(6)：630-634.

［3］Zwaan F，Schreurs G．Rift segment interaction in orthogonal and rotational extension experiments：Implications for the large－scale development of rift systems［J］. Journal of Structural Geology，2020.

［4］童亨茂，聂金英，孟令箭，等．基底先存构造对裂陷盆地断层形成和演化的控制作用规律［J］．地学前缘，2009，16(4)：97-104.

［5］张贵宾，MartinH P，Bott. 半地堑盆地演化机制的粘弹塑数值模拟［J］．地学前缘，2000，7(4)：441-448.

［6］周易，于福生，刘志娜．分层伸展叠加变形二维离散元模拟［J］．海洋地质与第四纪地质，2019，43(2)：213-225.

［7］Morley，C K，Haranya，C，Phoosongsee，W，et al. Activation of rift oblique and rift parallel pre－existing fabrics during extension and their effect on deformation style：examples from the rifts of Thailand［J］. Journal of Structural Geology，2004，26(10)：1803-1829.

［8］Youash，Y. Tension tests on layered rocks［J］．Geological Society of America Bulletin，1969，80(2)：303-306.

［9］Beacom，L E，Holdsworth，R E，McCaffrey，K，et al. A quantitative study of the influence of pre－existing compositional and fabric heterogeneities upon fracture－zone development during basement reactivation［J］．Geological Society，2001，186：195-211.

［10］周建勋．基底不均匀伸展对盆地构造形成特征影响的实验研究［J］．煤田地质与勘探，2000，28(5)：12-14.

［11］刘泽，戴黎明，李三忠，等．东海陆架盆地南部中生代成盆过程的数值模拟［J］．海洋地质与第四纪地质，2017，37(4)：167-180

［12］刘海伦．珠江口盆地珠一坳陷裂陷结构：基底属性与区域应力联系制约［D］．武汉：中国地质大学(武汉)，2018.

［13］张佳星，尹宏伟，朱继田，等．基底性质对断裂构造的影响：以琼东南盆地为例［J］．高校地质学报，2018，24(04)：563-572.

［14］Cundall P A. A computer model for simulating progressive large scale movements in blocky rock systems［J］. International Proceedings Symposium on Rock Fracture，1971，12：128-132.

［15］Cundall P A and Strack O D L. 1979. A discrete numerical model for granular assemblies［J］．Geotechnique，29(1)：47-65.

［16］Zhao C B，Hobbs B E，Ord A，et al. Phenomenological modeling of crack generation in brittle crustal rocks using the particle simulation method［J］. Journal of Structural Geology，2007，29(6)：1034-1048.

［17］Ren X H，Wang H J and Zhang J X. Numerical study of AE and DRA methods in sandstone and granite in orthogonal loading directions［J］. Water Science and Engineering，2012，5(1)：93-104.

［18］Strayer L M and Suppe J. Out－of－plane motion of a thrust sheet during along-strike propagation of a thrust ramp：A distinct element approach［J］. Journal of Structural Geology，2002，24(4)：637-650.

［19］辛文，陈汉林，安凯旋，等. 2020. 基于离散元数值模拟的西南天山山前冲断带构造变形控制因素研究．地质学报，94(6)：1704-1715.

［20］Imbera J，Tuckwell G W，Childsa C，et al. Three－dimensional distinct element modeling of relay growth and breaching along normal faults［J］. Journal of Structural Geology，2004，26(10)：1897-1911.

［21］Yin H W，Zhang J，Meng L S，et al. Discrete element modeling of the faulting in the sedimentary cover above an active salt diaper［J］. Journal of Structural Geology，2009，31(9)：989-995.

［22］徐雯峤，汪伟，尹宏伟，等. 2020. 库车坳陷东西段盐下构造变形差异演化数值模拟分析．地质学报，94(6)：1740 - 1751.

［23］龙天渝，童思陈，钟亮参，等．流体力学［M］，重庆：重庆大学出版社，2018：3-4.

［24］Liu Z and Koyi H A. Kinematics and internal deformation of granular slopes：insights from discrete element modeling［J］. Landslides，2013，10：139-160.

［25］漆家福，陈书平．构造地质学［M］．北京：石油工业出版社，1999：117-121.

干扰试井方法在水淹油藏建库安全性分析中的应用

胡彩云　郑智峰　高广亮　李超锋　李　聪　杨智斌　王　杨

（中国石油冀东油田公司）

摘　要　工程测试分析可提前评价储气库安全性、有效降低风险，国内油藏型储气库建设中工程测试实例研究较少，本文以南堡M号油藏水驱后改建储气库建库目标为例，详细介绍了干扰试井测试方法在该类储气库建设中的应用，对测试中合理注气量预测、激动周期确定展开论证，并对试井结果综合分析，提供安全性评价。研究结果表明，通过干扰试井测试，可以得出南堡M号储气库建库区纵向和侧向封堵性良好，具备改建储气库的密封条件。研究对国内后续油藏型储气库安全性评价具有参考和指导意义。

关键词　油藏型；地下储气库；封闭能力；干扰试井

世界地下储气库建设与运营已历经百年。作为目前世界上最主要的天然气储存和调峰方式，已在全球得到越来越广泛的应用。主流储气库多为气藏、含水气藏、盐穴型储气库，随着气藏建库资源枯竭，京津冀地区天然气调峰需求越来越大，冀东油田开始了油气藏型储气库建库探索，油气藏型地下储气库，油气水三相互驱，渗流复杂，建库过程中，准确预测注采气井的产能，分析注采气井动态，是最重要也是最复杂的问题，因此注采气能力影响因素分析具有特殊重要的意义。

1　引言

我国东部是储气库消费市场主体，优质建库资源日益减少，油气藏是今后建库的主要对象，建库难度大，风险高，我国不同类型储气库建库地质条件复杂，主要体现在天然气市场发育区地质构造破碎，建库的安全风险增大，国内目前油藏建库处于起步阶段，油藏改建储气库前期评价的资料少，单纯依靠静态资料评价断层的封堵能力和盖层的封闭能力存在极大的风险。在这种情况下，动态注气干扰试井结果更有说服力，并且能极大的降低评价风险。本文以南堡M号储气库为例，系统介绍干扰试井的设计原则、注气量及激动周期确定方法、激动结果分析，以期为国内后续油藏型储气库建设提供有益借鉴。

2　干扰试井原理

干扰试井在现场施工中，选择一口激动井和一口或者若干口与激动井相邻的观测井组成测试井组，在测试中改变工作制度，从开井生产改变为关井，或从关井状态以某一产量开井生产，从而对地层压力造成“激动”；观测井则测试中关井进入静止状态，并下入高精度、高分辨率的井下压力计，记录从激动井传播过来的干扰压力变化，根据记录的压力变化资料确定地层的连通情况。这种试井方法称为井间干扰试井。

3　应用实例

南堡M号储气库共发育8条断层，断距5~300m不等，其中边界断层F1距离建库区域较远，并且与建库区域之间有玄武岩遮挡，封闭性好。F3~F7均为小断层且未断穿玄武岩盖层，对建库影响较小，F2为发育在F1之上的次级断层，该断层平面延伸距离远且断穿玄武岩盖层，对库址封闭性影响较大，应重点进行监测和评价。为了保证建库过程中的安全性，针对F2断层的断层密封性及盖层密封性，开展了注气干扰试井现场试验研究。

3.1　干扰试井方案

根据SY/T 5440—2009《天然气井试井技术规范》要求，地层渗透率大于$10\times10^{-3}\ \mu m^2 . m$、井间距小于1km，激动井产量高于20万$m^3/d$时，适用脉冲试井方式。南堡M储气库建库目的层属于高孔高渗砂岩储层，井间距在500m范围内，适合脉冲方式进行干扰试井。考虑脉冲试井结果对储气库建库的指导性，以及现场实施的可行性及安全性，建议选用高纯度的氮气作为注入流体，氮气的纯度≥99%。

从断层风险级别、井筒工艺完善、井的位置

三大方面进行优选。以 NP102X19 作为激动井，NP12-58，NP12-198，NP12-50 作为观察井，对 NgⅣ②3 储层进行氮气脉冲式注气，监测 F2 断层及盖层的压力反应，由此获得储层特性及盖层中的压力响应状况，计算储层连通参数（渗透率、流动系数、导压系数、弹性储能系数等），评价断层垂向和侧向封闭能力。注气作业及监测见表 1 及图 1。

表 1　南堡 M 号储气库干扰试井方案

激动井（注气井）	监测井	干扰试井目的
NP102X19（NgⅣ②3）	NP12-58	监测盖层密封性
	NP12-198	监测断层纵向密封性
	NP12-50	监测断层侧向密封性

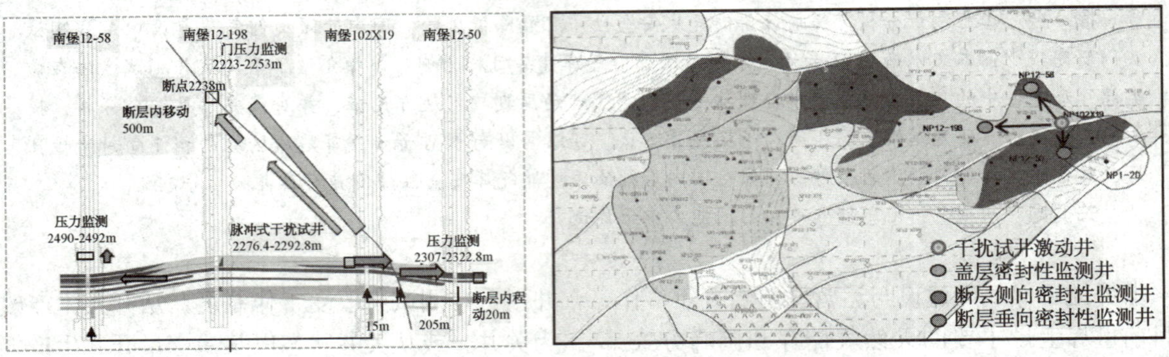

图 1　NP102X19 井干扰试井示意图

3.2　注气量及脉冲周期确定

脉冲试井设计中的关键参数包括激动井注入量、井距、井间渗透率、储层厚度、孔隙度、地层温度、地层压力、气体黏度、气体相对密度、气体体积系数、气体压缩系数、地层压缩系数等参数。为了确保脉冲干扰试井设计结果的可靠性，需要遵循一定的原则确定各个参数见表 2。

表 2　干扰井组基础参数

激动井	井号	井距/m	厚度/m	孔隙度/%	地层温度/℃	地层压力/MPa	渗透率/（$10^{-3}\mu m^2$）	气体粘度/（mPa·s）	体积系数	压缩系数/MPa^{-1}
NP102X19	NP12-198	525	22.2	27	85.7	13.49	585.17	0.019556	0.0013	0.0786
	NP12-50	240	13.6	27	85.7	13.49	288	0.019	0.0013	0.08

1. 激动井日注气量的确定

激动井日注气量一般按照公式（1）计算，从该公式的相关计算参数可知，注气量与压力的响应幅度、脉冲比，体积系数，粘度、储层渗透率关系密切。

$$\Delta P=1.84\times10^{-3}qB\mu[\Delta P_d(t_L/\Delta t_c)^2]/Kh(t_L/\Delta t_c)^2 \quad (1)$$

式中，ΔP 为压力响应幅度（压力计分辨率），MPa；q 为注气量，万 m^3/d；B 为气体体积系数；μ 为气体黏度，mPa·s；K 为储层渗透率，$10^{-3}\mu m^2$；h 为储层厚度，m；$\Delta P_d(t_L/\Delta t_c)^2$ 为选定脉冲比对应的第一个奇脉冲或偶脉冲分析图中曲线最大值对应的纵坐标；$t_L/\Delta t_c$ 为选定脉冲比对应的第一个奇脉冲或偶脉冲分析图中曲线最大值对应的横坐标。

根据脉冲干扰试井设计标准，当干扰试井的脉冲比（一次开井时间/脉冲长度时间）最优取值为 0.3 时能够满足各类储层连通干扰压力信号的准确获取，但因南堡 1-29 区块砂体物性较好，干扰信号传递速度快，可以在较短的激动时间下获得干扰压力响应，同时为节约注气费用，将南堡 1-29 储气库干扰试井的脉冲比定为 0.5，则 $\Delta P_d(t_L/\Delta t_c)^2$ 取值为 0.0034，$t_L/\Delta t_c$ 取值为 0.092，$K=60\times10^{-3}\mu m^2$，黏度 = 0.0194mPa·s，压力计分辨率为 0.001MPa（较目前使用的高精度压力计分辨率降低 1 个数量级），激动井日注气量为 20 万 m^3/d。

2. 干扰试井时间的确定

激动井为 NP102X19，监测井为 NP12-198 时，监测断层纵向密封性。该井组进行脉冲干扰试井所用的参数见表 2，根据该基础表采用试井软件的干扰试井设计模块进行模拟，在 20 万

m³/d 的注气量下，干扰压力响应情况模拟结果如图 2 所示，结果表明，该井组可采用 2 个脉冲周期，共 480h（20d），其中 1 个脉冲周期 240h（注气 120h，关井 120h）。干扰压力响应幅度为 0.80Psi，滞后时间 5h。

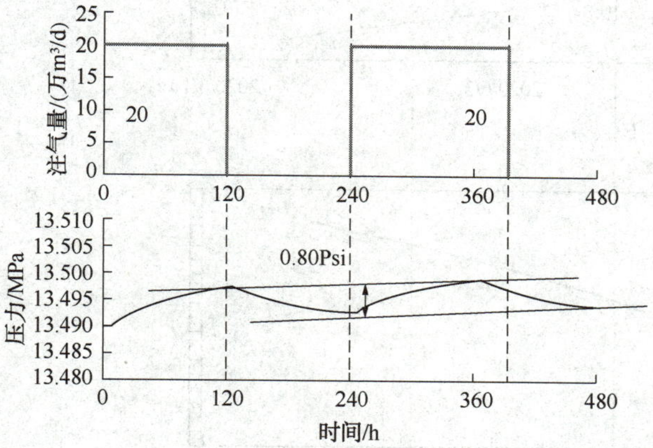

图 2　监测井 NP12-198 井过断点干扰压力响应情况

激动井为 NP102X19，监测井为 NP12-50 时，监测断层侧向密封性。该井组进行脉冲干扰试井所用的参数见表 3，根据该基础表采用试井软件干扰试井设计模块进行模拟，在 20 万 m³/d 的注气量下，干扰压力响应情况如图 3 所示，结果表明，该井组可采用可采用 3 个脉冲周期，共 240h（10d），其中 1 个脉冲周期为 80h（注气 40h，关井 40h），日注气量 20 万 m³/d。干扰压力响应幅度为 1.62psi，滞后时间 1.3h。

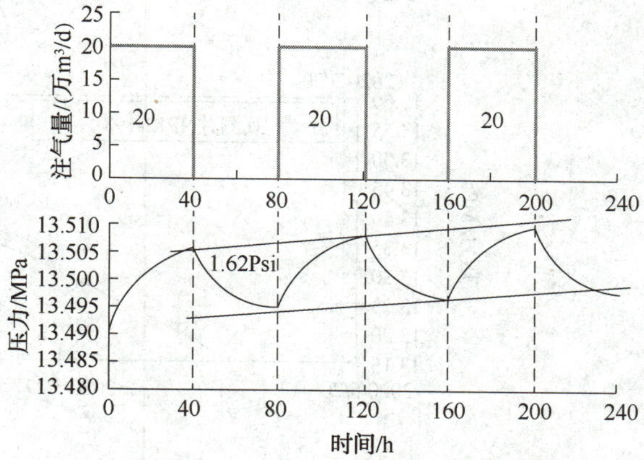

图 3　监测层 NP12-50 井 17-18# 干扰压力响应情况

表 3　南堡 M 号储气库单井组干扰试井方案要点

激动井	监测井	干扰试井目的	单周期	周期数（轮）	施工周期/d	激动井日注气量/（万 m³/d）
NP102X19	NP12-198	监测 F2 断层纵向密封性	120~120h（5~5d）	2	480h（20d）	20
	NP12-50	监测 F2 断层侧向密封性				

因两口监测井共用一口激动井，且激动井日注气量一致，为了同时兼顾两口监测井的压力干扰效果，确定将所需激动时间较长监测井的干扰时间作为整体脉冲干扰试井的实施时间。因此，整体实施方案选用激动井为 NP102X19、监测井为 NP12-198 时确定的干扰试井参数，激动井日注气量 20 万 m³/d，2 个脉冲周期，1 个脉冲周期 240h（注气 120h，关井 120h），共 480h（20d），总注气量 200 万 m³/d。

3. 干扰试井方案确定

激动井为 NP102X19，激动井日注气量 20 万 m³/d，采用 2 个脉冲周期，共 480h（20d），其中 1 个脉冲周期 240h（注气 120h，关井 120h）。

3.3　试井结果分析

在激动井注入期间（图 4），储层横向监测井 NP12-50 压力仍然沿着背景压力下降趋势在下降，未见典型的周期性波动信号；同时监测井 NP12-198 上升趋势较背景压力上升趋势未见明显改变；整个干扰试井期间，两口监测井均未见典型的脉冲式干扰信号波形态出现；判定两口监测井未收到来自激动井的干扰信号。

1. 储层横向连通性

对 NP12-50 井监测压力曲线进行放大处理，如图 5 所示可看出：NP12-50 井出现波动时的压力都是轻微的下降，若为激动井的激动信号，则应是先上升再下降；压力见有五次微小波动，且每一次波动时间间隔都远小于 240h，而干扰信号的波动周期为 2 个，周期时间为 240h，同时证实 NP12-50 井与周边 2 口采油井存在连通关系，此种压力波动应来自采油井，故判定此微弱变化不是来自激动的干扰。

2. 盖层垂向密封性

对 NP12-198 井监测压力曲线进行放大处理，如图 6 所示可以看出：压力曲线整体呈上升趋势，在 5 月 28 日 7：14 后，恢复速率发生变缓，直至关井结束，无周期性变化特征；若为激动井的激动信号，则应是先上升再下降，故判定此微弱变化不是来自激动的干扰。

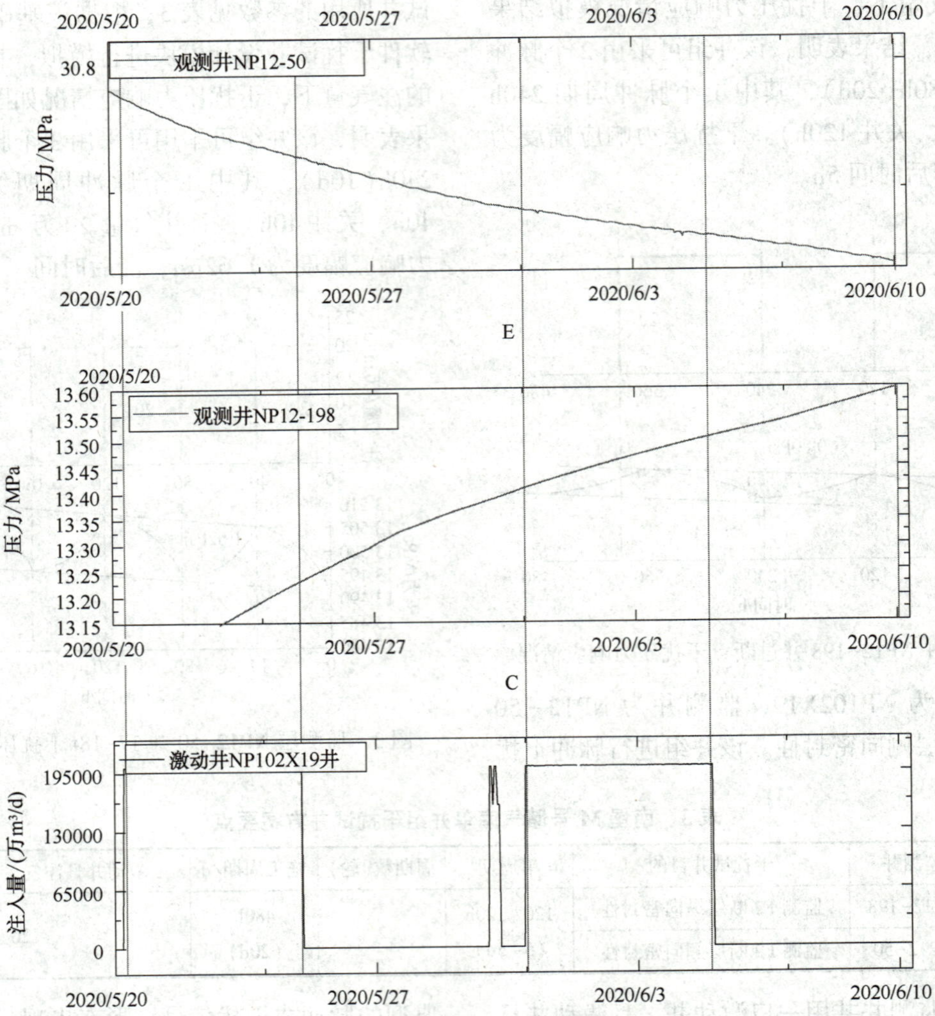

图 4　实测干扰井压力-注入量图

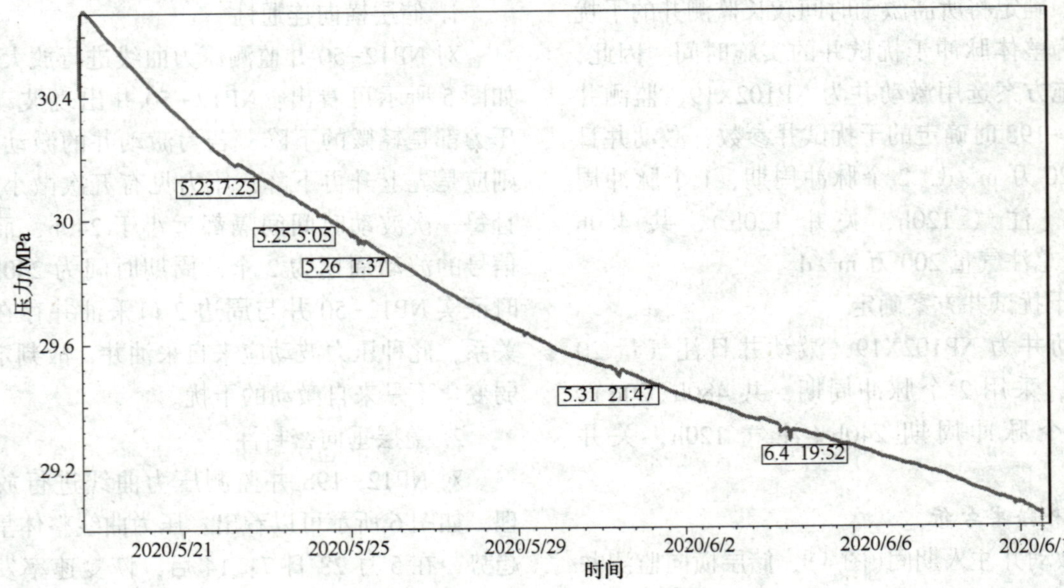

图 5　NP12-50 井压力曲线放大图

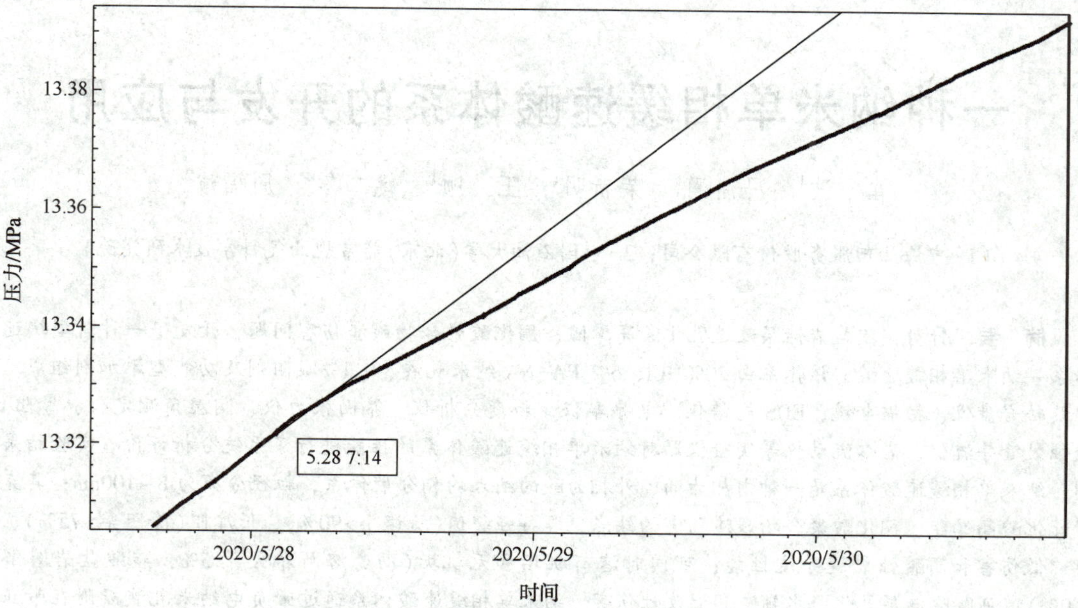

图 6　NP12-198 井压力曲线放大图

由压降曲线获得的实际有效渗透 $56.8\times10^{-3}\mu m^2$，重新计算干扰试井理论时间为：

$$\delta_P=\frac{1.84\times10^{-3}qB}{Kh/\mu}\left\{\frac{1}{2}Ei\left(-\frac{\phi\mu C_t l^2}{14.4Kt}\right)\right. \quad (1)$$

式中：E_i 为压力计分辨率（去 0.0003MPa），MPa；t 为测试时间，h；r 为井距 240m。

查阅幂积分函数表，可以得到最少测试时间为 55.46h。

3. 连通性分析

由以上计算可知，120h 的激动已经远远超过最少测试时间，因此，测试时间已经足够满足测试信号的录取。

从 NP12-198 井监测的压力脉冲信号来看，压力曲线整体呈缓慢上升趋势，放大信号见压力恢复速率发生变缓，与脉冲信号不一致，故认为未接收到激动井干扰信号。

利用激动井 NP102X19 井关井压降数据计算的两井之间最少激动时间为 55.46h，设计的激动时间 120h，足够满足干扰信号的录取，通过分析证实两口监测井均未收到干扰信号。

激动井 NP102X19 井与监测井 NP12-50 井、NP12-198 井之间未见明显干扰信号，证实井间不存在连通关系，F2 断层起到纵向及侧向密封作用。

4. 矿场实践

南堡 M 号储气库 2021 年 9 月 28 日 F2 断层北侧注气井开始注气，于同年 10 月投入示踪剂，截至 2022 年 10 月注气期结束，断块南侧监测井 NP12-50 井未有见剂反应，再次证明了 F2 断层侧向密封作业。

4 结论

为了保证建库过程中的安全，针对冀东 M 号储气库的地质体薄弱点开展了注气脉冲式干扰试井现场试验研究，干扰试井结果分析表明，冀东油田 M 储气库建库区 F2 断层纵向及侧向密封作用良好。矿场试注后，示踪剂结果验证了干扰试验结果的可靠性。

参 考 文 献

［1］丁国生，李春，王皆明，等．中国地下储气库现状及技术发展方向［J］．天然气工业，2015，35（11）：107-112.

［2］曾大乾，胡宗全，糜利栋，等．不同类型地下储气库库址评价标准体系及筛选平台［J］．天然气工业，2022，42（S1）：117-124.

［3］孙彦春，何海燕，仲学哲，等．注水开发油藏改建储气库微观渗流机理研究［J］．中国石油和化工标准与质量，2021，41（11）：120-121.

［4］高树生，何书梅．天然气能源在地下储气库的存储及利用［［J］．岩土力学，2003，24（s）：403-407.

［5］庄惠农．气藏动态描述和试井（第二版）［M］．北京：石油工业出版社，2009：265-282.

一种纳米单相缓速酸体系的开发与应用

崔　波[1]　冯浦涌[1]　荣新明[1]　王　顺[1]　姚二冬[2]　周福建[2]

（1. 中海油田服务股份有限公司；2. 中国石油大学（北京）非常规油气科学技术研究院）

摘　要　针对碳酸盐岩储层改造乳化酸高摩阻、稠化酸聚合物残渣伤害问题，开发了一种新型缓速酸体系—纳米单相缓速酸，该体系由20%HCl、5% PA-NA 纳米乳液、0.1%减阻剂及功能型添加剂组成。采用旋转岩盘仪、扫描电镜、EDS能谱仪、电导率仪、粒度分析仪、界面张力仪、润湿角测定仪、摩阻仪、酸蚀裂缝导流仪、岩心流动仪等实验仪器对纳米单相缓速酸体系的性能进行了系统分析评价。实验结果表明，纳米单相缓速酸体系是一种内相为油、外相为酸的纳米均相分散体系，粒径分布为8~100nm；其克服了乳化酸高摩阻、稠化酸聚合物残渣伤害的缺点，具备强缓速（缓速率>90%）、低摩阻（降阻率>75%）、低黏、低伤害和高酸蚀裂缝导流性能；可同时溶有机垢和无机垢（沥青溶解率大于5%，碳酸盐岩溶解率100%）；可解除储层乳化、水锁、润湿改性伤害。纳米单相缓速酸体系通过带负电纳米乳液吸附在带正电灰岩表面，建立酸岩“隔离屏障”，实现强缓速；通过差异化酸蚀及粘性指进，实现高酸蚀裂缝导流；通过纳米乳液特殊油水互溶结构，实现有机垢和无机垢同时解除。该体系在现场成功应用，对碳酸盐岩储层储层深部改造及多重伤害解除具有重要意义。

关键词　单相缓速酸；纳米分散体系；强缓速；低摩阻；低伤害

随着开发向储层深层推进，对酸液缓蚀、伤害和降阻性能要求越来越高。乳化酸和稠化酸作为典型的缓速酸体系，已规模化应用于碳酸盐岩储层酸化酸压中，但乳化酸存在高摩阻、稠化酸存在聚合物残渣伤害问题。如何再进一步降低酸-岩反应速率、降低酸液摩阻，减少酸化酸压过程本身对储层的损害时新型酸液体系发展的重要方向。此外，在酸化解除无机垢的同时，往往伴随着油相的乳化、储层的水锁和有机垢伤害等问题，对酸液的功能要求也越来越高。亟需开发多功能于一体的新型酸液体系。

表面活性剂酸液体系具有多功能特性，逐渐引起了国内外学者的广泛关注。该体系具有与普通盐酸一样高溶解力和低黏度，并且具有与乳化酸相似的缓速率，这种新体系称为单相缓速酸（SPRAS）。它通过使用合适的水溶性表面活性剂有效降低盐酸在水溶液中的反应活性。Sayed报道了一种单相酸体系，由烷基磺酸和强酸混合物组成，具备低黏、低摩阻及高缓速性能。Qamruzzaman报道了一种单相缓速酸体系，由盐酸、EDTA、两性表活剂和氯化镁组成，具有低反应速度、高溶蚀性和低黏特点。但在该类体系中，表活剂作为缓速剂使用，它的缓速有效半径尚不明确，也未报道它解除有机垢方面的性能。鉴于表面活性剂在储层中吸附较为严重的问题，仍需要进一步探究和改进它的性能。

纳米乳液是一种油水互溶微乳液，由水相、油相、表面活性剂和助表面活剂组成，具有润湿改性、低界面张力、剥离油膜、强化渗吸等优点，逐渐成为国内外学者重点研究的新型提高采收率技术之一。单相纳米乳液是一个均匀相体系，具有较低的油/水界面张力，良好的润湿、铺展、沉积和渗透性。纳米乳液的油核具有束缚表面活性剂的作用，使其较常规表面活性剂在岩石表面吸附量相对较少，有效穿透半径更远。Penny等通过填砂管实验，对比了氟碳、壬基酚、烷基乙氧基表面活性剂和纳米乳液，结果发现单相纳米乳液只需要通过3个孔隙体积即可吸附完全，但普通表面活性剂需要6个孔隙体积才能吸附完全。纳米乳液的这些特性有效解决了常规表面活性剂性能的不足，对于新型单相缓速酸的研究具有重要借鉴意义。

本文结合纳米乳液的优点及碳酸盐岩储层酸化酸压工作液存在的问题，开发了一种新型纳米单相缓速酸体系 CPA-SPRA。并以乳化酸和胶凝酸作为对比，对单相缓速酸体系 CPA-SPRA 的缓速率、摩阻、粘度、酸蚀裂缝导流、岩心伤害、溶垢等性能进行了系统分析评价，对单相缓速酸体系 CPA-SPRA 强缓速、高酸蚀裂缝导流、低伤害及溶混合垢机理进行了探讨。

1　实验部分

1.1　实验材料

盐酸、胶凝酸、乳化酸、转向酸、单相缓速酸、芳烃溶剂、变粘滑溜水，为中海油田服务服份有限公司生产，各体系的主要成分见表 1。

岩样为 Indiana 低渗孔隙型石灰岩露头，其孔渗及力学参数见表 2。

表 1　酸液主要成分

体系	体系配方
盐酸	20%HCl
胶凝酸	20%HCl+0.8%稠化剂
单相缓速酸	20%HCl+5%PA-NA 纳米乳液+0.1%减阻剂
转向酸	20%HCl+6%VES
乳化酸	酸物质的量浓度相同
变粘滑溜水	水+0.8%减阻剂

表 2　实验岩样孔渗及其力学参数

岩样来源	渗透率/$10^{-3}\mu m^2$	孔隙度/%	抗压强度/MPa	杨氏模量/GPa	泊松比
Indiana 石灰岩露头	1.89	20.4	42.0	13.174	0.224

1.2　实验仪器

旋转圆盘仪，美国岩心公司(Core Lab)制造，型号为 CRS-500 型；高分辨率发射场扫描电镜，日本日立(HITACHI)公司制造，型号为 SU8010；电导率仪，上海仪电科学仪器股份有限公司，型号为 DDS-307 型；激光纳米粒度仪，英国马尔文公司，型号为 Nano ZS；界面张力仪，德国 dataphysics 公司，型号为 DCAT 25；润湿角测定仪，上海中晨数字技术设备有限公司，型号为 JC2000C 系列；耐酸摩阻测试仪，湖北创联石油科技有限公司制造，型号为 HC-1；酸液刻蚀实验设备，江苏拓创科研仪器有限公司制造，型号为 SH-6 型；裂缝导流测试系统，美国岩心公司(Core Lab)制造，型号为 FCS-842 型；岩心流动仪，美国岩心公司(Core Lab)制造，型号为 CFS-10000 型。

2　纳米单相缓速酸体系的制备

首先，制备纳米单相缓速酸需要制备纳米乳液。通过拟三元相图制备纳米乳液体系 PA-NA，根据油相(O)、酸相(W)、表面活性剂(S)+助表面活性剂(A)的比例进行三相图的绘制。室温下，固定油相(O)的加量，固定非离子表面活性剂(S1)与阳离子表面活性剂(S2)的质量比，固定表面活性剂(S，S=S1+S2)与助表面活性剂(A)的质量比。将不同比例下的液体进行离心，然后进行观测，观察体系由澄清透明(一相)变为混浊(二相)的相变过程，在每次发生相变的同时记录所滴加盐酸的量，以 O、S+A、W 为三相，绘制拟三元相图(图 1)。确定 PA-NA 纳米乳液的组成为：含芳烃溶剂的油核 5%～15%、表面活性剂 30%～50%、助表面活性剂 10%-30%及余量的水。由 PA-NA 纳米乳液相图可知，在图 1 的画圈标记区域，配方用水稀释，可始终保持单相区域，稀释后用于碳酸盐岩储层酸化酸压较为理想。

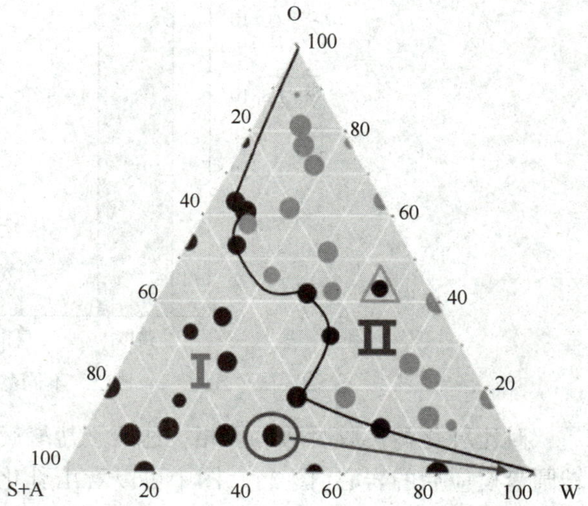

图 1　PA-NA 纳米乳液三相图

其次，采用 5%的 PA-NA 纳米乳液在 20%的盐酸中稀释得到纳米单相缓速酸体系。考虑体系的降阻性能，添加了相互配伍的 0.1%阳离子型聚丙烯酰胺减阻剂。另外，考虑酸液体系腐蚀、破乳、储层粘土矿物水化膨胀及分散运移等，配套添加功能型添加剂，如：缓蚀剂、破乳剂、黏稳剂等。

3　单相缓速酸体系性能评价

3.1　缓速性能及粘度测试

以盐酸、稠化酸和乳化酸为对比，测定单相缓速酸体系静态酸岩反应速率。实验条件为40℃，8.5MPa 氮气压力。将 1in 2cm 长的 Indiana 石灰岩烘干后包裹热塑管，加入高温高压反应釜中，反应 60min。通过反应前后称重计算缓速率，实验结果见表 3。表中可以看出单相缓速酸体系缓速能力可达 93.2%，高于稠化酸，略低于乳化酸。粘度测定结果显示单相缓速酸粘度为 4.9mPa·s，略高于盐酸体系，远低于稠化酸和乳化酸。

表 3　酸液缓速率测定

体系	体系配方	黏度(170s-1，25℃)	缓速率/%
对照组	20%HCl	1.6mPa·s	—
单相缓速酸	20%HCl+5%PA-NA 纳米乳液+0.1%减阻剂	4.9mPa·s	93.2
胶凝酸	20%HCl+0.8%稠化剂	48.7mPa·s	71.3
乳化酸	酸物质的量浓度相同	56.6mPa·s	96.8

3.2　酸岩反应动力学参数测定

以盐酸、稠化酸和乳化酸为对比，采用旋转岩盘仪测定单相缓速酸酸岩反应动力学参数。对比单相缓速酸与常规酸液体系的酸岩反应传质系数(图 2)。从酸岩反应传质系数对比可见，单相缓速酸酸岩反应传质系数相比盐酸下降一个数量级，和胶凝酸及乳化酸处于同一数量级，可以实现缓速深部酸化的效果。

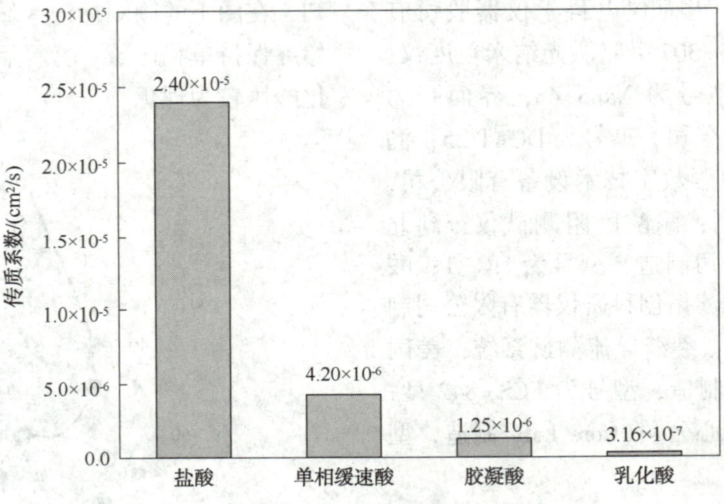

图 2　不同酸液传质系数对比图

对比乳化酸、胶凝酸、单相缓速酸、盐酸旋转圆盘反应后的岩心(图 3)。图中可以看出乳化酸和胶凝酸由于较好的缓速效果，岩心表面并未观测到不均匀的溶蚀现象。盐酸和单相缓速酸粘度较低，其流体的雷诺数远小于乳化酸和胶凝酸，在注入过程中更容易产生湍流流动，形成了非均匀酸蚀，这种由差异化流速分布导致的非均匀酸蚀对于酸压导流能力的提升有重要作用。

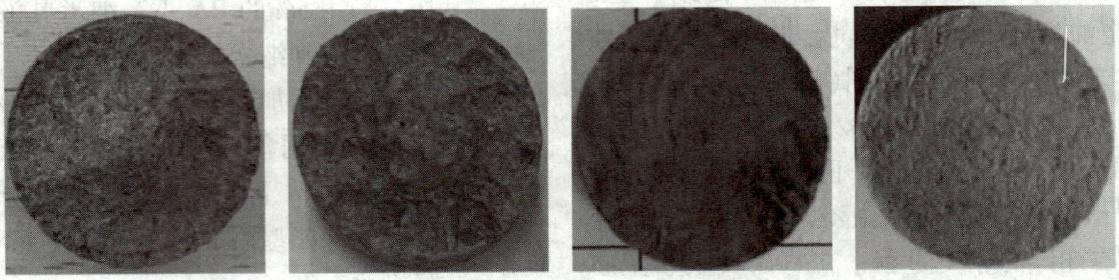

(a)盐酸　(b)单相缓速酸　(c)胶凝酸　(d)乳化酸

图 3　不同酸液反应后岩心端面照片

3.3 缓速机理分析

通过扫描电镜和 EDS 能谱仪分析岩心酸蚀情况，研究单相缓速酸的缓速机理。单相缓速酸酸蚀前后岩心端面电镜扫描如图 4，EDS 能谱分析如图 5 和表 4。电镜扫描显示岩心酸蚀前颗粒独立分布，微米级粒间孔隙，EDS 能谱分析表明，钙、碳、氧原子数比接近 1 ∶ 1 ∶ 3(碳酸钙)，含有少量铝原子(黏土杂质)。岩心酸蚀后电镜观察表明，有机质存在于孔隙和孔喉处，开裂处多为残酸渣干燥后裂开。EDS 能谱分析开裂处，碳原子数占总数 41.49%，表明该处存在有机物吸附，有机物吸附是单相酸缓速缓速的重要机理。

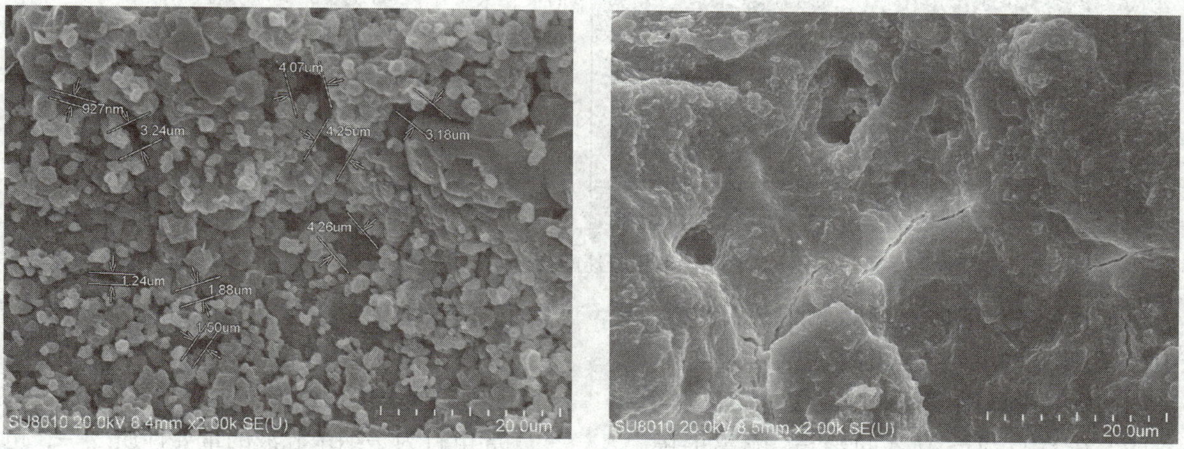

酸蚀前　　　　酸蚀后

图 4　岩心酸蚀前后电镜扫描(左图-酸蚀前，右图-酸蚀后)

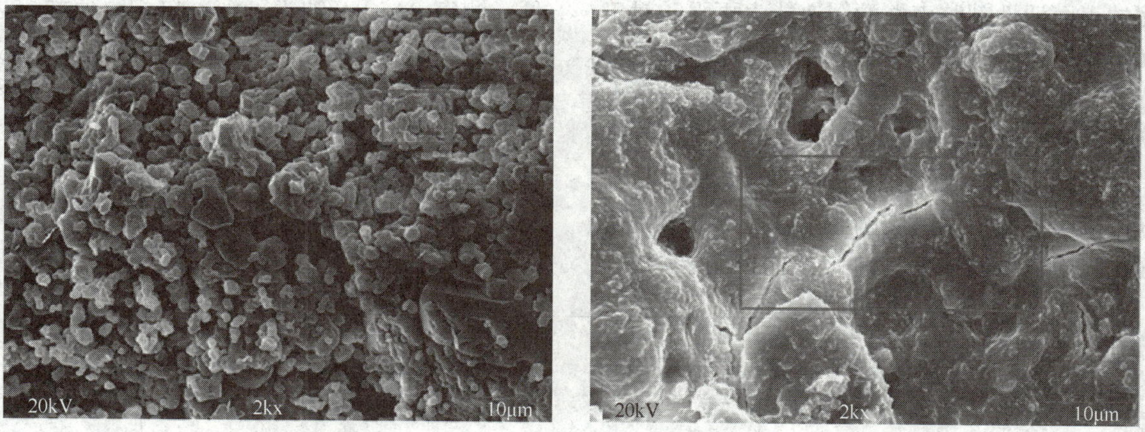

酸蚀前　　　　酸蚀后

图 5　岩心酸蚀前后 EDS 能谱分析(左图-酸蚀前，右图-酸蚀后)

表 4　岩心酸蚀前后 EDS 能谱分析数据表

Element	酸蚀前		酸蚀后	
	Atomic/%	Conc/wt%	Atomic/%	Conc/wt%
C	15.67	9.57	41.49	24.68
O	65.62	53.42	27.01	21.40
Al	1.73	2.38	4.92	6.58
Ca	16.98	34.63	10.77	21.37
Si			4.96	6.90
Cl			10.86	19.07

目前，对于灰岩润湿性的认识尚不统一，但较为一致的认识是，表面没有原油作用的灰岩呈水湿状态，带正电；而灰岩中的孔隙在原油中酸性物质的作用下呈油湿的状态，表面带负电。在酸液体系设计过程中主要考虑的是酸液与新压开的裂缝表面岩石间的相互作用，这部分岩石大多未经原油浸泡，属于水湿状态，表面带正电荷。因此，必须通过筛选在岩石表面吸附能力较强的油核和带负电的油核添加剂来实现吸附缓速。这与 Wu 等对油核添加剂与纳米乳液吸附量相关的研究结论同样一致。此外，Lucas 等的研究也证

实了纳米乳液在岩石表面上的吸附是以“水包油”液滴的形式实现的。结合 Kumar 等对纳米乳液在储层中微观结构的描述，对带负电纳米乳液在酸岩反应过程中的吸附行为绘制如图 6 所示。

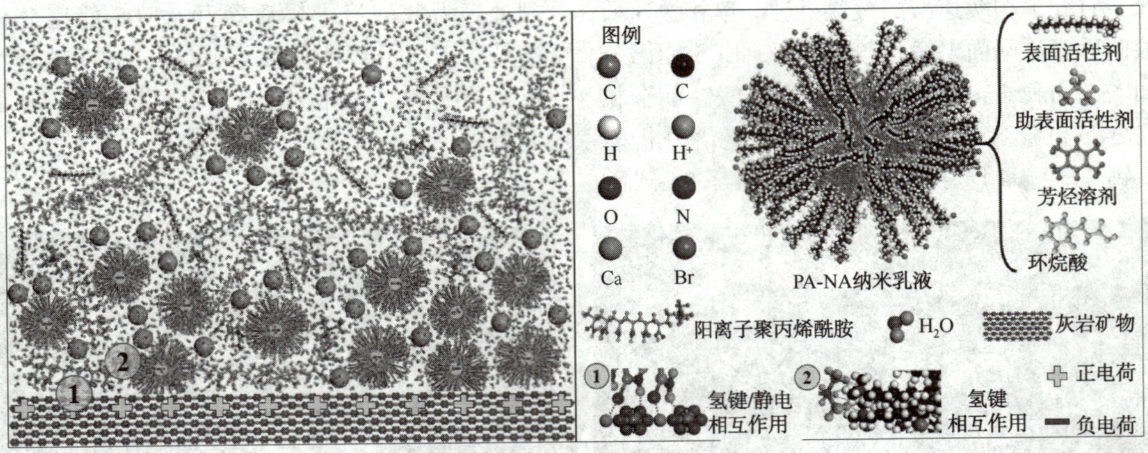

图 6　单相缓速酸缓速示意图

对于常见条件下酸液与灰岩的反应而言，降低 H^+ 传质速度的主要技术思路包括两大类：

(1) 提高酸液黏度，如胶凝酸、交联酸等。

(2) 在岩石与酸液之间塑造“隔离屏障”，如乳化酸、表面活性剂胶束酸等。由于液相可控性较强，通过隔绝 H^+ 传质的乳化酸比隔绝岩石表面的表面活性剂胶束酸的缓速能力更强。对于本文单相缓速酸，其由于黏度低，缓速机理属于第二类。具体包括：①在静电力作用下，带负电性纳米乳液吸附在带正电性的灰岩表面，建立了酸岩“隔离屏障”；②纳米乳液的亲水基团与降阻剂阳离子型聚丙烯酰胺的亲水基团形成氢键协同强化吸附，协同体酰胺键上的 NH 可以与灰岩表面碳酸根上的氧形成氢键，强化了隔离屏障，进一步降低 H^+ 传质速度。

3.4　体系相连通性分析

导电行为是纳米乳液的重要性质之一，电导测量还是区分乳状液类型的经典方法。通常 O/W型具有较大的电导率，而 W/O 型电导率较低。测定 PA-NA 纳米乳液、单相缓速酸、去离子水、20%盐酸溶液和芳烃溶剂的电导率，实验结果如图 7 所示。结果显示，PA-NA 纳米乳液电导率介于 20%盐酸溶液和芳烃溶剂之间，单相缓速酸电导率接近 20%盐酸溶液，表明 PA-NA 纳米乳液和单相缓速酸为水包油微乳液体系。

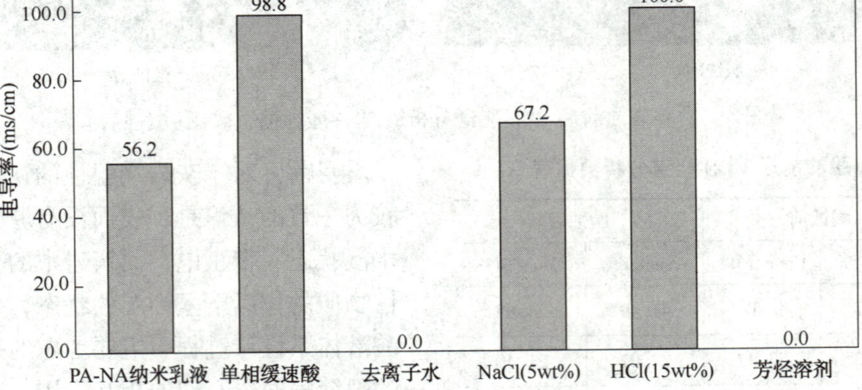

图 7　电导率实验数据

3.5　体系微纳米结构分析

采用激光粒度分析仪对 PA-NA 纳米乳液、单相缓速酸和单相缓速酸残酸粒径及分布进行了测定，实验结果如图 8 所示。PA-NA 纳米乳液体系、单相缓速酸、单相缓速酸粒径大小均分布在 8~100nm 之内，粒径中值约为 20nm，在单相微乳粒径范围内。酸岩反应后，水包油的微乳结构不会被破坏，粒径几乎不发生变化。另外，向超的实验结果也证实，在油水存在的条件下，纳米乳液在通过岩心后能够保持其粒径的稳定性。这说明通过合理的配方设计，可以实现大部分纳米乳液在储层流动条件下不发生结构破坏。

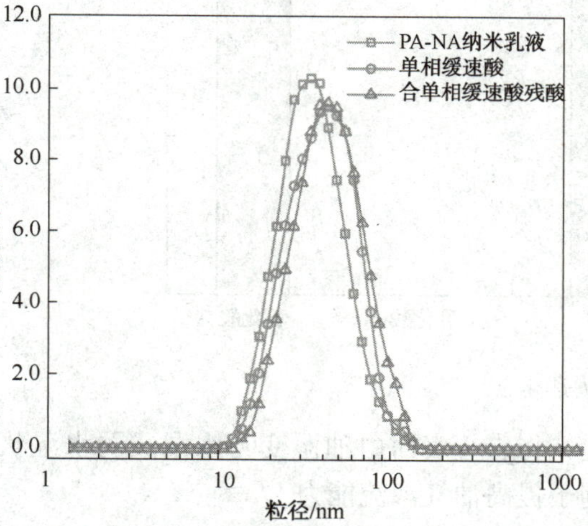

图 8　PA-NA 纳米乳液、单相缓速酸及单相缓速酸残酸粒径分布图

3.6　溶有机垢、无机垢及混合垢性能

油水井污染物可分为有机沉积物和无机沉积物，有机沉积物主要为原油中的石蜡和沥青质等组分，由于多相流中的相平衡变化或者储层改造措施中注入的溶剂、气体、酸液等不相容的体系改变了原油组成从而引发重质油沉淀，并引发储层润湿性变化。无机沉积物主要由于管线和设备的腐蚀，使铁离子逐渐被氧化，形成了氢氧化铁和氢氧化亚铁沉淀，另外，地层水矿化度高，当注入水与地层水不配伍时，会产生无机垢。研发同时溶解有机垢、无机垢及其混合垢的酸液体系是近年来增产改造的重点方向之一。

采用沥青块模拟有机垢，灰岩模拟无机垢，沥青和碳酸钙 3∶7 混合物模拟混合垢。混合垢样制作步骤：①将沥青块敲成小块放入烧杯，②150℃控温磁力搅拌器将沥青融化为液态，③将液态沥青趁热导入塑料试管中，④再按比例加入碳酸钙，在沥青凝固前搅拌均匀，⑤得到比表面积接近混合垢(沥青碳酸钙质量比为 3∶7)。

分别对 20% HCl、芳烃溶剂、PA-NA 纳米乳液、单相缓速酸溶解有机垢、无机垢及其混合垢性能进行测试，反应条件：90℃水浴，20g 溶液，2g 垢样，溶解 4h。实验结果见表 5，表中可以看出，单相缓速酸对混合垢溶解效率远高于单一解堵体系，具备同时解除有机垢、无机垢及其混合垢的能力。纳米单相缓速酸中具有数量庞大、分散均匀的纳米油滴，使其具备了快速溶解有机垢的能力。可以推测如果纳米单相缓速酸中加大 PA-NA 纳米乳液的用量，其溶解有机垢的能力将得到加强。

表 5　溶解有机垢、无机垢及其混合垢数据

解堵液	溶解有机垢效率/%	溶解无机垢效率/%	溶解混合垢效率/%
PA-NA 纳米乳液	88.92	0	22.42
单相缓速酸	6.91	100	75.26
20%HCl	0	100	56.88
芳烃溶剂	100	0	25.69

3.7　乳化测试分析

纳米乳液体系的优势之一是其防乳化功能。将单相缓速酸与原油高速搅拌混合制备乳状液，油水比 3∶2。分别加入 0.8%、1.0%、1.5%二酸二辛脂磺酸钠破乳剂，水浴 90℃，静态放置，每隔 10min 测量析出量，计算破乳率，实验结果如图 9 所示。加入 1%破乳剂后，单相缓速酸破乳率 1h 内可达到 90%以上。

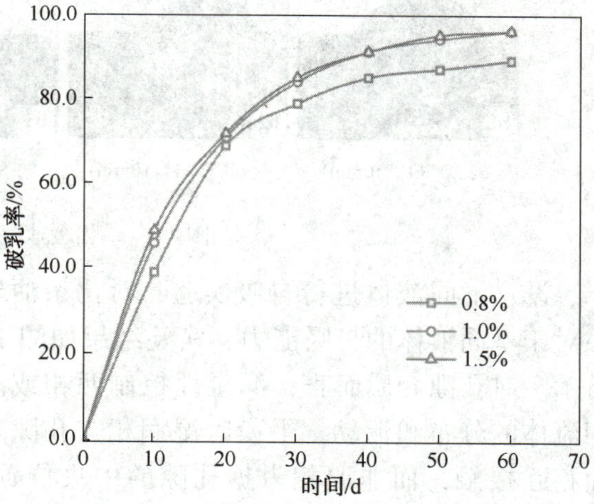

图 9　单相缓速酸破乳率测试

3.8　界面张力测试

以盐酸、稠化酸和乳化酸为对比，采用界面张力仪测定 PA-NA 纳米乳液和单相缓速酸界面张力，实验结果如图 10 所示。数据可以看出，乳化酸为油包水乳液，界面张力为 0；PA-NA 纳米乳液为水包油纳米乳液，具有较高的增溶能力，界面张力为 0；盐酸和稠化酸界面张力接近，约为 30mN/m；单相缓速酸界面张力为 0.003mN/m，远低于常规酸液体系。

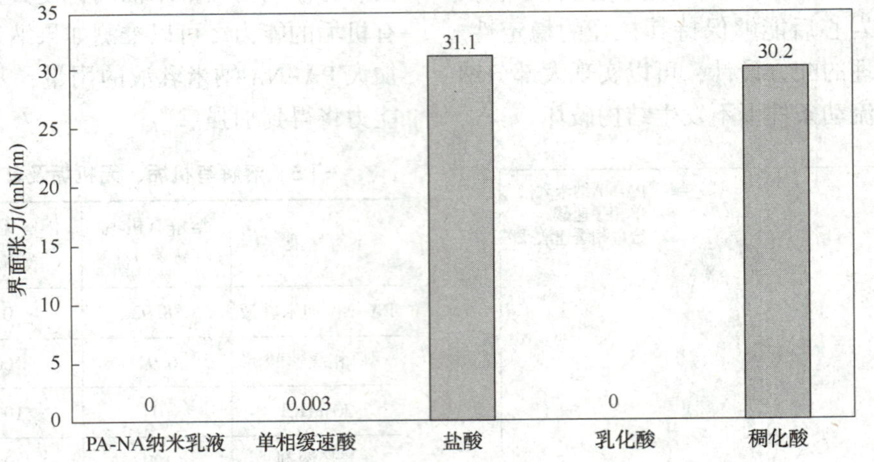

图 10 界面张力测定

3.9 润湿反转及自吸测试

纳米乳液对岩石的润湿性有较大影响，地下碳酸盐岩由于受到原油中的极性物质(胶质和沥青质等)的影响，使得水湿的岩心被转换为偏油湿的状态。添加 PA-NA 纳米乳液后，PA-NA 纳米乳液的油核及表面活性剂会吸附在油湿层上，将岩心表面由油湿变为水湿或弱水湿状态，利于提高油气渗流能力。

采用接触角测定仪对单相缓速酸的润湿角进行测定，结果如图 11 所示。接触角测试结果显示：单相缓速酸可将油湿的碳酸岩(接触角~120°)润湿改性为弱水湿(接触角~70°)。

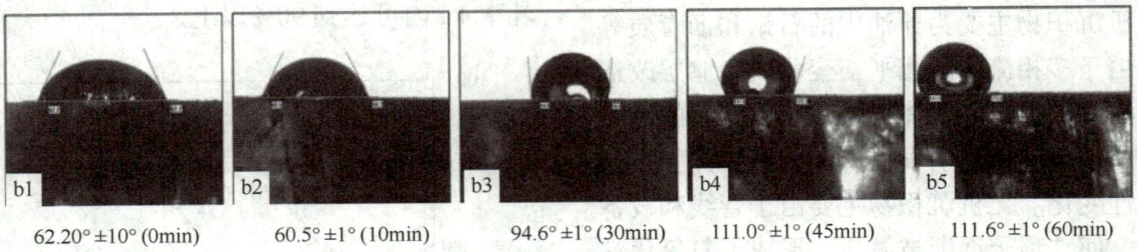

图 11 单相缓速酸对油湿碳酸岩心的润湿改性

设置不同液体进行自吸实验，对比亲油岩心对于不同液体的自吸能力，实验结果如图 12 所示。对孔隙介质而言，润湿性控制两相或多相流体的分布和流动。平衡时湿润相与孔隙表面相互接触，而非湿相占据孔隙的中央位置，介质中发生两相或多相流动时，毛管力与湿相流动方向一致，是非湿相自发进入岩心介质驱替润湿相的阻力，对于油湿岩心介质，很难发生水的自吸。从实验结果可以看出，单相缓速酸介于油水两条曲线之间，自吸效果约为 NaCl 溶液的两倍。

3.10 单相缓速酸摩阻测试

采用摩阻测试仪测定不同酸液体系的减阻率，实验结果如图 13 所示。实验结果可以看出在不加减阻剂的情况下，单相缓速酸体系与水的摩阻相当，表明不加减阻剂情况下，单相缓速酸不具备减阻效果；加入 0.1%(wt)减阻剂后，可明显降低单相缓速酸摩阻，降阻率可达 75%以上，摩阻和稠化酸相当，远低于乳化酸摩阻。

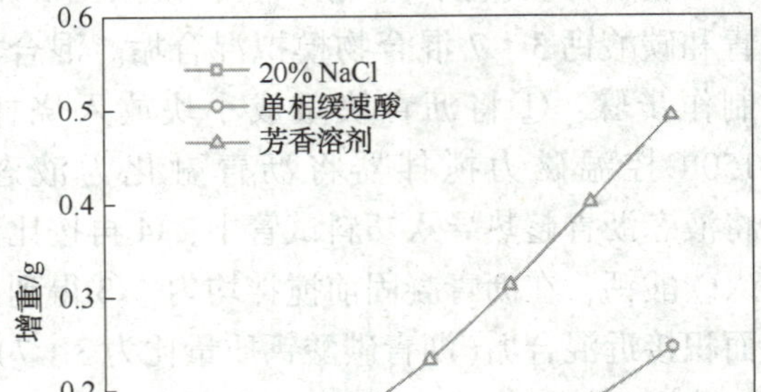

图 12 自吸增重曲线

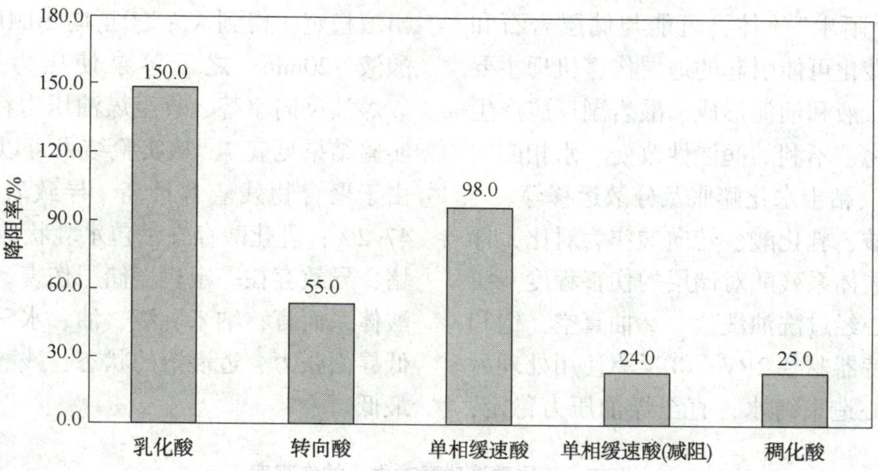

图 13　不同酸液体系摩阻测试

3.11　单相酸缓速酸导流能力测试

酸压成功的关键在于形成能够在地层闭合压力下保持高导流能力的裂缝。而裂缝保持高导流能力的关键在于裂缝面的非均匀溶蚀，同时保持支撑点强度以承受闭合压力。采用稠化酸和乳化酸作为对比，评价了单相缓速酸体系的酸蚀裂缝导流能力。实验方案见表 6，实验温度为 70℃，实验排量设置在 100mL/min。交替注入酸压所用的前置液均为变粘滑溜水。实验结果如图 14 所示。实验结果显示单相缓速酸和与稠化酸与乳化酸的导流能力不在一个数量级，这反应了刻蚀模式的重要性。均匀型刻蚀在低闭合压力下有部分导流能力，随着压力升高导流能力急剧下降几乎为 0。单相缓速酸可形成非均匀刻蚀，高闭合应力下仍然具有很高的导流能力。

表 6　酸蚀裂缝导流能力实验方案

实验变量	实验编号	交替注入酸压液体	注入级数	泵速/(mL/min)	时间/min	总液量/mL	总时长/min
酸液类型	DL-1	变黏滑溜水	3	100	10	6000	60
		单相缓速酸	3	100	10		
	DL-2	变黏滑溜水	3	100	10	6000	60
		盐酸	3	100	10		
	DL-3	变黏滑溜水	3	100	10	6000	60
		乳化酸	3	100	10		
	DL-4	变黏滑溜水	3	100	10	6000	60
		胶凝酸	3	100	10		

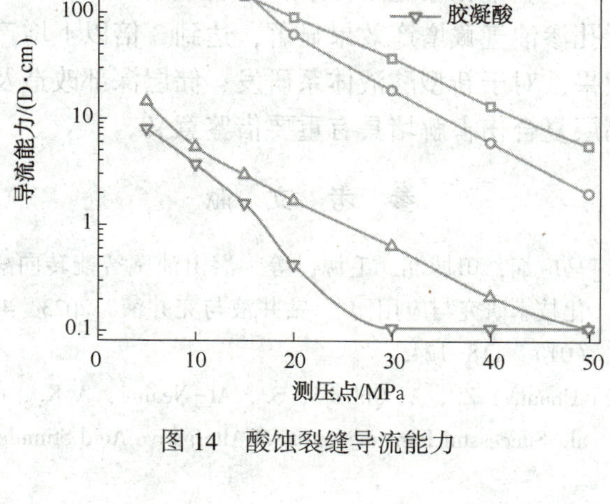

图 14　酸蚀裂缝导流能力

单相缓速酸体系形成高导流能力酸蚀通道机理为：①差异化酸蚀，低黏度酸液体系的雷诺数远高于胶凝酸及乳化酸，这将在注入过程中更容易产生湍流流动，为酸蚀形成更多非均质性。②黏性指进，Gdanski 提出前置液和酸液黏度差异超过 50mPa·s 即可发生显著的黏性指进。变黏滑溜水和单相缓速酸体系黏度差异较大，约为 50mPa·s，多级交替注入时可产生黏性指进，有利于非均匀刻蚀。

3.12　单相缓速酸残酸对储层伤害评价

酸化虽然是常规的储层伤害消除方法，但它本身也可能引发新的储层伤害。实际上，注入的酸液作为一种“陌生”流体，可能与储层岩石和流体不相容。酸化可能引起的地层伤害机理主要有：酸性油乳状液和油泥形成、酸岩副反应产生的不溶性沉淀物、不利的润湿性改变、水相圈闭(尤其是气藏)、粘土水化膨胀及分散运移等。

采用稠化酸、乳化酸、转向酸作为对比，评价了单相缓速酸体系残酸对储层的伤害程度。实验方法为①岩心经过洗油洗盐；②抽真空，饱和盐水，放入夹持器驱替 2PV；③反驱使用处理后的煤油驱替岩心造束缚水，直至煤油压力稳定，出液稳定，得到 K_1；④正向 10MPa 定压驱替残酸液 120min，之后停泵使压力自然恢复 6h；⑤煤油反向驱替，直至煤油压力稳定，得到 K_2。实验结果见表 7，从实验结果可以看出，稠化酸由于聚合物残渣含量高，导致岩心伤害率高达 47.2%；乳化酸存在油包水乳状液滴在孔喉处卡堵，导致存在一定程度储层伤害。对于单相缓速酸体系而言，纳米乳液、油、水三者之间处于超低界面张力、近混溶的状态，残酸对储层伤害率最低。

表 7　不同酸液残酸对岩心的伤害率

岩心编号	酸液类型	PV 数/mL	注入流量/(mL/min)	饱和水驱替压差/$10^{-3}\mu m^2$	残酸注入前后		伤害率/%
					前驱替压差/MPa	后驱替压差/MPa	
DL-5	稠化酸	2.45	0.2	0.42	1.30	2.47	47.2
DL-6	乳化酸	2.35	0.2	0.47	1.63	2.04	19.8
DL-7	转向酸	2.68	0.2	0.36	1.23	1.50	17.6
DL-8	单相缓速酸	2.57	0.2	0.57	1.63	1.90	14.3

4　现场应用

X-1 井为海上油田的一口探井，目的层岩性为生物碎屑灰岩，射孔层位为 4162~4167m，孔隙度 0.2%~7.0%，渗透率低，为致密储层，油藏温度 120℃左右。该井存在的主要污染为钻井液滤液对储层的污染。2023 年 3 月，该井采用单相缓速酸体系进行酸压现场施工，该井产气量从酸压前的 $1000m^3/d$ 增加到酸压后的 3 万 m^3/d。

X-4 井为海上油田一口采油井，目的层岩性为碳酸盐岩，射孔层位为 4786.9~4813.5m，孔隙度 9.6%~13.9%，渗透率(0.3~6.8)×$10^{-3}\mu m^2$，为低孔、低渗-特低渗储层，油层温度约 160℃。该井表皮系数高，分析认为主要污染因素为反凝析液液锁伤害及有机垢伤害。2023 年 7 月，该井采用单相缓速酸体系进行酸化现场施工，该井产油量和产气量分别从酸化前的 $28m^3/d$ 和 1.16 万 m^3/d 增加到酸化后的 $108m^3/d$ 和 4.0 万 m^3/d。

5　结论

(1) 针对乳化酸高摩阻、稠化酸聚合物残渣伤害问题，开发了一种纳米单相缓速酸体系 CPA-SPRA。单相缓速酸体系由 20% HCl、5% PA-NA 纳米乳液、0.1%减阻剂及功能型添加剂组成。

(2) 单相缓速酸体系是一种内相为油、外相为酸的纳米均相分散体系，粒径分布为 8~100nm；其克服了乳化酸高摩阻、稠化酸残渣伤害的缺点，具备强缓速(缓速率>90%)、低摩阻(降阻率>75%)、低伤害(黏度小于 5mPa·s，低聚合物残渣)和高酸蚀裂缝导流性能；可同时溶有机垢和无机垢(沥青溶解率>5%，碳酸盐岩溶解率 100%)；可解除储层乳化(破乳率>90%)、水锁界面张力<0.01mN/m)、润湿改性伤害(油湿改性为弱水湿)。

(3) 单相缓速酸体系通过带负电纳米乳液吸附在带正电灰岩表面，建立酸岩“隔离屏障”，实现强缓速；通过差异化酸蚀及粘性指进，实现高酸蚀裂缝导流；通过纳米乳液油核的增溶作用，实现了同时对有机垢的溶解。

(4) 单相缓速酸体系在现场成功应用，对于低孔渗油气藏增产效果显著，达到 3 倍以上增产效果，对于新型酸液体系研发、储层深部改造及储层复合伤害解堵具有重要借鉴意义。

参考文献

[1]马应娴，田博涵，毛源，等．潜山油藏智能转向酸化技术研究与应用[J]．钻井液与完井液，2023，40(01)：118-124.

[2] Channa，Z.，Al Qubaisi，S.，Al-Neaimi，A.K.，et al. Successful Implementation of Alternative Acid Stimula-

tion in a Low Productive Reservoir in Abu Dhabi Offshore Field. [C]//Society of Petroleum Engineers, 2019.

[3] Daeffler, C. S., del Valle, J. F., Kariampally, J., Elkhoury, J. E., et al. Improving Wormholing Efficiency in Carbonates with a Novel System Based on Hydrochloric Acid. [C]//Society of Petroleum Engineers, 2018.

[4] Wu J, Sickorez J, Street J P, et al. Case Study: SingleAqueous-Phase Retarded Acid Performance Offshore Sarawak. [C]//Society of Petroleum Engineers, 2021.

[5] Mohammed Sayed, Fakuen Chang, and Amy J. Cairns, et al. Lowviscosity single phase acid system for acid fracturing in deep carbonate reservoirs [C]//Society of Petroleum Engineers, 2021.

[6] Mohammed Qamruzzaman, Pooja Nain, Ganesh Mhaske, et al. Novel Single Phase Retarded Acid System for Effective Stimulation of Limestone Reservoirs[C]//Society of Petroleum Engineers, 2023.

[7] 于馥玮, 姜汉桥, 范桢, 等. 油湿多孔介质中 Winsor Ⅰ型表面活性剂体系特征及渗吸机理[J]. 石油勘探与开发, 2019, 46(5): 950-958.

[8] 刘汉斌, 柏浩, 唐梅荣, 等. 纳米变黏滑溜水黏弹携砂机理与渗吸性能[J]. 钻井液与完井液, 2022, 39(5): 638-645.

[9] 张妍, 蓝强, 杨景利, 等. 纳米乳液在油田中的应用[J]. 钻井液与完井液, 2011, 28(02): 76-79.

[10] 冷开齐, 刘卫东, 丛苏男, 等. 微乳液驱提高采收率研究进展[J]. 应用化工, 2022, 51(08): 2390-2395.

[11] 赵雅洁, 侯吉瑞, 屈鸣, 等. 致密油藏纳米微乳液性能评价与驱油机理分析[J]. 油田化学, 2022, 39(2): 338-342.

[12] 刘妙青, 卢建军, 李文英. 非离子型表面活性剂微乳液的制备及影响因素[J]. 太原理工大学学报, 2005, 1(03): 276-278.

[13] Penny G S, ZeleneV A, Lett N. Nano Surfactant System Improves Post Frac Oil and Gas Recovery in Hydrocarbon Rich Gas Reservoirs[C]//Society of Petroleum Engineers, 2012.

[14] Alvarez J O, Saputra I W R, Schechter D S. Potential of Improving Oil Recovery with Surfactant Additives to Completion Fluids for the Bakken[J]. Energy & Fuels, American Chemical Society, 2017, 31 (6): 5982-5994.

[15] Erfani Gahrooei H R, Ghazanfari M H. Application of a water based nanofluid for wettability alteration of sandstone reservoir rocks to preferentially gas wetting condition [J]. Journal of Molecular Liquids, 2017, 232: 351-360.

[16] 李俊键, 刘奔, 郭成, 等. 低渗透储集层表面活性剂胶束溶液助排机理[J]. 石油勘探与开发, 2022, 49(2): 348-357.

[17] LI Junjian, LIU Ben, GUO Cheng, et al. Mechanisms of water block removal by surfactant micellar solutions in low permeability reservoirs[J]. Petroleum Exploration and Development, 2022, 49(2): 348-357.

[18] Ma K, Cui L Y, Dong Y Z, et al. Adsorption of cationic and anionic surfactants on natural and synthetic carbonate materials[J]. Journal of Colloid and Interface Science, 2013, 408: 164-178.

[19] Wu Y F, Shuler P J, Blanco M, et al. An experimental study of wetting behavior and surfactant EOR in carbonates with model compounds [J]. SPE Journal, 2008, 13(01): 26-34.

[20] Lucas C R D S, Aum Y K P G, Araujo E D A, et al. Investigating the fluid - solid interaction of acid nonionic nanoemulsion with carbonate porous Media [J]. Molecules, 2020, 25(6): 1475.

[21] Kumar N, Mandal A. Wettability alteration of sandstone rock by surfactant stabilized nanoemulsion for enhanced oil recovery-A mechanistic study[J]. Colloids and Surfaces A: Physicochemical and Engineering Aspects, 2020, 601: 125043.

[22] 向超, 陈力力, 徐莹莹, 等. 一种新型压裂液纳米助排剂的研制及性能评价[J]. 石油与天然气化工, 2022, 51(03): 71-75.

[23] Gdanski R D, Lee W S. On the design of fracture acidizing treatments[C]. Oklahoma City: SPE Production Operations Symposium, 1989.

搭建光伏发电统计应用数字化平台

蒯任兵　魏　晗　乔　磊

（中国石油山东销售公司）

摘　要　新能源时代已经来临，随着近年来新能源技术不断升级，新能源开发利用规模不断增大，应用成本快速下降，在能源消费中占比不断提升。其中山东地区由于光照充足，太阳能利用率局全国前列；同时当前国内光伏设备技术居全球领先地位，中国石油山东销售公司以“应上尽上”为原则，全面推进光伏项目开展，项目完成后需要搭建光伏发电统计应用数字化平台来满足光伏项目运用维护等需求。

关键词　光伏项目；数字化平台；管理应用

国内光伏产业在制造业规模、产业化技术水平、应用市场拓展，产业体系建设等方面已成为可参与国际竞争并取得领先优势的产业。产业链主要分为上、中、下游三个环节，光伏发电设备的安装使用处于全产业链下游终端。根据光伏发电量、耗电量及应用方式不同，分为集中式地面电站和分布式电站，分布式电站根据用户群体的不同分为储能户用电站和储能工商业电站，利用油库及加油站屋顶、罩棚顶等敷设光伏设备为储能工商业电站。分布式光伏系统的初始全投资主要由组件、逆变器、支架、电缆、建安费用、电网接入、屋顶租赁、屋顶加固以及一次设备、二次设备等部分构成。2021 年分布式光伏系统初始投资成本为 3.74 元/W，2022 年下降至 3.53 元/W，2025 年到 2030 年将继续小幅下降，投资成本将维持在 3.25-3.48 元/W(数据来源天合光能 2022 年 3 月发布的《600W+超高功率组件分布式应用白皮书》)。2021 年，分布式光伏系统运维成本为 0.051 元/W/年，较上年有小幅下降。预计 2025 年运维成本为 0.048 元/W/年，总体变化趋势不大。

1　推进搭建光伏发电统计应用数字化平台因素

1.1　*光伏项目发展迅猛*

1. 山东省光伏发展条件优越

我国是世界上太阳能资源最丰富的地区之一，太阳能资源丰富地区占国土面积 96%以上，每年地表吸收的太阳能相当于 1.7 万亿 t 标准煤的能量。按照太阳能资源等级区划，山东省全区域均属于很丰富区，自然光照条件好，电价水平高，大部分地市适合发展光伏电站，即山东销售所属的库站多数能够满足发展光伏的自然条件。山东省截至 2021 年底可再生能源发电装机容量 5849.2 万 kW，占电力装机容量的 33.7%，比上年提高 5.1 个百分点；光伏、生物质发电装机容量居全国首位。

前国内光伏产业在制造业规模、产业化技术水平、应用市场拓展，产业体系建设等方面已成为可参与国际竞争并取得领先优势的产业。分布式光伏发电设备的安装使用处于全产业链下游终端。根据光伏发电量、耗电量及应用方式不同，可以分为集中式地面电站和分布式电站两种类型。而分布式电站根据用户群体的不同又可分为储能户用电站和储能工商业电站。利用油库及加油站屋顶敷设光伏设备可视为储能工商业电站。

2021 年，国内光伏新增装机 54.88GW，同比增加 13.9%。其中，分布式光伏装机 29.28GW，占全部新增光伏发电装机的 53.4%，历史上首次突破 50%。2021 年用户装机达 216GW，创历史新高，占 2021 年我国新增光伏装机的 39.4%。“十四五”期间，我国光伏年均新增光伏装机有望超过 75GW。2021 年，分布式电站占比为 53.4%，分布式占比首超集中式。“十四五”期间将形成集中式与分布式并举的发展格局，随着光伏在建筑、交通等领域的融合发展，叠加整县推进政策的推动，分布式项目仍将保持一定的市场份额。分布式光伏系统的初始全投资主要由组件、逆变器、支架、电缆、建安费用、电网接入、屋顶租赁、屋顶加固以及一次设备、二次设备等部分构成。2021 年分布式光伏系统初始投资成本为 3.74 元/W，根据中国光伏行业协会的统计数据预测，2022 年下降至 3.53 元/W，2025 年到 2030 年将继续小幅下降，投资成本将维持在 3.25~3.48 元/W。2021 年，分布式光伏系统运维成本为 0.051 元/W/年，较上年有小幅下降。预计 2025 年运维成本为 0.048 元/W/年，总体变化趋势不大。全投资模型下分布式光伏发电系统在 1800h、1500h、1200h、1000h 等效利用小时数的 LCOE（平准发电成本）分别为 0.19 元/kW·h、0.22 元/kW·h、0.28 元/kW·h、0.33 元/kW·h，对于大部分地区都具有经济性。2021 年工商业分布式装机 7.7GW，工商业分布式有 80% 采用直流电压 1000V 等级系统（图 1）。

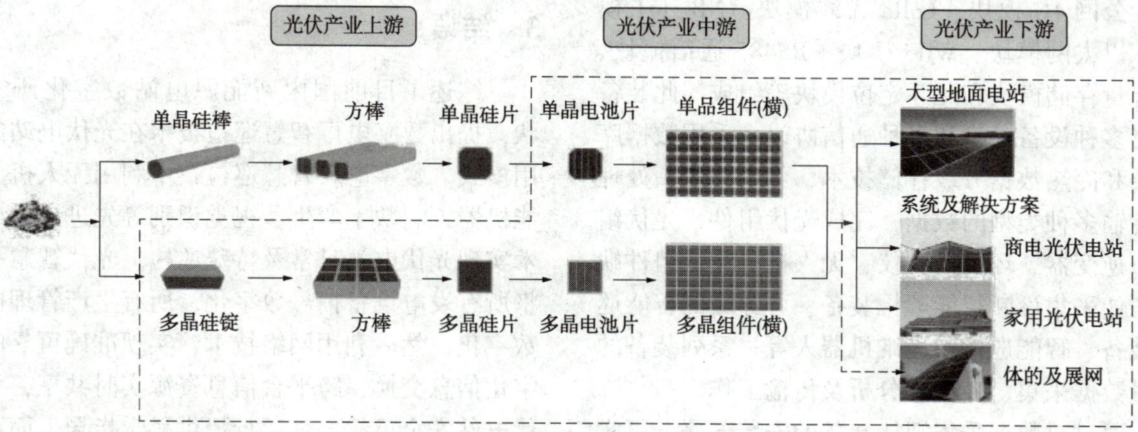

图 1　光伏产业链构成示意图

1.2　光伏项目存在问题

一是电力市场机制不完善，支持分布式光伏发展的商业模式尚未形成；二是高比例分布式光伏发展所需的配电网接入能力不足，分布式电源并网凌乱无序，缺乏分布式电源接入方案的适应性评价方法，难以追踪反馈其应用情况；三是库站分布式光伏项目安装条件受限，面临光照、安全承重等多重影响，安装容量小、施工难度大、投资成本高；四是分布式光伏发电对成品油销售公司是新业务，面临较多的施工、运行等安全风险，对从业人员的专业素质和经验要求较高；五是后期运维，数据统计难度较大。发展趋势：一是与风电等其他清洁能源相比，光伏发电与工商业用电峰值基本匹配，因此光伏相比于其他可再生能源更适用于分布式应用；二是发展分布式光伏发电系统的优势在于其经济、环保，能够提高供电安全可靠性以及解决边远库站用电问题等；三是初始投资和后期运维成本低，建设周期短，能够实现就近供电，未来发展到8 定比例时能够2有力促进微网的建设发展。、

2　光伏发电统计应用数字化平台介绍

2.1　基本介绍

对上述文献中存在的不足，本文构建了一种分布式光伏电站区域智能系统。该系统基于低电压穿越的方法，对运行中出现的故障数据信息进行分析和计算，提高了并网光伏输出特性，实现了不同的数据信息集中运营管理中心、公司办公网、分布式电站和地面电站信息的交互与运营管理。光伏电站数据传送采用的是 IEC104 协议。该协议由各个光伏电站园区的数据传送装置进行数据传送，与运营管理中心直接相连，通过端口映射的方法实现设备之间的数据通信。数据传送装置和数据接收装置通信采用的是服务器-客户机建构的 Socket 通信。该通信是通过与网络接口相连的传输介质将数据信息传送至另外一台主机，使对方能够接收到数据信息，具有可靠性好、通信效率高的优点。地面电站和分布式电站采用无线分组交换技术，提供端到端的、广域的无线连接，将采集到的数据进行分组管理，并将分组后的数据传输给用户。此外，分布式光伏电站区域智能系统还设置了人机交互层。用户可通过电脑、智能手机等设备访问集中运营管理中心的集控数据中心，查询相关的数据信息。用户的各种终端设备都通过互联网或移动互联网进行访问。通过互联网服务器，系统可实现用户信息查询，具有交互性、便携性和身份统一性的优点。

2.2　数据采集智能装备

为提高光伏电站的数据采集效率及其故障研判和预警能力，且同时降低数据采集装备的安装

和维护成本，数据采集智能装备借鉴“软件定义终端”的思想，以硬件平台化、软件应用程序（APP）化的方式实现软、硬件的解耦，融合光伏电站系统网络、计算、存储及应用等的边缘计算服务功能；此外，该装备还支持多种通信方式和协议转换，能够即插即用、快速部署、灵活升级。数据采集智能装备主要由主控模块、电源模块、公网4G模块、LoRa无线模块、NB-IoT模块、以太网模块、WiFi模块、RS485通信模块、大容量存储模块和北斗定位模块等组成。此装备支持多种设备类型和多种通信协议，采用数据库分层和冷热数据分级存储技术，可以采集、处理和传输多种类型的数据，完成光伏组件、光伏组串、逆变器、环境监测仪、无人机、光伏组件缺陷图像采集诊断智能巡检装备、可穿戴的智能巡检装备、智能巡检与运维机器人等一系列装备的全量数据采集、存储、分析及传输工作。

通过对数据采集智能装备的安装部署，可实现对光伏电站运行情况的全方位信息监测，提高故障判断正确率和预警准确率，大幅缩短故障排查时间，从而实现精准运维。该装备通过对光伏电站设备数据的高频采集与上传，给云平台的高阶算法提供了有效的数据支撑，有助于提高光伏电站的运行效率分析、实时调度和安全评估。“无线组网+总线通信”方案实现了光伏发电数据的高效采集，极大减少了现场建设和维护工作，提高了偏远地区光伏发电数据的采集质量和覆盖率，降低了数据采集成本。

综合构建光伏技术培训、光伏设备原理、光伏电站常见故障分析及对策等多项内容的智慧专家库，以实现对故障诊断发现的问题的自动分析、自动匹配处理建议等功能，提升光伏平台整体的智慧化程度。通过收集国家行业标准、发电主设备故障手册、经验处理方案以及提质增效一厂一策等多维度资料，完善平台辅助功能，对光伏电站常见故障问题提供智慧成套解决方案，提升电站运维检修效率和经济运行水平。

3 结语

综述了目前国内新能源电站数字化研究现状，提出数字电厂智慧巡检技术在光伏电站的应用模式。数字电厂智慧巡检技术利用无人机、智能机器人、数字孪生、视觉识别等先进设备或技术实现光伏电站日常及特殊巡检。光伏智慧平台将所有发电设备信号数字化、所有生产管理内容数字化，然后利用网络技术，实现准确可靠的数字化信息交换、跨平台信息资源实时共享，为光伏电站安全可靠经济运行提供科学指导，面对设备故障、隐患能够及时干预，积极检修，从而最终为发电企业节约人力成本、生产成本，带来可观的经济增益。

参考文献

[1] 张博．自动跟踪式光伏发电系统研究[D]．重庆：重庆大学，2019.
[2] 谢卿．太阳能光伏系统的自动跟踪式装置[D]．上海：华东理工大学，2019.
[3] 侯鹏飞，印江．自动跟踪型独立式光伏发电系统的设计[J]．电力学报，2014，29(01)：70-72.

柴达木盆地三湖地区易水解泥岩型生物气储层岩电参数实验研究

杨会洁　刘俊丰　李江涛　柴小颖　贾正良　邓成刚　陈汾君　王　微　王天祥

（中国石油青海油田公司）

摘　要　随着非常规油气资源勘探开发的不断深入，近年来针对柴达木盆地三湖地区泥岩型生物气的勘探开发初见成效。由于泥岩型生物气储层缺乏饱和度评价方法，极大地影响到储层综合评价及储量评估。为此选用三湖地区第四系泥岩样品，通过以保形为核心的样品制备，并采用自吸滴定增水法开展岩电测量，获取了泥岩样品的岩电参数。不仅解决了常规测量方法不适用于弱胶结、高黏土、易水解的第四系泥岩的缺陷，而且实验测量结果能够反映实际泥岩样品的岩电特征。在此基础上分析了泥岩样品岩电参数的影响因素，结果表明孔隙度的变化程度并不能表征岩石孔隙结构的优劣；胶结指数 m 随着石英含量增大而增大，随着黏土含量增大而减小，随着渗透率增大而增大；饱和度指数 n 随着石英含量增大而减小，随着黏土含量增大而增大，随着渗透率增大而减小。该研究为评价泥岩型生物气储层的饱和度提供了岩石物理基础，为储层综合评价提供了技术支撑。

关键词　三湖地区；泥岩型生物气；自吸增水；岩电参数

柴达木盆地三湖地区是我国最大的生物气产区，大部分生物气藏分布于第四系中。三湖地区先后发现多个含气构造，虽然自 1990 年以后通过精细评价增加了天然气探明储量，但仍旧以常规砂岩生物气储层为主。早期针对第四系泥岩的研究局限于盖层，近几年被当作气源岩的相关研究取得了一些进展，多口试采井在第四系泥岩获得了工业气流，展现了较好的勘探开发潜力。目前研究表明第四系泥岩型生物气储层有机质含量低，有机孔不发育，黏土矿物含量高，而且含水饱和度较高，极大地降低了吸附气含量，天然气以游离态为主，但是泥岩型生物气储层的饱和度评价尚处于探索阶段，严重制约了储层综合评价。岩石电阻率实验作为岩石物理研究的一个重要手段，主要通过测量岩石的孔隙度、电阻率和饱和度等参数来求取阿尔奇公式中的关键参数，进而实现准确计算储层含油（气）饱和度。本文选取三湖地区第四系泥岩样品，通过针对性的样品制备及实验方法，解决了第四系泥岩样品由于弱胶结、高黏土、易水解而无法采用常规测量方法开展岩电实验的问题，获取了三湖地区泥岩样品的岩电参数，并进一步分析了孔隙度、渗透率及岩性对泥岩型生物气储层岩电参数的影响，为建立有效的饱和度评价方法奠定了基础。

1　实验样品特征

实验所选样品均来自三湖地区第四系，物性测试显示孔隙度普遍大于 20%，渗透率介于 $(0.05\sim5)\times10^{-3}\mu m^2$ 区间，孔隙度与渗透率之间相关性较差。岩石薄片鉴定显示岩石胶结程度弱，泥质构成基质，可见粘土泥质结构、粉砂泥质结构及含细粉砂泥质结构。泥质成分由伊利石、蒙脱石等黏土矿物构成，粉砂成分为石英、长石、岩屑等。X-射线衍射全岩测试显示，矿物成分以黏土矿物为主，其次为碳酸盐岩矿物（主要为白云石和方解石）、石英和长石，含少量膏盐类（图 1），其中脆性矿物（石英和碳酸盐岩）平均含量 43.3%。综合表明第四系泥岩样品脆性较好，硬度偏低，松散易碎。

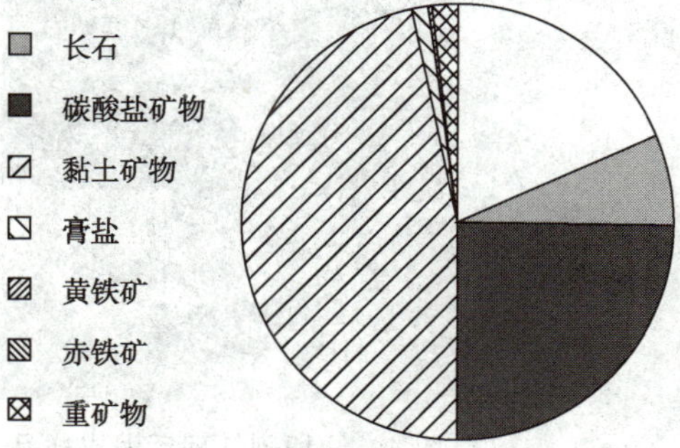

图 1　第四系泥岩 X 衍射全岩矿物成分

X-射线衍射黏土测试显示第四系泥岩中黏土矿物成分主要为伊利石，其次为蒙脱石和绿泥石，含少量高岭石(图2)。通常含亲水性黏土矿物的砂质泥岩、泥岩存在水岩作用，将不同岩性的4块样品浸入地层水观察样品在水岩作用下的变化，结果表明：泥岩、粉砂质泥岩及泥质粉砂岩初始基本保持形状完好(图3a)；60s后泥岩样品出现明显的碎裂现象，粉砂质泥岩底部出现一定程度的碎裂(图3b)；180s后泥岩样品完全碎裂，粉砂质泥岩形状无法保持完好，而泥质粉砂岩沿层理出现一定程度碎裂(图3c)。由于第四系泥岩中存在大量亲水性的黏土矿物，如蒙脱石和伊利石，其中，蒙脱石晶体结构之间充填了与水分子结合能力很强的Mg^{2+}、Ca^{2+}和Na^{+}，大量的水分子会被吸引进入晶格中，导致晶格的单元距增大，最大可达4.8nm，是水分子进入前的五倍。伊利石的膨胀能力相对较弱，只是晶体外表面吸引水分子，体积可膨胀40%~60%。黏土矿物遇水后吸收水分子出现晶格膨胀，引起黏土矿物颗粒周围的孔隙非协调性变形，进而产生微裂缝最终导致第四系粉砂质泥岩和泥岩样品出现水化崩解的现象。

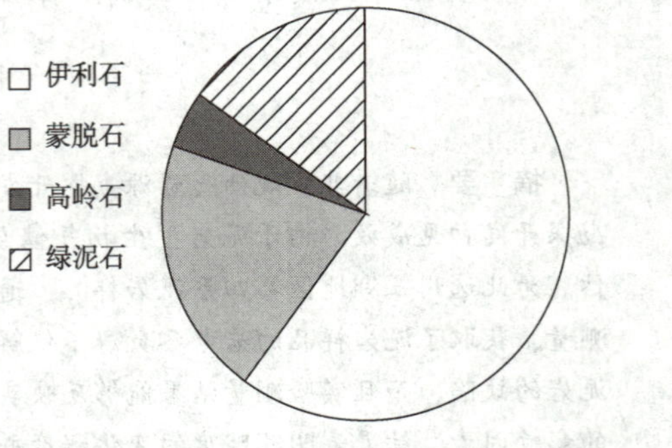

图2　第四系泥岩X衍射黏土矿物成分

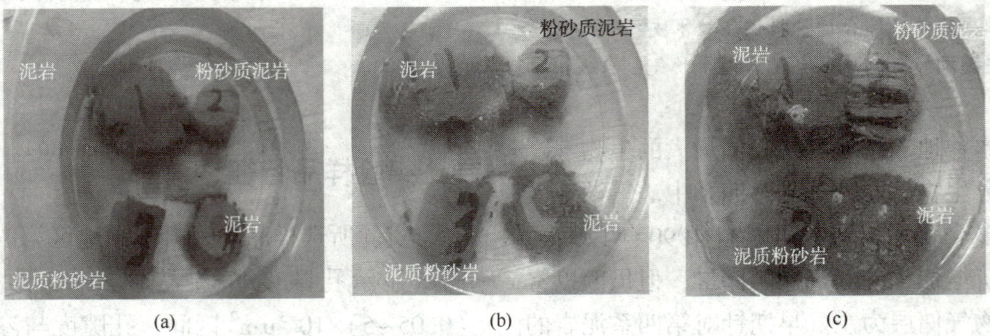

图3　第四系不同岩性样品水化崩解程度对比

2　实验方法

2.1　样品制备

为了避免泥岩样品在长时间的电阻率测量过程中发生破裂，对样品制备采用如下步骤：①首先对泥岩样品进行线切割制样(图4)，线切割不仅可以保证岩心端面平整性，而且可以避免产生较大振动破坏样品；②采用高温恒温仪对泥岩柱塞样和热缩膜进行包裹处理(图5)，本次实验对五种热塑膜进行了测试，在分析热塑膜尺寸、收缩率及耐高温程度的基础上，最终选用直径2.57cm、2倍收缩率及175℃抗高温的热缩膜；③根据泥岩样品层位、地层水类型及矿化度等资料，通过预实验最终确定矿化度为168000mg/L，密度为1.118g/cm^3，该地层水矿化度下的泥岩样品水解速度有效减小，测量实际地层水电阻率值为0.058Ω·m。

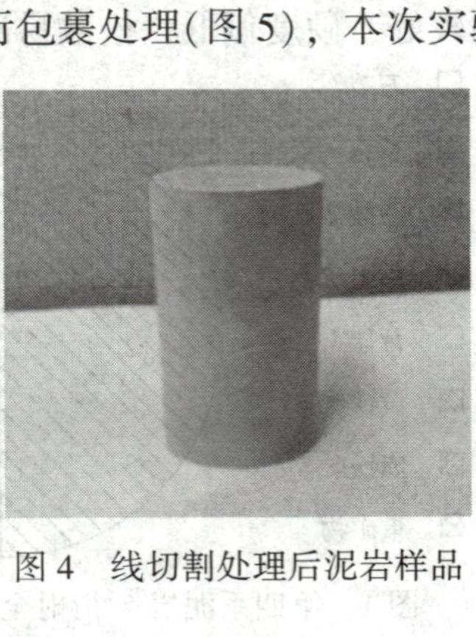

图4　线切割处理后泥岩样品

图5　包裹热塑膜处理后泥岩样品

2.2 实验步骤

本次电阻率测量参照标准为《岩石电阻率参数实验室测量及计算方法》(SY/T 5385—2007),其余测量方法参照标准《岩心分析方法》(GB/T 29172—2012)。

具体实验步骤:①测量经线切割及包裹热塑膜制备后的泥岩样品长度、半径、质量等基础参数;②测量泥岩样品常温常压下的孔隙度与渗透率,获得泥岩岩心孔隙体积,并根据孔隙体积及地层水密度,计算岩心达到不同含水饱和度状态所需自吸滴定的水质量;3)将泥岩样品放置在干燥的天平中,使用针管对岩心两端进行匀速滴定地层水,使岩心两端进行充分自吸,同时观察天平质量变化,根据步骤②中每种饱和度状态下需要自吸滴定的质量要求,滴定至指定质量,使岩心达到相对应的饱和度(图6);④将达到相应饱和度的岩心快速放置于保持湿润地层水环境下的真空皿中,首先抽真空半小时后开始静置3h,测量并记录其质量,然后再次静置3h,对比两次静置的质量,保证质量变化在±0.05g区间,在满足质量变化条件后继续静置12h,以保证地层水在岩样内部分布均匀(图7);⑤对岩心进行称重,随后装入夹持器,预加指定围压、轴压、孔压、温度,待各项参数稳定记录电阻值变化情况,当电阻值稳后记录电阻值,记为 R_t;⑥按照含水饱和度10%的增加幅度,对岩心样品重复步骤②~步骤⑤,直至岩心含水饱和度达到100%为止,判断标准为岩心质量不发生变化且在静置48h之内对质量进行称重(称重次数应在严格静置环境中不少于3次,且质量差应该保证在±0.05g),即认为达到饱和状态;⑦对已经100%饱和水的岩心进行称重记录,待各项参数稳定后,记录岩心在饱和状态下稳定的电阻值,记为 R_0。本次实验地层水的泥岩样品自吸增水过程记录mqb表1。

图6　泥岩样品滴定自吸水

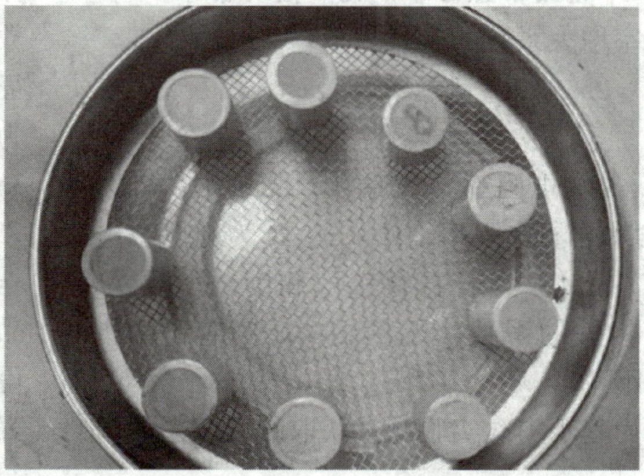

图7　泥岩样品静置于真空皿

表1　泥岩样品实现饱和自吸增水实验记录

岩心编号	长度/cm	直径/cm	干燥质量/g	自吸水质量/g	孔隙体积/cm³	孔隙度/%	渗透率/$10^{-3}\mu m^2$	滴定次数
NY-2	3.634	2.402	34.565	5.201	4.652	29.127	0.736	11
NY-3	4.130	2.432	38.632	5.359	4.793	25.678	0.138	11
NY-5	4.010	2.432	37.883	5.189	4.641	26.625	0.172	9
NY-6	4.184	2.556	44.155	6.583	5.888	28.071	0.075	11
NY-8	3.512	2.554	34.544	5.778	5.168	29.704	0.282	8
NY-10	4.030	2.594	42.616	5.896	5.274	26.439	0.402	11
NY-11	4.144	2.552	42.290	6.477	5.793	27.854	1.220	11
NY-16	3.582	2.552	38.676	4.847	4.335	24.417	0.258	8

3 实验结果

3.1 地层因素与孔隙度关系

地层因素的定义如下:

$$F=\frac{R_0}{R_W}=\frac{a}{\varphi^m} \tag{1}$$

式中,F 为地层因素,无量纲;R_0 为100%饱含水岩石电阻率,Ω·m;R_w 为地层水电阻率，Ω·m；φ 为岩石孔隙度，小数；a 为与岩性相关的系数，无量纲；m 为胶结指数，无量纲。

图 8 为基于本次实验测量获取的第四系泥岩样品的 $F-\varphi$ 关系，由图可知，泥岩样品的岩电实验数据点不存在明显拐点或分段性，$F-\varphi$ 关系为同一趋势线，且相关好很好，相关系数为 0.9714。表明第四系泥岩样品的地层因素与孔隙度关系符合阿尔奇岩石特征，二者在双对数坐标下呈相关性较好的线性关系。

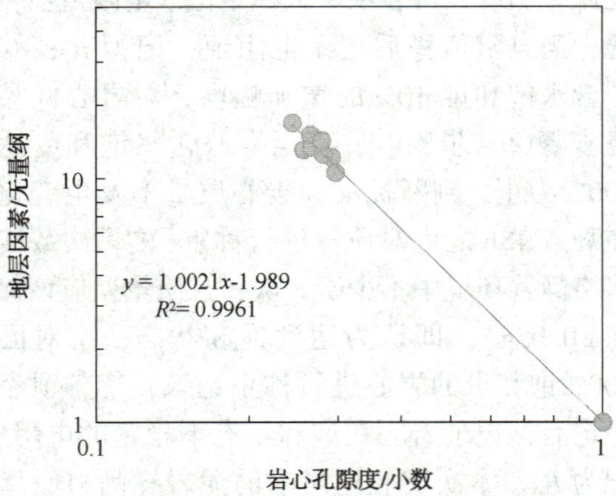

图 8　第四系泥岩样品 $F-\varphi$ 关系

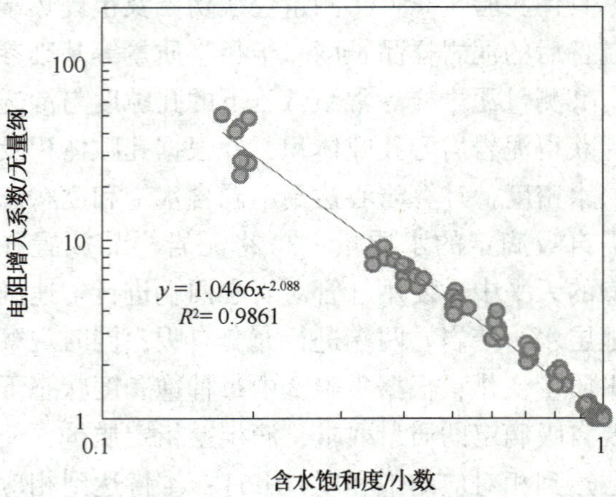

图 9　第四系泥岩样品 I_r-S_w 关系

3.2　电阻率增大系数与含水饱和度关系

电阻率增大系数的定义如下：

$$I=\frac{R_t}{R_0}=\frac{b}{Sn_w} \tag{2}$$

式中，I 为电阻率增大系数，无量纲；R_0 为 100%饱含水岩石电阻率，Ω·m；R_t 为地层水电阻率，Ω·m；S_w 为岩石含水饱和度，小数；b 为与岩性相关的系数，无量纲；n 为饱和度指数，无量纲。

图 9 为基于本次实验测量获取的第四系泥岩样品的 $I-S_w$ 关系，由图可知，泥岩样品的实验数据集中分布，$I-S_w$ 关系同样符合阿尔奇岩石特征，在双对数坐标下呈线性关系，相关系数为 0.9247。

3.3　胶结指数 m 与饱和度指数 n

对单一泥岩样品的实验数据进行分析，令 a=1，根据式(1)进行回归处理得到每一泥岩样品的胶结指数 m。同样的，根据式(2)回归处理得到每一泥岩样品的饱和度指数 n 和系数 b，如表 2。

表 2　泥岩样品岩电参数表

岩心编号	孔隙度/%	地层因素	胶结指数 m	饱和度指数 n	系数 b
NY-2	29.127	12.207	2.03	2.07	1.09
NY-3	25.678	13.085	1.89	2.18	1.03
NY-5	26.625	13.355	1.96	2.17	1.09
NY-6	28.071	12.559	1.99	2.27	0.98
NY-8	29.704	10.352	1.94	2.04	1.04
NY-10	26.439	15.079	2.04	2.13	1.00
NY-11	27.854	14.238	2.08	1.87	1.02
NY-16	24.417	16.816	2.00	1.99	1.12

由表 2 可知，泥岩样品的胶结指数 m 分布范围 1.89~2.08，平均值 1.99；饱和度指数 n 分布范围 1.87~2.27，平均值 2.09；系数 b 分布范围 0.98~1.12，平均值 1.05。全部泥岩样品回归处理得到 $a=1.00$，$m=1.99$，$b=1.05$，$n=2.09$，胶结指数 m、饱和度指数 n 及系数 b 均于其平均值相同。

前人研究表明，对于孔隙度大于 10%，储集空间以溶蚀孔为主的泥质砂岩储层，岩电参数接近汉布尔公式中的 $a=2.15$，$m=2.15$；对于孔隙度大于 10%，储集空间以粒间孔为主，岩电参数接近阿尔奇公式中 $a=1$，$m=2$，$b=1$，$n=2$；对于孔隙度小于 10%，储层空间以粒间孔与溶蚀孔组成双孔隙介质的泥质砂岩，岩电参数与阿尔奇公式中 $a=1$，$m=2$，$b=1$，$n=2$ 相差甚远。第四系泥岩样品的储集空间类型包括为粒间孔和粒内孔，不发育有机质孔。其中，以粒间孔为主，大量黏土矿物粒间孔和脆性矿物颗粒之间的孔隙非常发育，而且粒间孔隙多为原生孔隙。少量粒内孔由长石矿物溶蚀形成。综合分析表明，本文的实验方法不仅可以在避免泥岩样品水解的条件下完成岩电测量，而且测量结果能够有效反映实际泥岩样品的岩电特征。

4　泥岩岩电参数影响因素分析

储层岩石的胶结指数 m 和饱和度指数 n 受到物性、岩性、孔隙结构及润湿性等因素的影响，由于第四系泥岩型生物气储层均为亲水性，因此主要探讨分析孔隙度、渗透率(表征孔隙结构)及岩性的影响。

4.1　岩性对岩电参数的影响

黏土矿物含量与泥岩样品胶结指数、饱和度指数的关系图(图 10a、图 10b)显示，随着黏土矿物含量增加，胶结指数随之减小，饱和度指数随之增大，表明黏土矿物含量增加导致泥岩内部孔隙连通性变差，进而导致 m 值减小，n 值减大。图 10c 和图 10d 显示，随石英含量增加，胶结指数随之增大，饱和度指数随之减小，表明石英含量增加使得泥岩内部孔隙连通性变好，m 值随之增大，n 值随之减小。由图 10e 和图 10f 可知，胶结指数、饱和度指数与碳酸盐岩矿物含量无明显相关性。上述分析表明，泥岩型生物气储层矿物成分中黏土和石英含量对岩电参数存在明显影响：胶结指数 m 随石英含量增大而增大，随黏土含量增大而减小；饱和度指数 n 随石英含量增大而减小，随黏土含量增大而增大。

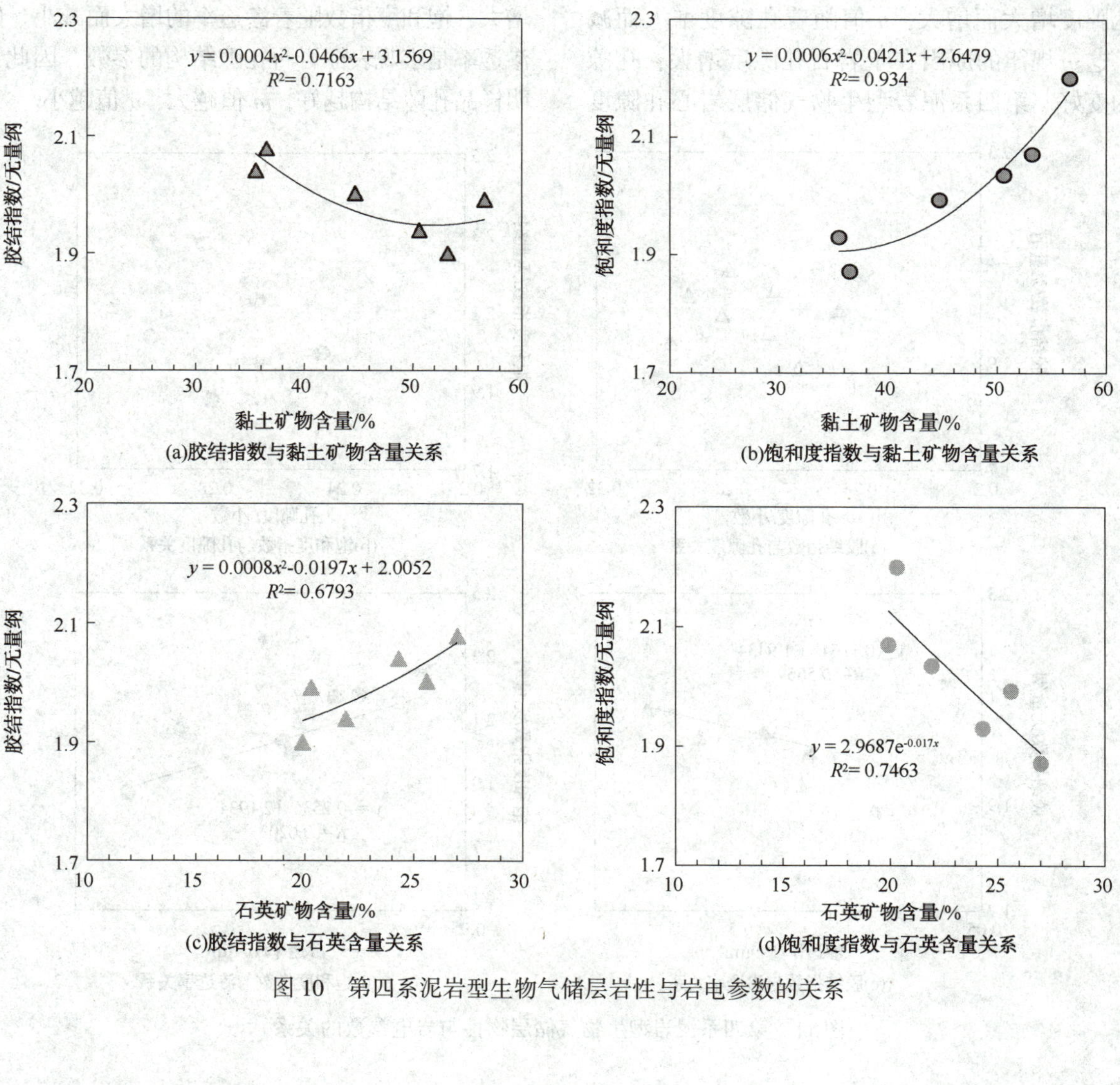

(a)胶结指数与黏土矿物含量关系　(b)饱和度指数与黏土矿物含量关系

(c)胶结指数与石英含量关系　(d)饱和度指数与石英含量关系

图 10　第四系泥岩型生物气储层岩性与岩电参数的关系

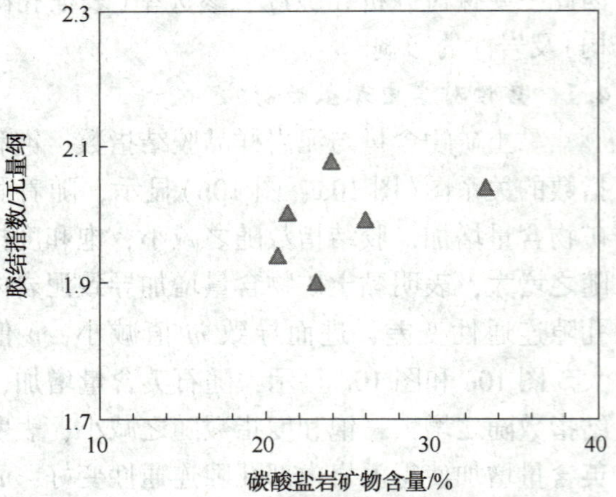

(e)胶结指数与碳酸盐岩矿物含量关系

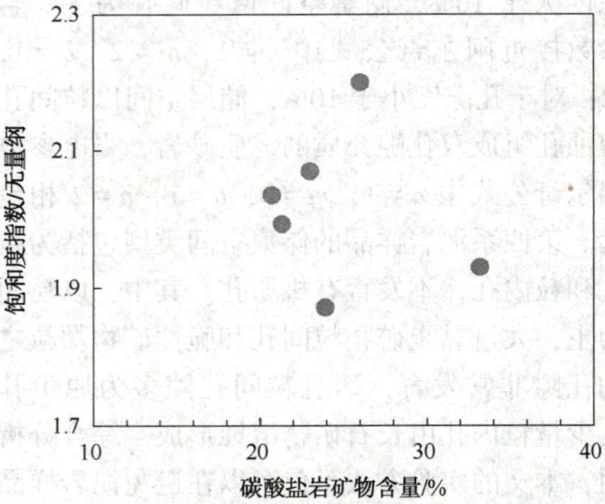

(f)饱和度指数与碳酸盐岩含量关系

图 10　第四系泥岩型生物气储层岩性与岩电参数的关系(续)

4.2　物性对岩电参数的影响

泥岩样品胶结指数、饱和度指数与孔隙度的关系(图 11a 与图 11b)显示，胶结指数、饱和度指数与孔隙度相关性均不明显。通常情况下 m 值随孔隙度增大而增大，n 值随着孔隙度增大而减小。这一规律的原因在于岩石孔隙度增大，孔隙结构变好。第四系泥岩型生物气储层岩心孔隙度普遍大于 20%且变化范围较小，而且孔径分布以单峰型为主，主要分布在 2nm～50μm，孔隙度的变化程度并不能表征岩石孔隙结构的优劣。

胶结指数、饱和度指数与渗透率的关系(图 11c 与图 11d)显示，胶结指数随着渗透率的增大而增大，饱和度指数随着渗透率的增大而减小。由于渗透率是宏观表征岩石孔隙结构的参数，因此，说明样品孔隙结构越好，m 值越大，n 值越小。

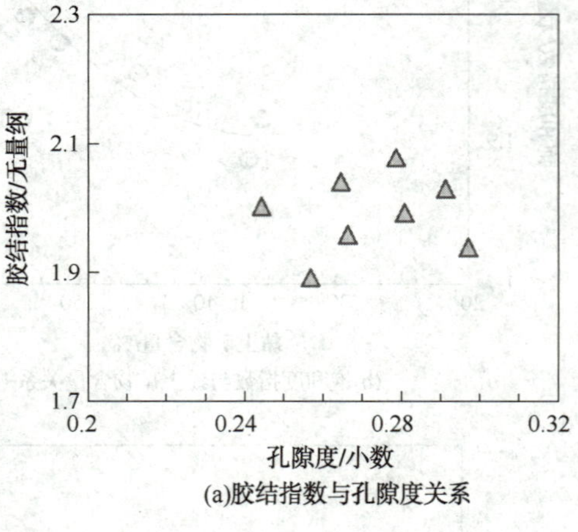

(a)胶结指数与孔隙度关系

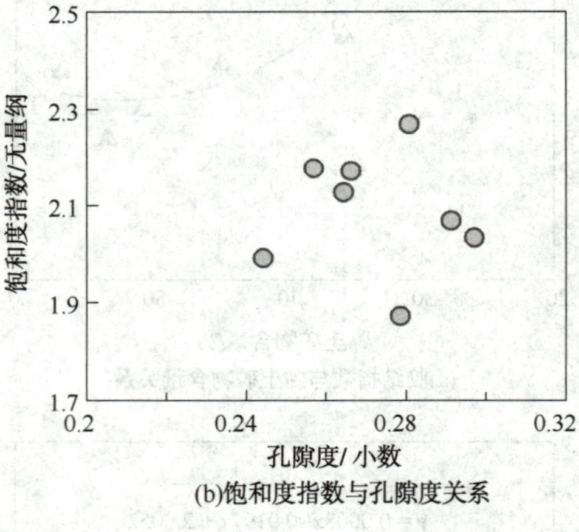

(b)饱和度指数与孔隙度关系

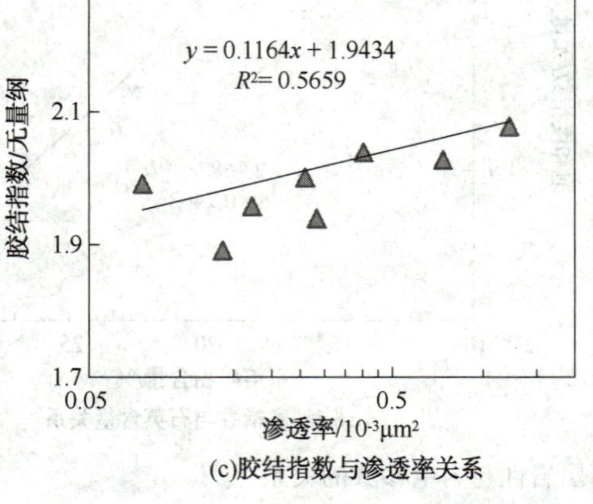

(c)胶结指数与渗透率关系

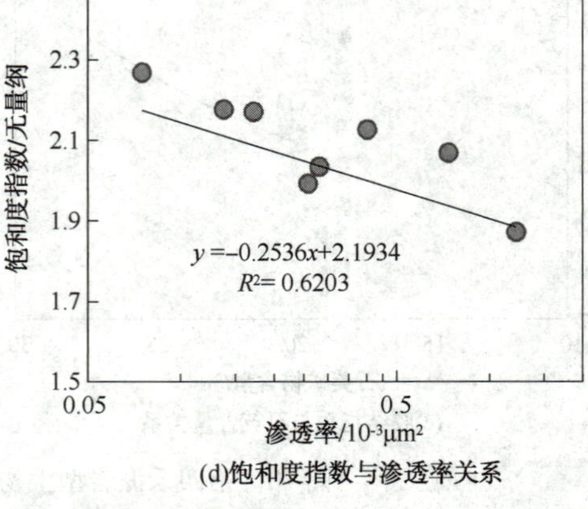

(d)饱和度指数与渗透率关系

图 11　第四系泥岩型生物气储层物性与岩电参数的关系

4.3 有机质对岩电参数的影响

页岩气储层有机质含量一般大于2%，相比之下，泥岩型生物气储层有机质含量较低，主要分布范围为0.0618~0.194。胶结指数、饱和度指数与有机质含量相关性均不明显（图12a与图12b），有机质含量对岩电参数无明显影响。

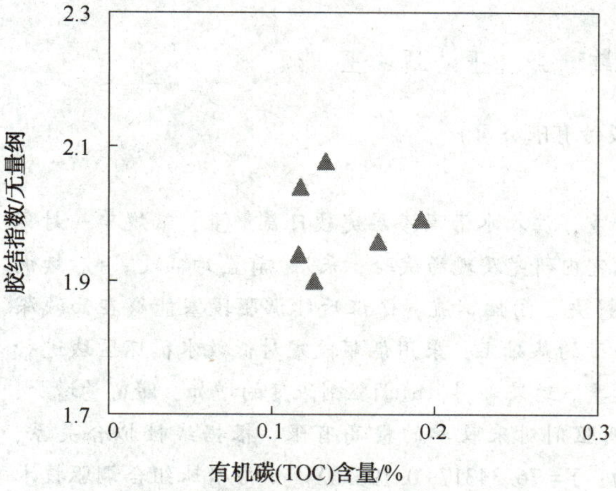

(a)胶结指数与有机质关系

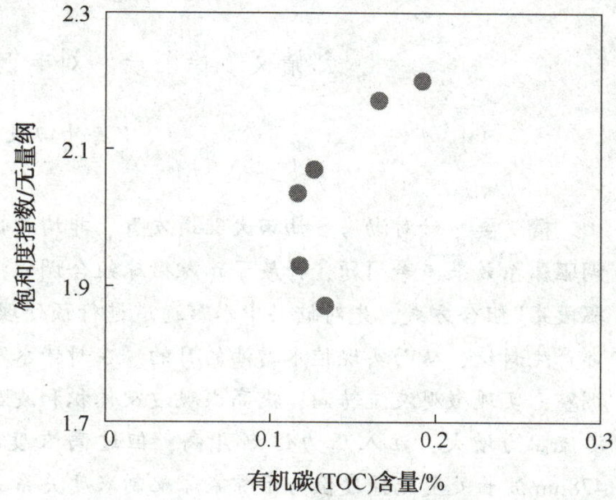

(b)饱和度指数与有机质关系

图12　第四系泥岩型生物气储层有机质与岩电参数的关系

5 结论

（1）柴达木盆地第四系泥岩型生物气储层孔隙度普遍大于20%，渗透率介于$(0.05\sim5)\times10^{-3}\mu m^2$区间。岩石矿物成分以黏土矿物为主，其次为碳酸盐岩矿物、石英和长石。黏土矿物成分主要为伊利石，其次为蒙脱石和绿泥石，含少量高岭石。岩石弱胶结、高黏土、易水解，采用现有的行业标准无法完成岩电实验，获取岩电参数。

（2）采用线切割与高温热缩管包裹岩样可起到岩心的支撑、保护作用；采用自吸增水法测量岩心电阻率，可获得储层岩心岩电参数。储层岩心的胶结指数m分布范围1.89~2.08，平均值1.99；饱和度指数n的分布范围为1.872~2.270，平均值为2.09。

（3）储层岩电参数主要受岩性与物性影响，有机质对岩电参数无明显影响。随黏土矿物含量减低，石英含量增大，渗透率增大，胶结指数增大；饱和度指数随黏土矿物含量减低，石英含量增大，渗透率增大而增大。

参考文献

[1] 焦贵浩，张林，李剑，等．柴达木盆地三湖地区生物气资源潜力及勘探方向[J]．中国石油勘探，2009，14(02)：1-6.

[2] 魏国齐，刘德来，张英，等．柴达木盆地第四系生物气形成机理、分布规律与勘探前景[J]．石油勘探与开发，2005(04)：84-89.

[3] 王金安，高治国，徐辉，等．上海庙矿区砂质泥岩水岩作用特性[J]．中国矿业，2013，22(04)：90-93.

[4] 王振，沈明荣，刘昂．钙质泥岩水岩作用特征及遇水软化机理[J]．西南交通大学学报，2015，50(06)：1061-1066.

[5] G. E A. The Electrical Resistivity Log as an Aid in Determining Some Reservoir Characteristics[Z]. 1942.

[6] 张明禄，石玉江．复杂孔隙结构砂岩储层岩电参数研究[J]．测井技术，2005(05)：59-61+89. 1004-1338. 2005. 05. 016.

[7] 石玉江，李高仁，周金昱．泥质型低渗砂岩储层岩电性质研究及饱和度模型的建立[J]．测井技术，2008(03)：203-206.

示踪微球组合调驱技术在渤海油田的研究与应用

邰婧文　徐国瑞　刘丰钢　鞠　野　王浩颐　王　硕

（中海油田服务股份有限公司）

摘　要　针对渤海S油田大孔道发育、非均质性严重，注入水沿高渗层突破日益严重，常规单一封窜调驱体系效果差等问题，开展了示踪微球组合调驱技术室内研究及现场试验。采用"前置封窜段塞+后续调驱段塞"组合方式，先对储层中水窜通道进行预处理，解决方向性窜流，保证后续调驱段塞能够在油藏深部产生封堵，从而实现控水增油的目的。在封堵水窜条带的基础上，采用调驱段塞对低效水循环区域进行调整，实现微观液流转向，提高微观波及体积和波及效率。结果表明，随调驱剂浓度的增加，滞留量增加，渗流阻力增大，注入压力逐渐升高，但过高浓度的调驱剂对采收率的提高有限。根据线性拟合关系，478nm波长处荧光强度值与示踪微球配制浓度关系式为：$Y=76.34317+0.19655X$。示踪微球组合调驱技术目前在渤海S油田成功应用，油井含水率降低1%~4%，累积增油超过8000m^3。根据标准曲线，荧光微球检出为0ppm（$1ppm=10^{-6}$），受效井未监测到示踪微球产出，说明体系有效滞留在地层中。该技术为渤海油田控水增油提供了新的思路和方法，在海上油田亦具备良好应用前景。

关键词　渤海油田；凝胶；微球；组合调驱；增油降水

渤海S油田属于构造层状为主的油藏，含油面积2.8km^2，平均孔隙度32.9%，平均渗透率$4690\times10^{-3}\mu m^2$，储层具有高孔、高渗特征，大孔道发育、非均质性严重，储层以河道沉积为主，砂体在东北-西南方向上呈条带状展布，横向分布稳定，井间连通性较好。其中，A区块动用4个主力砂体，为河流相及浅水三角洲相沉积，砂体储量规模较小。

随着油田开发不断进行，储层矛盾日益凸显，油水井间存在的问题愈发复杂多变，单一技术已逐渐不能很好地应对某些矿场实际问题，多技术组合应用治理已成为一种趋势，组合调驱利用前置封窜段塞进行油层吸水剖面调整，从而保证后续调驱体系能有效进入储层深部水窜通道有效启动剩余油，实现"调+驱"的双重作用。

目前海上油田进行了"泡沫+微球"、"凝胶+微球"的技术组合研究初探，并实现了"泡沫+微球"及"凝胶+微球"的矿场试验。但"泡沫+微球"组合技术由于受到平台作业空间限制，目前推进难度较大，"凝胶+微球"技术应用效果较好，但技术机理研究不够深入导致技术工艺设计不够成熟，在区块组合调驱方面基本处于初期阶段。示踪微球具有荧光示踪调驱功能，可以通过产出液检测判断药剂是否产出。

为此，针对渤海S油田增油降水需求，本文采用"凝胶封窜+示踪微球调驱"组合方式，运用"前置封窜段塞+后续调驱段塞"思路，开展了凝胶体系和微球体系室内评价实验，并依据实验结果完成矿场试验工艺方案设计，如今已成功完成矿场应用。

1　实验评价

开展了凝胶体系和示踪微球体系组合调驱技术评价。本文提取了渤海S油田的油水样，结合油藏温度、压力，开展实验论证。

1.1　示踪微球浓度影响因素分析

1.1.1　采收率

在凝胶类型和微球类型一定条件下，示踪微球浓度对组合调驱体系的增油降水效果影响实验结果见表1。布井方式：水平井注，水平井采。（K(高/中/低)$=10000/2000/500\times10^{-3}\mu m^2$）

从表1可以看出，微球注入阶段，微球浓度3000mg/L相比1000mg/L的采收率增幅要大，说明微球进入中渗层后，能够在中渗层发生水化膨胀，高浓度微球较低浓度微球封堵作用更强，参与深部液流转向的微球数量更多，从而起到良好的封窜调驱作用。当微球浓度从3000mg/L提升到5000mg/L时，采收率却增幅不大，分析认为高浓度微球单位面积内参与微球数量较多，在岩心注入处发生端面效应，但由于微球初始粒径较小，即使在端面处滞留一部分微球，大部分仍然进入中低渗层参与液流转向的作用，因此5000mg/L的微球浓度相对于3000mg/L微球浓度采收率呈现逐渐上升的趋势，但增幅有所减缓。

表1　调驱剂浓度对采收率的影响

微球浓度/(mg/L)	孔隙体积/mL	含油饱和度/%	阶段采收率/%			采收率增幅/%
			水驱	组合调驱	最终	
1000	1131.00	70.03	26.30	38.50	41.30	15.00
3000	1130.00	70.09	27.80	42.10	49.70	21.90
5000	1130.00	70.00	26.90	45.30	52.70	25.80

1.1.2　动态特征

实验注入过程中注入压力、含水率和采收率与注入PV数关系对比如图1~图3所示。

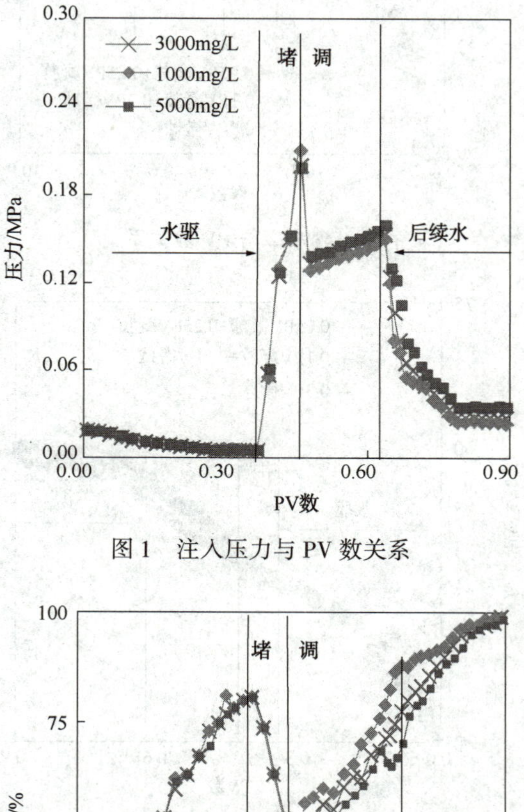

图1　注入压力与PV数关系

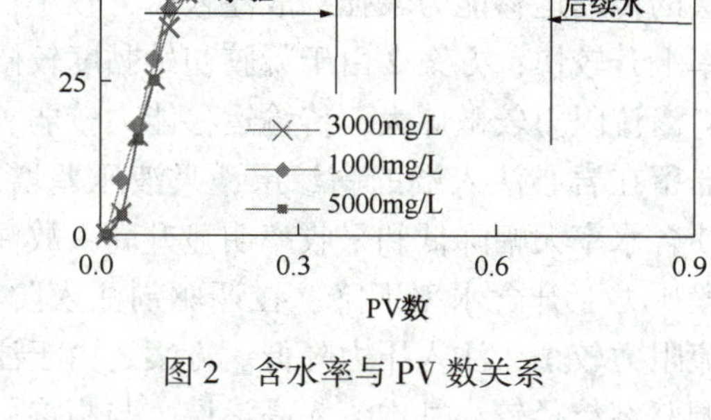

图2　含水率与PV数关系

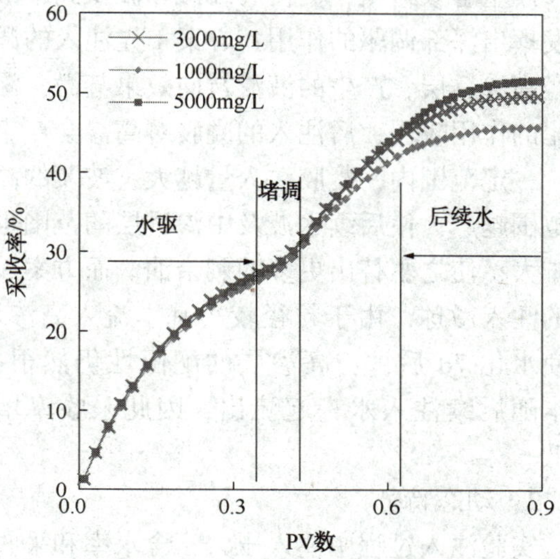

图3　采收率与PV数关系

封窜调驱过程中注入压力、含水率和采收率与注入量的关系如图1~图3。在水驱阶段，随注入量的增加，原油采出程度提高，含水率升高，渗流阻力减小，注入压力降低。在封窜剂和调驱剂注入阶段，随注入量增加，药剂滞留量增加，渗流阻力增大，注入压力升高，中低渗层吸液压差和吸液量增大，致使含水率大幅降低和采收率明显升高。在调驱剂注入阶段，由于调驱剂具备一定的滞留和封堵功效，随调驱剂浓度的增加，滞留量增加，渗流阻力增大，注入压力逐渐升高。从实验数据观察，过高浓度的调驱剂，对采收率的提高有限。

1.2　段塞组合方式影响因素分析

1.2.1　采收率

在封窜剂类型和调驱剂类型一定条件下，调驱剂不同注入量对组合调驱体系的增油降水效果影响，实验结果见表2。(K(高/中/低) = 10000/2000/500 $\times 10^{-3}\mu m^2$)

表 2　采收率实验结果

编号	段塞尺寸	孔隙体积/mL	含油饱和度/%	阶段采收率/%		采收率/%	
				水驱	封窜+调驱剂	最终	增幅
1	0.05PV 微球+0.25PV 凝胶	1198.00	69.45	27.60	42.80	47.00	19.40
2	0.1PV 凝胶+0.2PV 微球	1130.00	70.09	27.80	45.10	49.70	21.90
3	0.3PV 微球	1207.00	70.75	27.00	38.00	40.60	13.60

从表 2 可以看出，封窜调驱剂不同段塞尺寸搭配组合对增油降水存在影响。方案 1 至方案 2 采用组合调驱的方式交替注入，其中方案 2 比方案 1 采收率增幅高，分析认为注入适量凝胶会对高渗产生有效封堵，促使后续微球波及到中渗透层发挥出深部调驱的作用；方案 1 先注入的微球流经高渗透层，产生的液流转向效果甚微，深部调驱的作用较弱，后注入的凝胶对高渗会产生封堵，一定范围内，凝胶注入量越大，波及的高渗层范围越广，使后续水波及中渗透层的范围也随之扩大，使之驱替出更多的剩余油。而方案 3 单一的注入微球，由于粒径较小基本流入高渗层，即使水化 7d 后，与高渗层的配伍性仍然很差，基本随后续注入水一起流出，因此采收率增幅较低。

1.2.2　动态特征

实验注入过程中注入压力、含水率和采收率与注入 PV 数关系对比如图 4~图 6 所示。

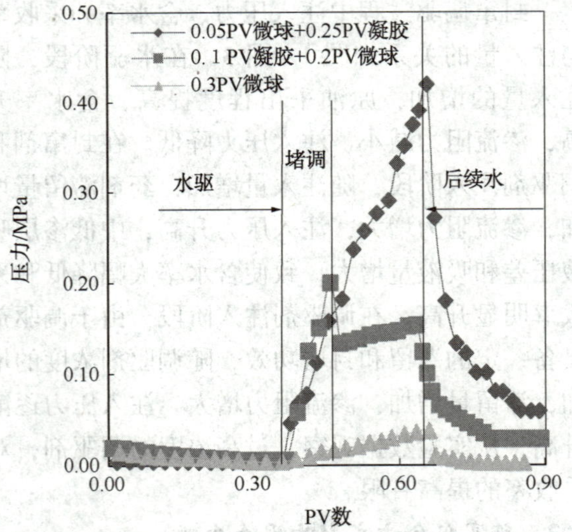

图 4　注入压力与 PV 数关系

封窜调驱过程中注入压力、含水率和采收率与注入量的关系如图 4~图 6 所示。在水驱阶段，原油采出程度提高，含水率升高，渗流阻力减小，注入压力降低。方案 1 优先注入微球，由于微球与高渗层配伍性差，但渗流阻力较小，在高

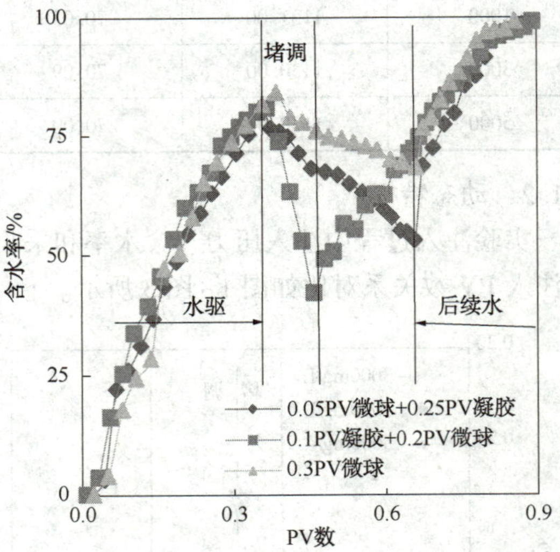

图 5　含水率与 PV 数关系

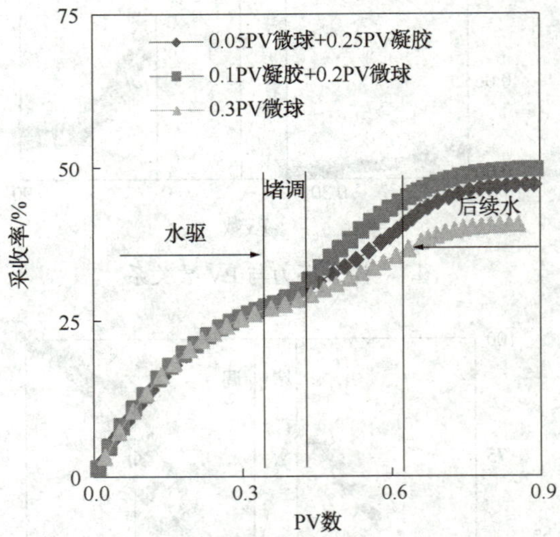

图 6　采收率与 PV 数关系

渗层的传输运移能力较强，故注入压力较小，含水率上升较快；方案 2 由于凝胶初始黏度较微球高，渗流阻力较微球大，传输运移能力较弱，基本滞留在岩心注入端的高渗层，吸液压差增大，致使含水率大幅降低和采收率明显升高，故注聚阶段压力上升含水率下降，在调驱剂注入阶段，渗流阻力较小，注入压力降低。方案 3 由于注入的调驱剂粒径较小基本流入高渗层，与高渗层的配伍性差，因此压力增幅较小，含水率上升较

快，即使水化 7d 后基本随后续注入水一起流出，因此采收率增幅较低；由此可见，要更好地发挥调驱剂提高采收率作用，就需要治理即封堵高渗透层或大孔道，以避免调驱剂沿高渗透层或大孔道窜逸，而是转向进入剩余油饱和度较高的中低渗透层发挥驱油作用。

2.1 示踪微球检测标准曲线的建立

选用工业放量制备的示踪微球，用无水乙醇沉淀析出烘干成干粉，再用渤海 S 油田现场采出水分散配制成 2000mg/L 浓度的分散液，经过 90℃高温老化 48h，UV 高压汞灯光照 90min 处理后，再用 UV 光照处理后的采出水稀释成不同浓度的示踪微球水分散液，410nm 波长条件下激发，荧光仪狭缝宽度 10-10，分别测试了不同浓度的荧光发射光谱图，选取 478nm 波长处的荧光强度值与浓度做曲线并拟合得到标准曲线。具体结果如图 7 和图 8 所示。

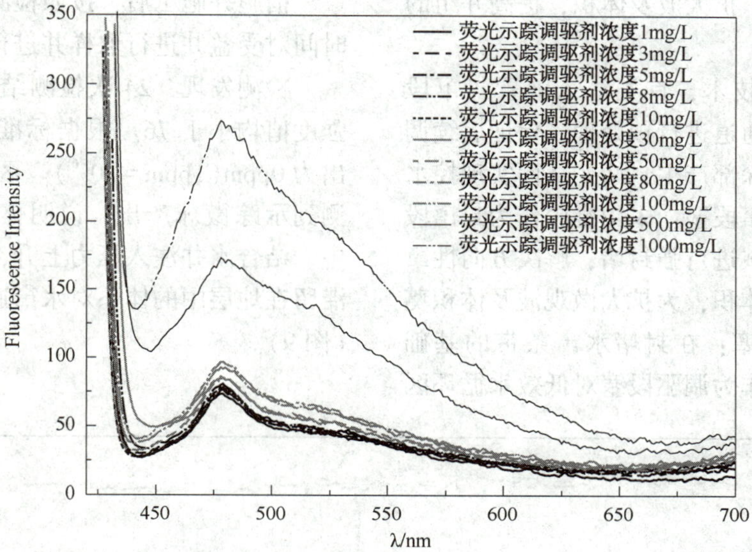

图 7　不同浓度示踪微球油田现场采出水分散液的荧光发射光谱

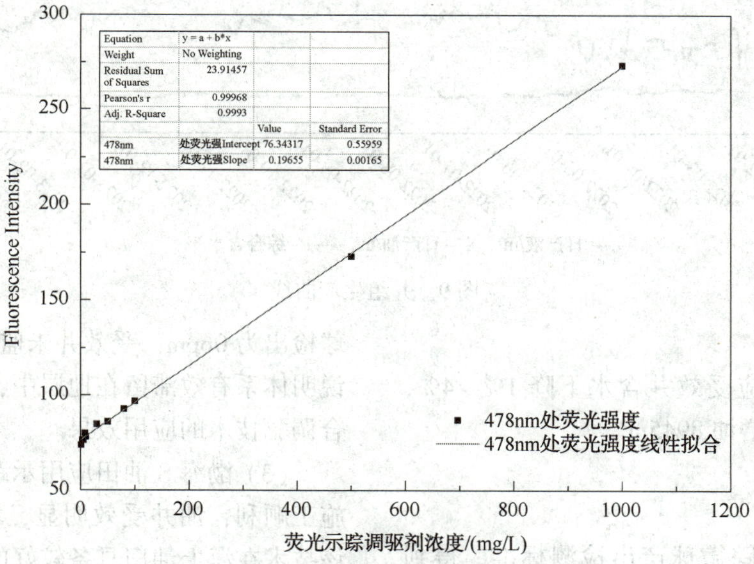

图 8　478nm 处荧光强度值与示踪微球配制浓度关系

根据线性拟合关系，最终得到 478nm 波长处荧光强度值与示踪微球配制浓度关系式为：$Y = 76.34317 + 0.19655X$。根据油田现场采出液处理规范和检测标准，以上述示踪微球在渤海 S 油田现场采出水中配制得到的拟合曲线作为最终的检测标准曲线。

3 矿场应用

示踪微球组合调驱技术在渤海 S 油田应用，油井含水率降低 1%~3%，累积增油超过 8000m^3。

以渤海 S 油田 A 区块 M 井组为例，总结应用效果。

3.1 方案设计

M 井组油井整体处于高含水期，综合含水为 85.6%，注水井的注水速度为 $338m^3/d$，井组产液、含水平面差异大，井组日产液为 $1352m^3$，日产油为 $195m^3$，纵向上吸水不均，主力吸水层位存在无效水循环，同时平面上存在水窜问题，建议对其进行组合调驱措施，封堵优势通道，改善该井的吸水剖面，扩大波及体积，提高井组的驱油效率。

选用组合调驱技术，首先注入前置封窜段塞，对储层中水窜通道进行预处理，保证后续调驱段塞能够在油藏深部产生封堵，从而实现控水增油的目的。①封窜段塞：采用凝胶作为封窜段塞对无效水循环区域进行强封堵，解决方向性窜流；扩大宏观波及体积，为扩大微观波及体积奠定基础。②调驱段塞：在封堵水窜条带的基础上，采用示踪微球作为调驱段塞对低效水循环区域进行调整，实现微观液流转向，提高微观波及体积和波及效率。

针对井组实际情况，综合油藏工程与数值模拟研究手段，考虑经济性等因素，优选药剂注入浓度与施工周期，综合确定出合理的组合调驱工艺方案设计：①封窜段塞：凝胶，②清水顶替段塞，③侯凝，④调驱段塞：示踪微球。总段塞 $34200m^3$。

3.2 受益井产出液荧光检测

措施井施工后，按照检测计划，分别在不同时间对受益井进行取样并进行荧光强度检测。

检测发现，24 次检测结果 478nm 处的荧光强度值均小于 76。根据标准曲线，荧光微球检出为 0ppm（$1ppm=10^{-6}$）。区块 4 口受效井未监测到示踪微球产出，说明体系有效滞留在地层中。结合水井注入压力上升，充满度增加，说明滞留在地层中的体系对水窜通道建立了有效封堵（图 9）。

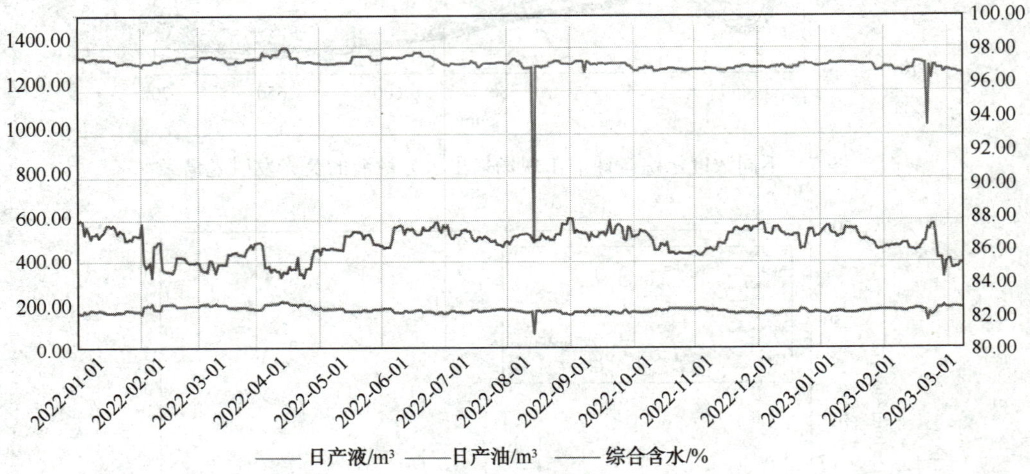

图 9　井组生产曲线

3.3 应用效果

井组措施后对应受效井含水下降 1%～4%，有效期内井组累积增油 $8945m^3$。

4 总结

（1）建立的示踪微球产出检测标准，得到 478nm 波长处荧光强度值与示踪微球配制浓度关系式为：$Y=76.34317+0.19655X$。

（2）示踪微球组合调驱技术在渤海 S 油田成功应用，首先注入前置封窜段塞，后续调驱段塞在油藏深部封堵，以实现控水增油的目的。应用前期建立的示踪微球产出检测标准检测，荧光微球检出为 0ppm，受效井未监测到示踪微球产出，说明体系有效滞留在地层中，佐证了示踪微球组合调驱技术的应用效果。

（3）渤海 S 油田应用示踪微球组合调驱技术施工顺利，油井受效明显，增油降水效果明显，该技术在海上油田具备较好的应用前景。

参 考 文 献

[1] 刘义刚，肖丽华，邹剑，等．聚驱后综合治理措施增油效果及作用机理研究：以渤海 LD10-1 油田为例[J]．油气藏评价与开发，2018，8(4)：46-51.
[2] 李翔，瞿瑾，鞠野，等．纳米聚合物微球的封堵性

及驱油性能[J]. 化学工业与工程，2021，38(03)：57-63.

[3] 李翔，瞿瑾，鞠野，等. 深部调驱用纳米聚合物微球的研究进展[J]. 化学工业与工程，2021，38(02)：48-54.

[4] 刘进祥，代磊阳，李先杰，等. Z1 型聚合物微球的油藏适应性及调驱效果[J]. 石油化工，2020，49(12)：1194-1200.

[5] 刘娅菲，杨静雯，姚婷玮，等. 纳米聚合物微球对高渗透介质封堵效果评价及作用机理[J]. 油气地质与采收率，2020，27(06)：130-135.

[6] 吕鹏，薛宝庆，王楠，等. 微球性能及其微观作用研究[J]. 化学工程师，2021，35(02)：31-34.

[7] 金玉宝，卢祥国，谢坤，等. 聚合物微球油藏适应性评价方法及调驱机理研究[J]. 石油化工，2017，46(7)：925-933.

[8] 刘晶静，吴起. 油田弱凝胶微粒复合调驱技术研究与应用[J]. 非常规油气，2018，5(6)：76-79.

[9] 韩明，张健，向问陶，等. 聚合物凝胶在油藏条件下的长期稳定性研究[J]. 石油学报，2006(01)：69-72.

[10] 宋岱锋，贾艳平，于丽，等. 孤岛油田聚驱后聚合物微球调驱提高采收率研究[J]. 油田化学，2008(02)：165-169+185.

[11] 张金元. 微生物复合深部调驱技术在低渗油田中的应用[J]. 石油工业技术监督，2022，38(03)：47-53.

[12] 姚春林，贾微. 本源微生物深部调驱技术的室内研究及现场应用[J]. 科技与企业，2012(12)：331-332.

[13] 刘隐. 化学深部调驱技术现状与进展[J]. 化学工程与装备，2015(12)：128-129.

[14] 赵娟，康晓东，张健. 国内油田调剖技术研究进展[J]. 金属材料与冶金工程，2012，40(S1)：65-71.

[15] 顾锡奎，杜芳艳，王小泉. 化学深部调驱技术现状与进展[J]. 石油化工应用，2009，28(03)：4-7.

[16] 高超利，鲁永辉，梁锋，等. 含油污泥精细深部调驱技术在吴起采油厂的应用[J]. 非常规油气，2019，6(03)：41-47.

[17] 王占玲，林桂英，杨威，等. 含油污泥不同调剖方式可行性评价[J]. 油气田环境保护，2017，27(05)：23-25+61.

[18] 王占玲，金雪超，曲作明. 低成本含油污泥深部调剖技术[J]. 油气田环境保护，2017，27(02)：18-20.

[19] 蔡依娜，彭雪飞，肖洒，等. 海上油田纳微米微球深部调驱技术的研究[J]. 石油化工应用，2022，41(07)：54-59.

[20] 赵华强，彭勃. 聚合物微球在油田深部调驱技术中的研究进展[J]. 化工进展，2021，40(S2)：75-80.

渤东凹陷地区构造-砂体动态耦合关系及其成藏意义

曾 萱 张宏国

[中海石油(中国)有限公司天津分公司]

摘 要 盆地构造演化控制古地貌，同时也决定物源体系、沉积相带的平面展布。通过对渤东凹陷古近系“构造—沉积”耦合关系的研究，认为不同构造演化阶段古地貌的差异形成不同类型的坡折带，进而控制了不同沉积体系的发育。研究表明，环渤东低凸起陡坡坡折带控制扇三角洲、近岸水下扇的发育，东南部缓坡坡折带控制辫状河三角洲相的发育，渤东2号断裂形成构造转换型坡折带并有利于沉积物卸载形成辫状河三角洲，沉积坡折带体现了曲流河三角洲沉积体系不断向湖心进积的特征，长兴岛断裂等北东向、北北东向断裂组成走滑断裂体系在提供沉积物搬运通道的同时使沉积相发生横向迁移；不同构造演化阶段古地貌及断裂活动特征不同，控制不同沉积相带的展布。渤东凹陷左旋→右旋转型期($Ek-Es_4$)盆地地势高差较大，以湖泊相沉积为主，粗粒沉积物快速堆积形成沿凸起展布的小型扇三角洲，走滑—拉张断陷期(Es_3)洼陷带发育半深湖亚相，泥质沉积为主，凸起周缘扇体为扇三角洲和辫状河三角洲，走滑—拉张断陷期(Es_2-Ed)湖盆扩张，滨浅湖亚相扩大，扇体为辫状河三角洲。综合分析“构造—沉积”动态耦合关系，确定了渤东凹陷东北部陡坡带为古近系富砂区。

关键词 渤东凹陷；构造演化；断裂体系；古近系；构造-沉积耦合

“构造-沉积”耦合关系的研究始于20世纪六十年代。H. E. Wheele在1960年将构造和地层两个词结合起来，用以研究美国早古生代地层的历史与构造格局演化的关系。随着构造对盆地沉积控制作用研究的深入，“构造-沉积”耦合的思想被应用到沉积盆地沉积对构造的响应特征研究中，主要集中在古地貌对沉积充填样式的控制方面及盆地边缘构造样式对沉积体系的控制方面：Nancye H D(2000)、邓宏文(2001)、邹德江等(2008)认为古地貌不仅揭示了物源区、沉积区和沉积中心的展布位置和空间关系，又显示了沉积物的搬运通道和方向，进而控制了盆地内的沉积体系和充填序列的发育特征；任建业等(2004)基于物理模拟实验对断陷盆地构造坡折带进行了分类，并进一步阐述了不同类型坡折带与沉积体系的关系，冯有良(2006)、徐长贵(2008)、李桂范(2009)根据断裂的成因、形态及组合样式将中国东部断陷盆地盆缘划分为伸展型、走滑型两大类，认为不同性质的湖盆边缘对应不同的沉积体系。

本次研究以“构造-沉积”耦合关系为核心内容，从渤东凹陷构造演化入手，在明确坡折带、构造转换带、走滑断裂体系以及盆地构造格架对沉积体系演化的控制作用的基础上，建立相应的“构造-沉积”动态耦合模式，预测古近系有利储集砂体发育区带，为渤东凹陷围区古近系东营组、沙河街组油气勘探提供借鉴。

1 渤东凹陷地质概况

渤东凹陷为渤海湾盆地渤中坳陷的次级构造单元，位于渤海湾盆地的东北部，总面积约4000km²，西部为渤东低凸起，南部为庙西凸起、渤南低凸起，东部与胶辽隆起相连，北部与辽中凹陷南洼相接，西南部紧邻渤中凹陷，断裂体系以NNE向和NE向为主(图1)。现阶段渤东凹陷现已发现的油气藏大多位于潜山或新近系(蓬莱9-1油田，蓬莱19-3油田，蓬莱13-2油田等)，勘探程度较低，特别是古近系没有规模性油藏发现。在周围(低)凸起、隆起提供充足物源的条件下，渤东凹陷古近系勘探还没有取得实质性的突破，其中砂体富集区带的预测是制约古近系勘探的关键。

2 渤东凹陷坡折带控砂

渤东凹陷现阶段勘探以构造圈闭为主要研究对象，近年来在石臼坨凸起东段陡坡带及辽中南

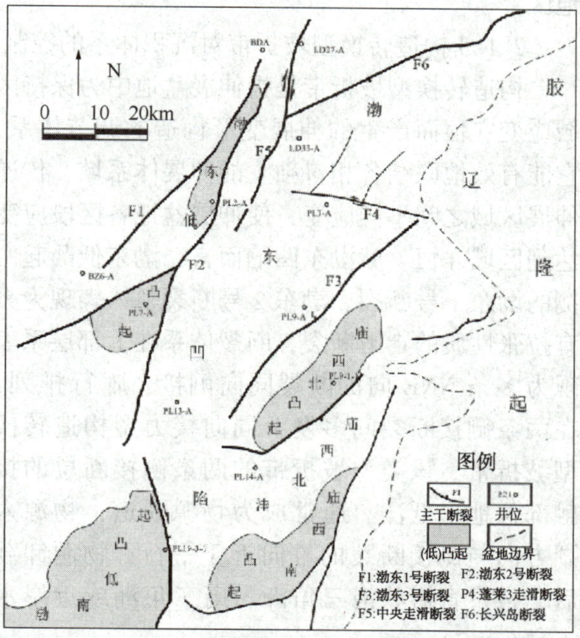

图 1　渤东凹陷地质略图

洼斜坡带的钻井实例表明古近系岩性油气藏油质较好、产能高，具有重大勘探前景。由于缺少“构造-沉积”耦合关系的系统研究，渤东凹陷古近系富砂区带不明确，尤其是垂向砂体富集规模不清楚，严重制约古近系勘探进程。

根据前人坡折带分类方案，结合渤东凹陷坡折带的成因、发育位置、平面组合特征，研究区分为单断式陡坡坡折带、断阶式陡坡坡折带、断阶式缓坡坡折带、构造转换型坡折带、沉积坡折带等五种类型。

2.1　断裂坡折带对沉积体系的控制

2.1.1　陡坡坡折带

同沉积的陡坡断裂持续活动可以产生明显的差异升降和沉积地貌突变的古构造枢纽带，构成盆内沉积区域的边界。渤东凹陷陡坡带可以识别出两种坡折带类型：单断式陡坡坡折带、断阶式陡坡坡折带(表 1)。

单断式陡坡坡折带主要发育于控凹边界大断裂处，断裂长期活动、可容空间大，断裂与提供物源的凸起紧连，物源供应充足，随着水体加深，高水位期常发育扇三角洲和重力滑动搬运形成的湖底扇，水位较低可发育进积的扇三角洲沉积。单断式陡坡坡折带主要发育在渤东凹陷渤东 1 号断裂、渤东 2 号断裂控制的陡坡位置。

断阶式陡坡坡折带由两条以上持续下陷的断层组合而成，断距大。断阶式陡坡坡折带受渤东 3 号断裂控制，主要发育在渤东凹陷南洼东部陡坡带，辫状河三角洲、近岸水下扇顺补给水道在各断阶上逐级分布，沉积中心则发育在断块下降盘相对低洼的深水地带。

表 1　伸展构造结构单元的沉积相带响应特征

盆地结构单元	缓坡带			陡坡带		
构造样式类型	板式	铲式	断阶式	单断式	断阶式	扰曲式
沉积相类型	扇三角洲 滑塌浊积体	扇三角洲 辫状河三角洲	扇三角洲 辫状河三角洲	扇三角洲 辫状河三角洲	扇三角洲 辫状河三角洲	湖底扇 扇三角洲 辫状河三角洲
相带特征	相带窄 延伸近 厚度大 连续性好	相带较宽 延伸较远 厚度较小	相带宽 延伸较远 厚度较小	相带较宽 延伸较远 厚度较小	相带宽 延伸较远 厚度较小	相带较宽 延伸较远 厚度小
发育位置	渤东低凸起 东、西侧陡坡带	渤东凹陷北洼 东南部陡坡带	渤东凹陷北洼 东南部陡坡带	渤东凹陷 东南部陡坡带	渤东凹陷南洼 东部缓坡带	渤东凹陷 东南部陡坡带
模式图	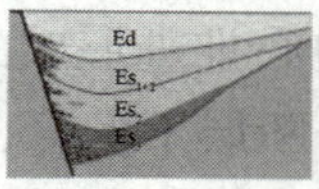	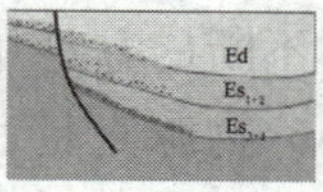	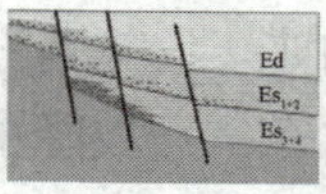	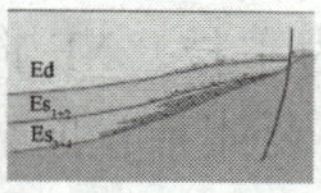	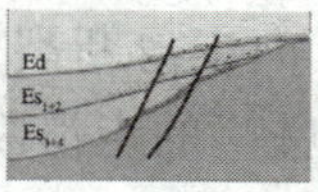	

此外，控制陡坡坡折带发育的断层的断面形态也是影响扇体分布的重要因素。板式断层断面陡峭，呈平板状，发育近岸水下扇沉积，扇体叠合厚度较大，中间缺少隔层，平面分布窄，相带变化快，渤东低凸起西侧地区陡坡断裂属此类；铲式断层断面上陡下缓呈铲状，通常发育冲积扇、扇三角洲及浊积扇沉积，扇体规模较大，不同期次之间常被泥岩分隔，垂向厚度几十米至几百米，平面展布范围较大，渤东低凸起东侧陡坡断裂属于此类；阶梯式断层铲状主断面与多条次

级顺向断裂构成，沉积类型丰富，期次特征明显，垂向厚度一般几十米，平面展布范围绵延长达十几公里，在最前端发育滑塌扇体和深水浊积扇，中部发育水下冲积扇，临近物源区发育小型洪积扇，低水位期还可发育小型辫状河三角洲，渤东凹陷南区东南部陡坡带边缘断裂的大部分地区属于此类(表 1)。

2.1.2　缓坡坡折带

缓坡坡折带是活动断裂调节而产生的差异升降和沉积古地貌突变而形成的断坡坡折区域，多发育于断陷期缓坡带。渤东凹陷缓坡坡折带分为斜列式断阶与平行式断阶两大类。其中，斜列式断阶表现为坡折带宽，坡降较大，以发育辫状河三角洲和远岸浊积扇为主，相带平面展布规模较大；平行式断阶表现为坡折带窄，坡降小，仅发育辫状河三角洲，相带延伸远(表 1)。这两类缓坡坡折带均发育在渤东凹陷中区东部缓坡带地区。

2.1.3 构造转换型坡折带对沉积体系的控制

构造转换型坡折带是指伸展盆地中为保持区域应变守恒而产生的伸展变形构造的调节体系，它能有效地联结各相对独立的伸展体系域，传递伸展区域之间不同应变，使伸展盆地各区段应变达到区域守恒。就渤东凹陷而言，渤东低凸起两侧的渤东 1 号断裂、渤东 2 号断裂整体表现为具有拉张性质的走滑断裂，断裂体系在上部层系表现为多条 NNE 向的断裂同向侧接、雁行排列，在两条侧接断裂间多发育同向接力型构造转换型坡折带。该类型坡折带的两条侧接断层的接触部位地形低洼，通常成为物源通道，物源入湖方向与侧接断裂的方向近于平行，物源卸载后，常发育辫状河三角洲、扇三角洲或近岸水下扇(表 2)。

表 2　研究区伸展走滑构造结构单元的沉积相带响应特征

盆地结构单元	帚状走滑体系	雁列状走滑体体
沉积相类型	扇三角洲、辫状河三角洲	辫状河三角洲
相带特征	扇三角洲相带宽，延伸较远，厚度小，砂砾岩含量 40%～60%。辫状河三角洲相带宽，延伸远，厚度较大，砂砾岩含量 35%左右	相带较宽，延伸远，厚度较大，砂砾岩含量 30%～40%
发育时期/发育位置	主要包括中央走滑断裂及其伴生的 NE-WE 向断裂	沙二-东二时期，渤东低凸起左侧陡坡带
模式图	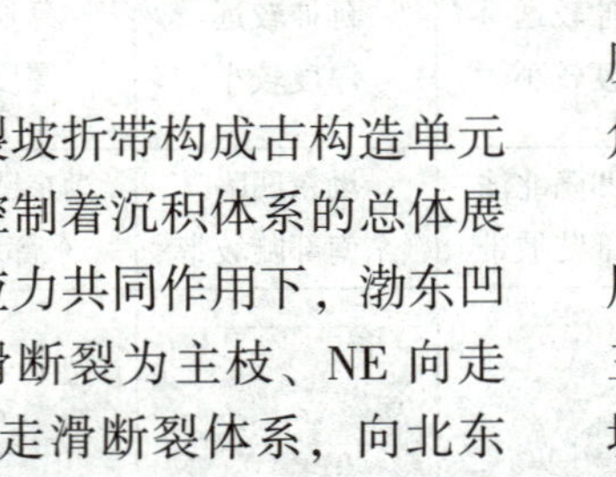	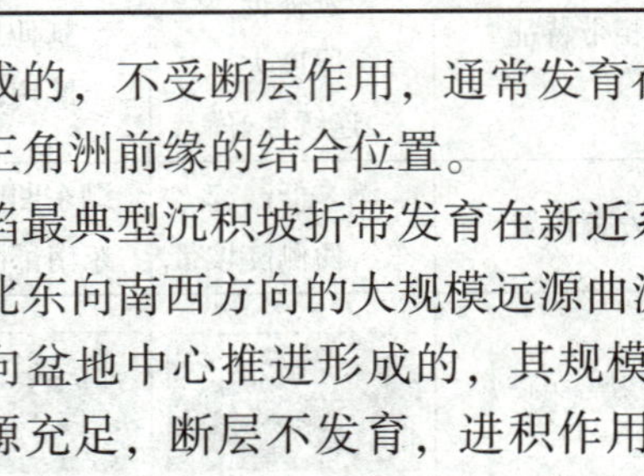

2.1.4　走滑断裂带

走滑断裂形成的断裂坡折带构成古构造单元和沉积相域的分界，并控制着沉积体系的总体展布。在拉张应力和剪切应力共同作用下，渤东凹陷形成了以“NNE 向走滑断裂为主枝、NE 向走滑—拉张断裂为侧枝”的走滑断裂体系，向北东向帚状撒开的构造格局。这种构造格局控制着物源和水系的发育，沉积体系沿着帚状撒开的方向逐级向盆地内推进，形成扇三角洲和辫状河三角洲(表 2)。

2.1.5　沉积坡折带

沉积坡折带是由沉积速率的差异造成地形坡度突变而形成的，不受断层作用，通常发育在三角洲平原与三角洲前缘的结合位置。

渤东凹陷最典型沉积坡折带发育在新近系地层中，是自北东向南西方向的大规模远源曲流河三角洲不断向盆地中心推进形成的，其规模大，坡降小，物源充足，断层不发育，进积作用强。平面上由湖盆岸边到湖盆中心分别为三角洲平原亚相、三角洲前缘亚相、前三角洲亚相，并且在前三角洲的前缘容易发生滑塌形成规模较大、数量众多的浊积扇体；垂向上呈现分期性，具有明显的三层结构：自下而上为前三角洲亚相、三角洲前缘亚相和三角洲平原亚相。垂直于盆地轴向方向的沉积坡折带，其规模较小，坡降较大，物源相对不充足，断层较发育，以辫状河三角洲、扇三角洲沉积为主，发育期次较少，垂向相带变化快，分期性不明显。

3 “构造-沉积”的动态耦合分析

3.1 构造演化阶段的划分

盆地构造演化的阶段性及差异性导致了各时期古地貌的不同，进而在整体上影响沉积体系的分布。由于郯庐断裂左旋到右旋的转变、拉张作用与走滑作用强弱的转变、地幔上涌水平拉张到热沉降的转变，渤东凹陷不同地质历史时期的断裂体系存在一定的差异(吴智平等，2013)。根据断裂体系的差异及其构造样式不同，本次研究将渤东地区新生代盆地结构演化划分为四个阶段：①Ek～Es_4期：左旋至右旋走滑的转换，表现为北西-南东向弱拉张与北北东向弱走滑应力场的叠合；②Es_3期：强拉张与右旋走滑的叠合，表现为北向-南东向强拉张应力与北北东向强烈右旋应力的叠合；③Es_2～Ed：强右旋走滑与拉张的叠合，表现为北西-南东向较弱拉张与北东东向较强右旋应力的叠合；④Ng～Nm期：拗陷与走滑的叠合，整体构造活动强度较弱，以北北东向右旋走滑应力为主(图2)。以上四个构造演化阶段，应力场的组成及强度有明显的差异，其古地貌也应该有所不同。

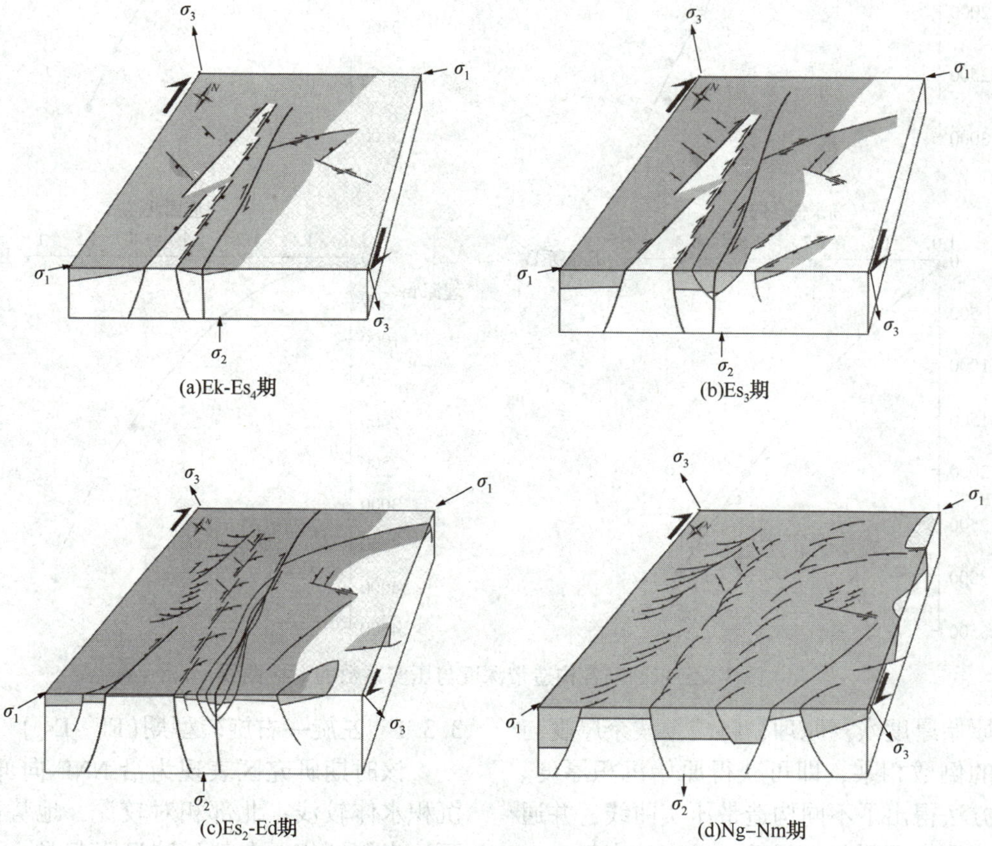

图2　渤东凹陷构造演化阶段划分

3.2 不同演化阶段古地貌恢复

在盆地构造演化格局分析的基础上，恢复各演化阶段的古地貌，并就受其控制下的沉积体系展布特征与规律进行了总结。前人对古地貌恢复进行过大量研究，提出了多种精细恢复古地貌的方法。考虑到仅需要恢复地层沉积时的相对古地貌，利用计算残留地层厚度的方法恢复相对古地貌。现今残留地层厚度是经过上覆地层的压实作用之后的压实厚度，必须进行去压实的计算，恢复其某一时期的原始沉积厚度。

地层在沉积以后随着埋深的加大，地层的厚度逐渐减小，那么恢复古地貌就需要恢复当时地层的原始厚度。俄罗斯专家建立的经验公式比较适合本研究区压实作用的恢复，其压实校正经验公式为：$k=b-a\ln H$(泥岩、页岩：$a=0.1$，$b=1.46$；砂岩：$a=0.8$，$b=1.37$)。依据专家公式，其压实系数等于原始厚度与观察厚度的比值的倒数。为了更加明确且直观的表示压实系数在恢复地层原始厚度中的作用，将其定义为原始厚度与观察厚度的比值，即 $K=1/k$。渤东凹陷按构造单元化分为洼陷带、缓坡带、陡坡带三个地区，陡坡带范围较小，在研究过程中暂且不进行去压实校正的工作。为了更加准确的表征古地貌特征，本次研究将研究区及其围区分为渤东凹陷缓坡带、洼陷带、渤东低凸起以及庙西北洼等不同构造带。根据不同构造带不同层系残余地层岩性和厚度的统计，得到各区的压实系数以及压实系数随埋深的变化曲线(图3)。这里采用的标准定为恢复到埋深100m处。

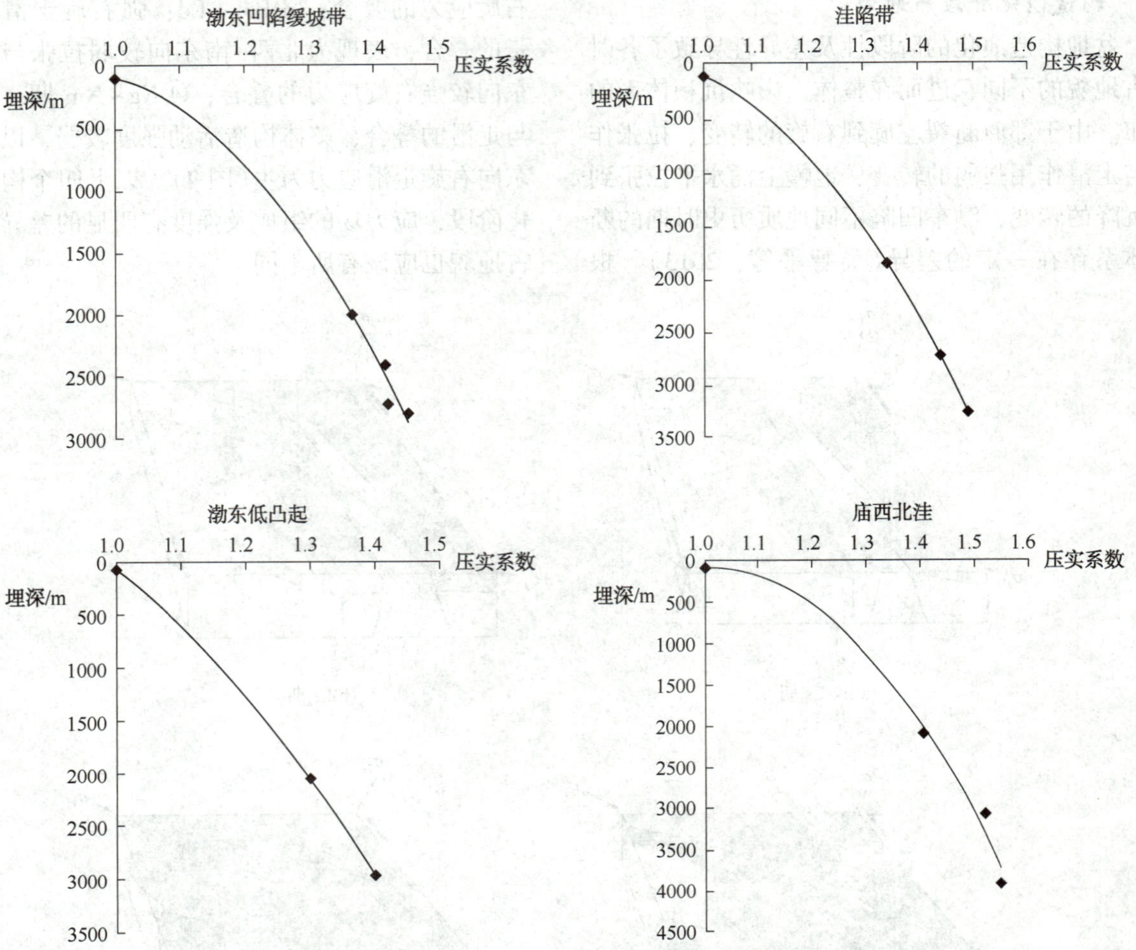

图3　渤东凹陷各构造带深度与压实系数的对应曲线

根据原始厚度恢复原理，将现今残余厚度与压实系数的倒数相乘，即可获得原始沉积厚度。通过上述方法得出了不同构造带压实曲线，并通过对不同构造带不同井各层系去压实的恢复。由于研究区新生代地层剥蚀较少，仅考虑残留地层厚度以及压实校正，对渤东凹陷新生代各层系原型盆地格局进行了恢复(图4)。

3.3　不同演化阶段的沉积特征

在不同演化阶段原型盆地恢复的基础上，明确了不同构造演化阶段古地貌的差异性，就不同构造演化阶段的沉积响应特征进行了总结分析。结果表明，不同演化阶段沉积体系有显著的不同，从而造成古近系砂体分布具有明显的分异性(图5)。

3.3.1　左旋—右旋转型期($Ek \sim Es_4$)

该时期研究区表现为沿NNE向伸展，整体沉积水体较浅，北部相对较深，地势高差较大，可达半深湖相；东部的胶辽隆起是主要物源区，在其裙麓发育多个扇三角洲；渤东低凸起周缘坡度较陡，也发育有近岸水下扇体。

3.3.2　走滑-拉张断陷期(Es_3)

该时期研究区的地貌特征表现为整体沿NNE向展布，但庙西凹陷、渤东凹陷北部等地区出现了NE向展布的低洼区域等“次级分支洼陷”，渤东凹陷整体沉积水体的面积、深度较前期有所加大；东部胶辽隆起仍是最重要的物源区，形成了东南部缓坡带的扇三角洲，渤东3号断裂活动控制了庙西凸起北侧的扇三角洲发育，长兴岛断裂的活动在东北部形成了一个自北东向南西搬运的重要物源通道，发育辫状河三角洲；渤东低凸起进一步被剥蚀，周缘发育小型近岸水下扇。

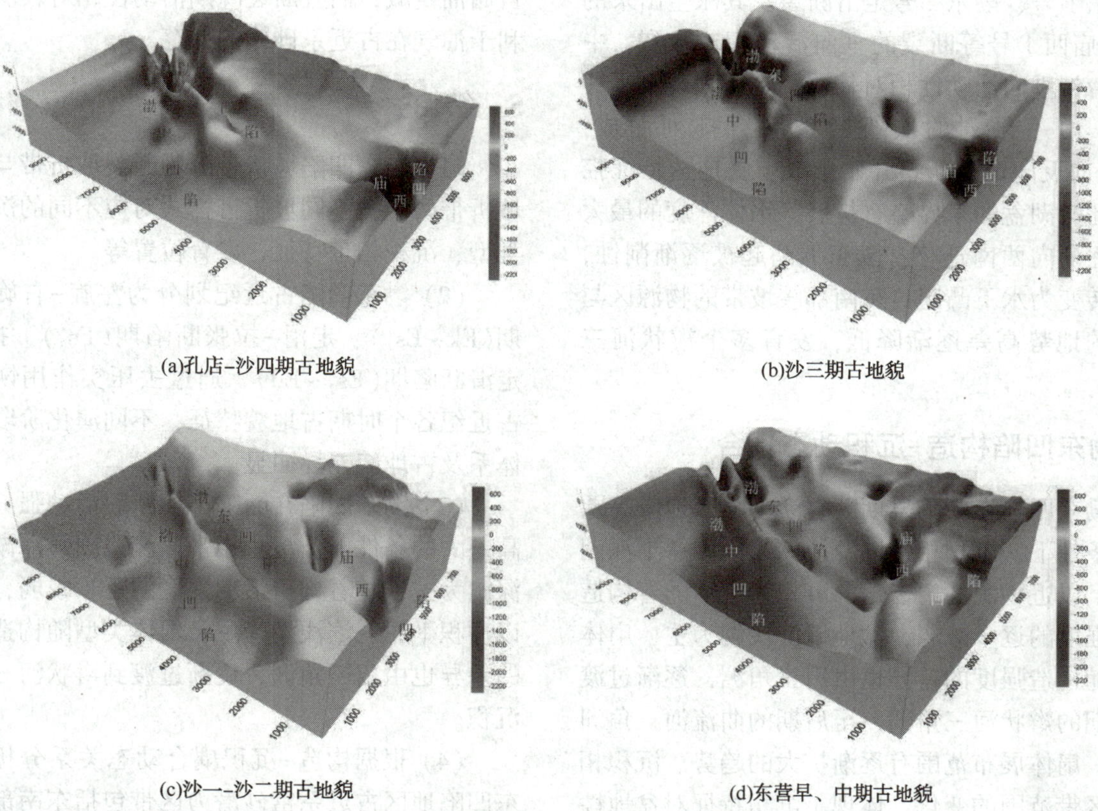

(a)孔店-沙四期古地貌　(b)沙三期古地貌

(c)沙一-沙二期古地貌　(d)东营早、中期古地貌

图4　渤东凹陷古近纪古地貌恢复

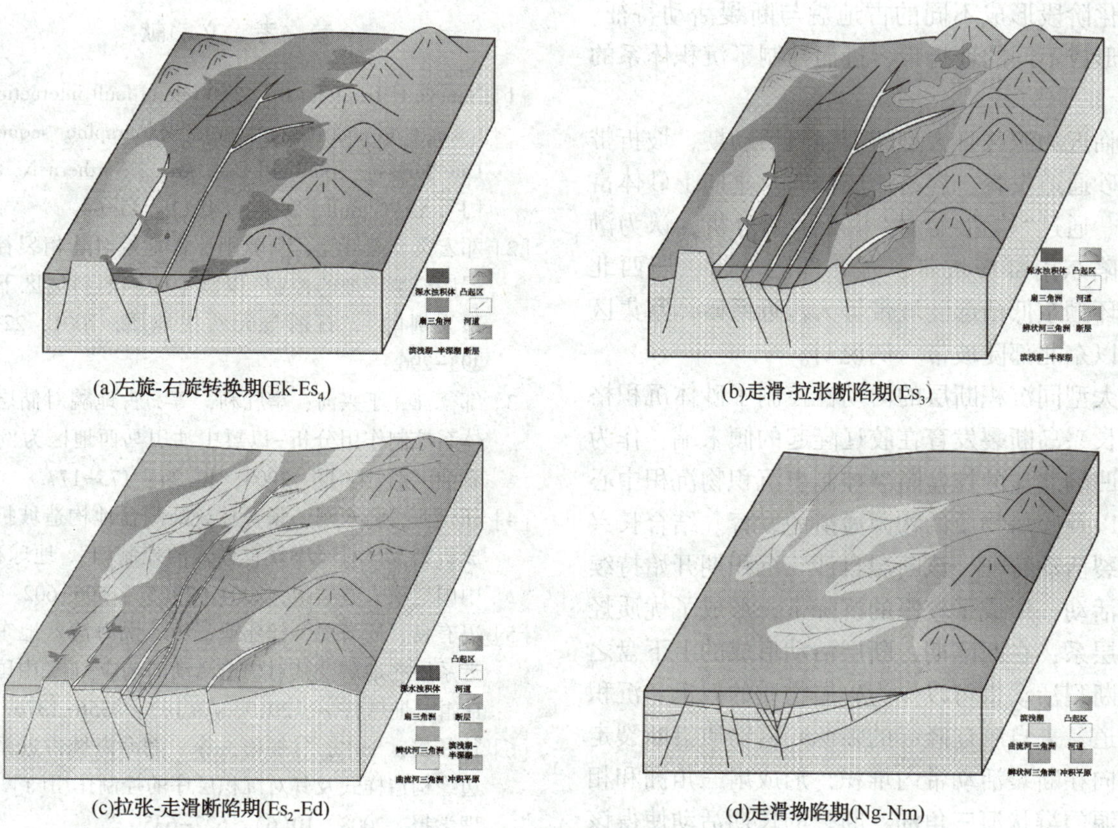

(a)左旋-右旋转换期(Ek-Es_4)　(b)走滑-拉张断陷期(Es_3)

(c)拉张-走滑断陷期(Es_2-Ed)　(d)走滑拗陷期(Ng-Nm)

图5　渤东凹陷各演化阶段的沉积模式图

3.3.3　拉张-走滑断陷期(Es_2~Ed)

该时期研究区拉张应力分量增大，NNE 向的渤东 1 号、渤东 2 号走滑断裂及其派生出来的 NE 向庙西 1 号等断裂的垂向活动相对强烈，中央走滑带垂向活动性相对较弱，主要表现为平移走滑，由一系列的次级断裂雁行排列而成；NWW 向反向走滑断裂开始形成。受构造特征控制，此时湖盆的东界略有扩展，水体深度的最大区域逐渐向西南迁移；渤东低凸起被逐渐削蚀，直至转变为水下凸起；东南部缓坡带的物源区与盆地的地势高差逐渐降低，发育多个辫状河三角洲。

4　渤东凹陷构造-沉积动态耦合

渤东凹陷在断陷早期断裂活动强，地势高差大的条件下，沉积相带以滨浅湖、深湖—半深湖为主，以近物源的扇三角洲沉积为主；随着构造活动强度的逐步减弱，盆地以滨浅湖为主，扇体类型随构造强度的差异也由扇三角洲，逐渐过渡到中期的辫状河三角洲，至后期的曲流河三角洲沉积，扇体展布范围有逐渐扩大的趋势。沉积相及其区带范围的变化，体现了沉积特征对盆地性质、类型及构造格架的响应。具体而言，不同构造演化阶段形成不同的古地貌与断裂活动特征，从而形成不同的坡折带，进而控制了沉积体系的展布。

临近物源区且大型断裂强烈活动期，坡折带等输砂通道发育，容易形成横向及垂向上砂体富集区。通过“构造-砂体”耦合关系分析，认为渤东凹陷东南部缓坡带、东北部陡坡带、庙西北洼、环渤东低凸起陡坡带等为古近系砂体富集区带，以东北部陡坡带为例说明。

大型同沉积断层的活动性控制了砂体沉积格局。长兴岛断裂发育在胶辽隆起的倾末端，作为渤东凹陷北洼的控盆断裂控制着沉积物沉积中心位置以及碎屑物质的物源通道的发育。结合长兴岛断裂活动特征，该断裂自沙三沉积期开始持续强烈活动，形成了较厚的沉降带，形成了优质烃源岩层系；在断陷期，断层活动形成的上下盘之间的断裂活动带可以作为碎屑物质的搬运、沉积的通道，来自胶辽隆起的陆源碎屑物质沿断裂走向方向在断裂活动带内堆积，形成扇三角洲和相对远源的辫状河三角洲，断裂的长期活动使得该类砂体持续堆积形成连续加积的砂体组合。该类砂体组合紧邻生油岩，并且伴随着相邻大断裂的持续活动，是极为有利的储集砂体，易形成自生自储油气藏，而且断裂晚期活动性相对较弱，有利于油气在古近系砂体的保存。

5　结论

（1）渤东凹陷坡折带分为断裂坡折带与沉积坡折带两类，不同坡折带样式对应不同的沉积相类型、沉积相带特征、发育位置等。

（2）渤东凹陷古近纪划分为左旋-右旋转换期(Ek~Es_4)、走滑-拉张断陷期(Es_3)、拉张-走滑断陷期(Es_2~Ed)，通过去压实作用恢复了古近纪各个时期古地貌特征，不同演化阶段断裂体系及古地貌差异明显。

（3）渤东凹陷在断陷早期断裂活动强，地势高差大的条件下，沉积相带以滨浅湖、深湖—半深湖为主，随着构造活动强度的逐步减弱，盆地以冲积平原、滨浅湖为主；扇体类型随构造强度的差异也由扇三角洲，逐渐过渡到辫状河三角洲沉积。

（4）根据构造-沉积耦合动态关系分析，渤东凹陷地区古近系富砂潜力区带包括东南部缓坡带、东北部陡坡带、环渤东低凸起陡坡带。

参　考　文　献

[1] Nancye H D, John R U. The role of fault interaction and linkage in controlling synrift stratigraphic sequences: Late Jurassic, Statfjord East Area, Northern North Sea [J]. AAPG Bull, 2000, 84(1): 45-64.

[2] 邓宏文，王红亮，王敦则．古地貌对陆相裂谷盆地层序充填特征的控制-以渤中凹陷西斜坡区下第三系为例[J]．石油与天然气地质，2001，22(4)：293-296.

[3] 邹德江，于兴河，李胜利，等．古地貌对储层沉积体系控制作用分析-以冀中油田马西地区为例[J]．石油天然气学报，2008，30(2)：175-177.

[4] 任建业，陆永潮，张青林．断陷盆地构造坡折带形成机制及其对层序发育样式的控制[J]．地球科学-中国地质大学学报，2004，29(5)：596-602.

[5] 冯有良，周海民，任建业，等．渤海湾盆地东部古近系层序地层及其对构造活动的响应[J]．中国科学 D 辑：地球科学，2010，40(10)：1356-1376.

[6] 徐长贵，于水，林畅松，等．渤海海域古近系湖盆边缘构造样式及其对沉积层序的控制作用[J]．古地理学报，2008，10(6)：627-635.

[7] 李桂范，李建平，王根照，等．渤中坳陷青东凹陷

古近系沙三下亚段构造-古地貌对沉积的控制[J]. 石油与天然气地质，2009，30(4)：425-430.

[8] 邓运华. 郯庐断裂带新构造运动对渤海东部油气聚集的控制作用[J]. 中国海上油气(地质)，2001，15(5)：301-305.

[9] 夏庆龙，周心怀，王昕，等. 渤海蓬莱9-1大型复合油田地质特征与发现意义[J]. 石油学报，2013，34(增2)：15-23.

[10] 郭永华，周心怀，凌艳玺，等. 渤海海域蓬莱19-3油田油气成藏特征新认识[J]. 石油与天然气地质，2011，32(3)：327-332.

[11] 张宏国，官大勇，宿雯，等. 复合型花状构造油气富集规律-以渤海海域蓬莱C构造为例[J]. 东北石油大学学报，2015，39(4)：38-44.

[12] 余一欣，周心怀，魏刚，等. 渤海湾地区构造变换带及油气意义[J]. 古地理学报，2008，10(5)：555-560.

[13] 王应斌，王海军，孙和风. 渤东低凸起构造演化及成藏条件[J]. 石油与天然气地质，2010，31(2)：151-158.

[14] 王芝尧，苏俊青，钱茂璐，等. 走滑断裂作用对油气成藏的控制作用[J]. 岩性油气藏，2011，23(4)：35-40.

[15] 吴智平，薛雁，颜世永，等. 渤海海域渤东地区断裂体系与盆地结构[J]. 高校地质学报，2013，19(3)：463-471.

[16] 周瑶琪，吴智平. 地层间断面的时间结构研究[M]. 北京：地质出版社，2000：30-31.

[17] 吴智平，张林，李伟，等. 东营凹陷孔店期-沙四早期构造格局恢复[J]. 中国石油大学学报(自然科学版)，2012，36(1)：13-19.

[18] 丁晓琪，张哨楠，刘岩. 鄂尔多斯盆地南部镇泾油田前侏罗纪古地貌与油层分布规律[J]. 地球科学与环境学报，2008，30(4)：385-388.

[19] 林畅松，杨海军，刘景彦，等. 塔里木盆地古生代中央隆起带古构造地貌及其对沉积相发育分布的制约[J]. 中国科学D辑：地球科学，2009，39(3)：306-316.

[20] 朱伟林，米立军，龚再升，等. 渤海海域油气成藏与勘探[M]. 北京：科学出版社，2009：38-45.

[21] 王华，姜华，林正良，等. 南堡凹陷东营组同沉积构造活动性与沉积格局的配置关系研究[J]. 地球科学与环境学报，2011，33(1)：70-77.

渤海边际油田开发界限及动用策略探讨

李少芳　王冰月　姜云飞　梁　鹏　李天杨　孙彤文　史淑琴

[中海石油(中国)有限公司天津分公司]

摘　要　渤海油田是目前我国海上最大的油田，边际油田开发的重要性逐渐凸显。而边际油田经济有效开发对技术及经济环境要求较高，目前尚无全面系统的针对渤海油田的未动用储量开发界限研究。工作过程中，部分小型边际储量多区块联合评价时，自身方案及其对整体方案效益的影响程度难快速预判，不利于工作高效快速开展。随着边际油田开发重要性提高，需要针对边际油田开发界限的研究。本研究通过建立典型油藏开发规律预测方法体系，针对目前海上油田经济评价方法，考虑海上油田开发方式特殊性，多因素分析研究得出适用于渤海边际油田的经济评价图版，实现快速查询不同情境下经济效益及临界储量，并开展经济极限下的渤海边际油田开发界限分析，研究基于经济界限的边际油田开发策略。

关键词　渤海边际油田；经济开发界限；动用策略；开发规律

1 引言

“边际油田”指油田规模较小、且距离依托设施较远，在现有开发技术水平及近期油价条件下经济效益较低难以开发的油田。渤海边际油田开发经过多年的探索已经形成了“十一五”期间的“三一”模式和“小蜜蜂”模式；“十二五”期间的“区域联合开发”模式以及“十三五”期间的“试采+整体开发”模式。随人力、原材料成本上升，边际油田开发面临较大挑战。面临激烈的市场竞争环境以及增储上产需求，结合现有技术经济水平尽早开展研究及分析，为持续有效开发边际油田提供可靠的依据，是十分必要且迫切的。

目前尚无全面系统的针对渤海油田的未动用储量开发界限研究。在勘探评价、储量评价阶段，效益门槛是根据一定油价进行测算，而一旦进入前期研究阶段，还需要进不同油价下的情景分析及抗风险测试。

勘探目标评价、储量申报评价，评价目标均需要满足公司要求的效益门槛之后才能进行决策和申报。工作过程中，特别是部分小型边际储量，多区块联合评价时，自身方案及其对整体方案效益的影响程度难以快速直观预判，只能进行评价才能较准确的知道，会延缓进度、不利于工作高效快速开展。

开展此项研究及分析的作用及优势如下：第一，快速性。能加快勘探评价、储量评价阶段前期沟通的效率，将串联工作调整为并联，减少反复修改的时间；第二，指导性。通过对不同方案及油价下的评价结果统计，让使用者对该勘探、储量阶段的储量进入前期研究后的效益，有一定预判，不仅要满足勘探、储量评价阶段的要求，也能向后更好的践行一体化。第三，先进性。针对目前海上油田经济评价方法，考虑海上油田开发方式特殊性，通过创新思维模式，开创性的将开发方案多因素变动直接引入经济评价方案中，将经济评价结果的指导意义向前延伸，从以往的最后一步提前到储量数据阶段，弥补了目前渤海油田未动用储量开发界限研究的空白。

2　渤海边际储量开发界限研究

2.1　典型油藏开发规律预测

本次研究通过与陆地油田对标，利用油藏工程方法研究了不同类型油藏在不同阶段的产量递减规律、含水率及含水上升规律、采油速度变化规律及技术可采的预测方法。

渤海目前的油藏类型主要分为中高渗三角洲油藏、中高渗河流相常规油油藏、中高渗河流相稠油油藏及中高渗底水油藏四类，渤海目前94%的储量都集中在此四类油藏中。

同时已开发的此类油藏已接近35个，且均已到达中高含水期，具有较丰富的资料。油藏开发中，由于不同油藏的油水关系、油藏类型、储层特征及流体性质等存在着差异，常导致不同类型油藏在开采过程中呈现出不同的开发规律及开发效果，为了总结不同类型油藏的开发经验，本文对渤海已开发的中高渗三角洲油藏、河流相常规油油藏、河流相稠油油藏及底水油藏的典型油田进行了统计分析，利用油藏工程方法及与陆地典型油田的对标研究，得出了不同类型油藏在不同开发阶段的产量递减规律、含水率及含水上升规律、采油速度变化规律及技术可采的预测方法，能较好的指导不同类型油藏的开发实践。

找出不同类型油藏的含水率变化规律，产量递减规律，编制快速指标评价方法软件，通过计算，建立未动用储量油藏开发规律预测方法，为经济界限研究提供基础参数保障。

2.2 渤海边际油田经济效益图版的建立

海上油田与陆上油田相比开发方案较复杂，工程设施投资占比较大，与产量或井数并非呈线性关系而是阶梯性关系。本研究开展以渤海边际油田较为典型、通用的常规平台为出发点，工程方案以“三一”模式为基础，处理和电力为纯依托情况。结合不同储量规模下较为普遍的井数规模，按照注水开发方式，考虑4腿有人井口平台、4腿无人井口平台、简易无人井口平台共3种类型的平台。考虑依托开发需新建工程设施，储量规模较小，一个平台能覆盖该面积内的储量。以此为基础开展经济评价方案体系的分析研究。

从海上边际油田不同储量规模匹配的海上平台规模为出发点，结合依托距离变化导致的管线长度变化，在此基础上考虑钻完井埋深变化、采油操作工作量变化等。在处理电力纯依托的前提下，考虑4种依托距离，6种埋深梯度，总结分析出典型适合渤海边际油田的包含72种基础评价方案的经济评价方案体系。

根据经济评价方案体系研究结果，总结渤海典型平台、不同长度管线、钻完井、采油操作等投资费用在不同情境下的变化规律，形成与经济评价方案体系相匹配的费用选取数据库。①不同类型平台结合平台桩腿数、井槽数等，结合渤海已有平台投资费用水平进行估算。②不同长度管线，结合目前公司定额取费水平，按照长度进行测算，包括混输海底管线、注水海底管线以及海底电缆。③钻完井投资以单平台固定半径为基础，结合埋深变化计算不同单井进尺，分别考虑不同进尺下的米钻井成本。④采油操作费结合平台规模、依托距离等动态变化，考虑平台耗电量及本油田产气量等因素，分别进行费用计算及选取(图1)。

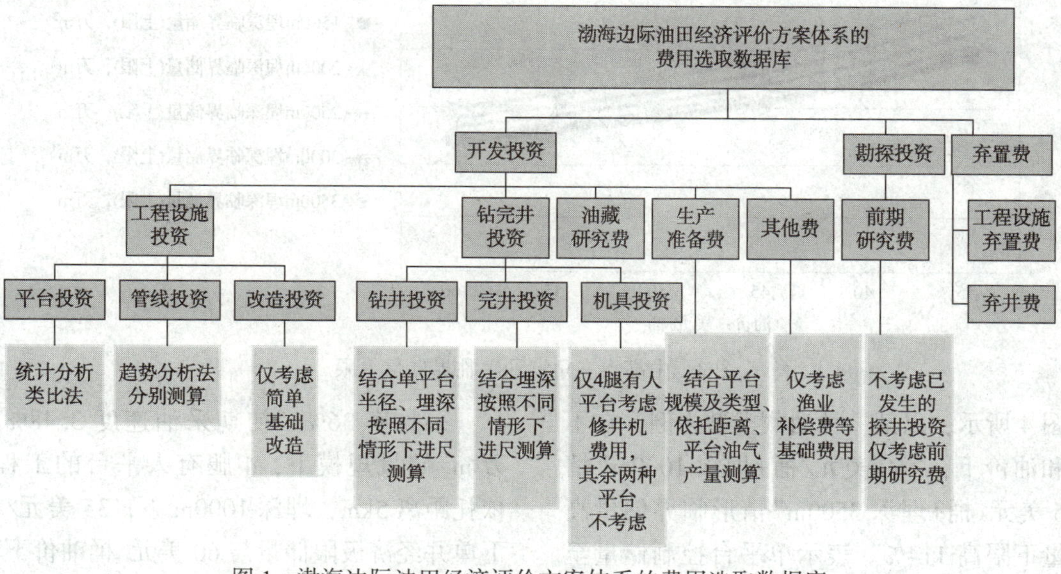

图1　渤海边际油田经济评价方案体系的费用选取数据库

根据不同类型的典型油藏产量特征研究成果，结合公司经济评价方法与参数规定，4种油藏类型分别开展72种方案下的经济评价，得出6种不同油价下的内部收益率、临界储量以及5%储量变动对内部收益率的影响，实现快速查询不同情境下经济评价结果及临界储量(图2)。

根据不同类型的典型油藏产量特征研究成果，结合公司经济评价方法与参数规定，4种油藏类型分别开展72种方案下的经济评价，得出6种不同埋深、4种依托距离、6种不同油价下的内部收益率、临界储量以及5%储量变动对内部收益率的影响，实现快速查询不同情境下经济评价结果及临界储量。

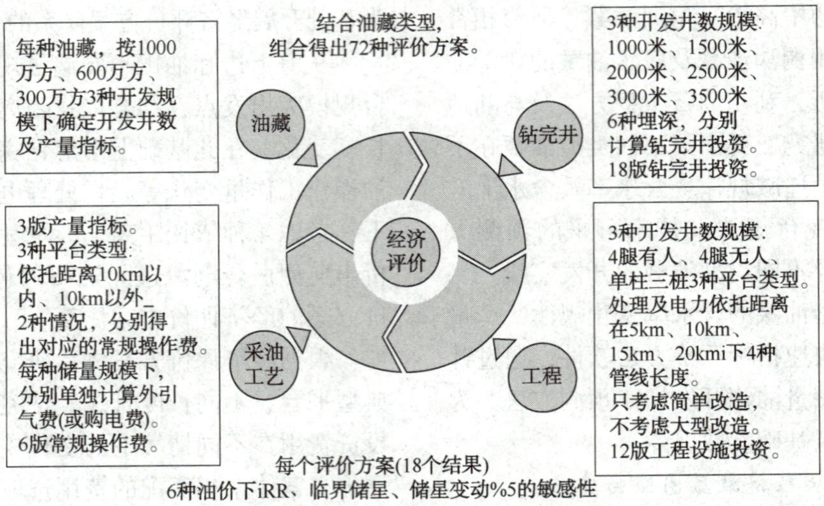

图 2　渤海边际油田经济效益图版评价方案体系

2.3　渤海边际油田经济开发界限

产量、投资数据均按照一定参数考虑假设进行计算，按照 4 种油藏类型对应的产量规律，分别开展经济极限下的渤海边际油田开发界限分析，

不同类型、不同规模下的油藏储量需求分析。分为最乐观情况——依托距离 5km 及以内，周边处理、电力均可依托，最简易的无人平台形式开发，以及最谨慎情况——依托距离 20km，周边处理、电力均可依托，但由于井数、距离等原因，需采用有人平台形式开发。

如图 3 所示，以某一种油藏类型为例，在不同埋深和油价下，“60 美元/桶+埋深 1000 米”情形比“35 美元/桶+埋深 3500 米”情形临界储量高临界储量上限高 103%。

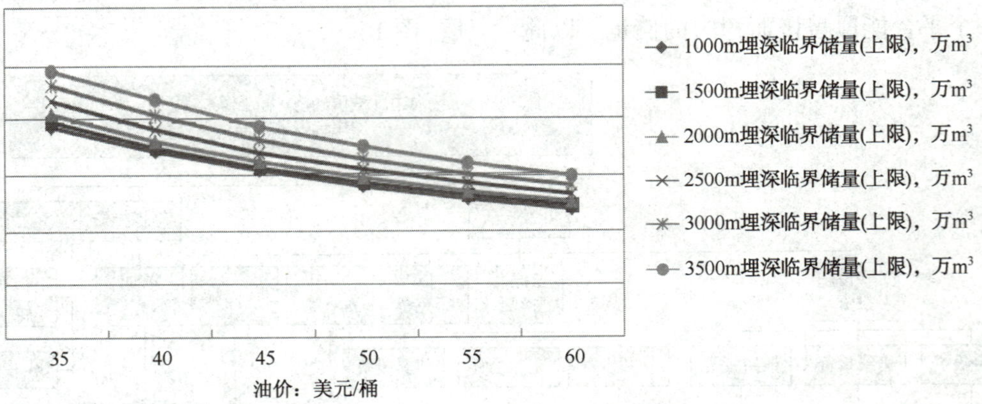

图 3　中高渗三角洲油藏临界储量上限

如图 4 所示，以某一种油藏类型为例，在不同埋深和油价下，“60 美元/桶+埋深 1000m”情形比“35 美元/桶+埋深 3500m”情形临界储量高临界储量下限高 114%。表示单平台控制储量至少达到这种情况下，才能满足本油田的设施需求，不具有兼顾周围未来油田依托的设施潜力。

不同类型、不同规模、不同依托距离、不同埋深下的单井经济极限储量变化规律分析。分别研究不同类型、不同规模储量下，当依托距离、埋深以及油价三种因素中有两种一定时，单井经济极限储量随第三个因素变化而发生的变化（图 5）。

采收率 36%，初期采油速度 3.48%。1000 万 m^3 储量规模下，4 腿有人平台的工程设施。依托距离 5km，埋深 1000m 下，35 美元/桶油价下单井经济极限储量与 60 美元/桶油价下单井经济极限储量差距约 17 万 m^3（折算成单井经济极限产量差异约 6.1 万 m^3/口井）。

同样是采收率 36%，初期采油速度 3.48%。1000 万 m^3 储量规模下，4 腿有人平台的工程设施。35 美元，埋深 1000m 下，5km 依托距离下单井经济极限储量与 20km 依托距离下单井经济极限储量差距约 8 万 m^3（折算成单井经济极限产量差异约 2.7 万 m^3/口井）。

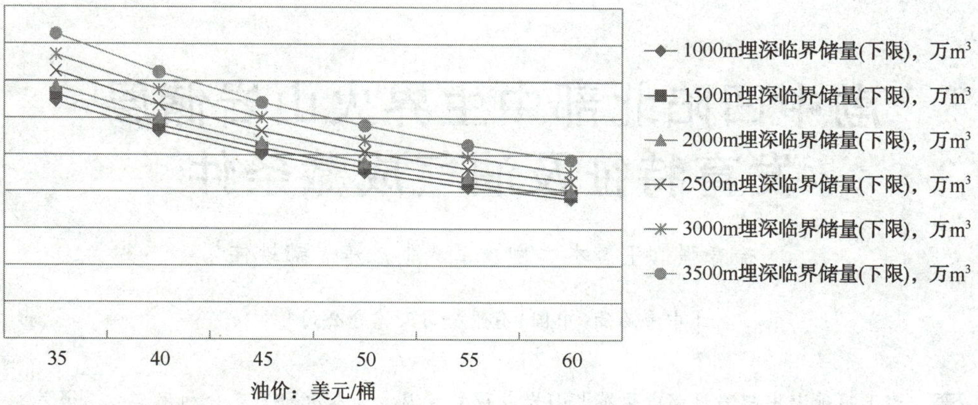

图 4　中高渗三角洲油藏临界储量下限

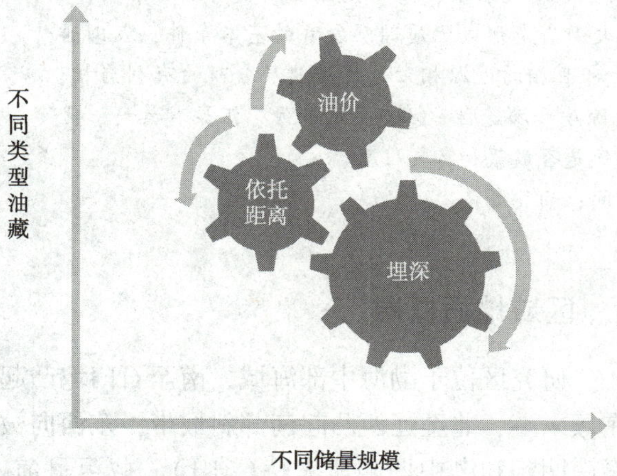

图 5　单井经济极限储量变化规律分析示意图

2.4　基于经济界限的边际油田开发策略

通过边际油田动用储量开发界限，可快速查询油田达到可开发的内部收益率时所需要的动用储量。在此基础上，结合勘探开发一体化思想，提出油田周边“订单式”勘探需求，挖掘边际油田周边潜力，通过提高边际油田动用储量，达到提高油田经济效益的目的。目前，渤海油田已经成功的应用该策略推动了多个边际油田项目投入开发。

以渤海边际油田经济效益图版确定的开发极限为基准，以推动边际油田开发为目标。提出边际油田合理开发策略：

(1) 油田周边潜力挖掘策略，以经济效益图版确定的开发极限为指导，结合勘探开发一体化思想，提出“订单式”勘探目标，挖掘边际油田周边潜力，增加油田可采储量，提高边际油田经济效益。

(2) 开发指标优化策略，通过油藏工程理论公式推导，结合储层临界出砂压力及岩石破裂压力分析，研究得到保证油田产量最大化情况下的初期采油速度优化方法。最大限度保证油田“最优化油藏开发指标”与“最佳经济效益”有效结合，提高边际油田经济效益。

(3) 工程模式创新策略，通过创新优化边际油田工程开发模式，节省边际油田工程建设投资，推动油田提前投产，提高边际油田经济效益。

3　结语

通过渤海边际油田南堡某油田开发项目以及渤中某油田扩边项目开发实践证明，结合经济效益图版，可以引导项目通过周边潜力挖掘、开发指标优化、工程模式创新等策略和方法，快速有效推动边际油田开发，经济效益图版具有快速性、指导性、创新性等特点。同时，也能有效提高勘探评价、储量评价以及项目快速评价阶段的工作效率，节省时间，快速推动项目向高效率以及高效益的方向开展研究。

随着各种海上油田工程方案研究的深入，完善补充开发方案，优化投资，进行评价数据及结果的更新，本研究思路和成果将有更广泛的应用前景。

参 考 文 献

[1] 刘新光，田冀，李娜，等．海上抽油热莱开发经济界限研究[J]．特种油气藏，2016，23(3)：106-109.
[2] 张金庆，安桂荣，许家峰．单井新增可采储量和单井控制储量的关系[J]．中国海上油气，2015，27(1)：53-56.
[3] 杨培兰．技术经济评价应贯穿于勘探开发油气资源的全过程[J]．中国海上油气(工程)，1998，10(2)：51-55.

渤中凹陷北部中生界火山岩储层发育特征及油气成藏条件

徐春强　王晨杰　柳永军　张江涛　郝轶伟

[中海石油(中国)有限公司天津分公司]

摘　要　为了明确渤中凹陷北部中生界火山岩成藏主控因素，本次研究充分利用岩心、薄片、分析化验等数据，系统分析了研究区火山岩储层岩性岩相特征、储层发育特征及控制因素、油气成藏特征等方面，总结了研究区火山岩有效储层形成机制及成藏主控因素。研究表明：①研究区主要发育6种岩性，6种岩相，储集空间类型主要为“孔隙+缝网”型。②中酸性火山岩是形成优质储层发育的基本条件，火山通道相隐爆角砾岩亚相、侵出相外带亚相和中酸性溢流相上部亚相的近源相带是优质储层分布的有利岩相，构造运动和溶蚀作用强改造可极大的提高火山岩储层的孔隙度和渗透性。③充足的油源、汇聚背景好、优质储层发育和良好的盖层条件4者的匹配关系，决定了油气是否成藏和富集程度。

关键词　渤中凹陷北部；火山岩；优质储层；储集空间；油气成藏

引言

渤中凹陷位于渤海海域中部，属于渤海湾盆沉积沉降中心，是渤海油田最重要的富烃凹陷之一。围绕渤中凹陷，早期先后在凸起区发现了一系列亿吨级大油田，主要分布在新生界。近年来，随着勘探的不断深入，尤其是蓬莱9-1、渤中19-6、渤中26-6等多个潜山油气藏的不断突破，促使渤海油田潜山油气勘探进入一个新的阶段。中生界火山岩作为各类盆地充填序列的重要组成部分，在渤海海域广泛分布，且厚度较大，资源量丰富，潜山的勘探不可避免的要钻遇中生界地层。随着近几年渤海油田在火山岩油气藏的不断突破，火山岩油气藏勘探越来越受到广泛关注。

渤中凹陷北部中生界火山岩油气勘探始于20世纪70年代，勘探起步早，也获得一定发现，但总体上储层变化快，油气成藏复杂，成藏规模较小。勘探研究过程中虽取得了一定认识，但仍存在一些亟待深化和解决的问题，首先火山岩岩性、岩相复杂，储层变化快，油气成藏机理等很多问题仍然认识不清。本文通过分析研究区中生界火山岩不同岩性岩相发育特征、优质储层形成条件，综合分析火山岩油气藏特征，为相似盆地的火山岩油气勘探提供借鉴。

1　区域地质概况

研究区位于渤海中部海域，南至石臼坨凸起东倾末端，北至辽西凸起南部斜坡带，东西向被秦南凹陷和渤中凹陷所夹持(图1)。截至目前，研究区共有10余口井揭示中生界火山岩地层，自下而上依次为义县组、九佛堂组、沙海组和阜新组(图2)，其中九佛堂组、沙海组和阜新组主要以发育碎屑岩为主，局部见灰岩及凝灰岩。火山岩主要发育在义县组，不同区域地层厚度差异大，钻井已揭示了玄武岩、安山岩、粗面岩、流纹岩、凝灰岩及火山角砾岩等多种岩性，纵横向变化快，预测难度大。

2　岩性岩相特征

2.1　*岩性特征*

通过岩心观察和薄片鉴定，研究区中生界火山岩岩性主要为火山角砾岩、流纹岩、粗面岩、安山岩、玄武岩和凝灰岩6种岩石类型(图3)。王璞珺等按照火山岩成因的分类方案，将火山岩分为火山熔岩和火山碎屑岩。研究区火山熔岩主要为玄武岩、安山岩和流纹岩，玄武岩多具有间粒结构、斑状结构，斑晶大多为斜长石，少量辉石、橄榄石和磁铁矿等，暗色矿物多已发生蚀变，具有气孔、杏仁构造，大多数气孔被绿泥石及方解石充填(图3a)。安山岩多具有交织结构、斑状结构，斑晶为中性斜长石、角闪石、偶见辉石、气孔发育，大多数被硅质及方解石充填(图3b)，分布范围较广，厚度大。粗面岩为碱性系列中酸性火山熔岩，含有较多的碱性长石(>25%)，岩石多具有斑状结构、粗面结构、交织结构。斑晶成分主要为斜长石、碱性长石，少见辉石、角闪石。基质成分多为斜长石、碱性长石微晶，长英质结合体(图3c)。流纹岩为酸性火山熔岩，常具有流纹构造，岩石多发育霏细结构、球粒结构、少见斑状结构，斑晶成分主要为石英，酸性斜长石、碱性长石，少见黑云母等暗色矿物，基质成分为长英质矿物集合体(图3d)。火山碎屑岩主要为火山角砾岩和凝灰岩，火山角砾岩是研究区储层物性最好的岩性，孔隙及裂缝均较为发育，多具隐爆角砾结构，角砾具有可拼接性(图3e、图3f、图3g)；凝灰岩多为晶屑凝灰岩，部分可见假流纹构造，晶屑成分多为石英和长石(图3h、图3i)，岩性较为致密。

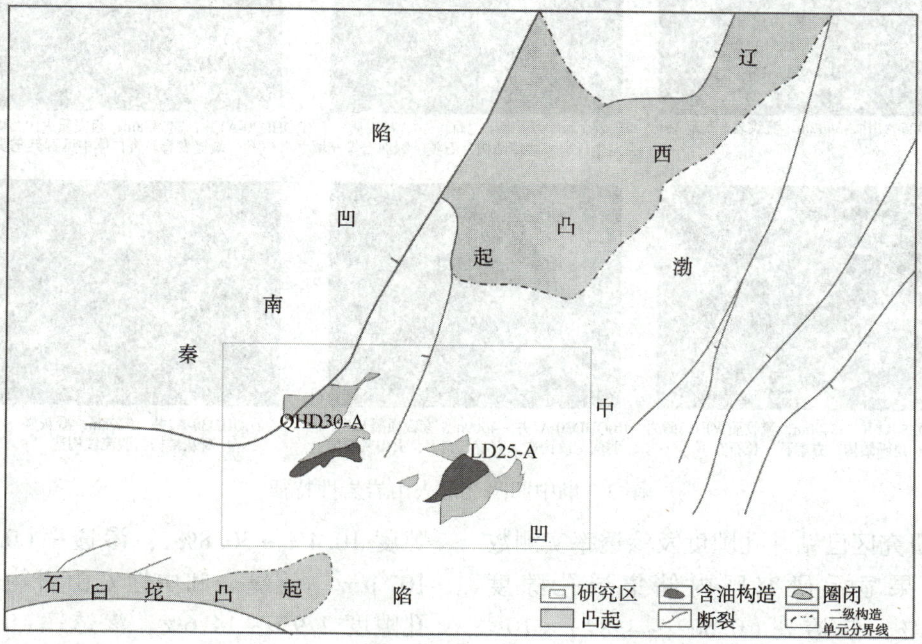

图1　研究工区区域位置图

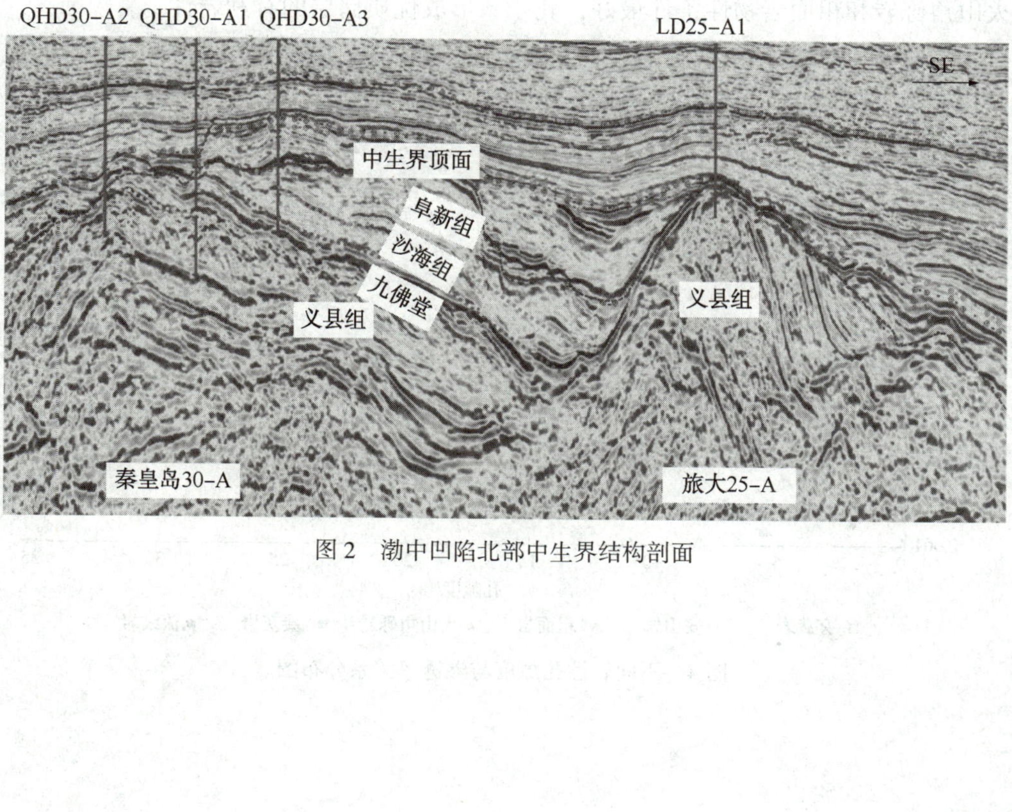

图2　渤中凹陷北部中生界结构剖面

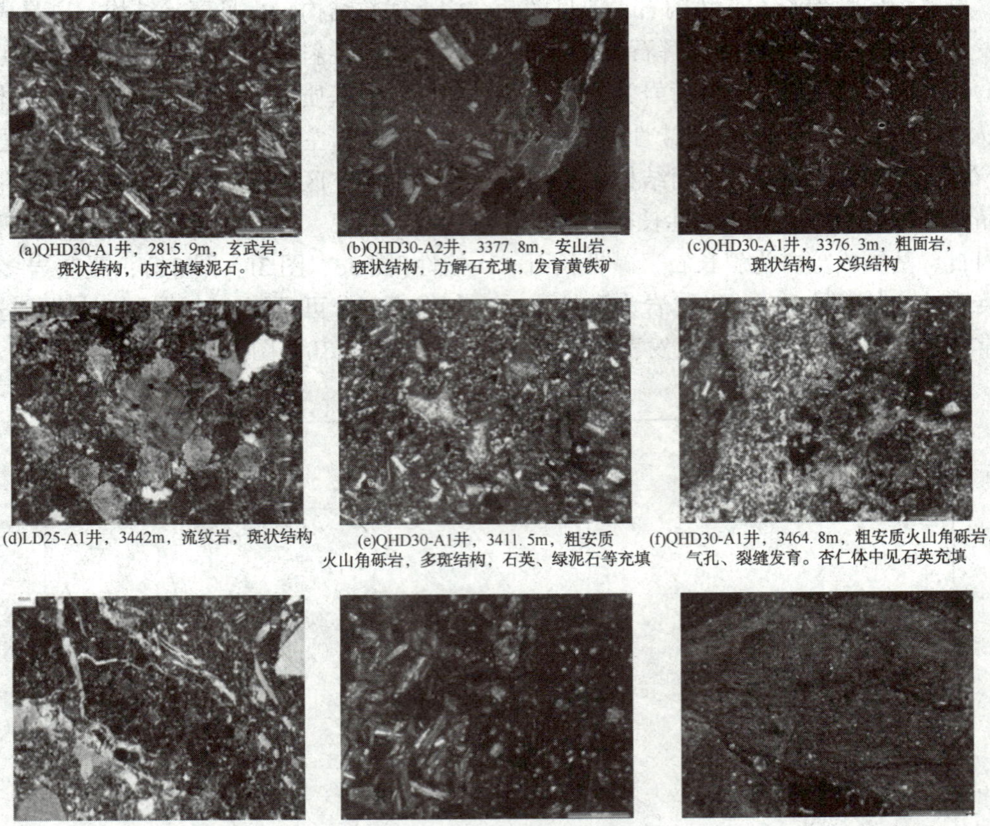

(a)QHD30-A1井，2815.9m，玄武岩，斑状结构，内充填绿泥石。
(b)QHD30-A2井，3377.8m，安山岩，斑状结构，方解石充填，发育黄铁矿
(c)QHD30-A1井，3376.3m，粗面岩，斑状结构，交织结构
(d)LD25-A1井，3442m，流纹岩，斑状结构
(e)QHD30-A1井，3411.5m，粗安质火山角砾岩，多斑结构，石英、绿泥石等充填
(f)QHD30-A1井，3464.8m，粗安质火山角砾岩，气孔、裂缝发育。杏仁体中见石英充填
(g)LD25-A1井，3490m，流纹质火山角砾岩角砾结构，方解石、长石充填
(h)QHD30-A1井，4009m，玄武质凝灰岩，弱假流纹构造，方解石充填，火山灰胶结
(i)QHD30-A2井，3308m，凝灰岩，凝灰结构，假流纹构造

图 3　渤中凹陷北部火山岩岩性特征

通过对研究区已钻井孔隙度及渗透率实测数据分析，结果显示研究区内储集层孔隙度 2.6%～30.8%，渗透率（0.002～4.87）×10^{-3} μm^2，孔隙度和渗透率有较好正相关。实验结果表明，储层物性好坏与岩石类型也存在相关性（图 4），火山角砾岩和粗面岩物性条件最好，孔隙度 10.4%～30.8%，；渗透率（0.11～4.87）×10^{-3} μm^2。流纹岩和中性安山岩物性条件较好，孔隙度 2.9%～14.6%，渗透率（0.01～0.81）×10^{-3} μm^2。玄武岩和凝灰岩物性条件最差，难以形成好储层。因此，火山角砾岩和中酸性熔岩是形成优质储层的有利岩性。

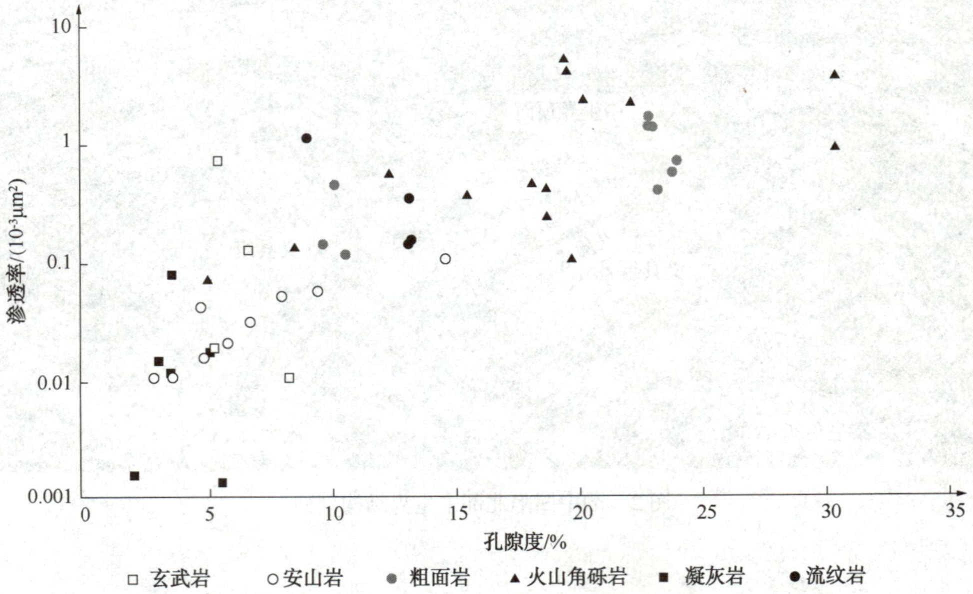

图 4　不同岩性孔隙度与渗透率关系分布图

2.2 岩相特征

火山岩相是指火山作用后的某一特定产物及其组合形式，综合反映喷出物的喷发方式、就位环境、成岩过程及其在火山机构中所处空间位置等(王璞珺，2003；黄玉龙，2014)。火山岩相的识别对厘清火山就位、火山地层划分、火山机构内部结构以及火山岩储层的时空分布具有重要意义。本次研究在岩心、壁心观察，测井识别以及地震解释等工作的基础上，将渤中凹陷中生界火山岩划分为6种岩相，包括火山通道相，侵出相，爆发相，中酸性溢流相，中基性溢流相，火山沉积相(图5)。

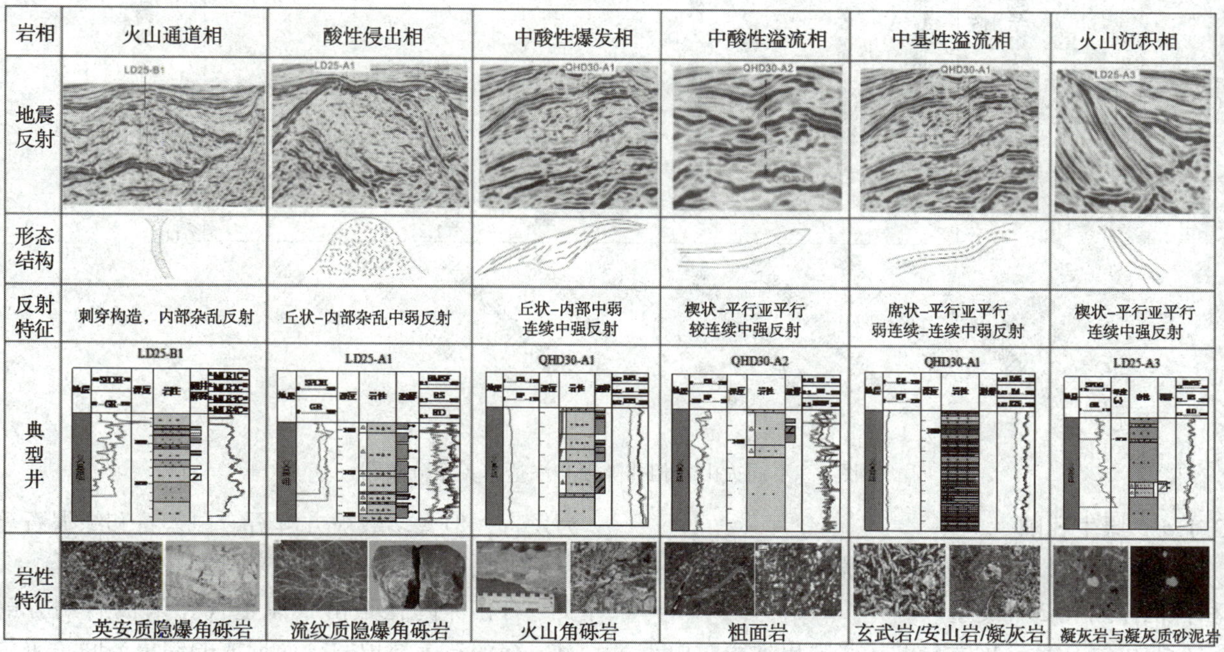

图5　渤中凹陷北部火山岩岩相特征

火山通道是指幔源或壳源岩浆穿切地层至地表喷发的通道，位于整个火山机构的下部和近中心部位。火山通道相可以划分为火山颈亚相、次火山岩亚相和隐爆角砾岩亚相；研究区火山通道相主要为隐爆角砾岩亚相，岩性以隐爆角砾岩为主，地震剖面上可见典型的刺穿通道，通道内部呈杂乱反射。侵出相为火山口体系已经形成、高黏度岩浆受内力挤压流出地表时，在近地表遇水淬火快速冷却固结在火山口附近形成穹窿状火山岩体；可分为内带亚相、中带亚相及外带亚相，研究区钻井揭示侵出相主要为外带亚相，为流纹质火山角砾岩。地震剖面上见高丘状结构，内部呈杂乱弱反射。爆发相主要形成于火山作用的早期和后期，火山角砾岩在爆发相喷发期次中多见于下部，而凝灰岩在喷发期次中多见于上部。研究区QHD30-A1井揭示为爆发相下部，岩性主要为粗面质火山角砾岩，地震上见低丘状特征，内部中弱连续中强反射。溢流相形成于火山喷发期次的中期，是含晶出物和同生角砾的熔岩在沿着地表流动过程中或滞留后，熔岩逐渐冷凝、固结而形成；已钻井证实溢流相在中酸性、中基性火山岩中均有发育，其中中酸性溢流相多为楔状-平行亚平行较连续中强反射，研究区分布较广；中基性溢流相多为席状-平行亚平行较连续中弱反射，仅分布在秦皇岛30构造区底部，较为局限。火山沉积相为火山活动的间隔期火山岩隆起之间的凹陷带形成的火山-沉积相组合，其岩性主要为含火山碎屑的沉积岩，地震上多为平行亚平行连续强反射。

通过统计不同火山岩相的储集物性，火山通道相隐爆角砾岩亚相、侵出相外带亚相、爆发相热碎屑流亚相和中酸性喷溢相上部亚相具有良好的储层物性条件(图6)，是形成研究区优质储层甜点的有利岩相。

3 储层特征

3.1 储集空间类型

通过对研究区中生界火山岩的岩矿薄片、铸体薄片、扫描电镜等资料分析，按其形态和成因可将火山岩储集空间分为原生孔隙、次生孔隙和裂缝3种储集类型。

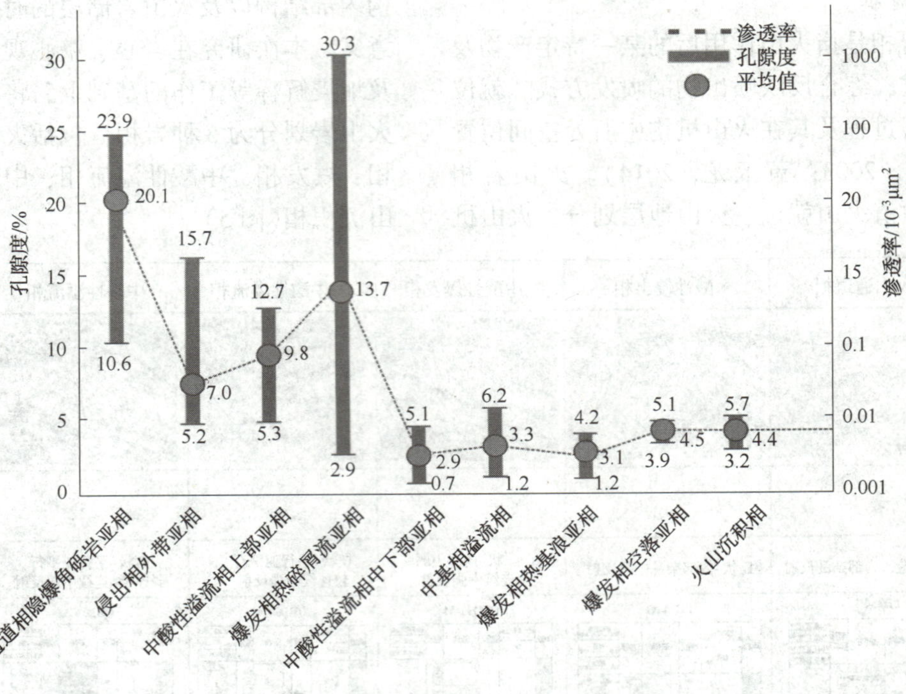

图6　不同火山岩相孔隙度与渗透率关系分布图

3.1.1　原生孔隙

研究区仅发育少量原生孔隙，包括原生气孔和杏仁体内孔2种类型。

原生气孔是含挥发分的岩浆喷出地表时由于压力降低挥发分逸散后留下来的未被充填的气孔。原生气孔形状多样，常见的有圆形，椭圆形、拉长扁平状及不规则形态，玄武岩、安山岩、流纹岩中均有发育。研究区原生气孔虽然较为发育，但大多数被方解石、白云石和绿泥石等充填，只有少量被保存下来(图7a、图7b)。

杏仁体内孔是由于原生气孔未被后期方解石、绿泥石等充填完全而形成的储集空间。杏仁体内孔的形态多为长形、多边形或围边棱角状不规则形状。杏仁体内矿物自形，孔隙形状多样，与外界不连通。研究区仅有极少数杏仁体内孔发育(图7c)。

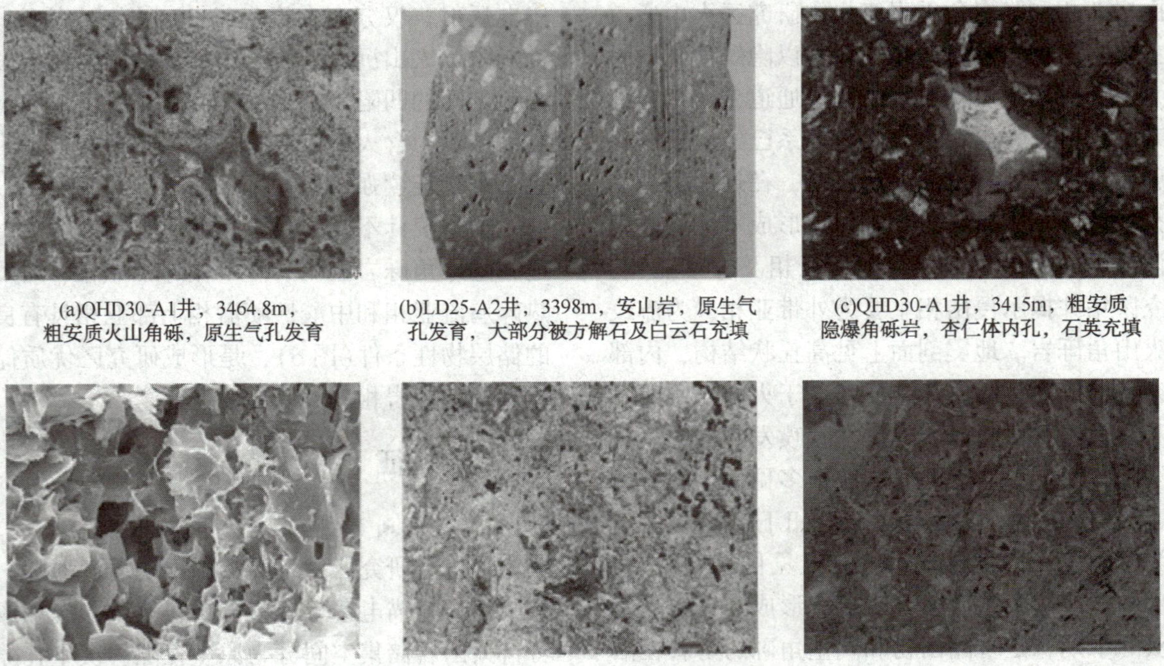

(a)QHD30-A1井，3464.8m，粗安质火山角砾，原生气孔发育

(b)LD25-A2井，3398m，安山岩，原生气孔发育，大部分被方解石及白云石充填

(c)QHD30-A1井，3415m，粗安质隐爆角砾岩，杏仁体内孔，石英充填

(d)LD25-A1井，3454m，流纹岩，脱玻化孔及溶蚀孔发育

(e)QHD30-A1井，3464. 8m，粗安岩，基质溶蚀孔发育

(f)QHD30-A2井，3377. 9m，玻璃质岩汁溶蚀孔及脱玻化孔缝发育

图7　渤中凹陷北部火山岩储集空间特征

(g)L025-A1井: 2953 9m，火山角砾岩，隐爆角砾缝，构造缝发育，方解石，石英充填

(h)LD25-A2井，3398m，火山角砾岩，方解石及白云石充填，构造缝及溶蚀孔缝发育

(i)LD25-A2井，3356. 4-3356. 6m，安山质火山角砾岩，多期裂缝相互切割

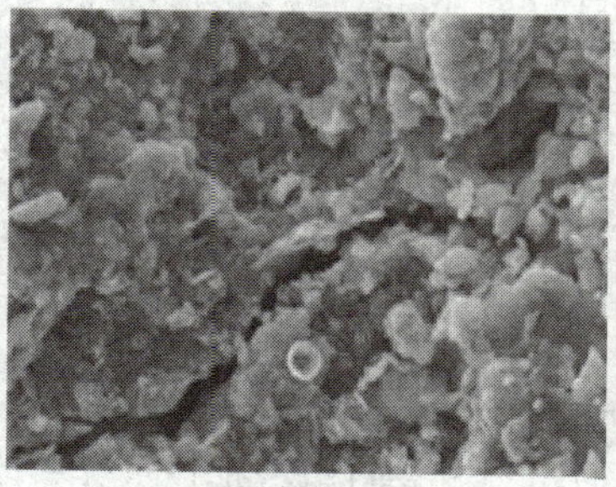

(j)QHD30-A1井，3387m，火山角砾岩，构造缝

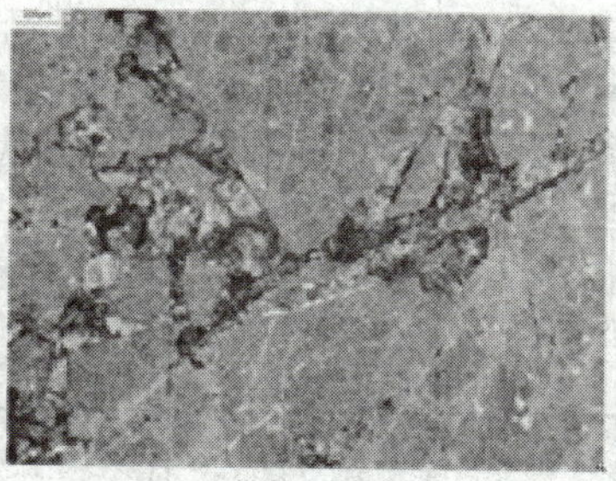

(k)LD25-A1井，3415m，火山角砾岩，溶蚀孔缝发育，方解石、白云石及石英充填

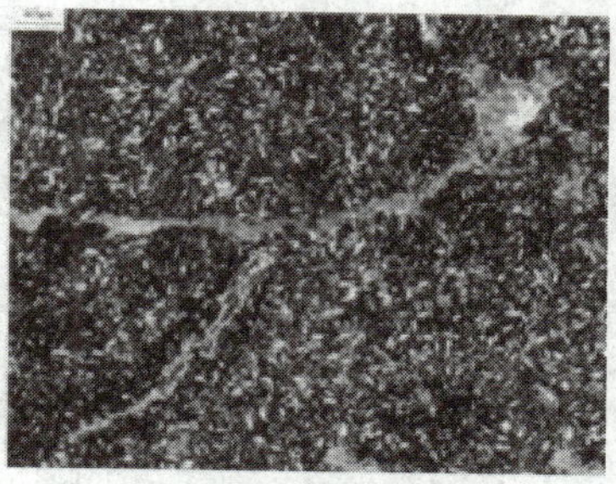

(l)LD25-A2井，2975. 2m，安山岩，裂缝发育，方解石、绿泥石、石英充填

图 7　渤中凹陷北部火山岩储集空间特征(续表)

3.1.2　次生孔隙

次生孔隙是研究区主要的储集空间类型，包括晶内溶蚀孔、基质溶孔和脱玻化孔 3 种类型。

晶内溶孔主要是长石、石英晶体中溶蚀形成的孔隙。是斑状火成岩中，斑晶被溶蚀后形成的孔隙。晶内溶蚀孔的孔隙形态不规则，如完全溶蚀矿物，则保留原有晶体假象，主要为晶内孔。晶内溶蚀孔多见于节理发育的矿物斑晶内，形状不规则，具有较好的连通性(图 7d、图 7e、图 7f)。

基质溶孔是火山岩的基质经历了不同程度的溶蚀，形成的细小孔洞，在显微镜下多呈筛状分布。基质溶蚀孔是基质中的长石、火山玻璃、颗粒间充填物等被溶蚀形成的孔隙。基质溶孔呈现细小的筛孔状形态，主要为溶蚀孔，具有一定的相互连通性(图 7e、图 7f)。

脱玻化作用广泛存在于含有玻璃质的火山岩中，火山玻璃转化为雏晶、微晶之间的孔隙。脱玻化孔是一种由火山岩中的玻璃发生脱玻化作用形成矿物，从而造成体积的缩小，形成的微观孔隙(图 7d、图 7f)。

3.1.3　裂缝

研究区裂缝所占储集空间的比例虽然不大，但是可将不同尺度的孔隙连通，构成油气流动的主要通道，极大的改善火山岩储层的渗透性。主要包括炸裂缝、构造缝与溶蚀缝 3 种类型。炸裂缝为经炸裂而形成的裂缝，经历后期岩汁充填后、岩石具有可拼接性(图 7g)。构造缝是受到构造应力作用形成的裂缝，具有平直、延伸远、切割程度深等特征，构造缝常常穿层、切割层理、边缘平直、延伸远、成组出现(图 7h、图 7i、图 7j)。溶蚀缝是对原有裂缝的改造，其发育程度与原有裂缝分布和酸性流体作用密切相关溶蚀缝呈网状分布，主要沿原有的裂缝发育，多呈不规则脉状，缝宽不一致，内边缘较平滑(图 7h、图 7k、图 7l)。溶蚀裂缝在熔岩流顶部尤其是喷发旋回顶部较为明显。

3.2　有效储层控制因素

3.2.1　原生孔隙控制因素

通过钻井岩心、薄片、分析化验等资料综合分析，认为研究区火山岩储层原生孔隙的形成与分布主要受控于火山岩岩性岩相类型(图 8)。其中，爆发相火山角砾岩原生孔隙发育，大多为粒间孔，主要是由于火山碎屑颗粒通过压实作用和重结晶作用后，颗粒与颗粒之间起到支撑作用形成的原生孔隙。溢流相火山熔岩原生孔隙包括岩浆喷出地表时由于压力降低挥发份逸散后留下来的未被充填的原生气孔及杏仁孔，由于受冷凝收缩作用的影响，多形成于喷发期次和熔岩流动单元的顶部。复合型火山机构由于溢流相和爆发相互层产出，粒间孔和原生气孔均有发育。

3.2.2　次生孔缝控制因素

火山岩体喷发形成后，受构造作用及溶蚀作用改造产生大量的构造裂缝和溶蚀孔隙，构造裂缝的形成不仅为油气的运移提供了良好的通道，也利于次生溶蚀孔隙的形成，使得孤立的孔隙连通起来，增大了流体的储集能力和渗流性。在相同应力及溶蚀条件下，火山角砾岩和中酸性熔岩更容易形成裂缝和次生溶蚀孔隙，因此，火山角砾岩和中酸性熔岩是形成优质储层的有利岩性（图 8）。构造作用、溶蚀作用有利于裂缝及次生溶蚀孔缝的形成，是形成优质储层的关键因素。原生孔隙、溶蚀孔隙与裂缝相互匹配，可形成了“孔隙+缝网”型的有效储集空间类型。

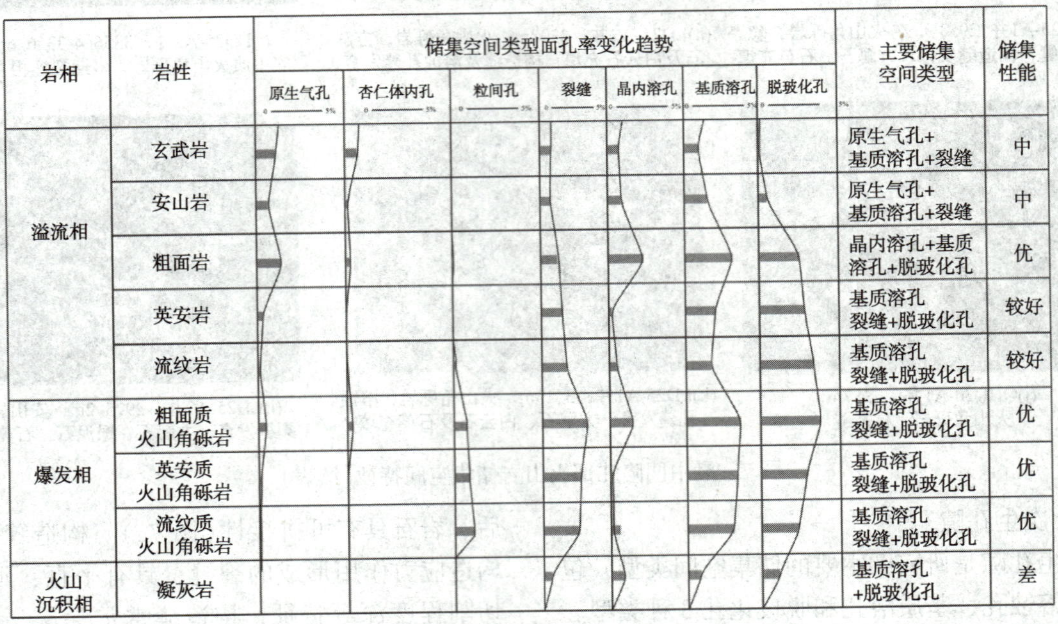

图 8　不同储集空间类型分布特征

4　有利成藏条件分析

4.1　油气成藏模式

火山岩体与烃源岩、盖层等成藏要素在时空上可形成多种匹配关系，形成多种类型的油气藏。研究区已证实发现火山岩主要有“断-源接触，不整合面超压运移”及“源-储接触，超压充注”2 种运移成藏模式（图 9），其中研究区西部沙河街组烃源岩与断层对接，油气沿不整合面（风化壳）运移的构造岩性油气藏。东部沙河街组烃源岩与高部位侵出相接触，形成构造油气藏。根据研究区烃源岩与油气藏配置关系、火山岩相带及有效储层分布、输导体系及其组合样式、盖层保存条件等特征，建立了由深洼区供烃、源储对接或断源接触、不整合面输导、古构造和盖层控制聚集的油气成藏模式。

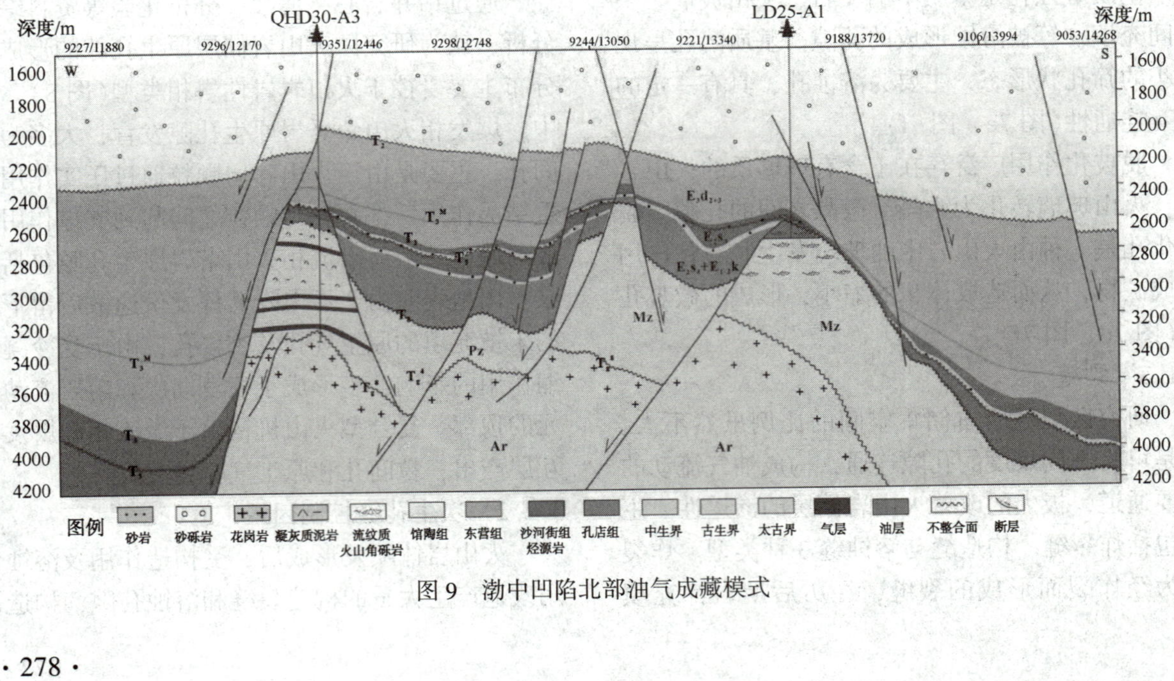

图 9　渤中凹陷北部油气成藏模式

从生储盖组合特征来看，本区存在沙河街组及东营组三段厚层暗色泥岩，既可作为优质烃源岩，也可作为直接盖层。东侧义县组火山岩储层与沙河街组烃源岩侧向直接对接，构成一套自生自储、上生下储的成藏组合；西侧义县组沙河街组烃源岩与断层对接，油气沿义县组不整合面向火山岩体超压充注。从火山岩油藏分布情况看，主要受有效储层控制，纵向上分布在构造高部位，平面上邻近生烃中心富集。

4.2　油气成藏条件分析

针对研究区火山岩油气成藏特点，构造、烃源、储层及保存条件等各成藏要素时空配置综合分析发现，火山岩油气成藏并非受单一因素控制，更多是多因素共同影响。

4.2.1　良好的古构造背景控制了油气的富集方向

在现今构造之前所形成的或继承性发展的古隆起、古背斜等统称古构造，是古油气运移的主要方向。通过对研究区 LD25-A1 井包裹体测温表明(图 10)：成藏时期地温约为 100℃~120℃，根据该地区地温梯度折算成藏时期约在 4Ma 以来开始大规模成藏，为晚期成藏，主成藏期构造背景与现今的构造特征基本一致。因此，现今的构造面貌决定了油气主要汇聚方向。渤中凹陷北部义县组火山岩在主成藏期发育多个背斜圈闭，生烃中心生成的油气在浮力的作用下，向高部位火山岩储集体运聚，可形成多个高丰度中生界火山岩油气藏。

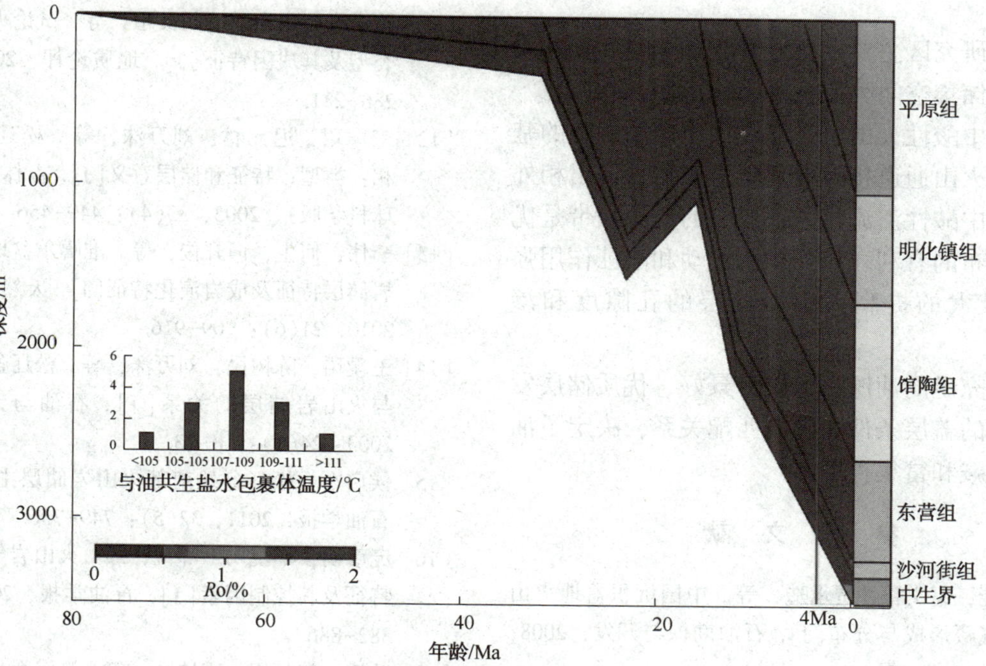

图 10　渤中凹陷北部 LD25-A1 井埋藏史图

4.2.2　充足的油源是油气成藏的必要条件

充足的油源供给是火山岩成藏的必要条件，根据松辽盆地、渤海湾盆地、准噶尔盆地等地区火山岩的成藏特点，火山岩多与烃源岩共生或相邻，源-储配置对火山岩成藏十分有利。目前，渤海湾盆地已发现的火山岩油气藏均分布在生烃洼陷或临近生烃洼陷的斜坡带，与主力烃源岩直接接触或侧向直接对接，或通过断层及不整合面输导后能够有效运移、聚集成藏，离生烃中心越近，火山岩储层孔渗条件越好，含油气性及测试产能也越高。

4.2.3　优质储层发育情况决定了油气的富集程度

火山岩油气藏产能与储层物性条件具有正相关，在同等供烃、保存条件下，有效储层的发育程度直接控制了油气的富集程度。储集空间特征研究表明，原生孔隙、次生溶蚀孔隙与裂缝的发育程度直接影响了火山岩储层物性的好坏，“孔隙+缝网”的良好配置是形成有效储层的关键。“有利的岩性岩相、近火山口、近烃源岩、构造高部位”最利于孔隙与立体缝网的形成，是火山岩有效储层发育与油气富集的有利地区。

4.2.4　稳定的厚层超压泥岩有利于油气的保存

断裂与泥岩盖层组合控制了油气主要富集层

系，在火山岩油气藏之上主要发育两套盖层：一套是作为区域盖层的沙河街组和东营组三段厚层超压泥岩，地层厚度大，平面上分布较为稳定，既是烃源岩，也是直接盖层。另一套是作为直接盖层的中生界阜新组、沙海组和九佛堂组厚层泥岩与致密砂岩互层，分布较为稳定。研究区主要发育两种组合形式：一种研究区东侧旅大25构造区晚期断裂不活动或活动较弱，厚层沙河街组厚层超压泥岩直接封盖，控制了义县组富集层位；另一种研究区西侧秦皇岛30构造区持续活动断裂，上覆厚层中生界阜新组、沙海组和九佛堂组厚层泥岩与致密砂岩互层盖层组合形成了义县组火山岩油气富集。

5　结论

（1）研究区主要发育6种火山岩性，6种火山岩相，储集空间类型主要为“孔隙+缝网”型。

（2）中酸性火山岩是形成优质储层发育的基本条件，火山通道相隐爆角砾岩亚相、侵出相外带亚相和中酸性溢流相上部亚相的近源相带是优质储层分布的有利岩相，构造运动和溶蚀作用强改造可极大的提高火山岩储层的孔隙度和渗透性。

（3）充足的油源、汇聚背景好、优质储层发育和良好的盖层条件4者的匹配关系，决定了油气是否成藏和富集程度。

参考文献

[1] 邹才能，赵文智，贾承造，等．中国沉积盆地火山岩油气藏形成与分布[J]．石油勘探与开发，2008，35(3)：257-271.

[2] 唐华风，边伟华，王璞珺，等．松辽盆地下白垩统营城组火山岩喷发旋回特征[J]．天然气工业，2010，30(3)：35-39.

[3] 罗静兰，侯连华，蒋宜勤，等．陆东地区火成岩形成时代与构造背景及火山岩储层成因[J]．石油学报，2012，33(3)：351-360.

[4] 唐华风，孔坦，刘祥，等．松辽盆地下白垩统沉火山碎屑岩优质储层特征和形成机理[J]．石油学报，2016，37(5)：631-641.

[5] 张占文，陈振岩，蔡国刚，等．辽河坳陷火成岩油气藏勘探[J]．中国石油勘探，2005，10(4)：16-23.

[6] 刘万洙，王璞珺，门广田，等．松辽盆地北部深层火山岩储层特征[J]．石油与天然气地质，2003，24(1)：28-31.

[7] 侯连华，王京红，邹才能，等．火山岩风化体储层控制因素研究：以三塘湖盆地石炭系卡拉岗组为例[J]．地质学报，2011，85(4)：557-568.

[8] 赵海玲，刘振文，李剑，等．火成岩油气储层的岩石学特征及研究方向[J]．石油与天然气地质，2004，25(6)：609-612.

[9] 吴颜雄，王璞珺，吴艳辉，等．火山岩储层储集空间的构成：以松辽盆地为例[J]．天然气工业，2011，31(4)：28-33.

[10] 高有峰，刘万洙，纪学雁，等．松辽盆地营城组火山岩成岩作用类型、特征及其对储层物性的影响[J]．吉林大学学报(地球科学版)，2007，37(6)：1251-1258.

[11] 陈庆春，朱东亚，胡文瑄，等．试论火山岩储层的类型及其成因特征[J]．地质论评，2003，49(3)：286-281.

[12] 王璞珺，迟元林，刘万洙，等．松辽盆地火山岩相：类型、特征和储层意义[J]．吉林大学学报(地球科学版)，2003，33(4)：449-456.

[13] 李伟，何生，谭开俊，等．准噶尔盆地西北缘火山岩储层特征及成岩演化特征[J]．天然气地球科学，2010，21(6)：909-916.

[14] 王璞珺，陈树民，刘万洙，等．松辽盆地火山岩相与火山岩储层的关系[J]．石油与天然气地质，2003，24(1)：18-23.

[15] 侯启军．松辽盆地南部火山岩储层主控因素[J]．石油学报，2011，32(5)：749-756.

[16] 庞彦明，毕晓明，邵锐，等．火山岩气藏早期开发特征及其控制因素[J]．石油学报，2009，30(6)：882-886.

[17] 叶涛，韦阿娟，高坤顺，等．渤海海域中生界火山岩测井-地质岩性综合识别方法[J]．中国海上油气，2016，28(1)：48-53.

[18] 吴庆勋，王粤川，韦阿娟，等．渤海海域中生代火山岩喷发旋回划分及与油气的关系[J]．中国海上油气，2017，29(2)：18-26.

[19] 冯玉辉，于小健，黄玉龙，等．辽河盆地新生界火山喷发旋回和期次及其油气地质意义[J]．中国石油大学学报(自然科学版)，2015，39(5)：50-57.

[20] 刘俊田．三塘湖盆地牛东地区石炭系卡拉岗组火山岩风化壳模式与识别[J]．天然气地球科学，2009，20(1)：57-62.

复杂地质与井况影响下递减规律研究与应用

冉兆航

［中海石油(中国)有限公司天津分公司］

摘　要　渤海P油田构造复杂，一套层系大段合注合采，井况复杂，表现出含水上升率高，产液能力低的开发特征，递减率明显高于渤海其他油田，为了弄清渤海P油田影响递减率的主控因素及定量表征其影响值，从递减率定义式出发，回归总结实际产液量与含水率的关系式，得到递减率与含水上升率、采液速度、产液量变化系数B及含水率的关系式，利用该关系式可用于定量分析渤海P油田历年高递减的主要原因，结果表明2016-2018年主要受产液能力低影响，2019—2022年主要受含水上升率高所影响，针对主要问题，制定了相应的治理对策，取得较好效果。

关键词　递减率；含水上升率；产液能力；复杂地质；井况

引言

递减率是油田开发的重要指标，准确地预测递减率对于油田的开发决策具有重要意义。应用最早、最普遍的数学模型是Arps递减曲线，大多数预测方法是在Arps递减模型的基础上进行适当的修正。高文君等人建立了Arps递减方程与水驱特征曲线之间的对应关系。此外，Logstic模型、Weibull模型、Weng旋回模型及对数正态模型等在产量递减分析方面也得到了一定应用。BP神经网络方法也被应用于递减率预测。而往往在实际开发中，由于油田自身的复杂性，递减率的影响因素较多，实际生产数据与以上递减模型吻合较差。部分学者系统分析了综合含水、地层压力、生产压差、水驱状况、采油方式、气油比、剖面动用等因素对产量的影响，建立了自然递减率多因素计算模型，定量化分析了影响产量递减的多种因素。此外，还建立了递减率预测图版。这些方法考虑了实际生产状况，但计算过程十分复杂，在油田开发中无法得到广泛应用。基于以上情况，本文从递减率的定义出发，结合油田实际生产状况，推导出了递减率预测的新方法，该方法计算简便，与油田实际递减率接近，能比较准确地用于递减率预测。

1　油田概况

渤海P油田主力含油层系发育于新近系明化镇组下段及馆陶组。新近纪开始，本地区已进入准平原化时期，形成了一套以河流相为主的沉积体系。馆陶组中下部为较典型的辫状河沉积，馆陶组上部为辫状河~曲流河沉积，明化镇组下段属

于曲流河沉积，储层岩性为河流相沉积的陆源碎屑岩。渤海P油田主要产油层为新近系的明化镇组和馆陶组，储层埋藏浅、胶结疏松、渗透性好。油田投产后初期自然递减率高达40%，而其它临近相似油田的自然递减率小于20%，大量的油井处于低产、低效状态生产。该油田递减率大的主要有两大原因：一是薄互层相间，含水上升快，实际含水上升率高于理论值，二是油田井况复杂，裸眼井比例大，储层污染问题突出，造成产液能力随着含水不升反降，而这与渤海其它类似的疏松砂岩油藏的产液量变化规律明显不一致。

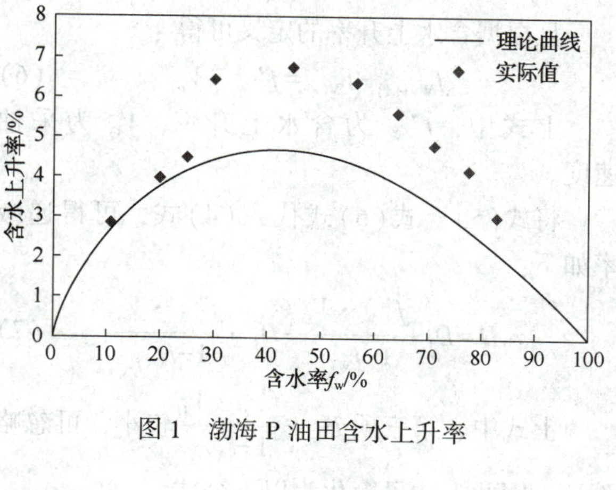

图1　渤海P油田含水上升率

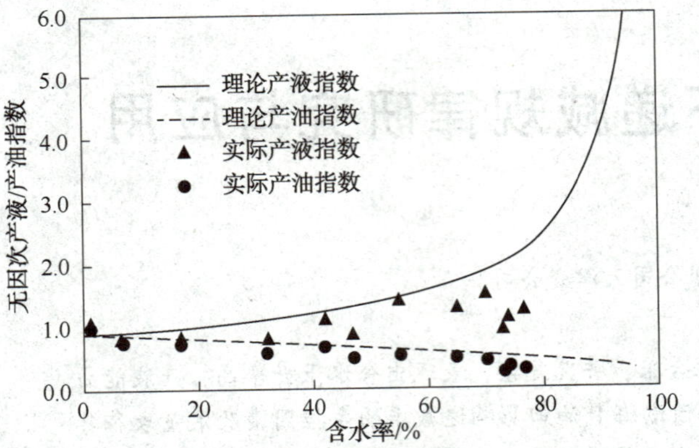

图 2　渤海 P 油田产液指数

2　递减率规律研究

2.1　公式推导

从递减率定义出发，

$$D=-\frac{Q_{O(i+1)}-Q_{O(i)}}{Q_{O(i)}} \tag{1}$$

其中，第 i+1 年的产油量：

$$Q_{O(i+1)}=Q_{L(i+1)}\cdot(1-f_{W(i+1)}) \tag{2}$$

第 i 年的产油量：

$$Q_O(i)=Q_L(i)\cdot(1-f_{W(i)}) \tag{3}$$

将式(2)、式(3)式代入(1)式，可得递减率如下：

$$D=1-\frac{Q_{L(i+1)}}{Q_{L(i)}}\cdot\frac{1-f_{W(i+1)}}{1-f_{W(i)}}=1-\left(1-\frac{Q_{L(i)}-Q_{L(i+1)}}{Q_{L(i)}}\right)\cdot\left(1-\frac{F_{W(i+1)}-f_{W(i)}}{1-f_{W(i)}}\right) \tag{4}$$

在此，定义液量递减率：

$$D_L=-\frac{Q_{L(i+1)}-Q_{L(i)}}{Q_{L(i)}} \tag{5}$$

且根据含水上升率的定义可得：

$$f_{W(i+1)}-f_{W(i)}=f'_W\cdot V_o \tag{6}$$

上式中，f'_W 为含水上升率，V_O 为采油速度。

将式(5)、式(6)式代入(4)式，可得递减率如下：

$$D=D_L+\frac{f'_W\cdot V_O}{1-f_{W(i)}}-D_L\cdot\frac{f'_W\cdot V_o}{1-f_{W(i)}} \tag{7}$$

上式中，第三项 $D_L\cdot\frac{f'_W\cdot V_O}{1-f_{W(i)}}$较小，可忽略不计，因此上式可简化为以下公式：

$$D=\frac{f'_W\cdot V_O}{1-f_{W(i)}}+D_L \tag{8}$$

式(8)即为油田递减率与含水上升率、采油速度和液量递减率的关系式，而液量递减率求解往往较为困难，文献[17]假定液量稳定，从而获得递减规律，其他学者根据相渗曲线求得采液指数，进而获得理论的产液变化情况，但实际油田开发中，产液数据与理论曲线相差较大。基于以上问题，对实际油田生产数据总结，得到油田产液量与含水率有以下指数关系：

$$D_L=ae^{bf_W} \tag{9}$$

式中：a、b 均为系数。

利用式(9)，可对液量递减率进行以下变形：

$$D_L=-\frac{Q_{L(i+1)}-Q_L(i)}{Q_L(i)}=1-e^{B(fW(i+1)-fW(i))} \tag{10}$$

将式(6)代入式(10)可得：

$$D_L=1e^{bf'_W\cdot V_o} \tag{11}$$

其中：$Bf'_W\cdot V_o$ 值较小，由泰勒展开式可知，当 x 较小时，$e^x-1\approx x$。

因此式(11)变形可得：

$$D_L=1-e^{bf'_W\cdot V_o}\approx -bf'_W\cdot V_o$$

(12)将式(12)代入式(8)可得：

$$D\approx\frac{f'_W\cdot V_o}{1-f_{W(i)}}-bf'_W\cdot V_o \tag{13}$$

其中，$V_o=V_L(1-f_{W(i)})$。

最终，由式(13)确定递减率的预测公式：

$$D=f'_W\cdot V_L\cdot(1-b+b\cdot f_W) \tag{14}$$

2.2　方法验证

渤海 P 油田和绥中 36-1 油田是渤海海域的主力油田，为河流相多层砂岩油藏，运用这两个油田进行本文新方法的可靠性验证，图 3、图 4 是油田日产液与含水率的关系曲线，系数 b 分别为 0.0185、0.0389。

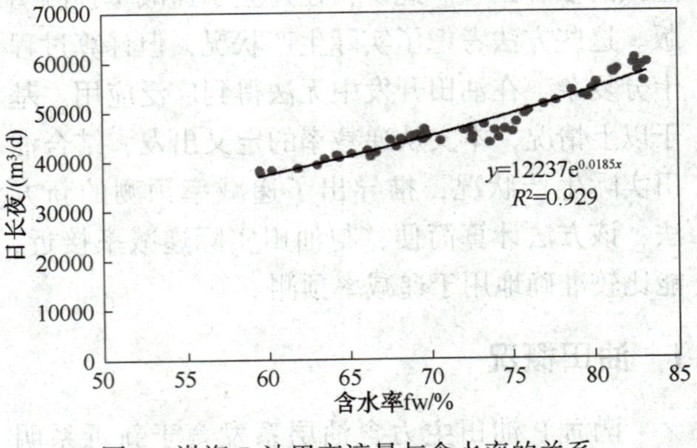

图 3　渤海 P 油田产液量与含水率的关系

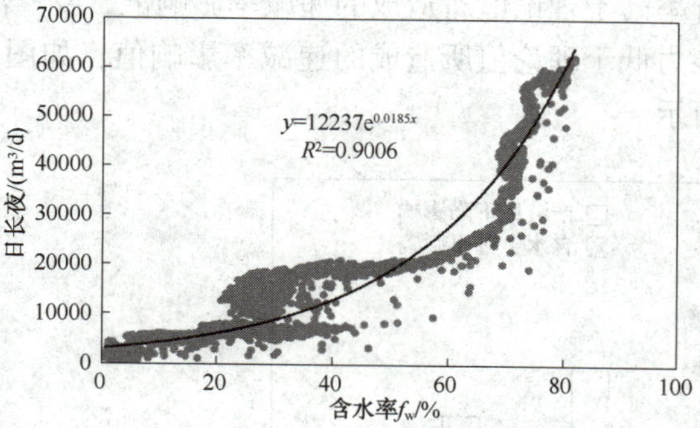

图 4　绥中 36-1 油田产液量与含水率的关系

结合油田的实际生产数据，运用本方法计算出逐年递减率，与历年的实际递减率进行对比，(表 1~表 2，图 5~图 6)。

根据计算结果可知，渤海 P 油田、绥中 36-1 油田的递减率计算值与实际值吻合程度高，验证了本文递减率计算方法的正确性，可用于实际生产开发中。

表 1　应用本文方法验证渤海 P 油田历年递减率

时间	含水率/%	含水上升率/%	采液速度/%	系数 b	预测递减率/%	实际递减率/%
2016 年	30.0	6.4	3.3	0.0185	22	23
2017 年	45.0	6.8	4.8	0.0185	33	35
2018 年	57.0	6.4	4.4	0.0185	28	27
2019 年	64.0	5.6	4.0	0.0185	22	23
2020 年	71.0	4.8	4.8	0.0185	23	21
2021 年	77.0	4.2	5.2	0.0185	22	23
2022 年	83.0	3.0	6.1	0.0185	18	17

表 2　应用本文方法验证绥中 36-1 油田历年递减率

时间	含水率/%	含水上升率/%	采液速度/%	系数 b	递减率-本方法/%	递减率-实际值/%
2016 年	70.5	1.3	5.25	0.0389	6.8	6.8
2017 年	70.5	0.5	5.56	0.0389	2.7	2.8
2018 年	71.8	1.1	5.57	0.0389	6.1	6.8
2019 年	73.6	0.4	6.59	0.0389	2.6	2.4
2020 年	73.8	1.4	6.91	0.0389	9.6	9.1
2021 年	76.5	1.1	7.06	0.0389	7.7	7.4
2022 年	78.3	1.2	7.00	0.0389	8.3	8.2

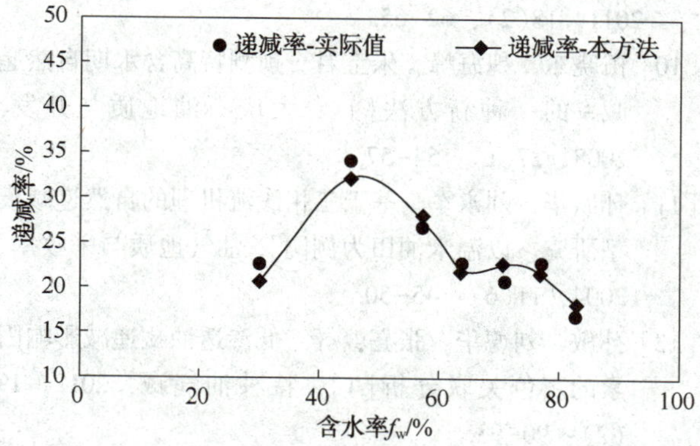

图 5　渤海 P 油田本方法计算递减率与实际值对比

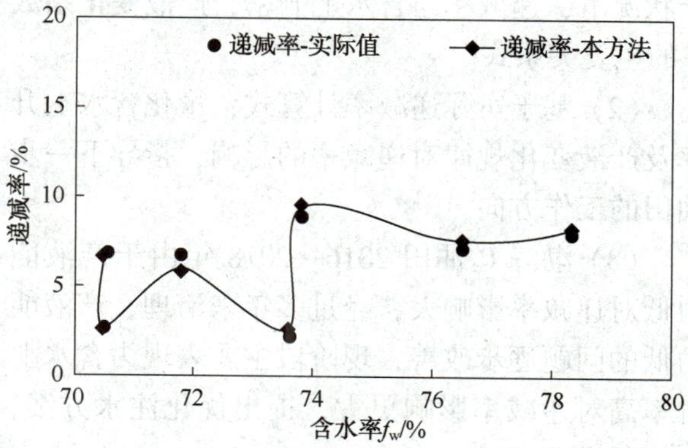

图 6　绥中 36-1 油田本方法计算递减率与实际值对比

3 实例应用

基于以上公式，可以计算出由于实际含水上升率高于理论值所造成的递减率影响值，及产液能力低于理论值所造成的递减率影响值，如图7所示。

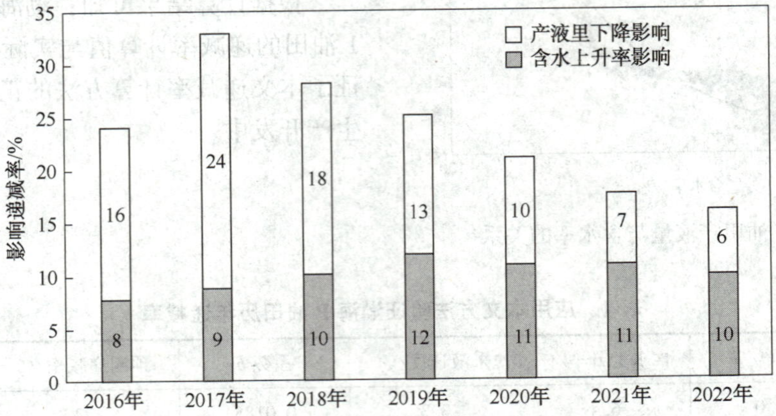

图7 渤海P油田两大因素影响递减率大小

2016—2018年，产液能力低对递减率的影响较大，治理策略：提高产液能力，控制递减率。渤海P油田2016—2018年，注水不足问题严重，裸眼井比例大，产液能力低对递减率的影响较大。近年来通过加强注水，对复杂井况进行治理，产液能力得到逐步上升，对递减率影响逐步减弱。

2019年—2022年，含水上升率高对递减率的影响更大，治理策略：控制含水上升，减少水窜。制定“分层系开发+优化注水”的思路，控制含水上升率。分层系开发效果较好，能有效降低含水上升率，但优化注水工作量少，含水上升率仍然较高，下一步结合注水年的契机，制定了注水方案，预测2023年递减率进一步降低。

4 结论与认识

（1）总结渤海主力油田产液规律，得到了产液量与含水率的指数关系，并推导得到了实际生产状况下，递减率与含水上升率，产液变化系数B的主要关系式。

（2）基于实际递减率计算式，量化含水上升率及产液变化规律对递减率的影响，指导下一步油田的工作方向。

（3）渤海P油田2016—2018年由于产液能力低对递减率影响大，经过多年来治理，产液能力低的问题逐步改善，现阶段主要表现为含水上升率高对递减率影响更大，提出优化注水方案，以降低递减率。

参考文献

[1] Arps J J. Analysis of Decline Curves[J]. Trans. AIME, 1945, 160: 228-247.

[2] 俞启泰，陈素珍，李文兴．水驱油田的Arps递减规律[J]．新疆石油地质，1998，19(2)：150-153.

[3] 计秉玉．油藏工程理论与方法[M]．北京：石油工业出版社，2004：16-20.

[4] 王俊魁．油田产量递减类型的判别与预测[J]．大庆石油地质与开发，1991，10(4)：27-34.

[5] 陈元千，唐玮．广义递减模型的建立与应用[J]．石油学报，2016，37(11)：1410-1413.

[6] 高文君，刘瑛．产量递减规律与水驱特征曲线的关系[J]．断块油气田，2002，9(3)：45-49.

[7] Weibull W. Fatigue Testing and Analysis of Results. The Macmillan Company, New York, 1961.

[8] Oil Production Forecasting by Decline Curve Analysis. Robbert. W. Mannon. SPE1254.

[9] 王陶，肖天君，李洪，等．塔里木盆地H水驱砂岩油藏长期与短期产量预测方法[J]．特种油气藏，2011，18(2)：62-65.

[10] 田晓东，魏海峰，朱宝君．预测特高含水期自然递减率的一种新方法[J]．大庆石油地质与开发，2008，27(1)：54-57.

[11] 孙欣华，刘永军．基于三相渗流机理的自然递减模型研究_以温米油田为例[J]．油气地质与采收率，2004，11(6)：45-50.

[12] 孙敬，刘德华，张亮，等．低渗透油藏递减影响因素的灰色关联分析[J]．特种油气藏，2012，19(2)：90-93.

[13] 李菊花，高文君，杨永利等．水驱油田产量自然递减率多因素分析模型的建立[J]．新疆石油地质，

2005，26(6)：667-669.
[14] 肖武，张孝天，丁利．月度自然递减率预测方法研究与应用[J]．西南石油大学学报(自然科学版)，2008，30(3)：159-162.
[15] 李发印，宋考平．油气田产量相对变化率曲线及应用[J]．特种油气藏，2011，18(1)：61-63.
[16] 杨新平，汪洋，张利锋，等．新疆油田超稠油蒸汽吞吐产量递减率预测新方法[J]．特种油气藏，2017，24(1)：96-100.
[17] 张金庆，孙福街，安桂荣．水驱油田含水上升规律和递减规律研究[J]．油气地质与采收率，2011，18(6)：82-85.
[18] 韩大匡，万仁溥．多层砂岩油藏开发模式[M]．北京：石油工业出版，1999：122-125.

基于生产实际的海上油田电气负荷预测方法研究与应用

金　秋　薄　昭　桑　军　陈丰波　鲁　凯　高　阳

[中海石油(中国)有限公司天津分公司]

摘　要　海上油田电气负荷直接影响电力系统运行可靠性、新建平台的规模和项目的整体效益，因此海上油田电气负荷的科学准确预测意义重大。本文结合海上油田电力负荷特点，对海上平台电气负荷进行分析、分类，找出影响平台负荷的关键因素，探索出基于生产实际的海上油田电气负荷方法。该电气负荷预测方法在SZ36-1油田的成功应用表明了该方法准确可靠，对其他项目海上油田电气负荷的预测有参考作用，为我国海洋石油事业的发展有一定意义。

关键词　电气负荷；预测方法；海上油田；生产实际；优化与应用

引言

海上油田电气负荷预测是电气专业在工程设计的每个阶段都必须完成的工作，是确定海上油田供电方案最重要的依据之一。海上油田电气负荷预测直接影响海上油田电力系统运行可靠性、新建平台的规模和油田开发项目的整体效益。特别是在岸电引入后，生产油田预测负荷直接决定着岸电工程的规划配置，影响油田电力系统安全可靠经济运行。因此，海上油田电气负荷的科学准确预测意义重大。

海上油田大致可分为新建油田和在生产油田两类。新建油田指在建或投产年限在2年以内的油田，这类油田由于还在钻井阶段或者未全部投产，没有达到稳产期，通常采用详细设计阶段的逐年设计负荷作为预测负荷。在生产油田则为投产年限2年及以上的油田，是海上油田的主力油田，此时新井钻探完毕，油藏专业对油田特性有了充分认识，详细设计阶段的设计负荷或与油田实际情况有较大差异，需要根据最新油藏数据及油田实际生产状况重新预测。

在岸电引入前，渤海油田可根据油田实际运行情况，逐步在新建平台上增加电站以满足新增负荷需求。随着渤海油田逐步引入岸电，以往根据实际需求动态增加电站的方式被取消，而岸电工程海上及陆地设施投入巨大，协调施工周期长，单个甚至多个油田开发项目均无法承担后期岸电工程新增扩容费用，需要统筹油田未来20年甚至更长时间的电力需求，据此设计岸电工程及海上平台电力系统规模。中长期电力负荷预测结果偏低会造成油田电力裕度不足，影响油田的油气生产；预测结果偏高会造成投资浪费，设备运行效率低。在生产油田预测负荷直接决定着岸电工程的规划配置，影响油田电力系统安全可靠经济运行，因此，建立适用于在生产油田群的中长期电力负荷预测模型具有重要的工程应用价值。

陆地电网负荷预测研究比较成熟，中长期电力系统负荷预测方法主要有外推法和回归分析法。外推法仅以负荷历史数据为基础，分析得出其变化规律并将其外推，从而对未来负荷发展进行预测；相关分析法指考虑社会、经济等因素对负荷发展的影响，通过建立负荷与影响因素之间的关系进行预测。海上油田中长期负荷预测方法研究较少，需要结合自身特点，选取恰当的预测模型。本文从海上油田的负荷构成入手，对海上油田的负荷进行分析、分类，找出影响负荷的关键因素和计算方法，并成功应用于工程项目验证了方法科学可行。

1　海上油田电力负荷特点

海上油田是由一座座海洋石油平台构成，设备安装紧凑、开采流程系统化、生产负荷用电量大，供电可靠性要求高。根据平台是否设置生产处理设施，可将平台分为中心平台和井口平台。中心平台一般设置生活楼、钻修机(带井口中心平台)、原油处理系统、生产水系统、注水系统、公用系统、吊机、应急机等，随着岸电引入，中心平台上的电站除少量用于满足平台热负荷需求外，大部分就地封存或拆除；井口平台一般设置生活楼、修井机、计量系统、注水系统、吊机、应急机等，不设置原油处理系统和生产水处理系统，井产物流依托中心平台处理外输，并依托中心平台注水和供电。

中心平台主要负荷为生活楼、钻修机、电潜泵、注水泵、伴生气气压缩机、开闭排泵、电脱水器、电脱进料泵、污水泵、空压机、海上提升泵、原油外输泵、吊机、照明、暖通、伴热等；井口平台主要负荷为生活楼(有人平台)、修井机、电潜泵、开闭排泵、空压机、海水提升泵、吊机、照明、暖通、伴热等。由于应急工况负荷对预测负荷无影响，这里仅讨论正常工况下设备及负荷。

在生产油田平台负荷大致可分为2类，一类在平台生命周期内基本不变，称之为常量负荷，如生活楼负荷仅与生活楼规模有关，负荷在250~500kW不等；照明负荷与平台甲板面积有关；暖通负荷与房间尺寸及房间内设备有关；伴热负荷与工艺管线有关；空压机、海水提升泵、开闭排泵等负荷与平台规模有关；对于在生产平台，钻井完毕后，钻机与修井机功能一致，主要用来修井，负荷相对固定；中心平台原油外输泵负荷与原油产量相关，虽然单个平台原油产量随时间变化较大，但对于平台群而言，由于平台投产时间不同，产生错峰效应，原油产量相对稳定，原油外输泵负荷基本不变。从负荷种类上看，常量负荷占比在90%以上。需要说明的是，某些归为常量负荷的设备，并非与油藏配产数据完全没有关系，比如开闭排泵、火炬分液罐泵及电加热器等，这些间隙工作的设备随着产液量增加，工作时间增加，间断时间减少，会导致平台总负荷有所增加，但是由于这类设备数量较少，负荷较小，影响可忽略。

第二类负荷随油藏配产数据变化，称之为变量负荷。这类负荷种类较少，但是在总负荷中占比大，是影响负荷变化的主要因素。这类负荷主要有电潜泵负荷、注水泵负荷、伴生气压缩机负荷以及一些大功率的电加热器负荷。电潜泵负荷与产液量有关，注水泵负荷与注水量有关，伴生气压缩机负荷与产气量有关，这些与油藏配产有直接关系。

因此，对于在生产油田，负荷构成直观清晰，绝大部分设备负荷相对固定，为常量负荷，少数设备负荷与油藏配产联系紧密，找出变量负荷与油藏配产间的关系可较为准确的预测在生产油田负荷。

2　电力负荷预测方法研究

2.1　常量负荷计算方法

根据上文分析，常量负荷为定值，因此，可以直接从海上油田获得各平台的常量负荷(也称之为基础负荷)。对于渤海油田，冬夏季暖通负荷差异不大，但是冬季伴热负荷较大，这里以平台冬季负荷作为基础。从平台能量管理系统(EMS)及多功能表上读取平台总负荷、钻修机负荷、电潜泵负荷、注水泵负荷、伴生气压缩机负荷，则常量负荷为总负荷减去从平台读取的钻修机负荷和变量负荷。这里将钻修机负荷单独讨论，原因是带模块钻机的平台，每年钻井次数较少，主要以修井为主，即便是修井，也并不是每天都作业，且修井时功率变化也较大，因此，对于钻修机负荷综合考察作业工况、作业时长，取钻修机额定功率，再乘以同时使用系数，系数的大小为0.4~0.6。

2.2　变量负荷计算方法

变量负荷的计算是本文重点讨论的内容，首先分析电潜泵负荷的计算方法。电潜泵电机输入功率有

$$P_{\mathrm{in}}=\frac{Q_{vis}\cdot H_{vis}\cdot\left[\rho_0\dfrac{100-f_{\mathrm{w}}}{100}+\rho_{\mathrm{w}}\dfrac{f_{\mathrm{w}}}{100}\right]}{8812.8\cdot\eta_{\mathrm{p}}\cdot\eta_{\mathrm{m}}}\cdot C_{p_\mu}\cdot K' \tag{1}$$

式中，Q_{vis}为校正后电潜泵额定排量，m^3/d；H_{vis}为校正后电潜泵额定扬程，m；P_{in}为电机输入功率，kW；ρ_0为原油相对密度，无量纲；ρ_{w}为水的相对密度，无量纲；f_{w}为生产井含水率，用百分数表示；η_{p}为电潜泵电泵效率，无量纲；η_{m}为电潜泵电机效率，无量纲；C_{p_μ}为功率黏度校正系数，无量纲；K'为安全系数(综合考虑分离器，保护器损耗功率和电机安全余量)，无量纲。

对于在生产油田，井的参数及电潜泵的参数已经确定，即井深(扬程H_{vis})，泵效(η_{p})，电机效率(η_{m})，安全系数(K')，油品性质均为定值。

同时，从实际生产情况看，投产2年以上特定井的井产液含水率变化，对电潜泵功率影响很小，这里简化认为含水率对电潜泵功率无影响。简化后，电潜泵输入功率与产液量成正比，这正是在生产油田单平台电潜泵逐年负荷的预测基础。

平台上注水泵基本为离心泵，极少量为往复泵，这里以离心泵为例进行分析。注水泵计算公式为

$$P_{\text{in}}=\frac{Q\cdot(P_d-P_s)}{36.7\cdot\eta_1\cdot\eta_2}\cdot K \qquad (2)$$

式中，P_{in}为电机输入功率，kW；Q为流体流量，bar；P_{d}为出口压力，单位为巴；P_{s}为入口压力，单位为巴；η_1为泵效率，无量纲；η_2为泵传动效率，无量纲；K为电机额定功率裕量系数，无量纲。

对于在生产油田各平台上的注水泵，泵的各项参数，出入口压力等均为定值，电机输入功率与流体流量成正比，也即与注水量成正比，对于往复泵，可以得出同样的结论。

伴生气压缩机功率与产气量成正比，而产气量与产油量成正比(油田气油比相对稳定)，因此，随着油田的开发，在没有新油田接替的情况下，伴生气压缩机的功率将逐年减小，对于渤海稠油油田，由于产气量较小，一般将其归于常量负荷中，对于产气量高的油田，可将其独立计算。压缩机的轴功率估算公式为(适用于级间间压力比在2.5以上、转速300~400r/min的低速大型压缩机)

$$N_{\text{s}}=ax\varepsilon xBxFx\ V_{\text{o}}$$

式中，N_{s}为压缩机的轴功率，W；a为系数，气体相对密度Δ=0.6~0.8时，α=14；Δ=0.8~1.0时，a=13；ε为每级压缩机比；β为压缩级数；F为级间压降的允许值，单级压缩机F=1，两级压缩机F=1.08，三级压缩机F=1.10；V_{o}为压缩机的供气量，Sm^3/h。

高转速(1000r/min范围内)小型压缩机所需功率，一般要比低速大型压缩机功率高10%~20%，在某些情况下，可能高20%。

同理，对于在生产平台已建的压缩机，气体相对密度、每级压缩比、压缩级数、级间压降的允许值均为定值，因此，压缩机的轴功率正比于压缩机的供气量。

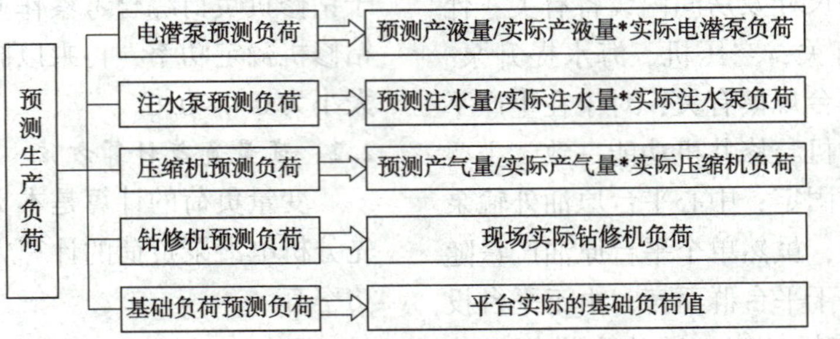

图1　分项负荷预测框图

2.3　校正系数

对于油田群来说多则超过30座平台，采用上述方法预测出每一座平台负荷后再求和，发现油田群预测负荷比实际负荷要高出10%~20%。经过分析，每一座平台预测负荷实际上是该平台该年的最大负荷，对于油田群而言，30座平台不可能在同一刻都达到最大负荷，同样会出现错峰效应。这是符合平台实际生产情况的，在生产的30座平台在某一时刻，可能只有三分之一的修机在修井，有一半的加热器在工作。因此，需要引入校正系数η，来修正预测负荷与实际负荷的偏差。

为了确定校正系数η，首先计算出最近三年的理论预测负荷值，其次在DMS系统中调出最近三年油田的实际负荷值，最后计算校正系数η=实际负荷值/理论预测负荷值。为了减小偶然误差对校正系数的影响，这里η取最近3年校正系数的平均值，当然，考虑到距离当前的时间越近，影响越显著，也可赋予一定的权重，按照50%、30%、20%权重计算校正系数。

3　应用与展望

将上述电气负荷预测方法在SZ36-1油田应用，预测2016—2018年负荷分别为90.7MW、92.5MW和96.5MW，从DMS上读取三年的实际负荷分别为76.3MW、77.6MW和82.6MW。计算出三年的校正系数分别为84.04%、83.87%及85.54%，取三年校正系数的平均值为

84.48%。据此计算 SZ36-1 油田 2021 年冬季预测负荷值为 96.09MW，2021 年 SZ36-1 油田冬季负荷实际值为 96.04MW，预测误差为 0.1%，验证了该方法的有效性。该预测方法也用在了岸电项目中海上油田中长期负荷预测中，为渤海油田成功引入岸电打下了坚实基础。

在生产油田预测负荷直接决定着海上油田电网规划配置，影响油田电力系统安全可靠运行。通过对海上平台负荷进行分析、分类，找出了影响平台负荷的关键因素，并以 SZ36-1 油田预测负荷为例进行验证。

结果表明：海上油田负荷相对陆地电网负荷，负荷构成直观清晰，可预测性强；海上油田负荷可分为常量负荷和变量负荷，常量负荷为辅助负荷，该部分负荷相对固定，变量负荷主要为生产负荷，随油藏配产数据变化，是影响预测负荷的关键因素；生产负荷主要指电潜泵负荷、注水泵负荷和压缩机负荷，在生产油田中生产负荷与相应的油藏配产指标主要呈线性关系；油田中各单平台预测负荷的累加值和油田的实际负荷有较大偏差，需要引入校正系数，修正平台间负荷的错峰效应。

近年来，渤海油田每年都有多个大中型油田被发现，这些新发现油田的负荷不在岸电项目的设计基础中，不利于后续新发现油田接入岸电，同时由于油藏配产数据也存在一定的不确定性，因此，在生产油田负荷预测需考虑未来油田加密调整、化学驱及后续新发现油田接入，适当预留负荷余量。

参考文献

[1] 赵惺．海上油田中长期电力负荷预测 TM732. 2020.

[2] 海洋石油工程设计指南[M]. 北京：石油工业出版社 . 2007.

[3] 王文圣，丁晶，赵玉龙，等．基于偏最小二乘回归的年用电量预测研究[J]. 中国工程学报 . 2003，23（10）：17-21.

[4] 许梁，孙涛，徐箭，等．基于函数型非参数回归模型的中长期日负荷曲线预测[J]. 电力自动化设备 . 2015（07）.

[5] 康重庆，夏清，张伯明．电力系统负荷预测研究综述与发展方向的探讨[J]. 电力系统自动化 . 2004（17）.

[6] 张栋梁，严健，李晓波，等．基于马尔可夫链筛选组合预测模型的中长期负荷预测方法[J]. 电力系统保护与控制 . 2016（12）.

[7] 李亦言，严正，冯冬涵．考虑城市化因素的中长期负荷预测模型[J]. 电力自动化设备 . 2016（04）.

[8] 王鹏，陈启鑫，夏清，王宣元．应用向量误差修正模型的行业电力需求关联分析与负荷预测方法[J]. 中国电机工程学报 . 2012（04）.

[9] 王惠文．偏最小二乘回归方法及其应用[M]. 国防工业出版社，1999.

[10] 张戈力，毛安家，赵岩．一种 PLS 回归的并网风电项目利润预测方法[J]. 电力系统保护与控制 . 2013（08）.

[11] 万光芬，刘国锋，邱银锋，等．海洋油气平台大型压缩机调速和启动方式选型分析[J]. 油气田地面工程 . 2018（12）.

[12] 王惠文．偏最小二乘回归方法及其应用[M]. 北京：国防工业出版社，1999.

[13] 潜油电泵采油系统功率计算[M]. 北京：石油工业出版社 . 2016.

沙西北斜坡型碳酸盐岩潜山储层形成与油气成藏

黄　志　杨海风　叶　涛　于海波　张　捷　李　飞　高文博

[中海石油(中国)有限公司天津分公司]

摘　要　渤海湾盆地下古生界碳酸盐岩潜山是重要的油气勘探领域，已有的潜山主要集中在构造高部位，但是斜坡带碳酸盐岩潜山受构造位置影响，其储层发育程度以及成藏规模均存在挑战。本研究以沙垒田西北(沙西北)斜坡带为靶区，通过开展潜山构造演化、储集空间表征与形成机理、潜山油气成藏综合分析，认为：①沙西北斜坡带下古生界潜山岩性由上组合(大套灰岩夹白云岩、泥灰岩)和下组合(鲕粒灰岩、灰岩和泥岩互层)组成，崮山组区域稳定泥岩是二者的分界；②斜坡带潜山经历印支、燕山及喜山多期构造运动，具有"跷跷板"式构造演化特征，多期构造活动形成的大量裂缝为储层发育奠定基础，"优势岩性组合-叠合应力成缝-多期岩溶改造"三元耦合控制碳酸盐岩潜山储层发育，上组合形成"似层状"缝溶型优质储层，是优势的油气聚集层系；③低斜坡碳酸盐岩潜山处于"常非过渡带"，发育"上组合表生岩溶成储-下组合致密层遮挡封盖"的地层侧封油气成藏模式，形成斜坡区大中型油田群。断陷盆地斜坡型碳酸盐岩潜山成藏模式新认识和勘探实践，拓展了断陷盆地潜山勘探方向，丰富了渤海湾盆地潜山油气成藏理论。

关键词　碳酸盐岩；斜坡型潜山；缝溶型储层；地层侧封；渤海海域

引言

碳酸盐岩储集了全球约50%的石油和25%的天然气(王建波，等.2008；赵文智，等.2012；谢增业.2013)，是重要的成藏层系之一；渤海湾盆地广泛分布下古生界碳酸盐岩，为中-新生代盆地基底潜山，是重要的油气聚集场所和勘探目标。目前，渤海湾盆地已发现了任丘、千米桥、埕岛、杨税务等大中型下古生界碳酸盐岩古潜山油气田，占盆地总储量约6%(费宝生，等.2005)，证实碳酸盐岩潜山是渤海湾地区重要勘探领域之一。

渤海海域是渤海湾盆地重要组成部分，近五年古潜山勘探取得丰硕成果，相继发现全球规模最大变质岩凝析气田渤中19-6及国内最大变质岩油田渤中26-6，但下古生界碳酸盐岩潜山一直未获大中型油气田发现，仅发现渤中28-1及曹妃甸2-1等小型油田。根据渤海海域潜山石油地质条件分析，下古生界潜山仍是值得关注的前沿领域。近些年，诸多石油地质学者对渤海海域下古生界碳酸盐岩潜山地层岩性(王粤川，等.2016；华晓莉，等.2018；谌辰.2020)、构造演化(胡贺伟，等.2016)、油气储集层(于海波，等.2015；董月霞，等.2015；华晓莉，等.2020；杨一珉，等.2020；张岚，等.2023；李慧勇，等.2023)等领域进行了比较深入的研究，认为碳酸盐岩潜山以风化壳岩溶储层为主，岩性和沉积相是碳酸盐岩潜山储层形成的基础，岩溶作用是碳酸盐岩潜山储层形成的关键，构造破裂作用是碳酸盐岩潜山储层形成的纽带。这些研究多数聚焦于储集空间描述、岩溶作用和白云岩成因等方面探讨，且研究区域多集中于古隆起；然而，针对断陷盆地占比最大的斜坡区潜山成藏条件和潜力缺乏研究，碳酸盐岩潜山未获突破的原因认识还不够完整。据此，本文在前人研究的基础上，根据最新三维地震、钻井、大量薄片观察及扫描电镜等实验分析和数据开展研究，选取沙西北斜坡带为靶区，通过潜山地质组成及演化、储集空间形成与分布和潜山油气聚集描述等方面研究，探讨研究下古生界碳酸盐岩潜山岩性序列、构造演化、储层形成和油气成藏，提出缝溶型储层概念，建立"常非过渡"低斜坡碳酸盐岩潜山"地层侧封"油气成藏新模式，实现渤海海域斜坡型碳酸盐岩潜山勘探的突破，为断陷盆地类似地区油气勘探提供理论和技术依据。

1　研究区概况

沙西北斜坡带位于渤海湾盆地沙垒田凸起西段西北部，因地处南堡凹陷向沙垒田凸起过渡的斜坡带，构造命名沙西北斜坡带(或沙西北构造带)，面积约0.3万km^2，呈北西走向(图1a)。研究区紧邻南堡凹陷曹妃甸次凹、林雀次洼，油气成藏条件较为优越。其勘探始于1976年，中海油、Texaco和KerrMcGee等国际大型油公司历经40余年勘探，仅发现曹妃甸2-1小型碳酸盐岩潜山油田，未达商业开采门槛，国外公司相继退出。该区勘探低效的核心原因是勘探方向一直不清，在“上凸起”和“下斜坡”两种勘探思路中来回试探，最终凸起核心区钻探10余口探井，仅获油层发现无规模储量；斜坡区仅反向断裂形成的背斜构造发现了小型潜山油田（曹妃甸2-1）；因此当高部位钻探失利，低部位大型构造圈闭钻探完后，勘探陷入困境。但从钻井油气显示观察，该区具有较大潜力，2010年回归中海油自营，2012—2016年重新采集了沙垒田西段连片三维地震资料，在此基础上，开展潜山地质组成及演化、储集空间形成与分布、潜山油气聚集描述等方面研究，明确了沙西北斜坡带的勘探方向，并发现了渤海海域首个下古生界潜山大中型油田—曹妃甸2-B油田。

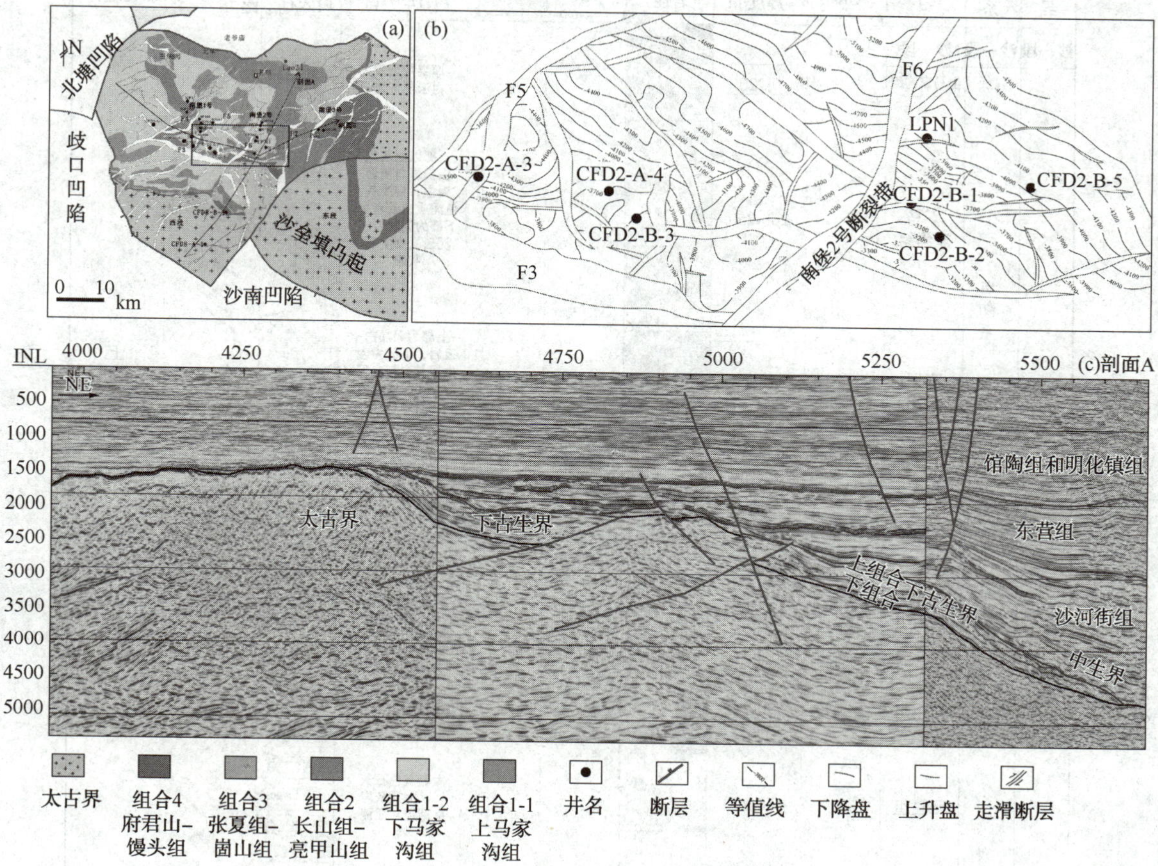

图1　沙西北构造纲要及潜山地层出露特征

a—沙西北及围区前中生代古地质图，根据董月霞等，2015修改；

b—沙西北斜坡带下古生界潜山顶面构造形态图；c—过沙西北斜坡带地震剖面。

南堡凹陷是发育于寒武-奥陶系基底之上的中新生代叠合型裂谷盆地，沙西北构造带处于凹陷向凸起过渡的斜坡带（图1b）。研究区基底从南至北出露太古界、下古生界和中生界（图1c）；太古界以混合花岗岩与花岗片麻岩为主；下古生界寒武系为海相碳酸盐岩和泥岩互层，以厚层泥岩夹薄层白云岩或灰岩为主；下古生界奥陶系为海相碳酸盐岩沉积，以大套灰岩和白云岩为主，夹薄层泥灰岩；中生界岩性最为复杂，为一套含火山岩的陆相碎屑岩，仅发育在南堡凹陷深洼区。上覆新生界自下而上发育沙河街组、东营组以及馆陶组、明化镇组和平原组，且从北向南新生界逐渐超覆变新，至凸起高部位仅发育新近系馆陶组和明化镇组。

2　潜山地层岩性及构造演化

2.1　潜山地层特征和岩性序列

沙西北斜坡带隶属于华北地台，基底主要为下古生界克拉通稳定地台沉积物，发育寒武系和奥陶系，共计10个地层组（图2）。通过岩心、偏光显微、X射线衍射及扫描电镜观察发现，下古生界岩性序列具有两分性，可分为上组合和下组合。

上组合以碳酸盐岩为主，主要发育大套灰岩夹白云岩、泥灰岩，包含马家沟组、亮甲山组、冶里组、凤山组和长山组。长山组和凤山组主要发育灰色石灰岩，白云石含量向上逐渐增加，长山和凤山的组界线不明显，总厚度130~160m；冶里组岩性以灰岩为主，白云石含量向上逐渐增加至10%，厚度80~100m，下部发育薄层泥灰岩与凤山组分隔；亮甲山组以泥晶白云岩为主，白云石含量向上逐渐降低，厚度89-100m，与冶里组分界不明显；下马家沟组下部发育4~5个高GR泥灰岩与亮甲山组分隔，上部岩性以深灰色白云岩为主，白云石含量在中部最低，厚度200~250m；上马家沟组岩性以灰岩及白云质灰岩为主，残留厚度0~400m。因此，上组合不发育稳定海相泥岩，各组仅以薄层泥灰岩为分界，且多数分界不清楚，岩性较为均一，总体以碳酸盐岩为主(图2)。

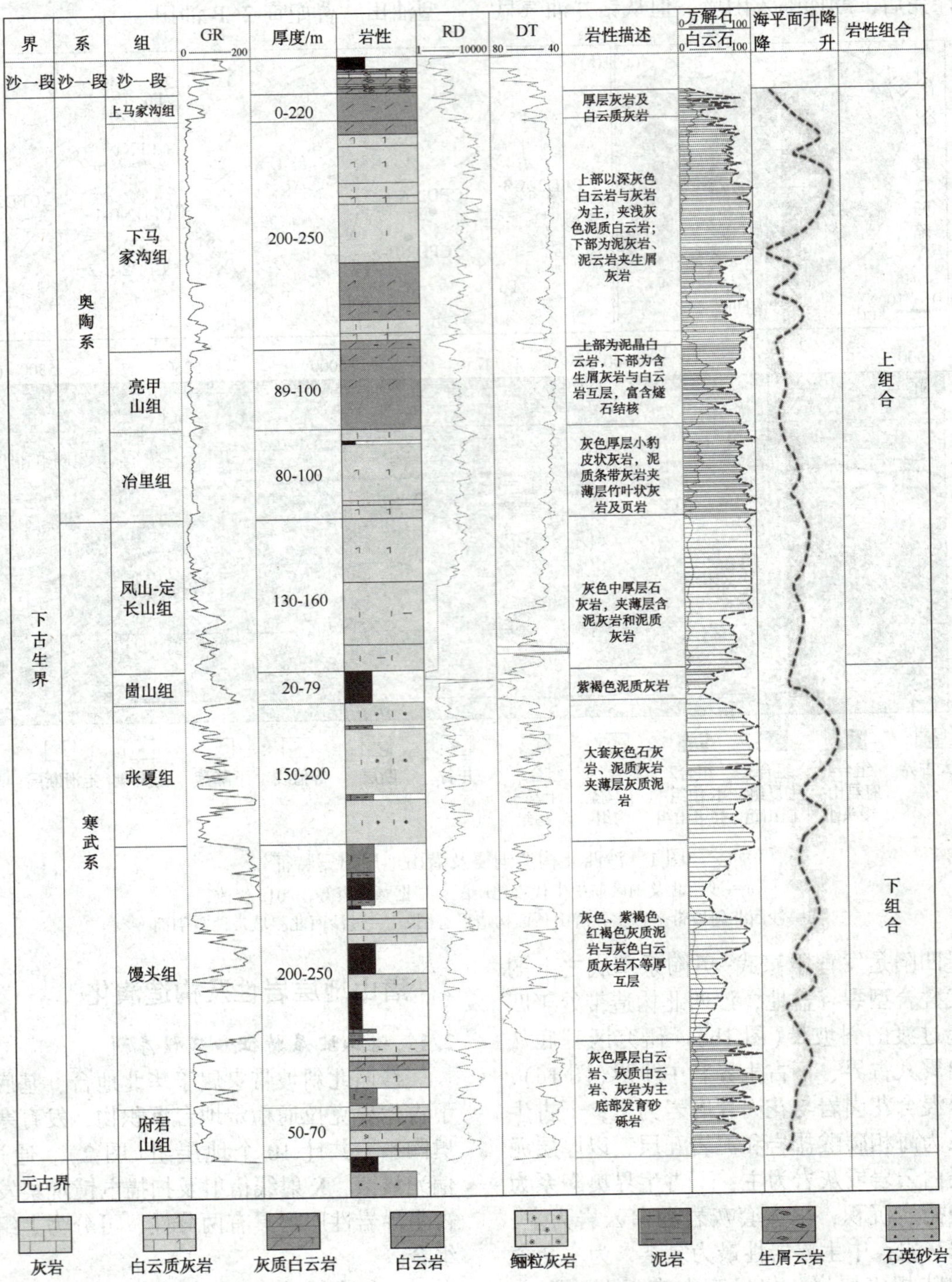

图2　沙西北下古生界综合柱状图

下组合岩性为鲕粒灰岩、泥岩、薄层灰岩或白云岩互层，碳酸盐岩含量低于上组合，主要包括崮山组、张夏组、馒头组和府君山组。其中府君山组岩性以灰质白云岩和白云岩为主；馒头组以泥岩和白云质灰岩不等厚互层为主，张夏组发育大量鲕粒灰岩，可夹中厚层灰质泥岩；崮山组岩性主要为泥质灰岩和泥岩。

通过岩性序列精细分析，认为下古生界复杂

岩性潜山，可简化为以碳酸盐岩为主的上组合及以泥岩为主的下组合。上组合和下组合岩性的分界为凿山组泥岩，钻井揭示渤海海域西部凿山组海相泥岩分布稳定，且凿山组上、下岩性差异大，因此，在凿山组顶部出现可区域追踪的地震轴(图 1c)，依据地层厚度关系可预测地层分布，提高探井成功率。

2.2　潜山形成及演化

2.2.1　断裂体系特征

研究区发育北西向(或近东西向)及北东向两组断裂体系，相互切割、分割，形成“网格状”构造格局。北西向(或近东西向)和北东向断裂分别归属于不同的断裂系。北西向(或近东西向)断裂属张蓬断裂体系，平面上呈排分布、剖面上陡下缓，在断层上盘邻近断层处下古生界逐渐减薄(图 1b、图 1c)，而中生界和古近系则明显增厚，呈现“跷跷板”的特征，北西向断层整体上控制了该区隆凹相间的格局。北东向断裂隶属于黄骅-东明断裂体系，由多条平行蜿蜒延伸的断裂组成，剖面上呈陡倾板状，与北西向断层呈交切关系，将北西向凸起或凹中隆分切成多个独立的山头。整体来看，研究区断裂体系呈现“三横四纵”网格状构造格局。

2.2.2　潜山形成及演化

沙西北地区构造演化作为渤海湾盆地中新生代构造演化的缩影，与整个东亚中生代以来的大地构造动力学背景紧密相关(李三忠，等.2010；陆诗阔，等.2011；付立新，等.2016)。根据地层变化及断裂活动等研究，并结合前人成果(李慧勇，等.2023；Huang，et al. 2023)，沙西北地区识别出印支期、燕山早期、燕山中期、燕山晚期和喜山期五期构造活动，控制了潜山的形成与演化。

早古生代该区在太古界变质岩基底上沉积了一套陆表海的碳酸盐岩，晚古生代为海陆过渡相沉积，由于加里东运动和海西运动以垂直升降为主，水平方向构造作用较弱，此时古生代地层形变小、改造弱(图 3a)。印支期受华南板块与华北板块碰撞作用影响，研究区形成了一系列的 NWW 向(或近 EW)逆冲断裂，同时引起了古生界的褶皱变形，形成了多排整体向北东方向逐步抬升的北西向构造带，并在逆冲断裂上盘和褶皱高部位发生剥蚀，该时期上古生界基本剥蚀殆尽，下古生界在逆冲断裂上盘根部和褶皱高部位剥蚀强烈(图 3b、图 1c)。

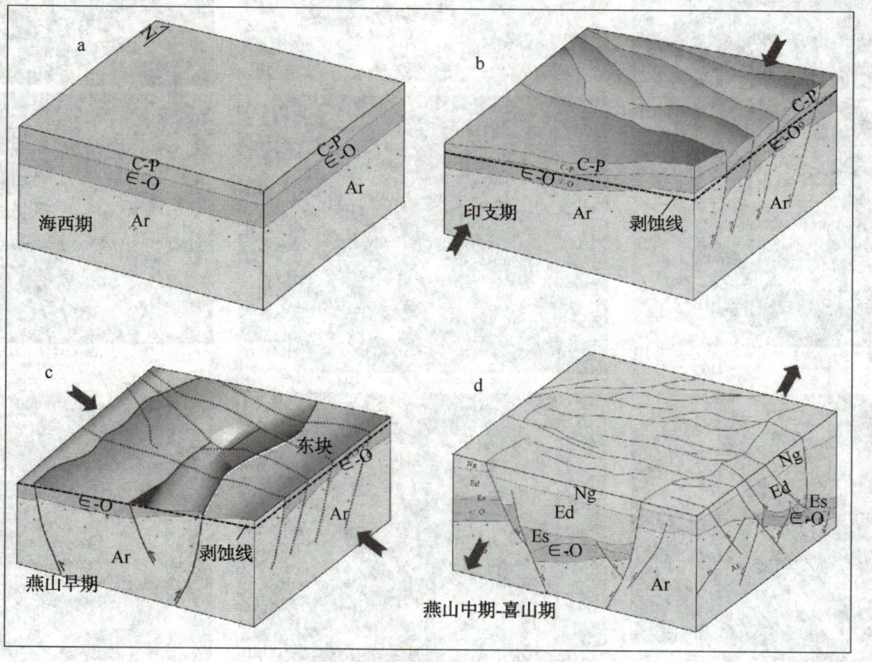

图 3　沙西北地区潜山发育演化史图

燕山早期，研究区转入滨太平洋构造体系域，受北西向挤压应力场作用，北东向逆冲断裂开始形成，在先存北西向逆冲断裂及相关褶皱的格局上进行“立交桥”式叠加，沙西北地区进一步差异隆升，形成了“三横四纵”构造雏形，北东向逆冲断裂上盘下古生界剥蚀强烈。导致下古生界在两组断裂根部强烈剥蚀，形成多个“中间厚、边缘薄”的古生界残留区(图 3c、图 1a)。

燕山中期，华北地区构造体制和应力场发生根本性变革，研究区由先前的压扭剪切应力场转入张扭剪切应力场，稳定的克拉通被破坏，柏各庄等先存的北西向逆冲断裂发生负反转，形成了北断南超的南堡凹陷雏形，并沉积了中生代地层。沙西北地区受块断差异作用，为隆升区，剥蚀作用强。可见，燕山中期，沙西北地区发生了一次大的构造格局变化，由印支期北高南低转变为北低南高，形成"跷跷板"演化现象(图3d)。

燕山晚期受东部高原作用影响，研究区整体抬升构造作用较弱。喜山期，受太平洋持续俯冲和地幔隆升热对流影响，继承了燕山中期构造格局，先存北西向断裂和北东向断裂发生强烈断陷，北断南超为主、并伴随东西向伸展，形成南堡凹陷多个烃源灶和多个潜山块体，造就了沙西北地区"南北分带、东西分块"的构造格局(图3d)。受差异隆升影响，沙西北地区逐步定型为南堡凹陷向沙垒田凸起过渡的斜坡带。

基于构造演化分析，总结了断陷盆地碳酸盐岩潜山勘探低效原因：①受多期构造演化影响，现今构造高并非印支期和燕山期挤压应力集中区，导致高点储层差、储量规模小；②受剥蚀和喜山期断陷影响，下古生界现今主要分布在斜坡带，风化壳储层较发育；③过去一直认为斜坡带为油气运移过路区(赵贤正，等.2012；马立驰，等.2020)，难以形成大中型油气田，因此对斜坡区探索少。

3　储集空间形成与储层发育模式

3.1　储层基本特征

根据已钻井岩心、成像及薄片等实验资料分析，沙西北地区储集空间类型多样，以裂缝、溶洞、溶孔为主，孔隙少见。溶蚀孔、洞与裂缝具有耦合共生关系，常见裂缝的溶蚀扩大，以及沿裂缝发育的溶蚀孔、洞(图4及图5)。该现象说明，下古生界碳酸盐岩潜山储层形成主要依靠次生作用，后期构造运动成缝以及沿缝的溶蚀是储层形成的主要营力。我们将这类在微晶灰岩/白云岩中发育的沿缝溶蚀形成储集空间，称为缝溶型储层。

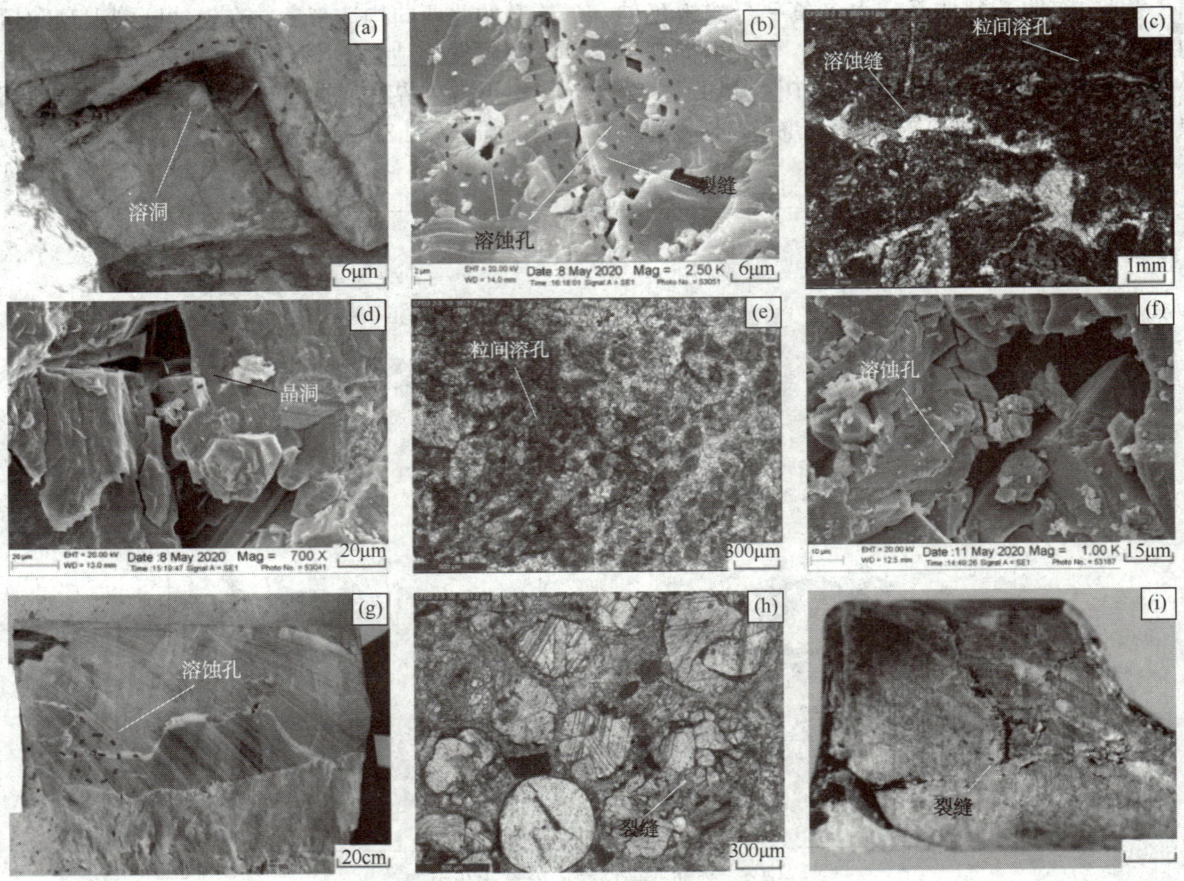

图4　沙西北地区下古生界碳酸盐岩储层储集空间特征

a—CFD2-A-2井，3600.45m，白云岩，溶蚀洞；b—CFD2-B-3井，3715.00m，灰岩，裂缝和溶蚀孔SEM；c—CFD2-B-3井，3333.00m，亮晶砂屑灰岩，粒间溶孔和溶蚀缝，(-)；d—CFD2-B-3井，3664.00m，白云质灰岩，可见白云石晶洞，SEM；e—CFD2-B-3井，3817.00m，灰岩，发育粒间溶孔，(-)；f—CFD2-B-3井，4082.00 m，白云岩，白云石溶蚀孔，SEM；g—CFD2-A-2井，3709.50m，顺裂缝发育溶孔；h—CFD2-B-3井，3955.00 m，鲕粒灰岩，有裂缝发育，(+)；i—CFD2-B-3井，3757.00m，灰岩，裂缝发育。

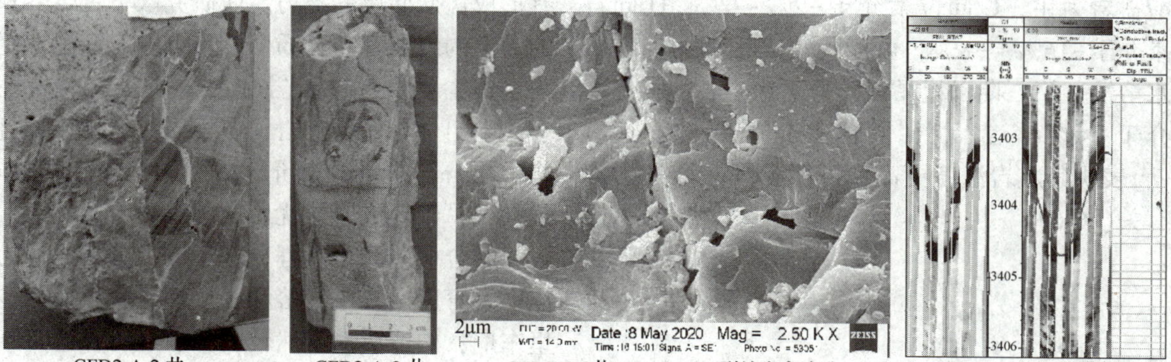

CFD2-A-2井 3709.5m O_1Xm　　CFD2-A-2井 3706.15m O_1Xm　　CFD2-B-3井3441.6m 01L裂缝发育溶孔　　CFD2-B-2井声电成像 3482-3486m裂缝溶蚀

图5　沙西北下古生界碳酸盐岩储层特征

(1) 溶洞：主要发育在灰岩地层中，常见于马家沟组和冶里—亮甲山组，一般独立分布或者沿裂缝分布的溶扩洞，溶洞大小不一，一般直径在1~2cm(图4a)。

(2) 裂缝：研究区构造裂缝极为发育，岩心、薄片上均可见大量的构造裂缝。裂缝以中、高角度为主(图4h、图4i)，受后期流体影响研究区内发育大量溶蚀裂缝(图4c)，同一条溶蚀缝，不同位置其裂缝宽度不一致，一般介于0.03~1cm，裂缝极易被碳酸盐岩矿物所充填(图4e)，多数裂缝可见沿缝发育的溶蚀扩大孔洞(图4b、图4g)。

成像资料显示，研究区主要发育两组裂缝，一组以NEE向为主；另一组以NWW向为主，其中NEE向裂缝占主导。另外，裂缝发育的深度下限，与测试产能底界具有高度一致性。

(3) 孔隙：由于受后期流体作用，造成碳酸盐岩发生溶解，产生一系列溶蚀洞、晶间扩溶孔，孔径较小，一般小于1 mm，该类储集空间较为少见(图4c、图4d、图4e)。

钻井揭示潜山顶部发育高孔高渗储层，以裂缝-孔洞性储层为主；中下部储层低孔高渗，以孔洞-裂缝性储层为主(图5)。统计表明，潜山储层主要分布在上组合，下组合仅局部白云岩段发育薄层储层。另外，碳酸盐岩潜山储层主要分布在距潜山顶面300m范围内；潜山内部，单层厚度小，储层净毛比低。

3.2　储集空间形成

3.2.1　裂缝的形成

沙西北地区下古生界海相碳酸盐岩历经印支、燕山及喜山多期构造活动，受北西和北东向为主的挤压、走滑、伸展应力叠加改造，形成多种类型的裂缝。印支期，在强烈近南北向挤压作用下，形成一系列北西-南东向逆冲断裂和相关褶皱，伴随断裂和隆起产生，发育NW向裂缝体系。燕山早期，在北西-南东向挤压作用下，在早期裂缝基础上，叠加了NE向裂缝体系。燕山中期-喜山期，在近南北向拉张应力场下，潜山裂缝体系进行一定程度活化，形成优质的裂缝储集体。

利用成像测井资料与元素测、录井资料，统计了不同白云石含量段的裂缝发育线密度，结果表明，除了少量灰岩中(低白云石含量)裂缝密度较大之外，整体上随着白云石含量的增加，裂缝的密度具有明显增加的趋势。实验表明(Guo et al. 2018)，白云岩的抗压强度为49MPa，灰质白云岩为70.74MPa，白云质灰岩抗压强度为75.4MPa，而灰岩的抗压强度可达104.9MPa(侯贵廷，等.2013)。即随着碳酸盐岩白云石含量的增加，其抗压强度具有逐步降低的趋势。需注意，白云岩的抗压强度仅有灰岩的一半，即白云岩发生破裂形成构造裂缝所需要的应力仅为灰岩的一半，白云岩含量越高，岩石越容易发生破裂形成构造裂缝。

另外，从裂缝纵向分布观察，上组合岩性较为均一，多类型裂缝交织发育；而下组合仅零星层段裂缝较为发育。导致下组合裂缝发育差的原因主要是崮山组发育稳定泥岩，裂缝大部分终止于该力学性质变化界面上(赵文韬，等.2015)。

3.2.2　裂缝的溶蚀机制

构造裂缝形成后，为流体的渗流提供了良好的通道，这是岩溶储层发育的基础。根据裂缝充填物的观察以及碳氧同位素分析结果表明，研究区至少发生了两期岩溶。第一期充填物以粉细晶碳酸盐岩为主，C 同位素介于-2‰~0‰，O 同位素介于-16‰~-8‰，可能代表表生期的大气淡水溶蚀；第二期以粗晶碳酸盐岩为主，C 同位素介于-4‰~-2‰，O 同位素介于-18‰~-8‰，表明其成岩温度更高，可能为埋藏期的岩溶有关(图 6)。

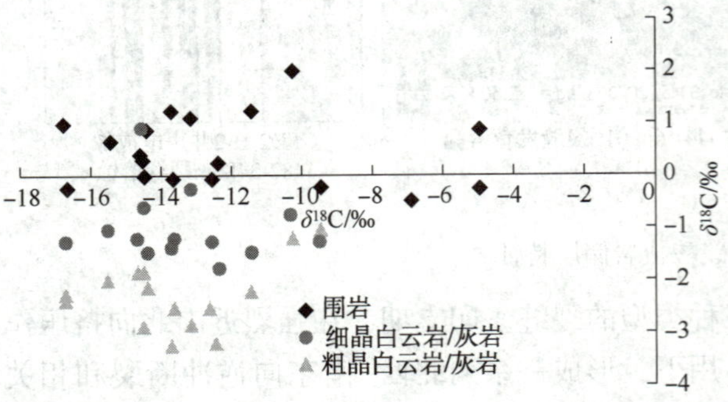

图 6　潜山围岩及构造裂缝充填物 C、O 同位素交会图

但值得注意的是，沙西北地区上组合以灰岩为主，白云岩欠发育，与渤海湾盆地已发现规模性储层存在较大差异，这也是该区已钻井未发现规模储层的根本因素。常规认为，大套灰岩不具备大型优质储层发育条件；但碳酸盐岩溶蚀作用模拟实验表明(师政．2019)，灰岩中白云石含量不同会对其溶蚀强度产生影响，当白云石含量<9%时，溶蚀作用与白云石含量呈正相关关系；当白云石含量>15%时，溶蚀作用与白云石含量呈负相关关系，说明白云质灰岩这类过渡岩性具有形成优质储层的潜力。而研究区下古生界顶部的马家沟组发育白云质灰岩和灰岩，亮甲山组-冶里组主要发育白云岩和白云质灰岩的岩性组合；上组合总体为灰岩、白云质灰岩互层，且灰岩中白云石含量大多介于 5%~15%，溶蚀作用最强，易于形成厚层优质储层。

结合构造演化过程，基于以上分析，认为研究区发育四期表生岩溶和一期埋藏岩溶作用。加里东期，构造活动虽然较弱，但经历长达 1.5 亿年的风化剥蚀(图 7a)；印支期，受南北向挤压，研究区形成近 NWW 向褶皱，在印支期逆冲断裂带附近形成裂缝密集带，与此同时发生第二次表生岩溶，受地貌影响，南堡凹陷现今凹陷区为岩溶高地，流体流动方向由北向南(图 7b)；燕山期压扭作用下，在断裂附近进一步形成 NEE 向断裂密集区，此时古生界潜山仍然暴露，持续表生溶蚀(图 7c)，裂缝的充填物表现为相对高的 C 同位素特征。进入燕山中晚期-喜山期早期，由于伸展作用，构造格局发生了变革，南部沙垒田为岩溶高地，流体向北流动(图 7d)。喜山晚期，古生界在斜坡背景下发生埋藏顺层岩溶，由于埋藏深度较大，导致充填物的 C 同位素更偏负。随着新生代的持续埋藏，氧同位素整体偏负。岩溶高地的变迁，导致现今构造高部位和低部位均具有较强的岩溶作用。

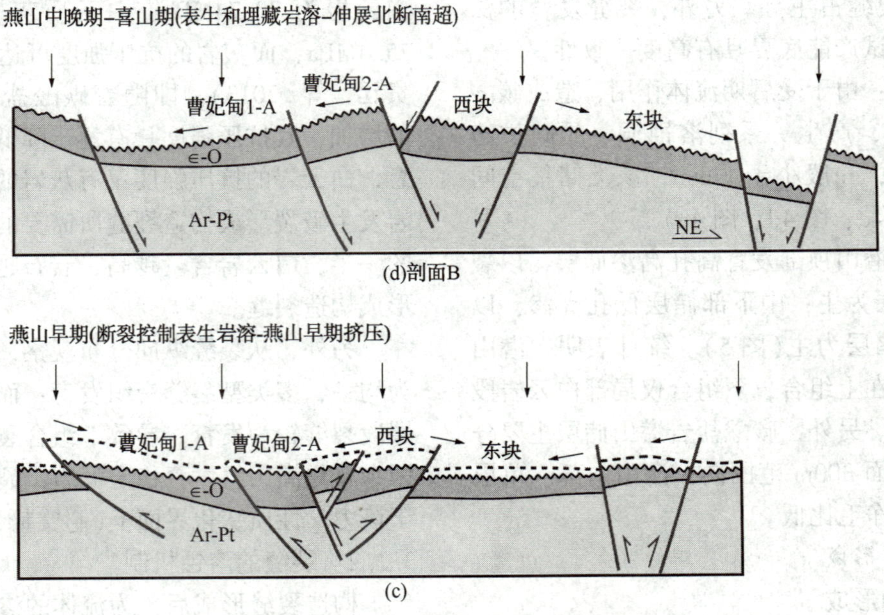

图 7　古地貌发生反转形成四期表生岩溶作用

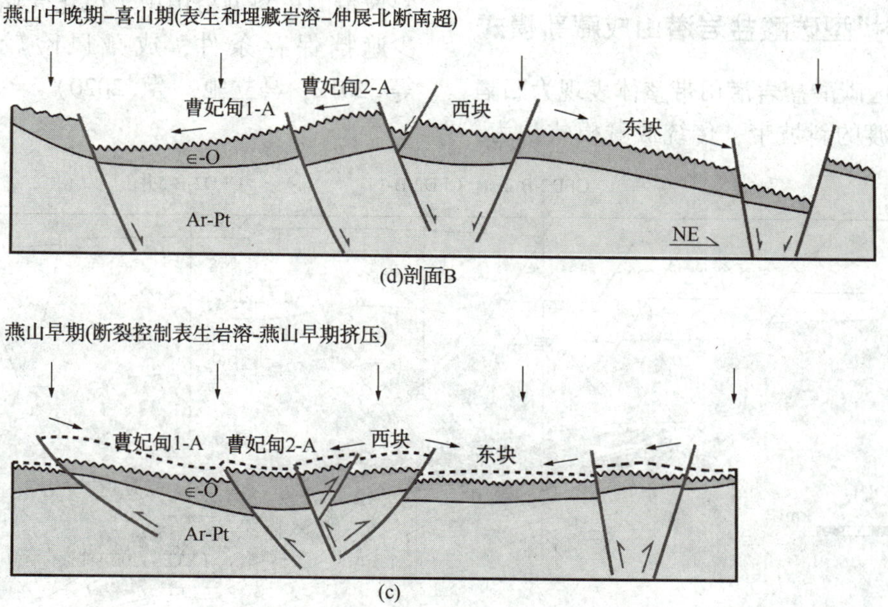

图 7　古地貌发生反转形成四期表生岩溶作用(续图)

3.2.3　储层发育模式

沙西北地区由于下古生界岩性组合特殊，影响了储层发育模式。上组合各组界线不清，岩性以碳酸盐岩为主，岩性较为均一，且裂缝交织发育，受后期岩溶改造，在其顶部 200~300m 内易于形成储层。下组合发育崮山组稳定泥岩、张夏组鲕粒灰岩以及馒头组稳定泥岩，研究发现张夏组鲕粒灰岩相对泥晶灰岩溶蚀效率低(张天付，等.2009)；另外，颗粒灰岩的弹性模量最大，同一构造区，鲕粒灰岩裂缝发育条件较灰岩和白云岩差、裂缝密度低(朱庆杰，等.2002)，钻井揭示张夏组均为致密层，可见下组合难以形成规模储层，一般为非渗透层，是流体流动的遮挡层。

基于岩性组合序列、裂缝纵向分布规律以及岩溶作用模式，认为沙西北地区碳酸盐岩潜山受“优势岩性组合–叠合应力成缝–多期岩溶改造”的共同控制，上组合形成了“沿潜山顶面穿时”的似层状缝溶型储层，下组合一般为致密层。上组合白云质灰岩提供了较好的物质基础；同时受到印支–燕山运动早期和燕山运动晚期两期构造挤压，造成上组合多类裂缝交织形成缝网体系；后期沿缝网体系进行多期岩溶改造，印支期大气淡水由北向南、燕山中期–喜山期大气淡水由南向北，岩溶高地的变迁使得现今构造高部位和低部位均发育规模性储层；多因素耦合下，形成一套沿潜山顶面发育的、具有穿时效应的、大面积分布的似层状缝溶型储层(图 8)，该类储层形成与西部的顺层岩溶、断溶体有本质区别。

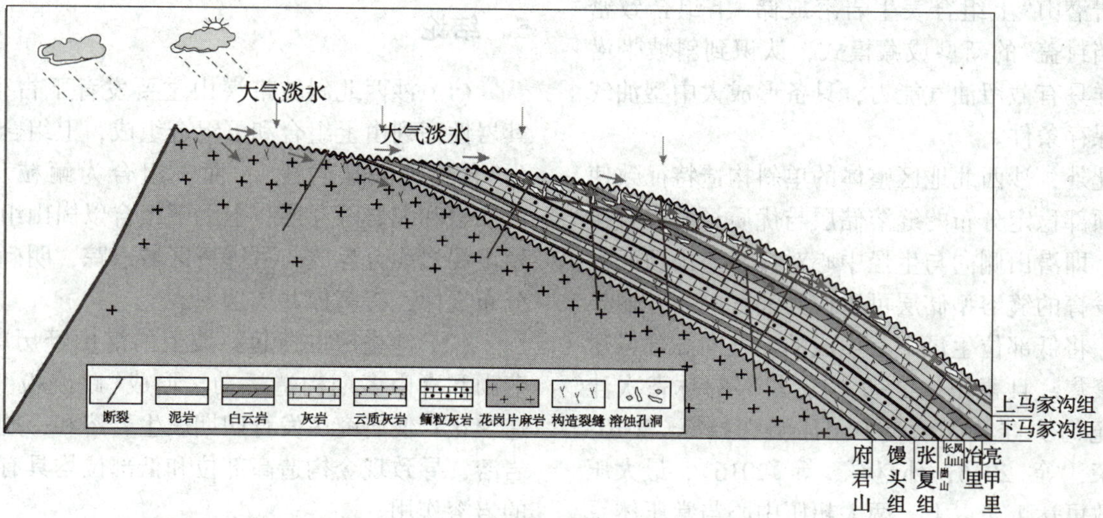

图 8　斜坡型下古生界碳酸盐岩“穿时”缝溶型似层状储层发育模式

4 “地层侧封”型碳酸盐岩潜山成藏新模式

沙西北地区碳酸盐岩潜山带整体表现为凹陷区向凸起区过渡的斜坡带，传统成藏模式认为，斜坡带的单斜型潜山由于风化壳储层连通问题缺少遮挡保存条件，成藏风险较大（赵贤正，等.2012；马立驰，等.2020）。

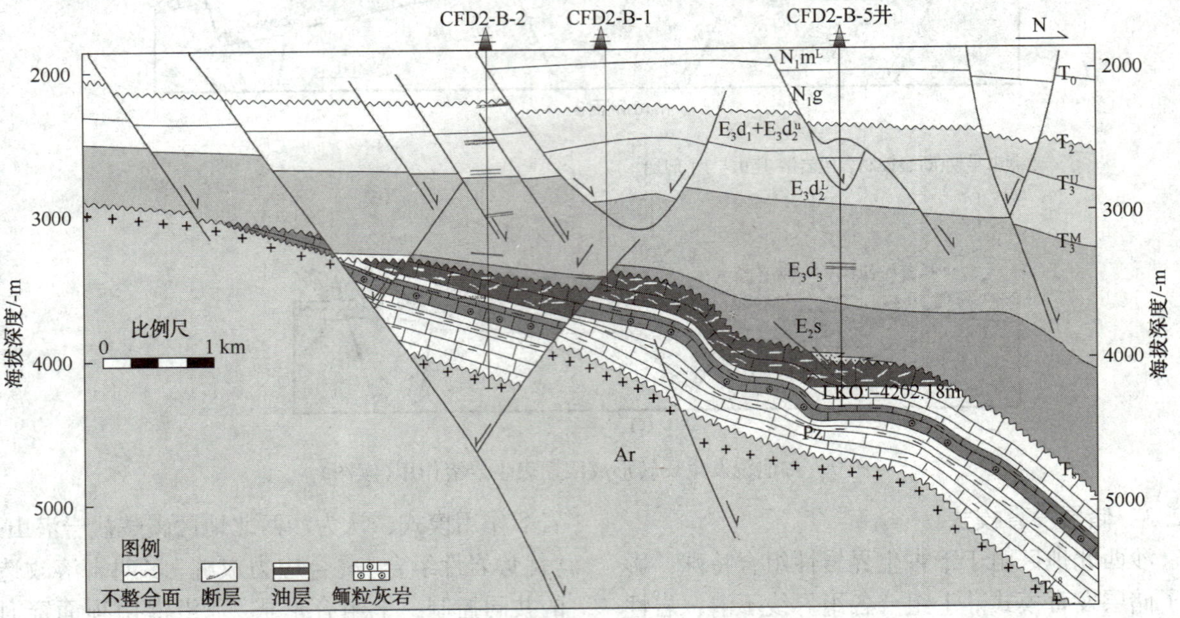

图9　曹妃甸 2-2 油田斜坡带成藏模式图

但研究区下古生界岩性序列特殊，具有明显的两分特征。上组合表现为“较纯碳酸盐岩段”，易于形成巨厚的缝溶型储层；而下组合为鲕粒灰岩、泥灰岩和泥岩等互层，其中张夏组鲕粒灰岩的鲕粒之间充填泥晶灰岩，导致该套地层溶蚀速率低、抗压强度大、力学非均质性强（朱庆杰，等.2002；张天付，等.2009），裂缝易终止于力学性质变化界面上，难形成规模较大的构造缝，表现为致密层发育段。基于下古生界岩性序列控制下储层的变化规律，建立了斜坡带下古生界碳酸盐岩潜山“上组合表生岩溶成储-下组合致密层遮挡封盖”的新型成藏模式，认识到斜坡带潜山同样具有截留油气能力，具备形成大中型油气田的保存条件。

此外，沙西北地区整体的单斜构造特征致使潜山顶部稳定分布的缝溶储层与优质烃源岩直接接触，即潜山侧向与生烃中心对接。潜山顶面大面积发育的缝溶型储层可以作为油气的高效输导体系，将低部位生烃中心生成的油气向高部位运移和聚集。且曹妃甸 2-2 构造紧邻的林雀次洼和曹妃甸次洼均发育超压（孙明亮，等.2010；汤建荣，等.2016；孙赵军，等.2016），最大压力系数可达 1.7 以上。两大超压中心与常压体系的直接接触，使潜山处于“常非过渡”位置，导致低孔渗的潜山将成为油气运移和汇聚的指向区，在超压驱动下，使油气能高效、远距离的在潜山中运移。

油气成藏模式的新认识推动了勘探思路转变，坚定了向曹妃甸 2-2 构造斜坡带潜山进一步勘探的信心。在斜坡带钻探的 CFD2-B-2 井，测试获得日产油超千方的产能，构造低部位后续钻探的两口井也获得成功，发现了曹妃甸 2-B 中型整装潜山油田，油藏高度达 1200m，标志着渤海油田在斜坡带潜山勘探领域获得突破。

5 结论

（1）沙西北斜坡带潜山主要发育下古生界，其岩性序列由上组合和下组合组成，上组合表现为“较纯碳酸盐岩段”，而下组合为鲕粒灰岩、泥灰岩和泥岩等互层；上、下组合以崮山组海相稳定泥岩为分界线，可进行区域追踪，明确地层分布规律，提高探井成功率。

（2）沙垒田古隆起斜坡上的潜山经历印支、燕山和喜山多期构造运动，形成“跷跷板”式构造演化，使研究区发育四期表生岩溶和一期埋藏岩溶，导致现今构造高部位和低部位均具有较强的岩溶作用。

（3）碳酸盐岩潜山储层受“优势岩性组合-

叠合应力成缝-多期岩溶改造”三元耦合控制，形成一套沿潜山顶面发育的、具有穿时效应的及大面积分布的似层状缝溶型储层。

(4) 斜坡带碳酸盐岩潜山处于“常非过渡带”，发育“上组合表生岩溶成储-下组合致密层遮挡封盖”的地层侧封油气成藏模式，表明斜坡区亦可形成大中型油田群。

参 考 文 献

[1] 王建波，沈安江，蔡习尧，等．全球奥陶系碳酸盐岩油气藏综述[J]．地层学杂志，2008，32(4)：363-373.

[2] 赵文智，沈安江，胡素云，等．中国碳酸盐岩储集层大型化发育的地质条件与分布特征[J]．石油勘探与开发，2012(1)：1-12.

[3] 谢增业，魏国齐，李剑，等．中国海相碳酸盐岩大气田成藏特征与模式[J]．石油学报，2013，34(S1)：29-40.

[4] 费宝生，汪建红．中国海相油气田勘探实例之三：渤海湾盆地任丘古潜山大油田的发现与勘探[J]．海相油气地质，2005，10(3)：43-50.

[5] 王粤川，韦阿娟，高坤顺，渤海海域沙垒田凸起西北部奥陶系碳酸盐岩储层发育主控因素与分布预测[J]．海相油气地质，2016，21(2)：13-21.

[6] 华晓莉，李慧勇，孙希家，等．渤海沙西北构造带下古生界碳酸盐岩潜山白云岩形成机制研究[D]．高校地质学报，2018，24(6)：833-840.

[7] 谌辰，沙垒田凸起及周缘潜山成藏条件研究[J]．成都理工大学，2020.

[8] 胡贺伟，李慧勇，于海波，等．渤中 21-22 构造区断裂演化及其对油气的控制作用[J]．东北石油大学学报，2016，40(2)：36-45.

[9] 于海波，王德英，牛成民，等．渤海海域渤南低凸起碳酸盐岩潜山储层特征及形成机制．石油实验地质，2015(2)：150-156.

[10] 董月霞，赵宗举，曹中宏，等．南堡凹陷奥陶系碳酸盐岩岩溶残丘圈闭勘探潜力及意义[J]．石油学报，2015，36(6)：653-663.

[11] 华晓莉，李慧勇，孙希家，等．渤中凹陷碳酸盐岩潜山岩溶分带特征与优质储层分布规律研究[J]．高校地质学报，2020，26(3)：333-338.

[12] 杨一珉，罗健，徐云龙，等．渤南低凸起下古生界碳酸盐岩潜山储层特征及控制因素[J]．断块油气田，2020，27(4)：448-453.

[13] 张岚，王少鹏，吴穹螈，等．古潜山 Z 油田下古生界碳酸盐岩主控因素及储层发育模式[J]．地质与资源，2023，32(1)：49-56.

[14] 李慧勇，肖述光，李飞，等．渤海西部沙西北斜坡带下古生界潜山储层特征及成藏主控因素[J]．地球科学，2023，48(1)：13.

[15] 李三忠，索艳慧，戴黎明，等，渤海湾盆地形成与华北克拉通破坏[J]．地学前缘，2010，17(4)：64-89.

[16] 陆诗阔，李继岩，吴孔友，等．冀中坳陷潜山构造演化特征及其石油地质意义[J]．石油天然气学报，2011，33(11)：35-40.

[17] 付立新，楼达，李宏军，等．印支—燕山运动对大港探区古潜山形成的控制作用[J]．石油学报，2016，37(B12)：19-30.

[18] Huang Z，Yang H，Ye T，et al.，Characteristics and formation mechanism of Carbonate buried hill fractured-dissolved reservoirs in Bohai Sea，Bohai Bay basin，China. Front. Earth Sci. 2023 (11)：1135905.

[19] 赵贤正，王权，金凤鸣，等．冀中坳陷隐蔽型潜山油气藏主控因素与勘探实践[J]．石油学报，2012，33(S1)：71-79.

[20] 马立驰，王永诗，景安语．渤海湾盆地济阳坳陷隐蔽潜山油藏新发现及其意义[J]．石油实验地质，2020，42(1)：13-18.

[21] 侯贵廷，潘文庆．裂缝地质建模及力学机制[J]．北京：科学出版社，2013.

[22] 赵文韬，侯贵廷，张居增，等．层厚与岩性控制裂缝发育的力学机理研究——以鄂尔多斯盆地延长组为例[J]．北京大学学报：自然科学版，2015(6)：1047-1058.

[23] 师政．南堡凹陷及周边凸起古岩溶作用特征及发育模式研究[J]．中国石油大学(华东)．2019.

[24] 张天付，鲍征宇，马明，等．鲕粒灰岩的溶解动力学特征和微观形貌的发育演化[J]．沉积学报，2009，27(6)：1033-1042.

[25] 朱庆杰，苏幼坡，陈艳华．轮南地区奥陶系天然裂缝形成的控制因素与发育机理[J]．地质灾害与环境保护，2002，13(4)：64-64.

[26] 孙明亮，柳广弟，董月霞．南堡凹陷异常压力分布与油气聚集[J]．现代地质，2010，24(6)：1126-1131.

[27] 汤建荣，王华，孟令箭，等．渤海湾盆地南堡凹陷地层压力演化及其成藏意义[J]．地球科学，2016，05(v.41)：85-96.

[28] 孙赵军，曹强，叶加仁，等．基于地震速度预测南堡凹陷中深层地层压力[J]．油气地质与采收率，2016(4)：34-40.

在役海底管道悬跨分析及涡激振动抑制装置设计

梁　鹏　庞洪林　李少芳　杨小乐　赵铭文

[中海石油(中国)有限公司天津分公司]

摘　要　针对海底管道悬跨和涡激振动的原因及危害进行阐述，当海流流经海底管道悬跨段时，将不可避免的发生涡激振动现象，引起管跨的大幅振动。由旋涡脱落产生的交变力，最终可能会造成管道的疲劳破坏。在海洋油气开采中，涡激振动时引起管道失效的常见原因之一。分析计算了渤海地区某海管裸露悬跨段的安全性，发现两处悬空段不满足安全要求，需要进行悬空治理。最后提出了一种悬跨海管上的涡激振动抑制装置，该装置结构简单、安装和拆除方便、抑流效果较好。效果该装置安装在悬跨海底管道上，能够削弱并扰乱不同方向的来流，不仅可以减小悬跨海底管道产生的涡激振动效应，还大大减少了悬跨海底管道发生疲劳破坏的风险，对油气田的安全生产有重要的意义。

关键词　在役海管；悬跨分析；涡激振动；抑制装置

引言

海底管道上海上油田开采的重要组成部分，在海上油气田开发中发挥着关键作用。随着服役时间的增长，裸露悬跨问题对其安全性的影响日益凸显。由于海床的不规则和海流的冲刷作用，海底管道会产生悬空，从而出现涡激振动现象。腐蚀和涡激振动引起的疲劳损伤的导致海底管道失效的主要原因，一旦海底管道失效，会造成重大的经济损失和环境污染。

近年来，国内外学者对管道悬跨和涡激振动特性进行了广泛的研究。XIAO 等基于计算流体动力学方法，在自由跨管道涡激振动数值模拟的基础上考虑管土相互作用，提高了涡激振动预测结果的可靠性。JOSHI 等提出了基于延迟分离涡模拟的湍流输运方程的有界保正变分方法，对细长柔性立管的涡激振动进行了数值研究。安振武等和肖荣鸽等根据悬跨管道振动方程分析了管道在输送介质、外流速度和管道外形尺寸等因素影响下的振动特性，为海底管道的安全运行提供理论依据。高喜峰等对非对称边界约束下海底悬跨管道的涡激振动疲劳特性进行了分析，结果发现管道两端土体扭转刚度对管道疲劳损伤值有一定的影响，填补了悬跨管道疲劳研究中有关非对称边界研究的空白。

本文针对海底管道形成悬跨和涡激振动的原因及危害进行阐述，同时对渤海某在役管线进行悬跨分析，并提出了一种悬跨海管上的涡激振动抑制装置，能够削弱并扰乱不同方向的来流，不仅可以减小悬跨海底管道产生的涡激振动效应，还大大减少了悬跨海底管道发生疲劳破坏的风险，对油气田的安全生产有重要的意义。

1　海管悬跨和涡激振动机理及危害

根据海底管道悬跨段形成的原因不同，将海底管道悬跨段分为三类(图 1)：(a)海床表面凹凸不平导致的管道悬跨；(b)海水淘蚀、沙浪运动导致的管道悬跨；(c)地质构造的改变导致的管道悬跨。

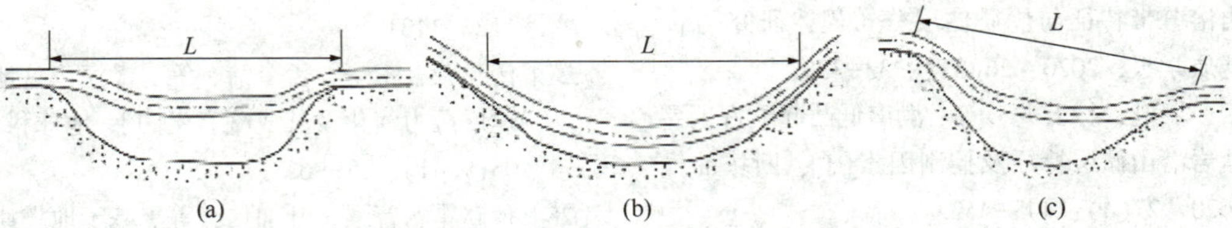

图 1　海底管道悬跨形式

当流体流经圆柱体表面时，往往会出现周期性的旋涡脱落，针对这一现象的研究是流体中最经典、也是最重要的问题之一。旋涡的交替释放，进而会引发结构的周期性振动，而这种振动现象被称为涡激振动。流体流经圆柱体时，之所以产生旋涡脱离管壁的现象，其原因如下：由于管壁表面摩擦力的作用，流体在流经管壁时受阻，速度为零；边界层位于管壁附近，相比于管道直径，边界层很窄，层内流体速度从管壁表面的零流速过渡到边界层外的正常流速，法向速度梯度非常大，相应的流体内切应力也很大；边界层外的流体不受管壁的影响，视为无黏性流体。由于上述边界层内速度梯度的存在，致使流体在管道两侧分别出现停滞点，在停滞点的流体速度最小，压强最大，从而使得流体从管壁表面脱离，并在管道下游出现流体的反向流动，最终形成连续不断的旋涡在结构两侧交替性释放，这种交替性脱落的旋涡向管道下游方向流去的现象称作"卡门涡街"。

当海流流经海底管道悬跨段时，将不可避免的发生涡激振动现象，引起管跨的大幅振动。由旋涡脱落产生的交变力，最终可能会造成管道的疲劳破坏。在海洋油气开采中，涡激振动时引起管道失效的常见原因之一。

2　渤海某在役海底管道悬跨分析

最大允许悬跨长度分析是海底管道疲劳评估的重要内容，目前根据 DNV-RP-F105[9] 规范的悬跨长度进行计算。DNV-RP-F105 展示了疲劳评估的简要流程，其主要流程分为 3 步：首先进行悬跨管道数据和特征收集。其次运用疲劳筛选标准对波流联合作用条件下涡激振动和直接波浪荷载引起的疲劳进行筛选，若满足疲劳筛选标准的要求，说明悬跨的疲劳寿命满足设计要求，不必进行具体的疲劳寿命计算；反之，则需要进行具体的疲劳寿命计算。最后进行极限状态校核（ULS），极限状态校核主要考虑环向应力、轴向应力、等效应力，分别跟材料的安全许用应力（考虑材料屈服极限和安全系数）进行比较。工程上，海底管道的临界悬跨长度计算主要考虑 2 个方面：管道动态许用悬跨长度，管道静态许用悬跨长度。计算出这 2 种情况下的许用悬跨长度，选择较小值作为最终的临界悬跨长度。

以渤海油田某条在役海底管道为例，海底管道参数如表 1 所示，该管道在近期路由风险隐患排查中发现存在 5 处裸露，裸露总长度为 20.0m，占探测总长度的 0.36%，存在 2 处悬空，悬空总长度为 20.8m，占探测总长度的 0.37%，埋藏总长度为 5560.3m，占探测总长度的 99.27%。裸露管线和悬空管线图像如图 2 所示。

表 1　某海底管道参数

外管直径	—	水深/m	17.2
外管壁厚	—	波高/m	4.6m
内管直径/mm	168.3	周期/s	7.7
内管壁厚/mm	11	操作压力/Mpa	7.7
腐蚀涂层厚度 Mpa	0	沟槽深度/m	1.084
混凝土厚度/mm	0mm	海流流速	1.96/(m/s)
管材密度/(kg/m^3)	7850	防腐蚀涂层密度/(kg/m^3)	940
混凝土密度/(kg/m^3)	2540	泊松比	0.3
海水密度/(kg/m^3)	1025	弹性模量	2e11pa
管内流体密度/(kg/m^3)	0.7	阻尼	0.01
钢级	X65	屈服强度/Mpa	448

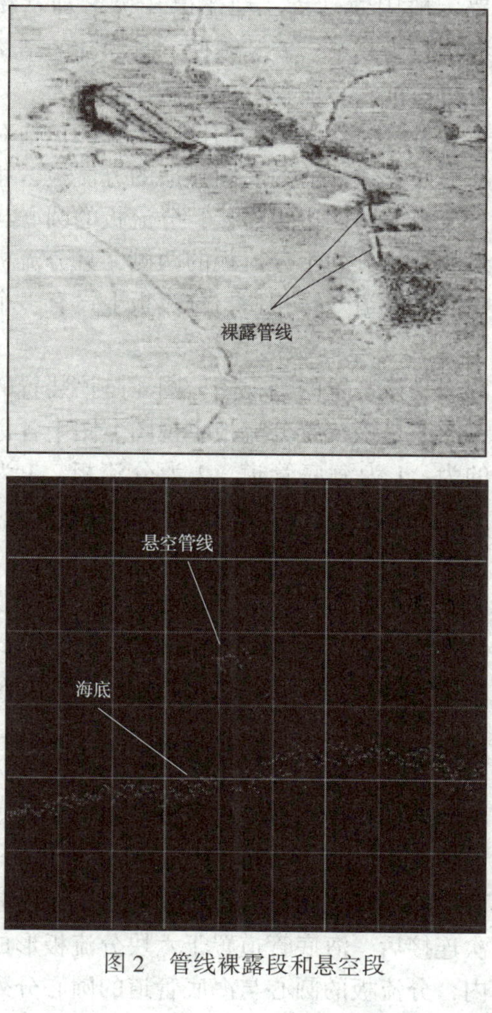

图 2　管线裸露段和悬空段

该管线悬空段悬空长度分别为 9.8m 和 11.0m，悬空高度均为 0.3m。通过计算(结果见表 2)管线裸露段允许最大悬空长度为 9.6m，因此裸露段满足安全条件，悬空段允许最大悬空长度为 9.6m，因此裸露段不满足安全条件，需要进行悬空治理。

表 2　允许最大悬空长度计算结果分析

管道名称		允许最大悬空长度/m	实际悬空长度/m	评价分析
渤海某管线	裸露段	9.6	0	安全
	悬空段 1	9.1	9.8	不安全
	悬空段 2	9.1	11.0	不安全

3　涡激振动抑制装置设计

悬跨海管上的涡激振动抑制装置的研发能够削弱并扰乱不同方向的来流，不仅可以减小悬跨海底管道产生的涡激振动效应，还大大减少了悬跨海底管道发生疲劳破坏的风险，对油气田的安全生产有重要的意义。目前，现有的涡激振动抑制装置一般固定结构、抑流扇片等多种结构组成，结构较为复杂，安装不便，且扇叶的结构稳定性有待考证，不能很好的满足作业需要。

一种悬跨海管涡激振动抑制装置，包括对称设置在海底管道外的多块圆弧形的分流板，相邻两块分流板的两侧边缘连接，分流板的圆心与海底管道的圆心分列于分流板的两侧，且分流板的底壁与海底管道外缘相切，分流板上设有多个分流因子。

图 3 是该装置的侧视图，图 4 是该装置的主视图，图 5 是该装置分流板主视图。图中各标号对应的为：1 为海底管道、2 为分流板、3 为保护垫圈、4 为海床、5 为螺栓板、6 为螺栓孔、7 为分流因子。

海底管道外对称设有多块分流板，优选为 6 块；分流板为圆弧形板，分流板的圆心角 φ 为 60°，忽略保护垫圈的厚度，分流板的半径 R 与海底管道的外圈半径 r 的数值关系为 $R=\frac{\sqrt{3}+1}{2}r$；分流板的两侧均连接螺栓板，螺栓板为平板，螺栓孔沿螺栓板的长度方向均匀排列于螺栓板上，相邻两块分流板之间通过螺栓孔相连。6 块分流板依次连接后，海底管道置于六块分流板形成的闭环内，分流板的圆心与海底管道的圆心分列于分流板的两侧，且分流板底壁与海底管道外缘相切。

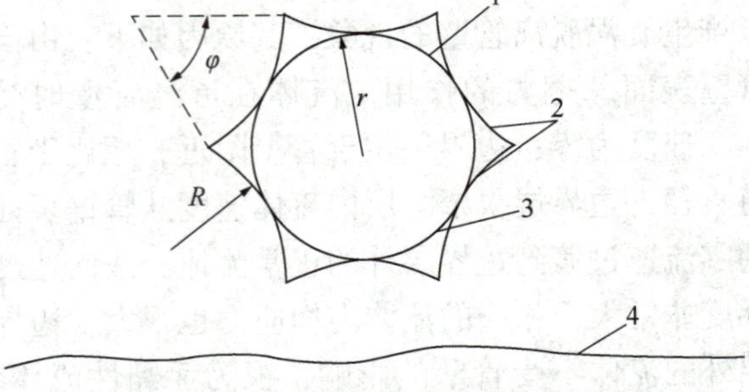

图 3　悬跨海管涡激振动抑制装置侧视图

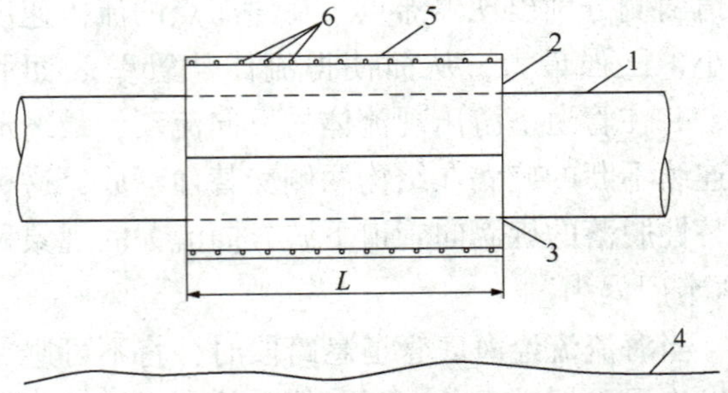

图 4　悬跨海管涡激振动抑制装置主视图

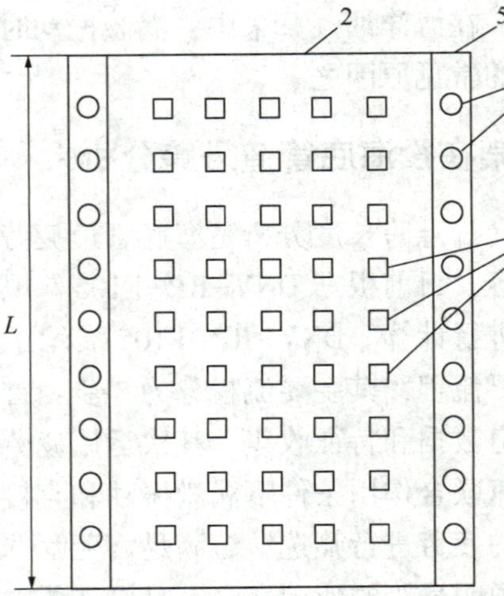

图 5　分流板主视图

分流板上布置有数个均匀排列的分流因子，分流因子为分流板外表面上形成的凸起；分流因子的数量和间距可根据悬跨海管现场的波浪流条件灵活调整，以达到抑制悬跨海管涡激振动的最佳效果。

保护垫圈为圆形垫圈，保护垫圈的内径与海底管道的外圈直径一致，保护垫圈的一侧开口，包围在海底管道外侧，起到缓冲减震、保护海底管道不被刮伤的作用。

该装置安装时，可在陆地上通过螺栓连接完成 4 块分流板的连接，然后根据实际海底管道的位置，通过潜水员在水下作业将保护垫圈套在悬跨海管的外侧，再将已连接好的4块分流板放置在保护垫圈外侧，并通过螺栓连接固定其他2块分流板，从而完成整个装置的安装。拆除时，可任意拆除其中两个方向的螺栓螺母对，即可解脱分流板，再将保护垫圈拆除即可解脱整个装置。

分流板的长度 L 可根据悬跨管道的实际长度确定，且长度不超过悬跨海管直径的5倍。若海底管道悬跨长度较长，可设置多个涡激振动抑制装置。

4 结论

由于海床的不规则和海流的冲刷作用，海底管道会产生悬空，从而出现涡激振动现象。腐蚀和涡激振动引起的疲劳损伤的导致海底管道失效的主要原因，一旦海底管道失效，会造成重大的经济损失和环境污染。本文针对海底管道悬跨和涡激振动的形成原因和危害进行阐述，同时分析了渤海地区某海管裸露悬跨段的安全性，针对不安全的悬空段需要进行悬空治理。最后提出了一种悬跨海管上的涡激振动抑制装置，该装置安装在悬跨海底管道上，能够削弱并扰乱不同方向的来流，不仅可以减小悬跨海底管道产生的涡激振动效应，还大大减少了悬跨海底管道发生疲劳破坏的风险，对油气田的安全生产有重要的意义。

参 考 文 献

[1] MOHAMMAD M S, HADI S, NARGES G, et al. Probabilistic Modelling of Free Spanning Pipelines Considering Multiple Failure Modes [J]. Engineering Failure Analysis, 2019, 106.

[2] GUHA I, WHITE D J, RANDOLPH M F. Parametric Solution of Lateral Buckling of Submarine Pipelines [J]. Applied Ocean Research, 2020, 98.

[3] 耿凯月，陈国明，李新宏，等．海底油气管道全寿命周期风险评估模型[J]．油气储运，2020，39(4)：474-480.

[4] XIAO F, CHEN H C. CFD Simulation of Vortex Induced Vibrations of Free Span Pipelines Including Pipe-Soil Interactions[C]// The 25th International Ocean and Polar Engineering Conference. Hawaii, 2015: 1-68.

[5] JOSHI V, JAIMAN R K. A Variationally Bounded Scheme for Delayed Detached Eddy Simulation: Application to Vortex-Induced Vibration of Offshore Riser [J]. Computers & Fluids, 2017, 157: 84-111.

[6] 安振武，穆顷，张洪才．海底管道悬跨段振动特性及允许悬空长度研究[J]．船海工程，2016，45(1)：137-141.

[7] 肖荣鸽，魏炳乾，陈刚．海底管道悬跨段振动特性研究[J]．自然灾害学报，2016，25(1)：130-136.

[8] 高喜峰，廖宏运，徐万海．非对称边界悬跨管道的涡激振动疲劳特性分析[J]．哈尔滨工程大学学报，2019，40(5)：960-966.

[9] DNV-RP-F105. Free Spanning Pipelines[S]. 2017.

深层致密砂岩油气地质工程一体化勘探实践
——以吐哈盆地侏罗系深层致密砂岩油气藏为例

张　华　陈　旋　刘俊田　苟红光　李宏伟　徐雄飞　程　祎　尤　帆

（中国石油吐哈油田公司）

摘　要　与埋深小于3000m的中浅层陆相致密砂岩油气相比，大于4000m的深层致密砂岩油气属于勘探新领域，非均质性强，油气层关系复杂，分布零散，地质横向预测精度低，压裂施工难度大，地质、工程甜点测井识别难度大。针对吐哈盆地埋藏大于4000m的侏罗系致密砂岩油气钻探的胜北502H、胜北1101H、沁探1、吉7H等井试采效果分析，普遍存在产量差异大，面临地质、工程“双甜点”规律认识不清、识别精度低、储层改造技术不完善等问题。通过开展凹陷区沉积规律与成储、成藏机制分析，深层岩石力学、矿物成份等储层评价，水平井压裂改造方案优化等地质工程一体化研究。结果表明：①地质“甜点”分布于辫状河三角洲前缘粗粒级砂体沉积区及构造有利区，优势储层发育在水下分流河道；②工程“甜点”位于脆性矿物含量高的西、南物源沉积区，构造弱变形区及微裂缝发育区，储层可改造性强；③细切割、造长缝的改造策略，大排量、全程高温延迟交联压裂液+胶囊破胶剂组合体系、全程高强度细粒径陶粒、高温可溶桥塞的压裂技术方案，可提高压裂液在高温地层条件下的造缝效率，增大造缝宽度和长度，形成高导流能力的人工缝网。该认识对陆相深层致密砂岩油气地质工程“双甜点”识别和储层改造具有一定的指导意义。

关键词　吐哈盆地；深层；侏罗系；致密砂岩油气藏；地质工程一体化

引言

侏罗系是吐哈盆地最主要的含油气层系，29世纪九十年代先后探明了鄯善弧形带等五大油气富集带，探明石油储量超过2亿，天然气1亿万。近年来，随着吐哈盆环洼正向构造带勘探程度的不断提高，规模新发现难度加大，而洼陷区勘探程度低，借鉴国内外油气勘探实践经验分析认为，洼陷区中下侏罗统致密砂岩气藏勘探潜力大，是寻找规模效益资源最有利的方向，但埋深普遍超过4000m，储层致密，能否获得高产是该领域面临的最大问题。在前期勘探实践过程中，吐哈盆地胜北洼陷中侏罗统钻遇丰富油气显示，直井试油多井多层获得低产油气流，但始终未能获得高产。2020年以来，通过地质工程一体化的方式，洼陷区部署的胜北502H、吉7H等多口井在中下侏罗统获得高产，使得胜北洼陷三间房组与丘东洼陷三工河组深层致密砂岩气藏成为下洼寻找规模效益储量的现实领域，该认识指导下，部署的胜北1101H、沁探1等井仅获得低产油气流。因此，吐哈盆地致密砂岩气藏仍然面临着地质工程“双甜点”认识不清、储层改造技术不完善等问题，需要开展地质、工程方面相关方面研究，以期形成深层致密砂岩油气藏地质工程一体化提产技术。

1　勘探概况

吐哈盆地侏罗系划分为4个一级构造单元和9个二级构造单元，吐鲁番坳陷是最大的一级构造单元，又可分为台北凹陷、托克逊凹陷、科牙依凹陷和布尔加凸起；其中台北凹陷是吐哈盆地最主要的沉降区，可进一步划分为胜北、丘东、小草湖三个洼陷（图1）。台北凹陷侏罗系地层广泛分布，自下而上可划分为八道湾组、三工河组、西山窑组、三间房组、七克台组、齐古组和喀拉扎组，岩性以灰色砂岩为主，夹灰色、棕红色泥岩，发育多类型不同规模的沉积体系，以辫状河三角洲和扇三角洲为主，砂体较为发育。中侏罗统三间房组与下侏罗统三工河组为近年勘探重点，相继发现了以胜北502H井为代表的胜北洼陷三间房组致密砂岩气藏、以吉7H井为代表的丘东洼陷三工河组致密砂岩气藏。

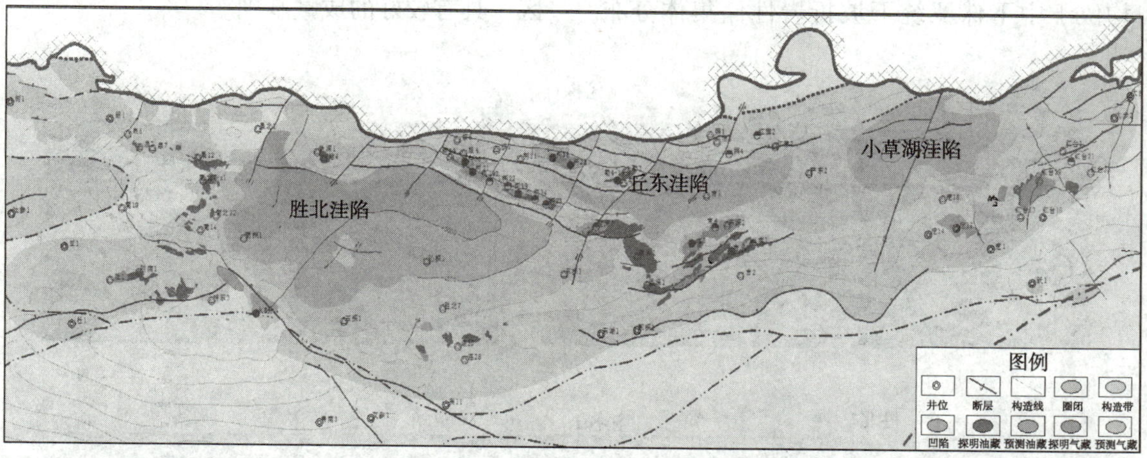

图 1　吐哈盆地台北凹陷侏罗系勘探成果图

1.1　三间房组气藏特征

胜北洼陷三间房组前期钻井 10 口，直井试油仅见低产油气流，通过采用水平井+体积压裂提产技术，胜北洼陷三间房组陆续获得突破，胜北 2 号构造钻探的胜北 502H、胜北 503H 获得高产油气流，日产气分别为 1.8 万 m^3/d、5.4 万 m^3/d 和原油 11t/d、30 t/d，同一区域钻探的胜北 1101H 井仅获得日产气 0.5 万 m^3/d 和原油 1.6t/d，产量差异明显。

气藏埋深 3950～4650m，纵向分为 S1、S2、S3 三个小层，气层厚度 8～30m，孔隙度以 6%～8%为主，渗透率以(0.1～1)×$10^{-3}\mu m^2$ 为主，中细砂岩物性最好，粉砂岩和砂砾岩次之。气藏中凝析油含量高，原油密度 0.788～0.798g/cm^3，黏度 1.2～8.1mPa·s（30℃），含气饱和度 48%～52%，气藏温度 120～130℃，地层压力 53.4MPa，压力系数 1.37。

1.2　三工河组气藏特征

台北凹陷三工河组早期勘探，已发现巴喀、温吉桑等三工河组致密砂岩气藏，规模较小，构造控藏作用明显。在地质条件重新认识的基础上，认为凹陷区具备形成大型致密砂岩气藏的潜力，胜北洼陷、丘东洼陷针对三工河组分别钻探了沁探 1 井、吉 7H 井，其中吉 7H 井通过水平井+体积压裂，在三工河组获得气 5.1 万 m^3/d，原油 40.4m^3/d 的高产油气流，沁探 1 井在三工河组直井体积压裂试油，仅获得气 1500m^3/d。

丘东洼陷三工河组气藏埋深油藏埋深 5300～5500m，气层厚度 70m，天然气相对密度 0.92kg/m^3，甲烷含量 77%，凝析油密度 0.8005g/cm^3，黏度 1.731mPa·s（30℃），气油比 1800m^3/m^3，PVT 分析显示，该气藏为高含凝析油凝析气藏，凝析油含量 416g/m^3，露点压力 43.1MPa，气藏温度 127℃，地层压力 65.6MPa，压力系数 1.25。

2　地质"甜点"识别

2.1　沉积"甜点"

2.1.1　坡折带

早中侏罗世，吐哈盆地为封闭湖盆沉积，由周围山系提供物源，向湖盆中心汇聚而形成的煤系地层。南、北、西不同方向物源在重矿物组合和沉积结构等方面存在差异，但在沉积期古地貌、物源及湖泊等环境要素共同作用下，均表现出古地貌控沉积的特点。

下侏罗统沉积时期，整体以浅水沉积环境为主，地形周缘高、中部低，陆源碎屑物在由母源区向会湖盆中心搬运过程中，受沟谷、坡折等地貌的控制，表现出"沟谷输砂，坡折控砂"的沉积模式(图 2)，即周缘沟谷是沉积物搬运的主要通道，横切物源方向地震剖面上可识别出顶平底凸的下切型河道反射，内部具有多期河道叠置特征。同时，各期沉积坡折之下成为砂体的主要堆积场所，坡折带上下沉积砂体多呈独立的岩性体，而在构造稳定、地势平坦的下坡折区可形成一系列岩性体，并且自周缘斜坡向湖盆中心方向，岩性体规模逐渐增加，顺物源方向地震剖面上可识别出坡折带，下坡折方向河道规模与数量增加，前积特征明显。根据上述分析认为，坡折带下构造稳定、地势平坦地区是寻找规模岩性储集体的有利区，而规模岩性储集体是洼陷区成藏的物质基础。从下洼部署的已钻井实钻情况来看，均位于中下侏罗统下坡折岩性储集体分布区，具有较好的成藏基础。

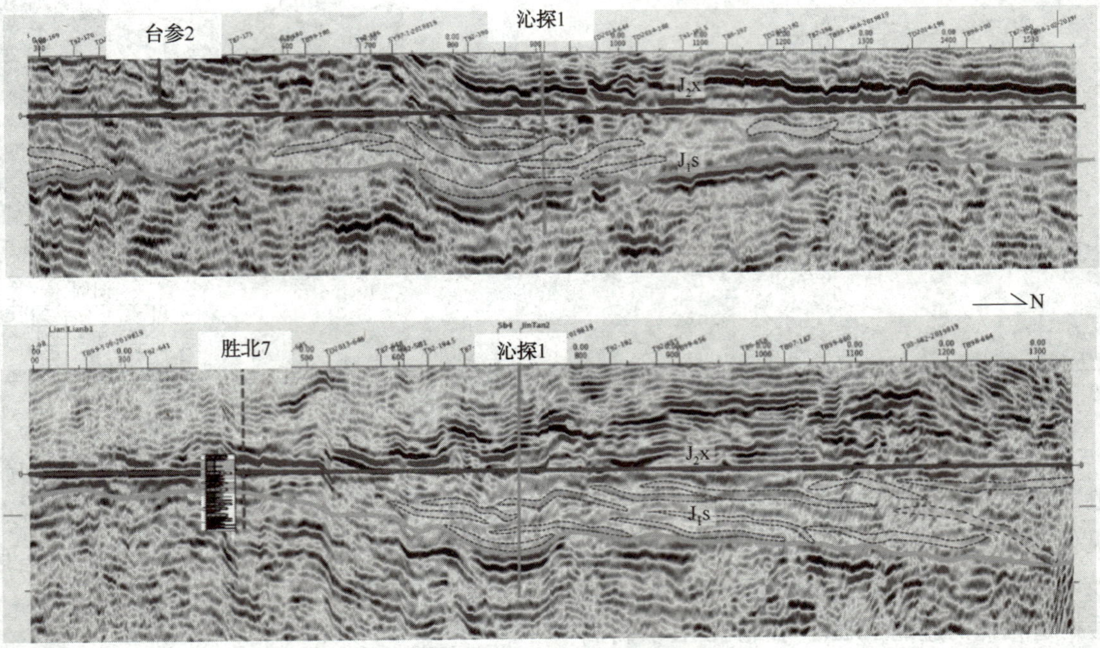

图 2　台北凹陷三工河组地震地质沉积模式图

2.1.2　辫状河三角洲前缘

辫状河三角洲相是中下侏罗统的主要相类型，可分为辫状河三角洲平原、前缘及滨浅湖三个亚相，从钻井剖面上可识别出完整的三类亚相，其中前缘亚相砂体储集性能最好。

平原亚相发育在早期填平补齐与中期沼泽-湿地沉积阶段，辫状水道为其主要储集体微相类型，其岩性主要为灰色、深灰色(局部见灰绿色)的砾岩、含砾砂岩及砂岩，中期水道中泥砾和碳屑更多见。分选、磨圆中等，多顺层富集，多见斜层理、交错层理，底部见冲刷面及滞留沉积，砂岩与砾岩分段性明显。前缘亚相形成于晚期湖泛沉积阶段，水下分流河道微相为其主要储集体微相类型，较少发育河口坝微相。水下分流河道是平原辫状河道的水下延伸部分，沉积物粒度相对于其平原部分较细，岩性主要以砂岩、细砂岩为主，可见顺层分布的泥砾，可见碳质纹层或呈集簇状碳屑，见斜层理、交错层理、粒序层理、波纹层理，底部见冲刷面。滨浅湖亚相主要为灰色、深灰色(偶见灰绿色)泥岩、泥质粉砂岩、粉砂质泥岩。

沉积相从宏观上控制了砂体的分布和砂体的成因类型，不同相带不同砂体由于结构成熟度和成分成熟度的不同而引起砂岩原始的孔隙发育与渗透性能的差异，是后期成岩过程的物质基础，影响了储层物性。通过不同亚相沉积砂体的孔隙度、渗透率关系来看，辫状河三角洲前缘沉积砂体其物性具有明显的优势(图 3)。以玉果-葡北-火北地区为例，同一物源条件下，不同相、亚相储集性能差异较大，总体上辫状三角洲前缘砂体储集性能最好，其次是辫状河三角洲平原，滨浅湖砂体储集性能相对较差。

2.2　储层“甜点”

中下侏罗统砂岩储层主要为岩屑砂岩和长石岩屑砂岩，成分成熟度较低，成岩抗压能力差，储层物性较差。从下侏罗统岩心实测物性统计看，三工河组孔隙度平均值 7.9%，渗透率平均值 $9.59\times10^{-3}\mu m^2$，为特低孔低渗储层，随着深度增加，储层物性进一步变差，但实钻表明，4000m 以深仍发育有效储集空间，粗粒级砂体物性好，可成为天然气聚集的有效储集体。

台北凹陷中下侏罗统在较强压实作用、弱胶结作用和弱-中等溶蚀成岩作用背景下，深层砂岩压实减孔量一般在 20%~30%，溶蚀孔和剩余原生孔成为深层砂岩的主要储集空间类型，而砂岩粒度对储层物性的控制主要表现在其抗压强度上以及颗粒溶蚀程度上，即相同沉积背景或同一沉积体系相似深度下由于粗粒级砂岩千枚岩等塑性岩屑含量较细粒级砂岩低、泥杂基含量也相对较低，因此粗粒级砂岩的抗压性能强于细粒级砂岩高，物性相对较优。另外，中下侏罗统地层埋藏后，褐煤阶段煤岩产生大量腐植酸（pH 值可达 4），对碎屑颗粒产生普遍性溶蚀，由于粗粒级砂岩原始孔隙结构优于细粒级砂岩，相同埋藏压实情况下酸性流体更易进入而溶蚀程度更强，因此形成的孔喉结构也较细粒级砂岩好，物性相对也较优。从洼陷区三工河孔隙度与粒度关系来看（图 4），两者呈正相关关系，而沁探 1 井三工河组砂岩粒度均小于吉 7H、葡探 1 井。

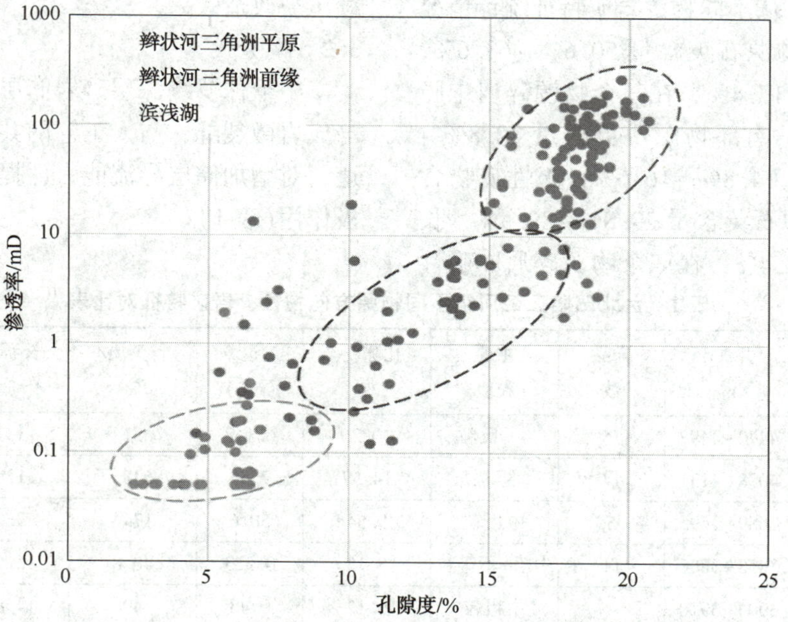

图 3　台北凹陷中下侏罗统不同相带储层物性对比图

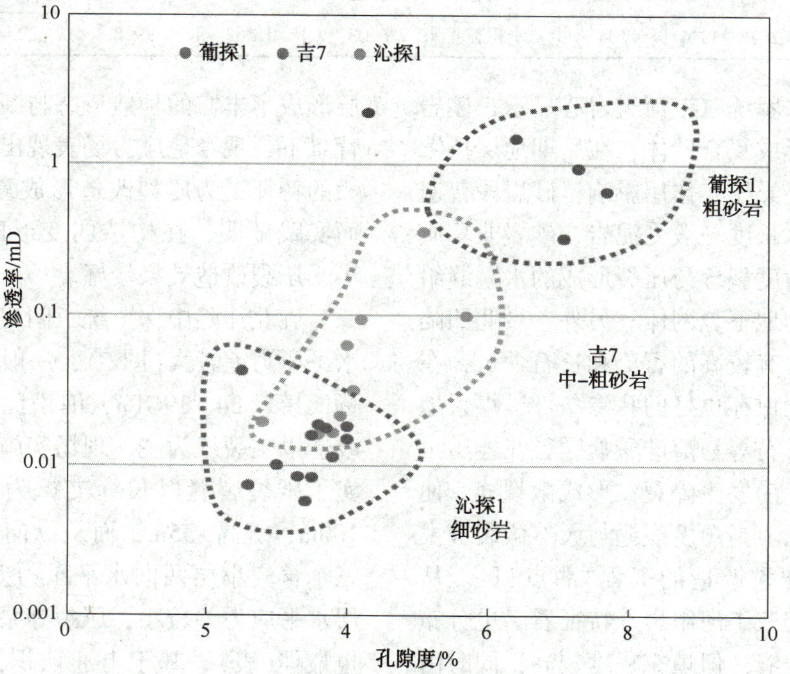

图 4　台北凹陷区三工河组孔隙度与渗透率交汇图

3　工程“甜点”识别

3.1　脆性

岩石的脆性是评价致密砂岩储层可改造性的重要指标，长英质矿物含量较高的储层脆性好，压裂时容易形成地下缝网。中下侏罗统深层砂岩脆性中等，但不同物源的砂体其脆性矿物含量存在差异，西、南物源长英质矿物含量较高，储层压裂可改造性较强。

重矿物组合、古水流、地震结构等分析表明，中下侏罗统沉积时期，台北凹陷存在三个物源方向，即来自喀拉乌成山方向的西部物源、来自了塔克泉凸起的南部物源及来自北部博格达山方向的北部物源。从不同物源岩矿特征统计情况看(表1)，西部物源石英含量50.6%~63.6%，长石含量12.0%~17.4%，在三个物源碎屑中脆性矿物含量最高；南部物源石英含量40.8%~49.0%，长石含量14.8%~16.6%，脆性矿物含量居中；北部物源石英含量29.8%~39.5%，长石含量21.4%~22.4%，在三个物源碎屑中脆性矿物含量最低。基于上述分析，认为长英质含量较高的西、南物源砂体其可改造性强，是压裂改造工程"甜点"的优势物源方向，吉7H井位于南物源沉积区，而沁探1井位于北物源沉积区，两口井之间的储层岩矿基础存在差异，也影响了后续压裂改造效果。

3.2 微裂缝

中下侏罗统深层砂岩储层发育有高角度裂缝与成岩微裂缝，与人工缝网共同构成地下渗流通道，对增加储层导流能力，提高单井产量具有积极作用(表1)。

表1　台北凹陷三工河组不同物源方向物性、岩矿特征对比表

物源	井号区块	井深/m	样品数	主要粒级	孔隙度/%	渗透率(mD)	石英质/%	长石/%	其他碎屑/%	泥质/%
西物源	葡北22	4470~4492	15	中-巨粒	10.26	6.148	51	13	36	2
	火8块	4078~4131	14	粗粒	14.57	7.54	63.6	12	24.4	1
	泉2	2689~2695	5	中粗粒	9.54	50.6	17.4	32	1.2	
南物源	温吉桑	3858~3886	11	中粗-不等粒	8.15	0.523	40.8	16.6	42.6	2.1
	温深1	3905~3910	4	中粗粒	6.12	0.43	49	14.8	36.3	2.1
北物源	柯柯亚	2760~4180	80	中粗-不等粒	7.21	0.531	39.5	18	42.5	3.1
	鄯勒	3174~3663	88	中粗粒	5.62	0.351	30.8	21.4	47.8	2.7
	照壁山	2628~3844	104	中粗粒	6.03	0.362	29.8	22.4	47.8	2.4

丘东洼陷下侏罗统三工河组岩心显示，砂岩由多期河道叠置形成复合砂体，在后期地层持续深埋过程中，受差异压实作用影响，砂岩段普遍发育高角度裂缝，长度一般受泥岩、砂岩非均质性影响，此类高角度裂缝与压裂形成的水平缝组合，构成了良好的地下缝网体。另外，台北凹陷中下侏罗统储层含有较高的石英和长石含量，在经历深度压实后能保存更好的孔渗条件，煤系地层成岩背景下，长石等易溶硅酸盐颗粒在经历早期溶蚀、压碎后，易发生碎裂，形成微裂缝，使储层物性增强。以上高角度裂缝与天然微裂缝发育区也成为储层压裂改造的工程"甜点"区。从胜北洼陷下侏罗统三工河组岩心特征看，也分布少量上述高角度裂缝，但填充程度较高，同时由于岩石粒度偏细，成岩压实作用强，微裂缝发育程度也一般。

3.3 弱构造变形区

侏罗纪时期，吐哈盆地进入前陆广盆坳陷形成发展阶段，受到晚燕山期南北向强烈挤压与早喜山期差异推覆作用影响，在中下侏罗统各构造层形成了丰富的构造形态与断裂体系，在此构造背景下，现今地应力场表现出两向水平应力差较大的特征，为压裂改造形成复杂缝网带来困难，而实践证明，在构造弱变形区，水平应力差较小，压裂改造效果较好。

胜北洼陷中侏罗统三间房组地层整体上两向水平压力差较大(图5)，一般大于20MPa，岩石杨氏模量34~39GPa，泊松比0.19~0.21，压裂改造以主裂缝为主，现场实施井间窜通情况也证实了压裂裂缝以长缝支撑为主，判断半缝长>100m，缝高>35m，而从纵向上看，S1、S3、S4三个含气小层两向水平压力差存在差异，S1小层水平应力差较小，压裂停泵压力低，改造效果也最佳(表)。基于上述认识，在丘东洼陷下侏罗统三工河组致密砂岩气藏压裂改造设计过程中，地质分析认为丘东洼陷区构造平稳，受构造运动影响较小，属于构造弱变形区，压裂改造的地质背景较好；工程方面，通过吉7井三工河组开展岩石力学实验，两向水平压力差31MPa，岩石杨氏模量25GPa，泊松比0.25，采用了造长缝的主体压裂思路，取得良好效果。

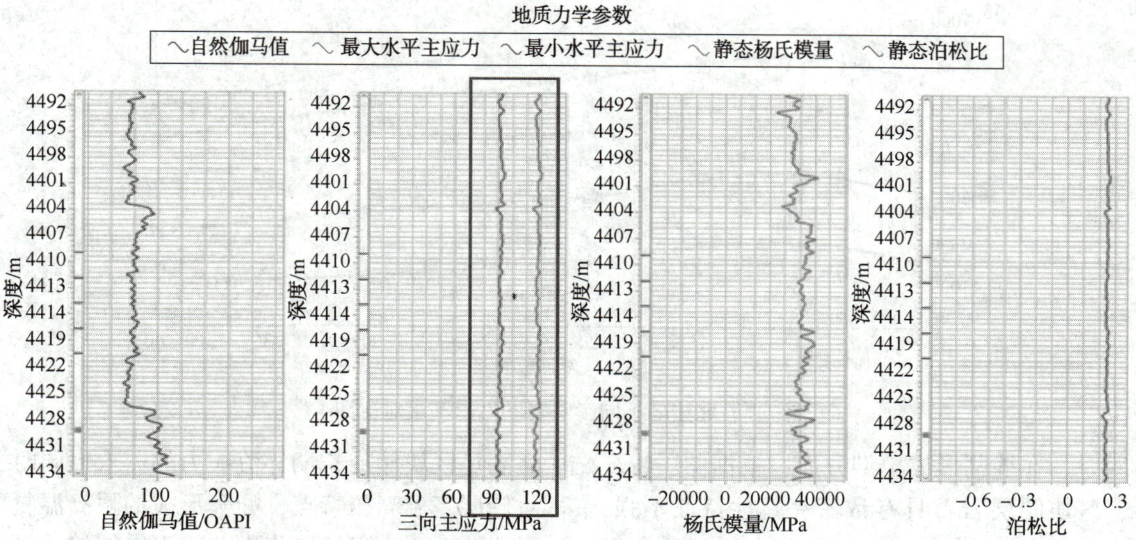

图 5　胜北 508H 井地应力剖面计算结果图

4　压裂改造技术

4.1　改造策略

针对中下侏罗统储层特征，采用细切割，造长缝改造策略。吐哈盆地中下侏罗统深层致密砂岩气藏储层物性差，自然产能低，只有通过水平井体积改造技术才能实现单井产量的高产和稳产，而细切割、造长缝是实现该效果的最有效方式。

储层物性条件是决定压裂效果的因素之一，在致密储层背景下，通过细切割可最大程度提高致密储层供气体积。胜北洼陷中侏罗统三间房组多口井压裂施工过程中显示，水平井各段停泵压力值差异性较大，第一段并非停泵压力最高段，反映储层各段存在较大的非均值性(图 6)，而通过细切割，单段多簇，短簇距布缝，能够提高“缝控”储量，针对胜北洼陷中侏罗统三间房组 4000m 以深致密砂岩气藏簇间距设计，结合软件模拟及现场实践，在 10～12m^3/min 排量及 50m 左右/段长条件下，簇间距为 10～15m 的单井累产气量最高(图 7)，因此优化簇间距为 10～15m，单段 4～5 簇。针对丘东洼陷三工河组 5000m 以深致密砂岩气藏簇间距设计，根据地质工程结合情况进行了进一步优化，即低伽玛高气测段减小簇间距，地质分析高油气饱和度段设计段长 40～52m，每段 3～4 簇，簇间距为 12m，充分压裂改造高含油气饱和度层段，而在造斜段加大簇间距，结合工程井身结构，造斜段设计段长 51～53m，每段 3 簇，簇间距加大为 18m，有效降低射孔压裂对套管造成的损伤，最终本井按 14 段 46 簇，簇间距 10～13m 进行压裂改造。

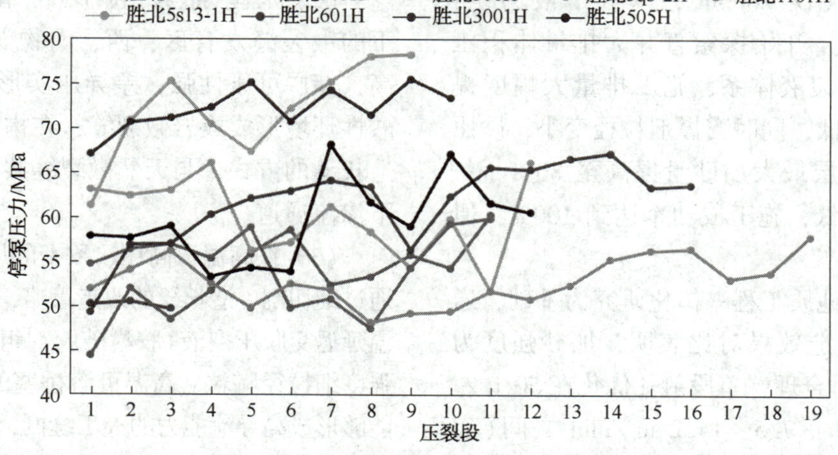

图 6　胜北洼陷三间房组水平井分段停泵压力曲线

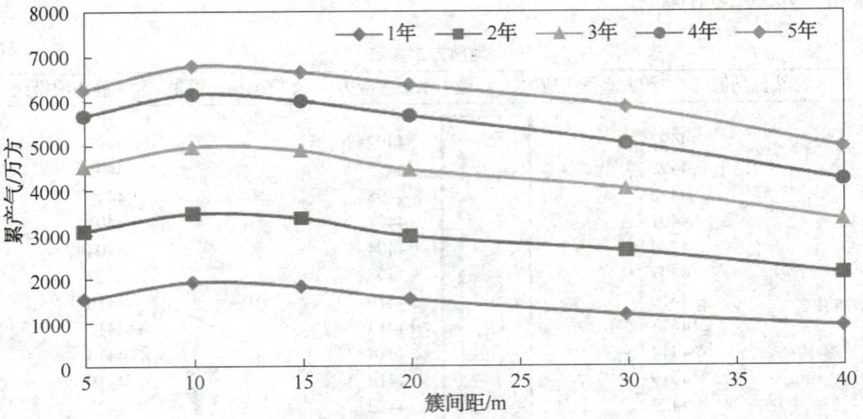

图 7　胜北洼陷不同簇间距下累产气量对比图

同时，在缝网形成模型方面，根据储层特征分析，区块储层岩石具有致密、脆性特征不强，两向水平应力差大(>20MPa)等特点，区块难以形成复杂裂缝网络条件，结合裂缝监测结果，判断裂缝形态以主缝为主。

4.2　压裂技术方案

基于细切割、造长缝的改造策略，采用大排量、全程高温延迟交联压裂液+胶囊破胶剂组合体系、全程高强度细粒径陶粒、高温可溶桥塞的压裂技术。吐哈盆地中下侏罗统深层致密砂岩气藏压裂改造工艺的探索经历了直井、水平井两个阶段，直井阶段由常规压裂逐渐走向大排量体积压裂，但未能获得高产；水平井阶段，在前期技术积累基础上，采用水平井大排量细分切割体积压裂技术，实现了商业突破。

2019 以前，针对胜北洼陷三间房组 4000m 以深致密砂岩气藏，直井采取油管单层压裂，全冻胶压裂液，以 30~50 目加 20~40 目陶粒为主，由于施工泵压高（平均达到 80 MPa），导致排量低，整体表现为施工难度大，加砂规模小，压后单井最高日产气仅 2000m^3，以低产液为主；2016—2019 年间，开始探索直井大排量体积压裂，采用混合压裂液体系，施工排量大幅度提高，泵压明显降低，同时支撑剂粒径变小，砂比进一步降低，单层最大加砂量提高至 80.1 m^3，压裂风险明显降低，施工成功率达到 100%，但直井仍未获得高产。

近两年，以地质工程一体化研究为基础，通过水平井体改改造效果对比表明，加砂强度为 3.0~3.5t/m 相对合理，单段射孔优化在 50 孔左右，排量提高到了 7.5~14.2 m^3/min 之间(表 2)，支撑剂方面，石英砂加细粒径陶粒组合能够满足区块储层长期导流能力的需求。同时，针对储层高温高压特点，配套形成的耐高温复合压裂液体系，黏温性能稳定，减阻性能好，具有低伤害特征，能够满足施工的要求。针对丘东洼陷三工河组 5000m 以深首口致密砂岩气藏水平井，在压裂施工中，通过提高排量至 9.9~11.7m^3/min，全程高温延迟交联压裂液+胶囊破胶剂组合体系，以适应 127℃高温环境，为满足应力差较大条件下的小粒径支撑剂，控制砂浓度需求，全程采用高强度 70~140 目(10%)加 40~70 目(90%)细粒径陶粒组合，高温可溶桥塞的应用，也实现了在高温环境下溶解产物的顺利返排，满足分段改造需求。

5　结论

（1）地质“甜点”位于坡折控制下的三角洲前缘粗粒级砂体分布区，坡折下易形成大型岩性砂体，三角洲前缘沉积砂体物性好于其他亚相，粗粒级砂体抗压能力强，溶蚀孔与微裂缝更发育。

（2）工程“甜点”位于西、南物源沉积背景下的微裂缝发育区，西、南物源脆性矿物含量高，储层可压性强，差异压实形成高角度裂缝，酸性环境形成成岩微裂缝，在构造弱变通过压裂造长缝的方式，与天然微裂缝共同构成良好的地下渗流通道。

（3）在高温、高压、致密的压裂改造环境下，通过细切割、造长缝的改造策略，大排量、全程高温延迟交联压裂液+胶囊破胶剂组合体系、全程高强度细粒径陶粒、高温可溶桥塞的压裂技术方案，能够形成高导流能力的人工缝网，获得深层致密砂岩气藏通过压裂改造实现高产的效果。

表2　胜北洼陷三间房组水平井压裂施工参数简表

序号	井号	层位	垂深/m	压裂段数	厚度/m	总液量/m^3	总砂量/m^3	施工排量/(m^3/min)	最高泵压/MPa	平均泵压/MPa	最高停泵压力/MPa
1	胜北502H	S1	4027.39	3	158.5	4504	178.8	9.4~11.0	70.1	65.8	50.4
2	胜北503H		4039.60	11	551	15128	946.9	11.6~14.2	81.5	70.5	60.2
3	胜北506H		4027.09	12	841	26077.9	2000.6	7.5~12.4	79.8	66.8	66.1
4	胜北5q3-2H	S3	4060.78	11	827.5	17491.1	1465.0	8.4~14.0	85.7	78.6	59.8
5	胜北5S13-1H		4124.27	9	546.6	14872.9	1163.6	8.0~13.4	84.8	80.6	78.3
6	胜北1101H		4411.75	19	1140	20376.1	1578.0	5.7~12.0	84.5	80.6	57.8
7	胜北601H		4315.68	14	1022	26077.9	2000.6	8.5~13.4	84.8	80.1	67.1

参 考 文 献

[1] 梁世君，钱峰，肖冬生．吐哈盆地台北凹陷吉7H井侏罗系致密砂岩油气藏勘探发现与启示[J]．中国石油勘探，2022，27(1)：50-59.
[2] 王昕，杨斌，王瑞．吐哈油田低饱和度油藏地质工程一体化效益勘探实践[J]．中国石油勘探，2017，22(1)：38-45.
[3] 孙宏亮，梁瑜，王晶，等．吐哈油田复杂油藏勘探地质工程一体化精细管理实践[J]．中国石油勘探，2019，24(2)：196-202.
[4] 向洪，隋阳，王静，等．胜北深层致密砂岩气藏水平井细分切割体积压裂技术[J]．石油钻采工艺，2021，43(3)：368-373.
[5] 邹才能，朱如凯，吴松涛，等．常规与非常规油气聚集类型、特征、机理及展望——以中国致密油和致密气为例[J]．石油学报，2012，33(2)：173-187.
[6] 杨智，唐振兴，陈旋，等．“进源找油”：致密油主要类型及地质工程一体化进展[J]．中国石油勘探，2020，25(2)：73-83.
[7] 赵福豪，黄维安，雍锐，等．地质工程一体化研究与应用现状[J]．石油钻采工艺，2021，43(2)：131-138.
[8] 王剑，靳军，张宝真，等．玛湖凹陷东斜坡区下乌尔禾组砂砾岩储层孔隙形成机理及优势储层成因分析[J]．科学技术与工程，2015，15(23)：136-142.
[9] 刘涛，石善志，郑子君，等．地质工程一体化在玛湖凹陷致密砂砾岩水平井开发中的实践[J]．中国石油勘探，2018，23(2)：90-103.
[10] 章敬．非常规油藏地质工程一体化效益开发实践——以准噶尔盆地吉木萨尔凹陷芦草沟组页岩油为例[J]．断块油气田，2021，28(2)：151-155.
[11] 胡文瑞．地质工程一体化是实现复杂油气藏效益勘探开发的必由之路[J]．中国石油勘探，2017，22(1)：1-5.
[12] 杜洪凌，许江文，李峋，等．新疆油田致密砂砾岩油藏效益开发的发展与深化——地质工程一体化在玛湖地区的实践与思考[J]．中国石油勘探，2018，23(2)：15-26.
[13] 胥志雄，张辉，尹国庆，等．超深井安全提速提产地质工程一体化关键技术[J]．天然气工业，2021，41(11)：104-114.
[14] 李国欣，王峰，皮学军，等．非常规油气藏地质工程一体化数据优化应用的思考与建议[J]．中国石油勘探，2019，24(2)：147-152.
[15] 王峰，李兴科，张应安．地质工程一体化在大平台集约化建井中的实践——以吉林油田新立Ⅲ区块为例[J]．中国石油勘探，2017，22(1)：6-11.

层状稀油油藏重力驱油储气一体化技术研究
——以葡北油田三间房油藏为例

肖志朋[1]　戴立波[1]　韩继凡[1]　姚帅旗[1]　齐　桓[2]

[1. 中国石油吐哈油田分公司勘探开发研究院；2. 中国石油大学(北京)石油工程学院]

摘　要　油藏型储气库协同天然气驱油一体化建库，是近几年发展起来的新的储气库类型，被简称为协同型储气库。通过岩心驱替实验和数值模拟研究，首次开展采油扩大库容+协同型储气库运行全过程模拟研究，初步明确了多轮次注气过程中，各注气参数对库容、达容时间、工作气量占比、采收率等的影响规律。重力驱油储气一体化建设，能够降低提高采收率和储气库建设阶段成本，提高盈利效果，实现采油与天然气调峰双赢。此外，一体化建设能够有效增强剩余油挖潜效果，较单独气驱提高采收率4%，较油藏直接建库能够有效扩容5%以上。葡北油田天然气重力混相驱与储气库协同建设试验初见成效，形成稳定人工气顶，增油效果显著，累计增油1.5万t，为后续驱油储气一体化技术研究提供宝贵经验。

关键词　重力驱油；提高采收率；油藏型储气库；一体化建库；参数优化

地下储气库作为天然气产业链中的关键环节之一，是实现季节调峰和规模储备的重要基础设施。截至2022年底，我国已建成27座地下储气库，调峰能力147亿 m^3，仅占全国天然气消费量的4.4%，远低于世界平均水平11.8%。建库类型比较单一，以气藏型储气库为主，占比86%。油多气少的储量分布形式加大了后续气藏建库选址的难度。我国油藏类型多、储量规模丰富，油藏型储气库潜力巨大。油藏建库在排液扩容、储气调峰的过程中，能够进一步提高原油采收率，对于储气库技术发展、保障民生和维护国家能源安全均具有重要的意义。

目前，国内外的天然气驱油与储气库建设，或为单纯提高采收率，或是油藏废弃后直接改建储气库，尚无综合考虑驱油初期一体化建设的先例。一体化建设可以实现原油开采和储气库建设双重收益，有效降低成本，提升项目效益。本文以吐哈探区葡北油田为例，结合室内物理实验、数值模拟和矿场试验，重点开展重力混相驱油储气一体化建设的攻关研究，探索注气参数对库容、达容时间、工作气量占比、采收率等的影响规律。

1　驱油储气一体化协同运行全过程实验研究

此次室内实验以葡北油田实际开发历程为基础，全过程模拟分为两个阶段。第一阶段：注水+注气采油扩大库容阶段；第二阶段：驱油储气一体化储气库建设阶段。其中采油扩大库容阶段的意义在于模拟建库前的采油过程，为后续建库联动阶段提供技术支撑。

1.1　实验材料和仪器

实验用模拟油取自葡北油田脱水原油，实验用水为 Na_2SO_4 型，矿化度50000mg/L，实验用气为鄯乌管道气，岩心为葡北三间房油藏密闭取心井的天然全直径岩心，直径为10cm，长度为88.69cm，孔隙度18.2%，渗透率 $96.35\times10^{-3}\mu m^2$。实验装置(图1)由全直径夹持器、油气自动计量装置、注入气增压装置、高温高压流量控制装置、高精度回压泵以及数台双缸驱替泵所组成。本次实验使用的实验装置能够承压高达40MPa，流量控制精度高达0.1%，保证实验正常进行。

1.2　实验方案

1.2.1　采油扩大库容阶段

(1) 天然全直径岩心放置于全直径岩心夹持器中，持续48h抽真空处理；

(2)岩心依次饱和水、油后，计算原始含油饱和度，放置老化36h；

(3)老化结束后，水平水驱至含水率90%，计算原油采出程度。在含水率达到90%之后，将岩心旋转至90°，静置待油水两相稳定后进行顶部注天然气重力驱，驱替至不再出油，计算最终采收率。

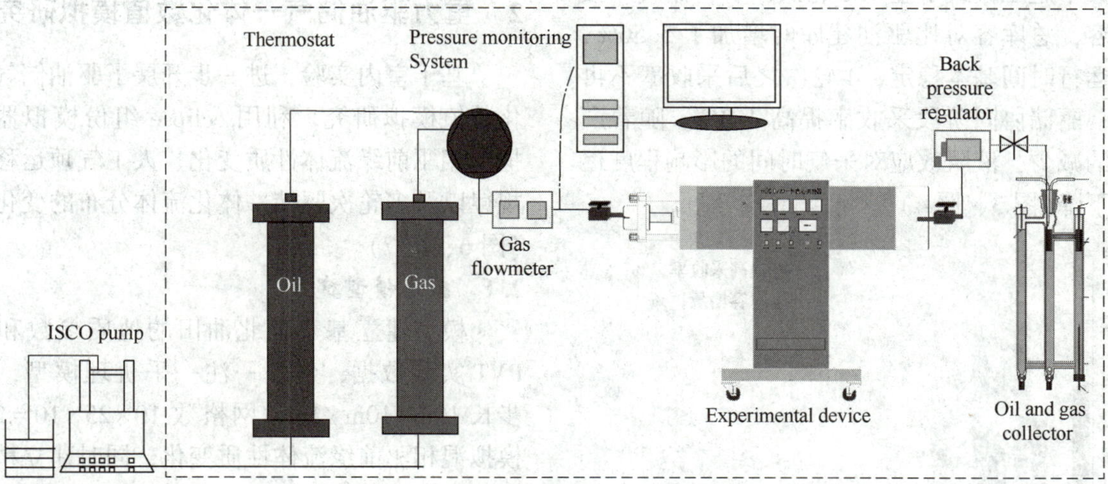

图 1　全直径岩心驱替系统示意图

1.2.2　一体化建库阶段

在前期水驱及气驱后，进行 12 轮次的高温高压注采实验，设计对照定压生产和定时生产两种生产模式下实验效果。

1. 定压生产

实验步骤：①将出口端关闭，以 0.3L/min 的注气速度注气。当夹持器压力升高至 37MPa 时，关闭入口端，将夹持器静置 12h 以上；②打开入口端，以 0.4L/min 的速度进行采气，直至压力降至 19MPa，关闭入口端；③重复步骤①和步骤②，直至 12 个轮次结束实验。

2. 定时生产

在实际的储气库运行过程中，多遵循“夏秋储、春冬采”的定时采气过程以达到调峰的目的。因此，本部分实验设计为控制每轮次储采时间比相同（$t_{储}/t_{采}=1.5$）。每轮次的注气时间为 6h，稳定时间 2h，采气时间为 4h，同时储气库运行的上下限压力仍为 37～19MPa，来模拟真实的调峰过程。

1.3　实验结果与分析

1.3.1　采油扩大库容阶段实验结果

由图 2 可以看出，前期水驱阶段采收率为 40.9%，后续顶部注气阶段增加采收率 12.3%，采油扩容阶段累积提高采收率 53.2%。后续气驱起到扩大波及体积的效果，驱替后岩心内含气饱和度达到 44.9%，此时采出端气窜严重且几乎不出液，此时认为达到储气库的建库时刻。

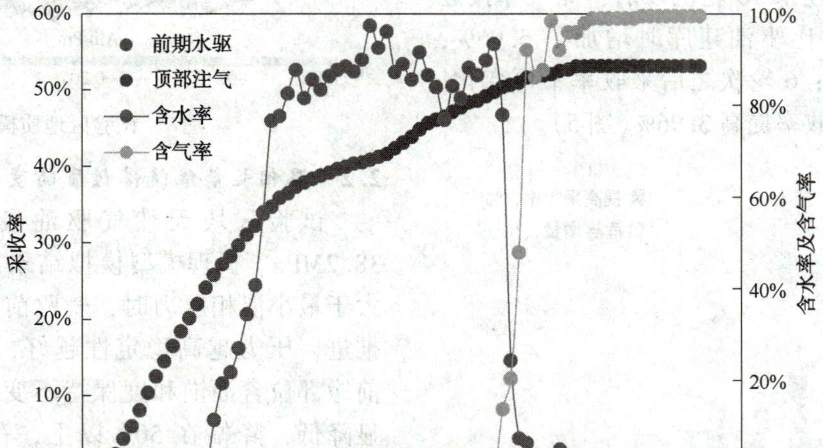

图 2　全直径岩心开发全过程采油扩容阶段实验结果

1.3.2　一体化建库阶段实验结果

整体来看，随着注采轮次的增加，储气库库容、达容时间、工作气量占比、原油采收率均有所上升增大，但是增幅逐渐减小。

其中定压模式下注采 6 轮次以后，储气库接近达容，总库容对比驱油建库时增加了 5.56%，周期运行时间基本稳定；4 轮次之后采收率不再变化，驱储协同阶段采收率提高 4.3%。随着产液量的减少，液阻效应对采气时间的影响程度逐轮次下降(图 3、图 4)。

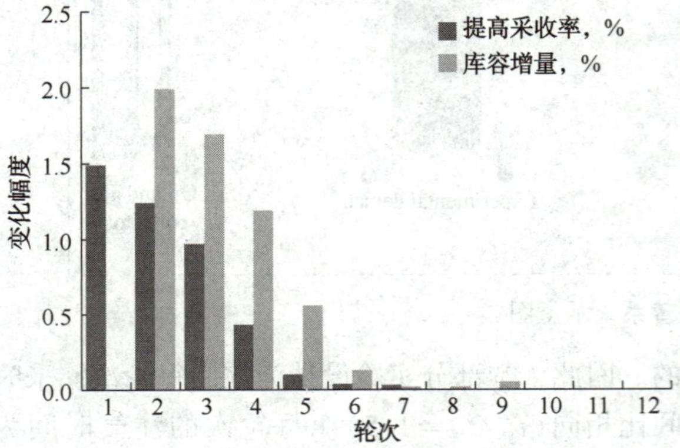

图 3　定压模式下注采轮次与库容、采收率变化关系

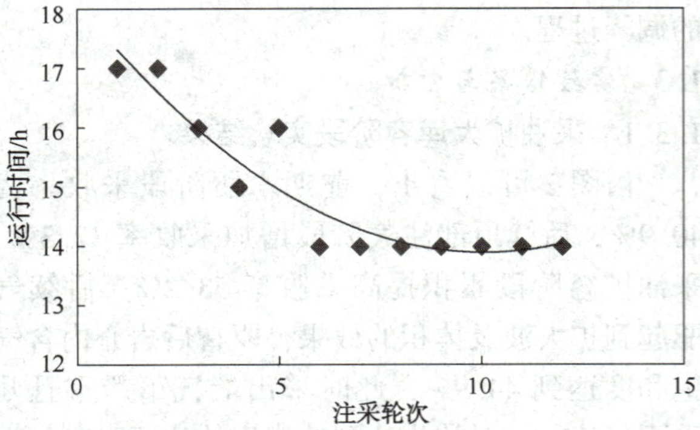

图 4　定压模式下注采轮次与运行时间的变化关系

定时模式下注采 10 轮次以后，储气库接近达容，总库容对比驱油建库时增加了 5.96%，略高于定压模式；6 轮次之后采收率不再变化，驱储协同阶段采收率提高 3.96%(图 5)。

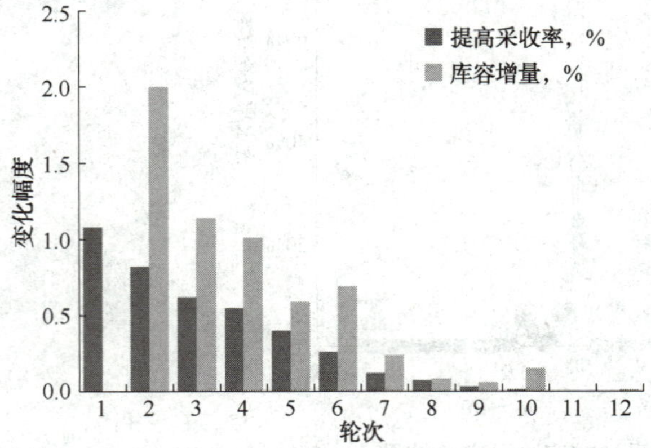

图 5　定时模式下注采轮次与库容、采收率变化关系

2　重力驱油储气一体化数值模拟研究

基于室内实验，进一步开展了驱油储气一体化数值模拟研究。利用 eclipse 组份模拟器，模拟混相驱前缘流体性质变化、人工气顶运移变化规律以及多轮次驱储一体化流体分布的变化规律(图 6、图 7)。

2.1　数值模型建立

模型建立基于葡北油田的地质参数和流体 PVT 实验数据，建立一注一采机理模型，网格步长 10m×10m×1m，网格数 10×25×10 = 2500，模拟混相驱前缘流体性质变化；同时建立精细地质模型，网格步长 20m×20m×1m，网格数 113×92×43 = 447028，以实际模型开展历史拟合和动态预测，模拟重力驱气顶运移及驱储一体化建设过程中的流体变化规律。

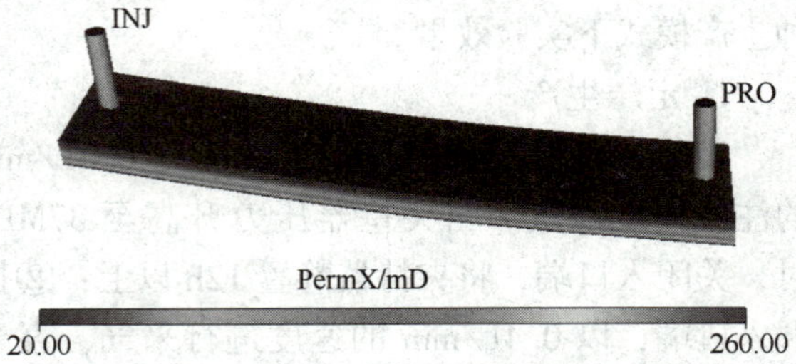

图 6　一注一采机理模型

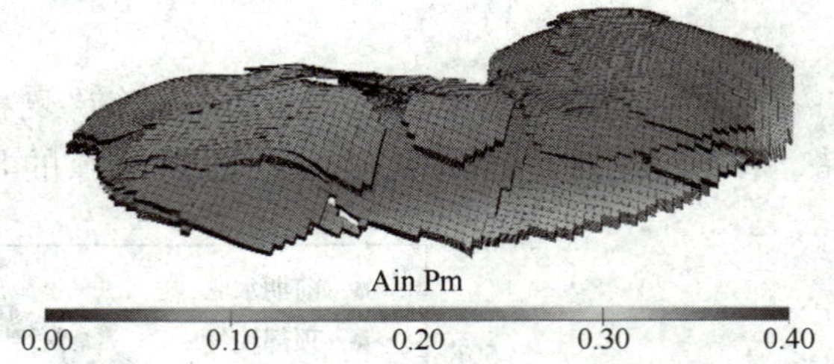

图 7　试验区地质模型

2.2　混相驱前缘流体性质的变化

试验区块天然气驱油最小混相压力为 38.2MPa。机理模型模拟结果显示，地层压力大于最小混相压力时，气驱前缘能够保持稳定推进，压力越高稳定性越好，气窜时间越晚。前缘部位含油饱和度保持不变，原油粘度有明显降低，降幅在 50% 以上，存在明显混相特征，且混相流体范围体积占比达到 15% 以上(图 8)。

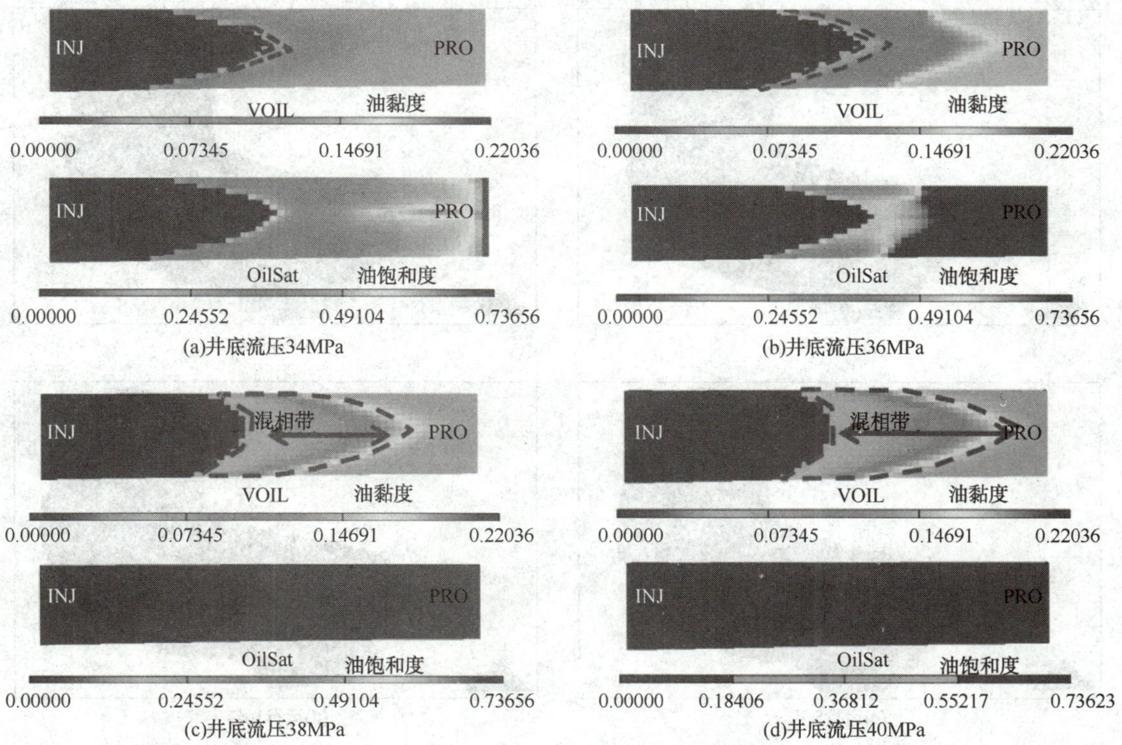

图 8　不同压力下累注气 0.2PV 时混相驱前缘流体性质变化规律

2.3　人工气顶形成及运移规律

基于实际生产资料，开展试验区历史拟合，分析研究重力驱过程中人工气顶的变化规律。模拟结果显示，试验区 5-4 井组形成稳定人工气顶，重力驱下压排液效果明显。气顶运移受构造为主，物性变化和开井见效方向多重因素共同影响。气腔范围内含气饱和度 53.2%，驱油效率高达 75.0%，提高采收率和排液腾库趋势良好(图 19)。

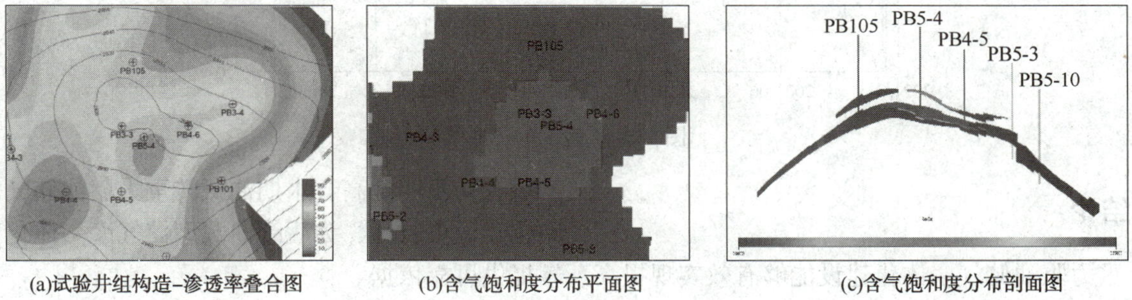

图 9　人工气顶分布规律

2.4　驱储一体化模拟流体分布变化规律

基于历史拟合结果，开展驱油储气一体化模拟。拟合结果显示，通过顶部重力气驱，边部生产井排水采油，能够有效提高采收率的同时，下压边底水，进一步减少注入水和边底水占据的孔隙体积，辅助气顶推进，扩大建库库容。一体化建设预测累计排液 349 万 m^3，提高采收率 24.0%，最终建成库容 13.7 万 m^3(图 10)。

3　现场试验攻关

自 2020 年葡北油田重力驱油储气一体化现场试验实施以来，加强动态跟踪，及时优化调整注采参数，目前已初见成效，试验区含水下降明显，产油稳定。2020 年 10 月开始见效，先后 8 口井开井自喷生产，见效率 100%，区块最高日产油 35t；截至 2023 年 5 月，累计注气 1.3 亿 m^3，排液 10.4 万 m^3，增油 1.5 万 t(图 11)。

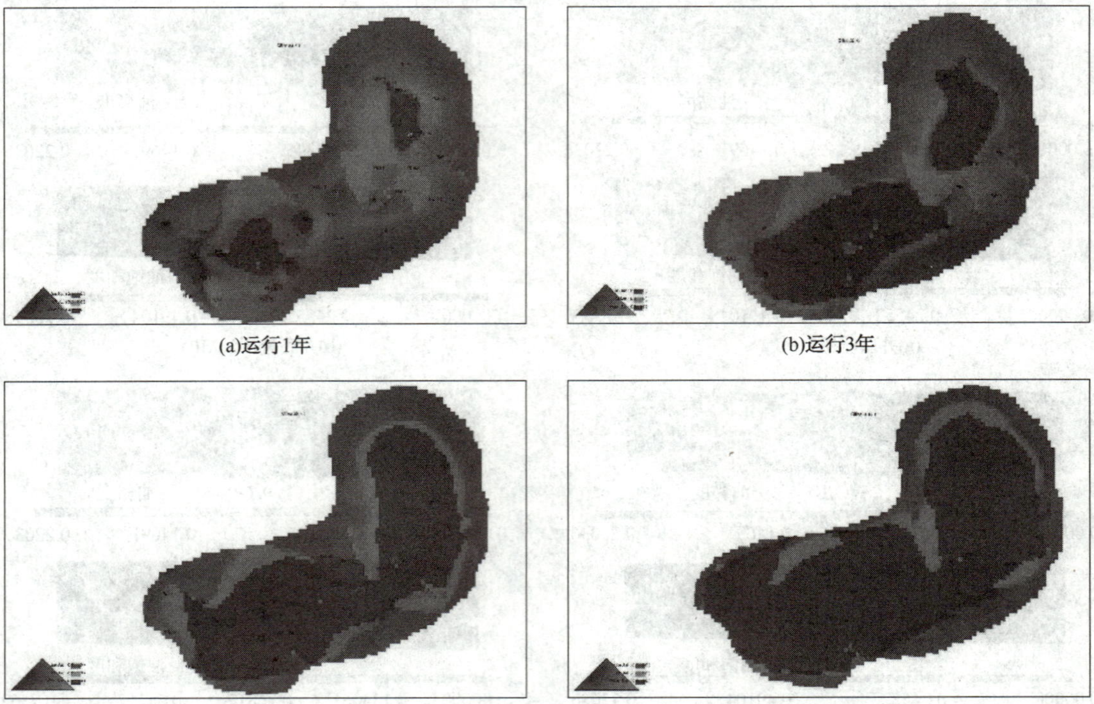

(a)运行1年　　(b)运行3年　　(c)运行5年　　(d)运行10年

图 10　试验区重力驱油储气一体化流体分布变化模拟结果

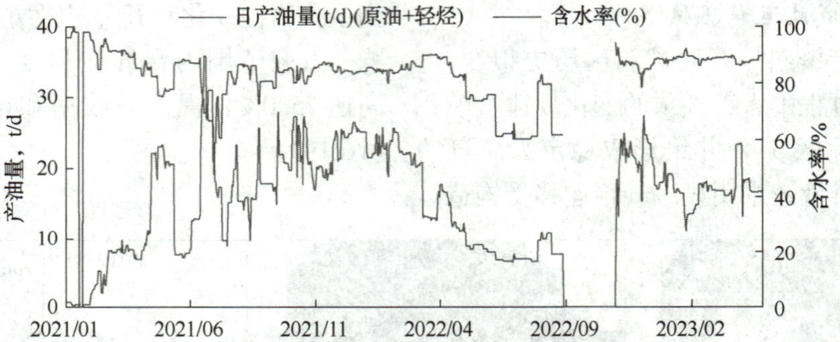

图 11　试验区生产曲线

4　结论

重力驱油储气一体化建设能够有效实现提高采收率和油藏建储气库的双重目标，室内实验模拟结果显示，提高采收率效果较单纯气驱提高4%；库容增量较单纯油藏建库提高 5%以上。

重力混相驱能够有效扩大波及体积，提高驱油效率。数值模拟研究结果显示，次生气顶内部驱油效率达到 75%以上，波及效率达到 85%以上，提高采收率和排液腾库效果良好。

重力驱油储气一体化建设适用于水驱油藏，利用顶部重力气驱，边部生产井排水采油，减少注入水占据的孔隙体积，辅助气顶推进，扩大建库库容。

葡北油田现场试验初见成效，增油效果显著，初步明确高含水期油藏转重力驱油储气一体化建设可行性，为后续油藏型储气库一体化建设提供可靠依据。

参　考　文　献

[1] 江同文，王锦芳，王正茂，等．地下储气库与天然气驱油协同建设实践与认识[J]．天然气工业，2021，41(09)：66-74.

[2] 马新华，丁国生，等．中国天然气地下储气库[M]．北京：石油工业出版社，2018.

[3] 丁国生，魏欢．中国地下储气库建设 20 年回顾与展望[J]．油气储运，2020，39(01)：25-31.

[4] 刘建勋，刘岩．中国地下储气库建设的发展现状及展望[J]．应用化工，2022，51(04)：1136-1140+1145.

[5] 江同文，王正茂，王锦芳，等．天然气顶部重力驱油

储气一体化建库技术[J]. 石油勘探与开发，2021，48(5)：1061-1068.
[6] 孙彦春，何海燕，仲学哲等. 注水开发油藏改建储气库微观渗流机理研究[J]. 中国石油和化工标准与质量，2021，41(11)：120-121.
[7] 何海燕，刘先山，耿少阳，等. 基于渗流-温度双场耦合的油藏型储气库数值模拟[J/OL]. 油气藏评价与开发：1-9.
[8] 程泽华，王怀林，雷函林，等. 油藏型储气库多周期运行达容规律研究[J]. 内江科技，2023，44(03)：128-129.
[9] 司宝，闫茜，刘强，等. 油藏型储气库与天然气驱油协同建设实验——以葡北油田三间房组油藏为例[J]. 新疆石油地质，2023，44(03)：321-326.
[10] 陈恩让，刘红艳，赵江岭. 液阻效应在储层损害和气层保护中的研究应用[J]. 中国石油和化工标准与质量，2013，33(23)：88-89.
[11] 许清华. 东河塘油藏烃气混相驱机理及混相特征研究[D]. 成都：西南石油大学，2017.
[12] 周炜，张建东，唐永亮，等. 顶部注气重力驱技术在底水油藏应用探讨[J]. 西南石油大学学报(自然科学版)，2017，39(06)：92-100.
[13] 周道勇. 高含水后期油藏及含水构造改建储气库研究[D]. 成都：西南石油大学，2006.

常压页岩气井井身结构简化及低成本钻井配套技术

陈雅辉　李广国　龙志平　袁明进　朱智超

（中国石化华东油气分公司）

摘　要　随着页岩气优快钻井技术的快速发展，南川常压页岩气水平井提速提效空间进一步缩小，前期采用的井身结构已难以达到效益开发的目的。为此，针对地质工程情况，开展井身结构简化可行性研究，在满足实现地质目标及压裂改造的条件下，设计了"导管+二开"、"二开"2种新井身结构，并在此基础上配套了钻头优选、钻井液密度窗口优化与配套技术、"钻、定、录、导"一体化导向技术等关键钻井技术。该技术在7口井进行了现场应用，成功在钻井周期、全井平均机械钻速等方面实现突破，均达到1口井/月的优秀指标。结果表明，简化的井身结构设计合理，低成本钻井配套技术增效显著，可在工区内推广。

关键词　常压页岩气；井身结构简化；钻井提速；密度窗口优化；低成本

随着国内页岩气水平井钻井技术的不断发展与应用，南川常压页岩气钻井周期逐渐缩小，如何进一步提速提效成为瓶颈问题，且常压页岩气藏埋深大，地层压力系数较小，具有低压特征，单井产量远低于超压气井，因此若要实现常压页岩气进一步高效开发，开展提速、低成本工程工艺技术攻关是关键。为此，本文从井身结构简化作为切入点，开展井身结构简化可行性研究，设计了"导管+二开"、"二开"井身结构，并且从钻头选型、钻井液密度窗口优化等方面开展技术攻关，配套了关键钻井技术，现场应用效果显著，创下工区内水平井钻井多项新纪录。因此，建议该套技术在工区内进行推广试验，旨在进一步加快国内常压页岩气田高效开发的步伐。

1　主要工程技术难点

1.1　浅表层地质复杂、井壁稳定性差

目前，南川常压页岩气田主要开发区块为东胜、平桥南、阳春沟等，地质资料显示工区内上部出露层为第四系疏松黏土、易坍塌；后续浅表层主要为雷口坡组、嘉陵江组、飞仙关组等灰质泥岩、灰岩地层，浅表层裂缝和溶洞发育，地层含泥质、黏土矿物较多，长期的钻井液水化作用易导致井壁失稳，漏失垮塌风险较大。

1.2　地层岩性变化大，可钻性差

后期钻遇的龙潭组、茅口组岩性以灰岩为主，燧石结核发育，含有硅质硬夹层，局部含硅质泥岩，地层非均质性较强。前期资料显示，该井段地层可钻性4~8级，为中软-中硬地层，易出现钻头过早失效现象(图1)。

图1　钻头出井照

水平段主要钻遇地层为龙马溪组，以黑色页岩为主，夹少量砂岩，易穿层，地层可钻性极值4~6，为中软地层，且与五峰组交界处可钻性极值6.0~8.5，可钻性波动幅度较大，且水平段轨迹调整频繁，钻进效率低(图2)。

图2　钻头出井照

1.3　目的层密度窗口预测不精确

南川工区地质构造复杂，地层横向差异性

大，目的层裂缝发育不规律。该工区已钻井在钻进目的层的过程中，各井使用的钻井液密度差异较大，最高可达到 1.7g/cm³ 左右，最低只有约 1.3g/cm³，且现场在确定钻井液密度的时候，一般都是在发生掉块、漏失等复杂情况之后再进行具体调整，主要以经验为主，没有提前做科学的预测，最终导致油基泥浆漏失严重，甚至是填井侧钻，大大增加了钻井成本和钻井周期。

2　井身结构简化

为进一步提速降本，针对现场地质工程情况，开展"井身结构简化"的可行性研究。

2.1　"导管+二开"制

针对工区内阳春沟区块常压页岩特点与地层纵向分布情况，对出露地层为嘉陵江组的井组，将原设计井身结构"导管+三开"制简化为"导管+二开"制，具体井身结构如图 3 所示。

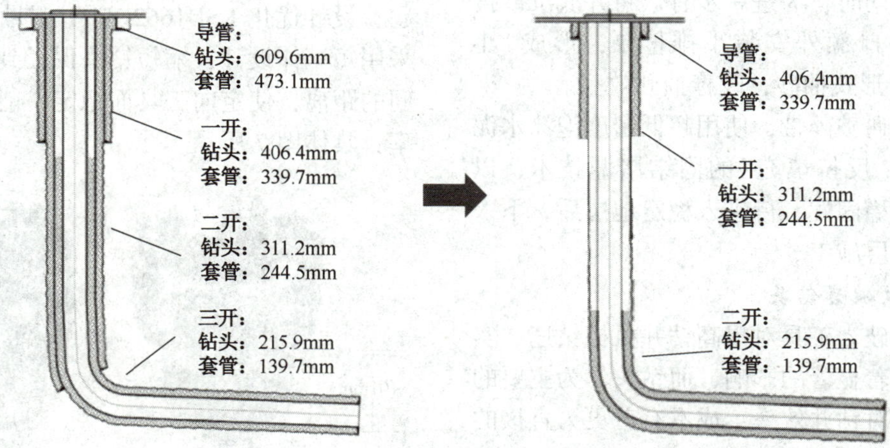

图 3　井身结构对比（从左至右依次为原井身结构设计、新井身结构设计）

优化后的井身结构优势如下：

（1）对上部浅表漏失层实现有效的针对性封固，为下步施工创造良好的井口条件，保障后续施工有效安全进行。

（2）对韩家店组、小河坝组地层进行针对性的分段承压，明确下步施工钻井液密度要求，确保了井下安全；

（3）将表层套管优化下至韩家店组顶部，减少 Φ311.2mm 井眼进尺，采用 215.9mm 井眼施工，提高全井段机械钻速，同时降低钻井成本，成功达到降本增效的目的。

2.2　"二开"制

基于东胜区块出露地层为茅口组的井组，将原设计井身结构"导管+二开"制简化为"二开"制，如图 4 所示。

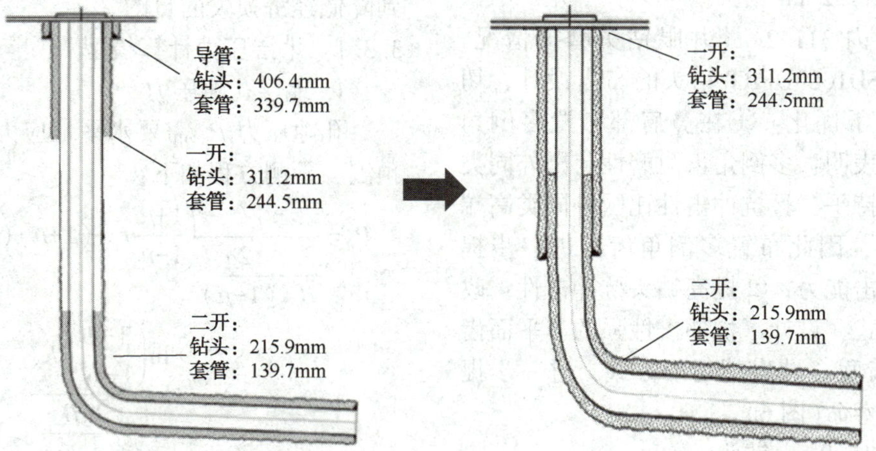

图 4　井身结构对比（从左至右依次为原井身结构设计、新井身结构设计）

3　低成本配套钻井技术

3.1　浅表层快速穿层工艺

针对浅表层漏垮同存问题，形成了以“简化钻具、大排量钻进、高效携砂、泡沫水泥固结”为核心的快速穿层工艺：首先为避免井下事故，通过简化钻具组合，降低钻具刚性，从而保障钻进的安全性，同时加强清水供应，要求大排量钻进，保障井底沉砂顺利携出。

钻进过程中除了保障排量，期间通过使用高粘切凝胶钻井液，来减少环空含砂量，降低重复切削等问题。同时，为进一步有效将井底沉砂携出，通过在井口额外安装小排量泵，形成“小泵+大泵”组合形式抽砂，改善抽砂效率。

期间若钻遇破碎带，使用超低密度泡沫水泥浆“正注顶替、反挤填充”的固结堵漏技术，以此来提高井壁稳固性，待进入稳定地层后，下入套管完成浅表层施工。

3.2　优选高效破岩钻头

优选高效破岩工具对提高钻井机械钻速，实现提速提效有着显著的影响，而钻头作为主要的岩石破碎工具对钻井效率、成本有着更为直接的影响，因此钻头选型尤为重要(图 5)。

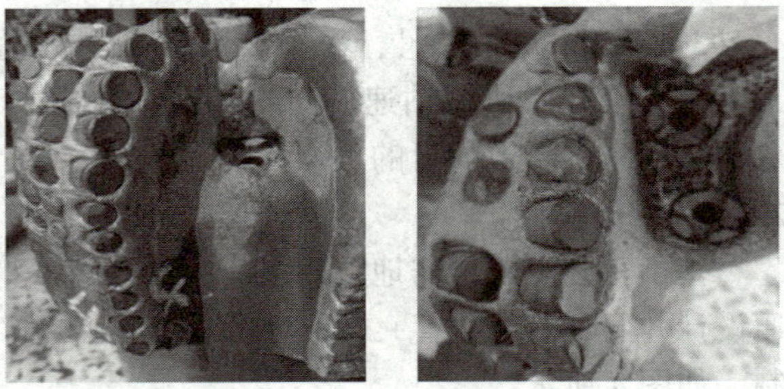

图 5　YY54-2HF 井一开钻头出井后

3.2.1　一开 311.2mm 钻头

根据区块内 311.2mm 井眼钻头磨损情况，对所使用的 KSD1663DFRT 钻头的布齿设计、切削齿选择进行了优化：①在鼻肩部布置多倒角齿，室内试验表明：多倒角齿耐磨性与国外同类高端产品基本持平，且抗冲击性比国外同类高端产品提高 45%，因此布置多倒角齿可进一步提高钻头的抗冲击能力；②提高钻头抗冲击性：改进钻头破岩方式，设计了抗冲击性强的非平面齿与常规 PDC 齿联合破岩的切削方式，进一步提高钻头整体的寿命(图 6)。

图 6　多倒角齿示意图

3.2.2　二开 215.9mm 钻头

针对二开造斜段钻进过程中定向效率低的问题，设计优化 KSD1662DFRT 型号钻头，该钻头采用短一体设计，缩短钻头保径到螺杆扶正器之间的距离，使定向工具面稳定、能有效提升造斜率，具体图 7 所示。

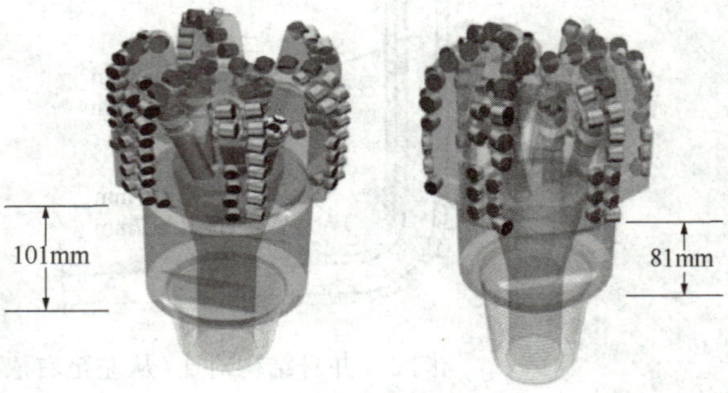

图 7　短一体设计示意图

通过高效破岩工具配套升级，逐步完善形成了“高钻压、高泵压、高排量、高转速、低固相”四高一低全井段强化钻井参数，钻压↗67%，排量↗27%，转速↗ 40%，扭矩↗ 118%。

3.3　钻井液密度窗口优化技术

开展地层四压力预测是目前降低或防止漏失的主要手段，提前科学预测钻井液密度，从而达到降低经济损失的目的。

3.3.1　地层压力计算模型

1. 地层孔隙压力

孔隙压力 P_p 需要水平地应力 σ_H 和 σ_h 进行预测，预测方程如下：

$$P_p=\frac{1}{\dfrac{3}{B}-\dfrac{2a}{(1-\mu)}}\left(\frac{1+\mu}{1-\mu}\sigma_v+(1+\mu)(\epsilon_1+\epsilon_2)\frac{E}{1-\mu^2}\right)+\frac{\ln\left(\dfrac{1-\phi}{1-\phi'}\right)K_S}{1-\dfrac{2aB}{3(1-\mu)}} \tag{1}$$

式中，P_p 为地层孔隙压力；B 为转换系数；

a 为流动参数；ϵ_1，ϵ_2 为地应力系数；μ 为泊松比；ϕ、ϕ'为地层孔隙度，实际地层孔隙度；K_S 为岩石的体积模量；σ_v 表示地层的上覆岩层压力。

2. 地层坍塌压力

保持井壁稳定的坍塌压力当量钻井液密度计算公式为：

$$\rho_b=\frac{(3\sigma_H-\sigma_h)-\sqrt{(3\sigma_H-\sigma_h)^2-4b}}{2H}\times100$$

$$b=\frac{1}{6}[(3\sigma_H-\sigma_h)^2]+(3\sigma_H-\sigma_h-\sigma_v)^2+\sigma_v^2-[a(3\sigma_H-\sigma_h+\sigma_v-3\alpha P_p)+K_f]^2 \quad (2)$$

式中，P_b 为地层孔隙压力；σ_H，σ_h 分别表示地层最大水平主应力和最小水平主应力；H 为地层深度；P_p 为地层孔隙压力；K_f 流体的体积模量。

3. 地层破裂压力

从力学上说，地层破裂是由于井内钻井液密度过大使岩石所受的周向应力达到岩石的抗拉强度而造成的，即

$$P_f=\frac{3\sigma_h-\sigma_H-\delta\left[\frac{\alpha(1-2v)}{1-v}-\phi\right]P_p+S_t}{1-\delta\left[\frac{\alpha(1-2v)}{1-v}-\phi\right]} \quad (3)$$

式中，P_f 代表破裂压力；σ_H，σ_h 分别表示地层最大水平主应力和最小水平主应力；ϕ、为地层孔隙度；S_t 为岩石拉伸强度；P_p 为地层孔隙压力。

若考虑地层低渗透，则

$$P_f=3\sigma_h-\sigma_H-\alpha P_p+S_t \quad (4)$$

式中，P_f 代表破裂压力；σ_H，σ_h 分别表示地层最大水平主应力和最小水平主应力；S_t 为岩石拉伸强度；P_p 为地层孔隙压力。

4. 地层漏失压力

通过对工区内目的层不同构造类型，进行划分，将漏失压力计算模型主要分为以下 2 种情况：若地层为完整地层，同平台井未出现漏失，预测计算方程为：

$$\sigma_H<2\sigma_h-\alpha P_p,\ P_l=3\sigma_h-\sigma_H+S_t-\alpha P_p \quad (5)$$

$$\sigma_H<2\sigma_h-\alpha P_p,\ P_l=\sigma_h+S_t \quad (6)$$

式中，P_l 代表破裂压力；σ_H，σ_h 分别表示地层最大水平主应力和最小水平主应力；S_t 为岩石拉伸强度；P_p 为地层孔隙压力。

若地层为裂缝性地层，预测计算方程为：

$$P_l=\left(\frac{\mu_s}{1-\mu_s}+\xi\right)(\sigma_Z-\alpha P_p)+\alpha P_p \quad (7)$$

式中，P_l 代表破裂压力；μ_s 为泊松比；ξ 为流动参数；σ_v 表示地层的上覆岩层压力；P_p 为地层孔隙压力。

根据以上预测计算模型，对工区内 JY207 平台就行了地层压力预测。该平台前期已完钻井，因无法确定目的层安全密度窗口，目的层漏失严重，导致钻井周期增加。

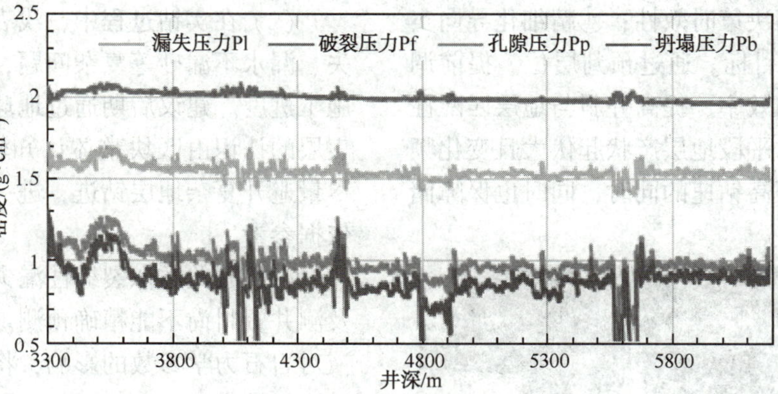

图 8　JY207-1HF 井地层四压力预测结果

从 JY207-1HF 井地层压力剖面可以看出，坍塌压力小于孔隙压力，以孔隙压力最大值作为钻井液密度下限，最大值为 1.25。以漏失压力最小值作为钻井液密度上限，最小值为 1.44。实际钻进过程中，JY207-1HF 比重控制在 1.45~1.52，多处出现漏失严重现象，严重阻碍生产进度。后期同平台井组钻井过程中，通过上述地层压力预测结果，控制在 1.31~1.44，期间无漏失情况发生，成功完钻，说明预测结果可以有效对现场生产进行指导。

3.4 低密度钻井液与配套技术

水平段所使用的低密度油基钻井液具有抑制性、抗污染能力强，稳定性、润滑性好等优点，能够保障钻进过程中井壁稳定，降低井下复杂风险。同时，为解决漏失和微裂缝的渗漏引发的井壁失稳，施工过程中添加纳米封堵剂，纳米级封堵颗粒可在井壁表面形成低渗透封堵膜，隔离井眼与地层使井壁稳定，有效封堵地层微裂缝，提高破碎地层的完整性。

同时还配套负压式振动筛，以及 3 台中-高速离心机来控制钻井液固相含量，进一步降低油基钻井液损耗，减少固废处理量。标杆井 YY54-3HF 井钻进过程中，对比使用普通振动筛，每 100m 产生油基岩屑 12.23t，同比减少油基岩屑量 54.87%；每 100m 消耗油基泥浆 5.97m^3左右，同比节约 3.03m^3左右。该井钻井液方面累计产生经济效益约 76.71 万元。

3.5 一体化地质导向

现场实行“钻、录、定、导”一体化管理，各方技术专家成立现场联合攻关小组，全过程一体化决策。主要工作模式：①用地质建模、属性模型刻画微幅构造和裂缝发育带，提高单井产能；②引入多套模型预测地层倾角，实现水平段轨迹“每百米控制”，钻前即完成精细化钻井轨迹；③强化信息集成程度，施工信息全部接入一体化决策室，“钻、录、定、导”信息实时反馈，全专业数据分析“零延时”，数据每米分析，每米决策，全面提高决策时效性；④精细化导向实现“钻遇+提速”双目标。通过预判层位、提前调整轨迹、提升定向效率、提高井斜与地层匹配性等方式，来应对水平段地层产状起伏大且变化频繁的难点，在保证高钻速的同时，同时也保障储层高钻遇率(图 9)。

图 9　一体化决策现场

4 现场工程应用

SY4-3HF 井是华东油气分公司部署在南川常压页岩气田东胜区块的一口重点开发井，该井采用“二开”井身结构。该井全面应用标杆井 YY54-3HF 钻井关键技术，探索并建立起“技术+管理”日费制管理模式，加大甲方帮持力度，最终实现了异常地质模型的精准预测，预测符合率达 100%。强化地质工程一体化，成功实施二开制井身结构，确保了储层钻遇率、机械钻速等指标，具体各开次实钻情况见表 1 所示。

该井实际钻井周期 18.58 天，较设计钻井周期 31 天缩短 40.07%，平均单日进尺 241m，创造中国石化 4000m 以上页岩气井钻井周期最短纪录。

表 1　SY4-3HF 各开次实钻情况

开次	进尺/m	完钻层位	机械钻速/ $m \cdot h^{-1}$
一开	352	韩家店组	29.33
二开	3983	龙马溪组	14.65

5 认识与建议

(1) 简化的井身结构设计合理，钻头优选、钻井液密度窗口优化与配套技术、“钻、定、录、导”一体化导向技术等低成本钻井配套技术增效显著，可在工区内推广，进一步实现工区内降本增效的目的。

(2) 在实钻过程中，浅表层仍遇到失返性漏失、漏水不漏砂等复杂问题，严重影响前期钻井施工进度。建议后期通过地球物理工勘技术对浅表层的认识由区块整体认知转向单井细化认知，尽量避开复杂地层钻进，进一步为优选井位提供依据参考。

(3) 有关类似裂缝性漏失压力目前所用模型及测井资料尚不能精确预测。后期建议考虑钻井液对岩石力学参数的影响，将力学和物理化学两方面相结合，提高四压力预测的精确性。

参 考 文 献

[1] 胡志强，何青水，胡群爱，等．中国石化华东南川区块、华北彬长区块钻井工程日费制管理体系实践[J]．中国石油勘探，2022，27(03)：121-131.

[2] 赵小祥，胡志强，杨顺辉，等．重庆南川页岩气钻井关键技术与思考[J]．钻采工艺，2022，45(02)：

33-38.
[3] 张国荣，王俊方，张龙富，等．南川常压页岩气田高效开发关键技术进展[J]．油气藏评价与开发，2021，11(03)：365-376.
[4] 王彦祺，贺庆，龙志平．渝东南地区页岩气钻完井技术主要进展及发展方向[J]．油气藏评价与开发，2021，11(03)：356-364.
[5] 龙志平，王彦祺，周玉仓．隆页1HF页岩气井钻井关键技术[J]．石油钻探技术，2016，44(02)：16-21.
[6] 彭兴，周玉仓，龙志平，等．南川地区页岩气水平井优快钻井技术进展及发展建议[J]．石油钻探技术，2020，48(05)：15-20.
[7] 郑德帅．南川地区复杂储层水平井大弯角螺杆提速技术[J]．石油地质与工程，2022，36(02)：92-94.
[8] 王恒，何谦，陈雅辉．南川东胜北区块页岩气井水平段侧钻技术分析[J]．石化技术，2022，29(01)：38-39.
[9] 邹德永，陈雅辉，赵方圆，等．斧形PDC齿破岩规律数值模拟研究[J]．特种油气藏，2021，28(06)：137-143.
[10] 邹德永，潘龙，崔煜东，等．斧形PDC切削齿破岩机理及试验研究[J]．石油机械，2022，50(01)：34-40.
[11] 邹德永，任尊亮，陈雅辉，等．硅质白云岩PDC钻头齿型优选实验研究[J]．钻采工艺，2021，44(06)：19-24.
[12] 邹德永，徐城凯，易杨，等．PDC钻头布齿参数与地层适应性的试验研究[J]．天然气工业，2017，37(09)：85-90.
[13] 刘笑傲，邹德永，王庆，等．基于离散元法的砾岩地层三棱齿切削破岩数值模拟[J]．特种油气藏，2022，29(04)：149-155.
[14] 陈俊斌，李晓阳，舒小波，等．川南龙马溪井壁失稳机理研究与应用[J]．钻采工艺，2019，42(01)：4-7+1.
[15] 张震，万秀梅，吴鹏程，等．川南龙马溪组深层页岩井壁失稳原因分析及对策[J]．特种油气藏，2022，29(01)：160-168.

大港油田长停井转地热利用潜力评价方法及实践
——以沈家铺油田为例

杨佩佩　吴　刚　周　杨

（中国石油大港油田公司）

摘　要　“双碳”战略加速了石油行业的能源结构转型和新能源发展。目前，各大油田均遗留一定数量的长停井，启用长停井转为地热井，可盘活资产、降低建产成本，是清洁能源替代的重要举措。本文通过收集整理钻井、地质资料，系统分析了研究区馆陶组热储分布特征，通过热储法和三维地质建模方法开展了地热资源量评价，建立了长停井转地热利用潜力定量评价方法。研究结果表明：①馆陶组热储厚度大、埋藏适中、分布稳定，热储潜力大。热储温度49.6~64.3℃，表明馆陶组主要发育中低温水热型地热资源。地热资源总量为$0.13×10^{18}$J、地热水资源量为2.9亿m^3、地热水热量为$0.05×10^{18}$J，资源丰度为$15×10^{15}J/km^2$，热储资源丰富；②优选地热资源量、温度、埋深、物性等11项评价参数，建立了长停井转地热利用潜力评价定量指标PCI，对长停井进行分类评价，Ⅰ类为条件优等长停井，PCI大于80分，圈定6口潜力井优先实施；③试水试验结果表明，研究区馆陶组最大允许开采量为55.46m^3/h，为中产产能水平。

关键词　长停井；热储特征；热储温度；地热资源；潜力评价

引言

近年来，随着清洁能源的日益重要和环境保护的迫切需求，我国出台了一系列的“双碳”政策，力争在2030年前实现“碳达峰”，在2060年前实现“碳中和”。“双碳”政策加速推动了地热产业的发展，地热资源的开发利用日益受到关注。

油田蕴藏着大量的地热资源，随着勘探开发的进展，老油田逐步步入高含水期，遗留一定数量的长停井和报废井。一些油气井由于生产成本高、产量下降等原因，已经失去了经济效益。相关统计显示，目前国内废弃井已突破10万口。将这些闲置资产转化为清洁能源，创造经济、社会效益的同时，对环境保护也具有重要的意义。因此，启用这些长停井转为地热井，不仅可以盘活资产、降低建产成本，还可以为清洁能源的替代提供重要的举措。

前人对油田地热资源评价方法及中国地热开发利用技术进行了系统研究，分析了废弃井地热能开发技术现状，并提出了发展建议。但总体上地热资源评价基本参数不全，且缺乏针对油区长停井转地热利用潜力的系统性评价流程及方法，一定程度上制约了油区地热资源的高效开发和规模化利用。

本文通过收集整理钻井、地质资料，以大港油田为主要目标，系统分析研究区馆陶组热储特征，采用传统热储法和三维地质建模分别对地热资源量进行计算，并综合考虑构造形态、热储岩性、埋深、厚度、温度、物性、储地比、地热资源量、资源丰度、井筒条件、井场地面、市场需求和经济效益等指标要素，建立了长停井转地热利用潜力定量评价方法，筛选出6口转地热潜力井。本成果将为深化大港油田馆陶组热储整体认识和推动油区地热资源规模化开发利用提供重要支撑，对于促进油田的可持续利用和推动清洁能源发展具有重要意义。

1　区域地热资源评价

1.1　区域地质概况

本文研究区为大港探区沧东凹陷沈家铺油田，构造位置上位于孔西断裂带上升盘（图1），是一个被孔西断层遮挡的半背斜构造，地层倾角10°，北东向断层为构造主断层。地层发育齐全，从中生界到新生界依次发育孔店组、沙河街组、馆陶组、明化镇组地层，砂泥岩交互频繁，区域分层特征明显。据研究区大量钻井、测井、地震和开发资料统计表明，馆陶组水层发育范围大，分布稳定，厚度在300~367m，顶板埋深浅，为1200~1820m。

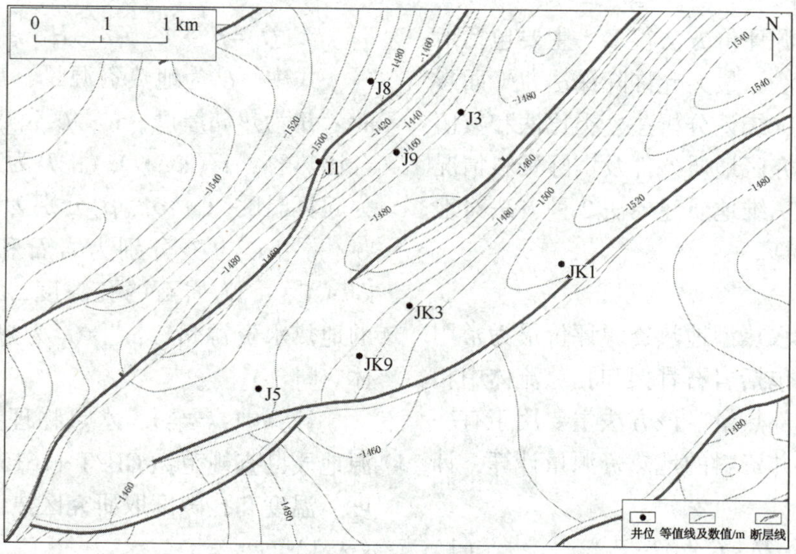

图 1 研究区馆陶组底部构造图

1.2 储层特征

1.2.1 热储结构与物性特征

研究区储层岩性总体表现为砂岩夹紫红色泥岩，底部为砾岩和砂砾岩段，电位幅度较大，电阻较高。馆陶砂体横向连续性较好，单井砂体厚度大，为 209~263m；储地比高，为 60%~69%；储层物性好，孔隙度 27%~34%、平均 28.3%，渗透率(550~1090)×10^{-3}μm^2、平均 645mD，研究区馆陶组为高孔-高渗储层。

1.2.2 温度分布特征

热储温度是地热资源评价中最重要的参数。前人研究认为该区馆陶组以浅，地温场以传导为主，地层温度随深度总体线性增加。研究区枣Ⅳ、Ⅴ油组为主要油气生产层，测试资料齐全，而馆陶组主体为含水层，实测地温数据少。综合部分单井测温及地温梯度法评价馆陶组温度。统计研究区 43 口枣Ⅳ、Ⅴ油组试油测温资料，计算地温梯度 3.19~3.78 ℃ /100m，折算馆陶组中部静温 49.6~64.3 ℃，平均 58 ℃，表明馆陶组主要发育中低温水热型地热资源，馆陶组热储温度平面分布在 4 个相对高温区(图 2)。

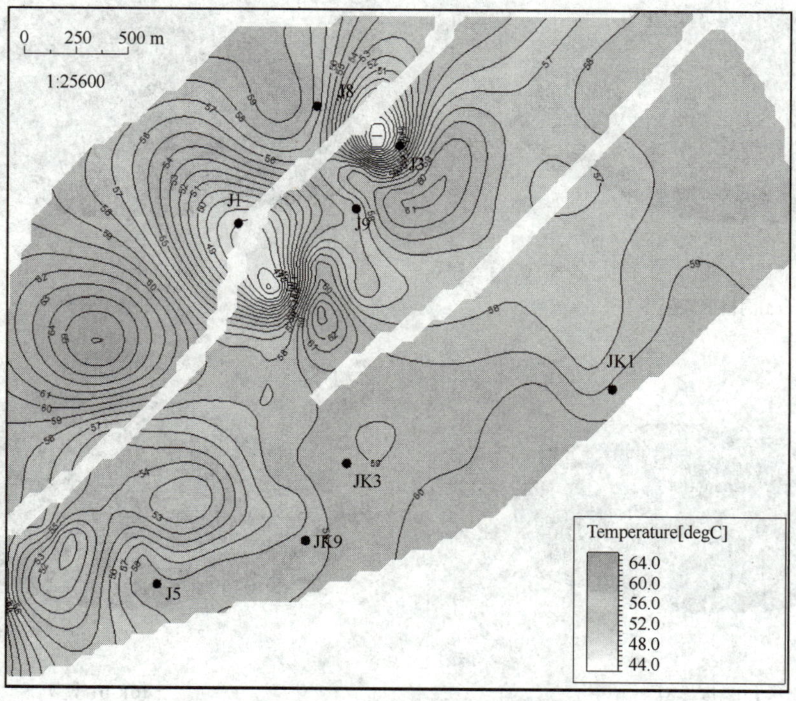

图 2 研究区馆陶组热储温度平面分布图

1.3 地热资源计算

国内外地热资源评价方法很多，主要包括地表热流量法、热储法、最大允许降深法、平面裂隙法、解析模型法、统计分析法、类比法和数值模型法等。针对研究区地质条件及实际资料情况分别采用热储法和三维地质建模法2种方法对地热资源量进行了计算。

1.3.1 热储法

热储体积法是水热型地热资源评价最为常用的方法，计算结果包括岩石骨架和孔隙流体中相对于参考温度的全部热量。该方法主要用于有一定数量深部地热钻井资料的地热资源量计算，计算公式为：

$$Q=A \cdot H \cdot C \cdot (T-T_0) \quad (1)$$

$$C=\rho_r \cdot C_r \cdot (1-\varphi)+\rho_w \cdot C_w \cdot \varphi \quad (2)$$

$$W=A \cdot H \cdot \varphi \quad (3)$$

$$Q_w=\rho_w \cdot C_w \cdot A \cdot H \cdot \varphi \cdot (T-T_0) \quad (4)$$

式中，Q 为地热资源量，J；A 为热储面积，m^2；H 为热储厚度，m；C 为热储岩石和水的综合比热容，J/(kg·℃)；T 为热储温度,℃；T_0 为起算温度,℃；ρ_r、ρ_w 分别为岩石和水的密度，kg/ m^3；C_r、C_w 分别为岩石和水的比热容，J/kg·℃；φ 为岩石的孔隙度,%；W 为热储层中的地热水资源量，m^3；Q_w 为热储层中的地热流体热量，J。

计算中，岩石、水热物理参数参照《地热资源地质勘查规范》(GB/T 11615—2010)、热储厚度、温度和孔隙度取研究区热储特征参数平均值(表1)。

表1　研究区馆陶组热储特征参数表

热储面积/ km^2	热储有效厚度/m	热储顶板/ m	孔隙度/ %	弹性释水系数/10^{-5}	热储温度/ ℃	流体密度/ (kg/m^3)	岩石密度/ (kg/m^3)	岩石比热 (kcal/kg·℃)	流体比热/ (J/kg·℃)
8.6	120	1200	28	11.84	60	986.17	2600	878	4180

1.3.2 三维地质建模法拟合资源量

本文提出的通过三维地质建模拟合地热资源量是一种改进的热储法，适合计算资料丰富、数据较多情况下的地热资源量。建模面积8.6km^2，以馆陶组顶、底为层面，建立构造框架模型；将研究区划分为8万多个100×100×5m的小立方体网格，有井区采用井数据，无井区采用网格插值求评价参数，建立研究区NTG模型、孔隙度模型、温度模型和综合比热容模型(图3)。

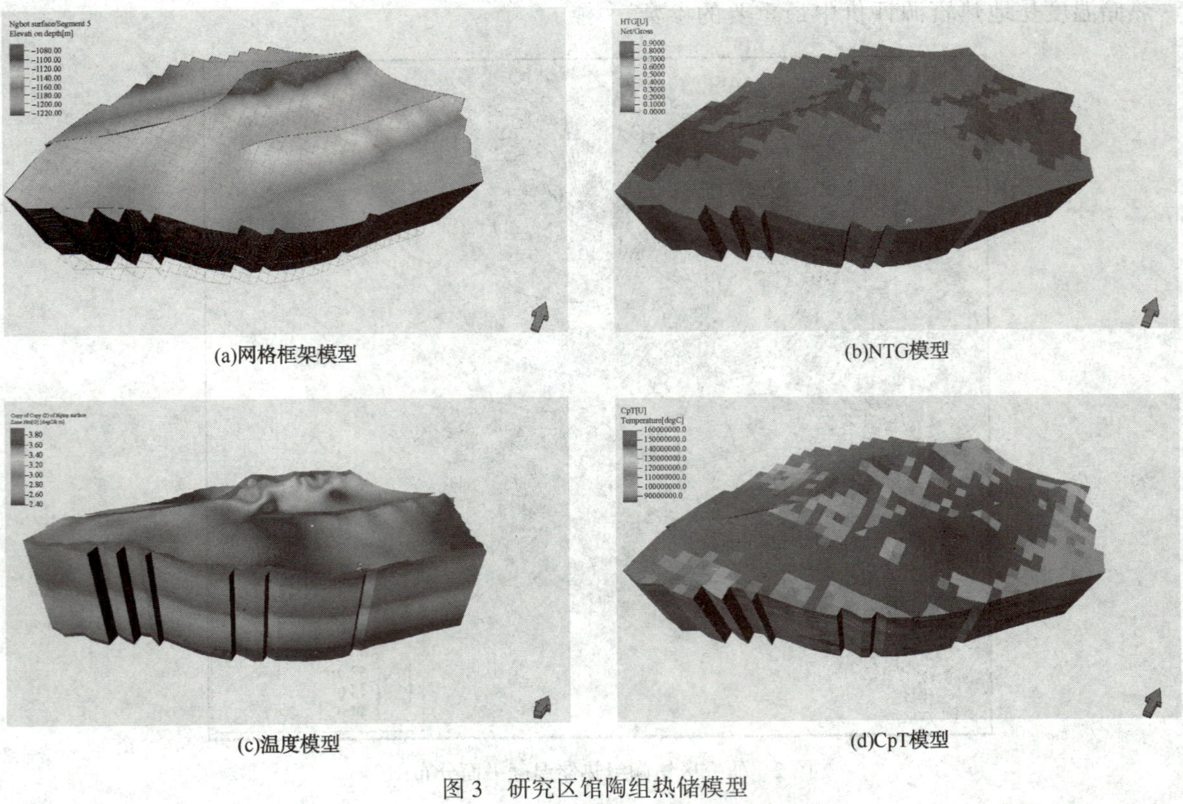

(a)网格框架模型　(b)NTG模型　(c)温度模型　(d)CpT模型

图3　研究区馆陶组热储模型

提出热储评价关键参数 CpT，描述岩石和流体对热传导的响应，表征非均质储层的热储能力，CpT 通过温度和综合比热容两个参数求取。改进的热储法将模型进行数学运算得到每个立方体网格的地热资源量，最后汇总得到整个研究区的资源量。CpT 热储评价模型在无井区域进行了热储能力预测，再现了三维热储发育特征，使得资源评价结果更加准确。

综合热储法和三维地质建模拟合资源量，结果表明，研究区馆陶组热储面积 8.6km^2，地热资源总量 0.13×10^{18}J、地热水资源量 2.9 亿 m^3、地热水热量 0.05×10^{18}J，资源丰度为 15×10^{15}J/km^2，热储资源丰富。

2 长停井转地热利用潜力评价

2.1 评价原则建立

本文针对附近生活区供热需求，选取距离生活区 2km 范围长停井共 48 口，在此基础上进行综合评价筛选重点潜力井。研究区属于沉积盆地内的水热型地热资源，综合评价主要考虑构造形态、热储岩性、热储埋深、热储厚度、热储温度、热储物性、资源丰度、井筒条件、井场地面、经济效益 10 项指标要素。

地热开发利用需要丰富的地热资源量，单位面积资源量越高，开发利用的效果越好；热储埋深越浅、温度越高，开发的经济性就越好。重点涉及的评价参数主要为热储面积、厚度、埋深、温度、比热、孔隙度、资源丰度、井筒条件、井场地面等。

2.2 评价方法建立

本文建立了长停井转地热利用的定量评价方法，对长停井转地热利用潜力进行分类评价。以“资源是基础、经济是保证”的理念为指导，将评价指标按重要性排序，赋予不同的权值 w_i，涉及资源和经济指标的综合权重均大于 0.1，其他评价指标的权重分配见表 2。

定义各指标评语集和对应评语标度 c：优(0.4)、良(0.3)、中(0.2)、差(0.1)。根据专家经验，制定长停井评价要素标准(表 3)，赋予待利用长停井评语标度，运用公式 5 进行矩阵运算得到隶属度 p_j，将隶属度运用公式 6 进行 Z-score 归一化处理，得出反映长停井利用潜力的综合指标 PCI_j。

$$p_j = \sum_{i=1}^{m} cw_i \tag{5}$$

式中，j 代表待评价井号，$i=1$，2…，m(m 为代表评价指标的个数)；w_i 代表第 i 种评价指标的权重值；c 为专家评语标度取值。

$$PCI_j = \frac{(p_j - u)\times 100}{\sigma} \tag{6}$$

式中，u 为数据 p_i 的均值，σ 为数据 p_j 的标准差。

表 2　长停井转地热利用综合评价指标及分类评价结果

选定评价指标集	构造形态	热储岩性	热储埋深	热储厚度	热储温度	热储物性	储地比	资源规模	井筒条件	井场地面	经济效益	矩阵运算与隶属度计算	计算归一化隶属度	隶属标准	评价级别
给定各指标权重 a	0.025	0.025	0.1	0.1	0.125	0.1	0.1	0.2	0.05	0.05	0.125				
给定各指标评语集	优、良、中、差														
给定评语标度	0.4、0.3、0.2、0.1														
J9	0.3	0.4	0.4	0.4	0.4	0.4	0.4	0.4	0.4	0.4	0.4	0.40	99	≥80	Ⅰ类
J3	0.3	0.4	0.4	0.4	0.4	0.4	0.4	0.4	0.4	0.4	0.4	0.40	99		
JK1	0.3	0.4	0.3	0.4	0.4	0.4	0.4	0.4	0.4	0.4	0.4	0.39	97		
JK3	0.3	0.4	0.3	0.4	0.4	0.4	0.4	0.4	0.3	0.4	0.4	0.38	96		
JK9	0.3	0.4	0.3	0.4	0.3	0.3	0.4	0.3	0.3	0.4	0.3	0.33	82		
J5	0.3	0.4	0.3	0.4	0.3	0.3	0.4	0.3	0.3	0.4	0.3	0.33	82		
J8	0.2	0.4	0.3	0.3	0.2	0.3	0.3	0.3	0.2	0.2	0.2	0.27	66	60-80	Ⅱ类
J7	0.2	0.4	0.3	0.3	0.2	0.3	0.3	0.3	0.2	0.2	0.2	0.27	66		
J1	0.1	0.4	0.2	0.2	0.2	0.2	0.3	0.3	0.2	0.2	0.2	0.23	58	<60	Ⅲ类

表 3 长停井转地热利用潜力定量评价要素及标准

序号	评价事项	评价要素（A）	要素评价标准（B）			
			好(0.4)	良(0.3)	中(0.2)	差(0.1)
1	地质条件	构造形态	背斜	断鼻	复杂断裂构造	斜坡构造
2		热储埋深/m	<1500	1500~2800	2800~4500	>4500
3		热储岩性	砂岩	碳酸岩	火成岩	油页岩
4		热储厚度/m	>150	100~150	50~100	<50
5		热储温度(℃)	>55	50~55	45~50	<45
6		储层物性/（%、$10^{-3}\mu m^2$）	$\Phi \geqslant 25$ $K \geqslant 500$	$25>\Phi \geqslant 20$ $500>K \geqslant 300$	$20>\Phi \geqslant 15$ $300>K \geqslant 100$	$\Phi<15$ $K<100$
7		资源丰度/（$10^{15}J/km^2$）	>15	10~15	5~10	<5
8	井况条件	井筒条件	直接利用	修整利用	修整困难	无法利用
9		地面管线	位于供热区内	供热区 2km 内	供热区 5km 内	供热区 10km 内
10	经济效益	内部收益率	>20	12-20	8-12	<8

2.3 潜力评价结果

对研究区 48 口长停井进行了综合指标 PCI_j 计算及分类评价，PCI_j 大于 80 分的长停井条件优等，划分为 I 类，优先实施；60~80 分的条件良好，划分为 II 类，备选实施；小于 60 分的暂不实施。圈定出 J9、J3、JK1 等 6 口潜力井优先实施，长停井利用潜力分类评价结果见表 2。

3 建立现场先导试验

对研究区 J9 井进行了现场先导试验。通过测井曲线解释成果及成井工艺等分析研究，将馆陶组采用 89 射孔器进行射孔，共计射开 62m/5 层。试水试验结果表明：出水量为 200~386m^3/d，水温为 46~52℃，静水位为 97m。考虑井筒效应，经过水位校准，绘制涌水量与动水位、水位降深拟合曲线(图 4)，确定 J9 井井流方程：

$$h=0.9015Q+79.188 \quad (7)$$

式中，h 为水位埋深，m；Q 为涌水量，m^3/h。

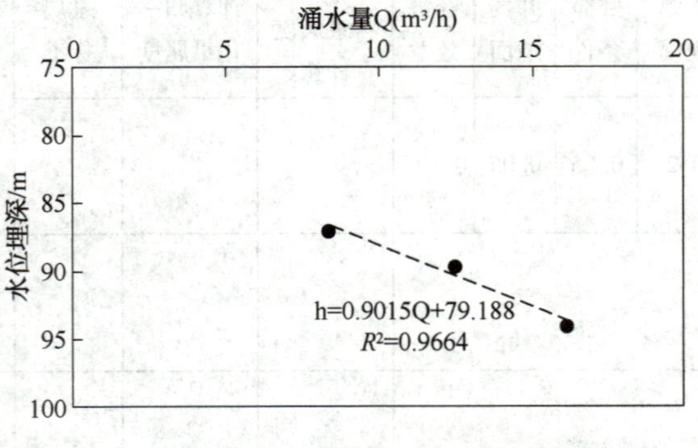

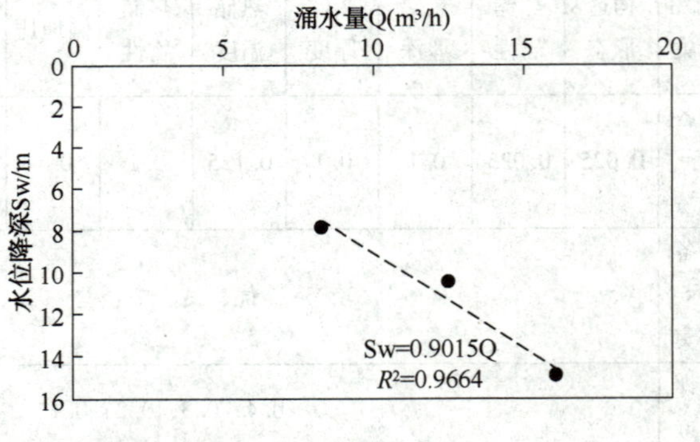

图 4 研究区涌水量与水位埋深(左)和水位降深(右)关系图

试水水位最大降深取 50m，最大允许开采量 Q 为 55.46m^3/h，涌水量为 1331m^3，最大允许开采量对应动水位 129.2m，研究区具备中产产能水平。

4 结论

(1) 统计研究区枣 IV、V 油组试油测温资料，地温梯度 3.19~3.78 ℃ /100m，折算馆陶组中部静温 49.6~64.3 ℃，平均 58 ℃，表明馆陶组主要发育中低温水热型地热资源，馆陶组热储温度平面分布存在 4 个相对高温区。地热资源评价结果表明：研究区馆陶组地热资源总量为 0.13 亿 m^3、地热水资源量为 $2.9\times10^8 m^3$、地热水热量为 0.05×10^{18} J，资源丰度为 15×10^{15} J/

km^2，热储资源丰富。

(2) 优选地热资源量、温度、埋深、物性等10项评价参数，将评价参数按重要性排序，通过矩阵运算建立了长停井转地热利用潜力评价定量指标 PCI，对长停井进行分类评价。结果表明：研究区馆陶组长停井划分为3类，Ⅰ类为条件优等长停井，PCI 大于 80 分，圈定 6 口潜力井优先实施；Ⅱ类为条件良好长停井，PCI 为 60~80 分，下步实施；Ⅲ类为条件较差长停井，PCI 小于 60 分，暂不实施。

(3) J9 井试水试验结果表明，馆陶组 62m 水层，出水量为 200~386m^3/d，水温为 46~52℃，静水位为 97m。50m 水位降深条件下最大允许开采量为 55.46m^3/h，研究区地热井具备中产产能水平。

参 考 文 献

[1] 周立宏."双碳"目标下油气田企业的机遇，挑战与对策——以大港油田为例[J]. 世界石油工业，2021，28(4)：8.

[2] 汪集暘，邱楠生，胡圣标，等. 中国油田地热研究的进展和发展趋势[J]. 地学前缘，2017，24(3).

[3] 王社教，李峰，闫家泓，等. 油田地热资源评价方法及应用[J]. 石油学报，2020，41(5).

[4] 饶松，高腾，肖红平，等. 中国油区地热开发利用进展[J]. 科技导报，2022，40(20)：11.

[5] 闫家泓，王社教，姚艳华，等. 油区地热资源评价与开发利用实践[M]. 北京：石油工业出版社，2022.

[6] 蔺文静，刘志明，王婉丽，等. 中国地热资源及其潜力评估[J]. 中国地质，2013，40(01)：312-321.

[7] 王贵玲，张薇，蔺文静，等. 京津冀地区地热资源成藏模式与潜力研究[J]. 中国地质，2017，44(6)：1074-1085.

[8] 邹红丽，莫中浩. 天津大港地区地热资源特征、开发现状及规划[C]//北京地热国际研讨会. 2002.

[9] 唐永香，李娓娓，俞礽安，等. 油田区地热资源的集约化开发利用分析：以滨海新区为例[J]. 中国矿业，2019(4)：6.

[10] 宋先知，许富强，宋国锋. 废弃井地热能开发技术现状与发展建议[J]. 石油钻探技术，2020(006)：048.

[11] 李波. 天津地热资源可持续开发利用对策研究[D]. 天津大学，2023，07(15).

[12] 杨云展. 黄骅台陷沧州段馆陶组热储特征及地热资源评价[D]. 中国地质大学(北京)，2020.

[13] 董月霞，黄红祥，任路，等. 渤海湾盆地北部新近系馆陶组地热田特征及开发实践——以河北省唐山市曹妃甸地热供暖项目为例[J]. 石油勘探与开发，2021，48(3)：666-676.

[14] 饶松，肖红平，王朱亭，等. 渤海湾盆地馆陶组热储特征与地热资源评价[J]. 天然气工业，2023，43(05)：141-152.

[15] Limberger J，Boxem T，Pluymaekers M，et al. Geothermal energy in deep aquifers：A global assessment of the resource base for direct heat utilization[J]. Renewable and Sustainable Energy Reviews，2018，82，Part 1：961-975.

复杂断块高含水油田“二三结合”理论技术创新与工业化应用

蔡明俊[1]　张　津[1]　刘同敬[2]　赵乐坤[3]　张志明[1]　马文华[1]　张会卿[1]

[1. 中国石油大港油田公司；2. 中国石油大学(北京)克拉玛依校区石油学院；
3. 中国石油大学(北京)石油工程学院]

摘　要　针对制约复杂断块高含水油田高质量协同发展的挑战和难题，大港油田从理论、技术、实践等方面开展“二三结合”提高采收率技术攻关和工业化应用，形成了一套复杂断块高含水油田“二三结合”提高采收率理论技术创新体系。创立高含水油田“二三结合”提高采收率油藏工程理论，基于多介质流固耦合关键渗流机理，解析“二三结合”提高采收率工作机制，创建“二三结合”协同增效油藏工程评价方法与全生命周期价值链理论模型，填补了国内外油藏工程理论空白。创新复杂断块油田高精度油藏描述方法，实现复杂断块高含水期剩余油的定量表征，引领复杂断块油田高精度油藏描述技术发展方向。创建复杂断块高含水油田均衡驱替技术，实现油藏波及状况与驱油效率质的飞跃，使港西亿吨级整装油田建成中石油长寿高效开发油田典范。创新油田开发“物联网+”增效新模式，实现工业化与信息化的深度融合，引领石油行业数字化转型、智能化发展新方向。

关键词　高含水；二三结合；理论创新；技术创新；工业应用

经过半个多世纪的勘探开发，中国石油主力油田已整体进入高/特高含水开发阶段，产量占比达到80%。近年来，复杂断块高含水主力油田在理论发展、技术创新、社会效益等方面，都面临着既要提高可采储量的采收率、又要兼顾油田高质量协同发展的诸多挑战。一是高/特高含水开发阶段，水驱效率濒临极限、耗水率高，化学驱驱油效率增量受限，缺乏多介质协同增效理论支撑；二是复杂断块油田高含水开发阶段，剩余油高度分散，常规油藏描述方法不能满足精细研究的需要，缺乏高精度油藏描述方法支撑；三是长期注水开发使得非均质油藏水驱优势通道固化严重，常规化学驱驱油体系适用范围受限，缺乏均衡高效驱替技术支撑；四是老油田传统的开发模式点多、线长、系统运行效率低，缺乏数智化转型模式支撑。

针对制约复杂断块高含水油田开发的技术难题，大港油田开展了“二三结合”提高采收率油藏工程新理论、复杂断块油田高精度油藏描述新方法、复杂断块高含水油田均衡驱替新技术、高含水老油田数智化转型增效新模式等关键理论技术的研究。2008—2023年经过16年的技术攻关、先导试验、规模推广应用，形成了一套复杂断块高含水油田“二三结合”提高采收率理论技术创新体系，破解了中低油价下可持续、高质量发展重大技术难题，实现了复杂断块高含水油田大幅提高采收率和开发技术的升级换代。

1　“二三结合”提高采收率油藏工程新理论

1.1　多介质耦合关键渗流机理

针对“二三结合”提高采收率缺乏多介质协同增效理论支撑的问题，开展了水驱、化学驱、调堵驱的渗流机理研究，明确了多介质耦合关键渗流机理(表1)。

表1　多介质耦合关键渗流机理

序号	渗流机理	研究对象	创新点	目的意义
1	水驱线性等差排替非活塞驱替机理	注入水与多孔介质耦合渗流过程	建立水驱产水率分布剖面模型，揭示其非活塞驱替机理	实现产水率与含水饱和度双重控制的井间平面潜力定量分区

续表

序号	渗流机理	研究对象	创新点	目的意义
2	化学驱大分子均相高黏溶液渗流机理	大分子化学剂与多孔介质耦合渗流过程	建立大分子均相高黏溶液渗流四类特性方程	实现化学驱浓度、黏度、压力参数的精准表征
3	堵调驱非均相复配体系渗流机理	冻胶与多孔介质耦合渗流过程	建立拟四相（胶体颗粒、胶体溶液、油、水）渗流数学模型	实现非均相复配体系注入、运移、封堵、转化作用过程的解析表征

1.2 “二三结合”协同增效提高采收率机制

从多元体系和“二三结合”两个层面，研究了“二三结合”协同增效提高采收率的作用机制（表2）。从理论上更加明晰了“二三结合”的基本概念：油田进入高/特高含水开发阶段，将二次开发与三次采油的层系井网整体优化部署，前期立足精细注水，优选时机转入三次采油，发挥二次开发井网完整性和三次采油提高波及体积与驱油效率的协同增效作用。

表2 “二三结合”协同增效提高采收率机制

序号	工作机制	研究对象	创新点	目的意义
1	多元体系协同增效提高采收率机制	“二三结合”多元体系驱替过程	建立多元体系宏观时空控制与微观驱替强度协同增效理论模型	揭示多元体系空间状况与分区挖潜协同增效的工作机制
2	“二三结合”协同增效提高采收率机制	二次开发与三次采油协同作用过程	建立“二三结合”时化学驱前缘计算模型	揭示“二三结合”立体重构地下开发体系，协同增效的工作机制

1.3 “二三结合”协同增效油藏工程评价方法

基于微观驱油实验和基本相似准则，考虑油藏属性、渗流特性、时变特性，建立了“二三结合”采收率定量表征算法，实现了采收率评价从单介质驱替向全生命周期多介质协同的跨越，如公式1所示：

$$\begin{cases} E_R = A\left[B\sqrt{\dfrac{1+M}{2M}} + \dfrac{Cf_w(S_{we})}{1+Df_w(S_{we})}\left(1+B\sqrt{\dfrac{1+M}{2M}}\right)\right]\left(1+E\cdot \lg\dfrac{K}{M}\right)\dfrac{S_{we}+\dfrac{1-f_w(S_{we})}{f'_w(S_{we})}-S_{we}}{1-S_{wc}-S_{or}}(1-V_k^F)\,e^{-\frac{G}{n}\left(\frac{K}{M}\right)^{-H}} \\ M_i = \dfrac{\mu_o}{\mu_w K_{ro}(S_{wc})}\left[K_{ro}(\overline{S_{wf}})+K_{rw}(\overline{S_{wf}})\right],\ i=\text{water, polymer, ASP} \end{cases} \tag{1}$$

式中：E_R为采收率；A、B、C、D、E、F、G、H为系数；M为油水流度比；f_w为含水率；S_{we}为出口端含水饱和度；K为平均渗透率，$10^{-3}\mu m^2$；S_{wc}为束缚水饱和度；S_{or}为残余油饱和度；V_k为垂向非均质系数；n为井网密度；μ_o为地下原油黏度，mPa·s；μ_w为地下水黏度，mPa·s；K_{ro}为油相相对渗透率；K_{rw}为水相相对渗透率；$\overline{S_{wf}}$为驱替前缘平均含水饱和度；water，polymer，ASP为水、聚合物、三元复合驱油体系。

从理论研究、数值模拟到现场实践，明确了“二三结合”采收率增量是由二次开发、三次采油和协同增效三部分组成，揭示了提高采收率“1+1>2”的作用机制，如公式(2)所示：

$$\Delta E_{R2+3} = \Delta E_{R2} + \Delta E_{R3} + \Delta E_{协同}$$

$$\Delta E_{协同} = [E_1(M_1)+\alpha]\left[E_2\left(\frac{K}{M_1}\right)+\beta\right][E_3(M_1,\ pc_1)+\delta]\theta - E_1(M_1)E_2\left(\frac{K}{M_1}\right)E_3(M_1,\ pc_1)\varepsilon \tag{2}$$

式中：ΔE_{R2+3}为“二三结合”提高采收率值；ΔE_{R2}为二次开发提高采收率值；ΔE_{R3}为三次采油提高采收率值；$\Delta E_{协同}$为“二三结合”协同增效提高采收率值；E_1为一次开发采收率；E_2为二次开发采收率；E_3为三次采油采收率；M_1为一次开发期间的油水流度比；K为平均渗透率，$10^{-3}\mu m^2$；α为平面波及系数差；β为纵向影响因子差；δ为驱油效率差值；θ为“二三结合”井网密度影响差；ε为二次开发井网密度影响差；Pc_1为一次开发期间的毛管力。

1.4 “二三结合”全生命周期价值链理论模型

综合考虑技术、经济、社会价值，以稳产、

效益、开发周期最大化为目标，明确不同“驱替介质—转换时机”与产量运行、可采储量、经济效益之间的联动关系。建立反应效果与效益评价关系的全生命周期价值链模型(图1)，揭示价值链最优期望值和最佳切入点。

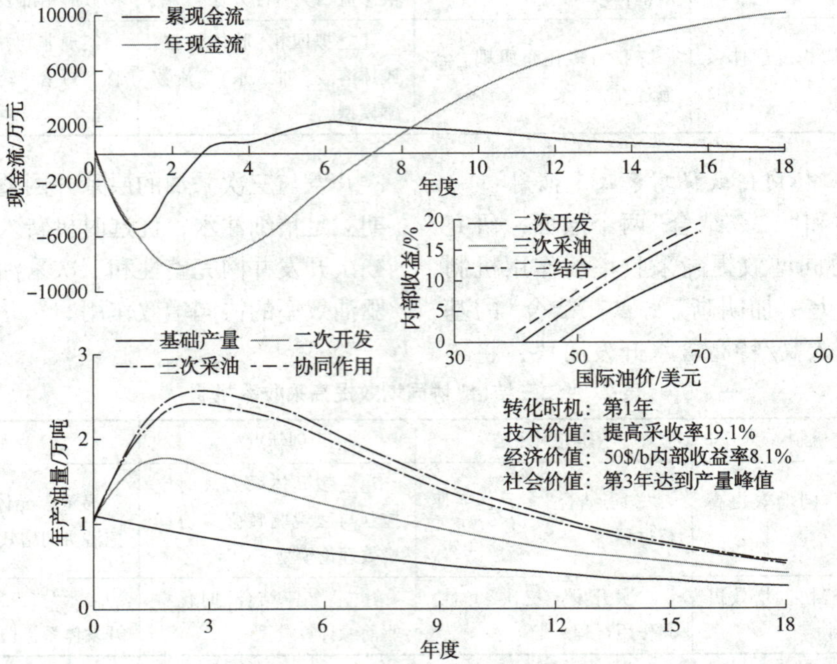

图1　“二三结合”全生命周期价值链优化模型

“二三结合”协同增效油藏工程评价方法与全生命周期价值链理论模型，填补了油藏工程理论空白；厘清了“二三结合”的技术内涵：“二三结合”提高采收率和经济效益的效果大于二次开发和三次采油简单叠加；诠释了“二三结合”的价值内涵：“二三结合”开发价值观是追求采收率和经济效益的最优化；为高含水油田大幅度提高采收率与经济效益提供了理论依据与技术支撑。

2　复杂断块油田高精度油藏描述新方法

针对复杂断块油田构造破碎、砂体变化快、剩余油表征难度大的问题，开展微观尺度、构型尺度、多元信息融合小微地质体控制下的剩余油定量表征方法的研究(表3)。揭示了复杂断块高含水阶段断层、构型、微构造控制下的各种剩余油富集特征和富集类型，剩余油认识程度逐级提高(图2)，为“二三结合”大幅度提高可采储量奠定了基础。

表3　高精度油藏描述方法研究成果

序号	方法类型	表征方法	创新点	目的意义
1	微观尺度	1. 微观尺度多源信息联动剩余油定量表征	用彩色紫外荧光精确定量表征，识别精度提高35%	实现高精度识别五类微观剩余油赋存状态的定量表征
		2. 聚二甲基硅氧烷PDMS微流控微观驱油	用PDMS取代玻璃刻蚀模型，研究精度提升50倍	实现定量刻画五类微观剩余油赋存状态与提高采收率的关系
2	构型尺度	1. 岩心构型剩余油定量表征	利用岩心构型、水淹程度与残余油饱和度表征剩余油	实现剩余油纵向分布的图像和数字化表征
		2. 点坝9级构型地质建模—数模剩余油定量表征	建立点坝9级构型“分隔控油”剩余油分布模式	实现9级三维构型尺度下剩余油分布的数字表征与工业化应用

续表

序号	方法类型	表征方法	创新点	目的意义
3	多元信息融合小微地质	1. 低级序断层智能识别	利用卷积神经网络对地震反射进行自主学习和更新	实现复杂断块低级序断层识别精度由10m提高到5m
		2. 多尺度分解沉积微相识别	建立最大熵和短时傅里叶变换联合算法	提高调谐频率求取精度，实现3m薄砂体精细表征
		3. 小微地质体剩余油定量表征	高分辨率数据体、智能识别、预测等技术的综合应用	实现0.045km^{2}的低动用、隐蔽性小微地质体剩余油的有效识别

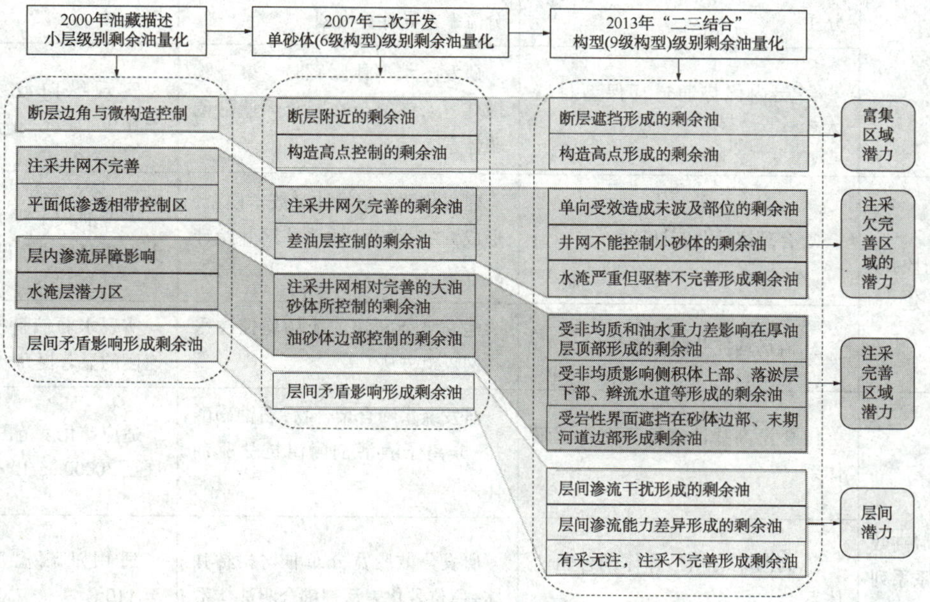

图2　大港油田剩余油认识程度发展历程

3　复杂断块高含水油田均衡驱替新技术

针对复杂断块高含水油田难以实现大规模增加可采储量的问题，创建以"多元变权逐级约束层系重组技术、流场均控井网重建技术、宽温度域高效驱油体系"为核心的均衡驱替技术(表4)。油藏波及状况与驱油效率实现质的飞跃，港西亿吨级整装油田实现了特高含水(91.02%)、高采出程度(41.57%)下的高速开发(0.7%)，建成了中石油长寿高效开发油田典范(图3)。

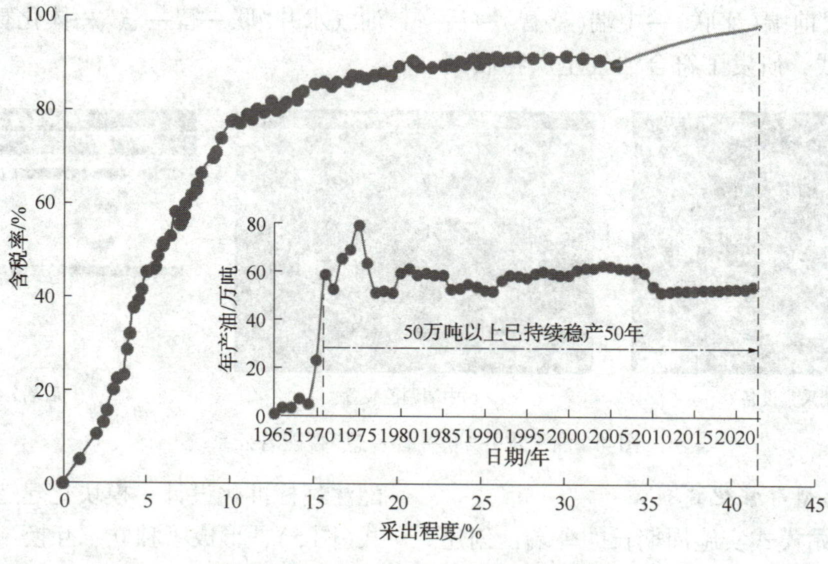

图3　港西油田"二三结合"开发效果图

表 4　复杂断块高含水油田均衡驱替技术

序号	技术类型	技术名称	创新点	目的意义
1	多元变权逐级约束层系重组	1. 非均质时变精细表征	建立油藏、流体、时变表征数学模型	解决高含水油田开发层系重组时，非均质时变特性参数的计算问题
		2. 多因素变权层系重组	建立基于静态、动态、非均质时变特性的多因素变权层系重组计算方法	实现层系重组技术由油藏空间属性接近，向驱替特性相近的跨越
		3. 层内渗流阻力约束下的精细分注	建立层间全程渗流阻力系数与分流率差异计算模型	实现试验区油层动用程度大于 90%
		4. 层内优势通道环保型封堵体系	研发疏水型体膨颗粒、聚合物微球、无铬聚合物凝胶等调剖调驱体系	实现纵向波及体积系数大于 0.9
2	流场均控井网重建	1. 合理注采井距计算	建立化学驱年增油量数学模型，形成“二三结合”注采井网井距计算方法	完善油藏工程方法体系，指导方案井网最优化设计
		2. 流场均控井网重组	建立复杂断块的流场均控注采井网重组方法	实现水驱储量控制程度、采油速度的显著提高
3	宽温度域高效驱油体系系列	1. 中温高盐油藏缔合型化学驱体系	研发疏水缔合聚合物+石油磺酸盐+非离子表活剂耐温抗盐驱油体系[15]	适应矿化度范围由 7000mg/L 拓展至 30000mg/L
		2. 高温非均相粘弹体耦合驱油体系	研发分散胶宽分布非均相粘弹体+原位乳化表活剂耦合驱油体系	适用油藏温度由 90℃ 拓展至 110℃
		3. 宽温度域驱油体系	形成 40～110℃ 宽温度域驱油体系	解决驱油体系温度跨度的技术难题

4　高含水老油田数智化转型增效新模式

4.1　油气水井“联—智—慧”智能管控系统

大港油田以“前端(盛联)—中端(盛智)—后端(盛慧)”为主线，研发了符合油气生产物联网标准的自主化软硬件产品系列，实现前端油水井物联设备的全连接、中端生产过程的智能化调控、后端生产数据的智慧化分析(图 4)，打造了油气水井“联—智—慧”一体化智能管控的典范。

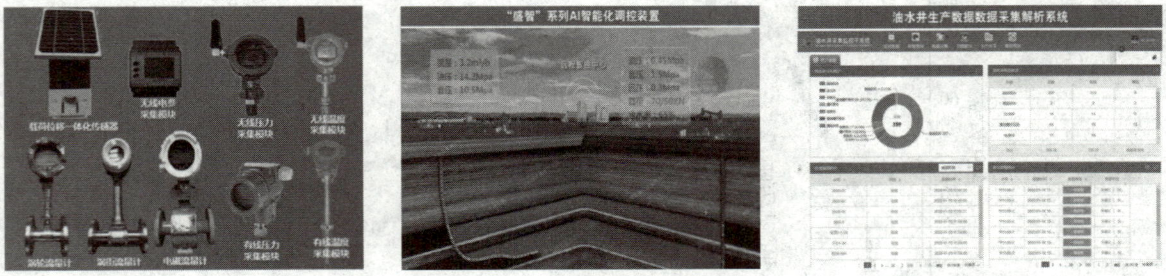

(a)前端采集设备　(b)中端调控装置　(c)后端分析平台

图 4　油气水井“联—智—慧”智能管控系统

4.2　配注站集约型智能化建设

针对传统建站模式实施周期长的弊端，创建配注站标准化设计—模块化建造—撬装化安装模式(图 5)，形成了独立、互换、通用、集约的工艺单元模块标准[19]，站库设计周期缩短了 75%，实现了 10 天内完成现场撬装化安装、调试、投产。

图 5　模块化建造与撬装化安装

依据“二三结合”项目“地质工程一体化、技术经济一体化”的需求，创建“六个数字化”为核心内容的勘探开发梦想云三次采油模块，集成三次采油专业化软件、数据库、实验、站库、监测等关键数智化技术，实现三次采油业务全生命周期“协同研究、全面监控、智能决策”。

4.3　数字孪生智能巡检管护平台

基于管道完整性管理系统，创新应用数字孪生技术，构建了集管道风险管理、腐蚀防护、泄漏监测、失效管理等功能为一体的三维数字孪生平台(图 6)，实现管道 40 多项关键指标的实时监控。大港油田一级管网 100%全覆盖应用，管道泄漏报警准确率由 75%提高到 96%，管道失效率降低 66%，密闭管输能耗降低 15%。

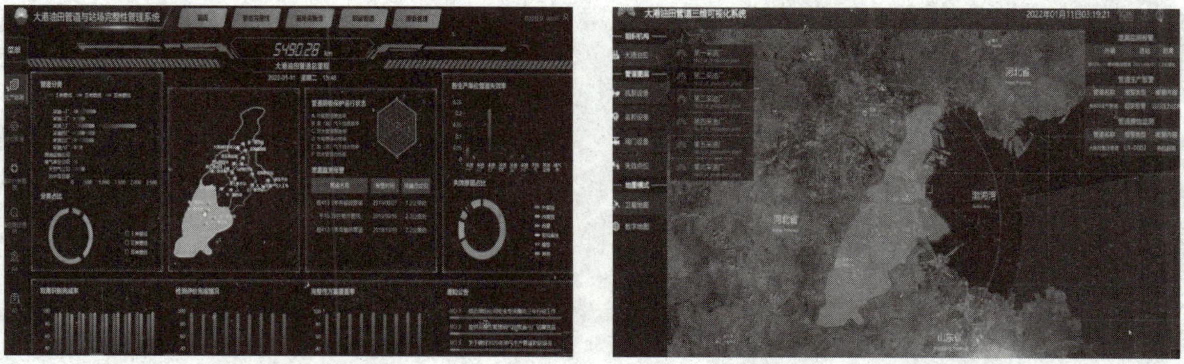

(a)管道完整性管理系统　　(b)管道三维可视化系统

图 6　管道完整性三维数字孪生平台

集成计算机视觉分析和知识图谱技术，建立生产预警模型，自主研发站库安全预警系统，实现站库安全生产预测性维护、工艺流程模拟仿真和应急快速处置，生产预警准确率达 100%，综合能耗降低 12%，成为中石油油田场站“采集—优化—管控”一体化闭环智能管理模式的示范。

油田开发“物联网+”增效技术实现了生产信息自动采集、生产过程远程监控，生产效果智能评价、管护措施智能优化、两级生产智能决策，赋能油田开发数字化转型提效、使能油田智能化发展提质，助推大港油田“油公司”模式改革和新型油田采油作业区的建设，百万吨产量减少用工 2150 人。

5　结论

复杂断块高含水油田“二三结合”理论技术创新，为中石油同类油田大幅度提高采收率贡献了“二三结合”开发模式，为中国高含水油田重新焕发新春贡献了“二三结合”油藏工程“新理论”，为油气田行业两化融合与数智化转型发展绘制了“新模板”。积极践行“创新、协调、绿色、开放、共享”的新发展理念，实现复杂断块高含水油田“二三结合”理论技术创新与工业化应用，有效延长了特高含水油田效益稳产年限，对保障国家能源安全意义重大。

参 考 文 献

[1] 赵平起，蔡明俊，张家良，等. 复杂断块油田高含水期“二三结合”开发模式[M]. 北京：石油工业出版社，2021.

[2] Zhao Wenyue，Ni Juan，Hou Ganggang，et al. Research on Optimal Blocking Limits and Injection Parameter Optimization of Polymer Microsphere Conformance Control. ACS OMEGA，Volume 6，Issue 12，Mar，2019，Page：8297-8307.

[3] Wu Hui，Liu Weixia，Li Yanyue，et al. A New Design Method of Gel dosage for Profile Control and Water Plugging. IOP Conference Series：Earth and Environmental Science，Volume 242，Issue 2，April，2019.

[4] 刘同敬，侯吉瑞，第五鹏祥，等．一种可动凝胶体系四相渗流模拟方法[P]．北京市：CN106485004B，2019，04(16)．

[5] Li Yanyue，Liu Yigang，Zhang Yunbao，et al. Injection profile inversion timing judgment model for polymer flooding and its theoretical validation. IOP Conference Series：Materials Science and Engineering，Volume 493，June，2019.

[6] 赵平起，蔡明俊，张家良，等．二三结合开发模式下的采收率计算方法[P]．北京市：CN110242263B，2021-03-16.

[7] 周宗良，蔡明俊，张凡磊，等．高含水油藏多介质驱替剩余油赋存状态与时移特征[J]．断块油气田，2020，27(05)：608-612.

[8] 蔡明俊，侯加根．高含水油藏复合驱剩余油分布出版社[M]．北京：石油工业出版社，2009.

[9] 芦凤明，倪天禄，任宝生等．河流相储层剩余油分布控制作用研究[J]．天然气地球科学，2010，21(04)：647-651+682.

[10] 赵平起，何书梅，倪天禄，等．BFO-PSO 算法下的弹性波数值模拟[J]．地球物理学报，2021，64(07)：2461-2470.

[11] 赵平起，倪天禄，张家良，等．渗流场参数与地震波场参数的关联关系研究综述[J]．地球物理学进展，2021，36(04)：1661-1668.

[12] 许静，郑泰山，王庆魁，等．碎屑岩油藏等级的确定方法及装置[P]．北京市：CN107976717B，2019-11-12.

[13] 马跃华，白玉花，李振永，等．薄层预测方法和装置[P]．北京市：CN107688197B，2019-06-11.

[14] 江雨濛，曹思远，陈思远，等．应用时变子波的盲反射系数反演[J]．石油地球物理勘探，2021，56(05)：1001-1009+925.

[15] 王伟，张杰，赵凤祥，等．抗盐丙烯酰胺非线型共聚物的合成及溶液特性[J]．石油学报(石油加工)，2021，37(02)：416-421.

[16] 王贵江，张杰，苑光宇，等．中高矿化度聚表剂乳化性能及稳定乳状液驱油机理[J]．特种油气藏，2019，26(04)：142-147.

[17] 崔丹丹，王伟，潘红，等．驱油用表面活性剂及驱油剂[P]．北京市：CN109280021B，2021-08-03.

[18] 杜会尧，李彦普，梅杰，等．一种基于多工况模型的抽油机采油优化方法[P]．北京市：CN104865827B，2017-11-10.

[19] 庄永涛，闫云贵，张杰，等．一种注聚井在线提浓装置及方法[P]．北京市：CN109306858B，2021-01-29.

[20] 熊金良，王洪雨．大港智能油气田[M]．北京：石油工业出版社，2021.

西加拿大沉积盆地 Montney 组致密砂岩储层发育特征及其控制因素

薛子鑫　朱　强　李冬梅　马晓昌

（中国石化国际石油勘探开发有限公司）

摘　要　Montney 组致密砂岩是加拿大西加盆地重要的凝析油气藏产层。为进一步明确该套致密砂岩储层发育特征及控制因素，以该套砂岩为研究对象，通过岩心观察、普通薄片鉴定、高压压汞实验及扫描电镜研究等多手段相结合，确定了目的层的孔隙结构发育特征、成岩特征及储层发育主控因素。结果显示，Montney 组致密砂岩气藏为为特低孔、渗大型非常规致密砂岩凝析气藏，孔隙度 1%～6%，渗透率 0.001～0.1×10^{-3}μm^2，储集空间以残余粒间孔和次生孔为主，孔喉半径集中于 0～125nm，随埋深增大孔隙变小。致密砂岩储层孔隙发育是沉积和成岩共同控制的结果，除了滨浅海波浪潮汐强水动力以及风暴作用下形成的沉积结构和构造因素外，在成岩过程中经历的压实、白云质胶结和溶蚀作用也是影响储层特征的重要因素。高能沉积环境以及相对弱的白云质胶结是形成良好储层的基本条件，溶蚀作用也可一定程度改善储集能力。

关键词　致密砂岩；储层孔隙结构；成岩作用；控制因素

前言

致密砂岩气藏是最早取得工业化突破的非常规油气资源，巨大的资源量使其一直是国内外油气勘探的重点领域。国内致密砂岩油气勘探相继在鄂尔多斯盆地、四川盆地等地区取得重大突破，北美的致密气资源则集中在美国绿河盆地和西加拿大沉积盆地中。西加拿大沉积盆地的 Montney 组致密砂岩气藏目前初步估算油气原始地质资源量达 7528 亿 m^3，具有较高的勘探开发潜力，但 Montney 组致密砂岩气属于酸性凝析气藏，相较于国内致密砂岩储层，它的孔隙度更小（<5%）和渗透率更低（<0.01×10^{-3}μm^2），加之凝析油饱和度和 H_2S 都会随着构造高度、孔渗环境的变化而变化，给区块的效益开发带来了巨大困难。从地质和油藏角度看，储层的差异直接影响了致密砂岩气藏的开发方式和产能，需要进行储层特征精细表征，深入探讨影响储层孔隙发育的控制因素，才能更好地进行储层表征和地质甜点预测。近年来，大量学者针对致密砂岩储层发育控制因素及储层致密化过程等进行了研究，形成了一系列的观点。国内大部分致密砂岩形成于水动力弱而稳定的沉积环境中，多以三角洲前缘水下分流河道为主，沉积物相对较细。成岩作用的类型及演化也是影响储层的重要因素，压实作用和胶结作用的减孔效果是砂岩储层孔渗下降的关键因素。这一系列的研究认识主要形成于国内四川盆地须家河组、沙溪庙组以及鄂尔多斯盆地石盒子组等，针对加拿大西加盆地 Montney 组致密砂岩开展的储层精细表征及储层发育控制因素的研究仍相对薄弱，需要进一步加强。

因此，本研究选取西加盆地 Alberta 省西部 Montney 组致密砂岩为研究对象，在高压压汞、普通薄片、扫描电镜等资料的基础上，对该套砂岩进行了储层孔隙结构精细表征，并结合沉积特征、成岩特征进行了剖析，探讨了 Montney 组致密砂岩储层发育控制因素，以期为 Montney 组致密砂岩气的勘探开发提供理论支撑。

1　区域地质概况

研究区位于加拿大 Alberta 省，目的层为西加盆地早三叠统印度阶与奥伦尼克阶 Montney 组致密砂岩。西加盆地是受到多期构造运动形成的沉积盆地，西部边界为加拿大科迪勒拉山系，东部边界为前寒武纪地盾，其形成和演化与元古代北美克拉通的裂谷作用、寒武纪至侏罗纪的被动大陆边缘演化以及侏罗纪到始新世的碰撞前陆盆地演化有关。Montney 组致密砂岩主要形成于滨浅海的沉积环境中，具有混合的砂质—泥质—白云质岩石组分特征。研究区内主要发育 Montney 组中下段（上 Montney：L0 ~ L5；下 Montney：L6－Blly），储层厚度 180 ~ 230m，埋深 2300 ~ 2900m。纵向上可分 7 个小层，其中 L2、L4（又分为 L4Upper 及 L4Lower，本文中统一按 L4 讨论）是区域中相对较好的储层（图 1）。

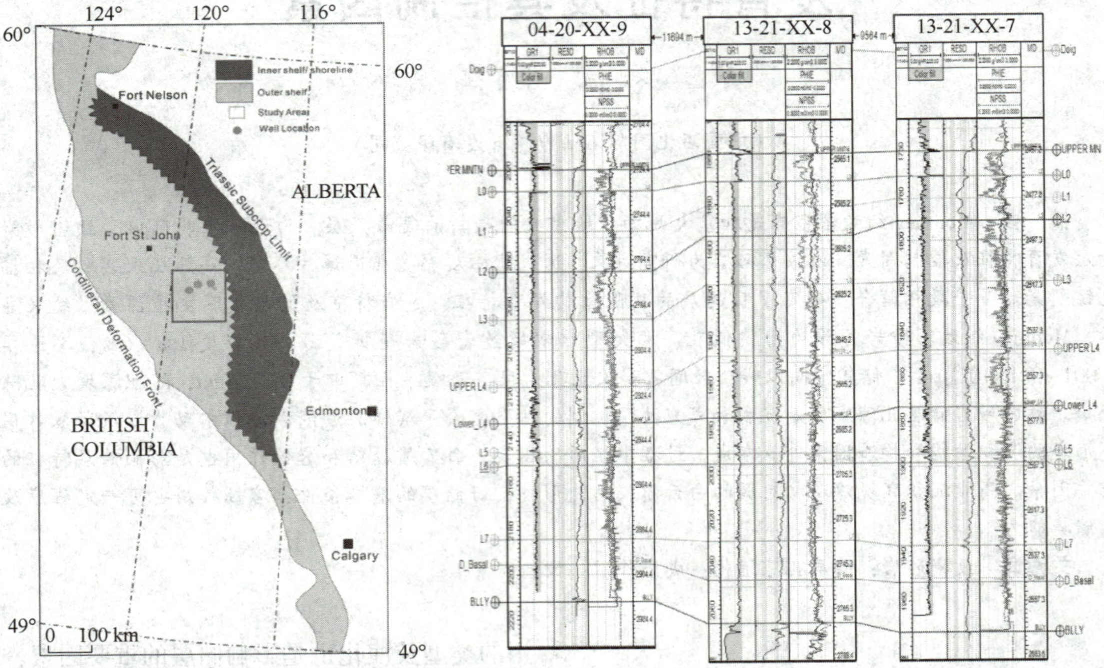

图 1　区域地质图及地层分布图（左据 Edwards，1994 修改）

2　储层特征

2.1　岩石学特征

Montney 组 131 个砂岩样品的 X 射线衍射实验（图 2a）及矿物组分三角图（图 2b）显示，该致密砂岩储层岩石类型以白云质或含白云质粉砂岩为主，有少量泥质砂岩。石英及白云石是储层中最主要的矿物组分，部分储层中出现硬石膏。该套砂岩储层粘土矿物含量自浅向深增加，粘土矿物含量介于 4.5~26.5%之间。

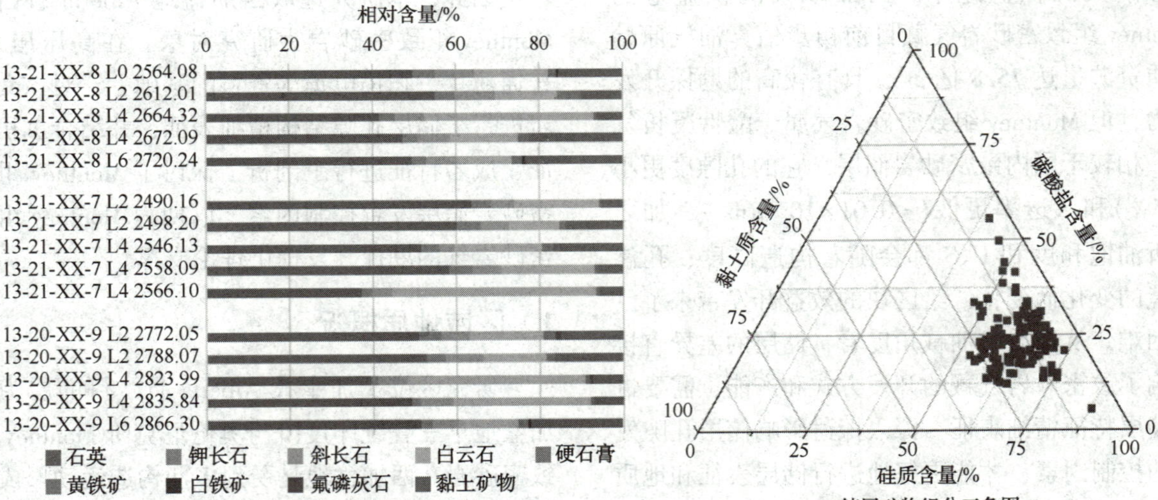

(a)储层矿物组分百分比含量图　　(a)储层矿物组分三角图

图 2　Montney 组致密砂岩储层矿物组分含量分布图

2.2　物性特征及孔隙结构特征

研究区 Montney 组岩性为粉砂岩和白云质石英粉砂岩，孔隙度介于 1.0%-6.0 %，渗透率介于 0.001~0.01mD 之间，属于特低孔、特低渗致密砂岩凝析气藏。不同井、不同层位的高压压汞曲线形态显示几个主要产层的砂岩在分选、歪度及孔隙结构等方面具有显著差异(图 3a—c)。高压压汞的曲线形态显示大部分致密砂岩储层具有中等—好的分选和粗歪度，仅 13-21-XX-8 井的 L4 底部及 L6 样品具有分选差、歪度细的特征，孔隙发育的尺度更小。纵向上几口核心井的 L4 顶部储层都具有较好的储集能力，其分选、歪度、以及最大汞饱和度等参数均显示其仍具有相对较好的储集能力。

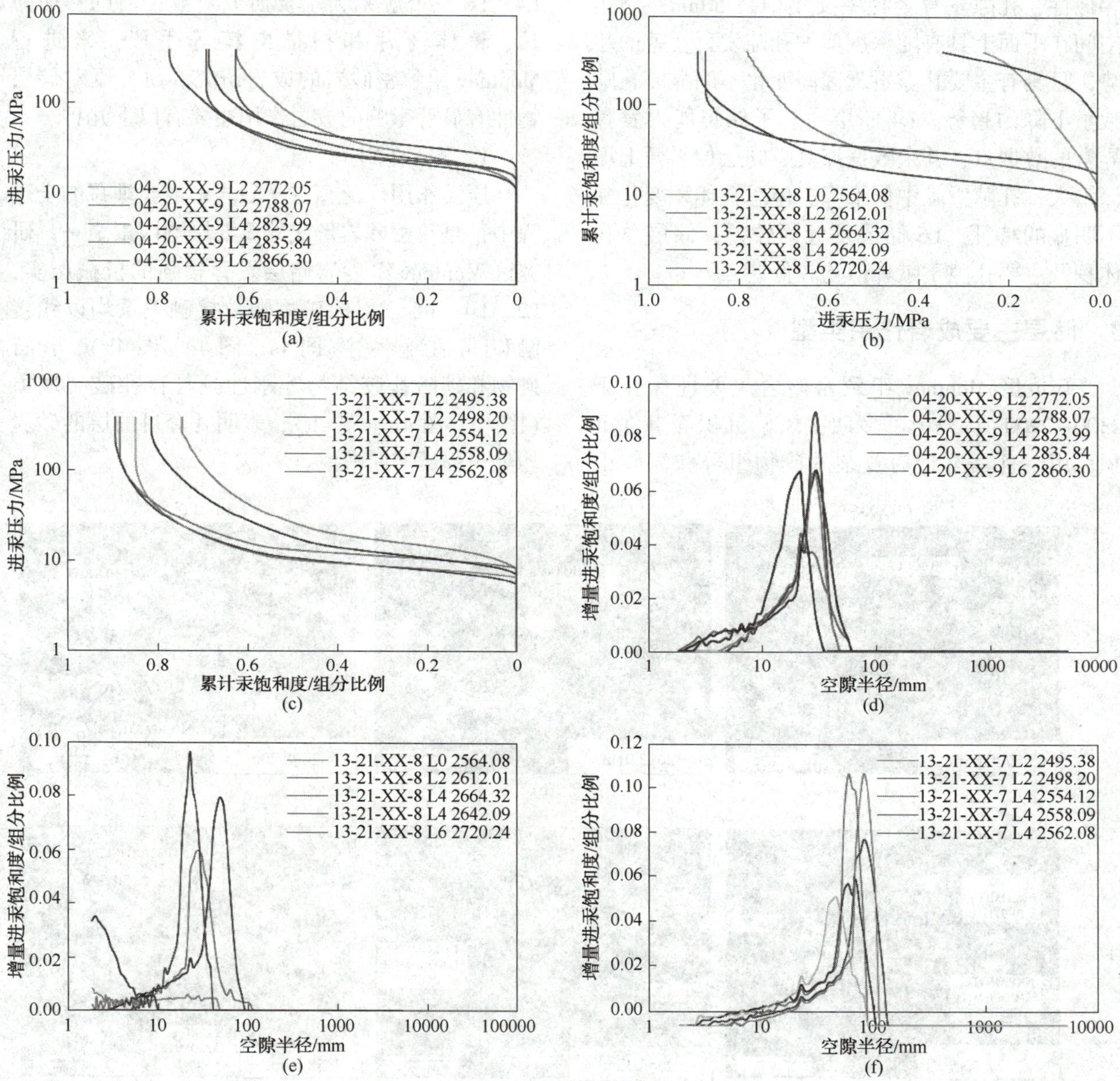

图 3　Montney 组致密砂岩储层孔隙结构定量表征

对压汞数据进行进一步处理，以增量汞饱和度代表储层储集空间，用增量进汞饱和度—进汞压力相关图来代表致密砂岩中不同尺度孔隙的分布情况。相同井位不同深度的样品的储层发育具有显著差异，04-20-XX-9 井不同层样品孔隙半径主要集中在 10~70nm，L4 储层发育最佳；L2 储层孔隙发育空间差于 L4，这种差异主要体现在 25~40nm 孔隙发育较差上；L6 储层孔隙发育的主要分布区间较小，孔隙半径集中于 22nm 左右。自浅向深，储层孔隙发育具有“中等—好—中等”的变化趋势。13-21-XX-8 井不同层位储层孔隙发育差异大，L0-L4 顶部储层储集空间发育较好。L4 底部的样品内仅发育极少数半径 55nm 以下的孔隙，储集能力极差；L6 储层孔隙以半径 10nm 以下的微、中孔为主，受岩性、沉积相变化导致的储层孔隙发育突变。自浅向深，该井储层发育具有“中等—好—差”的趋势。13-21-XX-7 井的储层发育总体最佳，L4 顶部储层具有半径 125nm 以上的大孔隙，总体上仍具有 L4 中上部储层发育最佳，向深、向浅储层发育略微变差的趋势。

相同层位、不同井的样品储层发育特征则具有一定的相似性，也可以体现平面上储层发育的差异性。L2 储层的发育特征在平面上具有一定相似性，孔隙发育半径主要集中在 50nm，储集空间在平面上具有随深度增加孔隙发育变差的趋势，且具有主要孔隙贡献区间变化不明显，孔隙数量下降的趋势。L4 储层中除了储集能力发育异常的数据点，其余数据点具有同层位平面上埋深增大，孔隙贡献中值下降、但总孔体积变化并不明显的特征。L6 储层发育均较差，储层总孔体积及主要孔隙贡献峰值均较低。

3　储层主要成岩作用类型

研究区 Montney 组致密砂岩主要埋深介于 2300~2900m，经历了多期次风暴沉积等事件沉积作用，且具有较为复杂的矿物组分和流体组分，因此要研究 Montney 储层储集能力的主控因素，需要从沉积、成岩等方面对储层的影响来进行分析。

本研究主要以高压压汞数据较为集中的 L2、L4、L6 三个层系为主要研究对象，借助普通薄片、铸体薄片和扫描电镜等手段，来进行 Montney 组致密砂岩的成岩研究。研究区对储层物性有显著影响的成岩作用主要有以下几种。

1. 压实作用

压实作用广泛存在于砂岩形成至埋藏的全过程中，是致密砂岩形成的重要影响因素之一。研究区 Montney 组砂岩储层发育较强的机械压实，L2、L4、L6 三层的矿物颗粒接触关系均以线接触和凹凸接触为主(图 4a、图 4e、图 4h)，长石矿物和碳酸盐胶结物等刚性颗粒存在破裂现象(图 4a、图 4b、图 4h)，表明几套目的层的砂岩均处于强压实阶段。

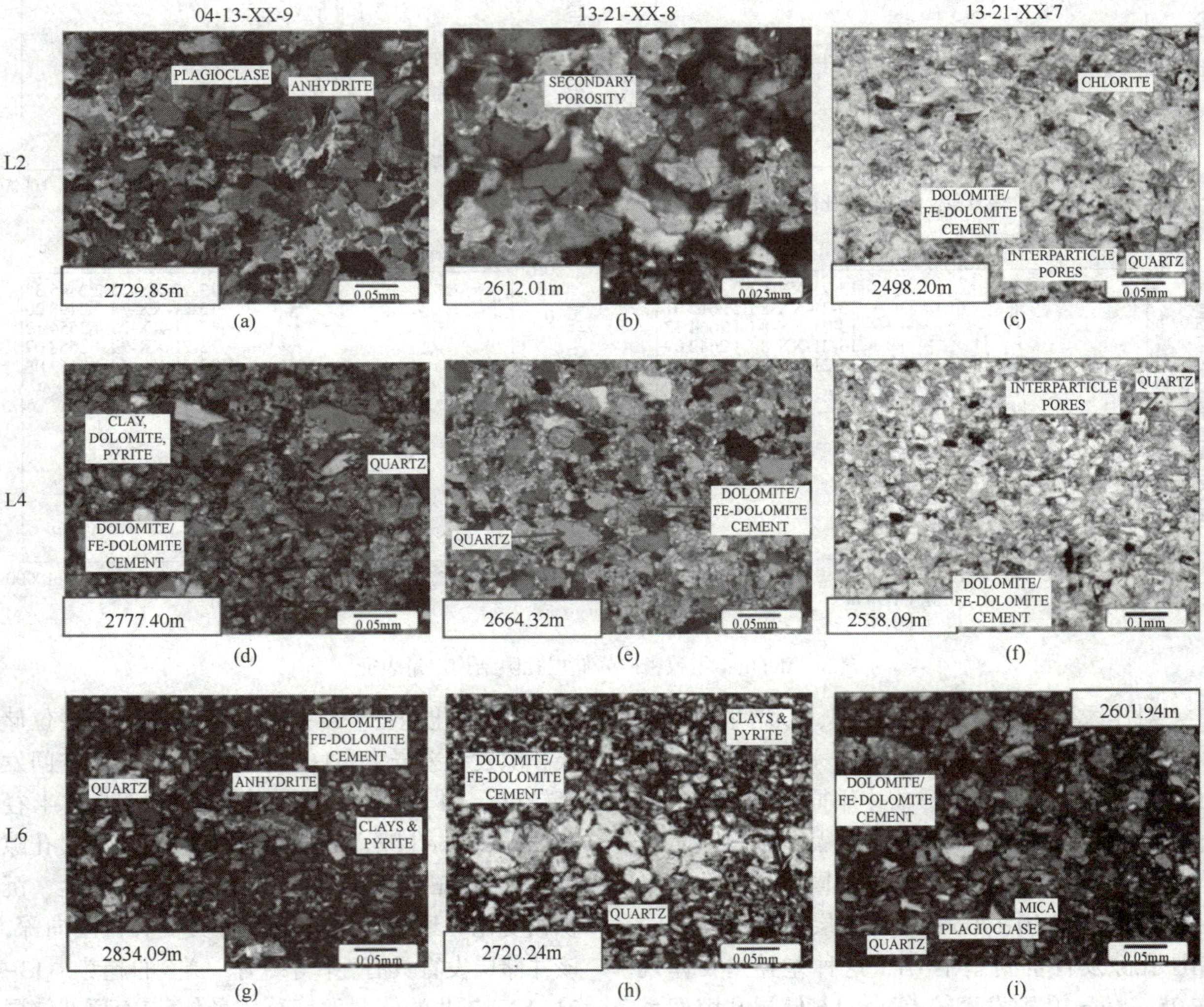

图 4　不同井、不同层位岩石薄片照片

2. 胶结作用与交代作用

研究区胶结作用较为复杂，胶结物主要以碳酸盐胶结、少量硅质胶结和粘土矿物胶结三种。其中碳酸盐胶结中以白云石/铁白云石胶结为主，少数层段出现较大范围、集中分布的硬石膏胶结(图 4a、图 4g)。纵向上，三口井的样品都呈现出 L2 碳酸盐胶结物相对含量较低，L4 碳酸盐相对含量高，L6 泥质胶结物相对含量高的特征。白云质胶结物的形成可以在薄片下被观测到形成于不同的期次，泥晶白云石和亮晶白云石均可被观测到，其中泥晶白云石/铁白云石主要形成于早成岩 B 期，填充在颗粒缝隙间，晶型不完整(图 4b)；另外大量的白云质胶结物以粉晶—细晶等形式填充于颗粒之间，呈现出良好的晶体形态，并以孔隙式胶结为主(图 4d、图 4e、图 4f、图 4i)。绝大多数的原生孔隙被白云质胶结所填充，白云石/铁白云石交代长石的现象在 L4 中普遍存在，石英等颗粒在镜下呈悬浮状沉积，被包裹于大面积的白云质胶结物中(图 4d、图 4e、图 4f)。硬石膏胶结在埋深较大井位的 L2 和 L6 层出现(图 4a、图 4g)，另外还有硬石膏交代白云质矿物的现象存在。说明硬石膏胶结形成于不同的成岩阶段，中成岩 A 期的孔隙式胶结硬石膏以及中成岩 B 期的交代形成硬石膏均能在具体层位的薄片下被观测到(图 5a、图 4b)。硅酸盐胶结以少量的自生石英和石英次生加大形式出现，部分自生石英形成于绿泥石的晶间孔中(图 5c)。黏土矿物以薄膜状绿泥石和伊/蒙混层矿物为主，主要填充于矿物颗粒、胶结物之间的孔隙缝隙中(图 4c)。

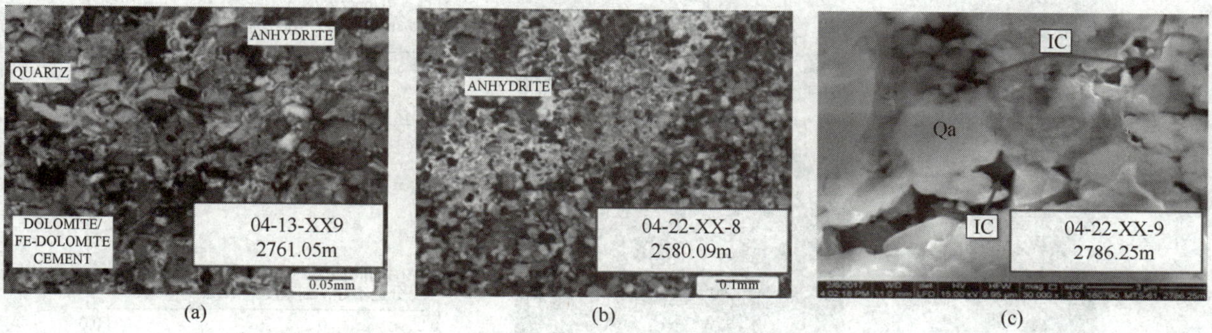

图 5　硬石膏胶结物及自生石英在 Montney 组致密砂岩中的发育情况

3. 溶蚀作用

研究区溶蚀作用主要形成于方解石、白云石胶结物的表面和内部(图 4b、图 4e)。可能是形成于油气充注期有机酸的供给，主要形成于中成岩阶段 A 期及 B 期，使储层形成了较好的次生孔隙，提高了储层孔隙度。

4　优质储层发育主控因素

4.1　沉积及岩石构造对储层的控制

沉积环境、沉积水动力的变化导致了不同沉积微相中矿物组分相对含量、岩石颗粒粒度的显著区别，明显影响了储层孔隙发育特征。岩石岩心照片、薄片照片及高压压汞实验数据的对比显示沉积环境对储层的控制作用主要体现在两点上。其一，沉积物颗粒尺寸及泥质含量是影响储层质量的重要因素之一。图 6 显示随着 13-21-XX-8 井埋深增大，石英、长石等矿物颗粒尺寸具有先增大后减小的趋势。更大的矿物颗粒代表了水动力更强的沉积环境，在早成岩阶段有利于形成较大的粒间孔，在经历相同的成岩演化过程后仍可保留一定的储集空间。这在埋深相对较浅的 13-21-XX-7 井中表现较明显，该井 L2、L4 储层颗粒尺寸较大，仍保留了一些原生粒间孔，使 13-21-XX-7 井的 L2、L4 储层具有了最好的储集能力(图 3e)。由于沉积过程中水动力下降形成的大量粘土矿物填充粒间孔，是 Montney 储层孔隙数量减少、孔径降低、储层致密化的重要原因，这在 L6 储层中体现地最为突出(图 4g、图 4h、图 4i)，这也是 L6 储层储集能力普遍低于 L2 及 L4 的原因之一。基质矿物颗粒大、粘土杂基少是致密砂岩储层具有相对较好储集能力的基本条件之一。

其二，沉积微相差异导致的岩石构造差异是影响储集能力的重要因素之一。无论是图 6 中同井、不同层位的纹层、含纹层状砂岩与块状砂岩的储层差异，还是图 7 中同层位、不同井的含纹层、含条带砂岩与块状砂岩的储层储集能力差异，都反映出相比于纹层状砂岩，块状砂岩的储层储集能力发育更佳。泥质纹层、泥质条带、白云质纹层都会显著降低 Montney 组致密砂岩储层的储集能力。研究区 Montney 组致密砂岩形成的沉积环境较复杂，既有滨浅海的临滨、近滨、前滨沉积亚相等，还有多期次的风暴沉积和斜坡扇重力流沉积等事件性沉积，在致密砂岩形成的过程中，水动力强、重力流沉积多发的前滨-临滨沉积亚相更易于形成粒度粗、分选好、泥质含量少的优质储层。这也是 13-21-XX-7 井 L4 储层发育较好、L6 储层普遍发育较差的原因之一。

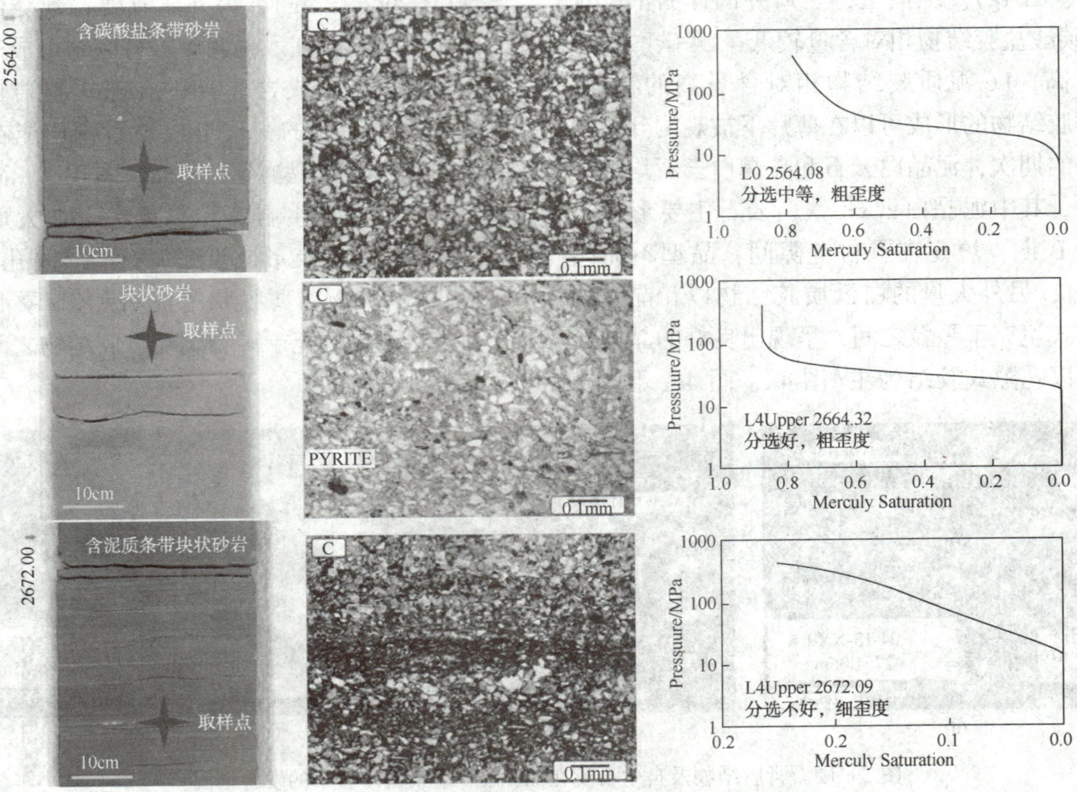

图6 13-21-XX-8 井不同样品岩心—薄片—压汞数据对照图

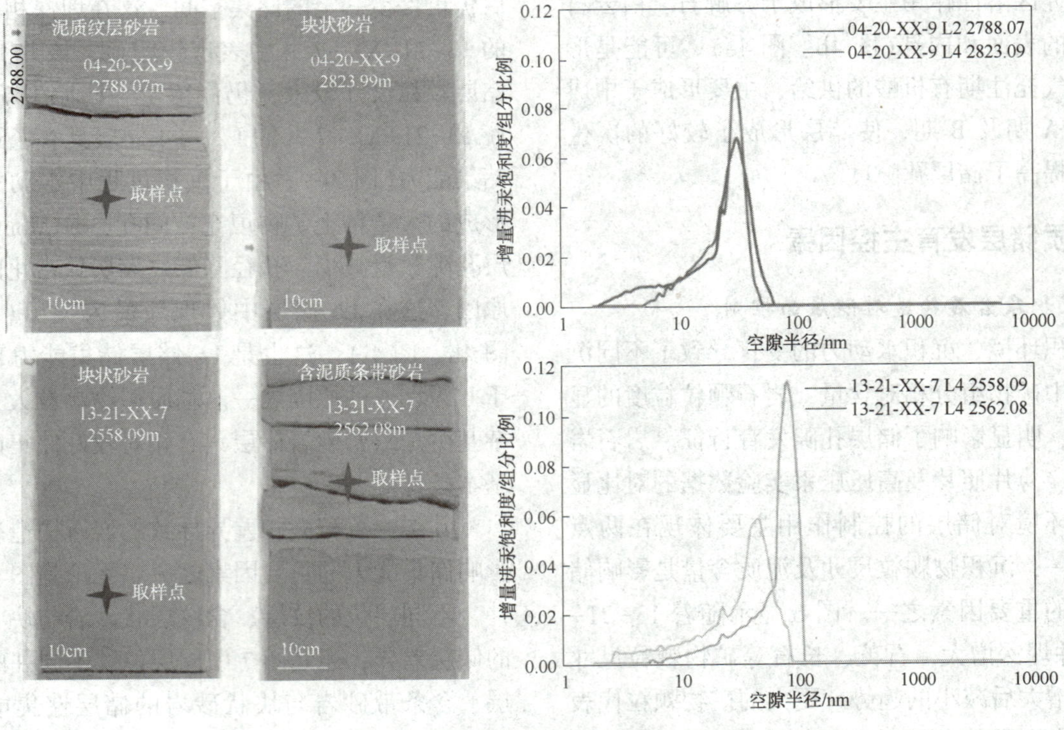

图7 不同沉积构造的致密砂岩储层差异性

4.2 成岩作用对储层的控制

Montney 组致密砂岩中存在多类型、多期次的成岩作用，可以分为建设性成岩作用和破坏性成岩作用。这两类成岩作用在储层发育演化过程中均起到了重要的作用。

1. 破坏性成岩作用

破坏性成岩作用在 Montney 组致密砂岩中最主要的体现是压实作用和胶结作用。压实作用在所有层位、所有样品中均有体现，所研究的所有样品中均可观测到矿物颗粒线接触甚至凹凸接触(图 4a、图 4b、图 4e、图 4g、图 4h、图 4i)的现象，长石等脆性矿物出现破裂现象，云母等塑性矿物具有近定向排列现象(图 4i)。在同沉积阶段，尚未形成大量胶结物，区域性的压实作用使 Montney 组砂岩在沉积过程中快速减孔，且减孔主要以原生粒间孔为主。薄片分析结果显示，压实作用对储层的减孔作用在平面和纵向上并无明显差异性，并不是砂岩储层发生显著性差异的控制因素之一。

胶结作用是整个 Montney 组致密砂岩最主要的成岩作用，且在不同层位、不同井位中的发育差异十分显著。其中 L2、L4 层以白云质胶结为主，L6 以黏土矿物胶结/黏土矿物填充为主，兼以出现较多的白云质胶结。图 4、图 5 薄片显示，除 13-21-XX-7 井的 L2 及 L4 储层外，其余样品均几乎不存在原生粒间孔，绝大多数的原生粒间孔被白云石/铁白云石充填。白云石含量是胶结作用中重要的减孔成岩作用(图 8)，在所有样品中均有体现，但在 L2、L4 层系中体现更加明显。

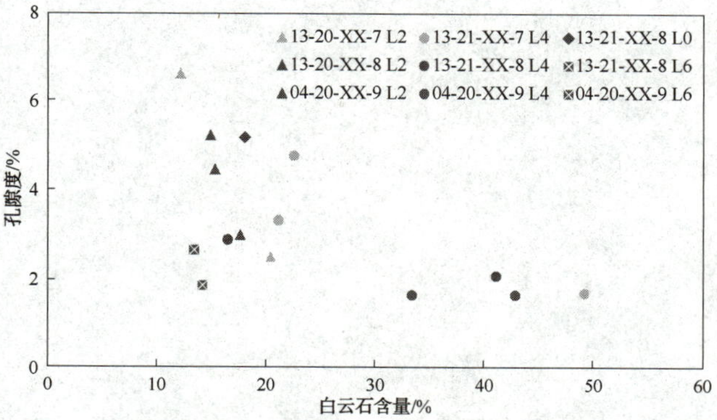

图 8　Montney 组致密砂岩孔隙度与白云石含量的相关关系

13-21-XX-7 井 L2 及 L4 储层中仍有原生粒间孔的原因可能在于其埋深相对较浅，白云质的胶结仅进行到中成岩 A 期，孔隙式胶结的白云质胶结虽然已经开始充填原生粒间孔，但是仍保留了少量的原生孔隙，使其仍残余了相对较好的储集空间。另外，13-21-XX-7 井 L2、L4 层较大的石英、长石颗粒尺寸也给原生粒间孔的保存提供了一定的支撑作用。在平面上，随埋深增大，13-21-XX-8 井及 04-13-XX-9 井 L2、L4 储层中颗粒粒径随搬运距离不断减小，原生粒间孔几乎未得到保存。在两口井的 L4 层中，石英颗粒均悬浮镶嵌于白云质胶结物中，且可以观察到部分长石颗粒被白云石/铁白云石所交代，具有一定的残余矿物边缘(图 4d、图 4e)，证明在这两口井中，成岩阶段进入中成岩 A 期—B 期，白云石的大量胶结和交代作用极大地降低了岩石的储集能力，是储层致密化的重要控制因素。另外，04-13-XX-9 井 L2 层异常发育的硬石膏胶结大量堵塞了储层孔隙，使得其 L2 样品的孔隙发育区间较狭窄，孔半径集中在 60~100nm(图 3d)，硬石膏胶结物在矿物周缘形成，优先堵塞小孔隙，说明这些硬石膏主要是形成于早成岩 B 期的孔隙胶结硬石膏。

2. 建设性成岩作用

在成岩进入中成岩阶段晚期后，随着区域中烃类流体的充注，有机酸会导致储层产生溶蚀作用，一定程度上促进了储层的发育程度。这种溶蚀作用在 Montney 组砂岩中主要表现在白云质胶结物的局部溶蚀现象。尤其是在埋深较大的 04-20-XX-9 井中(图 4d)，虽然白云质胶结物在所有研究样品中含量最高，但在 10~40nm 间仍具有一定的孔隙发育(图 3d)，这些孔隙即白云石溶蚀孔所提供的，这些孔隙受限于白云质胶结物的分布特征，孔隙半径均较小，但仍为储层储集能力提供了一定的帮助，也是 04-20-XX-9 井 L4 储层依然可具有 2%孔隙度的重要原因。

5 结论

(1) 研究区 Montney 组致密砂岩具有 L2、L4 顶部储层相对较好，L6 储层发育普遍较差的特征。

(2) 研究区 Montney 组砂岩储层发育成岩影响因素以白云质胶结为主，压实作用和泥质胶结次之。

(3) Montney 组砂岩储集能力受到沉积、成岩的共同影响，水动力强、泥质含量少的沉积亚相，较大的矿物颗粒以及相对弱的白云质胶结是形成良好储层的基本条件，溶蚀作用也可一定程度改善储集能力。

参 考 文 献

[1] Vaisblat N, Harris N B, Ayranci K, et al . Petrophysical properties of a siltstone reservoir－An example from the Montney Formation, western Canada. Marine and Petroleum Geology, 2022, 136, 105431.

[2] Edwards D E, Barclay J E, Gibson D W, et al . Triassic strata of the Western Canada sedimentary basin. Bulletin of Canadian Petroleum Geology, 1990, 38 (1), 163-163.

[3] Haghnazar Liseroudi M. Regional Diagenesis and Fluid Flow Study of the Early Triassic Montney Formation as Related to H2S Generation, 2021.

[4] Ghanizadeh A, Clarkson C R, Vahedian A, et al. Laboratory－based characterization of pore network and matrix permeability in the Montney Formation: Insights from methodology comparisons. Bulletin of Canadian Petroleum Geology, 2018, 66(2), 472-498.

[5] Michael K, & Bachu S. Origin, chemistry and flow of formation waters in the Mississippian － Jurassic sedimentary succession in the west－central part of the Alberta Basin, Canada. Marine and petroleum geology, 2002, 19(3), 289-306.

方钻杆下旋塞失效分析与预防对策研究

邹光贵　王鹏程　张耀明　张绪亮　郭海清

（中国石油塔里木油田公司）

摘　要　方钻杆下旋塞是钻试修现场最常用的内防喷工具，在塔里木现场运用过程中偶有失效事件发生，本文结合某井旋塞失效表现形式进行分析，从设计、加工、使用三个方面找寻预防措施，成功解决了旋塞带压打开难题，对方钻杆下旋塞的制造方和使用方有一定的借鉴意义。

关键词　旋塞；刺漏；力矩；预防

方钻杆下旋塞在现场运用十分广泛，其结构简单、操作方便、维护简易、可靠性高。生产现场在用的方钻杆下旋塞规格有 3-1/2″、4″、4-1/2″、5″、5-1/2″，压力级别有 35、70 和 105MPa。在现场使用过程中，方钻杆下旋塞失效事件偶有发生，某井在溢流处理过程中发生方钻杆下旋塞关闭后无法带压打开，现场多次尝试无果，后被迫实施钻杆剪切，给现场生产带来困扰，也曾经使得旋塞的运用受到质疑，结合旋塞回收后分析研究，查找具体原因，并有针对性地提出预防对策。

1　方钻杆下旋塞的结构及基本原理

方钻杆下旋塞由本体、上下阀座、球体、旋钮等组成，见图 1，旋塞阀的开关依靠人工操作专用扳手驱动旋钮，旋钮带动开孔球体旋转实现。其打开状态过流面积大，过流孔规则，关闭后依靠球体和阀座的金属面贴合密封，有压力助封作用。

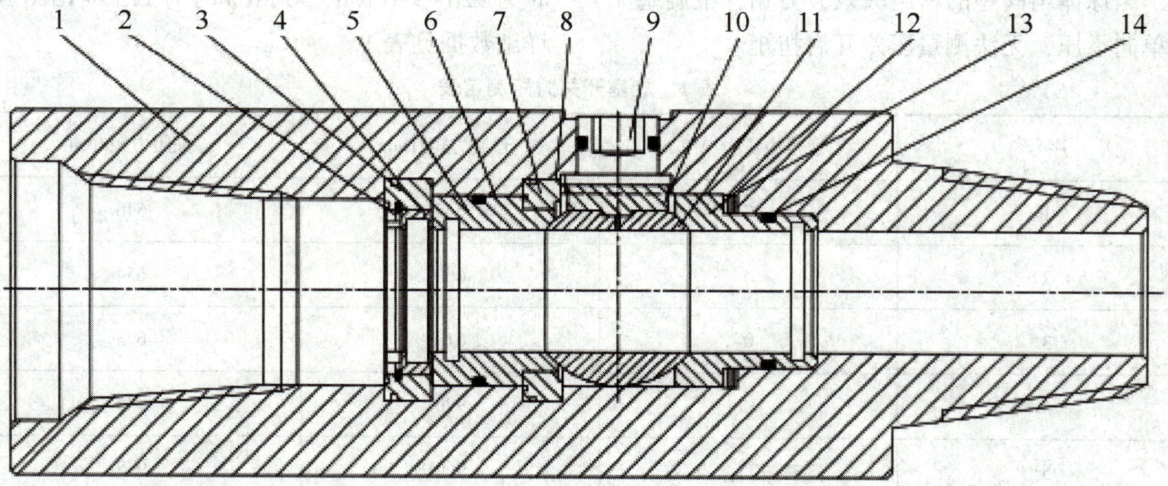

1—本体；2—孔用挡圈；3—卡环；4—挡圈；5—上阀座；6—上阀座密封件；7—挡环；8—定位环；9—旋钮；10—拨块；11—球体；12—下阀座；13—叠簧；14—下阀座密封件

图 1　旋塞结构示意图

2　某方钻杆下旋塞无法打开事件简要经过

某在钻进至井深 4600.00m 发现溢流后关井，在立压升至 6 MPa 时关 5-1/2″方钻杆下旋塞。第一次反挤压井后套压 5.5MPa，打平衡压 9.3MPa 开方钻杆下旋塞正挤压井后关闭。第二次反挤压井后需正挤压井，发现方钻杆下旋塞无法打开，现场尝试了多次无果，后决定采用剪切防喷器剪断钻杆以建立正循环通道，剪切后观察立压 25. 5MPa。

3　原因分析

3.1　外观检查及开关力矩测定

对其外观进行冲洗，手动开关操作，旋塞能正常活动，发现钢球表面有泥浆残留，判断阀体与阀座接触面部分存在间隙。如图 2 所示。

图 2　球体上下表面存在泥浆残留

使用扭矩扳手测量空载开关扭矩为 610 ~660Nm。

因球体与阀座的密封失效，方钻杆下旋塞无法单向承压，无法测量压差开启扭矩。

将旋塞母扣堵死，阀体内腔憋压，利用扭矩扳手测量整体承压下旋塞开关扭矩，测得 35MPa 时为 920~990 Nm，50 MPa 时为 1150~1320 Nm，详细数据见表 1。

表 1　旋塞开关力矩测定表

序号	通径内压力/MPa	开启力矩/Nm	关闭力矩/Nm
1	0	645	648
2	0	660	654
3	0	610	623
4	35	990	945
5	35	960	978
6	35	950	920
7	50	1320	1260
8	50	1180	1150
9	50	1300	1250

3.2 解剖检查

对故障旋塞其进行拆解，检查情况如下：

拆出上阀座和球体后，发现上球阀座密封面及钢球均有腐蚀及刺的痕迹，球阀座刺深约1.5～2mm，钢球面刺深约2～2.5mm，如图3所示。

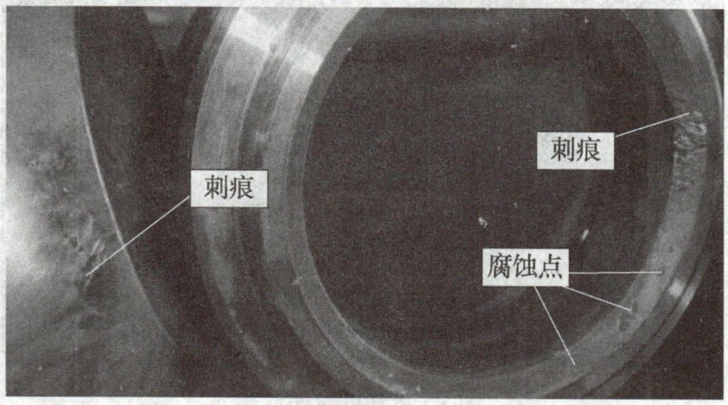

图3　阀座与球体密封面腐蚀与刺痕

将球体及十字滑块拆除后，用扭矩扳手测其旋钮旋转力矩为高达50 Nm。拆出旋钮后检查发现旋钮的O型密封圈与挡圈的组合顺序不与设计要求不一致(图4)。

图4　旋钮的O型密封圈与挡圈的组合顺序不与设计要求不一致

清洗检查旋钮本体发现其承压台阶面有较深的拉伤痕迹，如图5所示。

检查发现拨块传动键槽变形，变形量位置与打开旋塞传递力矩所需的接触面一致，如图6所示。

拆解、清洗完毕后，对其关键部件尺寸进行测量。其尺寸见表2。

表2　关键部件尺寸测量表

类别	测量1/mm	测量1/mm	测量1/mm	判断
球体外径	106.03	106.03	106.03	无变形
旋钮上部外径	46.00	46.08	46.10	存在变形
旋钮下部外径	45.80	45.90	45.86	有微量变形
旋钮孔内径	45.88	45.90	45.90	无变形

图5　旋钮的拉伤痕迹

图6　拨块变形图

3.3　带压打开旋塞未成功原因分析：

(1) 旋钮受过大扭矩力后上部外径膨胀变形，致使旋钮与旋钮孔的间隙配合变为过盈配合，旋转阻力增大；

(2) 含铁矿粉的重泥浆进入旋钮与旋钮孔间隙并形成充填，导致转动摩阻力变大；

(3) 旋钮限位与本体接触面磨损拉伤，在压力作用下可能形成相互粘合，造成旋塞带压开启力矩变大；

(4) 带压打开旋塞操作过程中片面强调开启力矩，施加平衡压力不够精细。

4　应对措施及实施效果

结合上述原因分析，制定了如下应对措施

(1) 提高旋钮的强度设计，提高旋钮和旋塞本体旋钮孔处限位台阶面的表面光洁度和硬度，提高拨块的强度和韧性。

(2) 在长度允许的情况下，旋钮O型密封盘根槽设两道，既降低重泥浆对旋钮与本体间隙的冲填，又增加旋钮密处封能力。

(3) 优化带压打开旋塞的操作步骤，总体思路：在旋钮处加载合适的恒定扭矩，避免人力施加扭矩波动大、不安全的情形；利用小排量泵以0.5MPa为台阶分步找寻合适平衡压，同时要在每一台阶静止等待2分钟，避免错过合适平衡压力点。

(4) 加工专用带压打开旋塞工具，用以克服腔室带压后旋钮紧贴本体限位台阶。

四条措施实施以来，油田未出现方钻杆下旋塞无法带压打开的情形，让井控现场管理者中生产指挥中对旋塞的使用更加有信心，为现场井控安全生产提供了可靠的装备保障。

5 结论

方钻杆下旋塞在现场运用广泛，在溢流处理过程中时常需要进行带压打开作业，当打压打开出现困难时严重扰乱井控应急生产组织，厂家应严格控制出品质量，现场使用过程中要注意对其加强维护保养，本文提及的带压打开旋塞方案具有较好的推广价值。

参 考 文 献

[1] 陈浩，宋周成，王晓萍，等．方钻杆旋塞阀的失效分析[J]. 天然气工业，2007，27(12)：80-82.

[2] 王世宏，冯耀荣．方钻杆上部旋塞阀失效分析及其改进建议[J]. 石油工业技术监督，1997，13(7).

[3] 谢娟，王德玉，李才良等．方钻杆旋塞阀的失效与受力分析［J］. 石油矿场机械，2007，36(12)49-51.

[4] 任连城，李帅，袁力，等．钻井用内防喷压差自密封式旋塞阀结构改进[J]. 石油矿场机械，2019，48(1)31-35.

[5] SYT5525-2009 旋转钻井设备 上部和下部方钻杆旋塞阀[S].

控压钻井井筒压力计算及控制决策方法研究

杨　赟[2]　许朝阳[1,2]　韦海防[1,2]　赵文庄[1,2]　王军闯[1,2]　高永伟[1,2]

（1. 中国石油集团川庆钻探工程有限公司；2. 低渗透油气田勘探开发国家工程实验室）

摘　要　随着石油勘探与开发向边缘、深部复杂地区和非常规资源的发展，窄密度窗口、高井控风险等钻井问题越来越突出。对于窄安全密度窗口地层，控压钻井能有效降低钻井作业难度和井控风险，但现有控压系统在无井底压力测量数据条件下的计算分析能力有限，无法实现准确指导常规控压钻井和精细控压作业实时计算分析与控制决策推荐。因此，基于现场工程录井、控压的实际及实时数据，建立了自动判断控压钻井作业工况的分支判断树，实现了9种钻井工况的实时识别；从环空液固两相流动特征着手，耦合井筒压力和地层流体侵入量，建立了控压钻井过程中的环空压力分布预测模型，实现了井口回压预控值的计算、确定和推荐。在理论研究基础上，开发了控压钻井计算分析及控制决策系统，现场测试和验证表明，控压钻井过程中可以进行井筒压力及井口回压值模拟分析、自动识别钻井工况和井下复杂，系统进行立管压力计算值与实测值之间的平均误差为1.88%，基于安全作业条件的井口回压预测值与实控值符合率达到89.8%，实现了基于实时工程参数的控压钻井在线计算分析与控制决策，提高了控压钻井井口回压控制的可靠性和时效性，有效指导常规控压钻井作业，提升流程优化后的精细控压钻井作业能力和智能化水平。

关键词　控压钻井；井筒流动；计算分析；控制决策

引言

随着石油勘探与开发向边缘、深部复杂地区的发展，以及部分油田采用注水等提高储层能量的开发模式，导致窄密度窗口、高井控风险等问题突出，是造成钻井周期长、事故频繁、井下复杂的主要原因，在长庆油田、四川盆地、塔里木盆地等油田已成为钻井施工的技术瓶颈。控压钻井技术(MPD)能够有效地控制井底压力，降低井控风险，缩短复杂处置时间，提高安全密度窗口地层钻进能力，从而保障异常压力地层钻井作业的顺利进行，精细控压钻井较常规控压钻井的应用优势尤其突出，但其投入及运行成本较高，开展流程优化、设备改进和算法提升等研究探索是保持、甚至提升现有精细控压钻井作业能力同时降低技术成本是精细控压钻井必走之路。

针对控压钻井计算与控制技术，国内外专家学者开展了一系列的研究。Reyholtz 等人开发了一个多层级的 MPD 框架，以优化钻井过程并提高机械钻速。Godhavn 等人建立了一系列非线性方程，用于控制 MPD 应用期间的压力，提高压力控制效果。Asgharzadeh 等人在确定机械钻速中考虑了地底压力的影响，开发了用于 MPD 的综合控制器。该控制器能够同步转速、钻压、泵排量和节流阀开度的变化，以实现预先确定的压力和钻速目标。Moid 等人在一口高压高温气井中使用了控压钻井技术，减少了非生产时间并增加了机械钻速。Galimkhanov 等人在俄罗斯东西伯利亚油田使用了 MPD 技术，提高了钻井安全性、减少了泥浆漏失、提高了了水平井段钻井效率。张锐尧等人研究了深水多梯度控压钻井中气侵条件下多梯度控制参数对井筒压力的影响规律，并提出了优化设计方法，为气侵条件下的控压钻井工艺技术的优化设计提供了参考。Parayno 等人在北达科他州盆地使用 MPD 技术，克服了多种钻井问题，例如卡钻、泥浆漏失和压力波动。通过优化泥浆密度和控制整个生产段的井口回压，钻井周期缩短了一半，从 14 天减少到 7 天。赵德等人针对西非某区块上部泥岩地层钻井压力窗口窄、下部裂缝性碳酸盐岩地层漏失严重的问题，提出了一种组合应用环空压力动态控制钻井技术和加压泥浆帽钻井技术的新技术，有效解决了同一井内井壁稳定、漏失、井控等多项复杂问题。Rostami 等人开发了一种优化使用控压钻井技术的软件。该软件能够集成多个钻井参数，以确定井底压力、孔隙压力、裂缝压力。

此外，还采用了基于模型的算法，以控制自动节流阀，以使井底压力保持在安全泥浆窗口内。

近年来，长庆油田注水开采区、川渝页岩气等区域控压钻井作业通过优化流程、简化设备，减少了井下随钻压力测量(PWD)工具、回压补偿泵和改进优化了自动节流控制系统，并基本保持了控压钻井技术原有优势，且作业成本也进一步降低，具有广大的应用前景。尤其在缺乏井下PWD情况下，溢流、漏失复杂识别和井筒压力预测至关重要，直接影响如何调整合适的井口控压值。现有控压系统在无井底压力测量数据条件下的实时分析计算能力有限，不能根据工程参数、井况的变化进行准确的控压作业分析计算与控制决策推荐，影响了井口回压控制的可靠性和时效性。因此，亟需研究控压钻井井筒压力计算及控制决策方法研究，并开发相应软件系统，根据工程录井、控压施工数据或实时数据准确计算井筒压力，实现井口回值模拟计算、在线分析推荐或自动调整压值，提供控压决策建议，指导常规控压作业，提升优化后的精细控压系统自动化、智能化水平，为控压钻井技术的推广提供技术支持。

1　控压钻井计算分析模型

1.1　控压钻井环空多相流动模型

2.1.1　环空液固两相流动模型

基于现有固液气三相流模型计算精度难以满足要求，本文研究环空流动以固液两相流为研究对象，考虑钻屑的存在，如图1所示。以下为模型基本假设。

(1) 钻井液和固相岩屑混相，计算过程视为一相。

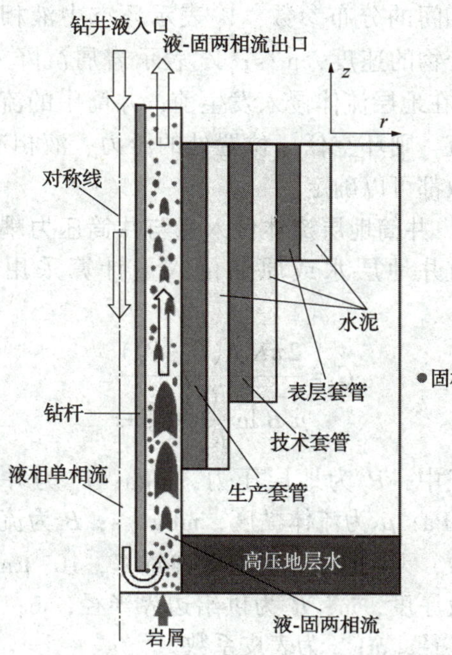

图1　环空液固两相流动示意图

(2) 混相在井筒中沿轴线方向作一维非定常流动。

(3) 在井筒同一过流断面上，混相具有相同的温度和压力。

(4) 在井筒过流断面的任一位置，混相所特有的热物性参数和流动参数均相同。

液、固两相的质量守恒方程：

$$\begin{cases} \dfrac{\partial(\rho_L\alpha_L)}{\partial t}+\dfrac{\partial(\rho_L\alpha_L V_L)}{\partial z}=0 \\ \dfrac{\partial(\rho_S\alpha_S)}{\partial t}+\dfrac{\partial(\rho_S\alpha_S V_S)}{\partial z}=0 \end{cases} \tag{1}$$

式中，ρ 表示密度，kg/m^3；α 表示体积分数；V 表示速度，m/s；下标 L，S 分别表示液相和固相。

液-固两相混合物的动量守恒方程：

$$\frac{\partial}{\partial t}\left(\sum \rho_m\alpha_m V_m\right)+\frac{\partial}{\partial z}\left(P+\sum \rho_m\alpha_m V_m^2\right)+\sum \rho_m\alpha_m g\cos\theta+F_f=0 \tag{2}$$

式中，F_f表示环空混合物摩擦压降，$kg/m^2/s^2$，下标m表示液-固混合物。

环空混合物能量守恒方程：

$$\frac{\partial}{\partial t}\left\{\sum_{m=G,\ L,\ S}\left[\rho_m\alpha_m\left(\mu_m+\frac{1}{2}V_m^2\right)\right]\right\}=\sum_{m=G,\ L,\ S}(\rho_m\alpha_m V_m g\cos\theta)+$$
$$\frac{\partial}{\partial z}\left\{\sum_{m=G,\ L,\ S}\left[\rho_m\alpha_m V_m\left(\mu_m+\frac{P}{\rho_m}+\frac{1}{2}V_m^2\right)\right]\right\}+\frac{Q_{total}}{A_{an}}+\sum_{m=G,\ L,\ S}\dot{H}_m \tag{3}$$

式中，u表示内能，m^2/s^2；Q_{total}表示环空流体与周围环境间的热量交换，$kg\cdot m/s^3$；A_{an}表示环空截面积，m^2；$\dot{H}_m$表示相单位体积的焓通量，$kg\cdot m/s^3$。

岩屑和液相间的滑移可以表示为：

$$V_S=C_0V_m-V_{Sr} \tag{4}$$

式中，V_S表示岩屑速度，m/s；C_0表示岩屑和液相间的分布参数，V_m表示环空中液相和固相混合物的速度，m/s；V_{Sr}表示岩屑沉降末速，m/s。在地层流体侵入发生前，井筒中的流动为单相流，则环空任一位置处的压力、液相速度、等参数都可以确定。

2.1.2　井筒地层流体侵入量与井筒压力耦合计算模

直井地层水或原油侵入量计算采用裘比公式：

$$Q_l=\frac{2\pi K_h h(P_e-P_w)}{\mu_1 B_1 \ln\frac{R_e}{R_p}-0.5+s} \tag{5}$$

式中，P_e为地层压力，MPa；P_w为井底压力，MPa；μ_1为流体黏度，mPa·s；B_1为流体体积系数，无因次；K为有效渗透率，$10^{-3}\mu m^2$；h为有效厚度，m；R_e为供给边界半径，m；R_w为井底半径，m；s为表皮系数。

水平井中地层流体侵入量计算采用Joshi公式：

$$Q_l=\frac{2\pi K_h h/\mu_1 B_1}{\ln\frac{R_e}{R_p}+\frac{h}{L}\ln\left[\frac{h}{2R_w}\right]} \tag{6}$$

$$L/2=\sqrt{a^2-b^2}$$

$$R_e=(a+b)/2=\left(a+\sqrt{a^2-(L/2)^2}\right)/2 \tag{7}$$

$$a=(L/2)\sqrt{0.5+\sqrt{0.25+(2R_{eh}/L)^4}}$$

式中，K_h为水平渗透率，$10^{-3}\mu m^2$；R_p为内部渗流场半径，m；L为水平段长度，m；a为椭圆长轴，m；R_{eh}为拟圆形驱动半径，m。

同时，可通过钻井液增量、进出口流量测量来实现地层水或原油侵入量的预算与分析；在液气分离器后端加装气体流量计，可进行气体侵入量的预算。另外，返出流体类型和特性可以通过录井分析确定。

2.1.3　环空单相流摩阻计算

环空摩阻是影响井筒压力分布的一个重要因素，而单相流摩阻与流体的流动型态、流变模式和流变参数等密切相关。通常，现场广泛应用的钻井液多数属于宾汉流体和幂率流体。

当宾汉流体处于层流状态时，单位长度的环空压耗表达式为：

$$\left(\frac{dP}{dz}\right)_{fr}=2f_{abh}\frac{1}{D_{hy}}\rho\mu^2=\frac{48\mu_p\mu}{D_{hy}^2}+\frac{6\tau_o}{D_{hy}} \tag{8}$$

当幂率流体处于层流状态时，单位长度的环空压耗表达式为：

$$\left(\frac{dP}{dz}\right)_{fr}=2f_{apl}\frac{\rho\mu^2}{D_{hy}}=\frac{4k}{D_{hy}}\left(\frac{2n+1}{3n}\frac{12\mu}{D_{hy}}\right)^n \tag{9}$$

当钻井液处于紊流状态下，其环空摩阻计算采用式(10)进行计算：

$$\left(\frac{dP}{dz}\right)_{fr}=2f_a\frac{\rho\mu^2}{D_{hy}} \tag{10}$$

对于环空范宁摩阻系数f_a的求解，采用Reed-Pilehvari提出的公式：

$$\frac{1}{\sqrt{f_a}}=-4\lg\left[\frac{0.27\Delta}{D_{hy}}+1.26^{n'-1.2}\mathrm{Re}_g^{0.75-n'}f_a^{(1-n'/2)(0.75-n')}\right] \tag{11}$$

2.1.4　地层水侵入对钻井液性能的影响

对长庆油田注水开采区作业现场收集的12口井采出水进行分析，采出水的离子成分较复杂、矿化度高、硬度高。选取了现场使用的钻井液体系进行不同含水量的性能影响评价实验，具体如下：1#：现场钻井液；2#：1#配方+10%采出水；3#：1#配方+30%采出水；4#：1#配方+50%采出水。不同含水量条件下钻井液的密度和粘度变化如图2所示。

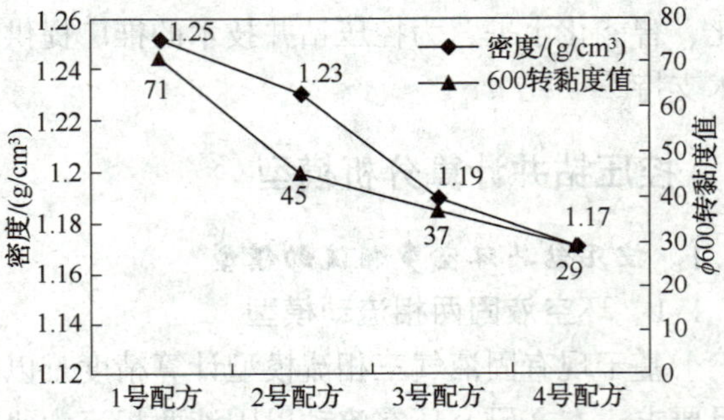

图2　不同含水量的密度、黏度变化曲线

由测试结果可以看出，随着地层采出水含量的增加，钻井液各项性能迅速下降。发生地层水侵入后，利用实验数据对钻井液的流变参数进行修正。在实时读取了录井数据后，利用环空多相流模型计算当前钻井参数情况下的井筒压力，并反推出平衡地层压力所需要的井口回压。

2.2　控压钻井作业工况判断方法

常规控压钻井系统需要进行控压值模拟计算时，工程录井、工况等现场信息均以人工方式输入。

精细控压钻井系统需要通过自动判断提升实时控制能力，但目前控压钻井工况的识别也主要依靠人工观察、分析录井曲线的趋势变化，人工判断无法同实时数据结合，工况识别的效率不高。部分油田服务公司可以利用软件实现起钻、下钻、钻进、接单根四个工况的识别，但工况识别的数量少、效率低。针对上述问题，本文利用分支树判断模型编写计算机程序，结合录井数据，实现旋转钻进、滑动钻进、起钻、下钻、划眼、倒划眼、循环、灌泥浆、悬停9个工况的实时识别，如图3所示。

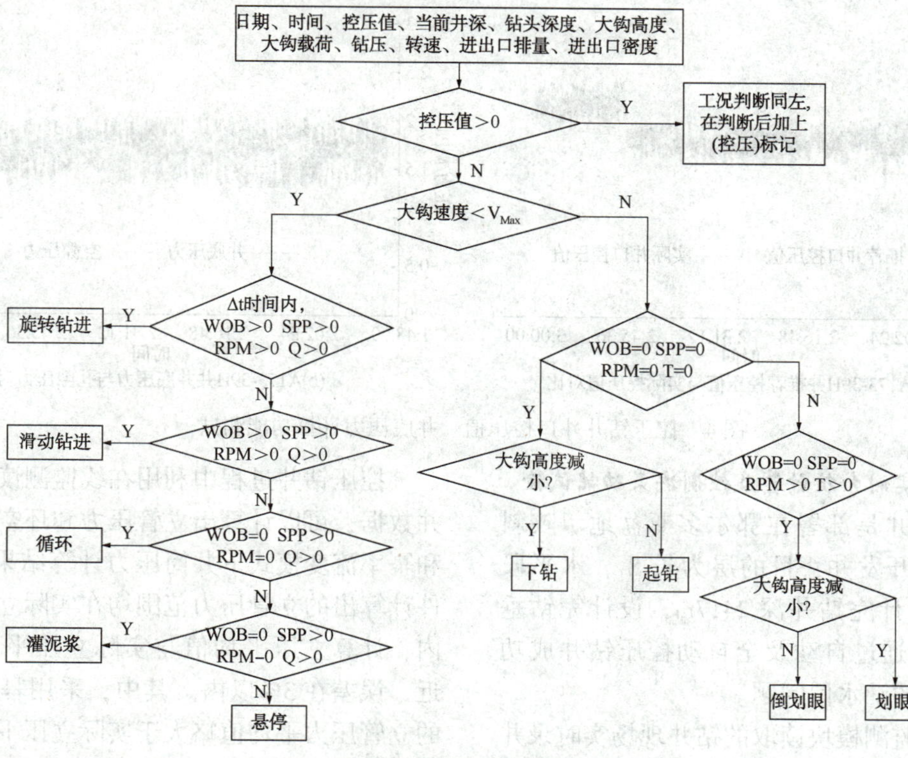

图3　控压钻井工况自动判断流程

2.3　井口回压预控值优化策略

精细控压钻井为了提高控压符合率和自动化、智能化水平，在利用2.2节中建立的环空多相流模型反推出平衡地层压力所需要的井口回压后，还需要根据相关标准、设备能力等限制条件对井口回压预控值进行修正。表1中的工况通过2.2节建立的工况判断程序自动确定。

表1　不同工况下控压级别设置

工况	$P_{1级}$	$P_{2级}$
钻进	输入值	输入值
循环	输入值	输入值
控压起下钻	输入值	输入值
需要控压的其它	输入值	输入值

①各种工况条件的$0<P_{1级}\leqslant P_{2级}$，且$P_{2级}$均$\leqslant P_{DP}$(MDP许可压力)；

②$P_{1级}$、$P_{2级}$与P_{DP}比较；若$\{P_{1级}、P_{2级}\}\leqslant P_{DP}$，输入后可正常保存；若$\{P_{1级}、P_{2级}\}>P_{DP}$，不能保存，提示检查调整设备许可压力或调整报警值；

③如果$P_{1级}=P_{2级}$按照$P_{2级}$处理；

④同一级别，循环≥钻进，否则输入时，不能保存，且提示修改；

⑤$P_{1级}$、$P_{2级}$值均必须输入，不输入提示。

2.4　气侵的控压决策策略

现有的无论质量流量计或电磁流量计，当通过流体存在气侵时会发生测量失真，计算的井口控压值准确性会大幅度下降，不能作为实施控压的参考或推荐。本文通过研究，可以通过大数据分析和算法优化，提高控压值的计算准确性，需要包括失真判别及报警、井底压力预测、地层压力确定、井口回压值模拟、气侵趋势分析控制等功能，从而有效的指导控压作业。

3　控压钻井计算分析及控制决策系统测试

通过上述模型与策略，开发了控压钻井计算分析及控制决策系统，系统主要功能包括基本数据管理模块、模拟计算与分析、实时数据采集模块、井筒压力计算模块、井口回压计算模块等，可指导常规控压钻井作业，实现精细控压钻井自动及全自动控制。

3.1　控压钻井井口控压值、井底压力计算功能测试

利用采用自动控压钻井的A173-39H井等三口录井和控压数据，验证软件井口控压值推荐模块的准确性。A173-39H井控压钻井验证数据起止时间2020年5月9日1：50~3：00，井深2376~2394m，推荐井口控压值计算结果如图4

(a)所示。软件计算得到的井口控压推荐值与实际控压值符合得很好，平均相对误差为4.95%，最大相对误差为10%。软件计算得到的井底压力值与地层孔隙压力的对比如图4(b)所示，可以看出，控压钻井过程中井底压力能够有效平衡地层孔隙压力。

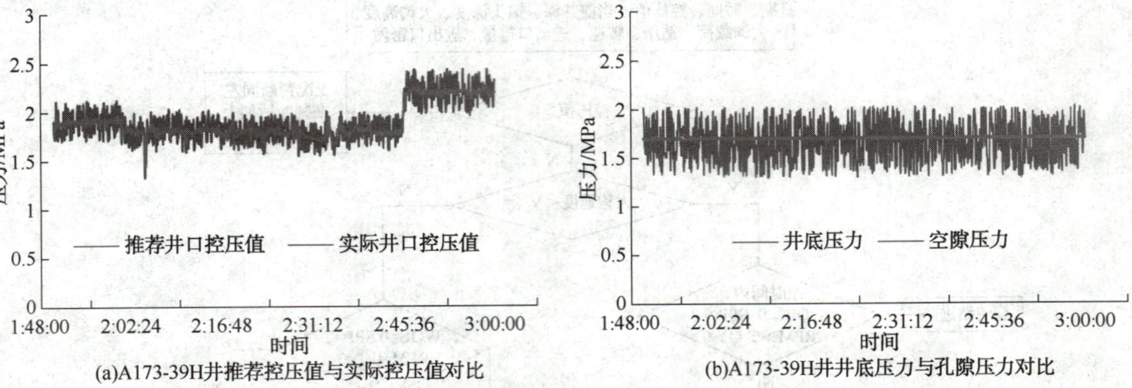

(a)A173-39H井推荐控压值与实际控压值对比　　(b)A173-39H井井底压力与孔隙压力对比

图4　控压钻井井口控压值、井底压力计算功能测试

3.2　控压钻井实时分析计算及控制决策功能试验

X28-38H井是部署在鄂尔多斯盆地伊陕斜坡的一口水平开发井，目的层为长8_1，水平段长度100m，设计完钻井深2417m，设计完钻垂深2014.94m，通过自动及全自动控压钻井成功解决钻井过程的油水侵问题。

根据在线监测模块读取的钻井现场实时录井数据，软件成功对控压钻井作业中的各个工况进行了自动识别，图5显示了该井起钻工况对应的录井参数和工况判断结果。

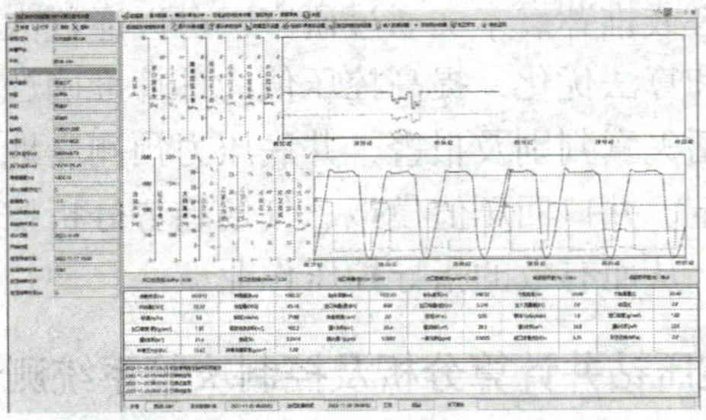

图5　控压钻井工况自动识别-起钻

控压钻井过程中利用在线监测读取的实时录井数据，可以计算出立管压力和环空压耗，宾汉和幂率流变模式下井筒压力计算结果见表2，软件计算出的立管压力范围均在实际立管压力范围内，计算立压平均值与实际立压平均值十分接近，误差在3%以内。其中，采用幂率计算得到的立管压力平均值略大于实际立压平均值，采用宾汉模式计算立管压力平均值略小于实际立压平均值。

全自动控压钻井时间段：2022年11月28日23：23～23：52，全自动控压钻井深度：2351.15～2354.67m，软件根据录井数据和控压设备数据自动推荐井口控压值并实施全自动控压作业，如图6、图7所示。

表2　两种流变模式井筒压力计算结果

流变模式	入口钻井液密度/(g/cn^3)	实际立压范围/MPa	实际立压平均值/MPa	计算立压范围/MPa	计算立压平均值/MPa	计算环空压耗/MPa
宾汉	1.27～1.28	14.21～15.94	14.88	14.49～14.61	14.50	1.56～1.79
幂律	1.27～1.28	13.02～15.81	14.24	14.50～14.61	14.60	1.79～1.83

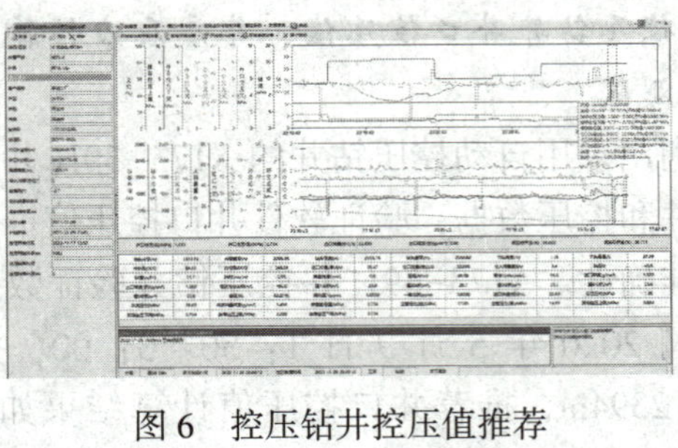

图6　控压钻井控压值推荐

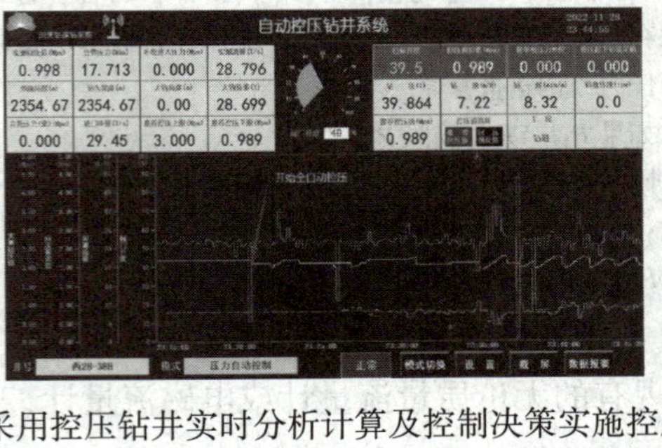

图7　采用控压钻井实时分析计算及控制决策实施控压作业

测试过程控压钻井作业顺利，推荐控压值与实际控压值的对比如图8所示，可以看出，软件实时计算出的控压推荐值和实际控压值符合得很好，两条曲线规律一致，误差不大。在控压钻井时间段内，89.8%的推荐控压值与实际控压值之间的误差在10%以下，误差在10%以上的数据点仅占10.2%。

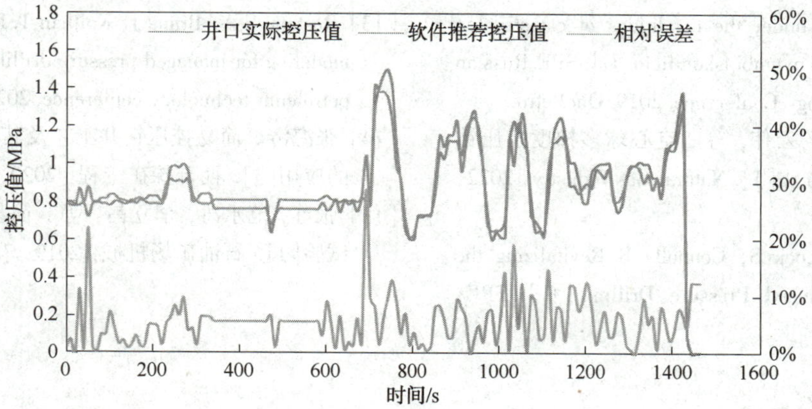

图8　井口实际控压值与软件推荐控压值对比图

4　结论

本文建立了基于现场工程录井、控压实时参数的控压钻井作业工况自动判断方法、控压钻井过程中环空压力分布预测模型，实现了井口回压预控值的计算、确定和推荐。在理论研究基础上，开发了控压钻井计算分析及控制决策系统，并开展了现场测试和验证。本文主要结论如下：

（1）基于大钩质量、大钩速度、钻压、转速、排量、立管压力等实时工程录井参数，建立了自动判断控压钻井作业工况的分支判断树，利用阈值法进行多参数阈值判断，实现起钻、下钻、滑动钻进、旋转钻井等9种钻井工况的实时识别，为后续井筒压力实时监测和计算提供基础参数。

（2）针对溢漏同存等窄安全密度窗口地层，基于环空多相流物理模型，考虑井筒压力-地层溢流耦合的影响，建立了控压钻井期间环空瞬态多相流动计算模型。根据井底压力和控压级别，确定了保持安全钻井的控压窗口范围，实现了井口回压预控值的计算、确定和推荐。

（3）在理论研究的基础上，研发了控压钻井计算分析及控制决策系统。该系统主要功能包括钻井基础数据管理、工况和井下复杂自动判断、井筒多相流动模拟、井筒压力预测、井口回压自动控制推荐等。

（4）开展了系统测试和验证，控压钻井测试过程中软件系统能够自动识别钻井工况和井下复杂，理论计算的立管压力值与实测立管压力值之间的误差在2%~6%，利用已钻井控压钻井数据计算得到的井口控压推荐值与实控值间的平均相对误差为4.95%~6.14%，基于安全作业条件的井口回压预测值与实控值符合率达到89.8%（X28-38H井）。

参考文献

[1] 周英操，刘伟. PCDS精细控压钻井技术新进展[J]. 石油钻探技术，2019，47(3)：68-74.

[2] 周英操，崔猛，查永进. 控压钻井技术探讨与展望[J]. 石油钻探技术，2008，36(4)：1-4.

[3] Sule I, Imtiaz S, Kha F, et al. Risk analysis of well blowout scenarios during managed pressure drilling operation[J]. Journal of Petroleum Science and Engineering, 2019, 182: 106296.

[4] Rehm B, Schubert J, Haghshenas A, et al. Managed pressure drilling: Elsevier, 2013.

[5] Breyholtz Ø, Nygaard G, Nikolaou M. Automatic control of managed pressure drilling[C]. Proceedings of the 2010 American Control Conference. 2010. IEEE.

[6] Godhavn J-M, Pavlov A, Kaasa G-O, et al. Drilling seeking automatic control solutions[J]. IFAC Proceedings Volumes, 2011, 44(1): 10842-10850.

[7] Shishavan R A, Hubbell C, Perez H D, et al. Multivariate control for managed-pressure-drilling systems by use of high-speed telemetry[J]. SPE Journal, 2016, 21(02): 459-470.

[8] Moid F, Ghamdi A A, Nutaifi A M, et al. Utilization of Managed Pressure Drilling in Deep High Pressure High

Temperature Gas Wells [C] . IADC/SPE Managed Pressure Drilling and Underbalanced Operations Conference and Exhibition. 2019. OnePetro.

[9] Galimkhanov A, Ohotnikov D, Ginzburg L, et al. Successful implementation of managed pressure drilling technology under the conditions of catastrophic mud losses in the Kuyumbinskoe field[C]. SPE Russian Petroleum Technology Conference. 2019. OnePetro.

[10] 张锐尧，李军，杨宏伟，等．空心球多梯度控压钻井井筒压力控制方法[J]. Natural Gas Industry, 2022, 42(11).

[11] Parayno G, Peacock S, Connolly B. Revitalizing the Bakken With Managed Pressure Drilling [C]. SPE/IADC International Drilling Conference and Exhibition. 2019. OnePetro.

[12] 赵德，赵维青，卢先刚，等．西非 S 深水区块裂缝性碳酸盐岩地层控压钻井技术[J]．石油钻采工艺，2022，44(1)：20-25.

[13] Rostami S A, Brana J, Koithan T. Integrated hydraulics modeling for managed pressure drilling[C]. International petroleum technology conference. 2020. OnePetro.

[14] 张海涛．简易控压钻井工艺及其在哈得 29-2 井中的应用[J]．西部探矿工程，2020，45(1)：12-45.

[15] 张苏，范永涛，李立昌，等．简易控压方法及现场试验[J]．石油矿场机械，2019，7(2)：89-92.

小尺寸方位伽马工具研制与性能测试

刘克强[1,2]　李　欣[1]　赵　恒[1]

（1. 中国石油集团川庆钻探工程有限公司 2. 低渗透油气田勘探开发国家工程实验室）

摘　要　摘要：针对国内外小尺寸方位伽马随钻工具缺乏、小尺寸方位伽马工具研制技术难度大等难题，为了满足长庆油田老井5½in套管开窗侧钻井现场技术需求，研制了一种小尺寸随钻方位伽马地质导向钻井工具。优选设计了工具总体结构和方位伽马分时分区算法，设计配套了样机室内性能测试装备和方案，并通过地面实验对工具的安全可靠性、测量精度、通信、解码等性能进行了验证测试。测试结果表明：工具的抗拉、抗压、抗扭性能满足现场施工要求；工具能够实时分辨分界面两侧地层岩性特征，方位伽马测量误差<±5%；工具软硬件、通讯、解码等各项功能正常，地面解码数据与发射数据一致，误码率2%以内。形成的方位伽马关键性能测试方法，具有发现和消除设计缺陷、降低工具现场应用风险、提供理论支撑等重要作用，对于国内方位伽马随钻测量工具的研制与推广应用具有一定的借鉴意义。

关键词　方位伽马；地质导向；钻遇率；力学性能；刻度

随着长庆油田的持续开发，老井5½in套管开窗侧钻Φ118mm小井眼数量逐年增加，并亟须解决储层钻遇率低、泥岩段钻井复杂事故多、水平段长度段等技术难题。方位伽马随钻测量是近年来发展起来的一种新型地质导向技术，和常规自然伽马随钻测量相比，不但能够分辨地层分界面两侧地层岩性，而且能精确判别分界面两侧地层的相对位置关系，在提高储层钻遇率、优化井眼轨迹、降低井下地质风险等方面效果显著。目前虽然国内个别企业已经具备方位伽马随钻测量工具/仪器研制能力，但整体仍处于研究试验阶段，因此开展相关研究分析，对于国内方位伽马随钻测量工具的研制与推广应用具有一定的借鉴作用。

1　技术难点

（1）相对于大尺寸方位伽马随钻测量工具，适用于Φ118mm井眼的方位伽马随钻测量工具尺寸小、强度低，且工作环境恶劣（高温、高压、强震动等），因此对工具安全可靠性提出了更高的要求。

（2）国内外成熟的小尺寸方位伽马工具缺乏，可以借鉴的相关研发经验及现场实钻资料少，多项关键技术需要“摸着石头过河”。

（3）方位伽马是近年来发展起来的一种新型随钻地质导向技术，国内方位伽马随钻测量技术整体仍处于研究试验阶段，工具研制、性能测试、刻度标定等缺乏相关的技术标准或规范。

2　工具总体设计方案与研制

为了降低小尺寸方位伽马工具井下失效风险，应用有限元力学仿真计算分析了前置式、后置式两种方案的优缺点，优选确定了工具在BHA中的挂接位置（后置式单短节结构），有效提高了小尺寸工具及BHA安全可靠性，同时降低了井下数据传输技术难度、提高了数据传输精度等（图1、表1）。

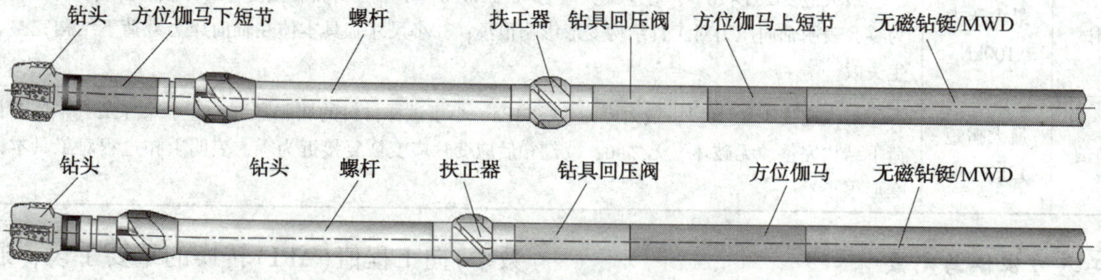

图1　方位伽马在BHA中的两种常见连接方式示意图

表 1　基于有限元力学计算的连接方式关键数据对比表

连接位置	前置式	后置式
工具在 BHA 中最大应力强度/MPa	932	665
工具最大外径/mm	95	105
工具长度限制/m	一般≤1	≥2
电池寿命/h	小于 100h	可大于 200h
元器件布局	受限	比较灵活
伽马探头需求	≥1 个	≥3 个

为了解决后置式方位伽马工具滑动钻进时方位伽马测量难题，采用三个伽马探头沿圆周均匀分布(见图 2)，并采用特殊的算法解决了方位伽马分区分时计算问题。同时，工具内设置钻柱转动状态识别功能，自动默认为钻柱转速≤6r/min 时为滑动钻进状态、钻柱转速>6r/min 时为复合钻进状态，滑动钻进时 3 个探头同时工作；复合钻进时可设置 2 个或 3 个探头同时工作，也可设置 1 个探头单独工作，以便降低电池电能消耗，延长井下工作时间。

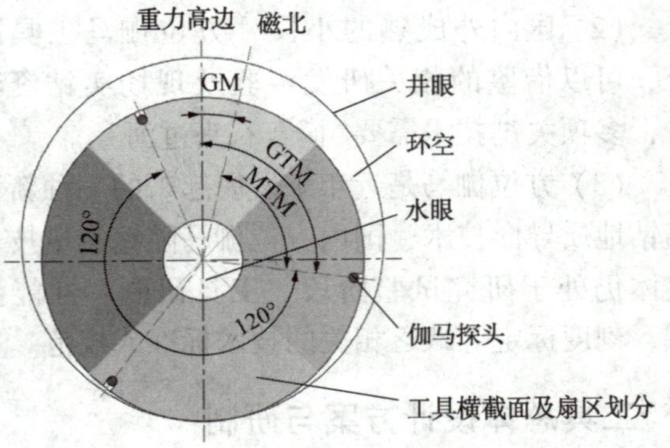

图 2　工具横截面及滑动钻进时方位伽马分时分区计算原理图

基于以上关键设计方案，研制了钻铤式盖板结构小尺寸方位伽马随钻测量工具样机，其主要技术指标为：外径 105mm，长度 2400mm，方位伽马扇区数量 4 个(上、下、左、右)，工作温度-20-150℃，最高工作压力 120MPa。

3　样机关键性能测试

和其他井下随钻测量工具/仪器相比，除了进行了样机耐温、振动、承压密封等性能测试外，针对方位伽马随钻测量工具的特点，重点进行了以下关键性能测试。

3.1　工具本体力学性能测试

工具的伽马探头、电池、中控机芯等元部件侧装于开槽钻铤中，由于钻铤本身尺寸较小、开槽会降低钻铤本体机械性能等原因，为保障工具在实钻工况中机械强度和安全可靠性，依据相关技术标准和实验规范，参照现场施工实际参数，开展了工具本体全尺寸实物拉、压、扭三项力学机械性能测试，实验表明工具在最大试验载荷下应力应变微小且卸载后恢复为零，机械性能完全满足设计要求(图 3、表 2)。

图 3　拉压及扭矩测试实物图

表 2　工具力学性能测试数据表

测试项目	试验载荷	测试结果
拉力测试	最大拉力 100kN	①最大应变 2.2×10^{-4}，对应最大应力 40.02MPa，小于本体材料屈服强度(970MPa)；②卸载后各应变片的应变恢复为零，表明拉力对工具结构变形影响很小；③小尺寸工具本体在拉力载荷下结构完整、未发生失效
压力测试	最大压力 100kN	①最大应变 2.1×10^{-4}，对应最大应力 40.11MPa，小于材料屈服强度；②卸载后各应变片的应变恢复为零，表明轴向压力对工具结构变形影响很小；③小尺寸工具本体在轴向压力载荷下结构完整、未发生失效
扭矩测试	最大扭矩 12kN·m	①最大应变 1.8×10^{-4}，最大应力 34.2MPa，小于试样材料的屈服强度；②小尺寸工具本体在扭矩载荷下结构完整、无破坏、无黏扣；③卸扣后应变片应变恢复接近为零，表明上扣过程对工具本体结构变形很小

3.2　工具方位伽马刻度

伽马工具/仪器刻度是实现伽马测量值(计数率)向工程值(API)转换的重要手段，通过刻度，不同的方位伽马工具对同一测量对象的测量将获得相同的结果。和常规自然伽马随钻测量仪、自然伽马测井仪相比，方位伽马随钻测量工具/仪器在伽马值计算、工作状况、尺寸大小等方面存在较大差异。一方面，目前国内还没有针对方位伽马工具刻度及精度测试装置、方法等建立相关的技术标准；另一方面，现有自然伽马测井仪刻度及校验的相关装置、方法、标准还不能完全满足方位伽马随钻测量工具刻度及精度测试要求。针对以上技术现状，研制了适用于方位伽马随钻测量工具刻度及精度测试的二级刻度器-方位伽马测试平台(图4)。

图4　方位伽马测试平台实物图

如图4所示，该平台主要由旋转装置、伽马源、测试钻具、滑轨、控制/显示台组成，其中伽马源分为高放射性、低放射性和中放射性三种标准伽马源，其校准值及不确定度分别为：(342.7±6.7)API、(24.6±0.6)API、(223.0±4.4)API。标定及测试时，方位伽马随钻测量工具连接在测试钻具中，并放置于伽马源组合的中心孔内；测试钻杆通过卡盘固定于平台两端的旋转装置中，旋转装置可驱动钻杆模拟实钻中的钻具转动；伽马源及其底座可在平台上沿导轨前后运动，以改变伽马源与方位伽马随钻测量工具的相对位置。

1. 刻度方程

目前，伽马测井刻度理论源自美国石油协会于1959年颁布的API RP-33标准，依据该标准，我国石油工业测井计量站建立了我国的伽马刻度井。其高放层为花岗岩，低放层为白云岩，其高放层、低放层活度符合标准要求，所不同的是该井的高放层和低放层差值为207.45API。一般地，伽马刻度采用两点刻度方法，其刻度方程描述为：

$$y = kx \tag{1}$$

上式中，y为伽马源高放层与低放层之间的伽马值差值，API；k为刻度系数，也称仪器系数，API/CPS；x为仪器在伽马源高放层与低放层计数率的差值，CPS。

2. 刻度方法

利用上述测试平台，小尺寸方位伽马随钻测量工具进行刻度的具体步骤如下：①安装固定：将工具连接与测试钻杆的合适位置，吊装到伽马源测试平台，通过卡盘固定；②通讯连接：工具运行10min以上，连接方位伽马工具和PC之间的通讯线，打开软件进入方位伽马标定界面；③低放计数：将伽马探头放置在低放射性标准伽马源中间位置，静止状态下记录200组以上计数；④高放计数：将伽马探头放置在高放射性标准伽马源中间位置，静止状态下记录200组以上计数；⑤刻度标定：根据高放、低放源中测录的数据，利用软件计算每个探头的刻度系数。

3. 刻度结果及认识

根据上述刻度系数计算方法与刻度实测数据，即可计算出刻度系数k。低放源下各探头的伽马计数分别为5.52CPS、5.87CPS、5.64CPS，高放源下各探头的伽马计数分别为80.22CPS、88.30CPS、80.12CPS，各探头的刻度系数k分别为4.2730API/CPS、3.8827API/CPS、4.2778API/CPS。同时通过数据分析，发现刻度数据样本数量对刻度系数值有一定影响，对于本工具而言，随着数据量的增加刻度系数趋于稳定，100组数据以后变化缓慢(图5)，因此刻度时必须记录足够的数据才能尽量保证刻度系数k的精确性。

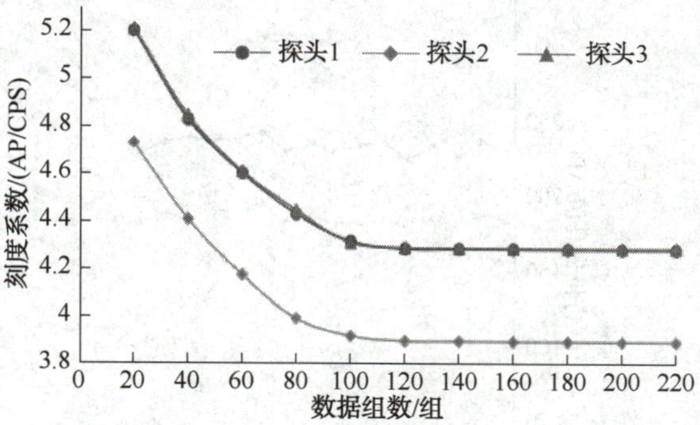

图5　刻度数据组数与刻度系数变化关系图

3.3　方位伽马测量精度测试

模拟“泥岩-砂岩-泥岩”的地层变化情况，在伽马测试平台开展了4种不同伽马源搭配方式、2种运动状态、不同工作探头数量、不同转速等条件下的模拟工况方位伽马测量精度测试，完成了样机地层辨识能力和方位伽马测量精度测试。各种模拟工况下的方位伽马测试结果表明，研制的小尺寸方位伽马上、下、左、右四扇区方位伽马功能正常，方位伽马测量误差<±5%(表4)。

表4　不同模拟工况条件下的方位测量精度测试表

类别			全低源	全高源	上低下高	上中下低
静态	三探头	上伽马	-3.08	-1.65	—	—
		下伽马	-3.13	1.90	—	—
		平均伽马	-2.91	0.15	0.34	-2.13
转动状态	单探头	上伽马	-4.25	-0.43	—	—
		下伽马	-2.50	1.26	—	—
		平均伽马	-2.82	-0.64	2.30	-2.40
	双探头	上伽马	-4.04	-1.09	—	—
		下伽马	-3.27	0.75	—	—
		平均伽马	-3.85	-1.29	2.49	-3.37
	三探头	上伽马	-3.12	1.06	—	—
		下伽马	-2.43	0.08	—	—
		平均伽马	-2.99	0.80	-0.82	-2.69

注：1. 平均伽马是指上、下、左、右伽马的平均值；

2. 上低下高源中心位置的平台校准值为183.9API，上中下低源中心位置的平台校准值为123.9API。

1. 伽马源对测试精度的影响分析

试验数据分析表明，在其他条件相同的情况下，样机在高放射性源中的测量精度比在低放射性源中的方位伽马测量精度高；主要原因是低放射源伽马射线放射强度低，伽马探管计数率低，相同的计数率变化引起的误差变大。

2. 静止状态下位置变换对测试精度的影响分析

试验数据分析表明，本工具受方位伽马算法影响，滑动工况下变换3个伽马伽马探头相对于井壁的位置，方位伽马测量值存在一定的差异，尤其是在不同岩性分界面处差异更明显(图6)，但测量精度均能满足现场要求。因此实际应用时，滑动钻进工况下可以通过变换工具探头相对井壁位置、求多次测量平均值的方法消减此测量误差。

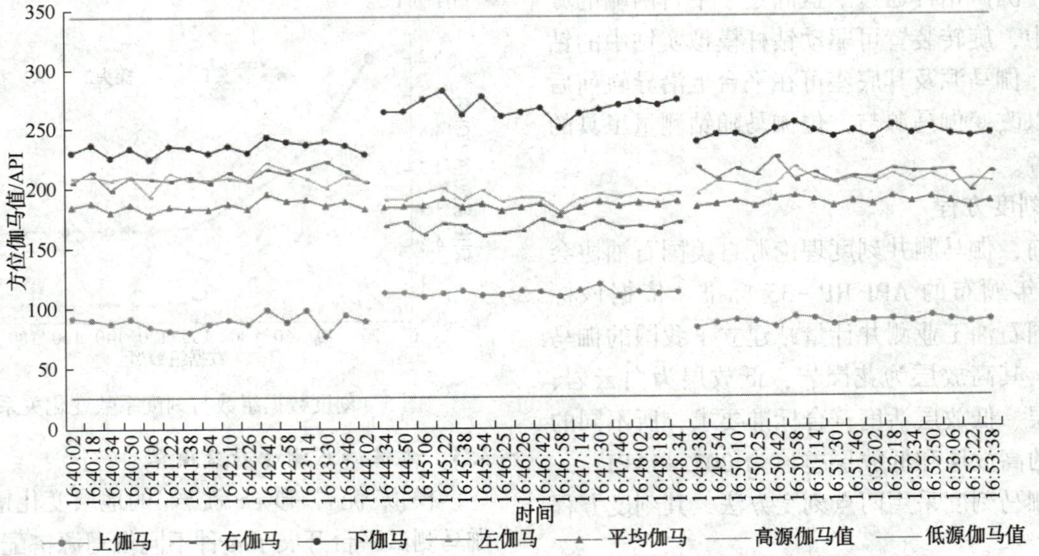

图6　上低下高伽马源、静态条件下的方位伽马测量曲线

3. 其他因素对测试精度的影响分析

试验数据分析表明，工具运动状态(滑动或复合)对方位伽马测量精度影响微小，在复合钻进工况下，探头数量、测量时长、转速变化对方位伽马测量精度影响微小，表明工具在实际钻进

工况下具有良好的适用性。

3.4 工具地面水循环测试

完成了不同排量(6L/s、7L/s、8L/s、9L/s、10L/s)下“方位伽马工具+MWD”联机地面水循环试验，在模拟实钻工况条件下，软硬件、通讯、解码等各项功能正常，地面解码数据与发射数据一致，误码率2%以内(图7)。

图7 地面水循环测试实物图

4 结论与建议

(1) 研制的小尺寸方位伽马随钻测量工具设计时考虑了使用环境和现场技术要求，室内测试表明该工具力学性能、方位伽马测量精度、通信、解码等技术指标达到了预定设计目标，适合在老井5½in套管开窗侧钻中进行地质导向工作。

(2) 室内性能测试是检验样机性能的重要手段之一，针对国内方位伽马随钻工具研发经验缺乏、小尺寸方位伽马工具研制技术难度更大等难题，设计、配套了样机室内性能测试装备和方案，起到了发现和消除设计缺陷、降低工具现场应用风险等重要作用。

(3) 工具填补了长庆油田 Φ118mm 小井眼钻井随钻方位伽马地质导向工具技术空白，随着长庆油田老井挖潜技术和小井眼钻井技术的进一步推广，该工具应用前景广阔。建议通过现场试验应用，进一步改进完善工具各项性能。

参 考 文 献

[1] 谢新刚，彭元超，周文兵．低渗透油田注水区域油井侧钻钻井技术[J]．内蒙古石油化工，2019，45(10)：81-83.

[2] 石崇东，袁卓，王万庆，等．Φ139.7mm 套管开窗侧钻水平井钻井技术在苏36-6-9CH井的应用[J]．内蒙古石油化工，2014，40(14)：99-103.

[3] 张鹏，叶小闯，许敏，等．低渗气藏老井综合挖潜与治理对策研究[C]．2021油气田勘探与开发国际会议论文集(中册)，2021：470-484.

[4] 刘克强，陈财政，李欣，等．方位伽马随钻测量技术现状与发展展望[J]．复杂油气藏，2022，15(4)：86-90.

[5] 袁超，周灿灿，张锋，等．随钻方位伽马测井探测器直径优化设计[J]．石油机械，2014，42(3)：1-4.

[6] 中国石油天然气集团有限公司，中国石油集团川庆钻探工程有限公司．一种方位伽马测试平台：CN202010373290.X[P]．2020-05-06.

[7] 任晓荣，黄剑雄．自然伽马测井刻度的论述[J]．石油仪器，1999，13(4)：25-27.

[8] 国家能源局．石油核测井仪刻度规范：SY/T 6583—2019[S]．北京：石油工业出版社，2019.

[9] 国家能源局．自然伽马刻度器校准方法：SY/T 7077—2016[S]．北京：石油工业出版社，2016.

[10] 黄隆基．放射性测井原理[M]．北京：石油工业出版社，1985.

[11] 庞巨丰．核测井物理基础[M]．北京：石油工业出版社，2005.

反循环钻井技术现状及展望

范黎明　王　磊　刘天宇　周　杨

（中国石油集团川庆钻探工程有限公司）

摘　要　反循环钻井技术具有提高机械钻速、降低钻井液漏失，减少钻井液使用量等优点，在工程井、地热井、水文井等领域具有重要的应用价值。本文通过调研反循环钻井的技术现状，介绍了反循环钻井技术的主要分类，分析了各种反循环钻井技术工作原理，指出了其技术特点，概括了关键技术研究现状，最后梳理了反循环钻井技术的发展趋势。针对反循环钻井技术钻深能力不足、不适用于油气钻井的问题，国外提出了双壁钻杆液体反循环钻井技术，已进行了相关试验测试、水平井作业及深水钻井作业，具有提高井筒清洁能力、提高机械钻速、增大水平井延伸极限等技术优势。目前国内正在进行双壁钻杆液体反循环钻井技术的自主研发，与国外技术不同的是，采用井下举升泵协助举升井下钻井液流体，形成反循环钻井。已开展了关键装备研发及室内试验测试，下一步将开展陆地井试验、工具优化等工作，以进一步缩小国内外发展差距，着力研发具有自主知识产权的双壁钻杆液体反循环钻井技术。

关键词　反循环钻井；技术现状；展望

引言

为提高机械钻速，减小钻井液井下漏失，国外在20世纪60年代提出了反循环钻井技术。经过多年的现场试验和工程应用，反循环钻井技术表现出减少岩屑重复破碎、保持井筒清洁、保护井壁和储层、提高钻进效率、实现漏失地层钻进、节约钻井液用量、降低钻井成本等优点，具有较好的发展前景，目前已形成了泵吸反循环钻井技术、气举反循环钻井技术、全井反循环钻井技术和双壁钻杆液体反循环钻井技术。

迄今为止，泵吸反循环钻井技术、气举反循环钻井技术、全井反循环钻井技术发展较为成熟，从钻井工艺、关键技术、关键装备等均有大量文献研究，亟须开展反循环钻井技术现状调研，分析未来反循环钻井技术发展方向与攻关难点，以推进国内反循环钻井技术向前发展。同时，双壁钻杆液体反循环钻井技术是一种采用井下举升工具的新型反循环钻井技术，国外以Reelwell公司的RDM（Reelwell drilling method）钻井技术为代表，已经开展了现场试验，正在进行商业化推广；国内西南石油大学开展了井下举升反循环钻井技术研究，目前已进行了室内试验研究，但在钻井参数设计与优选、举升泵效率提升及结构优化、反循环钻井全尺寸试验验证等方面还有许多工作尚未开展，与国外双壁钻杆液体反循环钻井技术存在较大差距。

通过大量文献调研及考证，本文分析了反循环钻井技术的工作原理，整理了反循环钻井技术的技术现状，并分析了各个反循环钻井技术的技术特点、关键技术问题及研究现状，指出了反循环钻井技术的未来发展方向和攻关难点，对未来我国反循环钻井技术发展具有一定指导作用。

1　反循环钻井技术分类及工作原理

1.1　泵吸反循环

泵吸反循环钻井技术具有成孔质量好，钻井效率快、节约成本等特点，已普遍应用在大直径桩孔（直径大于0.8m）浅井钻井中。

1.1.1　工作原理及技术特点

如图1所示，泵吸反循环钻井是一种利用井口上的离心泵或轴流泵的抽吸力量，使钻杆内流体上升的循环方式。泵的吸水口通过吸水管与水龙头、钻杆柱相连。当泵工作时，泵在其进水口处形成负压，井口的液体在大气压的作用下，经井底钻头携带岩屑经钻杆内上升，再通过水龙头、从泵中排至指定位置，而泥浆需及时补入至井筒内，从而形成循环。

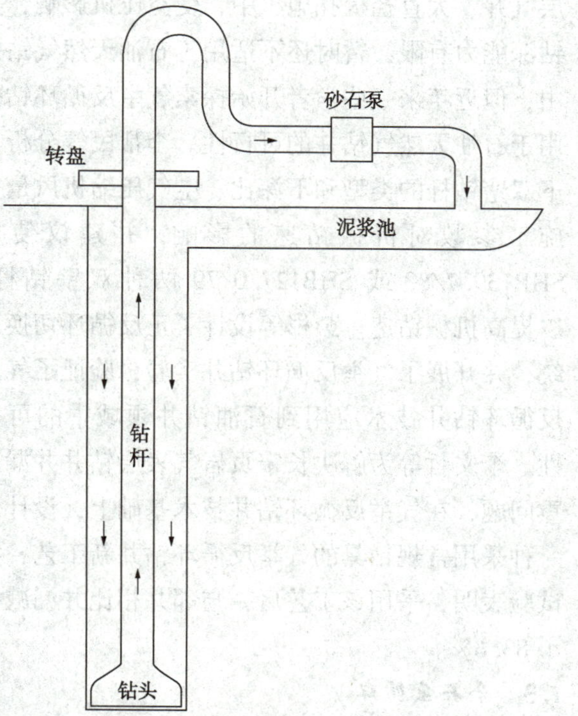

图1　泵吸反循环示意图

泵吸反循环钻井具有以下技术特点：

（1）泵吸反循环钻井效率较高，可以达到50%~60%；

（2）钻深能力极低，一般只有百米左右，不适合油气钻井；

（3）改造成本低，只需增加地面设备。

1.1.2　关键技术研究

为提高泵吸反循环钻井的钻深能力，学者从泵吸反循环工艺参数优选、泵的选型和运行工况等出发开展了相关研究。熊茂平分析了泵吸反循环在百米深大直径钻孔灌注桩成孔过程中反循环实现条件，得出了运行工况参数之间的相互关系。廖光华等通过选择合适的砂石泵和参数，使泵吸反循环技术突破100m的深度。尹飞等采用泵吸反循环技术完成209m的大直径钻井。郑州勘察机械厂将其与气举反循环钻井相结合，建立了BQ200泵吸、气举反循环系统，进一步提高了其钻深能力。目前虽然泵吸反循环的钻深能力有大幅提升，但独立使用泵吸反循环技术还仍然达不到油气钻井的应用要求，只能作为辅助开采手段。

1.2　气举反循环

我国在20世纪80年代中期引进了气举反循环钻井技术，到2003年，在我国29个省市推广，总进尺21万m以上，在水井、地热井、煤层气井以及大口径工程桩施工等领域得到了广泛的应用。

1.2.1　工作原理及技术特点

如图2所示，气举反循环钻井采用双壁钻杆、单壁钻杆、反循环钻头，通过向双壁钻杆环空注入压缩空气，再从气水混合器注入到双壁钻杆内管，与上返钻井液混合，形成较低密度的气液混合体，通过密度差形成循环。

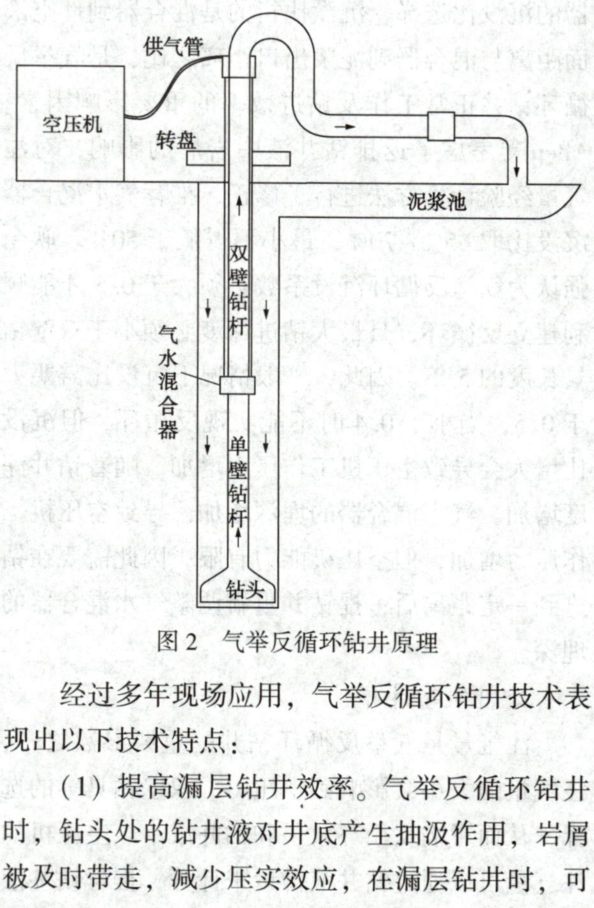

图2　气举反循环钻井原理

经过多年现场应用，气举反循环钻井技术表现出以下技术特点：

（1）提高漏层钻井效率。气举反循环钻井时，钻头处的钻井液对井底产生抽汲作用，岩屑被及时带走，减少压实效应，在漏层钻井时，可减少岩屑重复破碎、能提高机械钻速，增加钻井效率。

（2）可减少泵损耗，延长泥浆泵泵使用寿命。采用气举反循环钻井时，泥浆泵的作用只是向环空灌泥浆（或采用灌注泵灌注）一方面可以降低井底回压，一方面泵负荷大大减小，使用寿命延长。

（3）对环空液面高度有较高的要求。井内液位低于井深的50%时，常规气举反循环钻井工艺钻井效果差。

1.2.3 关键技术研究

气举反循环在设备上为简单，成本较低，但具有一定的局限性，如需要在大环空注入钻井，并保持一定液面高度，沉没比大于0.4，反循环效率较低，通常只有10%等。为建立良好稳定的反循环，并提高其钻井效率，以混合器、空压机、反循环钻头为关键装备，针对混合器沉没比、空压机注气量及注气速度等重要参数开展研究。

1. 混合器沉没比优选

气举反循环钻井成功建立循环的关键是混合器的沉没比选择，沉没比指的是混合器到环空液面距离与混合器到泥浆出口距离之比，是气举反循环钻井正常工作及钻进效率的重要影响因素。Allen等考虑了返排钻井液中岩屑的影响，对注气量经验计算方法进行了修正，推荐气水混合器沉没比取65%~70%，最小不得低于50%。耿令强认为气举反循环沉没系数必须大于0.5才能顺利建立反循环，且最大钻进深度必须小于双壁钻具长度的5倍。因此，一般情况下沉没比需要大于0.5，当小于0.4时不能实现反循环，但沉没比增大会导致空压机工作压力增加。随着钻井深度增加，气水混合器的埋深增加，导致空压机工作压力增加，但空压机能力有限，因此需要在钻进到一定距离后，提钻并重新调整气水混合器的埋深。

2. 注气量计算

注气量是气举反循环钻井的重要参数之一，注气量的大小会影响到空压力、双壁钻具等的选择，从而影响反循环效果和钻井成本。空压机的注气量可以通过钻井液排量来计算，推荐钻井液与注气量之比为1.0∶1.5~1.0∶2.0。胡正毅等对反循环所需气体流量进行了计算分析，并开展了实验测试，结果表明，当气体流量不小于70L/s时，可以形成反循环并实现2mm直径冰屑的返排。注气速度与注气量和钻杆内径有关，韩晓明等建立了气举反循环钻井煤屑颗粒输送模型，分析了输送压力损失的变化规律。结果表明，随着空气速度增加压力损失先降低再增加，存在最佳经济速度。

3. 油气钻井适用性分析

气举反循环钻井一般用于水井、地热井、煤层气井、大直径桩孔施工中，受空压机影响，其钻深能力有限，暂时还不适用于石油天然气钻井中，但近年来一些学者开始探索气举反循环钻井用于石油天然气钻井的可行性。李帮民等分析了下双壁钻杆的类型和下深比、空气压缩机风量等施工参数对机械钻速的影响，并建议使用SHB139.7/80或SHB127.0/79两种双壁钻杆，以提高机械钻速。彭彬等设计了正反循环切换系统，并开展了气举反循环钻井实验，验证了气举反循环钻井技术应用到石油钻井领域中的可行性。李文哲等为解决长宁页岩气表层钻井井漏严重问题，在气举反循环钻井技术基础上，设计了一种采用常规钻具的气举反循环钻井新工艺，实试验表明，采用该工艺后，与邻井相比井漏减少了83.6%。

1.3 全井反循环

全井反循环钻井技术在20世纪70年代被国外提出并开始研究，直到1982年，全井反循环技术引入国内，并应用于连续取心技术，如今全井反循环钻井技术在钻探取芯领域、水文钻井、基础施工、矿产开采和极地钻探等领域都有重要的应用前景和应用价值。

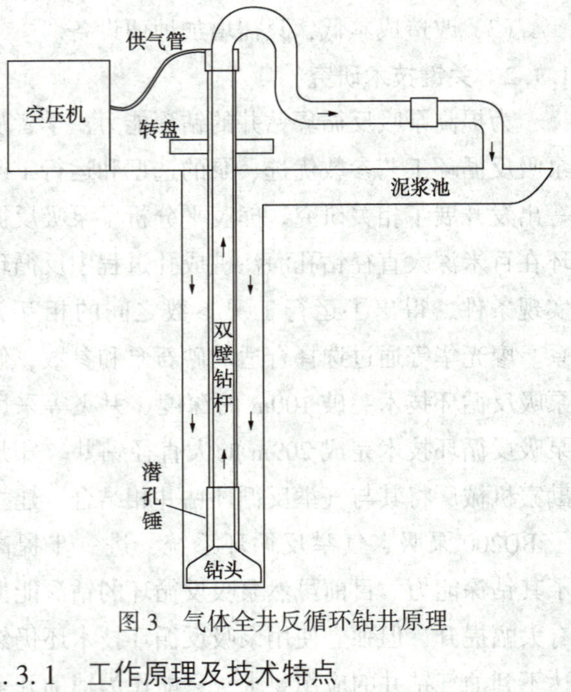

图3　气体全井反循环钻井原理

1.3.1 工作原理及技术特点

全井反循环钻井通过空压机将气体加压，由

双壁钻具与潜孔锤及反循环钻头到达井底，携带岩屑后通过双壁钻杆中心通道返至地面(图3)。由于采用了专门研制的贯通式潜孔锤，又称为贯通式潜孔锤反循环钻井。

全井反循环钻井技术经过多年现场应用，表现出以下技术优势：

（1）全井反循环钻井技术用于低渗透、低压易漏井，这些地层如采用常规钻井液、泡沫或高压空气钻井可能会受到损害，用钻井液钻井时甚至可能不会有油气显示。

（2）钻井过程中由于井壁零污染以及取消固井生产套管、射孔和压裂等全井节省成本超过常规钻井作业成本的66%。

（3）反循环钻井井场占地面积比常规钻井井场减少50%。

1.3.2 关键技术研究

1. 注气参数优选

空压机的注气量、注气压力直接影响到反循环钻井的循环效果和携岩能力，但空压机能力是有限的，且采用更大的空压机设备，需要更多的设备费用和占用面积，在一定程度上是不经济的，因此需要对空压机的注气参数合理选择展开研究。针对全井反循环的注气参数，祁宏军建立了全井反循环中心排渣通道和环空注气通道压力模型，为注气参数的合理选择提供了参考依据。Xiaoming Han 等通过对煤层抽气钻井中反循环钻井技术进行了数值模拟研究，发现风速的大小对排屑速率和岩屑质量具有重要影响，风速越大，排屑速率越大，但同时会导致钻杆内压降增加。L. H. Zhu 等提出了一种反循环钻井研究岩屑运移的数学模型，可以有效估计反循环钻井风量需求。董硕等建立了冰屑颗粒悬浮及上返运动方程，确定了冰屑密度、冰屑粒径和风量是影响其悬浮和上返速度的关键因素，并最后通过实验验证了模型的准确性，其误差最大为10.91%。通过上述研究发现，全井反循环的注气量与双壁钻杆尺寸有密切关系，双壁钻杆内管内径尺寸越大，需要的注气量越大，而全井反循环的注气压力与井深有关，井深越大，其注气压力越高。

2. 反循环钻头结构优化

针对反循环钻头结构尺寸对反循环效果的影响，学者从喷嘴的结构尺寸及数量、吸嘴的结构尺寸和数量等进行了研究和分析。提高反循环效果有以下方式：增加吸嘴的数量或吸嘴的倾斜角，增大吸嘴仰角和偏转角；当扩压槽水平倾角不变时，调整底喷孔水平倾角为15°时，反循环效果最显著，调整内喷孔与底喷孔流道截面积分配比例，当底喷孔和内喷孔流道界截面积分配比例为1：1时，可以形成良好稳定的反循环，有利于岩屑运移和钻头齿冷却，在反循环钻头上增加环形狭缝；为反向循环钻头增加一种密封环。该密封环安装在钻头卡盘上，以减小钻孔壁和钻头之间的环形间隙，并形成密封或近密封，以防止钻屑向上延伸到钻头的外部，以提高排屑能力。

全井反循环在矿产开采、隧道钻探中也具有重要应用，但在生产过程中容易出现粉尘溢出钻孔，对工作人员身体造成严重的身体健康危害，因此需要以反循环钻头粉尘控制为目标对钻头结构进行改进。倾角、偏角、垂直空间、水平空间是反循环钻头吸力的重要影响因素，其中倾角对吸力的影响最大；通过在钻头内部增加旋流槽可以提高反循环效果。当压缩空气从该螺旋槽喷出时，可在钻头中心通道形成较强的旋流场，有利于控制钻井现场粉尘。

3. 冰芯取样工艺

极地冰川钻井常采用的钻井方法是机电螺旋钻，即浅钻，但钻进效率低，而全井反循环技术具有钻进效率高、能耗低等特点，学者尝试采用全井反循环钻井技术进行冰芯取样钻井。Zhngyi hu 等设计了一种空气反循环的冰芯取样钻探系统。Pinlu Cao 等研究了一种评估注入压力的数学模型，以确定满足冰芯和钻屑连续运移的空气流量和压力。对于一个深度为1000m、直径为134mm的钻孔，标准大气条件下的空气体积流量和压力至少为6.27m^3/min 和0.70MPa，以输送直径为60mm、长度为250mm的冰屑和冰芯。此外，他们研制了一种新型的带有叶片旋流器的冰芯钻头，用于全井反循环钻井的冰芯钻探，进一步提高了钻头反循环的效果。

1.4 双壁钻杆液体反循环

1.4.1 RDM

RDM(Reelwell drilling method)是一种双壁钻

杆液体反循环钻井技术，最早由挪威国家石油公司和挪威科学研究委员会于2004年提出。2014年，BG巴西公司首次将RDM钻井系统应用到了海上平台进行了2300m的深水钻井作业。2018年，20年来最大的钻井项目在Ullrigg试验台上进行，并进行了768m水平井钻探。目前RDM技术正在进行商业化推广应用。

1. 工作原理及技术特点

如图4所示，RDM钻井系统主要由流量控制单元、顶驱适配器、双壁钻杆、内管阀、井下钻具组合组成。RDM采用双壁钻杆，钻井液从双壁钻杆环空进入，从内管流出，避免对井壁造成冲蚀，减少地层漏失，提高井眼清洁能力。RDM适用于长水平井、大位移井钻井、低渗易漏井段、产层压力降低的老井、深水钻井。

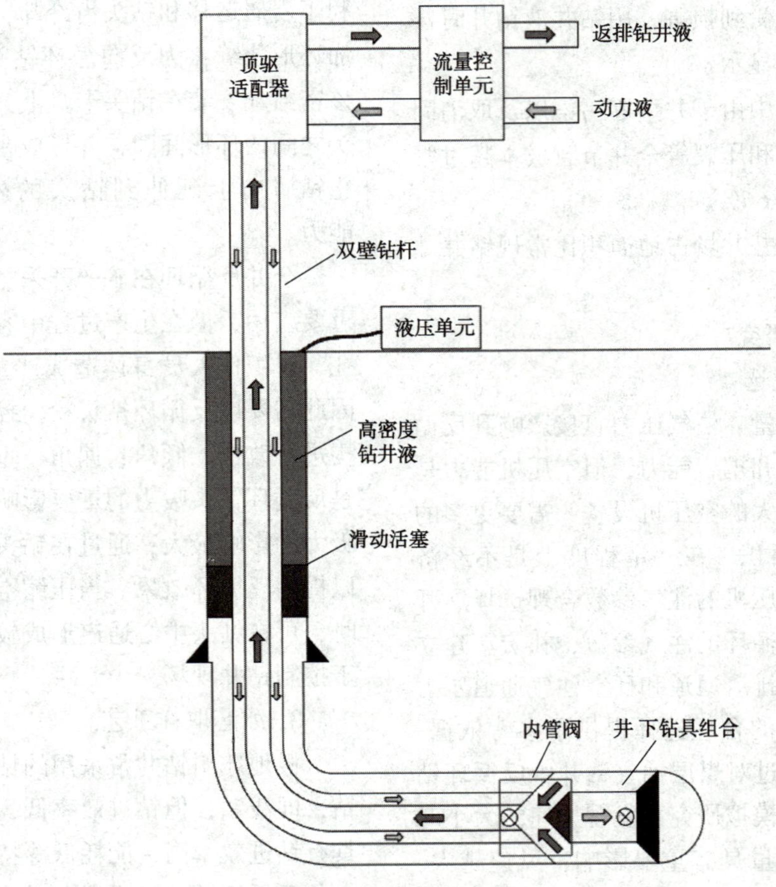

图4　RDM钻井示意图

RDM钻井技术可以与常规钻井转换，其具体方法是：移除顶驱适配器和内管阀，双壁钻杆与顶驱通过特殊接头连接，将钻井泵动力液同时通过双壁钻杆内管和环空向下泵送，通过钻头后钻井液携带岩屑由大环空返出。

目前经过Reelwell as公司的相关试验研究，已经挖掘出RDM技术具有以下技术优势：

（1）具有较强的井筒清洁能力，钻屑由双壁钻杆排出，不经过环空。

（2）一定程度上降低了扭矩和钻压的损耗，通过高、低密度钻井液组合及铝合金钻杆，减小了水平段管柱与井筒间的压力，从而减小扭矩和钻压的损耗。

（4）具有较强水平井极限延伸能力，采用双壁钻杆循环钻井液，外环空没有循环磨阻，延长了水平段延伸极限。

（5）具有较强井控能力，通过双浮动阀、内管阀等井控装置，可以实现井底压力恒定，避免气体流入，实现安全钻进。

2. 关键技术研究

RDM钻井技术作为一种近年来才发展起来的钻井技术，关键技术主要掌握在Reelwell公司手上，具体表现在滑动活塞、内管阀等关键井下工具的研发、高低密度钻井液体系的设计及其他钻井参数设计。国内的一些学者围绕RDM钻井技术做了相关研究，陈颖杰等通过Fluent软件模拟钻井液在双壁钻杆环空内的流动规律，结果发现，双壁钻杆流道的过流面积小，不宜采用大排量进行钻进。孙宝江等人进行了 RDM 钻井技术在深水钻井中应用的可行性探讨研究，分析了该技术应用于深水钻井所面临的技术难题，并提出了解决措施。郑冲涛等介绍和分析 RDM 钻井技术原理，研究分析了现场试验情况，结果表明，RDM 钻井技术突破了水平井水力延伸极限，并降低了水平井机械衍生极限。山东理工大学潘广堂对 RDM 钻井技术中双壁钻杆顶驱适配器进行了机械系统设计，并提出了串联式动压补偿系统，最后研制了顶驱适配器物理样机。黄涛等设计了一种利用高速反向射流抽吸岩屑的流动转换装置，并进行了优化设计，该工具最优水力效率为 16.78%。

1.4.2　井下举升反循环钻井

井下举升反循环钻井技术由西南石油大学提出，与中国石油川庆钻采院进行联合研发，目前已进行可行性分析、关键装备研发、井控工艺研究等工作，目前正在开展陆地井试验研究，以验证井下举升反循环钻井技术的可行性，测试其系统性能。井下举升反循环钻井技术研发的初衷是解决深水钻井窄安全密度窗口问题，应用在深水钻井领域，但钻井液采用反循环方式，从双层管（双壁钻杆或双层连续管）环空进入，从双层管内管返出，因此也属于反循环钻井。

1. 工作原理及技术特点

如图 5 所示，井下举升反循环钻井采用双层管，高压钻井液由钻井平台上的钻井泵通过高压管汇注入双层管内外管环空，再依次通过举升泵、井下工具管串、钻头、井底，再从井底通过举升泵、双层管内管返回至钻井平台。外环空是由海水、隔离液、钻井液三段液柱构成。隔离液是一种特殊凝胶，用来分隔上层海水和下层钻井液，相当于活塞的作用，也可以用封隔器替代。

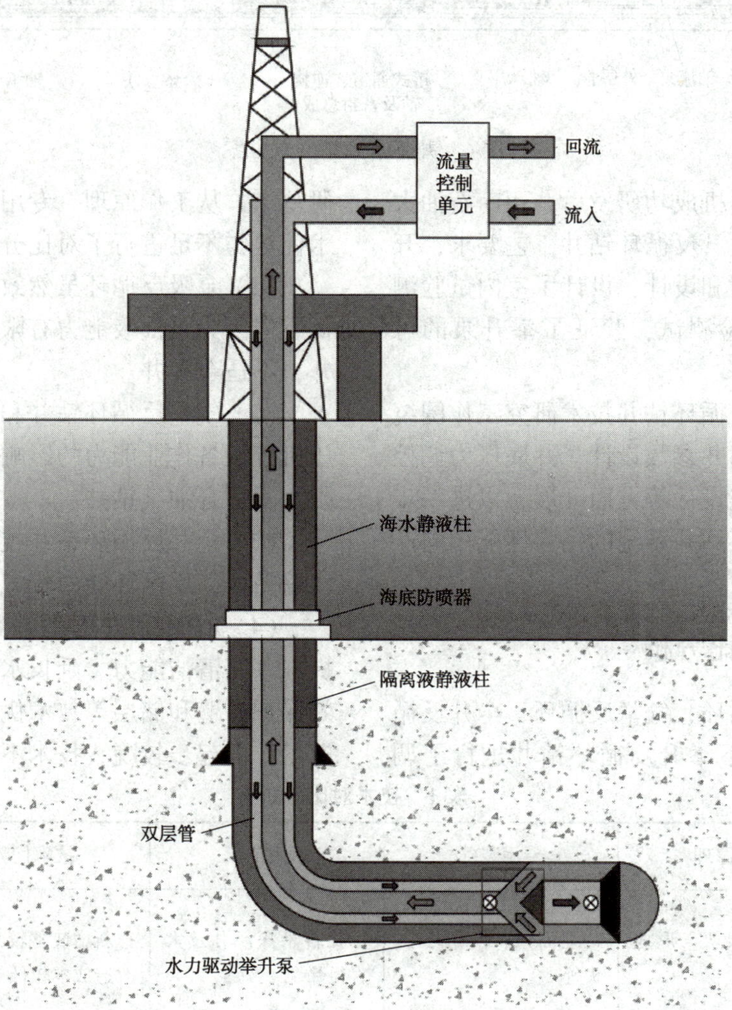

图 5　井下举升反循环钻井示意图

井下举升反循环钻井系统将举升泵放在双层管中，改善了泵吸反循环钻井中泵位置安装在井口的局限性，提高了井下举升反循环钻井的钻深能力。虽然井下举升泵的设计和加工更为复杂，但对于深井以及超深井，其对井底压力的调控范围更大，更能适应井下窄密度窗口以及其他复杂井下情况。在前期论证工作中，已初步确定反循环钻井具有以下技术优势：

(1) 采用双壁钻杆，可以提高井筒清洁能力，减少井壁冲蚀，能有效保护井壁和储层。

(2) 外环空循环磨阻为零，增加了水平井水平段延伸极限。

(2) 采用井下举升泵，可以协助钻井液举升，提高反循环钻井能力。

2. 关键技术研究

井下举升反循环钻井技术已经开展了井下水力举升泵研制、室内试验测试、陆地井试验测试、海上试验测试等工作。

基于“海洋钻井设计规范”及“井下作业井控技术规范”等相关作业设计标准与规范，考虑井下举升反循环钻井工艺要求，采用机械设计、仿真分析、优化设计、对比分析等方法，先后开展了举升泵总体方案设计、水力计算及性能仿真分析、内流场分析、结构参数优化设计、关键部件强度校核、密封设计等工作，最终形成了井下水力举升泵详细设计方案，并完成了井下水力举升泵的试制。

如图 6 所示，井下水力举升泵由轴流泵、桥式通道、连接轴、涡轮马达等组成，工作原理是高压动力液驱动涡轮马达，带动涡轮马达转动，涡轮马达通过连接轴将动力传递给轴流泵，轴流泵工作并协助举升井底钻井液流体。

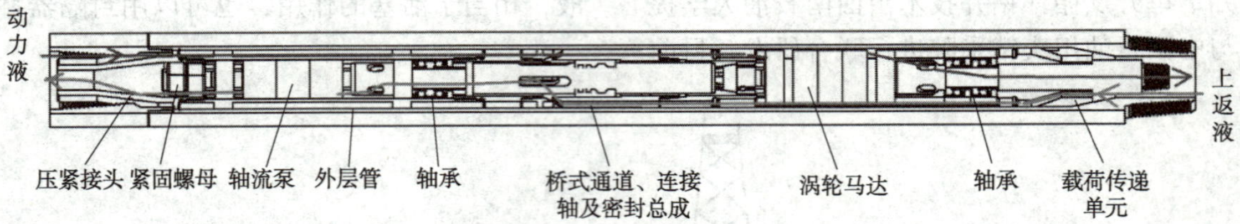

图 6　井下水力举升泵方案

在举升泵工程样机成功研发后，西南石油大学课题组根据井下举升反循环钻井工艺要求，开展了配套设备的选型和设计，设计了室内试验测试方案并进行了试验测试，验证了举升泵的可行性。

目前井下举升反循环钻井技术研究工作围绕举升泵优化设计、钻井参数设计、井底压力调控工艺研究、井控系统设计等方面开展，以进一步提高井下举升反循环钻井系统的钻井性能，向产品商业化应用迈进。

2　反循环技术对比分析

通过对泵吸反循环、气举反循环、全井反循环、RDM 钻井、井下举升反循环钻井进行了调研总结，从工作原理、专用装备、适用范围、技术优势与不足进行了对比分析，其结果见表 1。

(1) 泵吸反循环虽然效率较高，经济成本较低，但因为泵抽吸能力有限，仅适用于大直径浅井，不适合深井。

(2) 气举反循环钻井和全井反循环钻井受空压机等设备作业能力的影响，反循环钻井能力受限，不适合油气钻井。

(3) 全井反循环钻井技术从井口到井底采用双壁钻杆，反循环能力较气举反循环钻井更强。

(4) RDM 和井下举升反循环钻井技术具有提高井筒清洁能力、延长水平井钻井极限、能有效保护井壁和储层等技术优势，具有较好的发展前景，但起步较晚，技术不够完善。

表 1　技术对比分析

反循环类型	工作原理	专用装备	适用范围	技术优势	不足
泵吸反循环	地面泵泵吸，形成反循环	地面泵、反循环钻头等	几百米深浅井及大直径井	新增装备较为简单，改造成本较低	反循环能力较低，钻井深度较浅

续表

反循环类型	工作原理	专用装备	适用范围	技术优势	不足
气举反循环	气体降低上部流体密度，形成反循环	双壁钻杆、混合器、空压机、反循环钻头	主要用于水文钻井、矿井	改造成本适中，技术成熟，适用范围较广	对深井钻井能力有限
全井反循环	气体降低全井段流体密度，形成反循环	双壁钻杆、混合器、空压机、反循环钻头	主要用于水文钻井、矿井、地热井	改造成本适中，技术成熟，适用范围较广	对深井钻井能力有限
RDM	采用低密度钻井液循环	双壁钻杆、顶驱适配器、活塞、双浮动阀	主要用于水平井、大位移井、深水钻井	水平井钻井有较好效果	技术发展不够完善
井下举升泵反循环	利用井下举升泵降低井底压力，形成反循环	双壁钻杆、井下举升泵等	主要用于深水钻井	井底压力调控能力较强，适合窄安全密度窗口	技术发展不够完善

4 结束语

（1）反循环钻井技术在解决地层漏失、井眼清洁、钻井液用量大、机械钻速较低等钻井复杂问题具有极大优势。当前主要形成了泵吸反循环钻井技术、气举反循环钻井技术、全井反循环钻井技术以及双壁钻杆液体反循环钻井技术4种典型的反循环技术。

（2）双壁钻杆液体反循环钻井技术具有提高钻深能力、延长水平井钻井极限、有效保护井壁和储层等技术优势，适用于水平井钻井、深水钻井等，目前国外已用于商业开采，但国内还处于试验阶段。

（3）为缩小双壁钻杆液体反循环钻井技术国内外发展差距，建议在双壁钻杆液体反循环钻井技术井下举升工具研发与优化、井底压力调控工艺、钻井参数优化等方面开展重点攻关，以加快国内双壁钻杆液体反循环钻井技术的发展，促进商业化应用。

参考文献

[1] 熊茂平．百米深大直径钻孔灌注桩泵吸反循环钻进技术[J]．施工技术，2005(第1期)：31-33.
[2] 廖光华．泵吸反循环钻进深度的理论探讨与实践[J]．地质与勘探，2000(第2期)：32-34.
[3] 尹飞，王茂森，田野．泵吸反循环钻进深度计算分析[J]．西部探矿工程，2008(第2期)：58-60.
[4] 赵恒秀．BQ200泵吸，气举反循环系统[J]．建筑机械，1996(第12期)：3-4.
[5] 韩烈祥，孙海芳．气体反循环钻井技术发展现状[J]．钻采工艺，2008(第5期)：1-5.
[6] Reverse circulation airlift methods for big hole drilling: ALLEN, JH SMITH TOOL, IRVING, CALIF., USA 5F, 1T, 11R. WORLD MIN., N1, JAN. 1976, P34-37[J]. International Journal of Rock Mechanics and Mining Sciences and Geomechanics Abstracts, 1976 (No. 5): 55.
[7] 耿令强．气举反循环钻深度的理论计算与加深试验[J]．中国煤田地质，2001(第2期)：86-87.
[8] 樊文跃．大直径超长桩气举反循环施工沉没比变化规律分析[J]．世界桥梁，2014(第4期)：64-67.
[9] Weber Walter，杨志豪．气举反循环提举系统的参数计算与选择[J]．国外地质勘探技术，1991(第8期)：4-9.
[10] 胡正毅，达拉拉伊·帕维尔，曹品鲁，等．气体局部反循环电动机械冰钻技术[J]．吉林大学学报(地科版)，2012(第A3期)：374-378.
[11] 韩晓明，张龙列，刘瑜，等．松软突出煤层水平钻孔反循环气力排屑机理[J]．中国安全生产科学技术，2015(第5期)：26-31.
[12] 李帮民，侯树刚，杨甘生，等．气举反循环防漏钻井施工参数适应性分析[J]．断块油气田，2016(第6期)：838-841.
[13] 彭彬，李帮民，王丹，等．气举反循环技术在石油钻井中的适应性分析[J]．科学技术与工程，2016(第19期)：179-184.
[14] 李文哲，代锋，李郑涛，等．常规钻具充气反循环钻井技术研究与试验[J]．钻采工艺，2021，44(04)：31-34.
[15] 祁宏军．贯通式潜孔锤反循环气体钻井系统压力分布模型[J]．煤田地质与勘探，2013(第4期)：

85-89.

[16] Han X, Li P, Li J. CFD-DEM Simulation of Reverse Circulation Pneumatic Cuttings Removal during Coal Seam Drilling. [J]. Mathematical Problems in Engineering, 2020(No. 1): 1-14.

[17] Zhu L Z L H, Huang Y H Y S, Wang R W R H, et al. A mathematical model of the motion of cutting particles in reverse circulation air drilling[J]. APPLIED MATHEMATICS AND COMPUTATION, 2015 (No. C): 192-202.

[18] 董硕，贺文博，曹金娥，等．冰层空气反循环快速钻进方法及冰屑运移研究[J]．探矿工程(岩土钻掘工程)，2021(第1期)：49-56.

[19] Yin Q Y Q S, Peng J P J S, Bo K B K S, et al. Study on dust control performance of a hammer drill bit. [J]. INTERNATIONAL JOURNAL OF MINING RECLAMATION AND ENVIRONMENT, 2013 (No. 6): 393-406.

[20] Zhang X Z X S, Luo Y L Y S, Gan X G X S, et al. Design and numerical analysis of a large-diameter air reverse circulation drill bit for reverse circulation down-the-hole air hammer drilling. [J]. Energy Science & Engineering, 2019(No. 3): 921-929.

[21] 甘心，殷琨，殷其雷，等．空气反循环钻头井底流场分析及结构优化[J]．吉林大学学报(地球科学版)，2016(第1期)：187-194.

[22]刘建林．大直径反循环钻头流道结构的设计[J]．煤田地质与勘探，2013(第1期)：89-92.

[23] Cao P, Chen Y, Liu M, et al. Analytical and experimental study of a reverse circulation drill bit with an annular slit[J]. Advances in Mechanical Engineering, 2016(No. 9).

[24] Tony L, Paul L D, Sugavanum R. Downhole hammer drill:

[25] Jiang-Fu Hea B, Bing-Xing Sun C D, A Y L, et al. Research on suction capacity and dust suppression performance of a reverse circulation air hammer in tunnel drilling[J]. Tunnelling and Underground Space Technology, 2018(No. 0): 391-402.

[26] Cao P C P S, Chen Y C Y S, Liu M L M S, et al. Optimal Design of Novel Drill Bit to Control Dust in Down-the-Hole Hammer Reverse Circulation Drilling [J]. Arabian Journal for Science and Engineering, 2018(No. 3): 1313-1324.

[27] Hu Z H Z S, Talalay P T P S, ZHeng Z Z Z S, et al. Air reverse circulation at the hole bottom in ice-core drilling (Article) [J]. Journal of Glaciology, 2019 (No. 249): 149-156.

[28] Cao P C P S, Liu M L M S, Chen Z C Z S, et al. Theory calculation and testing of air injection parameters in ice core drilling with air reverse circulation [J]. Polar Science, 2018: 23-32.

[29] Cao P S S, Zhao Q S S, Chen Z S S, et al. Orthogonal experimental research on the structural parameters of a novel drill bit used for ice core drilling with air reverse circulation. [J]. Journal of Glaciology, 2019 (No. 254): 1011-1022.

[30] Wang M S A S, He W S A S, Wang M S A S, et al. Numerical Simulation Study of a Swirling Drill Bit Used for Ice Core Drilling [J]. Journal of Marine Science and Engineering, 2022(No. 2).

[31] REELWELL 公司. Careers | Stavanger | Reelwell AS [EB/OL]. (2023 - 06 - 06) https://www.reelwell.com/.

[32] Vestavik O M, Thorogood J, Bordelet E, et al. Horizontal Drilling with Dual Channel Drill Pipe [J]. 2017.

[33] Vestavik, Michael O. New Concept for Drilling Hydraulics[M].

[34] Thakar V, Nambiar S, Shah M, et al. A model on dual string drilling: on the road to deep waters [J]. Modeling Earth Systems and Environment, 2018 (No. 2): 673-684.

[35] Belarde M A, Vestavik O M. Deployment of Reelwell Drilling Method in Shale Gas field in Canada: Offshore Europe[C], Aberdeen, UK, 2011.

[36] Journal, OF, Petroleum, et al. Reelwell Drilling Method Makes Use of Dual - Conduit Drillstring [J]. Journal of Petroleum Technology, 2012, 64(8): 38-39.

[37] Vestavik O. Extended Reach Drilling-new solution with a unique potential: 2013 SPE / IADC Drilling Conference and Exhibition [C], Amsterdam, The Netherlands, 2013.

[38] Breivik D H, Rrvik H, VESTAVIK O M. Improving Horizontal Well MPD by using a Dual-Channel Drillstring: SPE/IADC Managed Pressure Drilling and Underbalanced Operations Conference and Exhibition [C], 2020.

[39] Li J, Tan T, Zhang H, et al. Study on the Open-hole Extended - reach Limit Model Analysis for Offshore Reelwell Drilling Method: US Rock Mechanics/Geomechanics Symposium[C], 2019.

[40] Vestavik O M, Syse H, Hole O, et al. New Approach to Improve the Horizontal Drilling Reach: Canadian Unconventional Resources and International Petroleum Conference[C], Calgary, Alberta, Canada, 2010.

[41] Aleksandersen J, Vestavik O M. Dual-drillpipe method shows success in PMCD wells with cuttings return(Article) [J]. JPT, Journal of Petroleum Technology,

2015(No.4): 32-35.
[42] TANTAWY H F. The Application of the Reelwell Drilling Method in Drilling and Casing a Vertical Well in One-Hole Section: SPE Bergen One Day Seminar [C], Bergen, Norway, 2015.
[43] 陈颖杰，杨九珩，王平，等. RDM 技术中双壁钻杆环空钻井液流动模拟研究[J]. 石油机械，2011(第5期): 20-22.
[44] 孙宝江，公培斌，刘震，等. 双通道钻杆反循环钻井方法在深水钻井中应用的可行性探讨[J]. 中国海上油气，2013(第1期): 49-53.
[45] 郑冲涛，刘殿琛，韩烈祥. 水平井恒压力梯度控压钻井新技术[J]. 钻采工艺，2019(第3期): 5-8.
[46] 潘广堂. 双流钻井顶驱适配器关键技术及装置研究[D]. 山东理工大学，2017.
[47] 黄涛，李军，宋学锋，等. ReelWell 钻井反向射流抽吸技术及工具研究[J]. 石油机械，2019(第2期): 8-13.
[48] 王国荣，钟林，刘清友，等. 基于双层管双梯度深海油气及水合物开发技术研究[J]. 海洋工程装备与技术，2019(第A1期): 225-233.
[49] Zuo R, Wang G, Hu G, et al. Theoretical research on sealing performance of packing element used in the dual gradient packer considering stress relaxation effect [J]. Journal of the Brazilian Society of Mechanical Sciences and Engineering, 2022(No.6).
[50] 唐洋，赵鹏，王国荣，等. 海洋天然气水合物固态流化多相混合浆液水平段运移规律[J]. 中南大学学报(自然科学版)，2022(第3期): 1047-1057.
[51] 张晓东，郝仁杰，龚彦，等. Φ79 mm 固液混输轴流泵叶片设计与分析[J]. 石油机械，2020(第3期): 90-97.

致密砂岩气藏地质工程一体化压裂技术研究

江　锚[1]　张　浩[1]　吴佳琦[1]　马晓强[1]　张红杰[2]　王瑞涛[2]

(1. 中海油研究总院有限责任公司；2. 中联煤层气股份有限公司神府分公司)

摘　要　随着常规气田的可动用储量越来越少，致密气等难动用资源逐渐受到重视。为了增加致密砂岩气田储量动用程度，针对地质构造特征、测井数据，建立了地质气藏各属性精细化模型，评价了目标层位的地质甜点、工程甜点，优选了水平井分段分簇位置，开展了多段多簇裂缝形态模拟及气藏产量数值模拟，分析了水平井开发效果并提出了气田后续产能挖潜的措施，进而形成了致密砂岩气藏地质工程一体化模拟技术。研究结果表明：利用有限元方法建立的压裂模型，能够精确刻画多段多簇裂缝形态。在此基础上，将多段多簇裂缝模型与气藏基质属性模型相互结合，可进一步分析压裂改造后的压力波及范围及产量动态变化。在SM区块致密砂岩气田探索并推广地质工程一体化模拟技术，对气田高效开发提供了宝贵的思路。

关键词　地应力三维模型；分段分簇；精细化压裂；数值模拟；致密气藏

随着常规气田的可动用储量越来越少，致密气等难动用资源逐渐受到重视。地质工程一体化技术的不少细节在国内仍处于待破解的阶段，该技术作为提高致密气藏储量动用程度的必要手段，在致密气田全生命周期开发开采中起到关键的支撑作用。一体化建模数模技术主要涵盖了地震测井资料解释、地质建模、岩石力学及地应力模拟、多段多簇裂缝形态和产量模拟的全过程。根据已压裂井后评估结果，气藏岩性变化快、地质参数非均质性强，导致岩石力学及地应力参数的准确反演的难度大于常规气藏，模拟裂缝形态及气井产能较常规气藏存在较多的不确定性，因此一体化建模数模全流程有效推广应用挑战重重。

通过三维地震资料进行构造精细解释，SM区块致密砂岩气田整体呈北西高南东低的单斜构造特征SM区内构造简单，只发育小规模的层间断层。对目标区块测井解释结果进行统计分析，测井解释的从S2至B1气层平均孔隙度7.2%~9.57%，渗透率0.33~0.59×$10^{-3}\mu m^2$；Ⅰ类气层含气饱和度51%~54.8%，Ⅱ类气层含气饱和度低于48%，总体表现为低温、低压、高含水及特低孔-特低渗砂岩储层。受岩石属性非均质性强的影响，同一小层单井试气无阻流量差异明显，常规压裂直井效果差。针对研究区采用常规压裂直井开发产量明显低于预期、气藏储量动用比例偏低的突出问题，初步确定“水平井分段压裂”的开发思路，亟需对地质工程一体化技术进行攻关研究。

1　地质工程一体化建模技术

根据目标气田勘探及一体化试验阶段的压裂试气分析结果，存在常规压裂支撑裂缝与储层接触面积有限，常规压裂条件下水平井产量偏低，气田稳产难度偏高等难题，运用地质工程一体化的先进理念，运用地震资料解释、测井数据精细评价等技术，完善精细地质属性建模流程。利用Petrel地质工程一体化平台，建立了涵盖岩性、地层孔渗饱、岩石力学、地应力等关键指标的精细化属性模型(图1)。精细化属性模型还可以辅助提升水平井段气层钻遇率(图1)。

2　地质工程一体化压裂及模拟技术

2.1　压裂流程优化

提高储层改造效果的核心是如何确保气井压裂工艺细节与气层物性参数的最佳匹配，但仅依靠探井测井资料的传统单井均匀分段储层改造设计无法解决关键问题。目标区块致密砂岩气田按照地质工程一体化先进理念，针对构造分布规律、岩石力学及地应力参数反演、压裂模拟及矿场实践经验，建立了目标区块致密砂岩气田的压裂设计流程，并以能否实现致密气藏产能提升作为标准，对储层改造输出参数进行较准确评价，进一步降低精细化模型的表征参数误差。

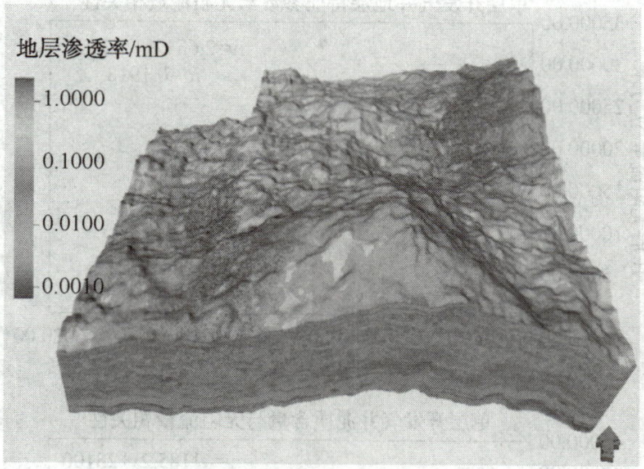

(a)地层渗透率三维属性

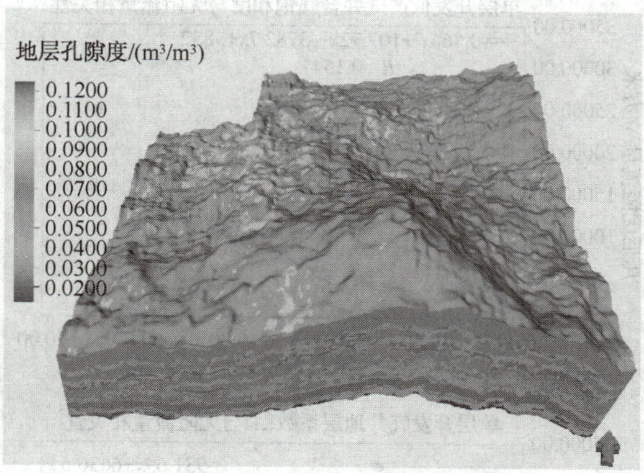

(b)地层孔隙度三维属性

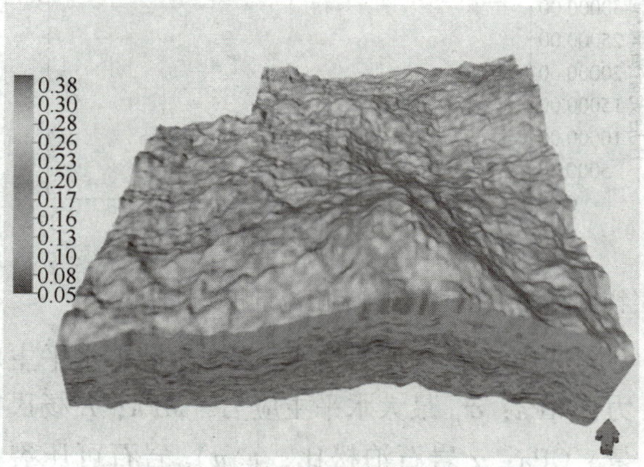

(c)地层泊松比三维属性模型

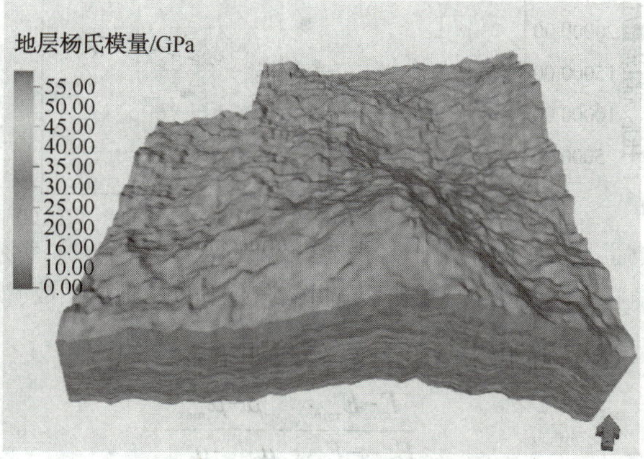

(d)地层岩石杨氏模量三维属性模型

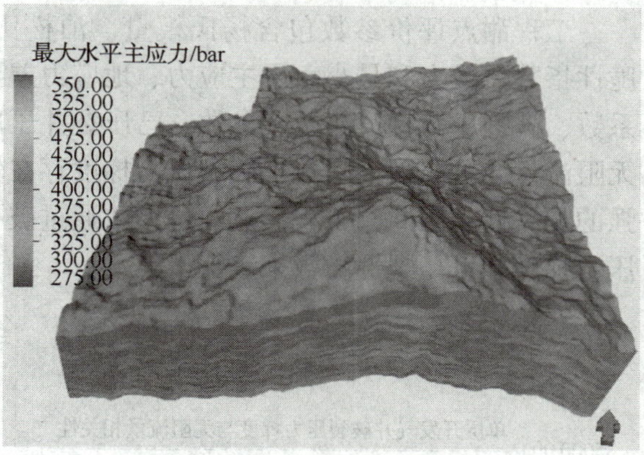

(e)最大水平主应力三维属性模型

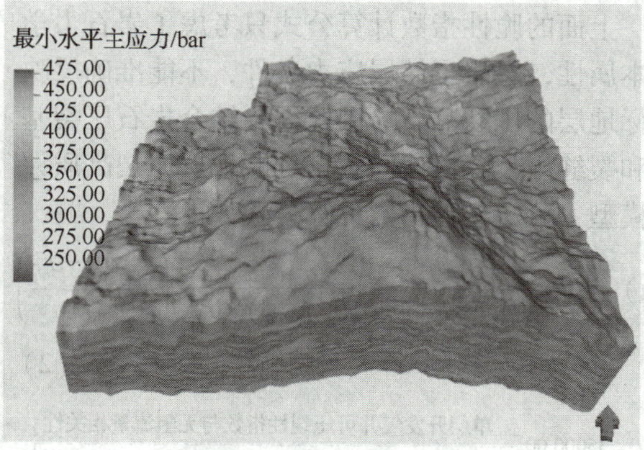

(f)最小水平主应力三维属性模型

图 1　致密气藏地质工程一体化三维属性模型

2.2　压裂射孔簇位置优选

根据地层岩心监测数据，地层天然裂缝不发育。根据岩石力学实验数据，部分区域岩石存在中等到较弱的塑性，最大水平主应力与最小水平主应力的差值总体分布在 6~10MPa 内，形成较大范围的网络型的裂缝体难度较大。为达到尽可能多的人造裂缝增加有效改造体积的目的，确定采用大排量、大砂量多段多簇桥塞射孔联作压裂技术。

根据单层压裂气井试气分析结果，定义目标区块单层直井/定向井低产井与高产井的分界线为 40000m^3/d。已压裂井压后无阻流量与含气饱和度、地层系数 KH、地层特征参数 KHSgφ、泥质含量存在相关性。其中，压后无阻流量与与泥质含量总体呈现负相关的特征。因此，地质甜点通过泥质含量、孔隙度、渗透率及含气饱和度四个评价参数来表征(图 2)。

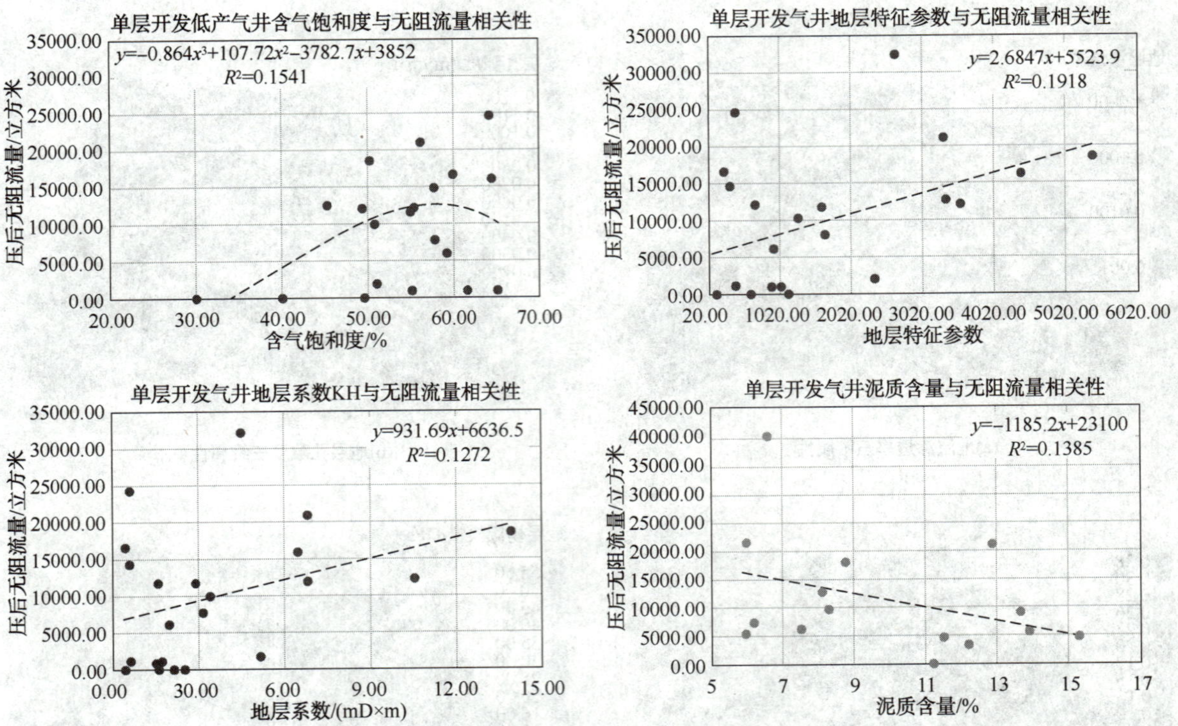

图 2　单层压裂气井含气饱和度、地层系数、地层特征参数、泥质含量与无阻流量相关性曲线

岩石脆性指数的计算公式如下：

$$B_n=100\times\frac{\dfrac{E-E_{\min}}{E_{\max}-E_{\min}}+\dfrac{\mu-\mu_{\max}}{\mu_{\min}-\mu_{\max}}}{2}\tag{1}$$

上面的脆性指数计算公式只考虑了岩石力学基本属性，忽略了储层应力条件，不能准确反映目标地层的压裂品质。因此需要结合岩石压裂基因和裂缝生长环境建立致密气藏地层压裂品质评价模型，可压裂性指数计算公式如下：

$$F(n)_i=B_n\times\frac{1}{(0.5\times K_{\mathrm{IC}}+0.5\times K_{\mathrm{IIC}})\times\sigma_h}\times\left(1-\frac{\sigma_H-\sigma_h}{\sigma_h}\right)\tag{2}$$

式中，B_n 为脆性指数；σ_h 为最小水平主应力，MPa；σ_H 最大水平主应力，MPa；E 杨氏模量，GPa；μ 岩石泊松比；$F(n)_i$ 岩石可压裂性指数；K_{IC} Ⅰ型断裂韧性；K_{IIC} Ⅱ型断裂韧性。

工程甜点评价参数包含杨氏模量、泊松比、脆性指数、最大和最小水平主应力、地应力差异系数、破裂压力梯度共 7 个参数。已压裂井压后无阻流量与可压裂性指数、破裂压力梯度存在较强的相关性。因此，工程甜点评价参数通过破裂压力梯度和可压裂性指数来表征(图 3)。

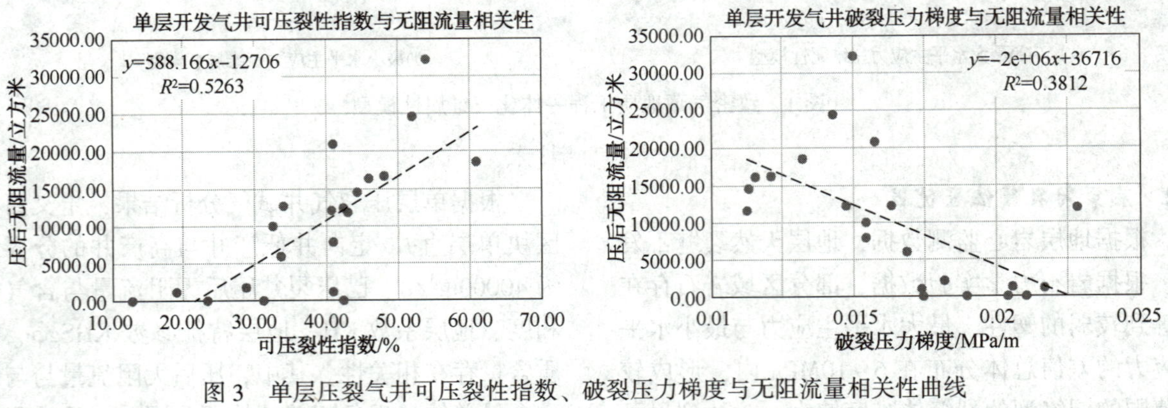

图 3　单层压裂气井可压裂性指数、破裂压力梯度与无阻流量相关性曲线

根据目标区块致密气藏地质模型及地应力精细化模型，利用 Kinetix 软件建立目标水平井压裂地学模型；根据水平井段地质甜点和工程甜点，优选目标区块致密气藏桥塞射孔联作压裂水

平井射孔位置，射孔位置优选步骤如下：

（1）选择压裂射孔水平段测深 MD。

（2）选择压裂段最大射孔分簇数量和簇间距。

（3）定义工程甜点和地质甜点评价内容和指标。

（4）根据地质甜点和工程甜点完成压裂分段，设置工程甜点位置优先射孔。

（5）调整射孔段长度，射孔密度，进而完成压裂段射孔簇位置优选。

依据上述优选步骤，水平井压裂分段方式从等间距均匀分 5 段 10 簇转变为结合综合甜点分布规律划分出 5 个压裂段 13 个射孔簇。其中，存在地质工程双甜点的第一段、第二段及第五段各设计三簇射孔，第三段和第四段设计两簇射孔（图 4）。

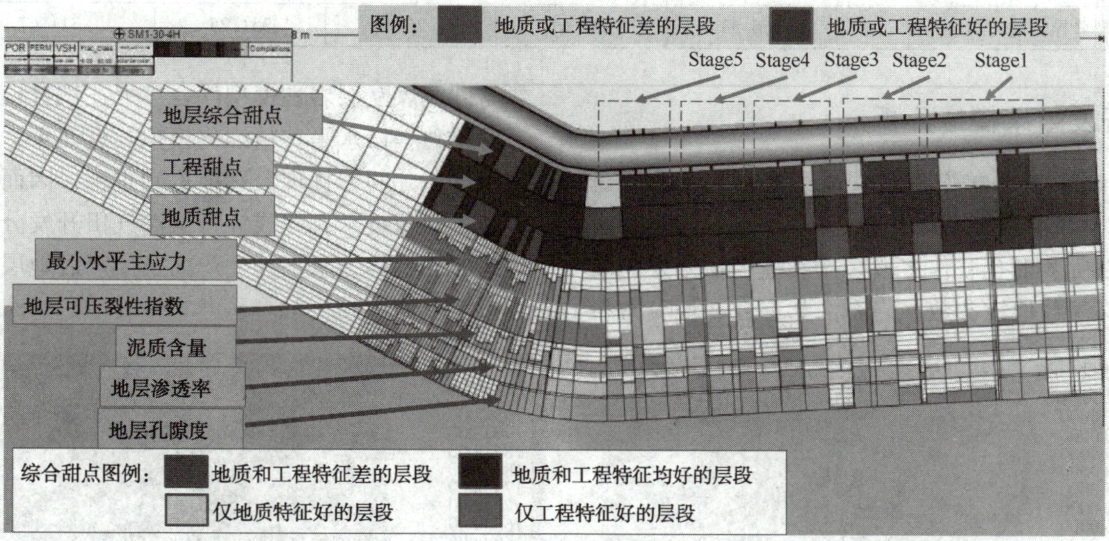

图 4　压裂水平井地层物性参数、工程参数及地质工程甜点沿井段的剖面图

2.3　压裂泵注程序设计及裂缝形态模拟

在压裂施工方面，结合地层条件，推荐水平井采用套管固井及桥塞射孔联作压裂工艺，采用一体化在线压裂液体系，可以灵活控制压裂液黏度。结合 5-½in 套管尺寸及井口压力随排量及摩阻的变化规律，桥塞射孔联作压裂水平井优选排量为 $8m^3/min$。

桥塞射孔联作压裂人工裂缝建模及数值模拟主要步骤如下：

（1）通过断层构造、测井解释以及岩心分析手段，建立储层物性三维地质模型，利用 Visage 软件反演出三维岩石力学及地应力参数属性模型。

（2）在三维地质模型的基础上，应用 Kinetix 软件划分地质工程综合甜点，优选压裂射孔段射孔簇，精细化设计泵注程序；输入压裂施工参数和岩石力学参数，采用 Kinetix 软件 UFM 算法表征人造裂缝形态。

（3）在形成多段多簇裂缝体的基础上，表征裂缝波及范围内的地层物性参数，生成高精度非结构化裂缝网格，采用 INTERSECT 数值模拟器计算气藏水平井生产动态。

根据压裂分段分簇结果，目标水平段优选 5 个压裂段 13 个射孔簇，设计两簇射孔段及三簇射孔段的压裂施工泵注程序。三簇射孔压裂段最大注入液量 $1049m^3$，三簇射孔压裂段最大加砂量 $76m^3$，两簇射孔压裂段最大注入液量 $723m^3$，两簇射孔压裂段最大加砂量 $49m^3$。根据上述压裂施工参数，采用 Kinetix 软件 UFM 有限元网格描述人工裂缝，目标水平井全水平段模拟裂缝形态如图 5 所示，不同压裂段裂缝模拟参数见表 1。

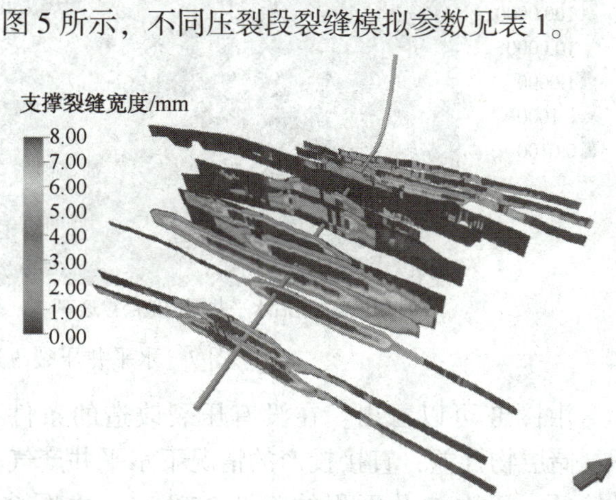

图 5　致密气田单口水平井全水平段模拟裂缝形态

表 1　致密气田水平井压裂段模拟裂缝参数汇总表

压裂层段	第 1 段	第 2 段	第 3 段	第 4 段	第 5 段
总液量/m^3	1013	1027	719	724	1049
总砂量/m^3	74	75	48	49	76
液氮体积/m^3	35.5	35.9	27.4	29.7	43.5
前置液占比/%	32.6	32.1	35.1	34.8	33.4
平均支撑裂缝半长/m	176.19	194.06	184.54	193.13	170.01
平均裂缝高度/m	14.45	28.09	25.04	21.97	12.74
平均裂缝导流能力/$10^{-3}\mu m^2\cdot m$	366.33	282.67	259	351.25	311.47

3　开发效果模拟分析

3.1　桥塞射孔联作压裂人工裂缝与气藏数值模拟模型耦合

以桥塞射孔联作多段多簇裂缝模拟结果为前提，将气藏地质参数、岩石力学参数、地应力参数与砂泥煤互层岩性模型耦合，上述耦合模型仅针对单独一口水平井精细化模拟。近几年，由于致密气藏井间干扰现象逐渐得到重视，因而多井精细化模拟技术有望成为特低渗气田开发分支学科延伸的趋势。水平井生产前及生产后地层压力分布情况如图 6 所示。

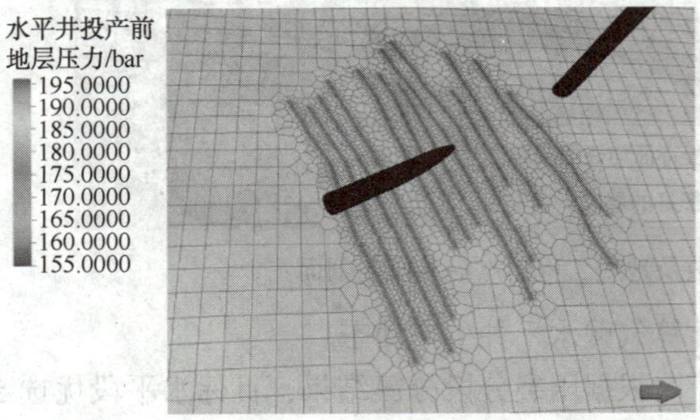

(a)水平井生产前地层压力分布图

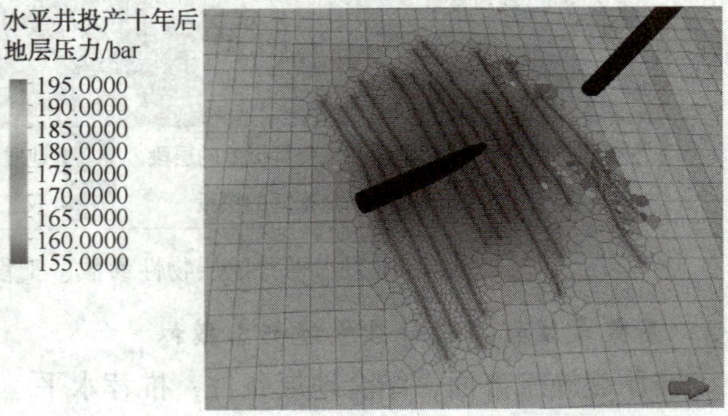

(b)水平井生产十年后地层压力分布图

图 6　水平井生产前及生产后地层压力分布情况

3.2　压裂水平井开发效果模拟分析

通过储层改造后的 UFM 压裂精细网格模型与储层改造前的常规网格模型对比发现：压裂改造后，裂缝附近的地层渗透率有所上升，微观渗流条件有所改善(图 7)。

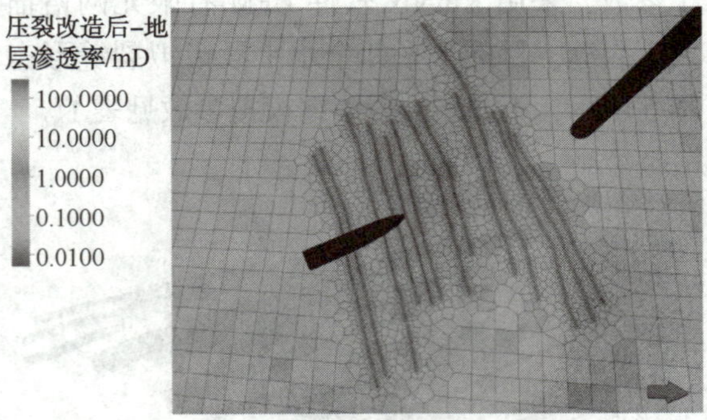

(a)压裂改造后水平井周边地层渗透率

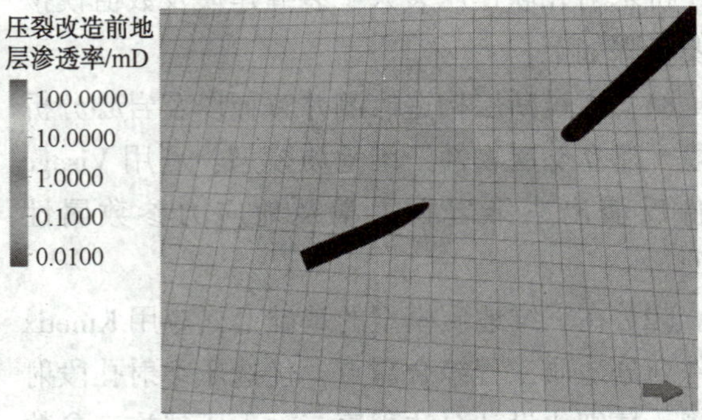

(b)压裂改造前水平井周边地层渗透率

图 7　水平井压裂改造前、后储层渗透率对比

由图 8 可以看出：在没有压裂改造的条件下，储层物性差，直接投产的情况下水平井产气量偏低，压力波及面积约为 0.279km^2；由图 9 可以看出：压裂改造后，缝网内部储层渗透率变大，地层压力下降速度快于未压裂改造的水平井，多段多簇裂缝导流能力增强，水平井周边气

体渗流能力增强，压力波及面积扩大到 0.72km²，相比于压裂改造前压力波及范围增大，压裂后水平井增产效果显著。这说明桥塞射孔联作压裂耦合数值模型可以准确表征渗流微观机理及生产动态，压裂耦合数值模型具有一定的适用性。

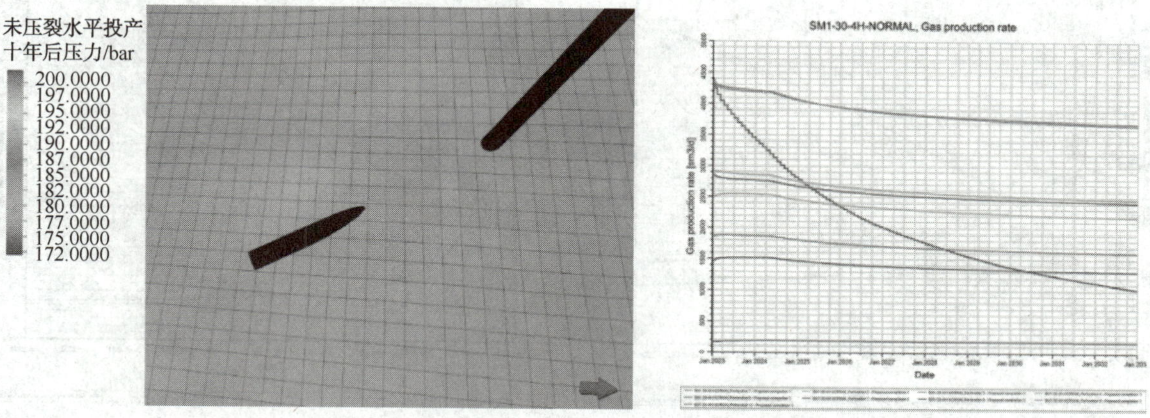

图 8　水平井未压裂改造生产 10 年地层压力分布图及各射孔段产气量曲线

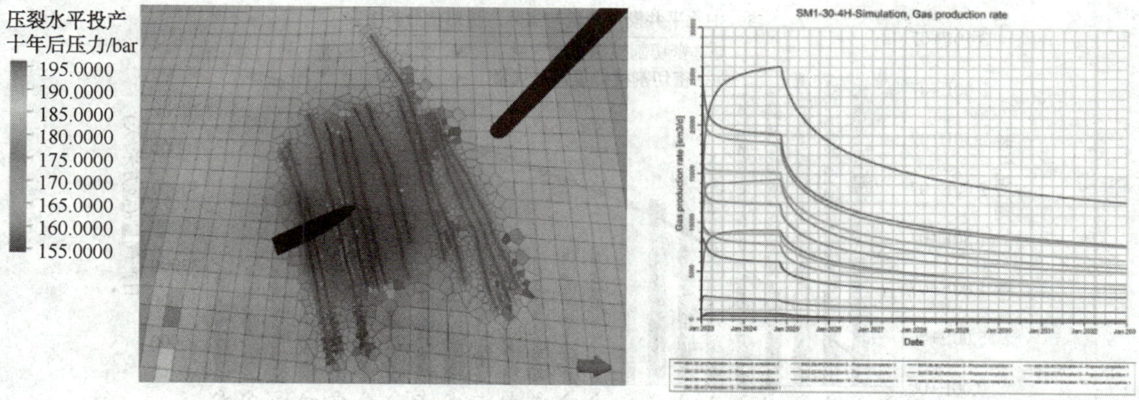

图 9　水平井压裂改造生产 10 年地层压力分布图及各射孔段产气量曲线

3.3　具体措施

（1）对于“低压、低孔、低温、高含水”致密气田，优选水平井开展密切割压裂试验是挖掘剩余可采储量，提高气田开发效果的主要手段之一。参考 X 地层致密砂岩目标区块气田已生产水平井动态数据，运用 INTERSECT 数值模拟软件设定投产时间 10 年，最小井底流压 15.5MPa，生产压差 3～5MPa。耦合模型模拟结果显示，在常规 80～100m 段间距的条件下，该水平井分为 10 个压裂段，生产十年累计产气量 7071 万 m³/d，累计产水量 11915m³；采用密切割试验后，压裂段间距缩短为 40～45m，共划分为 20 个压裂段，生产十年累计产气量 8944 万 m³，累计产水量 11272m³。可以分析出，采用密切割试验后，39-3H 井生产十年预计增加产气量 $1873 \times 10^4 m^3$，累计产气量增加幅度为 26.49%，降低产水量 643m³，累计产水量降低幅度为 5.4%(图 10)。

（2）39-3H 水平井地质气藏专业预测无阻流量 10.44 万 m³/d，2021 年 9 月实际试气无阻流量 22.37 万 m³/d，初始产气量 78442m³/d，截至 2023 年 9 月底该水平井累计生产时间达到 700 天，生产末期实际日产气量 28800m³，日产气量与模拟值 27727m³ 误差 3.86%，累计产气量实际值 3140 万 m³/d，累计产气量实际值与密切割试验模拟值 3200 万 m³/d 误差 1.86%，累计产气量实际值与常规分段分簇模拟值 2890 万 m³/d 误差 8.71%。因此，密切割试验条件下的模拟结果与实际值误差在合理范围内，反映出致密砂岩气田耦合模型具有一定的适用性，有利于在后续致密气田勘探开发及压裂设计中得到推广和应用(图 11)。

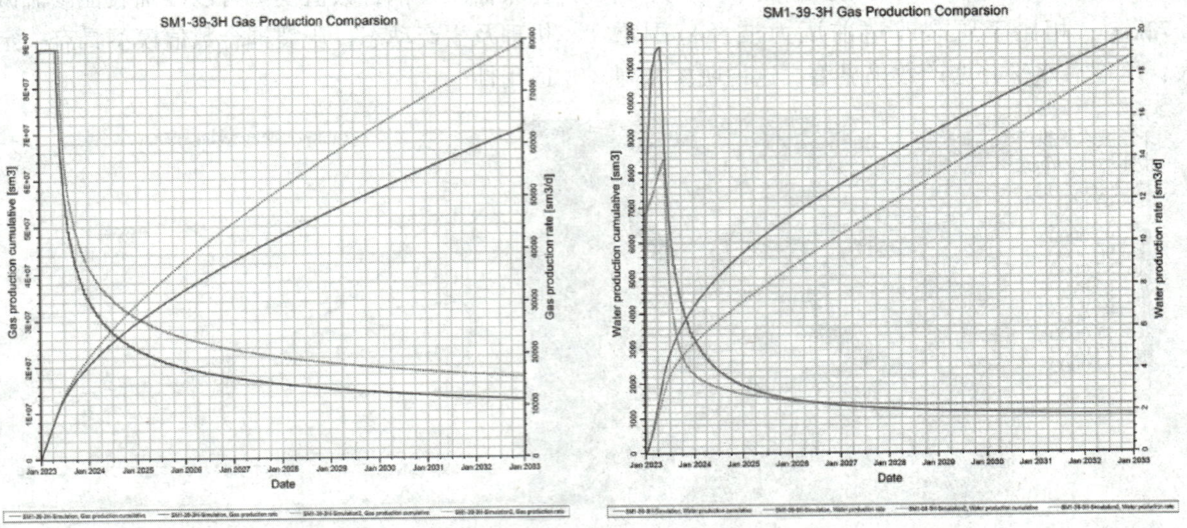

图 10　致密气田 39-3H 水平井密切割试验前后产气量及产水量对比曲线

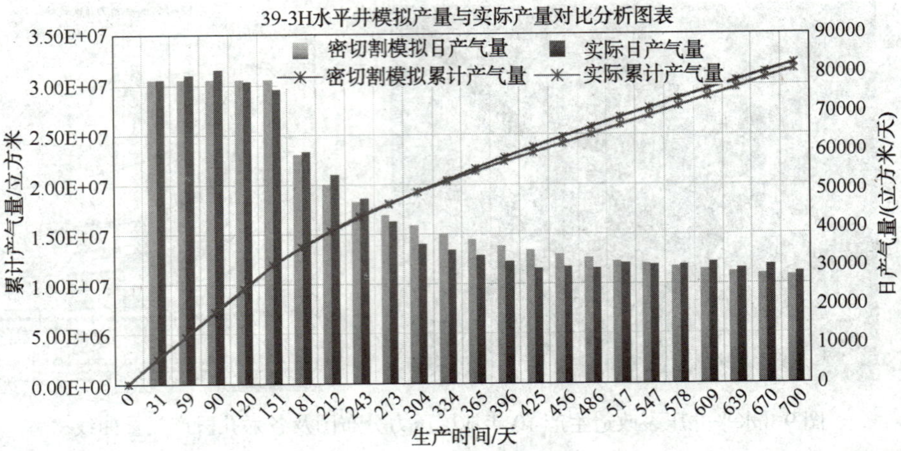

图 11　致密气田 39-3H 水平井密切割模拟产量与实际产量对比分析图表

（3）由于低渗—致密储层受物性及含煤隔夹层的影响，压力波及范围受限，可采用特殊方式进行挖潜。对于 1-30 井台、39-3H 井等相对高产区域，可采用部署加密井方式挖潜气藏可采储量。对于 1-95 直井定向井的井台，由于含泥岩、煤岩隔夹层的存在，位于纵向相邻层位的两口定向井几乎无连通性，建议试验随钻地质导向优化水平井侧钻轨迹，利用侧钻钻遇的气层开展剩余储量挖潜，进一步将地质工程一体化模拟技术应用到更多的非常规气田全生命周期开发研究中。

4　结论

（1）SM 区块致密砂岩气田首次尝试在“低压、低孔、低温、高含水”特征气藏开发中结合多学科基础知识，形成了致密气藏地质工程一体化建模数模技术体系，为下一步气田高效开发提供必要条件，同时也为条件相近的致密气藏开发建产提供了宝贵的思路。

（2）在 SM 区块致密砂岩气田压裂规模逐渐增大的背景下，通过地质工程一体化研究，运用 UFM 模拟算法精确表征压裂水平井中的裂缝形态。在此基础上，开展体积裂缝与气藏数值网格的耦合，利用耦合模型精细化模拟水平井压后产能，密切割试验条件下模拟的压后产能与实际压裂水平井产能误差在合理范围内，验证了体积裂缝与气藏数值耦合模型的适用性，在致密气田增储上产取得显著效果。

（3）针对 SM 区块 X 地层致密砂岩气田常规压裂产量递减较快、含水饱和度偏高、气田稳产难度大等问题，结合多学科协同建模、桥塞射孔联作水平井裂缝模拟及气藏数值模拟的宝贵实践经验，制定了依据地质甜点、工程甜点优选射孔压裂的技术对策，为该类型致密砂岩气田有效开发提供了技术经验。

参考文献

[1] 杜佳，朱光辉，等．鄂尔多斯盆缘致密砂岩气藏勘探开发挑战与技术对策——以临兴—神府气田为例[J]．天然气工业，2022，v.42；No.339(01)：114-124.

[2] 段长江，高计县，王凯芸，等．神府地区太1段沉积特征及对气藏的控制作用[J]．石油地质与工程，2021，v.35(03)：19-24.

[3] 米立军，朱光辉．鄂尔多斯盆地东北缘临兴—神府致密气田成藏地质特征及勘探突破[J]．中国石油勘探，2021，v.26；No.134(03)：53-67.

[4] 范家伟，袁野，李绍华，等．塔里木盆地深层致密油藏地质工程一体化模拟技术[J]．断块油气田，2022，(02)：194-198.

[5] 鲜成钢，张介辉，陈欣，等．地质力学在地质工程一体化中的应用[J]．中国石油勘探，2017，v.22；No.108(01)：75-88.

[6] 胡文瑞．地质工程一体化是实现复杂油气藏效益勘探开发的必由之路[J]．中国石油勘探，2017，v.22；No.108(01)：1-5.

[7] 姚泾利，刘晓鹏，赵会涛，等．鄂尔多斯盆地盒8段致密砂岩气藏储层特征及地质工程一体化对策[J]．中国石油勘探，2019，v.24；No.121(02)：186-195.

[8] 付菊，操延辉，叶素娟，等．次生致密砂岩气藏甜点综合评价——以四川盆地中江气田侏罗系气藏为例[J]．天然气工业，2019，v.39(S1)：23-29.

[9] 石先亚，黄侠，史景岩，等．压力衰竭下疏松砂岩出砂临界生产压差预测方法[J]．西南石油大学学报(自然科学版)，2020，42(03)：115-122.

[10] 孙峰，葛洪魁，薛世峰，等．生产压差对疏松砂岩储层出砂影响规律研究[J]．中国海上油气，2009，21(01)：39-42.

[11] Y. Tang，P. G. Ranjith，B. Wu. Experimental study of effects of shearing on proppant embedment behaviour of tight gas sandstone reservoirs[J]. Journal of Petroleum Science and Engineering 172 (2019) 228-246.

[12] Junjing Zhang，Liangchen Ouyang，D. Zhu，A. D. Hill. Experimental and numerical studies of reduced fracture conductivity due to proppant embedment in the shale reservoir[J]. Journal of Petroleum Science and Engineering 130 (2015) 37-45.

[13] M. A. A Ahamed，M. S. A. Perera，Li Dong-yin，P. G. Ranjith，S. K. Matthai. Proppant damage mechanisms in coal seam reservoirs during the hySMaulic fracturing process：A review [J]. Fuel 253 (2019) 615-629.

苏里格气田增压气举排液稳产技术研究及应用评价

韩强辉　王宪文　王治国　汪雄雄　樊莲莲　李　辰

（中国石油长庆油田公司油气工艺研究院）

摘　要　苏里格气田积液气井占投产井48.7%，年递减率达19.5%，气田稳产压力大，急需扩展新的稳产技术。借鉴国内外广泛采用的压缩机抽吸降低井口压力排水采气技术及压缩机增压举升稳产技术等，结合气井生产特征，形成同步抽吸降压及增压回注气举排液稳产技术，实现了油管抽吸降压、套管注气增压及外输增压的“一进两出”功能，为气田低产气井排液生产提供了新的技术手段。近期该技术在苏××井开展试验30天，累计增产气量9.15万m^3，日均增产气量0.31万m^3。试验表明，该技术能够提高气井携液能力，维持低产气井稳定生产，现场具有良好的应用效果，值得借鉴和推广。

关键词　抽吸降压；增压回注；积液低产气井；临界携液流量

引言

苏里格气田已累计投产气井20320口，平均单井产量0.75万m^3/d，产气量388.4亿m^3/a，气区综合递减率19.5%。生产表明，大部分气井投产3年，产气量降至临界携液流量以下，积液气井占比48.7%，急需探索技术边界宽，能长期适用的稳产增气新途径。

目前常用的稳产方法有气井增压采气、抽吸降压采气等。抽吸降压采气技术是通过增产设备对气井进行抽吸降压，克服支干管末端压力高的影响，降低气井井口压力，扩大气井生产压差，增强气井携液能力。气井增压采气是以压缩的高压气回注井筒作为举升地层产出水的动力气，利用气体的膨胀使井筒中的液柱密度降低，提高举升能力，从而达到排出井底积液的目的。以上两种方法排液效果有限，若是能将两种工艺的排液能力叠加，将会大幅提升举液效率。

同步抽吸降压及增压回注气举排液稳产技术采用同步回转多相混输泵，以“抽吸降压+循环增压补能”的方式，通过抽吸降低井口压力和套管注气补充举升气源，增大气井携液生产能力，实现气井连续稳定生产，相比现有的气井增压采气、抽吸降压采气技术等单一工艺，具有效率高、技术边界宽等明显优势。

1　常规气井稳产技术应用现状

1.1　抽吸降压采气工艺技术

采用井口增压增产设备对气井进行抽吸降压，克服支干管末端压力高的影响，降低气井井口压力，扩大气井生产压差，提高瞬时流量，增强气井携液能力，以达到排出气井井内积液和加快气井采气速度的目的，提高气井采收率。

在现场应用中发现对苏里格气田低压集输模式运行气井排液效果有限，气井生产运行井口压力低，抽吸降压幅度小，还不足以满足排液生产需求。

1.2　井口增压工艺技术

井口增压气举工艺主要是依靠从地面注入井内的高压气体与气层产出流体在井筒中汇合，利用气体的膨胀使井筒中的液柱密度降低，提高举升能力，排除井底积液。

在现场应用中认识到工艺对井深、井斜要求不大；井下工具无活动部件，设备可靠性强；对井筒连续供液无要求，日排液量大，技术适应性强；井筒油套管不连通、节流器未打捞气井不能实施；工艺实施过程中造成井底回压大，易将积液压回地层，造成储层二次伤害，复产困难。

1.3　射流泵气举技术

射流泵是利用高压动力介质（液、气）通过喷嘴时的节流作用，在喷嘴周围形成低压区，从而吸引地层液进入泵内“负压”区，和喷嘴出口的高速射流混合后被举升至地面。该工艺具有举升液量大、无二次伤害。

射流泵气举技术在现场应用经验表明射流泵可以使产液不稳定气井有效排液、积液气井复产；射流泵工艺对井斜要求不大于40°；对井筒连续供液无要求，日排液量0～300m^3均可，技术适应性强；泵径大，目前只适用于套管为5½ in及以上的井；地面设备工艺复杂，特别是地面泵需经常检修保养。

1.4 机抽强排技术

将机泵下入井筒液面以下的适当深度，机泵柱塞在抽油机的带动下在泵筒内作上下往复运动，从而实现在油管内抽汲排水，降低液柱对井底的回压，从套管采出天然气的目的。目前技术水平情况，泵挂深度<3100m，排量<60m^3/d，井斜<40°，地面输压<5.0MPa，检泵周期≥2年，不适合含硫气井，不能满足气井井深3500m的排液需求。

1.5 电潜泵强排技术

电潜泵工作原理是地面电源通过变压器，控制屏和电缆将电能输送给井下电机，电机带动多级离心泵叶轮旋转，将电能转换为机械能，把井液举升到地面。目前技术水平情况，泵挂深度最深4050m，排量30~1200m^3/d，腐蚀介质硫化氢18g/m^3，检泵周期≥1.5年，但现场应用中故障率极高，经济性很差。

2 气举排液技术优化设计及设备情况

在单一工艺无法满足苏里格气田气井生产需求情况下，大部分情况下会组合应用多种气举排液工艺，但组织管理难度大，费用高。因此，我们对常用的气井稳产工艺特点进行优化设计，形成兼有多种优点的举升技术，满足低渗透气田稳产的需求。

2.1 工艺优化设计

同步抽吸降压及增压回注气举排液技术具有油管抽吸降压、套管注气增压及外输增压的“一进两出”流程功能。其工艺原理是，一方面，抽吸降低井口压力，增加油套压差，推动井筒液段向上移动，同时降低临界携液流量，提高气流带液能力；另一方面增压气从套管注入快速补能，增加气井的举液气量，达到临界携液流量(图1)。

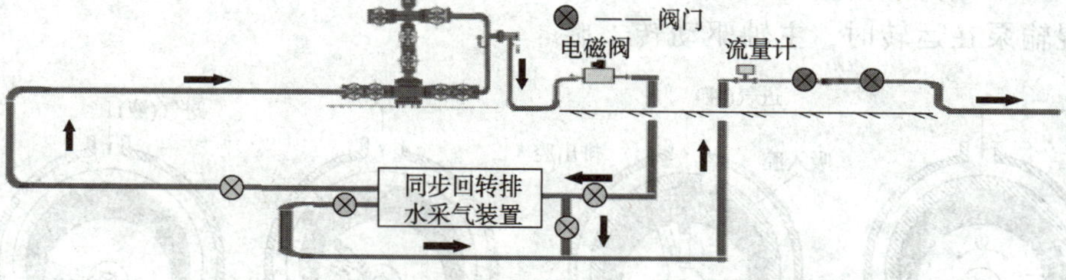

图1　同步抽吸降压及增压回注排水采气流程示意图

另外，针对井斜较大、水量较高的定向井和水平井，机抽、射流泵等工艺无法实施，常规气举易造成储层二次伤害等问题，通过在油管底部投放单流阀，在油管内部下入小管径油管(或连续管)，将注气通道、排水通道和采气通道有效的分离开来，以压缩的天然气作为举升地层产出水的动力气，以气携水从而达到排出产出水的目的(图2)。

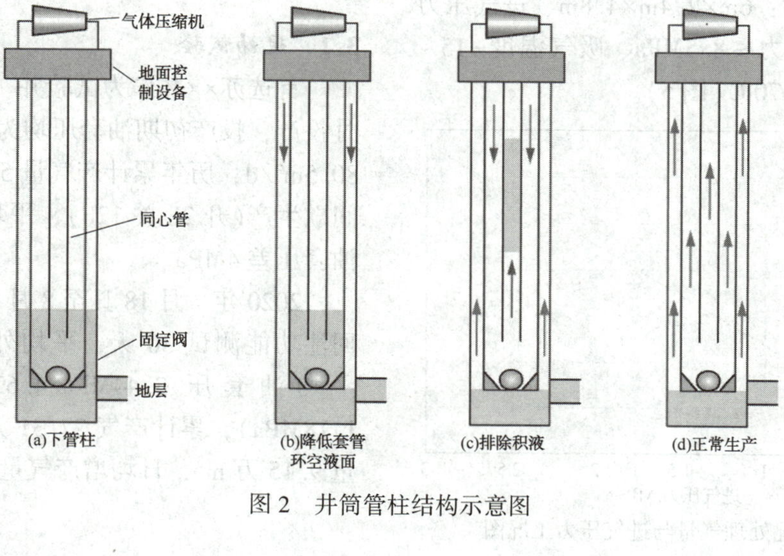

图2　井筒管柱结构示意图

2.2 设备简介

设备主要由同步回转多相混输泵、变频电机、排气缓冲罐、储液罐、冷却器等构成，整体采用撬装式结构(图3)。

图3 同步回转设备结构

该技术核心装置为同步回转多相混输泵，采用径向吸气、月牙工作腔压缩、轴向排气的方式进行工作。混输泵在运转时，主轴驱动转子旋转，转子通过滑板带动气缸旋转，实现了转子与气缸之间"同步回转"的运动方式(图4)。

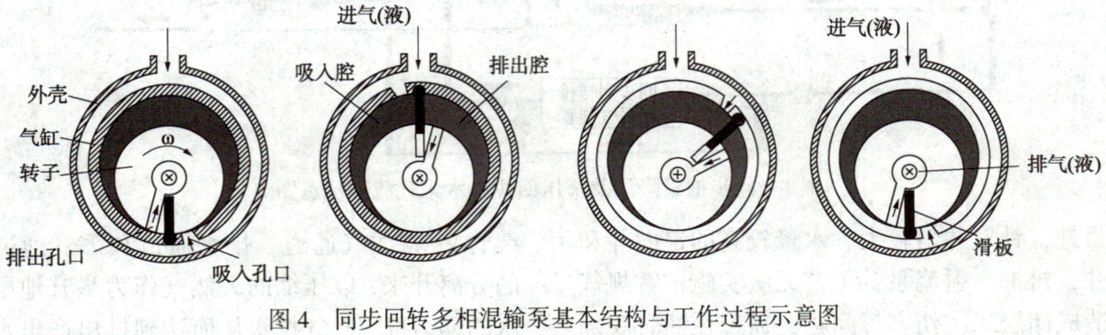

图4 同步回转多相混输泵基本结构与工作过程示意图

2.3 技术参数

设备外观尺寸：6m×2.4m×4.8m、进气压力0~3MPa、排气压力≤8.5MPa、吸气温度-15~45℃、排气温度≤70℃(图5)。

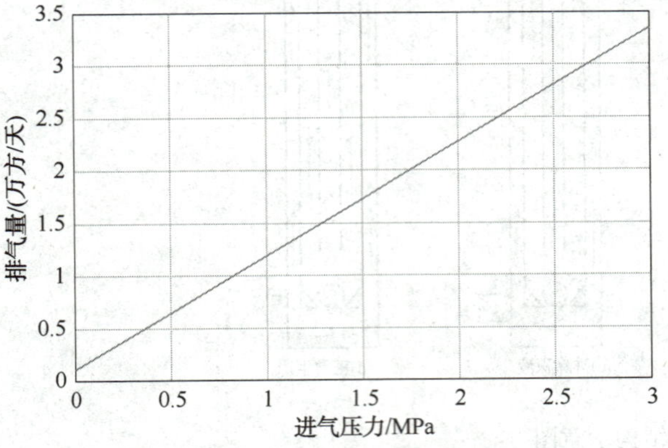

图5 理论标况处理气量与进气压力工况图

3 现场应用分析评价

3.1 现场试验

首选苏××井作为试验井。该井于2010年11月投产，投产初期油套压均为23MPa，无阻流量80.5m^3/d，历年累计产气量5704万m^3。试验前间歇生产(开2h关12h)，平均日产0.04万m^3，油套压差4MPa。

2020年7月18日至8月20日，开展抽吸及回注功能测试30天，平均外输压力3.22MPa，平均油套压3.44MPa/4.62MPa(油套压差1.18MPa)，累计产气27.31万m^3，累计增产气量9.15万m^3，日均增产气量0.31万m^3(图6)。

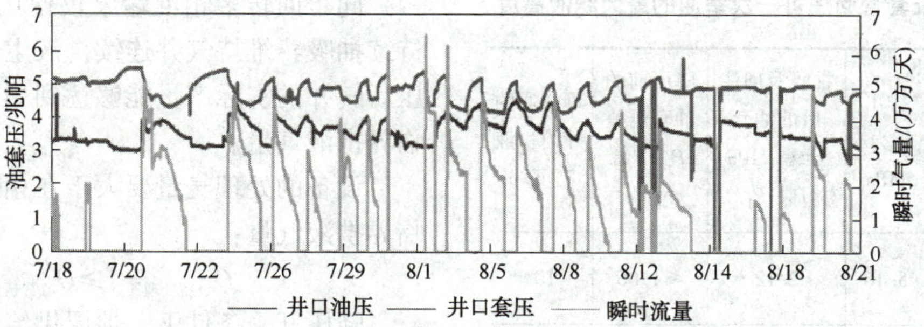

图 6　抽吸及回注功能测试阶段生产曲线

3.2　分析评价

同步抽吸降压及增压回注气举排液技术具有两方面功能：一是降低井口压力，进而使油套压差增大，大于液柱回压，可排出积液井井筒大段液体，排出积液量可以利用载荷系数进行计算（图 7）；二是套管注入采出气，确保气井生产气量大于临界携液流量，维持气井长期连续携液生产（不同管径油管临界携液流量图 8 所示）。

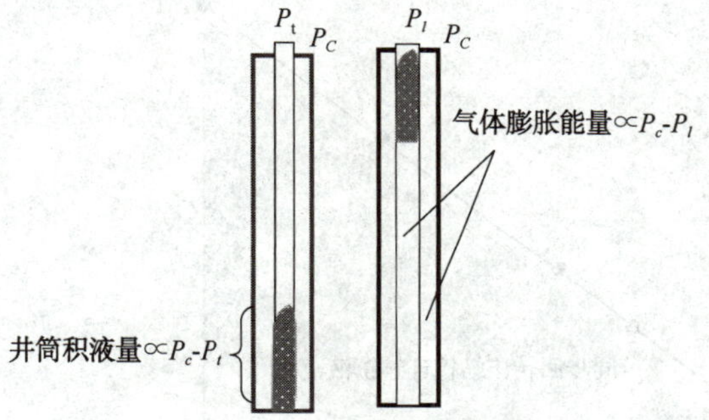

图 7　井筒大段积液井排出示意图

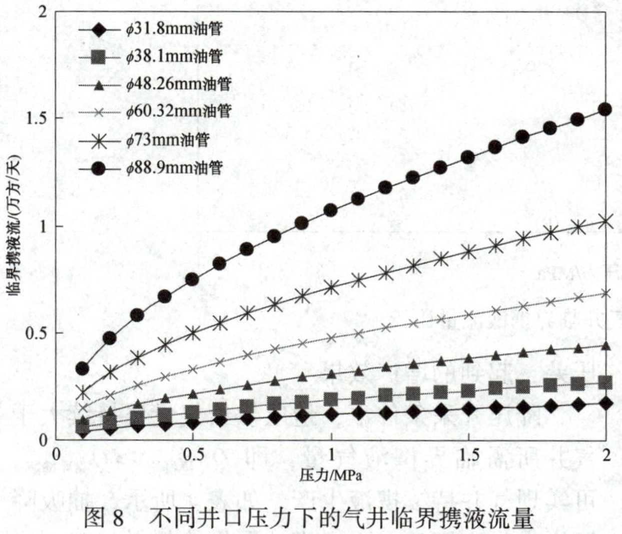

图 8　不同井口压力下的气井临界携液流量

1. 关井复压后抽吸排液生产条件分析

载荷系数是计算气井排液能力的关键参数，世界各大气田都是依靠自己生产实际，获得经验值。排出积液量可以利用载荷系数进行理论计算：

$$\frac{P_C-P_t}{P_C-P_1}\leqslant K$$

式中，K 为气举载荷系数：经验参数；P_C 为套压恢复值；P_t 为油压恢复值；P_L 为井筒内液柱回压。

苏里格气田载荷系数与生产实际密切相关，在苏××井开展试验期间，同步回转多相混输泵仅使用抽吸排液功能，先关井恢复井筒压力，然后再抽吸排液，将井内液柱排至井口，利用载荷系数公式，根据排出积液量等参数计算载荷系数（表 1）。

表 1　关井恢复压力后，抽吸降压可一次举通的最大积液高度（井口压力抽吸至 0MPa 的极限情况）

套压恢复值 P_C/MPa	油压恢复值 P_t/MPa	降压前要求恢复的油套压差 P_c-P_t/MPa	排通的最大积液高度/m
3	≥1.5	≤1.5	153
4	≥2	≤2	204
5	≥2.5	≤2.5	255
6	≥3	≤3	306
7	≥3.5	≤3.5	357
8	≥4	≤4	408
8.5	≥4.25	≤4.25	434

通过上表可以看出，当关井恢复压力后，抽吸至 0MPa，积液举通要求油压至少恢复至套压的½，最大可举通套压 0.5 倍的换算积液高度。

2. 抽吸降压及回注可举通的井筒积液量分析

积液井生产至系统压力，同时启动抽吸及回注增压排液功能。假设同步回转多相混输泵排出压力即为井口套压，举升能量为环空回注增压和井口抽吸降压两部分（表 2）。

表 2　抽吸降压及套管回注可一次举通的最大积液高度

时间	入口压力/MPa	排出压力/MPa	抽吸及回注后的油套压差/MPa P_C-P_1	降压前的油套压差 P_c-P_t/MPa	可举通的井筒积液高度/m
2020 年 7 月 23 日 5 时	3.04	5.16	2.12	≤1.06	109
2020 年 8 月 1 日 12 时	3.2	8.55	5.35	≥2.675	273

结合现场试验数据，抽吸及回注期间，油套压差在 2.12-5.35MPa 之间。利用载荷系数举升公式进行理论计算，最多举升高度不超过 273m，与生产实际一致。

3. 持续抽吸维持气井连续携液生产的条件分析

同步回转多相混输泵仅使用抽吸排液功能，持续抽吸，维持气井连续携液生产，须满足：降压后气井的实际产量能够达到相应井口压力下的临界携液气量。

设备的处理气量要大于在相应井口压力下的临界携液气量：

$$Q_{设备处理气量} \geqslant Q_{临界携液}$$

降压开采条件下，地层供给气量要持续大于气井所需临界携液气量：

$$Q_{地层供给} \geqslant Q_{临界携液}$$

（1）同步回转多相混输泵抽吸至不同井口压力下的临界携液气量

以 Φ88.9mm 油管为例，同步回转多相混输泵将井口压力抽吸至 1MPa 时，携液气量在 1 万 m^3/d 以上，如图 9 所示。

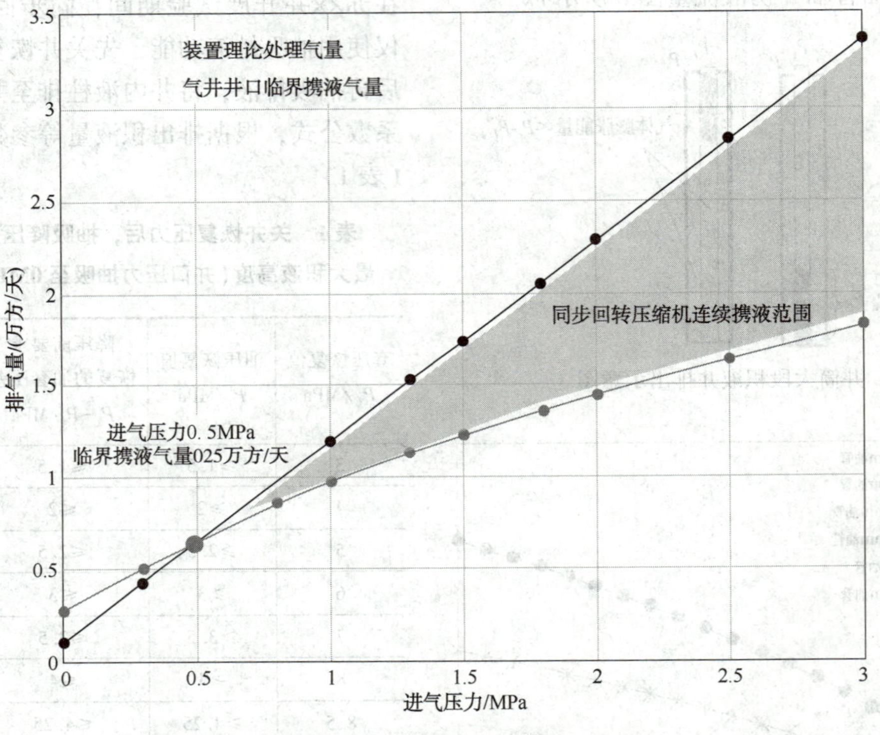

图 9　设备处理气量与气井临界携液流量比较

（2）设备处理能力确定同步回转多相混输泵持续抽吸的适用条件

对比不同井口压力下压缩机处理气量与相应压力下的临界携液气量。同步回转多相混输泵设备处理能力决定连续携液生产的适用条件：井口压力大于 0.5MPa，气井瞬时产气量在 0.67 万 m^3/d 以上。

（3）同步回转多相混输泵持续抽吸放大生产压差，起到的增产效果

降压开采条件下，地层供给气量要持续大于气井所需临界携液气量，即 $Q_{地层供给} \geqslant Q_{临界携液}$，可实现气井持续携液生产。如表 4 所示，抽吸降压增大生产压差，可提高地层供给气量，起到增产效果。增产气量随井筒积液量增加而增加，同时地层无阻流量越大，增产气量越大。

表 4 井口压力由 3.0MPa 降低至 0.4MPa 下气井的增产气量
(井深 3520m)

井筒积液高度/m	不同无阻流量地层抽吸降压后气井增加产量			
	无阻流量 2 万 m^3/d	无阻流量 $4m^3/d$	无阻流量 $6m^3/d$	苏××当前无阻流量 $8.8m^3/d$
0	0.070	0.141	0.211	0.330
100	0.074	0.147	0.221	0.344
200	0.077	0.153	0.230	0.359
300	0.080	0.160	0.240	0.374
400	0.083	0.166	0.249	0.388
500	0.086	0.173	0.259	0.403
600	0.089	0.179	0.268	0.417
700	0.093	0.185	0.278	0.432
800	0.096	0.192	0.288	0.447
900	0.099	0.198	0.297	0.461
1000	0.102	0.204	0.307	0.476

以试验井为例，预测不同积液程度气井持续降压，连续携液生产所需地层无阻流量，详见图10。可以看出，抽吸压力越低，所需无阻流量越低；井筒积液量越高，携液所需无阻流量越高；井口压力 0.5MPa 时，气井持续携液需无阻流量 4.5 万 m^3/d 以上。

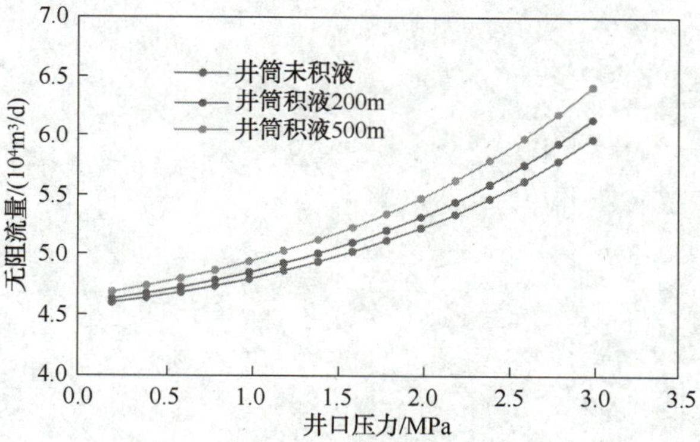

图 10 持续抽吸气井连续携液所需的地层无阻流量

4 结束语

(1) 同步抽吸降压及增压回注气举排液技术实现了抽吸降压及增压回注生产和抽吸降压生产两种功能，装置各项运行指标基本与设计相符，性能较稳定。该技术在苏××井试验成功，为国内气田开发中老井稳产提供了一项有效技术。

(2) 抽吸及回注生产和抽吸生产两种功能可以自由切换，满足不同生产阶段的需要，抽吸及回注生产功能测试最高回注压力 8.55MPa，一次最大可排通 273m 井筒积液，气井平均增产 0.31 万 m^3/d；抽吸功能测试连续携液生产条件为：气井瞬时产气量 0.67 万 m^3/d、地层无阻流量 4.5 万 m^3/d 以上。

参 考 文 献

[1] 杨冬雪，刘刚果，李韬，等. 天然气井排水采气工艺技术研究[J]. 中国石油和化工标准与质量，2019，39(23)：232-233.

[2] 张江龙. 低压低产气井排水采气工艺技术研究[J]. 石化技术，2020，27(4)：294.

[3] 陈科贵，田宝，于静，等. 柱塞气举排水采气工艺在定向井中的优化设计与应用[J]. 断块油气田，2014，21(3)：401-404.

[4] 贾友亮，田伟，陈德见，等. 天然气压缩机气举工艺在苏里格气田的应用[J]. 石油化工应用，2011，30(9)：94-96.

[5] 田伟，白晓弘，郭彬. 连续油管排水采气技术在苏里格气田的应用研究[J]. 化工技术与开发，2010，39(10)：14-15.

[6] 杨桦，杨川东. 优选管柱排水采气工艺的理论研究[J]. 西南石油学院学报，1994(4)：56-65.

[7] 乐宏，唐建荣，葛有琰，等. 排水采气工艺技术[M]. 北京：石油工业出版社，2011.

[8] 杨川东. 采气工程[M]. 北京：石油工业出版社，2001.

[9] 林生茂，陈家晓，杨智，等. 长宁页岩气自动化泡排加注工艺技术研究与应用[J]. 钻采工艺，2020，43(增)：64-67.

[10] 陈晓宇，姜宇玲，李牧，等. 泡排辅助增压开采工艺应用效果分析[J]. 复杂油气藏，2020，13(3)：

77-80.

[11] 赵梦龙．气井柱塞气举排水采气工艺配套研究[J]．中国石油和化工标准与质量，2014(21)：76.

[12] 方亮，李首东，姚帅，等．气井排水采气工艺研究[J]．化工管理，2019(24)：179-180.

[13] 常永峰，常鹏，李建阳，等．几种井口增压采气工艺运行探讨[C]//第十届宁夏青年科学家论坛石化专题论坛论文集，2014-07-23.

[14] 陈晓刚，徐文龙，韩勇，等．苏里格气田降油压套气排水采气工艺浅析[J]．石油化工应用，2015，34(8)：62-65.

[15] 杨宜娣．页岩气田气举排水采气工艺方法与应用[J]．江汉石油职工大学学报，2020，33(3)：42-43.

[16] 张丽媛．压缩机气举在涪陵页岩气田的应用[J]．江汉石油职工大学学报，2020，33(5)：17-19.

[17] 刘瑛．压缩机气举排水采气工艺在涩北气田的应用现状[J]．青海石油，2013，31(3)：59-64.

靖吴地区侏罗系油藏高效复查技术创新与应用

徐　宁　赵　辉　宋成龙　杜四辈

（中国石油长庆油田公司）

摘　要　侏罗系油藏投资少、见效快、效益高，但随着近年靖安、吴起地区持续大规模建产开发，建产目标向构造幅度低、油层薄、难识别的隐蔽性油藏类型转变，如何提升侏罗系油层识别技术、实现隐蔽性油藏高效动用成为产能建设面临的重要课题。该论文基于靖安地区探评、开发井大量钻测录试资料，通过古地貌重新刻画、精细小层对比、四性关系研究，深挖侏罗系隐蔽性油藏建产潜力，建立了侏罗系隐蔽性油藏老井复查综合技术体系，形成了视电阻率增大法、含油指数法为主的低饱和度油层识别法，形成了一套隐蔽性油藏差异化布井技术，对指导靖吴地区侏罗系油藏复查挖潜及增储建产具有重要意义。

关键词　侏罗系油藏；油藏研究；复查技术；油层判识方法；差异化布井

1　靖吴地区侏罗系成藏特征

1.1　地层划分对比

通过对300余口探评井、开发井地层的反复对比分析，靖安地区选择岩性特殊、岩性、电性、厚度稳定，易于识别的C7底、延长组C2顶（K9）等作为地层对比标志，将C8$_1$地层的反旋回特征作为辅助标志，吴起、定边等地区侏罗系煤层发育，发育较稳定的煤层可作为地层对比标志层。

1.2　成藏特征

靖吴地区位于盆地伊陕斜坡，K9构造具有东高西低、南高北低的特点，主要发育因差异压实作用形成的低幅度鼻状隆起。C7底构造与K9具有较好的继承性，侏罗系油藏就分布在鼻隆构造的较高部位；侏罗系各小层的层顶构造与K9构造面貌基本一致，均受前侏罗纪古地貌的影响，具有东高西低、南高北低的特点，发育排状鼻隆，鼻隆的分布具有一定的差异性（图1）。

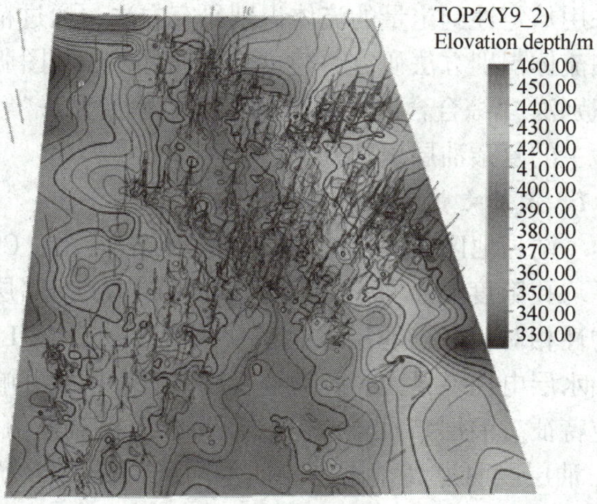

图1　靖吴地区侏罗系C9$_2$构造图

根据区域地质研究成果及勘探开发实践，研究区北部与南部各发育一条三级古河。充分利用开发井资料，对工区南部的次级支沟进行精细刻画。其中在靖安北侏罗系找到多个出油井点及有利区（图2）。

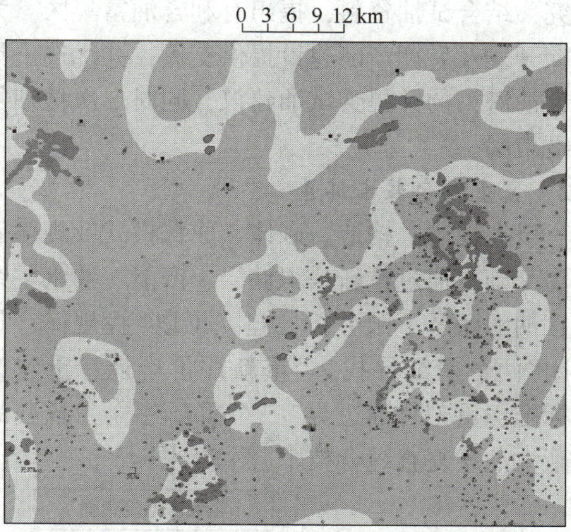

图2　靖吴地区前侏罗纪古地貌图

1.3　成藏富集规律

靖吴地区为油气运移指向区，邻近湖盆中心，位于生油中心上倾方向，是油气运移指向区，油源丰富，为成藏有利区；盖层、输导层发育状况决定石油主要聚集在C8、C9、C10小层，富县期为古河发育一大套厚层含水砂岩，作为油气运移的输导层；吴起河间丘、靖安斜坡阶地地带是油气聚集和保存的有利部位，是油气运移的指向，同时河间丘发育的漫滩相泥质沉积利于油气的封堵和保存，三级古河与四级古河交汇处形成的丘咀，河道砂体发育，岩性差异压实形成的小幅背斜发育，并位于潜水平面之上，易形成油藏。

2　老井复查综合技术体系建立

以成藏理论为指导、钻录试测等资料为基础，突出新井老井结合、动态静态结合，建立了以“两个精细寻找、三个重新建立”为核心的隐蔽性油藏复查综合技术，通过复查，先后在靖安、吴起地区浅层高效落实了 D1 区 C10、D2 区 C9、D3 区 C9 等多个侏罗系油藏，实现侏罗系隐蔽性油藏高效发现。

2.1　复查主要内容

总结前期的研究成果并进行技术调研和分析；通过收集、整理并分析现有的地质特征资料、岩石物理实验资料、常规测井资料以及测试资料(水分析、气测)，对储层特征进行分析，建立主要小层的储层与测井响应之间的关系，建立并完善目标区侏罗系储层参数；并对各目标、各层位建立的储层参数模型及流体识别方法进行适应性分析，在此基础之上建立油层测井评价技术，从而建立测井二次精细解释技术。基于以上研究，结合试油资料，提出有利含油富集区，为勘探开发及后期产能建设提供支撑，并优选出具有含油潜力的井提交试油建议，同时二次精细复查潜力层。

2.2　复查综合技术体系

以古地貌、构造、砂体、成藏模式及规律研究为基础，通过重新认识储层、产能、油水关系和含油圈闭及下限分析，建立了以“找规律、找圈闭”两个精细寻找、“重新评价产能、重建解释标准、重刻含油边界”三个重新建立为核心的隐蔽性油藏复查综合技术(图 3、图 4)。

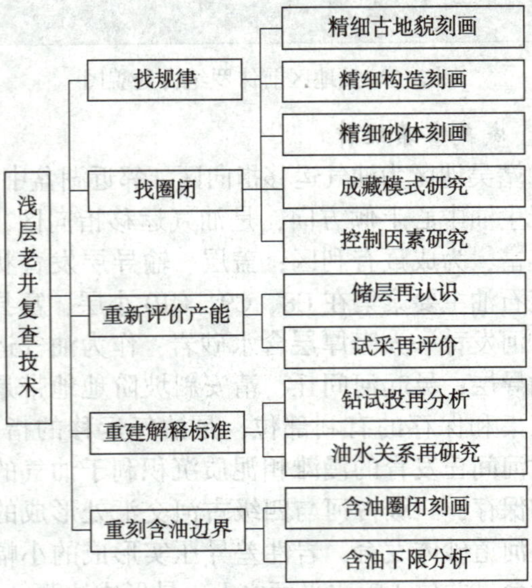

图 3　老井复查综合技术体系图

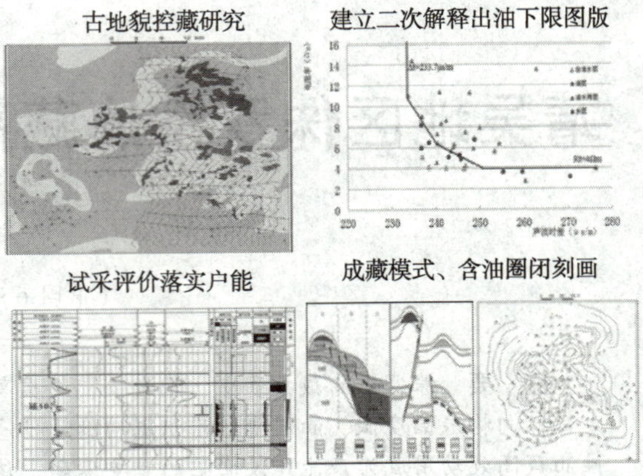

图 4　靖吴地区老井复查主要技术示意图

2.3　复查技术应用

通过复查技术应用，先后在靖安、吴起等地区浅层高效落实了 D1 区 C10、D2 区 C9、D3 区 C9 等多个侏罗系油藏，落实地质产能 22.0 万 t，建成产能 15.0 万 t，实现侏罗系隐蔽性油藏高效发现建产。以 D1 区 C10 油藏为例，该层为 C1 主力油藏上覆的非主力层位，由于水饱高、解释差，油藏一直未获高效发现，通过对古地貌、砂体、构造等控藏因素精细刻画，结合老井试油试采及新补孔井试采评价资料，重新认识油藏产能、解释标准及含油边界，重新圈定含油面积 3.5km^2，按照落实程度分批部署产建井 32 口，完钻 26 口，建产能 2.1 万 t，已投产 11 口，初期 3.2t/d，测算内部收益率 13.64%，取得良好效果。

3　储层含油性综合分析判识

储层流体识别作为测井解释的最终目的之一在测井解释中起着至关重要的作用，本次研究利用试油、录井、气测等地质资料和测井资料等，采用从定性到定量的流体识别研究方法，通过精细流体识别方法研究，建立和完善了“区域图版识别法”“综合含油指数法”“视电阻率增大法”等为主的复杂油层识别方法。

3.1　测井电性响应特征分析

靖吴地区侏罗系油藏以中−细砂岩为主，C9 平均孔隙度 16.7%、渗透率 66×10^{-3} μm^2，储层物性相对较好，地层水总矿化度 8.9～15.1g/L，油水层电性差异大。各类解释层具有不同测井响应特征。油层特征：*SP* 负异常、*GR* 相对低值，R_t 油层段明显高于围岩。油水同层特征：*SP* 负异常、*GR* 相对低值，R_t 随着油饱增大而增大，绝对值低、高于围岩形状呈欠饱满状。水层特征：*SP* 负异常、*GR* 相对低值，R_t 呈明显凹状低值，绝对值比油水同层低、曲线一般呈高侵特征。

3.2　区域图版识别法

通过测井曲线电性响应特征分析可知，含油性与深感应电阻率和声波时差双相关性较好，因此选取深感应电阻率与声波时差分区建立解释图版。利用 706 口已开发井投产初期数据分区分层建立研究区油水层识别标准，通过细分开发单元图版能更有效的区分流体类型。通过在多个油藏区块验证，图版符合率超过 90%(图 5)。

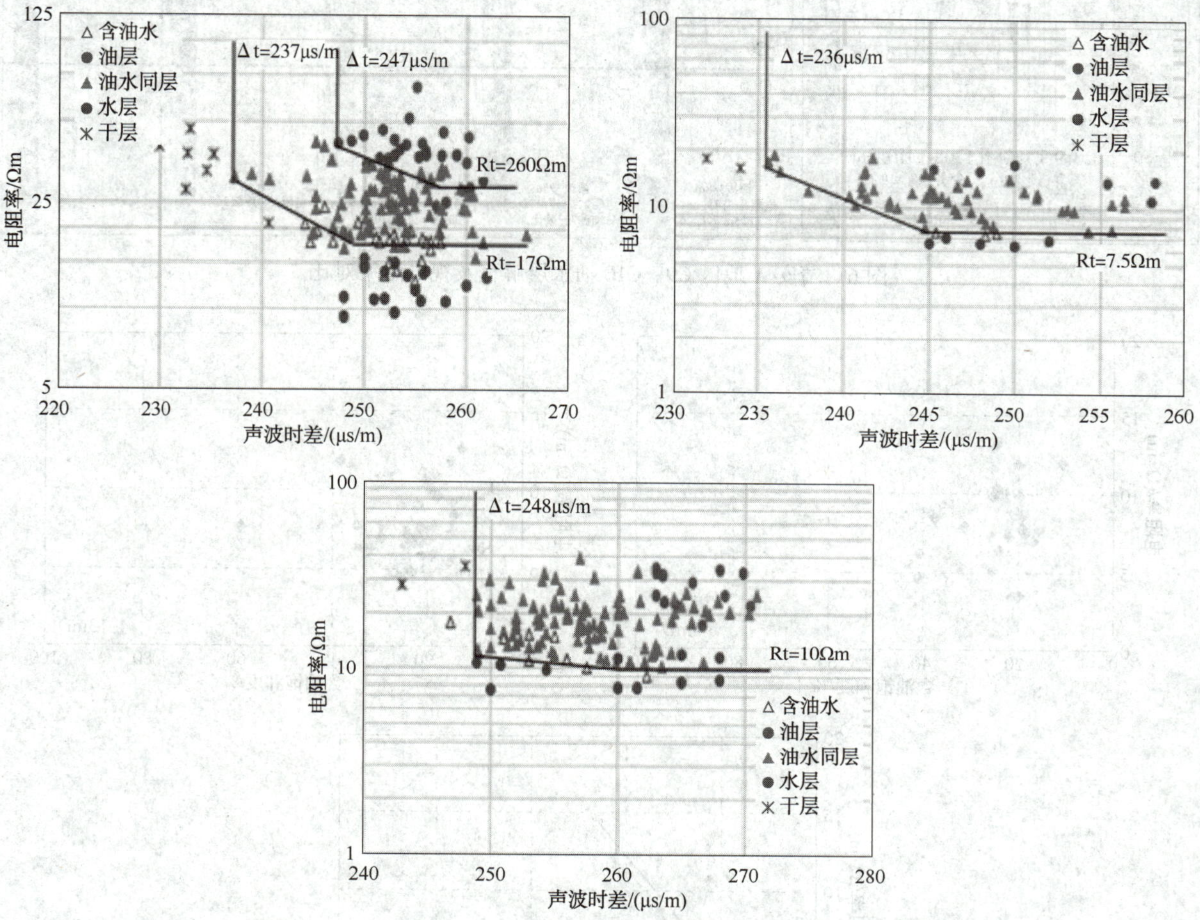

图 5　靖安盘古梁地区 $C9_2$、$C9_3$、$C10_1$ 电阻率-声波时差交会图版

3.3　视电阻增大率判识法

为了消除岩性、物性和底层水变化对电阻率的影响，突出储层的含油性，利用电阻率增大指数的方法来识别油水层，电阻增大率(或油气层电阻率指数)R_I 是指地层含油气时的电阻率(R_t)与 100%含水时的电阻率(Ro)的比值。

对研究区侏罗系储层各区域做声波时差-视电阻率增大指数交会图，得出：利用视电阻增大率法对油水层进行识别，各区域油层视电阻增大率下限多为 1.5，一般大于 2。视电阻增大率的高低表征区域含油性的优劣，用于远源油藏判别水层更为有效。研究区油藏物性相对较好，原油充注程度高，多见纯油产层，利用该方法在水层识别优势明显。采用分区域声波-电阻率图版，配合采用视电阻率增大法，能有效提高识别精度(图 6)。

3.4　综合含油指数判识

储层物性、含油性与电阻率关系，在相同矿化度及储层含油性条件下，储层物性愈好，其导电网络连通程度愈高，电阻率愈低；在相同矿化度及储层物性条件下，储层含油性愈低，其导电网络导电能力愈好，电阻率愈低，一般在较好储层物性条件下该相关性较为明显(图 7)。

综合含油指数是指目标层电阻率与计算孔隙度的乘积与邻近标准水层电阻率与计算孔隙度的乘积的比值，经过应用含油指数法前后对比，采用综合含油指数可进一步弱化储层物性对低阻影响，能有效区分油水层界限。依据含油指数判识图版，侏罗系 C9、C10 油层主要位于(含油指数 >2.0，R_t>9.5Ω·m)范围内，在已开发区块内经过大量井层实例验证，多数均符合该综合含油指数下限值。

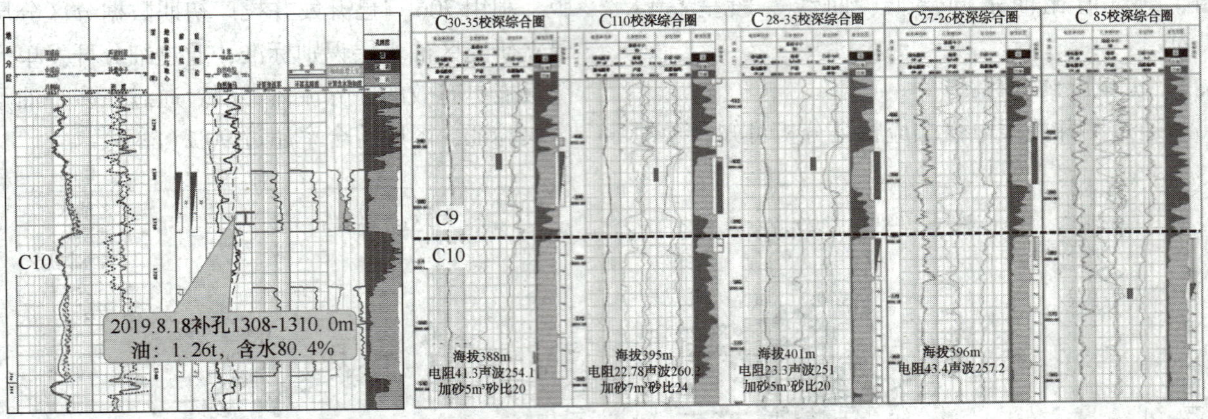

图6　靖安 A 地区 C9、C10 油水层解释及视电阻率对比

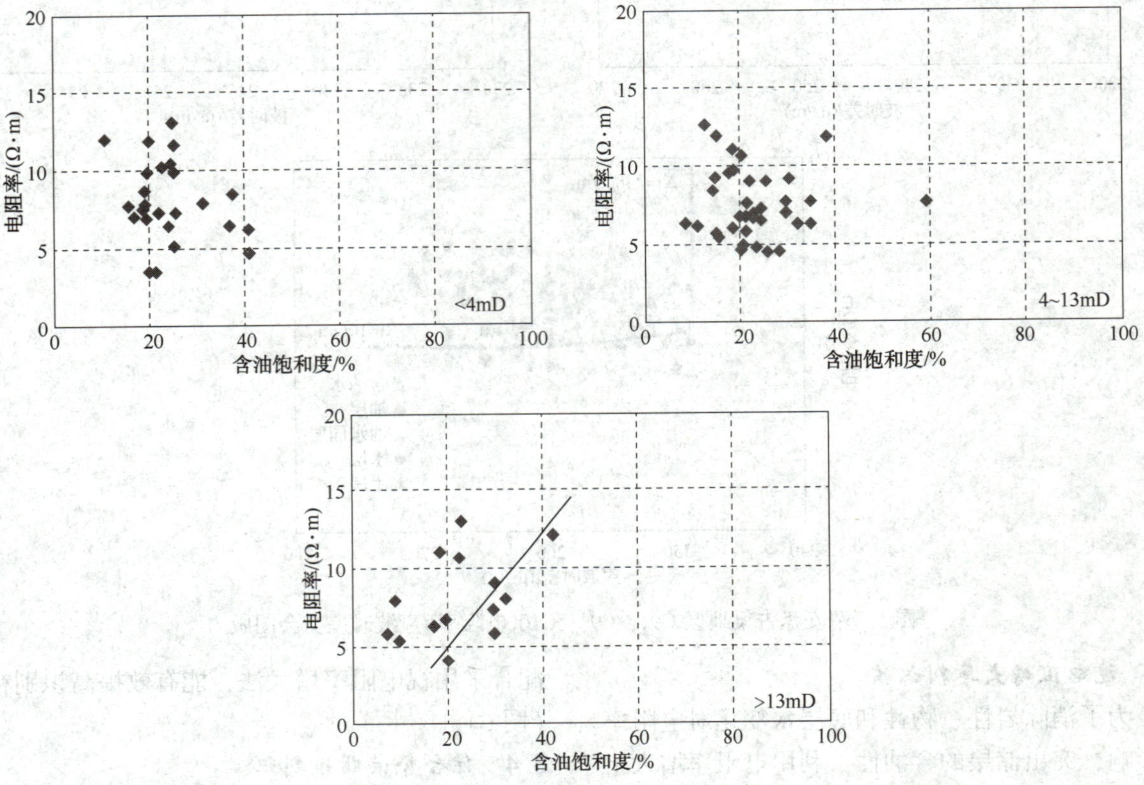

图7　靖安五里湾地区 C9 层不同渗透率区间含油饱和度-电阻率关系图

4　矿场实践应用

4.1　整体复查成果

以成藏理论为指导、钻录试测等资料为基础，突出新井老井结合、动态静态结合，通过复查技术体系应用、隐蔽性油层精准识别，先后在靖安、吴起地区浅层复查区块 31 个，发现落实了多个高效油藏，新增落实地质储量 1050 万 t，新产建井 192 口，建成产能 15.0 万 t，累计产油 11.4 万 t，实现侏罗系隐蔽性油藏高效发现并建成产能。

4.2　井网井型优化确保效益建产

针对不同油藏规模及特征，不断摸索优化井网井型，采用定向+超短水平差异化布井方式，针对薄层底水油藏、高水饱油藏、透镜体油藏采用短水平井开发，实施比例由 4.5%↑15.6%，浅层油藏单井产量由 2.9%↑3.8t，内部收益率由 8.5%↑12.6%，确保了浅层高效油藏效益建产(表 1)。

以 D109 区 C9 油藏为例，该油藏为底水油藏，油藏规模小，且定向井开发效益差，转变开发方式，采用超短水平井不规则井网开发，有效提高单井产能及储量动用程度。共计实施短水平井 4 口，井均试采初期 5.3t/24.7%，建成产能 0.7 万 t，内部收益率 15.3%，获得了小规模油藏的效益开发。

表 1　侏罗系不同类型油藏井网井型优化技术

类型	油藏特点			开发方式			典型油藏
	单井产量	油藏规模	油层特点	井网	井网参数	注水方式	
定向井	>2.3d	规模>1.0 万 t	砂体连片分布、底水不发育	正方形、矩形	井距 280~300m	面积注水	D436、D418、D77 等
		规模<1.0 万 t	砂体带状、透镜状；边、底水发育	三角形、不规则	井距 240~280m	边缘、底部注水	D350、D365、D370、D408、D427、D86、D105 等
水平井	定向井开发效益<8%	规模>1.0 万 t	砂体连片分布，油层薄(≤4m)，底水厚度大	正方形，矩形	水平段长 100m，井距 300m	面积注水	D351、D109、D42 等
			高水饱(>60%)	五点法、正方形	水平段长 200~400m，井距 300 左右	面积注水	D1 长 2、D 长 2、D162 长 2 等
		规模<1.0 万 t	砂体带状、透镜状，河道窄，小于 400m	不规则	水平段长 200~300m，240~260m	边缘注水	D364、D2、D3、D194 等

5　结论与认识

(1) 靖吴地区受古地貌、沉积等多种因素影响，发育广泛的侏罗系油藏群，为油气聚集有利区，但随着多年规模开发，剩余油藏多较为隐蔽、难以识别。以古地貌、构造、砂体、成藏模式及规律研究为基础，建立了以“找规律、找圈闭”两个精细寻找、“重新评价产能、重建解释标准、重刻含油边界”三个重新建立为核心的隐蔽性油藏复查综合技术并成功应用。

(2) 本次研究利用试油、录井、气测等地质资料和测井资料等，采用从定性到定量的流体识别研究方法，通过精细流体识别方法研究，建立和完善了“区域图版识别法”、“综合含油指数法”“视电阻率增大法”等为主的复杂油层识别方法。

(3) 针对侏罗系不同油藏规模及特征，不断摸索优化井网井型，采用定向+超短水平差异化布井方式，单井产量由 2.9t↑3.8t，内部收益率由 8.5%↑12.6%，确保了浅层高效油藏高质量效益建产。

参 考 文 献

[1] 刘池洋，等．鄂尔多斯盆地油气资源丰富的成因与赋存-成藏特点[J]．石油与天然气地质，2021.05.
[2] 沈忠民，等．川西坳陷中段陆相地层水纵向变化特征及水-岩相互作用初探[J]．沉积学报，2011.03.
[3] 占庆，等．准噶尔盆地车排子地区地层水离子参数特征与油气藏的关系[J]．世界地质，2015.02.
[4] 王霞，刘凤林，等．鄂尔多斯盆地吴起曾岔地区前侏罗纪古地貌与油藏成藏规律[J]．兰州大学学报(自然科学版)，2020.01.

深部堵塞对低渗透水驱油藏开发的影响及对策研究
——以W区延10油藏为例

王　鹏　杜　周　杨　雷　高兴旺　张建明　付　红

（中国石油长庆油田公司）

摘　要　随着低渗透油藏注水开发时间延长，油层物性发生变化，影响水驱效果。一般认为注水开发过程中会发生孔候被注水冲刷变化、微裂缝开启等导致的注水突进，影响水驱波及范围，往往忽略堵塞对水驱的影响。针对堵塞比较直观的是近井地带堵塞造成的注水井欠注问题，对油层深部的堵塞缺乏研究认识，治理过程中缺乏有效措施，影响此类油藏的开发效果。本文通过以比较典型的注水开发过程中深部堵塞特征较为显著的W区延10油藏为研究对象，分析深部堵塞形成的机理和特征，同时结合历史动态和动态资料，分析深部堵塞对水驱开发的影响，形成"田垄效应"束水，导致水线固化，波及范围小，导致无效注水循环；在次认识上，开展相应治理措施，改善水驱，取得较好的控水稳油效果，对同类型的油藏有一定的指导意义，提高油藏的开发水平和采收率。

关键词　水驱；堵塞；深部堵塞；剩余油；采收率

堵塞现象在低渗透油藏开发过程中十分常见。在长期的注水一些固相颗粒和工作液中的杂质，进入地层，堵塞孔喉，井壁表面的泥饼堵塞渗流通道，同时注入水含有 SO_4^{2-}、CO_3^{2-} 和 HCO_3^-，由于压力、温度、流速的变化，地层水含有成垢阳离子，如 Ca^{2+} 和少量 Ba^{2+}，堵塞孔喉，增大注水开发的难度。其中近井地带的堵塞比较直观容易识别，治理对策以酸化、压裂为主，实现降低注水压力和注够水的目的。而油层的深部堵塞研究较少，特征不清晰，在油藏注水开发过程中，逐步影响水驱效果，导致油藏低效开发，最终影响油藏的采收率。

因此，开展低渗透注水油藏深部堵塞机理研究，制定相应稳产对策，控水稳油，更好的指导低渗透注水油藏后期高效开发。W区延10油藏虽然底水发育，但从动态上看主要受注入水影响，能有效反映侏罗系油藏注水开发的特征。通过研究该油藏的见水原因及水驱变化机理，对同类型的油藏有一定的指导意义，提高侏罗系油藏的开发水平和采收率。

1　研究区概况

1.1　地质概况

W区延10油藏位于鄂尔多斯盆地一级构造单元陕北斜坡中段，构造整体呈西倾单斜，在鼻隆构造的较高部位，以辫状河沉积砂体为主要储集体，受古地貌的影响，在高地附近形成超覆式沉积，砂体变化快，规模小，平面上呈网状、树枝状分布，储层物性较好，以中孔型储层为主，河道窄、变化快，形成一系列小型岩性-构造油藏。

选取油藏北部独立成藏、注采对应关系较好的7注27采区域为研究区。该区域小层细分为延 10_{11} 层，中部构造高油层厚，向四周构造降低砂体逐渐变薄，砂体连通性好，井网相对完善；边底水发育，底水平均厚度10.7m，底水能量较强。接触类型以Ⅰ类接触为主，局部为Ⅱ类、Ⅲ类接触；含油面积2.45km²，平均孔隙度14.9%，有效厚度8.5m，渗透率 $13.7\times10^{-3}\mu m^2$，含油饱和度43.1%。

研究区孔隙结构属不均匀大孔粗喉型，概率分布曲线呈三段型，与大喉道连通的孔隙占35%，与中等喉道连通的孔隙占15%，与小喉道连通的孔隙占15%，渗透率越高，孔隙结构越好。储层为弱-无水敏、弱-无酸敏、弱-无速敏、弱盐敏。

1.2　开发现状

研究区于2012—2013年大规模建产，2013年3月开始逐步转注完善井网注水开发。目前油井总井数27口，开井21口，注水井7口，月注采比1.22，累计注采比0.94，采出程度较高

31.6%，压力保持水平 70.6%，综合含水 50.7%，处于中含水开发阶段。

研究区注水井注采出水。采出水组成包括延 9 层、延 10 层、直罗组套破出水、注入水循环（包含本区的采出水和邻井区块见的清水）。其中本区延 9 层 Cl^-浓度为 20000~30000mg/L，延 10 层＞50000mg/L，采出水 40000mg/L，清水 5000~10000mg/L。

根据含盐（Cl^-）和动态响应情况，将见水类型分为六种（图 1）：

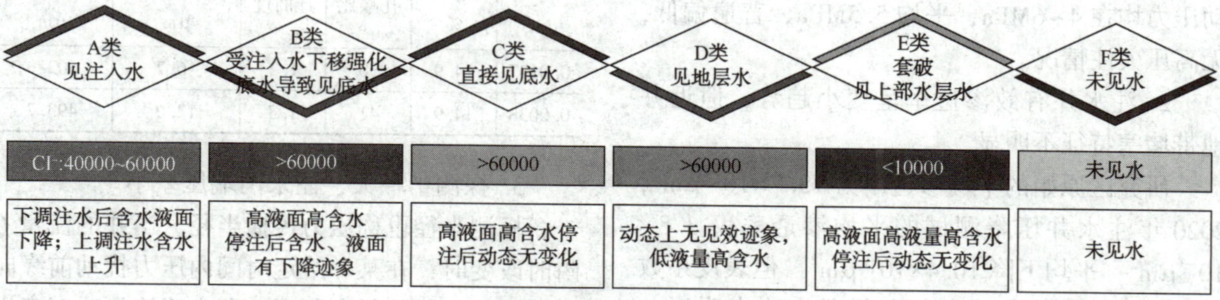

图 1　试验区见水类型划分标准

研究区内见注入水油井占比 65%。水驱问题是影响试验区开发效果的主控因素。

2　深部堵塞机理研究

不同油藏注水开发过程中受限于砂体物性、注入水质、开发政策的影响，水驱变化各不同。结合历史生产动态及动态监测资料综合分析，研究区水驱受深部堵塞影响的特征较明显。

2.1　深部堵塞特征研究

1. 地层吸水能弱，但启动压力较低

研究区延 10 油藏正常吸水指数远低于物性更差的三叠系油藏。该区测试吸水指数普遍低于 $20m^3/d\cdot MPa$，远低于该区三叠系特低渗油藏正常的 $100m^3/d\cdot MPa$。而两者的物性对比结果，侏罗系明显好于三叠系（图 2）。吸水指数曲线测试结果与物性对比结果相反

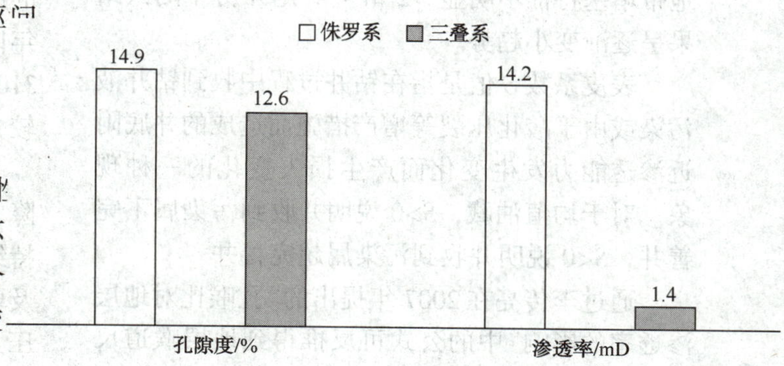

图 2　侏罗系与三叠系油藏物性对比

视吸水指数表示稳定流动条件下，注水压力与注水量之间的关系。视吸水指数的大小直接反应地层吸水能力。

将复杂的油藏注水过程，简化为数个方向线性吸水叠加的模型，选取其中某个方向线性吸水过程为研究对象（图 3）。

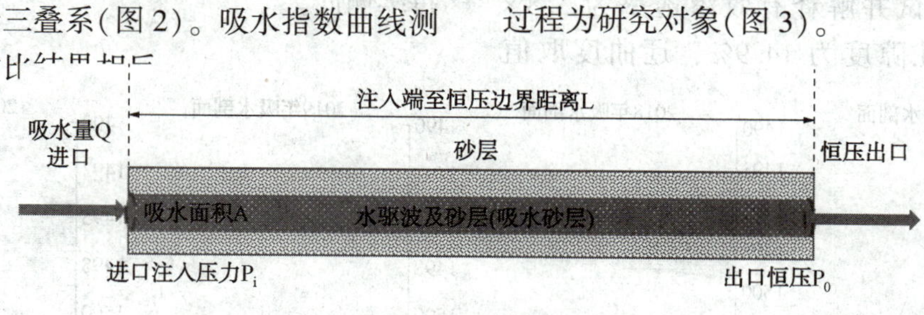

图 3　线性吸水模型示意图

根据达西直线渗滤定律：

$$Q=\frac{KA(P_i-P_0)}{\mu L}\Rightarrow k=\frac{\Delta Q}{\Delta P}=\frac{KA}{\mu L}\qquad(1)$$

式中，Q 为流体通过岩心的稳定流量，cm^3/s；A 为岩心的截面积，cm^2；K 为岩石的渗透率，μm^2；P_i 为测试时砂层注入端压力，Pa；P_0 为测试时砂层注入端压力，Pa；L 为注入端至恒压边界距离，cm；k 为视吸水指数。

在计算视吸水指数过程中，以井口压力代替测试时作用于岩石初始端的压力，以油井端地层压力代表岩石末端的压力；由于地层压力短期之内比较稳定，认为注入端至恒压边界距离不变，在流体性质不变的情况下，可以推出：视吸水指数与渗透率和纵向上的吸水面积呈正比。

由于延10原始渗透率远大于三叠系，分析认为造成吸水指数偏小的原因：剖面上吸水厚度薄，平面上波及面积小，导致注水波及的砂体范围有限，导致吸水指数偏低。

研究区注水井通过视吸水指数曲线解释的启动压力均在4~6MPa，平均5.5MPa，普遍偏低，无高压欠注情况。

2. 注水井有效渗透率呈变小趋势，但近井地带堵塞特征不明显

研究区原始的平均渗透率为13.7×10^{-3}μm^2，2020年注水井压降测试的平均渗透率仅3.8×10^{-3}μm^2，平均下降10.4×10^{-3}μm^2，但表皮系数均小于-1.9，根据试井解释解释方法表明近井地带堵塞特征不明显。2口可对比井历年测试结果呈逐渐变小趋势。

表皮系数S值是指在钻井过程中收到钻井液污染或由于酸化压裂等增产措施而造成的井底附近渗透能力发生变化而产生损失变化的一种现象。对于均值油藏，$S>0$说明井收到污染属不完善井，$S<0$说明井收到污染属超完善井。

通过李传亮在2007年提出的“孔喉比对地层渗透率的影响”中的公式可反推得到地层喉道尺寸变化[3]，如式(2)所示。

$$K=\frac{\varphi R_{pt}{}^{2} r_{p^2}}{2(1+R_{pt4})(1+R_{pt}{}^{2})\tau^{2}} \tag{2}$$

式中，K为地层渗透率，μm^2；ϕ为地层孔隙度,%；R_{pt}为孔喉比，无因次；r_p为孔隙半径，μm；τ为迂曲度，无因次。

应用注水井试井解释有效渗透率为3.8×10^{-3}μm^2，选取孔隙度为14.9%，迂曲度取值1.3，初期孔喉比选取30。反推目前孔喉比上升至41，孔喉半径16.7μm↓12.0μm，呈变小趋势(表1)。

表1　孔喉比与孔喉半径关系表

渗透率/μm^2	孔隙度/%	孔喉比	迂曲度	孔喉半径/μm	孔隙半径/μm
0.0137	14.9	30	1.3	16.7	502.0
0.0038	14.9	41	1.3	12.0	493.7

3. 探测半径大，注采两端压差小

探测半径也称压力传播半径，当井的流量Q瞬时改变时，在某一给定时间内压力扰动前缘向地层深处扩展的径向距离，即由于流量改变产生的压力响应在本井中所能测量的径向距离。2017年以来注水井测试压降，解释的探测半径平均310m，大于油水井间距离230m，压力响应范围较大。

注水端压力持续下降，可对比井压力逐年下降13.0MPa↓11.2MPa↓8.8MPa；采出端压力持续较低，压力保持水平仅70.0%，强化注水及弱化注水过程中无明显变化；注采两端的地层压力差值逐年变小4.6MPa↓0.8MPa。

4. 吸水厚度小，水驱动用程度低

试验区于2017年注水井整体吸水厚度变薄(图4)，水驱动用程度下降63.0↓38.0%，随后区块含水上升速度明显加快，递减加大，含水由15.0%以下快速上升至47.0%。通过开展堵水调剖等措施，吸水厚度增加不明显，水驱动用程度持续偏低。

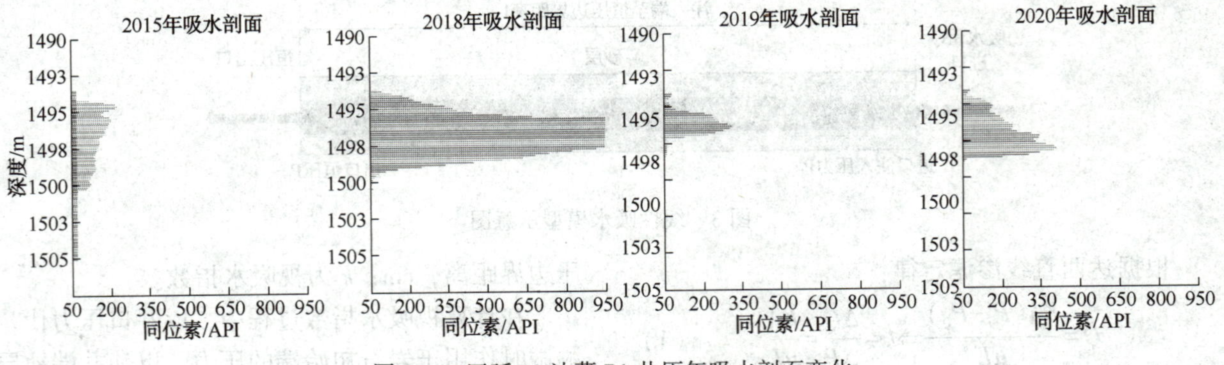

图4　W区延10油藏B1井历年吸水剖面变化

5. 对应油井表现为低液量高含水，产液采油指数双低

该区2017年含水持续上升，对比2020年控制注水前单井平均日产液6.2m^3↓5.2m^3，单井平均日产油4.2t↓2.t，产液采油指数双低。同时采出端堵塞特征较为频繁，解堵效果逐年变化差，日增油2t↓1.5t↓0.2t，含水上升幅度5%↑15%↑25%。

2.2　深部堵塞形成机理研究

2.2.1　堵塞原因研究

1. 研究区采出水成分复杂，存在不配伍的情况

鄂尔多斯盆地侏罗系地层水水型以 Na_2SO_4 型和 $NaHCO_3$ 型为主，分别占 34.2% 和 38.8%，$CaCl_2$ 型水占 20.9%，$MgCl_2$ 型占 6.1%[4]。结合试验区 Cl^- 浓度差异，延 10 地层水矿化度较高，具有相对高的 Cl^-、Ca^{2+} 离子浓度，低 SO_{2-4} 和 HCO_3^- 离子浓度，水型为 $CaCl_2$ 型；延 9 地层水矿化度较低，SO_{4-2} 和 HCO_3^- 离子浓度相对较高，Cl^-、Ca^{2+} 离子浓度相对较低，水型以 Na_2SO_4 型和 $NaHCO_3$ 型为主。

试验表明配伍后水质颜色由黄变浅，管壁以及底部一层雾蒙状垢，根据离子含量以及结垢形态分析易形成少量硫酸钙垢、碳酸钙垢(表 2)。

表 2　试验区延 10、延 9 地层水室内配伍实验

组号	体积比		实际消耗 EDTA 量/mL	失钙(镁)率/%	结垢量 (以 $CaCO_3$ 计)/(mg/L)	目测现象
	延 10 采出水 ($CaCl_2$ 型)	延 9 采出水 (Na_2SO_4 型/$NaHCO_3$ 型)				
1	50	0	9.10	0.00	0.00	比色管底部管壁雾蒙状垢
	40	10	7.70	3.87	153.59	
	30	20	6.50	6.07	208.09	
	25	25	6.00	5.88	185.79	
	20	30	5.50	5.66	163.50	
	10	40	4.60	2.95	69.36	

2. 延 10 地层水高矿化度是结垢的物质基础

试验区延 10 地层水矿化度较高，水型为 $CaCl_2$ 型，具有相对高的 Cl^-、Ca^{2+} 离子浓度，低 SO_{2-4} 和 HCO_3^- 离子浓度，Cl^- 浓度 > 60000mg/L。研究表明，同层采出水也存在不匹配现象。在油田注水的过程中，在流动过程中随着压力、温度、流速变化或流体的化学组分不平衡，都存在着形成结垢的可能。

2.2.2　深部堵塞机理研究

根据前面的研究区动态监测资料和动态变化分析，试验区注水存在单向突进的情况，同时深部孔喉存在堵塞可能性。综合分析认为，该区注水开发过程中，由于注入水质、油藏特性等原因，部分深部孔喉逐渐堵塞变小，在此过程中加大了储层的非均质性，最终导致过水通道减少，水驱波及体积变小，注水单向突进，油井见水。这个便如日常使用的暖气片散热能力下降的机理一样，开始使用的时候各片均匀过水，散热效率高，房间温度高；使用一段时间后，部分过水通道结垢变小甚至堵塞，导致散热效率下降。

具体可以分为 3 个过程(图 5)：

过程 1：注水初期，油藏均质性较好，水驱波及范围大。波及范围内，原油被均匀驱替至采出端。

过程 2：随着注水时间延长，由于水质不配伍、高矿化度，油层在注入过程中压力、温度变化，注水井注水调整导致的流速变化，导致隔水线便便逐步堵塞形成壁垒，类似于“田垄”分割水线，水驱平面上呈现条带化，水线固化无法驱替间隔内的剩余油。

过程 3：后期随着吸水弱势水线由于流速较小，堵塞加剧入口堵塞，水线逐步废弃，最终剩下水驱优势方向的水线，水驱平面上呈线状分布。

对比见水井组注水井的渗透率呈变大趋势，注水单向突进是由于注水对孔喉冲刷导致变大及注水压力高导致微裂缝开启，引起的储层的非均质性加大导致，深部堵塞机理存在明显差异。

2.3　深部堵塞对水驱开发及剩余油的影响

由于深部堵塞，形成“田垄效应”束缚水线，导致水驱难以波及条带内的剩余油。同时由于条带内的剩余油无注水驱替，压力较低，而水线波及范围内压力高，剩余油很难运移至水线波及范围内，导致注水无效循环，驱油效率低，存水率较低，地层压力持续较低。

从剖面上看，注水井吸水厚度下降也是由于“田垄效应”造成。从试验区 A1 油井剩余测试结果可以看出，纵向上水驱的水驱动用程度较低，射孔段与油水界面之间的厚油层并未水驱动用(图 6)。

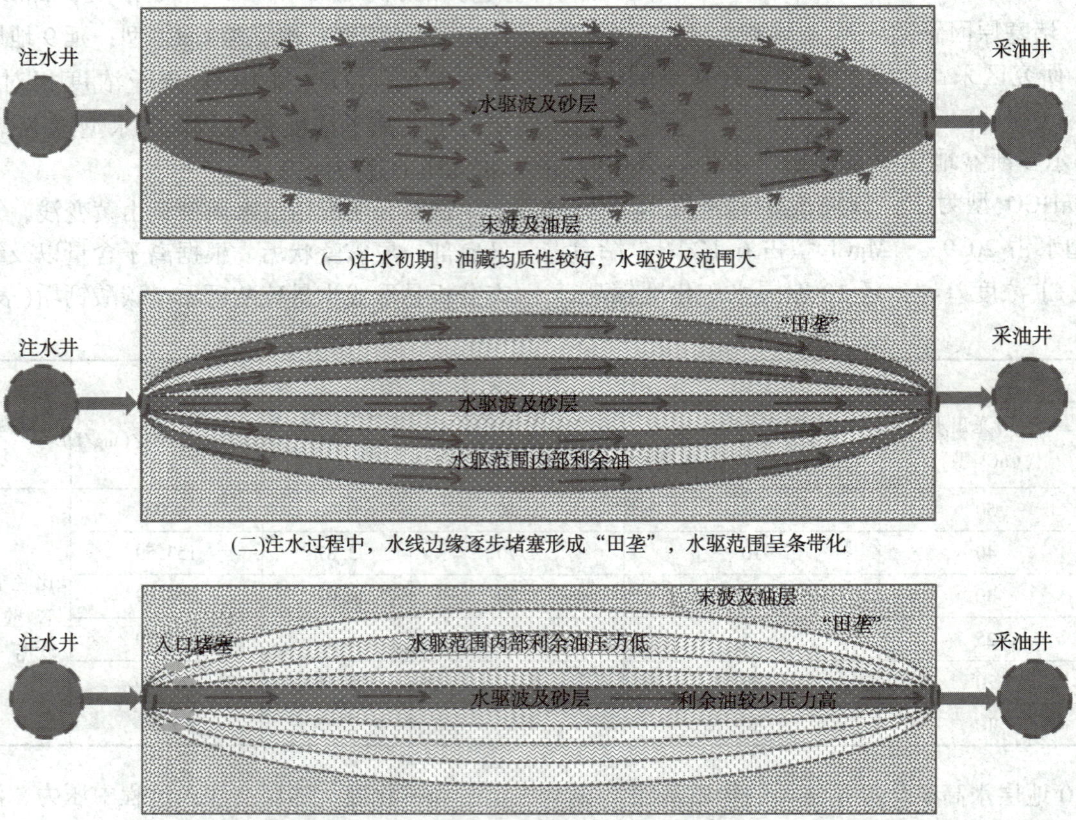

(一)注水初期，油藏均质性较好，水驱波及范围大

(二)注水过程中，水线边缘逐步堵塞形成“田垄”，水驱范围呈条带化

(三)后期随着吸水弱势水线入口堵塞，水线废弃，水驱呈线状分布(“田垄”依然存在)

图5　深部堵塞水驱变化过程平面示意图

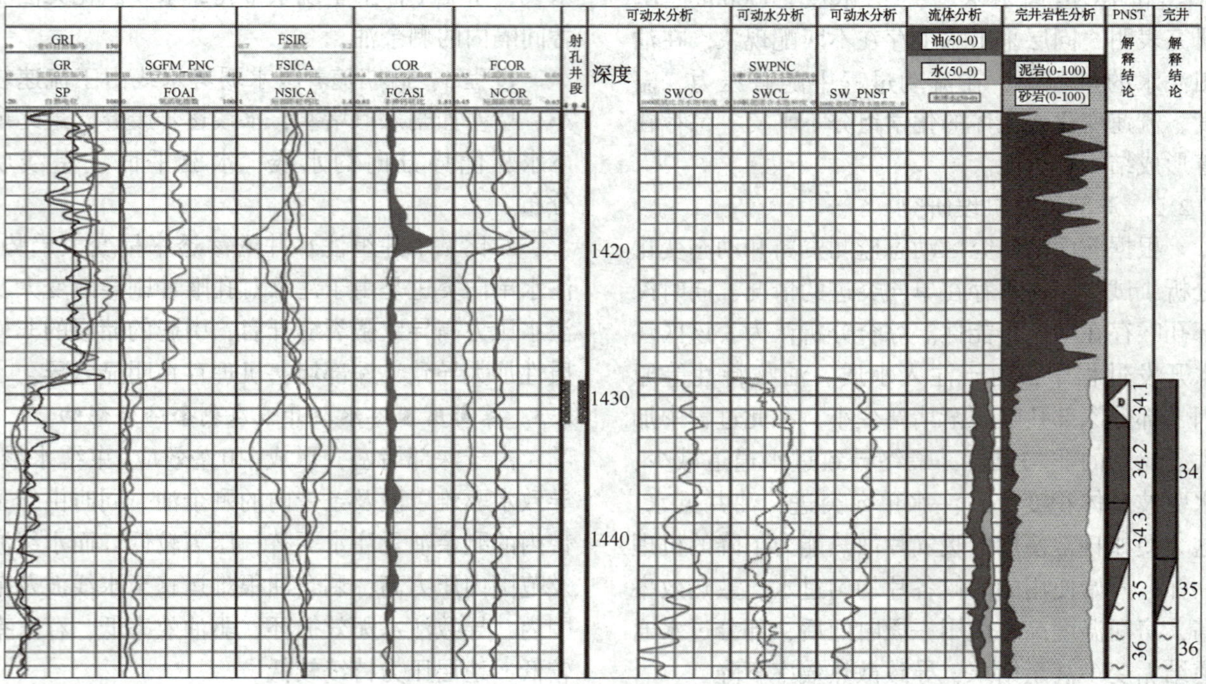

图6　W区延10油藏A1井剩余结果

3　稳产对策研究

试验区内针对深部堵塞造成的水驱问题，先后采取了多项治理措施，取得了一定效果。

3.1　常规调剖措施改善水驱效果不显著

治理思路：由于延10原始孔隙度和渗透率

大于三叠系油藏，物性较好，针对见水井组采取大粒径堵剂封堵水驱优势通道。

2017 年—2020 年开展多轮次堵水调剖，调剖体系采用 PEG-1+凝胶颗粒，尖峰状吸水形态有所改善，但吸水厚度未增加，吸水强度仍然较大，措施有效期短仅为 6 个月，有效期内含水仍缓慢上升，未起到控水作用，仍然存在无效注水循环；失效后注水突进，油井含水大幅上升。

分析认为由于地层深部堵塞，孔喉半径变小，堵剂粒径偏大，难以进入地层深部，在近井地带滞留，难度封堵深部的水驱通道，导致含水不降；同时近井地带的封堵容易造成发生绕流，沿深部的高渗带继续注入，造成有效期变短(图 7)。

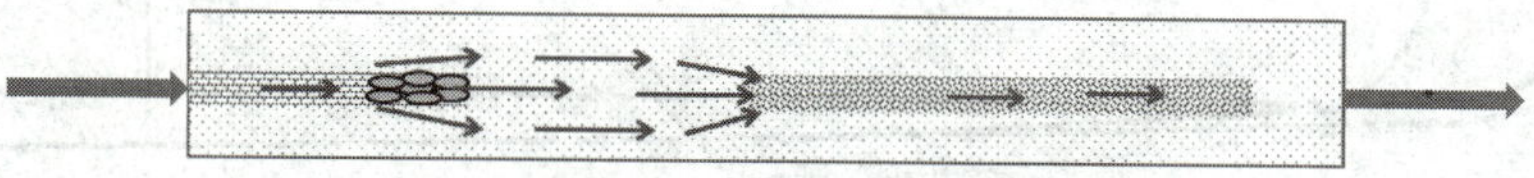

图 7　常规堵水调剖封堵近井地带示意图

3.2　微球调驱有效减少无效注水循环

3.2.1　微球调驱实施情况及效果

治理思路：由于试验区延 10 油藏存在地层深部堵塞，孔喉半径变小，水驱固化的问题，采取注入粒径 100nm 微球、浓度 1500 ($1ppm = 10^{-6}$)，封堵深度水驱通过，提高水驱波及体积。

整体效果：微球 100nm 注入后井组液量下降，含水呈下降趋势，有效减少无效注水循环；5 个月后动态趋于稳定，递减低位运行；注入结束时，整体月度递减率 5.05%↓1.73%，月含水升幅 0.77%↓-0.6%，整体见效比例 82.4%；停止注入后，液量上升，含水稳定，出现净增油过程。

微球注入初期注入压力下降 7.64MPa↓6.62MPa↓6.22MPa，注入 4 个月后，注入压力 6.22MPa↑6.28MPa↑6.45MPa，稳步上升。

微球注入初期产水量下降明显。试验井组注入 100nm 微球 2 个月后产水量开始明显下降，7 个月日产水 $23m^3$↓$16m^3$，日控水 $7m^3$，控水幅度 30.3%，控水效果较好(图 8)。

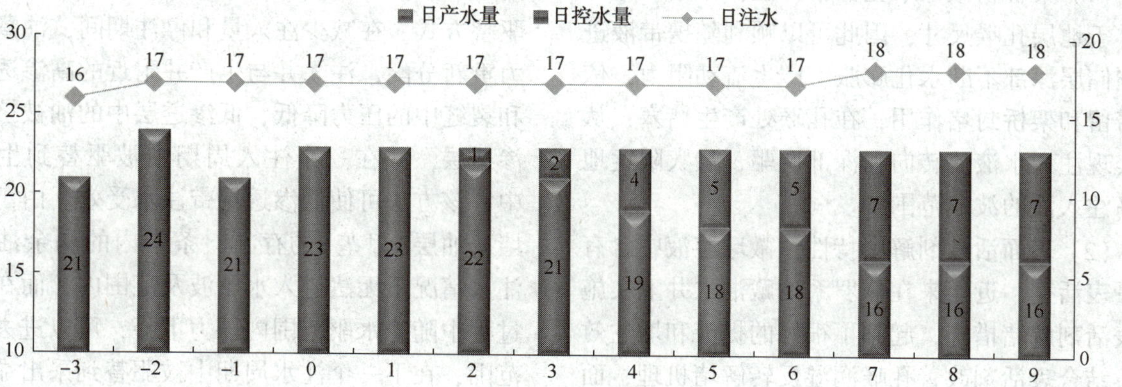

图 8　试验井组微球注入后产水量变化

关于 100nm 微球的封堵性，通过注入井前后试井资料进行对比，注入 5 个月后，有效渗透率 $4.5210^{-3}\mu m^2$↓$2.96\times10^{-3}\mu m^2$，同时表皮系数为-4.24，表明近井地带无污染，地层深部得到有效封堵(表 3)。2021 年开展调驱以来，通过历年的压降曲线对比，高渗吸水特征逐步得到改善，地层压力持续回升(图 9)。

表 3　注入井前后试井资料对比

测试日期	测试方法	地层系数	表皮系数	有效渗透率/$10^{-3}\mu m^2$	地层压力/MPa	探测半径/m
100nm 微球注入前	压降	18.1	-1.91	4.52	8.69	381.7
100nm 微球注入 5 个月后	压降	11.84	-4.24	2.96	8.77	231.9

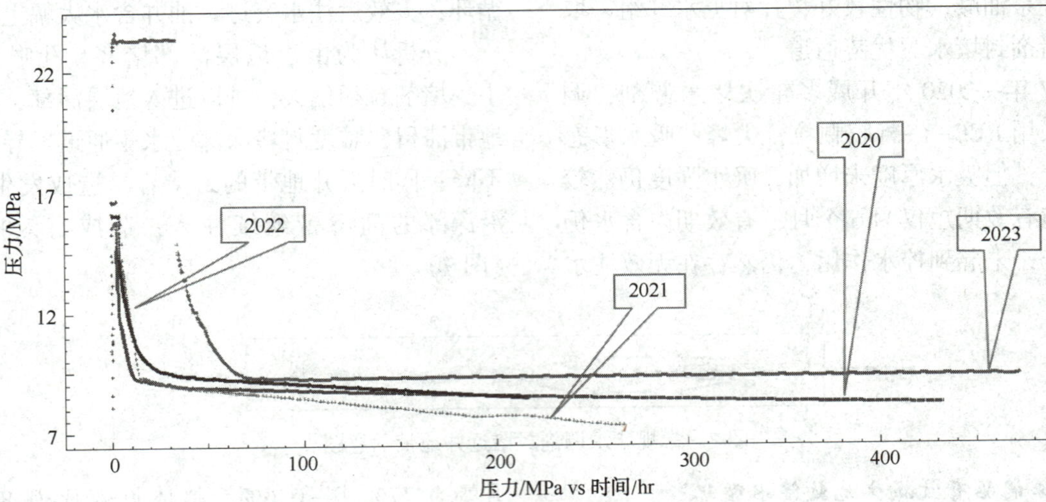

图9　2020—2023年W02井压力降落曲线对比

同时在注水井的微球调驱的基础上，水驱得到改善，在此基础上再对油井实施解堵措施，增油效果明显提升。微球调驱以来，减少无效注水循环，存水率0.73↑0.78，能量保持水平70.0%↑73.0%，逐步回升，2022年以来实施表活剂解堵5井次，单井增油0.2t↑1.8t，含水上升幅度25.0%↓1.0%。

3.2.2　微球调驱作用机理分析

（1）聚合物微球水化膨胀特性：原始尺寸远远小于地层孔喉尺寸，因此可以顺利随携带液进入到储层深部不断水化膨胀，产生流动阻力，依靠滞留和架桥封堵作用，在孔喉处产生堵塞，从而实现注入水液流转向和深部调驱，最大限度地提高注入液的波及范围。

（2）表面活性剂解堵特性：微球溶液中含有大量表活剂，近年来在侏罗系油藏油水井上实施的表活剂解堵措施，起到了很好的提液和增注效果，结合表活剂改善孔喉润湿反转解堵机理，面活性剂在该区块有一定的解堵效果。

根据注入后动态变化，结合两种物质特性与油藏水驱变化原因，分析认为在改微球的作用机理为：微球进入地层深部后水化膨胀封堵较大（过水的通道）的孔喉，从后期压力逐步上升可以验证；而表活剂疏通较小的孔喉（堵塞的通道），造成初期注入压力的下降；“封堵”+“疏通”共同作用缩小储层的非均质性，提高水驱波及范围，减少无效注水循环。

3.3　控制注水有效控制含水上升

研究区于2020年开展控制注水，单井配注$27m^3/d$↓$22m^3/d$↓$15m^3/d$，区块月度含水上升幅度下降0.04↓-0.48，综合含水49.9%↓42.7%，但伴随液量下降$129m^3$↓$97m^3$，日产油68t↓56t。控制注水降含水效果明显，降低区域内的无效注水循环，但由于“田垄”存在无法提高水驱波及，采油指数持续偏低，油井持续低产低效。

3.4　开展间歇注水试验

间歇注水是指间歇改变注入水量或注一段时间水后停注一段时间，以对油层施加脉冲作用的驱替方式。在减少注入量和停注期间，油藏中压力重新分配，注入井与生产井附近的高渗透层段和裂缝中的压力降低，低渗透层中的油被挤入高渗透层，并在一个注入周期中被驱替到生产井中，该方法可使低渗透层带注水受效。由于深部堵塞油层“田垄”的存在，条带内的剩余油正常注水情况下无法进入水驱波及范围内，而在停注过程中随着水驱范围内压力下降，可以进去水驱范围，在下一个注水周期中被驱替到采出端。该技术在侏罗系油藏开发目前得到了广泛的推广，下步可在研究区内开展实验。

3.5　探索注水井压裂可行性

由于地层深部堵塞，水驱呈现条带化、线性化，水驱波及较小，难以动用剩余油。通过注水井适当压裂，形成复杂裂缝消除壁垒，改善水驱，提高采收率。但由于延10油藏底水发育，参数不宜过大，避免沟通底水，导致注水进入底水，无法补充油层能量。下步需开展嫌弃试验，摸索合适参数。

3.6　提升水质源头消减堵塞风险

采出水的高矿化度是地层深部堵塞的物质基

础。提升水质，在注入端通过诱导结垢等方法消除高矿化度，同时在注水系统投阻垢防垢剂，防止地层结垢，从源头消减堵塞风险。

4 结束语

（1）W区延10油藏研究井组深部堵塞特征较为明显，以此为研究对象总结的深部堵塞特征，可以判段油藏是否存在深部堵塞。该标准还不完善，后续在油藏开发研究过程中需逐步完善。

（2）由于地层深部堵塞，形成“田垄效应”束缚水线，导致水驱难以波及条带内的剩余油，严重影响油藏的开发效果和采收率，该问题需要得到足够的重视。深部堵塞导致油层物性发生了变化，采取治理措施过程中，应该根据目前物性变化的现状采取措施，才能提高治理效果。基于前期的大孔喉、高渗透率认识，采取以“大粒径”为主的常规堵水调剖措施，难以取得较好的治理效果；而基于目前孔喉变小的情况，采取以“小粒径”为主的微球调驱，在控水稳油、改善水驱方面取得了较好的效果。

（3）油藏开发过程中深部堵塞现象并不是单一存在的，可能会伴随近井地带的堵塞、微裂缝及高渗带导致的注水突进等情况，水驱情况复杂，治理过程中结合实际情况抓主要矛盾有序治理改善开发效果。

参考文献

[1] 岳文成，张乐，岳渊洲，等．侏罗系底水油藏见效见水特征原因分析[C]．第三采油厂2020年度技术论文集，2021：79-83.

[2] 金毓荪，等．采油地质工程．第二版，[M]．北京：石油工业出版社，2003.7：65-68+148+158.

[3] 李传亮．孔喉比对地层渗透率的影响[J]．油气地质与采收率，2007.14(05)：78-79+87+116.

[4] 邓秀芹，程党性，周新平，等．鄂尔多斯盆地下侏罗统地层水化学特征及成因分析[J]．沉积学报，2020，38(5)：1009-1100.

[5] 高永博．示踪型荧光聚丙烯酰胺微球的粘弹性驱油机理研究[D]．中国石油大学(华东)，2019.

[6] 赵文景．纳米聚合物微球动态运移机理研究[D]．西安石油大学，2020.

[7] 刘娅菲，杨静雯，姚婷玮，等．纳米聚合物微球对高渗透介质封堵效果评价及作用机理[J]．油气地质与采收率，2020，27(06)：130-135+142.

[8] 王鸿运．点滴法表活剂解堵增注技术[J]．油气田地面工程．2010，29(9)：54-55.

[9] 杨林江，谢勇智，魏然，等．间歇注水在砂岩油藏提高采收率研究及应用[J]．内蒙古石油化工．2012，24：54.

合水地区百万吨级页岩油示范区建设面临挑战与应对策略探讨

顿亚新　易　涛　章宏波　陈　余　陇　卓　寇玉霖

（中国石油长庆油田公司）

摘　要　截至2022年底陇东地区页岩油已累计提交探明石油储量＊＊＊亿t，原油产能已突破150万t/a。其中合水页岩油提交探明储量＊＊＊吨，建成原油产能已达50万t/a，成为陇东地区页岩油勘探开发的三大主战场之一。合水页岩油从2012年起经过十一年勘探开发，已经总结形成了一系列的高效开发关键技术，如差异化开发井网部署、"密切割+CNI纳米变粘滑溜水"压裂提产技术、全生命周期效益稳产管理模式等，但随着I类优质储层已基本动用完毕，下步开发对象为砂泥多薄互层、非均质性强的Ⅱ类储层，需进一步开展穿层体积压裂、二氧化碳增能压裂等提关攻试验，为合水页岩油建成100万t产能储备关键配套技术。

关键词　合水地区；页岩油；Ⅱ类储层；井网部署；压裂提产；穿层压裂；二氧化碳增能压裂

1　合水地区页岩油地质概况

1.1　地理位置和沉积背景

合水位于鄂尔多斯盆地陕北斜坡构造单元西南部，在长7期沉积主要以西南部物源为主，主要发育半深湖-深湖重力流沉积亚相沉积，砂体大面积叠合发育，受水动力条件、湖盆底形起伏特征等因素影响，砂体结构复杂，储层致密，非均质性强。

1.2　储层基本特征

按照赋存岩石类型、运聚特征、砂地比等因素，长7页岩油分为夹层型、纹层型、页理型3种类型。受湖盆沉积特点影响，华池-庆城区烃源岩厚度大于合水区，合水北部平均厚度40m，南部平均厚度20m，由北向南生烃能力下降。庆城-合水北-合水南油层埋深变浅，厚度变薄，隔夹层增多，逐渐由整装Ⅰ类油藏转变为Ⅱ类油藏。北部页岩油油藏含油性、物性较好，与庆城X233油藏基本相当。南部页岩油电阻率、视渗透率、水平段全烃等参数较低，含油性、物性逐渐变差。原油性质分析表明，合水油田由北到南饱和烃含量逐渐降低、沥青质含量升高，气油比降低，原油黏度增大，原油性质变差。

1.3　资源储量分布情况

截至2022年底，合水地区长7层累计探明储量＊＊＊亿吨（其中Ⅰ类＊＊＊亿吨、Ⅱ类＊＊＊亿吨），目前已动用探明储量＊＊＊亿吨，剩余未动用＊＊＊亿吨探明储量主要为Ⅱ类储层（图1）。

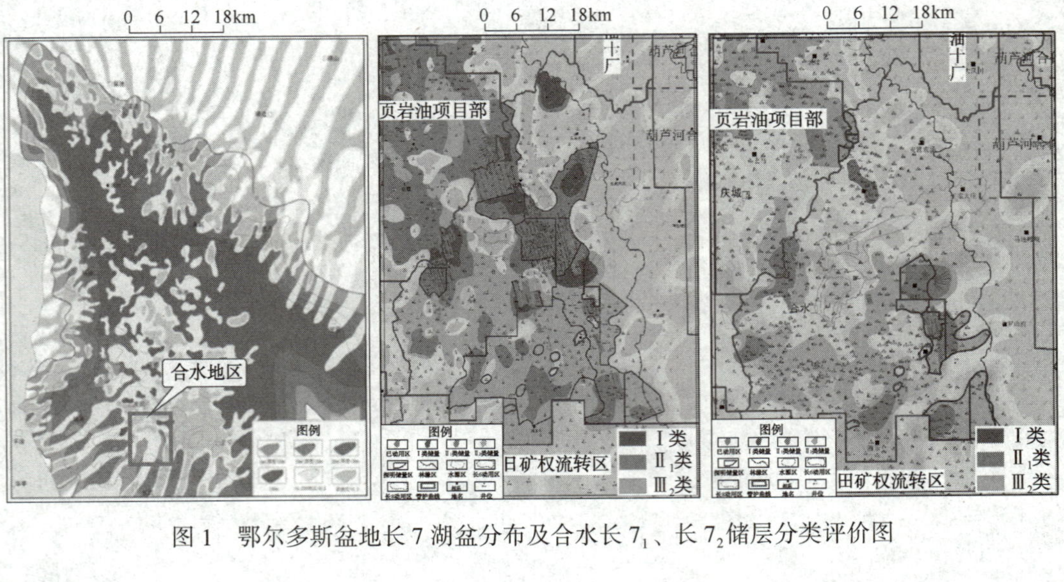

图1　鄂尔多斯盆地长7湖盆分布及合水长7_1、长7_2储层分类评价图

2　合水页岩油勘探开发现状

2.1　合水页岩油勘探开发历程

鄂尔多斯盆地页岩油储集层“甜点”分为夹层型、混积型、页岩型，主要分布在延长组长7段，为一套半深湖~深湖相的细粒沉积，地层厚度约110m，纵向上划分为长7_1、长7_2、长7_3三套小层。长7_1、长7_2(夹层型)为泥页岩夹多期薄层粉细砂岩的岩性组合，是目前勘探开发的主要对象。长7_3，(页岩型)以泥页岩为主，是风险勘探、原位转化攻关试验的主要目标。早在2004年长7层已形成“自生自储”突破性认识，但在传统定向井+常规压裂技术体系下，页岩油开发单产低，始终无法实现效益开发。2012年以来，通过长水平井+体积压裂提产、短水平井+注水开发两项试验探索，确定了长水平井+蓄能压裂开发主体技术，并于2018年起开展工厂化开发建设，最终实现了合水油田页岩油资源的规模效益动用，截至2023年8月合水页岩油年产能已达50万t。

2.2　规模效益开发配套技术是持续增储建产的保障

近年来通过精细刻画小层，对剩余未动用储层开展多参数综合分类评价并筛选下步现实可建产甜点区。在地质甜点优选的基础上，兼顾纵向多层系同时动用，整体进行规划部署设计。同时对前期页岩油开发规律进行总结，形成规律认识，结合数值模拟手段，综合研究出能够高效动用各类页岩油储层的工艺改造方式及参数，有效提高了单井产量，提升了开发效果。

2.2.1　建立了多参数综合研究下的储层分类评价标

（1）开展了全区地层对比精细油层刻画，进行以五级旋回小层为单元的地层精细对比。结合宏观构造背景、测井及地震资料，分析绘制区内各长7小层顶面构造起伏特征、砂体展布特征。各小层呈东南高、西北低的西倾单斜形态，整体起伏小，受差异压实作用，发育西倾低幅鼻状构造。合水南部长7各小层呈东南高、西北低的西倾单斜形态，整体起伏小，发散形发育多个大型鼻隆，并在鼻隆背景上发育断背斜、背斜、断鼻等构造圈闭。合水区长7地层整体厚度为90~120m，主力油层为长7_1和长7_2两个小层，北部多发育整装、厚层油藏，平均单油层最大厚度7.2m；合水南部多发育砂泥薄互层油藏，油层变化快，平均单油层最大厚度4.4m(图2)。

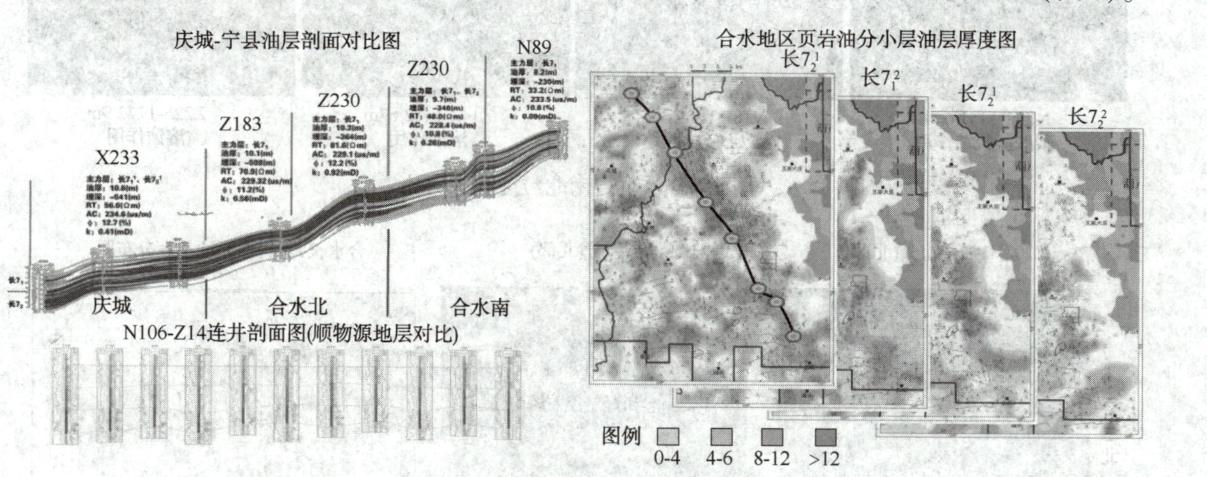

图2　合水页岩地层对比及细分小层图层刻画

（2）通过分析化验对比明确了南北储层差异化特征。通过大数据对比分析得出北部Z183、Z230等Ⅰ类油藏电阻率、水平段全烃平均值均、视渗透率及视孔隙度明显大于南部，含油性、物性明显较好，是单井产能较高的重要基础(图3)。

电镜薄片观察表明合水北部长7储层石英和长石含量较高，且黏土含量低于南部井区，南部黏土含量较高，是该区渗透率较低及储层较致密的因素之一。北部砂岩粒度大于南部，且溶蚀作用较强具有较多的溶孔，南部黏土矿物和碳酸盐胶结较强，泥质含量较高充填于孔隙间，孔隙结构较复杂(图4)。

地面原油族组分化验结果表明，合水油田由北到南饱和烃含量逐渐降低、沥青质含量逐渐升高，原油性质变差。南部原油重质组分含量高，原油黏度高于北部井区，密度较大(图5)。

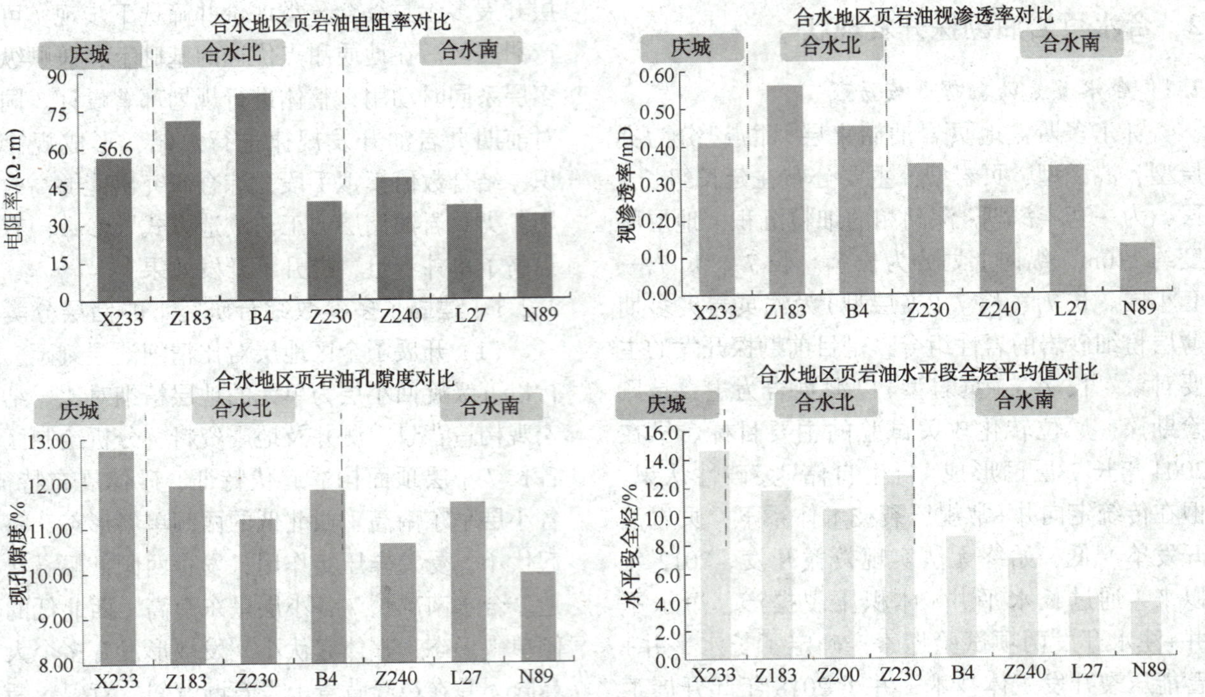

图 3　合水页岩南北储层物性差异性对比

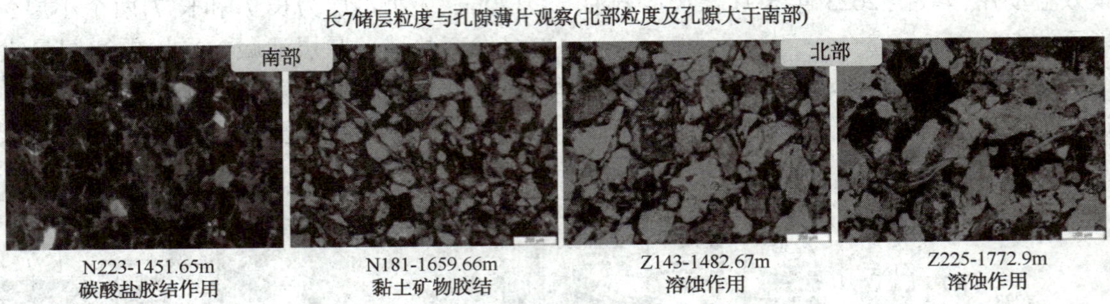

图 4　合水页岩南北粒度孔隙对比

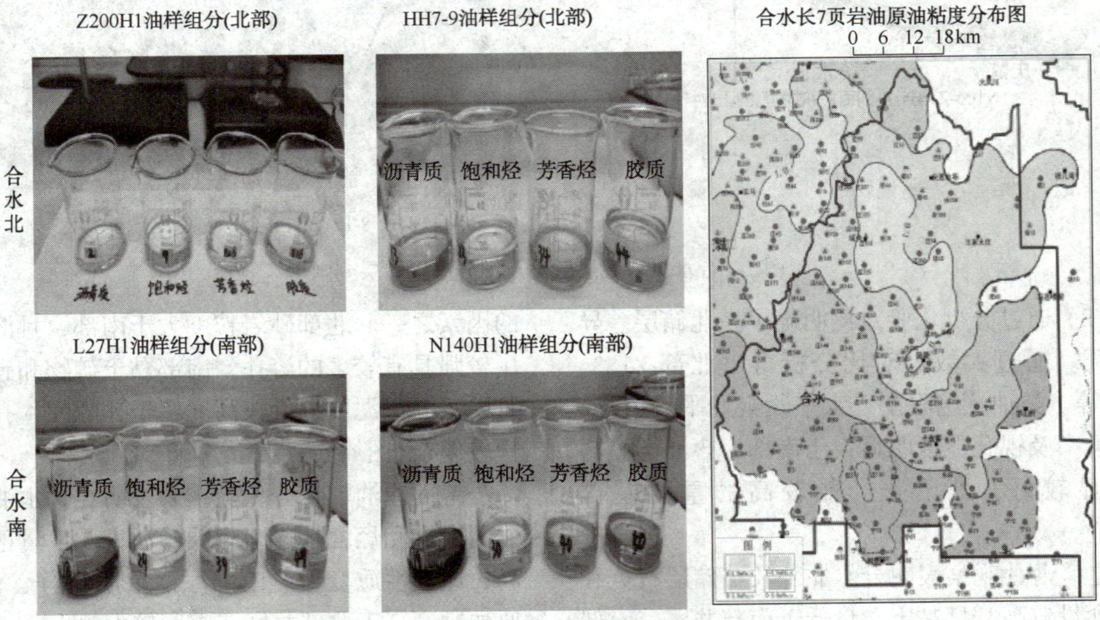

图 5　合水页岩南北原油组分分析对比

(3) 建立储层综合评价标准筛选优质储量。按生烃、储集、渗流能力及可压性分类，采用储层综合评价拟定参数：孔隙度、渗透率、含油饱和度、有效砂厚、脆性指数综合评价系数：Feci $=(\Phi/\Phi_{stad})\times(K/K_{stad})\times(So/So_{s}tad)\times(H/H_{stad})\times(B/B_{stad})$。$\Phi$ 为孔隙度，K 为渗透率，So 为含油饱和度，H 为有效砂岩厚度，B 为脆性指数。Φ_{stad}、K_{stad}、So_{stad}、$H_{s}tad$ 分别为以上 4 个参数第Ⅲ类参数标准下限。合水北部主要分布整装厚层块状砂体且含油较好的Ⅰ类储层，南部为砂泥多薄互层、非均质性强的Ⅱ类储层。根据分类结果优选可建产储量 3.4 亿 t，其中Ⅰ类储量 0.8 亿 t，$Ⅱ_1$类储量 2.6 亿 t(图 6)。

合水地区页岩油储量分类评价标准及砂体结构图

参数类型	参数名称	Ⅰ类	$Ⅱ_1$类	$Ⅱ_2$类
烃源岩	页岩厚度(m)	≥15.0	15.0-10.0	
储油及渗流能力	储层厚度(m)	≥10.0	10.0-6.0	6.0-4.0
	分析孔隙度(%)	≥9.0	9.0-6.0	
	分析渗透率(mD)	≥0.15	0.10-0.15	<0.10
	含油饱和度(%)	≥55.0	55.0-45.0	
原油性质	地面原油粘度(mPa.s)	<5.0	5.0-9.0	
	原始气油比(m^3/t)	≥100	80-100	<80
可压性	岩石脆性指数(%)	≥45.0	45.0-40.0	
	水平最小主应力(MPa)	<30.0	30.0-35.0	

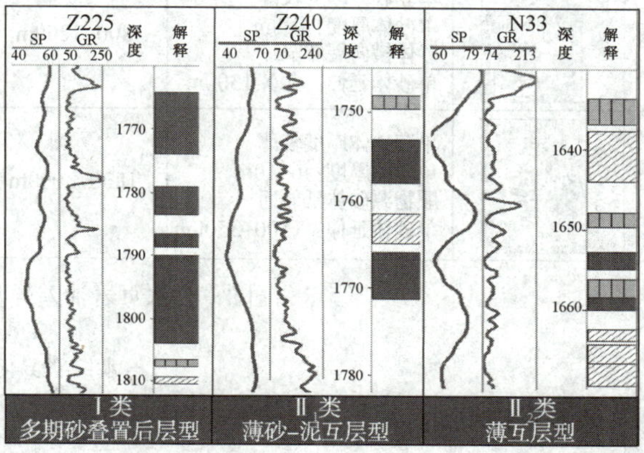

图 6　合水页岩油储量分类评价标准及砂体结构图

2.2.2　制定了不同储层类型差异化开发井网部署对

(1) 开展单砂体定量规模研究，结合单砂体定量规模关系研究，研究区小层单套砂体平均宽厚比 139。依据单套砂体不同厚度、不同物源方向的砂体延伸长度进行差异化的部署(图 7)。

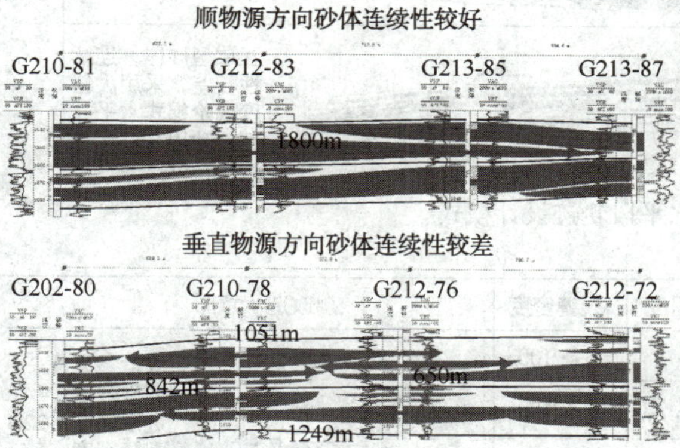

合水区长7段单砂体定量规模统计表

长7_1_1	750-1820m	1580m	6.8-12.1m	10.3m	104:1-157:1	136
长7_1_2	680-1900m	1603m	4.1-12.5m	9.8m	105:1-165:1	139
长7_2_1	652-1770m	1536m	3.9-11.0m	9.3m	98:1-170:1	142
长7_2_2	690-1710m	1525m	3.7-10.2m	9.2m	102:1-167:1	138

图 7　合水页岩油单砂体定量规模关系分析

(2) 不同储层条件-差异化水平井长度部署，基于单套砂体定量化的认识，结合井筒投资、产能变化等多因素考虑，对研究区不同储层分布的区域，开展差异化水平段长度设计，北部厚层区部署 1500~2000m 水平段，东部林缘区部署 1800~3000m 水平段，南部薄层区部署 800~1200m 水平段(图 8)。

(3) 不同砂体结构-差异化轨迹设计，基于砂体构型的认识，研究区主要有三种砂体类型，以提高储量动用程度为目标，针对不同类型差异化轨迹设计，形成单层平直型、立体式、穿层式水平井轨迹设计(图 9)。

2.2.3　集成以“密切割+CNI 纳米变粘滑溜水”为核心的压裂提产技术

研究区储层变化快、物性差异较大、天然微裂缝发育，新井压裂结合井网和井位部署，差异化设计改造方案，通过新井改造方案优化和老井配合调整，实现减少邻井水淹，提高单井产能的目的。

根据单井水平段工程、地质甜点优化结果，

按照重点强化Ⅰ类+Ⅱ类油层改造、选择性改造Ⅲ类的总体思路，细分切割水平段。甜点分级裂缝优化，通过精挑细选高贡献段改造，保障产量的同时实现段数最优(图10)。

合水长7差异化水平段长度设计模式

部署区域	砂体延伸特征	长度优化	布井方式	布井示意图	
北部Ⅰ类	单套砂体厚度大 单砂体厚度：8~20m 砂体横向展布宽 单砂体延伸：1200~2500m	1500~2000m	常规井网 垂直主应力	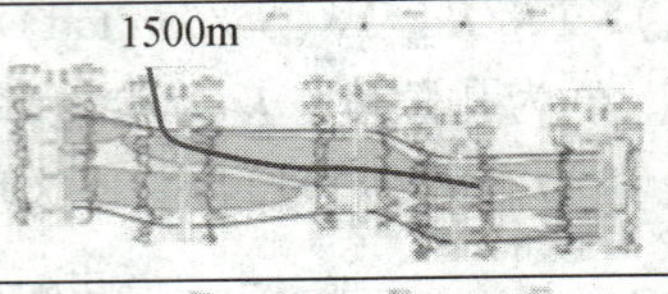 	典型区块： Z183、Z51
北部Ⅱ类	单套砂体厚度较薄 单砂体厚度：4-8m 砂体横向展布窄 单砂体延伸：600~1300m	800~1200m	常规井网 垂直主应力	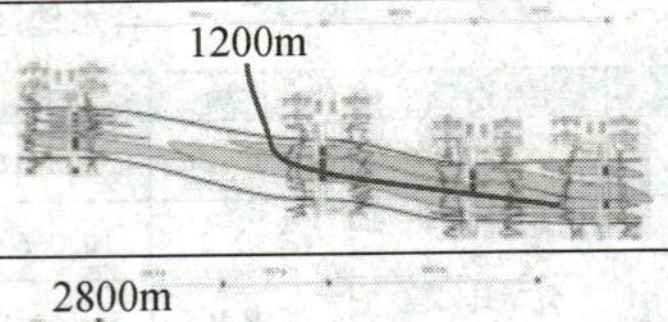 	典型区块： L206、L27
东部林缘区	单套砂体厚度较薄 单砂体厚度：6~10m 顺物源砂体延伸远 单砂体延伸：1500~3500m	1800~3000m	斜交主应力 扇形井网 (顺物源)	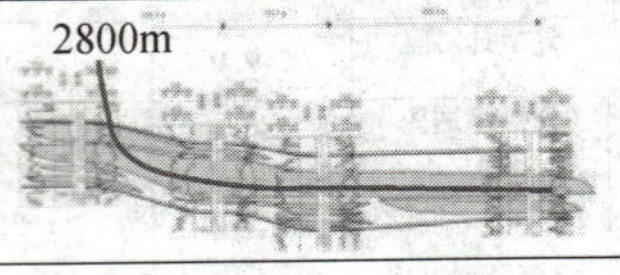 	典型区块： Z230东部、 Z264东部

图8　合水页岩油差异化水平段长度设计模式

合水长7差异化水平段轨迹设计模式

砂体类型	主要特征		差异化轨迹设计模式	
单层厚砂	连续叠加	油层厚度大 单层厚度：8~12m 隔夹层不发育	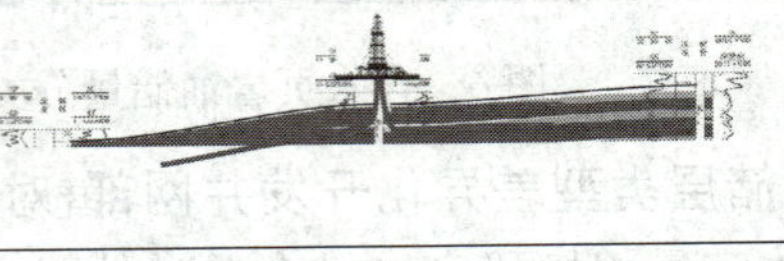	单一块状砂体，采用平直单层水平井动用
间隔式砂	间歇沉积	油层厚度较大 单层厚度：6~8m 隔层稳定		间隔式较厚砂体，采用立体式水平井部署动用
互层型砂	多期次交互	单油层厚度小 单层厚度：2~4m 隔夹层发育	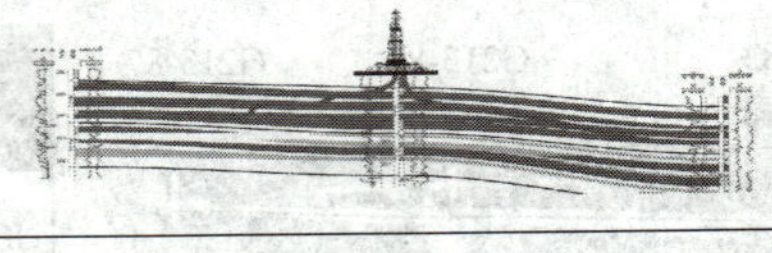	互层型砂体，连续性较差，采用大斜度或阶梯式水平井部署动用

图9　合水页岩油差异化水平段轨迹设计模式

部署区域	储层特征	钻速率	加砂强度	进液强度	裂缝密度	改造示意图	
北部Ⅰ类	单套砂体厚度大 单砂体厚度：8~20m 储层物性较好	＞85%	3.6t/m	20.2/m³/m	6.3条/100m	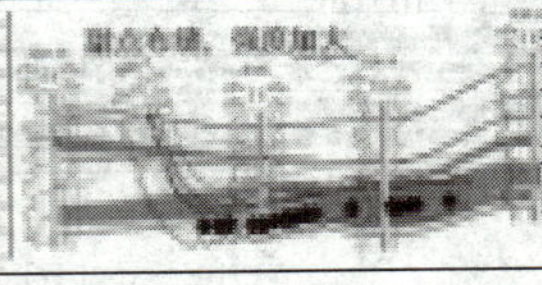	改造参数： 加砂强度：4.7 进液强度：22.4 裂缝密度：6.5
		85%~70%	4.3t/m	22.8/m³/m	8.0条/100m		
		＜70%	5.0t/m	26.9/m³/m	10.0条/100m		
北部Ⅱ类	单套砂体厚度较薄 单砂体厚度：4~8m 储层物性较差	＞85%	3.6t/m	22.0/m³/m	5.8条/100m		改造参数： 加砂强度：5.0 进液强度：28.9 裂缝密度：11.7
		85%~70%	4.3t/m	20.7/m³/m	9.9条/100m		
		＜70%	5.0t/m	28.8m³/m	11.5条/100m		
东部林缘区	单套砂体厚度较薄 单砂体厚度：6~10m 储层物性较南部好	＞85%	3.6t/m	15.0/m³/m	3.8条/100m		改造参数： 加砂强度：3.3 进液强度：15.8 裂缝密度：6.3
		85%~70%	4.3t/m	16.4/m³/m	6.2条/100m		
		＜70%	5.0t/m	17.8m³/m	8.2条/100m		

图10　不同储层差异化压裂模式

根据区块应力分析，细化单井水平段分级分类，进行射孔位置和段数、簇数优化，采用多段少簇布缝模式，提高有效储层动用程度。依据区块储层最小水平应力、隔层最小水平应力、储隔层应力差，判断遮挡条件，优化单簇施工排量2.0~4.0m^3/min，以满足克服簇间应力差异，增加多簇起裂有效性及裂缝复杂程度，确保裂缝在目的层内延伸，单段设计 3~5 簇，结合簇间多级暂堵，优化单段施工排量 6.0~14.0m3/min。主体采用“多簇射孔密布缝+可溶球座硬封隔+暂堵分流软分簇”为核心的细分切割体积压裂工艺压裂改造水平井 71 口，实现提效降本。

为加强油水置换，降低液体进入阻力、提高压裂施工排量、黏度调节更易携砂、延长渗吸有效期、节省配置时间、实现可循环重复利用，全过程使用 CNI 纳米变黏滑溜水压裂液。通过使用 CNI 纳米变黏滑溜水压裂液体系，同时全过程添加阻垢剂，从源头上预防结垢影响产量，满足了合水地区长 7 页岩油水平井压裂施工需求，并取得了显著效果(图 11)。

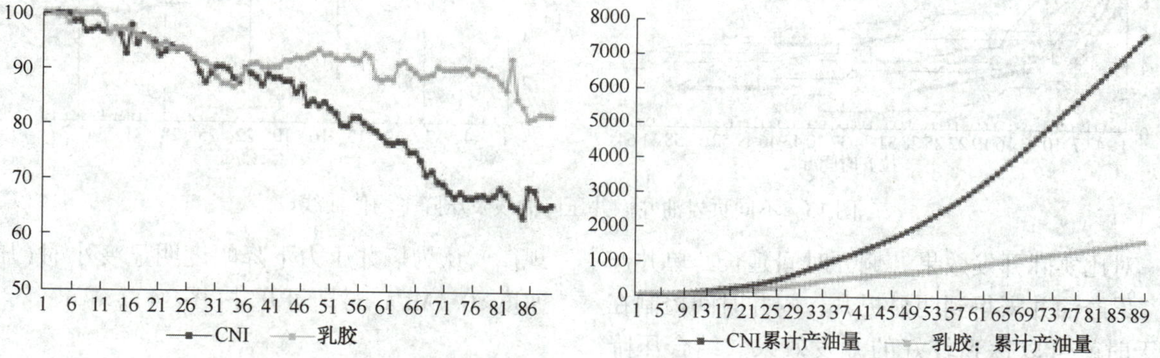

图 11　不同压裂液体系含水变化及累产油曲线

暂堵设计：设计采用绳结暂堵提高裂缝起裂效率；整体采用 DA-2 暂堵措施对裂缝进行控制，降低压窜影响邻近水平井生产风险，通过缝内干扰提高裂缝复杂程度，避免缝长过度扩展。①提高多簇起裂有效性：段内 4~5 簇，设计 1 级绳结暂堵提高裂缝起裂效率。②天然裂缝发育段、钻井异常点附近，适当降低改造规模，并采取多级暂堵措施，避免裂缝过度延伸。③邻近水平井注水开发区，通过对应段避开水线，控制改造规模，并设计多级暂堵，降低压窜影响邻近水平井生产风险。

2.3.4　优化固化与合水页岩油相适应的焖、排、采

根据页岩油水平井渗吸补能周期、裂缝闭合应力、压后闷井过程中的井口压力变化趋势等开展合理闷井周期研究；从不同排液阶段人工缝网开启闭合状态、水平段渗流规律、地应力变化、流压控制需求等方面理论与实践相结合优化排液制度；以防止地层脱气、延长稳产期为目标开展合理生产参数研究。

焖井过程实质上为渗吸置换作用下的地层压力、温度系统再平衡过程。焖井阶段既要确保渗吸置换作用充分发挥，又要减少无效焖井时间，防止入地液沿基质扩散过远，能量散失，同时提高生产时率。前期认为焖井时间越长越好，但经后期大量分析化验评价后表明陇东地区页岩油储层偏亲油，渗吸置换作用有限，需进一步优化焖井时间(图 12)。

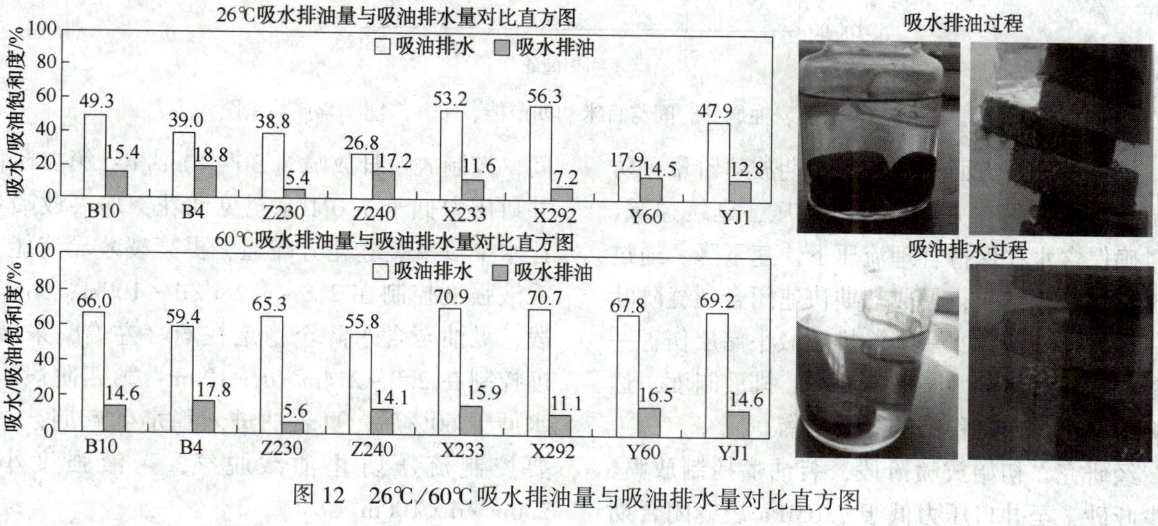

图 12　26℃/60℃吸水排油量与吸油排水量对比直方图

基于该认识，通过总结前期矿场实践经验，分析认为合水地区页岩油水平井焖井前20天压降速度最大，超过20天后压降速度明显变慢，压力扩散幅度逐渐减小，30天后趋于平稳（图13）。

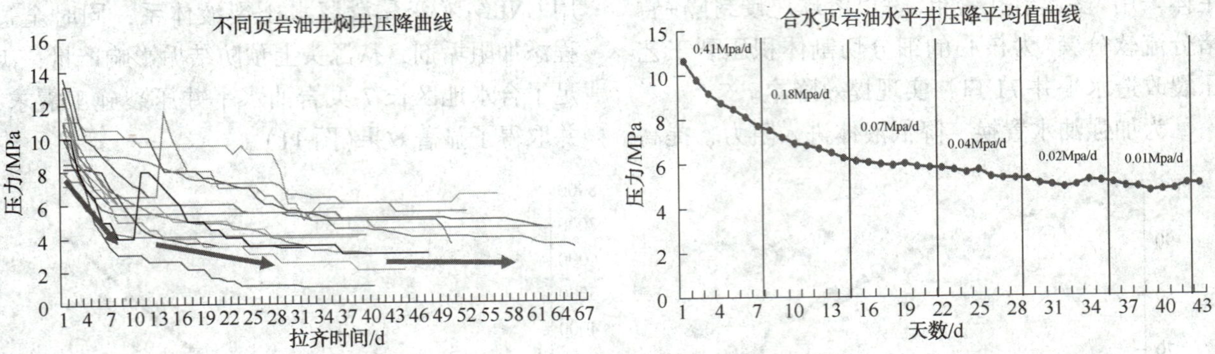

图13　不同页岩油井焖井压降曲线及压降平均值曲线

对比实际开发效果，焖井时间延长，单井产能、累产油并未得到明显提升，闷井时间控制在30天时就可以达到较好的开发效果。结合压降规律，认为焖井压力下降幅度明显变小时(压降速度<0.1MPa/d)即可开井(图14)。

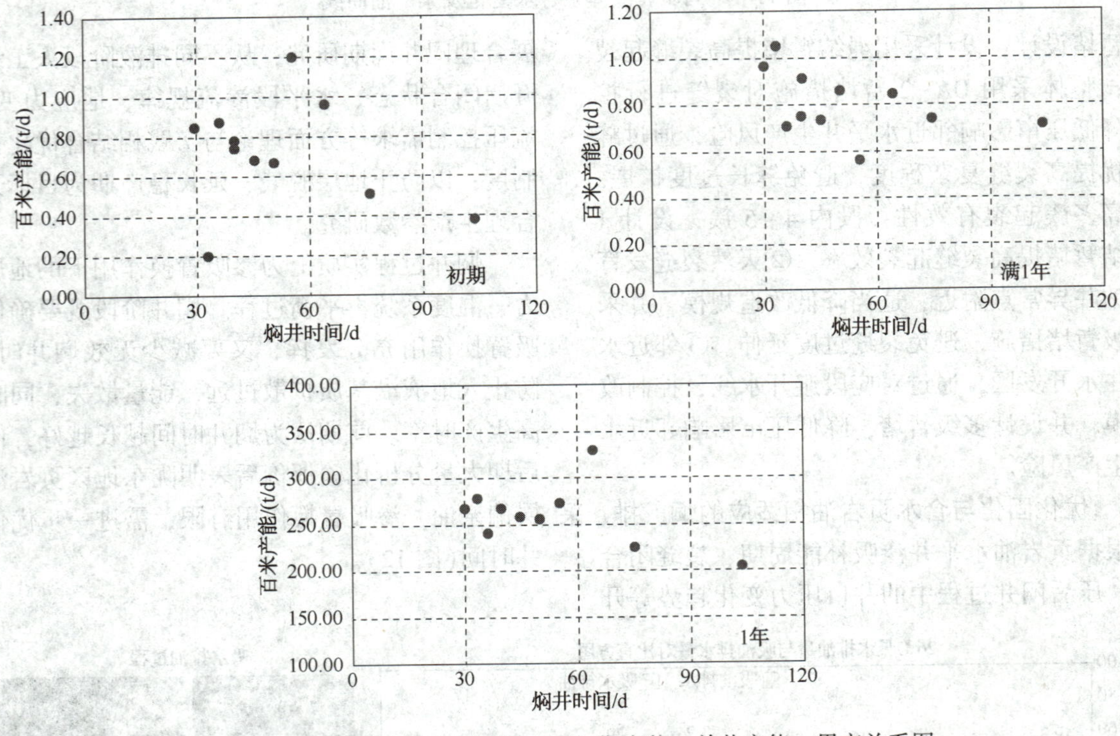

图14　合水页岩油焖井时间与百米初期产能、单井产能、累产关系图

排液阶段一方面是要控制初期放喷阶量，防止出砂严重，另一方面要合理流压，延缓递减，同时确保含水在保持合理流压下快速下降。通过理论与实践相结合，形成初期快速闭合裂缝防吐砂—多段渗流降含水—平稳排液减小储层伤害—控参生产稳流压的“小-大-中-小”排液制度，达到降水增产与保持稳产的有效平衡。

经研究，初始放喷阶段，装油嘴控制放喷，减少吐砂，至井口压力低于7.0MPa裂缝闭合期间，控制放喷日放喷量30~40m^3/d；第二阶段，井口压力低于7.0MPa至见油花，加大放喷量，让水平段及裂缝充分疏通，提高裂缝导流能力，采液强度控制在2.8~3.2m^3/d·100m；第三阶段，见油至含水降至稳定在60%左右，采液强度控制在2.0~2.4m^3/d·100m；第四阶段，含水低于60%后，页岩油进入稳定生产期，重点要控制流压防止油藏脱气，采液强度小于2.0m^3/d·100m。

表1　合水地区页岩油单井配产及各阶段合理排液量统计表

水平段长（m）	合理日产（t/d）	四个阶段合理排液量				合理排液强度		
		初始放喷阶段日产注（m^3）	按100%-90%含水折算液量（m^3）	按90-60%含水折算液量（m^3）	按小于60%含水折算液量液（m^3）	按100%-90%含水折算每百米采液强度（m^3）	按90%-60%含水折算每百米采液折强度（m^3）	按小于60%含水折算每百米采液强度（m^3）
1000	7.5	25.0	30.0	25.0	20.0	2.8-3.2	2.4-2.0	小于2.0
1500	11.3	30.0	45.0	37.5	30.0			
2000	15.1	35.0	60.0	50.0	40.0			
2500	18.9	40.0	75.0	62.5	50.0			

正常生产阶段，重点是保持合理流压，防止地层脱气，延缓递减。一方面要控制合理生产参数，另一方面要控制合理套压减少能量损失，矿场试验表明，百米采液强度控制在2.0m^3/d以内，套压保持在1.5MPa以上，控制流饱比在在1.0以上，页岩油水平井动液面能够长期保持稳定(300~600m)，获得较好的稳产效果。

在此研究的基础上2022年投产页岩油井通过优化焖井时间、强化排液管理、保持合理流压等手段，在焖井时间缩短44天的情况下见油速度、单井产能、阶段累产等指标与前期持平，在保障开发效果的同时有效提高了生产时率；在执行“小-大-中-小”排液制度后，2022年投产页岩油平台初期液量骤降砂埋井减少63.7%；通过优化生产参数、控制合理套压，2022年投产页岩油水平井，动液面长期保持稳定，单井初期日产油由11.3t上升至12.6t，稳产效果更好。

3　建成百万吨产能面临的主要挑战

下步产能建议主要动用储量类型由Ⅰ类向Ⅱ类转变，开发区域由单一层系区向长6、长8注水叠合区扩展，长7页岩油开发在Ⅱ类储量提产、注水叠合区效益开发、提高采收率、低成本钻采配套工艺等方面仍面临挑战。

3.1　合水南部Ⅱ类储量提产技术仍需攻关

根据综合储量分类评价标准，合水南部Ⅱ类页岩油储量相对合水北部的整装的Ⅰ类储量，薄砂-泥互层更发育、单砂体更薄(2~4m)、油层连续性更差。截至2022年底，合水油田动用探明储量1.08亿t，剩余探明储量2.78亿t，主要为Ⅱ类储量，占比86.9%。目前Ⅱ类储量仍存在地震精准识别难度大，井间甜点预测困难，钻遇率较低，砂泥薄互层体积压裂技术还需进一步优化。2021年在Ⅱ类储量区试验2口水平井，钻遇率平均为64.4%明显低于于平均水平，见油返排率为39.5%明显高于北部。

3.2　叠合及立体开发区储层改造技术适应性性仍需提升

合水长7页岩油与长6、长8区块叠合多，其中Z51、Z211、Z205等老区受注水开发影响，页岩油新井排液周期长、单井产能相对较低，且钻井溢流、固井质量较差、压窜问题突出，安全施工风险加大和新老井面临产能损失风险，2022年至今老井受邻井压裂水平已损失产量已超过2万吨。

4　主要应对策略及开发试验建议

4.1　增加合水林缘区扇形井网部署试验

2022年通过技术创新攻关，合水油田建成了国内首个环境敏感区“单平台井数最多、累计水平段最长、控制储量最大”页岩油扇形井网平台-HH9平台，该平台组合24口水平井，平均单井产能12.0t/d，动用林区储量1040万t，证实了该类动用方式的可行性，下步建议加快林缘区页岩油资源动用，每年建成2个扇形大平台，打造林缘区绿色效益开发示范工程，可盘活林缘区页岩油储量1亿t。

4.2　开展薄互层发育特征穿层压裂试验

针对南部页岩油Ⅱ类储层薄互层发育特征，多期薄层砂岩夹持于泥页岩之中，单砂体厚度普遍小于5m，隔夹层厚度0.5~6m不等。以提高储层纵向动用为目标，可试验水力喷射+DMS可溶球座体积压裂，在沟通油层建立通道后，进行穿层体积压裂，实现多薄互层纵向立体动用。

4.3　进一步优化适应合水南部储层压裂液体系

2021年合水南部评价试验井L27H1见油返

排率为 39.5%，2023 年南部投产页岩油平台 2 个(LH8、LH9)，投产后见油慢，目前返排率 30%，仍处于高含水状。下步建议针对合水南部储层进一步研究优化压裂液体系，研发新型驱油剂提升见油速度。

4.4　开展二氧化碳前置增能压裂提产攻关试验

目前成熟应用的大规模水力压裂技术主要存在以下问题：①用水量大，与陇东地区水资源缺乏的资源现状矛盾突出；②对于黏土矿物含量高的储层会造成永久伤害；③压裂液与地层流体不配伍时造成结垢等井筒问题。对比传统水基压裂液，液态 CO_2 具有无毒无害、扩散能力强、可增加地层能量等优势，建议着力探索稳定、低价碳源，以实现推广，扩大应用规模(图 15)。

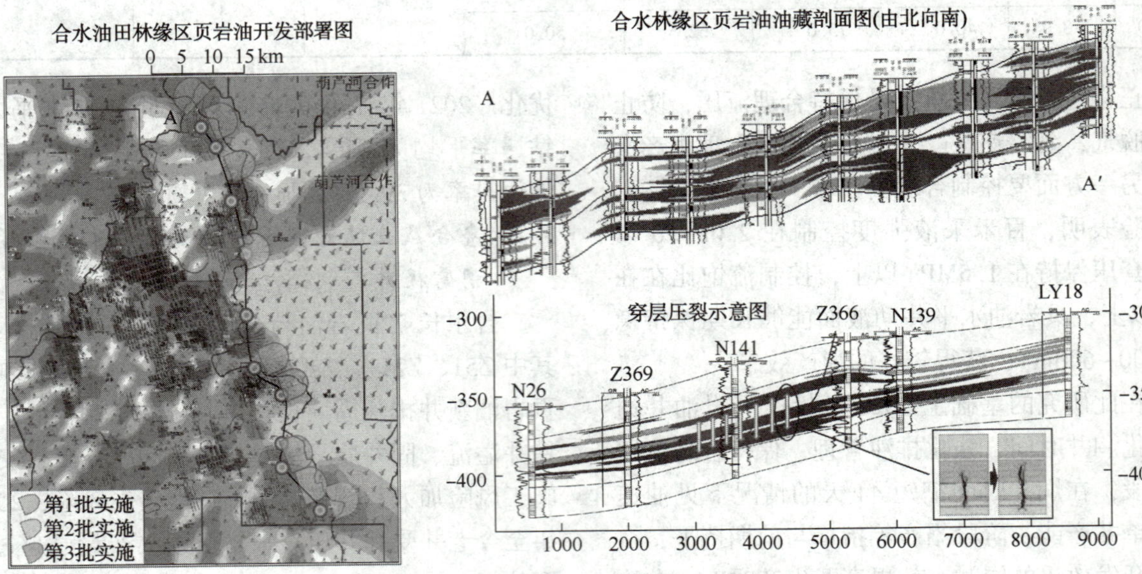

图 15　合水林缘区下步部署实施计划及穿层压裂建议示意图

5　主要结论

5.1　合水页岩油经过十余年勘探开发探索已初步形成高效开发配套技术

合水页岩油经过十余年坚持不懈开展地质-地震-测井多学科联合研究，完成了储层综合分类评价，在地质甜点优选的基础上，兼顾纵向多层系同时动用，针对不同储层开展差异化井网部署，同时对前期页岩油开发规律进行总结，形成规律认识，结合数值模拟手段，综合研究出能够高效动用各类页岩油储层的工艺改造方式及参数，有效提升开发效果，成功建成了 50 万 t 级页岩油开发示范区。

5.2　合水南部Ⅱ类储层提产攻关已取得阶段性成果为下步建产目标

合水南部页岩油近两年采用连续油管水力喷射分段压裂、DMS 可溶球座细分切割体积压裂等新工艺，将段间距缩短至 15~25 米，形成密集人工缝网，增大泄油面积，大幅提升了有效储层改造体积。储层潜力充分得到释放，单井产能基本达到了预期效果，同时通过井筒配套、参数优化、流压控制精细日常管理，单井产能、满一年累产油均实现达标达产。下步将继续通过开展扇形井网部署、穿层压裂、优化压裂液体系、二氧化碳前置增能压裂等试验，为大规模开发动用Ⅱ类储层并建成 100 万 t 产能提前储备关键技术。

5.3　长 7_3 新类型页岩油储层有望成为下步增储建产接替层系

2021 年庆城地区风险探井 LY1H 为探索长 7_3 亚段厚层状泥页岩层系夹多套薄层状砂质岩类的页岩油新类型潜力，试油获得 116.81t/d 的高产油流实现了重大勘探突破，开辟了长 7_3 亚段页岩油新类型的勘探新局面。在此基础上，2023 年 6 月合水地区长 7_3 新类型页岩油井 Z353H1 已完钻即将试油，长 7 "下甜点"攻关取得突破后将形成亿吨级接替资源，成为下一个页岩油增储建产接替层系(图 16)。

新类型页岩油LY1H井水平段试油试采成果

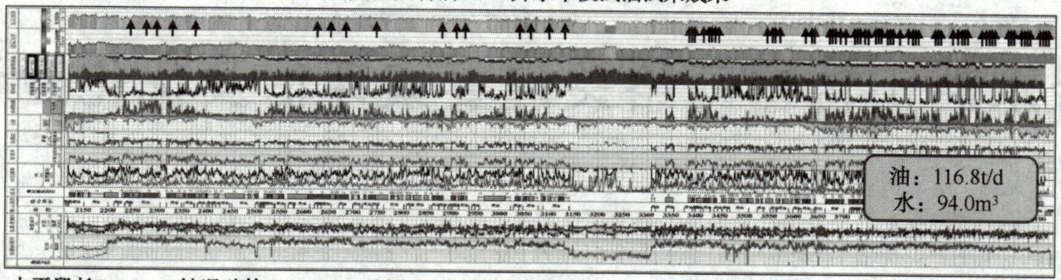

水平段长2000m，钻遇砂体1478.8m，油层525.1m，差油层675.2m，油层钻遇率60.02%
可溶球座细分切割+水力喷射，加砂2720m³，排量4.0、10.0-12.0m³/min，砂比20、15%，
入地总液量：27700m³，试采日产油28.6吨。

图 16　新类型页岩油 LY1H 井水平段试油试采成果

参 考 文 献

[1] 邹才能，潘松圻，荆振华，等．页岩油气革命及影响［J］．石油学报，2020，41(1)：1-12.

[2] 聂海宽，张培先，边瑞康，等．中国陆相页岩油富集特征［J］．地学前缘，2016，23(2)：55-62.

[3] 王倩茹，陶士振，关平．中国陆相盆地页岩油研究及勘探开发进展［J］．天然气地球科学，2020，31(3)：417-427.

[4] 赵文智，胡素云，侯连华，等．中国陆相页岩油类型、资源潜力及与致密油的边界［J］．石油勘探与开发，2020，47(1)：1-10.

[5] 胡素云，赵文智，侯连华，等．中国陆相页岩油发展潜力与技术对策［J］．石油勘探与开发，2020，47(4)：819-828.

[6] 杜金虎，胡素云，庞正炼，等．中国陆相页岩油类型、潜力及前景［J］．中国石油勘探，2019，24(5)：560-568.

[7] 李国欣，朱如凯．中国石油非常规油气发展现状、挑战与关注问题［J］．中国石油勘探，2020，25(2)：1-13.

[8] 许坤，郑冬冬，林爽．促进中国油气勘探开发对策探讨［J］．石油科技论坛，2019，38(6)：6-14.

[9] 张国生，王小林，朱世佳．“十四五”我国油气发展路径选择［J］．石油科技论坛，2020，39(6)：7-12.

[10] 付锁堂，付金华，牛小兵，等．庆城油田成藏条件及勘探开发关键技术［J］．石油学报，2020，41(7)：777-795.

合水油田传输网络关键要素评估及优化建议

何红松　兰　夏　郝　蕾　杨艳丽

（中国石油长庆油田公司）

摘　要　为提高企业网络的健壮性、安全性、延展性，应当进行网络评估。该研究从最关键的物理组网、逻辑组网、安全性评估和智能化运维四个方面，使用针对性的评价标准，来对合水油田的链路可靠性、设备扩展性、组网的稳定性、以及防护能力建设和运维水平等方面进行评价，得出架构扁平化、设备归一化程度高，网络健壮性好，属性率低，基本符合安全性要求但是缺少备份机制，防御能力弱；然后结合企业发展现状以及智能化、大数据的发展趋势，提出合理的优化建议。

关键词　企业组网；生成树；组网划分；智能化运维

引言

近年来，伴随合水油田业务和规模的不断扩大，物联网基础设施配套建设也紧跟企业发展步伐，开展多轮网络优化升级工作，涉及各个中心站及其所辖站点。

优化前网络在物理上分成六大区域：核心区域、机关区域、B1 区域、D1 区域、S1 区域、G1 区域；在逻辑上办公网和生产网没有物理隔离，办公区域全是“长链路三层访问”，生产区域是“假 OSPF+静态路由”协议，互相干扰且经常发生环路，导致广播风暴，给网络维护人员增加极大得维护难度。

通过对近年来运维故障回顾分析总结及现网数据梳理调研，并针对架构不合理、区域结构不合理及整网健壮性低等一些安全隐患，做出调整优化，使网络架构更加健壮合理，保障业务的稳定运行。

1　网络架构评估

网络架构是企业网络管理的核心技术，关乎企业网络安全、机构扩容、智能化建设的各个方面，特别是在大数据智能化的生产经营条件下，海量数据、高速传输、超低延迟的重要性不言而喻，根据重要性本文着重从“物理组网、逻辑组网、安全性、智能化”四方面开展评估，依据的是现场调研检查的数据和故障处理时得出的结论。

1.1　物理组网

1.1.1　链路方面

网络中的汇聚节点，随着流量的日益增加，对带宽的需求越来越大，汇聚流量在多级节点间逐跳转发，穿通流量（过路流量）的增加，会导致网络性能下降，链路扁平化成为网络架构优化的重要目标，其优点是：

（1）扁平化的网络端到端层级较少，跳数少，减少带宽瓶颈的机会，可以降低网络时延和丢包风险。

（2）扁平化的网络使汇聚流可以直达核心层，提升架构容量，避免不必要的带宽扩容，提高网络收益。

1. 衡量指标

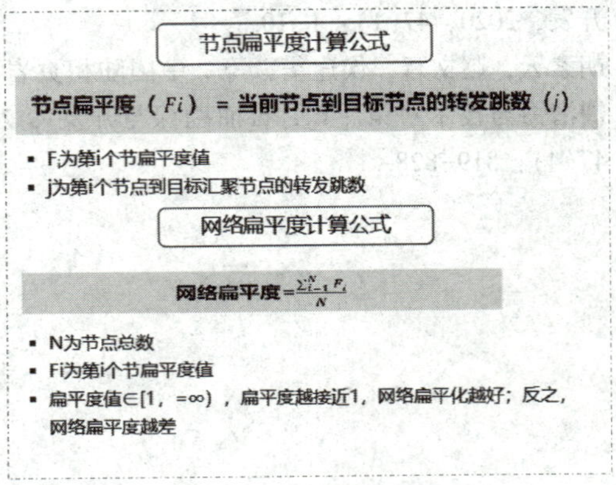

图 1　扁平度计算公式

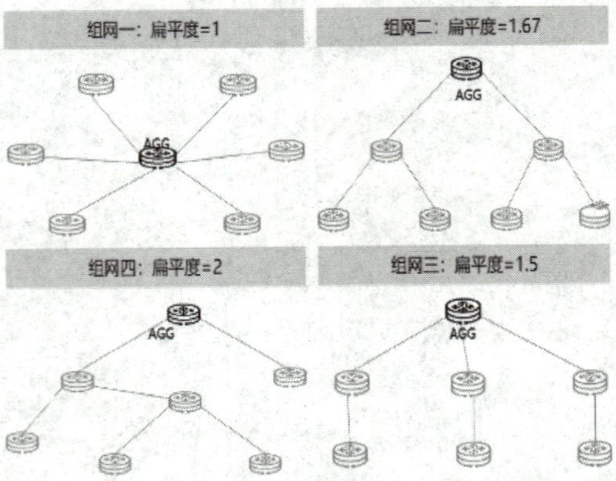

图 2　扁平度计算实例

如图 1、图 2 示例，在相同设备数量情况下，可以通过扁平度反应不同汇聚级数和连接方式组网的合理程度，中间节点越多，扁平度越大；扁平度越小，设备离核心越近。

2. 合水油田的评估

1）G1 和 D1 网络拓扑

G1 生产网络拓扑结构（图 3），存在最多四级汇聚，扁平度：1.82。zhuang1zhuan－huawei（HW：S5720－EI，三级汇聚）、GCzyq－1zeng（H3C：S5130-28S-EI，三级汇聚）、ST1_GC_BG_C3560X_01（CISCO：WS-C3560X-24，三级汇聚）；设备下挂接入设备链路存在 100M 互联，建议进行网络扁平化改造，接入设备到汇聚节点链路整改为 1G 互联。

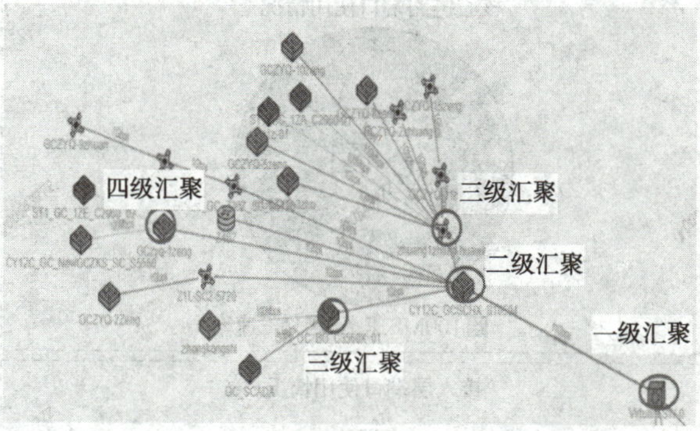

图 3　G1 作业区拓扑图

D1 生产网络拓扑结构（图 4），存在最多四级汇聚，且各级汇聚又分别下挂数量不等的设备，扁平度：2.14。DZZYQ-Z7zhu-5720（HW：S5720-EI，四级汇聚）设备下挂接入设备链路存在 100M 互联，建议进行网络扁平化改造，接入设备到汇聚节点链路整改为 1G 互联。

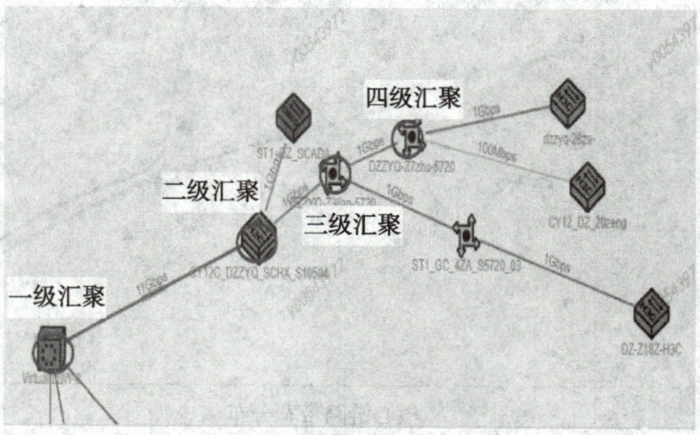

图 4　D1 作业区拓扑图

2）办公网络拓扑

办公网络（图 5）存在 13 条长链接入核心，扁平度低，其中 4 个节点的长链 12 条，5 个节点长链 1 条，扁平度：1.79。办公楼所有设备均通过 100M 链路互联，并且存在多级组网结构；D1 办公网络、S1 办公网络、B1 办公网络接入设备通过 100M 链路与汇聚设备互联，建议扁平化改造，重点对长链进行整改，办公网络接入设备 100M 链路整改为 1GE 互联，汇聚到核心节点链路整改为 10GE 互联。

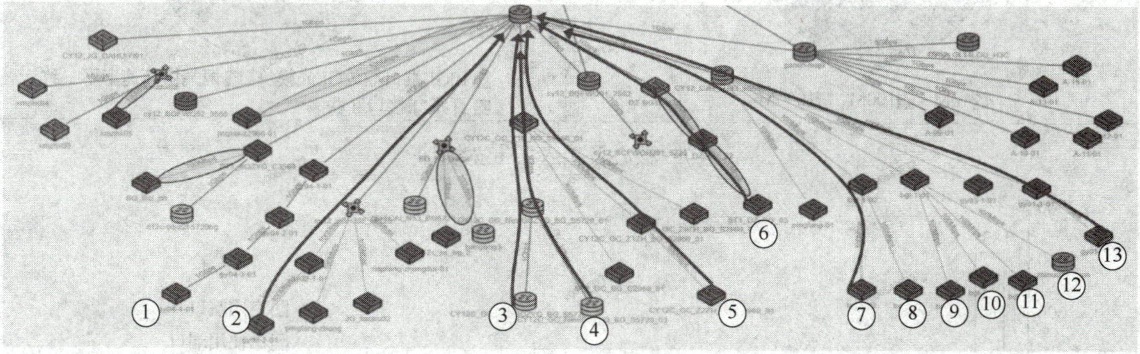

图 5　办公网拓扑图

3）生产网络拓扑

生产网络（图 6）存在 6 条长链接入核心，扁平度低，其中 D1 生产区长链 3 条，G1 生产区长链 2 条，B1 生产区长链 1 条。生产网络汇聚节点下挂接入设备存在 100M 链路互联建议扁平化改造，重点对长链进行整改，网络接入设备 100M 链路整改为 1GE 互联。

2.1.2　设备方面

1. 扩展性方面

据统计，核心层网络链路带宽 87%为 1G 不满足万兆，接入层网络链路 34%的带宽小于 1G 不足千兆，1G 接口使用率>50%，100M 和 10M 接入仍然较多，整体扩展性不足。

设备降维运行主要影响因素是：接口与光模块不匹配、链路的光指标不达标导致协商不一致、采用百兆傻瓜交换机（HUB）（图 7、图 8）。

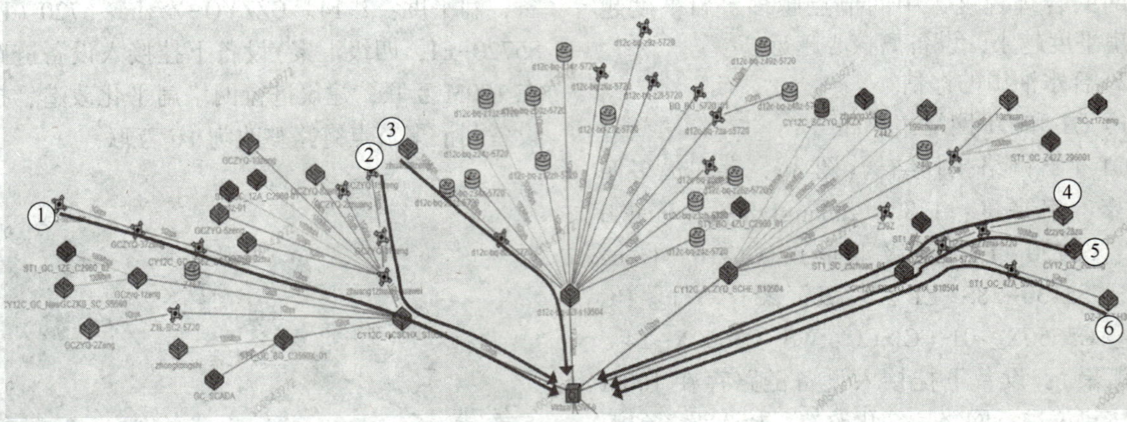

图 6　生产网拓扑图

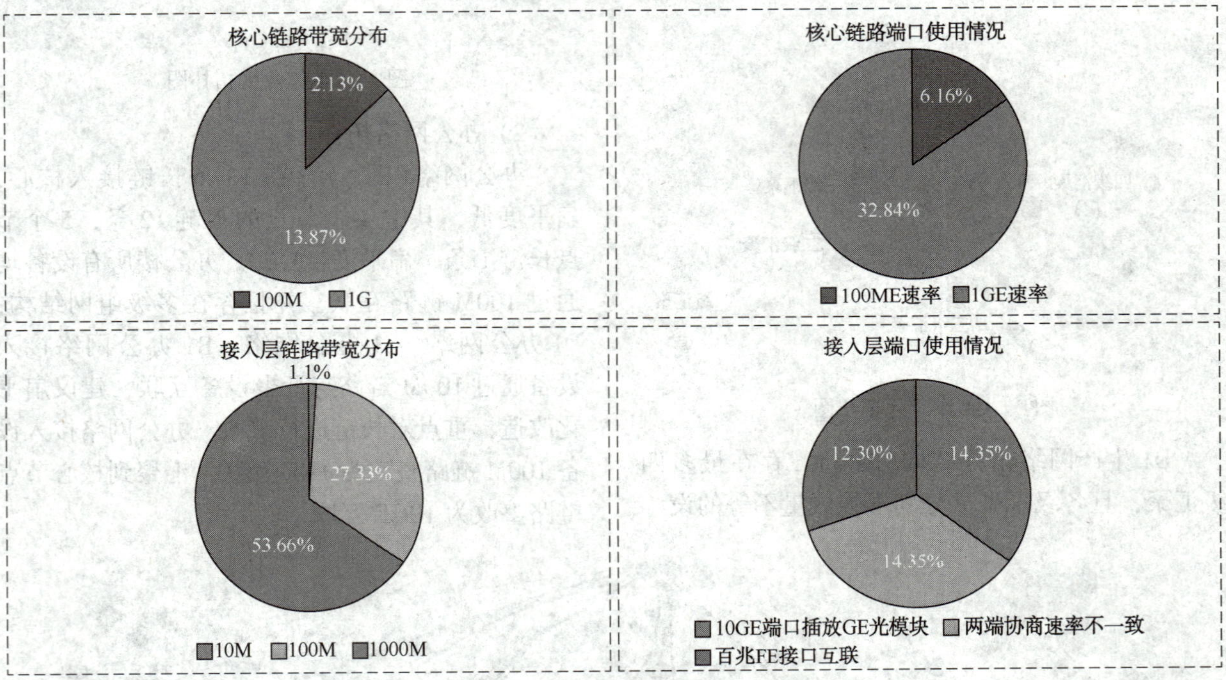

图 7　核心及接入层带宽统计

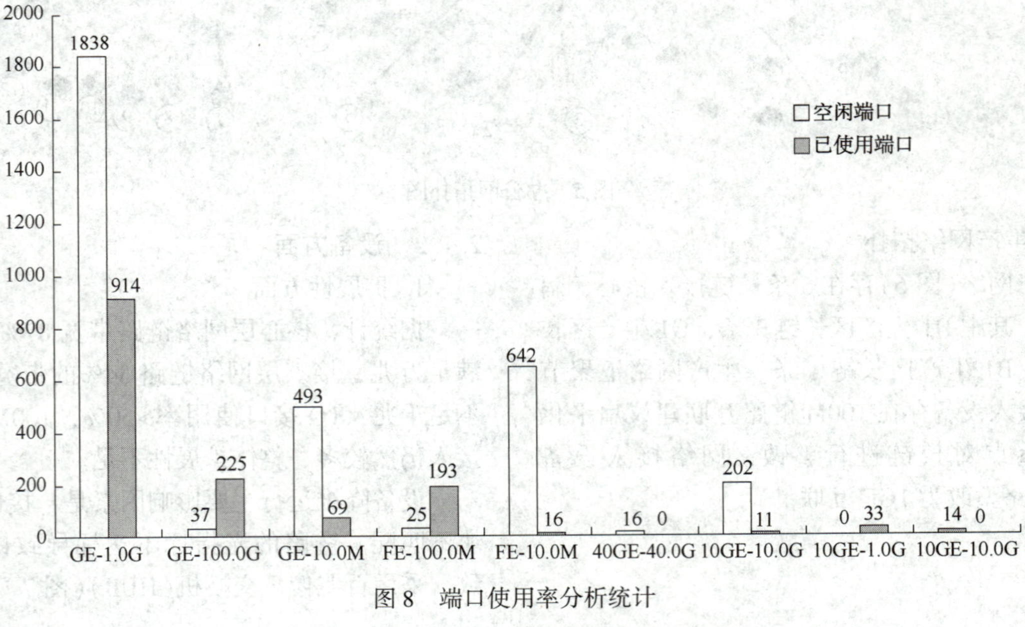

图 8　端口使用率分析统计

2. 设备归一化方面

现有网络设备主要有3个不同厂家，华为占比51%、华三占25%、思科占18%，归一化程度高，部分区域兼容性好，但维护难度还是大；根据设备的软件版本统计，官方停止升级(EOS)的占66%(98台)，版本较新的是2022年6月份，占比33.7%，总体来看基本全部过期，而且即将停止升级(图9、图10)。

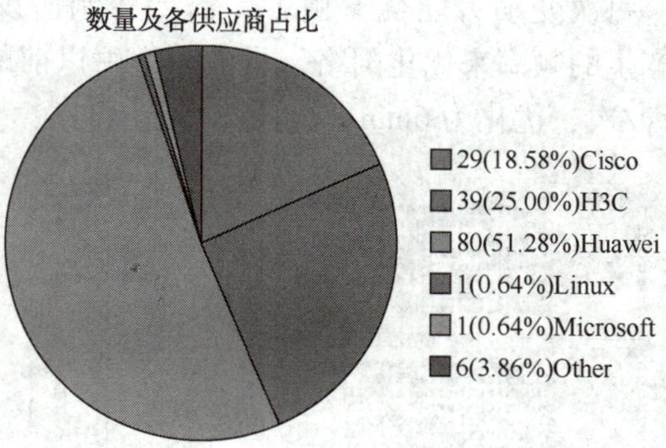

图9　设备厂家分布情况

设备类型	软件版本 --	--	Version 12.2	Version 15.0	VRP5.16 V200R0 08C00S PC500	VRP5.16 V200R0 08C00S PC500	VRP5.17 V200R0 10C00S PC600	VRP5.17 V200R0 11C10S PC600	VRP5.17 V200R0 11C10S PC600	VRP5.17 V200R0 11C10S PC600	VRP5.17 V200R0 11C10S PC600	VRP5.17 V200R0 11C10S PC600	VRP5.17 V200R0 19C00S PC500	VRP5.17 V600R0 07C20S PC100	VRP7.1.045 1122	VRP7.1.045 1152	VRP7.1.045 3116	VRP7.1.070 1119	VRP7.1.070 7557	VRP7.1.070 7577
	设备数量	设备数量	设备数量	设备数量	设备数量	设备数量	设备数量	设备数量	设备数量	设备数量	设备数量	设备数量	设备数量	设备数量	设备数量	设备数量	设备数量	设备数量	设备数量	设备数量
2960-24	-	-	12	-	-	-	-	-	-	-	-	-	-	-	-	-	-	-	-	-
2960-48	-	-	1	-	-	-	-	-	-	-	-	-	-	-	-	-	-	-	-	-
Catalyst3560G-48TS	-	-	-	5	-	-	-	-	-	-	-	-	-	-	-	-	-	-	-	-
Catalyst3750-stack	-	-	1	-	-	-	-	-	-	-	-	-	-	-	-	-	-	-	-	-
CiscoDevice	-	-	8	2	-	-	-	-	-	-	-	-	-	-	-	-	-	-	-	-
H3CDevice	-	-	-	-	-	-	-	-	-	-	-	-	-	-	14	2	-	4	2	2
S12700E-8	-	-	-	-	-	-	-	-	-	-	-	-	1	-	-	-	-	-	-	-
S5130-28S-EI	-	-	-	-	-	-	-	-	-	-	-	-	-	-	-	-	12	-	-	-
S5700-28TP-PWR-LI-AC	-	-	-	-	-	6	-	-	-	-	-	-	-	-	-	-	-	-	-	-
S5720-28P-SI-AC	-	-	-	-	-	-	-	-	-	4	-	-	-	-	-	-	-	-	-	-
S5720-28X-SI-AC	-	-	-	-	-	-	-	8	-	-	-	-	-	-	-	-	-	-	-	-
S5720-36C-EI-28S-AC	-	-	-	-	-	-	1	-	-	-	-	-	-	-	-	-	-	-	-	-
S5720-36C-PWR-EI-AC	-	-	-	-	-	-	-	-	2	-	-	-	-	-	-	-	-	-	-	-
S5720-52P-SI-AC	-	-	-	-	-	-	-	15	-	-	-	1	-	-	-	-	-	-	-	-
S5720-56C-EI-48S-AC	-	-	-	-	-	-	-	-	-	-	1	-	-	-	-	-	-	-	-	-
S5720-56C-EI-AC	-	-	-	-	-	-	-	-	14	-	1	-	-	-	-	-	-	-	-	-
S5720-56PC-EI-AC	-	-	-	-	20	-	-	-	-	-	-	-	-	-	-	-	-	-	-	-
S5720S-28P-LI-AC	-	-	-	-	-	-	-	-	3	-	-	-	-	-	-	-	-	-	-	-
S5720S-28P-SI-AC	-	-	-	-	-	-	1	-	-	-	-	-	-	-	-	-	-	-	-	-
S7502E	-	-	-	-	-	-	-	-	-	-	-	-	-	-	-	-	-	-	3	-
USG6565E-AC	-	-	-	-	-	-	-	-	-	-	-	-	-	2	-	-	-	-	-	-

图10　软件版本分布情况

2.2　逻辑组网

从逻辑方面分析，这里主要从“路由协议、生成树协议、组网划分”三方面开展，根据实际运行情况都取得了较好的应用效果。

2.2.1　路由协议

评价指标：整网健壮性

根据企业局域网区域间访问的网络特性，各分区域之间、厂级和作业区如果不设置路由，是不能互通的，而大部分做法是互相设置静态路由，这种方法在小型网络环境下，既简单又便捷；但是在中大型的生产环境下，操作繁琐，故障难检查，且一旦边界链路断开，区域内的网络随即瘫痪，生产和安全都存在较大隐患。因此，采用OSPF动态路由协议，分区域设置，各区域之间互相学习，实现“1到N”的指数级扩展需求，为后期运行和维护奠定了良好的基础，生产区域的网络中断风险降低为0。

2.2.2　生成树协议(MSTP)

评价指标：树变更频率

在企业的组网过程中，特别是接入层设备，容易因为标识不清，业务不熟练导致交换机配置和接线错误，形成环路，而一旦发生此种情况，没有一定的技术功底和设备支撑，极难排查故障点，且造成的影响是整改局域网范围的。因此，我们建议采用生成树协议(stp)，基本思想就是按照"树"的结构构造网络的拓扑结构。又根据网内存在多种不同业务，且要在不同种设备之间实现对接，最终我们采用多生成树协议(MSTP)，MSTP将整个层网络划分为多个MST域，每个域视为一个节点。各个域之间按照STP或者RSTP协议算法进行计算并生成CST(单生成树)；在一个MST域内则是通过MSTP协议算法计算生成若干个多生成树。MSTP使用MST BPDU(Multiple Spanning Tree Bridge Protocol Data Unit，多生成树桥协议数据单元)作为生成树计算的依据(图11)。

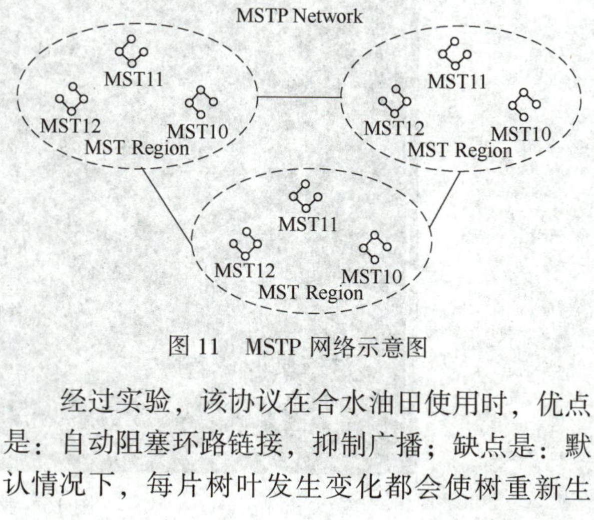

图11　MSTP网络示意图

经过实验，该协议在合水油田使用时，优点是：自动阻塞环路链接，抑制广播；缺点是：默认情况下，每片树叶发生变化都会使树重新生成，每次变动可能会卡顿 1s，需要控制协议报文产生的频率来优化网络，目前频率由以前的 1 分钟/次，优化为 6min/次(图 12、图 13)。

```
--------------- STP slot 2 TC or TCN count ---------------
MST ID   Port                          Receive   Send
0        Ten-GigabitEthernet2/0/1      2         15604
0        Ten-GigabitEthernet2/0/3      2         15604
0        Ten-GigabitEthernet2/0/5      0         15602
0        Ten-GigabitEthernet2/0/7      7634      350
0        Ten-GigabitEthernet2/0/11     1         138671
0        Ten-GigabitEthernet2/0/13     2         15604
0        Ten-GigabitEthernet2/0/25     27        15554
0        Ten-GigabitEthernet2/0/33     0         0

--------------- STP slot 5 TC or TCN count ---------------
MST ID   Port                          Receive   Send
0        GigabitEthernet5/0/7          0         0
0        GigabitEthernet5/0/9          0         0
0        GigabitEthernet5/0/10         2         15602
0        GigabitEthernet5/0/11         0         0
0        GigabitEthernet5/0/13         2         15602
0        GigabitEthernet5/0/18         0         15600
0        GigabitEthernet5/0/21         0         0
0        GigabitEthernet5/0/24         154       15318
0        GigabitEthernet5/0/26         2         15602
0        GigabitEthernet5/0/29         0         0
0        GigabitEthernet5/0/32         0         15600
0        GigabitEthernet5/0/35         0         138671
0        GigabitEthernet5/0/38         0         138671
0        GigabitEthernet5/0/46         0         0
0        GigabitEthernet5/0/47         1         15602
```

图 12　交换机 10 天 TC 报文数量

```
%Apr 14 11:48:07:464 2021 Ten-GigabitEthernet2/0/7 was notified a topology change.
%Apr 14 11:46:01:470 2021 Ten-GigabitEthernet2/0/7 was notified a topology change.
%Apr 14 11:43:56:475 2021 Ten-GigabitEthernet2/0/7 was notified a topology change.
%Apr 14 11:41:51:480 2021 Ten-GigabitEthernet2/0/7 was notified a topology change.
%Apr 14 11:39:45:485 2021 Ten-GigabitEthernet2/0/7 was notified a topology change.
%Apr 14 11:37:40:491 2021 Ten-GigabitEthernet2/0/7 was notified a topology change.
%Apr 14 11:35:35:495 2021 Ten-GigabitEthernet2/0/7 was notified a topology change.
%Apr 14 11:33:29:547 2021 Ten-GigabitEthernet2/0/7 was notified a topology change.
%Apr 14 11:31:24:511 2021 Ten-GigabitEthernet2/0/7 was notified a topology change.
%Apr 14 11:29:19:512 2021 Ten-GigabitEthernet2/0/7 was notified a topology change.
%Apr 14 11:27:13:517 2021 Ten-GigabitEthernet2/0/7 was notified a topology change.
%Apr 14 11:25:08:522 2021 Ten-GigabitEthernet2/0/7 was notified a topology change.
%Apr 14 11:23:03:531 2021 Ten-GigabitEthernet2/0/7 was notified a topology change.
%Apr 14 11:20:58:532 2021 Ten-GigabitEthernet2/0/7 was notified a topology change.
%Apr 14 11:18:52:538 2021 Ten-GigabitEthernet2/0/7 was notified a topology change.
%Apr 14 11:16:47:566 2021 Ten-GigabitEthernet2/0/7 was notified a topology change.
%Apr 14 11:14:41:548 2021 Ten-GigabitEthernet2/0/7 was notified a topology change.
%Apr 14 11:12:36:555 2021 Ten-GigabitEthernet2/0/7 was notified a topology change.
%Apr 14 11:10:31:559 2021 Ten-GigabitEthernet2/0/7 was notified a topology change.
%Apr 14 11:08:26:564 2021 Ten-GigabitEthernet2/0/7 was notified a topology change.
%Apr 14 11:06:20:570 2021 Ten-GigabitEthernet2/0/7 was notified a topology change.
%Apr 14 11:04:15:584 2021 Ten-GigabitEthernet2/0/7 was notified a topology change.
%Apr 14 11:02:10:580 2021 Ten-GigabitEthernet2/0/7 was notified a topology change.
%Apr 14 11:00:04:585 2021 Ten-GigabitEthernet2/0/7 was notified a topology change.
%Apr 14 10:57:59:596 2021 Ten-GigabitEthernet2/0/7 was notified a topology change.
%Apr 14 10:55:54:596 2021 Ten-GigabitEthernet2/0/7 was notified a topology change.
%Apr 14 10:53:48:602 2021 Ten-GigabitEthernet2/0/7 was notified a topology change.
%Apr 14 10:51:43:606 2021 Ten-GigabitEthernet2/0/7 was notified a topology change.
%Apr 14 10:49:37:611 2021 Ten-GigabitEthernet2/0/7 was notified a topology change.
%Apr 14 10:47:32:617 2021 Ten-GigabitEthernet2/0/7 was notified a topology change.
%Apr 14 10:45:27:622 2021 Ten-GigabitEthernet2/0/7 was notified a topology change.
%Apr 14 10:43:22:628 2021 Ten-GigabitEthernet2/0/7 was notified a topology change.
%Apr 14 10:41:16:634 2021 Ten-GigabitEthernet2/0/7 was notified a topology change.
%Apr 14 10:39:11:638 2021 Ten-GigabitEthernet2/0/7 was notified a topology change.
%Apr 14 10:37:06:643 2021 Ten-GigabitEthernet2/0/7 was notified a topology change.
%Apr 14 10:35:00:649 2021 Ten-GigabitEthernet2/0/7 was notified a topology change.
%Apr 14 10:32:55:654 2021 Ten-GigabitEthernet2/0/7 was notified a topology change.
```

图 13　交换机日志

2.2.3　组网划分

评价指标：终端设备的稳定性

划分 VLAN 有助于控制流量、减少设备投资、简化网络管理、提高网络的安全性，合理的划分方法能提高网络传输效率。优点是：解决了广播问题，VLAN 内部的广播和单播流量都不会向外转发，影响范围小；缺点是：限制了接入设备的数量(图 14、图 15)。

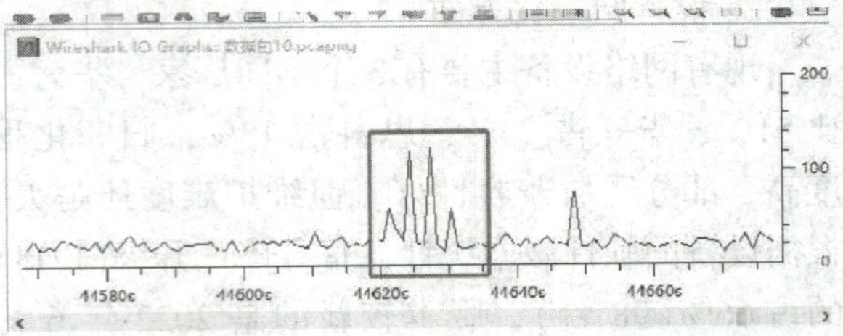

图 14　终端设备接收广播包统计

子网IP地址	子网掩码	IP总数	接入终端数	IP占用率(%)	IP空闲率(%)
10.59.164.0	255.255.255.0	2	1	32	68
10.59.165.0	255.255.255.0	250	291	116%	-16%
11.17.14.128	255.255.255.128	126	226	179%	-79%
11.17.143.128	255.255.255.128	126	104	83%	17%
11.17.155.0	255.255.255.128	126	141	112%	-12%
11.17.36.0	255.255.255.128	126	129	102%	-2%

图 15　占用情况>80%的 IP 网段

根据现场实验，除去异常数据后，统计 92 个 IP 段占用，超过 80%的，广播包在 30/s 左右，有 5 个广播包在>50/s，而部分老旧设备的瓶颈就是 30/s，超过了就会导致宕机。

2.3　安全性评估

2.2.1　物理隔离

网络隔离技术是指两个或两个以上的计算机或网络在断开连接的基础上，实现信息交换和资源共享，是面对新型网络攻击手段的出现和高安全度网络对安全的特殊需求，也是基于企业网络安全的基础条件。通过开展办公网和生产网分离，从物理架构上实现办公网和生产网双上行独立千兆链路，并且办公网还实现上联链路冗余备份(图 16)。

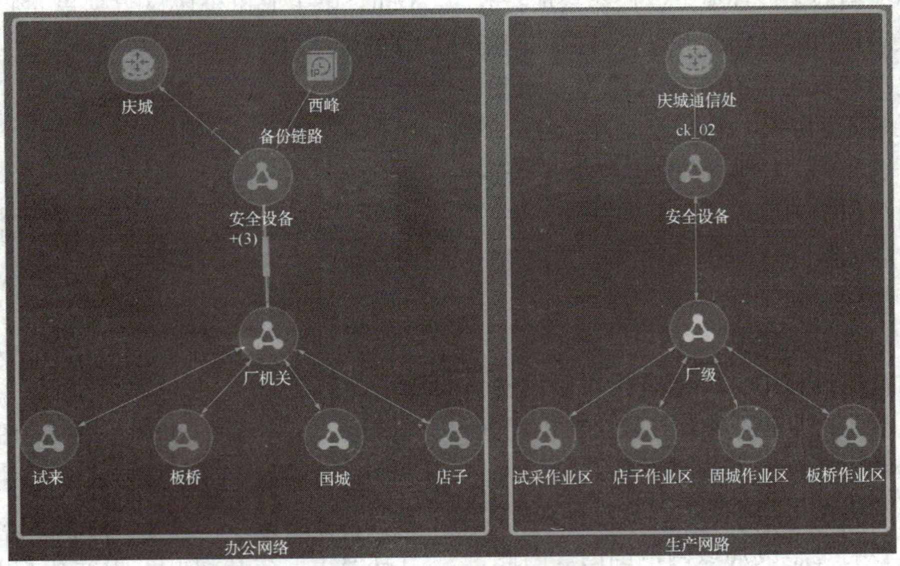

图 16　整体网络架构图

根据生产和办公的互访需求，采用了 NAT 静态地址映射技术，已实现 22 项服务的稳定访问，平均接收和发送速率 320MB/s，平均连接数 6287 个。

2.2.2 边界管理

根据安全访问要求，内网边界都应该安装专业的防护设备，主要提供流量分析，访问阻断，可信认证等措施。

1. 出口白名单机制

出口防火墙起到隔离外部不可信网络的作用，阻挡大部分非法攻击，并且为了和上级单位的正常传输，采用白名单机制解决。

2. 隔离专用通道

生产网与办公网、办公网与服务器、服务与生产网建立 TRUST 与 UNTRUST 的访问策略，严格过滤非法访问，保证内网安全。

2.2.3 认证授权

使用认证授权设备，防御从内部发起的非法网络访问和网络攻击行为，阻止设备伪装、ARP 攻击、泄密的不安全事件的发生。

2.2.4 日志审计

应用系统有系统日志，但是缺少设备的访问日志、维护的记录日志、网络的运维日志等，应首先完善运维的日志审计，做到应用和设备的运维有据可查，防止密码泄漏。

2.4 智能化运维

随着 ICT 技术的不断进步，网络运维不能再仅仅依靠简单的分析和状态指示灯，如果存在深层次的协议冲突、指标告警、容量过载等问题时，只能束手无策。

根据实际生产需求，2019 年建成的智能化的网络运维管理平台，经过 3 年的稳定运行，从根本上解决了大部分的维护难题，尤其是在设备管理、快速配置、可视化展示、主动分析、实时告警 5 个方面。目前共计接入 138 台网络设备，虚拟化服务器 1 套。通过智能网络监控平台分析，7 日内故障 10265 条，其中重要紧急故障 4805 条，根据智能化规则自动屏蔽故障 5883 条，根据可视化界面解决网络瓶颈问题 11 起，优化网络链路多次，极大的提升了网络流畅度和稳定性。年节约专业人员维护成本 20 多万元，以及大幅度降低非专业人员的维护难度。

3 结论及建议

3.1 物理组网方面

架构扁平度高，满足稳定增长需求；在设备方面存在部分 CPU、内存、带宽满载的情况以及接入层交换机使用 HUB，总体设备的归一化程度较高，建议：

（1）消除存在中继约束的部分井场或站点，接入设备越靠近核心越好，光芯资源不足的时候，可以考虑上光分设备。

（2）尽量少使用傻瓜交换机，尤其是有条件直连的不要再增加傻瓜交换机，它是影响速度的根源。

（3）采用同一厂家的设备兼容性好，且易于维护；工业设备使用环境恶劣，有使用期限，要及时淘汰老旧设备，停止维护的设备应制定备用计划，尽早更换。

3.2 逻辑组网方面

网络健壮性高，动态路由能够保证区域之间稳定运行，生成树协议能够防止环路的产生且刷新频率低，组网划分有少量占用率高，建议如下：

（1）不断优化交换机配置文件，提升技术人员维护能力。

（2）生成树变更目前 6min/次的频率，仍有较大提升空间，应当从规范接入层交换机配置入手，逐步完善。

（3）组网划分方面，实践证明单个 VLAN 下的设备应当控制在 250 个以内，对于使用超过 80%的 FLAN 要尽早考虑线路分割。

（4）依据运行中包的数量分析，部分老旧设备抗风险能力差，正常的访问都能导致死机，应尽早更换，主要是老旧 RTU。

3.3 安全性评估

采用物理隔离模式，符合油田公司安全性要求，但是目前核心设备还是单机模式，缺少备份设备，未开展等保测评，仅靠防火墙开展防御，一旦出现安全事件，责任追查较严厉，建议如下：

（1）根据行业经验，核心区域增加冗余设备，形成双机备份机制。

（2）及时配备“漏洞扫描、日志审计、入侵检测防火墙、认证授权”等硬件设备，开展漏洞扫描，入侵防御，设备入围认证等措施，对自建系统开展等保 2.0 认证。

网络安全等同于生产安全，网络安全设备和人员的投入不一定能保证安全，但是不投入一定是不安全的！

参 考 文 献

[1] 张代华．基于扁平化和精细化管理的校园网基础平台建设[J]．软件，2014：35(08)．

[2] 张晟，戎伟．未来通信网络架构及演进方案[J]．电信科学，2018：148-156.

[3] 张宏，杨壮．OSPF 协议在通信网络中的应用分析及算法优化[J]．光通信研究，2011：15-17+20.

[4] 北京奇艺世纪科技有限公司．优化网络架构的方法及网络架构：[P]．

合水油田三叠系长8_2段水驱敏感型储层合理动用方式探讨

王小锋　雷宇田　何鹏博　薛　睿　张卜欢　徐　骁

（中国石油长庆油田公司）

摘　要　随着合水油区油田开发不断规模推进，优质储量逐步动用结束，剩余储量储层品位差、动用难度大、开发成本高，优势的高效开发技术成为制约下步快速增储上产的技术瓶颈问题，本文通过对合水长8_2油层砂体组合结构、储层特征、天然裂缝发育、含油性分析，对该类低渗-致密油藏油层段进行了定性定量分析，同时通过油区内6个区块不同井网、不同井型持续开发，对于单井生产特征、油藏开发规律认识做出多维对比，筛选“五点井网+短水平井”超前注水开发为优势开发组合，固化了难动用低渗储层高效开发技术模式，指导后期剩余未动储量合理高效开发。

关键词　合水长8_2；水驱效率；阶段递减；短水平井；五点井网

引言

合水长8_2油藏作为合水油区范围内广泛发育储层，具有“源储配置好、油层厚度大、储层发育广”等有利条件，多年来通过不同区块持续开发探索，遇到低液、高含水等各类开发矛盾，其“三低”油藏特征及水驱敏感型储层性质严重制约油层潜力发挥，对于该类难动用储层合理开发方式探索，不断加大试验力度，并在开发过程中取得一定认识与突破。目前，全区剩余未动用控制储量均位于长8油藏，且通过B97、Z364等区试验，以期指导下一步延长组长8_2油层段合理开发，调整开发方案，提高采收效率。

1　基本情况

合水油田位于甘肃省庆阳市境内，区域构造上处于鄂尔多斯盆地伊陕斜坡带，目前已发现侏罗系延安组、三叠系延长组两套主力含油层系，其中三叠系延长组长8_2为主力含油层段之一，该层油藏埋深1850m，平均油层厚度15.7m，含油面积大，预计储量规模达亿t，是合水油田重点上产潜力层段。2011年始，在Z199、Z205、Z364等6个区块采用不同井型、不同井网完钻油水井424口，逐步探索合水长8油藏合理开发方式，但分区分单元开发效果差异较大，局部高产且稳定开发，总体呈现“低产低效”特征。近年来，随着油田产建大规模快速推进，合水油田常规区剩余未动用控制储量仅剩长8油藏＊万t，正逐步加大试验探索力度，并在Z364、B97等区域取得一定认识(图1)。

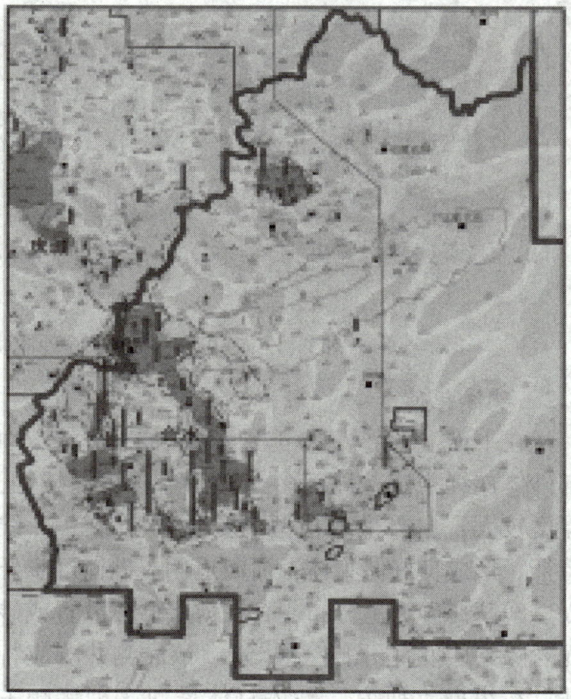

图1　合水油田延长组长8_2段砂体展布图

1.1　沉积特征

结合鄂尔多斯盆地沉积构造演化史，晚三叠世早期，鄂尔多斯地区下坳，进入湖盆发育阶段。长8期为湖盆深陷扩张期，在盆地西南缘斜坡带上，以盆地西南缘秦岭地区震旦界及上、下古生界浅海相碎屑岩及碳酸盐岩物源为基础，沉积了一套以湖相—三角洲相为主的延长组地层。而矿区内长 8 地层整体发育稳定，厚度相当。以长 7_3底界凝灰岩 K1 标志层卡定等时界面，以等厚法合沉积旋回法，将目的层大致划分为长 8_{11}、长 8_{12}、长 8_{21}、长 8_{22}四套小层，其中长 8_{11}、长 8_{22}油层组最为发育(图 2、图 3)。

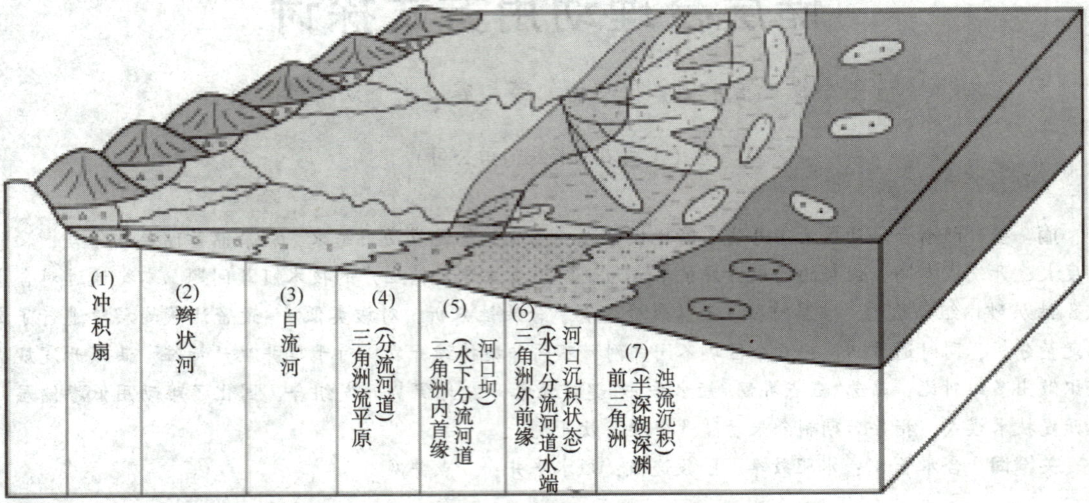

图 2　三角洲前缘水下分流河道沉积亚相示意图

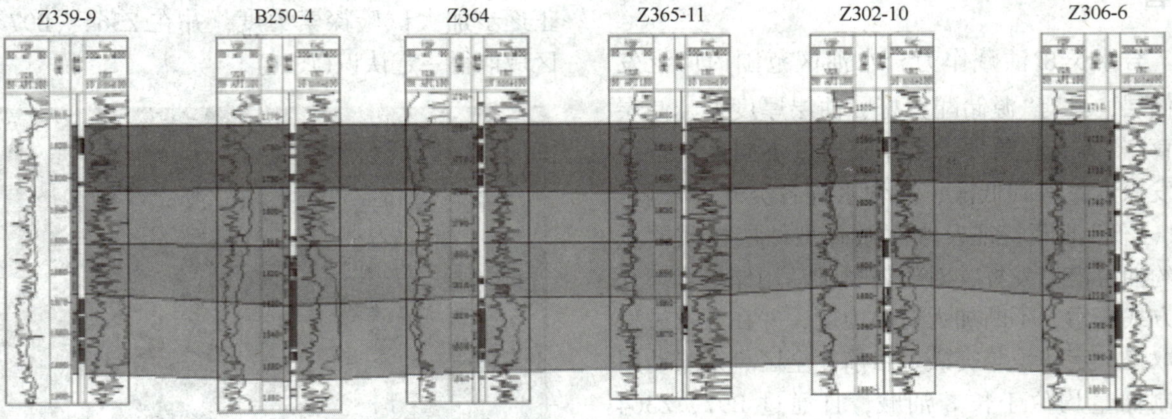

图 3　Z359-9～…～Z306-6 砂体联通剖面图(以 Z364 区南北向剖面为例)

1.2　砂体特征

在平面上，受沉积相发育特征控制，河道中部砂体连续稳定，局部多期次河道砂叠切接触，厚度较大，主要呈现箱型、复合型 GR/SP 曲线特征，形成良好储集体；而河道侧翼砂体逐步歼灭、间湾薄砂零星分布，存在薄层砂体叠置或砂泥岩隔夹层发育(图 4、图 5)。依靠测井响应特征，在纵向上研究区砂体总体呈现 3 种接触关系：单套砂、叠置砂、叠切砂。

（1）单套砂：单期河道砂发育，砂体较纯，稳定连续。

（2）叠置砂：两期砂体之间有明显的岩性变化，砂岩粒度变细，GR 测井曲线有回返。

（3）叠切砂：砂体厚度变化较快，整体厚度大，局部粒度较粗，测井曲线有轻微回返。

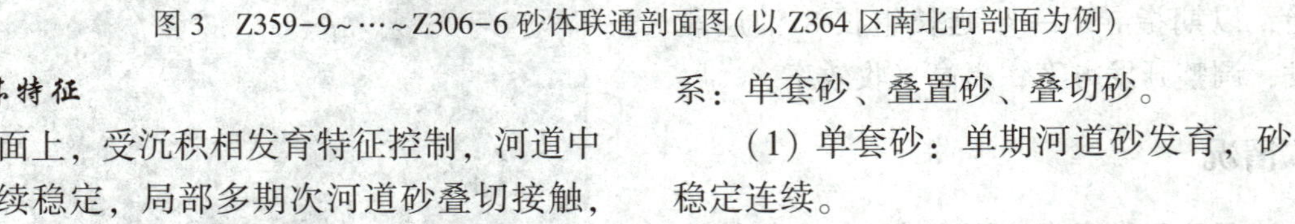

图 4　单井砂体构型分类示意图

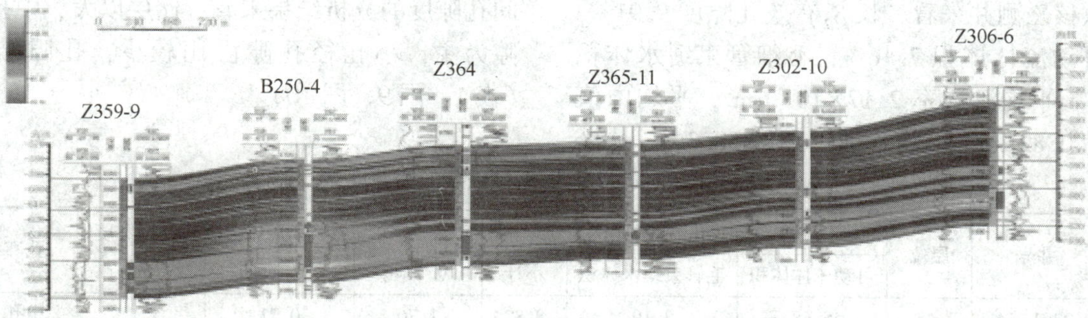

图 5　Z359-9～…～Z306-6 伽马 GR 剖面图(以 Z364 区南北向剖面为例)

1.3　天然裂缝特征

从天然裂缝发育上看，合水长 8 油藏发育高角度天然裂缝，为长 7_3 油源纵向运移提供有利通道。例如 Z205 区 B309－44 井长 8_2 层(1804.1～1852.4m)砂体中，常规测井解释第 59 层、60 层、62 层、65 层、66 层砂体为油层，厚度共 38.6m；第 63 层、67 层砂体为差油层，厚度共 4.7m。电成像静态图像显示储层颜色比上下围岩亮，表明该层电阻率比上下围岩高；动态图像显示储层内有明暗相间的条带，结合常规曲线，反映储层有非均质性。砂体内部层理发育，其中 1806.8～1807.2m 砂体发育斜层理，角度为 7°～12°；1807.3～1807.7m 砂体发育波状层理，角度低于 6°；1829.9～1830.2m 砂体发育交错层理，角度均高于 10°；1848.1～1848.7m 砂体发育平行层理，角度为 13°；1850.8～1851.2m 砂体发育水平层理，角度为 6°。砂体内层理角度变化较大，反映砂体沉积时水动力环境变化复杂。储层内可见局部有垂直裂缝和微裂缝发育，上、下围岩均可见天然裂缝发育(图 6)。

B97 区 Z284-48 井在取心过程中，岩心观察发现高角度天然裂缝发育特征(图 7)，为该区试验井高含水特征指明原因。

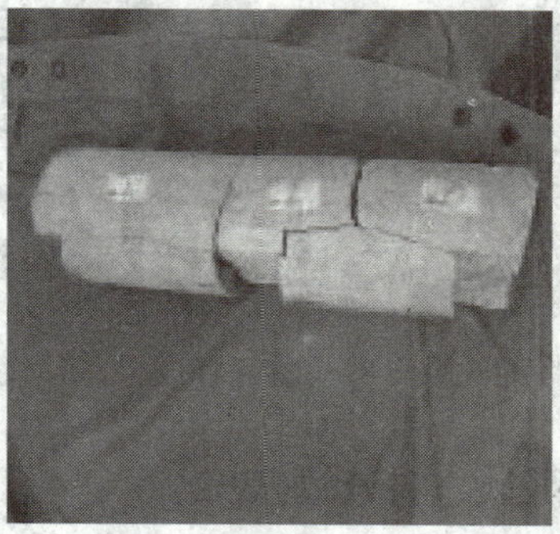

图 6　Z284-48 井长 8_2 岩心高角度裂缝

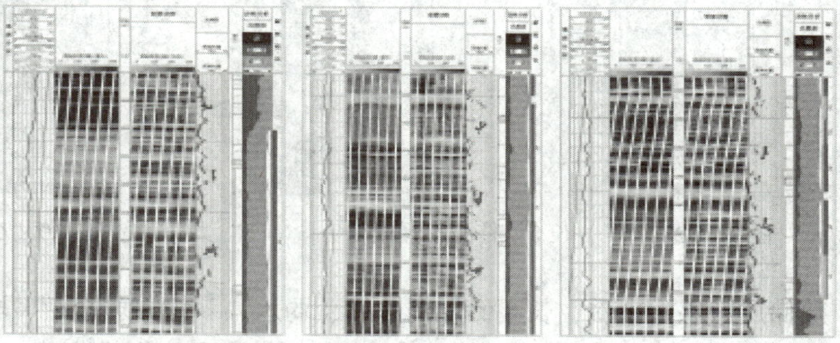

图 7　B309-44 井长 8_2 电成像测井成果图

1.4　储层特征

从岩心化验来看，全区平均分析油饱 38.0%，分析水饱 20.2%，整体含油性较好，且平均岩心密度 2.44g/m³，物性较好，但局部钙质胶结较重，孔渗性较差。而从气测录井来看，全烃基值 0.6%，全烃最大值 11.4%，平均值 5.8%，与其他层位比较整体偏低，且平均全烃值跨度较大，轻烃、重烃组合结构区块之间存在较大差异(图 8)。

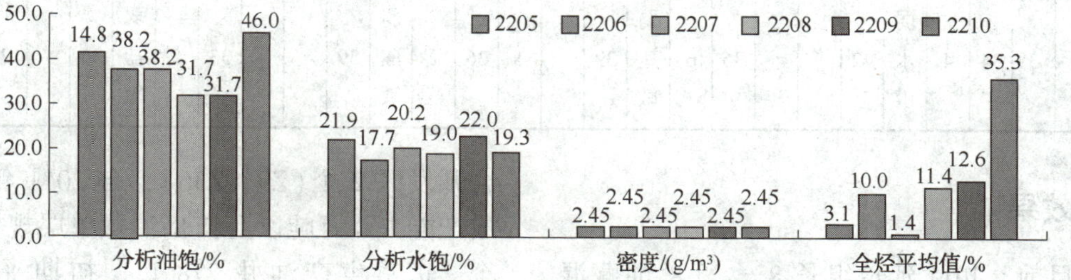

图 8　合水地区长 8_2 取心井化验分析成果

从核磁测井来看，长 8_2 有效孔隙度 9.91%，其中可动流体体积 7.16%，毛细管束缚水体积 2.75%，平均渗透率 $2.17\times10^{-3}\mu m^2$，平均中值半径为 0.82μm，平均含油饱和度 58.3%。从区间孔隙度的分析结果来看，储层以大、中孔径孔隙为主，小孔径孔隙占比较少，孔隙结构好（表 1、图 9、图 10）。

表 1　Z205~B97 区长 8_2 核磁共振测井成果

序号	井号	层位	有效孔隙度/%			渗透率 $10^{-3}\mu m^2$	平均中值半径/μm	含油饱和度/%	孔隙结构
			可动流体体积	毛管束缚水体积	小计				
1	B301-54	长 8_2^2	5.68	3.19	8.87	1.76	0.71	55.7	中孔为主
2	B309-44	长 8_2^2	5.90	2.40	8.30	0.92	0.57	45.0	大、中孔为主
3	B279-61	长 8_2^2	7.94	3.00	10.94	2.16	1.01	56.0	中孔为主
4	B287-57	长 8_2^2	8.01	2.45	10.46	3.73	1.08	69.0	大、中孔为主
5	B282-63	长 8_2^2	8.07	2.98	11.05	1.51	0.68	64.0	大、中孔为主
6	Z284-48	长 8_2^2	7.37	2.48	9.84	2.95	0.87	60.0	大、中孔为主
小计			7.16	2.75	9.91	2.17	0.82	58.3	

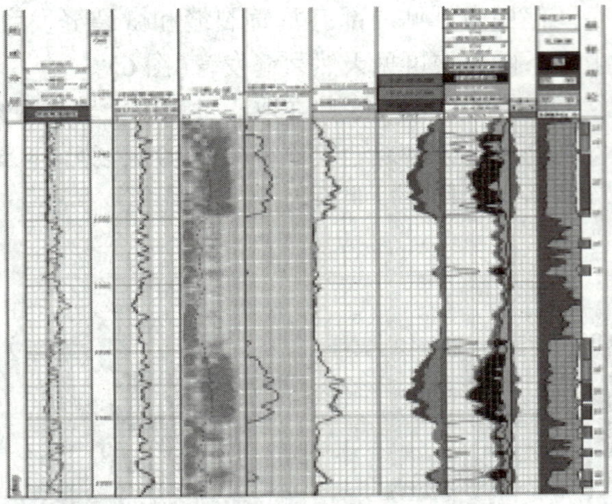

图 9　B282-63 井长 8_{1-2} 核磁解释成果

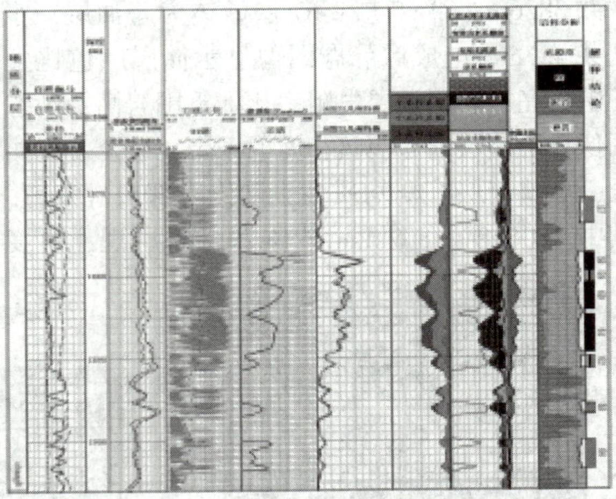

图 10　Z284-48 井长 8_2 核磁解释成果

从储层敏感性来看，长 8 储层弱速敏、弱水敏、弱盐敏、弱酸敏、弱碱敏（表 2）。

表 2　合水长 8 储层敏感性统计表

层位	敏感性																													
	水敏						速敏						酸敏						盐敏						碱敏					
	样品数	强	中	弱	无	评价结果	样品数	中等偏强	中	弱	无	评价	样品数	中等偏强	中	弱	无	评价	样品数	中等偏强	中	弱	无	评价	样品数	中等偏强	中	弱	无	评价
长 8	41		3	34	4	弱水敏	42			36	6	弱速敏	39		1	36	2	弱酸敏	39			33	6	弱盐敏	36		2	34		弱碱敏

2　开发效果

截至目前，扣除延长组长 8_1、长 8_2 油藏混合开发区 2 个（Z9、Z36），自 2011 年以来，建成产能 1.0 万吨以上长 8_2 油藏单层规模开发区 6 个，正常生产油井 278 口，初期平均日产油

2.04t/d，含水 44.5%，目前 1.08t/d，含水 50.5%；其中定向井初期平均日产油 1.74t，含水 40.9%，目前 0.83t/d，含水 46.6%；水平井初期平均日产油 3.84t，含水 52.3%，目前 2.58t/d，含水 56.6%；前期开发定向井老区单井累产油 1703t(表 3)。

表 3　合水地区长 8_2 油藏开发效果统计表

序号	区块	井数/口	层位	测井成果			初期			目前			累产油(t)
				油厚/m	电阻率/(Ω·m)	声波时差/(μs/m)	日产液/m^3	日产油/t	含水/%	日产液/m^3	日产油/t	含水/%	
1	Z205	196	长 8_2	17.3	85.1	239	3.83	1.92	41.0	1.9	0.84	46.9	1565
2	Z258	17	长 8_2	13.9	51.5	228	1.61	1.04	24.0	1.5	0.85	33.8	1927
3	Z199	25	长 8_2	10.7	50.2	232	1.79	0.77	49.1	1.8	0.74	51.9	2629
4	Z364	21	长 8_2	12.1	76.8	232	10.69	4.38	51.8	9.88	3.26	61.2	824
5	B97	5	长 8_2	11.4	105.3	232	7.43	3.10	50.9	4.7	2.53	36.9	418
6	Z179	14	长 8_2	10.8	86.2	231	8.32	3.28	53.6	3.5	1.58	46.7	1528
定向井小计		238		16.4	79.1	238	3.46	1.74	40.9	1.83	0.83	46.6	1703
水平井小计		40		11.6	83.7	232	9.45	3.84	52.3	7.00	2.58	56.6	1020
合计		278		15.7	79.7	237	4.32	2.04	44.5	2.57	1.08	50.5	1604

2.1　开发历程

第一阶段：Z199、Z205 高产探评井发现，2011—2019 年主要采用“定向井+菱形反九点井网+差异化井排距”超前注水开发方式，完成定向井区块规模开发。开发过程中钻遇油层厚度大，测录井显示较好，改造过程中均采用“常规射孔+体积压裂”改造方式，但整体生产效果偏差，稳定生产后低液、中高含水开发特征突出。

第二阶段：结合前期开发认识，及时调整开发思路，2021—2022 年主要采用“短水平井+三角形井网/五点井网”超前注水开发方式，推进水平井区块试验开发。改造工艺调整为“水力喷砂射孔+体积压裂”方式，初期效果较好、阶段递减较大、水区建立难。

第三阶段：结合 Z179 区三角形井网立体开发经验，2022—2023 年主要采用“短/超短水平井+正方形反九点井网/五点井网”超前注水开发方式。改造工艺调整为“连续油管+体积压裂”方式，初期效果较好，但主侧向矛盾突出、水驱效果差。

2.2　主要矛盾

2.2.1　水淹或高含水生产特征存在多向性

受天然裂缝发育和主应力与井网矛盾等多因素影响，中高含水生产井占比较高，且通过超前注水培养、稳定水驱开发，仍有 80%以上井供液能力不足，油井水驱见效差。

从生产特征上看，正常生产井单井液量低于 $3.0m^3/d$ 井占比 73.0%，低于 $5.0m^3/d$ 井占比 87.0%，整体呈现低液低效特征。同时单井含水 60.0%以上井 87 口，占比 33.7%。且通过主侧向见水对比，全区内并无明显方向性见水特征，含水 80.0%以上井侧向高含水占比 60.0%，主向高含水占比 33.0%；而含水 60.0%～80.0%井侧向见水 52.0%、主向高含水占比 27.0%(图 11～图 14)。

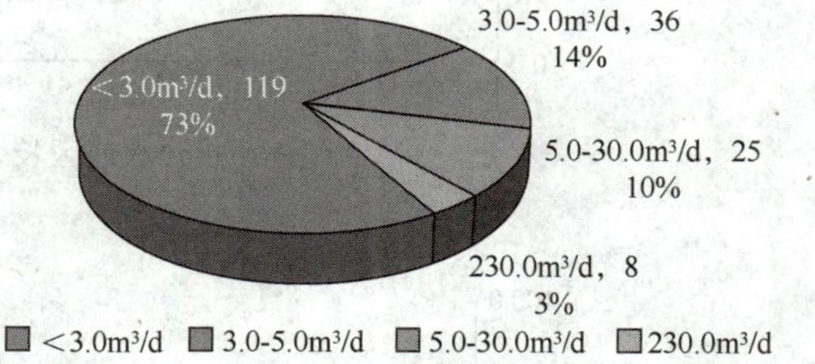

图 11　单井日产液分类分级统计(2023.09)

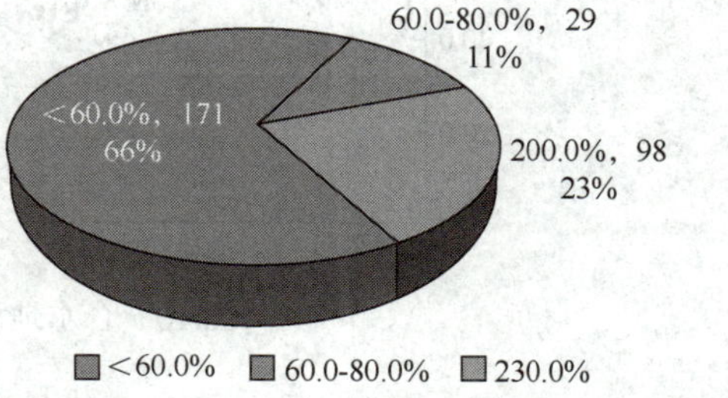

图 12　单井含水分类分级统计(2023.09)

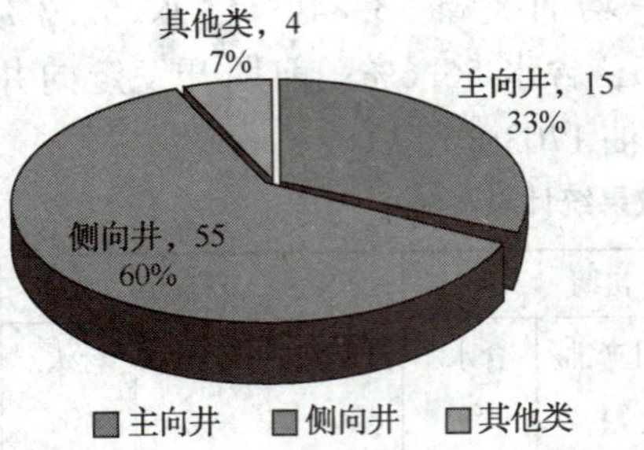

图13　含水≥80.0%井位置类型划分

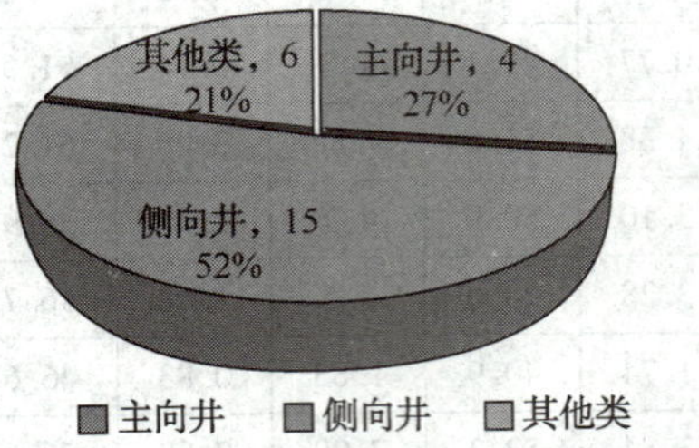

图14　含水60.0%~80.0%井位置类型划分

2.2.2　初期大递减制约油井潜力发挥

经过Z199、Z205、Z364等6个区块278口采油井生产情况拉齐，从平均单井日产油来看，定向井开发区生产满一年后单井日产油1.2t，第二年降至1.0t/d，整体偏低，但单井含水低(36.9%)、阶段递减较小(16.7%)；较定向井开发，水平井单井产量提高2倍(1.2t/d↑3.6t/d)，受改造方式及规模等影响，单井含水整体升高10%~30%(38.1%↑63.2%)，新投井中高含水运行，生产稳定后仍然保持在40.0%~50.0%，且单井产量生产满一年后单井日产油3.6，第二年降至2.1t/d，阶段递减大(41.6%)(图15、图16)。

2.2.3　储层强非均质性致使有效水驱难建立

从储层特征来看，长8_2储层夹层多以泥质和钙质(物性)为主。泥质夹层主要由泥岩组成，是河道切割或垂向叠置形成的间隙残留泥岩，渗透性变差，测井曲线上反映为自然伽马值偏高，自然电位明显回返，微电极曲线无幅度差；钙质夹层主要由河道切割叠置后在河道顶部位形成的钙质胶结带，在测井曲线上主要表现为声波值变低，电阻值升高。在剖面上，不同沉积位置，物性差异明显(图17、图18)。

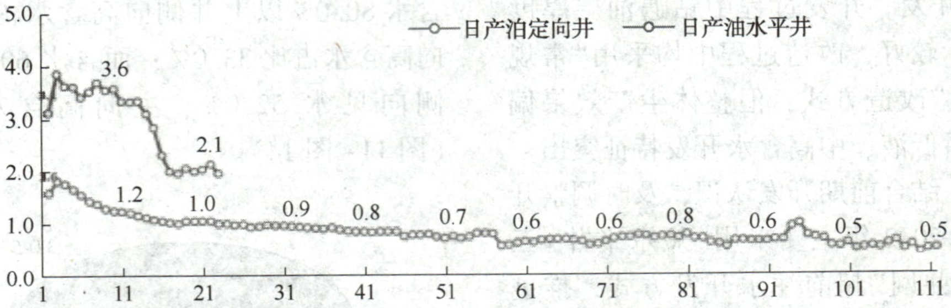

图15　合水地区长8_2单井生产效果日产油拉齐曲线

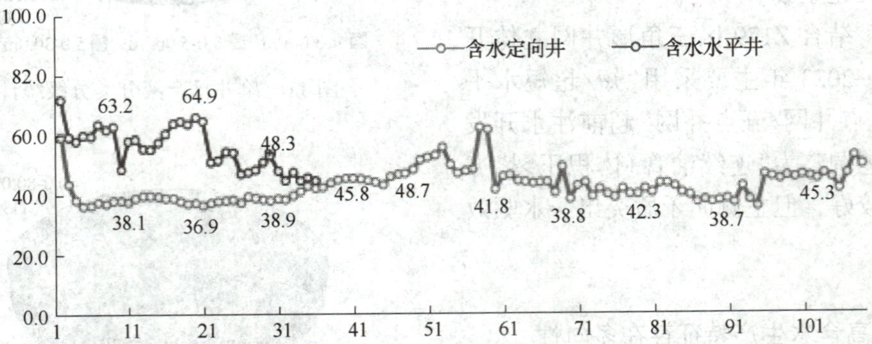

图16　合水地区长8_2单井生产效果含水拉齐曲线

图 17 B97 区 Z284-48 井长 8_2 油层岩心照片(钙质胶结/物性遮挡/泥岩隔夹层)

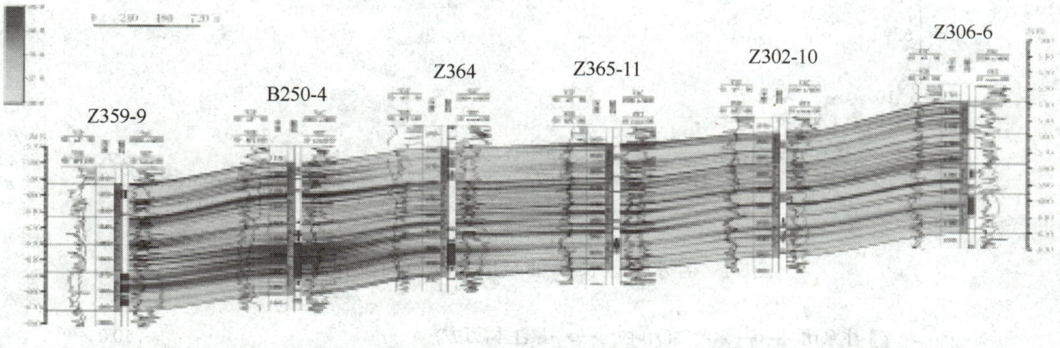

图 18 Z359-9~…~Z306-6 声波时差 Ac 剖面图(以 Z364 区南北向剖面为例)

从注采调整见效情况来看，自 2020 年至今对 Z179、Z205 等区块实施注采调整 494 井次，对应采油井 791 井次，其中见效油井 295 井次，见效占比 37.3%，分年度来看基本介于 26.2%~43.8%，注采调整见效情况较差，有效水驱建立难(图 19)。

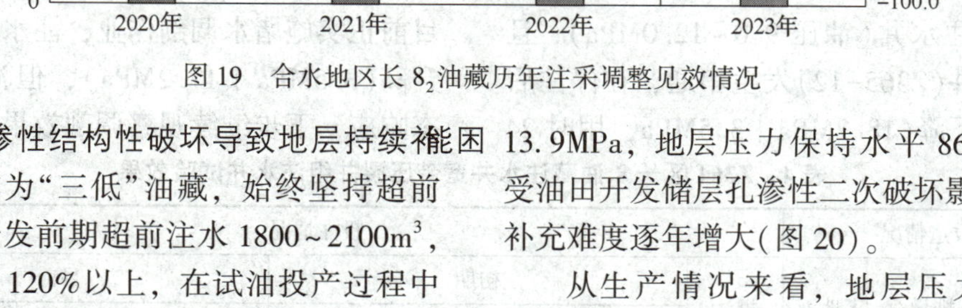

图 19 合水地区长 8_2 油藏历年注采调整见效情况

2.2.4 二次孔渗性结构性破坏导致地层持续补能困

合水长 8 作为“三低”油藏，始终坚持超前注水开发，在开发前期超前注水 1800~2100m^3，压力保持水平在 120%以上，在试油投产过程中仍有批量储量高压自喷情况，但是在开发后期，近四年水驱储量控制程度保持在 82.7%~90.7%，水驱储量动用程度 63.9%~73.7%，相差 14.0%~22.4%，同时地层压力保持在 12.6~13.9MPa，地层压力保持水平 86.1%~95.1%，受油田开发储层孔渗性二次破坏影响，地层能量补充难度逐年增大(图 20)。

从生产情况来看，地层压力保持水平由 120%下降至 80.0%~90.0%，且油井正常生产动液面在满一年后下降至 1141m，累计注采比由 1.9 提升至 2.9(图 21、图 22)。

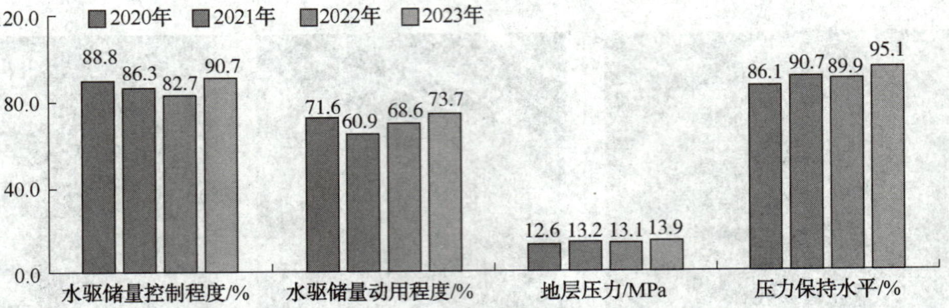

图 20　合水地区长 8_2 油藏水驱效果及测压情况

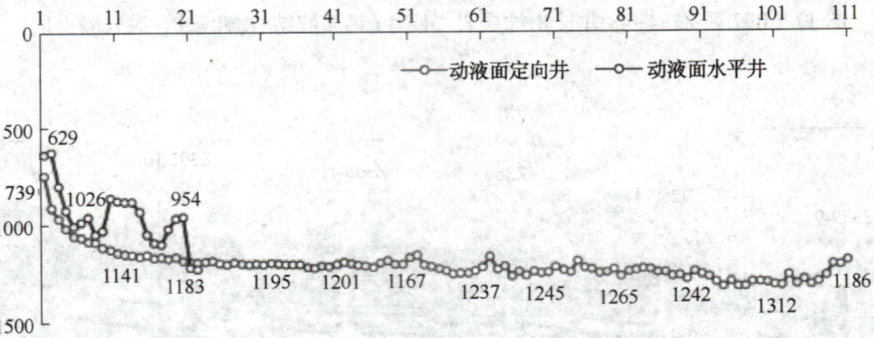

图 21　合水地区长 8_2 油藏单井动液面拉齐曲线

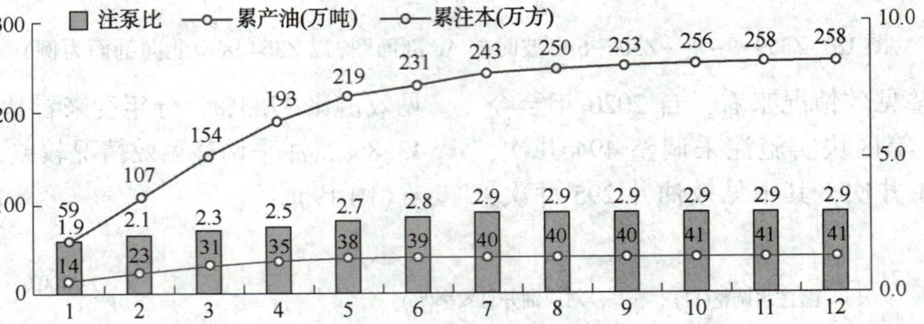

图 22　合水地区长 8_2 油藏累产油/累注水时间拉齐

2.2.5　注水井宽带压裂工艺对长 8 储层适宜性差

在 Z364 区按照宽带压裂改造思路对 2 口注水井(Z365-11、Z365-13)实施体积压裂改造，在正常注水过程中注入压力初期 3.5MPa，明显低于常规改造注水井(油压 9.0~12.0MPa)，且致使中部注水井(Z365-12)发生串通，在停注后井口压力快速下降(18.2MPa↓3.5MPa，用时 24 天)，邻近 4 口油井(ZP365-11、ZP365-12、ZP365-13、ZP364-12)投产即高含水，3 口(ZP364-11、ZP364-13、Z381)投产初期 4.9t/d，目前生产满 1 年 9 个月，平均单井 1.8t/d。目前正实施堵水调剖作业，注水井注入压力快速升高(3.5MPa↑17.2MPa)，但油井暂无明显动态响应，下步继续观察调剖效果(表 4、表 5)。

表 4　Z364 区长 8_2 油藏注水井宽带压裂井组注水井试验效果

井号	改造情况			投注日期	投注情况										备注
					初期					目前					
	加砂量/m^3	排量/(m^2/min)	入地液/m^3		总配注/m^3	日注/m^3	分压/MPa	油压/MPa	套压/MPa	总配注/m^3	日注/m^3	分压/MPa	油压/MPa	套压/MPa	
Z364-11	复合射孔+酸化			2022/7/28	16	16	20	9.5	9.5	8	8	21.6	15.7	15.7	

续表

井号	改造情况			投注情况											备注
	加砂量/m^3	排量/(m^2/min)	入地液/m^3	投注日期	初期					目前					
					总配注/m^3	日注/m^3	分压/MPa	油压/MPa	套压/MPa	总配注/m^3	日注/m^3	分压/MPa	油压/MPa	套压/MPa	
Z364-12	复合射孔+爆燃			2021/5/23	8	8	17	14	14	8	8	16.7	16.4	16.4	
Z364-13	复合射孔+酸化			2022/7/28	18	18	20	9.2	9.2	12	10	21.6	21.6	21.6	
Z365-12	复合射孔+酸化			2022/7/28	20	20	20	8.5	8.5	20	20	20.0	18.7	18.7	
小计:					16	16	19.3	10.3	10.3	12	12	20.0	18.1	18.1	
Z365-11	30	4.0	329	2021/9/16	10	10	18.3	1.0	1.0	8	24	21.4	17.2	17.2	正堵水调剖
Z365-13	40	6.0	329	2021/9/16	12	12	18.3	1.0	1.0	10	10	21.4	9.5	9.5	
小计:	35	5.0	329		11	11	18.3	1.0	1.0	9	17	21.4	13.4	13.4	

表 5　Z364 区长 8_2 油藏注水井宽带压裂井组油井试验效果

井场号	井号	层位	水平段/m	投产日期	生产前三个月			目前				备注
					液量/(m^3/d)	油量/(t/d)	含水/%	液量/(m^3/d)	油量/(t/d)	含水/%	动液面/m	
B254-01	ZP364-12	长 8_2^2	300	2022/1/1	10.3	6.1	31.1	3.66	1.34	46.4	1065	
	ZP364-13	长 8_2^2	300	2022/1/1	7.8	3.3	50.5	18.03	1.82	88.0	572	高含水生产
	ZP364-14	长 8_2^2	300	2022/1/1	8.9	5.4	29.1	4.64	2.32	40.5	1060	
GP213-51	ZP365-11	长 8_2^2	300	2023/1/1	12.56	0	100	9.60	0.14	98.3	隔采	高含水生产
	ZP365-12	长 8_2^2	300	2023/1/1	20.29	0	100	10.50	0.00	100	1080	高含水生产
	ZP365-13	长 8_2^2	300	2023/1/1	22.46	0	100	18.10	0.00	100	481	高含水生产
	Z381	长 8_2^2		2022/5/20	5.65	2.92	39.2	2.16	1.09	39.9	1140	
合计：7 口			300		13.6	2.5	78.0	9.5	1.0	88.0	900	

3　取得认识

3.1　水平井开发有效提升单井产量；

从单井日产油来看，定向井平均单井日产油 1.74t，水平井平均单井日产油 3.84t，提高 1.2 倍，从初期含水来看，总体呈中高含水生产，同时受改造方式及入地液量规模影响，水平井含水偏高（40.9%↑52.3%）（图 23）。

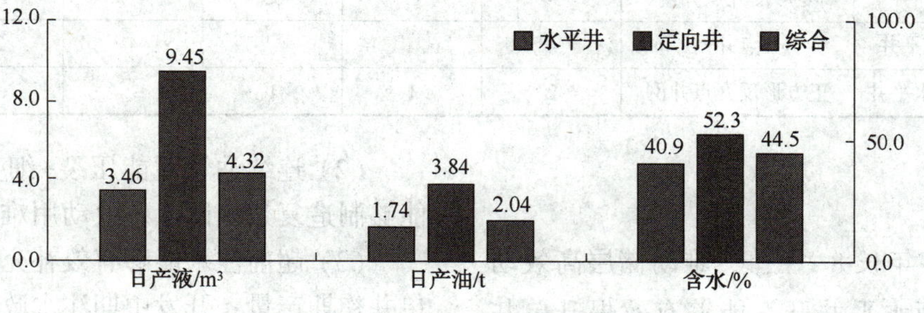

图 23　合水地区长 8_2 油藏不同井型初期产量对比

3.2 连续油管蓄能压裂+细分切割工艺快速提单

按照不同区块水平井改造及开发效果，在两种改造工艺单段改造规模相当的条件下，仅百米改造段数增多，常规工艺(水力喷砂射孔+体积压裂)百米改造段数2.8段，单井日产油3.28t，含水53.6%；而连续油管+细分切割改造工艺平均单井百米改造段数提升2.1段(2.8↑4.9)，单井日产油提升0.85t/d，含水基本一致(图24、图25)。

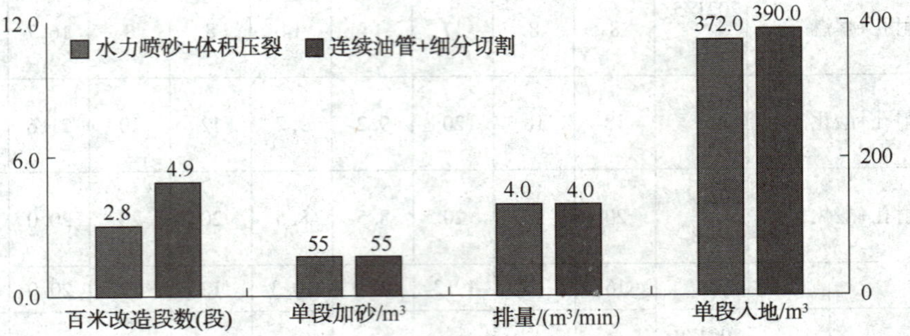

图24　合水地区长 8_2 油藏水平井不同改造方式改造规模对比

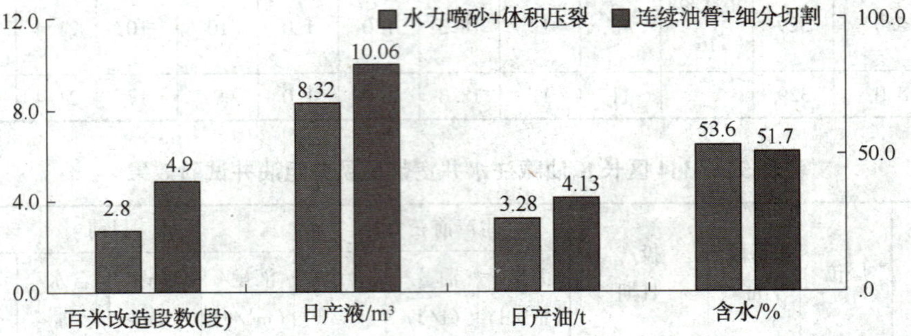

图25　合水地区长 8_2 油藏水平井不同改造方式初期产量对比

3.3 排状注水方式有效降控水淹窜通高风险

通过对不同区块不同井网高含水井与井网关联对比，菱形反九点井网及正方形反九点井网部署区(Z205、B97区)水淹井占比较高(27.6%～40.0%)，水淹风险较大；Z199、Z258等区因前期超前注水准备不足，均呈现低液量低效生产。五点井网部署区(Z364区)因注水井宽带压裂改造导致水淹4口，其他井未见水淹情况，整体来看与井网部署关联性低，水驱敏感性问题得到有效控制(表6)。

而100～200m短水平井+五点井网存在快速高效补能、规避主向水线沟通等风险，为后期该类油藏合理高效开发提供保障。

表6　合水地区长 8_2 油藏不同井网高含水井占比

区块	井型	井网	高含水生产情况				高含水占比	
			小计/口	主向井/口	侧向井/口	其他/口	总井数/口	占比/%
Z205	定向井	菱形反九点井网	54	19	35		196	27.6%
Z364	短水平井	五点井网	4			4	21	19.0%
B97	超短水平井	正方形反九点井网	2	1	1		5	40.0%

4 结论

(1) 通过多年长 8_2“三低”难动储层高效动用方式探索，短水平井开发能够有效提升单井产能。

(2) 连续油管蓄能压裂+细分切割改造工艺能够制造复杂缝网，有效动用难动储量。

(3) 超前注水能够有效补充地层能量，提升单井初期产量；开发中期注水政策无法保障地层能量保持，仍有一定优化空间。

(4) 低液井占比、中高含水井占比、累计注采比总体过高，显示油藏水驱效率偏低、低效注水增多影响油藏最终内部收益及采收率提升。

(5) 局部天然裂缝发育、岩性物性隔夹层增多、储层非均志强是水驱敏感型储层特征的主要原因，该类储层导致有效水驱难建立，合理注采技术政策仍需按照主侧向差异化调整。

(6) 排状注水能够有效降控水驱敏感型储层水驱水淹风险。

(7) 注水井宽带压裂改造易导致油水沟通，无法建立有效水驱。

参 考 文 献

[1] 曹红霞，李文厚，陈全红，等．鄂尔多斯盆地 晚三叠世沉降与沉寂中心研究[J]．大地构造与成矿学，2008，32(2)：159-164.

[2] 魏武，魏红红，陈全红，等．鄂尔多斯盆地上三叠统延长组物源分析[J]．西北大学学报(自然科学版)，2003，33(4)：0447-04.

[3] 史建南，郑荣才，韩永林，等．鄂尔多斯盆地姬塬地区长 8 油层组岩性油藏成藏机理研究[J]．岩性油气藏，2009，21(3)：129-133.

[4] 邸领军，张东阳，王宏科．鄂尔多斯盆地喜山期构造运动与油气成藏[J]．石油学报，2003，24(2)：34-37.

[5] 樊建明，屈雪峰，王冲，等．鄂尔多斯盆地致密储集层天然裂缝分布特征及有效裂缝预测新方法[J]．石油勘探与开发，2016，43(5)：740-748.

[6] 姚泾利，赵彦德，邓秀芹，等．鄂尔多斯盆地延长组致密油成藏控制因素研究[J]．吉林大学学报(地球科学版)，2015，45(4)：983-992.

[7] 邓秀芹，李文厚，刘新社，等．鄂尔多斯盆地中三叠统与上三叠统地层界限讨论[J]．地质学报，2009，83(8)：1089-1096.

[8] 付金华，罗安湘，喻建，等．西峰油田成藏地质特征及勘探方向[J]．石油学报，2004，25(2)：25-29.

[9] 邹才能，贾承造，赵文智，等．松辽盆地南部岩性-地层油气藏成藏动力和分布规律[J]．石油勘探与开发，2005，32(4)：125-130.

[10] 李士祥，邓秀芹，庞锦莲，等．鄂尔多斯盆地中生界油气成藏与构造运动的关系[J]．沉积学报，2010，28(4)：798-807.

纹层型页岩油多岩性复合立体压裂技术研究与试验

张 宇[1,2] 问晓勇[1,2] 王成旺[1,2] 黄蓬刚[1,2] 李志文[1,2] 杨晓刚[1,2]

(1. 中国石油长庆油田分公司油气工艺研究院；2. 低渗透油气田开发国家工程重点实验室)

摘 要 鄂尔多斯盆地纹层型页岩油具有分布范围广、储集体厚度大、含油饱和度高等特点，是长庆油田高效增储的重要接替领域，但该类油藏储集体纵向呈现源内多岩性厘米级叠置、层理缝发育造成人工裂缝起裂难、穿层难，支撑剂铺置效率低等难点。为此，长庆油田通过开展岩石力学测试、大型物模实验、数值模拟实验和裂缝动态扩展可视化实验，研究和分析裂缝扩展机理与形态特征，初步明确了纹层型页岩油"互"字型裂缝扩展模式。在此基础上，通过明确裂缝扩展主控因素、精细优化压裂工艺参数，创新形成"优先砂层射孔，高黏压裂液适度排量连续泵注造缝高、低粘压裂液大排量循环泵注延缝长"的纵向"立体"压裂改造技术模式，试验井LY＊H井立体压裂31段成功率100%，试油获116.8t/d高产油流，半年累产油超过3000t，为纹层型页岩油亿吨级储量提交和规模勘探开发奠定了坚实的技术基础。

关键词 鄂尔多斯盆地；纹层型页岩油；裂缝扩展规律；立体压裂技术

引言

延长组长7段为鄂尔多斯盆地页岩油的主力开发层段，主要发育夹层型、纹层型、纯页岩型3种类型页岩油。其中，夹层型页岩油为富有机质泥页岩夹多期块状细砂岩组合，以长7_1、长7_2段为主，作为勘探开发的主要对象，目前已成功攻关"多簇细切割"压裂改造技术实现规模化开发。纹层型页岩油为毫米到厘米级具有纹层结构的粉细砂岩和泥页岩复合体，以长7_3段为主，该层发育稳定、储集体厚度大、含油饱和度高(平均80%)、成熟度高(R_o>0.8%)，勘探面积约2.6km^2，估算远景资源量60亿吨，是长庆油田页岩油风险勘探的主要目标和高效增储的重要接替领域。与夹层型页岩油相比，纹层型页岩油具有储层厚度薄、多岩性复合、两向应力差大、脆性指数低、天然裂缝密度高等特征，以上新储层特征使得纹层型页岩油压裂提产面临两大挑战，一是亟须研究明确裂缝扩展规律与压裂增产机理，二是亟须探索创新压裂改造技术和优化设计压裂参数。为此，近年来长庆油田立足储层变化，加强工程地质一体化研究，在深化纹层型页岩油裂缝认识的基础上，开展相关技术研究与工艺创新，攻关形成了纹层型页岩油立体压裂技术，试验后单井产量取得大幅提升，为纹层型页岩油亿吨级储量提交和规模勘探开发奠定了坚实的技术基础。

1 纹层型页岩油裂缝扩展模式

纹层型页岩油为岩性高频变化的砂-泥-页复合体，其在岩性特征、力学性质、原油赋存状态、裂缝层理发育等方面与规模开发的夹层型页岩油具有较大差异见表1。为探索纹层型页岩油增产模式及方向，亟须深入开展基础实验研究，全面认识纹层型页岩油裂缝形态及扩展规律。

表1 鄂尔多斯盆地页岩油不同类型储层压裂地质特征对比表

类型	夹层型	纹层型
层位	长7_{1-2}	长7_3
岩性特征	砂泥互层，以砂岩发育为主	以泥页岩为主夹薄层粉砂岩
两向应力差/MPa	3.0~5.5	7.0~12.0
脆性指数/%	35~40	15~40
含油饱和度/%	70	80
原油赋存状态	游离态	游离态、吸附态
天然裂缝密度/(条/m)	0.6~0.7	0.6~1.2

1.1 岩石力学基础测试

针对纹层型页岩油砂-泥-页多岩性复合的特征，通过岩石力学基础测试研究长7_3层砂岩、泥岩和页岩岩心的力学性质，结果显示：①抗拉强度大小排序为页岩<泥岩<砂岩，泥页岩抗拉强度低于砂岩2~4MPa；②地应力纵向分布变化大，泥页层最小水平地应力高出砂层2~8MPa；

③脆性指数大小排序为泥岩<页岩<砂岩，泥页岩脆性指数比砂岩低5%~10%；④破裂压力大小排序为页岩<砂岩<泥岩，泥页岩破裂压力与砂岩差异范围12%~16%。

通过对比力学测试后三类岩心试件的裂缝形态，可以看出，砂岩、泥岩岩心在压缩或拉伸条件下均形成单条人工裂缝，且裂缝形态单一，如图1(a)、图1(b)所示；页岩岩心在压缩或拉伸条件下均形成多条人工裂缝，且裂缝形态复杂，如图1(c)所示。

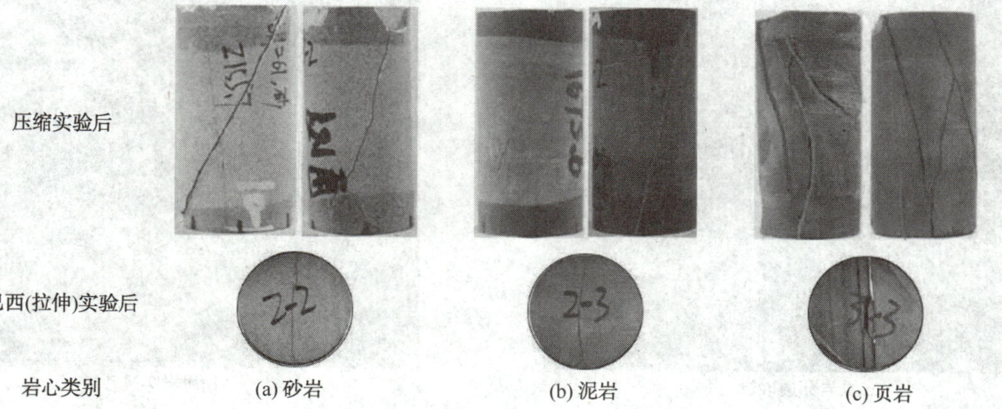

图1　岩心试件裂缝形态

同时，通过铸体薄片测试获取长7_3纹层型页岩油储层砂岩、泥岩和页岩的岩石孔隙发育特征，分别如图2(a)、图2(b)、图2(c)所示，结果显示：①砂岩的铸体薄片中发育2条裂缝，裂缝内未充填，裂缝宽分别约为15μm、50μm，孔隙不发育，目估面孔率小于0.5%；②泥岩的铸体薄片中发育2条水平缝，裂缝内未充填，裂缝宽分别约为15μm、45μm，孔隙不发育，目估面孔率小于0.5%；③页岩的铸体薄片中发育14条裂缝，裂缝内未充填，裂缝宽约10~25μm，裂缝间近乎平行，目估面孔率1%；④砂岩、泥岩和页岩均含有纹层构造和天然微裂缝，其中页岩层理和微裂缝最为发育，微裂缝分布程度比砂岩和泥岩高7倍。

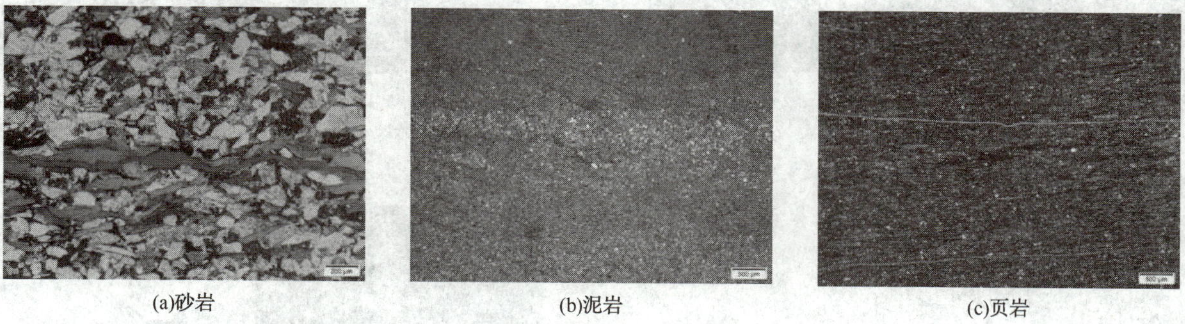

图2　纹层型页岩油铸体薄片观察结果
（蓝色线条为天然裂缝或层理）

综合岩石力学测试结果、岩心试件裂缝形态和铸体薄片观察结果，发现不同岩性纵向力学参数差异大、层理及裂缝发育，因此水力裂缝在纹层型页岩油砂-泥-页复合体内垂向扩展时，裂缝形态会受岩性组合方式的影响，且容易形成复杂裂缝。

1.2　水力压裂物模实验

针对纹层型页岩油砂-泥-页多岩性复合的特征，设计不同岩性组合的物模试件，通过室内实验模拟水力压裂过程，研究裂缝形态特征。如图3(a)和图3(b)所示，水力裂缝在多岩性物模试件中产生穿层扩展行为；如图3(c)和图3(d)所示，多岩性物模试件经水力压裂后发生层间错动现象。也就是说，水力裂缝在纹层型页岩油中扩展时具有“平面错动、纵向穿层”的特征。

3.3　裂缝动态扩展可视化实验

常规水力裂缝扩展测试方法仅能观察到静态裂缝形态，无法研究裂缝在纹层发育的页岩油储层中的动态扩展过程，为此配套可360°旋转的高压夹持设备与在线CT扫描技术，如图4所示，实现裂缝扩展研究由静态到动态的可视化升级。通过对纹层型页岩油全直径岩心进行纵向不同位置人工裂缝扩展过程的实时扫描测试，得到人工裂缝形态整体呈现错动+穿层的“互”字型特征，如图5所示。

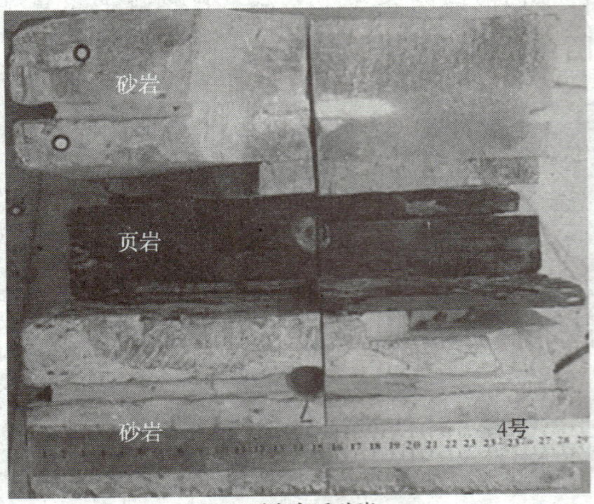

(a)页岩穿透砂岩

(b)泥岩穿透砂岩

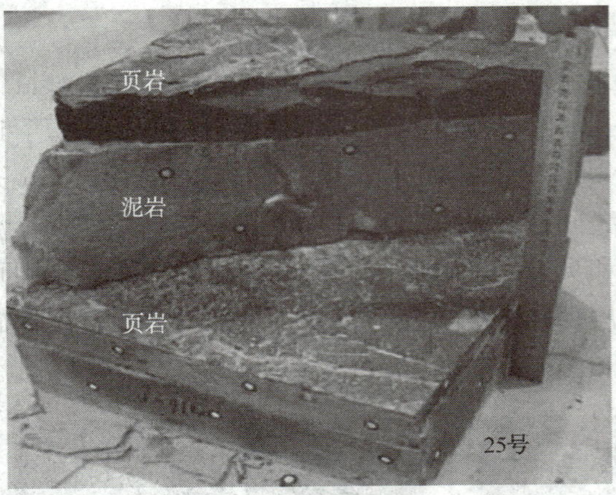

(c)泥岩与页岩错动

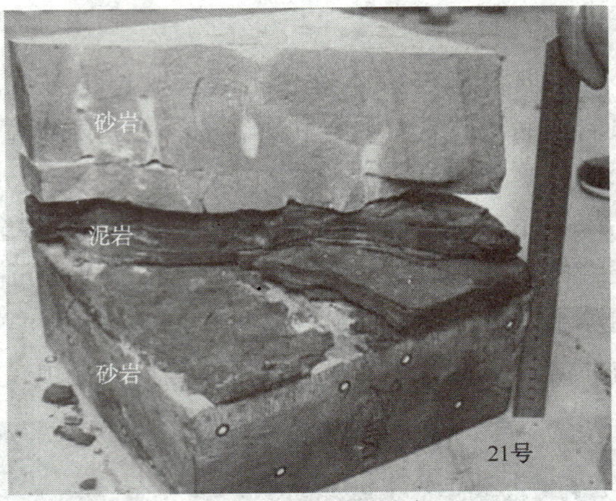

(d)砂岩与页岩错动破碎

图3　纹层型页岩油水力裂缝形态图

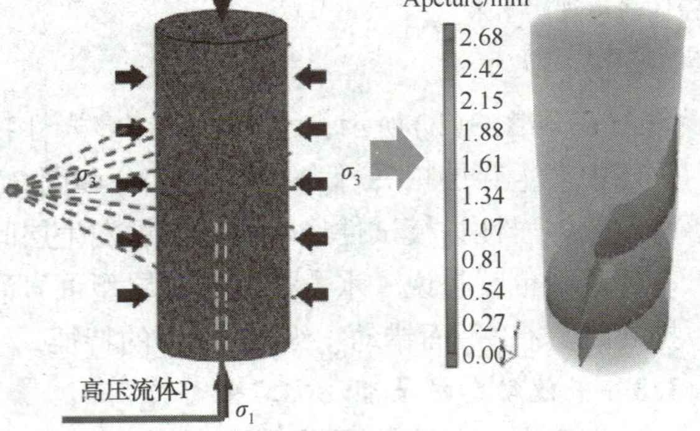

图4　加载过程动态扫描示意图

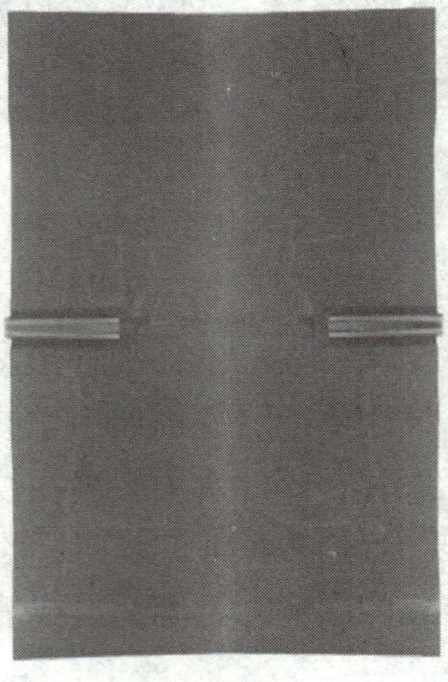

(a)岩样剖面

(b)三维裂缝形态

图5　CT扫描裂缝形态图

2　纹层型页岩油压裂改造技术模式

2.1　裂缝扩展主控因素分析

为了探索适用于纹层型页岩油的压裂改造新技术，需要基于水力裂缝平面错动、纵向穿层的"互"字型扩展模式，进一步深化裂缝起裂、扩展规律研究，从解决裂缝起裂难题、增加裂缝复杂程度、提高储层改造程度等方面指导攻关纹层型页岩油体积压裂增产技术。

为此，开展水力压裂物模、数模实验研究水力裂缝起裂和扩展规律。首先，依据长7下甜点层位岩性分布设计不同岩性组合的物模试件和数值模型，物模试件类型见表2，数值模型中将地应力、力学性质相似的泥岩和页岩合并设置为泥页岩，以便于建模计算。接着，开展不同压裂施工参数(射孔位置、压裂液粘度、泵注排量和泵注方式)条件对应的实验，研究各参数对水力裂缝起裂、扩展及裂缝形态的影响，明确影响纹层型页岩油裂缝起裂、扩展的主控因素，指导压裂改造方案优化设计。

表2　水力压裂物模实验试件类型设计方案

序号	岩层分布	射孔层位
1	砂+页+砂	页
2	泥+页+泥	页
3	页+砂+页	砂
4	泥+砂+泥	砂
5	砂+泥+砂	泥
6	页+泥+页	泥

1. 射孔位置

不同岩性储层在相同应力条件下的变形不一致，且岩层力学特性各异，导致在不同岩性储层内进行射孔形成的裂缝扩展阻力大小不同、裂缝形态不同，进而影响水力裂缝优势缝网的形成。因此，开展水力压裂物模、数模实验研究不同射孔位置对裂缝起裂、扩展及裂缝形态的影响。

其中，物模实验结果显示，在砂岩层位射孔的起裂压力介于泥岩和页岩之间，整体表现为页岩起裂压力最低，泥岩起裂压力最高，如图6所示；裂缝在砂岩、泥岩中起裂或扩展的形态较为单一，在页岩中起裂或扩展可以形成较为复杂的裂缝形态，如图7所示，这是因为页岩层理和微裂缝比较发育，导致水力裂缝在起裂过程中易沿层理和微裂缝起裂。

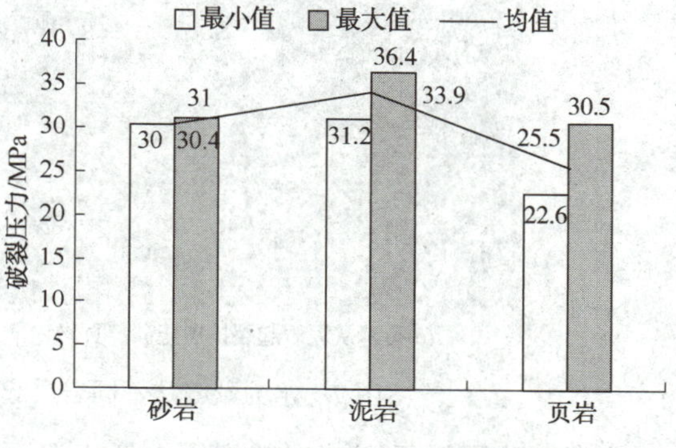

图6　不同射孔位置起裂压力对比图

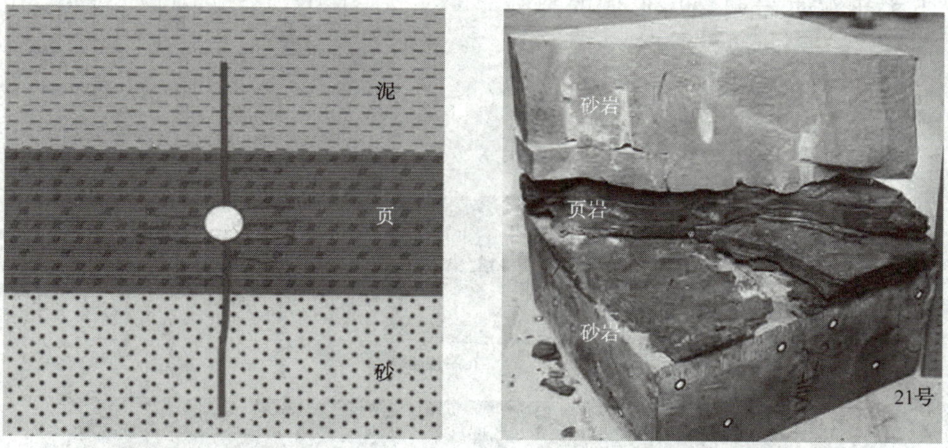

(a)裂缝从页岩起裂扩展至砂、泥岩　(b)页岩起裂物模实验结果

图7　水力裂缝从不同岩层起裂并扩展至相邻岩层的裂缝形态

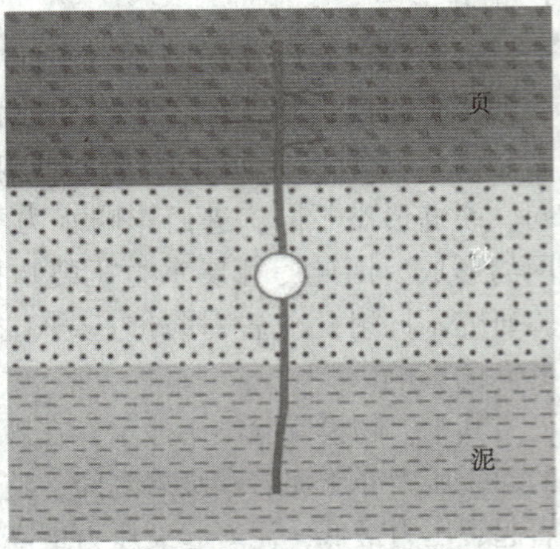

(c)裂缝从砂岩起裂扩展至泥、页岩

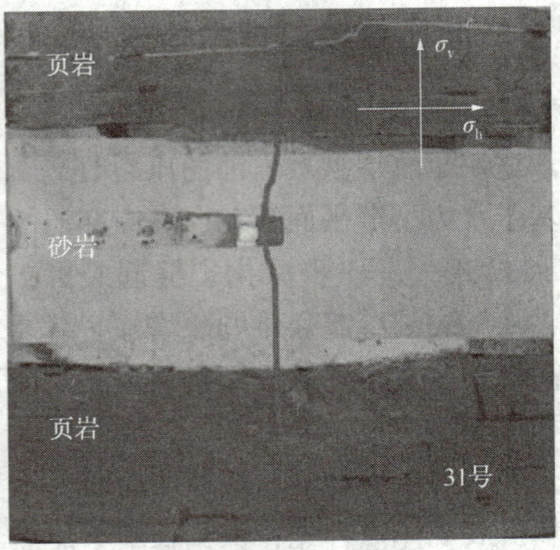

(d)砂岩起裂物模实验结果

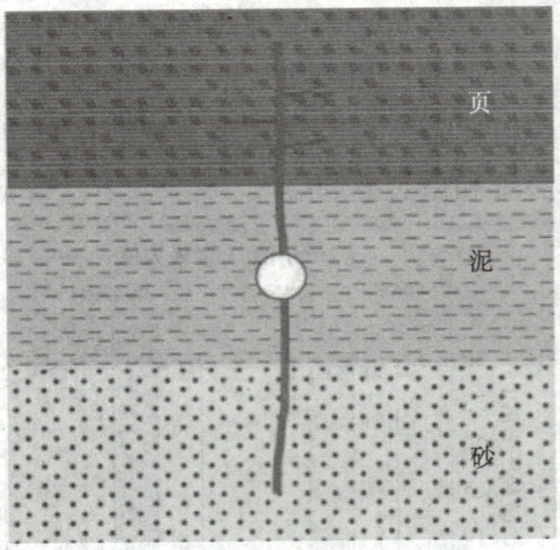

(e)裂缝从泥岩起裂扩展至砂、页岩

(f)泥岩起裂物模实验结果

图7　水力裂缝从不同岩层起裂并扩展至相邻岩层的裂缝形态(续图)

数模实验同样得到砂岩破裂压力低于泥页岩破裂压力，此外实验结果显示，相同层间应力差条件下射孔位置不同形成的裂缝高度和形态不同，如图8、图9所示，砂岩射孔形成的裂缝高度一般情况下大于泥页岩起裂后形成的裂缝高度。

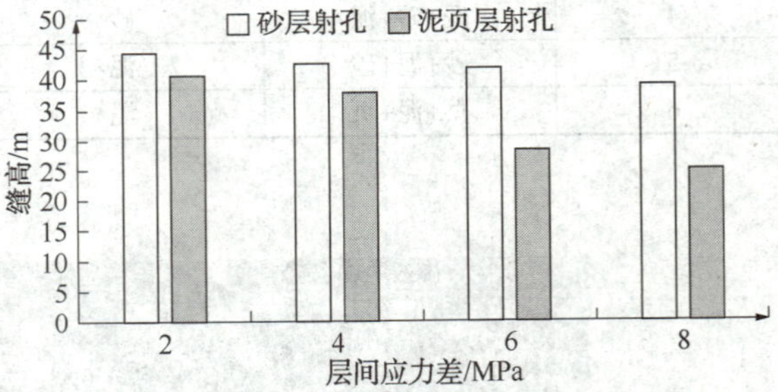

图8　不同射孔位置裂缝高度对比图

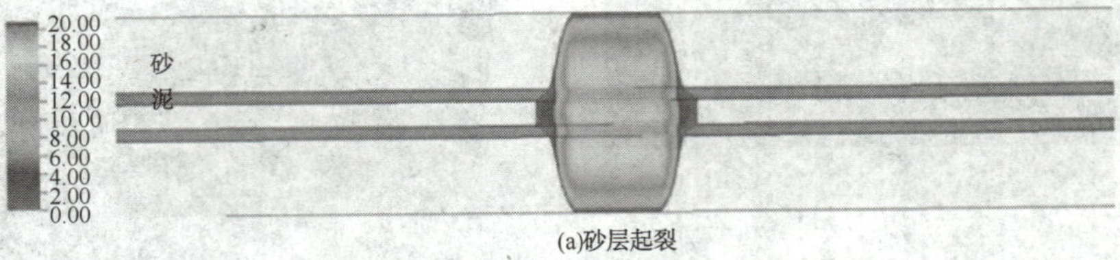

(a)砂层起裂

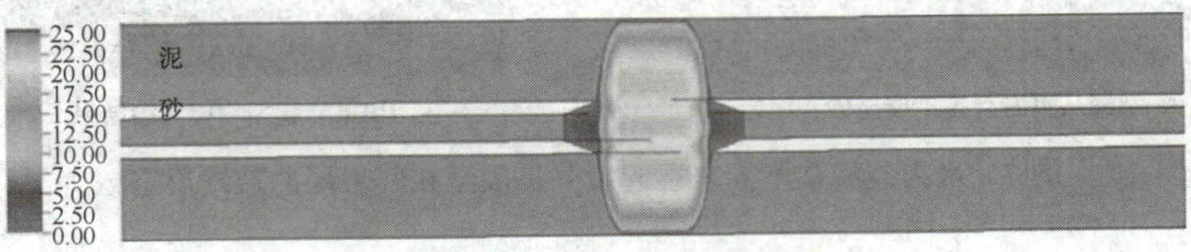

(a)泥页层起裂

图9　层间应力差为8MPa时不同射孔位置水力裂缝形态

2. 压裂液黏度

开展不同压裂液黏度条件下的水力压裂物模实验，综合“砂页砂”“页砂页”和“泥页泥”三种物模试件类型的实验结果，初步明确选用高黏压裂液可以增加压裂液在页岩层理和微裂缝中的流动阻力，从而明显降低页岩层内水力裂缝的复杂程度，使得裂缝更易突破界面扩展至相邻层位，如图 10 所示。同时，提高压裂液黏度可以促进水力裂缝缝尖扩展行为由层间受限向突破界面穿层扩展转变，如图 10(a)、图 11(a)、图 12(a)所示，当压裂液黏度为 40cP 时，裂缝缝高均被限制在起裂层内；如图 10(b)、图 11(b)、图 12(b)所示，当压裂液黏度从 40cP 增加至 230cP 时，水力裂缝均会发生穿层扩展行为。

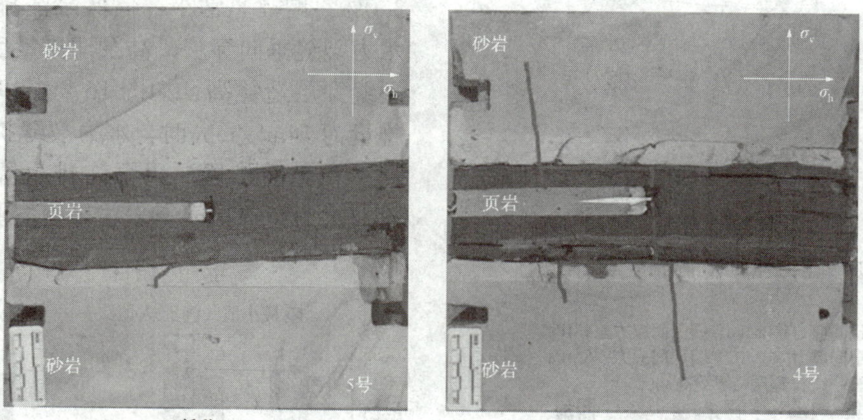

(a)低黏40cP　(b)高黏230cP

图 10　不同黏度下裂缝从页岩起裂扩展至砂岩形态对比

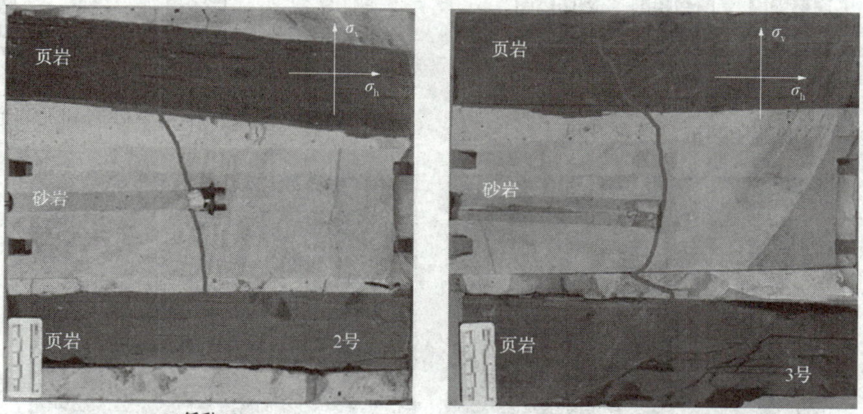

(a)低黏40cP　(b)高黏230cP

图 11　不同黏度下裂缝从砂岩起裂扩展至页岩形态对比

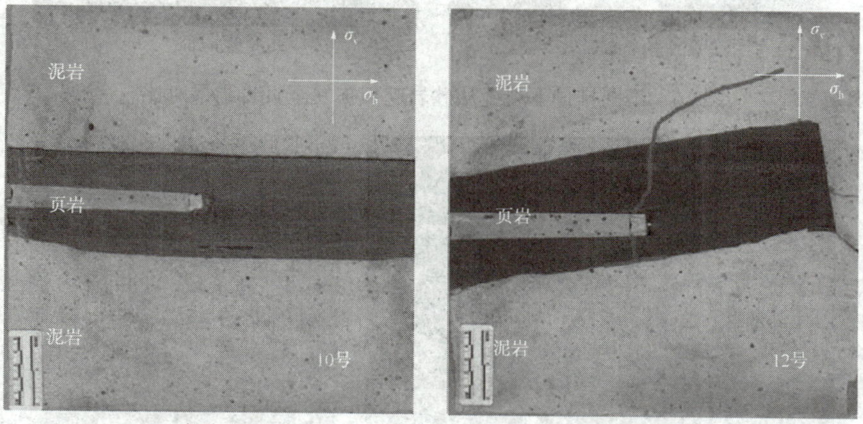

(a)低黏40cP　(b)高黏230cP

图 12　不同黏度下裂缝从页岩起裂扩展至泥岩形态对比

通过开展不同黏度下的水力压裂数模实验，可以发现，相同层间应力差条件下，随着压裂液黏度的增大，破裂压力逐渐增大，如图 13 所示，裂缝高度逐渐增大，如图 14 所示，即提高压裂液黏度可以促进水力裂缝突破界面发生穿层扩展行为。

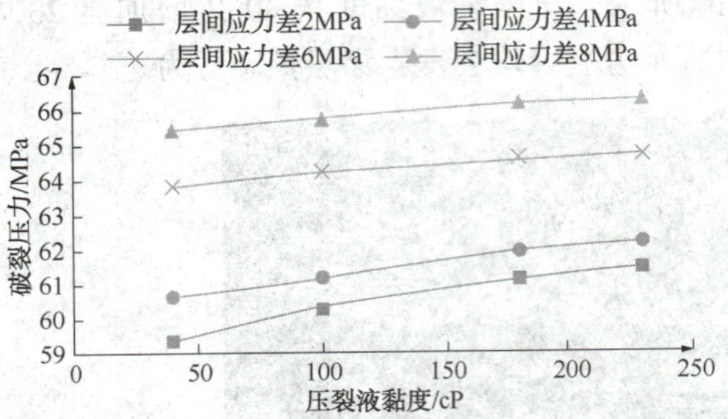

图 13　破裂压力随压裂液黏度变化图

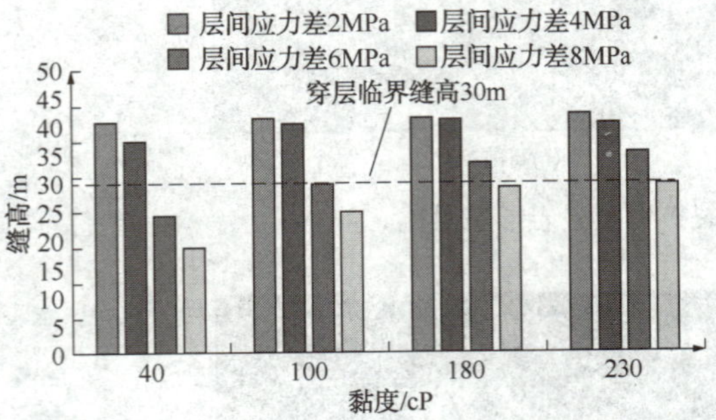

图 14　裂缝高度随压裂液黏度变化图

3. 泵注排量

开展不同泵注排量条件下的水力压裂物模实验，综合“页砂页”“泥砂泥”、“砂泥砂”和“页泥页”四种物模试件类型的实验结果，初步明确泵注排量对起裂压力的影响很小，如图 15 所示，当泵注排量从 5mL/min 增加到 14mL/min 时，砂岩和泥岩的平均起裂压力分别缓慢增加 0.9% 和 3.0%，增幅非常小；但低泵注排量更容易实现水力裂缝垂向穿层，高泵注排量反而不利于水力裂缝穿层造缝高，如图 16~图 19 所示，当泵注排量为 14mL/min 时，水力裂缝扩展至岩层界面易沿着界面扩展，当泵注排量降低至 5mL/min 时，水力裂缝扩展至岩层界面能够发生穿层扩展行为。

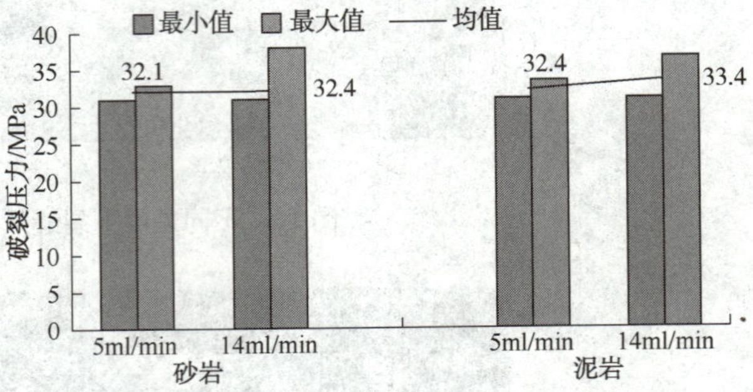

图 15　不同泵注排量下砂岩和泥岩起裂压力对比图

(a)排量14ml/min　(b)排量5ml/min

图 16　不同排量下裂缝从砂岩起裂扩展至页岩结果对比

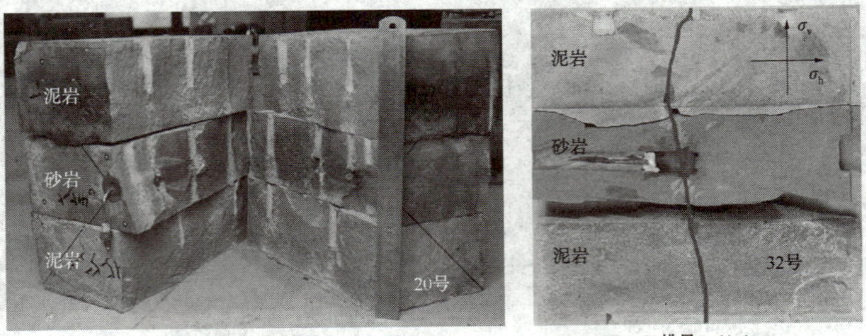

(a)排量14ml/min　(b)排量5ml/min

图 17　不同排量下裂缝从砂岩起裂扩展至泥岩结果对比

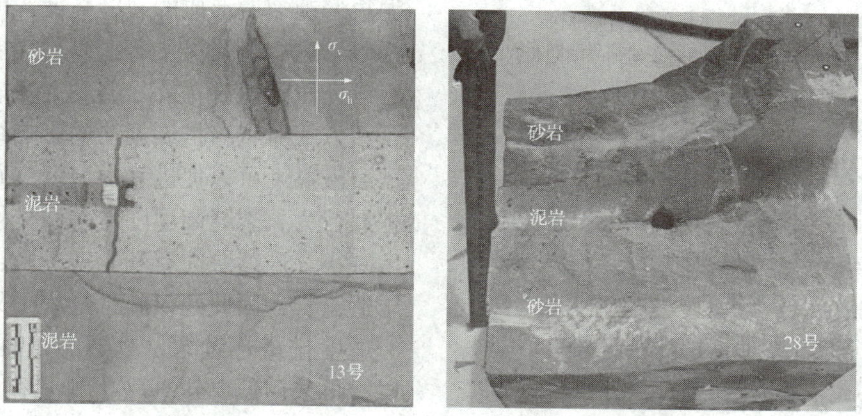

(a)排量14ml/min　　(b)排量5ml/min

图 18　不同排量下裂缝从泥岩起裂扩展至砂岩结果对比

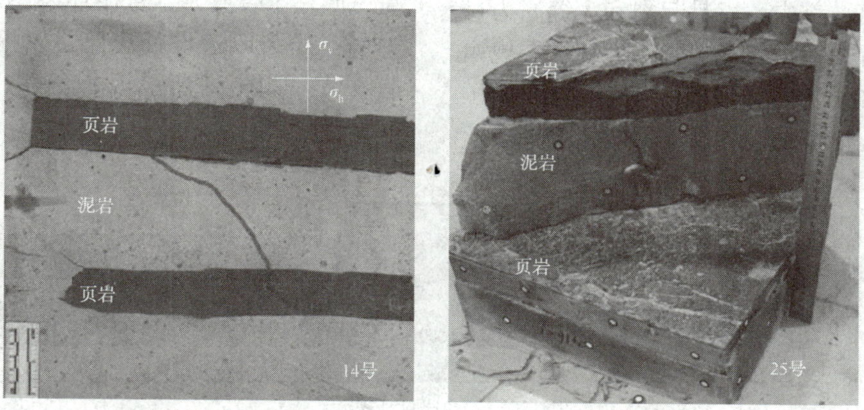

(a)排量14ml/min　　(b)排量5ml/min

图 19　不同排量下裂缝从泥岩起裂扩展至页岩结果对比

通过开展不同排量下的水力压裂数模实验，可以发现，在层间应力差和压裂液黏度一定的情况下，破裂压力随着泵注排量的增加而增大，当单簇泵注排量超过 $8m^3/min$ 后，破裂压力的增幅变大，如图 20 所示。可见当泵注排量增加到一定值时，压裂液在流动过程中产生的摩阻也会大幅增加，从而大量消耗压裂液用于造缝的能量，这在一定程度上不利于水力裂缝垂向穿层造缝高，如图 21 所示，当泵注排量增加到 $8m^3/min$ 后，裂缝高度随着泵注排量的增加反而减小。

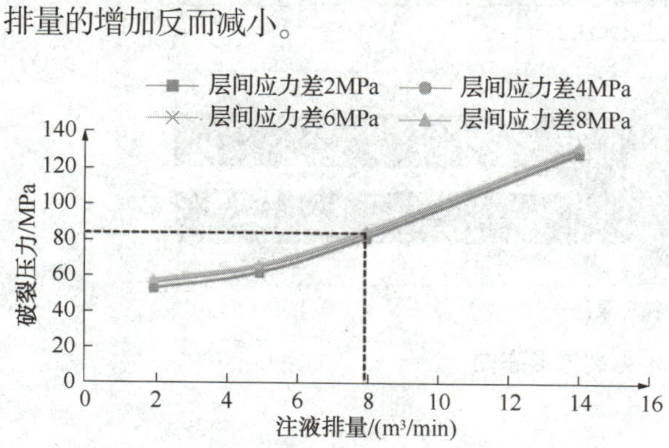

图 20　破裂压力随泵注排量变化曲线

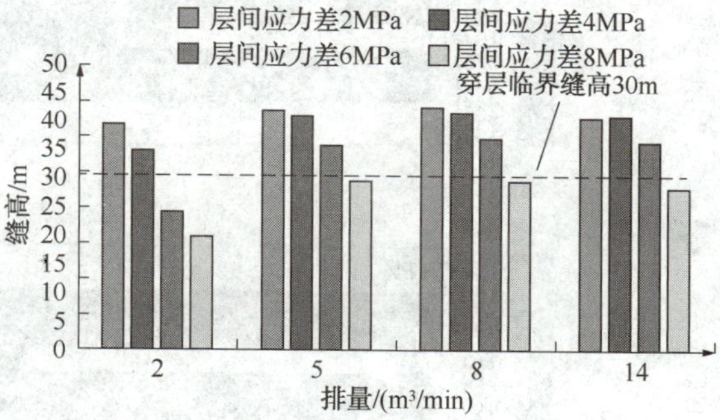

图 21　裂缝高度随泵注排量变化图

4. 泵注方式

开展不同泵注方式下的水力压裂数模实验，初步明确循环泵注条件下裂缝高度显著降低，如图 22 所示；对比层间应力差为 6MPa、不同压裂液黏度条件下，泵注方式分别选择循环泵注、连续泵注形成的水力裂缝形态，如图 23 所示，可以看出连续泵注有利于扩展缝高，循环泵注有利于扩展缝长。

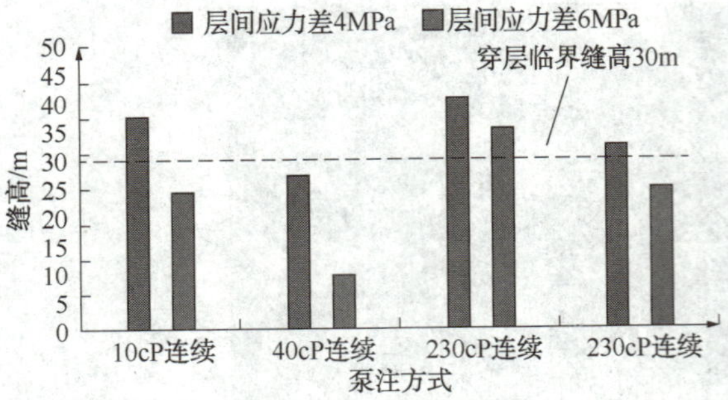

图 22　裂缝高度随泵注方式变化图

2.2　纵向"立体"压裂改造设计

基于上述关于纹层型页岩油水力裂缝扩展规律的研究结果，立足体积压裂理念，创新提出压裂改造设计思路。首先，以易起裂和大缝高为目标优选射孔位置，根据射孔位置对裂缝扩展规律的影响结果，砂岩破裂压力低于泥页层破裂压力，且砂岩射孔形成的裂缝高度一般情况下大于泥页岩起裂后形成的裂缝高度，因此建议优先选择砂岩进行射孔。接着，以易穿层和增缝高为核心设计压裂改造方案，压裂液黏度、泵注排量、泵注方式对裂缝扩展规律的影响结果显示，提高压裂液黏度可以促进水力裂缝突破界面发生穿层扩展行为，裂缝高度随着泵注排量的增大先增加后减小，连续泵注有利于增缝高，循环泵注有利于造缝长，因此建议施工过程中先采用高黏压裂液适度排量连续泵注实现砂、泥、页之间的穿层，再采用低黏压裂液大排量循环泵注造缝长。综上所述，针对纹层型页岩油，优化设计"优先砂层射孔，高黏压裂液适度排量连续泵注造缝高、低黏压裂液大排量循环泵注延缝长"的纵向"立体"压裂改造设计思路，以提高整体压裂改造效果，如图 24 所示。

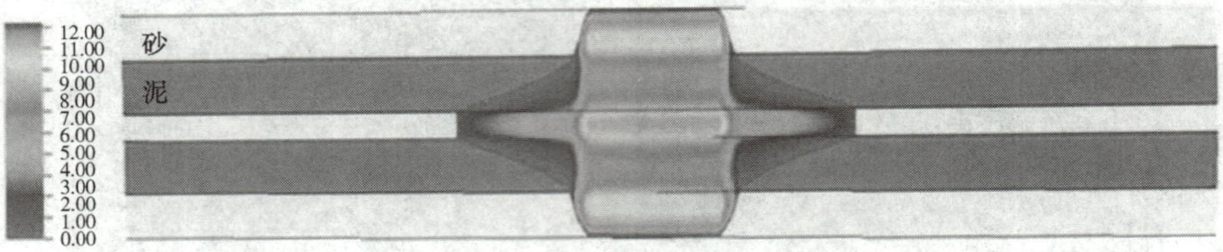

(a)40cP连续泵注

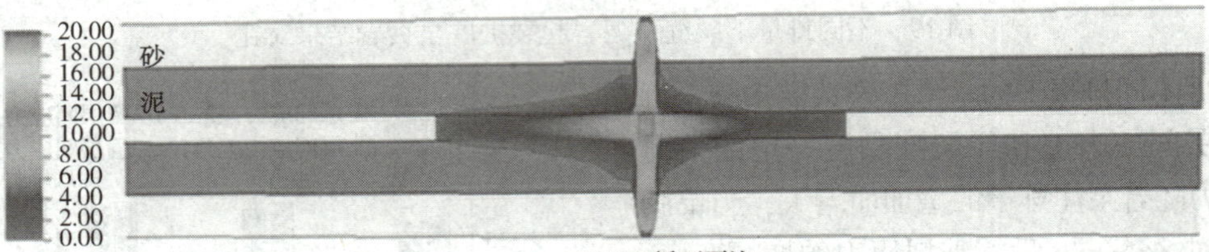

(b)40cP循环泵注

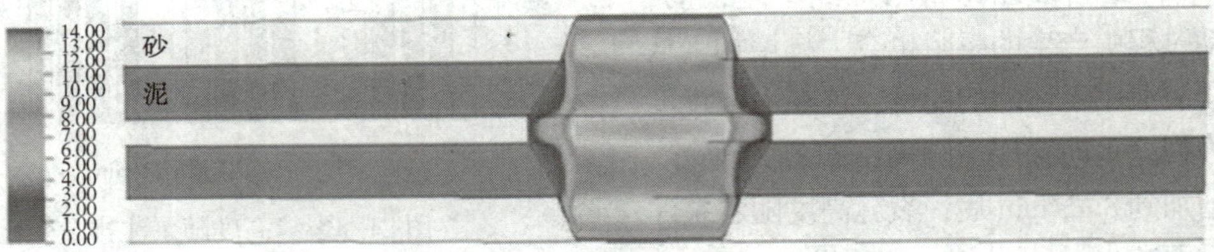

(c)230cP连续泵注

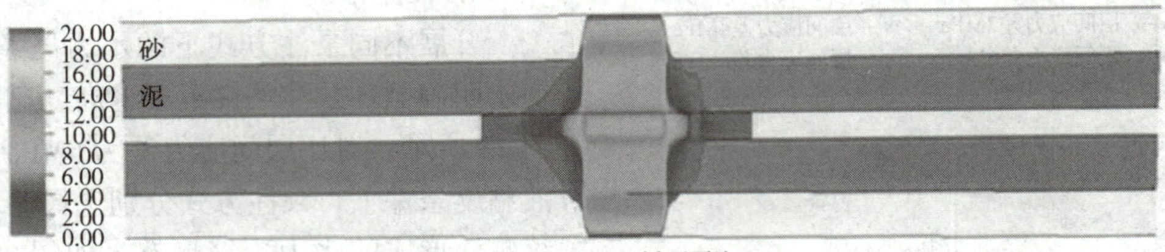

(d)230cP循环泵注

图 23　不同泵注方式下水力裂缝形态图

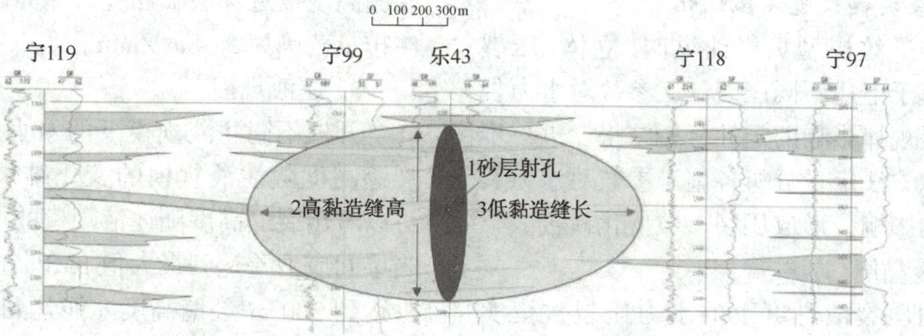

图24　纹层型页岩油纵向“立体”压裂改造示意图

为验证纹层型页岩油纵向“立体”压裂改造新思路，设计并开展相应的数值模拟对比实验，当层间应力差为6MPa、注液规模为300m^{3}时，不同压裂施工方式对应的裂缝形态如图25所示，可以看出利用纵向“立体”压裂新思路进行储层改造，即采取先高黏适度排量连续泵注、后低黏大排量循环泵注，裂缝波及范围更大、储层改造效果更好。

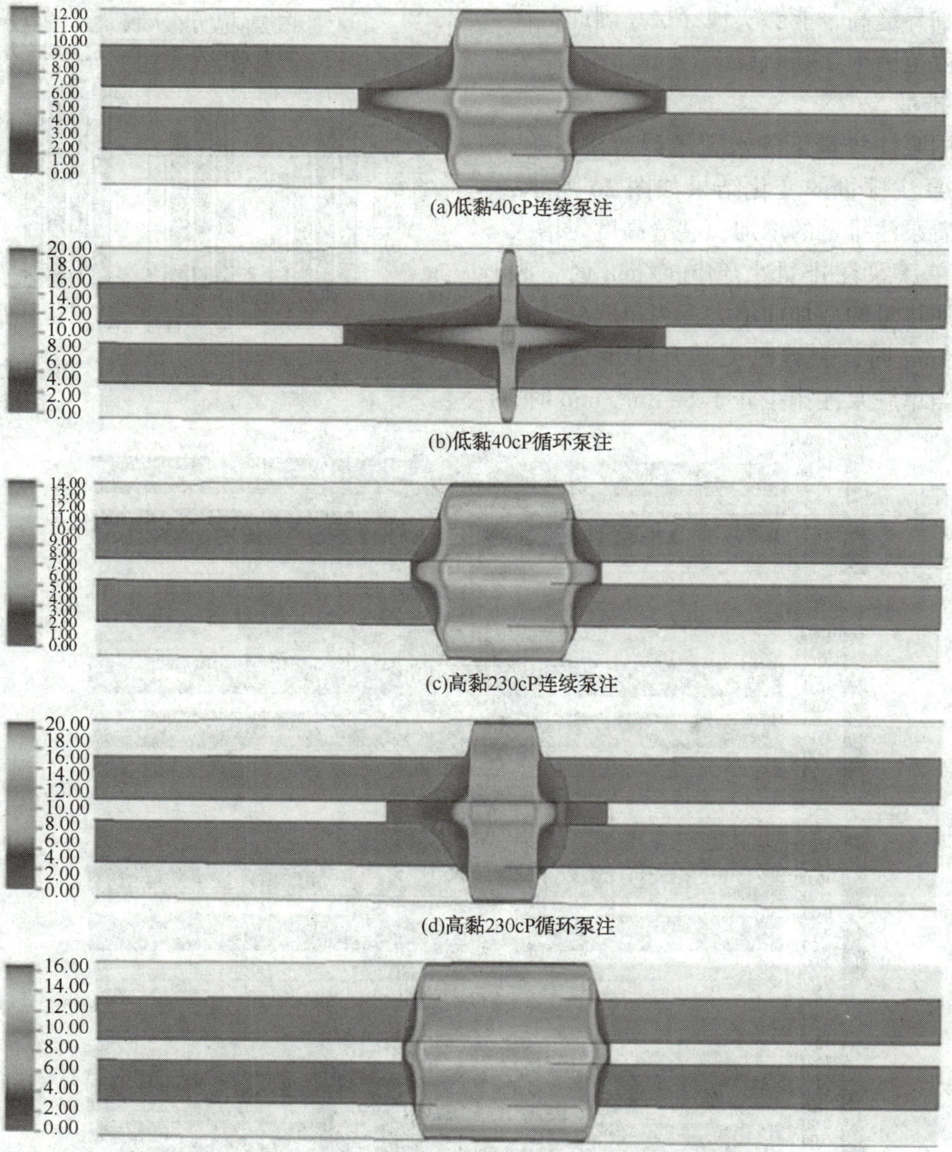

(a)低黏40cP连续泵注

(b)低黏40cP循环泵注

(c)高黏230cP连续泵注

(d)高黏230cP循环泵注

(e)先高黏230cP连续泵注，后低粘40cP循环泵注

图25　不同压裂施工方式对应的水力裂缝形态图

2.3　体积压裂关键改造参数优化

为积极推进纹层型页岩油纵向"立体"压裂矿场试验，基于上述不同压裂施工参数对水力裂缝起裂、扩展规律影响的定性分析结果，进一步采用数值模拟方法定量分析各施工参数对水力裂缝扩展规律的影响，形成压裂参数优化模板。

1. 压裂液黏度

开展不同压裂液黏度下的水力压裂数模实验，裂缝高度随压裂液黏度的变化结果如图14所示，可以看出当层间应力差一定时，裂缝高度随压裂液黏度的增加而增大；但当层间应力差达到最大值8MPa时，如果压裂液黏度低于230cP，裂缝高度无法达到穿层临界缝高30m，不能实现穿层，如果压裂液黏度达到230cP，裂缝高度正好达到穿层临界缝高，能够实现穿层。因此，优选压裂液黏度范围为230cP以上。

2. 泵注排量

开展不同泵注排量下的水力压裂数模实验，裂缝高度随泵注排量的变化结果如图26所示，可以看出随着泵注排量的增加，裂缝高度先增大后减小。当单簇泵注排量小于5m³/min时，裂缝高度随泵注排量的增加而增大；当单簇泵注排量大于8m³/min时，裂缝高度随泵注排量的增加而减小；当单簇泵注排量介于5~8m³/min时，裂缝高度接近穿层临界缝高30m。因此，优选泵注排量范围为5~8m³/min。

3. 注液规模

开展不同注液规模下的水力压裂数模实验，裂缝高度随注液规模的变化结果如图26所示，可以看出裂缝高度随注液规模的增加而增大，且当层间应力差达到最大值8MPa时，注液规模至少达到300 m³裂缝高度才能达到穿层临界缝高，但当注液规模大于400m³后，裂缝高度增加不明显。层间应力差为8MPa时不同注液规模下的水力裂缝形态如图27所示，模拟结果显示，当注液规模大于400m³时，注液规模主要促进裂缝长度的延伸。因此，优选注液规模范围为300 m³以上。

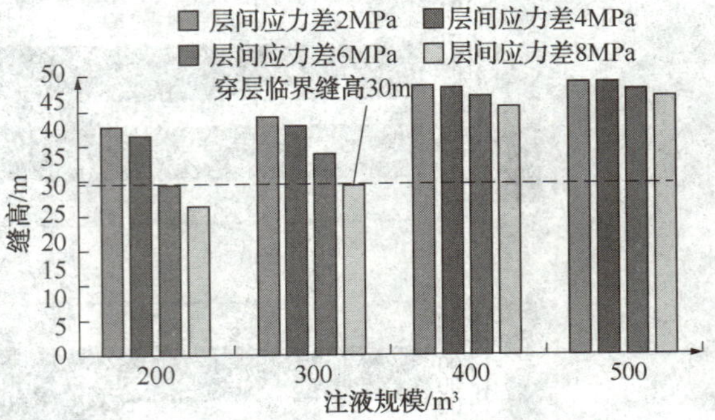

图26　裂缝高度随注液规模变化图

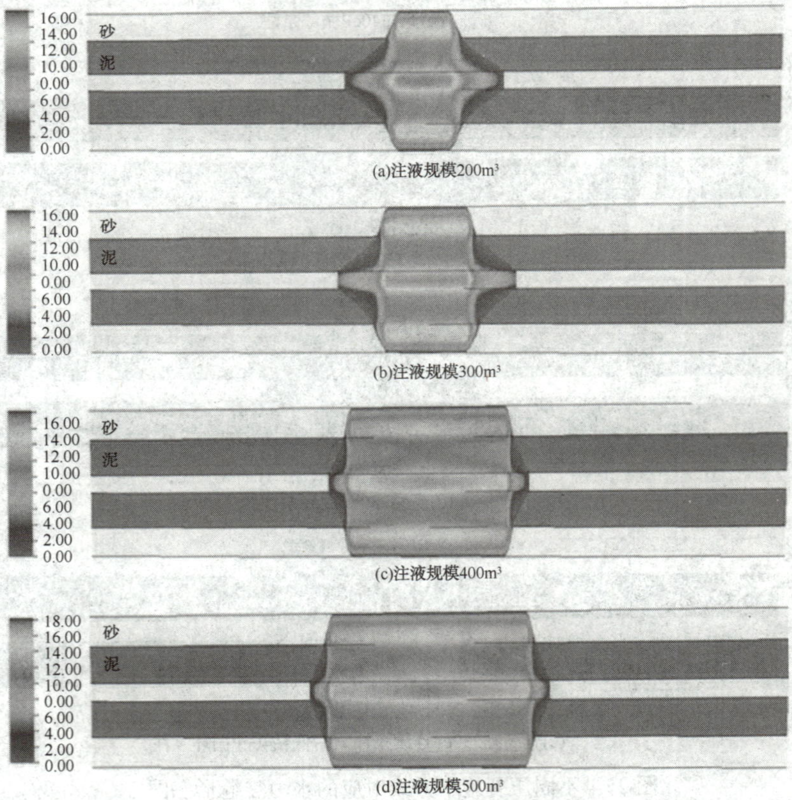

图27　不同注液规模下水力裂缝形态图

基于上述压裂液黏度、泵注排量和注液规模对裂缝扩展规律影响的定性分析结果，明确了增加压裂液粘度至230cP、增大排量5~8m^3/min、提高单簇液量300m^3以上，有利于裂缝纵向延伸穿层，实现纹层型页岩油纵向“立体”压裂改造。

3　纹层型页岩油立体压裂现场试验

长庆油田为探索长7_3下甜点纹层型页岩油的勘探潜力，优选LY＊井作为风险勘探目标开展技术攻关，该井完钻水平段长2000m，由于水平段钻遇储层存在明显差异，因此进行差异化布缝设计，创新组合式压裂改造工艺（图28）。其中，井深3151~4150m油层相对连续、砂体厚度大，突出缝控储量最大化，进行多簇细分切割布缝，实施多段少簇改造；井深2100~3150m油层连续性差、多薄层发育，突出甜点动用最大化，进行细分段精准密集布缝，实施精准分段改造，如图28所示。同时，立足纹层结构储集体体积压裂改造理念，采用“优先砂层射孔，高黏压裂液适度排量连续泵注造缝高、低黏压裂液大排量循环泵注延缝长”的纵向“立体”压裂技术模式，精细优化压裂工艺参数进行改造，最终实现复合岩性储集体31段立体压裂成功率达100%，缝控体积提高35%，试油获116.8t/d高产油流，预测单井EUR达2.8万。这不仅实现了长庆油田纹层型页岩油高产试验目标，同时保障了纹层型页岩油亿吨级储量提交和规模勘探开发的技术基础。

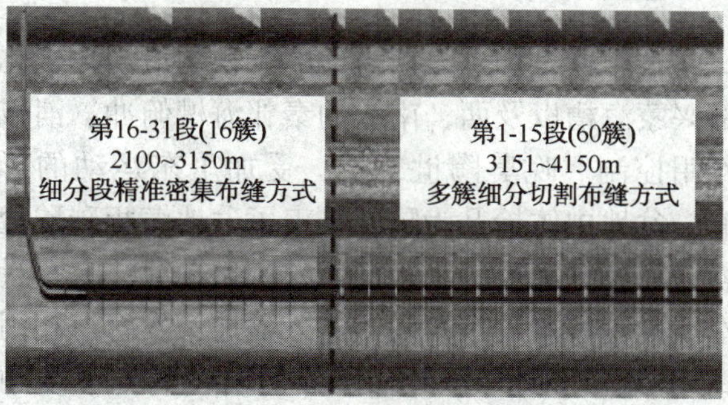

图28　LY＊井水平段布缝模式示意图

4　结论及认识

（1）针对纹层型页岩油储层，基于岩石力学测试、大型物模实验和裂缝动态扩展可视化实验的研究结果，认识到人工裂缝在扩展过程中呈现平面错动+纵向穿层的“互”字型特征。

（2）纹层型页岩油纵向多岩性厘米级叠置发育造成裂缝起裂难、穿层难，创新形成的“优先砂层射孔，高黏压裂液适度排量连续泵注造缝高、低黏压裂液大排量循环泵注延缝长”纵向“立体”压裂改造技术模式，为纹层型页岩油高效开发打开了新思路。

（3）纹层型页岩油立体压裂试验井LY＊H井试油获116.8t/d高产油流，半年累产油超过3000t，预测单井EUR达到2.8万t，进一步坚定了长庆油田纹层型页岩油勘探开发的信心。

参　考　文　献

[1] 许琳，常秋生，杨成克等．吉木萨尔凹陷二叠系芦草沟组页岩油储层特征及含油性[J]．石油与天然气地质，2019，40(3)：535-549.

[2] 蒽克来，李克，操应长等．鄂尔多斯盆地三叠系延长组长7_3亚段富有机质页岩纹层组合与页岩油富集模式[J]．石油勘探与开发，2020，47(06)：1244-1255.

[3] 梅启亮，郭睿良，周新平，等．鄂尔多斯盆地延长组长7_3亚段纹层型页岩油储层孔隙结构特征与影响因素[J/OL]．天然气地球科学：1-28[2023-03-30].

[4] 师学耀，高超利，雷俊杰，等．鄂尔多斯盆地南部延长组长7段富有机质泥页岩生烃条件及沉积模式分析[J]．地质与资源，2023，32(01)：39-48+69.

[5] Barree R D, Fisher M K, Woodroof R A. A practical guide to hydraulic fracture diagnostic technologies[C]//SPE Annual Technical Conference and Exhibition. Society of Petroleum Engineers, 2002.

[6] Cipolla C L, Warpinski N R, Mayerhofer M J. Hydraulic fracture complexity: diagnosis, remediation, and explotation[C]//SPE Asia Pacific Oil and Gas Conference and Exhibition. Society of Petroleum Engineers, 2008.

鄂尔多斯盆地东部太原组致密灰岩气成藏地质特征与勘探关键技术

付勋勋[1,2]　董国栋[1,2]　赵伟波[1,2]　王康乐[1,2]　赵小会[1,2]朱保定[1,2]　牟春国[2,3]
卢子兴[1,2]　殷亮亮[1,2]陈娟萍[1,2]　高　星[1,2]　宋佳瑶[1,2]

（1. 中国石油长庆油田公司勘探开发研究院；2. 低渗透油气田勘探开发国家工程实验室；
3. 中国石油长庆油田公司油气工艺研究院）

摘　要　鄂尔多斯盆地中东部下二叠统太原组石灰岩地层厚度大、分布范围广，勘探潜力大。近年来，长庆油田持续强化成藏地质特征研究与勘探关键技术攻关试验，提交天然气探明储量和预测储量合计超2千亿m^3，发现了第一个太原组灰岩气田—横山气田，实现了太原组致密灰岩气的勘探突破。研究综合分析了太原组灰岩气藏的烃源岩条件、有利储集相带、输导体系及成藏模式，并系统总结了勘探关键技术。鄂尔多斯盆地石炭系—二叠系海陆交互相煤系烃源岩广覆式供烃为太原组灰岩气藏奠定了坚实的物质基础，生屑滩和生物丘有利储集相带大面积分布，溶蚀孔、纳米—亚微米级晶间微孔和裂缝构成立体网络储集空间，是形成太原组致密灰岩大气田的关键成藏地质条件。横山气田二叠系太原组灰岩发育“丘滩控储、断裂体系输导、煤岩供烃”的源内成藏模式，具有“三明治”结构。为实现太原组灰岩气藏的高效勘探开发，探索形成了高分辨率地震资料处理解释技术、致密灰岩气层测井判识技术和水平井缝网体积压裂技术等关键配套技术。研究认识丰富了鄂尔多斯盆地灰岩气藏的地质认识和勘探思路，对地质条件相似的地区开展天然气勘探具有重要借鉴意义。

关键词　鄂尔多斯盆地；太原组灰岩；成藏地质条件；勘探关键技术

引言

全球灰岩油气资源丰富，占比大，全球239个大中型碳酸盐岩油气田中，有132个油气田分布于灰岩储层中。鄂尔多斯盆地是中国陆上三大海相碳酸盐岩盆地之一，除盆地下古生界广泛分布海相碳酸盐岩地层外，二叠系太原组大面积发育灰岩，厚度5~30m，面积14km^2(图1)。20世纪80年代以来，在盆地上古生界碎屑岩的勘探过程中，太原组灰岩相偶见工业气流，单井产量普遍低，一直以来，认为太原组灰岩以含生物碎屑泥晶灰岩为主，原生孔不发育，储集性能差，气藏规模较小。在很长一段时间，没有将太原组灰岩作为盆地主要的勘探开发目的层。近年来，长庆油田持续强化成藏地质特征研究与勘探关键技术攻关试验，勘探评价工作取得了较好的效果，提交天然气探明储量和预测储量合计超过2000亿m^3，并发现了第一个太原组灰岩气田—横山气田。鄂尔多斯盆地东部太原组致密灰岩气的勘探成功，丰富了灰岩气藏的地质认识和勘探思路，推动了华北地台灰岩气藏的勘探开发进程。基于勘探实践，研究探讨了致密灰岩气田成藏的地质条件，系统总结了勘探开发关键技术，以期为国内外同类型气藏的勘探开发提供借鉴与参考。

1　地质概况

古生代，鄂尔多斯盆地的沉积构造演化受北部兴蒙海槽以及西、南缘的秦祁海槽俯冲、消减作用控制。晚奥陶世末期，受加里东运动的影响，盆地主体抬升为陆，结束了盆地海相碳酸盐岩沉积，并遭受了1.4亿年的风化剥蚀；晚石炭本溪期，海水从东西两侧进入盆地，发育海相泻湖-潮坪沉积体系，具有填平补齐的特点。受中央古隆起影响，盆地中东部主要受华北海控制，地层厚度较薄、横向变化较大，一般为10~65m，后期海水从东南缓慢撤出，形成了广覆式分布的8号、9号煤层，厚5~20m；太原期，沉积环境表现为持续海侵，南北差异，沉积古地形整体为北高南低，发育一套海相泻湖-潮坪-三角洲的海陆交互相沉积体系，形成了碳酸盐岩、煤层、陆源碎屑岩的混合建造，地层厚一般15~

55m；中、晚二叠世，随盆地北部的逐渐抬升，海水从盆地退去向盆地南部退出，主体发育陆相湖泊—三角洲沉积。总的来说，晚石炭-早二叠世，盆地古气候温暖、湿润，植物大量繁盛，为华北地区重要的成煤期，经历了由海陆过渡相到陆相的转变。

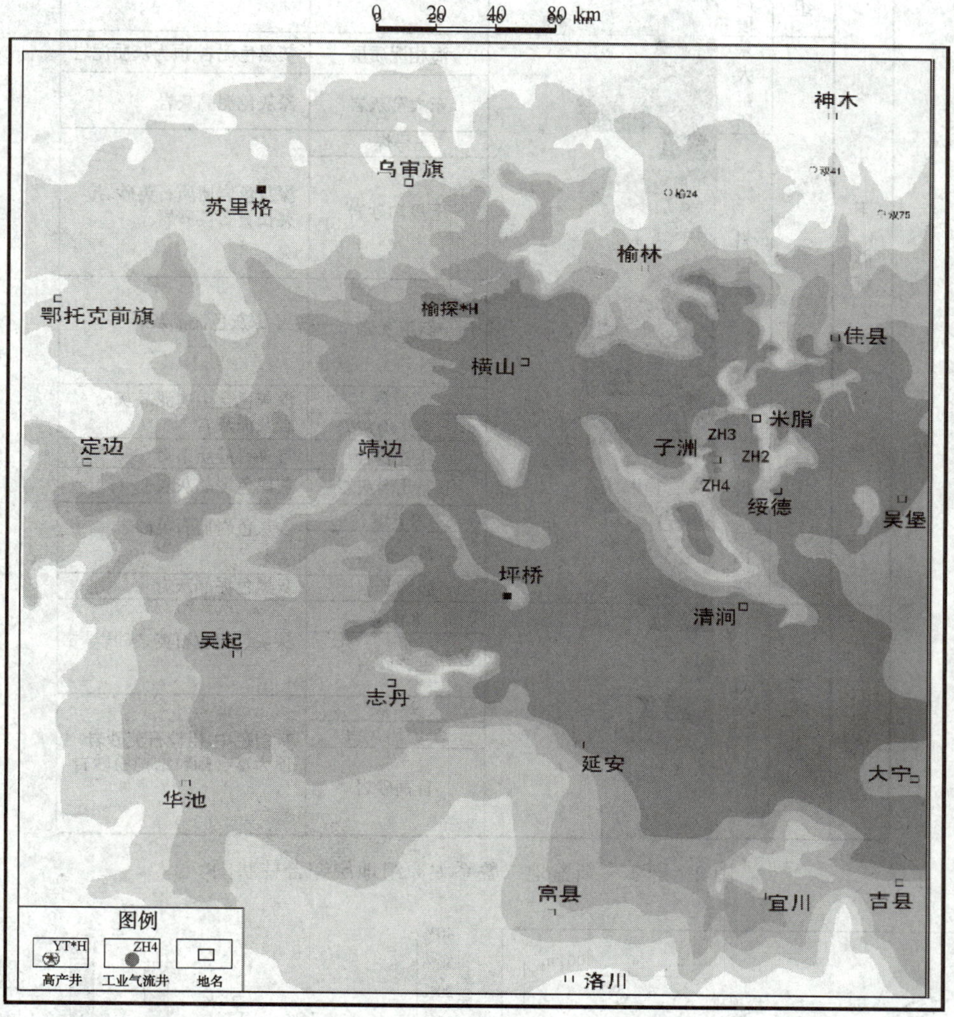

图 1　鄂尔多斯盆地太原组灰岩分布图

根据岩石学特征，可以将太原组自下而上划分为庙沟段、毛儿沟段、斜道段、东大窑段 4 个段(图 2)。其中，庙沟段灰岩位于本溪组顶部 8 号煤层之上，主要为一套深灰色、灰黑色薄层(含)生物碎屑灰岩；毛儿沟段灰岩分布在上部与下部，中部以凝灰岩为主；斜道段灰岩为一套中-厚层的深灰色(含)生物碎屑灰岩，在盆地内稳定分布；东大窑段灰岩主要为深灰色含生物碎屑灰岩，该套灰岩在盆地内分布广泛。整体上，太原组灰岩在盆地内普遍发育，累计厚度为 5~30m，其中，斜道段灰岩单层厚度为 5~20m，是太原组主要的灰岩储层发育段。

2　成藏地质条件

2.1　广覆式供烃为成藏奠定了物质基础

石炭系—二叠系广覆式沉积的煤层、暗色泥岩是盆地上古生界主力烃源岩，其中煤层总厚度一般介于 9~14 m，局部厚度可达 20 m，平面分布稳定[图 3(a)]，煤层总有机碳含量(TOC)高，一般介于 60%~90%[图 3(b)]，氯仿沥青“A”含量一般介于 0.6%~0.8%. 暗色泥岩厚度一般介于 50~80 m，局部厚度可达 100 m，

TOC 基本大于 0.5%[图 3(c)]。研究区烃源岩主要发育于弱氧化—弱还原条件，原始沉积物以陆生高等植物为主，有机显微组分主要为镜质组。上古生界主力烃源岩的镜质体反射率(Ro)几乎都大于 1.3%，已进入高成熟热演化阶段[图 3(d)]。生、排烃高峰期在晚侏罗世—早白垩世，大部分烃源岩均已发生生气与排烃作用。生烃强度在(12~40)亿 m^3/km^2，为气藏提供了充足的气源供给。

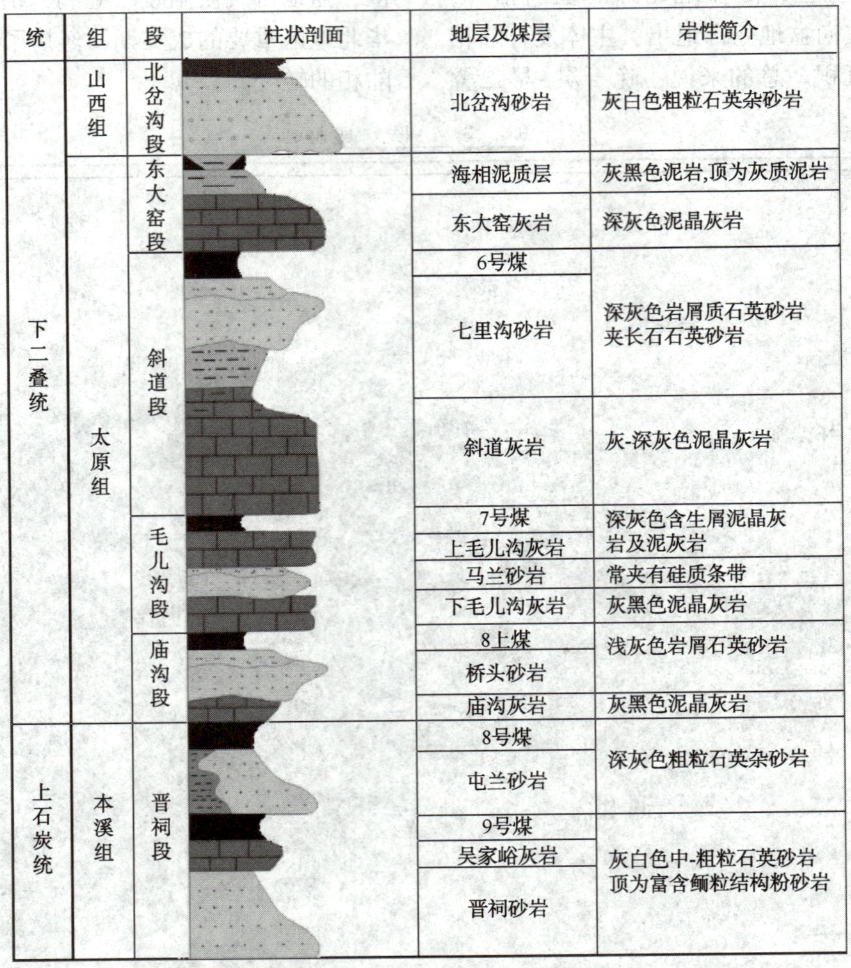

图 2　鄂尔多斯盆地二叠系太原组地层综合柱状图

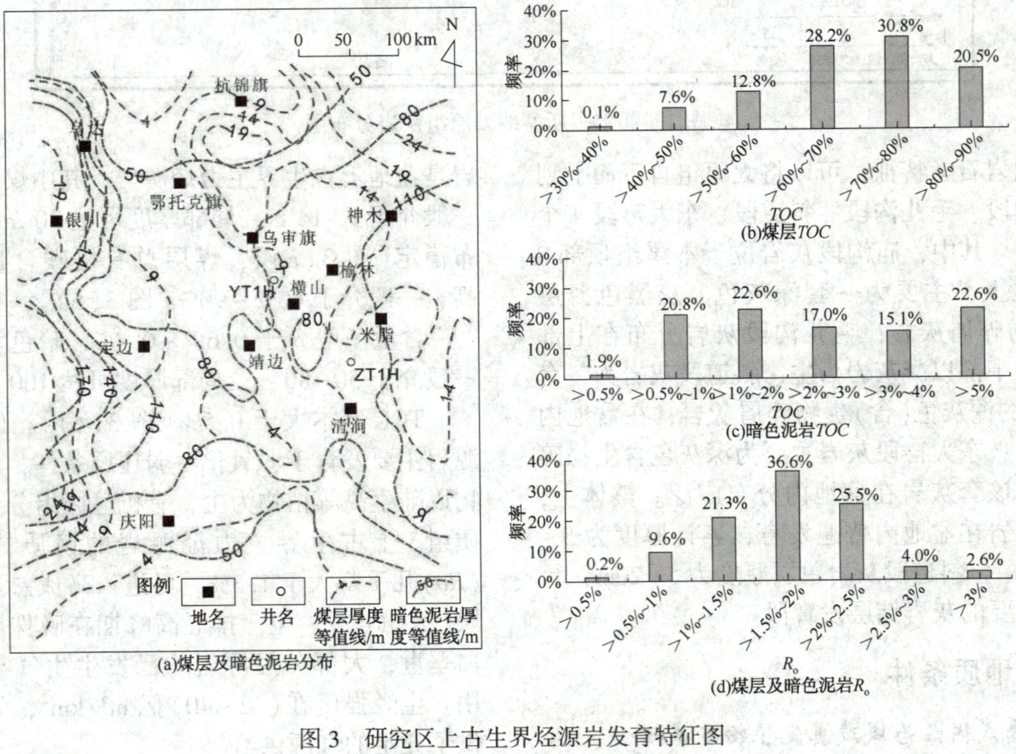

图 3　研究区上古生界烃源岩发育特征图

2.2　有利沉积相带大面积分布

石炭纪本溪组沉积后，盆地进一步沉降，海水从东南部向北扩大，研究区处于陆表海潮坪环境。根据岩石薄片鉴定、测井相和地球化学特征分析，可将太原组灰岩沉积环境划分出潮间带、潮下带2种亚相和泥坪、混合坪、生屑滩、生物丘、灰坪5种微相类型。潮下带为平均低潮面之下、浪基面之上的高能环境，以大量发育颗粒、生屑为特征，可识细分生屑滩、生物丘、灰坪3种微相类型。其中，生屑滩岩性以生屑粉晶灰岩为主，垂向上多套生屑滩叠置，溶蚀孔洞较为发育，储集物性好。生物丘岩性以藻黏结灰岩为主，溶孔、藻格架孔较发育。灰坪水动力条件较弱，为低能环境，岩性以泥晶灰岩或泥质灰岩为主，生物碎屑少见，溶孔不发育。潮间带位于平均低潮线之上，该亚相沉积的灰岩发育有潮汐层理、生物扰动构造，可进一步划分为泥坪、混合坪2类微相。其中，泥坪岩性以灰黑色泥岩为主，混合坪岩性以深灰色泥质灰岩、含泥泥晶灰岩为主。

生屑滩、生物丘微相的沉积古地貌相对较高，沉积水体能量强，且频繁间歇性暴露，受准同生岩溶改造后易形成储层。不同沉积微相储集物性统计分析表明，生屑滩和生物丘的孔隙度和渗透率高于泥灰坪和灰坪，是有利的沉积相带。平面上，鄂尔多斯盆地有利储集相带的叠合面积为1.5万km^2，盆地西部生屑滩的规模及沉积厚度均大于东部生物丘(图4)。大面积稳定分布的有利沉积微相为太原组灰岩储层的规模发育提供了基础。

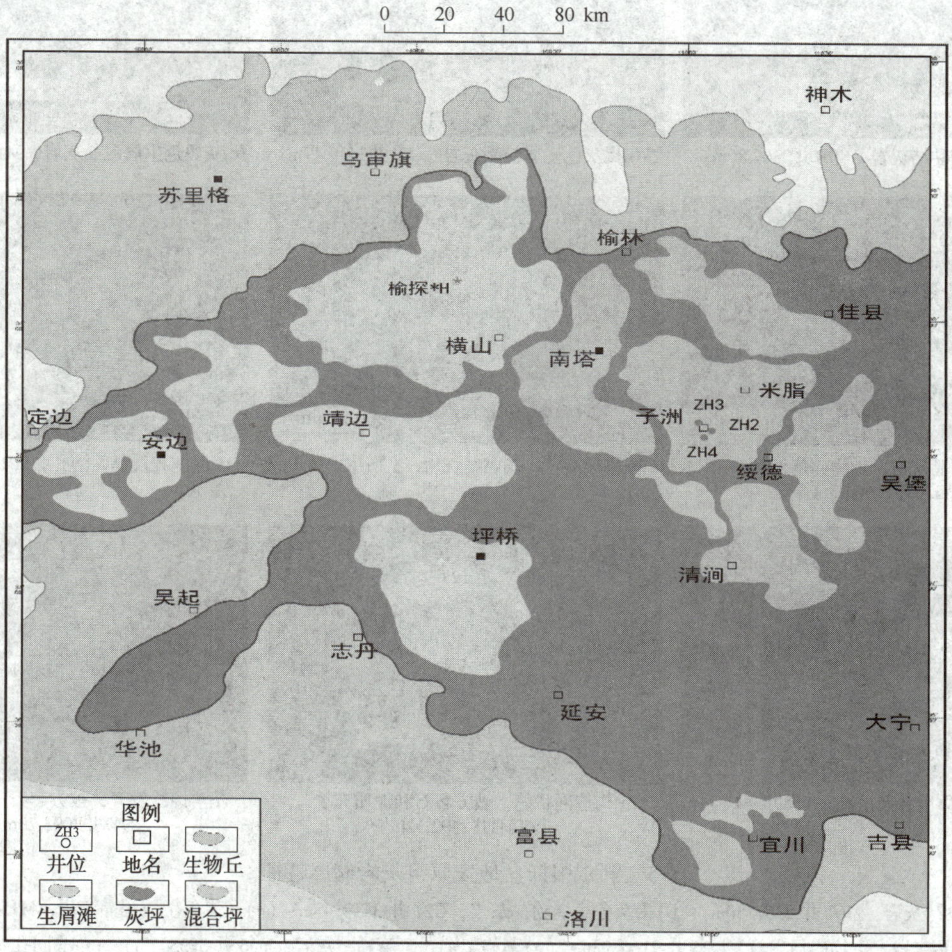

图4　鄂尔多斯盆地太原组沉积微相图

2.3　发育立体网络储集空间

鄂尔多斯盆地太原组灰岩储集岩性主要为藻黏结灰岩[图5(a)]、生屑粉晶灰岩[图5(b)]和生屑泥晶灰岩[图5(c)]。岩石中生物碎屑普遍发育，含量在5%~45%[图5(d)]，岩石矿物成分主要为方解石(含量>90%)。铸体薄片鉴定、扫描电镜观察等分析证实，太原组灰岩基质孔发育，主要储集空间类型包括残余生物体腔孔、晶间微孔、溶孔，储集性能较好。灰岩泥晶方解石与粉晶方解石之间可形成晶间微孔，该类孔隙的规模小于残余生物体腔孔、溶孔，孔径一般小于5μm，但数量多且分布均匀，是灰岩重要的储集空间类型。太原组沉积期，鄂尔多斯盆地普遍发生短期暴露、大气淡水淋虑，形成溶蚀孔洞[图5(e)、图5(f)]，岩溶溶蚀孔孔径为微米—毫米级，形态不规则，孔隙边缘具明显的溶蚀痕迹，该类孔隙多与微裂缝相通。太原组灰岩见大量生物碎屑，部分残存的生物体腔孔可形成有效孔隙，其孔径一般在1～5μm，最大可大于500μm，特别是太原组灰岩中的有孔虫、介形虫个体一般保存较全[图5(g)]，后期易被溶蚀，面孔率一般为0.2%～1.0%，对储集空间具有重要贡献。太原组灰岩脆性较强，在经历多期次构造运动改造后断裂普遍发育，形成大量与孔隙连通的构造缝，对储层储集物性具有重要建设意义。太原组灰岩内的溶孔、纳米—亚微米级晶间微孔、裂缝等叠置组合发育，构成立体网络储集空间。基于432件样品储集物性分析发现，鄂尔多斯盆地太原组灰岩孔隙度在0.5%～6.0%(平均为2.3%)；渗透率在(0.01～1.00)×10^{-3}μm^2(平均为0.22mD)，其中，渗透率大于0.10×10^{-3}μm^2的样品占37.1%，储集性能较好。

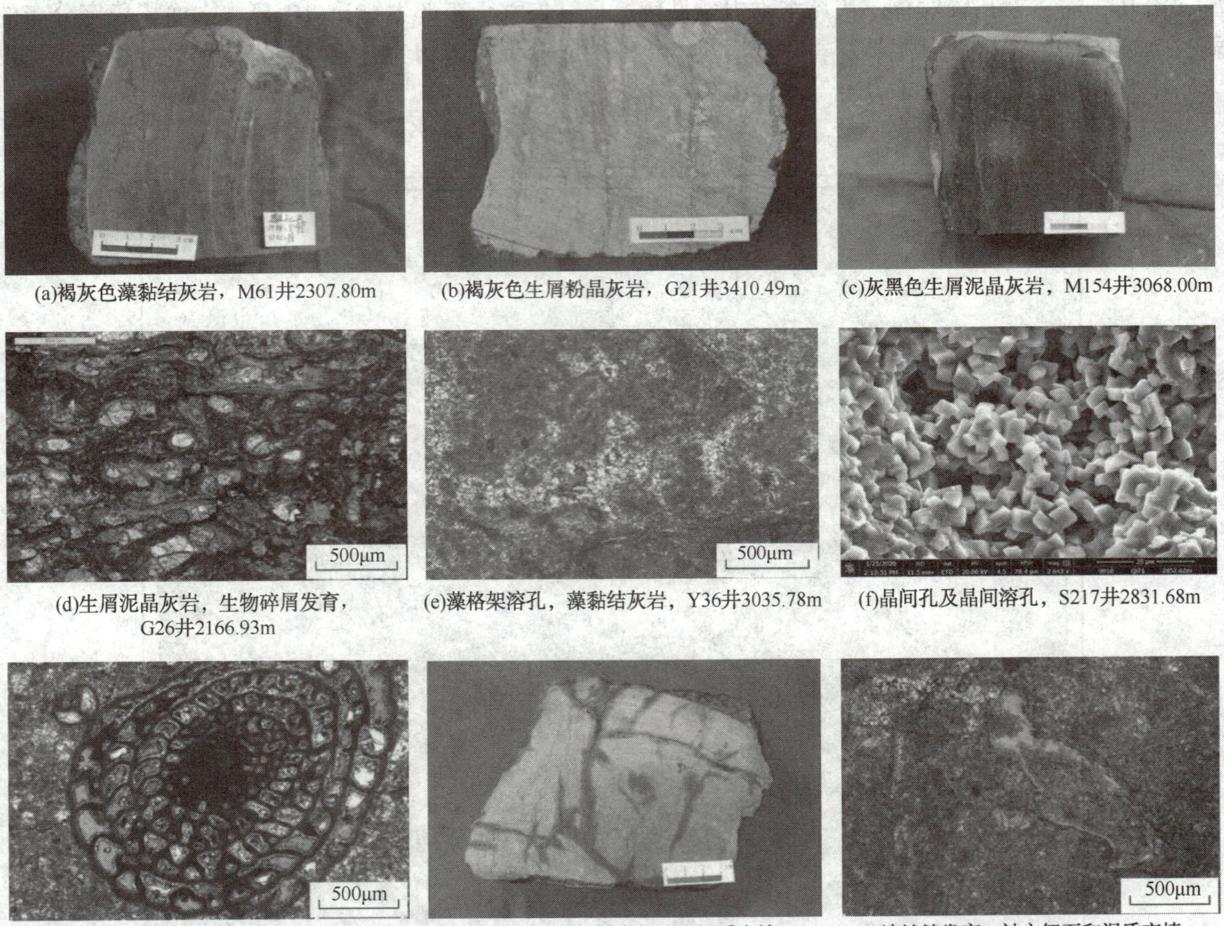

(a)褐灰色藻黏结灰岩，M61井2307.80m　(b)褐灰色生屑粉晶灰岩，G21井3410.49m　(c)灰黑色生屑泥晶灰岩，M154井3068.00m

(d)生屑泥晶灰岩，生物碎屑发育，G26井2166.93m　(e)藻格架溶孔，藻黏结灰岩，Y36井3035.78m　(f)晶间孔及晶间溶孔，S217井2831.68m

(g)残余有孔虫体腔孔及溶孔，T58井3414.16m　(h)构造网状缝，被方解石和泥质充填，ZT1H井2492.12m　(i)溶蚀缝发育，被方解石和泥质充填，S47井3093.70m。

图5　鄂尔多斯盆地太原组灰岩储层特征

(a)褐灰色藻黏结灰岩，M61井2307.80m；(b)褐灰色生屑粉晶灰岩，G21井3410.49m；(c)灰黑色生屑泥晶灰岩，M154井3068.00m；(d)生屑泥晶灰岩，生物碎屑发育，G26井2166.93m；(e)藻格架溶孔，藻黏结灰岩，Y36井3035.78m；(f)晶间孔及晶间溶孔，S217井2831.68m；(g)残余有孔虫体腔孔及溶孔，T58井3414.16m；(h)构造网状缝，被方解石和泥质充填，ZT1H井2492.12m；(i)溶蚀缝发育，被方解石和泥质充填，S47井3093.70m

2.4　发育典型的"三明治"结构的岩性气藏

太原组灰岩脆性强，受印支、燕山和喜马拉雅3期构造运动改造的影响，断裂普遍发育，构成了该区良好的网状输导体系，煤系烃源岩生成的天然气沿断层、裂缝等在储层物性较好的部位优先聚集成藏，同时太原组石灰岩上部紧邻的山

2段泥岩为直接盖层，形成具“三明治”结构的源内气藏(图6)。

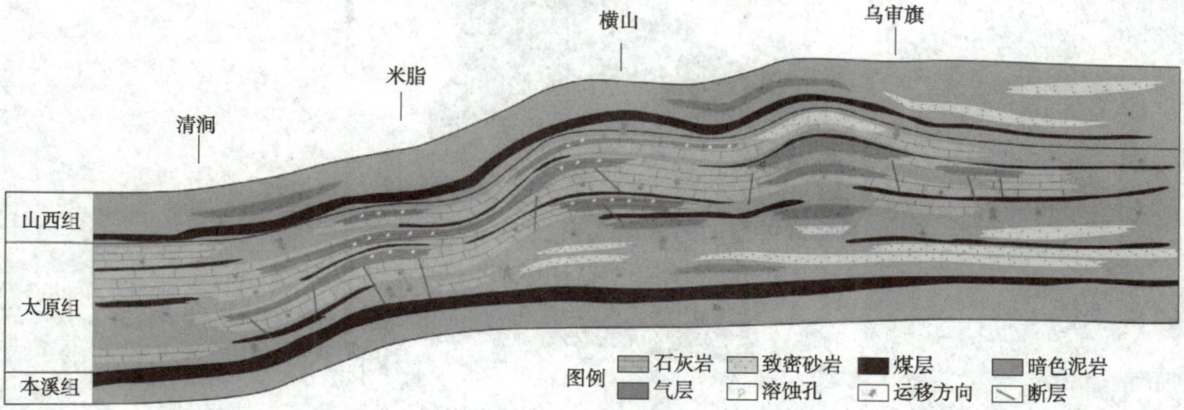

图6　研究区太原组石灰岩储层天然气成藏模式图

3　勘探开发关键技术

3.1　地震预测技术

3.1.1　微断层精细刻画技术

研究区太原组石灰岩储层致密，煤系烃源岩生成的天然气主要通过微断层、裂缝等疏导体系进入石灰岩储层聚集成藏，因此，微断层精细刻画对预测有利区具有重要意义。地震处理采用“导向滤波+人工智能+关键地震信息融合”相结合的手段，断层预测结果具有更好的连续性、清晰的边界和更高的置信度。微断层精细刻画地震处理技术流程由3部分组成：①在层位约束下对原始地震资料进行构造导向滤波处理，并抑制背景噪声的干扰，突出断层断点[图7(a)]；②开展神经网络深度学习，得到深度学习相干体(断层)、曲率体(裂缝)，建立从地震数据到微断层的非线性映射关系[图7(b)]；③选择优势信息进行加权融合，实现隐蔽性小、微断层精细识别[图7(c)、图7(d)]。在深度学习基础上，利用YT1H井区约0.15×万km^2三维地震资料，开展精细太原组断层识别，发现YT1H井区，微断层发育(图8)，是高效疏导体系发育区。YT1H井实钻证实微断层精地震细刻画技术应用有效好。

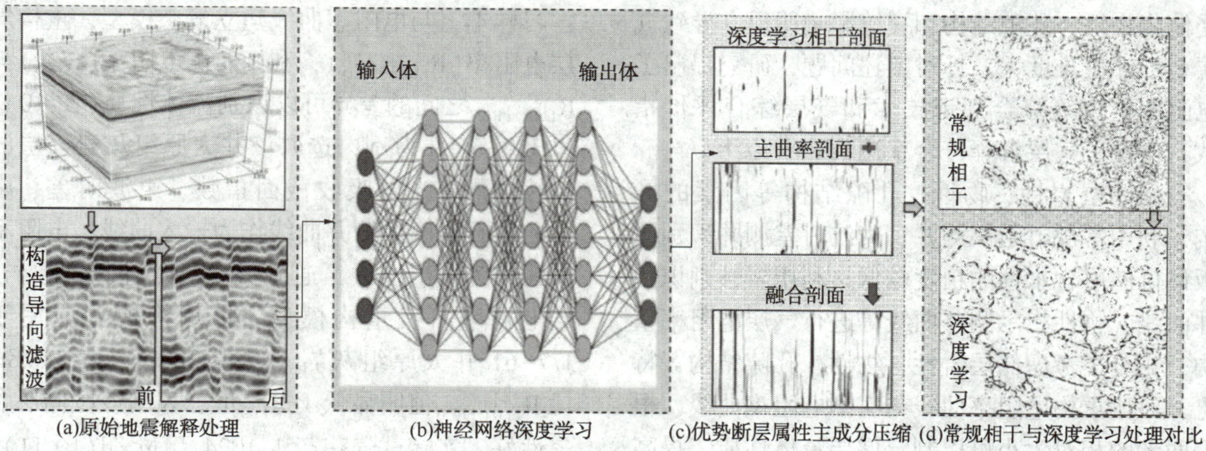

(a)原始地震解释处理　(b)神经网络深度学习　(c)优势断层属性主成分压缩　(d)常规相干与深度学习处理对比

图7　微断层精细刻画技术流程图

3.1.2　储层含气性预测技术

研究区太原组石灰岩气藏非均质性较强，气井产能差别较大。由于含气层、气水层、水层的波阻抗特征差异小，地震响应特征差异微弱，因此，致密石灰岩储层的含气性预测成为太原组石灰岩气藏勘探开发的难点。针对储层的含气性识别和评价难度大的问题，采用叠前地震资料沿高产富集区抽取道集，分区域开展含气预测。以基于概率神经网络的含气饱和度定量预测技术和匹配追踪算法的衰减梯度随入射角变化含气性检测技术为核心，结合叠前振幅随偏移距的变化(AVO)属性等多项含气性检测技术，在储层含气定性预测的基础上，实现了石灰岩储层含气性的定量预测(图9)。该技术有效指导了YT1H井水平井的钻井，气层钻遇率达83.9%。

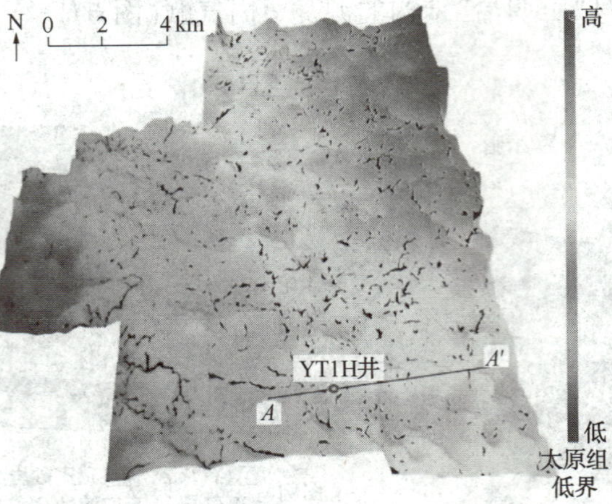

图 8　YT1H 井区太原组底界构造与断层分布图

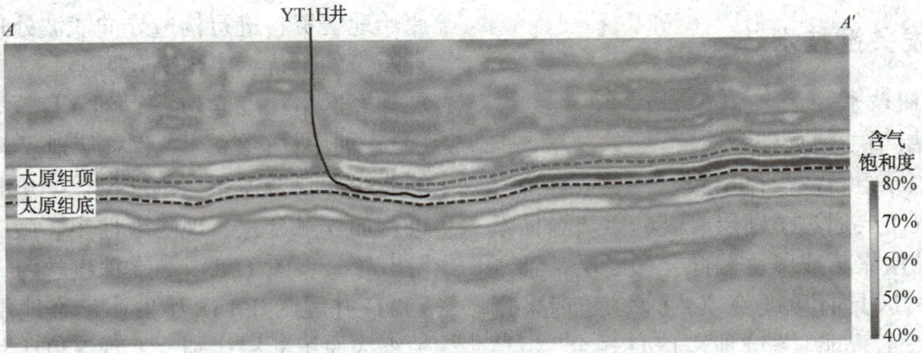

图 9　过 YT1H 井太原组石灰岩含气性预测剖面图

3.2　致密灰岩气层测井判识技术

横山气田太原组灰岩储层致密，电阻率测井受储集物性、孔隙结构和裂缝影响明显，导致气层精细评价难度大。针对上述问题，研究提出了电阻率重构等综合判识技术和气层综合评价指数，实现了气层解释符合率达到85%以上。

受储层岩性、物性、孔隙结构等因素的影响，利用常规电阻率测井、声波时差测井识别图版评价储层含水性的精度较低。利用岩性判识测井曲线、物性指示测井曲线等进行气层电阻率重构，充分了考虑储层岩性、物性、孔隙结构等特点，对比重构电阻率曲线与实测电阻率曲线，根据两者的相对大小可以判定储层流体性质，提高气、水识别符合率。研究利用机器学习技术擅长模拟多维复杂数据的优势，在同一气藏系统中，选取试气证实气层与电阻率相关的测井曲线作为学习样本，与电阻率曲线建立复杂模型，重构气层电阻率(R_{LLD_PRED})，利用实测电阻率(R_{LLD})与R_{LLD_PRED}之间的差异可以识别流体性质(图 10)。以 J59-66 井为例，选取该井太原组灰岩气层的自然伽马、光电吸收截面指数、声波时差、中子、岩石密度等测井曲线作为输入曲线，电阻率曲线作为输出曲线，通过 KNN 神经网络建立气层电阻率曲线重构模型。将重构模型应用于 J77-61 井太原组灰岩，发现 3097.1～3108.8m 段 R_{LLD_PRED}值明显低于 R_{LLD}值，表明该段储层含气性好，实际试气获产 1.1024 万 m^3/d(图 11)，与模型判识结果相符。

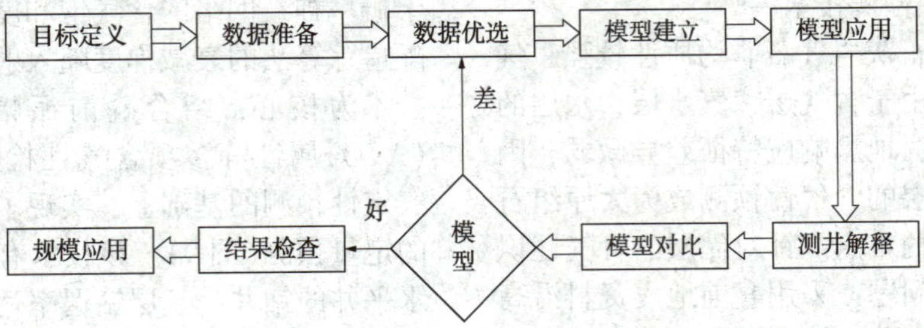

图 10　太原组灰岩电阻率曲线重构流程

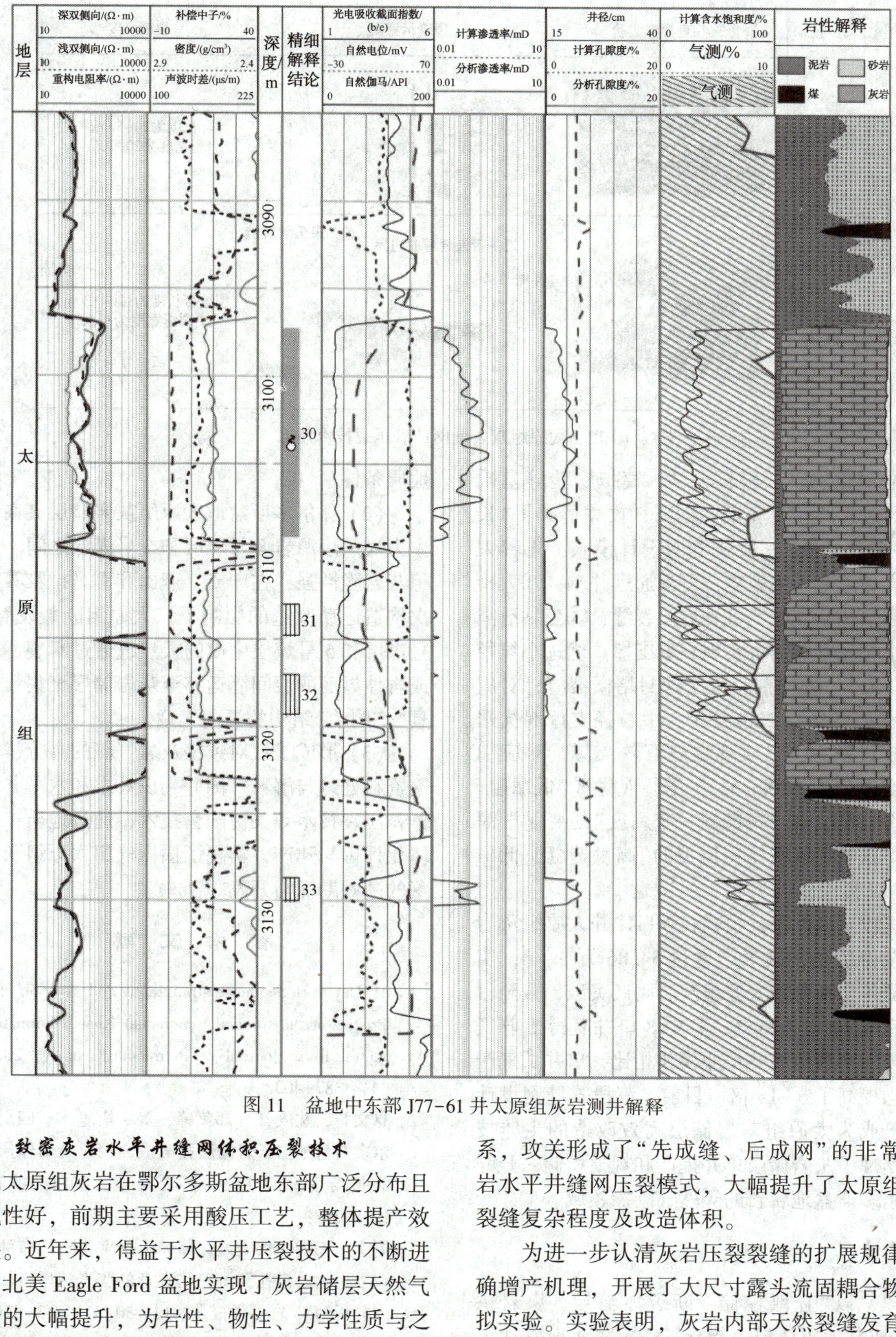

图 11　盆地中东部 J77-61 井太原组灰岩测井解释

3.3　致密灰岩水平井缝网体积压裂技术

太原组灰岩在鄂尔多斯盆地东部广泛分布且含气性好，前期主要采用酸压工艺，整体提产效果差。近年来，得益于水平井压裂技术的不断进步，北美 Eagle Ford 盆地实现了灰岩储层天然气产量的大幅提升，为岩性、物性、力学性质与之相似的鄂尔多斯盆地太原组灰岩储层提供了参考。通过深化岩石破裂及流固耦合物理模拟实验、建立体积压裂模拟模型、研发变黏滑溜水体系，攻关形成了“先成缝、后成网”的非常规灰岩水平井缝网压裂模式，大幅提升了太原组灰岩裂缝复杂程度及改造体积。

为进一步认清灰岩压裂裂缝的扩展规律，明确增产机理，开展了大尺寸露头流固耦合物理模拟实验。实验表明，灰岩内部天然裂缝发育度较高时，水力裂缝可沟通天然裂缝，形成多条裂缝，以“长主缝+多分支缝”的复杂裂缝形态为主（图 12）。

增产技术	物理模拟实验	裂缝示意图	裂缝尺度
算压改造	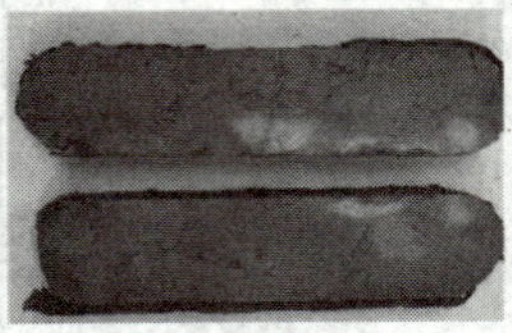	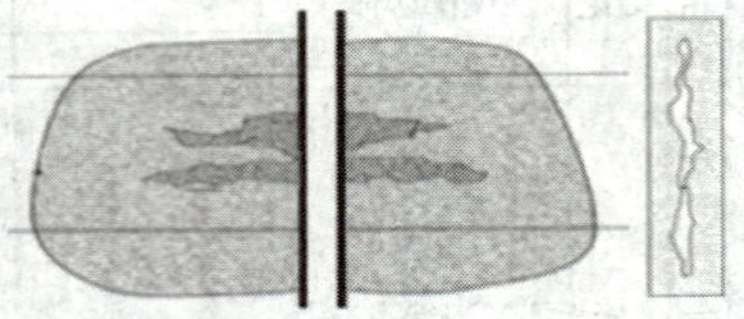	长度为20~30m；宽度为20~30m
缝网加沙压裂	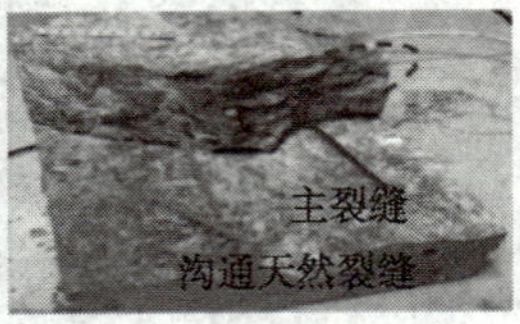	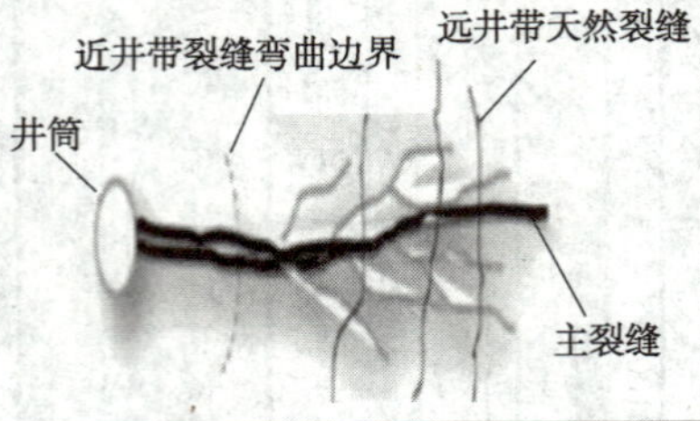	裂缝带长度为100~120m；主裂缝宽度为8~10m

图 12　太原组灰岩缝网加砂压裂技术效果

在深化物性、岩石力学、模拟实验等基础上，通过思路转变和模式创新，攻关形成了“长主缝+多分支缝”三段式缝网设计模式：①较大排量高黏液造长主裂缝，可沟通远井端；②大排量滑溜水造分支缝，可开启微裂缝；③变黏滑溜水携小粒径支撑剂可实现有效支撑。优选小粒径(70~140 目)支撑剂，以实现封堵微裂缝，对应加砂浓度为 160~220kg/m^3；中粒径支撑剂优选 40~70 目颗粒，以实现主缝有效支撑，对应加砂浓度为 260~320kg/m^3；压裂液优选“低摩阻、低伤害、低成本、高携砂、变黏度”的变黏滑溜体系，以满足缝网体积压裂的“高黏造缝、低黏携砂”需求。

三段式缝网设计模式在 YT1H 井太原组灰岩试验获得成功，试气产量达 54.86 万 m^3/d，实现了鄂尔多斯盆地太原组灰岩高产突破，截至目前共完成 19 口井试气，其中 8 口井获得工业气流。与前期酸压直井作业模式相比，单井试气产量平均提高了 5~15 倍。目前，三段式缝网设计模式已成为太原组灰岩储层高效改造的主体技术，实现了灰岩储层单井提产和规模增储，开辟了鄂尔多斯盆地崭新的天然气勘探领域。

4　结论

(1) 以“丘滩控储、断裂体输导、煤岩供烃”的成藏地质认识为指导，在鄂尔多斯盆地太原组灰岩提交天然气探明储量和预测储量合计超 2 千亿 m^3。广覆式供烃、生屑滩和生物丘有利储集相带大面积分布、立体网络储集空间发育是横山地区太原组致密灰岩大气田形成的有利成藏地质条件。

(2) 鄂尔多斯盆地太原组灰岩储层夹在盆地主力煤系烃源岩 8 号煤层和 5 号煤层之间。太原组灰岩脆性强，在印支、燕山和喜马拉雅等多期次构造运动改造的影响下，太原组断裂发育。8 号煤层和 5 号煤层生成的天然气通过断裂、裂缝或岩性界面的层间缝运移至灰岩储层聚集，形成具“三明治”结构的源内气藏。

(3) 形成了针对致密灰岩气藏的高分辨率地震资料处理与解释、测井判识技术和水平井缝网体积压裂技术等关键配套技术，通过地质工程一体化评价与建产，实现了横山气田太原组灰岩气藏的高效勘探与开发。

参考文献

[1] Al-Qayim B. Sequence stratigraphy and reservoir characteristics of the turonian-coniacian Khasib Formation in central Iraq. Journal of Petroleum Geology, 2010. 33 (4): 387-403.

[2] 赵文智，沈安江，郑剑锋，等．塔里木、四川及鄂尔多斯盆地白云岩储层孔隙成因探讨及对储层预测的指导意义[J]．中国科学，2014，44(9)：1925-1939.

[3] 周文，郭睿，伏美燕，等．伊拉克艾哈代布油田白垩系生物铸模孔及体腔孔发育的灰岩储层特征及成因分析[J]．岩石学报，2014，30(3)：813-821.

[4] 古莉，胡光义，罗文生，等．珠江口盆地流花油田新近系生物礁灰岩储层特征及成因分析[J]．地学前缘，2012，19(2)：49-58.

[5] 王一刚，文应初．川东石炭系碳酸盐岩储层孔隙演化中的古岩溶和埋藏溶解作用[J]．天然气工业，

1996. 16：18-23.
[6] 赵文智，沈安江，胡安平，等．塔里木、四川和鄂尔多斯盆地海相碳酸盐岩规模储层发育地质背景初探[J]. 岩石学报，2015，31(11)：3495-3508.
[7] 赵文智，汪泽成，胡素云，等．中国陆上三大克拉通盆地海相碳酸盐岩油气藏大型化成藏条件与特征[J]. 石油学报，2012，33(2)：1-12.
[8] 魏新善，王飞雁，王怀厂，等．鄂尔多斯盆地东部二叠系太原组灰岩储层特征[J]. 天然气工业，2005，25(4)：：16-18.
[9] 杨俊杰 鄂尔多斯盆地构造演化与油气分布规律[M]. 北京：石油工业出版社，2002.
[10] 何自新，等．鄂尔多斯盆地演化与油气[M]. 北京：石油工业出版社，2003.
[11] 郭艳琴，李文厚，郭彬程，等．鄂尔多斯盆地沉积体系与古地理演化[J]. 古地理学报，2019，21(2)：293-320.
[12] 席胜利，李文厚，刘新社，等．鄂尔多斯盆地神木地区下二叠统太原组浅水三角洲沉积特征[J]. 古地理学报，2009，11(2)，187-194.
[13] 蒋继辉，王宝清．鄂尔多斯盆地东部下二叠统太原组天然气的生成与储集[J]. 天然气地球科学，2004，15(5)：511-515.
[14] 任战利．鄂尔多斯盆地热演化史与油气关系的研究[J]. 石油学报，1996，17(1)：17-24.
[15] 戴金星．中国煤成气研究二十年的重大进展[J]. 石油勘探与开发，1999，26(3)：1-9.
[16] 戴金星，李剑，罗霞，等．鄂尔多斯盆地大气田的烷烃气碳同位素组成特征及其气源对比[J]. 2005. 石油学报，26(1)：18-26.
[17] 席胜利，李明瑞，赵伟波，等．鄂尔多斯盆地横山大型气田成藏条件及勘探关键技术[J]. 石油学报，2023，44(5)：1015-1028.
[18] 何登发，包洪平，开百泽，等．鄂尔多斯盆地及其邻区关键构造变革期次及其特征[J]. 2021. 石油学报，42(10)：1255-1269.
[19] 刘池洋，赵红格，桂小军，等．鄂尔多斯盆地演化致造的时空坐标及其成藏(矿)响应[J]. 地质学报，2006，80 (5)：617-638.
[20] 邸领军，张东阳，工宏科．鄂尔多斯盆地喜山期构造运动与油气成藏[J]. 石油学报，2003，24(2)：34-37.
[21] 赵俊峰，刘池洋，王晓梅，等．吕梁山地区中新生代隆升演化探讨[J]. 地质论评，2009，55(5)：663-672.
[22] 于荣泽，王成浩，张晓伟，等．北美 Eagle Ford 深层页岩气藏开发特征及启示[J]. 煤田地质与勘探，2022，50(9)：32-41.
[23] MULLEN J，LOWRY J C C，NWABUOKU K C C. Lessons learned developing the Eagle Ford Shale [C]//SPE Tight Gas Completions Conference. USA，Texas，San Antonio：2010，SPE138446.
[24] 曾祥亮，刘树根，黄文明，等．四川盆地志留系龙马溪组页岩与美国 Fort Worth 盆地石炭系 Barnett 组页岩地质特征对比[J]. 地质通报，2011 ，30(2-3)：372-384.
[25] 李宪文，凌云，马旭，等．长庆气区低渗透砂岩气藏压裂工艺技术新进展—以苏里格气田为例[J]天然气工业，2011，31(2)：20-24.
[26] 问晓勇，李宪文，张燕明，等．致密碳酸盐岩应用“体积加砂”压裂技术探讨[J]钻采工艺，2019，43(2)：61-68.

苏北盆地复杂断块页岩油勘探认识与关键技术

孙雅雄　刘启东　段宏亮　仇永峰　杨　艳　刘世丽　付　茜

（中国石油化工股份有限公司江苏油田分公司）

摘　要　苏北盆地页岩沉积环境多变，为典型的混合沉积，岩性岩相复杂，页岩有机质丰度及成熟度相较东部其余盆地页岩更低，但含油气饱和度相差不大，说明苏北盆地页岩油有其独特的有机质和页岩油形成演化模式。通过探索陆相咸化湖盆页岩生烃和赋存机理，分析断层的对页岩油富影响，开展陆相"断块型"页岩油富集主控因素和模式研究，不断优化页岩油评价关键参数，建立了苏北盆地页岩油选层选区评价标准。同时以"断块型"页岩油地质-工程甜点参数预测为核心开展地质工程一体化关键技术攻关，落实勘探有利层段和区带，指导页岩油井的顺利实施。2021年以来按照"点上突破、层上拓展、面上展开"思路，在苏北盆地开展页岩油勘探实践，已部署实施页岩油水平井9口，探索了不同区带、不同层段、不同类型页岩油产能，取得了高邮和金湖凹陷阜二段页岩油的勘探突破，目前已累计生产页岩油6.8万t，其中高邮凹陷花庄地区针对Ⅳ亚段部署的三口页岩油井峰值日产油均超40t，证实了苏北盆地页岩油具备良好的勘探开发前景，并为中国内陆湖盆中低成熟度页岩油勘探开发提供了良好借鉴。

关键词　苏北盆地；断块型页岩油；阜二段；富集机理；关键技术

引言

近些年，随着我国常规油气资源探明率的增速逐年放缓，页岩油逐渐成为我国油气勘探的热点(杨雷和金之钧.2019；金之钧，等.2021)。我国陆相页岩油资源丰厚(黎茂稳，等.2020)，在鄂尔多斯盆地延长组、松辽盆地青山口组、渤海湾盆地古近系以及苏北盆地古近系等接连获得重大突破，页岩油已成为增储上产的现实接替领域(朱相羽，等.2023)。

2021年以来，江苏油田在苏北盆地高邮凹陷阜二段页岩油勘探接连取得重大突破。首口页岩油探井HY1HF井峰值日产油29.7t；H2CHF井投产16个月累产油超过2万t，单井EUR预测为3.6万t；HY7HF井开井压力38MPa，3mm油嘴日产油气当量超过70t等，取得了较好的勘探效果，展现了苏北盆地阜二段页岩油勘探巨大前景。勘探成果被列为中国石化2022年度"十大油气勘探发现成果"，"苏北盆地11亿r页岩油资源被激活"入选2022年度央企二十大超级工程。

1　区域地质背景与页岩油勘探历程

苏北盆地阜二段页岩油地质资源量约15.6亿r。其中高邮凹陷深凹-斜坡区有机质成熟度介于0.7%～1.1%，热演化程度适中，面积约743km^2，利用热解法估算的页岩油地质资源量达到7.54亿t，是江苏油田页岩油勘探的主战场。高邮凹陷阜二段页岩具有"厚、低、窄"的特征，是典型的复杂断块型页岩油勘探区。

"厚"即阜二段页岩厚度较大，深凹-斜坡区阜二段厚度介于250～350m。根据岩性电性特征，纵向上划分为5个亚段、25个小层(图1)。综合评价结果认为纵向发育Ⅱ-1～Ⅲ-2(上有利层)、Ⅳ-2～Ⅳ-7(中有利层)、Ⅴ-6～Ⅴ-8(下有利层)三套有利页岩层系(方志雄等，2023)。

"低"即阜二段页岩具有中等偏低的*TOC*含量，自下而上逐渐升高，总体介于0.57%～2.87%，平均为1.4%(图2)。相比之下，济阳坳陷东营凹陷、沾化凹陷沙三下亚段、沙四上亚段富有机质页岩TOC含量平均约为2%～4%(胜利油田)。在相似的成熟度条件下，高邮凹陷阜二段的轻组分S_1含量与沧东凹陷、吉木萨尔凹陷大致相当(郭旭升.2022)，表现为较好的可动性。

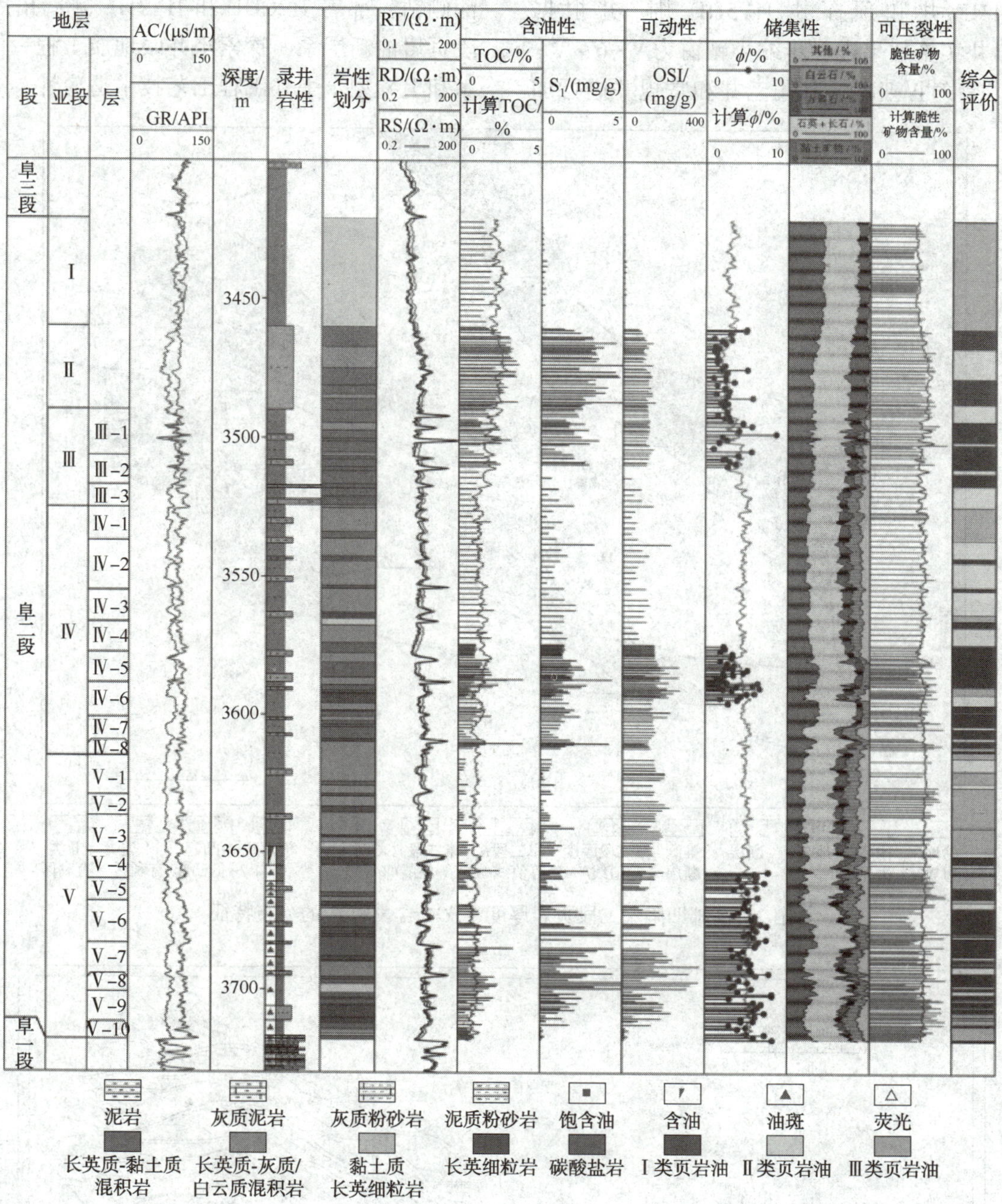

图1　高邮凹陷阜二段综合地层特征

“窄”即阜二段沉积后遭受改造，被断层切割形成若干长条形断块，断块长轴方向长度多介于8~16km，断块短轴方向长度多在1~2km(图3)。此外，高邮凹陷阜二段页岩水平最小主应力方向与断块短轴方向接近一致，且水平两向应力差异系数约为0.17，决定了水平井的水平段长度天然受限。以高邮花庄有利区为例，水平段长度达1500m以上水平井仅占到可部署水平井的12%，长度在1000m到1500m间的水平井占到35%，如何对窄断块内的页岩油资源进行有效开发也是苏北盆地页岩油面临的地质-工程难题。

2021年，高邮凹陷HY1井取心评价明确阜二段发育三套有利层，落实高邮-金湖凹陷有利区页岩油资源量超11亿t，优先对Ⅴ亚段部署实施水平井—HY1HF井，取得Ⅴ亚段页岩油勘探突破。HY1HF井突破后，按照“点上突破、层上拓展、面上展开”的思路在花庄地区针对阜二段三套有利层部署页岩油井7口，加快分层、分区、分类评价工作。

一是层系上，针对Ⅴ亚段，为落实井组产能、井网适应性和储量规模，部署了试验井组

HY1-1HF 井和预探井 HY5HF 井，并根据 HY1HF 井实施效果进一步缩小靶窗为Ⅴ-6~Ⅴ-7 小层。针对Ⅳ亚段，利用老井和常规井进行加深侧钻，部署 H2CHF 和 HY3HF 井，拓展阜二段页岩油新层系，探索小井眼地质工程一体化技术和上翘型水平井工程工艺技术适应性。

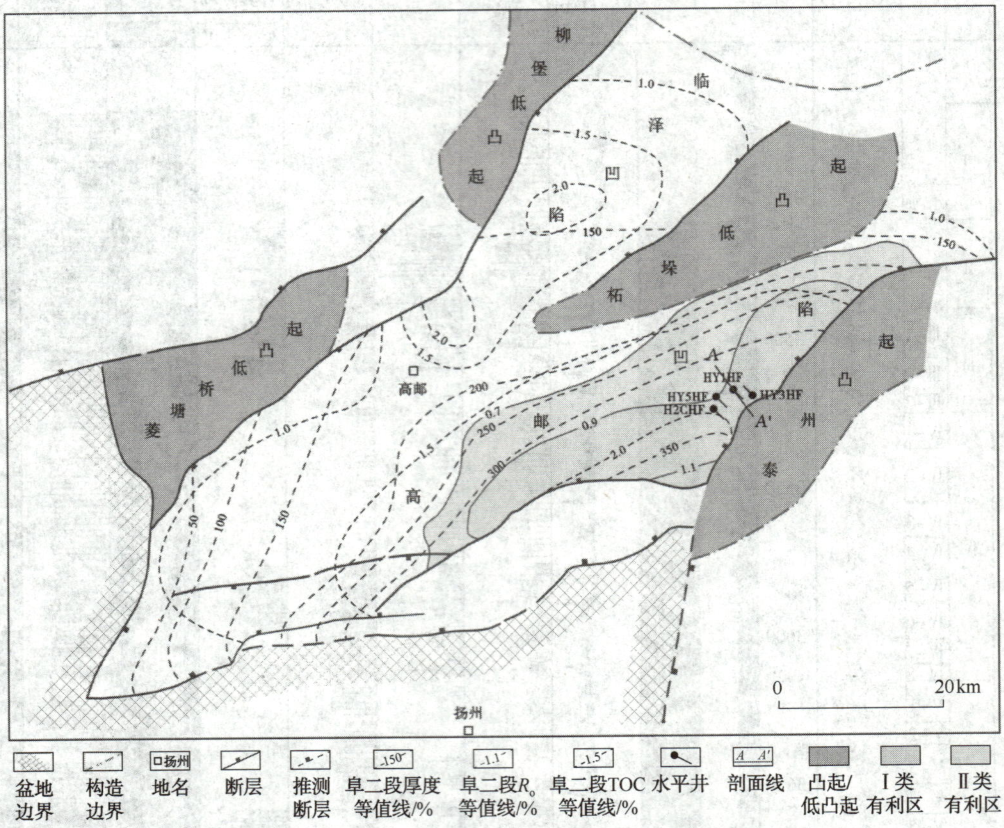

图 2　高邮凹陷阜二段页岩厚度、*TOC* 含量和 R_o 的分布特征

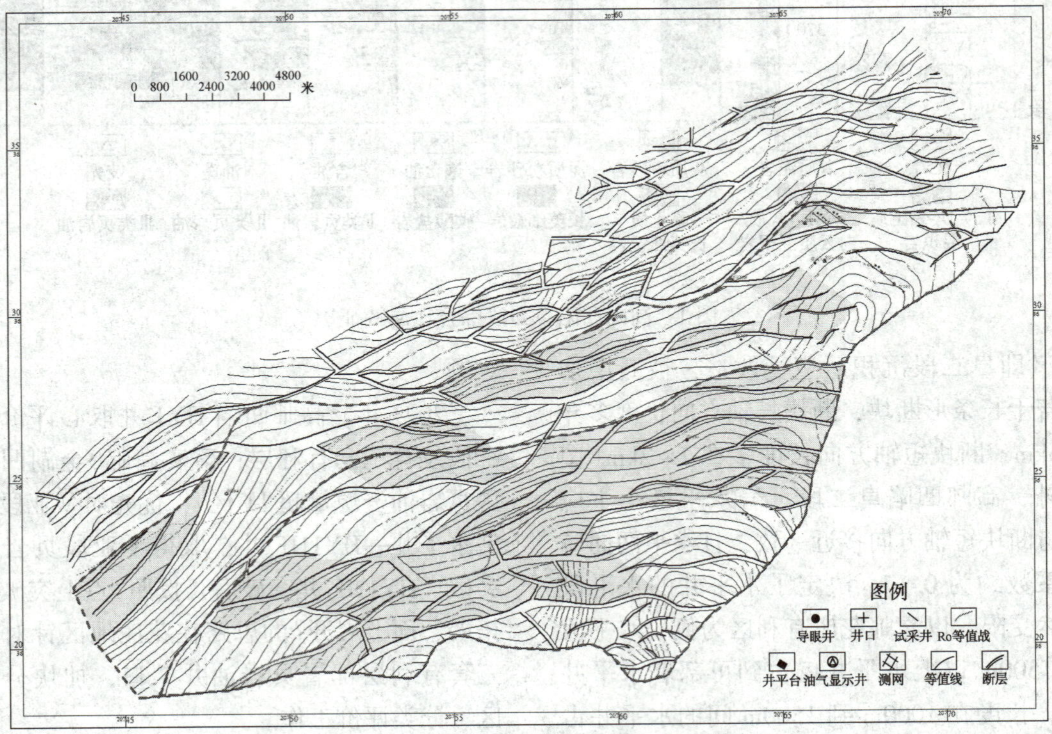

图 3　高邮凹陷北斜坡阜二段页岩油有利区窄断块分布范围示意图

二是区带上，积极拓展花庄Ⅱ区深凹带，部署 HY7 井，主探深凹区阜二段新层系Ⅱ、Ⅲ亚段，兼探Ⅳ、Ⅴ亚段页岩含油性，落实深层页岩油井产能和工程工艺技术适应性，并针对阜二段系统取心，该井目前正钻。

三是类型上，为探索跨断块多甜点层井组产能和页岩油立体开发模式，评价Ⅳ+Ⅴ跨断块组合页岩油井组产能，落实大花庄Ⅰ区东北部Ⅳ和Ⅴ亚段储量规模，部署 HY4-1HF 和 HY4-2HF 井，两口井均试获工业油流。

2　页岩油勘探认识

2.1　咸化湖盆有机质富集与页岩油形成演化模式

高邮凹陷阜二段厚 230~350m，共发育 3 个水进的四级层序，古水深早浅晚深、古气候早干晚湿、古盐度早咸晚淡，古生产力早低晚高，沉积环境纵向演化造成页岩沉积特征和源岩品质发生周期性变化。

高邮凹陷阜二段已获突破的页Ⅴ、页Ⅳ亚段沉积时期，整体处于水体还原环境，有利于有机质的保存；页Ⅴ亚段下部为干旱-半干旱气候频繁交替，水体盐度也相应频繁变化；页Ⅴ亚段和页Ⅳ亚段上部为强干旱气候，整体盐度较高（图 4）。

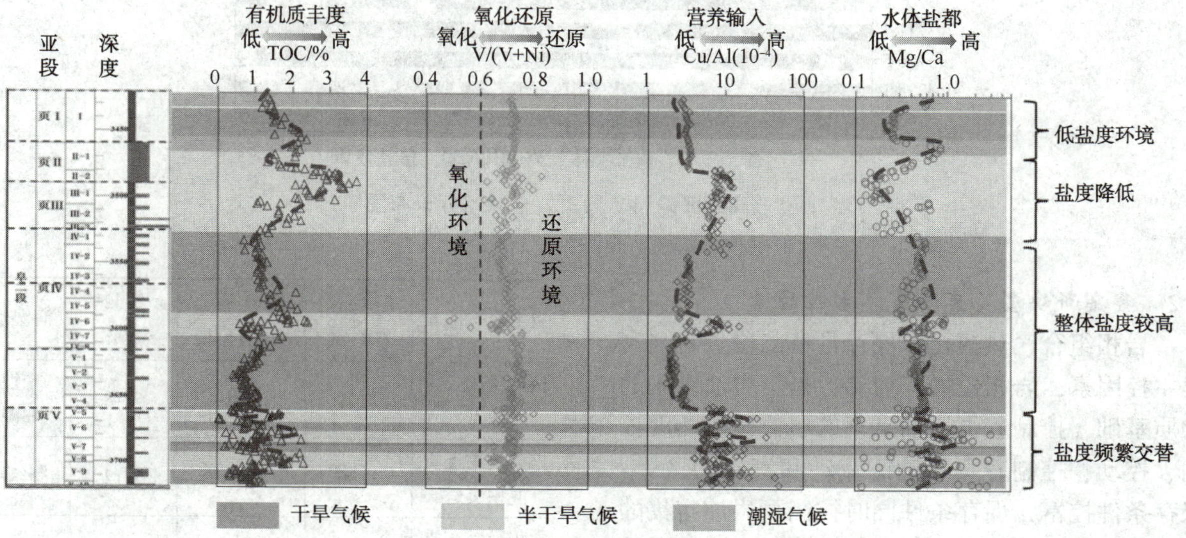

图 4　阜二段页岩沉积演化环境与有机质富集关系图

气候干旱和咸水环境控制了页Ⅳ、页Ⅴ亚段有机质的富集：气候干旱，湖泊水体大量蒸发，湖面积缩小，营养盐浓缩富集，促进了低等水生生物的勃发，提高了古生产力；与此同时，水体盐度增大，水体分层显著底水缺氧形成还原环境，为沉积有机质的保存提供了保障，最终促进了研究区有机质富集。陆源碎屑输入为藻类体勃发提供了必要营养元素，在一定程度上控制了藻类体的富集：长英页岩和混积页岩陆源碎屑输入较高造成这两类岩相中藻类体更为富集。

阜二段页Ⅴ、页Ⅳ亚段有机质类型主要为Ⅱ型，形成于咸化环境，泥页岩生烃转化率高，具有低 *TOC*、高氯仿沥青“A”特征。有机显微组分以藻类体（平均 60%）和镜质体（平均 20%）为主（图5），镜下常见微结构藻纹层，在生烃阶段既生油又生气，有利于生成轻质油。

阜二段岩心、薄片等常见黄铁矿等还原环境产物，同时常见高产油的微结构藻纹层与黄铁矿伴生，指示硫循环作用强烈（Jørgensen & Nelson，2004）。前人研究表明，早期成岩阶段，硫酸盐还原带（BSR）发育程度、硫的循环，咸化环境有利于富硫干酪根形成。富硫干酪根生烃活化能低，生烃较早（de Leeuw & Damste，1990）。这一认识为陆相咸化湖盆中-低成熟页岩油战略突破，提供了充分的科学依据。

苏北盆地咸化湖盆硫化环境富有机质页岩，大量生烃和页岩油富集门限比淡化湖相页岩低。盐阜二段泥页岩生烃热模拟实验表明，有机质在 R_o 为 0.7%（430℃）时进入生烃高峰，产烃量显著增高。回答了苏北盆地阜二段中低有机碳、中等成熟度页岩油富集高产的原因；大幅度提高了对页岩油资源潜力的评价，苏北盆地页岩油地质资源量由 5.6 亿 t（2016 年）大幅上升至 15.7 亿 t（2022 年），提高了 180%。

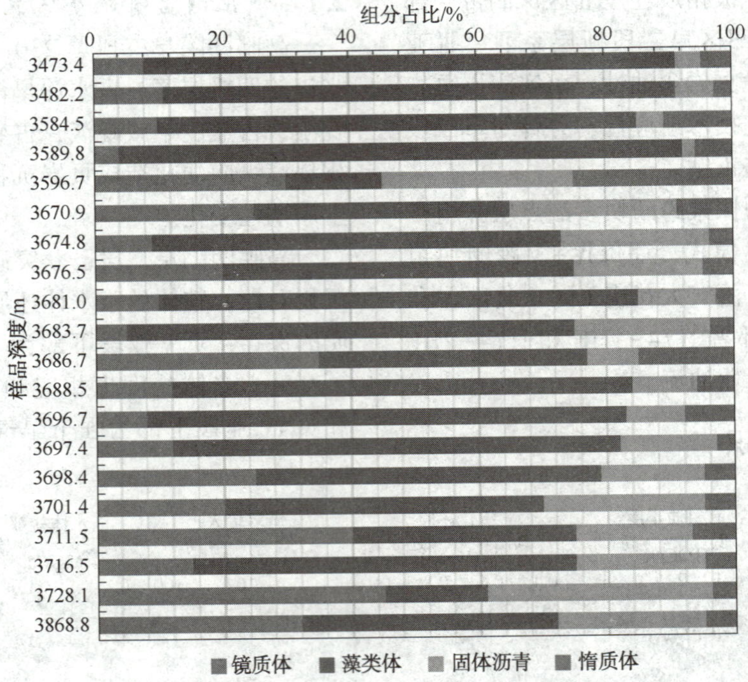

图 5　高邮凹陷阜二段页岩显微组分分布图

2.2　复杂断块型页岩油富集主控因素

岩相组合、热演化和保存是阜二段页岩油富集主控因素，岩相控烃、控储，是页岩油富集的物质基础，控制着页岩油富集的层位；成熟度控油、控动，控制着页岩油的流动和富集的区带；保存条件控富，保存条件同时控制页岩油富集的层位和区带。

阜二段发育三类 7 种岩性（表 1），不同岩性生油、含油、储集条件和润湿性存在差异。不同性质的岩性纵向叠置构成多种类型的岩性组合，其中，混积页岩夹白云石条带是最优的岩性组合。这一组合中细纹层发育，生油性和含油性较好，孔隙类型多样，以中大孔为主。特别是白云石条带内剪切缝发育，与基质孔共同形成多级孔、缝系统协同发育的储集空间。生产动态资料表明，这一类型具有排采含水下降快、产油贡献率高的特点。

表 1　阜二段页岩主要岩性参数统计表

主要岩性	冷冻 TOC/%	冷冻 S_1/(mg/g)	实测 φ/%	润湿性
灰云页岩	1.44	2.59	5.17	中性
含黏土长英质灰云页岩	1.45	1.54	4.33	
长英质灰云质混积页岩	1.01	1.46	5.18	中性油湿
长英质黏土质混积页岩	1.36	2.84	5.12	水湿
含灰云黏土质长英页岩	1.81	3.02	5.14	油湿
长英页岩	0.86	1.78	5.37	

成熟度影响页岩含油性和可动性：R_o>0.8%滞留油含量高，以轻质游离油为主。滞留油以游离油为主，占总油比例 80%~95%；游离油以轻质油为主，占总游离油比例 57%，可动性好。随成熟度增大，页岩含油性、可动性变好，页岩油富集条件更有利。中高成熟度页岩含油性、可动性和油藏品质好，发育超压，具备高产稳产的条件。花庄地区中高成熟度页岩油产能高、资源规模较大，具备页岩油规模效益开发的基础。

保存条件控富，保存条件同时控制页岩油富集的层位和区带。平面上，高邮凹陷花庄地区断裂系统较溱潼凹陷更为发育，相同甜点层的地层压力系数页略低一些，表明断裂密集发育区页岩油保存条件相对较差。纵向上，高邮花庄地区阜二段Ⅳ亚段甜点层顶底板厚度均大于 40m，而Ⅴ亚段甜点层的底板厚度仅为 17m 左右，其下紧邻阜一段致密砂岩。前人研究（Leythaeuser 等（1987，1988））认为厚层页岩边部总的绝对排烃效率可高达 86%，在距砂泥岩界面 14m 处页岩的排烃率仅为 27%；厚层页岩在距砂泥岩界面 20m 处的绝对排烃效率为 0。由此可见，阜二段Ⅳ亚段保存条件优于Ⅴ亚段，高邮花庄地区实测地层压力系数也证实Ⅳ亚段高于Ⅴ亚段。

3　页岩油勘探关键技术

3.1　断裂分级全方位描述技术

苏北盆地断裂发育，断块狭窄，不同级别断层对页岩油水平井部署到钻井、压裂施工都带来很大影响，同时天然裂缝发育程度也影响到页岩油压裂缝网改造和后期页岩油井生产效果，因此重点针对断距 100m 以下剖面识别和平面组合难度较大的断层及大尺度裂缝的识别与刻画形成了断裂分级全方位描述技术，在针对不同级别断层和裂缝分级描述技术思路指导下，开展不同级别断裂描述技术研究及适应性分析（图 6）。

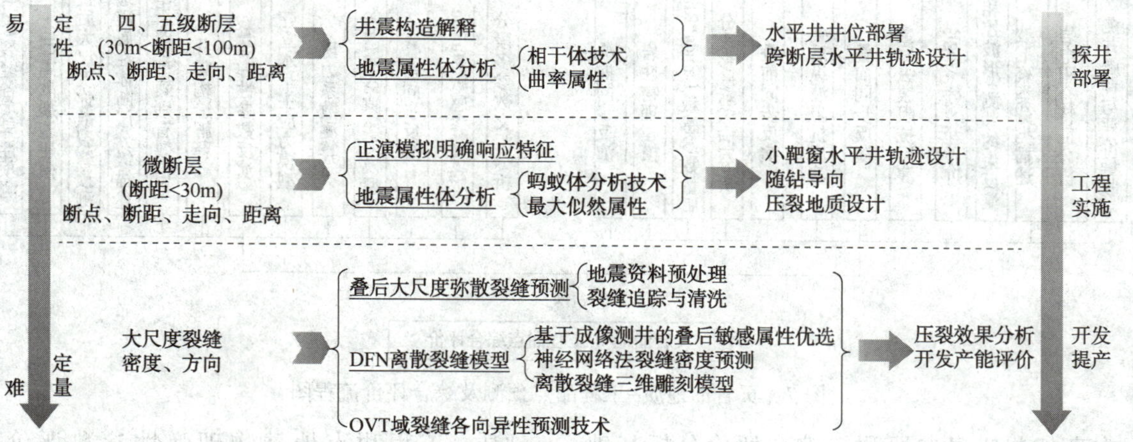

图 6　断裂分级描述技术思路

断裂分级全方位描述技术中，对于四五级断层利用叠后时间域、深度域地震数据提取相干体、曲率体、最大似然体、蚂蚁体等属性数据体，开展高邮、金湖阜宁组页岩层段断裂平面、剖面分析与断层要素描述。对于微断层除利用属性体识别描述外，还通过正演模拟明确微断层地震响应特征。根据地质模型，利用实钻井信息细化正演模型，针对阜二段内部微断层、阜一段顶部砂体发育情况在地震资料上可能存在的反射现象开展正演模拟分析，总结特征，对有效信息进行甄别，提升层位与断裂解释的精准度。最后结合实际页岩油井钻遇断层情况，对不同地震属性技术的优势与缺陷开展比对，总结其适用范围，并优选出最有针对性的技术。

同时，针对苏北盆地天然裂缝发育情况利用叠后弥散裂缝预测、DFN 离散裂缝建模等多种手段开展大尺度天然裂缝预测，以满足苏北盆地断裂发育情况下页岩油水平井的井位部署、水平井钻井、压裂施工的各项需求，并结合后续动态排采情况，以裂缝为重点开展提速提效工艺适应性分析。

3.2　地质—工程甜点参数地球物理预测技术

通过开展高邮、金湖地区阜二段各亚段岩石物理响应特征分析，构建不同地区分亚段岩石物理模型，形成了高邮、金湖阜二段页岩岩相识别与描述技术和基于岩石物理分析的叠前、叠后甜点关键参数预测技术系列（图 7）。

地质甜点的预测包括 TOC、孔隙度、岩相、地层压力系数等参数，通过利用抗噪的全道集二次拟合直接求解技术获取敏感弹性参数反射率数据体，在构建地质模型的基础之上，开展井震高分辨率反演，获取甜点关键参数地震体，刻画页岩地质甜点平面展布特征。

工程甜点的预测包括天然裂缝、脆性指数、地应力等参数，在花庄地区利用压实趋势拟合，根据实测地应力数据点利用 Eaton 模型求取最佳有效地应力系数与构造应力系数，利用密度体求取上覆岩层压力，利用纵波速度求取孔隙压力，最终获取最大、最小水平主应力以及应力差等参数。

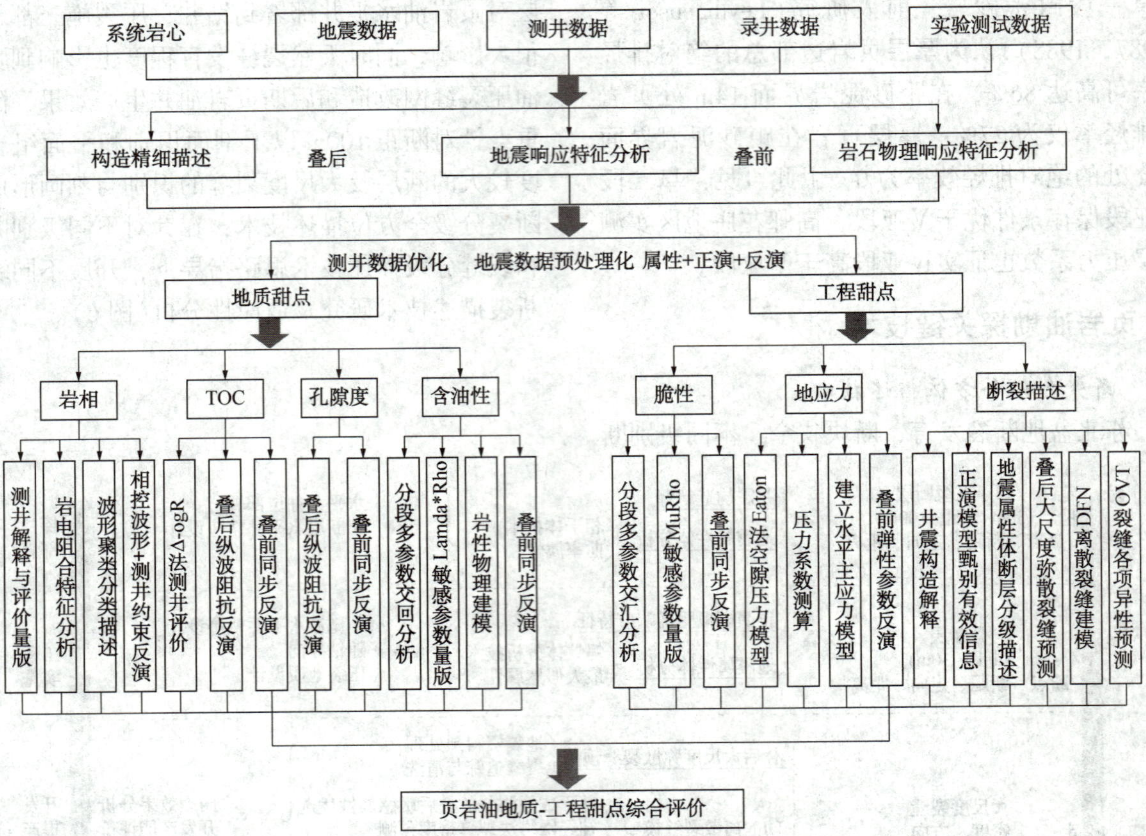

图7　页岩油地质–工程甜点预测及综合评价流程图

在高邮花庄阜二段甜点综合评价分析基础上，针对重点井开展岩石物理响应特征分析，构建关键参数解释量版，制定了高邮凹陷花庄地区地质–工程甜点地球物理弹性参数评价标准（表2）。

表2　苏北盆地阜二段页岩油地球物理综合评价标准表

地质评价标准	地球物理敏感参数	数值范围	技术方法
TOC>1.2%	纵波阻抗	6500~10000(g/cm^3)*(m/s)	叠后纵波阻抗反演
孔隙度>4%	纵波阻抗	7400~12000(g/cm^3)*(m/s)	叠后纵波阻抗反演
脆性指数>40%	MU*Rho	27~51(Gpa*g/cm^3)	叠前弹性参数 MU*Rho 反演
S1>1	lambda*Rho	18~65(Gpa*g/cm^3)	叠前弹性参数 lambda*Rho 反演
压力系数>1.2MPa	层速度	3500~4100(m/s)	Fillippone 法计算压力系数

在花庄Ⅰ区、Ⅱ区开展甜点综合评价。通过储层精细标定，落实各亚段地震响应特征，结合多套资料开展地震构造解释，梳理花庄构造格架；以岩石物理、测井评价及地震成像为基础，以高分辨率、高精度地震反演为核心，运用叠前、叠后地震资料开展甜点关键参数预测。依据地质评价标准，综合地质工程双甜点预测结果，认为*TOC*>1.0%，R_o>0.7%，脆性矿物>50，压力系数>1.2 范围内是花庄地区有利页岩分布区（图8）。

4　结论与展望

苏北盆地“断块型”页岩油勘探理论和关键技术高效指导了高邮、金湖凹陷页岩油水平井靶窗优选和井位部署，2021年以来，江苏油田按照“点上突破、层上拓展、面上展开”思路，在苏北盆地开展页岩油勘探实践，已部署实施页岩油水平井9口，探索了不同区带、不同层段、不同类型页岩油产能，相继取得了高邮和金湖凹陷阜二段Ⅲ、Ⅳ、Ⅴ亚段页岩油的勘探突破，已累计生产页岩油6.8万t，为苏北盆地“十四五”期间油气勘探准备了战场。

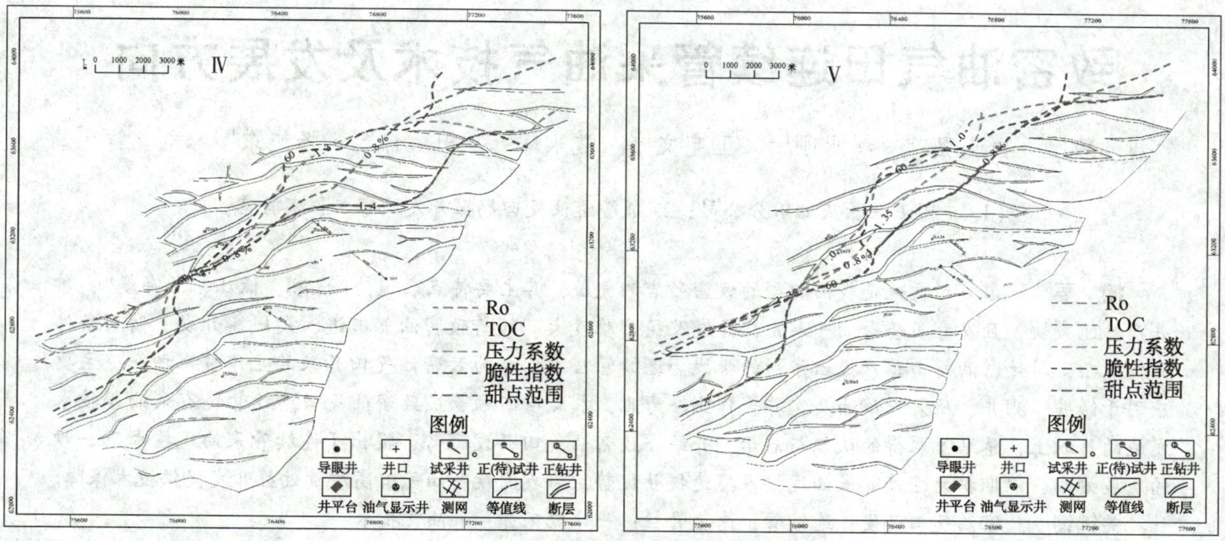

图 8　花庄地区页岩甜点综合评价图

苏北盆地“断块型”页岩油勘探实践表明，岩相组合、热演化和保存是苏北盆地阜二段页岩油富集主控因素。阜二段页岩油发育三种典型的源储组合，即“自生自储”型“泥生灰云储”型和“泥生砂纹储”型；其中，“泥生灰云储”型源储耦合关系好、多级孔缝系统有利于页岩油渗流，具有较高的产能。不同热演化程度含油性和可动性存在差异，生烃热模拟结果显示 R_o 介于 0.8%~0.9%残留烃含量相对较高，含油性好。高邮凹陷花庄地区多口钻井揭示，随着成熟度增高，页岩油可动性更好。纵向上，中部的页Ⅲ亚段、页Ⅳ亚段地层压力系数高于下部的页Ⅴ亚段和上部的页Ⅰ+页Ⅱ亚段；平面上，北斜坡地层压力系数由西北向东南逐渐增大，靠近长期活动断层和晚期活动断层附近压力系数降低。

以高邮凹陷为例，通过建立页岩油选区选层评价标准，明确了高邮凹陷阜二段纵向上发育三套有利的岩相组合，横向上分布稳定，纵向上存在一定的差异。初步落实高邮凹陷有利区阜二段页岩油地质资源量 5.46 亿 t，已优选花庄地区阜二段Ⅳ亚段部署了 H2CHF、HY3HF、HY7HF 三口页岩油水平井，峰值日产油均超 40t，以实践证实苏北盆地阜二段页岩油具备良好的勘探开发前景，对我国东部具有类似成藏特征地区的页岩油勘探研究提供了有益的借鉴和指导作用。

参　考　文　献

[1] 金之钧，王冠平，刘光祥，等．中国陆相页岩油研究进展与关键科学问题[J]．石油学报，2021，42(7)：821-835.

[2] 黎茂稳，金之钧，董明哲，等．陆相页岩形成演化与页岩油富集机理研究进展[J]．石油实验地质，2020，42(4)：489-505.

[3] 朱相羽，段宏亮，孙雅雄．苏北盆地高邮凹陷古近系陆相页岩油勘探突破及意义[J门．石油学报，2023，44(8)：1206-1221，1257.

[4] 方志雄，肖秋生，张殿伟．苏北盆地陆相“断块型”页岩油地质特征及勘探实践[J]．石油与天然气地质，录用待刊．

[5] 郭旭升．我国陆上未来油气勘探领域探讨与攻关方向[J]．地球科学，2022，47(10)：3511-3523.

[6] Jargensen B B, Nelson D C. Sulfide oxidation in marine sediments：geochemistry meets microbiology[J]. 2004.

[7] Leythaeuser D, Littke R, Radke M, et al. Geochemical effects of petroleum migration andexpulsion from Toarcian source rocks in the Hils syncline area, NW-Germany/M///OrganicGeochemistry in Petroleum Exploration. Pergamon, 1988：489-502.

致密油气田连续管采油气技术及发展方向

刘　毅[1,2]　白晓弘[1,2]　解永刚[1,2]　王宪文[1,2]　常永峰[1,2]　田　伟[1,2]　杨旭东[1,2]　刘　洋[1,2]

(1. 中国石油长庆油田分公司；2. 低渗透油气田勘探开发国家工程实验室)

摘　要　鄂尔多斯盆地是我国典型的致密砂岩油气藏，其主要特点表现为"低渗、低压、低丰度"，单井产量递减快，且发育多套含油气层系，开发及稳产难度大。随着致密油气田进入大规模开发，储层条件更加复杂，对致密油气田稳产提出了新的挑战。连续管技术已成为致密油气田开采的主体技术之一，主要应用于修井、测井、压裂、试油及完井等作业。为此，本文在回顾长庆致密油气田连续管现有采油气技术发展的基础上，总结了取得的认识与启示，并结合致密油气田开发形势，提出了连续管采油气技术下一步的发展方向，以期扩大连续管采油气技术提速提效优势，为我国致密油气田高质量效益开发提供技术保障。

关键词　致密油气田开发；连续管；速度管柱；一体化完井；采油气技术

1　连续管技术现状

1.1　连续管技术优势

连续管技术可应用于油气田修井、测井、压裂、试油及完井等作业，改变了起下单根管柱的传统作业方式，作业过程简捷、高效、精准、可控，具有不压井、不动管柱、作业时间短、施工设备少、占用场地小等突出优势，在国际上被称为“万能作业机”。设备主要构成：连续管、注入头、滚筒、防喷器组、液压动力系统、控制台、起吊设备(图1)。

图1　连续管速度管柱投放作业

1.2　国内外连续管技术应用

2020年，全球在用连续管作业机数量约为2500台，连续管技术已成为三大国际油服公司重要的修井与增产作业手段。中石油自有连续管装备数量达到128台，作业量突破5000井次/年(工艺井次)，成为全球连续管作业发展最快的区域。

长庆油田多井低产，现有油气水井11.5万余口井，措施作业工作量巨大。作业区域有连续管设备40余套，作业队伍40余支。连续管最大装载能力6600m(2in)，注入头最大提升力450kN，防喷系统承压105MPa，具有5种管径(1¼in~2⅞in)的作业能力。

近年来，长庆油田积极转变传统作业方式，大力开展连续管技术研究及现场应用，形成连续管压裂改造技术、连续管试油测试技术、连续管修井作业技术和连续管生产完井技术等4大技术系列14种工艺，年应用1800余井次，有力支撑了致密油气快速建产及稳产。其中，连续管速度管柱及完井技术已成为国内及长庆油田特色技术。

2　气田连续管速度管柱排水采气技术

2.1　定型连续管速度管柱排采工艺及配套装备

从延长气井自主携液生产期出发，综合考虑作业方式、作业费用等因素，结合气井产能、不同规格管柱携液流量、摩阻压降，形成老井1½in、1¼in速度管柱技术系列。

根据气田不同区块气质、水质特征及管柱下深需求，上古优选CT70普通碳钢、下古优选2205不锈钢管材。创新设计速度管柱悬挂、密封及下管配套工具，实现数千米连续管在井口长期密封悬挂，确保作业及生产过程安全可控。

截至2022年底，速度管柱排水采气技术在长庆气田推广应用1200余口井，平均单井增产0.26万m^3/d，累计增产超过40亿m^3。苏里格中区示范区整体应用效果显著，产量递减率20.3%↓15.2%，压降速率0.02MPa/d↓

0.015MPa/d(图 2)。

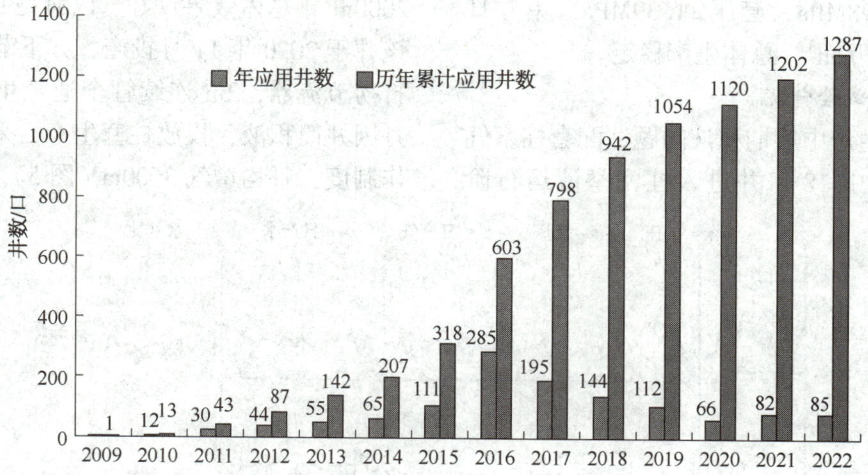

图 2　连续管速度管柱技术历年应用情况

2.2　形成连续管速度管柱四种应用模式

一是推广形成上古速度管柱模式，技术示范引领效果突出。通过优选试验井、优化堵塞器结构、预置管口扶正装置等措施，形成了上古气井速度管柱特色技术，建立 4 个示范区，累计应用 404 口井，增产气 8.2 亿 m^3。

二是创新形成苏南速度管柱模式，工厂化作业提效显著。大力推进苏南作业区新井速度管柱工厂化作业，形成“四个一趟过”井丛作业工艺流程，作业效率提升 40%，建成苏南新井示范区，单井作业成本由先导试验时 100 万元降为 68 万元，降幅 32%，累计应用 103 口井，增产气量 2.6 亿 m^3。

三是探索形成水平井速度管柱技术，整体试验效果明显。针对水平井大斜度井身结构面临的排水采气难题，开展了速度管柱下入时机、下入位置研究，研发了水平井专用悬挂器和内嵌式堵塞器等关键工具，解决了井口密封悬挂和连续管斜井段下入问题。现场试验 114 口井，井均增产 0.38 万 m^3/d(图 3)。

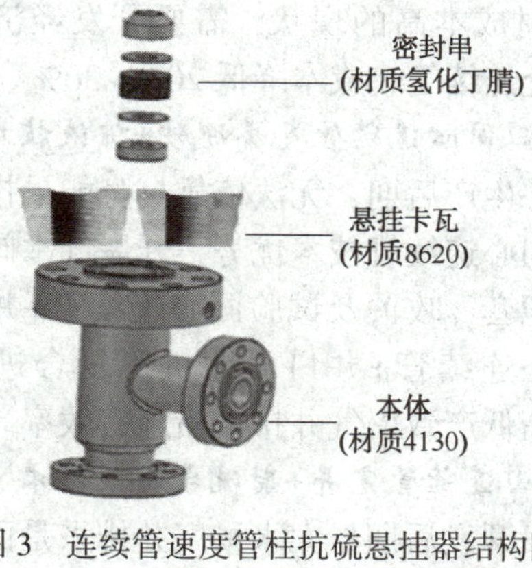

图 3　连续管速度管柱抗硫悬挂器结构图

四是攻关形成下古含硫气井速度管柱技术，填补国内技术空白。针对下古含硫气井腐蚀及油管结垢导致常规排水采气技术无法应用的现状，优选了高抗硫 2205 连续管，耐 H_2S 分压 0.06MPa，耐 CO_2 分压 1.76MPa；研制了抗硫型悬挂器，解决了硫化氢环境下连续管悬挂与密封问题。应用 24 口井，单井增产 30%。

3　气田连续管完井采气一体化技术

3.1　工艺原理

以气井全生命周期生产为理念，新井速度管柱完井时一次性配套井下采气工具，形成 2in 连续管+节流器+柱塞一体化完井技术，压后排液、投产初期节流生产、中期速度管柱携液、后期柱塞气举，满足了一体化生产工艺需求，成为速度管柱技术 2.0。

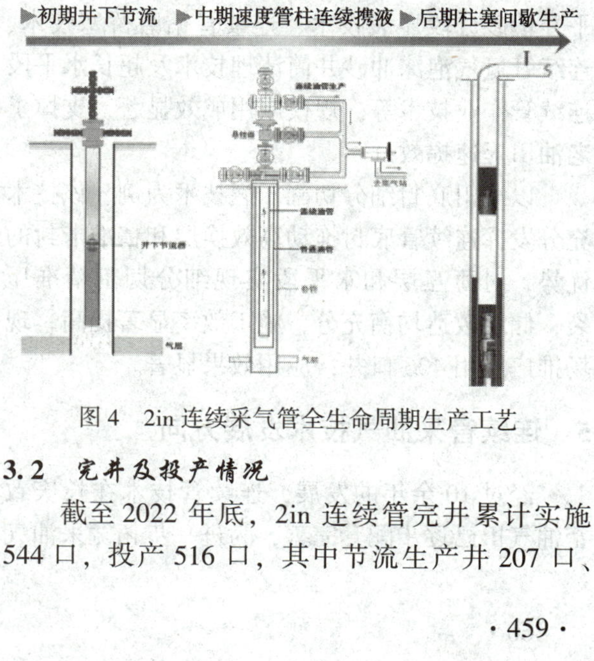

图 4　2in 连续采气管全生命周期生产工艺

3.2　完井及投产情况

截至 2022 年底，2in 连续管完井累计实施 544 口，投产 516 口，其中节流生产井 207 口、末节流生产井 309 口(占比 59.9%)。已投产气井平均油压 2.98MPa，套压 11.39MPa，单井日均产气量 0.97 万 m^3，总体生产稳定。

3.3 配套柱塞试验情况

针对气井生产中后期积液问题，配套柱塞气举 20 口井，其中 18 口井进入柱塞举液运行阶段，套压平均下降 2.5MPa，日均增产气量 2000m^3，总体效果良好。以典型井苏 6-X 为例，该井于 2020 年 11 月投产，井下节流生产 1 个月打捞节流器，2in 连续管全通径生产。2021 年 4 月因井筒积液，投放柱塞生产，采用开 2 关 3 工作制度，日均增气 3600m^3(图 5)。

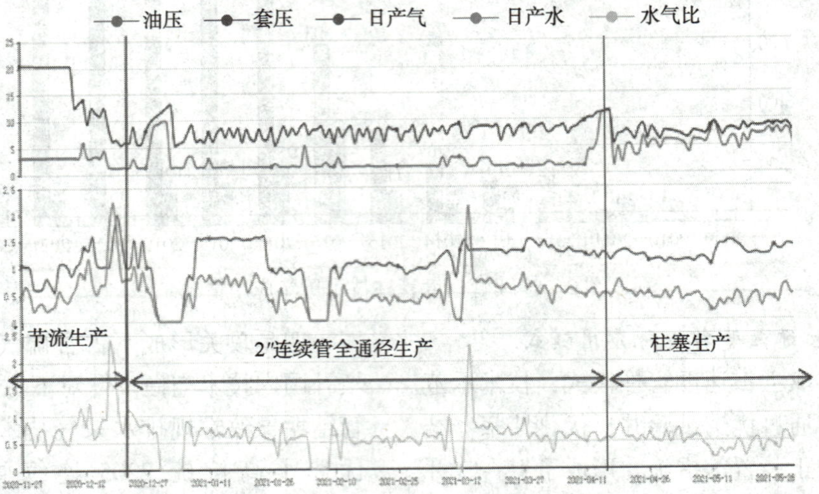

图 5　苏 6-X 井连续管完井采气生产曲线

3.4 技术优势

生产表明，2in 连续采气管完井技术较常规带压作业完井周期缩短 50%，自然连续生产期可延长 1.5 年，15 年采气综合成本可节约 14.5%。实现了排水采气由分段式向一体化转变，满足了满足了气井全生命周期一体化生产工艺需求。

4 油田连续管采油工艺及配套作业技术

通过连续管采油技术攻关及应用，主要形成了连续管底封拖动细分切割压裂技术、连续管水平井填砂分段压裂技术、连续管钻磨桥塞技术、连续管氮气泡沫冲砂井筒清理技术及超长水平段连续管作业技术等，规模应用成效显著，支撑了老油田提速提效。

以油田底封细分切割压裂技术为例，该技术充分发挥连续管底封拖动高效换层和精准卡封的优势，对薄互层和水平段实现细分切割精准压裂，储层改造均衡充分，施工效率显著提高。现场推广应用 406 口井，应用效果显著。

5 连续管采油气技术发展方向

经过 10 余年的发展，连续管技术在长庆致密油气田已逐步配套完善，为进一步拓宽采油气技术应用范围，助推油气田提质增效和高质量发展，下步应主要围绕降低成本、工艺攻关和技术配套三个方面关键技术开展研究及应用。

5.1 气田下古小井眼井 2in 连续采气管完井技术

小井眼开发是降本增效的一条重要途径，如何将上古气井 2in 连续采气管完井技术优势应用于下古小井眼气井是现实需要。针对现有 2205 管材成本高、井口悬挂及井下工具不配套问题，开展下古小井眼气井 2in 连续管完井经济性管材优选、配套工具研制及试验评价。

5.2 气田下古井 1½in 耐蚀合金速度管柱技术

随着油田低成本开发战略深入推进、连续采气管一体化完井推广应用及排采技术政策调整，预计除苏南外上古老井速度管柱应用将不会新增。针对下古气井速度管柱排采技术优势，但 2205 管材成本高的现状，需要开发经济可行的耐蚀合金连续管，成本降低 20%~30%。

5.3 气田同心连续管气举冲砂+排液技术

气井生产后期，无法依靠自身能量排液。探索利用同心连续管技术优势，开展气举阀选型及压缩机配套，攻关及试验同心连续管+井下吸砂器、同心连续管+井口压缩机等复合进攻性措施，提高低产致密气井排采措施有效率。

5.4 气田连续管完井+射流泵排液技术

气田开发后期，大水量气井排采是面临难题

之一。充分发挥射流泵排水量大、适应性强的技术优势，开展连续管完井+射流泵复合工艺攻关及试验，研发井下气密封封隔器及配套工具，升级高含水气井连续管完井采气一体化技术(3.0)。

5.5 油田CO_2驱提高采收率连续管注气完井技术

气驱是实现老油田提高采收率的主要技术途径之一。针对长庆油田在前期实施过程中，注入井套管带压现象比较普遍，同时注入端还存在问题，开展连续管注气完井管柱研制与试验，提升注入井井筒完整性、降低综合成本，实现注入井全生命周期安全注气。

5.6 油田敷缆连续管电潜泵无杆采油工艺技术

前期在油田开展了“敷缆连续管+电潜螺杆泵”无杆举升技术试验，验证非金属管与井下工具连接可靠性，节能高效优势突显。针对敷缆连续管成本高、性能有待提升，井下作业设备需要配套，开展敷缆连续管+无杆采油工艺配套。

5.7 油田长水平井连续管排液冲砂配套技术

针对连续油管冲砂工艺在大平台长水平井应用面临的问题，开展大水垂比井水平井延长连续油管下深技术、长水平井连续管动态冲砂技术及配套工具研制、低压水平井冲砂解堵配套技术研究，形成长水平井连续管排液冲砂配套技术。

5.8 油气田有缆连续管排采监测一体化技术

智能化是油气田开发的趋势。针对金属连续管速度管柱易腐蚀、结垢、结蜡及井底数据不方便监测的现状，借鉴敷缆连续管技术优势，探索开发智能多孔连续速度管，实现智能化高效排采监测一体化。

参 考 文 献

[1] 李宪文，肖元相，陈宝春，等．苏里格气田致密砂岩气藏多层分压开采面临的难题及对策[J]．天然气工业，2019，39(8)：66-72.

[2] 史配铭，倪华峰，石崇东，等．苏里格致密气藏超长水平段水平井钻井完井关键技术[J]．石油钻探技术，2021，50(1)：13-21.

[3] 李国华，王素荣，古永红，等．直井连续分层压裂工艺在长庆油田上古低渗砂岩气藏的应用[J]．油气井测试，2013，38(2)：63-70.

[4] 刘亚明，于永南，仇伟德．连续油管最大下入深度问题初探[J]．石油机械，2000，13(6)：55-57.

[5] 赵彬彬，李丽，白晓弘，等．水平井速度管柱排水采气技术研究及试验[J]．石油机械，2018，46(1)：88-91.

[6] 白晓弘，李旭日，刘凯文，等．速度管柱排水采气技术的应用及改进[J]．石油机械，2011，39(12)：60-62.

海上风电与海洋油气融合发展应用案例研究

梅耀丹

（中国石油集团海洋工程有限公司海洋工程设计院）

摘　要　近十年，全球海上风电市场发展迅猛，开发海上风电业务已成为传统油气行业实现碳减排目标的重要手段之一。本文通过总结传统油气行业转变趋势，结合海上风电发展现状，评估了海上风电与海上油气业务的契合度；介绍了海上风电与制氢、海上风电与油气平台耦合供电两种发展模式，并结合实际案例进行了分析，最终得出结论：海上风电与海上油气业务具有较高契合度；海上风电与海上油气的融合发展是传统油气行业向新能源业务转型的重要手段，其核心是电能的就地消纳，具有广阔的发展前景。

关键词　海上风电；海上油气；融合发展

1　传统油气业务向新能源业务转变

全球为应对气候变化，全球178个缔约方共同签署了气候变化协定——《巴黎协定》，协定长期目标是将全球平均气温较前工业化时期上升幅度控制在2℃以内，并努力将温度上升幅度限制在1.5℃以内。《巴黎协定》提出的约束目标倒逼各国加速向低碳能源转型，国际油气巨头纷纷制定碳减排计划，将可再生能源作为重要发展方向。壳牌（Shell）宣布在2050年成为净零排放能源公司，主要开发可再生能源、生物燃料和氢气，以2016年为排放基准年，2035年实现碳排放降低30%，2050年实现碳排放降低65%。道达尔（TotalEnergies）承诺2050年前实现其生产的净零排放和供欧洲用户能源产品的净零排放，全球能源产品的平均碳排放强度降低60%或以上（低于27.5gCO_2/MJ），为实现这一目标，计划从2021年到2030年每年在可再生能源业务方面投入30亿美元。挪威石油公司（Equinor）计划2050年实现温室气体净零排放，公司将为2030年后全球油气需求下降提前准备，加大风电等可再生能源开发，2035年可再生能源发电装机容量达到12~16GW。国内石油企业近年来也顺应趋势，致力于促进传统油气业务向新能源业务的跨越。中石油坚决贯彻落实“双碳”目标，力争2025年左右实现碳达峰，2035年实现新能源业务产能与油、气三分天下，2050年实现近零排放，新能源新业务产能达到半壁江山。去年，中国石油在新能源领域全面提速发展，全年建成投产新能源项目39个，新增新能源开发利用能力350万t标煤/a。

全球能源格局正在发生改变，传统的能源需求中心正快速向新兴市场转移，国内外石油天然气企业加速布局海上风电产业。2017年，壳牌（Shell）公司成立独立分公司New Energies投资可再生能源和低碳电力项目，并进军海上风电领域；同年，挪威石油公司（Equinor）宣布到2030年总资本支出的15%~20%用于投资新能源解决方案，并于2019年与中国国电投下属公司中电国际（CPIH）签署备忘录，规划共同开发中欧海上风电；法国油气道达尔（Total）公司2019年进军英国海上风电行业，并对漂浮式海上风电技术展现出浓厚兴趣；2020年，英国石油公司（BP）购买美国风电资产，正式涉足海上风电领域；同年9月，中海油首个海上风电项目-江苏竹根纱300MW项目成功并网，2020年底全部实现投产。

国际能源署（IEA）2019年发布的《海上风电展望》报告显示：海上风电全生命周期的成本中，有40%和油气行业有明显的协同作用。由于海上油气开发与海上风电开发有着相似的供应链和技术要求，两种业务具有较高的业务契合度，从项目的设计、建造、安装到运营维护等全生命周期各个阶段，海上风电可向油气行业学习的领域包括海上施工项目管理、海上交通运输和物流、浮式基础、海缆、钢结构、防腐、缺陷检测等技术。在拓展海上风电业务方面，海上油气公司具有以下优势：掌握丰富海洋环境、气象数据信息；持有完备的海洋工程资质及管理体系；具备优秀的海洋工程一体化服务能力；积累了丰富的海洋工程经验；储备了经验丰富的海洋工程人才；具有深水区海洋施工经验及得天独厚的海上平台电力消纳优势。

2　海上风电发展现状

在新冠疫情影响下，全球范围内传统海上油气板块和海上风电板块的表现形成了鲜明的对比，能源市场的投资结构正在发生变化。传统海上油气市场当前普遍面临着作业减少、项目延期、投资低迷、运营中断等困难。然而，海上风电却凭借其巨大潜力获得更多投资支持。根据克拉克森研究（Clarksons research）发布的《海上可再生能源 & 海上风电》专题报告显示（图 1），2020 年全球海上风电市场总投资额达 560 亿美元，首次超过海上油气板块投资 429 亿美元。其中，中国海上风电市场投资约 251 亿美元，约占全球海上风电投资的 45%。

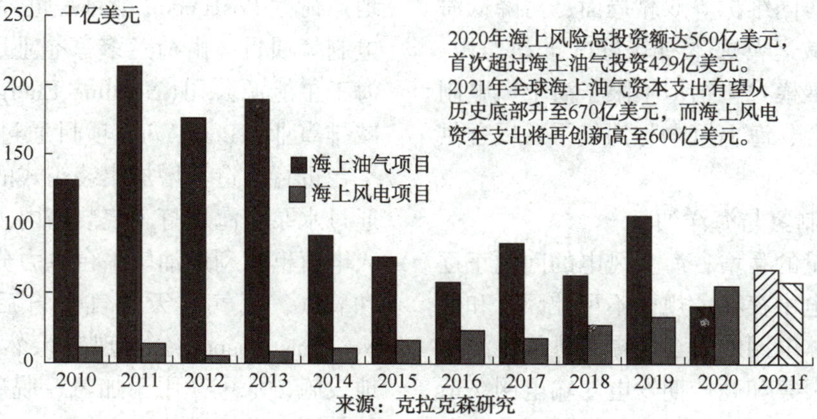

图 1　海上油气和风电项目历年投资情况

中国海上风电市场潜力巨大，且行业处于高速发展期。彭博新能源 2021 年发布的《全球海上风电报告》显示（图 2），2021 年全球新增海上风电装机容量约 13.4GW，受到 2021 年底补贴到期的影响，中国海上风电装机呈井喷式增长，单年新增 10.8GW，占全球新增容量的 80%，尽管 2022 年后中央财政补贴完全退出，预计 2022 年中国新增装机规模将大幅降低，但依旧将保持稳健增长态势。

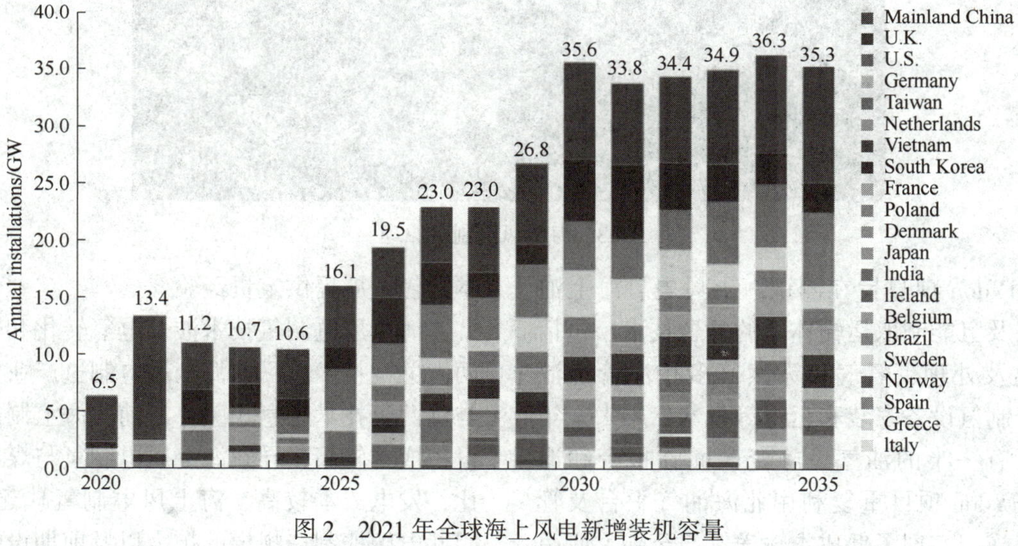

图 2　2021 年全球海上风电新增装机容量

3　海上风电与海洋油气融合发展

随着国家补贴退出，国内海上风电产业面临巨大降本压力，除优化设计、降低工程造价、降低运维成本等手段外，与海洋经济融合发展是“降本”之术的法宝之一。海上风电场的综合开发应从总体上考虑风电场的布局和规划，将风资源与太阳能、波浪能、潮汐能等其他海洋能资源形成互补，本着节约海域资源的原则，统筹其他产业协调发展，减少用海矛盾，提高海洋资源利用效率，加强海洋生态文明建设，降低风电项目对海洋环境资源的影响。

海上风电场综合开发形式多样，包括海上风电与海洋能综合开发、海上风电与海上油气融合发展等。海上风电与海上油气具有较大的融合发展空间，在平价条件下，海上风电开发受到经济性制约，融合发展可以实现设施共用、发电直供、就地消纳、协同维护等双赢局面，对降低海上风电投资、缩减运营成本有较好的推动作用。两种产业融合发展模式包括但不限于海上风电制氢与海洋油气融合、海上风电与油气平台耦合供电等模式。

1. 海上风电制氢与海洋油气

随着装机容量的猛增，海上风电的问题正逐渐凸显：海上风电中存在大规模不可控因素和低品质并网，对整体电网的安全性提出挑战；海上风电场的大规模聚集和高峰期发电对输电网络造成压力，导致大量弃风现象；大规模并网造成电网调度难度增加；随着海上风电场离岸距离增加，外送电缆投资成本也逐步攀升。海上风电制氢可以通过改变储能方式或能源转化方式解决上述问题。海上风电制氢是指海上风机将风能转化为电能，然后利用电能进行电解海水制氢，实现风能向氢能的转化。

目前海上风电制氢的一种典型形式是将风机产生的电能传送至海上油气平台，在油气平台将水电解后利用现有的天然气管道将氢能传送至陆地。荷兰 PosHYdon 项目是世界上第一个海上风电制氢项目，由荷兰多家企业、机构共同承担，海王星能源公司(Neptune Energy)主导，以促进减排事业。PosHYdon 项目通过对 Q13a-A 油气平台进行改造，增加集装箱式的制氢设备，首先通过水泵将海水打入集装箱内，经过脱盐设备进入电解槽，利用油气平台电力分解水，生成氢气和氧气，氢气与天然气混合后通过 NOGAT 和 Noordgastransport 公司现有天然气管道传送至陆地设施(图 3)，用于加氢、脱硫和氨生产环节，氧气则直接被排放至大气。

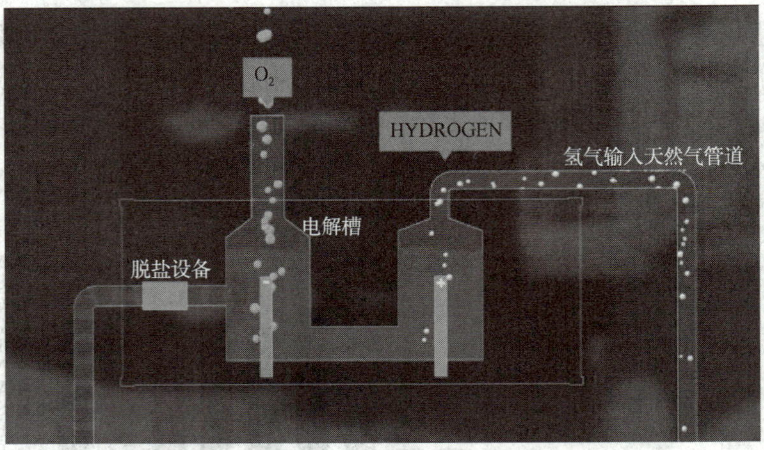

图 3　海上风电制氢原理

PosHYdon 项目旨在测试海上风电、海上油气平台以及氢能制取运输体系的整合技术，包括油气分离及处理、氢气和天然气多相流管道混输、海上制氢设备安装和运行等技术。未来十年北海地区有一半的油气设施资产面临报废和退役，PosHYdon 项目重复利用北海油气平台及管道基础设施，实现了低成本输送氢气至陆上应用终端。平台电力暂由陆地上电网通过海缆连接供应，并按波动的海上风电发电量来模拟供应，但未来将改由附近的海上风电场为 Q13a-A 平台供应电力。PosHYdon 项目将为海上大规模、低成本绿氢发展提供宝贵经验。

海上风电制氢技术涉及电氢转化和输送氢气两大关键技术，目前海上风电制氢产业发展受限与这两个技术息息相关：目前，海上制氢电解槽设备成本较高，导致海上风电制氢与煤电制氢相比，发电成本较高，海上风电制氢缺乏经济性，因此电解槽制造规模的扩大以及前期设备成本的下降是解决海上风电制氢经济性的关键。另外，海上制氢缺乏成熟的运输方式，深远海建设输氢管道或运输船舶输氢并不经济。掺入氢气的天然气既可以混合燃烧，也可以在管道终端做分离处理，所以利用现有天然气管道掺氢输送不仅具有投资成本低、经济收益产生快，还可有效解决海上风电消纳问题。2020 年 1 月，英国 HyDeploy 示范项目向现有天然气管网注入 20%（按体积计）氢气，为 100 户家庭和 30 座教学楼供气，截至目前，20%为欧洲最高的掺氢比例。2019 年 10 月，我国首个天然气掺入电解氢气项目——朝阳可再生能源掺氢示范项目完工。但目前天然气管网掺氢比例以及掺氢输送管道安全问题仍限制着天然气掺氢技术发展。虽然天然气和氢气在物理特性上有相似特性，利用天然气管道对氢气进行压缩、储存、运输理论上具有适应性，但掺氢比例、管道材质及外部因素仍对输气管道及管道配套设备掺氢运输产生影响——天然气管道掺氢后管道容易产生氢脆、氢鼓泡、氢腐蚀等问题。因此，对掺氢后管道相容性、氢脆机理等关键技术进行攻关，推动规模化天然气管道掺氢运输应用是解决海上风电制氢的重要手段。

2. 海上风电与油气平台耦合供电

海上油气平台自发电存在以下问题：燃气透平发电机或柴油发电机运行碳排放高；海上油田自组网发电成本高；平台空间有限，自组网供电占用平台面积，扩容改造困难等。目前，利用岸电供电已攻克上述问题，但是岸电技术对海缆技术要求严格，需满足大容量、可靠性高、能够实现远距离输电等要求。利用海上风电为附近的油气平台供电是自发电问题的另一种答案。

挪威石油公司（Equinor）漂浮式海上风电场 Hywind Tampen 是第一座为海上油气平台直接供电的海上风电场（图 4），风电场水深 260 ~ 300m，离岸 140km，配备 11 台西门子 Gamesa 的 SG 8.0-167DD 风机，总装机容量为 88MW，是全球唯一使用 SPAR 基础的漂浮式海上风电项目。为位于北海的 Snorre A 和 B 以及 Gullfaks A，B 和 C 五座石油平台供电，满足五座石油平台 35%的电力需求，瞬间负荷最大达 70%。法国道达尔能源公司（TotalEnergies）发起 O/G Decarb 创新工程项目（图 5），旨在探索综合利用浮式海上风电、波浪能、氢能等多种能源形式，为海洋油气平台供电的模式，彻底解决使用油气平台附近的可再生能源为油气平台供电的问题。

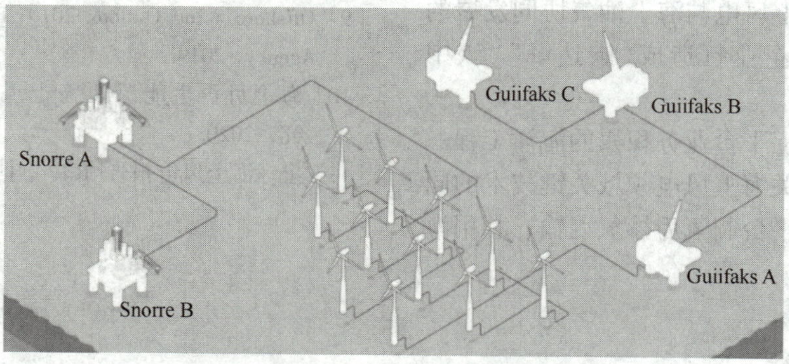

图 4　Hywind Tampen 风电场布局示意图

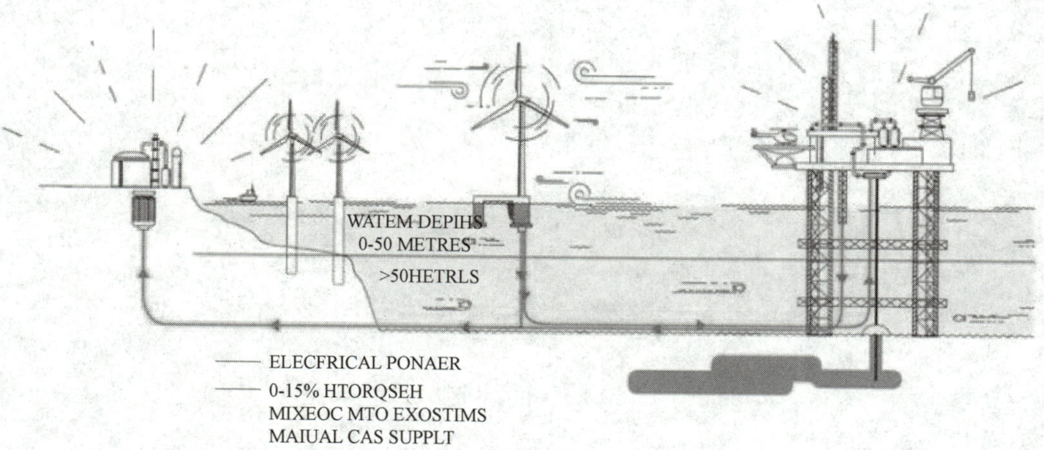

图 5　O/G Decarb 创新工程项目流程

O/G Decarb 创新工程项目的设计充分利用各种可再生能源的互补性：首先使用海上风电和波浪能弥补单一能源的不稳定性，进一步为时刻满足平台电力供应，增大海上风电和波浪能装机容量，保证发电量大于用电量，进而利用海上风电和波浪能超发的电力通过电解水制氢，最后将氢气以 15% 的比例混入平台生产的天然气，使用同一套管网运输，节省新建管网费用。O/G Decarb 创新工程项目是 PosHYdon 项目进一步的优化，海洋能资源利用更充分。

4　结论

在全球碳排放标准日益趋严的背景下，传统油气巨头分分布局新能源行业。随着当下海上风力发电的大规模发展，滞后的电网建设已无法满足迅速扩张的风电发展，导致弃风现象浪费资源。为促进海上风电的消纳和能源结构的优化调整，应以海上风电就地消纳为核心，通过电解水制氢回输、风电就地供电等手段，利用海上风电与海上油气行业具有较高的发展契合度特点，通过技术互补、资源共享等手段可以实现深层次的融合发展，形成海上风电与海上油气协同发展的局面，将海上油气企业打造成“碳达峰”“碳中和”的主力军。

公司可结合海上平台业务积累的海洋工程一体化服务经验，攻关海上风电领域关键技术的同时，掌握利用海上平台制氢后掺氢混输、利用海上平台消纳海上风电等技术，进一步逐渐建立海上能源岛格局，实现多能融合。

参考文献

[1] 李宏涛，温源远，杜譞，等. 2016 年全球主要多边环境协定动态、发展趋势及对我国履约的启示[J]. 环境保护，2017，45(08)：74-78.

[2] 孙钰. 巴黎气候大会：倒逼转型绿色发展的新起点[J]. 环境影响评价，2016，38(01)：17-19.

[3] 王擎宇. 国际石油巨头纷纷发力可再生能源[J]. 能源研究与利用，2019(03)：8-10.

[4] 贺新春，王超，李春烁. 国际大石油公司经营业绩及战略动向分析[J]. 石油科技论坛，2017，36(06)：43-48.

[5] 吴蔚林. 低碳环保背景下挪威国油更名的动因与思考[J]. 低碳世界，2018(12)：1-2.

[6] 孙一琳. 2019 年欧洲海上风电发展概况[J]. 风能，2020(02)：54-57.

[7] 吴林强，张涛，徐晶晶，等. 全球海洋油气勘探开发特征及趋势分析[J]. 国际石油经济，2019，27(03)：29-36.

[8] 陈震宇. GH 海上风电场运营风险管理研究[D]. 南京师范大学，2018.

[9] Offshore Wind Outlook 2019[R]. International Energy Agency，2019.

[10] 海上可再生能源 & 海上风电[R]. 克拉克森研究，2020.

[11] 全球海上风电报告[R]. 彭博新能源财经，2021.

河套盆地临河坳陷深层碎屑岩油气富集成藏规律与勘探重大发现

史原鹏　陈树光　王建广　李志军　冯广业　武　函　田　宁　罗金洋　田思思　张晰蒙

（中国石油华北油田公司）

摘　要　为了实现河套盆地临河坳陷深层碎屑岩油气藏勘探突破，近年利用重磁电震等综合物探资料，开展了成盆、成烃、成储、成藏机理研究。结果表明：①河套盆地成盆期晚，早期基底构造控制了盆地结构和大型构造带展布，晚期构造复杂化控制圈闭的形成与分布；②古地貌和古沉积环境控制烃源岩生烃物质及其展布，揭示了两套咸化湖相烃源岩早熟早排高效成烃机理；③盆缘大型构造转换带和拗陷湖盆整体沉降控制大型浅水辫状河三角洲砂体广覆式沉积，石英含量高，抗压实作用强，胶结物含量低，深埋时间晚，成岩作用弱，储层物性好，推测有效储层深度达8000m；④环洼源储配置好，同时受早期基底构造影响，发育大型鼻隆构造等有利汇聚体，控制油气汇聚富集成藏，形成环洼汇聚体控藏新认识，指导深层井位部署，实现了临河坳陷北部深层油气勘探重大突破，发现了深层碎屑岩领域兴华、扎格等高丰度富集油藏。研究成果极大丰富了拗断叠合盆地晚期油气富集成藏理论新认识，为其他地区深层碎屑岩领域油气勘探提供重要理论参考。

关键词　河套盆地；古构造控带；晚构造控圈；古环境控烃；弱成岩控储；汇聚体控藏

随着全球能源需求的日益增长和油气探明程度逐年加深，油气勘探向更复杂领域拓展，深层超深层以及非常规领域已成为未来油气勘探的重要趋势。目前国内外在深层碎屑岩领域尤其发育原生孔隙的深层碎屑岩油气藏鲜有报道。临河坳陷北部目的层埋藏深(古近系平均4500m以深)，深埋时间晚(5.3Ma以来快速沉降)，埋藏时间短，导致储层压实作用弱和成岩演化相对滞后，保留了大量原生孔隙，储层物性较好。

2018年，临河坳陷中部吉兰泰构造带在古近系、白垩系、太古界三大领域均取得石油勘探重大突破，生油岩位于白垩系，展现了临河坳陷良好勘探潜力。但临河坳陷北部20世纪80年代钻井8口，均未取得油气勘探突破。究其原因，早期钻井主要集中在坳陷北部兴隆构造带外带，圈闭落实程度低，古近系烃源岩热演化程度低。基于前期钻井分析，认为该地区古近系烃源岩较为发育，储层物性普遍较好，源储互生，作为演化程度更高的古近系(超)深层能否实现勘探突破？其资源潜力、成储机理以及勘探前景如何？本文针对北部古近系资源潜力、油气成藏主控因素开展重点研究，为实现临河坳陷中北部油气勘探重要突破和规模储量发现提供了重要支撑。

1　地质概况

河套盆地位于内蒙古自治区中西部，北邻阴山山脉，东接鄂尔多斯高原，东南与贺兰山、桌子山毗邻，西至狼山，为弧形展布的中-新生代拗断叠合盆地[9-12]，自西向东依次发育临河坳陷、乌拉山隆起、乌前坳陷、包头隆起以及呼和坳陷，形成“三坳两隆”的构造格局(图1)，其中西部临河坳陷呈NNE-EW向弧形构造展布形态，具有面积大(2.24万km^2)，埋藏深(最大基底埋深超1.4万m)的特点，基底为太古界-元古界变质岩系，沉积盖层主要为白垩系、古近系、新近系、第四系砂泥岩地层(图1)，发育白垩系和古近系两套主力烃源岩，成藏配置条件较好，是目前盆内最主要的生油坳陷和含油气区。

2　构造演化特征

关于临河坳陷结构构造特征，近年来已做了大量深入的研究(张锐锋，等.2020，2023)，这里不在赘述。临河坳陷总体呈NE走向，具有东西分带、南北分区的结构特征，以吉北变换带为界，南北划分2个凹陷，以北地区为巴彦淖尔凹陷，以南地区为吉兰泰凹陷。其中，巴彦淖尔凹陷东西方向可划分为淖西洼槽、中央断裂构造带和黄河洼槽；吉兰泰凹陷东西方向划分为吉西洼槽和吉东斜坡(图1)。近期研究表明，现今构造带发育主要受早期构造的控制，而晚期大型构造圈闭的形成主要在早期构造基础上，晚期构造进一步复杂化，并形成多条断层控制构造圈闭的特征。

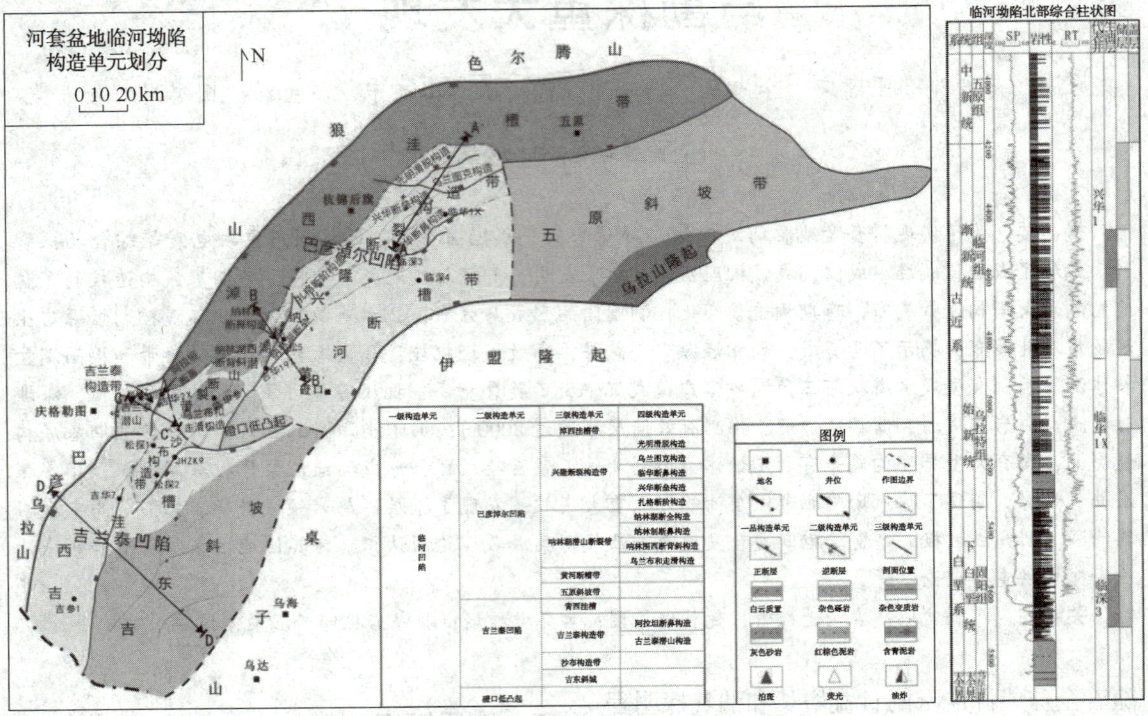

图1 河套盆地临河坳陷构造单元划分与综合柱状图

白垩纪沉积前，河套盆地中北部处于隆起区，其东侧伊盟隆起和鄂尔多斯盆地和南侧巴彦浩特盆地均发育古生代到侏罗纪地层。直到早白垩世，河套盆地开始整体沉降，沉降(沉积)中心发生由南向北迁移，南部发育下细上粗沉积组合，下部发育一套暗色泥岩，中上部为砂砾岩，而中北部地区则相反，下部为砂砾岩沉积，中部发育一套暗色泥岩，上部变为棕红色砂泥岩互层；早白垩世末期，受东部太平洋板块和北部西伯利亚板块挤压碰撞运动影响，使中国北方中东部地区发生较为强烈的挤压隆升构造活动，导致河套盆地临河坳陷北部受西伯利亚板块向南俯冲影响，发育近EW向挤压逆冲断裂(杭五断层)，使杭五断层北侧地层抬升剥蚀殆尽，仅靠近杭五断层上升盘附近受逆冲断弯褶皱影响保留少许较薄早白垩世地层，而杭五逆冲断层下降盘则保留了大部分早白垩世地层，受向南挤压影响，中部地层逐渐抬升，形成低角度削截不整合。同时，较为稳定的鄂尔多斯地块受东部太平洋板块和北部西伯利亚板块强俯冲挤压作用影响，向西作用于河套盆地临河坳陷中南部地区，使得临河坳陷中南部发育系列近SN向逆冲断层，且具有向南挤压逆冲更为强烈的特点，形成了黄河断裂、图布断裂、纳林湖断裂、狼山分支断层以及吉参1东等多条早期挤压逆冲断层，尤其在黄河断槽南部以及纳林湖断层与狼山分支断层之间形成2对背冲构造，在逆冲断层下降盘保留了较厚早白垩世地层，而上升盘则几乎抬升剥蚀殆尽。在始新世~渐新世，临河坳陷总体为弱伸展断拗阶段，盆地发生整体沉降，仅在基底较为薄弱的早期逆冲构造部位发生了逆冲断层负反转，同时沉积中心持续向北迁移，形成了向北以及负反转断层控沉积稍厚的构造沉积演化新格局。这就很好地解释了南部吉兰泰凹陷白垩纪残留多个楔形体地层以及狼山分支断层、纳林湖断层、图布断层、黄河断层以及杭五断层等其下降盘缺失白垩纪地层而上升盘却保留较厚白垩纪地层的原因，同时也说明早期逆冲先存构造控制了河套盆地临河坳陷整体构造格局以及现今构造带的展布。进入新近纪尤其是上新世以来，受南部印度板块俯冲和喜马拉雅运动的影响，河套盆地进入强伸展断陷和走滑伸展热沉降阶段，在早期断层基础上，开始发育大量次级断层，形成大型复杂断裂体系，控制并决定了晚期构造圈闭的形成及规模(图2)。

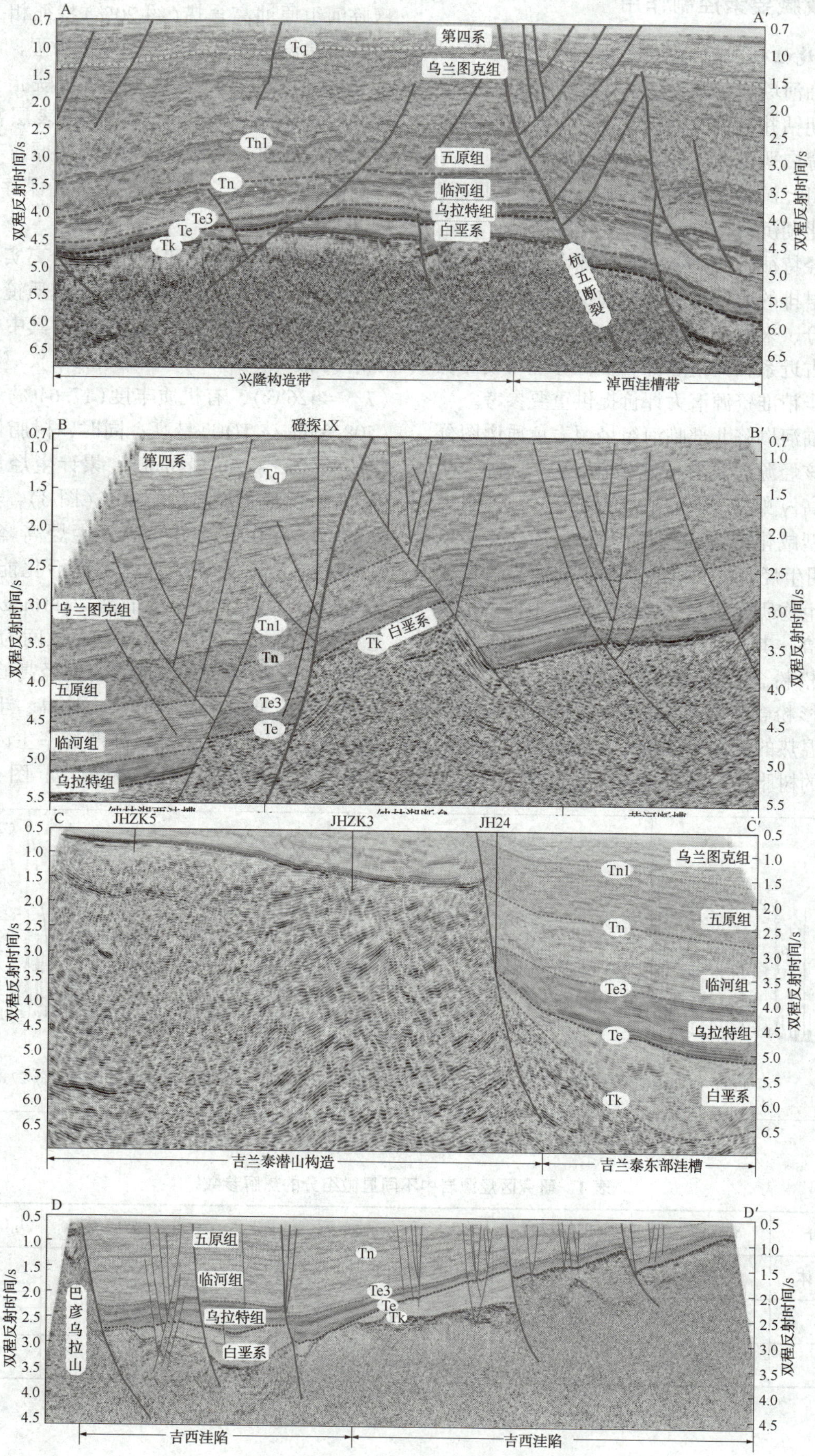

图2　临河坳陷不同构造带地震剖面图(剖面位置见图1)

3　油气成藏要素控制作用

3.1　古环境控烃

关于临河坳陷烃源岩基本特征及分布不少学者基于早期钻井资料做了相关研究，指出临河坳陷主要发育白垩系和古近系两套烃源岩，其中古近系临河组烃源岩主要分布在临河坳陷中北部，表现为咸化湖沉积特点，具有演化程度低，早熟早排的成烃特征。而关于优质烃源岩的成烃环境及其早熟早排的成烃机制研究较少，本次通过开展生烃组分、来源及热模拟研究，进一步明确了临河坳陷古近系临河组烃源岩发育环境与成烃机制，为下步精准资源潜力评价提供重要参考。

通过临河坳陷北部临河组烃源岩色质谱图分析发现，该烃源岩具有低姥植比(<1)，高γ胡萝卜烷，高γ蜡烷(>C_{30}霍烷)的特点，表明该时期为典型咸化湖沉积特征，而C_{27}<C_{29}，呈反L形，表明生烃有机质可能以来自陆源高等植物为主；古生物研究表明，烃源岩孢粉中裸子植物孢粉含量高，其中松科属的含量高达88%，包括单双束松粉含量近40%，方体云杉粉、云杉粉和破隙杉粉含量合计超40%，一方面指示当时为干旱温热的气候条件，另一方面松科粉属中含有丰富的树脂体，其可生成大量的C_{21}~C_{35}烃类化合物，是原油中蜡质的主要来源，这与研究区临河组原油高含蜡(约20%)特征相一致。同时，干旱温热气候条件，蒸发能力强，大气降水能力弱，水体盐度较大(伽马蜡烷指数为1~1.5)，水体分层现象明显，水体表层富氧，发育大量有机质，底层水体缺氧-还原，有机质的保存条件优越，形成"高生产、优保存"的生烃模式。

通过开展热模拟和显微组分分离实验，基于样品量和实验要求，本次测定出基质镜质体、藻类体和树脂体的热解参数(表1)，其中树脂体生烃潜力最大(S_1+S_2=94.35mg/g)，生烃最早(T_{max}=426℃)，有机质丰度(17.64%)、氢指数(508.33mg/g TOC)最高；同时，树脂体生烃活化能低(223~256 kJ/mol)，累计生烃量高(139 mg/g)，完成生烃总量的40%(图3)，热演化要求低(R_o为0.2%~0.9%)，生烃高峰早(R_o=0.61%)；其次为藻类体，主体活化能在235~266kJ/mol，累计生烃量最高为116mg/g，完成生烃总量的45%(图3)，热演化区间为0.27%~1.70%，在R_o为0.9%时达到生烃高峰(图4)。树脂体和藻类体生烃百分比占比高，生烃量大，是咸湖烃源岩早熟早排、高产烃率主因(图5)，整体处于国内优质烃源岩最好行列(图5b)。

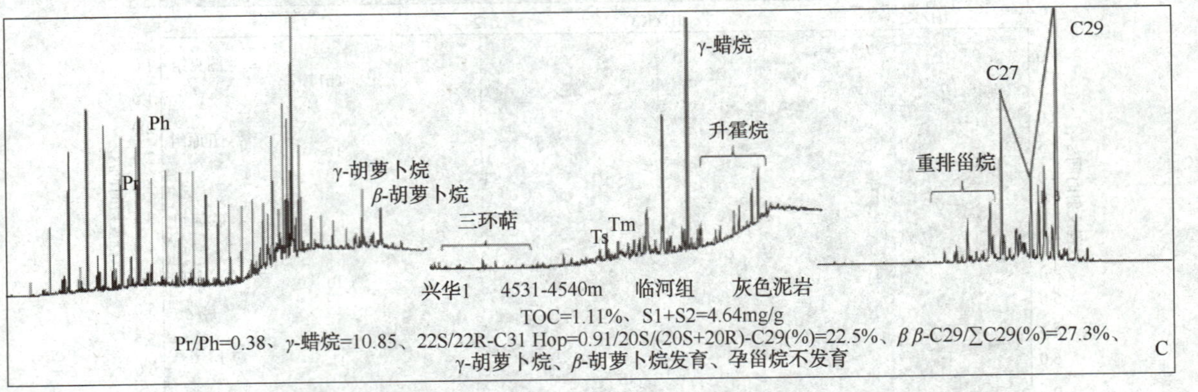

图3　兴华1井临河组灰色泥岩气相色谱图、色质谱图

表1　研究区烃源岩中不同显微组分的热解参数

显微组分	S_1/(mg/g)	S_2/(mg/g)	(S_1+S_2)/(mg/g)	T_{max}/℃	*TOC*/%	I_H(mg/g*TOC*)
基质镜质体	1.23	29.78	31.01	430	9.37	317.82
藻类体	2.46	65.34	67.80	430	13.24	493.50
树脂体	4.68	89.67	94.35	426	17.64	508.33

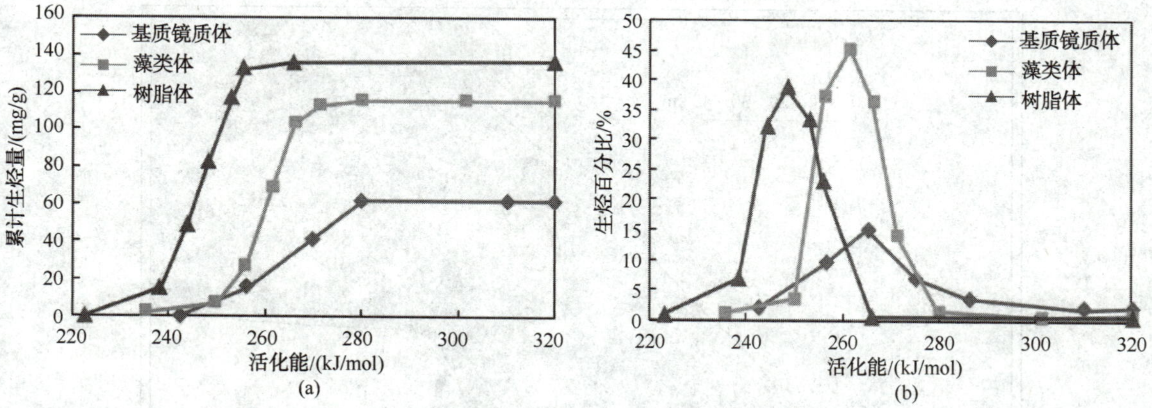

图4　临河坳陷烃源岩中不同显微组分的热解活化能特征

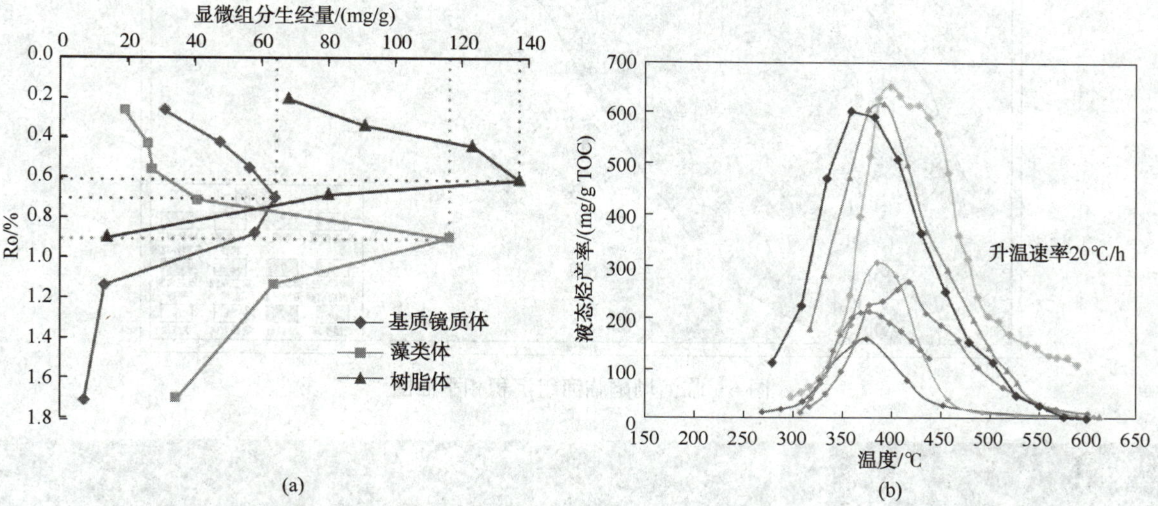

图5　临河组烃源岩不同显微组分生烃热演化及国内典型烃源岩产率对比图

3.2　转换带控砂

河套盆地新生代以来为继承性发育盆地，古近纪沉积期，盆地处于弱伸展拗断转换期，整体地形较为平缓，其中北部物源欠发育，狼山和伊盟隆起尚未成型及形成规模，因此物源主要来自中南部成山较早、高差较大的桌子山、贺兰山、巴音乌拉山等，不同山脉间发育大型构造转换带，是大型物源体系发育的最有利通道。通过露头观察、盆内古水流、轻矿物变化、砂地比以及地震相特征分析，提出盆内主要发育5大物源体系，以东南部桌子山与贺兰山形成的3大物源体系为主，发育大型浅水辫状河三角洲沉积，具有扇体规模大，延伸距离远，矿物成分、结构成熟度高，尤其石英含量高，抗压实作用强，为深层碎屑岩形成优质有效储层提供了良好的物质基础(图6)。

3.3　弱成岩控储

据河套盆地深层已钻井的铸体薄片观察表明，研究区临河组储层储集空间主要为原生粒间孔，发育少量次生溶孔，局部由于泥质和泥晶碳酸盐含量的增加使储层中出现微孔隙(图7)。

河套盆地临河坳陷深埋时间晚，直到上新世(5.3Ma)以来才开始快速沉降，导致储层压实作用弱，实际钻井揭示4500m以浅深层砂岩岩心较为疏松，成岩作用不强；另外，根据已钻井实测计算临河坳陷平均地温梯度小于2.5℃/100m，地温梯度低，成岩演化相对滞后，保留大量原生孔隙；弱成岩作用是河套盆地特有地质背景下形成的孔隙度随埋深减小率明显低于其他盆地的一种独特现象。河套盆地优质储层的孔隙度随埋深减小率为3%/1000m，明显低于冀中坳陷7%/1000m。兴隆地区碎屑组分中石英含量高，可达50%以上，具有较强的抗压实能力，同时石英含量与孔隙度的相关性也表明：石英含量越高，孔隙度越大，说明较高的石英含量导致储层抗压实能力强，导致压实减孔小，保存较多的原生孔隙。

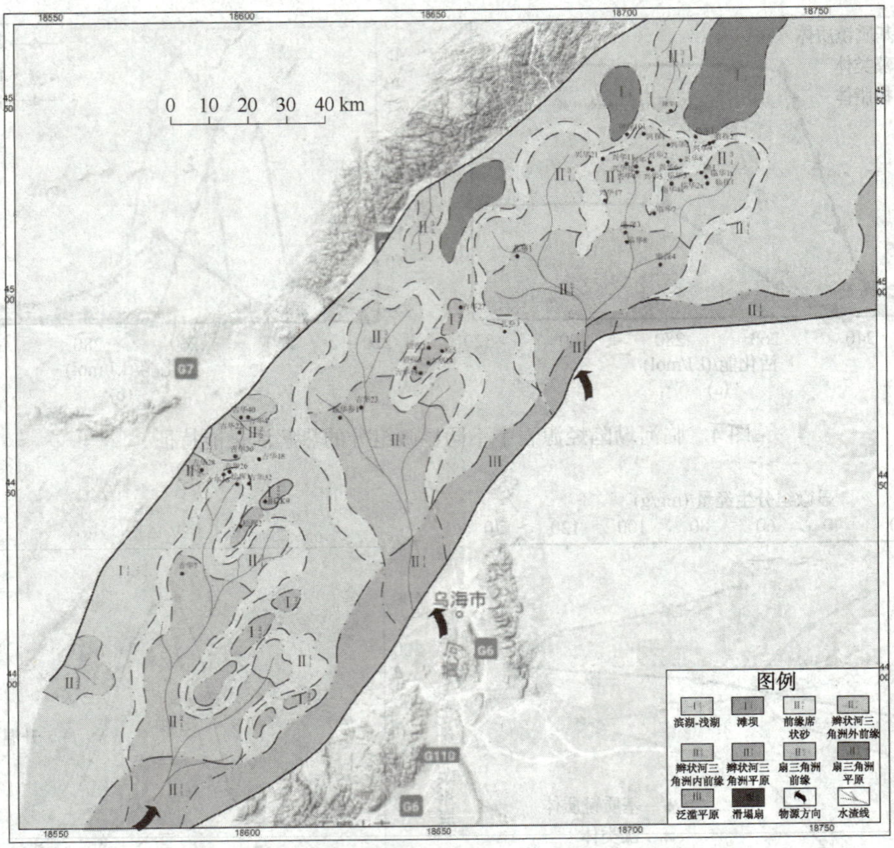

图 6　临河坳陷临河组沉积相平面图

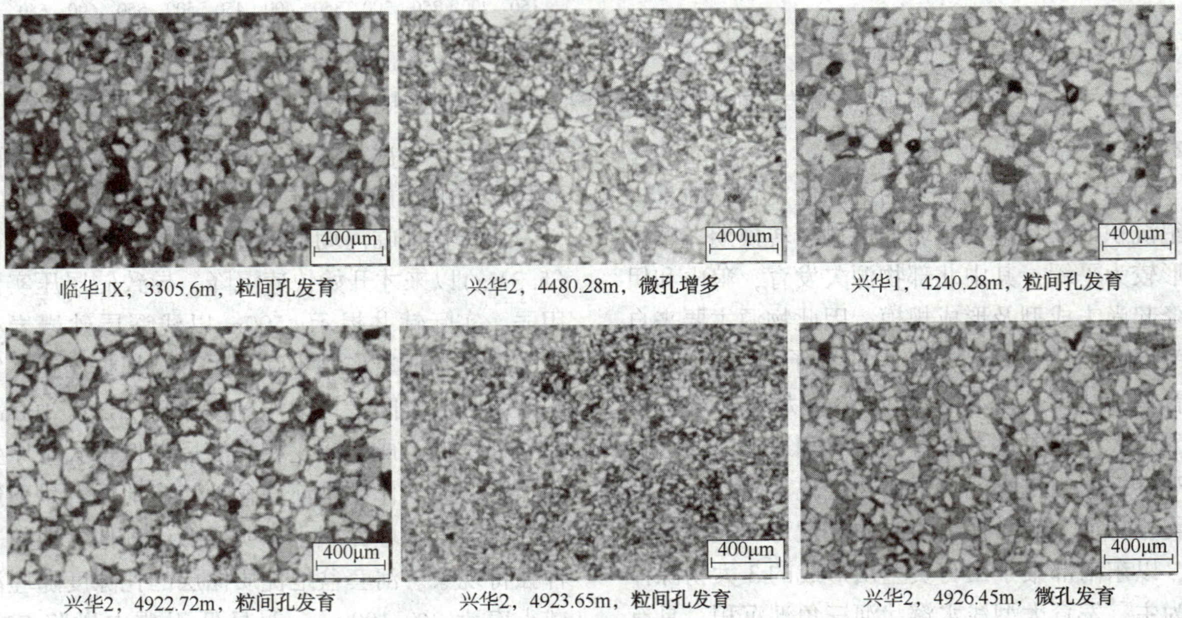

图 7　临河组辫状河三角洲型砂岩储层储集空间特征

一般来说，胶结作用与砂岩的孔隙度、渗透率呈负相关的关系，主要是由于胶结物占据了砂岩的储集空间，并切割了砂岩的渗流通道，对储层的物性起到了破坏的作用。河套盆地临河组由于晚期快速深埋虽然导致温度达到中成岩 A 期，由于成岩时间短，胶结作用没有表现出相应强胶结的特征，使河套盆地储层胶结强度明显滞后于成岩演化阶的一种特殊现象。其中，砂体连通性是控制胶结物含量的重要因素，水下分流河道砂体连通性好，胶结物含量低。河套盆地较缓的坡度导致砂体广覆式分布，砂体稳定且连通性好，是导致储层胶结作用弱的内在原因。兴隆地区优质储层中胶结物含量整体较低，胶结物未占据太多原生孔隙空间，导致原生孔隙得以大量保留。根据实钻井孔隙度与深度关系，拟合时间温度指数(TTI)关系式，预测最大有效孔隙度埋深超8000m，整体弱成岩控制深层碎屑岩储层物性较好。

3.4 汇聚体控藏

赵文智院士(2005)曾提出，油气藏的形成必须具备三大要素，即成藏地质要素、成藏作用过程以及能量场环境。地质要素是油气流体赋存的载体，成藏作用过程是油气从生成、运移、聚集、保存与改造的全过程，能量场环境是地质要素形成和作用过程发生的环境条件。而油气富集成藏就要求三大要素同时具有良好的时空配置关系。通过对河套盆地油气成藏特征和富集规律研究，认为充足的油源条件、近源良好的构造背景和圈闭条件以及强大的源动力条件是河套盆地晚期富集成藏的最重要因素。

充足的油源条件是油气富集成藏的基础。古近系临河组深埋时间晚，热演化程度低，烃源岩生烃门限深(>3700m)，已钻井揭示兴隆构造带5700m以深才进入生排烃高峰期。因此，兴隆构造带埋藏相对较浅的中外带(<5000m)烃源岩成熟度低，排烃量少；内带埋藏深(>6000m)，油气源更加丰富。油源对比也发现油气主要来自临河组自身烃源岩，中外带原油成熟度均高于本地烃源岩成熟度，说明原油主要来自本层系深层烃源岩，油气以侧向运移成藏为主。

近源大型鼻隆构造是油气富集成藏的关键。河套盆地油气成藏期晚(3-5Ma以来)，源内良好的构造背景形成有利的汇聚方向和较强的流体势是油气短期内富集成藏关键，也是汇聚体控藏核心。受早期基底构造影响，处于杭五断层负反转后上升盘的兴华构造、纳林湖断层上升盘的扎格构造、纳林湖断鼻/断垒构造以及狼山分支断层控制的吉华2断鼻构造、上升盘潜山构造等，为洼槽区生成的大量油气提供了有利汇聚体，是油气汇聚的最有利方向。而晚期构造尤其是继承性发育的盆地，受早期构造影响，在先存构造薄弱带上更容易发生断裂活动，形成复杂的断裂体系和多种圈闭类型，为汇聚体定型及控藏提供重要保障。根据以上汇聚体控藏新认识，近年围绕以上有利构造背景勘探，先后发现了吉华1潜山油藏，吉华2高丰度富集油藏，兴华高丰度富集油藏以及扎格、纳林湖油藏等，实现正装规模高效储量发现，为河套盆地“十四五末”建成200万t新油田提供坚实资源基础。

强源动力是晚期油气富集成藏的保障。源动力强度制约因素主要包括生烃强度、油源远近、流体势差大小、输导体系强弱。兴隆构造带烃源岩有机质主要来自陆生富含树脂体松科属植物及水生的富藻类体生物，叠加干旱温热蒸发环境形成咸化湖优质烃源岩，热模拟表明Ro=0.7%~0.9%为生烃高峰期，生烃强度大；晚期强伸展断陷，形成西断东超的半地堑结构，以及盆中央断裂带发现大型构造圈闭，西侧往往发育大型顺向断层，使源-圈配置好，流体势差大，源动力强。同时，源储互生使超深层生成的油气快速排到临近砂层中，油气在砂体中的运移速度远远高于烃源岩自身，结合大型辫状河三角洲砂体大面积广泛稳定分布的特点，洼槽区生成的大量油气通过砂体高速公路向临近低势区快速汇聚富集成藏。临洼的兴华油藏和吉华2油藏均是晚期强源动力高效汇聚为形成规模富集油藏提供重要保障，而纳林湖断鼻油气富集程度较低，与该断鼻埋藏较深，流体势差相对较小，叠加洼槽区发育巴音构造，油气输导欠顺畅等不利条件密切相关(图8)。

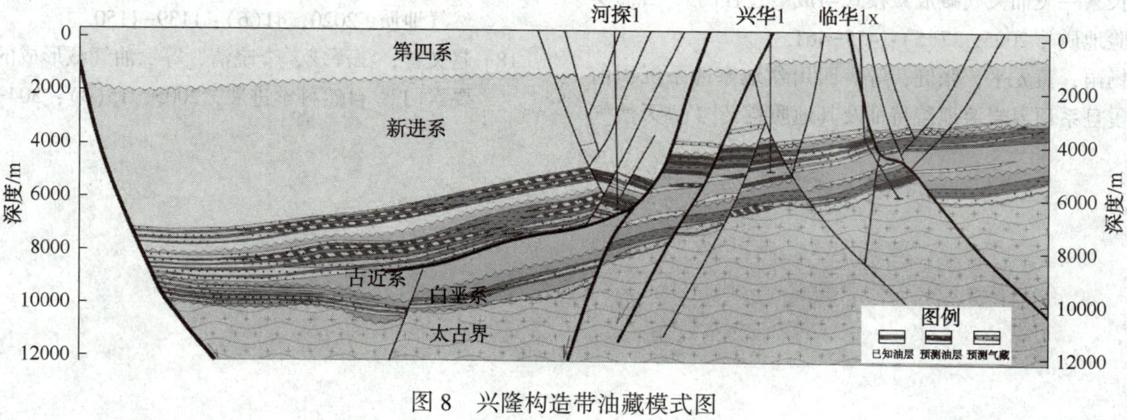

图8　兴隆构造带油藏模式图

4　结论

（1）河套盆地新生代以来为继承性发育盆地，早期基底构造控制了晚期盆地格局和大型构造带展布，为晚期大型汇聚体形成提供重要基础。

（2）干旱温热蒸发古气候及坡缓水浅大量陆源沉积物供应的古环境条件，为内陆咸化湖早熟早排、高产烃率优质烃源岩发育提供了重要的资源保障。

（3）盆缘大型构造转换带控制发育远物源高成分和结构成熟度的大型辫状河三角洲沉积砂体，为形成良好的抗压实和弱胶结砂体储层提供有利条件，结合晚深埋、弱成岩的地质特点，预测有效储层埋深可达8000m，极大拓展了陆相断陷盆地碎屑岩领域油气勘探空间。

（4）提出大型汇聚体控制晚期油气富集成藏。继承性发育盆地形成的早期构造是大型汇聚体形成的重要基础，晚期构造是大型汇聚体定型及圈闭形成的关键，强流体势和强源动力是大型汇聚体晚期富集成藏的重要保障。

参考文献

[1] 庞雄奇．深层油气藏成因机制与分布发育规律[C]．第六届石油地质年会，2015.

[2] 何治亮，金晓辉，沃玉进，等．中国海相超深层碳酸盐岩油气成藏特点及勘探领域[J]．中国石油勘探，2016，21(1)：3-14.

[3] Zhu Guangyou，Milkov Alexei V，Chen Feiran，et al. Noncracked oil in ultra-deep high-temperature reservoirs in the Tarim Basin，China[J]. Marine and Petroleum Geology，2018，89：252-262.

[4] 马永生，蔡勋育，郭旭升．普光气田的发现[J]．中国工程科学，2010，12(10)：14-23.

[5] 马永生，傅强，郭彤楼，等．川东北地区普光气田长兴—飞仙关气藏成藏模式与成藏过程[J]．石油实验地质，2005，27(5)：455-461.

[6] 杨雨，黄先平，张健，等．四川盆地寒武系沉积前震旦系顶界岩溶地貌特征及其地质意义[J]．天然气工业，2014，34(3)：38- 43.

[7] 杜金虎，邹才能，徐春春，等．川中古隆起龙王庙组特大型气田战略发现与理论技术创新[J]．石油勘探与开发，2014，41(3)：268-277.

[8] 施和生，王清斌，王军，等．渤中凹陷深层渤中19-6构造大型凝析气田的发现及勘探意义[J]．中国石油勘探，2019，24(1)：36-45.

[9] 张锐锋，何海清，陈树光，等．河套盆地临河坳陷石油地质新认识与重大发现[J]．中国石油勘探，2020. 25(6)：1-12.

[10] 沈华，何海清，张锐锋，等．河套盆地洼槽区河探1井风险勘探突破及意义[J]．石油学报，2022，43(9)：1213-1222.

[11] 张锐锋，何海清，朱庆忠，等．河套盆地临河坳陷石油地质特征与油气富集规律[J]．石油勘探与开发，2023，50(4)：695-705.

[12] 张以明，张锐锋，王少春，等．河套盆地临河坳陷油气勘探重要发现的实践与认识[J]．中国石油勘探，2018，23(5)：1-11.

[13] 付锁堂，付金华，喻建，等．河套盆地临河坳陷石油地质特征及勘探前景[J]．石油勘探与开发，2018，45(5)：749-762.

[14] Shaochun Wang，Zengyuan Zhou，Dexiang Yang et al. Study on saturated hydrocarbons in organic rich rocks indicative significance of special compound molecules for hydrocarbons [J]. Fresenius Environmental Bulletin，2021. 30(7)：8109-8116.

[15] Chenxi Li，Zhen Liu，Shaochun Wang，et al. Prediction of major source rocks distribution in the transition from depressed to rifted basin using seismic and geological data：The Guyang to Linhe Formations in the Linhe Depression，Hetao Basin，China [J]. Journal of Petroleum Science and Engineering.

[16] 陆鹿，陈树光，李壮福，等．河套盆地临河坳陷白垩纪-古近纪沉积环境演化及油气地质意义[J]．古地理学报，2022，24(2)：308-331.

[17] 张锐锋，于福生，刘喜恒，等．河套盆地临河坳陷及周边地区中-新生代成盆演化特征[J]．石油与天然气地质，2020，41(6)：1139-1150.

[18] 赵文智，汪泽成，李晓清，等．油气藏形成的三大要素[J]．自然科学进展，2005，15(3)：304-312.

北京中低温地热资源重新评价与经济开发利用研究

王子源　罗　宁　王秀伟　姚　欢　周秋成　叶　玮　陈　然

（中国石油华北油田公司）

摘　要　北京市地热资源分布广泛，已发现中深层地热田10个，但主要属于中低温地热资源，井口温度从50~120℃不等，因此寻找高品质资源区，实现科学高效开发，是以点带面快速推进市场，保证北京地热项目规模稳定发展的前提与研究方向。以往由于物探、钻录测试资料精度和广度不高，对部分地热田的认识不够深入，不能有效指导中深层地热资源采灌平衡开发利用。为此，从重磁电震联合解释、地质构造及地层再认识、储层精细研究、产能评估、效益开发方案设计等诸方面着手，对北京市中低温地热资源分布特征和资源量进行重新评价。结合北京城市总体规划(2016~2035年)，完成北京市中深层地热能开发利用总体谋划方案、北京市中深层地热能替代天然气供暖路线研究等规划设计和建议，促成北京副中心首个中深层地热开发利用项目顺利实施，同时促进北京市地热资源可持续利用和地热产业可持续发展。

关键词　北京市；中低温地热；中深层地热；重新评价；可持续利用

引言

地热资源作为一种清洁能源和可再生能源，具有广阔的开发利用前景和良好的社会环境效益。北京市目前有十大中深层地热田(图1)，地热资源分布广泛，但主要属于中低温地热田，温度较低。华北油田多年未在区内开展地质研究工作，基础数据资料缺乏，且存在已有供暖市场分布、中长期发展规划等还不清楚，地方政策对中深层地热项目经济性影响需进一步评价等问题，因此如何科学地开发地热资源，实现经济效益，成为目前工作的重点与难点。

图1　北京十大中深层地热田分布图

通过精细评价北京中深层地热资源富集规律，全面摸排北京用热市场，深入理解和运用北京市有利政策，综合研究地热资源与市场的匹配性，因地制宜，优选地热供暖项目建产方式和路径，全力保障北京市地热项目的高效经济开发　　(图2)。

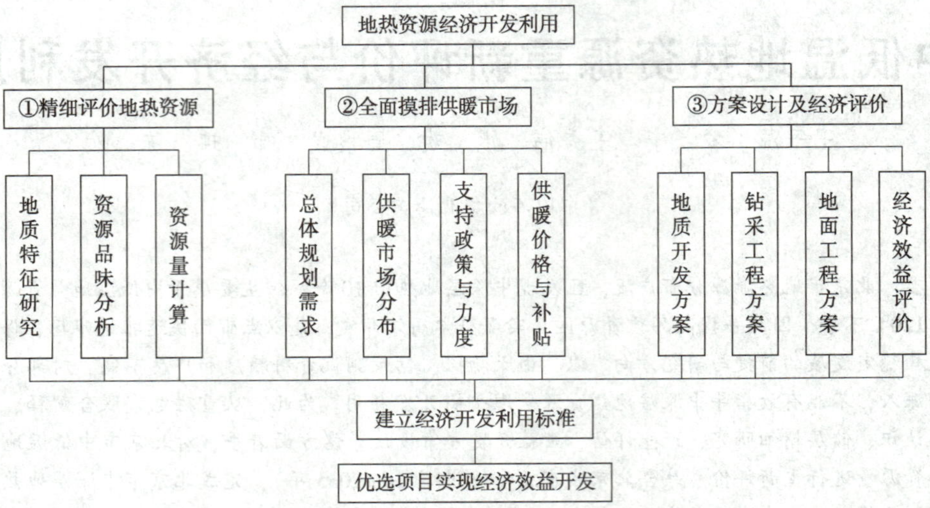

图2　地热资源经济开发利用技术路线图

2　地热资源与地面市场联合评价技术

2.1　构造地层特征研究

通过重力、电法、二三维地震等物探资料解释，并结合测井曲线、录井岩性资料，进行井震结合分析，编制区域储层顶面埋深、地层分布、地质剖面、沉积相带等地质图件，从而建立起北京全区构造及地层格架(图3)。进一步根据单井的地层岩性剖面，对重点开发区块进行小层级别的高精度层序地层研究，推测地质发展史，分析断裂结构，明确地热导热通道及热储层控制条件，建立地热资源成藏模式。

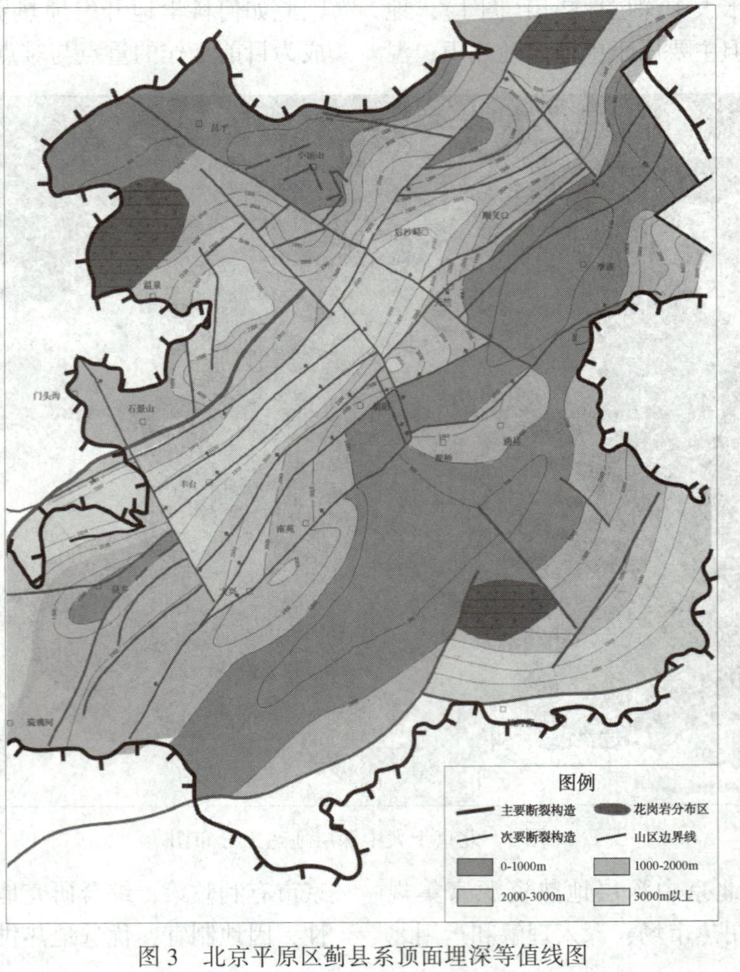

图3　北京平原区蓟县系顶面埋深等值线图

2.2 热储层特征研究

分析区域多套储盖组合，结合已钻井漏失情况、测井曲线、岩心试验等数据，对各储层埋深、孔隙度、渗透率、储地比、地温梯度、水化学等地质参数进行深化分析及综合评价，筛选有利热储层。从岩心观察描述入手(图 4)，结合岩性、粒度、沉积组构、沉积构造、垂向序列以及地球化学、古生物化石、遗迹化石等相标志的研究，系统总结地层年代及储层类型。

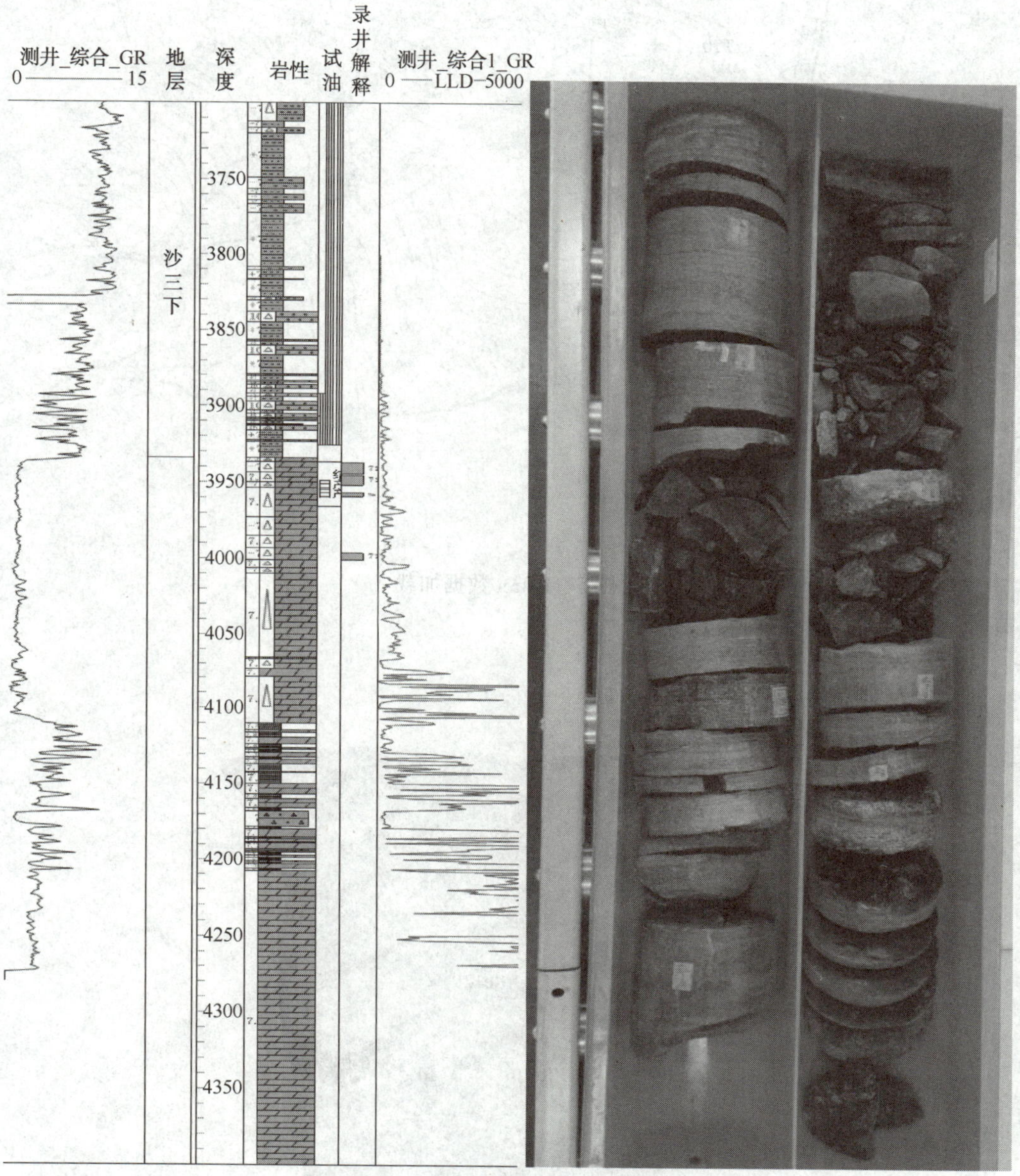

图 4　单井测井曲线及钻井取心照片

针对具体目标区域，建立非均质地质模型，描述热储温压特征，流体特征，刻画热储空间几何形态，平面、层间、层内非均质性。①完成井位坐标，地质分层、测井解释、地震解释等成果数据的整理和加载，建立 Petrel 数据库(图 5)。②完成雾迷山组断层及层面构造建模，通过建立断层距离模型，结合测井二次解释、储层预测进行校正，建立多约束条件储层分布模型(图 6)。③在储层分布模型约束条件下，建立孔隙度模型(图 7)。④应用“蚂蚁追踪”技术建立雾迷山组储层裂缝网络模型(图 8)，推断不同深度优势储层发育区(图 9)。

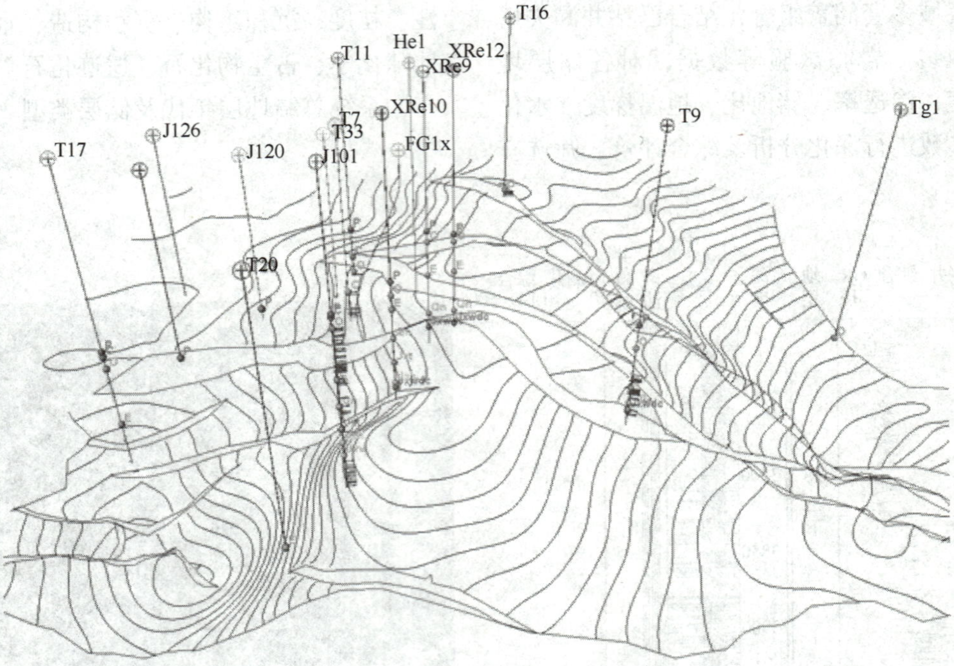

图5　Petrel 数据加载

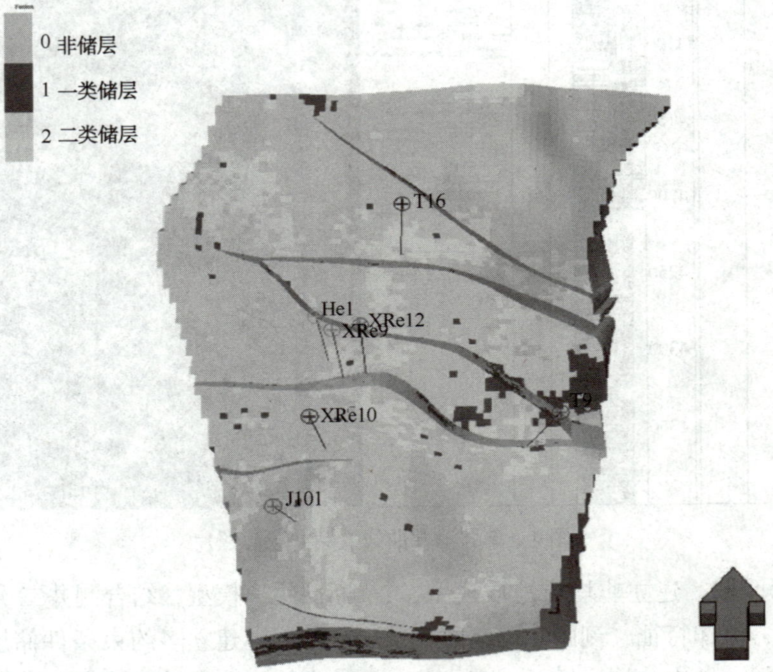

图6　储层分布模型

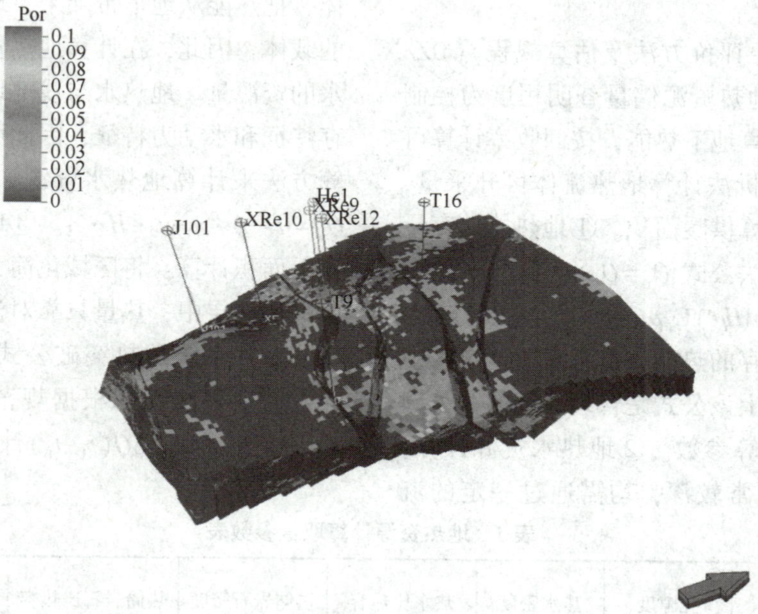

图 7　孔隙度分布三维模型

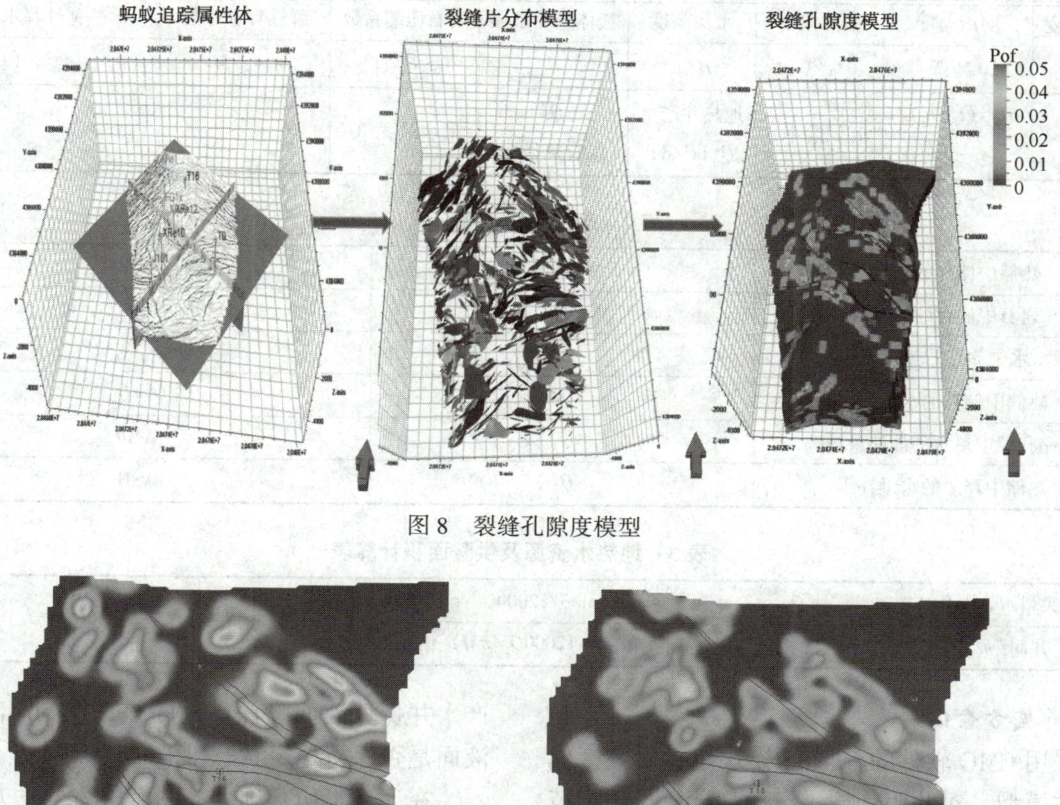

图 8　裂缝孔隙度模型

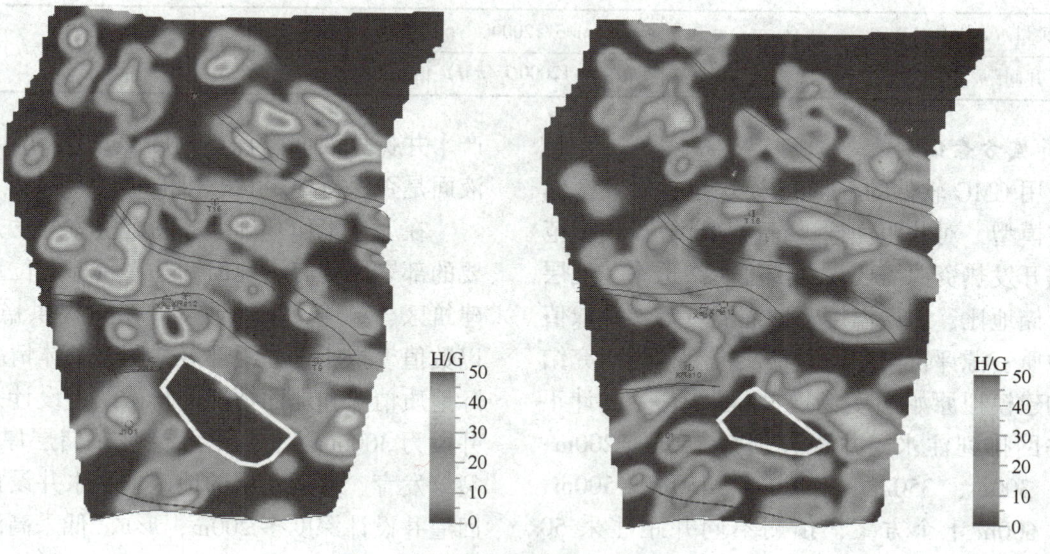

图 9　不同深度优势储层分布预测

2.3 地热资源评价

根据《地热资源评价方法及估算规程》(DZ/T 0331—2020)，地热资源储量查明程度为控制的，采用热储法计算地下热能，按回收率计算可采资源量；采用解析法计算地热流体可开采量，结合综合热指标折算供暖面积。①地热能储存量的计算：利用热储法公式 $Q_r=Q_r+Q_w=A_{d\rho r}C_r(1-\varphi)(t_r-t_j)+(A\varphi d+AH\mu)C_w\rho w(t_r-t_j)$，公式考虑了热储层中岩石储存的热能，也考虑了地热水中储存的热能，理论上该公式是合理可行的，关键是获取较准确的计算参数。②地热水资源计算：地热资源的埋藏通常较深，均需通过一定的流体，把热能从地下带上来，地下水是地热能最好的载体，因此，在计算地热资源时必须计算地热水的资源量。地热水与浅部地下水有着相似的储存特征和水动力特征，因此可借鉴地下水资源计算方法来计算地热水资源。采用静储量法公式 $Q_w=d\cdot A\cdot\varphi+\mu\cdot H\cdot A$。③地热流体可开采量及供暖面积计算：将区域化简为隔水隔热均一、等厚的热储层中，热量只靠对流方式传递，采用解析法对井系统的热突破公式 $t=\pi R1^2M/3Qf$。地热水居室采暖面积根据规范附表估算公式 $F=E_n/Q$，$E_n=48.46Q(t_1-t_0)$计算(表1)。

表1　地热资源计算取值参数表

热储面积	热储厚度	孔隙度	热水密度	热水比热容	热储岩石密度	热储岩石比热容	$f=\rho_wC_w/\rho_{ece}(\rho_{ece}=\theta\rho_{wcw}+(1-\theta)\rho_{rcr})$
A/m^2	M/m	θ(小数)	ρ_w	C_w	ρ_r	C_r	1.569788105
热储温度	回灌温度	基准温度	水头高度	流体压缩系数	岩石压缩系数	弹性释水系数	弹性释水率
t_r/℃	t_h/℃	t_0/℃	H/m	$C_w(P_{a-1})$	$C_r(P_a-1)$	$S(=s\times M)$	$s(=\rho_w s[\theta C_w+(1-\theta)C_r)]$
$\delta(=2/t_r)$	$\alpha(=(t_h-t_0)/(t_r-t_0))$	β(回灌率)	地热井产量 $Q(m^3/d)$	Q_f(综合热指标)	采水温度/℃		

表2　地热资源储量计算表

热储中储存的热量/J	Q	Q_r+Q_w
岩石中储存的热量/J	Q_r	$AM\rho_{rcr}(1-\theta)(t_r-t_0)$
水中储存的热量/J	Q_w	$QLc_w\rho_w(t_r-t_0)$
热储中储存的水量/m^3	Q_L	Q_1+Q_2
热储孔隙中热水的静储量/m^3	Q_1	AMθ
热储中释放的水量/m^3	Q_2	ASH

表3　地热水资源及供暖面积计算表

可开采量/(m^3/d)	$Q_{允}{}^2$	AM/3/12000f	供暖面积 F/m^2	$48.6Q(t_r-t_h)/Q_f$
井间距	R^2	$sqrt(3*12000Q_f/\pi M)$		

2.4 开发方案编制

采用CMG软件的STARS模块建立研究区储层地质模型，对井距优选进行模拟计算，模拟范围依据开发热资源需要。孔隙度、渗透率、地层厚度、储地比、地层温度、回灌温度等参数取值参考地质资源评价与非均质地质模型构建研究结果，构建模拟原始温度场模型(图10)。设计正方形井网排列注水，井距分别为150m、200m、250m、300m、350m　、400m、450m、500m、550m、600m十个方案，预测不同井距注采50年产水温度，确定合理井距。同时折算不同井距产水井折算液面降深，判断该井距50年采水井液面是否保持稳定状态(图11)。

在上述工作基础上，制定整体开发方案，主要的部署原则有：地面钻井平台部署位置利用无建筑区、绿地；采用油气井余热提供稳定热源；以数值模拟所得井距部署井网，具体情况根据实际地质情况和地面情况进行微调；设计井进储层井段为300m以上；靶点要落在储层厚度较大、裂缝发育、靠近断层的地区；采水井设计深度比回灌井设计深度多200m，形成“低采高灌”。

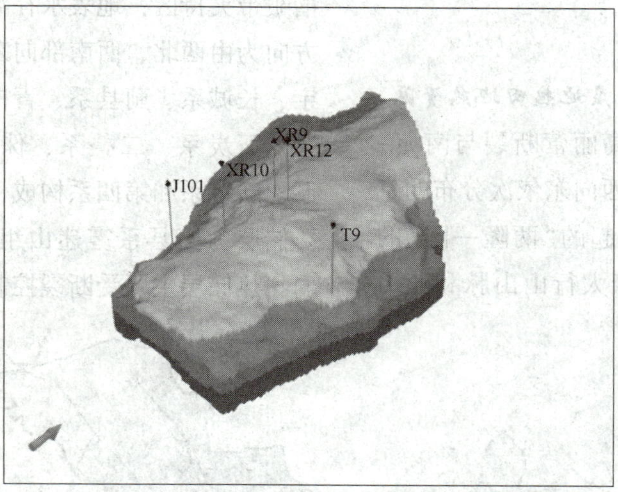

图 10　模拟原始地温场

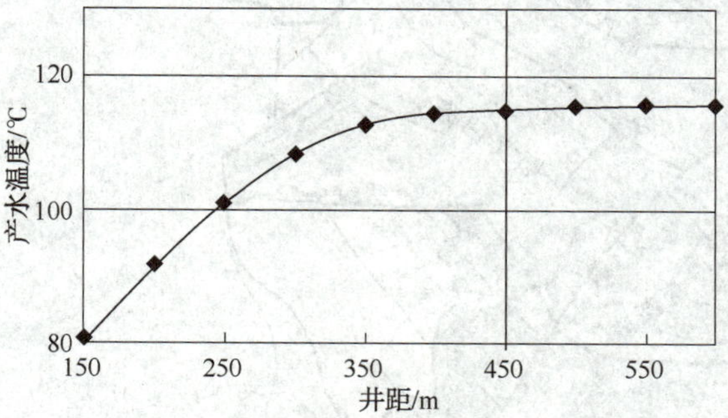

图 11　不同井距注采预测 50 年产水温度图

2.5　供暖市场调研及经济评价

结合地热资源禀赋情况及地面施工条件，落实地区新能源及中深层地热开发政策，根据具体目标区域的钻井场地、热力管网规划路由条件、锅炉房改扩建条件、供热温度参数及末端采暖设施条件等不同工程因素确定经济评价参数。对区域供暖价格及补贴机制进行研究，结合地面经济发展情况和市场需求进行分析，根据地热应用的需求程度、对地热支持的政策和力度、工农关系及市场开发程度三个方面制定市场经济效益评价标准。将地下资源与地面市场相匹配，评价不同地区地热供暖项目经济性，全面论证重点项目建设可行性，对各类市场进行细化分类，从而为编制北京市地热开发利用规划提供依据(图 12)。

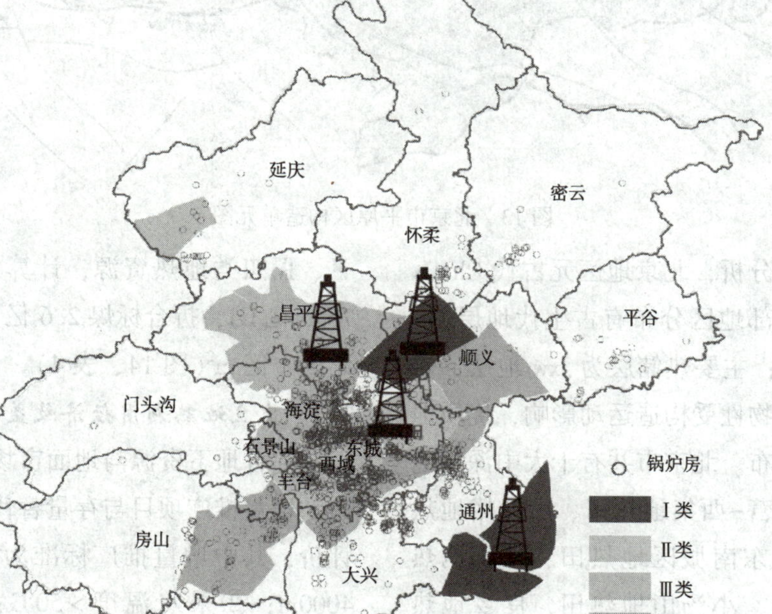

图 12　北京市地下资源与现存市场调研匹配图

3　应用成果

3.1　重新评价北京十大中深层地热田地热资源

北京市平原区受黄庄-高丽营断裂与南苑-通县断裂活动影响，形成自西向东依次分布的京西隆起、北京凹陷和大兴隆起的“两隆一凹”的构造格局。(图 13)区域属于太行山山脉和燕山褶皱带夹持区，地表水补给较快，地下热水径流方向为由西北、西南部向东部流动。地层由太古宇、长城系、蓟县系、青白口系、寒武系、奥陶系、石炭系、二叠系、侏罗系、白垩系、古近系、新近系和第四系构成，目前中深层地热的主要储层为蓟县系雾迷山组白云岩，岩溶发育较弱，热储层主要受断裂控制。

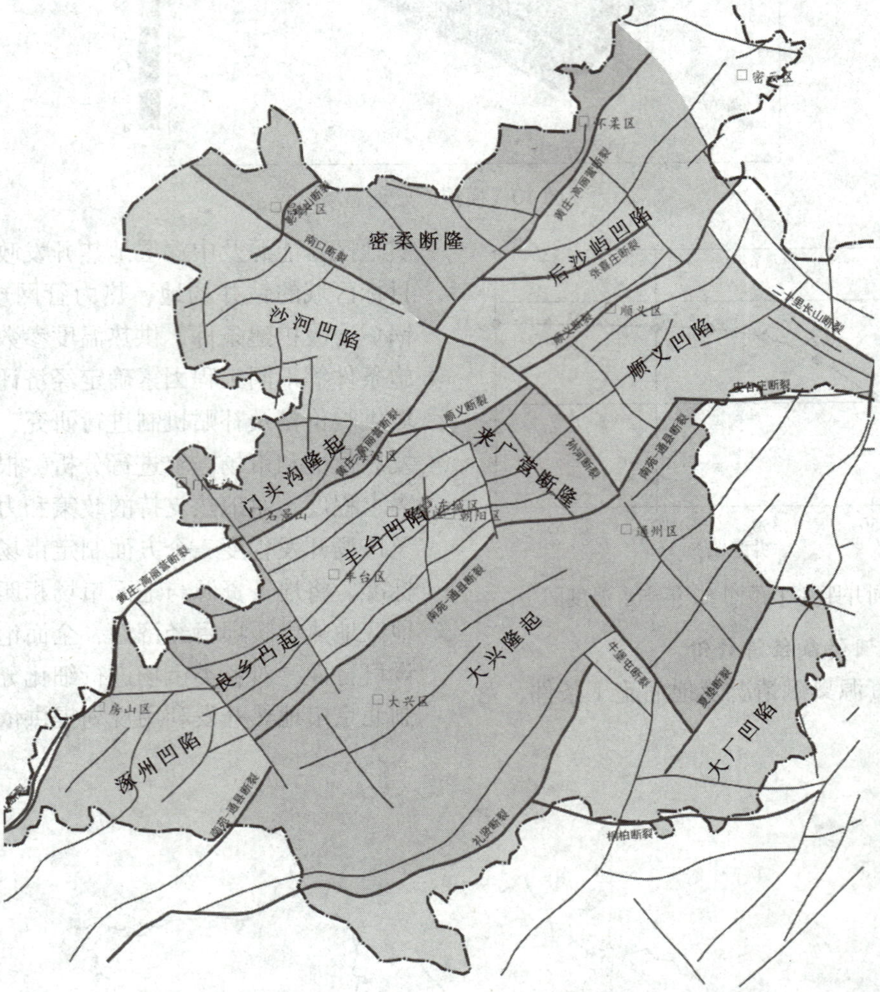

图 13　北京市平原区构造单元图

根据研究成果分析，北京地区元古代 Ch-Jx 地层全区发育，局部地区分布有古生代地层 O-∈、中生代 J 地层；主要热储层为 Jxw 地层，岩性主要为白云岩，物性受构造运动影响，优质地热资源多呈带状分布。北京市共有十大中深层地热田，分别为凤河营-西集地热田、后沙峪地热田、天竺地热田、东南城区地热田、延庆地热田、京西北地热田、小汤山地热田、良乡地热田、双桥地热田、李遂地热田，总面积 1884km^2，通过综合资源评价，划分为Ⅰ、Ⅱ、Ⅲ、Ⅳ四类地热资源，计算总可采地热资源量 76.5 亿 GJ，折合标煤 2.6 亿 t，可满足供暖面积约 3.1 亿 m^2(图 14、表 4)。

3.2　建立地热利用经济效益开发标准

综合地下资源与地面市场匹配程度，将北京市从增量推广项目与存量替代项目两个类型进行评价，其中增量推广标准为：①储层埋深小于 4000m；②采水温度>50℃；③单井产水量>2000m^3/d；④市场供暖面积>10 万 m^2；存量替代标准：①储层埋深小于 3500m；②采水温度>

70℃；③单井产水量>2500m³/d；④市场供暖面积>8 万 m²。

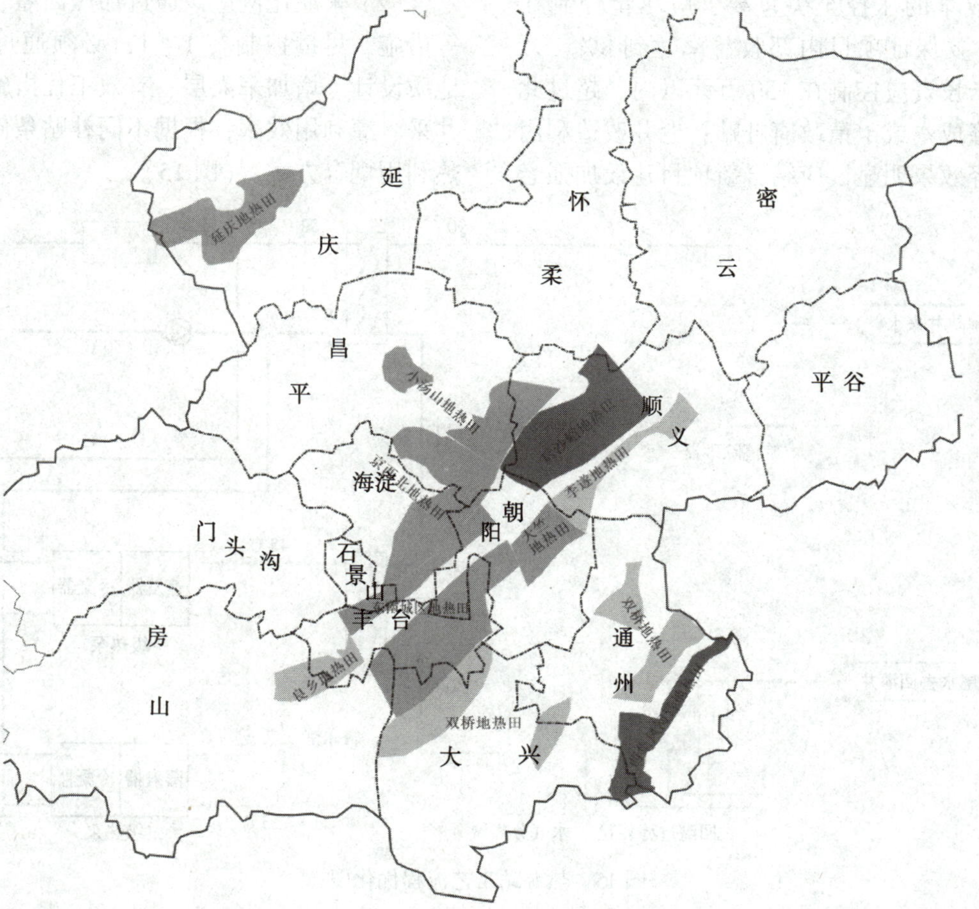

图 14 北京市十大中深层地热田地热资源评价图

表 4 北京市十大中深层地热田地热资源评价表

地区	分类区	地热田	区县	控制面积 km²	储层厚度/m	地层温度/℃	平均孔隙度/%	可采资源量/（亿 GJ）	折标煤亿 t	折算可供暖面积/万 m²
北京	Ⅰ类区	凤河营-西集地热田	大兴、通州	128	120	102	5	5.14	0.18	3721
	Ⅰ类区	后沙峪地热田	顺义	265	225	80	3	14.70	0.50	4970
	Ⅱ类区	天竺地热田	朝阳	76	225	77	3	4.04	0.14	1318
	Ⅱ类区	东南城区地热田	中心城区	375	150	73	3	12.40	0.42	8327
	Ⅲ类区	延庆地热田	延庆	180	285	66	4.5	10.03	0.34	3149
	Ⅲ类区	京西北地热田	昌平	233	180	63	3	7.63	0.26	3606
	Ⅲ类区	小汤山地热田	昌平	154	150	60	3	3.94	0.13	2073
	Ⅳ类区	良乡地热田	房山	76	160	55	3	1.86	0.06	767
	Ⅳ类区	双桥地热田	大兴、通州	307	300	52	3	12.95	0.44	2479
	Ⅳ类区	李遂地热田	顺义	90	300	52	3	3.80	0.13	727
合计		76.50	2.61	31137						

多数地热项目在目前情况下利润较低，必须通过多种方式提高项目效益：

（1）主攻“少井高效”方向。钻井投资的优化对于总成本的压控至关重要，应尽量控制在50%以内；要保证项目内部收益率达到8%，万平米新建产投资应控制在130万元以内，超过此投资需压降成本或申请政府补贴；老井改造利用对成本压降效果明显，应结合新项目建设加强老井筛选与改造利用评价。

（2）采灌比例应该通过加压回灌、地层改造等措施，尽量控制在1∶1；必须通过优化钻井地质设计、增加采灌层、有效工程措施，提高单井采、灌利用效率；根据不同补贴条件，优化地热利用耦合方案。（图15）

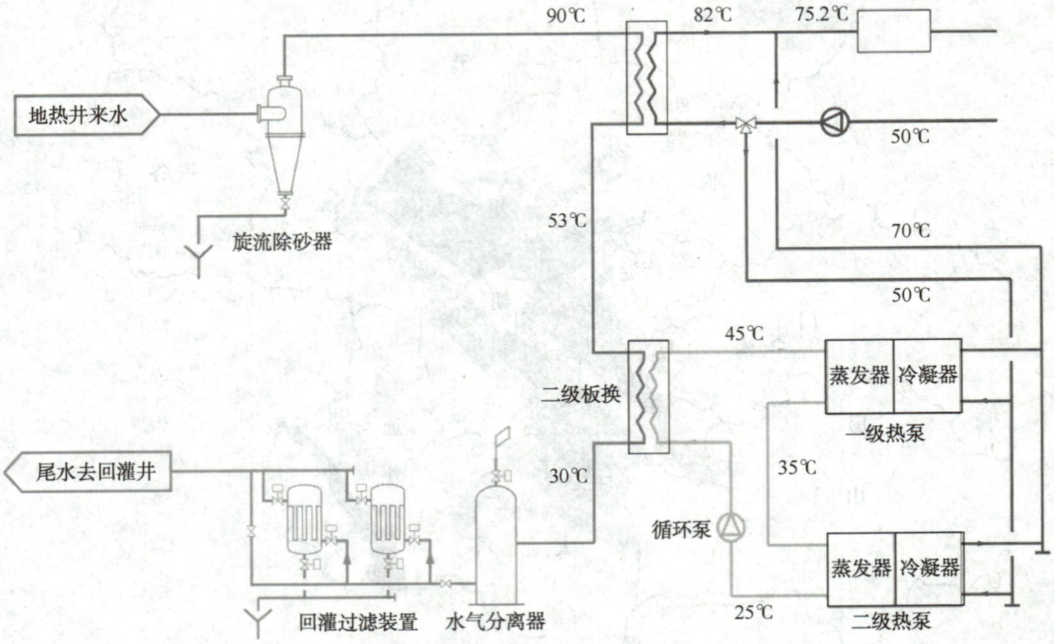

图15　热源站工艺流程优化图

（3）根据项目热需求和预期效益，科学合理设定热泵耦合，提高中低温地热资源利用效率。

（4）制定针对性产能优化和储层改造方案，提高项目经济效益。根据不同的碳酸盐岩热储层参数，制定不同的储层改造方案，提高单井采灌能力。物性好，原始采灌能力强的井，沿用普通酸化工艺，以降低表皮系数解除污染为主；物性差，原始采灌能力弱的井，更换缓速酸液体系，采用普通酸压工艺，以扩展裂缝为主；对于裂缝不发育的井，则推荐采用小型酸压措施，酸液体系应选择缓速酸。（表5）

表5　碳酸盐岩储层酸化不同酸液配方体系及其适用条件表

种类	适用条件	推荐配方
常规盐酸	碳酸岩类储层的酸压和解堵酸化	15%~25%HCl+1-3缓蚀剂+2%~3%铁离子稳定剂+1%~3%乳化剂+30%原油或成品油
乳化酸	碳酸岩类储层的酸压和解堵酸化	15%~25%HCl+1%~3%缓蚀剂+2%~3%铁离子稳定剂+1%~3%乳化剂+30%原油及成品油
交联酸	具有较强返排能力的低渗碳酸盐岩的酸压缝和天然裂缝发育但被损害地层的深穿透酸化处理	20%~25%HCl+1%~3%缓蚀剂+2%~3%铁离子稳定剂+1%~3%乳化剂+30%原油及成品油
清洁酸	碳酸岩类储层	VES酸为主剂

3.3　编制北京中深层地热开发利用规划

根据调研结果，截至2020年，北京市城镇供暖面积9亿m^2。集中供暖面积6.6亿m^2（燃气锅炉5.4亿m^2，燃气热电厂1.2亿m^2），消耗天然气约 60 亿 m^2，占全市年天然气消耗总量的 32%。近 5 年全市集中供暖面积年均增加约 1500 万 m^2，《北京市"十四五"时期社会公共服务发展规划》新增各类居住用地 5000 公顷，供应各类住房 100 万套左右，预计增量建筑面积近 1 亿 m^2。总体分布上，城六区内占比最大，但建筑密集，受地热钻井场地和施工条件限制，存量替代难度较大。

目前北京市供暖补贴以对终端供热企业补贴为主，补贴额度确定的原则是解决供热企业亏损问题。由于北京市居民供暖价格已有 21 年没有调整，目前供热企业对补贴的依赖较重。

规划以构建北京城市绿色低碳能源体系为指导；按照政府主导、企业参与、居民受益的原则，规模开发中深层地热资源，总体目标为到十四五末，实现中深层地热供暖面积 5000 万 m^2，减少供暖天然气消耗量 4.5 亿 m^3/a，减少直接碳排放 97 万 t/a，到 2035 年，实现中深层地热供暖面积 2 亿 m^2，减少供暖天然气消耗量 18 亿 m^2，减少直接碳排放 388 万 t/a。部署原则为试点先行、分区推进；多能互补、综合利用；规模为主、经济可行。

增量推广项目主要立足 50℃ 以上地热资源，结合地面建设条件，圈定十个区为深层地热增量推广覆盖范围：朝阳、海淀、丰台、石景山、通州、顺义、昌平、延庆、大兴、房山。规划新区及大型公建项目 9 个，建筑面积约 2827 万 m^2；已供地未动工住宅项目 88 个，土地面积 416 公顷，建筑面积约 822 万平米(表 6)。

表 6　北京市大型公建及已供地未动工项目统计表

序号	区划	大兴公建项目数量	大兴公建项目建筑面积(平米)	已供地未动工住宅项目数量	已供地未动工住宅项目建筑面积(平米)
1	朝阳区	2	373	21	186
2	通州区	1	364	7	70
3	顺义区	3	195	7	90
4	昌平区	2	426	9	62
5	大兴区	3	1469	9	112
6	海淀区			6	54
7	丰台区			10	82
8	石景山区			6	80
9	房山区			11	86
合计	9	2827	86	822	

存量替代主要立足Ⅰ类、Ⅱ类、Ⅲ类优质地热资源区，开发利用 70℃ 以上地热资源。根据资源条件和燃气锅炉分布，存量替代最大规模预计为 1.7 亿 m^2。规划优先开发利用资源条件最好的四个区块，替代燃气供暖，总替代潜力 4538 万 m^2，其中就地消纳替代 2038 万平米，异地消纳替代 2500 万 m^2(表 7)。

表 7　北京市存量替代规划项目表

序号	资源区	供暖面积，万平米
一、就地消纳替代		
1	凤河营-西集地热田	209
2	后沙峪地热田	915
3	天竺地热田	223
4	京西北地热田	691
小计		2038

续表

序号	资源区	供暖面积，万平米
二、异地消纳替代		
1	西集地热田	900
2	凤河营地热田	1600
	小计	2500
	合计	4545

3.4 北京副中心首个中深层地热开发利用项目实施

北京城市副中心 0701 街区保障房(D、F 地块)地热供暖试点示范项目(图 16)于 2022 年 12 月 30 日开钻，项目位于北京城市副中心，总供热面积为 35.3 万 m^2，共部署地热井位 5 口，2 采 3 灌，开采层位蓟县系雾迷山组白云岩，设计出水温度 52℃，出水量 2500m^3/d。项目的实施是响应"京津冀地热供暖示范基地"规划部署，在北京启动的第一个试点示范工程，对探索北京地热开发模式、拓展北京地热开发市场、践行示范基地建设规划具有重要的意义。项目建成后年可利用地热资源量 7.2 万 GJ，折合标煤 2445t，减排二氧化碳 7650t/a。

项目经过地热资源与地面市场联合评价技术充分论证，部署 2 条剖面可控源音频大地电磁测深剖面，结合地面井场与地下资源情况，采用直井+定向井模式部署设计井位，其中直井 1 口，定向井 4 口。综合北京地热资源评价成果，结合钻探勘查井岩心薄片试验报告(表 8)，论证了北京市蓟县系雾迷山热储层主要为泥粉晶结构及藻砂屑泥晶结构白云岩，岩石主要由泥晶白云石、藻砂屑、粉晶白云石、亮晶白云石充填物组成，见层纹石，少量陆源碎屑及泥质分布，局部燧石交代岩石。

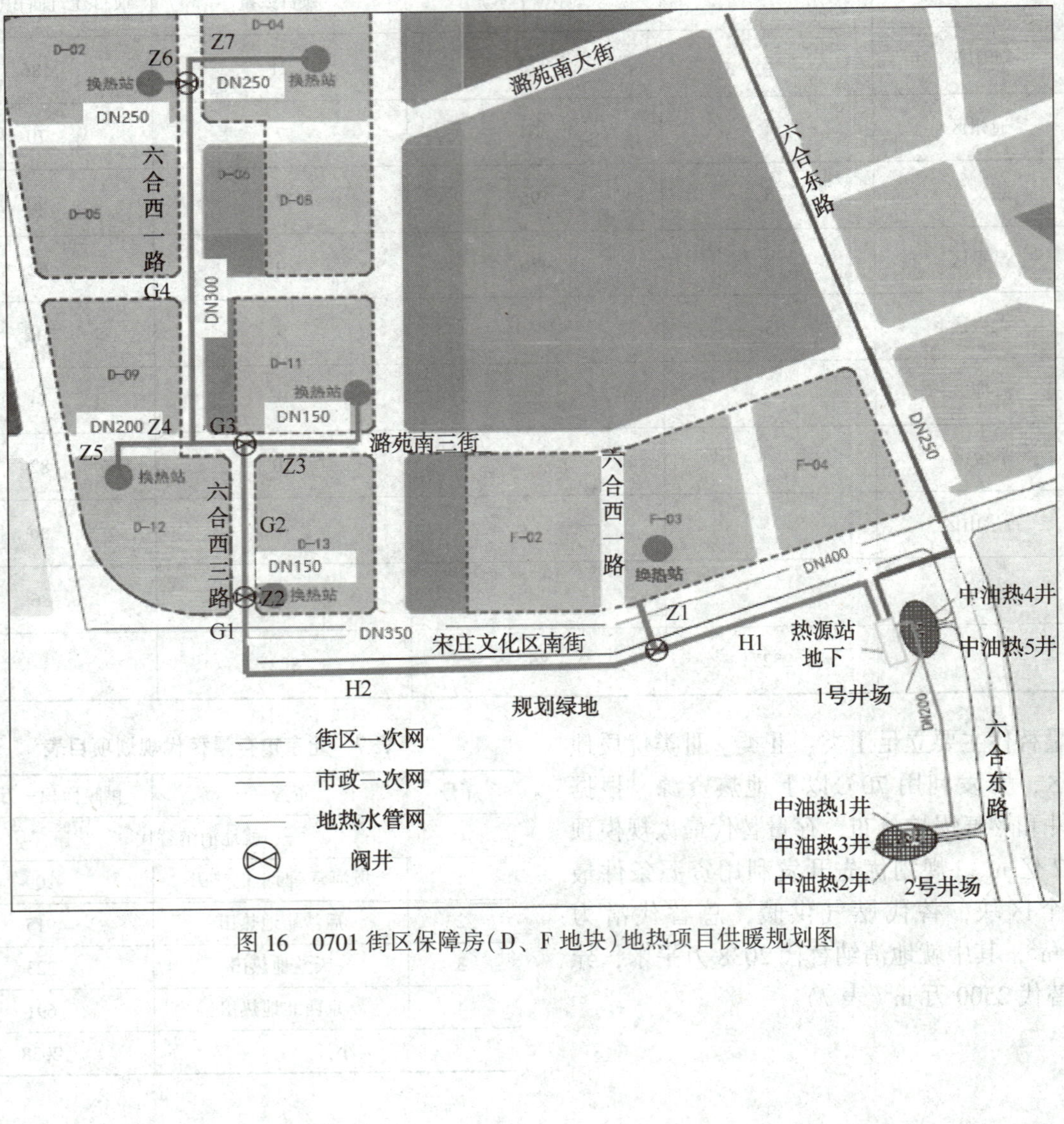

图 16 0701 街区保障房(D、F 地块)地热项目供暖规划图

表 8　勘查井碳酸盐岩薄片鉴定表

样品编号	样品序号	井深/m	层位	岩石定名	陆源碎屑,%	矿物组分,%							结构组分,%																				
													晶粒结构								粒屑结构												
																					粒屑									填隙物			
																														泥晶		亮晶	
						方解石	白云石	泥质	硅质			总	泥晶	粉晶	细晶	中晶	粗晶	巨晶		总	粉屑	极细砂屑	藻砂屑	砾屑	生屑				总	方解石	白云石	方解石	白云石
23-1617	1		2410	含藻迹泥粉晶云岩	<1		100	<1				100	28	72						100													
23-1618	2	2555		藻砂屑泥晶云岩	1		91	4	4			95	60							60			30						30				10
23-1619	3	2590		粉泥晶云岩	1		99					99	85	15						100													

样品编号	样品序号	裂缝					孔洞		孔隙率/%	标本定名	特征描述
		类型	条数	宽度,μm	充填成分	充填方式	类型	孔隙直径,μm			
23-1617	1									白云岩	泥粉晶结构，岩石主要由泥晶白云石、粉晶白云石组成，见层纹石，暗带为藻迹泥晶白云石层，明带为他形柱状白云石镶嵌状。
23-1618	2									白云岩	藻砂屑泥晶结构，岩石主要由泥晶白云石、藻砂屑、亮晶白云石充填物组成，少量陆源碎屑及泥质分布，局部燧石交代岩石。
23-1619	3									白云岩	泥晶结构。岩石成分主工为泥晶白云石，其次为细粉晶白云石，少量粉砂级陆源碎屑分布。

区域热储层岩溶发育较差，主要受断裂构造控制。依靠地质认识及电法剖面，论证了项目区域西部存在张家湾断裂的次级大断层(图 11)，通过对设计井及施工过程中的精确定向，井位成功穿过目标断裂，并发生失返性漏失，在吸水试验中，该井于 0.6MPa 压力下回灌量达 $120m^3/h$，超过设计目标(表 7)。

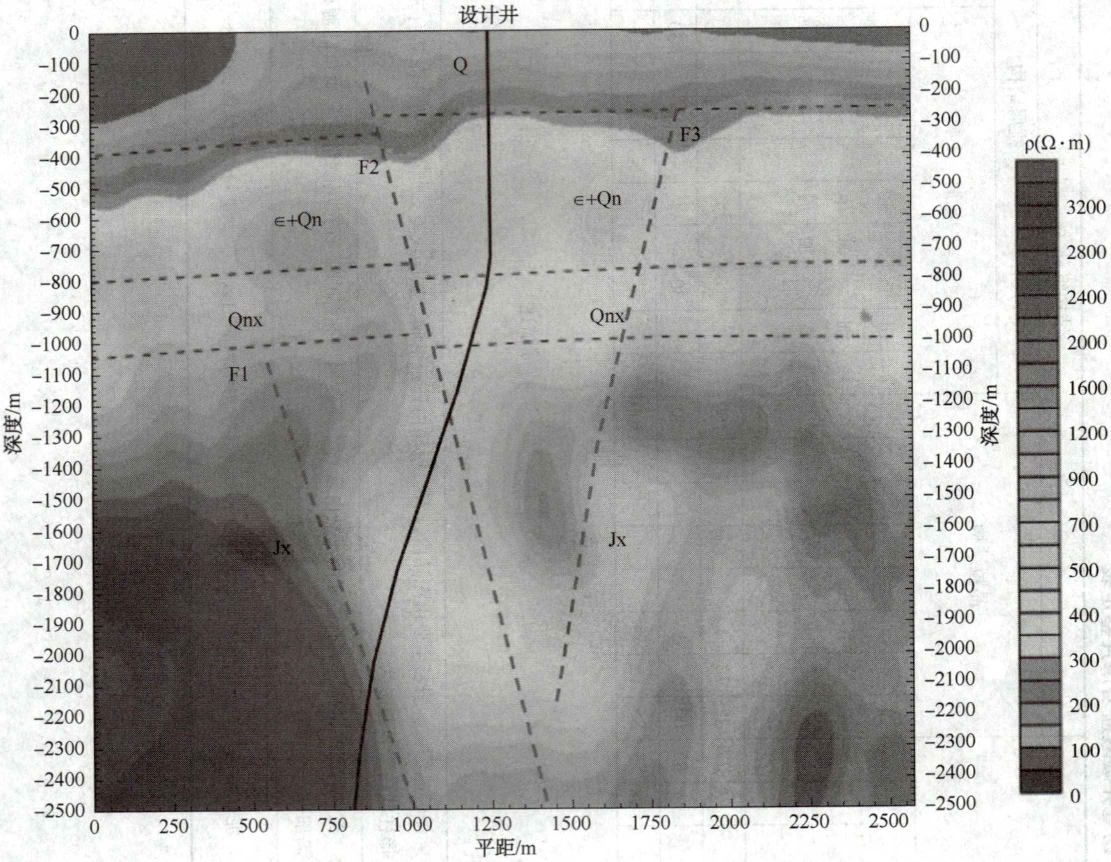

图 17　项目井位设计电法剖面图

表 9　项目井位吸水能力测试情况表

开泵时间	停泵时间	总时间/min	冲数	排量/(m^3/min)	排量/(m^3/h)	最高泵压/MPa	循环漏失压力/MPa	停泵 2min 压力/MPa	停泵 3min 压力/MPa	打入量/m^3	回吐量/m^3	地层吸入量/m^3	吸入率/%
17：31	17：36	5	90	1.99	119.4	0	0			9.95			0.00
17：41	17：51	15	10	0.22	13.2	0	0	0	0	2.2	0.1	2.1	95.45
17：56	18：06	25	20	0.44	26.4	0	0	0	0	4.4	0.1	4.3	97.73
18：12	18：22	35	30	0.66	39.6	0	0	0	0	6.6	0.08	6.52	98.79
18：28	18：38	45	40	0.88	52.8	0	0	0	0	8.8	0.1	8.7	98.86
18：45	18：55	55	50	1.1	66	0	0	0	0	11	0.1	10.9	99.09
19：03	19：13	65	60	1.32	79.2	0.3	0.3	0	0	13.2	0.1	13.1	99.24
19：19	19：29	75	70	1.54	92.4	0.5	0.5	0.05	0	15.4	0.1	15.3	99.35
19：35	19：40	80	90	1.99	119.4	0.6	0.6	0.1	0	9.95	0.1	9.85	98.99
19：50	19：55	85	110	2.43	145.8	0.75	0.75	0.1	0	12.15	0.1	12.05	99.18

3　结论与认识

地热资源作为一种清洁能源和可再生能源，具有广阔的开发利用前景和良好的社会环境效益。北京市地热资源丰富，在平原区广泛分布，主要热储层类型为基岩裂隙热储，主力开发层位为蓟县系雾迷山组。根据地热资源评价成果，最优质地热资源主要分布在通州东南部、顺义以及中心城区范围内。北京市地热供暖潜力巨大，且地区地热资源量可以满足未来市场需求，通过深入理解和运用北京市有利政策，综合研究地热资源与市场的匹配性，因地制宜，优选地热供暖项目建产方式和路径，可全力保障北京市地热项目的高效经济开发。

参 考 文 献

[1] 袁利娟，杨峰田．北京迭断陷内蓟县系热储层温度分布特征[J]．吉林大学学报(地球科学版)，2017，47(1)：179-188.

[2] 吕金波，郑桂森，李良景等．北京平原区地质剖面的初步建立-太古宙结晶基底和元古宙地层[J]．中国地质，2016，43(3)：879-889.

[3] 雷晓东，戚帮申，关伟，等．北京平原区断裂构造重力异常识别研究[J]．地球物理学报，2021，64(4)：1253-1265.

[4] 刘保金，胡平，陈颙，等．北京平原西北部地壳浅部结构和隐伏活动断裂-由地震反射剖面揭示[J]．地球物理学报，2009，52(8)：2015-2025.

[5] 刘凯，王珊珊，孙颖，等．北京地区地热资源特征与区划研究[J]．中国地质，2017，44(6)：1128-1139.

[6] 林天懿，柯柏林，杨森，等．碳酸盐岩热储酸化压裂增产机理研究及应用[J]．城市地质，2018，13(3).

[7] 陈戈，郭伟．热储法在地热资源潜力评价中的应用-以天长市石梁地区为例[J]．安徽地质，2018，28(2).

[8] 张进平，袁丽娟．夏垫断裂带对地热资源分布的影响-以通州西集地区为例[J]．城市地质，2018，13(3).

[9] 石涵静，郭威，高剑．西集地区层状与带状热储并存的地热资源特征[J]．城市地质，2017，12(1).

[10] 孙颖，刘久荣，韩征，等．北京市地热资源开发利用现状[J]．安徽农业科学，2009，37(16)：7564-7566.

冀中坳陷饶阳凹陷馆陶组砂岩热储层回灌机理研究与实践–以任丘渤海职业学院馆陶组砂岩采灌平衡试验项目为例

王秀伟　姚　欢　亢清波　谭青松　梁　骏　熊　壮　周秋成　王子源

（中国石油华北油田公司）

摘　要　冀中坳陷广泛分布馆陶组砂岩，埋深适中，物性较好，温度较高，从地质角度来说，是一套非常好的热储层。但是受到地质、目前工程技术手段等因素影响，部分区域同层自然回灌难度较大，制约了其规模效益开发的脚步。面对河北省日益严格的环保政策，必须摸清自然回灌制约机理，制定针对性的解决措施和方案，才能从根本上解决其效益、环保的开发利用。为此，在饶阳凹陷选取任丘地热田渤海职业学院地热试验项目为研究对象，开展了精细储层评价与预测、地热开发井网设计和实施、取心与分析测试、储层改造措施攻关等室内实验和现场试验，基本摸清馆陶组砂岩热储回灌影响因素，初步形成热储增灌的方向和方法，实施后单井的回灌效率提高了20%，为冀中地区馆陶组砂岩地热资源有效开发动用奠定基础。

关键词　地热；馆陶组；砂岩；同层自然回灌；饶阳凹陷；冀中坳陷

引言

环境污染和能源危机已成为当今社会的两大难题，如何在发展的同时付出最少的代价逐渐成为人类的共识，尽可能少地消耗能源为建筑物创造舒适环境已经成为供暖的发展方向，开发利用地热资源能够为供暖带来节能和环保双重效益，因而越来越受到人们的重视。地热能作为可再生能源的一种，资源潜力非常巨大。冀中地区中深层基本为水热型地热资源，经过多年的开发利用，馆陶组热储回灌困难是整个京津冀地区的共性问题，个别地区地热井布局不合理，相互干扰现象严重，甚至无序开发、乱排乱放现象也很严重，2018年以来，河北省政府对中央生态环境保护督察“回头看”反馈地热问题进行了集中整改，关停取缔大批违规地热井，但在热源替代方面存在供热缺口，影响民生供暖质量。

2021年，国家发改委等八部门印发的《关于促进地热能开发利用的若干意见》（国能发新能规〔2021〕43号），2022年，河北省自然资源厅印发《河北省地热资源勘查开发“十四五”规划》对地热资源有序开发做了明确的规定，到2025年，平原区地热供暖项目全部实施尾水回灌，地热资源开发利用方向以供暖为主，按照“取热不耗水、同层达标回灌”要求开发利用地热资源，限制开采馆陶组热储地热资源、原则上不再新立自然条件下单井取水、回灌能力不足25m^3/h馆陶组地热采矿权。华北油田严格遵守国家和省、地方县市的地热开发相关法律法规，通过在任丘市渤海职院内设计钻探了4口馆陶组地热井，改造1口老井，务求通过科技攻关方式，从机理上认清回灌量低的原因所在，找到针对性的解决措施办法，提升馆陶组地热利用效率，不断在助推国家“双碳”目标的实现和河北省建设绿色能源供应体系、实现转型发展过程中展现华北元素。

1　地质概况

饶阳凹陷位于冀中坳陷中部，东起献县凸起，西至高阳低凸起，南到新河凸起，北接霸县凹陷，面积约5280km^2（图1），油气资源非常富集，同时区内及周边还分布着高阳低凸起、容城凸起、牛驼镇凸起、大城凸起、献县凸起5大地热田和一批诸如雁翎、长洋淀、任丘、河间一批大中型潜山地热田，是典型的资源富集型凹陷。凹陷内分布的地层自上而下钻遇第四系、上第三系明化镇组、馆陶组，下第三系的东营组、沙河街组、孔店组，中生界奥陶系、寒武系，中上元古界雾迷山组、杨庄组、高于庄组等地层。其中上第三系馆陶组分布稳定、砂体发育、埋深适中、水量较大，有规模开发利用的潜力，是本区内较好的中深层水热型热储层。

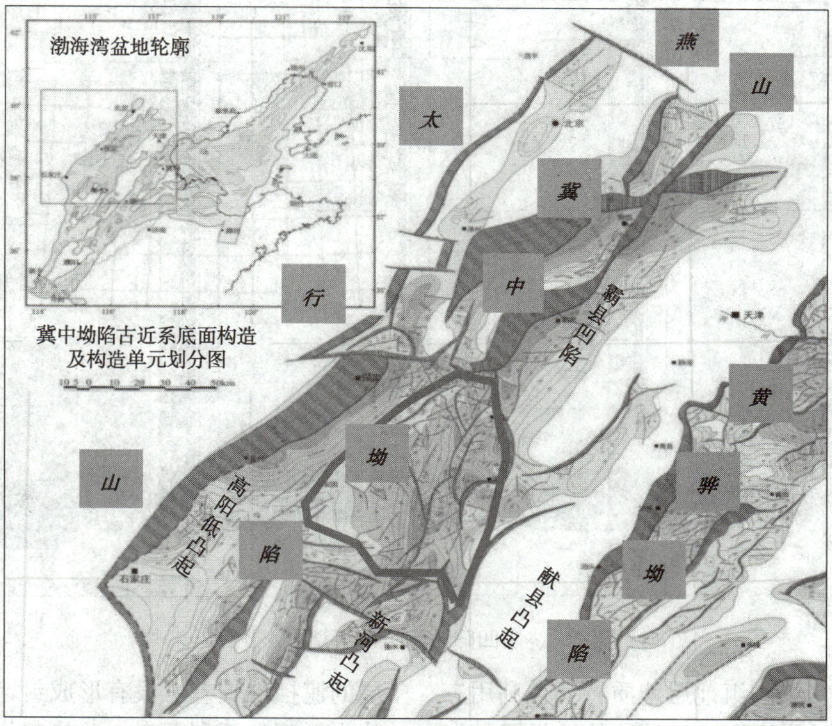

图 1　冀中坳陷古近系底面及构造单元划分图

上第三系馆陶组是一套物源主要来至于西部太行山脉的河流相地层，具有区域稳定性，其上段岩性为紫红色、灰绿色泥岩、砂质泥岩夹薄层砂岩，向下砂层发育，颗粒自下而上渐粗，为粉细砂岩、中砂岩、含砾砂岩，底部为杂色砾岩。泥岩质纯、性软，部分具造浆性，砂岩主要成分为石英，长石次之，分选好，次圆状，胶结疏松，底砾岩白色、黑色、肉红色，以石英、燧石为主，粒径 2~4mm 左右。

区内将馆陶组地层细分馆陶上、馆陶中、馆陶下等三套砂组，其中馆陶上段厚度约为 110m 左右，砂体较发育，但埋深较浅深度一般在 1500~1600m 左右，地层水温度不是太高，对于地热取暖效果欠佳，可作为生活用水；馆陶中段厚度约为 100m 左右，以泥岩、泥质粉砂岩为主，砂体不发育，热储层较少；而馆陶下段砂体发育，砂体厚度一般在 80–100m 左右，埋深在 1800~2000m 不等，地层水温度为 70 ~ 80℃ 之间，对于地热资源用于取暖非常有利，是研究利用的主要目的层，为此特将馆陶下段地层按照沉积旋回的特征细分了三套小层馆陶下Ⅰ、馆陶下Ⅱ、馆陶下Ⅲ，每套小层厚度在 40 ~ 50m（图 2）。

从岩性和电性上综合分析，认为本区馆陶组上段和中段以砂、泥岩为主，剖面组合为砂泥间互，典型的正韵律结构，常见下切型板状交错层理，分析认为属于曲流河沉积相，单个砂体为弯曲的条带状，复合砂体为平板状；馆陶组下段以砂、砾岩为主，发育厚层的砾岩和含砾粗砂岩，剖面组合为砂包泥，为正韵律结构，细粒沉积薄，发育各种大型槽状、板状交错层理，分析认为属于辫状河沉积相，平面上看单个砂体为低弯度条带状，河道带砂体为板状或宽条带状，剖面上看单砂体和河道带砂体为透镜状。

2　井位部署和钻探情况

2017 年起，华北油田在前期充分调研区内馆陶组油气和地热采灌现状基础上，投资建设任丘渤海职院馆陶组砂岩热储采灌平衡项目，在已有的地热采矿权范围内，考虑后期规模开发过程中群采群灌的影响，一次设计钻探 4 口新井，改造 1 口老井，形成 5 口井的开发井网，开展现场试验。冀望从前期地质研究和后期工程措施改造两个方面摸清馆陶组回灌主控因素和制约机理，找到针对性的解决办法，提高回灌效率，为规模、效益、环保开发利用馆陶组地热资源找到一条新途径。

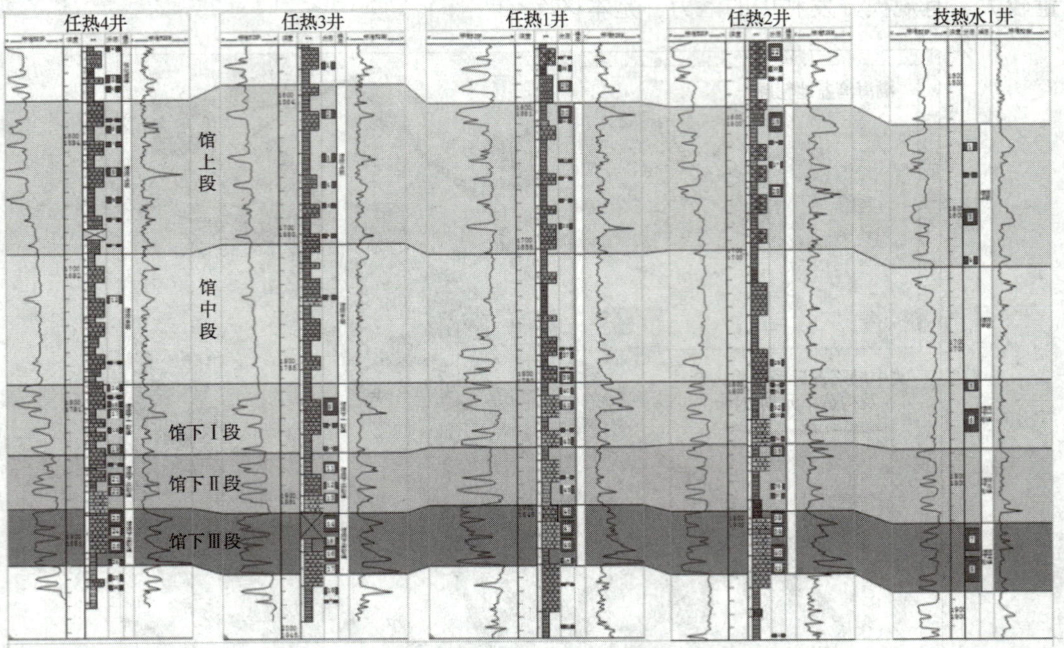

图2 饶阳凹陷馆陶组砂组划分对比图

为进一步落实馆陶组地层地质特征，利用三维地震资料对任丘渤海职院及周边构造做了精细的构造解释。从地震资料可以看出，馆陶组地层在区域地层产状为东高西低，断裂结构以东西走向为主，断距不大，一般在50～100m不等，断层的遮挡性较差，没有形成封堵性圈闭等一些对热水循环的不利因素，地势起伏平缓(图3)，埋深最深为2200m，埋深最浅为1850m，构造幅度差350m(图4)。

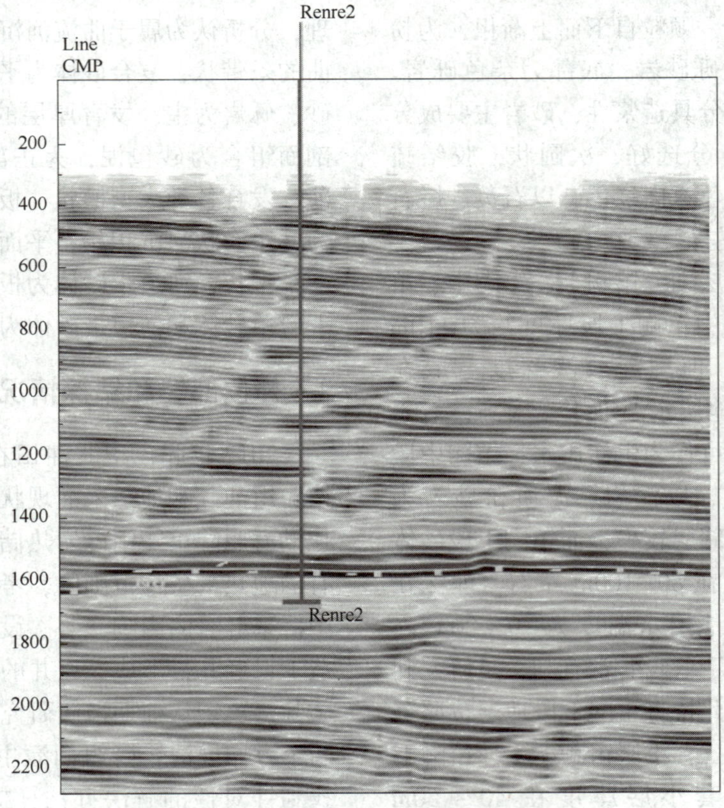

图3 任丘渤海职院及周边地热剖面图

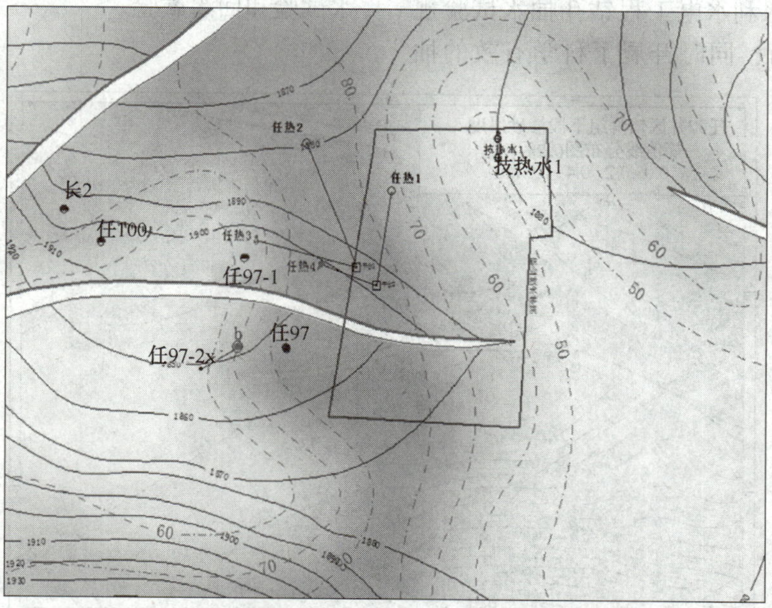

图4　任丘渤海职院及周边馆陶组底面构造图叠馆下段渗透性砂岩厚度图(钻前预测)

根据周边油气井和地热井资料，采用振幅、频率属性分析等手段(图5、图6)，对本区的馆下段渗透性砂岩展布特征进行分析，理清多期河道相互叠置关系、河道变迁规律及单个主体河

道沉积全过程(图5，红色区域代表砂体厚度)，注重单位砂体流体饱和度(图6，亮度越高，流体饱和度越高)，同时兼顾渗透砂岩厚度。研究表明区域及周边馆下段砂体发育，流体饱和度较高，是地热开发的有利层系。

图5　任丘渤海职院及周边馆陶组底面均方根振幅属性分布图

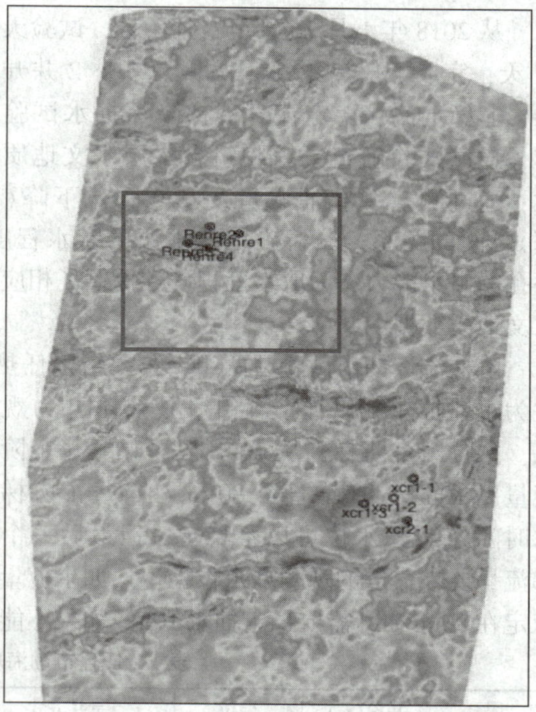

图6　任丘渤海职院及周边馆陶组底面瞬时频率属性分布图

2　现场采灌试验及分析

通过开展数值模拟和地质建模，为试验区5口井设计了200m、300m、350m、400m、600m等不同井距，为后期不同对井采灌试验获取准确水文地质数据奠定基础(表1)。钻探证实，前期对于馆下段渗透性砂岩厚度的预测基本准确(图7)，依据《供水水文地质勘察规范》(GB

50027—2001)、《水利水电工程钻孔抽水试验规范》(SL 320-2005)，同时开展了科学有效的抽水试验和回灌试验。

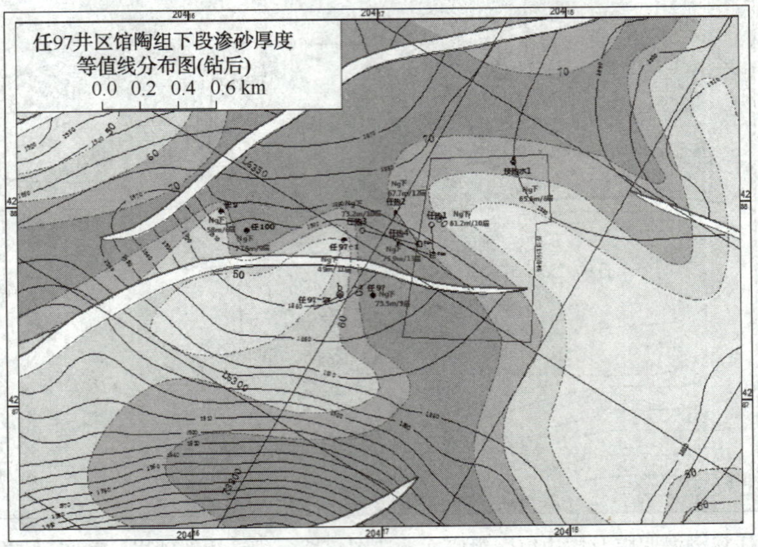

图7　任丘渤海职院及周边馆陶组底面构造图叠馆下段渗透性砂岩厚度图(钻后)

从2018年1月26日至5月4日，试验天数27天，完成了任热4井、3井、1井、2井开采性、非稳定流、稳定流、阶梯降深抽水试验工作，通过试验确定了馆陶组含水层水文地质参数；通过测定井孔涌水量及其与水位下降(降深)之间的关系，分析确定含水层的富水程度、井孔的出水能力；为取水工程设计提供了相应的水文地质数据。

阶梯流量抽水试验共两组，第一组以任热3井为主孔抽水，以任热4井、技热1井为观测孔。共分八个阶梯，从$10m^3/h$开始，每个阶梯流量以$10m^3/h$递增直至80 m^3/h。每个阶梯抽水时间为1h，水位可以不稳定，但最后一个阶梯流量要求最近的观测井水位稳定。如果流量能稳定在$80m^3/h$，需要稳定抽水10h。如果不能稳定在$80m^3/h$，需要回到上一个阶梯流量，同样需要稳定抽水10h。稳定抽水10h结束后需要观测水位恢复。需要测出每个阶梯流量的出口温度。第二组以任热4井为主孔抽水，以任热3井、技热1井为观测孔。

2018年5月14日至10月21日，试验天数89天，完成了筛管完井、射孔完井、大井距、小井距、井组回灌的试验工作。通过自然回灌试验确定了不同状况下的最大自然回灌量、回灌渗透系数；通过试验及计算确定了不同状况下的回扬周期、回扬时间；通过试验完成了大、小井距回灌试验的对比分析分析；筛管完井、射孔完井回灌试验的对比分析；进行了回灌试验中出砂状况分析；对比筛管和射孔两种不同完井工艺条件下的回灌效果，提出了科学地热回灌方式。

表1　任丘市渤海职院地热试验井钻完井数据表

井号	井深(m)	层位	完井方式	筛管或射孔位置(m)	表层套管直径(mm)	技术套管直径(mm)
任热1	2000	Ng	筛管	1486-1940	ϕ339.7	ϕ177.8
任热2	2002	Ng	射孔	1542-1938	ϕ339.7	ϕ177.8
任热3	1993	Ng	筛管	1825-1972 1573-1720	ϕ339.7	ϕ177.8
任热4	1952	Ng	射孔	1784-1931 1529-1716	ϕ339.7	ϕ244.5
技热水1	1924	Ng	筛管	1722-18780	ϕ244.5	ϕ177.8

2.1　单孔稳定流抽水试验

2017年1月28日起，依次从小流量到大流量对任热4井进行阶梯降深抽水试验(图8、图9)。得出井损系数$C=9.96\times10^{-6}d^2/m^5$，并根据不扣除井损和扣除井损方法分别计算了渗透系数和影响半径(表 2)。

表 2　不同方法确定渗透系数和影响半径表

不扣除井损方法(传统方法)					扣除井损方法				
Q	S	K	平均 K	R	Δh	S_w	K	平均 K	R
m^3/d	m	m/d	m	m	m	m/d	m/d	m	
594.24	24.76	0.36	0.34	149	3.52	21.24	0.42	0.41	137
737.04	33.34	0.35		196	5.41	27.93	0.41		178
1278.48	66.8	0.33		381	16.27	50.53	0.42		329
1431.12	80.85	0.31		448	20.4	60.45	0.4		384

2.2　多孔非稳定流抽水试验

将任热 3 井作为抽水孔，水层厚度 76m，流量 $1224m^3/d$；任热 4 井作为水位观测孔；两井含水层中部距离 217m。采用 Theis 配线法——承压水非稳定流公式，通过计算，求得含水层导水系数 $T=42.9m^2/d$、渗透系数 $K=0.565m/d$，弹性释水系数 $u^*=1.0\times10^{-4}$。

$$T=\frac{0.80Q}{[s]}[W(u)]$$

$$K=\frac{T}{M}$$

$$u^*=\frac{4T[t]}{r^2\left[\frac{1}{u}\right]}$$

式中，T 为含水层导水系数，m^2/d；Q 为抽水井流量，m^3/d；$W(u)$ 为泰斯井函数；$[s]$ 为观测孔水位降深，m；K 为含水层渗透系数，m/d；M—承压含水层厚度，m。

u^* 为弹性释水系数。

r 为观测孔至抽水孔的距离，m。

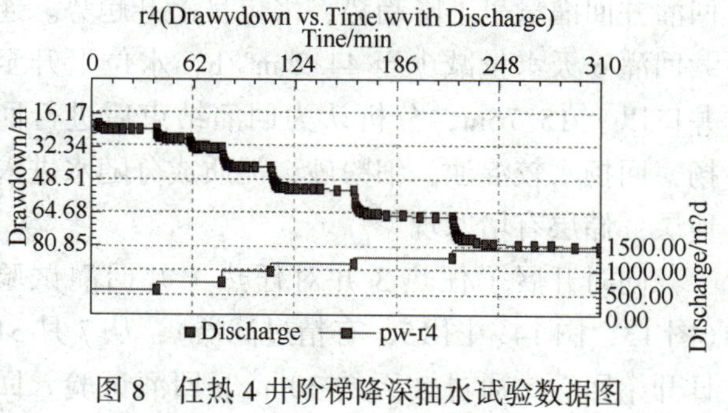

图 8　任热 4 井阶梯降深抽水试验数据图

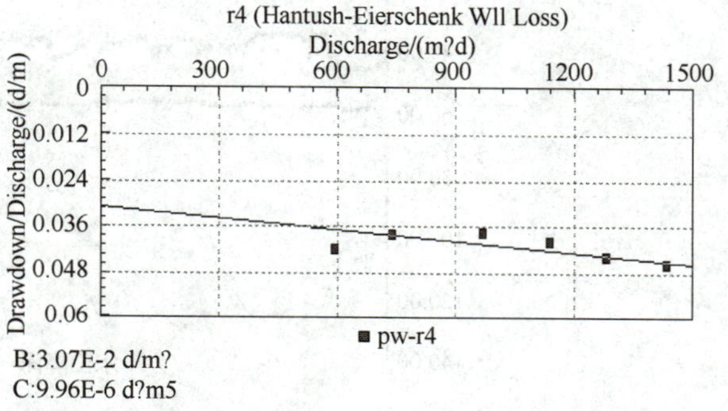

图 9　任热 4 井井损系数图

2.3　三个降深的单孔稳定流抽水试验

共开展了任热 1、任热 2 两口井的相关试验(图 10)，获得了不同降深涌水量和温度对应关系。其中任热 1 井在水位降深 71.3m、111.53m、128.78m 时对应的涌水量分别是 $51.2m^3/h$、$76.69m^3/h$ 和 $87.3m^3/h$，井口温度基本保持在 70℃左右。任热 2 井在水位降深 38.2m、80.9m、128.87m 时对应的涌水量分别是 $26.7m^3/h$、$55.3m^3/h$ 和 $89.5m^3/h$，井口温度也基本保持在 70℃左右。

同样求取任热 2 井井损系数 $C=6.2\times10^{-6}d^2/m^5$，渗透系数 $K=0.41$ m/d，影响半径 = 1679m。

2.4　变流量抽水试验

依次从小流量到大流量对任热 1 井进行阶梯降深抽水试验，求得井损系数 $C=7.37\times10^{-6}d^2/m^5$，渗透系数 $K=0.55$ m/d，影响半径 $R=1784m$。得出距离抽水孔不同井距、降深和地下水渗流速度数据(表 3)。

表 3　不同井距、降深和地下水渗流速度对比表

r/m	s/m	v/(m/d)
100	14.52	0.42
200	11.03	0.22
300	8.99	0.15

续表

r/m	s/m	v/(m/d)
338	8.44(实际观测 8.39)	
400	7.54	0.11
500	6.41	0.09
600	5.49	0.08

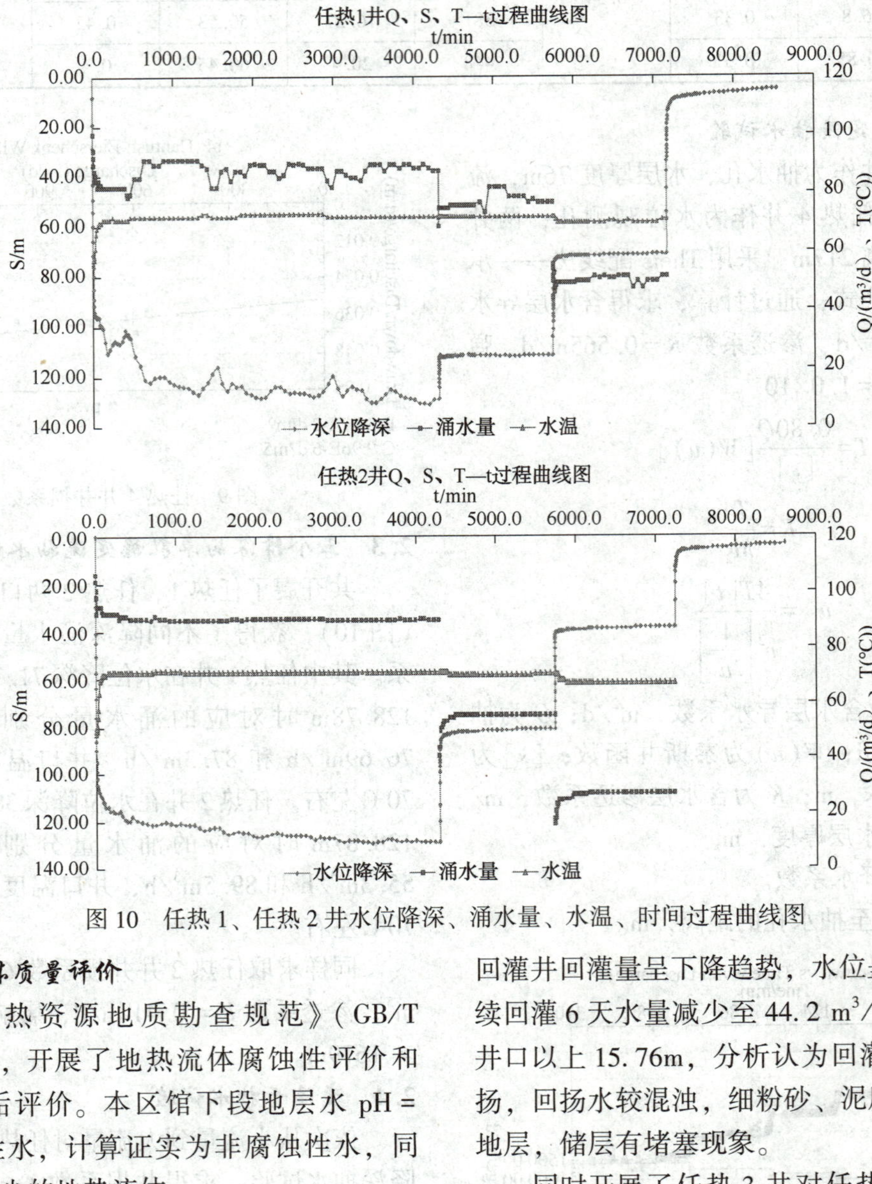

图 10　任热 1、任热 2 井水位降深、涌水量、水温、时间过程曲线图

2.5　地热流体质量评价

依据《地热资源地质勘查规范》(GB/T 11615—2010)，开展了地热流体腐蚀性评价和地热流体结垢评价。本区馆下段地层水 pH = 8.11 属于碱性水，计算证实为非腐蚀性水，同时也是锅垢很少的地热流体。

2.6　回灌试验

先后在试验区开展了筛管完井回灌试验、射孔完井回灌试验、大井距回灌试验、小井距回灌试验、井组回灌试验。

2.6.1　筛管完井回灌试验

试验目的是为了检测筛管方式完井的回灌能力。开展了任热 4 对任热 1 的回灌试验(图 11、图 12，无精过滤器)，初始回灌量为 49.7m^3/h，回灌井回灌量呈下降趋势，水位呈上升趋势。连续回灌 6 天水量减少至 44.2 m^3/h，水位上升至井口以上 15.76m，分析认为回灌结束后进行回扬，回扬水较混浊，细粉砂、泥质成分随水进入地层，储层有堵塞现象。

同时开展了任热 3 井对任热 1 井回灌试验(图 13、图 14、图 15，有精过滤器)，从 7 月 31 日开始回灌，通过 8 天的 30m^3/h 回灌试验。回灌量稳定在 32.6m^3/h 左右，回灌井动水位稳定在-75.7m 左右；开采井动水位稳定在-170.9m。8 月 11 日开始 40m^3/h 流量回灌试验，回灌 72h，回灌量稳定在 38.2m^3/h 左右，回灌井动水位稳定在-62.28m 左右。8 月 15 日开始 50m^3/h 流量回灌试验，回灌 76h，回灌量稳定在 48.2m^3/h

左右，回灌井动水位稳定在-31.99m左右。8月19日开始$60m^3/h$流量回灌试验，回灌58.5h，回灌量稳定在$58.8m^3/h$左右，回灌井动水位稳定在-15.87m左右。8月21日开始$65m^3/h$流量回灌试验，回灌18.5h，水位稳定在井口附近。8月22日回灌量$70m^3/h$，流量回灌试验时井口压力稳定在0.25MPa左右，回灌量最终稳定在$66.2m^3/h$左右，开采井动水位稳定在-228.04m左右。8月24日开始$80m^3/h$流量回灌试验，回灌19h，井口压力没有稳定，回灌量由最初的$82.1m^3/h$降到$74.6m^3/h$左右，回灌井动水位由最初的51.76m上升到86.74m左右，开采井动水位稳定在-244.36m左右。

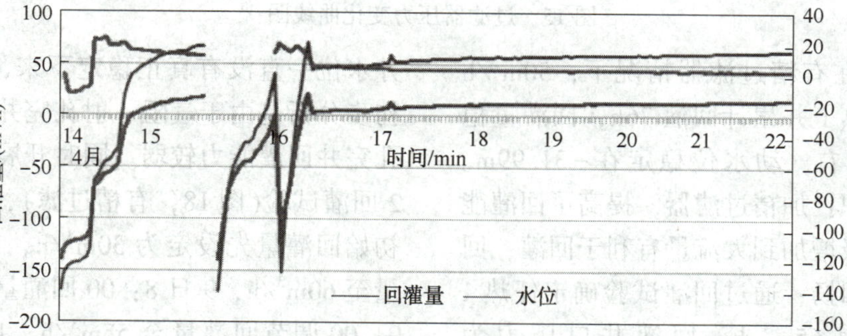

图11 任热1井回灌量、水位变化曲线图(筛管完井、无精过滤器)

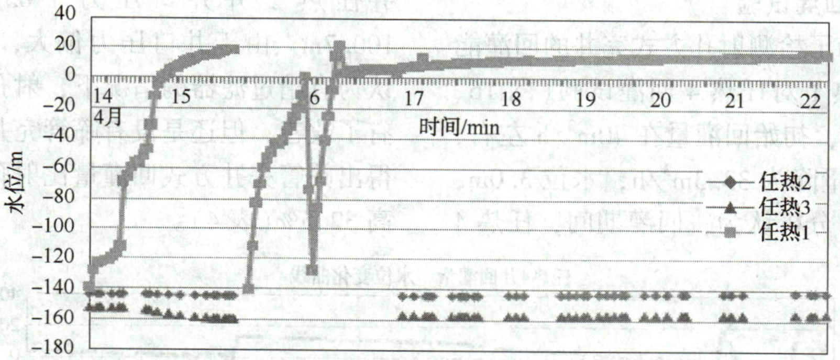

图12 任热1井与观察井水位变化曲线图(筛管完井、无精过滤器)

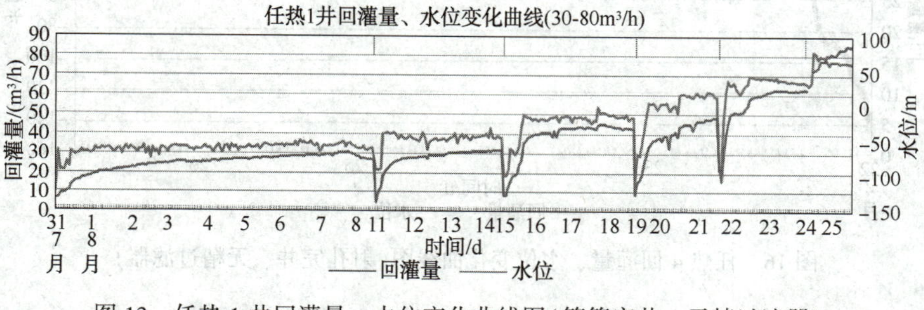

图13 任热1井回灌量、水位变化曲线图(筛管完井、无精过滤器)

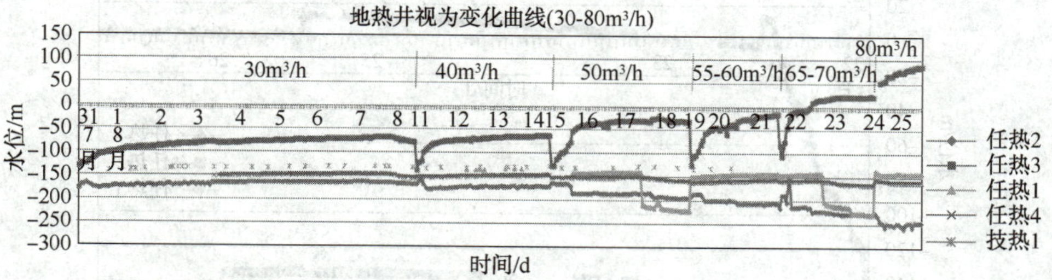

图14 地热井水位变化曲线图(筛管完井、无精过滤器)

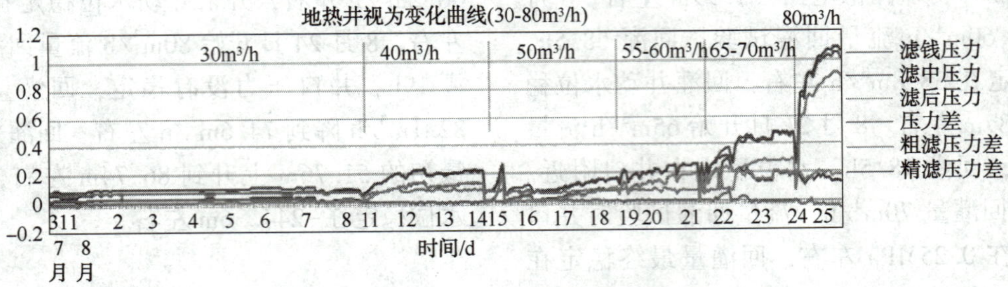

图 15　过滤器压力变化曲线图

分析认为，在有精过滤器情况下，50m³/h 流量回灌试验任热 1 井累计回灌 76h，回灌量稳定在 48.2m³/h 左右，动水位稳定在 -31.99m。得出以下几点认识：加精过滤器，提高了回灌能力；从小流量逐级增加到大流量有利于回灌；回灌过程中应定期回扬；通过回灌试验确定任热 1 井自然回灌量为 65m³/h；回灌井口压力为 0.88MPa 时，最大回灌量为 80m³/h。

2.6.2　射孔完井回灌试验

试验目的是为了检测射孔方式完井的回灌能力。通过开展任热 1 对任热 4 回灌试验(图 16、图 17，无精过滤)，初始回灌量在 40m³/h 左右，至 5 月 26 日回灌量降为 33.3m³/h，水位 3.0m，回灌量衰减较快。分析认为，回灌期间，任热 4 井水位一直没有真正稳定下来，且上升比较快，初步分析是由于气阻、射孔完井等原因，说明射孔完井回灌能力较弱。同时开展了任热 3 对任热 2 回灌试验(图 18，有精过滤)，9 月 8 日 15：00 初始回灌量先设定为 30m³/h，16：30 调节回灌量至 60m³/h，9 日 8：00 回灌量衰减到 49m³/h，9：00 调节回灌量至 55m³/h，11：00 调节回灌量 60m³/h，13：00 回灌量衰减至 58m³/h，回灌井任热 2 井井口压力 1.05MPa，水位达到 100.7m，由于井口压力偏大，停止回灌。分析认为有精过滤器的情况下，射孔完井的回灌效果有了改善，但还是没有筛管完井的效果好，统计得出筛管完井方式回灌量比射孔完井方式回灌量高 32.5%(表 4)。

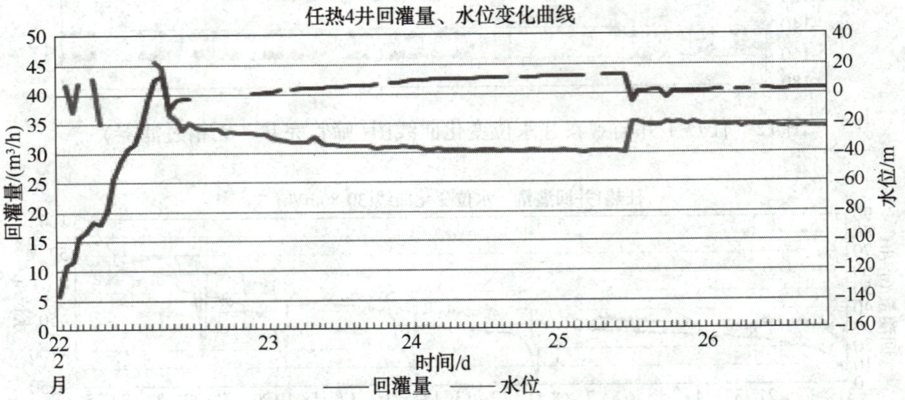

图 16　任热 4 回灌量、水位变化曲线图(射孔完井、无精过滤器)

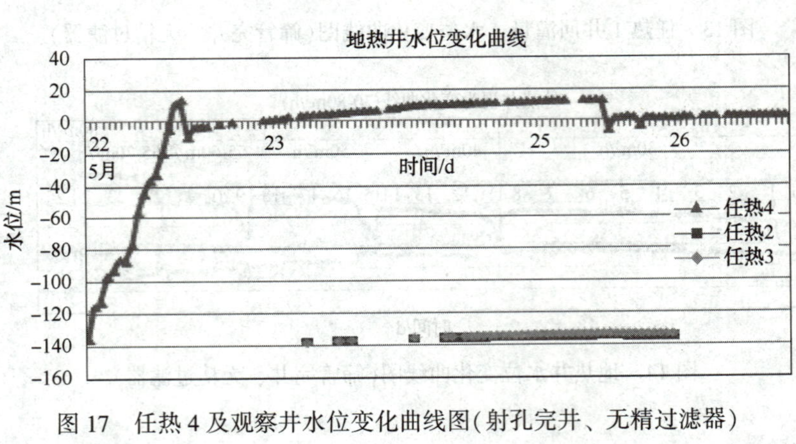

图 17　任热 4 及观察井水位变化曲线图(射孔完井、无精过滤器)

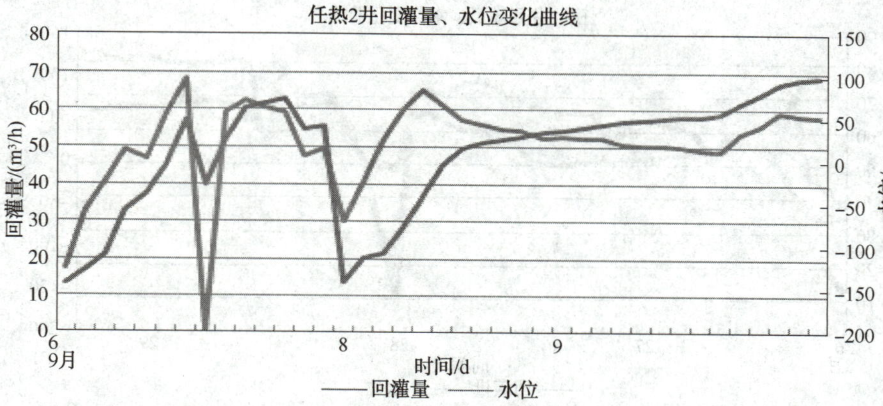

图 18　任热 2 回灌量、水位变化曲线图(射孔完井、有精过滤器)

表 4　筛管、射孔完井回灌试验回灌量对比表

对比类型	回灌量/(m³/h)	有无精过滤器	回灌井井径	
筛管完井	任热 3 灌任热 1	65	有	小
	任热 4 灌任热 1	64	无	小
射井完井	任热 3 灌任热 2	50	有	小
	任热 3 灌任热 4	51	有	大
	任热 1 灌任热 4	45	无	大

2.6.3　大、小井距回灌试验

试验目的是为了检测井距对回灌能力的影响(表 5)。大井距回灌试验开展了两组，井距为 400m 以上。第一组是任热 1 井对任热 4 井回灌试验(无精过滤)，两井井距为 408m。5 月 22 日开始回灌，回灌量在 $40m^3/h$ 左右，至 5 月 26 日回灌量降为 $33.3m^3/h$，水位 3.0m，回灌量衰减较快。第二组是任热 3 井对任热 1 井回灌试验(有精过滤)，两井井距为 597m。8 月 11 日开始 $40m^3/h$ 流量回灌试验，回灌 72h，回灌量稳定在 $38.2m^3/h$ 左右，回灌井动水位稳定在 -62.28m 左右；8 月 15 日开始 $50m^3/h$ 流量回灌试验，回灌 76h，回灌量稳定在 $48.2m^3/h$ 左右，回灌井动水位稳定在 -31.99m 左右。

小井距回灌试验开展了 3 组，井距为 250~350m。开展了任热 3 井对任热 4 井回灌试验，两井井距为 244m，8 月 26 日进行回灌试验，通过近 3 天的小井距回灌试验，回灌 24h 后，回灌量稳定在 $50m^3/h$ 左右，动水位没有稳定，从 -147.7m 上升到 67.3m 左右，上升了 214m。分析认为，虽然开采井、回灌井井距变小，且回灌井是大孔径，回灌过程中回灌井压力(水位)、地面系统压力上升却较快，也没有带来回灌量的增加(图 19)。在平均井距 300m，回灌量为 $51m^3/h$，平均井距 500m，回灌量为 $55m^3/h$，说明井距大小对回灌量的影响较小；过滤器和完井方式对回灌量影响较大；井径对回灌量影响较小。

表 5　大、小井距回灌试验回灌量对比表

对比类型	回灌试验	回灌井完井方式	井距/m	回灌量/(m³/h)	水位到井口/h	有无精过滤器	回灌井井径
大井距	任热 3 灌任热 1	筛管	597	65		有	小
	任热 1 灌任热 4	射孔	408	45	3	无	大
大井距	任热 3 灌任热 2	射孔	352	31.8	2.5	无	小
	任热 3 灌任热 2	射孔	352	50	4	有	小
	任热 3 灌任热 4	射孔	244	51	2	无	大

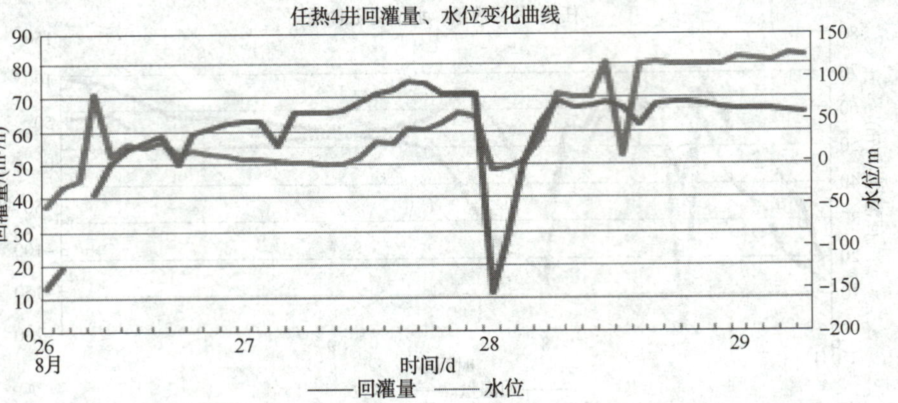

图 19　任热 4 回灌量、水位变化曲线图(小井距回灌试验)

2.6.4　井组回灌试验

试验目的是为了模拟生产过程中回灌效果。共开展了 2 组试验，第一组是任热 2、任热 3 井对任热 1、任热 4 井回灌试验(图 20、表 6)，证实在管网同等压力下，任热 1 井回灌量大于任热 4 井回灌量，且任热 4 井随着井口压力的增大，回灌量不再增大，说明在同样条件下筛管完井的回灌量大于射孔完井的回灌量。

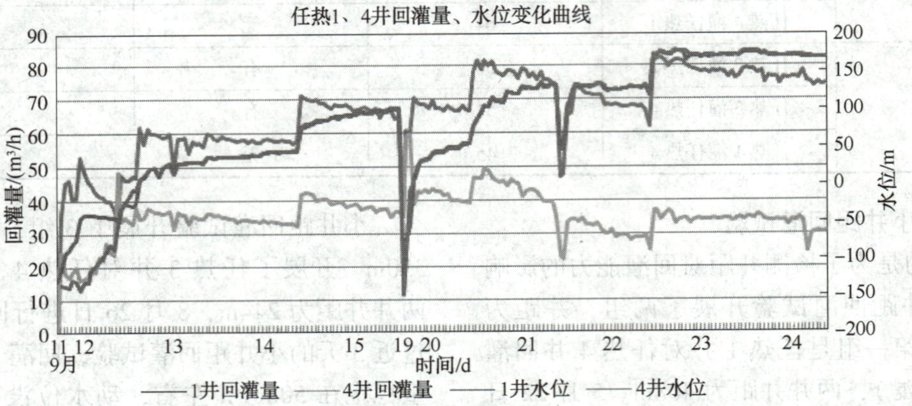

图 20　任热 1、任热 4 井回灌量、水位变化曲线图(井组回灌试验)

表 6　井组回灌试验数据(第一组)

开采井		回灌井	
任热 2(射孔)/(m^3/h)	任热 3(筛管)/(m^3/h)	任热 4(射孔)/(m^3/h)	任热 1(筛管)/(m^3/h)
30	30	25	35
40	40	33.6	47.8
50	50	37.5	61.6
60	60	42.6	68.8

第二组试验是任热 2、任热 4 井对任热 1、任热 3 井回灌试验(图 21)，在同样条件下同为筛管完井的任热 3 井回灌量与任热 1 井回灌量基本相当，再次说明研究区馆陶组含水层筛管完井的回灌量大于射孔完井的回灌量。

模拟生产试验过程中，将任热 2、任热 4 井(射孔完井)作为开采井，任热 1、任热 3 井(筛管完井)作为回灌井。

2.6.5　回灌渗透系数计算

针对筛管完井的任热 1 井，30m^3/h 回灌时，渗透系数衰减曲线方程 $K_1(t)=0.229e^{-0.0028t}$；60m^3/h 回灌时，渗透系数衰减曲线方程 $K_2(t)=0.216e^{-0.0055t}$。经计算以流量 30m^3/h、60m^3/h、65m^3/h、70m^3/h 回灌过程中(70m^3/h 为加压回灌)趋于稳定时回灌渗透系数分别为 0.19m/d、0.17m/d、0.16m/d、0.11m/d。

针对射孔完井的任热 4 井，40m^3/h 回灌时，渗透系数衰减曲线方程 $K_1(t)=0.087e^{-0.0119t}$；$60m^3/h$ 回灌时，渗透系数衰减曲线方程 $K_2(t)=0.127e^{-0.0127t}$。经计算以流量 $40m^3/h$ 回灌（加压回灌）过程中趋于稳定时回灌渗透系数为 0.07m/d。

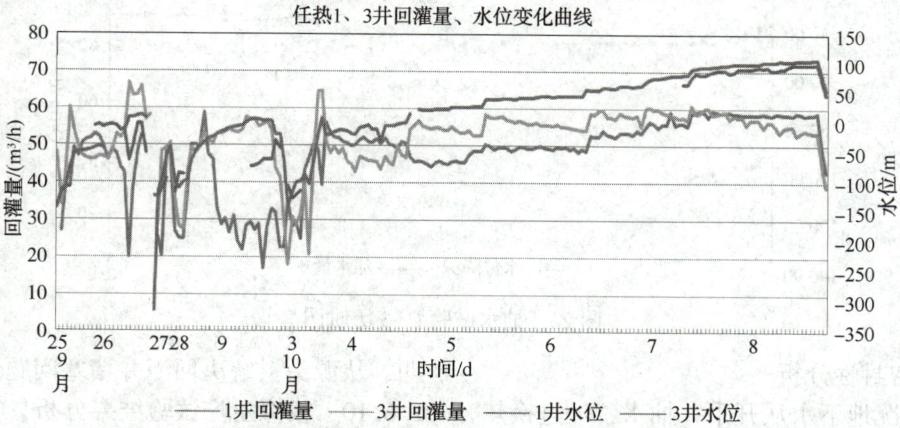

图 21　任热 1、任热 3 井回灌量、水位变化曲线图(井组回灌试验)

2.6.6　回扬周期预测

任热 1 井 $30m^3/h$ 回灌时，渗透系数衰减曲线的回归方程 $K_1(t)=0.229e^{-0.0028t}$。由此分别计算自然回灌和加压回灌状态下回扬周期 T(表 7、表 8)。

表 7　自然回灌时回扬周期表

计算参数	$30m^3/h$	$40m^3/h$	$50m^3/h$	$60m^3/h$	$70m^3/h$	$80m^3/h$
Δh	3.82	6.79	10.61	15.28	20.80	27.17
h	141.18	138.21	134.39	129.72	124.20	117.83
回扬周期 T	18.1d	13.3d	9.7d	6.5d	3.6d	0.8d

表 8　加压 1.0Mpa 时回灌时回扬周期表

计算参数	$30m^3/h$	$40m^3/h$	$50m^3/h$	$60m^3/h$	$70m^3/h$	$80m^3/h$
Δh	3.82	6.79	10.61	15.28	20.80	27.17
h	141.18	238.21	234.39	229.72	224.20	217.83
回扬周期 T	26.0d	21.5d	15.1d	14.9d	12.3d	10.0d

2.6.7　回扬时间

根据抽水试验 Q-S 历时图分析(图 22)，在 200min 以后，动水位趋于稳定，说明热储层运移通道疏通，渗流场接近稳定。通过现场观察，回扬第一小时结束时水逐步变浑浊，第二小时回扬水达到最大浑浊度，第三小时回扬水逐渐变清，第四小时达到原始地层水的状态。说明正常生产过程中，采用筛管完井方式的井作为回灌井，自然回灌量 $65m^3/h$，回扬周期 4 天；加压回灌 0.88MPa 时，回灌量 $76m^3/h$，回扬周期 12 天，回扬 4h 以上较为合适。

2.6.8　地热井出砂状况分析

饶阳凹陷馆陶组砂岩成岩作用差，以往油气生产过程中，出砂现象较明显。所以在模拟生产试验过程中，重点关注了地层出砂状况，通过监测任热 3 井的数据，证实流量越大，除砂器排砂量的单位排水量砂干重也越大，即出砂量越多(表 9)。砂岩碎屑成分复杂，杂基含量较多，胶结类型多变，热储体空间展布，受成岩动力条件控制。砂岩热储孔隙度大，容易受钻井液伤害、回灌等因素影响，考虑单井储层不同发育，需要开展结合测井资料进行回灌井优选，并针对性开展先期防砂研究。

表 9　任热 3 砂样化验数据表

取样时间	20180722	20180723	20180723	20180723	20180723
任热 3 井	流量 $30m^3/d$	流量 $40m^3/d$	流量 $50m^3/d$	流量 $50m^3/d$	流量 $70m^3/d$
粒径中值/μm	364.9	363.6	334.6	325	377.7
湿重/g	9.4	600.5	82.9	65.7	111.9
干重/g	9.3	501.1	70.7	58.1	87.2
累计流量/m^3	57.5	711	90	84	79
单位排水量砂干重/(g/m^3)	0.1617	0.7048	0.7856	0.6917	1.1038

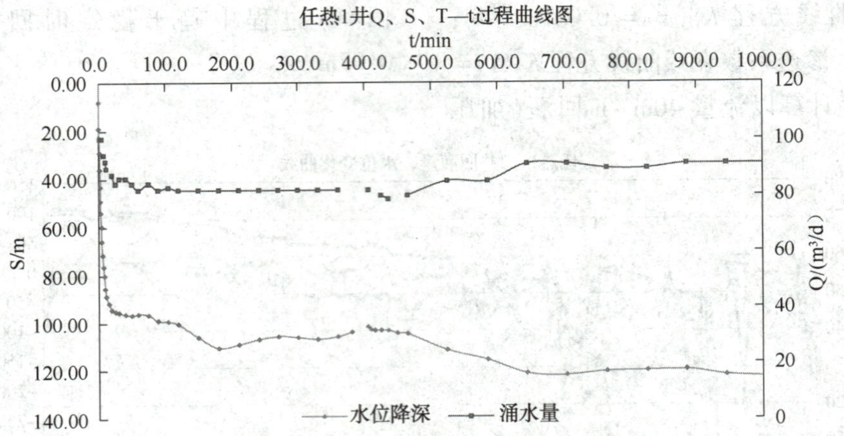

图 22　抽水试验 Q-S 历时图

2.6.9　系统密封性分析

通常情况地下水从开采井抽水，经过换热器提取热量，到回灌井结束，整个过程很难形成一个密闭的系统。运行时，开采井水位下降，回灌井水位上升，这时空气与水有接触的机会。通过用氮气密封开采井和回灌井，使空气中氧气没有机会进入地下水中，地下水在整个回灌系统中，是在一个绝对密封状态下进行的，这样大大减少了回灌井化学、生物化学堵塞，延长回扬周期，从源头上解决回灌井堵塞问题。

2.6.10　模拟生产试验结果分析

2018—2019 年度证实馆陶组热储区域供液能力较强，单井产水量可达到 60—80m^3/h，但是单井最大回灌量 40m^3/h 左右，稳定在 25m^3/h 左右，回灌量远低于采水量，回灌难度大（图 23、图 24），分析认为回灌井储层堵塞是造成回灌量快速衰减的主要原因。

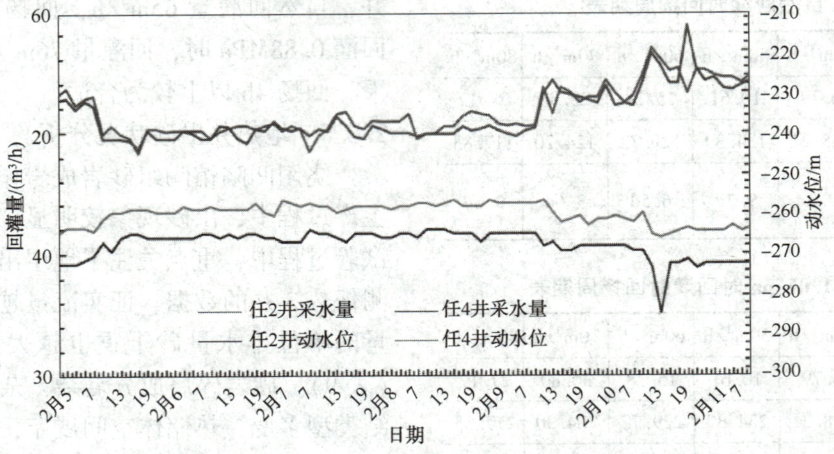

图 23　2018—2019 年度模拟生产试验采水数据图

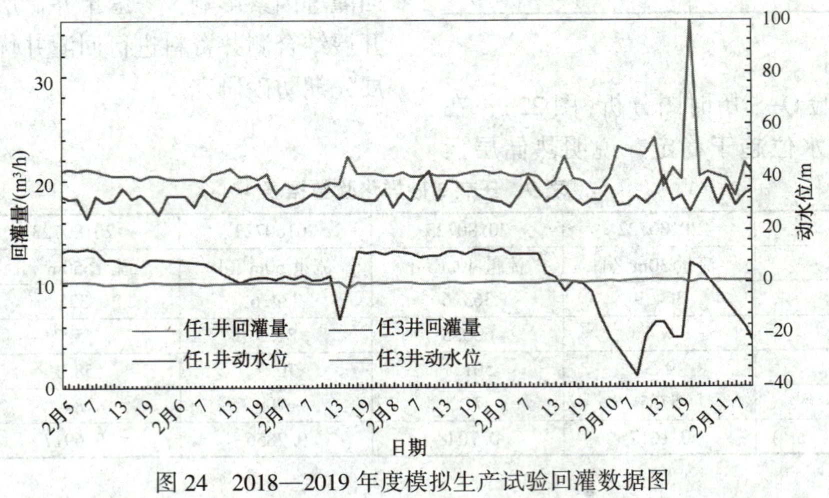

图 24　2018—2019 年度模拟生产试验回灌数据图

3 馆陶组砂岩回灌制约因素分析

3.1 地质因素分析

对比国内砂岩回灌井发现，各油田热储特征差异较大，回灌效果显著不同，孔隙特征决定砂岩回灌能力，当孔隙度大于20%，渗透率大于$500\times10^{-3}\mu m$，单砂体厚度越大，越有利于回灌(表10)。回灌井宜选为孔隙度大于15%，砂岩层渗透系数大于$200\times10^{-3}\mu m^2$，砂体单层厚度大于10m，累积大于80m作为目标井(表11)。储层物性条件在不同地区各不相同，也是回灌能力提升的有效前提条件，只能通过加强对储层的预测和认识，做好井位的设计。

表10 渤海湾盆地不同区域馆陶组热储回灌对比表

项目	储层	孔隙度/%	渗透率$\times10^{-3}\mu m^2$	埋深	地层厚度	回灌量m^3/h
渤海职院	Ng	20-30	25-580	1900	120-140	30-40
滨海新区西部	Ng	27-30	535-1140	1100-1300	50-150	10-50
辽河油田	Ng	大于30	大于1000	200	—	
鲁北院	Ng	24-30	167-412	1494	200	43
武城二中	Ng	25-38	265-906	1682	221	40
武城宏图嘉苑	Ng	25-36	355-42	1600	157	65
德州	Ng	31-35	225-391	1536	206	56

表11 不同物性馆陶组砂岩回灌能力调查数据表

孔隙度/%	<10%	10~15%	15~20%	≥20%
渗透率/10^{-3}	<50	50~200	200~500	≥500
单层厚度/m	<5	5~10	10~20	≥20
回灌厚度/m	差	较差	较好	好
可选性	不应选取	不宜选取	宜选取	应选取

3.2 砂岩堵塞机理研究

根据前人的研究，对可能造成堵塞的原因进行分析(表12)，针对馆陶组储层岩石性质、储渗特征、储层内部环境、回灌流体组分、钻井和工程措施影响开展了分析。初步认为本区馆陶组可能存在悬浮物、黏粒膨胀、化学、气体4种主要堵塞原因。

表12 地层堵塞原因统计表(据高宝珠，曾梅香，2007)

堵塞原因	悬浮物	微生物	化学沉淀	气泡阻塞	粘粒膨胀	颗粒重组	其他
比例/%	50	15	10	10	5	5	5

3.2.1 悬浮物堵塞分析

通过开展速敏、悬浮物分析、常规物性和全岩分析等相关工作，分析认为，悬浮物有两种产生原因，一是回灌尾水自身携带的悬浮物颗粒，二是在水化学或水动力作用下储层内部产生的悬浮物颗粒。参照《碎屑岩油藏注水水质推荐指标及分析方法》SY/T52329-2012，馆陶组储层要求注入水悬浮物固体颗粒含量应≤5mg/L，悬浮颗粒直径中值应≤3μm，对试验回灌水质进行检测(表13)，模拟试验回灌水水中悬浮物含量是符合行业标准的。

表13 试验注入水及驱替尾水水质化验表

序号	样品名称	悬浮物含量(mg/L)	粒径中值(μm)
1	粗滤后	0.6	样品浓度过稀，无法测试
2	精滤后	0.5	样品浓度过稀，无法测试
3	回灌水	0.6	样品浓度过稀，无法测试
4	驱替尾水(0.1mL/min)	10.5	7.5

续表

序号	样品名称	悬浮物含量(mg/L)	粒径中值(μm)
5	驱替尾水(1mL/min)	13.1	7.7
6	驱替尾水(3mL/min)	164.0	6.4
7	驱替尾水(5mL/min)	396.1	6.2

但是通过观察不同流速下的驱替尾水，发现随驱替流速增大，驱替尾水越来越浑浊，尾水中悬浮物含量增多，回灌过程中储层内部产生悬浮物颗粒。通过速敏、储层损害等研究发现，馆陶组储层表现为强速敏，模拟实验临界流量为0.1mL/min，在0.1mL/min的驱替速度下，90%的悬浮物颗粒粒径大于储层孔喉直径中值，矿物颗粒随流体运移可能堵塞喉道，室内流量5mL/min对应现场回灌量与实际回灌量相当，储层损害率650.6%(表14)。说明悬浮物颗粒对馆陶组热储层造成严重堵塞。

表14　实验流量与现场回灌量对应表

滤水管直径/m	流量/(mL/min)	悬浮物含量/(mg/L)	储层损害率/%	回灌量/(m^3/d)		
				最小	最大	平均
0.17778	0.1	10.5	0.0	0.5	0.7	0.6
	1.0	13.1	153.8	5.6	6.9	5.9
	3.0	164.0	370.0	14.6	20.4	17.6
	5.0	369.1	650.6	24.4	34.0	29.1
0.2445	0.1	10.5	0.0	0.7	0.9	0.8
	1.0	13.1	153.0	6.7	9.5	8.1
	3.0	164.0	370.0	20.1	28.1	24.2
	5.0	369.1	650.6	33.5	46.8	40.0

3.2.2　黏粒膨胀堵塞分析

对采灌井水样、岩样开展黏土矿物种类及相对含量、水敏等分析工作，馆陶组储层具有强水敏性(表15)，但是回灌水和开采井井水水质分析结果相似，水型一致，地热水回灌过程中不存在水敏现象(表16)。

表15　水敏实验前后馆陶组矿物成分和粘土矿物相对含量表

地层		全岩定量分析/%					
		黏土总量	石英	钾长石	斜长石	方解石	白云石
馆陶组中段	空白岩心	23	54	8	14	0	1
	水敏后	26	51.5	7.5	15	0	0
馆陶下三砂组	空白岩心	15.9	59.1	8.2	14.6	0	1.2
	水敏后	16	59	8	17	0	0

表16　渤海职院采灌试验井馆陶组水质分析表

样品号	检测项目/(mg/L)								水型
	Na^+	K^+	Ca^{2+}	Mg^{2+}	Cl^-	SO_4^{2-}	HCO_3^-	总矿化度	
回灌水	572.48	5.82	16.42	2.24	461.65	711.90	1856.61	$NaHCO_3$	
开采井水	566.80	7.01	17.34	3.32	473.00	35.57	711.90	1814.93	$NaHCO_3$

3.2.3 化学堵塞分析

热储矿物质因温度和压力改变，而沉淀结垢的过程称化学堵塞。常见的结垢物为碳酸盐类矿物，硅酸盐类矿物和硫酸钡。利用拉申指数可计算地下热水中碳酸钙的结垢趋势，经计算得出研究区拉申指数LI为0.80，根据判别标准得出，馆陶组地热水具有轻腐蚀性，生成碳酸钙沉淀的可能性较小。在不同温度条件下进行驱替实验，随温度升高岩样渗透率变低，驱替尾水中离子浓度发生变化，Ca^{2+}、Mg^{2+}和SO_4^{2-0}浓度降低，Cl^-和HCO_3^-浓度变大(表17)，推测可能生成了钙镁类沉淀和硫酸盐类沉淀，堵塞储层喉道。

表17　渤海职院回灌试验井馆陶组不同温度下驱替尾水离子浓度表

浓度/(mg/L)	Ca^{2+}	Mg^{2+}	Cl^-	SO_4^{2-}	HCO_3^-
回灌水	16.42	2.24	461.65	86.29	711.9
40℃	10.54	1.72	475.37	65.16	750.82
55℃	7.75	0.84	496.08	37.08	813.6
70℃	6.72	0.92	511.53	33.28	915.3

3.2.4　气体堵塞分析

热储中，气泡无法自行溢出，气泡在水动力逐渐减小压力趋于稳定时，越易驻留在孔隙介质中，当回灌水头压力$P_1 \approx P_2$时形成气锁，进而造成气体堵塞。回灌水中气体来源主要有两种，一是空气中氧气(密封不好)及泵管、井管等施工设备本身存在的气体，二是压力变化及流体在流动中生成的气泡(甲烷、二氧化碳等)。

地热流体开采过程中携带N_2、CO_2、CH_4等气体，精细过滤后，回灌水中仍然携带同样组分气体进入储层(表18)。回灌过程中40℃左右的回灌水和近70℃的地层水相遇可能产生大量的气体。

表18　渤海职院地热试验井伴生气气组分分析结果

样品名称	不同站点气组分含量/mol%					
	N_2	CO_2	C_1	C_2	C_3	C_4
分离器出口取气样	71.35	1.259	27.23	0.135	0.014	0.012
精细过滤排气口取气样	69.84	1.432	28.57	0.137	0.012	0.009

注水速度恒定，随注气速度增加，样品渗透率降低趋势明显，气体堵塞影响储层渗透性。回灌初期气体堵塞会对回灌量衰减造成一定影响，随着回灌时间的持续，其他堵塞原因有可能成为回灌量衰减的主要因素。

3.2.5　主要堵塞机理认识

试验结果表明，揭示砂岩悬浮物颗粒及回灌颗粒物运移堵塞孔喉是造成堵塞的主要原因，且注入流速越快，堵塞的风险越高，回灌时需要控制回灌速度，过滤热流体中颗粒物。

4　馆陶组热储解堵增灌研究方向

解决悬浮物堵塞的有两种途径，一是化学方式，通过酸化提高热储渗透率；二是物理方式，做好防、固砂，提高砂岩地层骨架稳定性。

4.1　酸化解堵

开展室内酸化试验，多元酸可溶解碳酸盐类矿物，酸化后样品的渗透率均增大，120%<K酸/K空<620%(图24)；酸敏实验后，岩样中黏土矿物和白云石含量降低(表19)。

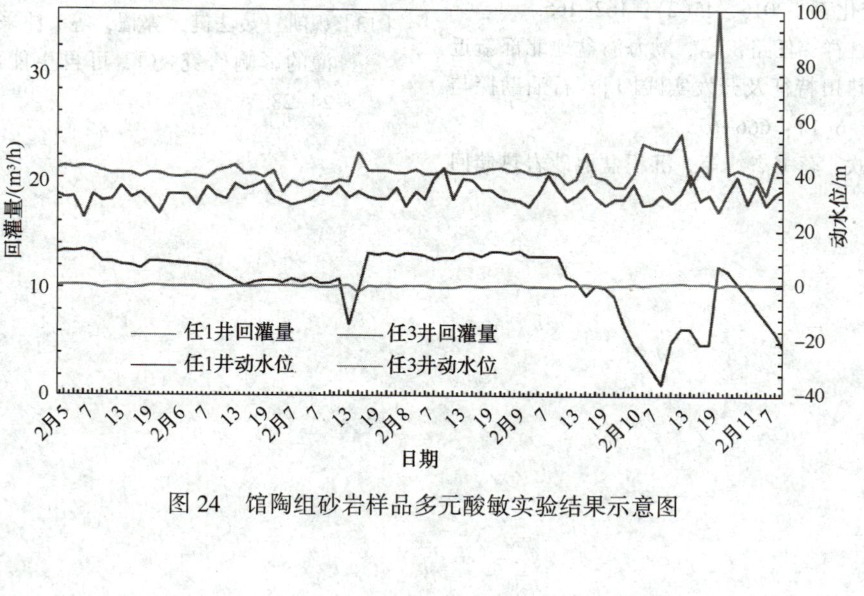

图24　馆陶组砂岩样品多元酸敏实验结果示意图

表19　酸敏实验前后馆陶组矿物成分和黏土矿物相对含量表

地层		全岩定量分析/%						黏土矿物相对含量/%			
		黏土总量	石英	钾长石	斜长石	方解石	白云石	K	C	I	S
馆陶下	空白岩心	15.91	59.08	8.17	14.58	0	1.73	18.7	8.7	3.8	68.7
三砂组	酸敏后	10.4	66.6	8.8	14.2	0	0	20.6	5.2	3.8	70.4

4.2 防砂固砂

主要是对出砂机理研究和预测，砂岩遇低温流体发生物理-化学双重损伤，研究渗透率演变规律置入模型，基于渤海职院砂岩采灌试验数据进行数值模型验证，在此基础上优化回灌工艺参数。

针对热储结构松散、胶结程度差，渗透率高特点，采用优化射孔层段选择，下入碳丝防腐筛网、填粒工艺，优化流程控制水质，回灌管柱和水位测管进行材质优选，避免回灌中物理堵塞。

5 结论

目前，冀中坳陷饶阳凹陷碳酸盐岩热储基本实现了等量无压同层采灌，但是砂岩热储的无压回灌效率多数地区还较低，导致砂岩热储利用效率长期停滞在一个较低的水平线上，实现砂岩的无压或低压回灌需要地质、工程共同发力，关键是从地质上优选物性条件好的相带，从工程上在不破坏岩石原始孔渗提升骨架稳定性，在辅以合适的增灌解堵措施、合理的生产制度，最终逐步实现馆陶组砂岩的无压或低压全回灌，然后再推广至古近系其他层系，再至其他地区砂岩地热开发利用中。

参考文献

[1] 刘林，付婧媛，潘瑞玲．地热尾水回灌技术措施探讨[J]，辽宁化工，2016，45(2)：162-165.

[2] 董月霞，黄红祥，任路，等．渤海湾盆地北部新近系馆陶组地热田特征及开发实践[J]，石油勘探与开发，2021，6(1)：666-675.

[3] 王学鹏，刘欢，蒋书杰，等．沉积盆地砂岩热储回灌试验研究［J］．地质论评，2020，66（2），485-492.

[4] 李成嵩，王银生．东营地区地热回灌井钻井完井技术研究与试验[J]．石油钻探技术，2021，49(6)，50-54.

[5] 曹倩，方朝合，李云等．国内外地热回灌发展现状及启示［J］．石油钻采工艺，2021，43（2），203-209.

[6] 仝红伟，陈正国，孔登锋．基于林甸地热田砂岩孔隙热储回灌的初步分析[J]．黑龙江水利科技，2011，39(5)，10-12.

[7] 张光辉，李卓，严明疆，等．冀中平原深部地下热水资源可更新特征与依据[J]．地球学报，2016，37（5），637-644.

[8] 平利姣，丁小琴，周欣，等．江苏海安滨海新区砂岩热储回灌试验研究[J]．地质学刊，2022，46(1)，91-95.

[9] 戴群，王聪，罗杨，等．砂岩地热储层回灌堵塞机理研究及治理对策[J]．精细石油化工进展，2017，18(6)，10-13.

[10] 高宗军，夏璐，何雪琴，等．砂岩热储地热尾水回灌悬浮物堵塞研究［J］．地下水，2021，43（1），1-3.

[11] 冯守涛，王成明，杨亚宾，等．砂岩热储回灌对储层影响评价[J]．地质学报，2019，93（增刊1），158-167.

[12] 林建旺，赵苏民．天津地区馆陶组热储回灌量衰减原因探讨[J]．水文地质工程地质，2010，37(5)，133-136.

[13] 魏凯，聂法健，郭耀，等．注采井间裂缝对地热回灌的影响研究［J］．可再生能源，2020，38（1）：24-28.

水热型多分支地热井开发系统研究

王鹏涛[1,2,3]　卢朝鹏[1,2]　赵宇璇[1,2]　王仁梅[1,2]　程永刚[1,2]　李亚亚[1,2]　李款磊[1,2]

［1. 中国石化绿源地热能(陕西)开发有限公司；2. 陕西省“四主体一联合”地热能校企联合研究中心；
3. 西安交通大学能源与动力工程学院］

摘　要　地热资源对节能减排、治污降霾具有重要意义，为提高水热型地热井的热提取率，在现有一采一灌直井结构基础上增加分支井，研究结果表明，增加分支井可以有效提高回灌量和开采量，分支井的采热功率较直井结构提高了60%，说明采用分支结构可极大提高产能；分支井的分支数越多，系统的取热功率越大，但过大的回灌流量导致热突破时间提前；分支井所在地层深度越深，开采井的流入温度越大，取热功率越大；分支长度越长，系统的取热功率越大，冷锋达到开采井的时间较短；分支井的分支角度对系统的取热功率影响较小，对热突破时间影响较大，分支长度相同条件下，分支的角度越小，回灌井与开采井的间距越小，低温区到达开采井的时间越短，监测点温下降幅度越大。

关键词　多分支井；智能钻井技术；钻井方案设计；井眼参数优化设计

引言

以陕西关中盆地富集的中深层水热型热储层为目标，在热储层特征研究的基础上，结合钻井工程技术、生产动态资料，设计水热型地热多分支井开发系统，同时借助理论分析、数值模拟等评价手段，对所设计的分支井开发方案可行性进行分析，将其与现有开发技术体系进行对比，研究多分支井分支数量、水平段层位、水平段长度、分支角度等对所设计多分支井系统的时空温度场分布和产能的影响规律，进而提出适用于关中盆地的水热型地热增产提效开发新模式，结合现场试验，形成水热型地热开发新技术体系。

地热资源具有绿色低碳、清洁环保、稳定可靠之特点，大力开发利用地热资源对调整陕西省能源结构、节能减排、治污降霾具有重要意义，助推实现国家双碳目标，助力我国高质量发展贡献地热力量。因此，发展清洁可再生能源是保持可持续发展的一条重要新途径。作为一种具有重要应用价值和利用潜力的清洁可再生能源，地热资源在我国极为丰富。浅层地热资源量对应标准煤为95亿t，中深层地热资源为8530亿t，干热岩地热资源为860万亿t。水热型地热资源总发电潜力超过1000万kW。因此，加快水热型等地热资源的有效开发利用，对优化我国能源结构、促进可持续发展具有重要的政治和经济意义。地热产能主要是指地热井的取热功率大小，主要与地层温度、渗透率、储层厚度、井眼轨迹和取热方式等因素相关。多分支井是指在同一井筒内钻多个分支井眼的技术，可以同时开采多个层段的

。

热储资源，减少占地面积、井位和配套设备的搬迁过程，增大井眼在开发层的总长度和接触面积，提高产量。尤其针对中低渗透地热储层，多分支井可以更加充分地利用自身的优势进行开发。因此，利用多分支井开发地热资源具有巨大的潜力，是今后高效开发地热资源的重要研究方向之一。同时，智能钻井技术作为今后发展的重要方向，有望实现多分支井复杂井眼轨道的成功钻进，为复杂多分支井高效开发地热储层提供相应的技术支持。钻井工程是整个地热储层开发过程中的重要一环，为地热资源输送到地面提供有效通道，因此，钻井方案的设计对开采效果具有重要的影响。在钻井方案设计中，通常以最大收益为目标，优化设计多分支井的分支数量、分支长度、分支间距和井眼轨道等关键井眼参数。因此，对多分支井井眼参数优化设计的研究和探索对高效开发水热型地热系统具有重要技术意义。

1　多分支井模型建立

1.1　物理模型

地热井简化模型如图1、图2所示。将回灌井和开采井简化成直井，将整个系统划分成三个

部分分析计算：①回灌井区域；②回灌层区域；③开采井区域。地层物性数据详见表1。

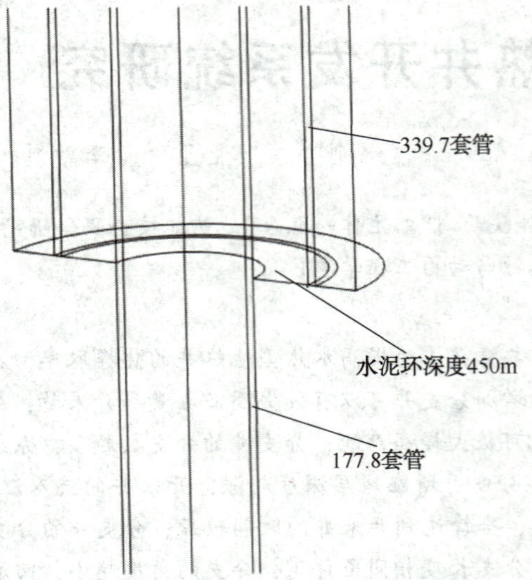

图1　地热井筒一开模型

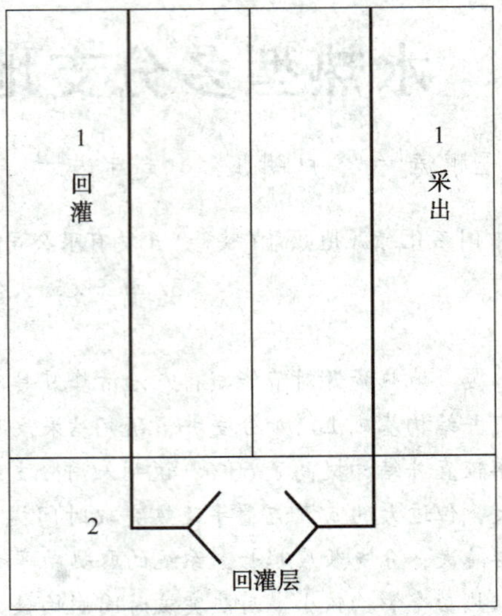

图2　地热井简化模型

表1　地层物性数据表

地层	厚度/m	垂深/m	密度/(kg/m³)	恒压热容/(J/(kg/℃)	导热系数/(W/(m·℃)
第四系常温层	15	15	1760	933	1.55
第四系盖层	681.4	696.4	1760	933	1.55
新进系张家坡组	516.6	1213	1860	824	1.59
新进系蓝田-霸河组	759.5	1972.5	1970	878	1.64
新进系高陵群	444.2	2416.7	2070	878	1.73
古近系白鹿塬组	228.3	2645	2260	878	1.9
古近系红河组	355	3000	2260	878	1.9

多分支井模型如图3所示，模型尺寸：长×宽×高为1000m×1000m×400m，热储层埋深2400m。

回灌井和开采井各三支，井长200m，井半径10cm，回灌井与开采井垂深100m。模型中主要物性参数详见表2。

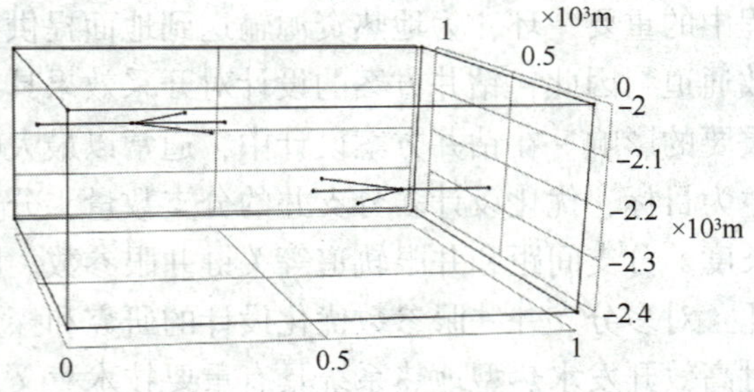

图3　分支井模型示意图

表2　模型中主要物性参数

类型	名称	单位	选值
循环流体	密度	kg/m³	998
	比热容	J/(kg.K)	4190
	热导率	W/(m.K)	0.6
	体积流量	m³/s	1
	动力粘度	kg/(m.s)	0.000931
岩土	密度	kg/m³	2250
	比热容	J/(kg·K)	1500
	热导率	W/(m·K)	2.5
	孔隙率		35%
	渗透率	mD	300
	地温梯度	℃/100m	4
	表层温度	℃	15

1.2　控制方程及仿真模型介绍

在一定的压力梯度驱动下，回灌水的渗流过

程满足 Darcy 定律，根据流体的质量守恒定律，基岩的稳定渗流控制方程为：

$$\begin{cases}\nabla\cdot(-\rho\mu_{\mathrm{m}})=Q_1\\ \mu_{\mathrm{m}}=\dfrac{\kappa_{\mathrm{m}}}{\mu}\nabla P_{\mathrm{m}}\end{cases}\tag{1}$$

热传递方式主要为岩石颗粒间的热传导、孔隙流体间的热传导和热对流，根据能量守恒原理，热传递控制方程可以表示为：

$$\begin{cases}\nabla\cdot(-\lambda_{\mathrm{e}}\nabla T_{\mathrm{m}})+\rho c_{\mathrm{e}}u_{\mathrm{m}}\cdot\nabla T_{\mathrm{m}}=Q_{\mathrm{m}}\\ \lambda_{\mathrm{e}}=\varphi\lambda_1+(1-\varphi)\lambda_s\\ c_{\mathrm{e}}=\varphi c_{\mathrm{Pl}}+(1-\varphi)c_{\mathrm{s}}\end{cases}\tag{2}$$

普遍研究中，假设多孔介质的固体基质和流体的温度相等，共用一个能量方程表达，但在该研究工况条件下，流体和基质的温度并不相同，分别由不同的能量方程表达，热采理论采用局部热非平衡方程：

$$\varphi_{\mathrm{m}}\rho_{\mathrm{f}}c_{\mathrm{f}}\frac{\partial T_{\mathrm{f}}}{\partial t}+\rho_f c_f u\cdot\nabla T=\nabla\cdot(k_{f,eff})+ha(T_{\mathrm{m}}-T_{\mathrm{w}})+\Phi_{\mathrm{w}}$$

$$(1-\varphi_{\mathrm{m}})\rho_{\mathrm{m}}c_{\mathrm{m}}\frac{\partial T_{\mathrm{m}}}{\partial t}=\nabla\cdot(k_{\mathrm{m,eff}}\nabla T_{\mathrm{m}})-ha(T_{\mathrm{m}}-T_{\mathrm{w}})+\Phi_{\mathrm{m}}\tag{4}$$

岩体中的质量守恒方程：

$$\frac{\partial(\rho_{\mathrm{w}}\varphi_{\mathrm{m}})}{\partial t}+\nabla\cdot(\rho_{\mathrm{w}}u_{\mathrm{m}})=-Q_{\mathrm{w}}\tag{5}$$

根据达西定律，动量方程为：

$$u_{\mathrm{m}}=-\frac{\kappa_{\mathrm{m}}}{\mu_w}(\nabla p+\rho_{\mathrm{w}}g\nabla z)\tag{6}$$

裂隙中的质量守恒方程

$$d_{\mathrm{f}}\frac{\partial(\rho_{\mathrm{w}}\varphi_{\mathrm{f}})}{\partial t}+\nabla_{\mathrm{T}}\cdot(d_{\mathrm{f}}\rho_{\mathrm{w}}u_{\mathrm{f}})=Q_{\mathrm{w}}\tag{7}$$

岩体中局部热平衡能量方程

$$(\rho c_{\mathrm{p}})_{\mathrm{eff}}\frac{\partial T}{\partial t}+\rho_{\mathrm{w}}c_{\mathrm{p,f}}u_{\mathrm{m}}\cdot\nabla T-\nabla(\lambda_{\mathrm{eff}}\nabla T)=-Q_{\mathrm{w,E}}\tag{8}$$

其中

$$(\rho c_{\mathrm{p}})_{\mathrm{eff}}=(1-\varphi_{\mathrm{m}})\rho c_{\mathrm{p,m}}+\varphi_{\mathrm{m}}\rho_{\mathrm{w}}c_{\mathrm{p,w}}$$

$$\lambda_{\mathrm{eff}}=(1-\varphi_{\mathrm{m}})\lambda_{\mathrm{m}}+\varphi_{\mathrm{m}}\lambda_{\mathrm{w}}\tag{9}$$

岩体中的质量与动量守恒方程为：

$$\rho_{\mathrm{w}}S_{\mathrm{m}}\frac{\partial p}{\partial t}+\nabla\cdot\rho_{\mathrm{w}}u_{\mathrm{m}}=-\rho_w\alpha_B\frac{\partial e_{\mathrm{m}}}{\partial t}-Q_{\mathrm{w}}\tag{10}$$

$$u_{\mathrm{m}}=-\frac{\kappa_{\mathrm{m}}}{\mu_{\mathrm{w}}}(\nabla p+\rho_{\mathrm{w}}g\nabla z)\tag{11}$$

$$d_{\mathrm{f}}S_{\mathrm{f}}\frac{\partial p}{\partial t}+\nabla_{\mathrm{T}}\cdot u_{\mathrm{f}}=-d_{\mathrm{f}}\frac{\partial e_{\mathrm{f}}}{\partial t}+Q_{\mathrm{w}}\tag{12}$$

$$u_{\mathrm{f}}=-d_{\mathrm{f}}\frac{\kappa_{\mathrm{f}}}{\mu_{\mathrm{w}}}(\nabla_{\mathrm{T}}p+\rho_{\mathrm{w}}g\nabla_{\mathrm{T}}z)\tag{13}$$

岩体中的能量守恒方程

$$(\rho c_{\mathrm{p}})_{\mathrm{eff}}\frac{\partial T}{\partial t}+\rho_{\mathrm{w}}c_{\mathrm{p,w}}\nabla\cdot(u_{\mathrm{m}}\cdot T)=\nabla\cdot(\lambda_{\mathrm{eff}}\cdot\nabla T)-Q_E\tag{14}$$

$$(\rho c_{\mathrm{p}})_{\mathrm{eff}}=(1-\varphi_{\mathrm{m}})\rho_{\mathrm{m}}c_{\mathrm{p,m}}+\varphi\rho_{\mathrm{w}}c_{\mathrm{p,w}}\tag{15}$$

$$\lambda_{\mathrm{eff}}=(1-\varphi_{\mathrm{m}})\lambda_{\mathrm{m}}+\varphi_{\mathrm{m}}\lambda_{\mathrm{w}}\tag{16}$$

2.3 模型验证

模拟结果如图 4 所示，根据中大落程抽水试验实际数据进行模拟，延续 50h，稳定 48h，水量 128.03m³/h，水温 81.0℃。模拟结果与实验数据吻合较好，验证了所建模型的准确性。

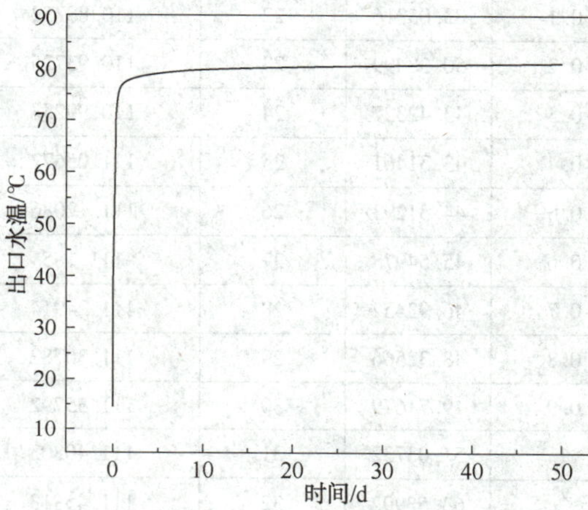

图 4　模拟结果与实验对比

3　计算模型模拟结果

区域表层温度 15℃，常温层厚度 15m，地温梯度 3.5℃/100m，底部温度和开采地热水初始温度为 119.475℃。回灌温度 30℃，回灌流量 100m³/h，开采区域模型如图 5 所示，开采井附近高温分布。回灌层区域模型如图 6 所示，回灌层井深 3000m，热储厚度 1000m，模拟数据见表 3。

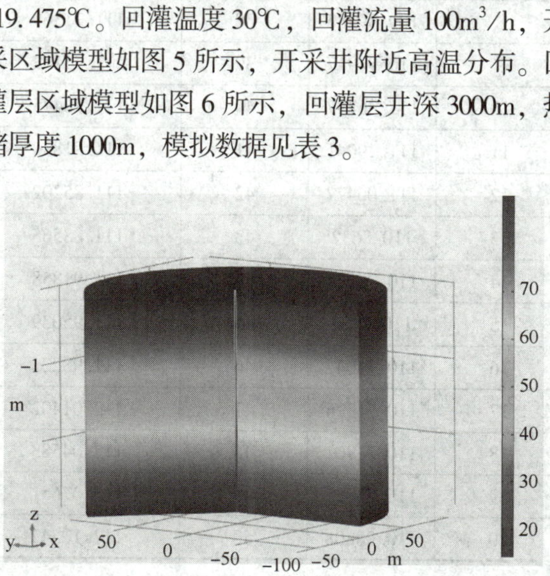

图 5　开采区域模型

图 6　开采区域模型

表 3　模拟数据

时间/h	温度/℃	时间/h	温度/℃
0	119.475	21	110.8378
0.1	83.05316	22	110.88752
0.2	50.38499	23	110.93725
0.3	43.42327	24	110.99258
0.4	43.31461	25	111.05672
0.5	44.31293	26	111.12086
0.6	45.54978	27	111.185
0.7	46.93452	28	111.24914
0.8	48.32566	29	111.30782
0.9	49.71679	30	111.35792
1	51.03732	31	111.40803
2	63.53992	32	111.45813
3	75.07256	33	111.50824
4	85.42279	34	111.55435
5	94.26776	35	111.59418
6	101.29662	36	111.63402
7	106.28855	37	111.67386
8	109.39283	38	111.71369
9	110.94917	39	111.75112
10	111.36797	40	111.78475
11	111.19041	41	111.81839
12	111.06477	42	111.85202
13	110.8632	43	111.88565
14	110.70394	44	111.91858
15	110.7072	45	111.95039
16	110.71047	46	111.98221
17	110.71374	47	112.01402
18	110.71701	48	112.04583
19	110.73835	49	112.07651
20	110.78808	50	112.10542

3　多分支井参数影响

3.1　回灌温度

取回灌温度为 20℃ 和 40℃，回灌流量 100m^3/h，图 7 为开采井流体温度曲线，由图可知，回灌温度越高，出口温度越高，开采前 3 年，温度曲线下降较快，回灌温度为 20℃ 的出口水温由 104℃ 下降到 65℃，下降百分比为 37.5%，回灌温度为 40℃ 的出口水温由 104℃ 下降到 74℃，下降百分比为 28.8%。开采第 3 年至 20 年，温度曲线下降缓慢，且不同回灌温度下的出口温度曲线规律一致，出口水温下降约 25℃。开采 20 年之后，出口温度下降缓慢，温度曲线基本保持恒定，取回灌温度为 20℃ 和 40℃ 的出口温度分别为 38℃ 和 59℃。

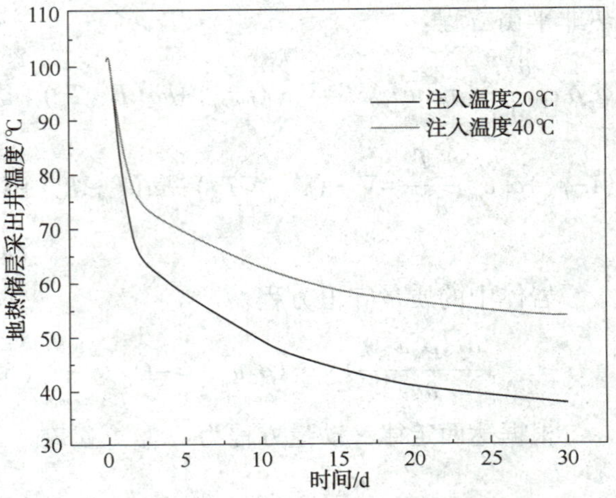

图 7　不同回灌温度下的开采井流体温度曲线

3.2　取热功率

取回灌温度为 20℃ 和 40℃，回灌流量 100m^3/h，图 8 为不同回灌温度下的取热功率，由图可知，回灌温度越低，取热功率越高。开采前 3 年，温度曲线下降较快，回灌温度为 20℃ 的取热功率由 3000kW 下降到 1650kW，下降百分比为 45%，回灌温度为 40℃ 的取热功率由 2750kW 下降到 1200kW，下降百分比为 56.4%。开采第 3 年至 20 年，取热功率下降缓慢，且不同回灌温度下的取热功率曲线规律一致，取热功率下降约 600kW。开采 20 年之后，取热功率下降缓慢，曲线基本保持恒定，取回灌温度为 20℃ 和 40℃ 的取热功率分别为 650kW 和 500kW。

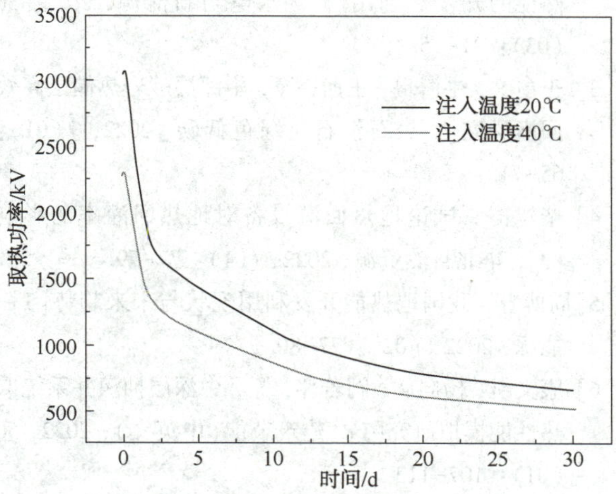

图 8　为不同回灌温度下的取热功率

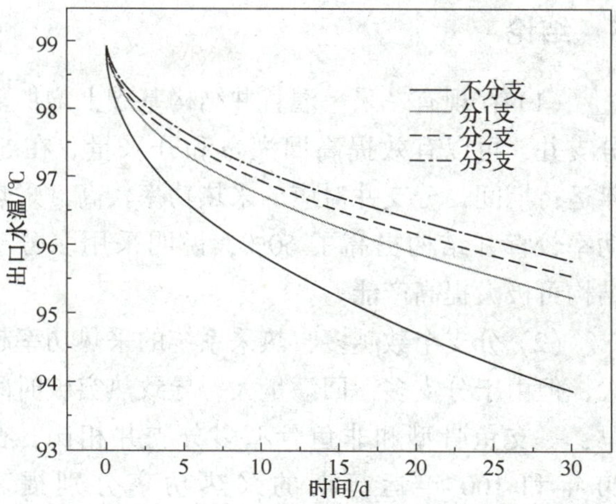

图 9　不同分支井个数下的出口温度

3.3　分支井个数

模型设置为不分支、分 1 支、分 2 支和分 3 支四种情况进行对比分析，模拟结果如图 9 所示，如图可以得出增加分支井可以提高明显提高出口温度，开采第 30 年不分支井的出口温度为 93.8℃，分一支的出口温度为 95.2℃，提高了 1.4℃。随着分支个数增加，温度升高逐渐降低，分两支和分一支之间出口温度约相差 0.4℃，分三支和分两支之间出口温度约相差 0.3℃。

3.4　热储层温度云图

取回灌温度为 20℃，回灌流量 100m³/h，图 10 为开采第 1 年至开采第 30 年的分支井热储层温度切片云图，如图所示，低温区在回灌井周围呈圆状分布且沿开采井方向传递，随着开采年限增加，低温区逐渐扩大且沿开采井方向传递更远。开采第 1 年低温区最大半径约为 150m，向开采井方向传递距离约为 500m，开采第 10 年低温区半径约为 400m，向开采井方向传递距离约为 800m，开采第 20 年后低温区半径大于模拟区域，且完全达到开采井的位置，可见开采连续 20 年的低温区以布满多分支井所在热储层。

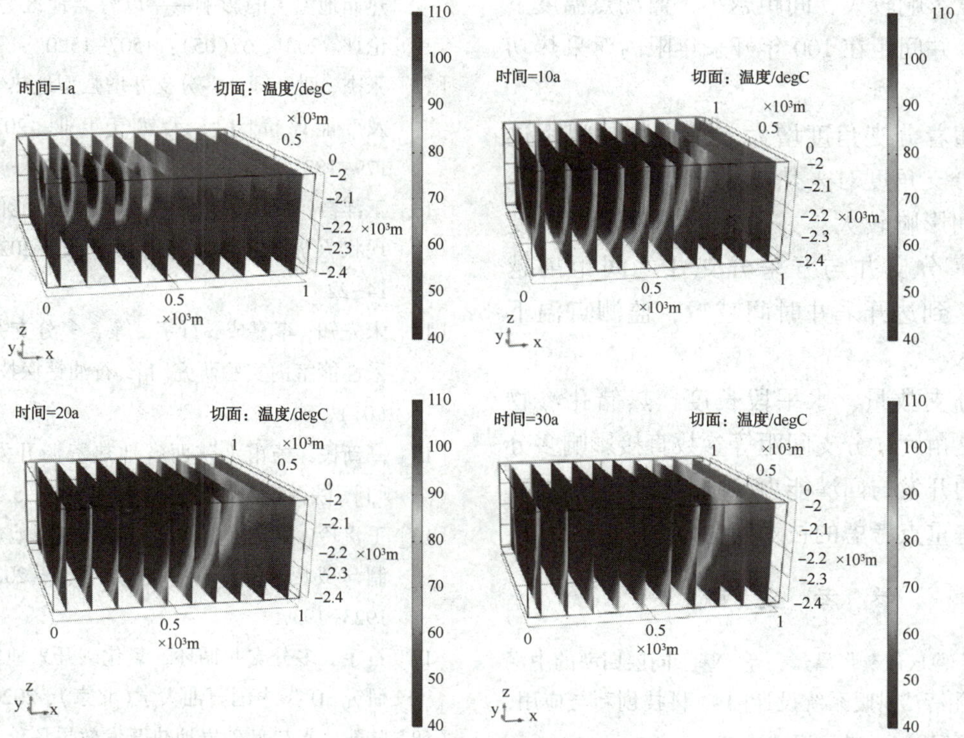

图 10　分支井热储层温度切片云图

5 结论

(1) 在现有一采一灌直井结构基础上增加多分支井，可以有效提高回灌量和开采量。在50年运行期间，分支井对应的采热功率较高，采热功率较直井结构提高了60%，说明采用多分支结构可极大提高产能。

(2) 分支个数越多，热采系统的采热功率越大，但由于分支多，回灌量大，导致热突破时间早；一支鱼骨型和非鱼骨型多分支井相比，在20年和100年运行期的采热功率分别提高26.6%和32.4%，运行期100年时鱼骨型分支井采热功率比非鱼骨约增加51.1%。但鱼骨型多分支井温度下降更快，主要由于回灌量增加，加快冷锋扩散速度。

(3) 随着多分支井长度增加，回灌井与开采井分支间的距离缩短，导致分支长度越长采灌井中间监测点温度下降较快，冷锋达到开采井时间较短；分支长度越长，热采系统的采热功率越大，与分支长度300m时相比，400m时的采热功率提高16.67%，500m时的采热功率提高33.33%。

(4) 随着多分支井间距增大，低温区域扩散至开采井所需时间逐渐增大，采灌井间距对中间监测点温度影响较大，间距越小，监测点温度下降越剧烈；井间距在100年开采年限内对采热功率影响较小。

(5) 随着分支角度增大，灌采井井间距逐渐增大，分支角度对采热功率影响较小，对冷锋传递时间影响较大，井长相同条件下，角度越小，回灌分支井与开采分支井之间距离越短，低温区到达开采井时间越短，监测点温下降幅度越大。

(6) 分支数量、水平段长度、热储孔渗物性、多分支角度、分支间距等参数直接影响多分支地热井的开发与回灌能力，同时长久取热效率的平衡也是重点考虑的技术问题。

参 考 文 献

[1] 胡文全，曹庆皎，张昌建，等．基于同层回灌的中深层地热能清洁供暖系统设计[J]．科技创新与应用，2022，12(10)：114-117.

[2] 王文中，邵东云，程新科，等．中国浅层和中深层地热能的开发和利用[J]．水电与新能源，2022，36(03)：21-25.

[3] 王俞文，牛海瑞，王茜，等．中深层砂岩热储层高效回灌研究[J]．石油石化绿色低碳，2022，7(01)：65-71.

[4] 柴建宙．试论地热回灌设备对地热回灌率的影响[J]．华北自然资源，2022，(01)：77-79.

[5] 周博睿．我国地热能开发利用现状与未来趋势[J]．能源，2022，(02)：77-80.

[6] 康文凯，杨向儒，阎若萍，等．中深层抽灌井系统取热性能模拟研究[J]．建筑节能(中英文)，2022，50(01)：107-113.

[7] 马玖辰，张秋丽，易飞羽，等．复合地热井式深井地埋管换热器典型参数敏感性分析[J]．太阳能学报，2021，42(12)：334-342.

[8] 李成嵩，王银生．东营地区地热回灌井钻井完井技术研究与试验[J]．石油钻探技术，2021，49(06)：50-54.

[9] 石宇，宋先知，李根生，等．多分支井地热系统 CO_2 与水的取热效果对比[J]．天然气工业，2021，41(11)：179-190.

[10] 李慧莉，康晶，佟娟，等．地热尾水回灌堵塞机制研究进展[C]//．中国环境科学学会2021年科学技术年会—环境工程技术创新与应用分会场论文集(三)，2021：789-797.

[11] 刘帅，刘志涛，冯守涛，等．采暖尾水回灌对砂岩热储地温场的影响——以鲁北地区为例[J]．地质论评，2021，67(05)：1507-1520.

[12] 张杰，谢经轩．多分支井增强型地热开发系统设计及产能评价[J]．天然气工业，2021，41(03)：179-188.

[13] 王沣浩，蔡皖龙，王铭，等．地热能供热技术研究现状及展望[J]．制冷学报，2021，42(01)：14-22.

[14] 宋先知，李嘉成，石宇，等．多分支井地热系统注采性能室内实验研究[J]．石油钻探技术，2021，49(01)：81-87.

[15] 高新民，杨甫．陕西省地热资源开发现状及对策[J]．陕西煤炭，2020，39(04)：1-5.

[16] 王贵玲，蔺文静．我国主要水热型地热系统形成机制与成因模式[J]．地质学报，2020，94(07)：1923-1937.

[17] 石宇．多分支井循环二氧化碳开采地热机理与参数研究[D]．中国石油大学(北京)，2020.

[18] 陆凯．水热型砂岩地热开发效果评价及地层变形效应分析[D]．西南石油大学，2019.

[19] 李小波．地热钻井井型选择及参数优化设计[D]．西安石油大学, 2019.
[20] 吕泽昊．水热型地热多分支井井眼参数优化研究[D]．中国石油大学(北京), 2019.
[21] 韩二帅, 张家护, 鲁冰雪, 等．中深层地热能供热技术综述及工程实例[J]．区域供热, 2019(02): 79-83.
[22] 齐迪．井筒换热型地热井产出温度影响因素及预测研究[D]．中国石油大学(华东), 2017.
[23] 庞忠和, 胡圣标, 汪集旸．中国地热能发展路线图[C]//. 中国科学院地质与地球物理研究所2012年度(第12届)学术论文汇编——工程地质与水资源研究室, 2013: 490-496.

水驱开发后期普通稠油油藏火驱见效特征认识

李玉英　孟庆春　郭发军　陈　洪　曾庆桥　王　莉

（中国石油华北油田公司）

摘　要　蒙古林砾岩火驱试验是火驱技术首次应用于普通稠油油藏的现场试验，试验的成功拓宽了火驱技术的应用油藏范围，为了明确普通稠油油藏火驱生产特征，采用多种方法，结合监测资料，揭示了普通稠油油藏火驱见效初期的生产特征及主要影响因素，形成了普通稠油火驱大井距条件下生产井见效快、含水下降幅度大、产出气中二氧化碳含量低等与超稠油火驱见效特征不同的认识，明确了良好的油品性质和顶部剩余油富集的富集模式有利于火驱技术开展。研究成果可为同类油藏实施火驱技术提高油藏采收率提供一定的技术指导。

关键词　普通稠油；火驱技术；矿场试验；见效特征

蒙古林砾岩油藏位于二连盆地马尼特坳陷东部，阿南凹陷阿尔善大断层上升盘，目的层位于阿尔善组阿三段，埋深760~900m，地下原油黏度102.1mPa·s，油层厚度10~25m，隔夹层不发育，为底水块状普通稠油油藏。自1989年采用水驱方式投入开发，水驱标定采收率仅16.11%，经过几十年的开发，目前区块已进入特高含水期，综合含水91.9%，可采储量采出程度高达95.5%，常规治理措施效果逐渐变差，区块长期处于低速开发阶段，亟待探索大幅提高采收率新技术以改善油藏开发效果。

火驱技术作为稠油油藏提高采收率的重要技术之一，自上世纪1947年开始，先后在罗马尼亚、美国、加拿大、印度等国开展过规模性矿场应用，我国自1958年起开展技术攻关研究，伴随着在新疆、辽河、胜利等油田的成功试验和工业化应用，其提高采收率潜力也得到广泛认可。但是已实施区块基本为蒸汽吞吐达到经济极限或者超稠油等原油黏度比较大的稠油油藏，对于水驱开发后期的普通稠油油藏，国内外尚无成功应用的案例，因此，不论是现场试验工艺还是火驱见效特征等方面认识均不够清楚，为了进一步完善火驱技术理论体系，提高稠油开发的技术水平，对蒙古林砾岩油藏火驱先导试验矿场见效规律进行总结，为今后火驱技术的发展和同类型油藏开发提供借鉴。

1　先导试验矿场实施概况

蒙古林砾岩油藏自1989年采用300m三角形井网投入开发，目前可采储量采出程度96.6%，综合含水91.26%，采油速度0.26%，长期处于低速开发阶段，2022年7月启动6个井组的火驱先导试验，新钻井17口，形成6注22采的反七点面积井网，井距150~175m。目前，矿场已出现明显的见效反应，由于实施时间尚短，本文主要针对见效初期的见效特征进行总结，揭示水驱开发后期普通稠油油藏火驱动态特征变化规律。

2　点火工艺及流程

油层成功点火是火驱成功的关键之一，为保障点火工作的顺利进行，蒙古林砾岩火驱先导试验采用智能电点火技术，并对注气流程和点火工艺进行了优化。首先注气方式为四阶段注入，油管预注氮气→环空注氮气保护段塞→油管注空气→持续注空气点火，考虑到第三阶段油管较长时间注入空气后，存在井筒燃爆的风险，因此将四阶段注气改进为三阶段注气，油管注空气时间由3天缩短为1~2h，改为注入少量的空气顶替段塞，然后持续注空气点火，以此保证施工过程中的安全性。其次，对方案设计的四阶段逐级升温点火工艺进行改进，采用直接升温点火工艺，如图1所示，缩短点火时间，提升点火期间温度上升速度，提升点火效率。同时避免了油层内自发产生低温氧化反应，降低了井筒燃烧风险，提高点火效率，保证了施工过程中的安全性，成功实现6口注气井的点火。

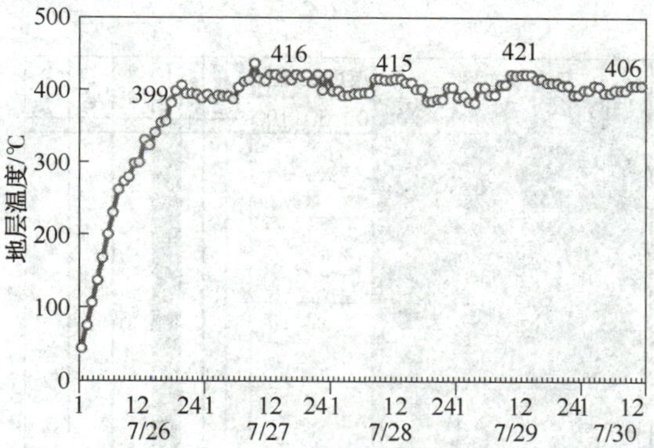

图 1　点火温度及提升速度曲线

3　注气井生产特征分析

3.1　注入压力变化规律

火驱注气压力的影响因素比较多，像地层物性、含油饱和度、原油性质、注气速度、注采井距等多个方面，矿场实施中，正常的注气压力对于维持地下稳定燃烧，促进油墙的形成和稳步推进有重要作用，各阶段压力变化指标也是表征地下燃烧状态的重要指标之一。

现场实施初期，注气压力随着注气速度的提升，地下燃烧前缘的逐步推进，慢慢形成稳定的油墙，注气压力呈现逐渐上升的规律，如图 2 所示，平均注入压力由 13MPa 上升到 15MPa，当火线不断向前推进，燃烧半径逐渐扩大的时候，同样注气速度下，注气压力逐渐下降并维持稳定状态，平均注入压力由 15MPa 下降到 13.4MPa，压力变化规律符合高温燃烧矿场见效反应。

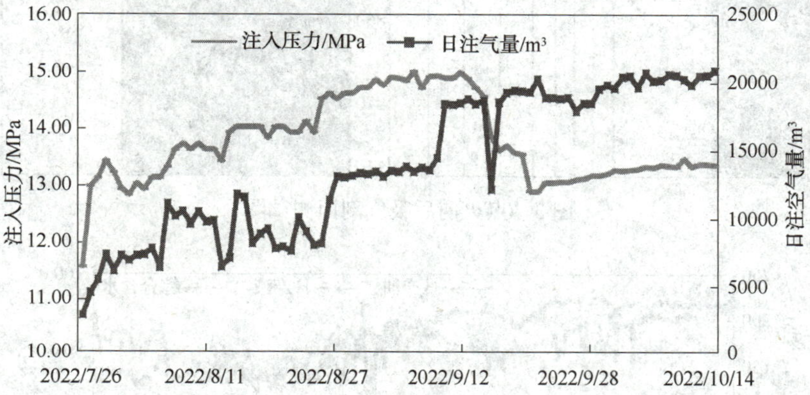

图 2　注气速度与注气压力变化曲线

3.2　吸气剖面变化规律

采用高精度分布式光纤测温系统、声波震动测试系统及高温存储式多参数测试仪对点火前后的吸气剖面等情况进行监测，从测试数据可见，测试井段范围内声波振动信号振动响应特征强烈，如图 3 所示，点火前，油层平均温度为 42.19℃，吸气率为 82.15%，吸气量为 853.54Nm³/h，吸气强度为 142.26Nm³/m · h，吸气良好；点火后油层平均温度为 80.94℃，吸气率为 80.15%，吸气量为 168.32Nm³/h，吸气强度为 28.05Nm³/m · h，吸气良好。因此，注气井目前吸气剖面相对均匀，说明近井地带储层物性非均质性差异小，有利于后期火线的均匀推进。

4　生产井生产特征分析

4.1　见效井生产特征

从试验区点火注气后的见效井生产规律来看，火驱后，见效时间出现早，生产井 30 天左右即呈现油量上升、含水下降的生产规律，如图 4 所示，日产油由 16.7 上升到 34.4，含水由 90.3%下降到 79.6%。因此，水驱后期普通稠油油藏与注蒸汽开发后期稠油油藏火驱呈现的见效特征存在差异，分析原因主要有以下几点：一是注蒸汽驱稠油油藏火驱实施后受地层中大量次生水体影响，见效前会先经历排水阶段，待燃烧带前缘大部分次生水体排出地层后才进入产量上升阶段。蒙古林砾岩油藏为块状底水油藏，油层厚度大，水驱开发期间油水井间基本未形成横向驱替，油层中部次生水体含量少，剩余油在顶部富集，受火驱过程中超覆作用影响，剩余油更有利于动用；二是火驱前采用蒸汽吞吐开发方式油藏，地下能量亏空明显，待地层补充一定地层能量后才能进入见效阶段；三是由于原油性质不同，蒙古林砾岩油藏地下原油粘度 102mPa · s，轻质组分含量较高，饱和烃平均含量在 55%左右，因此，蒙古林砾岩油藏在井距较大(150~175m)的情况下，见效反应出现时间早，初期油量即上升比较明显。

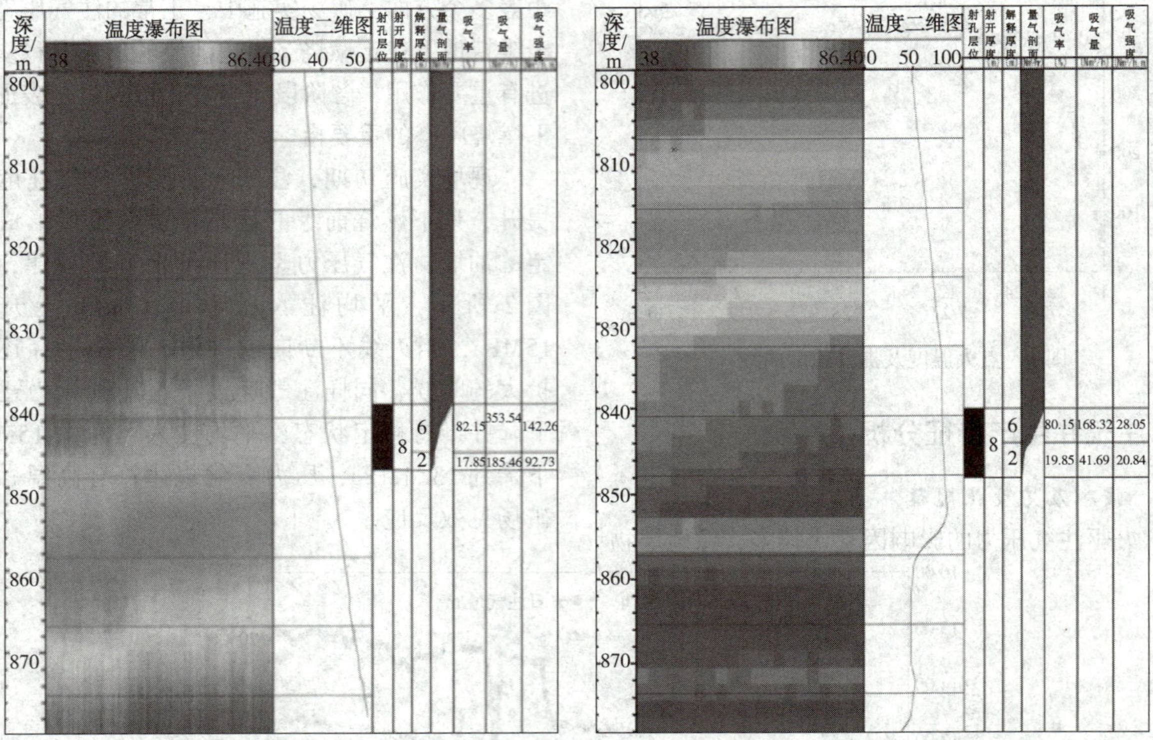

图3　点火前后吸气剖面测试图

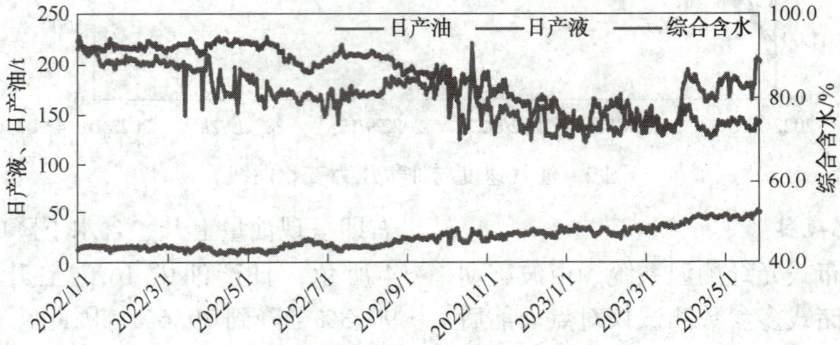

图4　火驱试验生产井日产油、含水变化曲线

可见，火驱见效反应出现时间同时受油品性质、地层能量、油层厚度等油藏条件和井网、井距等开发因素影响，因此，不同油藏见效反应出现时间存在差异。

4.2　产出气组分变化规律

产出气组分变化规律是判断火驱地下连通状况、燃烧状态和见效情况等最经济普遍的方式，也是后期火线调控的有效依据和安全生产的保障之一。为此，建立针对火驱产出气组分的监测方法，采用便携式气体测试仪和室内全烃气相色谱分析结合的方式，对火驱单井产出气组分进行监测，检测组分包括氧气、氮气、氢气、一氧化碳、二氧化碳、硫化氢、氢气、烷烃类气体等火驱气体重要组分。

从监测结果来看，如图5所示，火驱实施后油井产出气组分含量变化明显，氮气含量稳步上升，由初期的30%逐渐上升到75%以上，氧气含量在1%左右，二氧化碳维持在2%~4%，说明地层燃烧情况良好，氧气利用率较高，反应原油高温氧化特征。另外，产出气中检测出少量的一氧化碳、甲烷等轻烃组分。虽然二氧化碳和一氧化碳浓度是判定火线动态的重要参数，但由于蒙古林砾岩油藏原油性质好，轻质组分与超稠油相比含量高，CO_2气体易溶解于地层(油藏条件下溶解度为16.1m^3/m^3)，因此，在火驱生产初期，二氧化碳和一氧化碳的含量较低，暂不能作为火驱燃烧状态的判别依据，后续生产过程中应密切观察各组分浓度变化。

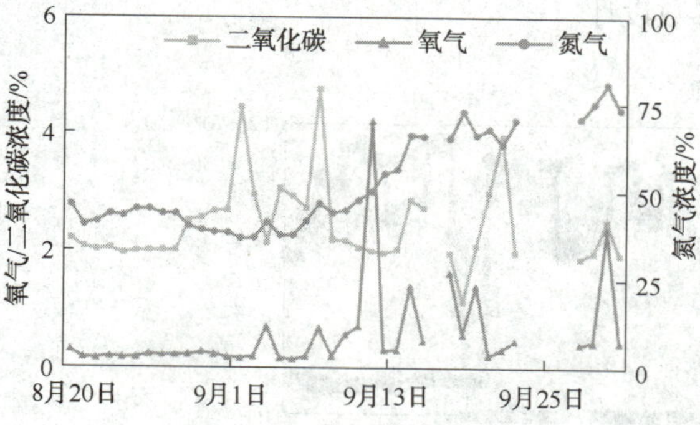

图5　产出气组分变化曲线

4.3　原油组分变化规律

火驱过程中原油发生高温裂解等化学反应，生成烃类气体的同时，原油的组分和性质也会发生变化，实现了原油的改质。通过对见效井点火前后原油取样对比发现，点火前后原油外观明显发生变化（图6），见效后原油呈黄泥巴色，黏稠，室温下具有流动性，无游离水，且乳化程度较高。从原油黏度和组成的变化来看，如图7、图8所示，蒙古林砾岩油藏火驱实施后，生产井的原油黏度呈现不同程度的下降，平均下降幅度14%。原油组成中饱和烃含量上升，芳香烃、胶质、沥青质含量下降，其中轻质组分由30.86%上升到36.37%，这是由于火线向生产井推进过程中，原油裂解产生轻质组分，受热蒸馏和气驱作用，运移速度要快于重质组分，轻质组分首先到达生产井，初期原油性质会发生变化。

图6　原油外观变化

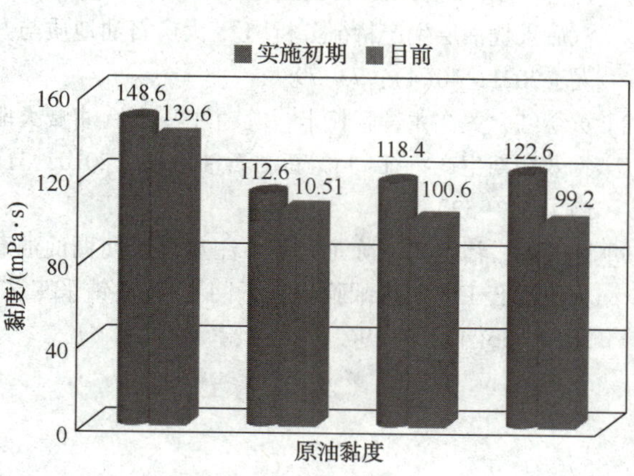

图7　原油粘度变化

由于蒙古林原油本身黏度偏低，同时正处于见效初期，因此原油性质变化幅度较其他区块低。但从变化的规律来看，体现出火驱对原油的改质作用，反应了地下稳定的燃烧状态。

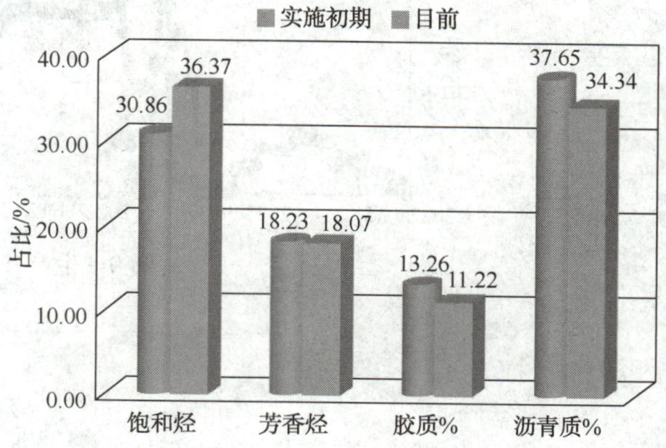

图8　原油组分变化

4.4　油藏温度压力变化规律

火驱过程中伴随着复杂的传热、传质过程和物理化学变化，油藏燃烧产生大量的热和烟道气，对油藏的温度和压力产生一定量的影响，及时有效的掌握油藏温压状况对于火驱生产调控及开发调整具有重要的意义。

优选3口生产井，采用井下温压监测工艺对油藏的温度和压力进行实时监测。从温度监测情况来看，由于监测井为生产井，距离注气井约50m，目前为实施初期，监测到温度上升8℃，表明目前火线推进正常。从压力变化情况来看，点火后，火驱补能作用明显，油藏压力逐渐上升，监测井地层压力从6MPa上升至9～10MPa，60%的单井产液量较火驱前有所提高，有利于后期采收率的提高。

4.5　烟道气推进前缘展布形态规律

为了解火驱地下燃烧状况、火驱前缘推进速度和推进方向以及火线前缘在平面和纵向上的展布，需要对火线的推进前缘情况进行监测，实施初期，火线燃烧半径较小，不同方向的推进半径大小差异性不明显，由于烟道气与流体均易沿高渗通道流动，所以前期烟道气推进前缘展布规律与后期火线前缘展布存在一定关系。

采用地面密集台阵能量扫描思维影像技术，对点火后的烟道气前缘展布情况进行连续监测，由于试验区地层倾角小，烟道气前缘在平面上展布相对均匀，受到沉积相影响，烟道气推进前缘沿物源方向推进较快，如图10所示，尤其是注采井间存在的存在天然裂缝的区域，烟道气推进速度明显快于其他区域，展布形态与见效井分布情况、烟道气产出量规律认识一致。后期加强西北和东南方向油井动态的密切跟踪，及时调整方案参数设计。

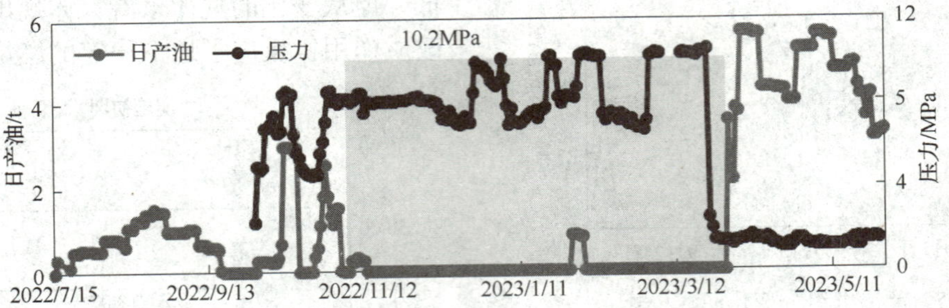

图 9　生产井温度压力监测数据

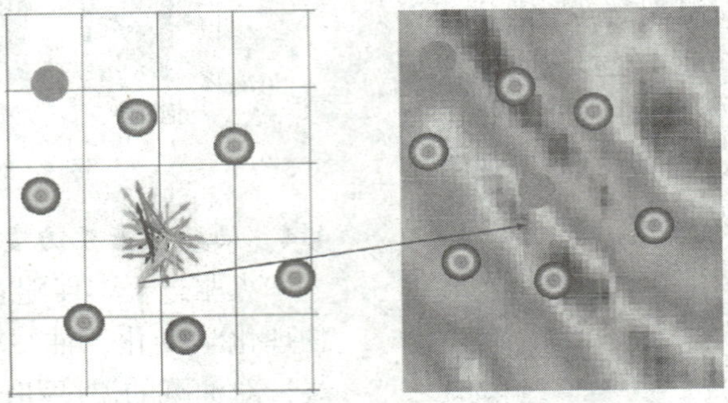

图 10　烟道气推进前缘展布图

5　结论

（1）先导试验实施后，见效井日产油上升，含水下降，取得了较好的实施效果，表明了普通稠油水驱开发后期开展火驱技术改善油藏开发效果是可行性，与蒸汽驱后期油藏火驱相比，缺少排水期，见效较快。

（2）注气压力受地质因素、油藏因素和方案设计参数影响，压力呈现不同的水平，实施过程中受注气速度和地下燃烧状态影响，呈现初期压力上升，后期压力下降或者小幅波动的变化规律。

（3）地下燃烧状态复杂，通过对单井生产特征、产出流体组分变化、油藏温度和压力等方面规律进行总结，反应了地下实现高温燃烧状态，为后期动态调控提供依据。

参　考　文　献

[1] 王元基，何江川，廖广志，等．国内火驱技术发展历程与应用前景[J]．石油学报，2012，33(5)：909-914.

[2] 关文龙，张霞林，席长丰，等．稠油老区直井火驱驱替特征与井网模式选择[J]．石油学报，2017，38(8)：935-945.

[3] 袁士宝，宁奎，蒋海岩，等．火驱燃烧状态判定试验[J]．中国石油大学学报：自然科学版，2012，36(5)：114-118.

[4] 林日亿，任旭虎，谢志勤，等．火烧开发现场动态跟踪分析[J]．中国石油大学学报：自然科学版，2012，36(1)：141-149.

[5] 许国民．杜 66 块火驱开发动态调控技术研究[J]．特种油气藏，2014，21(1)：81-82.

[6] 杨俊印，闫红星，刘家林，等．杜 66 块火驱典型产出流体变化特征[J]．特种油气藏，2020，27(3)：137-141.

[7] 木合塔尔，高成国，袁士宝，等．红浅 1 井区注蒸汽后火烧油层生产特征分析[J]．大庆石油地质与开发，2021，40(4)：73-79.

[8] 黄继红，关文龙，席长丰，等．注蒸汽后油藏火驱见效初期生产特征[J]．新疆石油地质，2010，31(5)：517-520.

[9] 陈莉娟，潘竟军，陈龙，等．注蒸汽后期稠油油藏火驱配套工艺矿场试验与认识[J]．石油钻采工艺，2014，36(4)：93-96.

关中渭河盆地砂岩热储测井解释参数模型与评价标准

王鹏涛[1,2,3]　赵宇璇[1,2]　卢朝鹏[1,2]　程永刚[1,2]　李亚亚[1,2]　王仁梅[1,2]　李款磊[1,2]

(1. 中国石化绿源地热能(陕西)开发有限公司；2. 陕西省"四主体一联合"地热能校企联合研究中心；3. 西安交通大学能源与动力工程学院)

摘　要　关中渭河盆地是我国重要的地热资源区之一，其砂岩热储型地热井开采层位包括新近系的永乐店群张家坡组、蓝田-灞河组、高陵群，部分地区还开采古近系的白鹿原组与红河组热储层。为了评价和预测地热储层产能，需要建立测井评价参数模型和评价标准。针对该地区砂泥岩地层的特点，以常规测井资料为基础，结合地质资料、岩心实验分析资料、试水等资料，建立了热储层的测井评价参数模型和评价标准，并使用FORWARD系统中的砂泥岩处理程序进行解释。通过计算储层的热储层厚度、泥质含量、孔隙度、渗透率等参数，进行砂岩热储层测井综合评价。这种方法可为地热储层的开发和利用提供可靠的技术支持和数据支持，具有重要的理论和应用价值。

关键词　关中渭河盆地；砂岩热储；测井解释；参数模型

引言

关中渭河盆地砂岩热储型地热井钻遇地层岩性为第四系和新近系的砂泥岩，地热井开采层位为新近系的永乐店群张家坡组、蓝田-灞河组、高陵群，部分地区开发古近系白鹿原组与红河组热储层。

本文就渭河盆地砂岩热储测井解释评价标准和测井解释模型做以详细说明。基本思路是："以常规测井资料为基础，结合地质资料、岩心实验分析资料、试水等资料建立热储层的测井评价参数模型和评价标准，结合产能预测的结果，对地热储层进行综合评价"。

具体做法：由于渭河盆地砂岩热储型地热井钻遇地层岩性为砂泥岩地层，测井资料解释评价过程中，优先选用砂泥岩解释模型，解释程序用FORWARD系统砂泥岩处理程序(shp)，通过计算储层的热储层厚度(H)、泥质含量(VSH)、孔隙度(POR)、渗透率(PERM)等参数，进而进行砂岩热储层测井综合评价。

1　渭河盆地地热井测井系列

1.1　目前陕西区域测井系列如下

(1) 岩性测井曲线：井径、自然电位、自然伽马。

(2) 孔隙度测井曲线：补偿声波。

(3) 电阻率测井曲线：双侧向、双感应-八侧向、微电极。

(4) 工程测井曲线：井径、连斜(井斜、方位)、井温。

1.2　测井设备使用情况

根据钻井施工程序和测井设计的要求，渭河盆地测井均使用SDZ-5000地面测井系统及井下仪器完成施工。严格按照中华人民共和国石油天然气行业标准《SY/T 5132—2012 测井原始资料质量要求》技术标准，对所使用的各种测井方法仪器进行刻度、标定，保证测井数据的准确性和可靠性。该区域测井测井设备统计表见表1。

表1　测井设备统计表

名称	型号	曲线名称	产地
自然伽马	SDZ-5060C	GR	新乡22所
井径	SDZ-5120C	CAL	新乡22所
自然电位	SDZ-5000	SP	新乡22所
双侧向	SDZ-5060C	RLLD/RLLS	新乡22所
双感应-八侧向	SDZ-5120C	RILD/RILM/LL8	新乡22所
微电极	SDZ-5090C	RNML/RMLL	新乡22所
补偿声波	SDZ-5111C	AC	新乡22所
连续井斜	SDZ-5020C	AZIM/DEVI	新乡22所
井温	SDZ-5010C	TEMP	新乡22所
声幅变密度	SDZ-5111C	GR/CCL/CBL/VDL	新乡22所
地面系统	SDZ-5000		新乡22所

2　砂岩热储分类

2.1　渭河盆地砂岩热储分类

(1) 按热储产液温度分类：可分为低温层、中温层、高温层。

(2) 储层厚度、孔、渗及及产能又分为Ⅰ、Ⅱ、Ⅲ类储层(见表2)。

表2　热储层分类表

资源层分类	低温层(40--60℃)			中温层(60-90℃)			高温层(90-150℃)		
	(700m上)			(1300-2600m)			(2600m以下)		
	Ⅰ类	Ⅱ类	Ⅲ类	Ⅰ类	Ⅱ类	Ⅲ类	Ⅰ类	Ⅱ类	Ⅲ类

3　热储层测井评价参数模型

渭河盆地热储层主要以细砂、粉砂、泥岩与细砂岩互层等，泥质含量较重，解释模型采用砂泥岩的通用解释模型-泥质砂岩解释模型(图1)。

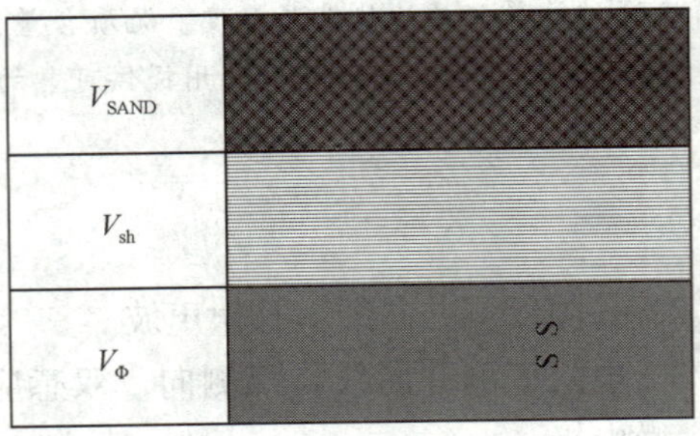

图1　岩石体积模型

既：　$V_{sh}+V_{sand}+\Phi=1$

V_{sand}、V_{sh}-分别为砂岩相对体积和泥质相对体积；Φ 岩石孔隙度。

3.1　泥质含量解释模型

渭河盆地砂岩热储层是典型的砂泥岩地层，自然伽马测井响应与岩石中粘土含量具有较好的相关性，因此利用自然伽马建立泥质含量方程为：

泥质含量与自然伽马相对值的关系式为：

$$\Delta GR=\frac{GR-GR_{min}}{GR_{max}-GR_{min}}$$

$$V_{sh}=(2GCUR*\Delta GR-1)/(2GCUR-1)$$

式中，GR、GR_{min}、GR_{max} 分别为 GR 曲线、纯砂岩、纯泥岩的自然伽马测井值；$GCUR$ 为经验系数，一般来说：对于第三系地层 $GCUR=3.7$；对老地层 $GCUR=2$。

3.2　孔隙度解释模型

孔隙度是描述储层物性好坏的重要参数之一，计算的正确性也会直接影响渗透率的准确性。声波、密度与补偿中子测井都可以较好反映孔隙度大小，但在反映孔隙度方面有不同的响应特征。密度、补偿中子反映的是总孔隙度，与孔隙类型无关；声波测井则主要反映粒间孔隙。通常单孔隙度测井用补偿声波测井值(AC)求取地层孔隙度，模型公式如下：

$$\Phi=\frac{\Delta t-\Delta t_{ma}}{\Delta t_f-\Delta t_{ma}}\cdot\frac{1}{CP}-\frac{\Delta t_{sh}-\Delta t_{ma}}{\Delta t_f-\Delta t_{ma}}\cdot V_{sh}$$

式中，Δt 为测井声波时差测井值、μs/m；Δt_{ma} 为砂岩骨架声波时差测井值、通常选取178μs/m；Δt_f 为地层水声波时差测井值、通常选取620μs/m；Δt_{sh} 为泥岩声波时差测井值，μs/m,；CP 为压实校正系数。

压实校正的确定：由于研究区相关资料较少，不同井埋藏和井间距差异较大，针对该情况，利用现有资料通过声波时差测井资料与井深关系确定压实校正规律，对各井进行对比校正。选择宝石佳苑、南贺村1井两2口资料稳定、测井井段长的井建立压实校正系数与深度关系。见图2)，可以看出，在2020.00m处有一拐点，井深2020m上部，声波时差随深度的增加而减小，2020.00m下部，声波时差随深度的增加，变化趋于平稳，所以，重点只对2020.00m上部地层做压实校正。

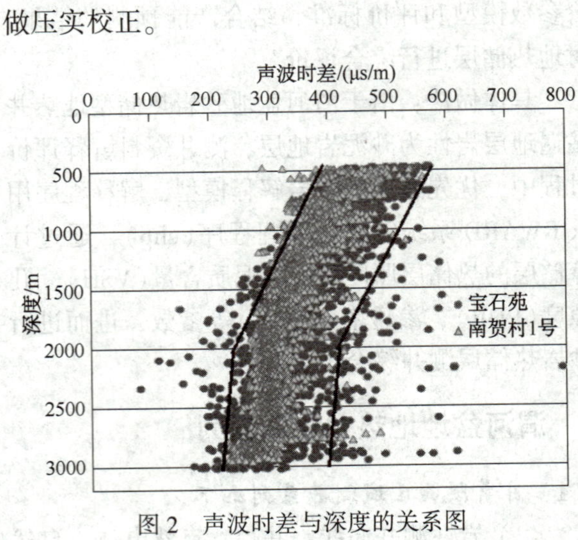

图2　声波时差与深度的关系图

3.3 渗透率解释模型

岩石渗透率是受多种因素影响，由于岩石的孔隙结构、孔隙大小及孔隙喉道的不同，而变的非常复杂。

计算岩石渗透率时，束缚水饱和度是一个非常重要的参数。一般选取邻井、邻区不同层组纯气层岩心分析含水饱和度当作束缚水饱和度 S_{wi}，采用 Timur 公式来计算地层绝对渗透率。由于阿尔奇公式中所用的多项实验数据缺失，我们通常给一常数作为该区束缚水饱和度值以求取渗透率参数。

$$K\frac{0.136\times\phi^{44}}{S_{wi}^2}\times10^3$$

式中，S_{wi} 为束缚水饱和度，小数；ϕ 为孔隙度，小数；K 为绝对渗透率，$10^{-3}\mu m$。

3.4 含水饱和度解释模型（地热井区不含油气，不

含水饱和度参数变化规律十分复杂，除与构造位置高低有关外，还受储层岩性、物性等多种因素控制，计算含水饱和度参数的公式为阿尔奇公式。

阿尔奇公式：

$$S_w=\sqrt{\frac{abR_w}{\Phi^m\cdot R_t}}$$

式中，S_w 为含水饱和度，小数；R_w 为地层水电阻率，$\Omega\cdot m$；Φ 为有效孔隙度，小数；m、n 为分别为胶结指数和饱和度增大指数，$m=2$，$n=2$；a、b 为岩性系数，通常 $a=1$，$b=1$。

准确计算含水饱和度的关键因素是确定岩石胶结指数、饱和度增大指数及岩性系数。一般情况下，储层参数 m、n 是在实验室通过实验的方法进行测定。

4 砂岩热储层产量预测模型

在有效热储层的开发与评价过程中，热储产量不仅标示了一口地热开发井实际可利用的资源量的大小，同时也决定了该井的未来商业利用价值。因此，有效预测每一口地热井的产量是地热研究的关键技术之一。开展热储层产量计算技术研究，为地热开发决策者提供必要的基础参考数据，对渭河盆地的地热开采将具有重要意义。据我国相关规定，仅对于埋深小于 1000m、温度 40℃且单井出水量大于 $20m^3/h$ 的热储才能作为可利用热储进行评价，而随着经济、技术的发展，这一规定已明显不能满足地热开发的需要。

4.1 基本原理

对于渗透性砂岩有效热储层，其孔隙系统基本上是由小孔道组成，热水在这种孔隙系统中流动时都要克服一定的渗流阻力，只有驱动压力梯度大于流体的启动压力梯度，热储层才会具有产能。随着驱动压力梯度不断地提高，会有更多的孔道参与流动，岩心的渗透性也随之增强，渗透率变大，因而此时有效热储的产能也相应的增加。

1. 理想的热储层渗流模型

无论是从宏观上还是从微观上看，热储层都是非均质的，只是不同层之间存在非均质程度上有差异。而在实际热储研究中，建立的渗流模型都是基于均质模型。为了方便热储层产能的计算，对地下多层、非均质的复杂的热储模型进行简化处理，提出了等效地质体的概念：

（1）有效热储层厚度在平面上变化较小，近似于等厚；横向各方向上的平均渗透性变化不大；上下具有良好的隔层，层间无越流。

（2）有效热储层内的原始地层压力分布均匀，具有统一的压力系统。地热井在开发测试前地层内流体保持静止状态，即地层保持静止压力 P1；有效热储层具有充足的边水补给。

（3）整个流动过程是一个等温过程；岩石和流体可微压缩；重力和毛细管力影响可忽略。

（4）开发测试过程中采取二开二关，一开时间很短，地层能量消耗忽略不计。

（5）在钻井和完井过程中存在地层污染，并设其表皮系数为 S。

2. 热储层渗流数学模型的建立

建立有效热储层渗流数学模型通常依据以下物理原理：

（1）质量守恒原理。根据质量守恒原理，在研究的范围内，流入和流出的质量之差必等于该时间控制内质量积累的总和。

（2）能量守恒原理。研究非等温渗流时要用能量守恒原理，本文中所采用的是通常情况下等温条件下的渗流模型。

（3）达西流渗流规律。即假定地热水在较好物性砂体中流动，其启动压力梯度为零。

4.2 单井（层）产量预测模型

1. 单井产预测模型

单井自然产能是各热水层在地层压力下产能的总和。

即：

$$Q = \sum_{i=1}^{n} q_i$$

式中，6 为单井日产热水量 m^3/d；q_i 为单层热水产能 m^3/d；n 为热储层个数。

2. 单层产量预测模型

采用经研究实践验证的裘皮公式：

$$q = \frac{542.871 \times K \times h(p_i - p_{wf})}{B \times \mu (ln \frac{r_i}{r_w} + S)}$$

式中，q 为热水层日产水量 m^3/d；K 为渗透率 μm^2；H 为热水层厚度 m；p_i 为原始地层压力，MPa；p_{wf}为井底流动压力，MPa；B 为体积系数，m^3/m^3；S 为表皮系数；μ 为地下热水黏度 mPa·S；r_i 为影响半径 m；r_w 为井筒半径 m。

3. 模型中主要参数的求取

（1）渗透率：利用建立的热储层渗透率的解释模型计算。

（2）原始地层压力：试井资料中如果有测试的原始地层压力值可直接应用；否则可根据研究地区的压深关系公式计算。

（3）井底流动压力：即热储层的静水柱压力值

$$p_{wf} = 0.0101Z$$

有时为提高热储井的产能，需要下电泵抽汲，电泵下深 20 m 时：

$$p_{wf} = 0.0101Z - 0.2$$

（4）井筒半径：通常取套管内径值的一半，即 0.07m。

（5）影响半径：可利用下式进行计算的：

$$r_i = 3.795\sqrt{\frac{K\,t_p}{\mu \O\, C_t}}$$

式中，t_p 为预计开井时间，一般取值为 5 天，即 120h；C_t 为综合压缩系数，4×10^{-4}/MPa；K 为渗透率（μm^2）；φ 为孔隙度，%。

（6）表皮系数 S：表皮系数的选取有三种情况：一是自然状况下根据射孔完井的平均表皮系数，取 2；二是理想的完井状况下，即井底未受任何污染时，表皮系数取 0；三是井底经过压裂改造达到超完善状况下，表皮系数可取负值。

（7）体积系数：溶解有天然气的水比纯水体积系数要大，但由于水的天然气溶解度很小，因此地热水的体积系数一般在 1.01~1.02，本次研究中取 1.02。

（8）地热水黏度：地热水的黏度与压力关系不大，但受温度的影响非常明显。它与温度的变化关系是随温度增高而急剧地降低。通过实验数据建立了地热水的黏度与地层温度之间经验关系公式：

$$\mu = 1.2909e - 0.01705T$$

式中，T 为地层温度，℃。将渭河盆地实测井温资料进行回归，得到温度与井深的关系如下：

$$T = 0.017H + 47.26 (R = 0.9988)$$

5　测井综合评价标准

查阅有关文献，砂岩热储层没有可以直接借鉴的标准（行标及企标），本次研究参考油田的研究经验，选取渭河盆地 19 口井资料，按热储层段分别统计取水/回灌段典型水层的厚度、孔隙度、渗透率、出水量，运用交会图技术，分好（Ⅰ类）、中（Ⅱ类）、差（Ⅲ类），初步建立了渭河盆地热储层评价标准（图 3~图 5 和表 3）。

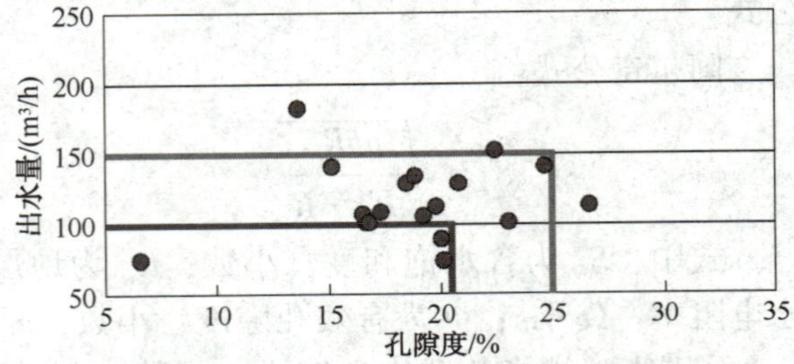

图 3　孔隙度-出水量关系图

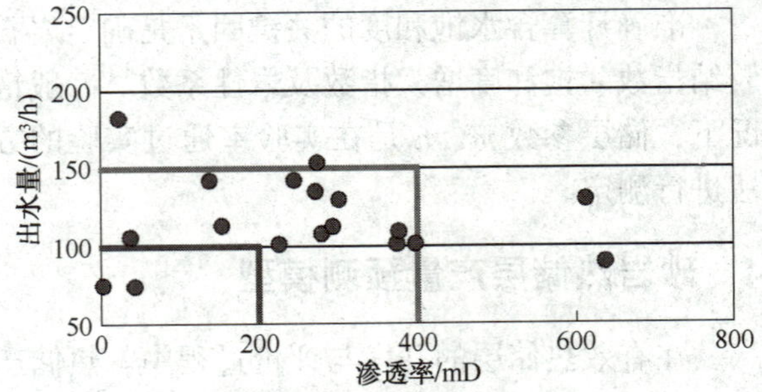

图 4　渗透率-出水量关系图

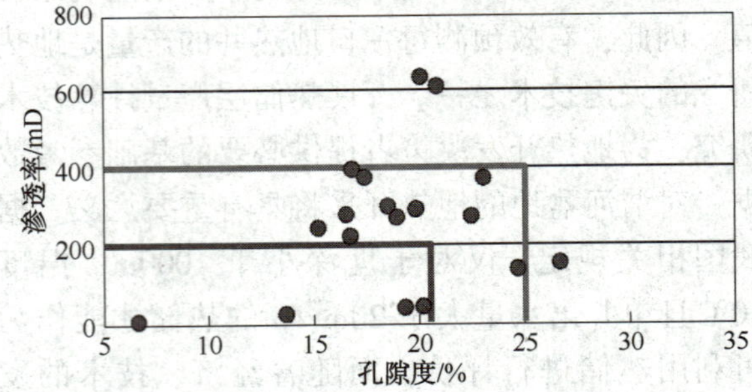

图 5　孔隙度-渗透率关系图

表 3　渭河盆地热储层综合评价参数分类表

热储层分类	Ⅰ类	Ⅱ类	Ⅲ类
孔隙度/%	>25	20.5-25	<20.5
渗透率/$10^{-3}\mu m^2$	>400	200-400	<200
出水量/(m^3/h)	>150	100-150	<100

由于资料有限，建立的标准在资料增加的基础上进一步完善，以满足实际生产需要。

6　取得的初步认识

2017—2018 年共测井 13 井次，13 口井均钻遇张家坡、蓝田-灞河和高陵组这三套热储层，其中三口井钻遇白鹿塬组，两口径最深钻遇红河组。各组段热储层厚度主要集中在 20～200m，峰值：80 m，最小 7.1m、最大 425.3m，面上热储厚度不一(见图 6)；孔隙度主要集中在 20%～30%，峰值：30%(图 7)；渗透率非正态分布，有两个峰，非均质严重，峰值：$500\times10^{-3}\mu m^2$(图 8)；泥质含量主要集中在 10%～20%，峰值：15%，最高达 31.4%，泥质含量较重(图 9)。

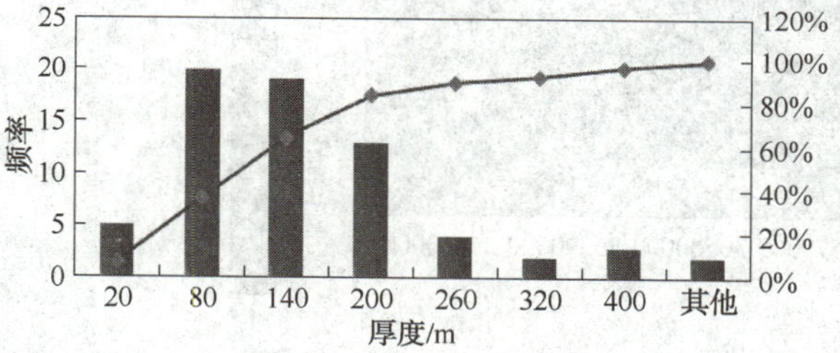

图 6　渭河盆地各组段热储层厚度直方图

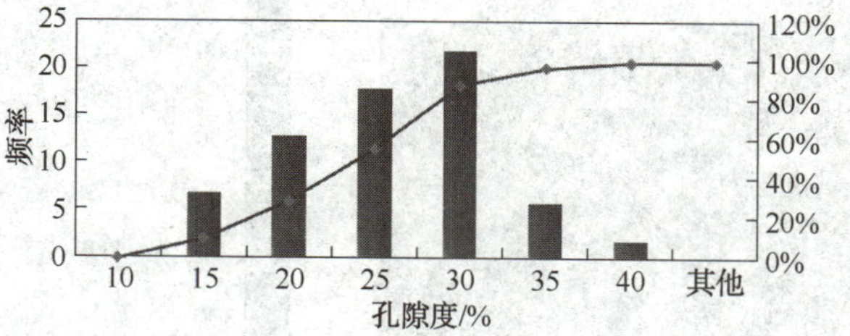

图 7　渭河盆地孔隙度分布图

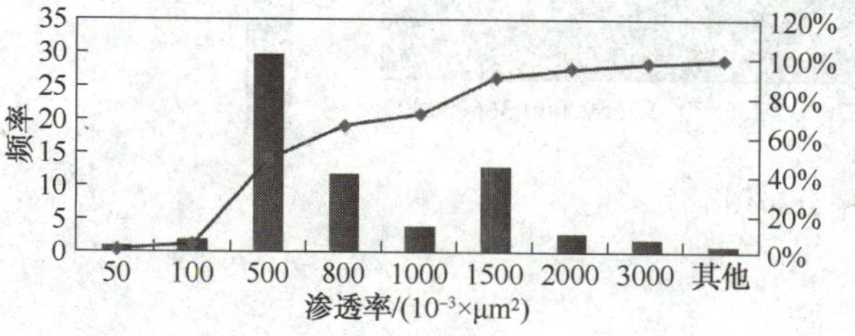

图 8　渭河盆地孔隙度分布图

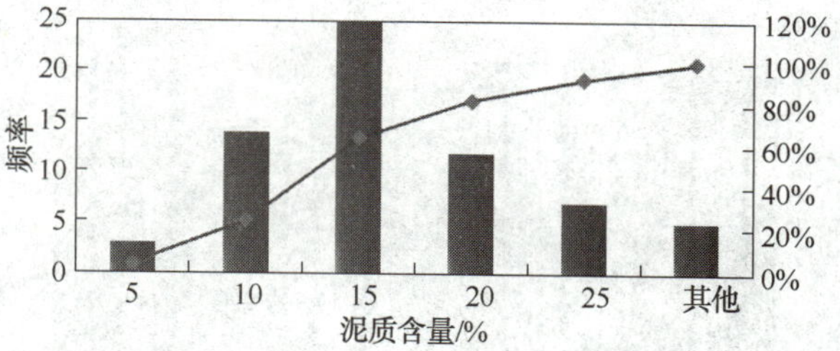

图 9　渭河盆地泥质含量直方图

6.1　热储层厚度平面变化情况

根据所测的 13 口井情况，绘制了南-北向和东西向连井剖面(图 10～图 12)。从连井剖面图 10 可以看出热储地层厚度张家坡、蓝田-灞河组从北往南在变厚；而高陵组是两边厚、中间薄，但北边热储地层厚度优于南边。从东-西向连井剖面图 11 可以看出热储地层厚度张家坡组在长庆和兴园 1-1 井处厚度最大，达 917m，两边变薄但西边地层厚度优于东边；蓝田-灞河组至西向东地层厚度变薄；高陵群在长庆和兴园 1-1 井厚度最大，达 518m，东边厚度优于西边，最薄的武功 CH3-1 地层厚度只有 124m。

图 10　渭河盆地井位分布图

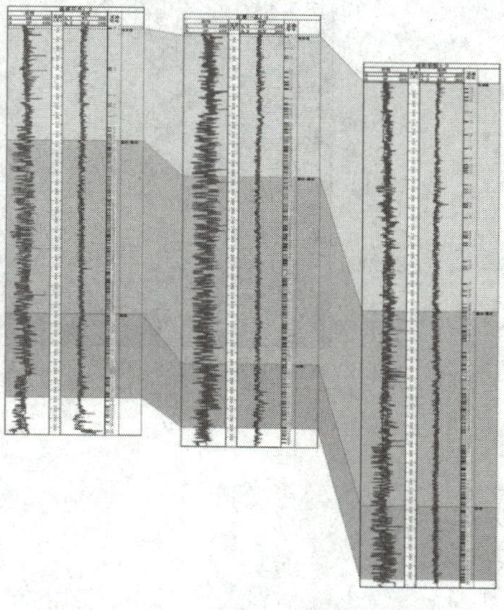

图 11　西咸-咸阳井南北向连井剖面

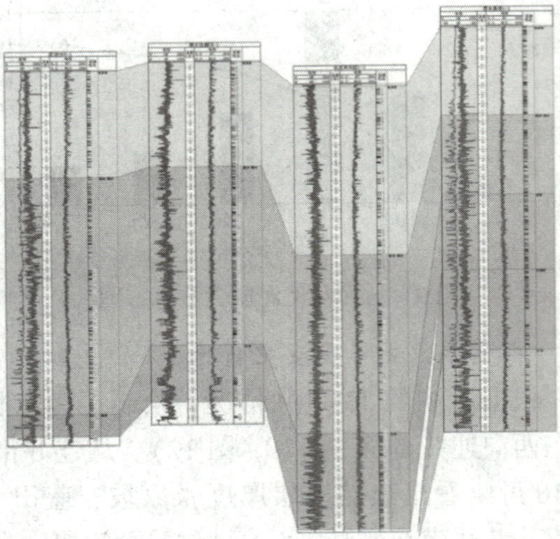

图 12　武功-临潼井东西向连井剖面

6.2　热储层温度、孔渗、出水量平面变化情况

根据 19 口井取水/回灌段平均孔渗、温度和最大出水量等情况，绘制参数的面上分布情况图(图 13～图 16)。从平面孔隙度分布图 13 可以看出，北部热储层孔隙好于南部，南贺村 1 井孔隙度最好，平均最高达 26.62%。从平面渗透率分布图 14 可以看出，南部热储层渗透率好于北部，面上储层非均质性强，西南部腾达佳源 GY－1 井渗透率最高，平均最高达 $636.38\times10^{-3}\mu m^2$。从平面温度分布图 15 可以看出，南部热储层温度好于北部，南部新胜堡 1 井温度最高，平均最高达 108℃。从出水量分布图 16 可以看出，东南部热储层出水量优于西北部，由于面上非均值性强，东南部出水量也成朵状分布，三普 2 井出水量最高，最大流量平均最高达 $183m^3/h$。总体热储物性和地层温度和出水量南部优于北部。

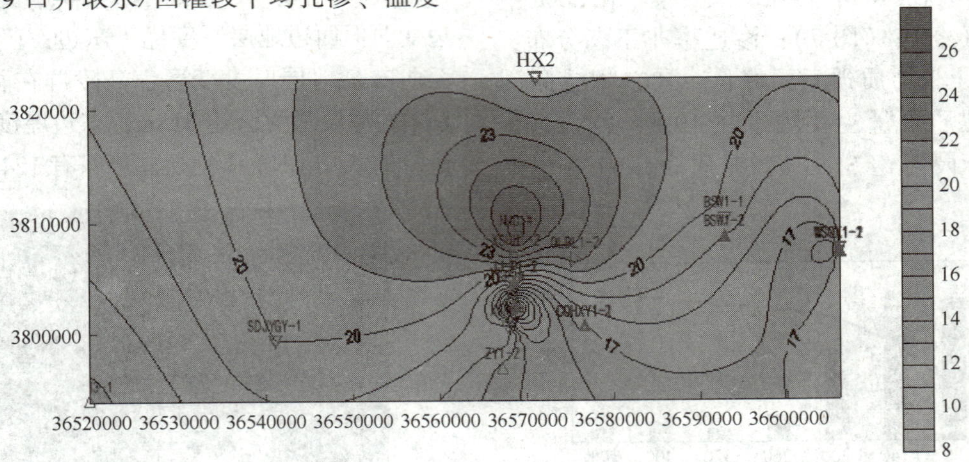

图 13　孔隙度分布图

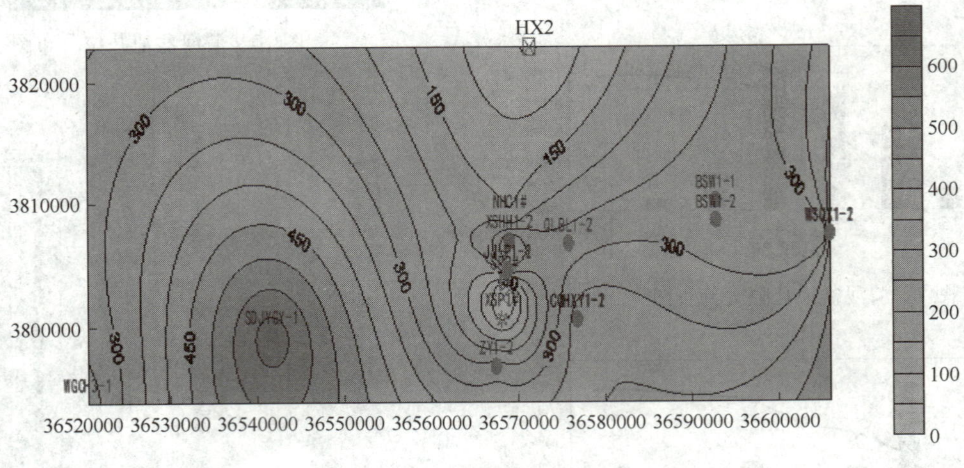

图 14　渗透率分布图

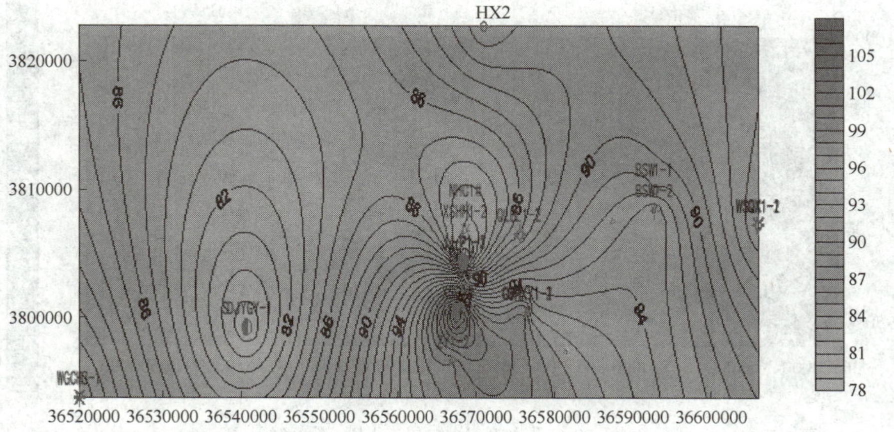

图 15　温度分布图

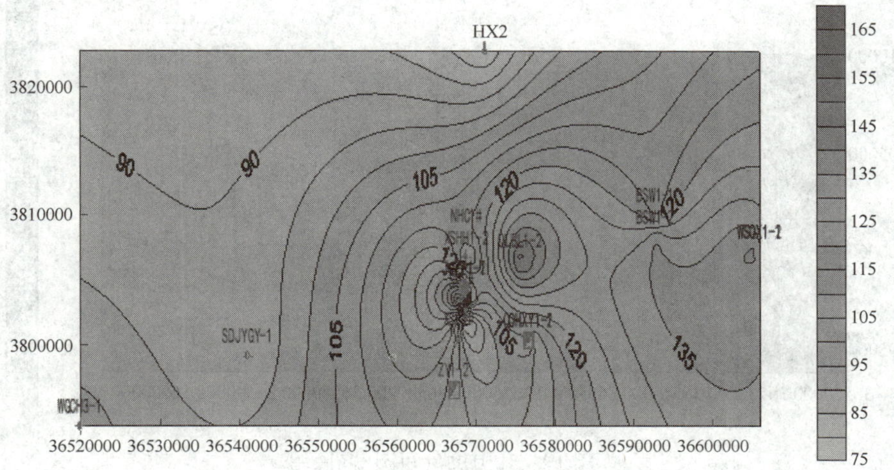

图 16　出水量分布图

由于张家坡组、蓝田-灞河组、高陵群组是该区主要热储层段，利用现有资料针对这三个热储层对面上孔渗、层厚和温度等分布情况做了详细的研究(图 17~图 28)。孔隙度张家坡组、蓝田-灞河组与高陵群组都北部优于南部，总体上至上而下张家坡组好于蓝田-灞河组、蓝田-灞河组好于高陵群组。渗透率张家坡组中部优于东、西两边，蓝田-灞河组东部渗透性优于西部，高陵群组东南部和西部渗透性较好；总体上至上而下张家坡组好于蓝田-灞河组、蓝田-灞河组好于高陵群组。热储厚度张家坡组西南部和中部优于东北部；蓝田-灞河组中部最厚，东南部储层厚度最薄；高陵群组东部优于西部；总体张家坡组好蓝田-灞河组热储厚度较大。地层温度张家坡组中部由于东西两边，东北部地温最低；蓝田-灞河组和高陵群组都是中间部位和最西边地温高，而东北部温度最低；总体至上而下低温逐步升高。

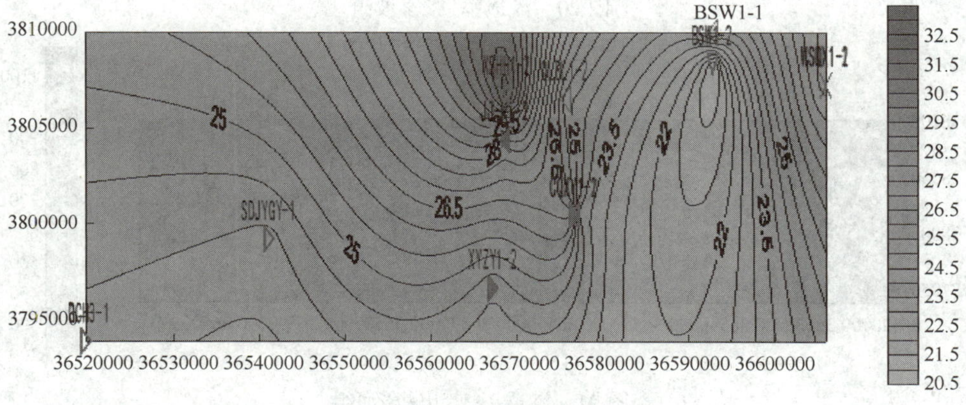

图 17　孔隙度分布图-张家坡组

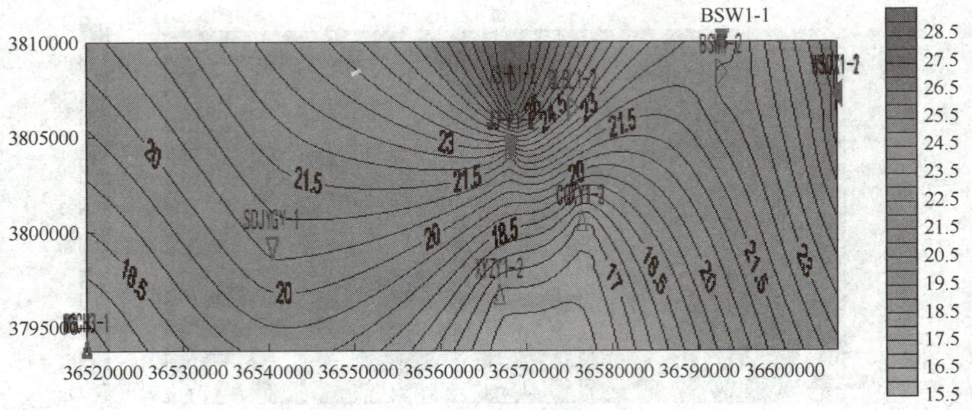

图 18　孔隙度分布图-蓝田-灞河组

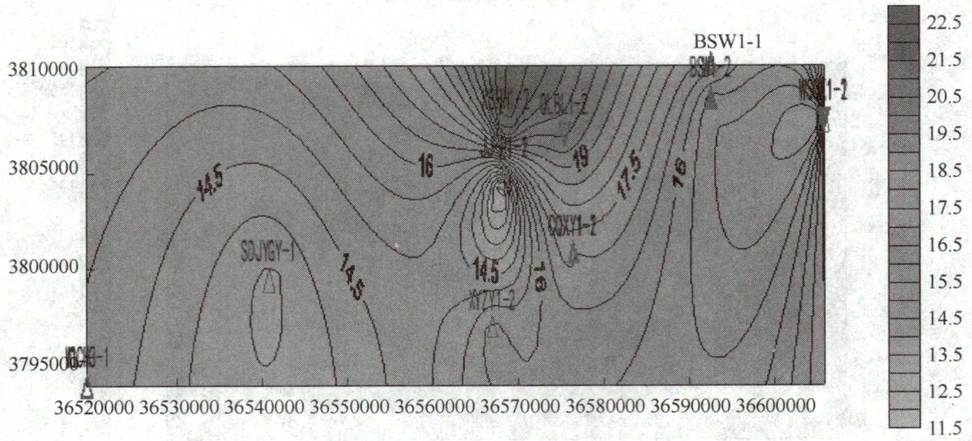

图 19　孔隙度分布图-高陵组

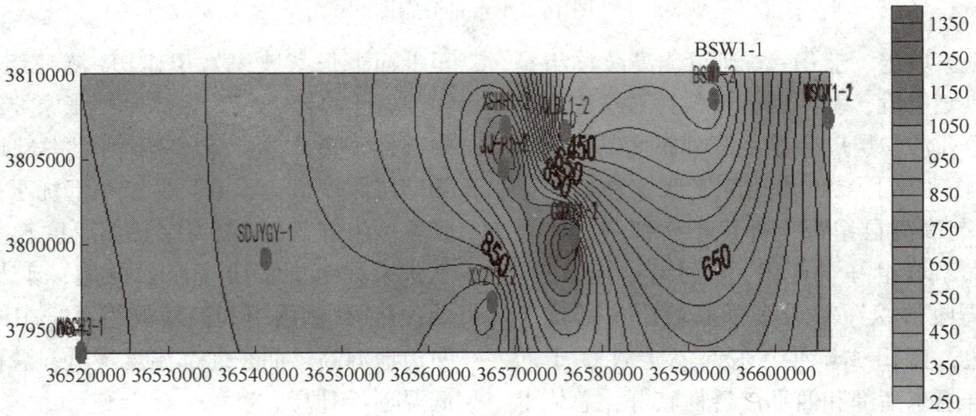

图 20　渗透率-张家坡组

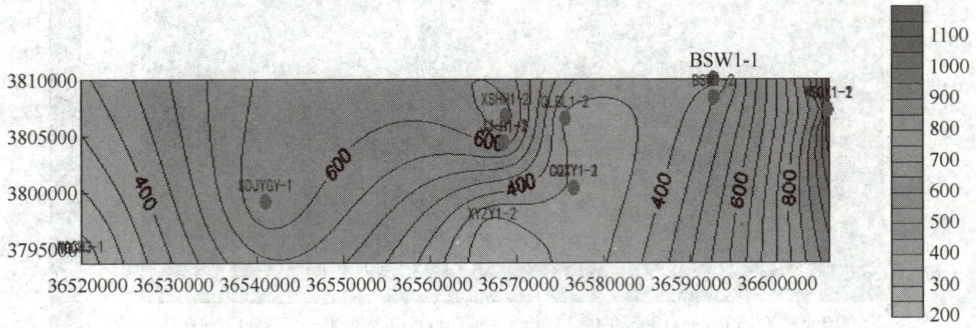

图 21　渗透率-蓝田-灞河组

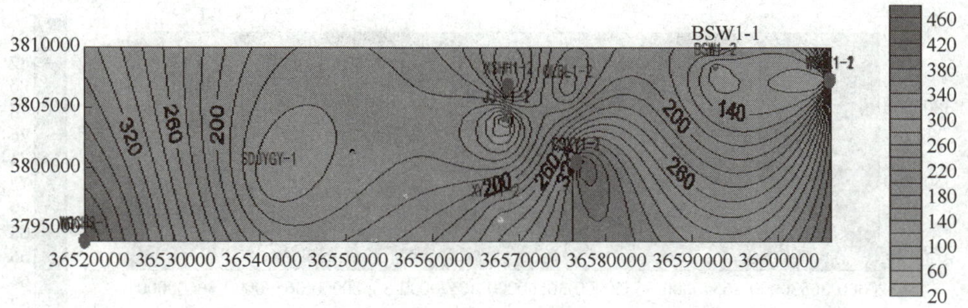

图 22　渗透率-高陵组

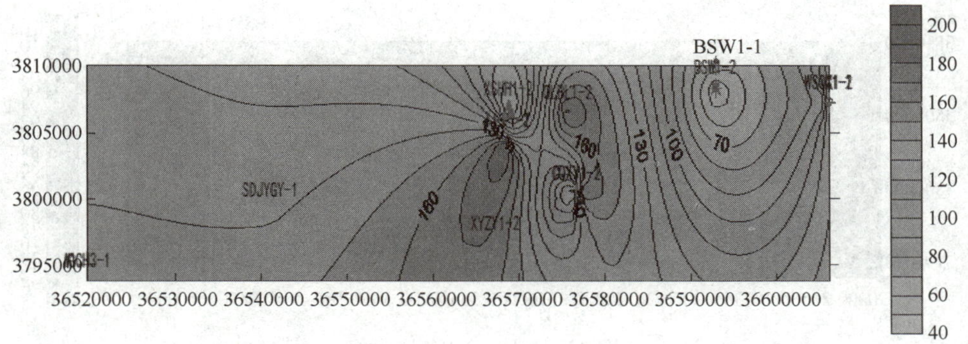

图 23　热储厚度-张家坡组

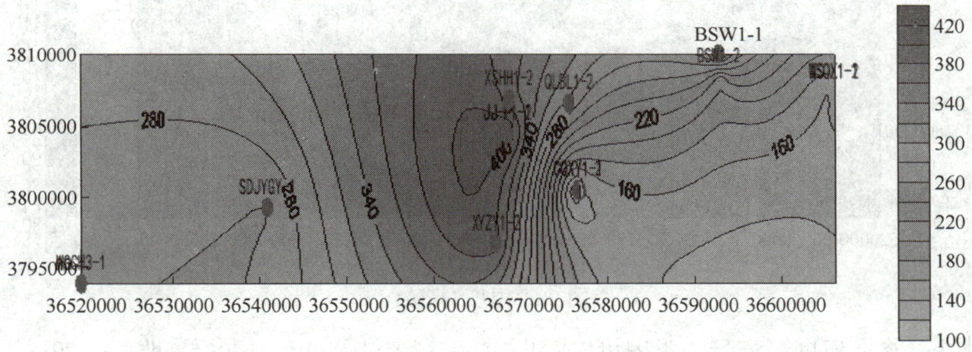

图 24　热储厚度-蓝田-灞河组

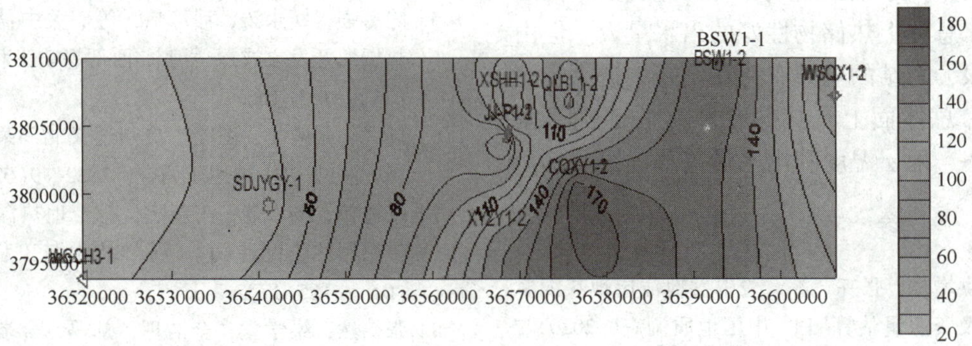

图 25　热储厚度-高陵组

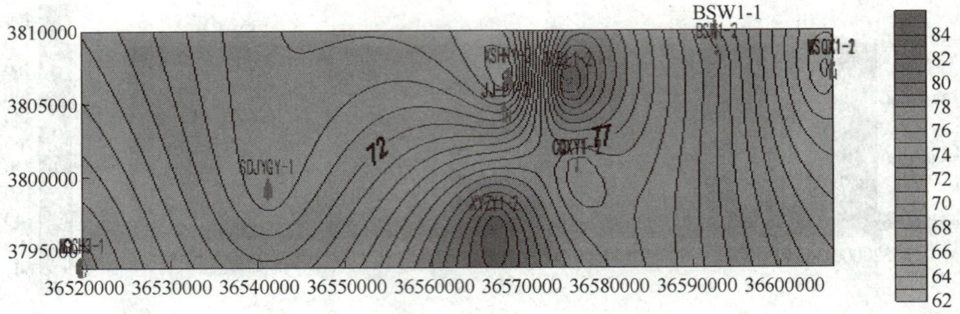

图 26　温度-张家坡组

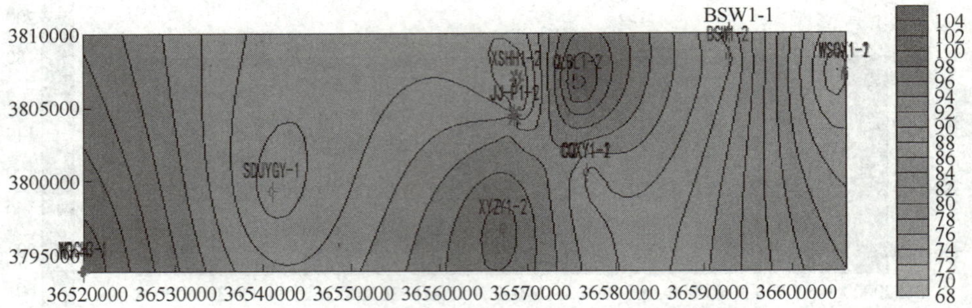

图 27　温度-蓝田-灞河组

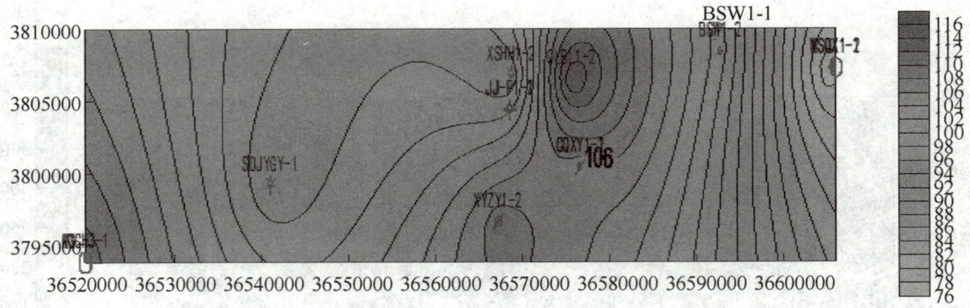

图 28　温度-高陵组

由区域孔、渗、温度、流量分类图可以看出在储层物性好、地层温度高、出水量大这是最好的地热储层。由于该区断块多、构造复杂，储层非均质强，总体上热储物性好的出水量大。但由于资料有限，总结的规律有待在实践中进一步完善和深化，总体面上是热储孔隙是北部优于南部、渗透率、地层温度和出水量南部优于北部。

参 考 文 献

[1] 周阳，洪增林，张卉，等．关中盆地浅层地热能赋存规律及资源量估算[J]．中国地质调查，2020，7(02)：21-29. DOI：10. 19388/j. zgdzdc. 2020. 02. 03.

[2] 周阳，穆根胥，张卉，等．关中盆地地温场划分及其地质影响因素[J]．中国地质，2017，44(05)：1017-1026.

[3] 孙红丽．关中盆地地热资源赋存特征及成因模式研究[D]．中国地质大学(北京)，2015.

[4] 任文波．渭河盆地中深层地热资源特征及开发利用[D]．西北大学，2019.

[5] 陈粤强，姬永涛，浦静怡，等．关中盆地中深层地热资源开发方式探讨[J]．西部探矿工程，2018，30(11)：103-106.

[6] 杨武，张应文，王亮．贵州遵义北郊某地热测井解释方法[J]．中国地质调查，2022，9(02)：83-90.

[7] 张建伟，杨卓静，王新杰，等．地热深孔声波测井传感器的热设计[J]．科学技术与工程，2023，23(01)：165-172.

[8] 张祎然，梁学堂，全浩理，刘磊，金端，倪倩．井温测井数据在湖北中深层地热勘查中的多效应用[J]．资源环境与工程，2022，36(06)：822-827. DOI：10. 16536/j. cnki. issn. 1671-1211. 2022. 06. 014.

[9] 吴岑宏．地热井探测中的超高温测井技术研究[J].

中国煤炭地质，2018，30(04)：70-73.

[10] 冯来泉．物探测井在地热开发中的应用[J]．地球学报，2000(02)：212-215.

[11] 郭常来，孙越．地热资源测井评价与开发[J]．价值工程，2012，31(25)：114-115.

[12] 秦迎春．下二门地区地热储层测井评价[J]．内蒙古石油化工，2021，47(04)：115-119.

[13] 李嘉舒，戴传山，雷海燕，等．我国中深层地热开发技术专利综述与分析[J]．能源研究与信息，2022，38(04)：195-202.

[14] 丁朋朋．多场耦合作用下深部砂岩热储地层形变及传热特性研究[D]．山东大学，2022.

[15] 蒙学礼．地能地热的开发利用[J]．中国石油和化工标准与质量，2022，42(06)：109-111.

[16] 李正，张阳，李萌瑶，等．渭河盆地地热地质条件及其控制因素[J]．承德石油高等专科学校学报，2016，18(06)：5-9.

复杂地质条件煤层气“有效能量疏导”理论与实践

张永平[1,2]　杨延辉[1,2]　李志军[1,2]　刘　忠[1,2]　张　聪[2]　王　宁[1,2]

（1. 中国石油华北油田公司；
2. 中国石油天然气集团有限公司煤层气开采先导试验基地）

摘　要　针对我国复杂地质条件下煤层气藏勘探开发特征，采用室内实验分析了煤储层结构特征和流体赋存规律，基于有效能量疏导理论，明确了高产靶区成因机制和差异化疏导式排采控制方法，形成了高效低成本开发建设配套技术：①从微构造形态、煤体结构、天然裂缝发育、地应力、含气饱和度等五个角度，建立了多维度精细开发单元划分技术，通过精细划分开发单元和精细设计调整，形成地质工程一体化方法；②形成了以“低前置比、变排量、粒径组合铺砂、快速返排、拉链交互式”低伤害高效压裂增产技术，通过建立低效井区适应疏导式改造的有效增产靶区，形成基于井网调整、疏导式压裂改造的井组协同降压；③构建井组建设丛式化、地上地下一体化、系统布局集约化、运行管控智能化、场站建设撬装化、清洁生产无害化“六化”建设理念，形成高效智能化排采工艺；有效指导了开发技术优化，为实现煤层气高效开发奠定基础。

关键词　有效能量疏导；高产靶区；气-水赋存；地质工程一体化；疏导式排采

引言

“十二五”至“十三五”期间，以沁水盆地(高煤阶储层为主)800m以浅煤层气为研究对象，先后发展形成了滞留水封堵成藏、高渗与富集叠合区高产、“沉积、构造、热变质、水动力”四元成藏和“断裂发育、地应力、流体流动性”三要素控产等煤层气勘探开发地质理论，有效指导煤层气精确建产、有效改造和高效开发[1]，又从与产量密切相关的富集、可采和产出机制三个方面进行攻关，开展了全尺度微观孔裂隙结构测试、气体流态表征、煤储层伤害评价等研究攻关，围绕煤层气富集、可采、改造、排采、集输的关键环节，取得了高产靶区成因机制、疏导式工程改造和疏导式排采控制方法等认识，建立全尺度微观孔隙结构测试和气体流态表征技术，逐步形成了煤层气疏导开发地质理论。截至2022年底，我国累计探明煤层气田26个，地质储量7259.11亿m^3，累计钻井2万余口，地面开发煤层气产量超103亿m^3，累计生产煤层气超350亿m^3，产量主要来自沁水盆地和鄂尔多斯盆地东缘。我国的煤层气资源勘探开发步伐逐渐向中深层和中低煤阶迈进，地质条件更加复杂，同时为工程改造技术提出更高要求。中国石油华北油田公司(以下简称华北油田)煤层气资源包括山西(沁水、宁武)、二连两大探区，总资源量1.15万亿m^3，在沁水盆地拥有探明储量3667亿m^3，累计建成生产能力32亿m^3，累计产气127亿m^3。华北油田进一步对大城深层中煤阶煤层气开展研究，2019年大平7井试采日产气达1.1万m^3，为国内首口2000m以深日产破万方的煤层气井，煤层埋深大于1500m，属气、肥煤，含气量13m^3/t，解吸压力13.67MPa，连续产气202天，精细刻画有利重合区，优选深层煤岩气资源1500亿m^3，同时探索二连低煤阶巨厚煤层气开发技术，煤层埋深小于600m，厚达100m，煤层含气量小于3m^3/t，以褐煤为主，中低孔低渗，含水量大，采用识别宏观煤岩类型、精细刻画甜点段分布规律。煤层气地质和煤矿地质具有较大差别，煤矿通过采动扰动对瓦斯抽排的机理与煤层气开采机理不完全相同；不同类型储层煤层气赋存状态及其呈现形式具有差异性。煤层气压力传导途径具有多尺度、自驱动特征，需要准确预测评价煤储层开发中的物性的变化和储层流体的流动状态及影响因素，形成了包括煤层气前期勘探评价、开发方案设计、可控水平井优快钻完井、疏导式工程改造、定量化排采控制和集约化分布式地面集输技术，整体开发效果显著，单井产气量大幅提升，产能到位率达90%以上，克服了相关技术瓶颈，其成功的开发经验为我国复杂地质条件下煤层气的勘探开发提供借鉴。

1　存在的问题与认识

1.1　孔隙结构特征问题

煤岩孔隙流体流动状态及影响因素复杂，进一步影响了可采储量程度，实践表明采气速度和含气量无明显的相关性，需要深化研究。煤储层孔隙结构的差异直接影响气-水赋存流动特征和煤层气的可开采性，也直接影响工程技术的选取，煤储层裂隙发育与微观孔隙结构主要影响裂隙渗透率、基质解吸速率、甲烷吸附能力三个方面。通过薄煤层地质信息提取技术，叠前方位各向异性裂缝预测技术进行储层预测，通过裂隙数量、尺度自动识别统计技术进行显微观察，通过连通孔隙识别表征技术进行纳米 CT，通过开发煤岩 CO_2 微孔测试方法，建立液氮-CO_2 孔径测试结果一体化处理方法，进行低温液氮-CO_2 连测进行流动性评价(表 1)。

表 1　煤储层各尺度综合评价手段表

<table>
<tr><th rowspan="2">评价手段</th><th colspan="3">评价尺度</th><th rowspan="2" colspan="2">主要作用</th></tr>
<tr><th>名称</th><th>主要类型</th><th>裂缝宽度</th></tr>
<tr><td rowspan="2">储层预测</td><td rowspan="2">外生裂隙</td><td rowspan="2">大裂隙</td><td>0.1~10mm</td><td rowspan="2">高速渗流通道评价</td><td rowspan="10">高效建产区优选、排采控制制度优化</td></tr>
<tr><td>0.1~10mm</td></tr>
<tr><td>显微观察</td><td>内生大裂隙</td><td>劈理</td><td>1~100μm</td><td rowspan="3">解吸汇流通道评价</td></tr>
<tr><td rowspan="3">纳米 CT</td><td rowspan="3">内生微裂隙</td><td>割理</td><td>0.1~10μm</td></tr>
<tr><td>失水裂隙</td><td>>100nm</td></tr>
<tr><td>静压裂隙</td><td>10-100nm</td><td rowspan="5">流动性评价</td></tr>
<tr><td rowspan="4">低温液氮-CO_2联测</td><td rowspan="4">基质孔隙</td><td>大孔</td><td rowspan="2">2~10nm</td></tr>
<tr><td>中孔</td></tr>
<tr><td>小孔</td><td rowspan="2"><2nm</td></tr>
<tr><td>微孔</td></tr>
</table>

1.2　储层流体赋存规律

流体的赋存和流动状态影响着储层可采性，微观状态的基质孔隙和内生裂隙内气相以吸附为主，宏观状态下外生裂隙割理内气体以游离状态为主，为了精准刻画流体赋存状态和科学评估储量，基于煤全尺度孔隙结构分析及数值模拟计算，煤储层中含气量和赋存状态不同，不仅体现为资源量差异，更大程度上体现为有效渗流压差的差异性，游离气和吸附气占比不同，煤岩基质渗透率低，压缩系数大，综合导压速度减小，作为双重介质，基质内和改造区域以外视为封闭储层，裂隙内单相流井底流压-平均压力同步下降，两相综合压缩系数受两相孔隙度、解吸压缩系数和气体压缩因子作用，随着储层压力和井底压力的降低，综合压缩系数增大，根据物质平衡原理，得到气水两相产能关系公式：

气相产能关系方程：

$$Q_g=\frac{\mathrm{d}G_p}{\mathrm{d}t}=\frac{dA}{dt}\frac{G_p}{A}+Ah\left[\frac{\phi_f}{B_g}\frac{\mathrm{d}\overline{S_w}}{\mathrm{d}t}-\frac{\rho_B V_L P_L}{(P_L-\overline{P})^2}\frac{\mathrm{d}\overline{P}}{\mathrm{d}t}-\phi_f\frac{1-\overline{S_w}}{P_{sc}}\frac{\mathrm{d}\overline{P}}{\mathrm{d}t}\right] \tag{1}$$

水相产能关系方程：

$$Q_w B_w-\frac{\mathrm{d}W_e}{\mathrm{d}t}=\frac{\mathrm{d}A}{\mathrm{d}t}[h\phi_{f0}S_{wo}+h\phi_f S_{wo}C_w(P_0-\overline{P})-h\phi_f\overline{S_w}]-Ah\phi_f\frac{\mathrm{d}\overline{S_w}}{\mathrm{d}t} \tag{2}$$

2　复杂地质条件煤层气开发特征

2.1　“有效能量疏导”理论

煤层气的开发是以排水降压获得煤层吸附气为目的，微观气-水赋存方式通常分为固气和固液吸附，煤岩孔隙一般可划分为吸附孔隙、束缚水孔隙和可动水孔裂隙，将吸附孔隙中的吸附气和游离气能量作为有效能量，大小反映储层含气性高低；将吸附孔隙中吸附水/结合水能量作为无效能量，其在开发过程中呈负相关作用；将影响气-水流动尺度的束缚水孔隙和可动水孔裂隙内能量作为附加能量，在气-水产出动态过程中，部分附加能量伴随有效能量同时消耗，开发过程中应优选有效能量富集区，合理控制气-水产出时的附加能量，降低无效能量的消耗。

煤储层是能量场-应力场-渗流场的叠加，

从煤层气开发全周期角度来看，是精准识别甜点储层(筛选有效气-水能量的地质单元)-优化改造储层(匹配煤岩力学的有效改造)-科学排采控制方法(控制有效气-水能量的合理产能)的过程，对有效采用疏导性开发，“疏”主要是指疏通煤储层内流体运移通道，改善流体运移条件，扩大压降波及范围，使更多煤层气资源与煤层气井建立有效联系；“导”主要是指主动引导煤储层内流体运移，使受产出基本规律控制的煤层气以高效率方式产出，实现煤层气解吸、扩散以及渗流速率的最大化，利用煤储层发育的微裂隙系统，建立有效通畅的流体向井底渗流通道，最大限度的控制储量；利用排水初期和煤层气初解吸时的高压，引导流体较高速流动，进一步改善渗流通道；建立了以实现单井产量最大化为目标，从物质基础、开发设计、工程改造和排采实现四个环节全程贯彻疏导，以弱动单元富集可采、井缝匹配开发优化、流固匹配工程改造、高压排采疏导通道为内涵的疏导式勘探开发理论体系，并形成主体和配套技术。

2.2　高产靶区成因机制

沁南盆地高产井基本分布于盆地南部，呈现郑庄-樊庄最高、马必东区域次之、沁南东区域较低的产能特征，高产井分布普遍埋深小于800m，物性较好$(0.1-1)\times10^{-3}\,\mu m^2$的区域，同一区块不同区域及同一井组内产量差异大，樊庄-郑庄区块新达产的套管压裂水平井组中，同一区块不同区域产量差异大；同一井组内单井产量差异可达到2~5倍，受平面和层间非均质性影响，不同区域储量动用采出程度差异大，采出程度较高区域主要集中在埋藏较浅、煤矿等周边区域，中深层采出程度很低，不同储层单井产量与含气量不成比例，樊庄区块含气量普遍低于郑庄区块，但产量整体较高，南部浅层区域含气量普遍低于北部深层区域，南部产量普遍较高，开发实践表明，煤储层非均质性强、丰度差异大，同一区域和同一井组内采出状况差别较大，沁水盆地南部含气量一般大于$18m^3/t$，煤层气采气速度和采出程度差异明显，通过引入储层导流能力、煤体结构性、脆性指数等相关地质参数建立了高效建产区评价指标标准见表2。

表2　高阶煤煤层气高效建产区评价参数及标准表

影响因素	影响参数	评价标准		
		好	中	差
构造性	断层侧向封堵性	$SGR>0.8$	$0.6<SGR<0.8$	$SGR<0.6$
	距断层距离/m	正断层≥500 逆断层≥150	—	正断层<500 逆断层<150
	局部构造高低	高	—	低
含气性	理论吸附压力与实际地层压力大小关系	$P_{理}>P_{地层}$	$P_{理}\approx P_{地层}$	$P_{理}<P_{地层}$
导流性	导流指数	≥0.8	—	<0.8
结构性	煤体结构	原生为主	碎裂为主	碎粒、糜棱
可改造性	地应力	裂隙密度>10，$K_h>0.5$ 裂隙密度<10，$K_h<0.5$	—	裂隙密度>10，$K_h<0.5$ 裂隙密度<10，$K_h>0.5$
	脆性指数(%)	≥60	—	<60

基于“有效能量疏导”理论，不同煤岩类型原始气水赋存类型不同，如图1所示，煤层气高产靶区形成机理包括三个方面：①从微观到宏观的断裂系统和水动力作用控制煤层气富集机制；②煤体结构和微构造形态控制煤层气可采机制，需从渗透率变化形成“特殊岩性”界面、微构造形态成因角度进行机理阐释；③微观孔裂隙结构和气体流态控制煤层气产出机制，需以实验室直接测试的方法，获得微观状态下流体吸附和流动的机理。

精准描述储层空间划分储层分布，表现为局部构造高部位解吸压力高，产气量高，局部构造低部位解吸压力低，产气量低，目前对于煤储层原始裂缝发育程度和储层改造范围认识有待提高，受应力影响的裂缝发育程度决定了储层渗透率和气-水产出能力，不同构造部位储层裂隙组合发育特征不同，微裂隙尺度是流体赋存和流动的基础见表图3。

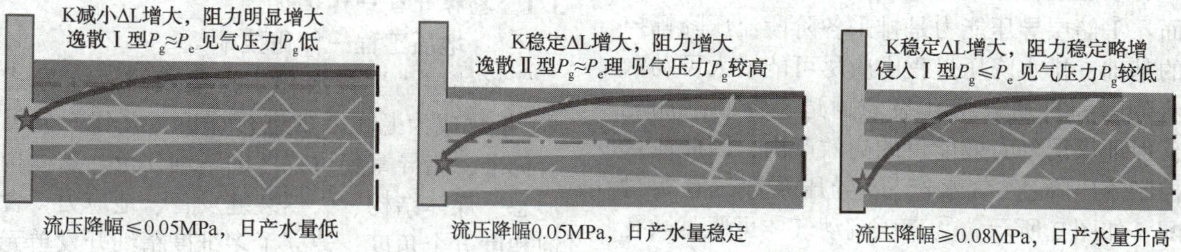

图1　不同气水赋存类型储层模式图

表3　不同微构造-裂缝组合模式图

构造类型	构造模式	微构造	局部构造下裂缝模型	裂缝扩展方向	主次裂缝比
Ⅰ：单斜构造	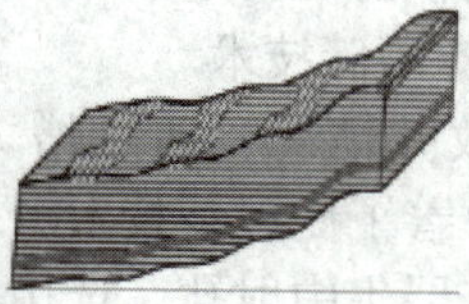	倾角<3°	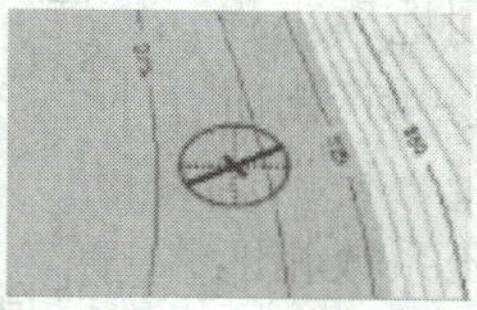	与区块最大水平主应力方向一致(实测为北东向50-70°)	(2.0-4.0)/2.8
		倾角3°-7°			(3.0-5.0)/3.8
		倾角>7°			(5.0-7.0)/5.5
Ⅱ：背斜构造	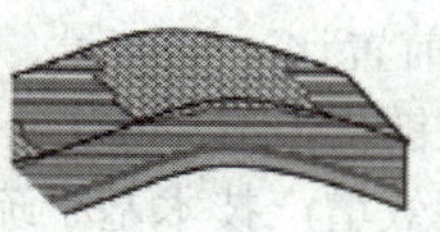	轴部	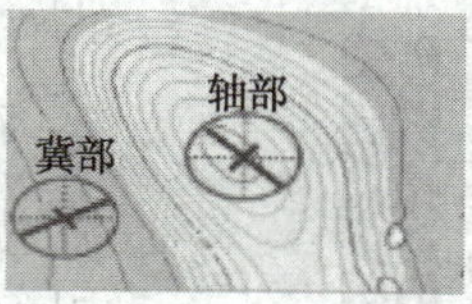	与背斜轴向一致	(2.0-4.0)/3.1
		翼部		与区块最大主应力保持一致	(3.0-7.0)/3.8
Ⅲ：向斜构造	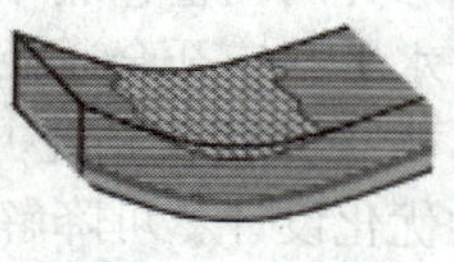	轴部	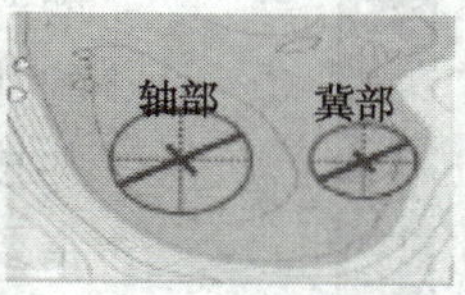	与向斜轴部基本一致	(3.0-7.0)/3.8
		翼部		与区块最大主应力保持一致	(3.0-6.0)/3.6
Ⅳ：断裂构造	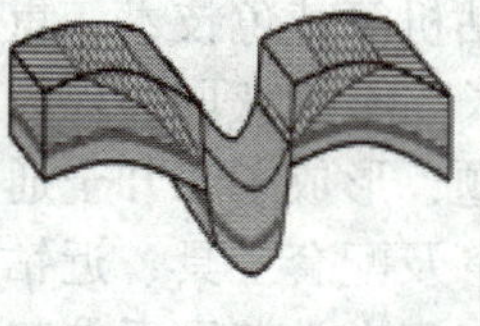	靠近断层	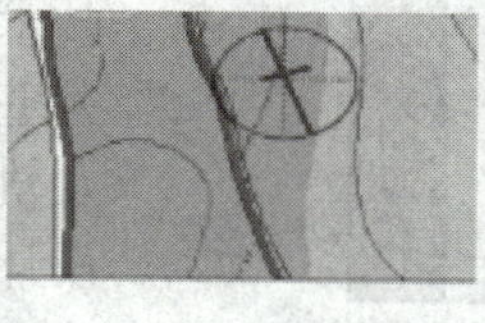	与断层走向相交或平行	(3.0-7.0)/4.0
		远离断层		与区块最大主应力保持一致	(3.0-6.0)/3.5

宏观储层非均质性差异明显，需要综合开展有利煤储层的精细评价，根据断层发育情况进行煤体结构划分，优先考虑构造因素，煤储层孔隙结构的差异直接影响气-水赋存流动特征和可开采性，同时也直接影响工程技术的选取，基于地球物理评价方法对煤层岩性、物性、含气性、含水性和产气性进行“五性”评价(表4)。

表4　不同储层宏观裂隙发育-渗透率关系表

区块	外生宏观裂隙发育程度	平均渗透率
樊庄	一般发育(主裂隙7条/5cm)	0.34
郑庄	发育(主裂隙12条/5cm)	0.098
安泽	非常发育(主裂隙20条/5cm)	0.04
沁南东	发育到较发育(主裂隙13条/5cm)	0.16

外生宏观裂隙发育程度与平均渗透率相关性较弱，微裂缝尺度宽度对产能影响显著，说明地层条件下被水充填的宏观裂隙不影响气-水水产出，微裂缝宽度是影响气-水产能的关键通道(表5)。

表5　不同储层微裂隙发育-产能关系表

区块	评价井			开发井	
	井数/个	微裂缝宽度/μm	总宽度/μm	井数/个	产量/m^3
樊北	8	9.1	61.5	445	800
樊中	3	10.38	84	239	1250
樊南	2	41.17	240.8	291	2500
郑北	14	13.16	82.8	109	250
郑1、2	18	15.6	100.2	299	550
郑3、4	15	12.56	131.1	303	1250

2.3 疏导式差异化排采控制

有效能量疏导式排采控制关键主要包括三个方面：①储层导压能力是排采各阶段流压降幅控制的基础，排水降压过程中应尽可能增大可动水渗流范围和打通束缚孔裂隙通道，控制附加能量，保证煤层气有效能量的高效产出，因此应合理控制流压降速-气水产量-导压系数三者实时匹配，如图2所示。②高压流动气体可驱替微孔束缚水，全面启动三级缝网，各级束缚孔隙是关联吸附孔隙的关键通道，一方面通过压裂造缝大量沟通，一方面通过压差控制气-水流速有效驱替束缚水，提高气相产能，获得有效能量。③建立排采控制关键点，采用不同模型和不同地质工程参数量化排采全过程。精细研究不同气-水产出阶段流体饱和度变化和储层压力传播特征，科学划分产出阶段，井底流压管控与储层导压系数相匹配，合理释放产能，建立科学量化排采控制模式。

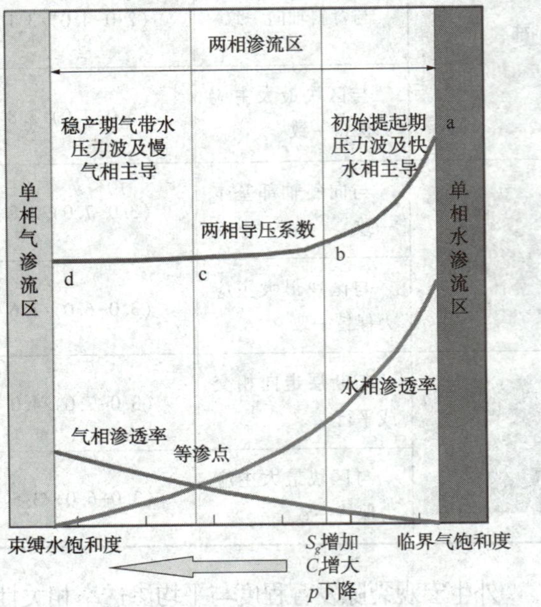

图2　宏观裂隙气-水相渗曲线-导压系数示意图

3 高效低成本开发建设配套技术

3.1 勘探开发一体化设计

3.1.1 地质工程一体化技术

将储层"生烃演化、富集成藏及疏导式可采"量化成为七元系数进行评价，并建立分类评价标准，指导富集可采区的精细评价。从微构造形态、煤体结构、天然裂缝发育、地应力、含气饱和度五个角度，建立了多维度精细开发单元划分技术，明确其地质特点并精细划分开发单元，精细设计施工调整，规避地层突变区域，保证井眼平滑，增加控制点减小出层率，实现地质-工程一体化和高产高效管理(图3)。

3.1.2 低效井增产增储技术

针对产能低效井情况，通过增大压裂液排量、优化支撑剂改善了压裂新技术，从整体笼统改造变为优选甜点层集中射孔，选用石墨烯渗透石支撑剂，构建高渗透、高强度、微纳米连通孔。形成了以"低前置比、变排量、粒径组合铺砂、快速返排、拉链交互式"低伤害高效压裂增产技术。低效区高效增产技术基于疏导理论实现升级，通过建立低效井区适应疏导式改造的有效增产靶区，形成基于井网调整、疏导式压裂改造的井组协同降压；水平井二开全通径水平井钻完井技术配套完善了水平井优快钻完井系列技术，主要包括井身结构优化设计、可降解稳定井壁钻井液、近钻头地质导向、水平井井眼延伸、固井技术以及斜直井钻机等特色技术，重点解决稳定井壁快速钻井、长水平段获取、提高煤层钻遇率及轨迹平滑等问题，形成了二开全通径井身结构设计、漂浮下套管及配套工具、近钻头导向等工艺，奠定了疏导工程有效缝网系统建立基础，钻井周期和成本大幅降低，基本满足了煤层气低成本效益开发的需求。

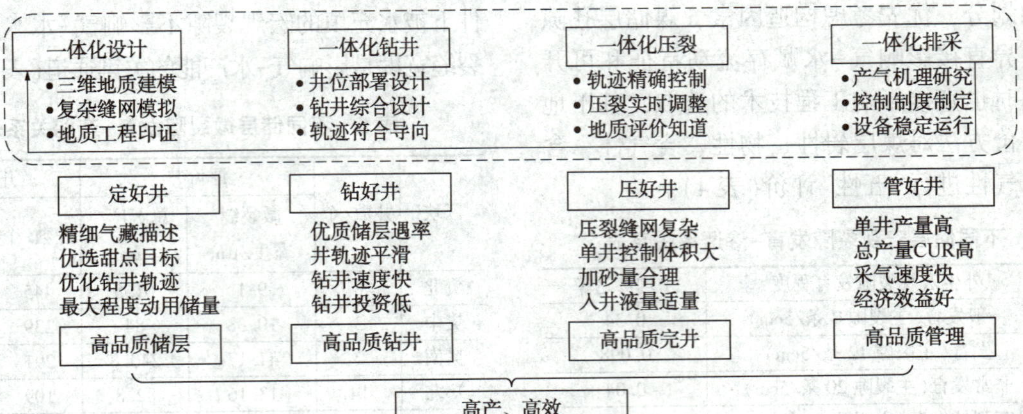

图3　勘探开发一体化设计流程图

3.1.3　高效智能化排采工艺技术

基于疏导式排采控制机理认识，提出以储层压力管控为核心，主动引导流体能量驱动疏导渗流通道，扩大解吸面积。形成了以疏通孔道、导引流体为原则的定量化排采控制技术，为煤层气高效开发提供了技术保障，新型无杆举升工艺、举升设备的智能化控制及水平井排采煤粉防治三方面攻关，形成该核心技术，无杆排采工艺的完善及攻关，保障L型可控水平井有效达到疏导式排采控制要求。形成智慧排采分析决策技术。

3.2　工程工厂化设计

煤层气为低效益开发，需要以"低投资、高效运行"为理念，通过工厂化设计减少占地、提高效率、节约投资。目前采用的单井或井丛式设计、复杂的地面建设系统均无法满足低成本、高效率开发需求。构建井组建设丛式化、地上地下一体化、系统布局集约化、运行管控智能化、场站建设撬装化、清洁生产无害化"六化"建设理念，保障煤层气事业绿色、高效、健康发展。地面投资降低20%，运行能耗降低26%，占地面积降低58%，井站智控率100%。

4　结语

煤层气"有效能量疏导"理论是针对我国煤层气开发过程中面临的复杂地质和工程问题而提出的，是在识别优选有效能量的基础上进行疏导式开发，基于该理论不仅形成了高产靶区成因机制和疏导式差异化排采控制方法，同时应用于地质-工程一体化设计和储层改造过程。深化研究"有效能量"分布特征确定煤层气富集规律，依据有效能量和附加能量关系确定可采性均具有必要性。"十四五"期间华北油田主要围绕"以水平井多段改造方式为核心的配套的开发技术"，成为目前主体开发技术。实现了单井产量的大幅度提升，新投产近百口水平井平均产量超过7000m^3，万方井的比例数达到46%，丰富了高煤阶煤层气地质理论，指导高煤阶煤层气勘探由寻找富集区向精准圈定高产区的转变，为沁水盆地高煤阶煤层气高效开发示范工程圆满完成打下了基础。

符号注释：W_p—累计水量 m^3；G_p—累计产气量 m^3；$\bar{p}$—储层平均压力 MPa；A—解吸面积 m^2；h—煤层厚度，m；ρ_B—煤岩密度 g/m^3；V_L—兰氏体积 m^3/t；P_L—兰氏压力，MPa；P_d—解吸压力，MPa；Q_w—日产水量，m^3；Q_g—日产气量，m^3/d；P_w—井底流压，MPa；ϕ_j—裂隙孔隙度；S_{w0}—含水饱和度；B_{g0}—原始地层压力；P_0下的气体体积系数；B_g—地层压力下的气体体积系数；t—生产时间，d；P_{sc}—大气压力，0.1MPa；B_w—水相体积系数；W_e—水侵水量，m^3；C_w—水相压缩系数，MPa^{-1}。

参 考 文 献

[1] 朱庆忠，杨延辉，左银卿，等．对于高煤阶煤层气资源科学开发的思考[J]．天然气工业，2020，40(1)：55-60.

[2] 朱庆忠，杨延辉，王玉婷，等．高阶煤层气高效开发工程技术优选模式及其应用[J]．天然气工业，2015，37(10)：27-34.

[3] 朱庆忠，刘立军，陈必武，等．高煤阶煤层气开发工程技术的不适应性及解决思路[J]．石油钻采工艺，2017，39(1)：92-96.

[4] 赵贤正，朱庆忠，孙粉锦，等．沁水盆地高阶煤层气勘探开发实践与思考[J]．煤炭学报，2015，40(9)：2131-2136.

[5] 朱庆忠．沁水盆地高煤阶煤层气高效开发关键技术与实践[J]．天然气工业，2022，42(6)：87-96.

[6] 朱庆忠．我国高阶煤煤层气疏导式高效开发理论基础[J]．煤田地质与勘探，2022，50(3)：82-91.

[7] 赵贤正，杨延辉，陈龙伟，等．高阶煤储层固—流耦合控产机理与产量模式[J]．石油学报，2015，36(9)：1029-1034.

[8] 朱庆忠，左银卿，杨延辉．如何破解我国煤层气开发的技术难题—以沁水盆地南部煤层气藏为例[J]．天然气工业，2015，35(2)：106-109.

[9] 徐凤银，闫霞，林振盘，等．我国煤层气高效开发关键技术研究进展与发展方向[J]．煤田地质与勘探，2022，50(3)：1-14.

[10] 韩旭．非常规气勘探开发一体化部署研究与实践[J]．中国石油和化工标准与质量，2020，40(13)：109-110.

[11] 杨延辉，王玉婷，陈龙伟，等．沁南西-马必东区块煤层气高效建产区优选技术[J]．煤炭学报，2018，43(6)：1620-1626.

[12] 石军太，李相方，徐兵祥，等．煤层气解吸扩散渗流模型研究进展[J]．中国科学，2013，43(12)：1548-1557.

[13] 朱庆忠，李志军，李宗源，等．复杂地质条件下煤层气高效开发实践与认识-以沁水盆地郑庄区块为例[J]．煤田地质与勘探，2023，51(1)：131-138.

超深断控储层预测及差异化轨迹设计

王来源　龚　伟　黄　诚　卜旭强　李弘艳

（中国石化西北油田分公司）

摘　要　超深断控储集体受走滑断裂样式及断-储-藏耦合关系复杂影响，同一条带非均质性强，不同条带平面差异性大。钻井揭示，断控储层类型主要为洞穴、裂缝为主。断控规模储层主要发育在断面附近强能量异常区，基于拉分段、平移段、挤压段等断裂地震响应差异性分析，拉分段断面特征清晰，优优选加强相干属性，断裂位置为相轴错断或强能量异常相轴杂乱位置；平移段、挤压段断面位置与洞穴储层强能量异常空间位置一致性强，优选能量相干属性，断裂位置为强能量中心位置。洞穴类储层主要表现为“串珠”状强能量异常，优选反演属性。顺北4号带至12号带断裂样式差异性强，拉分段、挤压段减少，平移段增加，储层类型洞穴类减少，裂缝性储层增加。轨迹设计考虑空间多穿储层，拉分段、挤压段水平位移多超过800m，受水平位移受限，轨迹设计井斜大、近水平，轨迹方位与断裂近垂直大角度斜交，平移段特别是8号带以东断裂带，断裂水平位移250m左右，储层类型以裂缝性为主，轨迹设计井斜小角度纵向多穿储层，平面垂直于最大主应力方向，与断裂斜交，平面斜向多穿断裂带内储层。差异化精细勘探为储量多动用提供条件。

关键词　顺北油田；走滑断裂；断控储集体；储层预测；轨迹设计

引言

塔里木盆地顺北中部断裂为走滑断裂，走向以北东向为主(图1)。储层类型主要为走滑断裂控制下的洞穴、孔洞、裂缝等断控缝洞储集体。超深断控储集体受走滑断裂样式多样，断-储-藏耦合关系复杂，造成同一条断裂带不同样式断储关系南北非均质性强，不同断裂带主要储层类型东西平面差异性大。随着勘探不断深入，亟须开展断储精细耦合关系分析，为高效勘探提供支撑。

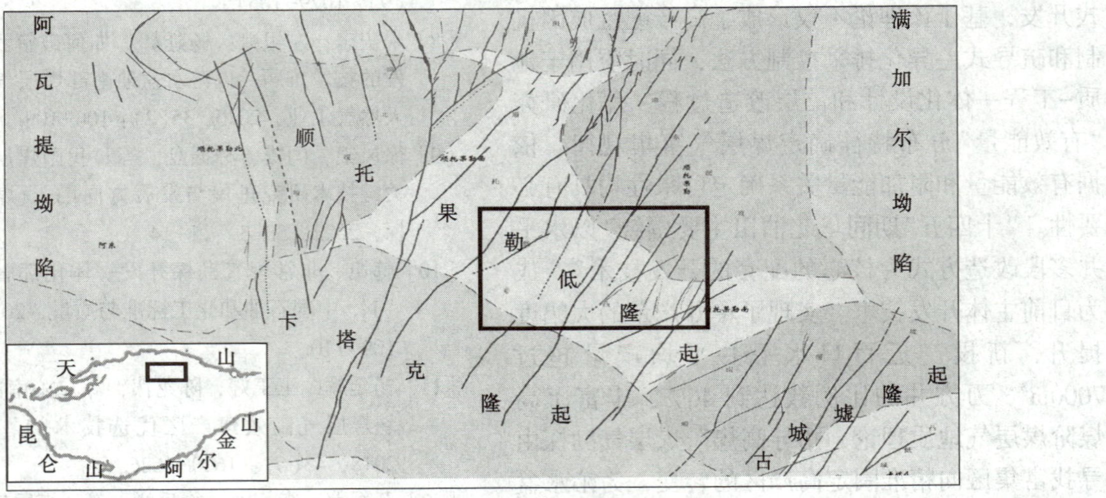

图1　研究区构造位置图

1　储层特征

1.1　断裂样式

研究区断裂以走滑为主，走向北东向，主要形成期为加里东中期Ⅰ幕、加里东中期Ⅲ幕、加里东晚-海西中期、海西晚期，其中加里东中期Ⅰ幕为西南缘西昆仑造山应力，形成初始北东向走滑断裂带，主应力方向与断裂走向近平行。加里东中期Ⅲ幕、加里东晚-海西中期、海西晚期为东南缘阿尔金造山活动时间长，其主应力方向与走滑断裂大角度相交，自西向东，挤压应力逐渐增强。不同期次造成走滑断裂带分段性强，不同段断裂样式差异性大。研究区断裂样式主要有拉分负花状、平移段、挤压发散正花状、斜向弱挤压简单正花段。

1.2　储层类型

研究区储层类型主要为断裂控制下的洞穴、孔洞、裂缝组合，即断控储集体。洞穴型储层岩心特征为破碎带洞穴(非完全充填)，录测井特征表现为放空或失返漏失，双侧向电阻率明显“箱状”降低，声波时差、中子孔隙度明显增大；FMI 成像中显示为暗色高导斑块或斑点。孔洞型储层岩性特征为多孔洞，见沿裂缝发育孔洞，录测井特征表现为钻井小漏或不漏，双侧向电阻率明显降低，声波时差、中子孔隙度有增大；裂缝型储层岩心特征为高角度裂缝发育，录测井特征表现为钻井小漏或不漏，深浅侧向电阻率呈中-高值(见尖峰状低阻)，但有一定幅度差；三孔隙度曲线与致密灰岩段略有差异(图 2)。

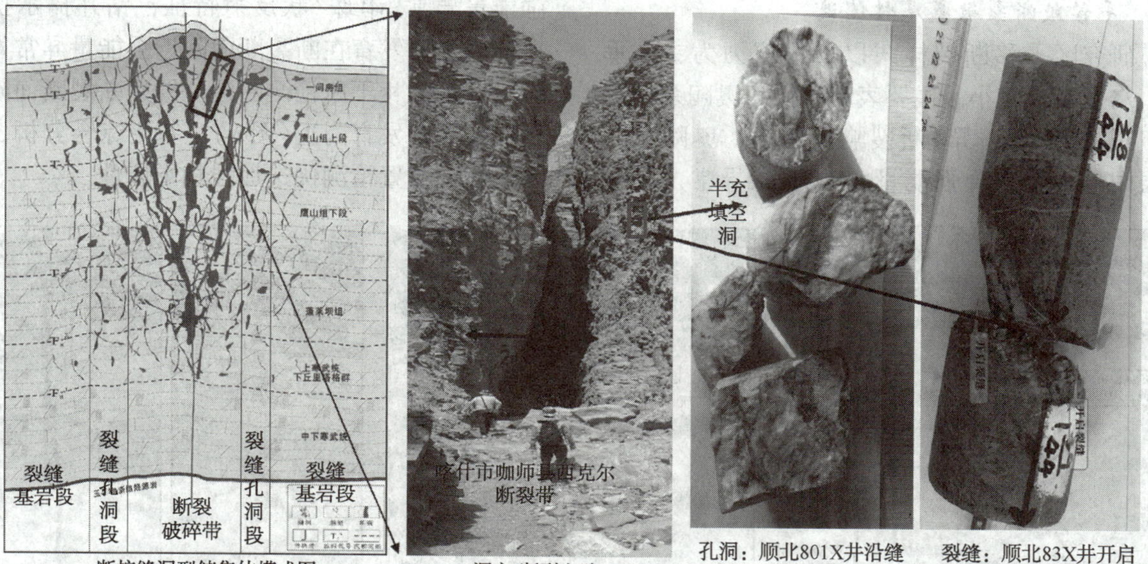

断控缝洞型储集体模式图　洞穴(断裂空腔)　孔洞：顺北801X井沿缝扩溶，方解石半填充　裂缝：顺北83X井开启的裂缝，方解石半填充

图 2　不同类型储层特征

1.3　储层标定

基于研究区已钻井标定，断控储集体主要地震反射特征表现为断裂控制下的强能量异常。其中钻井揭示洞穴类储层为“串珠”状强能量异常，裂缝型储层主要表现为“断、弯、异”特征，孔洞型储层主要表现为杂乱弱反射(图 3)。

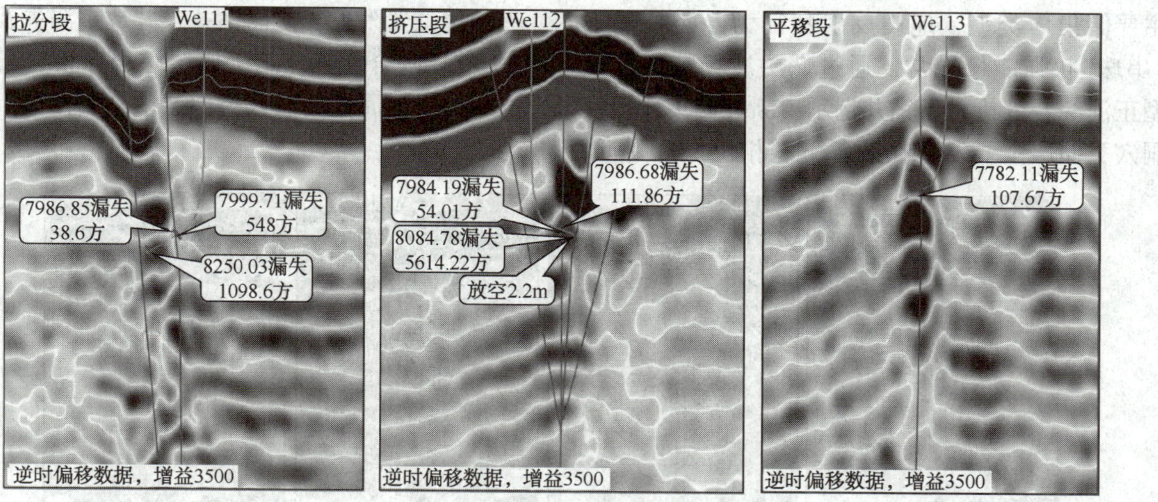

图 3　储层地震反射特征标定

2 储层精准预测

2.1 拉分段断裂敏感属性优选

研究区拉分负花状走滑断裂样式为左行左阶张扭应力背景下形成，拉分段断裂特征清晰，断面垂向空间继承一致性好，平面延伸长。钻井揭示储层主要发育在断面断点位置或断裂断面旁强能量异常位置，加强相干属性检测断面位置主要在错断位置，与断面位置一致性好(图4)，断裂位置为相轴错断或强能量异常相轴杂乱位置；

2.2 平移段断裂敏感属性优选

研究区平移断裂样式以平移应力为主，垂向、水平断距较小。主要表现特征为奥陶系一间房组顶波组“弯、异”断裂响应特征。奥陶系目的层内幕主要表现强能量“串珠”状异常，奥陶系目的层内幕强能量“串珠”状异常与奥陶系一间房组顶波组“弯、异”断裂响应特征空间位置吻合性好。钻井揭示平移段储层主要发育在断裂断面强能量异常中心位置，能量相干属性检测断面位置位于“串珠”状异常中心(图4)，基于综合分析，平移段断裂敏感属性优选能量相干。

2.3 挤压段断裂敏感属性优选

研究区挤压走滑样式为左行右阶压扭应力背景下形成，垂向断距较大，奥陶系目的层段表现为复杂正花状样式，断面较清晰，局部断面发育强能量异常“串珠”状反射特征，钻井揭示挤压段储层主要发育在断裂断面附近强能量异常发育位置，加强相干所检测断裂位置为断裂断面附近强能量异常发育附近(图4)。基于综合分析，挤压段断面位置检测优选加强相干属性。

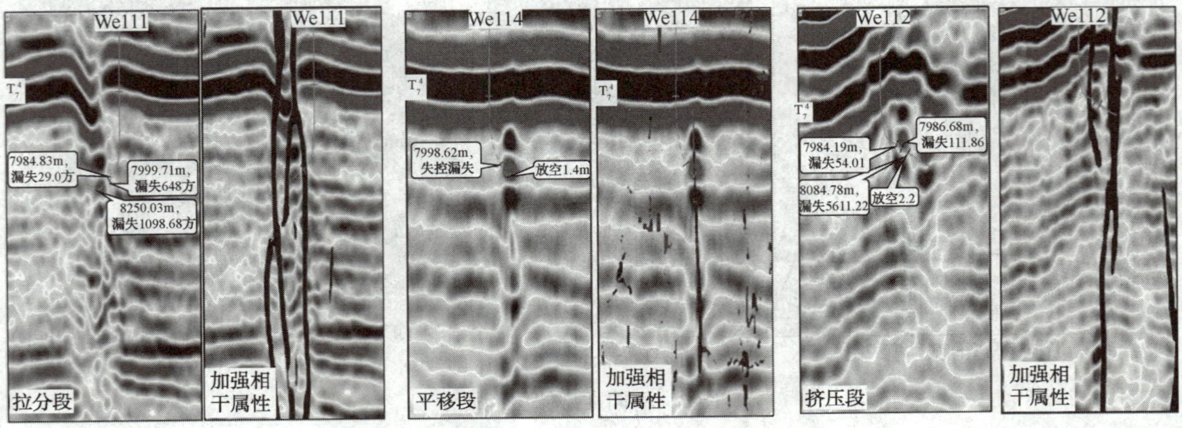

图4 不同走滑断裂样式断裂检测属性差异性优选

2.4 洞穴类储层敏感属性优选

研究区洞穴类储层为走滑断裂断断控储集体主要储集体类型，地震反射特征为断裂控制下“串珠”状强能量异常，通过储层波场特征及模型正演综合分析，已钻井揭示，断控储集体规模洞穴类储层主要发育在波谷下零相位位置附近，结合能量类属性及反演综合分析对比，相控反演预测储层最发育区位于“串珠”状异常内波谷下零相位位置附近，与已钻井录井放空漏失及测井I类储层吻合性强。基于储层综合评价分析，优选相控反演属性为洞穴类储层敏感属性(图5)。

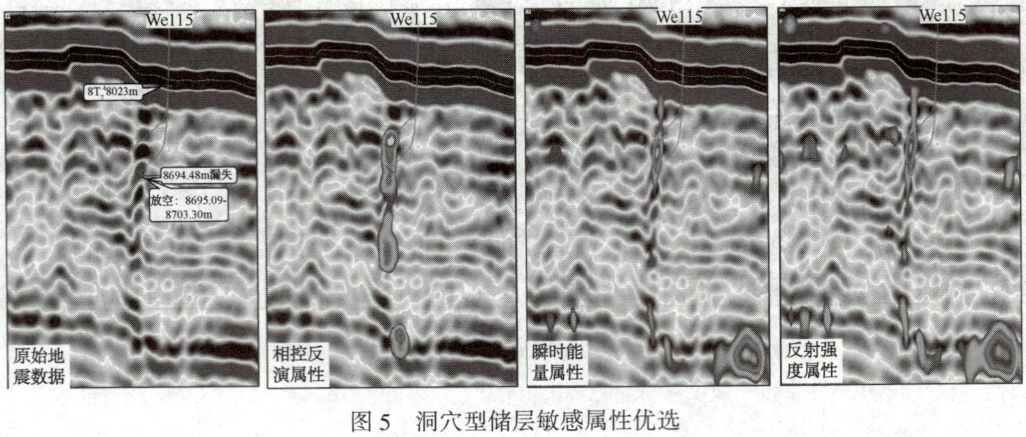

图5 洞穴型储层敏感属性优选

2.5　断储地震模式

不同断裂样式，断储地震模式差异较大，拉分断裂样式，主断面位于东侧，存在一条伴生断裂；强能量异常主要分布主断面上，整条主断面上强能量异常均有分布，主要位于鹰山组上段，主断面中部强能量异常“多层楼”结构，至蓬莱坝组底；平移断裂样式，主断面位于中部；强能量异常主要分布主断面上，整条主断面上强能量异常均有分布，但少于顺北 44 井区，主要位于鹰山组。挤压断裂样式强能量异常主要位于主断面附近，主断面中部强能量异常“多层楼”结构，至蓬莱坝组底(图 6)。

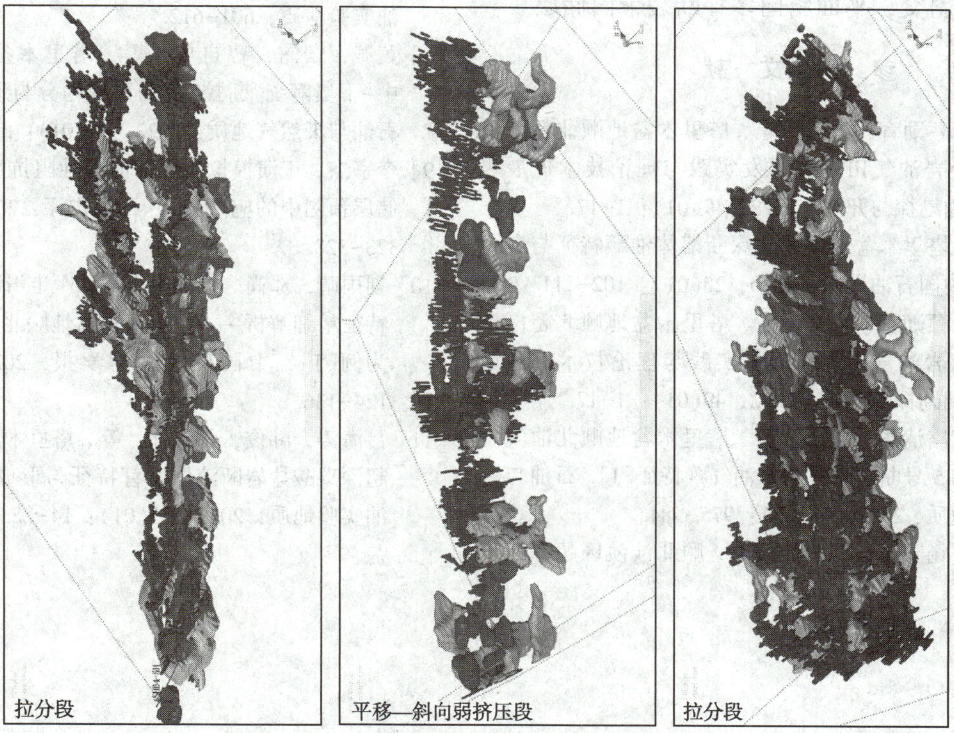

图 6　不同断裂样式断储地震特征

3　地质工程一体化轨迹设计

顺北 4 号带至 12 号带断裂样式差异性强，拉分段、挤压段减少，平移段增加，储层类型洞穴类减少，裂缝性储层增加。轨迹设计考虑空间多穿储层，拉分段、挤压段水平位移多超过 800m，受水平位移受限，轨迹设计井斜大近水平井，方位与断裂近垂直大角度斜角，平移段特别是 8 号带以东断裂带，断裂水平位移 250m 左右，储层类型以裂缝性为主，轨迹设计井斜小角度纵向多穿储层，平面垂直于最大主应力方向，与断裂斜交，平面斜向多穿断裂带内储层(图 7)。

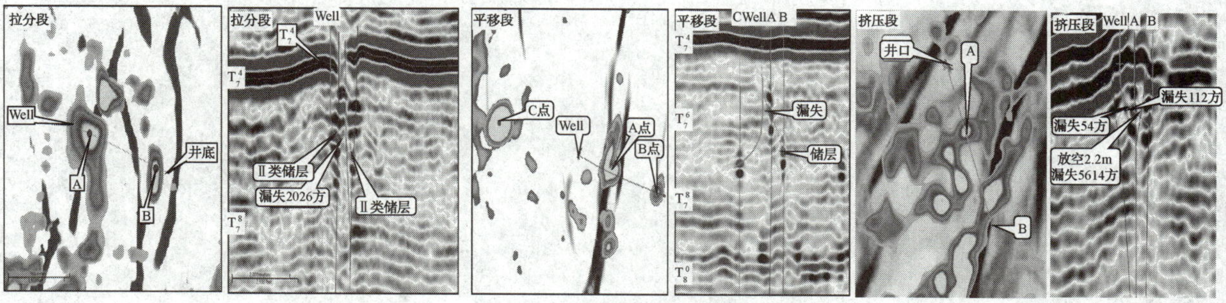

图 7　不同断裂样式差异化轨迹设计

5　总结

(1) 拉分段断面特征清晰，优优选加强相干属性，断裂位置为相轴错断或强能量异常相轴杂乱位置；平移段、挤压段断面位置与洞穴储层强能量异常空间位置一致性强，优选能量相干属性，断裂位置为强能量中心位置。洞穴类储层主要表现为“串珠”状强能量异常，优选反演属性。

(2) 拉分段、挤压段水平位移轨迹设计井斜角大近水平井，方位与断裂近垂直大角度斜角，平移段特别是8号带以东断裂带，轨迹设计井斜小角度纵向多穿储层，平面垂直于最大主应力方向，与断裂斜交，平面斜向多穿断裂带内储层。

参 考 文 献

[1] 马永生，蔡勋育，云露，等．塔里木盆地顺北超深层碳酸盐岩油气田勘探开发实践与理论技术进展[J]．石油勘探与开发，2022，49(01)：1-17.

[2] 漆立新．塔里木盆地顺北超深断溶体油藏特征与启示[J]．中国石油勘探，2020，25(01)：102-111.

[3] 马永生，蔡勋育，云露，等．塔里木盆地顺北超深层碳酸盐岩油气田勘探开发实践与理论技术进展[J]．石油勘探与开发，2022，49(01)：1-17.

[4] 曹自成，路清华，顾忆，等．塔里木盆地顺北油气田1号和5号断裂带奥陶系油气藏特征[J]．石油与天然气地质，2020，41(05)：975-984.

[5] 李宗杰，杨子川，李海英，等．顺北沙漠区超深断控缝洞型油气藏三维地震勘探关键技术[J]，石油物探，2020，59(2)：283-294.

[6] 韩俊，曹自成，邱华标，等．塔中北斜坡奥陶系走滑断裂带与岩溶储集体发育模式[J]，新疆石油地质，2016，37(2)：145-151.

[7] 黄诚．叠合盆地内部小尺度走滑断裂幕式活动特征及期次判别：以塔里木盆地顺北地区为例[J]，石油实验地质，601-612.

[8] 黄诚，云露，曹自成，等．塔里木盆地顺北地区中-下奥陶统“断控”缝洞系统划分与形成机制[J]．石油与天然气地质，2022，43(01)：54-68.

[9] 李宗杰．正演模拟验证叠前弹性阻抗反演在碳酸盐储层预测中的应用[J]，石油物探，2013，52(03)：323-328.

[10] 刘雨晴，邓尚．板内中小滑移距走滑断裂发育演化特征精细解析——以塔里木盆地顺北4号走滑断裂为例[J]．中国矿业大学学报，2022，51(01)：124-136.

[11] 吕海涛，韩俊，张继标，等．塔里木盆地顺北地区超深碳酸盐岩断溶体发育特征与形成机制[J]．石油实验地质，2021，43(01)：14-22.

华北油田超深井地面控制智能分层注水技术研究

李雪英　罗洪林　司启凡　张　旭　韩新德

（中国石油华北油田公司）

摘　要　华北油田油藏以低渗透砂岩储层为主要特点，新区块巴彦油田油藏埋藏深、矿化度高及受井斜等多种因素影响，普通投捞测试分层注水技术成功率低。针对上述情况和开发生产需求，攻关了地面控制智能分层注水技术，将分注调配操作由井下转移到地面。与普通的投捞配水嘴工艺相比，井下无运动机械，工艺简单，在地面即可实现数据的智能采集、在线调配注水量，有效解决了超深井分注测调困难，井筒易结垢的问题，同时提高了技术配套水平，助力油藏动态开发。

关键词　超深井；分层注水；地面控制；在线调配

引言

油田分布范围广、油藏差异大，部分油田注水井储层埋藏深、注入压力高、井况条件差，用普通分层注水工艺投捞测试成功率低，不能完全满足细分层注水开发的需求。

目前分层注水存在的主要问题及技术短板：

（1）油田经过多年注水，井筒腐蚀结垢严重，套变井多，测试遇阻频率高。小修作业量大，修井成功率低。

（2）集约建井模式下，油水井井身结构复杂。井下分注工艺对大斜度井适应性差，导致井下投捞测试困难。

（3）以桥式同心、桥式偏心配套电缆高效测试的分注井，测试工作量大、效率低、测试时间短、精度低。

华北油田以低渗透砂岩油藏为主要特点，部分注水井井深程度大、井温高。巴彦油田油藏埋深超 6500m，井温达到 160℃，大斜度井（30°）多，地层水矿化度高［12～19 万 mg/L］，储层中具有等偏强水敏、强速敏和极强盐敏等特点，故对分注工艺提出了更高要求。结合以上特点，攻关了适应于超深井的地面控制智能分层注水技术，在可钻桥塞分注工艺的基础上，研发了可取式封隔器分注工艺，避免了管柱取出时大量钻塞磨削过程，且工具具备耐高温、高压、耐老化的特点，更加适用于超深井的智能分注技术。同时配合地面智能控制装置，实现了对注入量的数据在线采集、在线调配、验封。

1　工艺原理

地面控制智能分层注水技术由地面智能控制装置及井下注水同心多管（双管）注水工艺管柱组成。地面控制装置（智能配水器）的不同开关分别控制不同层段的注入量，同时通过流量表测得每层注入量，通过压力表与闸板阀相配合检验井下封隔器的密封情况。通过地面传感器和控制仪实现对注水参数的实时监测与调整。在由不同级别尺寸油管组成的分注井筒中，同一个压力源下，各小层自成一个相对独立的注水系统，流量恒定，井口可调（图 1）。

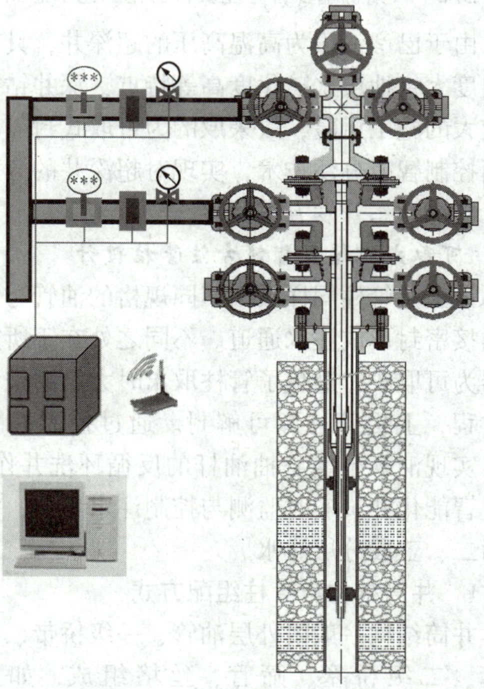

图 1　地面控制多管（双管）智能分层注水工艺

2　分注工艺管柱设计

2.1　工艺类型

地面控制智能分注工艺管柱可分为两种：一是采用可钻桥塞（封隔器）封隔油层，用不同规格的油管连接插管与桥塞插接密封形成独立注水通道。起出时，通过套铣或磨铣方法将封隔器取出（图2）；二是采用可取式封隔器封隔油层，用不同规格油管连接插管与隔器插接密封形成独立注水通道。起出时只需直接上提管柱，封隔器即可解封。

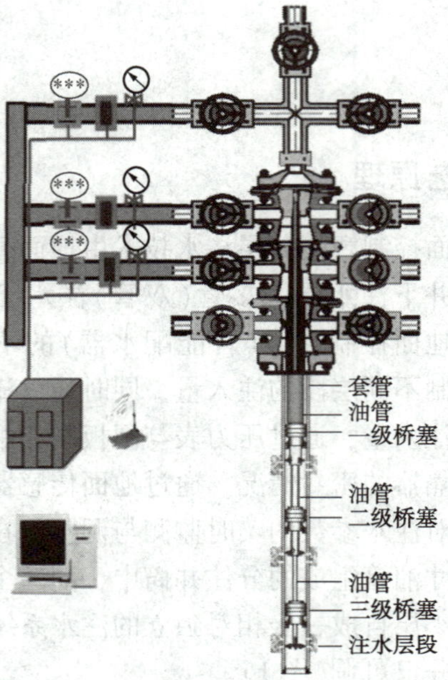

图2　可钻桥塞多管分注及智能化工艺示意图

由于巴彦油田为高温高压的超深井，具有井身斜度大，地层水矿化度高等特点，深井钻塞存在较大的施工风险，故采取的为可取式封隔器的地面控制智能分注技术，实现对超深井的分层注水，支撑动态开发方案调整。

2.2　可取式封隔器智能分注管柱设计

该工艺管柱同样采用不同规格的油管与封隔器插接密封形成注水通道。不同之处在于所用封隔器为可取式，避免了管柱取出时大量磨铣钻削的过程，上提管柱即可解封。通过控制井口闸门，实现油管至空心抽油杆的反循环洗井作业。通过智能化井口实时监测与控制注水参数，实现地面二、三段分层注水。

2.2.1　井筒结构与管柱组配方式

井筒结构一般由外层油管、一级桥带、内层油管、二级桥塞、筛管、丝堵组成，如图3所示。

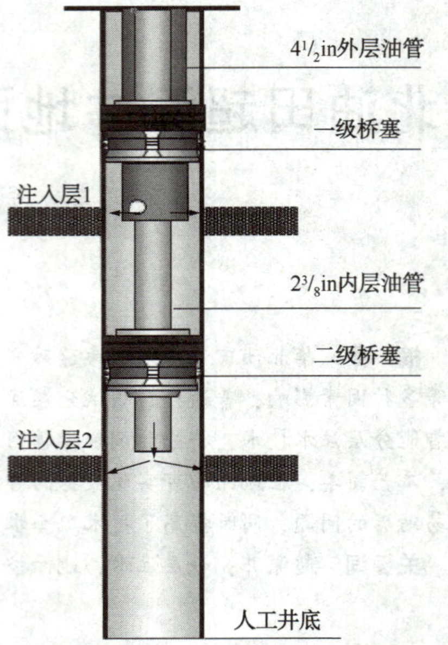

图3　地面双管分注井筒结构

自下而上为：筛管 + 底部开关 + 油管 + 密封接头 +可取式封隔器 + 特制滑套开关 +可取式封隔器+ 水力锚 + 油管至井口。相应的所需用的井下配套工具包括：

（1）安全接头：3½inUPTBG或梯型扣。

（2）桥塞或封隔器，满足耐压35MPa、耐温150℃、封隔器外径145mm、内径76mm。

（3）封隔器连接方式：4½in UPTBG（3½in UPTBG）。

（4）封隔器带上平衡机构、不能反洗井。

（5）锚定器：外径145mm、内径76mm。

（6）锚定器为机械锚定。

（7）锚定器连接方式：4½in UPTBG（3½in UPTBG）。

2.2.2　可取式封隔器优化设计

以具有自主知识产权的高温大斜度分注工具系列为基础，研发了可取式封隔器。为适应超深井高温、高压和大斜度的特点，从封隔器材料、结构入手，通过优化设计，提升工具性能。

1. 密封件耐高温筛选

对常用的ACM、HNBR和NBR橡胶密封圈放置于试验工装内，模拟井下高温高压环境连续测试3个月，试验结果显示：氟橡胶密封圈具有良好的物理机械性能及耐高温性能，压缩永久形变率小于5%（表1），故将其作为封隔器密封元件，确保工具在高温高压环境下密封可靠性。

表 1 不同材质橡胶密封圈高温高压试验

序号	密封件材质	规格型号/mm	试验温度/℃	试验压力/MPa	测试时间/d	压缩形变率/%
1	氢化丁腈	90×5.35	150	80	90	7.51
2	氢化丁腈	76×5.35	150	80	90	6.35
3	氢化丁腈	50×3.53	150	80	90	5.26
4	氟橡胶	90×5.35	150	80	90	4.95
5	氟橡胶	76×5.35	150	80	90	3.83
6	氟橡胶	50×3.53	150	80	90	3.76
7	丁腈橡胶	90×5.35	150	80	90	8.18
8	丁腈橡胶	76×5.35	150	80	90	7.39
9	丁腈橡胶	50×3.53	150	80	90	6.94

2. 油管锚定器和自锁式大斜度球座设计

1）防卡油管锚定器

针对超深井分注管柱缺少有效的锚定，停注、压力波动或验封测调时容易造成管柱上下蠕动，使得封隔器过早失效的问题，研发了防卡油管锚定器(图 4)。

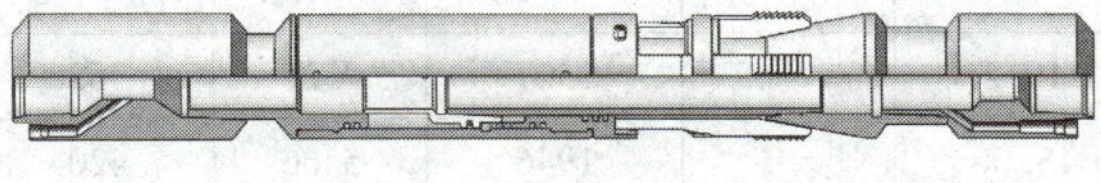

图 4 油管锚定设计

(1) 锁块保护机构：解决了锚定管柱下入时卡瓦易撑开导致中途遇阻的问题。

(2) 卡簧锁紧机构：在解封时实现了卡瓦的锁紧，可上下活动管柱，提高了锚定管柱解封安全性能(图 5)。

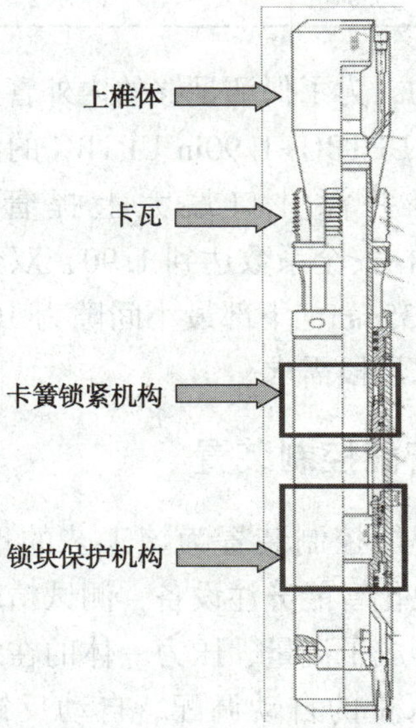

图 5 油管锚定设计图

2）自锁式大斜度井球座设计

为解决常规球座在大斜度井应用中密封不严的问题，设计了自锁式大斜度井球座。其采用大倾角设计，保证管柱在大斜度(≤60°)情况下正常密封(图 6)。

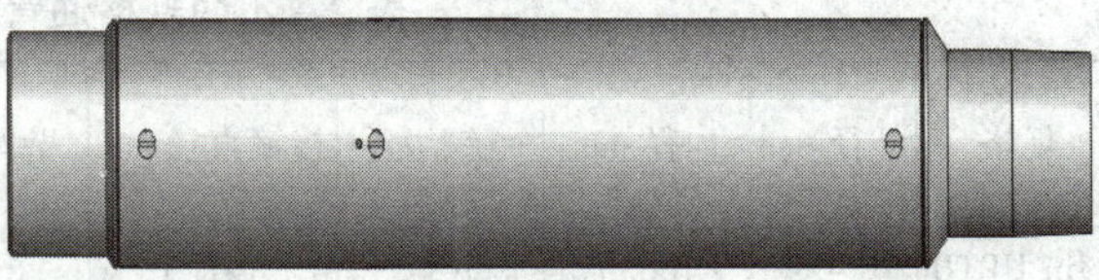

图 6 大斜度球座设计图

3）可取式封隔器结构及坐封解封过程

封隔器下井过程中，下轨道螺钉挂在下卡瓦座的 J 形钩上，中心管的 4 个平衡通道畅通，可避免中途坐封。封隔器下入井内预定位置后，上提管柱，右旋并下放管柱，下轨道螺钉从下卡瓦座的 J 形钩中滑出。通过摩擦力的作用，中心管与下卡瓦发生相对位移，下锥体将下卡瓦撑开咬在套管内壁上。中心管继续向下位移，上卡瓦接触上锥体后被撑开咬在套管内壁上，同时轨道销钉进入上 J 形钩，压帽压在上卡瓦座上，中心管上的密封面与密封总成接触并密封。继续下放管柱，压缩胶筒，完成坐封。直接上提解封(图 7)。

2.2.3 可取式封隔器分注管柱特点

(1) 插管密封，减小管柱蠕动对桥塞的伤害，同时降低了起管柱负荷。

(2) 管柱下入深度不受封隔器磨铣、套铣深度限制，更适用于深井、超深井的地面控制多管智能分注技术井。

(3) 封隔器承压能力高，耐压 60MPa，耐压差 35MPa。

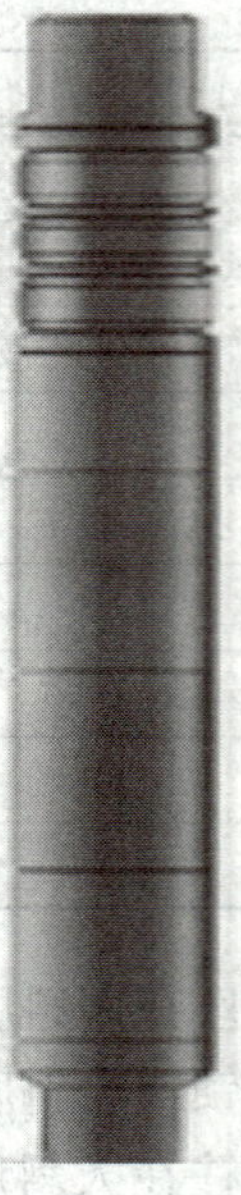

图 7　可取式封隔器

（4）封隔器解封工艺简单，上提即可解封。

适用于深井、超深井（≥5000m），井斜≥30°，井筒条件良好，5½in 套管无变形、无损坏，无管外窜的井况。

3　油管强度计算

3.1　油管强度计算

油管作为地面控制智能分注的注入通道，对分注技术起到了关键作用。通过采用不用直径尺寸的油管组合成形成多级注入通道。但受地层压力和注入通道尺寸限制，目前油田所采用的注入油管必须经过精确计算组合才能保障在不同深度的井中顺利完成下入。

不同规格油管内径、单位重量及抗拉强度见表 2。

表 2　不同规格油管内径、单位质量及抗拉强度

规格	外径 mm	内径 mm	钢级	接箍直径 mm	壁厚 mm	单位重量（空气）kg/m		抗拉强度 kN	水中允许下入深度（m）	
									$n=1.0$	$n=1.3$
4½in UPTBG	114.3	100.5	N80	141.3	6.88	19.2		1307	7327	5636
4½in TBG	114.3	100.5	N80	132.1	6.88	18.66		1946	5466	4204
3½in UPTBG	88.9	75.9	N80	114.3	6.45	13.8		940	7473	5748
3½in TBG	88.9	75.9	N80	108	6.45	13.48		721	5895	4536
2⅞in TBG	73.0	62.0	N80	88.9	5.51	9.41		479	5811	4470
2⅜in UPTBG	60.3	50.3	N80	77.8	4.83	6.83		473	8184	6303
2⅜in TBG	60.3	50.3	N80	73	4.83	6.71		376	5825	4484
1.90in UPTBG	48.3	40.9	N80	63.5	3.68	4.20	3.20	290	9247	7113
1.90in TBG	48.3	40.9	N80	55.9	3.68	4.09	3.09	173	5712	4394

从管柱强度校核、注入通道优化和内部油管通过性三个方面进行分析，优化油管组合方式，提高管柱安全性能。

根据现场施工参数和经验，确定管柱的安全系数按以 1.3 三倍计算。由表 2 参数可知，4½ in UPTBG 油管最大下入深度为 4977m，2⅜ in UPTBG 油管最大下入深度为 6303m。同时，还考虑到封隔器解封载荷为 120kN 和管柱摩阻为 50kN，如果对于井深 5000m 左右的井来说，外管全部选用 4½in UPTBG 油管，管柱解封安全性会较低。因此，对于超 5000m 的超深井，内管选用 4½in UPTBG+3½in UPTBG 的组合方式，如果井深按 5500m 计算的话，井口管柱最大上提载荷为 961kN，管柱解封安全系数可达 1.36，管柱解封安全性符合要求。

相应的，为了保证足够的内外管间隙，内管采用 2⅜in UPTBG+1.90in UPTBG 的油管组合方式，5500m 井深井口最大上提管柱载荷为 249kN，管柱安全系数达到 1.90，双管上部最小间隙为 11.35mm，下部最小间隙为 10mm，可满足上层注水层段需求。

4　地面智能控制装置

地面智能控制装置为该工艺的地面技术部分，为模块化智能分注设备，测试精度高、运行成本低。集成了流量、压力一体的在线采集，实现对井下水量的自动调配、自动反馈、自动调整。嘴前、嘴后压力、流量的实时监测与流量自动控制（图 8）。

该装置由电磁流量计、压力计、电动水量调

节器、智能调配系统和通讯组件等几部分组成。优选的为具有温度、压力和注入量等多种传感器和电动控制阀的地面智能配水装置，实现层段注入参数实时监测和流量调控。与注入井口连接，可根据设定配注量自动调节层段注入量。

图 8　地面控制装置

安装时需在采油树小四通下面加装一件特制的双法兰连接件，在独立通道的入口各配装自力式流量调节阀(流量计)，可分别控制各自的注水量，如图 9 所示。

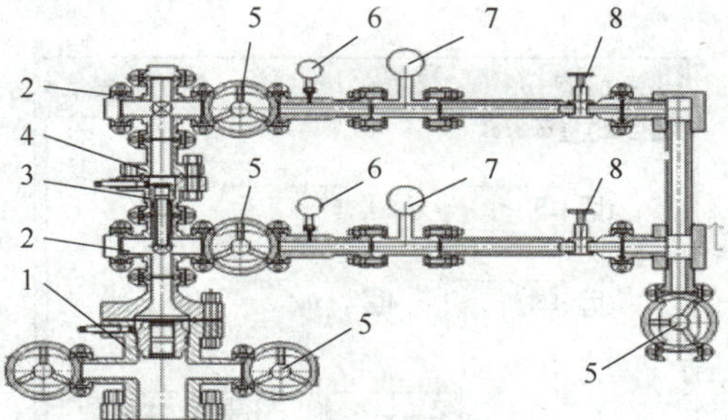

图 9　地面配水器安装示意图

1—大四通；2—小四通；3—小油管挂；4—小油管挂上法兰；5—闸板阀；6—压力表；7—流量计；8—流量阀

表 3　地面智能配水器生产参数

参数	流量/m^3/天	压力/MPa	管道直径/mm	连接方式
值	7~150	35	50	法兰

特点：

(1) 在地面即可实现对井下水量的自动调控；在线监测嘴前、嘴后、层段的注入压力，进行小层压降测试和井口调剖作业。在线采集瞬时流量和累计流量；

(2) 调控方式具备两种方式：一是设定水量系统的自动调整，二是设定水嘴开度的人工调整水量；

(3) 流量计与控制仪法兰连接，方便后期仪器的周期标定，在地面操作即可实现检测装置的维护更换。

图 10　地面监测调配装置实物安装图

5　物联网数据智能监测传输系统

5.1　系统平台

该智能系统平台搭建基于物联网技术，初步完成了远程监控平台 1.0 版本的开发，实现了测试数据实时监测、流量自动调整、嘴后压力吸水指示曲线生成、封隔器失效预判、自动报警和全数据的存储导出功能。

油田数据传输网络分为办公网络和生产网络两部分(图 10、图 11)。井口地面控制装置是生产网络操作的执行终端，办公网络数据分析系统设置于油田数据中心，其数据为生产网络镜像数据，具备曲线展示、数据统计分析功能，为油藏地质分析及生产管理提供数据支持(图 12)。

5.2　油藏动态开发调整

(1) 智能监测传输系统通过与物联网结合，实现了对分注水井的在线自动验封与数据测调。可提前预判封隔器失效，避免油层水淹(图 13)。

(2) 根据实时监测的生产数据，可以深度挖掘数据潜力，反向分析、评价、优化油藏开发方案。

(3) 通过动态分析实时监测的生产数据及对应油井生产曲线，帮助地质人员分析分注井见效情况，在线测试层段注水指示曲线和动态调整层段配注量(图 14)。

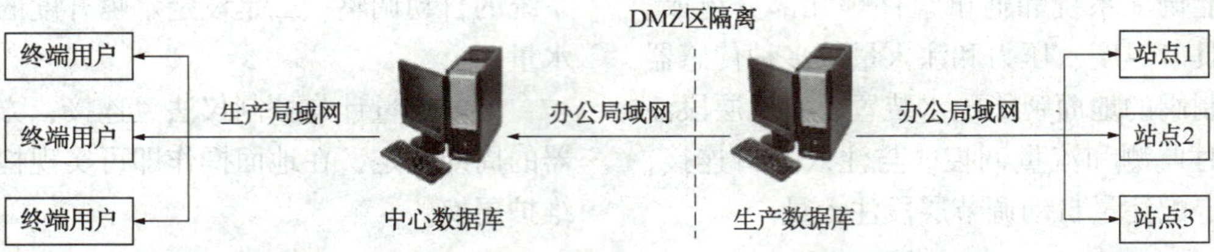

图 11　数据分析及控制系统

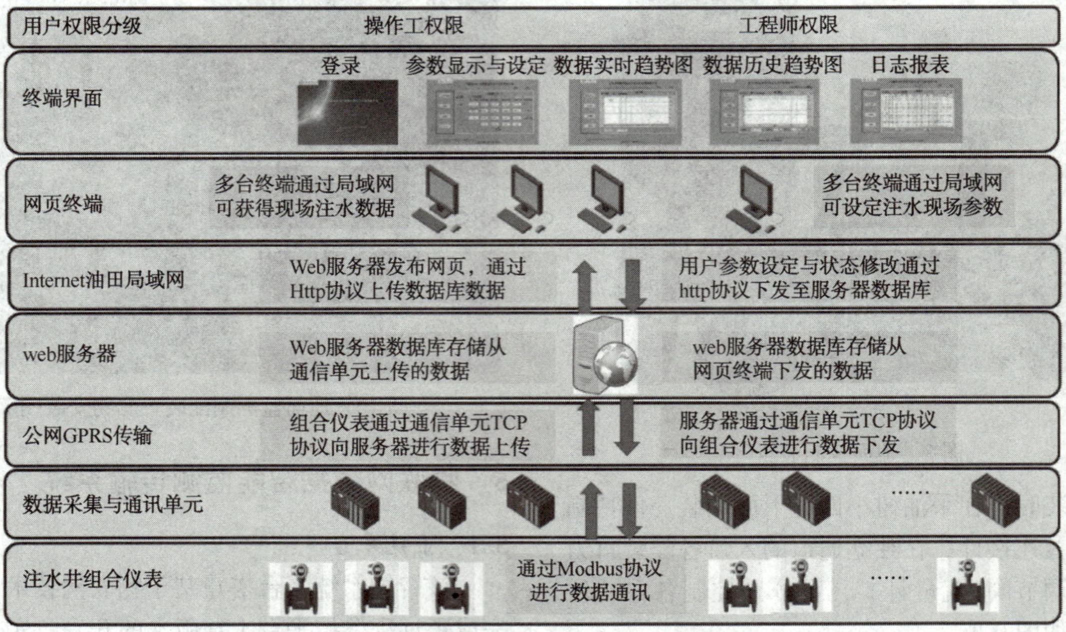

图 12　物联网远程监控架构

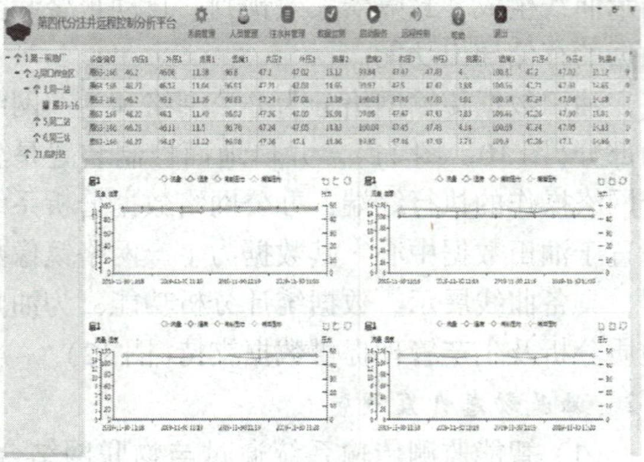

图 13　实时监控管理界面

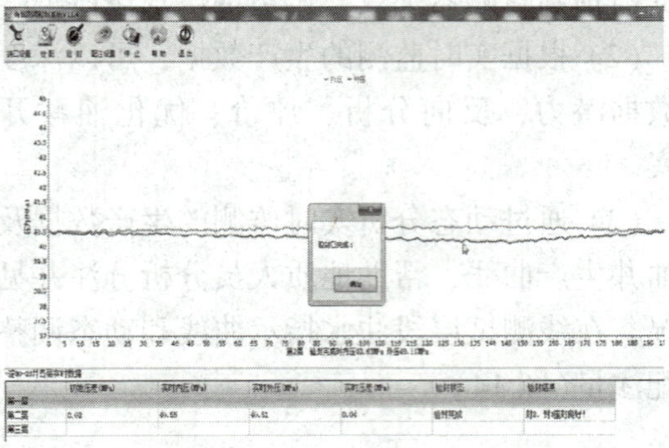

图 14　分注井在线验封界面

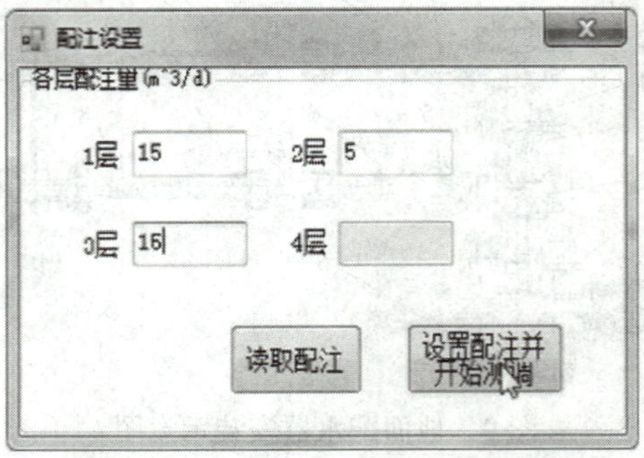

图 15　在线调整配注量

6　现场应用方案

华北油田在巴彦油田兴华区 1 块选井兴华××井进行现场试验应用，前期进行了大量技术调研和方案设计。根据兴华 1 区块开发方案的部署，直井井组采用笼统注水开发，水平井井组先期采用两级两端分层注水开发，后期实施三级三段分注。

兴华××井井深 5045m，实施两级两段分注方案，采用的为可取封隔器工艺管柱。通过初步核算，设计方案如下：该井外层油管采用 4½

in+3½in 的油管组合方式来降低管柱自重，提高油管安全系数。相应的，内管采用2⅜in+1.90in组合油管，可以确保双管环空间隙足够大，满足大排量注水需求。连接扣型均选用UPTBG。

（1）油管组合设计：外管4½in EU+3½in EU，内管2⅜in EU+1.90″NU油管（N80），管柱最小安全系数可达到1.52，考虑井斜等因素影响，推荐选用P110钢级油管

（2）注入通道校核：双管最小间隙>10mm（等效管径62mm），内管最小通径40.9mm，最大经济注水量分别为360m^3/d/160m^3/d。完全满足分层注水需求。

封隔器坐封及各级油管密封插配均一次性成功，地面安装流量在线监测装置，各层管柱验封合格。试注水一周后返回井下注入数据情况，测试验封均在地面操作，注水状态平稳，层段水量测试至合格仅需0.5天，测试效率得到大幅度提高。

7　地面控制智能分注工艺整体特征

1. 超深井耐高压性能强，抗层间压差大

超深井地面智能分注工艺承压性能强，主要体现在可取式封隔器自身承受上、下压差大，防止管柱蠕动能力强。其中的单项卡瓦锚定机构设计可以有效防止封隔器失效解封。高压注水过程中即便突然停注，管柱仍然处于良好的密封状态。

2. 管柱密封性能强，延长井下服役周期

各层油管下入时靠限位接头限位，到位后再上提一定高度，防止注水时油管伸缩对封隔器造成冲击。密封插管与封隔器采用一级泵间隙配合（0.025~0.088mm）及橡胶密封复合方式，以减少高压注水状态下的压力频繁波动造成的冲击，保障封隔器的密封性能和使用寿命，延长注水工艺管柱使用寿命。

3. 利用物联网技术实现地面智能分注调配

该分注工艺管柱的验封、调配、测试工作改变了传统的井下测试方式，均改在地面完成，简化了工艺，提升了质量与效率。同时，注水井井口配套电磁流量计与电动水量调节器，与物联网技术相结合后可通过地面控制器实现压力、流量实时监测与控制，实测各层累计注水量，及时发现欠注或超注层段，保障了油藏注水方案调整的准确率和注水方案的有效落实。

4. 节省分注井维护成本

地面智能控制分注技术的测试由井下转移到地面，不存在测试不成功的问题，延长了检管周期和注水井生命周期，保证了注水井网的完整性，年减少小修工作量同时避免了大修井次。

参考文献

[1] 夏健，杨春林，谭福俊，等. 华北油田分层注水技术现状与展望[J]. 石油钻采工艺，2015，(2)：74-78.

[2] 异型管地面智能分注工艺技术的研究与应用[J]. 中国石油吉林油田公司油气工程研究院，138000.

[3] 夏健，王忠秀，杨春林，等. 底部支撑锚定分注管柱的研究与应用[J]. 石油钻采工艺，2015，(5)：89-91.

[4] 智能化多管分层注水技术研究与应用[J]. 东北石油大学石油工程学院. 石油机械 2021.49(6)：82-87.

[5] 宋显民，张立民，张宇辉，等. 分层定量注水分层测压一体技术[J]. 石油钻采工艺，2016，38(4)：526-530.

[6] 杨玲智，巨亚锋，申晓莉，等. 数字式分层注水流动特性研究与分析[J]. 石油机械，2014，42(10)：52-55.

[7] 杨满平，赵晓晶，邓爱居，等. 多层砂岩油藏分注效果评价方法及应用[J]. 内蒙古石油化工，2015，(20)：106-109.

冀中地区潜山地热资源评价与开发利用实践

周秋成　李健敏　李志军　王秀伟　姚　欢　王子源　王美思　刘文博　郝紫嫣

（中国石油华北油田公司）

摘　要　冀中地区潜山地热资源丰富，蓟县系雾迷山组品质极佳，具有温度高、水量大、易回灌的特点。华北油田对其油气矿权区内的35个地热田进行精细评价，储层厚度50~431m，热储温度50~130℃，根据热储条件，结合供暖市场需求、钻井井场条件和热能输送距离等对各地热田进行分类排序。经过持续攻关和现场应用，形成了具有华北油田特色的地热资源高效开发技术体系，下设16项配套技术，并创新形成潜山重力流高效开发理论认识。南孟潜山单井采水量达到3000m³/d，单井回灌量达到5500m³/d，形成2采1灌，为地热资源实现规模化效益开发打下坚实基础。华北油田瞄准北京、冀中（雄安新区）等区域，充分发挥资源、技术、区位三大优势，已建成地热供暖面积1481万m^2，签订地热供暖协议3900万m^2，计划至2025年建成地热供暖面积5000万m^2以上，奋力打造冀中地区地热供暖大基地。

关键词　地热开发；碳酸盐岩；资源评价；基岩热储

引言

2020年习近平总书记提出“碳达峰、碳中和”目标以来，国家先后印发了《关于促进地热能开发利用的若干意见》《关于因地制宜做好可再生能源供暖工作的通知》《“十四五”可再生能源发展规划》等重要文件和规划，把清洁低碳作为能源发展的主导方向，以2025年和2035年为节点，逐步实现碳排放达峰后稳中有降，生态环境根本好转的目标。

地热作为一种清洁的新能源，具有分布连续且稳定的特点，其开发利用越来越受到各级政府和企业的青睐。开发利用地热能，可以缓解由于燃煤供暖造成的雾霾等环境问题，可为煤炭等传统资源相对贫乏的地区提供电力来源，带动当地经济发展；同时，大量开发我国优质地热资源，可缩短我国地热资源的开发利用与世界其他国家的差距。

北京、雄安新区及周边地区清洁用能需求逐年攀升。北京燃气保供压力大，北京市城镇供暖面积9亿m^2。集中供暖面积6.6亿m^2（燃气锅炉5.4亿m^2，燃气热电厂1.2亿m^2），消耗天然气约60亿m^3/a。随着部分新城开始建设，天然气保供压力会逐年增大。雄安新区立足清洁发展定位，供暖需求量大。新区秉持绿色的、智慧智能的建设理念，坚持绿色化、低碳化发展，高标准高质量建设绿色智慧新城。经过摸排，围绕“一主五辅多节点”的空间布局，目前已规划用热面积近1.7亿m^2，预计总需求供热面积超过2亿m^2。冀中周边县市多为燃煤燃气供暖，政府减排压力大。大部分县市都采用热电联产（燃煤或燃气）的方式来提供冬季供暖，在双碳目标下，国家对环境保护的标准和要求越来越高，地方政府急需清洁环保的能源来缓解减排压力。

华北油田大多数油藏已进入开发后期，特别是中深层的潜山油田，综合含水达到了90%以上，这部分油井产出液量大、温度高，采出液中的高温余热可以直接利用，此类老井约有7000口。进行油田余热开发利用，实现油田向热田转型，既可以实现国有资产的挖潜增值，也可以同时为油田生产、社会用热服务，实现节能减排和保护环境，助力双碳目标实现。

1　冀中地区地热资源情况

冀中坳陷基岩为太古界地层，上覆有华北地台型的沉积地层，从地层岩性和可利用的水温、水质、水量情况来看，纵向上可划分为四套热储层：上第三系明化镇组、馆陶组高孔隙型砂岩热储层；下第三系东营组、沙河街组的中孔隙型砂岩热储层；下古生界奥陶系和寒武系府君山组裂缝型石灰岩、白云岩热储层；中、上元古界蓟县系雾迷山组和长城系高于庄组裂缝—溶洞型白云岩热储层。

馆陶组热储层分布范围较广，埋藏浅，水量大，但单井回灌能力低，正处于攻关阶段，而雾迷山组水量大、温度高、易回灌，是地热利用的主要热储层，目前华北油田以开发雾迷山组热储层为主。

华北油田在京冀地区拥有大量的二三维地震资料和井数据，依据最新地热资源评价行业标准（DZ/T 0331—2020 地热资源估算方法及估算规程），对冀中地区潜山主力热储进行综合评价，建立地热资源评价标准：

（1）一类区：主力热储为雾迷山组、高于庄组地层，埋深 3000～4000m，地层温度 > 100℃；埋深 2000～3000m，地层温度 70～100℃；

（2）二类区：主力热储为雾迷山组、高于庄组地层，埋深 3000～4000m，地层温度 70～100℃；埋深 1500～3000m，地层温度 50～70℃；还包括奥陶、寒武系地层热储。

经统计，35 个潜山构造带可采地热资源量为 652 亿 GJ，折算标准煤 22 亿吨，可支撑供暖面积约 30 亿 m^2（图 1、表 1）。

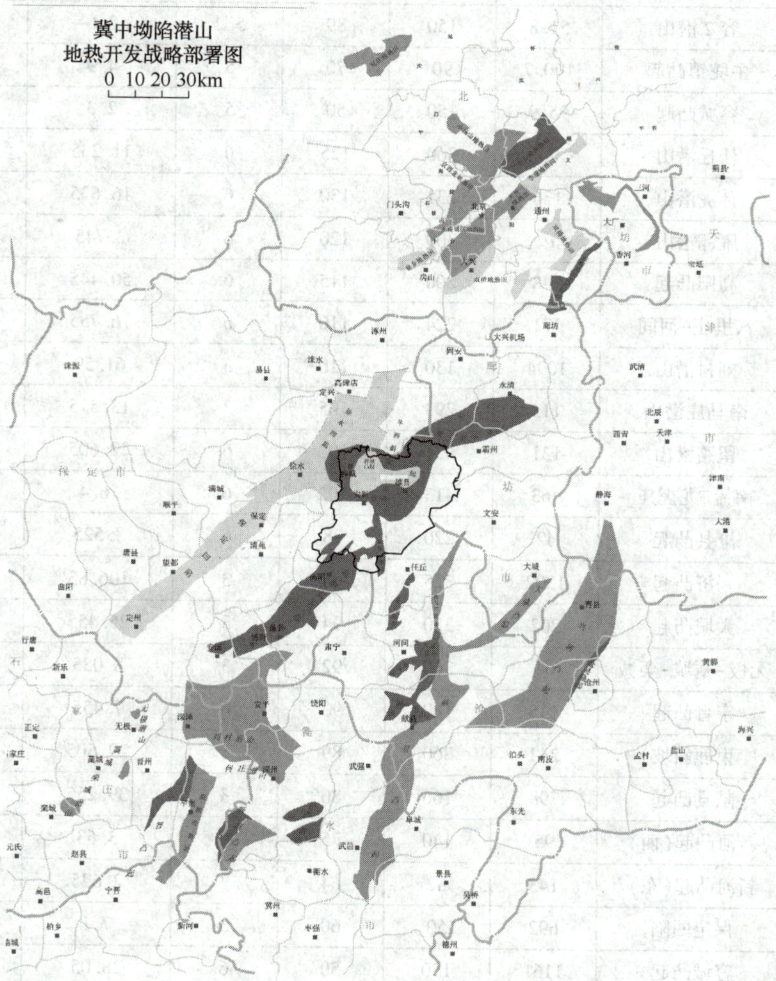

图 1　冀中地区潜山地热田分布图

表1　冀中地区潜山余热资源总量表

地区	分类	地热田	面积/km^2	厚度/m	温度/℃	孔隙度/%	可采资源量/亿GJ	折标煤/亿t	折算可供暖面积万m^2
北京	一类	凤河营、西集	128	120	102	5	5.14	0.18	3721
	一类	后沙峪	265	225	80	3	14.70	0.50	4970
	二类	天竺	76	225	77	3	4.04	0.14	1318
	二类	东南城区	375	150	73	3	12.40	0.42	8327
	二类	延庆	180	285	66	4.5	10.03	0.34	3149
	二类	京西北	233	180	63	3	7.63	0.26	3606
	二类	小汤山	154	150	60	3	3.94	0.13	2073
	二类	良乡	76	160	55	3	1.86	0.06	767
	二类	双桥	307	300	52	3	12.95	0.44	2479
	二类	李遂	90	300	52	3	3.80	0.13	727
雄安新区	一类	淀南潜山	196.1	300	120	5.2	28.3	0.97	10557
	二类	牛西斜坡	108.4	120	91	5.2	4.5	0.15	3720
	二类	容2潜山	51.8	150	89	5.2	2.6	0.09	1708
	二类	牛驼镇凸起	190.7	90	70	5	4.9	0.17	3850
	二类	容城凸起	95.9	150	50	5	2.3	0.08	645
河北省(除雄安新区外	一类	任丘潜山	74	300	125	6	11.235	0.38	4233
	一类	孙虎潜山	136	231	130	6	16.635	0.57	8236
	一类	雁翎潜山	19	300	120	6	2.745	0.09	1023
	一类	高阳凸起	548	200	115	6	50.445	1.72	27656
	一类	八里庄-河间	171	224	110	6	16.755	0.57	8055
	一类	刘村潜山	1094	130	110	3	61.59	2.1	51531
	一类	南马庄潜山	113	293	105	3	13.575	0.46	4942
	一类	留路潜山	131	431	102	6	22.605	0.77	5465
	一类	南孟-龙虎庄	463	413	102	6	76.4	2.61	19316
	一类	沧县凸起	42	220	98	6	3.525	0.12	1639
	一类	兴济凸起	1302	225	95	3	106.83	3.65	48187
	一类	大城凸起	202	350	94	3	25.455	0.87	7340
	一类	无极-藁城-栾城	64	360	92	3	8.085	0.28	2239
	一类	宁晋凸起	135	160	90	6	7.455	0.25	4542
	二类	束鹿斜坡	243	360	89	3	29.505	1.01	8012
	二类	献县凸起	798	166	80	3	39.255	1.34	21479
	二类	新河凸起(西)	95	140	75	6	3.63	0.12	2237
	二类	新河凸起(东)	143	82	64	3	2.625	0.09	2309
	二类	保定凹陷	692	50	60	3	7.1	0.24	9313
	二类	容城凸起	1161	150	50	6	28.05	0.96	7812
合计							652亿GJ	22亿吨标煤	30亿平米

2　潜山地热开发特色技术

地热利用是综合利用好勘探评价、地热地质评价、钻采工程、开发方案、市场开发及运营管理的系统工程。经过持续攻关和现场应用，总结华北地热开发经验，形成了具有华北油田特色的地热资源高效开发技术体系，下设16项配套技术，并创新形成潜山重力流高效开发理论认识（图2）。

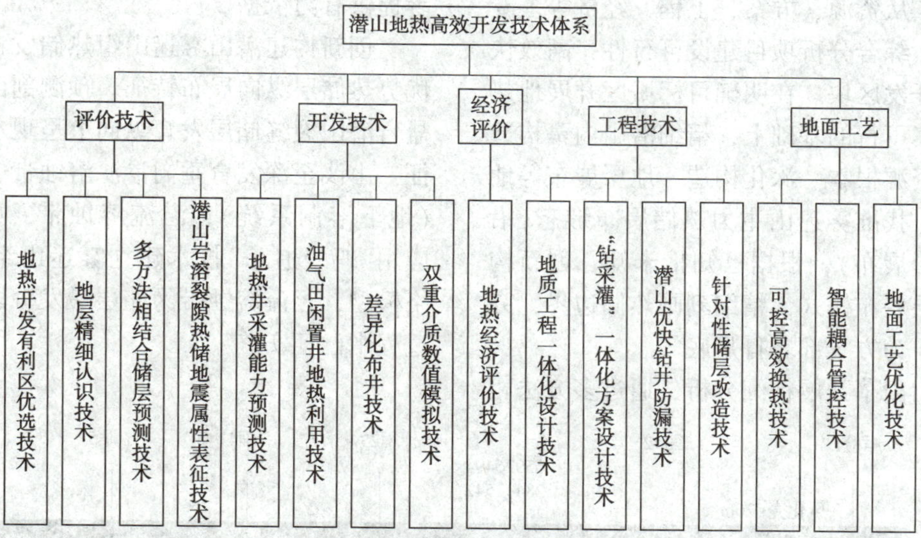

图2　潜山地热高效开发技术体系

2.1　潜山重力流高效开发理论

理论基础：假设对井为同一温压系统，井底深度为储层底界深度，对于非自溢地热井，井筒内静液面高度 H_s 与液柱的平均密度 ρ_s 是一定的。当采用技术措施，将 ρ_s 降低至自溢密度阈值 ρ 阀值时，井筒内液体即会在地层自身压力作用下，实现自溢。若继续降低井筒液柱密度 $\rho \leqslant \rho$ 阀值时，将出现自喷。

$$\rho_{阀值}=\rho_f=H_s/H\times\rho_s$$

H_s=静液柱高度

H=储层深度

ρ_s=静液柱平均密度

渗流量、渗流速度与地质条件、水力坡度有关，当地质条件一定时，调整局部水力坡度是回灌的关键，地层渗流条件好，水力坡度调整相对容易。不同温度下，水密度相差较大，利用降低水温，增大回灌井的水力坡度，超过地层流动摩擦阻力时，水会回灌进地层。经过一段开采时间，采水井井筒内液体温度升高，密度变小，可实现大排量自喷开采；换热后液体温度降低，密度变大，回灌井可实现大排量无压回灌。

该理论已在多个项目中得以应用并且取得了极好的效果，当前正在其它新建设项目中加以推广。南孟潜山单井采水量达到3000m³/d，单井回灌量达到5500m³/d，形成2采1灌，为地热资源实现规模化效益开发打下坚实基础。

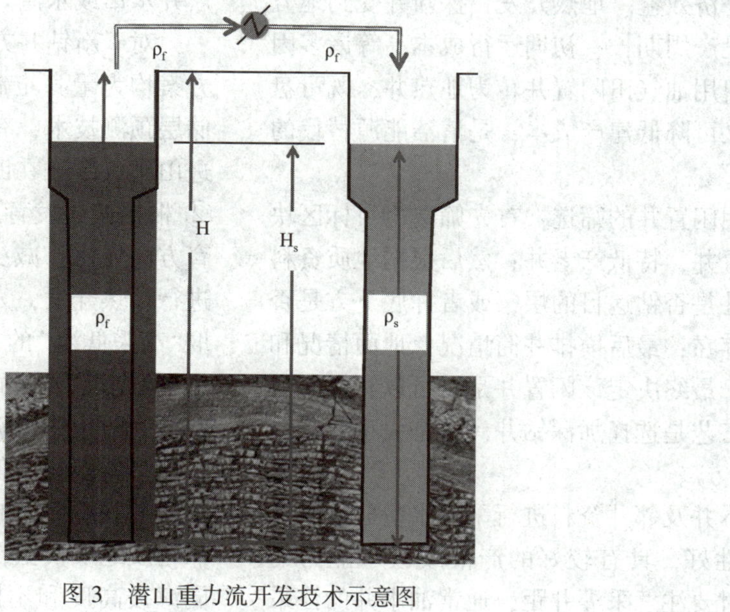

图3　潜山重力流开发技术示意图

2.2　地热资源高效评价技术

着眼于市场需求，结合意向区块进行地热地质精细研究，从资源、方案、工程、经济等多专业同时着手，综合分析项目建设可行性，高效快速培植规模开发区块。在明确目标城区开展地热开发业务切实可行的基础上，精细潜山内幕构造研究，落实资源根本。深化构造、地层展布等地质特征研究，找准雾迷山主力热储展布形态(沿顺向断层环形展布)，根据已知推未知，创新构建无井区地层展布模式，精细刻画热储边界，夯实资源基础，为方案部署打足底气。

针对潜山内幕开展精细分析，通过多方法相结合进行预测，并利用已钻井进行验证，构建热储展布模式，明确热储展布特征，为地热井位部署提供有力依据。

创新构建潜山雾迷山组热储发育模式，明确优势热储层纵向展布特征。预测剖面分析，碳酸盐岩潜山裂缝储层发育纵向上呈现水平分带的特征：由浅至深发育垂向渗滤溶蚀带、径流溶蚀带(地下溶洞系统)、潜流溶蚀带，如图 4 所示。应用“蚂蚁追踪”技术建立雾迷山组油藏裂缝网络模型，径流溶蚀带为储层最发育段，且在钻井过程中已证实。

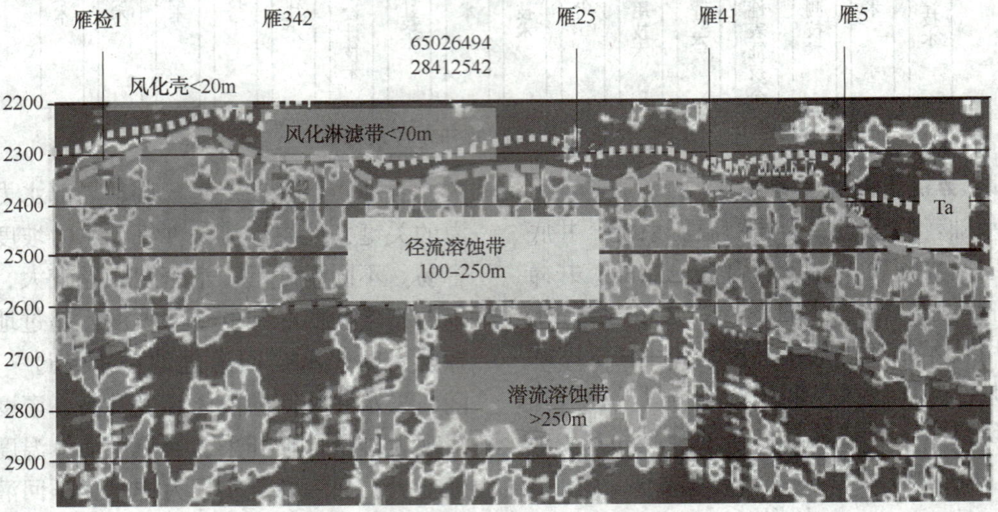

图 4　潜山热储发育模式图

2.3　地热资源高效开发技术

根据区域地质特征确定合理采灌量和合理井距，充分利用油田闲置井，降低开发成本，提高地热项目经济效益。地热开发钻探新井受到地方政策紧、投产周期长、初期运行成本高等诸多因素影响，启用油气田闲置井转为地热井，既可盘活资产，又可降低建产成本，是清洁能源替代的重要举措。

可利用闲置井的筛选：首先筛选出目标区块所有的闲置井，特低产老井；然后根据地质资料判别这些井是否钻遇目的层，或者井底下方是否有目的层存在；最后摸排井筒情况，地面情况和管线情况；最终决定该闲置井是否可以利用，后续的改造工艺是选择加深钻井，还是大型酸化压裂等等(图 5)。

利用本井及邻井资料进行采灌水量分析，选择储层物性好、具有较好的产液或吸水能力的井，选井时要注意采灌井距，通常油水井的注采井距较小，有的达到 150m，而余热井采灌量较大，采灌井距一般在 400~500m 以上。闲置井利用还需充分考虑邻井的生产情况，防止附近的生产井水窜或水淹。

对于新钻井方案形成差异化布井技术，每个方案均为量身定制。布井原则：① 利用相干体储层预测技术，有效识别断裂发育带，将地热井进山靶点部署在断裂发育区，有效提升采灌量；② 根据储层发育厚度调整井距；③ 垂直裂缝发育方向注水，减少热突破风险；④ 在含油潜山进行地热开发，为不影响最高部位油田生产，采取“高采低灌”的方式，防止附近油井水淹；⑤ “试验先行，滚动接替，适时调整”原则。

为防止热突破，需要对井网井距进行优化，采用多场多相数值模拟软件，模拟 50 年内各潜山回灌井冷锋面的波及范围，需要建立各潜山的非均质地质模型，目前考虑了不同储层厚度、不同海拔高度和不同地层温度的非均质性。采用

CMG 软件的 STARS 模块建立雾迷山组的地质模型，如图 6 所示，从不同周期温度来看，50 年生产周期内采水井温度没有下降，动液面降深在 100m 以内，说明储层供水能量充足，产水井产水能力强，不同回灌井液面上升为 50～100m，可采取自然无压方式进行回灌(图 6)。

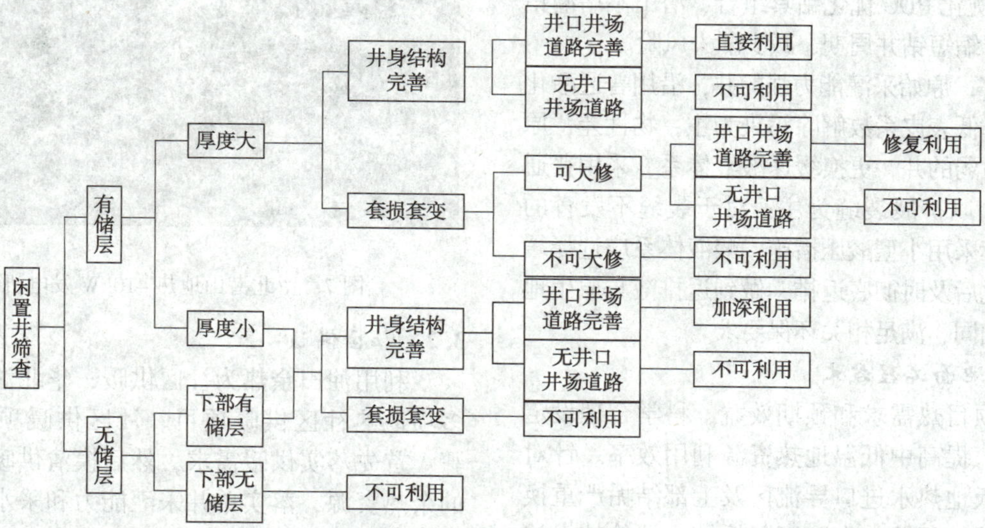

图 5　闲置井筛查技术流程图

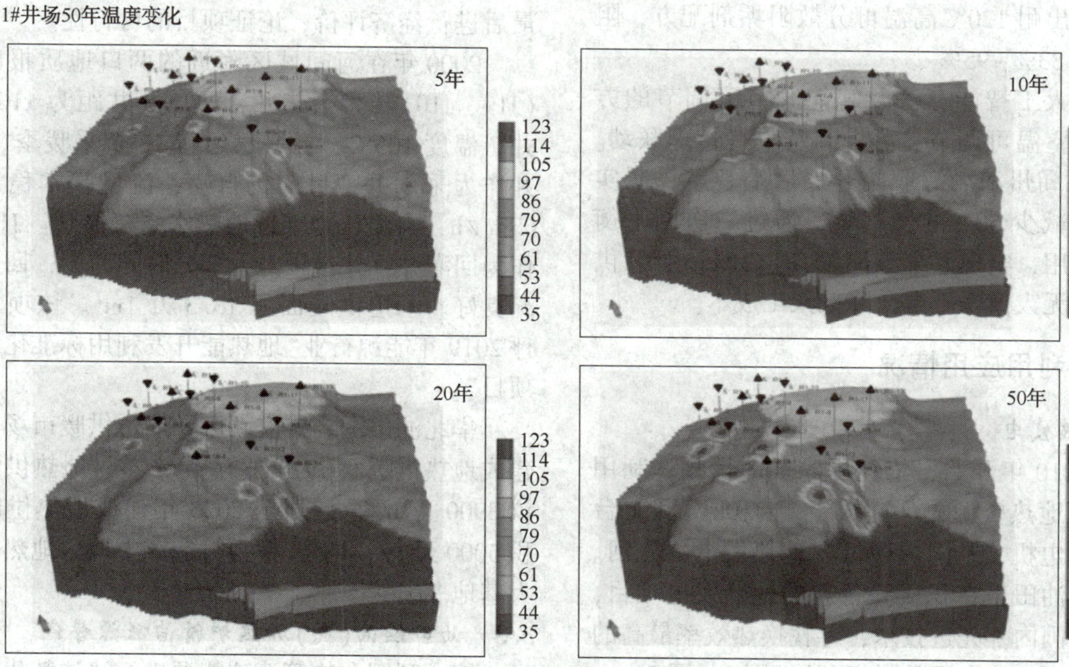

图 6　供暖方案数值模拟计算图

2.4　地热项目经济评价技术

加强经济评价研究，优化开发方案，提升地热资源开发利用效益。同等地热地质条件下，不考虑市场经营因素，必须主攻“少井高效”与“老井利用”方向。针对不同的地质和市场条件，地热单井实际利用效率应努力超过设计效率。

2.5　地热钻采灌工艺技术

深化学科间融合，采用地质工程一体化设计，遵照地热井开发规律和设计原则，紧密结合热储层特征，通过方案设计优化、配套工艺技术优选等研究形成一套完整“钻采灌”工程设计模板，实现了地热井高效钻采灌工艺。

立足于石油新城、渤海等采灌工程经验，对不同完井方式、大排量间歇回扬、采水泵优选、回扬工作制度摸索等研究，在深化地质研究基础上标准化、优化采灌方案编制，对井眼轨迹、套管材质及井身结构、完井方式等进行“钻采灌”

一体化设计。

潜山地热井钻井面临易漏失、易卡钻、钻井周期长等问题，开展优快钻井技术研究，采用旋冲/旋导工具+优化 PDC 优化钻具组合、潜山不堵漏钻井等技术，缩短钻井周期、减少漏失风险。

物性好，原始采灌能力强的井，沿用普通酸化工艺，以降低表皮系数解除污染为主；物性差，原始采灌能力弱的井，更换缓速酸液体系，采用普通酸压工艺，以扩展裂缝为主；对于裂缝不发育的井，则推荐采用小型酸压措施，酸液体系应选择缓速酸；酸化后及时彻底返排，做到返排液与原生地层水水质相同，满足相关环保要求。

2.6　地热地面工程技术

根据项目热需求和预期效益，科学合理设定热泵耦合，提高中低温地热资源利用效率。针对热器换热板地热水进口导流区及上部结垢严重换热效率低下的问题，在防腐阻垢综合评价技术技术上，预测结垢趋势，优化耐高温分散阻垢剂体系，优选出耐 120℃高温可分散阻垢剂配方，阻垢率可达 83%~95%。

通过人工智能算法及智能阀节流调节的方式，实现室温可调节、可控制及收费管理联动。2022 年在霸州和渤海职院开展后端智慧供暖实验，预计减少 50%的燃气量，通过二次网平衡调控的应用，实现系统节能 15%~30%。智慧供暖平台为无人值守平台，降低人工成本。

3　地热利用应用情况

3.1　地热发电

从 2010 年开始，依托国家 863 计划，利用留北潜山地热资源先后建成 1 台 410kW 和 1 台 500kW 发电机，开国内中低温地热发电之先河。目前华北油田正在积极筹备新的地热发电项目，充分调研国内外先进技术，寻找换热效率最高的工质，实现地热资源的梯级利用(图 7、图 8)。

图 8　留北潜山地热 500kW 发电机组

图 7　留北潜山地热 410kW 发电机组

3.2　社区供暖

利用油田余热为社区供暖，华北油田已完成多项地热社区供暖项目。社区供暖项目实施步骤：首先落实供暖需求，然后摸清供暖市场地下的余热资源，落实单井采灌能力和采水温度，计算出需要的采灌井数，利用数值模拟技术优化井距，模拟项目运行 20 年地下温度场的变化情况，最后进行经济评价，论证项目的可行性。

2000 年在河间城区附近的两口地质报废井(J19、J10)转为余热井，两口井井距为 1100m，井口温度 105℃，已平稳运行 18 个采暖季。J19 井作为采水井，目前仍自喷，流量基本稳定在 $60m^3/h$，自喷压力维持地热水系统循环。J10 井作为回灌井，井口压力大部分时间为零，回注情况良好。承担供暖面积 13.3 万 $1m^2$。该项目获评 2019 年能源行业“地热能开发利用标准化示范项目”。

华北油田围绕雄安新区及周边供暖市场，已建成地热供暖面积 1481 万 m^2，签订地热供暖协议 3900 万 m^2，计划至 2025 年建成地热供暖面积 5000 万 m^2 以上，奋力打造冀中地区地热供暖大基地。

3.3　油田燃油(气)加热炉清洁能源替代

综合利用余热等清洁能源进行清洁替代，目前共有在运项目 1 项，在建项目 2 项。任丘西部和留北油田余热利用项目：利用采出水余热为油田生产提供维温伴热，实现燃油加热炉的清洁能源替代，余热能年利用量折 0.31 万 t 标煤。

2017 年开始，华北油田实施西部油田余热综合利用项目，将 5 口井的高温产出液，一部分在联合站内换热，另一部分调至作业区的两座中转站，为两座站生产系统换热，热量利用后余热水回到联合站回注。余热调水线和回水线均利用旧套管进行建设，该油田实现了燃油替代。

4 结论与建议

(1) 华北油田已掌握了多项潜山地热利用关键技术，例如潜山重力流开发技术、闲置井改造工艺技术和提高采水回灌量工艺技术等等。

(2) 华北油田高效快速的建成地热总供暖能力 1481 万 m^2；综合利用余热等清洁能源对采油站场的燃油加热炉进行清洁替代，余热能年利用量折 0.31 万 t 标煤，年减排 $CO_2$0.74 万 t。有效减少了生产和生活过程中的化石能源消耗。

(3) 地热利用方式有多种，例如地热发电、社区供暖、花卉养殖、油田站场清洁能源替代等等，部分潜山产出水温度高达 120-150℃，将地热资源梯级利用，创造更大的经济效益与社会效益。

参 考 文 献

[1] 朱家玲等．地热开发与应用技术[M]. 北京：化学工业出版社．2006 年．

[2] 曾梅香，阮传侠，田光辉．井间示踪技术在岩溶裂隙热储层采灌系统中的应用——以天津市王兰庄地热田回灌井 HX-25B 示踪测试为例[J]. 地质与勘探．

[3] 何满潮，刘斌，姚磊华等．地热单井回灌渗流场理论研究[J]. 太阳能学报，2003，24(2)：197-200.

[4] 庞菊梅，庞忠和，孔彦龙．岩溶热储井间连通性的示踪研究[J]. 中国地质，2004，3：916-923.

[5] 李元杰．地热回灌示踪技术及热储模拟实验研究[D]. 北京：中国地质科学院．

[6] 王树芳，刘久荣，林沛．岩溶热储回灌实验与示踪试验研究[J]. 水文地质工程地质，2013，40(6)：129-133.

[7] 王昌军，罗觉生，陈武．油田储层敏感性评价实验研究[J]. 化学与生物工程，2006，23(6)：44-46.

[8] 王坤，朱家玲．中低温孔隙型地热田回灌试验研究[J]. 太阳能学报，2001，22(2)：236-239.

[9] 赵志宏等．基于等效渗流通道模型的地热尾水回灌理论模型[J]. 水文地质与工程地质，2017，5，44(3)：158-164.

抽油机井人工智能采油技术发展与应用

高　鹏　张战敏　王　佳　金学锋　常鹏刚　杨梦石

（中国石油华北油田公司）

摘　要　近年来，随着油田数字化、信息化、自动化的建设发展，结合变频技术，传统抽油机采油生产方式实现了转变升级，从起初的工频强制运行转变为变频智能调参、柔性变速运行、人工智能控制优化、智能间抽等多种智能化运行模式，在华北油田应用千余口井，取得了显著的应用效果，满足了抽油机井全生命周期高效生产，充分发挥油井产能，实现精益化管理、降本增效及企业高质量发展。本文通过探讨目前抽油机井人工智能采油技术进展及应用，提出智能采油技术未来发展趋势，为技术发展提供思路和借鉴。

关键词　数字化；智能化；智能油田；智能采油

目前国内外油田正在从数字化向自动化和智能化快速过渡与转型，为了进一步实现精益化管理、降本增效，实现高质量发展，油田企业借助物联网、大数据、人工智能等新一代信息技术，井场前端实现实时感知、自动采集、自动传输，中端实现安全存储、实时监视、集中管控，后端实现智能分析、数据共享与技术支撑。前、中、后端的一体化协同、高效联动与数据共享，快速推动传统业务流程重构与工作方式变革，通过工业化和信息化的有机结合，打造智能化油田。人工智能采油是智能油田建设的重要环节之一。如何改变传统采油方式，利用先进的信息技术实现智能决策及智能管控成为当下采油技术热点。本文通过探讨目前智能采油技术应用及进展，为智能采油技术发展提供思路借鉴。

1　人工智能采油的内涵

人工智能采油是为了适应现代采油管理和信息技术应用而发展起来的，是在油田数字化建设的基础上完成采油过程的智能决策与管控，采用“智能大脑”把数据潜在的价值利用起来，以数据分析、数据决策使油气生产运营管理方式发生转变，实现油田开发生产一体化智能分析和油田生产过程的智能化管理。

人工智能采油应具有三大要素：数据自动采集、智能优化决策以及闭环生产管控。数据自动采集是指数据采集由原先人工稀疏测试向物联网实时监测转变，实现数据的实时采集上传；智能优化决策是指油井生产优化由人工现场调参模式向数学建模、大数据驱动自优化智能决策模式转变，实现智能自动优化；闭环生产管控是指由采集-分析-决策的单向调控向一轮决策后的再采集-再分析-再决策优化的闭环调控发展，实现实时闭环化智能管控。

2　抽油机人工智能采油技术发展及应用

2.1　国外人工智能采油发展应用

近年来，国际石油公司通过与 IT 公司合作开展业务智能化应用探索，快速布局机械采油智能化。例如，英国石油公司（BP）提出的未来油田（Field of the Future），其主要目标是应用实时信息系统优化运营管理，充分利用传感器、自动化等技术，实现地下和地面设备数据的实时监测，将实时监测的信息数据传送到远程中心进行快速分析处理，预测最佳维护性作业时机，实现提高管理效率的目标，BP 公司研发具有类似人类推理能力的人工智能软件平台，旨在提高决策速度，管理运营风险，实现决策过程自动化，加强了上游业务的数字化转型发展；壳牌公司提出的的智能油田（Smart Field），关注的是智能井、光纤监测、闭环油藏管理、智能水驱及生产实时优化等协同工作环境，将数字信息化技术与油田生产相结合起来，实现无人值守，通过对连续的信息流监测分析，为技术人员快速决策指挥提供依据，形成采集-分析-调控一体的闭环控制系统；雪佛龙提出的信息油田（i-Field），关注油藏管理、钻井及生产优化，雪佛龙开发 DELFI 云计算平台，把大量信息整合到一个平台上，构建开放共享的数据生态环境，提高数据分析的效率，通过实时掌握生产状况，建立远程监控与报警模式，制定高效预防性作业措施，提前实施，从而减少井下事故，提高油井生产时率，工况预警技术实现突破性进展，对于杆断、管漏等的工况预测能够做到提前20天，大幅提升工作效率；挪威国际石油公司(Statoil)提出的整合运营项目(Integrated Operation)，通过应用先进技术，优化业务流程，建立出全新的业务流程框架，研发部署油田全面领先的实时传感系统，将实时的信息与整个系统中可以接入的强大协作分析资源链接在一起，使勘探、开发、生产作为一个完整的系统进行整合运营，通过对多种先进技术、流程、方法的有效应用，将整个生产链与实时传感系统连接，利用大数据协同分析的技术手段，来达到优化生产、降本增效的目标，实现采油方案自动在线设计。

2.2 国内人工智能采油技术发展及应用

通过前期的数字化油田建设，国内油田基本实现了数字化，同时随着物联网技术在油田的普及应用，为智慧油田化迈进打下了技术基础。2010年中国石油新疆油田启动国内首个智慧油田建设，基于数字油田利用先进信息技术和专业技术手段，实现油田动态采油的全面感知，油田行为的自动操控，油田变化趋势的有效预测，油田管理不断优化，为油田决策提供依据，实现油田采油的智能管理，提高采收率和生产效率，实现安全生产，提升经济效益。2013年中国石化胜利油田开启智能油田项目，聚焦围绕上游的油藏、井、管网、设备设施等核心资产，利用信息技术指导资产管理，实现效益优化，从而实现油田生产的实时感知、全面协同、主动管理、整体优化，实现增储上产、绿色安全、高效运营、精细管理的目标，做到资产价值最大化。2012年中海油提出了促进公司信息化工作的加快发展，推动“智能油田”建设目标。目标是以油气物流关系为主线，基于数据采集和控制的自动化，通过转变管理方式和优化工作流程，实现油藏管理、采油生产、生产运营的持续优化，建立全面感知、自动控制、智能预测、优化决策的生产体系。目前国内的智能油田建设包括智能采油技术研究与应用都在试点阶段，还没有大面积普及推广。

上述是智慧油田建设的发展，在采油管理、油井智能采油方面，目前常用的智能控制技术分为基于数学理论公式算法的抽油机变速运行智能控制技术、丛式井集中群控技术、智能间抽技术以及基于大数据、人工智能算法的抽油机AI举升技术、电参法算产诊断技术等。

2.2.1 基于数学理论公式的智能控制技术

该方法以数学理论公式为基础，通过微积分算法、级数迭代等算法编程，实现功图数据计算分析、参数调整，满足油井智能化运行。

1. 抽油机变速运行智能控制技术

早期的冲次控制依赖于人工经验，依靠人工对产液量的变化判断调整油井的冲次，在一定程度上提高了泵效，降低了开采成本，但依据过于主观，并未将能耗降到最佳。

国外冲次调节技术发展较早，在20世纪80年代，美国、加拿大等国就开展了对油井冲次调节技术的研究。美国艾迪森公司的JinSaver采油控制系统，通过微处理器对抽油机的抽汲参数进行智能控制，原理是连续的监测电机的功率因数，根据负载实时调节参数，有效解决了泵抽空问题，也节约了电量。西安石油学院的数字化抽油机控制系统通过分析油井生产过程中电压、电流与产液量的关系，提出了一种基于电压、电流判断油井工况的方法，根据当前抽油机运行工况，对抽油机实施冲次的调整。华北油田近年来研发出以变频技术为基础的抽油机智能调参技术，它以抽油机井产液量或动液面深度作为调整抽汲工作制度的依据，智能控制装置自动调整冲次，寻找出满足供排协调下的最佳产液量。其工作原理是依据采集的示功图数据计算出动液面和产液量，当油井产液量或动液面深度超过这一临界值时，闭环控制装置依据当前产液量或动液面深度自动计算新的抽汲工作制度，并控制抽油机井进行自动调参，重复进行上述步骤直至达到优化的目标值；现场应用实现了节能和连续生产的目标。后有多名学者持续研究示功图的变化反映工况和动液面的关联情况，以此为调整依据，使用变频控制技术调整抽油机冲次的方法，从而实现采油速率与井下供液能力的匹配，最大化的提高油井采油效率，提高了抽油机的运行效率(图1)。

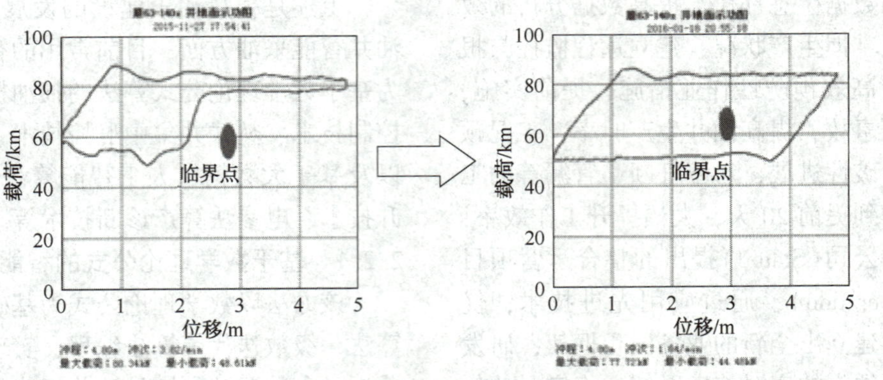

图1　功图智能调参

该技术结合柔性变速控制，控制电机负载波动，负载大时减缓运转，负载小时加速运转，实现电机功率“削峰填谷”，降低峰值功率和启动电流，节能提效；智能控制技术在华北油田应用920余口井，在保持产液稳定的前提下平均节电11.5%，泵效提升13.5个百分点，系统效率提升3.2个百分点，检泵周期延长30%以上，有力支撑了华北油田抽油机井高效运行智能化发展。

2. 抽油机智能间抽技术

自20世纪90年代开始，各位学者便开始了间抽控制技术研究。熊友明通过对抽油泵筒的物质平衡以及井下油层渗流动态规律的研究，建立了抽油机间抽周期控制的数学理论模型，确定了油井的间抽周期。刘合等人通过分析采油过程中井下沉没度、电机电压以及井口压力变化规律，建立出油井间歇式采油模式下流压变化的数学模型，推导出油井采油过程中地层的渗流方程，确定了抽油机井科学的间抽制度。马华丽等通过对间歇式采油过程中抽油机井井底压力变化规律的研究，提出了定流压间歇式采油的方法。姚春东通过对油井产能协调平衡的研究，结合系统动态参数的仿真方法，建立了抽油机井系统效率仿真模型，根据该模型总结出一套节能增效的生产方案。蒙晓灵等人通过研究产液量与井下液面随时间恢复的关系建立了井下液面随时间变化模型。张小荣等人根据华庆低产井流入特性曲线，通过数值模拟，得出华庆低产井间抽制度优选方案，并编制了智能算法，对抽油机井进行智能控制，根据井下情况的变化，实时的进行自我调整，对间抽制度进行不断修正。通过现场生产测试，发现该方法在几乎不影响产液量的情况下，生产时间减少4~10h。李明江等人过对长庆油田低产低效油井出液规律开展了研究，通过对低渗透油井渗流特性的分析，得出井下液面随时间变化的关系曲线。然后采用示功图法计算动液面，结合泵充满度建立间开模型，从而合理的指导低效油井的生产。通过现场测试，实现了稳定产液量降低能耗的目标(图2)。

华北油田自主研发的抽油机智能间抽技术基于功图数据计算、分析，通过多次不同时长的开关井，动态确定每口油井得出油井液面恢复能力，根据绘制的液面恢复曲线，建立产量与泵效、产量与液面恢复速率关系约束模型。根据约束模型，以产液量可控(不降低)为前提条件，确定最佳的启、停井时机，做到产量稳定的情况下，获得最大限度的节能提效效果。

抽油机智能间抽技术在华北油田各采油厂累计应用550余口井，实现了无人操作下的智能间开控制，大幅节约人力工作量，提升工作效率，平均单井保持产液稳定情况下节能40%，系统效率提升5个百分点，延长检泵30%以上。

3. 丛式井集中群控技术

针对巴彦油田丛式抽油机井平台，单井智能控制需要每口井配备变频控制柜，显然投资费用高，为尽可能降低投资费用，减少人员运维，整个丛式井组采用一套控制成为新的发展要求；集中群控技术将单井控制进行优化整合，研发出“一采多”的群采RTU，实现对井组中不同井生产数据的错时采集，满足各井数据运算、上传的需要，同时应用直流母线技术，将不同单井的变频直流端互连，实现不同井错位运行倒发电的共享利用，减少电网谐波，提高电能利用率和功率因数，节约能耗，更重要的是集中群控柜相比同等数量的单井柜降低了设备投资，节约了井场占地面积，便捷了运维管理，提升了运行效率(图3)。

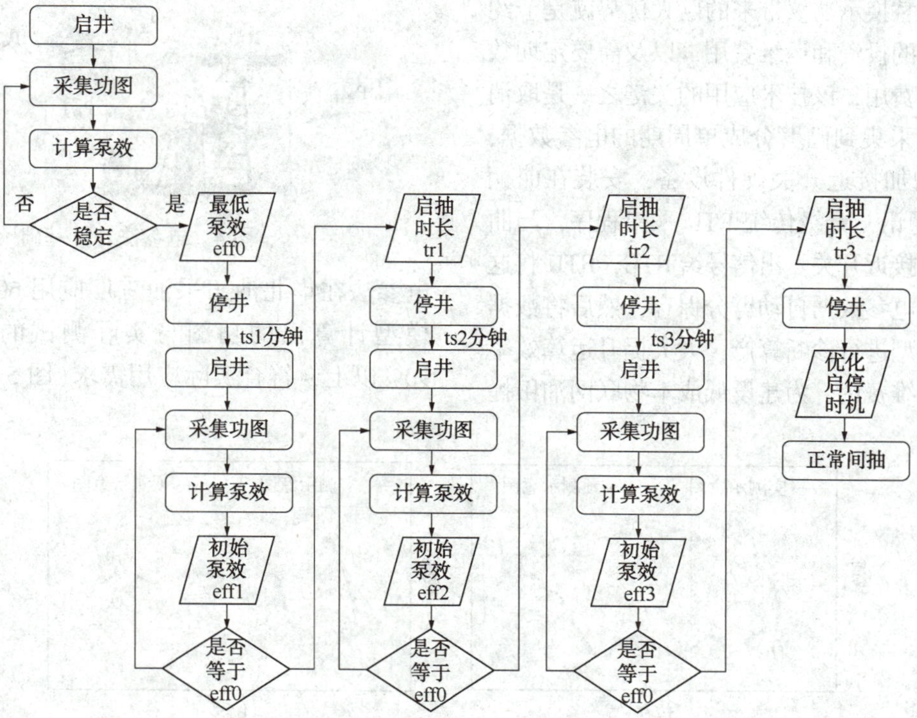

图2 间抽制度控制流程图

图3 丛式井组群控柜

丛式井群控技术在华北油田巴彦分公司应用10个丛式平台89口井，大幅节约人力工作量，提升油井管控效率，平均单井提升泵效6个百分点，节电10%，提升系统效率2.9个百分点，为丛式井集中管控、智能化运行做出了贡献。

2.2.2 基于大数据、AI算法的抽油机智能控制技术

利用油田大数据、深度学习、智能优化算法等技术，充分挖掘数据资源，实现数据的有效利用，采用大数据驱动建立智能模型来替代原有的传统数学物理模型，构建多个反馈迅速的机器学习模块，从而实现油气生产全面感知、自动控制、趋势预测、优化决策等。

目前智能优化决策技术在油气生产中的应用越来越广泛。在生产动态分析方面：广泛应用人工神经网络、支持向量机和人工智能等机器学习方法来提高动态分析的预测精度。历史数据拟合方面：传统的历史数据拟合方法求解速度慢，计算耗费时间长，采用机器学习算法进行历史数据拟合，更为高效、快速且可靠。

在油井生产诊断预警方面，利用神经网络、深度学习等技术建立了抽油机井功图工况精准诊断、工况趋势预测技术，实现了快速精确、定量化诊断和工况趋势预测；创建了基于深度学习的电参工况诊断与算产技术，建立油井电参数据的高精度诊断方法，形成了电参诊断理论，改变了当前靠人工经验分析的方式，大幅提高工作效率和诊断精度。

华北油田智能决策优化集中体现在两个方面，电参法诊断与算产和抽油机AI举升技术，下面分别简要介绍。

1. 电参法算产与诊断

充分利用大数据、人工智能技术的快速发展在抽油机电参法诊断与算产方面获得突破，利用大量的已劈分单周期的电参和对应诊断算产结果的数据标签，建立人工智能模型进行训练学习，将海量数据样本中存在的潜在规律知识学习到模型中，模型就具备了识别单周期电参数据进行诊断算产的本领，此技术可以在理论上替代掉传统的示

功图技术，而替换示功仪带来的巨大优势就是节约了示功仪硬件的投资和运维费用，以及需要定期数据标定的人工费用，该技术应用的关键之一是取消示功仪后如何采集到已劈分成单周期的电参数据，经过研究，增加接近开关硬件设备，安装在曲柄上，与RTU通讯，升级传统RTU采集程序，当曲柄旋转一周时接近开关发出信号给RTU，RTU将这一时期采集的电参数据自动劈分保存，然后将数据传输给电参模型进行诊断算产，大大提升运算效率和降低投资运维费用，为建设低成本物联网油田提供支持(图4)。

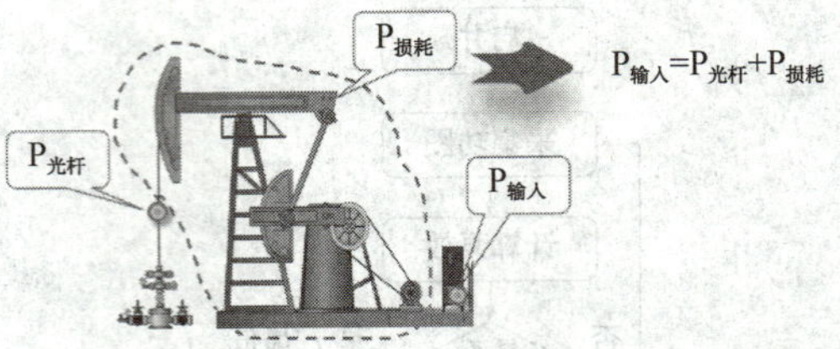

图4　电参法计算基础

电参法在华北油田采油三厂应用60口井，通过模型计算出的功图与实际测试的功图吻合度90%以上，符合实际应用需求(图5)。

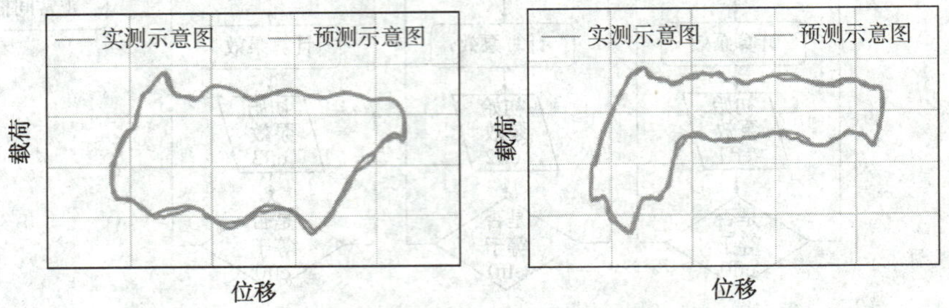

图5　电参反演功图

2. 抽油机AI控制技术

与电参法诊断算产类似，基于示功图数据的人工智能技术也在应用探索中，将海量示功图数据和对应诊断算产结果的数据标签作为样本，建立人工智能模型学习到样本间的规律知识，模型具备知识后再遇到新的示功图数据时应用已有的知识对其快速识别诊断，得到与功图数学算法类似的诊断算产结果，另外由于人工智能模型具有不断学习的能力，随着不断增加新的更加精准的样本数据，模型越学越精，知识越来越丰富，可以更加全面更加精准地对功图数据进行识别运算。人工智能算法由于其高效的运算能力和学习能力，可以实现对抽油机井悬点运动的精细化控制，包括单周期运行冲次和悬点在单周期内各点运行速度加速度优化控制，更加精准地优化功图形态，减缓杆柱震动和杆管摩擦、冲击载荷，使油井运行更加平稳、更加节能高效。

该技术在华北油田应用20余口井，实现了悬点单周期精细变速控制，减缓了震动冲击等动载荷，油井运行更加平稳，平均节能12%，提效3.5个百分点。

2.3　人工智能采油技术发展趋势

目前针对人工智能技术在采油领域的应用，多数在于算法的优化和相关控制技术的升级，未形成体系化的突破，虽在抽油机井控制领域相对成熟但大规模落地应用较难，在井筒方面以及各生产系统联动方面的研究较少，也存在着相关数据项缺乏、难以全面收集、数据利用率低下等问题。为了进一步加强智能采油领域的技术发展及应用，下一步需要在以下几个方面加强相应的工作。

1. 加强数据标准化、规范化建设

目前，随着自动化建设的深入，油气生产数据呈现出体量大、种类繁多、结构复杂等大数据特点，但“数据大”不等于“大数据”。由于国内油田数据化建设标准不一，造成数据采集的重复性、不规范性，数据孤岛现象严重，且数据标准不一致、数据质量参差不齐，无法实现数据共享，阻碍了数据的深度挖掘，影响了人工智能技术的有效应用。“智能+业务”的应用场景不系统明确，专业模型理论支撑不深入，导致智能采油技术应用难。因此，在智能技术的应用过程中，规范化的数据建设、共享化的数据资源以及专业的业务智能化应用模型是实现智能化应用的基础。

2. 开展油井智能诊断与系统优化技术研究

基于机采井生产积累的大量数据，充分建立大数据驱动的油井智能诊断与优化技术，实现机采指标预测从片面简化到综合精准，举升设备优选从经验到科学，产量液面计量从人工经验到数字计算，井筒治理优化从零散技术应用到规范治理措施转变，用数据提升管理水平，用大数据实现专业技术升级换代。

3. 开展智能注采一体化技术攻关

统筹考虑地层、井筒、地面相关影响，以注采单元为研究对象，以提高注采效率为目标，开展智能注采一体化技术攻关研究。针对地层、井筒数据采集等问题，开展井下物联网建设及井下机器人研究应用。针对高含水油层开发采收率低的问题，开展智能化分层注采技术研究，实现精细化、智能化注采开发。并开展智能化注采实时监测与控制工艺技术系列研究，最终形成油藏-工程一体化智能优化生产系统，为提高油田采收率提供技术支撑。

4. 规范与集成智能采油技术应用

为集中优势力量，避免研究资源的浪费，实现成熟智能采油技术的落地应用，需进一步规范和集成智能采油技术，将成熟技术形成标准化产品，实现大规模推广应用。

5. 提升油井集约化智能化发展水平

目前抽油机井优化、控制主要还是靠数学公式法的理论模型，随着应用数据越来越多，可以依靠这些样本数据建立对应的人工智能模型，实现对抽油机井的整体系统优化，包括间抽井的制度优化、启停控制，甚至抽油机井的计算、控制都可以从传统的功图法往电参法转变，一方面减少示功仪投资运维费用，减少相应设备和井场信号传输，井场的传感器、采集设备可以集约化设计，温压一体化采集，增强兼容性，有线数据采集转为无线传输，单采升级为群采，节约设备费用、节约有限资源，另一方面电参数据实时采集便捷，准确度高，为油井精准化、智能化运行控制打下基础。

3 技术展望

智能化油田的建设与发展一方面大幅减轻了人工劳动的工作量，提升了工作效率和油井运行效率，另一方面智能采油技术缺乏整体协作联动应用，技术的研究与应用应强化顶层设计，注重数据资源建设；以业务应用为主要目的，充分利用先进的信息技术，跟进基础研究，实现业务突破。依托智能采油技术系列，如智能间抽、智能调参、集中群控、AI 控制，发挥各技术所长，实现采油全链条全生命周期物联、大数据协同智能决策、最优运行的智能化模式，并借助全新的电参法算产诊断技术，替代传统示功图法，减少示功仪投资运维费用，建设低成本高效的物联网数字化油田，助推油田生产提质增效、节能降本、高效节约，实现高质量发展。

参 考 文 献

[1] 周洁，朱文妹，蒋楠，等．智慧油田的现状及发展研究[J]．信息化建设，2012.10.20：100-102.

[2] PieterKA，Kapteijn．智能化油田．世界石油工业，2003，(5)：12-16.

[3] 匡立春，刘合，任义丽等．人工智能在石油勘探开发领域的应用现状与发展趋势[J]．石油勘探与开发，2021，48(1)：1-11.

[4] 姚尚林，刘合，苏健，邵艳伟，吴淑红，时付更．智慧油田建设助推油气田企业“油公司”模式改革思考[J]．世界石油工业，2021，28(3)：9-16.

[5] 李斌，刘伟，毕永斌等．智慧油田建设与发展[J]．石油科技论坛，2018，37(3)：47-51.

[6] 汪俊华．国内石油企业“数字油田”建设的研究[J]．中 国管理信息化，2013，16(8)：56-57.

[7] 常鹏刚，高鹏，张胜利，卫思祺，陶野，刘婷婷，李伟杰．抽油机变速运行智能控制技术深化研究与应用[J]．石油化工自动化，2020，56(03)：31-35.

[8] 谢朝阳，周好斌．基于动液面控制的抽油机变频控制系 统[J]．石油机械，2009，37(09)：122-124.

[9] REN Yili，GONG Renbin，FENGZhou，et al. Valuable data extraction for resistivity imaging logging interpretation[J]. Tsinghua Science and Technology，2020，25(2)：281-293.

[10] SUN J，MA X，KAZI M. Comparison of decline curve analysis DCA with recursive neural networks RNN for production forecast of multiple wells[R]. SPE 190104-MS，2018.

[11] 熊友明．低压油井间歇抽油设计研究[J]．西南石油学院学报，1995(03)：92-96.

[12] 李明江，黄天虎，吴利利，李珍，张彬，杨仓海，闫娟，陈荣环．基于油井示功图的低产低效井间开技术研究及应用[J]石油化工自动化，2020，56(02)：83-85.

[13] 刘合，高甲善，王雪艳．关于抽油机井合理间抽制度的研究[J]．石油钻采工艺，2000(01)：69-72+86.

[14] 张小荣，姜志刚，鄢长颉．智能间抽技术在华庆超低渗透油藏的应用[J]．油气田地面工程，2014，33(12)：8-9.

[15] 蒙晓灵，张宏波．低产油井间开模式定量优化及应用[J]．西安石油大学学报(自然科学版)，2006

(03)：38-40+115.

[16] 施海清，张韬等．基于支持向量机的抽油机故障诊断方法研究[J]．中国石油石化，2017，11：26-30.

[17] 梁波．基于PNN神经网络的抽油机井工况诊断研究[D]．马鞍山：安徽工业大学硕士学位论文，2015：1-50.

[18] Boyuan Zheng，Xianwen Gao，Xiangyu Li. Fault detection for sucker rod pump based on motorpower [J]. Control Engineering Practice，2019，86.

[19] BALASHOVD，EGIOVDBELOZEOVB，etal. Prediction of wells productive characteristics with the use of unsupervised machine learning algorithms [R]. SPE196857-MS，2019.

[20] CHEN P，RAHMAN M. A novel approach to predict interaction between hydraulic fracture and natural fracture using artificial neural networks [R]. SPE 176143-MS，2015.

GEODXI 井中地震采集系统研发

张　胜　施海峰　薛立武　庞恒昌

（中国石油集团东方地球物理勘探有限责任公司）

摘　要　井中地震技术作为地球物理勘探技术向油田开发延伸最重要的技术之一，近几年越来越受到油田公司的重视。对于井中地震技术而言，仪器的发展决定着井中地震资料解决问题的能力，而井中地震资料解决问题的能力又直接影响着该项技术的发展前景，同时现有仪器带道能力制约项目快速生产。高采样率大阵列、施工占井时间短是油田公司对井中地震仪器性能指标和稳定性的要求。油田公司和地球物理公司希望快速安全的获得低成本，高质量的地震数据，东方地球物理公司根据行业特点自主成功研发 GEODXI 井中地震采集系统。该系统使用免维护专利技术和高速数传专利技术，高采样率下大阵列接收数据和耐高温特色电路设计，使得提高施工效率成为现实。

关键词　井中地震；GEODXI 井中地震采集系统

垂直地震剖面法（Vertical Seismic Profiling，简称 VSP）这种地震观测方法在我国已有40年的发展，在 VSP 采集、处理和解释技术方面不断创新和探索下，形成了较为成熟的 Walkaway VSP、3D VSP、井地联合等技术，全面提升了井中地震技术在油田勘探中独特的竞争力和服务能力。随着油气勘探开发目标日趋复杂和 VSP 技术的不断发展，对勘探设备的需求也在不断增加。

地震勘探仪器是地震勘探作业中的关键设备，包涵了微电子技术、计算机技术、传感技术、通讯技术、数据库技术等内容，是一种利用高新材料开发的综合性系统，同时井中地震仪器要经受住井下高温、高压、高腐蚀等恶劣环境，仪器工作指标正常。井中地震仪器的发展经历单分量到三分量、单级到多级、地面模数转换到井下模数转换、模拟传输到数字传输的过程。

目前，VSP 采集仪器分为两大类：VSP 数字多级采集系统和 VSP 模拟多级采集系统。主要生产厂商法国 SERCEL 公司、英国 AVALON 公司、美国 GEOSPACE 公司。

法国 SERCEL 公司的 VSP 产品在国内销售最多、使用最广的产品。可用于常规、非常规、微地震监测及井间测井等多种 VSP 作业。采样率 2ms 可联接 100 级仪器采集作业，采样率 0.25ms 可联接 12 级采集。使用通用 7 芯铠装电缆。对缆车的适用性强。

英国 AVALON 公司 VSP 仪器最大级数可达 32 级，但使用 32 级数时采样率只能达到 4ms，这在目前 VSP 非常规勘探中使用受到限制。

美国 GEOSPACE 公司 VSP 仪器产品的一个显著的优点就在于下井电缆采用了铠装光缆，7000m 电缆传输速率高达 12.5Mb/s，使用 0.25ms 采样时带道能力可达到 32 级，从根本上解决了井中仪器数据传输率低的问题。但由于采用难于维护的光缆和耦合设计存在缺陷，存在维护保养复杂的问题。

美国 TOMASIS 公司 2003 年首先将压电检波器阵列用于了 VSP 和井间地震勘探，其最大的优点在于去掉了烦琐笨重、技术难度较大的井中推靠系统，极大地提高了生产效率。但因资料品质较差，此设备已被淘汰。

美国 PGSI 公司也曾推出一套模拟仪器，最高可达每根缆带道 80 级，但由于设备笨重，施工繁琐，资料品质一般，也已面临淘汰。

对于井中地震技术而言，仪器的发展决定着井中地震资料解决问题的能力，而井中地震资料解决问题的能力又直接影响着该项技术的发展前景，同时现有仪器带到能力制约项目快速生产。高采样率大阵列、施工占井时间短是油田公司对井中地震仪器性能指标和稳定性的要求。全球井中地震仪器主要是国外 2~3 家公司生产，目前生产销售的井中地震仪器耐温、耐压指标，32 级以上高采样率大阵列采集方式，快速施工免维护方式还不能满足油田公司需求。油田公司和地球物理公司希望快速安全的获得低成本，高质量的地震数据，东方地球物理公司根据行业特点自主成功研发 GEODXI 井中地震采集系统。该系统使用免维护、高速数传专利技术，高采样率下大阵列接收数据和耐高温特色电路设计，使得提高施工效率成为现实。

1　GEODXI 系统构成

系统包括地面仪器、马笼头、高速数传、井中检波器、套管接箍测量(CCL)仪器、自然伽马测量(GR)仪器和重锤构成。

1.1　地面仪器

地面仪器主要功能为：配置井中系统工作方式，接收井中系统数据，对数据进行实时存储、回放、测试等功能，如图 1 所示。

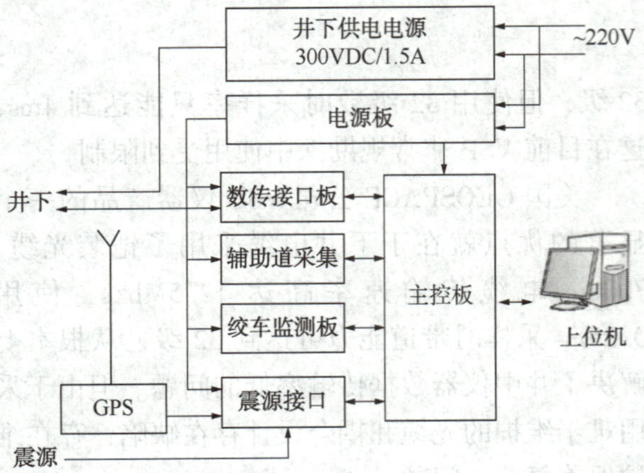

图 1　地面仪器框图

地面采集仪器配置多个接口板，具体功能如下：

(1) 井下供电电源：为井中检波器提供电源。

(2) 数传接口板：用于接收和解析井中采集数据和其他传感器上传的数据。

(3) 辅助道采集板：用于连接辅助采集道。

(4) 绞车监测板：用于连接马丁代克、张力计等仪器接口，并将数据传给主控软件。

(5) 震源接口：用于外接震源，可实现外部震源触发工作方式。

(6) 主控板：主控板通过网络与主控机进行通信，并拥有 PPS 触发、发布信号触发、主控软件触发等多种触发方式，支持高速采集和连续采集。

(7) 上位机：内含主控软件，主控软件界面如图 2 所示。其主要作用是将采集的数据以指定格式存储，记录施工道头信息 SPS，实时显示采集数据和回放数据。

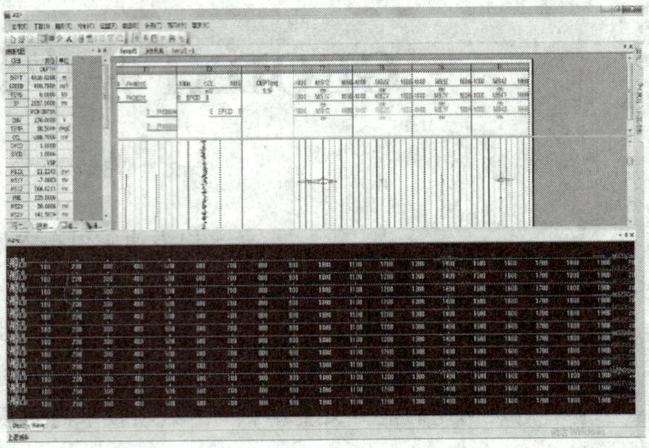

图 2　主控软件界面

(8) 交互软件：施工参数配置(图 3)、实施波形显示、监控状态显示等。

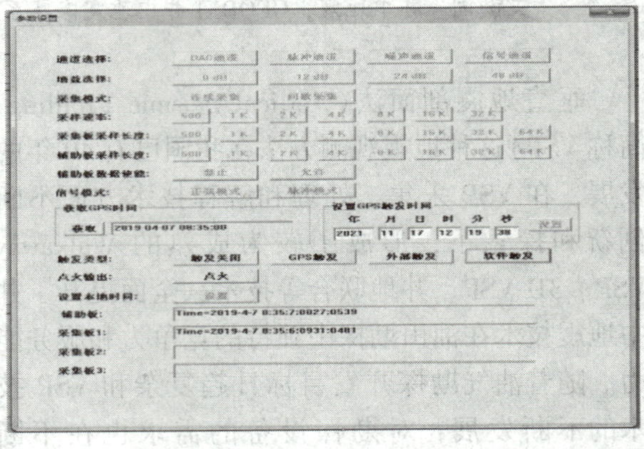

图 3　软件参数配置界面

1.2　井中仪器

井中仪器包括马笼头、高速数传、1～100 级井中检波器、套管接箍测量(CCL)仪器、自然伽马测量(GR)仪器和重锤构成。井中检波器之间通过 7 芯的级间电缆进行连接，如图 4 所示。

(1) 高速数传：通过 7 芯铠缆与地面仪器进行通信，用于数据的传输和命令的接收与下发。

(2) 井中检波器：用于采集地震波信号，可自由组合 1～100 级。

(3) 套管接箍测量(CCL)仪器：采用磁性元件测定套管接箍位置的装置，套管接箍定位曲线可以作为其他测井曲线对比和完井的井下参考深度。

(4) 自然伽马测量(GR)仪器：沿井身移动测量，连续记录出井剖面上岩层的自然伽马强度曲线。

(5) 重锤：井中仪器配重单元。

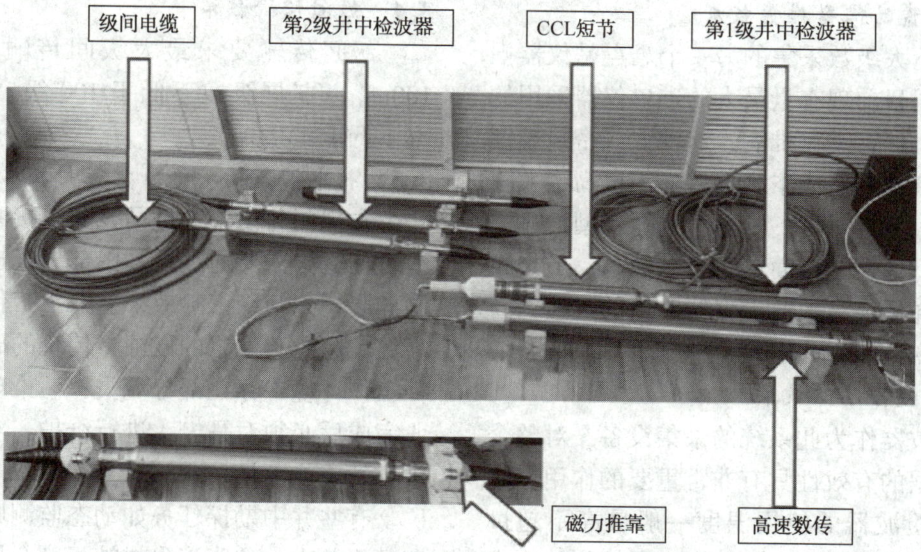

图4 井中仪器

2 GEODXI 系统主要参数指标

2.1 地面采集仪器主要参数指标

耐温：-10~50℃；

电源：AC 120~300V；

输出电流：1.5A；

功率：450W；

数据记录格式：SEG-Y。

2.2 井中检波器主要参数指标

耐温：-20~175℃；

耐压：140MPa；

级数：100 级；

7000 米电缆数据传输率：1Mbit/s；

采样率：0.25ms、0.5ms、1ms、2ms；

数据精度：24 位(Δ-Σ型)；

噪声：<0.85uVrms(@0.5ms，24dB)；

增益：0dB、24dB、48dB；

增益精度：<1%；

失真：<0.02%；

动态范围：>110dB@0dB；

磁力推靠：推靠力与重量之比为 1∶3 和 1∶4；

检波器芯体：自然频率 10Hz±0.5%、灵敏度：0.4V/cm/s。

2.3 同类产品主要参数指标对比

GeoDXI 系统与国外主流仪器性能对比见表 1，主要性能指标一致，采用先进的高速数传技术电缆数据传输率指标好于国外公司产品。

表 1 同类产品主要参数指标对比

技术参数	GeoDXI	MAXWAVE	GEOCHAN
生产厂家	中国 BGP	法国 SERCEL	英国 AVALON
耐温	175℃	150℃	175℃
耐压	140Mpa	140Mpa	140Mpa
带道能力	≤100 级@2ms	≤100 级@2ms	≤32 级@2ms
铠装电缆	7 芯	7 芯	7 芯
推靠	磁推靠	机械推靠	机械推靠

3 GEODXI 系统特色技术

井中勘探的环境特点是井的直径小、地下温度高、压力大，到达地面的距离远，这些都给井下数据采集带来巨大的困难，实现多级大阵列采集更是难上加难。因此，若要开发一套 VSP 井下仪器必须具备如下几个关键技术。

3.1 长电缆传输技术

要实现大阵列三分量井下采集，高速数传是先决条件。此系统 7000m 电缆数据传输率达到 1Mbit/s，再利用 4 倍无损数据压缩技术，传输速率可达 4Mbit/s，带道能力可以实现 100 级 2ms 采样。采用压缩比 4∶1 进行数据测试，重叠对比如图 5 所示。数据压缩恢复后保真度一致。

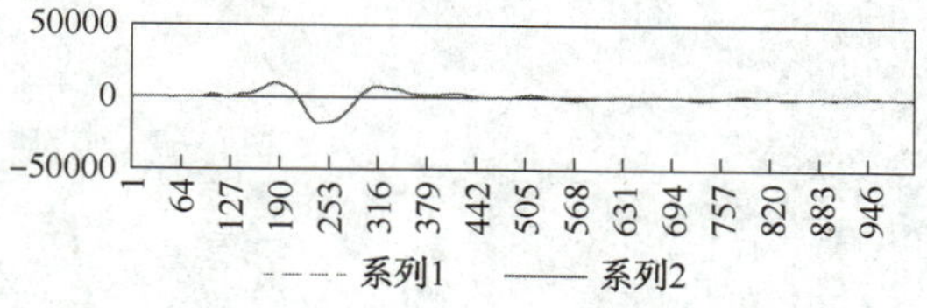

图 5 数据压缩前后对比图

3.2　稳定可靠的仪器推靠技术

制约井下大级数采集的另一个难点是仪器推靠。东方公司目前现有量最大的进口仪器采用的是电机驱动机械臂进行推靠，这种方式密封难度大、结构复杂，制造成本高、故障率也高，大阵列应用风险大。针对这一难题，进行新型推靠方式的研究，目标是结构简单、可靠性高、成本较低，将有效降低大级数井下仪器应用的风险，前期试验选用磁推靠方式解决。

3.3　高温检波器芯体技术

地震检波器作为此系统的采集设备，对整个系统采集数据的有效性具有非常重要的作用。常规模拟地震检波器的使用温度一般最高不超过80℃，研制一种在200℃以内能正常工作并能准确采集到地震数据的高温检波器。将通过研究高温条件下检波器部件材料的抗氧化性，磁系统的抗衰减能力，重新优化结构、参数匹配，以保证在200℃以内灵敏度达到40V/m/s，能正常采集到数据。成功研制SDJ(200)-10Hz地震检波器，该型号检波器是一种具有高灵敏度、高保真度、高分辨率且可在-40~200℃环境下持续使用的超小型检波器。该检波器有纵波和横波两个品种，可分别组成纵波、横波检波器或三分量检波器，以适应不同的地震勘探需求，实物如图6所示。

图6　SDJ(200)-10Hz检波器

3.4　级间传输技术

级间传输要求最大级间传输距离不低于100m。可扩展级数不低于100级，级间传输速率不低于4Mbps。

3.5　井中仪器接头免维护密封技术

常规测井设备通过马笼头连接井下仪器和电缆，马笼头需要通过在其内部导线连接型腔内注满硅脂达到绝缘密封效果，井下工作要时同承受高温、高压和泥浆的侵蚀，传统的硅脂填充在这种工作环境中存在部分流失、污染现象，每次作业完成后必须对马笼头进行维护，对型腔内硅脂进行补充或更换。

有些井中勘探任务如动态监测则要求仪器长期至于井中，硅脂流失或被污染会导致仪器密封绝缘出现问题，需停止采集将仪器提到地面更换填充硅脂，这种方法既不满足油田长期动态监测的要求，且维护操作复杂耗时耗力。发明一种使用橡胶填充的工艺方法，利用橡胶稳定的化学性质来保证马笼头型腔的填充与密封，达到马笼头免维护的目的。已获得国家发明专利。

3.6　绞车面板数据监测技术

实现了井中仪器监测绞车运行状态，深度、速度、张力等关键数据监测和记录。

4　结论

GeoDXI井中地震采集系统成功研发，满足在油气勘探开发目标日趋复杂和VSP技术的不断发展下对勘探设备的需求，并拥有自主知识产权的井中仪器制造技术，性能指标可对标国外进口仪器。井中数字地震仪量产化后，有效降低该类仪器的采购成本、维修成本，进一步降低井中勘探生产经营成本。实现井中勘探仪器的自主化、国产化。

参考文献

[1] 张胜. VSP仪器现状及发展展望. 物探装备，2008，18(2)：86-93.

复杂结构井内连续压力波传播/减规律预测模型

宋维强

（山东科技大学）

摘 要 连续压力脉冲(连续波)是一种极具潜力的随钻信息传输技术，但在长水平段钻进时地面无法检录到有效信号的问题仍然频发，其核心问题是对复杂结构井内连续波传递机制认识不清。为此，本文基于流体力学水击理论，考虑载波介质可压缩性以及弯曲管路中波的反射和叠加的影响，构建了一种连续压力波传播速度及波幅衰减预测模型，进而以清水为循环介质对照实验边界条件开展了数值模拟研究，并对波幅衰减规律进行了拟合。结果表明，管路压耗速率为8112Pa/m，双弯拐头的压降约为7070Pa，与实测结果相比误差小于%；管路中连续波传播速度随管路静压增大而增大，最大传播速度超过2000m/s；连续波沿管路向上游传播过程中，波幅整体呈指数衰减模式；连续波在弯曲管路中传播时存在反射和叠加，呈驻波特征，弯头上游波幅增强，弯头下游波幅减弱。研究结果为明确现有连续波装备的适用范围以及检波器精度需求提供了支撑。

关键词 连续波；随钻信息传输；水击理论；压力波衰减；波速

1 介绍

“长水平段水平井+分段压裂”已成为页岩油气效益开发的主体工程技术。近年来，随着随钻测井和旋转导向装备的持续研发和推广应用，我国水平井地质导向钻井指标屡创新高，水平段最长突破5000m，“一趟钻”进尺最高达4225m，有力支撑了页岩油气的勘探开发需求。地面与井下的高效信息传输是井眼轨迹监测与控制的重要前提。随着井下测量参数的指数增长和机械钻速的提高，信号传输相对迟滞(一般低于2bit/s)的常规钻井液正、负脉冲方式愈发难以支撑地质导向钻井需求。目前，传输速率可达4~20bit/s的连续压力脉冲(连续正弦波)调制、解调装备在耐温和可靠性方面已取得长足进步，但在长水平段钻进时地面无法检录到有效信号的问题仍然频发，成为制约优质储层钻遇率和钻井时效的“卡脖子”问题。

究其原因，连续压力脉冲在复杂结构井内的波幅衰减机制是技术瓶颈背后的基础科学问题。连续压力脉冲采用调频/调相传输模式，影响波幅衰减的因素主要有两方面：①信号传输通道管壁对钻井液的黏滞作用导致压力脉冲幅值持续指数式衰减，且信号频率越高衰减越快；②信道方向和结构的改变导致压力波的反射、叠加进而引起波幅振荡，衰减规律更趋复杂。地质导向钻井以提高储层钻遇率为目标，受地层倾角和储层非均质性影响，长水平段内井眼方位甚至井斜仍然多变并与上部多段式定向轨道叠加，致使信号反射、叠加成为脉冲幅值衰减的重要因素。

针对连续压力波传输机制的研究尚属探索阶段，是油气井流体力学领域的前沿。现有认识可概况为两个方面：一是基于流体力学波动(水击)理论的一维解析模型，其物理意义明确，能够预测管路中单个正弦波的传播速度，尚难以分析波幅的衰减规律，更无法研究连续波的幅频特征；二是基于lamd定律的声波/电压等效衰减模型，其简便易用，实现了对波幅衰减的定量预测，而且能够分析脉冲频率、钻井液黏度等参数的影响规律，但其本质是一维轴向模型，无法考虑连续波的反射、叠加，在复杂结构井中应用受限。

受此启发，申请人提出构建基于波动理论的数值模型来揭示三维复杂结构井内连续波反射、叠加条件下的振荡衰减机制，并以水为循环介质，探索研究了600m弯曲管路中4Hz连续波的波幅衰减规律(图2)。在此基础上，本课题拟综合时域(实验、数模)和频域(数模)两个视角揭示复杂结构井内连续波在管壁流阻、反射、叠加条件下的波幅振荡及衰减机制，分析波速随钻井液流变性(井筒温压条件及钻具活动)的变化规律，构建波幅定量预测模型，为明确现有连续波传输装备的适用范围、预测地面检波器精度需求以及连续波解调提供必要支撑。.

2　流动模型的建立

2.1　几何模型

实验管路及测试台的结构尺寸和实物图如图1、图2所示，为保证实验验证的可靠性，参照实际实验管路建立等尺寸几何模型(图3)。实际钻井过程中，仅在立管上安装1个压力传感器用以检收井底激发的脉冲信号，实验管路中安装了2个压力传感器，分别距离泵出口为3m和15m，易知检波器数量过少或者按位置不合理将无法分析波幅衰减规律。数值模型中，可根据需要监测任意位置的压力波动，本文中选取监测了图2中标注的28个点压力随时间的波动过程。结合实际工况以及数值模拟边界设置的要求，删减了测试台出口至回水罐的管路，既不影响在立管处检测压力波动，又可将有限的网格和计算资源用于所需流场的模拟分析。

(采用与流动方向相同的网格划分方向，生成了六面体为主的网格，弯管处采用平滑过渡策略实现网格的外膨胀、内收缩，以不超服务器内存为原则精细网格划分，可将管路横截面(内径7.5cm)划分为近90个网格单元，将几何模型划分为521万个网格单元，有利于保障模拟计算的精度。)。

图1　实验管路及测试台实物图

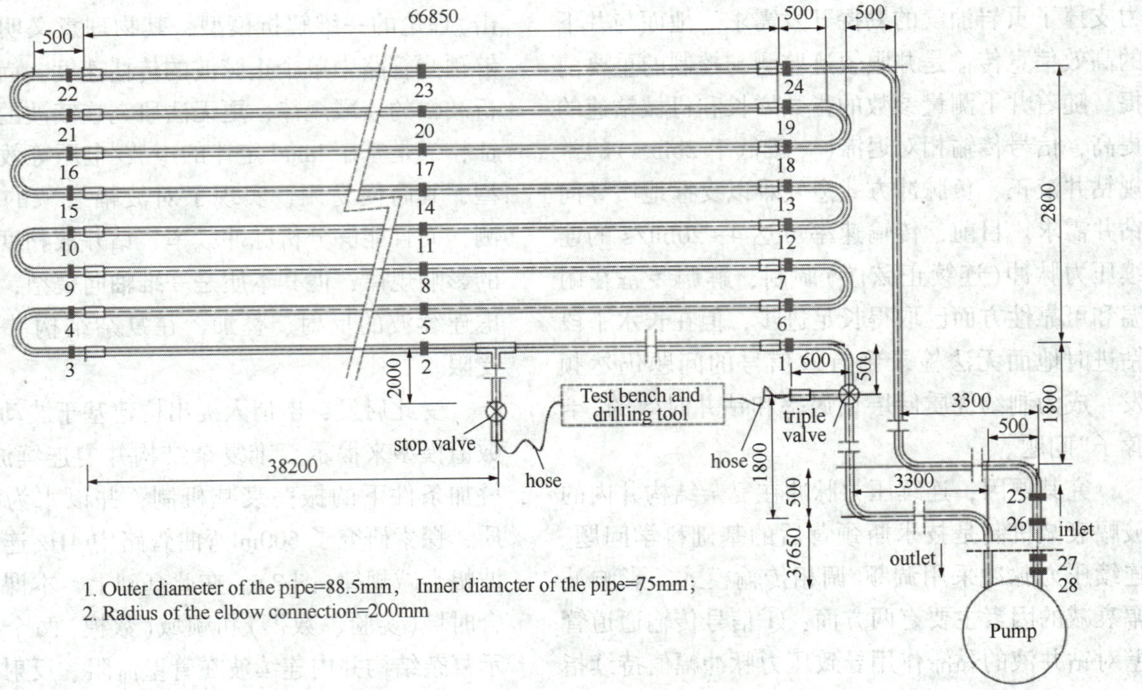

图2　实验管路及测试台的结构尺寸示意图

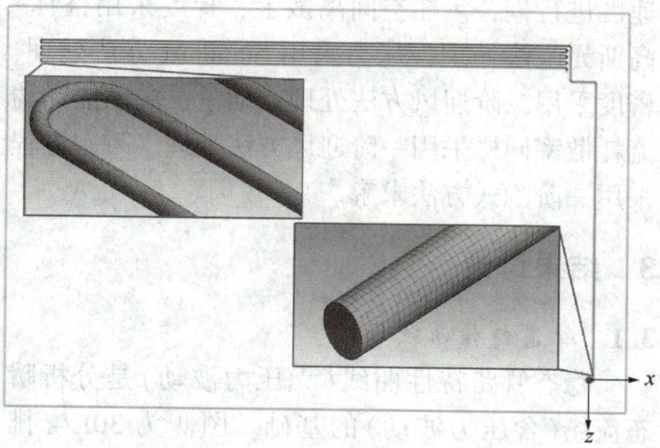

图3　流场几何模型及网格划分

2.2　数学模型

以清水作为实验和数值模拟的循环载波介质，在研究水击(波动)问题时需考虑流体的可压缩性，因而以欧拉方法描述可压缩流动，其控制方程组包括：连续性方程、运动方程、能量方程、本构方程和状态方程，在钻完井条件下的低速流动需要考虑重力影响。

瞬态可压缩流连续性方程可以式(1)表示：

$$\frac{\partial\rho}{\mathrm{d}t}+\frac{\partial(\rho u)}{\partial x}+\frac{\partial(\rho v)}{\partial y}+\frac{\partial(\rho\omega)}{\partial z}=0 \tag{1}$$

式中：t 为时间，s；为密度，kg/m^3；X、y、z 是 r，m 的直角坐标；u，ν 和 ω 分别为速度在 x、y 和 z 方向的分量，m/s 为速度在 x、y 和 z 方向的坐标。

张量形式的瞬态可压缩流运动方程可表示为：

$$\rho\frac{\mathrm{d}u}{\mathrm{d}t}=\rho F_x-\frac{\partial p}{\partial x}+\frac{\partial p_{xx}}{\partial x}+\frac{\partial p_{xy}}{\partial y}+\frac{\partial p_{zx}}{\partial z} \tag{2}$$

$$\rho\frac{\mathrm{d}v}{\mathrm{d}t}=\rho F_y-\frac{\partial p}{\partial y}+\frac{\partial p_{xy}}{\partial x}+\frac{\partial p_{yy}}{\partial y}+\frac{\partial p_{yz}}{\partial z} \tag{3}$$

$$\rho\frac{\mathrm{d}\omega}{\mathrm{d}t}=\rho F_z-\frac{\partial p}{\partial z}+\frac{\partial p_{zx}}{\partial x}+\frac{\partial p_{yz}}{\partial y}+\frac{\partial p_{zz}}{\partial z} \tag{4}$$

式中，p 为流体压力，Pa。表示压力在不同方向上的分量，Pa。分别表示在 x、y、z 方向上的单位质量力，m/s^2。

由于循环流体的流变性会随温度改变，而流场温度会受地温影响，因而能量方程表示为：

$$\rho T\frac{\mathrm{d}s}{\mathrm{d}t}=\Phi+\frac{\partial}{\partial x}\left(c_t\frac{\partial T}{\partial x}\right)+\frac{\partial}{\partial y}\left(c_t\frac{\partial T}{\partial y}\right)+\frac{\partial}{\partial z}\left(c_t\frac{\partial T}{\partial z}\right)+\rho q \tag{5}$$

式中，Φ 是能量损失函数，J。其中 c_t 表示流体的导热系数，T 是单位体积内水的内能，J。

真实流体的黏性特征会阻碍相邻流体间的剪切变形，用以表征应力张量和变形速度张量之间关系的本构方程可表示为：

$$p_{xx}=-p+2\mu\left[\frac{\partial u}{\mathrm{d}x}-\frac{1}{3}\left(\frac{\partial u}{\partial x}+\frac{\partial v}{\partial y}+\frac{\partial\omega}{\partial z}\right)\right] \tag{6}$$

$$p_{yy}=-p+2\mu\left[\frac{\partial v}{\mathrm{d}y}-\frac{1}{3}\left(\frac{\partial u}{\partial x}+\frac{\partial v}{\partial y}+\frac{\partial\omega}{\partial z}\right)\right] \tag{7}$$

$$p_{zz}=-p+2\mu\left[\frac{\partial\omega}{\mathrm{d}z}-\frac{1}{3}\left(\frac{\partial u}{\partial x}+\frac{\partial v}{\partial y}+\frac{\partial\omega}{\partial z}\right)\right] \tag{8}$$

$$p_{xy}=\mu\left(\frac{\partial u}{\partial x}+\frac{\partial v}{\partial y}\right) \tag{9}$$

$$p_{yz}=\mu\left(\frac{\partial v}{\partial y}+\frac{\partial\omega}{\partial z}\right) \tag{10}$$

$$p_{zx}=\mu\left(\frac{\partial\omega}{\partial z}+\frac{\partial u}{\partial x}\right) \tag{11}$$

其中水的动力黏度为常数，设为 1mPa·s。μ_τ 代表涡流黏度，Pa·s，由 k-ε 标准模型计算得到。

$$\mu_\tau=0.09\rho\frac{k^2}{\varepsilon} \tag{12}$$

$$\begin{cases}\dfrac{\partial(\rho k)}{\partial t}+\dfrac{\partial(\rho v_i k)}{\partial x_i}=\dfrac{\partial}{\partial x_j}\left(\left(\mu+\dfrac{\mu_\tau}{\sigma_k}\right)\dfrac{\partial k}{\partial x_j}\right)+G_k+G_b-\rho\varepsilon-Y_m+S_k\\[2ex]\dfrac{\partial(\rho\varepsilon)}{\partial t}+\dfrac{\partial(\rho v_i\varepsilon)}{\partial x_i}=\dfrac{\partial}{\partial x_j}\left(\left(\mu+\dfrac{\mu_\tau}{\sigma_\varepsilon}\right)\dfrac{\partial\varepsilon}{\partial x_j}\right)+C_{1\varepsilon}\dfrac{\varepsilon}{k}(G_k+C_{3\varepsilon}G_b)-C_{2\varepsilon}\rho\dfrac{\varepsilon^2}{k}+S_\varepsilon\end{cases} \tag{13}$$

其中常数项 $\sigma_k=1.0$，$\sigma_\varepsilon=1.3$，$C_{1\varepsilon}=1.44$，$C_{2\varepsilon}=1.92$，$C_{3\varepsilon}=0$. G_k 是由平均速度梯度引起的湍动能 k 的产生项，

$$G_k=\mu_t\left(\frac{\partial u_i}{\partial x_j}+\frac{\partial u_j}{\partial x_i}\right)\frac{\partial u_i}{\partial x_j} \tag{14}$$

式中，G_b 为浮力引起的湍动能 k 的产生项，

$$G_b=\beta g_i\frac{u_t}{Pr}\frac{\partial T}{\partial x_i} \tag{15}$$

其中 $Pr=0.85$，g_i 是重力加速度在 i 方向的分量，N/kg。无量纲的 Y_M 是可压缩湍流中的脉动膨胀系数，由下式计算，

$$Y_M=2\rho\varepsilon M_t^2 \tag{16}$$

其中无量纲 M_t 为湍流马赫数，由下式计算，

$$M_t=\sqrt{\frac{k}{a^2}} \tag{17}$$

其中 a 为声速，m/s，a 的计算式为，

$$a=\sqrt{\gamma RT} \tag{18}$$

式中，为用户自定义的源项 s_k，s_ε，由下式计算：

$$s_k=G_k+\rho\varepsilon \tag{19}$$

$$s_\varepsilon=\frac{\varepsilon}{k}(C_{1\varepsilon}C_K-C_{2\varepsilon}\rho\varepsilon) \tag{20}$$

本例中水温变化较小，且温度对水的密度影响较小，而管路中流体压力较高，采用 Cole 状态方程计算水的密度随压力的定量变化：

$$\frac{p+B}{1+B}=\left(\frac{\rho}{\rho_0}\right)^n \tag{21}$$

其中 B 代表参考体积模量，它等于 2.2×10^9Pa。ρ_0 是水在 1atm 时的密度，它等于 998.2kg/m³。n 代表密度指数，它等于 7.15，无量纲。

水的热容取 4.19kJ/kg·K，水的热导率取 0.59W/(m·K)。

2.3 边界条件和求解策略

结合实际钻井条件将入口设置为流速入口。实验中出口设置为自由出口，安装在试验台上的连续波调制工具激发频率为 4Hz 的正弦波，信号幅值与排量的关系如表 1 所示。

$$p_{out}=A\sin(8\pi/t)+A \tag{22}$$

其中：A 代表连续波的振幅，A 会随着位移的增加而增加，如表 1 所示。

表 1　不同排量下的连续波波幅

排量/(L/s)	24	26	28	30
振幅/Pa	58605	65500	68947	75842

在求解过程中，采用 Simple 格式对压力和速度进行耦合。在空间离散上，梯度采用格林-高斯元胞法处理，压力采用 Standard 方法处理，密度采用二阶迎风方法处理，动量、湍动能和湍流耗散率同样采用一阶迎风方法处理。瞬态方程采用一阶隐式方法求解。

3　结果讨论

3.1 管道特性曲线

稳态管路特性曲线(无压力波动)是分析瞬态流场(含压力波动)的基础。图 4 为 30L/s 排量条件下全管路压力云图，据此可以分段分析直管路、单弯管路和双弯管路中的压力传递规律。

图 5 给出了管路压力剖面，可以看出不同管线中沿程压降速率近似为同一定值，约为 8112Pa/m，双弯拐头的压降约为 7070Pa。

在模拟中，不同排量下的模拟入口压力(或泵压)在表 2 的列 2 中给出。由于仿真管道长度比实际实验管道长度短 42.75m，实际入口压力可按图 5 所示的沿程静压下降速率计算，表 2 第 3 列给出了不同排量下实际管道的计算结果。入口压力的实验结果如表 2 第 4 列所示。实验结果与模拟结果的误差保持 10% 左右，在所涉及的工况中最大误差为 12.8%，其原因主要包括两个方面：①管道内壁因腐蚀而粗糙度增加，导致流动摩阻大于新管道；②循环流体中会含有部分气体和固体，在实验中表现为多相流动，在模拟中会产生比纯水更大的流动摩擦。总体而言，计算得到的入口压力与实验结果随排量的变化趋势相似，可以在一定程度上验证仿真模型。

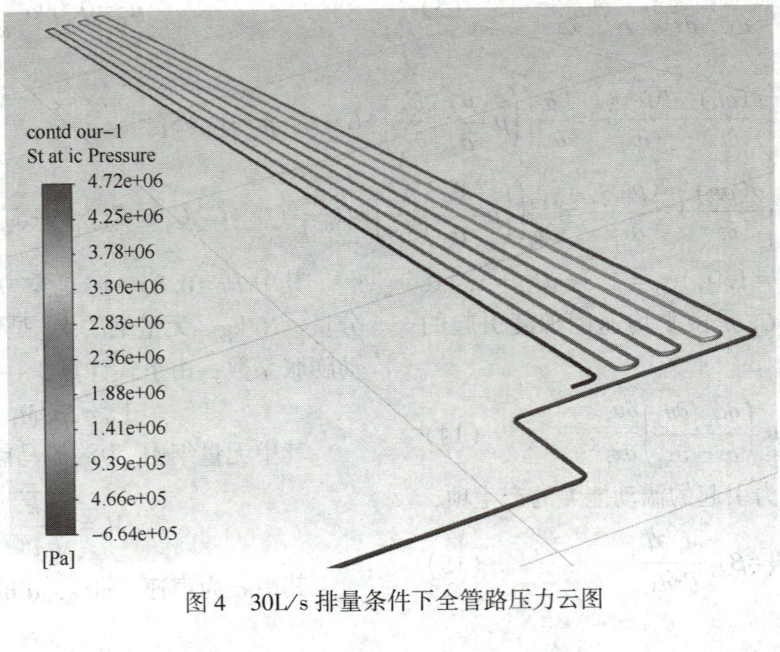

图 4　30L/s 排量条件下全管路压力云图

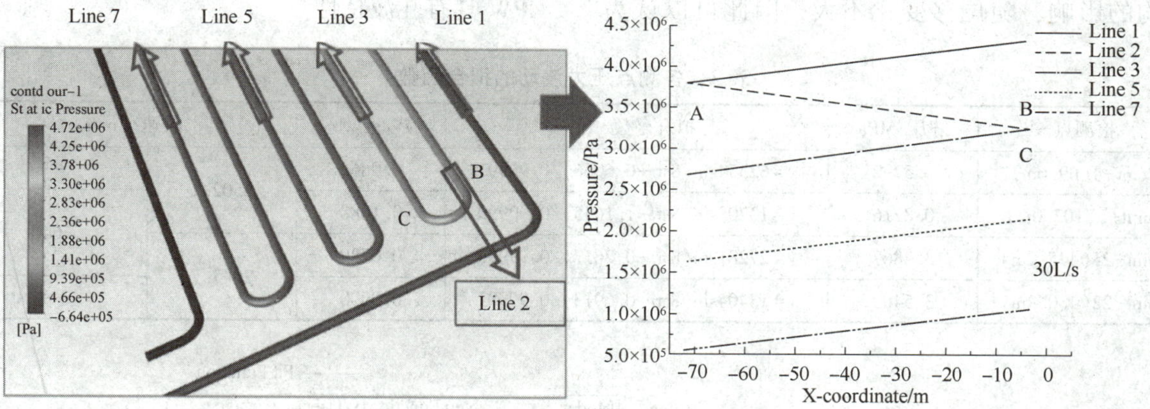

图 5　30L/s 排量条件下管路压力剖面

表 2　不同排量下的泵压

排量/(L/s)	仿真实验结果/Pa	计算结果/Pa	实验结果/Pa	误差/%
24	3004501	3197420	3571275	10.5
26	3573967	3801719	4359961	12.8
28	3774896	4042811	4595595	12.0
30	4766724	5077774	5794956	12.3

3.2　连续压力波的传播速度

在稳态流场模拟收敛后，根据实际钻井工况(表 1)，在出口处诱发 CPW，再进行 10s(即 40 次循环)的瞬态流场模拟，使残余误差小于 10-6。从 10s 到 10.25s，每 0.01s 记录一点(图 3 中标注为 1~28). 的压力变化。由于每个点的静压是不同的，因此用 Eq.23 的计算结果显示了压力波动 $p_f(i)$，如图 6 所示。可以得出结论，图 6 中的每条线包含一个周期的 25 个数据。

$$p_f^{(i)} = p_t^{(i)} - p_s^{(i)} \tag{23}$$

其中 $p_t^{(i)}$ 是在 i(图 3 中标注为 1~28)，Pa 处每隔 0.01s 记录的瞬态压力；$p_s^{(i)}$ 表示 i 点的静压，Pa。

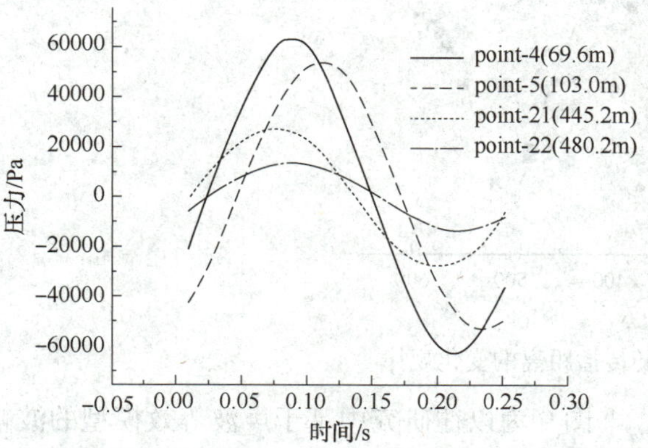

图 6　一个周期内(10~10.25s)某些点的压力波动

如图 6 所示，点 4(距出口 69.9m)和点 5(距出口 103.0m)之间的距离为 33.4m，点 5 的压力波峰值出现时间晚于点 4。根据距离和时间差可以计算出 CPW 的传播速度。

值得注意的是，由于数据记录为每 0.01 而不是连续的，所呈现的压力峰值可能不是实际的最大数值，因此我们使用正弦函数对每个点的 25 个数据进行拟合，这将有利于获得准确的峰值时间，并提高 CPW 传播速度的计算精度。例如，点 4 处压力波动的拟合函数为：

$$y = 62354\sin(8\pi t - 0.6066) \tag{24}$$

由于诱发的 CPW 是正弦函数，拟合函数的准确度高达 0.9999。基于 Eq.24，可以得出瞬态压力在 0.0866s 时达到峰值，同样点 5 的峰值时间为 0.1088s。CPW 在点 4 和点 5 之间的平均传播速度为 33.4m/(0.1088~0.0866s) = 1502.2m/s，其他点的拟合函数和平均速度如表 3 所示。

由表 3 可知，20 点与 24 点之间的平均静压和平均流速均大于 5 点与 21 点之间的平均静压和平均流速，甚至大于 4 点与 5 点之间的平均静压和平均流速，定量地说明了 CPW 的传播速度与静压呈正相关。

3.3　连续压力波的幅值衰减

如图 6 所示，CPW 的振幅随着向上传播而减小。图 7 和图 8 分别给出了 30L/s 和 28L/s 位移下 28 个点的 CPW 幅值，其中不同点的 CPW 幅值都是通过精确的函数拟合得到的，如表 3 所示。结果表明，CPW 的振幅总体上呈现减小的趋势，并存在突变(突增和突减)。在不同位置下，振幅衰减可拟合为负指数函数。振幅的突然波动说明了复杂结构井中波的反射和干涉。图 7 和图 8 的对比表明，波的反射和干涉主要受管道结构的影响，随位移变化不大，因此可以认为 CPW 具有驻波特性。

表 3　各测点压力波动的拟合函数

检测点	静压/MPa	拟合函数/R^2	波峰时刻/s	波速/(m/s)	
Point-4(69.6m)	0.5792	$y=62354\sin(8\pi t-0.6066)/0.99991$	0.0866	1502.2	—
Point-5(103.0m)	0.8216	$y=13708\sin(8\pi t-1.1645)/0.99999$	0.1088		1640
Point-21(445.2m)	3.2867	$y=27281\sin(8\pi t-0.2617)/0.99996$	0.0729	2047.7	
Point-22(480.2m)	3.5403	$y=13404\sin(8\pi t-0.6913)/0.99981$	0.0900		—

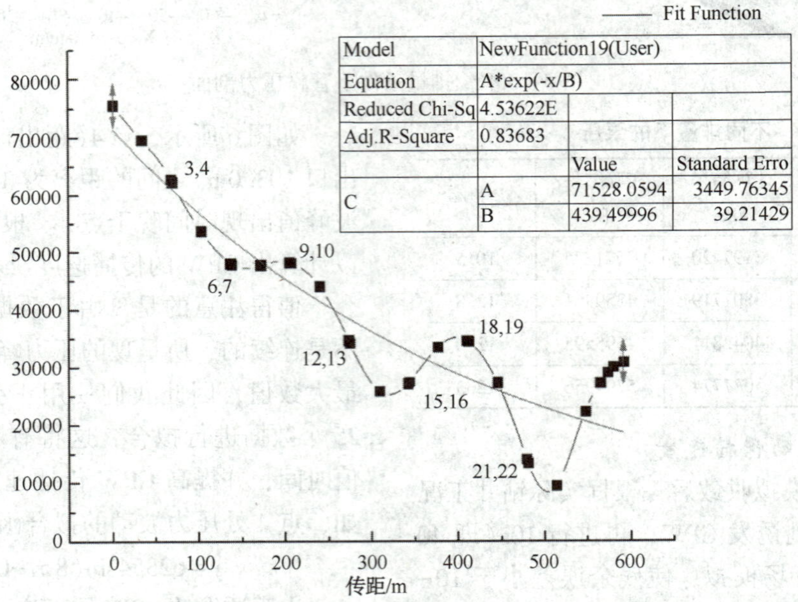

图 7　30L/s 排量下压力振荡随传播距离的变化规律

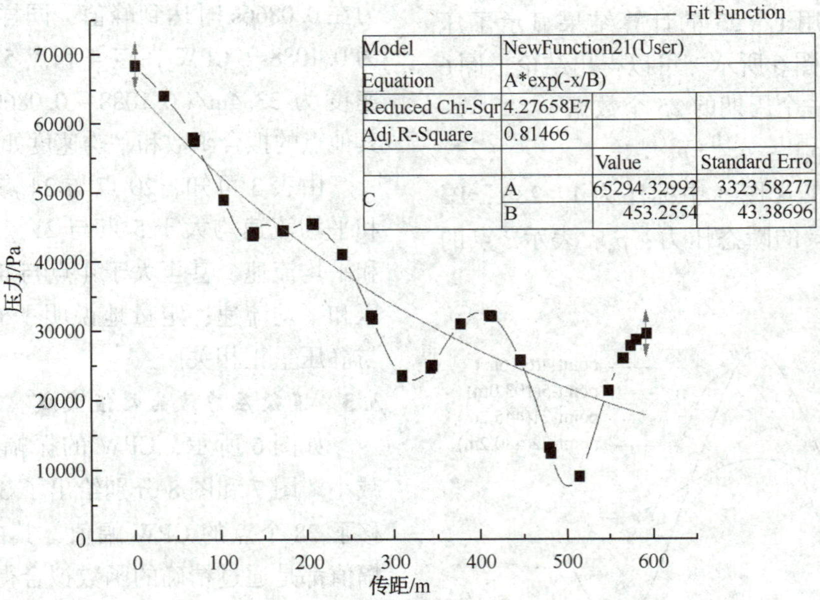

图 8　28L/s 排量下压力振荡随传播距离的变化规律

根据 28 个点的共面波导振幅，可以将振幅的衰减趋势拟合为距离(图 7 和图 8)的函数，方便工程师为某些井选择合适的地面检测设备。

图 9 为以往研究中基于声波等效模型的波幅衰减规律预测结果，以往研究能够预测频率和井深对波幅衰减的影响，但无法考虑波的反射和叠

加干扰。对比图8和图9可见本文所提出模型的创新性。

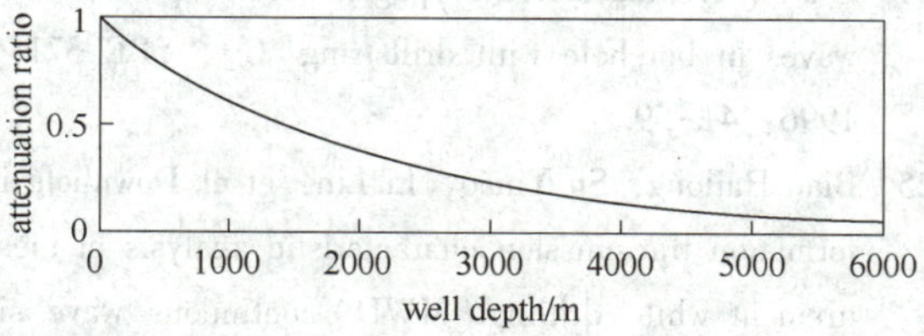

图9　基于声波等效模型的波幅衰减规律

4 结论

本文基于流体力学水击理论，考虑载波介质可压缩性以及弯曲管路中波的反射和叠加的影响，构建了一种连续压力波传播/衰减预测模型，进而以清水为循环介质对照实验边界条件开展了数值模拟研究，并对波幅衰减规律进行了拟合，获得如下认识：

（1）管路压耗速率为8112Pa/m，双弯拐头的压降约为7070Pa，与实测结果相比误差小于13%。

（2）压力波的传播速度与管道内的静压呈正相关，传播速度可超过2000m/s（不考虑循环水中气泡的影响）。

（3）压力波的振幅在反射和干涉作用下整体呈现减小的趋势，可以用负指数函数来拟合。

参　考　文　献

[1] Zhiqin Kang, Xing Jiang, Lei Wang, et al. Comparative investigation of in situ hydraulic fracturing and high-temperature steam fracturing tests for meter-scale oil shale [J]. Energy, 2023, 281.

[2] Zou Caineng, Dong Dazhong, Wang Yuman, et al. Shale gas in China: characteristics, challenges and prospects (Ⅱ). Petroleum Exploration and Development, 2016, 43 (2): 166 - 178. DOI: 10.11698/PED.2016.02.02.

[3] Zhao Wenzhi, Jia Ailin, Wei Yunsheng, et al. Progress in shale gas exploration in China and prospects for future development. Petroleum Exploration and Development, 2020, 25(1): 31-44.

[4] Liu He, Huang Youquan, Cai Meng, et al. Practice and development suggestions of hydraulic fracturing technology in the Gulong shale oil reservoirs of Songliao Basin, NE China. Petroleum Exploration and Development, 2023, 50(03): 603-612.

[5] Lei Qun, Weng Dingwei, Guan Baoshan, et al. Shale oil and gas exploitation in China: Technical comparison with US and development suggestions[J]. Petroleum Exploration and Development, 2023, 50(4): 824-831.

[6] Zhao Xianzheng, Zhou Lihong, Pu Xiugang, et al. Theories, technologies and practices of lacustrine shale oil exploration and development: A case study of Paleogene Kongdian Formation in Cangdong sag, Bohai Bay Basin, China[J]. Petroleum Exploration and Development, 2022, 49(3): 616-626.

[7] Meng Huajun, Zhang Kuangsheng, Xie Wenmin, et al. Practice and recognition of drilling technology in 4000 m horizontal section of tight gas reservoir in Changqing. Drilling& Production Technology, 2021, 44(4): 119 - 122. DOI: 10.3969/J.ISSN.1006 - 768X.2021.04.27.

[8] Fu Qiang. Drilling practice and pnderstanding of ultra-long horizontal hection hells of hhale has in Sichuan hasin. Drilling & Production Technology, 2022, 45(4): 9-18.

[9] JIANG Zhenghua, SUN Gang, CHEN Shiku, et al. Key drilling technologies for horizontal hells with ultra-long horizontal sections in Nanchuan shale gas field. Petroleum Drilling Techniques, 2022, 50 (5): 20-26.

[10] Bulychenkov, Konstantin. Overcoming fundamental restrictions: novel multi - station measurement while drilling survey correction. SPE Journal, 2023, 28 (2): 462-476.

[11] Wolter H., Gjerding K., Reeves M. E., et al. The first offshore use of an ultra-high speed drill string telemetry network involving a full LWD logging suite and rotary steerable drilling system. SPE Annual Technical Conference and Exhibition. Society of Petroleum Engineers, 2007: 34-39.

[12] Ali T. H., Sas M., Hood J. A., et al. High speed telemetry drill pipe network optimizes drilling dynamics and wellbore placement[C]. IADC/SPE Drilling Conference. Society of Petroleum Engineers, 2008: 18-25.

[13] Caruzo A, Hutin R, Reyes S, et al. Advanced design and execution techniques for delivering high data rate MWD telemetry for ultradeep wells [M]. Houston: Arctic Technology Conference, 2012: 264-297.

[14] Klotz C, Bond P, Wassermann I, et al. A new mud pulse telemetry system for enhanced MWD/LWD applications [C]. IADC/SPE Drilling Conference. 2008: 459-463.

[15] Detelf H, Volker P, Cedric R. Oscilating shear valve

for mud pulse telemetry [P] . United States Patent: 780885, 2010-10-5.

[16] Schlumberger. Slim pulse retrieveable MWD service [EB/OL]. http: //www. slb. com, 2015-03-01.

[17] Perry C A, Burgess D E, Turner W E. Rotary pulser for transmitting information to the surface from a drill string down hole in a well [P] . United States Patent: 7327634.

[18] Wang Zhiming, Jian Zhijun, Li Xiangfang, et al. The study of structure design on high speed series wave mud pulser system. Journal of Oil and Gas Technology, 2008, 30(2): 611-613.

[19] Su Yinao, Lu Baoping, Liu Yansheng, et al. Status and research suggestions on the drilling and completion technologies for onshore deep and ultra-deep wells in China. Oil Drilling & Production Technology, 2020, 42(5): 527-542.

[20] Li Gensheng, Song Xianzhi, Tian Shouceng. Intelligent drilling technology research status and development trends. Petroleum Drilling Techniques, 2020, 48 (1): 1-8.

[21] Wang Haige, Huang Hongchun, Ji Guodong, et al. Progress and challenges of drilling and completion technologies for deep, ultra-deep and horizontal wells of CNPC. China Petroleum Exploration, 2023, 28 (3): 1-11.

[22] Wang Xiang, Wang Ruihe, Ji Guodong. Frequency-dependent friction model for consecutive pulse signal of drilling fluid transmitting in borehole. Acta Petrolei Sinica, 2009, 30(3): 444-449.

[23] Shen Yue, Zhang Heng, Zhang Lingtan, et al. Eliminating noise of drilling fluid continuous pressure wave signals based on the self - adaptive filtering method. Acta Petrolei Sinica, 2014, (2): 353-358.

[24] Lea S, Kyllingstad A. Propagation of coupled pressure waves in borehole with drillstring [C], SPE 37156, 1996: 41-59.

[25] Bian Hailong, Su Yinao, Li Lin, et al. Downhole information transmission characteristic analysis of measurement while drilling (MWD) continuous wave signal. Chinese Journal of Scientific Instrument, 2011, 32(5): 983-988.

[26] Zhu Li, Wan Liping, Li Hongtao, et al. Transmission Rules of MWD Pressure Pulse Signals in Deep Well Drilling. Journal of Oil and Gas Technology, 2014, 36 (6): 108-113.

[27] Liu Xiushan, Su Yinao. Investigation on the transmission behaviors of drilling fluid pulse signal. Oil drilling & production technology, 2000, 22(4): 8-10.

[28] Wang Xiang, Wang Ruihe. Influence factor of transmission velocity in frequency domain of drilling-fluid consecutive pulse signal. Journal of China University of Petroleum (Edition of Natural Science), 2008, 32 (5): 54-57.

[29] Jin Xia. Research on the signal quality of continuous wave mud pulse generator. Qingdao: China University of Petroleum, 2019.

[30] Liu Jun, Yuan Feng. Signal attenuation model and transfer characteristics for continuous vibration signals inside a pipeline [J]. Journal of Vibration and Shock, 2015, (19): 84-90.

[31] Wu Wangyi. Fluid Mechanics (Part 1). Beijing: Peking University Press, 1982.

普通稠油油藏火驱关键工艺技术研究与应用

宋　颖　闫暄崎　谢唯一　高珊珊　张双艳　王　冠　杜金秀　王惠芳

（中国石油华北油田公司）

摘　要　新疆、辽河油田经室内研究及现场试验初步形成了超稠油火驱工艺技术，蒙古林砾岩油藏作为首个普通稠油火驱试验区，在借鉴新疆、辽河油田火驱技术经验的基础上，针对蒙古林火驱普通稠油、砂砾岩合采、高气液比生产等特点，通过优化预注空气量、点火升温时间，形成了一阶升温点火工艺；为了防止固井过程中因砾岩低压导致的储层污染问题，通过控制酸液反应时间，形成小半径、短时间、不返排解堵工艺；通过井下气液分离器及水力射流泵结构优化，形成了高气液比举升工艺。现场应用结果表明，6口井均一次点火成功；在不影响火线燃烧的情况下，酸化解堵后压力下降1MPa；举升工艺应用后液量提高2倍以上。通过配套工艺优化，保障了蒙古林火驱先导试验显著见效，实施一年，阶段增油9300t。

关键词　普通稠油；火驱；一阶升温点火；高气液比举升工艺

火驱也称火烧油层，它是通过向油层注入空气（或 O_2），将地层原油点燃，重组分就地燃烧，利用燃烧产生的热量、气体带来的物理化学作用进行采油的方法。从1958年起国内学者即开展相关研究，伴随着在新疆、辽河、胜利等油田的成功试验和工业化应用，其提高采收率潜力也得到广泛认可。

蒙古林油田属于普通稠油油藏，自1983年开发以来，经历过各种水驱调整措施，已进入特高含水期，综合含水91.01%，可采储量采出程度高达91.43%。依靠水驱进一步提高采收率的潜力较小，亟需改变开发方式。通过技术调研，火驱技术能够大幅提高稠油油藏采收率，具有注入成本低、适用范围广、驱油效率高等技术特点。因此有必要开展蒙古林砾岩水驱开发后期的稠油油藏火驱技术可行性研究，探索大幅度提高采收率新途径。

国内新疆、辽河油田已经开展火驱先导试验，初步形成了超稠油火驱工艺技术，而蒙古林油田与其在稠油性质、燃烧特性方面存在差异，在借鉴新疆、辽河油田经验的基础上，由于原油黏度低、砂砾岩合采砂岩异常高压特点，可能存在点火工艺适应性差，固井过程中因砾岩低压导致储层污染以及高气液比下油井无法正常生产等问题。为了进一步改善开发效果，提高工艺技术的适应性，及时对点火、解堵以及举升工艺技术进行优化，通过室内试验和现场实践，形成了适用于普通稠油油藏火驱的工艺技术体系，目前试验区已初见成效。

1　普通稠油油藏火驱大幅提高采收率技术

1.1　点火工艺技术

火驱的关键是安全成功点火，国内经过长期的研究，已经形成成熟的智能电点火技术，蒙古林油田点火借鉴辽河油田电点火工艺，由于蒙古林砾岩油藏埋深浅，原油黏度低（113.6mPa·s），针对普通稠油点火问题，优化点火工艺，首先开展室内物模试验，试验条件：采用蒙古林原油，孔隙度46%，渗透率2.94μm²，点火温度450℃，注气压力1MPa，在空气通量分别为2.5L/min和3L/min的条件下进行点火前注空气物模试验。

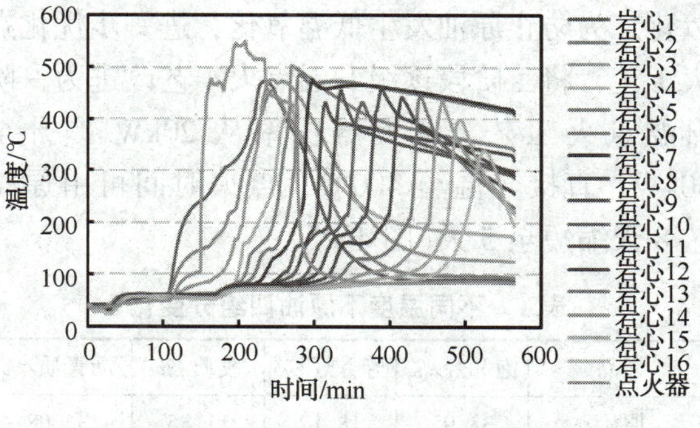

图1　点火前注入1.5万方空气物模试验图

从图1和2可以看出，空气通量为2.5L/min时，火线由于前端空气量较大，近井地带氧气聚集，会产生高压，发生逆向燃烧；空气通量

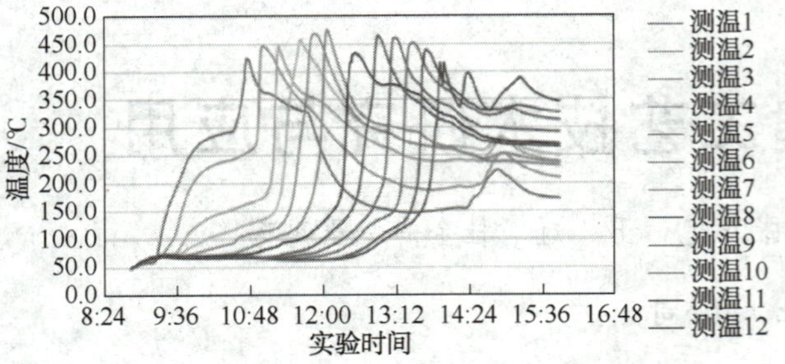

图 2　点火前注入 500 方空气物模试验

为 3L/min 时可以稳步向前推进，因此预注空气量由 15000m^3 减少至 500m^3，避免地层回火损坏井筒，注 1~2h 即可满足点火要求。

另外，通过室内燃烧釜实验，明确点火工艺的技术关键。将进入油砂模型的空气加热到设定温度，进入样品后，点燃油砂，开始火烧油层过程，燃烧温度通过模型内部热电偶测出。实验结果如图 3 所示，蒙古林砾岩油藏原油易点燃，地层油砂加热到 270℃即可以点燃油层。

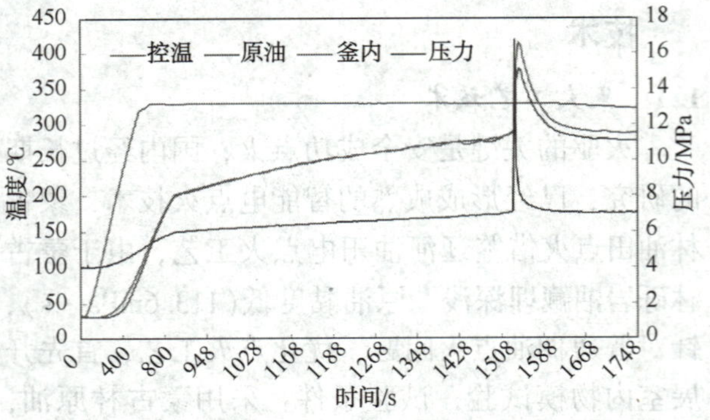

图 3　蒙古林砾岩油藏点火温度室内物模实验数据

测定不同温度下原油四组分变化(表 1)，在低温下胶质和沥青质含量增加，在 400℃燃烧后的样品两种组分含量较低，说明原油会发生低温氧化。为防止原油发生低温氧化，进一步优化点火工艺，将三阶段逐级升温点火工艺改进为一阶升温点火工艺，点火器功率从 20kW 提升至 80kW，直接升温至 400℃，点火时间可由原工艺 8 天缩短至 5 天(图 4)。

表 1　不同温度下原油四组分变化

样品	饱和烃/%	芳香烃/%	胶质/%	沥青质/%
原始	33.95	18.12	11.85	36.08
40℃氧化	27.68	15.52	19.04	37.76
80℃氧化	24.57	13.76	24.64	37.03
120℃氧化	18.53	11.46	29.15	40.86
160℃氧化	13.82	10.55	32.93	42.70
400℃燃烧	35.68	18.16	11.58	34.58

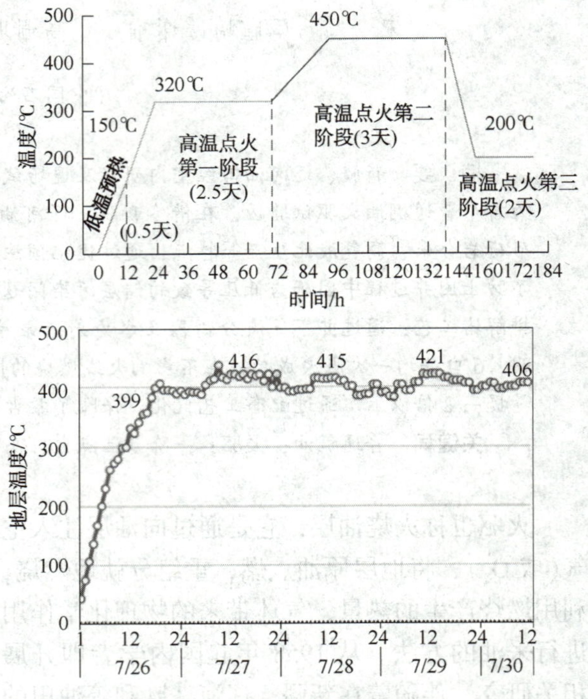

图 4　蒙古林火驱点火方案对比

1.2　不熄火酸化解堵工艺技术

蒙古林油藏具有砂砾合采特点，根据开发方案需封堵砂岩开采砾岩，前期采用化学堵剂封堵后，因存在砂砾岩压差大、套变严重问题，储层造成污染，导致注气井注入压力偏高，为此需开展解堵工艺优选。为避免解堵施工对燃烧状态的影响，因此需采取不能造成熄火原则，分析可能引发熄火的原因主要包括以下三种：①作业长时间停止注气，可能因补氧不足熄火，因此，停注时间应控制在 4h 以内；②返排可能因烟道气回流熄火，因此施工过程不能返排；③注入液体，可能产生强制性降温，造成熄火，因此要合理控制注入液体的总量。通过三种措施工艺对比(表 2)，酸化解堵工艺可满足要求。

蒙古林砾岩油藏岩石类型主要是块状砾岩，胶结物主要是蒙脱石、高岭土、伊利石等黏土物质，储层厚度 16.2m，有效孔隙度 13.4%，渗透率为 7.19×10^{-3} μm^2。根据储层特征，目前砾岩酸化主要应用土酸和多氢酸体系，因此通过溶蚀率实验进行解堵剂优选。

表 2 措施工艺对比

解堵工艺	特 点	存在风险分析
深穿透补孔	深穿透、孔径相对较小	带压作业井控风险高，措施效果不确定，井底温度对射孔枪的安全不确定
水力打孔或小型压裂	深穿透、大孔径、低孔密，克服常规射孔的压实带污染和近井地带污染，使油流通道更加清洁	作业周期长，液体量大，造成熄火的风险高
酸化解堵	化学解堵，利用酸液的化学溶蚀作用，溶解地层堵塞物	液体总量可控，作业周期可控，造成熄火风险相对较低

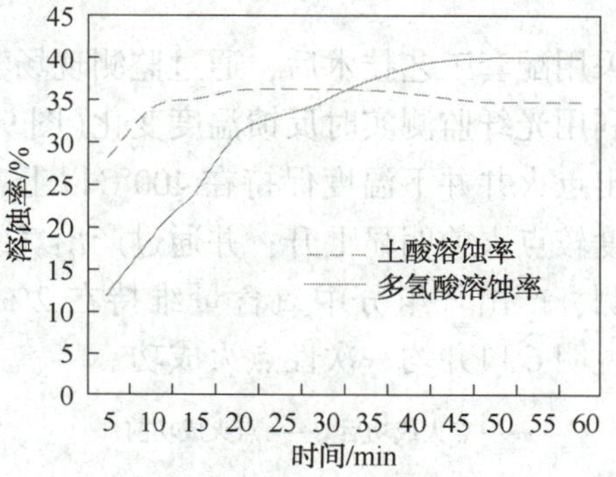

图 5 两种体系对固井水泥浆的溶蚀率对比

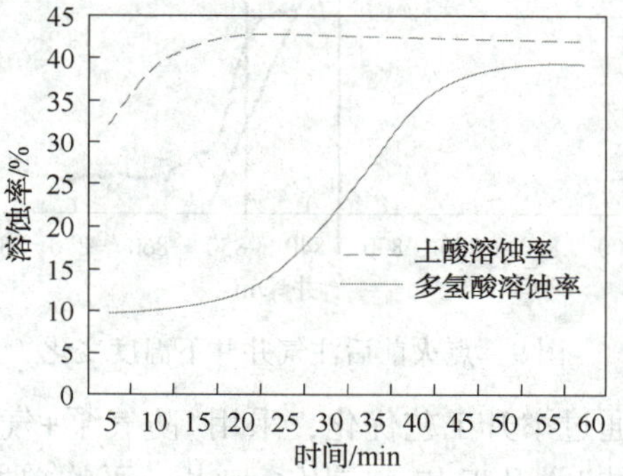

图 6 两种体系对钻井泥浆的溶蚀率对比

从图 5 和图 6 的实验结果可知，两种酸液体系最终溶蚀率相差不大，土酸对钻井泥浆和固井水泥浆的溶蚀速度均较快，17min 就能够达到最大溶蚀率，因此优选土酸为解堵剂。泥浆污染距离呈正比，为突破污染带，采用“小半径、短时间、不返排”酸化解堵设计思路，设计解堵半径为 1 米。根据 πr^2×储层厚度×平均孔隙度计算得出主体酸用量为 15m^3。为防止废液返排导致的返吐、熄火风险，施工过程中不返排，注酸后用低排量 300m^3/h 注气 30min，确保反应时间。措施后压力下降 1MPa，产出气组分中 CO_2、O_2 含量稳定，在不影响火线燃烧下注气能力得到提升，证实该工艺的可行性。

1.3 采油工艺技术

火驱开发过程中，生产井伴随着尾气量大，加上稠油油藏原油黏度高、气体抽提增稠等问题，对人工举升造成极大的影响，会导致常规泵的充满程度降低，泵效降低，甚至气锁。因此选取合适的举升方式尤为关键，可以从两个方面进行举升工艺优化，一方面提高高产气条件下泵效，另一方面可通过降低单井气液比方式提高生产效率。

首先，为减小对泵效的影响，进行气液分离器的设计与实验，将井下气液分离器设计为吸液孔在上，出液口在下的倒装结构，可防止气体在上部聚集对泵筒的影响。

为满足火驱不同生产阶段的开发要求，设计不同的举升工艺组合。针对出气量较小的井，采用防气泵+气锚举升工艺，针对出气量较大的井，通过优化下泵深度以及套管控压措施，进一步优化举升工艺。随着生产油气比增加，为保持泵的充满程度，沉没度必须相应增大。在动液面保持一定的条件下要加大沉没度就必须加深泵挂。由于火驱生产伴生气主要以游离气为主，且为油层中直接以气相存在，为降低尾气影响，目前最简便的方式是加深泵挂，降低尾气入泵量。另外，通过理论公式（1）（2）（3）计算，确定泵吸入口位置应下深至射孔段以下 20m。结合其他井的实际生产情况，推荐油井下泵深度为射孔段以下 15~20m。因此形成了防气泵+气锚+加深泵挂组合举升工艺体系。

$$L_p = H - \frac{P_{wf} - P_s}{\gamma_1} \tag{1}$$

$$P_s = \frac{R_{tp} P_{sc} P_b (1-f_w)(273+t)/293}{P_b(1/\beta - 1) + R_{tp} P_{sc}(1-f_w)(273+t)/293} \tag{2}$$

$$\rho_1 = \rho_w f_w + \rho_0 (1-f_w) \tag{3}$$

式中：L_p 为下泵深度，m；H 为油层中部深度，m；P_{wf} 为流压，Pa；f_w 为井液初期含水率，小数；ρ_1 为井液密度，g/cm^3；ρ_w 为水密度，g/cm^3，

一般取 1.0；ρ_o 为地面原油密度，g/cm^3；γ_l 为井液重度，N/m^3($\gamma_l=\rho_l\times9800$)；$R_{tp}$ 为生产油气比，m^3/m^3；P_b 为饱和压力，Pa；P_s 为泵挂深处压力，Pa；P_{sc} 为标准状况压力，取 101×10^{3}Pa；t 为泵挂深处井温，℃；β 为要求的泵充满程度，无因次小数，一般取 0.4~0.6。

从理论上分析，当油井在保持某一套压下稳定生产时，且有稳定的液体沉没度下，抽油机井井底流压保持不变，油井井底产量基本不变，但从气体影响泵效的角度分析，套压与产量影响明显。因此，在 MH425 井进行了套压控制试验，该井正常生产时日产液为 16t，通过适当关小套管阀门，观察不同套压下该井的液量变化。从试验结果(图 7)可以看出，随着套压的增加，该井的液量呈下降趋势，当套压升高至 0.5MPa 时，液量已降至 5t 以下。由此说明套压对油井的生产动态起到至关重要的作用。在此基础上，通过理论公式(图 8)，计算合理套压值应为 0.3MPa。

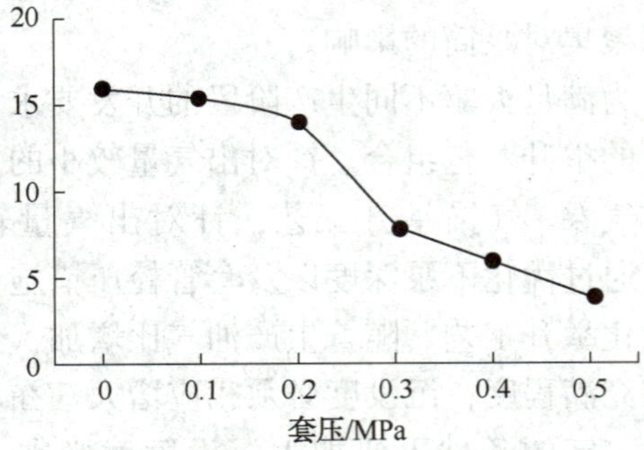

图 7　MH425 井液量与套压关系

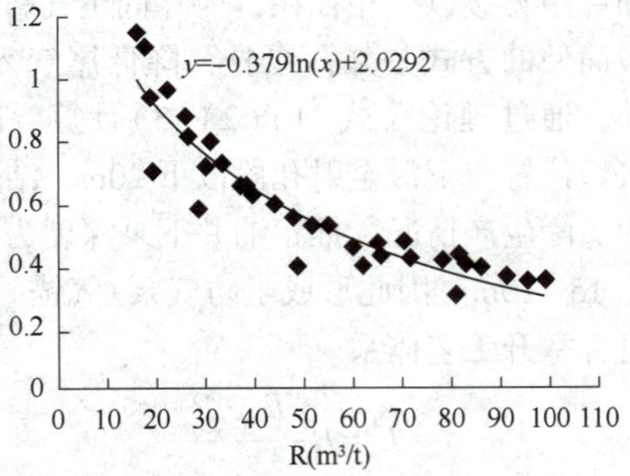

图 8　合理套压值与气液比的关系

其次，可以通过地面注入动力液的方式补充地层产液，降低单井的气液比，水力射流泵举升工艺可以满足要求，由地面注水系统提供动力液，动力液由井口、48mm 油管到达井下排砂采油装置，地层产出液携地层砂通过尾管被吸入到井下排砂采油装置的喷嘴、喉管之间并随动力液一起进入喉管，在喉管内动力液和产出液混合形成混合液，后沿油管和油管之间的环空到达地面，有效降低了单井气液比，结合井筒情况，混合液管柱选用外径 89mm 或 78mm，动力液管柱选用 48.26mm，泵芯 38mm。喷嘴直径为 2.57mm、喉管直径为 4.36mm。适用于气液比大于 2000m^3/t，斜度大于 30°的井筒状况，可实现高产气油井的正常生产。

2　应用情况

采用配套工艺技术后，通过监测现场实施情况，利用光纤监测实时反馈温度变化(图 9)，可以看出点火井井下温度保持在 400℃以上，油层段温度较点火前明显上升；并通过产出气组分取样监测，产出气组分中氧含量维持在 2%以下。由此说明 6 口井均一次性点火成功。

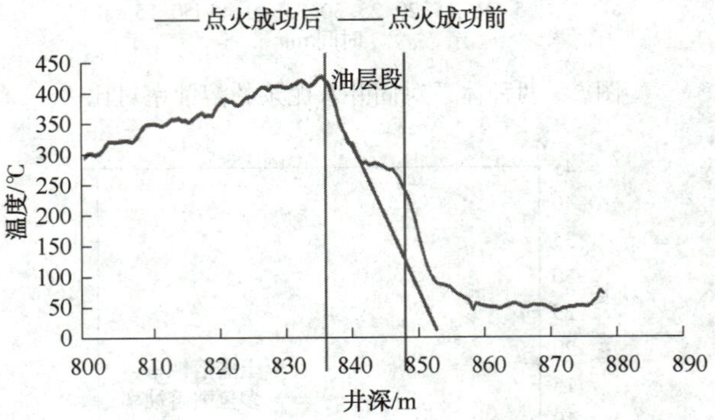

图 9　点火前后注气井井下温度变化

通过举升工艺优化，采用"防气泵+气锚+加深泵挂"举升工艺，应用 6 口井，平均单井液量提高 1.2 倍。采用水力射流泵举升工艺，有效降低了单井气液比，现场试验 2 口井，单井液量提高 20%。举升工艺优化后，8 口井液量从 34t 上升至 64t，降低日常维护和作业成本 30%。

目前试验区整体见效明显，连通油井 24 口，见效 15 口，见效率 62.5%，日产油增加 2.4 倍，驻点法计算累计增油 8428.5t。综合含水下降 21.9 个百分点，优于方案预测指标。

3　结论

(1) 通过缩短预注空气和点火升温时间，优化点火工艺技术体系，防止近井地带氧气富集逆向燃烧；将三阶段逐级升温点火工艺改进为一阶升温点火工艺，保障 6 口井一次性点火成功。

(2) 酸化解堵工艺造成熄火风险相对较低，优选土酸为解堵剂，措施后压力下降 1MPa，产

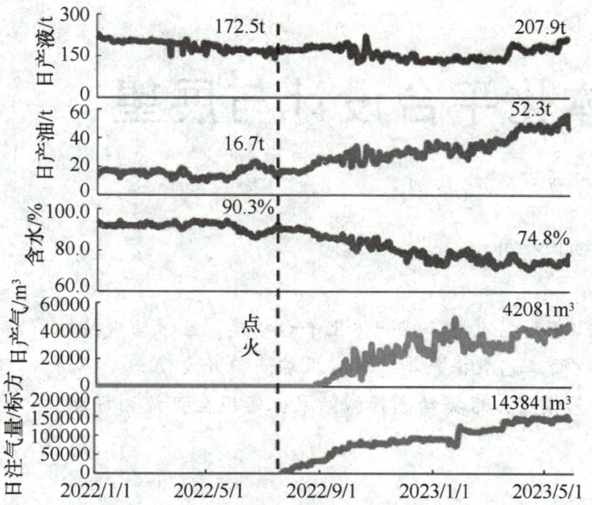

图 10　目前试验区生产曲线

出气组分中 CO_2、O_2 含量稳定，在不影响火线燃烧下注气能力得到提升。

（3）探索形成防气泵+气锚+加深泵挂的组合技术体系，有效解决初期气体影响泵效问题，并将水力射流泵技术应用于高气液比的举升，实现了高气液比油井的正常生产，为中后期烟道气持续上升条件下的采油举升提供新思路。

参 考 文 献

[1] 蒋海岩，王姣，赵黎明，等．基于动力学参数的火驱效果影响分析[J]．科学技术与工程，2020，20（14）：5589-5597.

[2] 王元基，何江川，廖广志，等．国内火驱技术发展历程与应用前景[J]．石油学报，2012，33（5）：909-914.

[3] 蔡文斌，李友平，李淑兰．火烧油层技术在胜利油田的应用[J]．石油钻探技术，2004，32（2）：53-55.

[4] 张霞林，关文龙，刁长军，等．新疆油田红浅 1 区火驱开采效果评价[J]．新疆石油地质，2015，04：465-469.

[5] 薛宗占．深层块状稠油油藏转重力火驱研究[D]．中国地质大学(北京)，2013.

[6] 朱海琦．火驱电点火及其与其他点火方式的对比分析[J]．内蒙古石油化工，2014，20：58-59.

[7] 周立国．辽河油田稠油火烧工艺技术研究[D]．东北石油大学，2014.

[8] 柴利文，周运恒．火烧油层举升工艺技术研究与应用[J]．石油钻采工艺，2010，33(4)：41-44.

[9] 王磊，穆化巍，陈洪，等．蒙古林砾岩油藏火驱举升工艺[J]．石油钻采工艺，2023，45(0)：1-9.

[10] 陈莉娟，潘竟军，陈龙，等．注蒸汽后期稠油油藏火驱配套工艺矿场试验与认识[J]．石油钻采工艺，2014，36(4)：93-96.

[11] 李晓倩．适应火驱不同阶段的举升系统设计与参数优化[D]．西安石油大学，2020.

[12] 杨志，梁政，祝清新，等．抽油机井合理下泵深度的优化设计[J]．西南石油大学学报，2007，29（5）：149.

巴彦油田地质工程一体化平台设计与展望

张天宁　刘贵强　齐根成　谭金华　刘书军　刘春海　蔡　俊　杨　超

（中国石油华北油田公司）

摘　要　为了推进深化智能化时代背景下油气勘探开发新型地质工程一体化平台构建，巴彦油田持续推进建设油藏、井筒、地面一体化模型，通过油水井及地面工艺数据采集，实时跟踪油田开发动态，将动态数据注入油藏模型进行模拟，模拟结果传递至地面工艺模型，根据动态模拟结果，实现生产计划调整，优化措施实施计划，指导油田开发和生产决策优化。

关键词　巴彦油田；智能化；油藏；钻井

为适应当前新一轮科技革命和产业变革，响应国家对能源企业数字化转型的要求，2019 年中国石油集团公司提出，要加快信息化建设和集成应用，深化人工智能、大数据、物联网等新一代信息技术在油气全产业链的应用，推进生产运行等信息系统和认知计算平台建设，努力提高油气业务的数字化、可视化、自动化、智能化水平，促进组织架构变革、商业模式创新、流程优化和降本增效，为巴彦油田建产年产 200 万吨目标夯实信息基础。集团公司领导焦方正对巴彦油田智能化建设提出要持续抓好绿色智能油田建设，大力应用数字化智能化技术，充分利用风光电等清洁能源，将巴彦油田打造成智慧油田样板工程和绿色低碳示范工程。要求巴彦油田按照集团公司数字化转型、智能化发展的工作部署和总体要求，按照统一标准与产能建设同步实施，高标准、高起点推进巴彦油田全过程数据采集、自动计量、智能控制，加快实现油水井自动操控、中小站场无人值守、大型站场集中监控，进一步夯实油田数字化基础，以数字化、智能化驱动油田高质量发展，通过设备的自动控制、调参、计量，真正全面实现采油工从蓝领变白领。

地质工作主要涉及地质勘探、地层结构、油气储集条件等方面的研究，而工程方面则关注于油气的开采、生产和处理过程，尽管二者都是石油工业的重要组成部分，但在实践中，由于在工作方法和目标上存在一定的差异，导致二者之间的结合程度不够紧密。当前，兴华区块探明石油地质储量约 9500 万吨，新建产能约 100 万吨，该区块油藏具备平面分布范围大，纵向油层分布连续、分布跨度大等诸多地质特点。巴彦油田勘探开发的前景广阔，同时也对油气开采、生产及处理过程的需求也随之提高，例如兴华 1 井区为受四条边界断层围绕的地垒，内部发育少量小断层，随录取资料的增加，构造模型需不断更新。为解决这一难题，地质工程一体化平台将地质学、石油工程和相关工程学科的知识、技术和方法相结合，实现跨学科的合作和信息共享，从而更好地分析和解决巴彦油田开发和生产过程中的各种问题，通过建设油藏、井筒、地面一体化模型，经动态模拟运行和实时数据对比分析，识别模型异常问题，通过算法、模型的迭代优化，及时对模型进行优化调整，实时跟踪油田开发动态，根据动态模拟运行和实时数据对比分析，预警预测，措施优化，指导油田开发和生产决策优化。

1　地质工程一体化平台建设思路

总体原则遵循油田开发全生命周期管理理念，要综合考虑巴彦油田各项业务，打破管理条带限制，按照业务过程进行一体化设计，注重信息的综合应用。地质工程一体化功能架构的搭建主要基于勘探开发梦想云、华北油田工程云，打通分公司与工程技术研究院的管理壁垒，形成跨单位、跨区域的协同；集成钻测录井实时数据，建设专家协同环境，建立现场、分公司、研究院一体化专家远程协同处置环境，指导方案调整和现场问题处置。巴彦油田在地质工程一体化建设的实践中，已探索出了适应于巴彦不同地质条件、不同自然环境、不同工程特征，以油气藏研究为中心，多学科多信息相融合的研究模式，并针对其开发特点，提出了地质工程一体化的技术路线，建设地质工程一体化模型研究的技术路线主要分为数据采集、建立油藏模型、运营管理、决策分析实施(图1)。

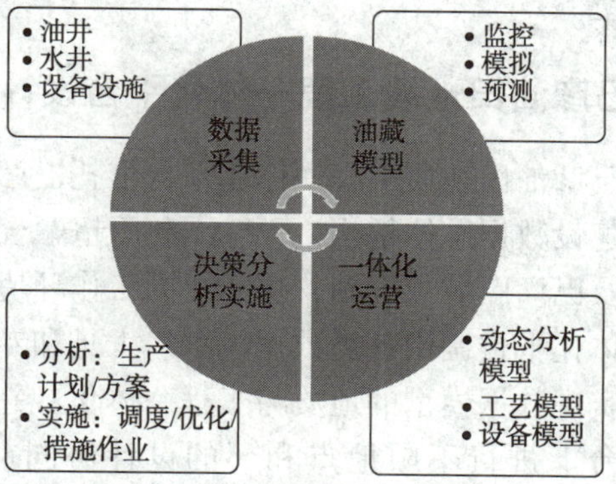

图1 油藏井筒地面一体化优化流程图

地质工程一体化平台技术路线其核心是地质综合研究(图2)，该路线借助信息服务平台，开展井下地质非均质性和各向异性评价、钻完井工程优化等关键研究，通过构建三维地质模型和三维地质力学模型，实时动态更新。利用既有资料开展目标区域地质(储集层)品质评价和各向异性地球物理评价，获得目标层位储集层信息、轨迹经历层位地质信息和地球物理各向力学信息，构建三维地质及地质力学模型，为工程设计提供地质信息，制定勘探开发方案和实施计划；然后根据方案和实施计划，选取具有控制性或风险性的平台，开展先导性钻探和再评价，更新地质和物性模型，评估地质工程风险，以虚拟井技术优化批量开发井布井，标准化钻完井设计与施工方案；最后，以标准化方案为基础布局平台开发井工厂化作业，并针对风险或不确定性，优选技术获取必要资料，动态更新平台三维综合模型。

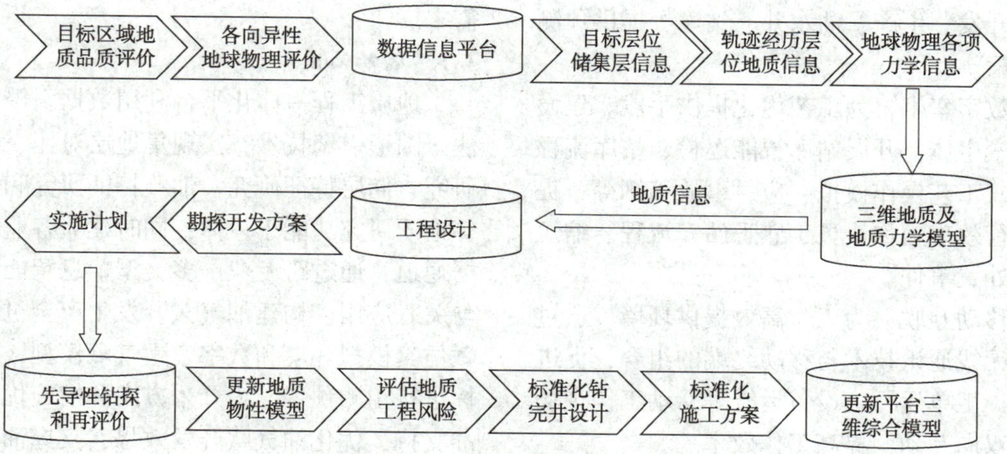

图2 地质工程一体化优化技术路线流程图

2 面临难点及关键技术

2.1 研究难点

经过不断探索，目前国内油气勘探开发地质与工程一体化取得了诸多认识和经验，形成了一系列优秀的工作方法和机制，展现了显著的成效。但在实际应用中，勘探开发作业依旧普遍存在地质、设计与施工脱节严重的问题，具体表现为工程地质与地质工程的相互了解欠缺，作业方案不适应目标地质体，往往导致作业过程中问题频发。

巴彦油田地质油藏的储量、品位差异较大，兼具高、中、低不同类型的油藏，所面临的开发难点也各不相同，例如兴华1、吉华2等目前已探明中、高位油藏储层疏松、敏感性强；吉华1区块具备高角度天然裂缝发育；吉华26、临华1区块的油藏规模小，含油幅度低，给后期的高效开发带来一定的难度。钻井方面，钻完井作业时效不高、井身质量差、固井质量差、油层保护差、储集层钻遇率低、产能偏低等，作业过程中还出现卡钻、井喷等事故，甚至出现了影响深远的井喷失控事故。所以如何将集成地质分析所需的三维地震解释分析系统、单井及多井分析系统、油藏剖面分析系统等地震解释、地质分析、地质建模、数值模拟、工程设计、生产分析等综合应用起来，并将油藏信息与工程技术人员共享，及时制定、优化决策部署，实现技术人员协同研究、一体化办公及智能分析决策，成为当前需解决的重点任务。

2.2 关键技术

在根据巴彦智能油田顶层设计，采用大数据分析、人工智能、机器学习等先进的数据应用手段进行相应的应用模块开发，应用物联网、云计算、大数据、数字孪生等技术保障智能化应用的稳定性、实时性、先进性。

(1) 物联网，为感知全面提供基础。通过无线传感器、边缘设备、无线网络设施建设实现油田现场数据自动采集，并在此基础上开展生产自动监控、自动预警、自动优化以及生产智能决策等。

(2) 云计算，为资源共享提供平台。基于标准化、模块化，构建数据资源池和智能化应用软件资源共享环境，以及服务器、存储等设备资源共享池，从分公司层面整合资源、集中管理，从而优化投资并提高运维水平。

(3) 大数据，为业务洞察提供依据。基于动态静态的数据积累，将各类信息进行收集、整合、加工，应用大数据分析平台，利用分析模型为勘探、开发、生产、油水井、站库等提供预测和优化决策。

(4) 数字孪生，为工艺优化提供手段。建设站库数字孪生体，开展站库智能巡检、站库流程工艺优化、工艺操作模拟、应急事故演练等，提升站库运行效率、加快员工熟悉站库流程、缩短应急事件处置事件。

(5) 移动互联，为工作高效提供环境。通过互联网等无线通讯技术与移动终端的组合，促进单井巡检、工单运行、设备运维等移动工作现场与远程的双向互动，提高工作效率。

(6) 知识图谱，为经验分享提供纽带。构建基于业务流程的知识管理，实现跨部门、跨单位、跨区域的经验知识分享，快速定位专家与知识资产，提高勘探开发生产、科研协作、经营决策效率。

3　巴彦油田地质工程一体化平台设计

巴彦油田地质工程一体化平台依托巴彦智能油田建设数据总体架构(图3)，利用超融合云平台以及巴彦区域数据湖，搭建协同工作环境，通过一体化平台调用各类数据模型、工具和专业软件，实现数据模型的地质与工程一体化，并在同一平台上进行不限地点和环的设计协同(如图4)。模块按照实际业务特点将研究工作节点流程化，将研究过程规范化，对每个研究节点从数据准备、软件调用，成果归集完成对研究进度与质量的跟踪管理，满足地质工程一体化研究的需求。

3.1　智能油藏

地质工程一体化平台利用数据引擎、专业算法、图形引擎技术，实现集地层对比、构造特征研究、储层特征研究、油藏特征研究和储量计算等地质研究功能于一体，同时建立各业务间的数据通道，通过跨专业、多类型信息智能联动更新与关联应用，构建油气藏开发生产全过程的油气藏仿真模拟环境和数字孪生气藏模型，对开发指标进行预测预警，为开采方案和措施优化提供精准支持，优化油气藏开发效果，支撑油藏地质工程师开展油气藏综合地质研究。

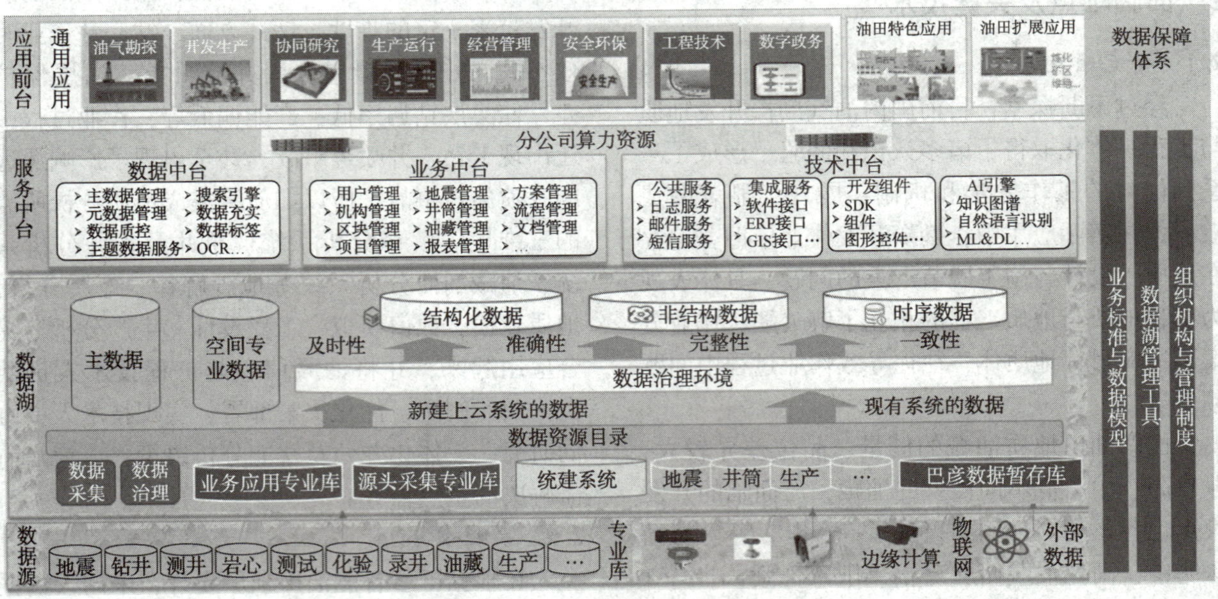

图3　巴彦分公司智能油田建设数据架构图

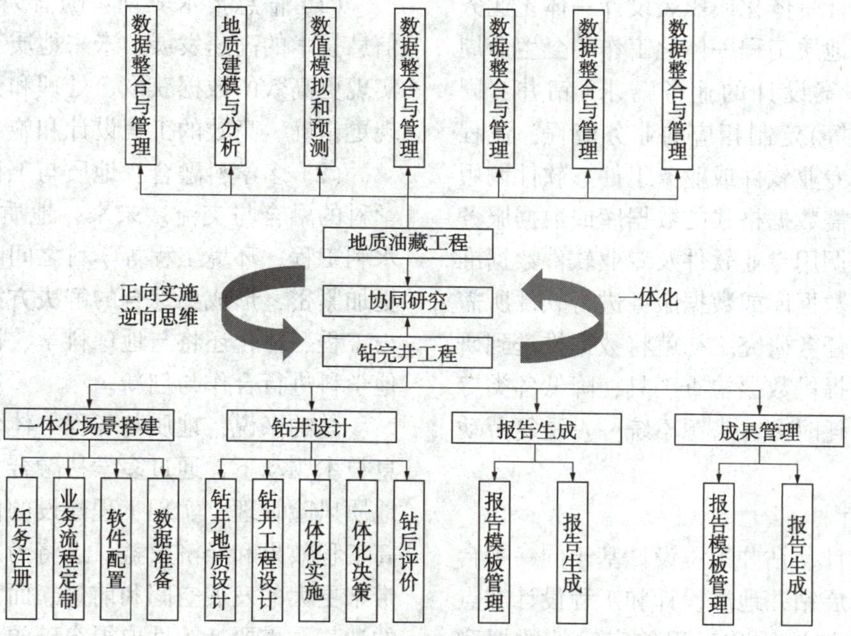

图 4　地质工程一体化平台架构图

(1) 数据整合与管理，平台具备整合并管理不同来源的地质和工程数据的功能，利用地质相关技术对数据进行收集整合，包含地质勘探数据、地震数据、岩心数据、测井数据、生产数据等，利用平台所建立的数据通道，在平台上实现图件自动更新，支撑油藏地质工程师开展油气藏综合地质研究，通过数据整合，减少数据冗余，提高数据的可访问性和准确性。

(2) 地质建模与分析，平台提供地质建模工具建立巴彦油田的地质模型。通过分析地质特征、储层性质、油气运移规律等，为工程决策提供准确的地质信息。打破油藏动静态壁垒，将地质成果图件、单井综合柱状图、管柱图及生产曲线四类图件相关信息集成同窗可视化展示，并建立各图之间联动关系，实现测井、地质成果图件、井下作业、生产动态等动静态资料的快速联动对比，有效辅助动态分析、措施制定等工作。

(3) 数值模拟和预测，实现指标预测模型流程化快速创建，通过模型管理展示每个模型的样本类型、模型算法、误差等相关信息进行模型选择，用于指标预测调用。平台可以提供数值模拟工具，用于模拟油气在储层中的运移和油田的生产动态。通过数值模拟，预测油气的产量和采收率，评估不同开发方案的效果。

(4) 工程设计与优化，平台具备工程设计和优化的功能，根据地质模型和工程需求，进行生产方案的设计和优化。包括井网布置、注采方案、增产措施等。

(5) 协同办公与团队合作，平台可以提供协同办公和团队合作的功能，用户可以在线共享和讨论数据、模型和工作进展，促进地质与工程团队之间的合作与交流。

(6) 数据可视化与决策支持，平台应提供数据可视化功能，通过图表、图形和动态模拟等形式，将复杂的地质和工程数据转化为直观的信息，支持用户的决策和分析。

(7) 综合分析与评价，平台可以提供综合分析和评价的功能，综合考虑地质和工程因素，对油田开发方案进行评估和优化，帮助用户做出科学的决策。

3.2　钻井工程

依托已建的工程数据库，引进加载部分工具集成部署，集中采集、存储钻井、录井、测井、试油、地质和油气生产的实时数据、成果数据和知识数据并提供数据服务。部署钻、录、测、试方案设计功能，实现智能钻井、智能录井、智能试油等实时分析和智能优化功能。建立专业评价模块，实现钻井、录井、测井、试油、试气全过程温度、压力等参数以及压裂、振动等数据的实时监控，结合静态地质资料进行评价、呈现和协同研究。

3.2.1　一体化场景搭建

任务注册功能通过设定工区范围确定数据查询条件，选择研究人员和管理人员与任务节点对应，选择钻井设计一体化或压裂设计一体化业务流程模板，实现地质工程一体化工作的全生命周期管理。根据方案设计的业务需求（钻井、固井、射孔、压裂等）定制相应的业务流程，流程节点可配置调用专业软件或业务组件。软件调用参数配置，及所需数据格式的数据库或数据服务字段配置，实现调用专业软件及专业软件数据准备。对接统一的数据库或数据服务进行软件所需数据的汇集，在任务研究之初就将数据推送到研究人员眼前，并提供数据检查工具，降低各类专业软件数据准备耗时多、来源不统一、重复劳动的问题。

3.2.2　钻井设计

钻井地质设计、钻井工程设计基于同一平台和同一流程，开展钻井地质设计和工程设计节点的设计工作，支持地质和工程的实时的数据联动、操作联动、成果共享，实现钻井设计和工程设计的不断协作优化。以常规风险模型为基础，收集钻井专家施工经验进一步修正完善，建立适合巴彦油田的经验算法模型，通过监控三维地层模型内工程参数的变化，实现在钻井过程中的防碰实时预警，复杂情况实时预警。在钻井施工过程中，及时视频和模拟钻进过程监控，地质和工程专家可以集中对突发事件或复杂情况快速组织一体化综合研究及应急决策。通过钻井施工数据（包括井身结构、钻井液、欠平衡等）、复杂情况、录井米数据等多种类型数据的单井信息展示及多井灵活对比，为新井设计的井身结构和轨道设计提供参考。提供报告模板定义、段落和正文字体定义、关键字段信息定义和数据库提取等功能，实现设计报告模板的定制和预览。按照报告模板提取基础数据及成果表、图件，实现报告在线编辑及自动生成等功能，并按照权限实现多人在线协同编辑和在线预览。实现多业务节点间和项目间的成果的共享、历史成果查询、下载等功能。实现项目成果的批量入库、可视化查看、权限管理、数据上传、下载日志的统计等功能。

4　结论及展望

地质工程一体化平台通过利用地质信息、地质理论和地质技术，并结合工程设计、施工和监测，实现地质与工程的有机融合，以达到更好的工程效果和经济效益。展望未来，地质与工程一体化有以下几个发展趋势：

（1）信息技术驱动：随着人工智能、5G 等信息技术的高速发展，未来地质工程一体化有望实现更高效的数据获取、处理和分析能力，以实现更精确、高效的工程设计和施工。

（2）多学科融合：地质与工程一体化注重多学科的融合与交流。未来，地质学、土木工程、水利工程、环境工程等学科之间的交流与合作将更加紧密，形成更综合的解决方案。同时，地质与工程一体化还将与地球科学、计算机科学等其他学科进行合作与创新。

总的来说，地质与工程一体化的展望是在信息技术驱动下，通过多学科融合、可持续发展和地质风险管理，实现工程建设的优化与创新，提高工程效果和经济效益。这将为未来的工程建设带来更大的发展空间和前景。面对巴彦油田复杂的油气藏需要持续性取得突破的形势，地质工程一体化是必不可少的理念及方法。建议在建设地质工程一体化平台的同时，也要指定相应的管理体制，有坚定理念的决策者，严谨协作精神的一体化团队，保证一体化数据平台的高效实用性，并针对不同油气藏的具体挑战，大胆尝试，创新模式，突破学科和组织界限，地质工程一体化理念必将发挥引领性作用，引领低油价效益革命，为复杂油气藏高效勘探开发保驾护航。

参 考 文 献

[1] 谢军，鲜成钢，吴建发，等．长宁国家级页岩气示范区地质工程一体化最优化关键要素实践与认识[J]．中国石油勘探，2019，24(2)：174-185.

[2] 吴奇，梁兴，鲜成钢，等．地质—工程一体化高效开发中国南方海相页岩气[J]．中国石油勘探，2015，20(4)：1-23.

[3] 胡文瑞．地质工程一体化是实现复杂油气藏效益勘探开发的必由之路[J]．中国石油勘探，2017，22(1)：1-5.

[4] 陈颖杰，刘阳，徐婧源，等．页岩气地质工程一体化导向钻井技术[J]．石油钻探技术，2015，43(5)：56-62.

[5] 朱斗星，蒋立伟，牛卫涛，等．页岩气地震地质工程一体化技术的应用[J]．石油地球物理勘探，2018，53(增刊1)：249-255.

[6] 梁兴，徐进宾，刘成，等．昭通国家级页岩气示范区水平井地质工程一体化导向技术应用[J]．中国石油勘探，2019，24(2)：226-232.

[7] 刘乃震，王国勇，熊小林．地质工程一体化技术在威远页岩气高效开发中的实践与展望[J]．中国石油

勘探，2018，23(2)：59-68.
[8] 刘涛，石善志，郑子君，等．地质工程一体化在玛湖凹陷致密砂砾岩水平井开发中的实践[J]．中国石油勘探，2018，23(2)：90-103.
[9] 赵贤正，赵平起，李东平，等．地质工程一体化在大港油田勘探开发中探索与实践[J]．中国石油勘探，2018，23(2)：6-14.
[10] 黄浩勇，范宇，曾波，等．长宁区块页岩气水平井组地质工程一体化[J]．科学技术与工程，2020，20(1)：175-182.
[11] 雍锐，常程，张德良，等．地质—工程—经济一体化页岩气水平井井距优化——以国家级页岩气开发示范区宁209井区为例[J]．天然气工业，2020，40(7)：42-48.

国产首套深水水下采油树自主研发及示范应用

黄 熠 孟文波 任冠龙 颜帮川 黄 亮 余 意 李 磊

[中海石油(中国)有限公司湛江分公司]

摘 要 水下采油树是水下油气生产系统的关键设备，连接了来自地层深处的油气和外部的油气运输管道，可以控制油气的开采速度、进行实时监测和调整生产情况。长期以来，全球仅有5家公司掌握水下油气生产系统的设计建造技术，导致我国水下油气装备采办周期长、价格高、维保难，制约着国家海洋石油自主迈向深水的步伐。通过自主创新、联合攻关和示范应用，突破国外技术封锁，建立了一套以“产-学-研-用”为基础的国产化水下采油树自主设计、制造、测试与认证全过程技术体系，研发了国产首套深水水下水下采油树工程产品，其适用水深等级1500m，额定压力等级10000psi，设计寿命20年，产品获得DNV和CCS双认证，技术指标与国际同等技术水平持平。通过自主研制与示范应用，国产化水下采油树为我国南海深水油气田的开发提供了强有力的技术保障，对保障南海油气资源自主可控，具有重要战略意义。

关键词 水下采油树；自主设计；高性能锻造；测试认证；国产化；示范应用

我国南海油气资源量高达350亿吨，其中深水占比超过70%，开发南海深水油气资源是保障我国能源安全的有效途径，是中国海洋石油工业未来发展的重点。水下采油树是水下油气生产系统的核心装备，是深水油气田开发的关键设备，掌握其设计制造认证等关键技术，实现水下关键核心装备国产化研制和应用，对于我国深水油气田的建设发展具有重要意义。

随着南海莺歌海区域某气田顺利完成放喷测试作业，我国自主研发的首套国产化深水水下采油树正式投入使用，标志着我国已具备深水水下采油树成套装备的设计建造和应用能力，该套水下采油树重量达55t，由超过2500个零部件组成，具备安全隔离储油层、保证井下作业安全等功能，作业期间各项性能指标均圆满完成，装备等级已达到国外同类产品水平。

长期以来，水下采油树的设计及制造技术掌握在国外几大厂家手中，导致设备采办周期长、价格高、维保难。目前，国内典型深水油气田的水下采油树全部采用国外成熟产品，国内相关设备整体处于设计研制阶段，关键技术卡脖子形势极其严峻，制约着海洋石油自主迈向深水的步伐。水下采油树等高端装备的制造是多学科技术的综合体，关键核心技术门槛和壁垒高，部分技术装备受到国际制裁，研发难度大。水下采油树是深水钻完井的“咽喉要道”，是整个钻完井系统中至关重要而又薄弱的环节，其在结构设计、锁紧密封及加工制造方面技术难度大，且深水低于6℃的低温和海水腐蚀环境，以及长达20年的水下安全运行免维护要求，对水下采油树的结构强度、密封性能、承压能力、工艺质量等提出了极大挑战。

为攻克以上难题，在国家工信部创新专项支持下，中国海洋石油集团有限公司通过自主创新、联合攻关和示范应用，突破国外技术封锁，建立了一套以“产-学-研-用”为基础的国产化水下采油树自主设计、制造、测试与认证全过程技术体系，研发了国产首套深水水下采油树工程产品，并实现了示范应用，为南海深水油气田的开发提供了强有力的技术保障。

1 水下采油树国内外研究现状

我国基于水下生产系统的油气田开发主要集中在南海区域，经过多年的合作开发，采用水下生产系统相继开发了多个油气田，包括流花11-1油田、崖城13-4油田、荔湾3-1气田和“深海一号”大气田等均取得了成功。“深海一号”大气田的成功开发推动着南海深水油气资源逐步向超深水、深水高温高压领域迈进，但这些项目的水下采油树均由国外水下设备供应商提供。

目前，水下采油树的市场主要被TFMC、Aker Solutions、Cameron和GE等国外公司所占有，其中Cameron和TFMC占据水下采油树的主要市场。近年来我国对于水下生产系统相关设备也进行了国产化研究，但是国外对相关技术进行封锁，导致相关研究成果应用的局限性，水下生产系统相关设备的设计研制工作仍处于探索阶段。目前海上油气田水下采油树(120 余套)全部采用国外产品，卡脖子形势严峻，制约着海洋石油自主开发的步伐。如表 1 所示。

表 1　目前国内海上油气田水下采油树应用情况

油气田	井数/口	水深/m	压力等级/psi	型式	厂商
流花 11-1 油田	25	305	2250	卧式	FMC
惠州 26-1N& 惠州 32-5 油田	4	120	5000	卧式(电/液)	FMC
陆丰 22-1 油田	9	333	5000	卧式(电/液 SCM 首次)	FMC
崖城 13-4 气田	3	91	10000	卧式	Aker
流花 4-1 油田	8	267	5000	卧式	FMC
荔湾 3-1 气田	10	1457	5000	卧式	CAMERON
流花 19-5 气田	2	182	5000	卧式	Aker
番禺 35-1/2 气田	7	388	10000	卧式	CAMERON
流花 29-1 气田	7	785	10000	卧式	Onesubsea
流花 29-2 气田	4	750	10000	卧式	Onesubsea
流花 16-2/20-2/21-2 油田	26	435	10000	卧式	FMC
文昌 10-3 气田	4	120	10000	卧式	FMC
陵水 17-2	11	1500-1700	10000	卧式	Aker

2　水下采油树自主研发面临的挑战

2.1　深水水下采油树自主设计技术体系欠缺

我国在深水水下采油树设计方面处于起步阶段，水下采油树整体设计技术需继续优化，核心部件设计存在技术瓶颈。水下采油树需攻克“油气高产”、“冲蚀腐蚀”、“流动保障”等复杂组合载荷自主设计技术难点。

2.2　水下采油树核心部件国产化制造难度大

水下采油树本体材料高性能锻造、油管挂复杂超深孔加工、2$\frac{1}{16}$″HH 级小孔腐蚀堆焊及检测等关键制造技术难度大。国外受美国等出口限制零部件采购难度大，国内在基础材料、锻造、精加工、检测等相关制造产业链不完整。

2.3　水下采油树测试平台及测试认证技术，国内自主技术空白

目前国内尚无系统完整的陆地模拟测试技术规范和测试平台，尚未形成国内深水水下装备系统测试能力。国内缺乏水下生产系统核心关键设备检验及服务能力，尚未建立自主标准体系及设备认证技术体系。

2.4　国产化设备海上首次示范应用，缺乏自主安装调试及运维保障技术

国产首套水下采油树进行示范应用时在下放安装、水下作业、回收等工况下的作业安全风险大。深水水下完井作业至正式投产，涉及工序繁多、工艺复杂、安全问题突出，首次示范应用面临众多挑战。水下采油树服役期间失效呈现多模块、多样化特征，缺乏相应风险评估管控方法，自主调试及运维保障难。

3　国产首套深水水下采油树自主研发与技术创新

3.1　深水水下采油树自主设计技术

（1）深水水下采油树整体设计技术

水下采油树采用模块化设计理念，使用三维模拟技术和数值仿真分析技术，针对水下采油树功能模块结构布局、ROV 水下作业界面接口分布、防落物和防拖网保护框架结构、牺牲阳极分布、管线路径和固定支撑等进行了优化设计，形成了一套结构尺寸小、重量轻、易于操作、易于制造装配的水下采油树结构设计方案，建立了一套水下采油树国产化设计方法，产品设计指标达到 10000psi 等级，满足 1500m 水深工程应用要求。如图 1 所示。

（2）水下采油树关键核心设计技术

依据标准规范使用应变能法和弹性应力分析方法，对水下采油树整体、部件建立有限元模型，计算了承压件、控压件和主构件在内外压

力、机械载荷以及不同工况下的力学状态，确定了水下采油树关键部件结构强度，总结出不同工况载荷对结构强度影响的规律，为水下采油树结构设计优化提供了技术支撑。突破了U形金属密封建模与分析方法，建立了U形金属密封圈的二维轴对称模型，完成了油管悬挂器所用的U型系列金属密封自主设计和研发，形成了主动、被动和临时密封屏障单元，系统地解决了水下采油树关键部件密封问题。采油树本体采用一体成型转换管道设计，在采油树体内加工孔连通生产和环空通道，解决了外露的转换管道带来的空间布局难题；结合功能和性能需求，采用ANSYS受力分析了油管悬挂器内部结构及负载情况，解决复杂载荷下油管挂结构优化技术。如图2所示。

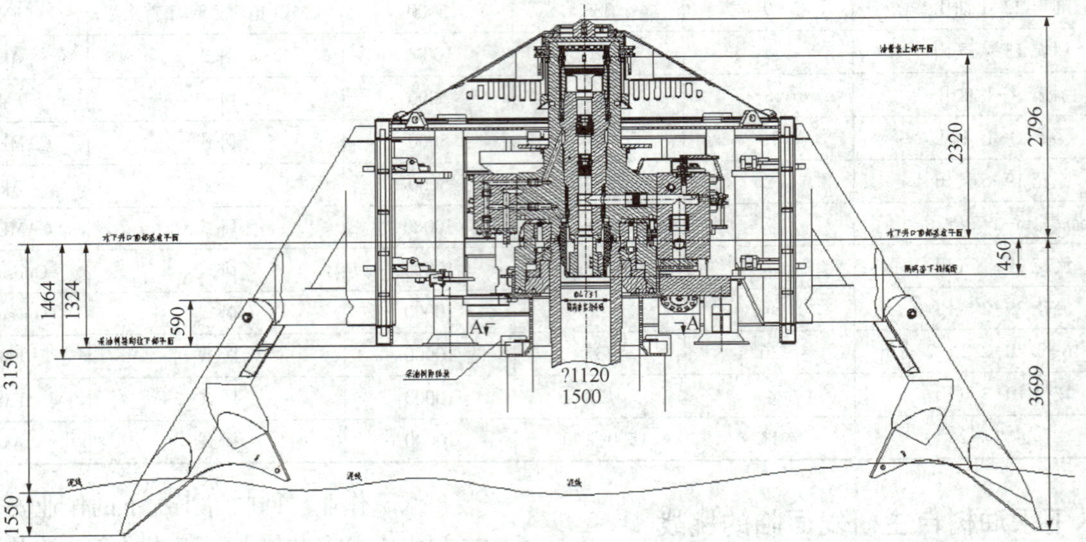

图1 水下采油树系统总体方案设计

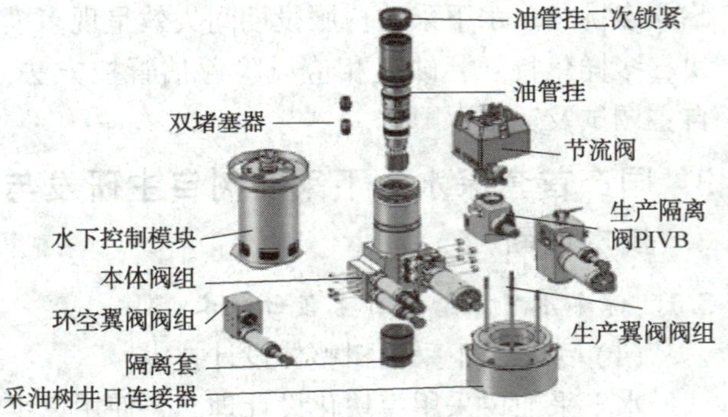

图2 水下采油树部件组成

(3) 水下采油树配套工具设计关键技术

结合目标采油树的结构特点，开展了安装与回收工具设计技术研究，解决了水下定位导向、密封与压力测试、锁紧与解锁、软着陆、位置指示、二次释放/锁紧、液力闭锁等关键技术，完成了51种配套工具的设计；配套工具锁紧与解锁机构运用凸轮原理主要采用锁紧环、锁爪、锁块等形式实现锁紧与解锁功能，解决了锁紧环接触应力分析、材料与加工技术难题；基于失效安全和冗余设计理念，按照API 17G5标准规范要求，完成了安装修井操作控制系统设计。

3.2 深水水下采油树核心制造技术

(1) 本体材料高性能锻造技术

根据材料成分-成型工艺-组织-性能之间的相互影响关系，通过计算机数值模拟采油树本体的锻造应力、应变状态，改进锻造工艺，采用膨胀仪研究F22材料相变动力学参数，优化材料的热处理工艺参数，通过三维(3D)和层析CT超声相控阵技术，揭示了采油树设备零部件缺陷的超声影像和层析特征。通过分析焊接材料的成分、抗腐蚀特性和其对堆焊质量的影响，确定堆焊材料，研究优化焊接工艺，避免焊接缺陷的产生，最后通过对堆焊表面着色检验方法和超声波检验方法的研究及堆焊层腐蚀试验，对堆焊进行评价。如图3所示。

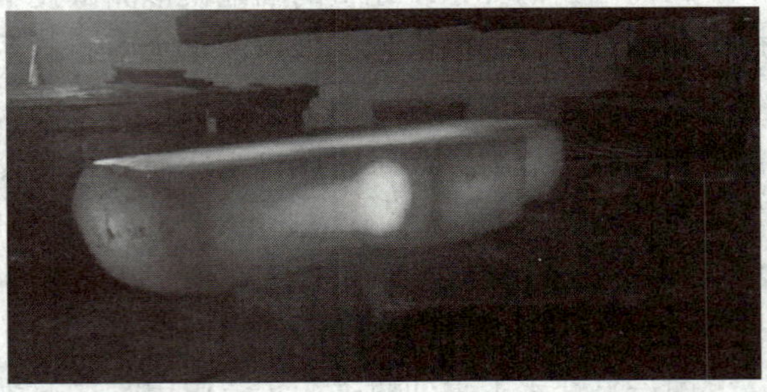
图3 水下采油树本体锻造

（2）复杂超深孔加工以及小孔防腐精密堆焊技术

通过优选设备、改进刀具、优化工艺及参数、定制工装等多种途径，完成了大型零件精加工、薄壁零件高精加工深孔/斜孔精确加工、重量部件热装配等多项工艺攻关，揭示了稀释率(含 Fe 量)对堆焊层耐蚀性能的影响规律，突破了油管挂本体复杂超深孔加工技术、建立了 $2\frac{1}{16}$″小孔 HH 级耐腐蚀堆焊、重型零件深孔镍基合金堆焊等关键技术，建立健全了国内材料锻造、精加工、防腐、检测等相关制造产业链条，实现了油管挂堵塞器、井下穿越湿式电连接器等关键零部件国产化。

（3）堆焊涂层超声波检测方法

建立了基于时间反转算子分解的全聚焦成像方法，钢锻件缺陷成像及重构方法，突破了堆焊层渗透检测、全聚焦相控阵缺陷检测等关键技术，形成了工程产品堆焊层超声波检测方法，成功申请国家团体标准。其适用于部件内孔直径大于 50mm，堆焊层厚度为 3mm~25mm 的堆焊熔敷层、熔接层和热影响区的检测，可用于油气井口设备在生产、制造、安装和修复中的手动或自动检测。

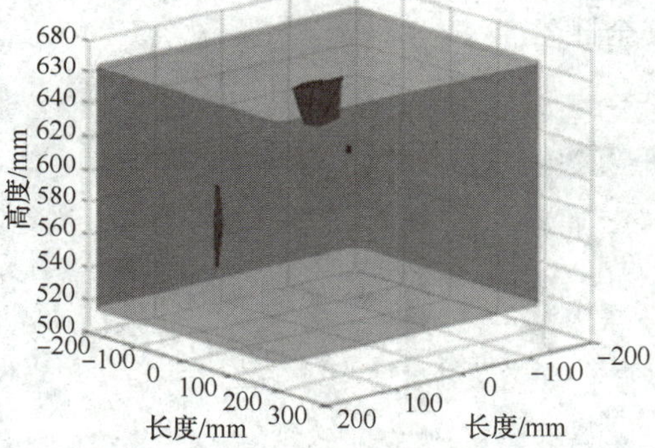

图 4　水下采油树堆焊层超声波检测

3.3　水下采油树系统测试平台、测试及认证关键技术

（1）建成国内首个水下采油树测试平台(图 5)

平台构建了四大系统，具备开展产品接受测试、扩展测试、集成测试和检测评估功能。其中水池测试系统配备测试水池和水压气压试验设备，可对水下采油树在水环境下进行液压(23000psi)和气压(15000psi)密封测试；水下采油树测试系统配备上部控制装置(HPU+MCS)、脐带缆滚动设备，可对水下采油树进行功能测试、通讯测试和故障定位；检测监测评估系统配备无损焊缝、腐蚀检测设备以及监测评估软件，可对水下生产系统的单体部件、管路焊接检测以及完整性进行评估。

（2）水下采油树工厂测试及集成测试技术

依据 API 标准规范要求，参考国外水下采油树测试方法，结合本项目水下采油树系统功能特点，制定了国产化水下采油树系统试验程序；在现有试验条件基础上，研发了所需的试验装置和试验工装，完成了产品性能鉴定、工厂验收试验、扩展工厂验收试验以及系统集成测试，通过了挪威船级社和中国船级社认证，并推动中国船级社创建了国内水下生产系统测试及认证技术体系。

（3）水下采油树海上测试技术

首次制定了水下采油树海上测试整体方案，量化了产品和服务工具海试关键指标和一般性能指标，建立了海上测试后评估体系，圆满完成国产首套水下采油树海试，为后续示范应用奠定坚实基础。

图 5　水下采油树测试平台

3.4　水下采油树自主安装调试及运维保障技术

（1）水下采油树自主安装、回收关键技术

基于多体动力学理论(图 6)，建立了“导管+井口+采油树+防喷器+隔水管+平台”多体动

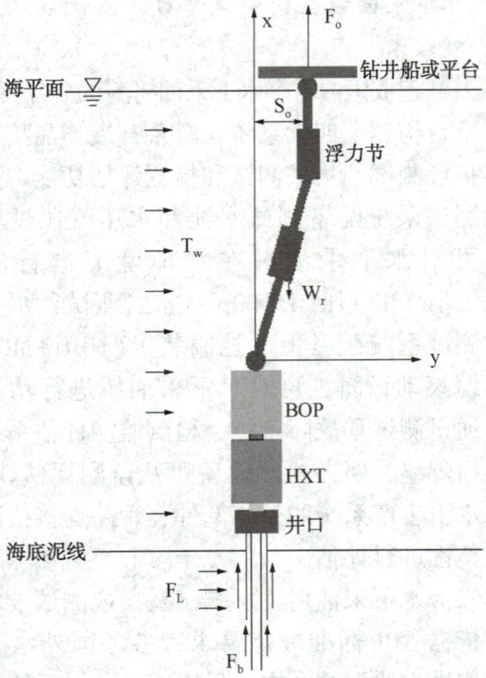

图 6　多体动力学理论模型

力学模型，揭示了各作业设备间的力学相互作用规律，分析了系统不同张力比、不同海流速度、不同平台偏移量对井口导管强度的影响规律，确定了环境载荷窗口和平台漂移界限定，并建立了水下采油树海试作业定量风险评价模型，形成一套自主安装及回收关键技术。

（2）水下采油树投产前系统安全控制技术

建立了水下装置投产前管柱、A 环空、水下树 Flowloops 温压计算模型，实现了水下采油树调试运行期间的温度压力场精细表征（图 7），开展了水合物生成区域预测研究、生产通道冲蚀特性研究以及水下装置投产制度研究，形成了适用目标区块的深水气井投产调试期间环空压力、嘴后温压及水合物、冲蚀风控方案，实现了深水气田开发井投产调试期间的安全生产。

（3）水下采油树在役运维评估及保障技术

在综合分析国内外水下采油树风险分析评价方法的基础上，建立了改进型 HAZOP 方法，建立了水下采油树-井口系统力学模型，形成了一套基于 FTA 方法的系统可靠性评估和高风险场景模拟计算结合的水下采油树可靠性综合评价方法，对系统在役过程中所受到的海流力、地震与腐蚀等外部载荷风险进行分析，得到水下采油树在各类工况下的最大应力在 20MPa 以下，最大弯矩在 0.3MN・m 以下，全面评估了不同工况对工程化应用的影响，能够有效保障其服役期间的安全性。

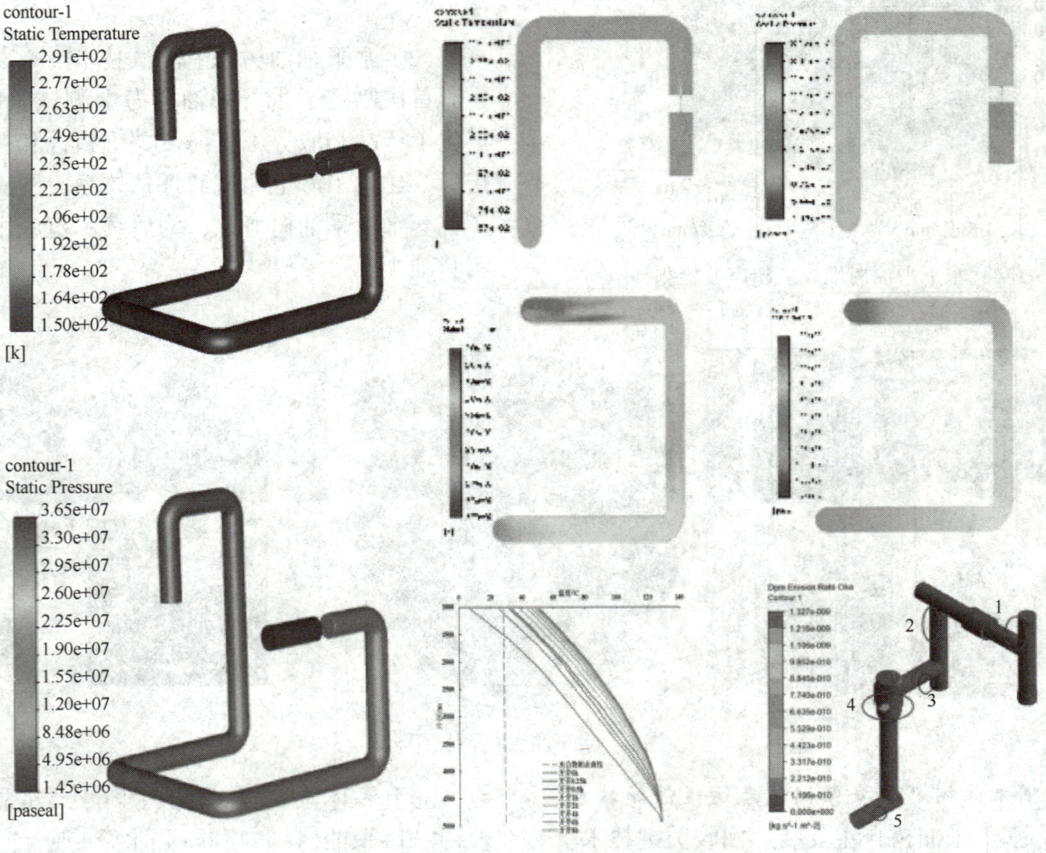

图 7　水下采油树生产通道温压场精细表征

4 水下采油树示范应用

2022年5月，我国首套国产化深水水下采油树成功应用于南海西部东方1-S井，该井井深3691m，垂深1306m，储层温度80℃，压力系数1.01~1.06，渗透率9.6~97mD，孔隙度21.9%~24.5%，烃含量27.2%，CO_2含量66.2%，配产50万方/天。其安装方位及精度满足要求，功能测试正常，水下采油树各密封测试全部合格，生产通道油气流动安全。该井成功清喷测试，产气量超配产，预计该井每年可生产天然气约$2\times10^8m^3$，此次水下油气生产系统应用后，较以往成本可降低约27%，同类型设备将在未来用于开发陵水、宝岛等多个深水油气田，预计节约成本超10亿元，经济效益显著。如图8所示。

图8 水下采油树现场安装

5 结语

(1) 国内首次自主研发了1500m级水下采油树系统国产化自主设计、制造、系统集成及认证技术，攻克了采油树整体结构优化、核心部件自主制造、国内全流程自主认证等关键技术；研制的水下采油树适用水深等级1500m，额定压力等级10000psi，设计寿命20年，产品获得DNV和CCS双认证，技术指标与国际同等技术水平持平。

(2) 深水水下采油树在南海西部海域勘探开发项目中进行了示范应用，突破了国外“卡脖子”技术，实现了国产化替代，在确保安全的条件下，作业效率大幅提高，节约了工程成本，为我国南海深水油气田的开发提供了强有力的技术保障。

(3) 该装备填补了我国油气装备研制技术空白，打通了全制造产业链，入选国家能源局“2022年全国油气勘探开发十大标志性成果”，推动建立深了海深层能源工程重点实验室、院士工作站等一批研发试验中心和人才队伍，保障了国家深水油气自主开发。

参 考 文 献

[1] 我国首套国产化深水水下采油树投入使用[J]. 润滑与密封，2022，47(08)：82.

[2] 李中，谢仁军，吴怡等. 中国海洋油气钻完井技术的进展与展望[J]. 天然气工业，2021，41(08)：178-185.

[3] 刘书杰，张崇，王莹莹等. 水下采油树过流通道温变规律和计算方法[J]. 中国石油大学学报(自然科学版)，2022，46(03)：148-157.

[4] 黄熠，王尔钧，张崇等. 基于OrcaFlex的水下采油树钻杆下放影响因素敏感性分析[J]. 石油矿场机械，2022，51(02)：22-31.

[5] 张崇，余意，黄亮等. 水下采油树S密封结构优化与试验研究[J]. 石油机械，2023，51(01)：70-77.

[6] 李志刚，贾鹏，王洪海等. 水下生产系统发展现状和研究热点[J]. 哈尔滨工程大学学报，2019，40(05)：944-952.

[7] 王宇，张俊斌，陈斌等. 水下采油树应用技术发展现状[J]. 石油机械，2016，44(12)：59-64.

[8] 杨进，刘书杰，周建良，等. 风浪流作用下隔水导管强度及安全性计算[J]. 中国海上油气，2006(03)：198-200.

[9] 段礼祥，罗建梅，段梦兰. 水下卧式采油树安装过程定量风险评估[J]. 安全与环境学报，2017，17(06)：2099-2103.

[10] 中华人民共和国国家标准. 石油天然气工业钻井和采油设备 第1部分：海洋钻井隔水管设备的设计和操作. GB/T 30217.1—2013[S]. 北京：中华人民共和国国家质量监督检验检疫总局/中国国家标准化管理委员会，2013.

基于数字化油田的油井仪表安装与调试

张　赜

（大庆油田有限责任公司）

摘　要　随着科技的进步，数字化技术不断地完善，为降低基层运行维护员工的工作强度，历经几十年岁月的油田采油井正在进行着数字化改造。数字化油田改造时，选用使用合理的数据采集与控制终端传输方式、正确的仪器仪表安装方法以及科学的本地及网络调试技术，使数字化网络互通互联、本地以及远程数据实时监控。在建立的生产网络中，使数据方便快捷传输，员工操作简易，提质增效。在对大庆油田采油三厂共计4120口油井的数字化建设中，通过一系列的研究与试验，发现了合理的安装及调试方法，并实现了数据在生产管理中心实时显示及后台控制的功能，达到了生产数据信息实时监控的目的，降低了维护员工的劳动强度，提高了生产效率，保证了数据的准确性。同时对数字化仪表安装及调试问题，提出了合理的方法。该方法可在大庆油田数字化建设中进行推广并借鉴。

关键词　数字化油田；油井；仪表安装；仪表调试

近些年来，数字化油田建设在油田基本建设领域内全面铺开。数字化油田建设完成后，通过应用物联网技术，将油井的实时数据上传至生产管理中心，同时在生产管理中心内，操作人员通过后台软件的操作，可以实现油井的远程控制，在降低操作人员的工作强度的同时，实现了更为精准的数据抄录及紧急情况下的远程控制。在数字化油田建设中，如何将传统的仪器仪表安装与物联网技术相结合，应用更为科学有效的安装方式，进行易于操作的仪表调试，是当下面临的新挑战与新难题。

1　仪表安装

1.1　数据采集与控制终端

数据采集与控制终端是数字化油井的核心大脑，其负责将全部的采集数据进行汇集并传输至生产管理中心。在实际应用中，油田已建油井地处野外偏远地区，传统的Internet数据传输模式并不适合饱经沧桑的油田油井，在节约成本并且实现数据高效传输的前提下，数据采集与控制终端采用了外挂控制箱+ZigBee数据传输+4G网络传输模式。在已建油井附近安装控制箱，且利用ZigBee短距离数据传输，4G网络远距离数据传输的快速优越性，实现数据互通互联。如图1所示。

在进行数据采集与控制终端安装时，由于应用了外挂控制箱的安装方法，于是将仪表标准2”组合件作为数据采集与控制终端的安装支架。将*DN*50镀锌钢管煨弯至90°，一侧连接至油井基础槽钢，另一侧用抱箍固定控制箱。这样的连接方式充分的利用了已建油井基础槽钢稳固的优越性，在日常使用时不会产生松动脱落的现象。在需要对数据采集与控制终端检修维护时，可松动控制箱抱箍轻松地进行拆除。如图2所示。

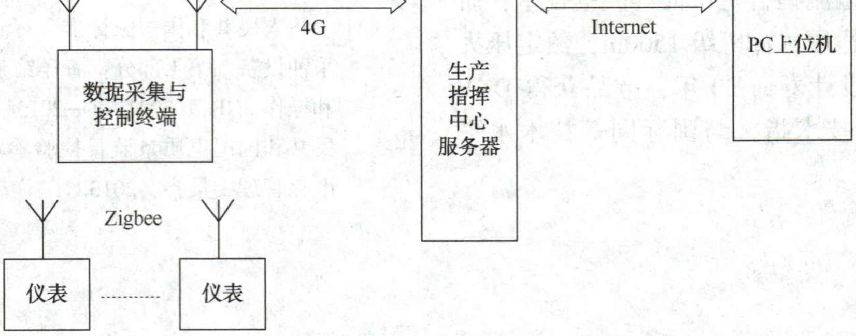

图1　数据采集与控制终端数据传输逻辑

该安装形式不仅方便快捷，而且对于施工来说安装速度快，质量易于控制。

图 2　数据采集与控制终端现场安装图

1.2　无线工况采集终端

无线工况采集终端是采集油井的载荷、位移数据的传感器。其将采集的数据通过 ZigBee 网络传输至数据采集与控制终端，再通过 4G 模式传输至生产管理中心，操作人员就可以在远程抄录载荷、位移数据，形成数据报表。如图 3 所示。

无线工况采集终端安装在油井的悬绳器位置，优选悬架中间位置，如果悬架中间位置不合适则安装在卡箍下侧。安装前需要对悬架位置进行清理，保证结合面平整。在安装前需要打开两颗悬紧螺丝，将前挡板取下。取下前挡板后将开口推入油井抽油杆，将整体仪表置于悬架接触面较大一侧，同时旋紧螺丝进行固定。同时为了保证安全，应将无线工况采集终端的防掉绳系在悬绳器卡扣位置，防止仪表脱落砸伤人员或设备。如图 4 所示。

图 3　无线工况采集终端悬紧螺丝与开口

图 4　无线工况采集终端安装位置

1.3　无线压力变送器

无线压力变送器是采集油井的油压数据的传感器。在油井的井口位置，采集油压数据，通过 ZigBee 网络传输至数据采集与控制终端，再通过 4G 模式传输至生产指挥中心，操作人员在远程得知油井的油压状态，是对运行以及安全的数据全面体现。

在安装无线压力变送器时，在油管线位置焊接专利性产品油井取压装置。油井取压装置由取压部件、自动封闭部件、防盗部件等组成。首先将油井取压装置焊接在油管线上，然后将无线压力变送器旋入取压装置内，自动封闭部件顺势就自动打开，这时候油管线内的液体就会和无线压力变送器相结合，产生压力数值。由于拥有防盗装置，根部螺纹已经锁死，使用正常方式旋转无法将仪表取出。在需要进行维护时，使用特用的扳手将无线压力变送器旋转出，自动封闭部件自动卡紧，防止管线内液体溢出。如图 5 所示。

该安装方式在实际应用当中精巧方便，而且大大降低了施工成本。

图 5　无线压力安装位置

1.4 无线温度变送器

无线温度传感器主要是应用在井口温度数据采集。基于 ZigBee 协议网络构架，与数据采集与控制终端进行数据通信。温度采集数据对于东北地区尤为重要，冬季的油管线温度是影响生产运行的重要数据。

传统的一体式温度变送器并不适合安装在井口位置，其测温套管及表头会阻挡井口操作阀门，因此选用了新型的分体式无线温度传感器。在管道测温时，应确保测量元件和流体阻力完全对接，以降低测量误差。因此，要求前端探针应逆向插入被测介质，相交角度在 45°～90°范围内，而且不能与油管线内液体形成顺流方向。分体式无线温度变送器采用合适的抱箍安装固定到管道上，调整显示仪表体背后的折弯固定件方向来匹配水平或垂直管道。温度传感器需插入至测温套管底部，传感器引线采用防水航空插头与显示仪连接固定好。低温环境下，为保证准确测量温度，须确保被测介质的流动性。如图 6 所示。

该安装方式在实际应用当中效果理想，在很大程度上提高了施工质量。

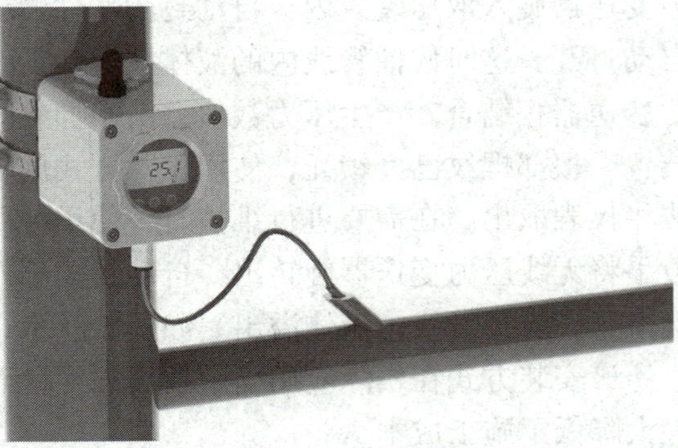

图 6　无线温度变送器安装位置

1.5 油井配电箱改造

对油井已建配电箱进行改造，在配电箱内读取油井来电侧电流数据、电压数据，并且进行远程的操控启停。通过加装电流互感器、继电器、启停按钮来实现功能。

电流互感器、继电器安装时，为保证已建配电箱内的线路整洁美观，首先安装标准轨道，将电气元件安装在标准轨道内，电器元件之间的连接导线一律在配电箱内的线槽内敷设。线槽外露出的引线使用尼龙扎带绑紧，防止导线杂乱无章，碰触其他电气设备。在导线接线处设置电缆线芯线号管，用来标记每根线芯作用及接线顺序。

为保证电流数据采集准确，电流互感器一律安装在配电箱总开关的来电侧。继电器与启停按钮相互配合，通过导线连接至数据采集与控制终端，接收到启动或停止信号后，实现油井远程启停。在复杂的接线施工中，仪表工人通过使用万用表的校线功能，以及快速并线器实现接线效率提升。

该安装方式在大面积推广时，极其考验仪表工人的操作能力。在经过了为期 3 天的集中技能操作教育后，所有仪表工人熟练地掌握了施工方法后，施工效率大幅度提升，带来了良好的经济效益。如图 7、图 8 所示。

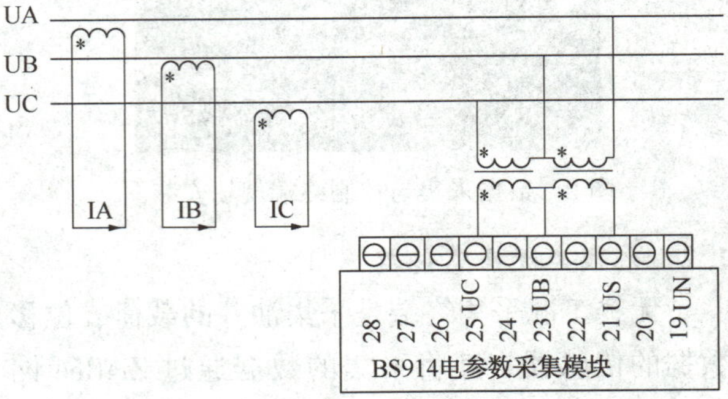

图 7　油井配电箱接线逻辑

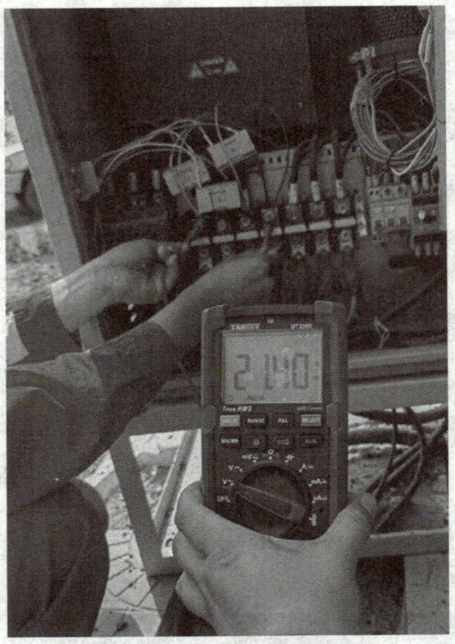

图 8　油井配电箱接线测试

2 整体调试

2.1 仪器仪表调试

仪表设备全部安装完毕后检查规格、型号符合设计要求，即可以进行仪器仪表的调试工作。

无线压力变送器的回路，用标准的压力设备在变送器侧加压，依次给出 0、50%、100%三点信号，观察数字显示，计算系统误差，应在允许的范围内。无线温度变送器依次给出 0、50%、100%三点阻值信号观察 CRT 显示；无线工况采集终端回路用标准仪器给出 0、50%、100%三点毫伏信号观察 CRT 显示。

2.2　数据传输调试

井口数字化建设利用 ZigBee+4G 的无线传输网络实现数据上传功能。对网络的调试更是重中之重，组网的成功率是对数据上传的关键性问题。

首先，各种仪器仪表上电以后，不断周期发送空的数据包，在允许的通道内搜索数据采集与控制终端，并基于每个通道中所检测到的网络号，选择自己的地址，建立自己的网络。只要这一台仪表设备的网络建立成功，这台仪表设备就可以加入到网络中了。

而仪器仪表上电以后，重复发送数据包，要求加入到最近的网络中。当数据采集与控制终端发现仪器仪表发出的请求后，则响应一个回复的结构，用于设备间的同步。一旦同步成功，由仪器仪表向采集与控制终端发送关联请求，采集与控制终端同意则回应仪器仪表并自动分配 ID。至此，两者组网成功。如图 9 所示。

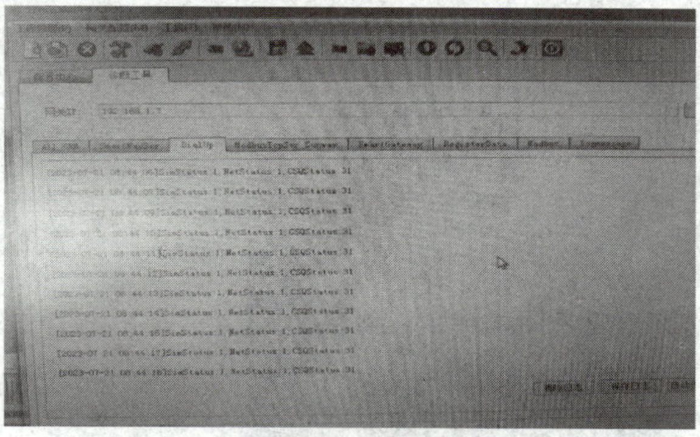

图 9　数据传输组网测试

2.3　影响数据传输的因素

可能影响通信数据传输的因素包括：地形特性、障碍物、天线增益、天线高度、方向、其他无线电干扰，天气情况等多方面。

根据实际测量及使用，我们总结出几条提高通信数据传输质量的方法如下：

（1）使发射节点的天线方向正对接收节点或网关的天线；

（2）尽量使设备之间无直接障碍物，可尽量使设备处于较高且不被遮蔽的位置；

（3）尽量架高节点，以防止天线收到地面或者其他平面的衰减。

3　结语

数字化油井的仪表安装调试是一个长期的探索过程，前沿技术在不断地发展，应用前沿技术解决现有问题是我们面临的新挑战与新难题。根据油田数字化建设的实际情况，按照仪器仪表安装调试的基本规范，与 ZigBee+4G 网络传输方式相结合，不断完善仪器仪表安装调试方法是一个必要的进步过程。针对井口数字化建设中遇到的仪表安装调试问题，给出合理的解决方法，提高施工过程的效率、质量以及安全保障能力，降低员工的劳动强度，并为未来的数字化油井建设提供经验。

参考文献

[1] 张森．大庆油田油水井数字化建设[J]．油气田地面工程，2016-07，79-80.

[2] 张庆东．规范标准创新技术助推数字化建设[J]．企业文明，2020-S1，41.

[3] 张莹．数字化油田建设中自动化仪表的使用与维护研究[J]．中国设备工程，2021-13，34-35.

基于超声导波检测小接管缺陷的数值模拟研究

刘文才[1]　李自荣[2]　刘智恒[3]　柳　楠[4]

（1. 中国石油天然气股份有限公司安全环保技术研究院；2. 中国石油天然气股份有限公司工程和物装管理部；3. 中国石油集团海洋工程有限公司天津分公司；4. 中国石油天然气股份有限公司塔里木油田公司）

摘　要　小接管是炼化装置中常见的结构，具有管径小、管壁薄、结构变化大、几何形状不连续等特点。常规的检测技术对小接管中缺陷的检测存在较多难点，具有局限性。超声导波在管中传播时声场能够覆盖整个结构，导波信号不仅衰减小而且传播距离较远，因此，超声导波常用于管状结构的检测。为了研究超声导波信号在小接管中的传播特性和缺陷的检测能力，建立了带有缺陷的小接管有限元模型，利用有限元软件对基础模态T(0, 1)导波在小接管中的传播过程进行数值模拟研究。并多重信号分类算法对缺陷信号进行了处理，得到了缺陷的外观轮廓。结果表明：T(0, 1)模态导波适合于小接管的缺陷检测，多重信号分类算法能够用于小接管中的缺陷的成像。

关键词　小接管；超声导波；无损检测

小接管是石化装置压力容器、压力管道中常见的结构形式之一。在设备本体或管道上直接开孔，采用焊接方式连接的 *DN*50 及以下的半管接头、支管座、支管的结构，统称为小接管，结构简图和实物图如图 1 所示。小接管常用作于设备和管线上的引压管、仪表设备接管、排凝管、排空管、采样口、低排阀接管、热电偶套管等，通常处于设备或管道接管的第一道阀门内侧，直径较小，管子壁厚较薄；同时，接管角焊缝区域由于其几何形状不连续及结构参数变化大，较纵环对接焊缝更易产生未焊透、条状夹渣等焊接缺陷，是压力容器、压力管道制造安装中的薄弱环节，易发生腐蚀、开裂引发泄漏等问题。

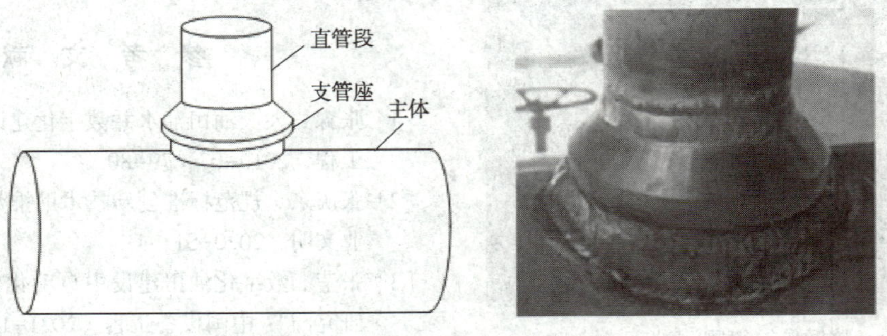

图 1　小接管结构简图和实物图

1　小接管中导波传播特性分析

频散曲线是描述波速与频率关系的数值模型。为了在管道结构中激励合适的导波模态，通过频散曲线来选择合适的激励频率。对于均质材料管道，导波的频散曲线通过求解解析特征值得到。一般而言，在管道中传播的导波分为弯曲波、纵向波和扭转波 3 种模态。

我们用 L 表示纵波模态，T 表示扭转模态。对于轴对称的扭转波和纵波，它们的周向阶数均为零。对于非轴对称的弯曲波，具有不同的周向阶数，用整数 n 表示。3 种波型具有不同的模态数，用正整数 m 表示。随着激励频率的增加，在单一激励频率下将激励出更多不同模态的导波。

当导波在管道结构中传播时，结构中每个节点的运动位移由 Navier 控制方程描述。当粒子位移矢量由膨胀势能和旋转势能表示时，该导波的波动方程可以由 Navier 控制方程导出。该波动方程的边界条件为零边界条件。通过加入不同的边界条件，频散关系将形成一个特征值求解空间，其解将给出了波速与频率的关系。

导波的频散曲线依赖于结构的材料属性和结构的几何尺寸。本文主要考虑直径为50mm，壁厚为1.7mm的不锈钢材料的小接管结构。该结构将作为基准仿真模型，对所提出的方法进行验证。

通过对该不锈钢管道进行解析求解，我们得到了轴对称导波模式在该结构管道上的三条频散，如图2所示。这3条曲线描述了在10~100kHz频率范围内的3种轴对称导波模态。两个纵波模 *L*(0，1)和 *L*(0，2)分别用一条红色点状线和一条紫红色虚线表示，一个扭转波模态 *T*(0，1)由蓝色实线表示。

频散曲线反映了导波的物理性质。扭转波模态相对于纵波模态具有以下优势：①在频率范围内只有一个扭转模态。没有出现双模态转换现象；② *T*(0，1)模态的频散曲线为一条直线，即该导波的相速度为常数。当波速恒定时，缺陷的反射回波只与距离有关。将有利于检测管道中的缺陷。

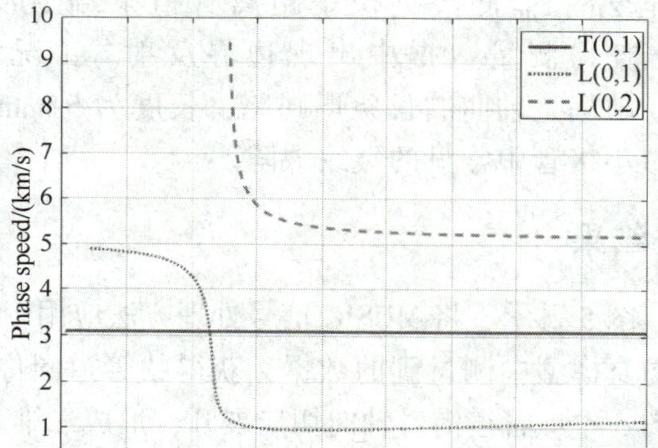

图2　外径50mm、壁厚1.7mm的不锈钢小接管频散曲线

图3所示为该管道的二维有限元模型。在该二维有限元模型中，选用了二次型二维单元。每个单元有9个节点。径向有2个单元，环向有48个单元。根据奈奎斯特采样准则，网格尺寸应小于激励波长的一半，以避免在波传播特性分析中出现不收敛的情形。

2　多重信号分类算法

多重信号分类算法(Multiple Signal Classification，MUSIC)是R. Schmidt在文献[8]中提出的

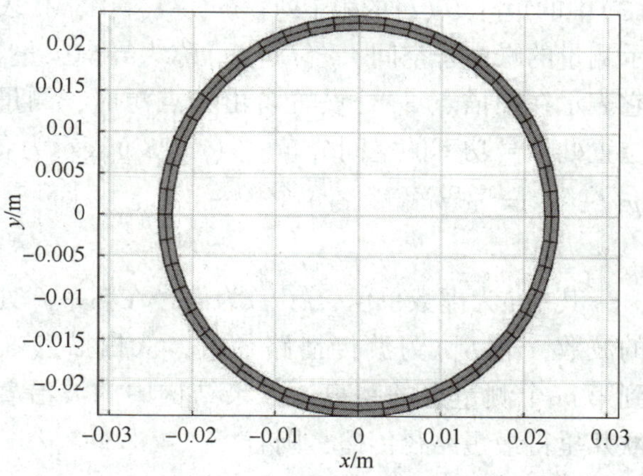

图3　直径50mm壁厚1.7mm的小接管直管有限元模型

一种信号处理方法。对换能器阵列上的接收信号进行频域处理，从而估计出声源位置。

假设 *M* 个传感器组成一个换能器阵列。第 *m* 个传感器的接收到的信号表示为 $x_m(t)$，通过离散傅里叶变换(DFT)，得到时域信号 $x_m(t)$ 的频谱，记为 $X_m(f)$。所有 *M* 个换能器的频谱构成一个向量 *X*，在特定频率 *f* 下，*X* 可以表示为：

$$X(f_l)=[X_1(f_l)\quad X_2(f_l)X_3(f_l)\quad \cdots\quad X_M(f_l)]^{T} \tag{1}$$

其中下标 *l* 是频率索引，上标 *T* 是矩阵或向量的转置。

对所有的测量进行互谱分析。在频率 f_l 下 *M*×*M* 的互谱矩阵 *R* 通过公式(2)计算：

$$R(f_l)=X(f_l)\cdot X^{H}(f_l) \tag{2}$$

其中上标H表示矩阵或向量的厄米特转置。

对互谱矩阵 $R_f(l)$ 进行奇异值分解(Singular Value Decomposition，SVD)，分解后表示为：

$$R(f_l)=U(f_l)\sum(f_l)V^{H}(f_l) \tag{3}$$

对结构模型进行离散化处理，每一个单元表示为一个扫描点。假设离散化之后结构总的扫描点数为N。在三维直角坐标系中，第 *n* 个扫描点 S_n 的坐标为(x_s，y_s，z_s)。对时域信号经过MUSIC算法处理之后，得到的是MUSIC功率。MUSIC功率是扫描点位置和频率的函数。在扫描点 S_n 和频率 f_l 处，MUSIC功率定义为 $P_{\mathrm{MUSIC}}(f_l,S_n)$，计算公式为：

$$P_{\mathrm{MUSIC}}(f_l,S_n)=\frac{1}{\sum\limits_{i=p+1}^{M}|g^{H}(f_l,S_n)\cdot u_i(f_l)|^{2}} \tag{4}$$

式中：*p* 为信号子空间的维数，u_i 为公式

(3)中的矩阵 $U_f(l)$ 的第 i 列，$i=p+1$，…，M 表示测量的噪声子空间，$g(f_l,\ S_n)$ 称为导向矢量，它表示在扫描点 S_n 处设置自由场点源时，测量位置处信号功率的空间分布。$g(f_l,\ S_n)$ 表示为：

$$g(f_l,\ S_n)=\left[e^{jk(f_l)r_1(S_n)}\quad e^{jk(f_l)r_2(S_n)}\quad \cdots \quad e^{jk(f_l)r_M(S_n)}\right]^{\mathrm{T}} \tag{5}$$

其中 j 为虚数单位，$k(f_l)$ 为信号在频率 f_l 处的波数，$r_m(S_n)$ 为波传播路径上，从扫描点 S_n 到第 m 个测量点的距离。如果结构中的波沿着欧几里得最短路径传播，则有

$$r_m(S_n)=\sqrt{(x_m-x_n)^2+(y_m-y_n)^2+(z_m-z_n)^2} \tag{6}$$

其中 $(x_m,\ y_m,\ z_m)$ 是三维直角坐标系中第 m 个测量点的位置坐标，$r_i=\sqrt{(x_i-x_s)^2+(z_i-z_s)^2}$ 是第 i 个传感器 $(x_i,\ z_i)$ 与扫描位置 $(x_s,\ z_s)$ 之间的距离。

将每个扫描点的 MUSIC 功率作为扫描点位置的像素点，可以得到扫描区域的图像。当扫描点为设置的场源时，MUSIC 功率达到最大值。因此，可以在扫描图像上识别出场源的位置。

3　小接管缺陷检测有限元仿真分析

在 ANSYS 中模拟了外径 50mm，壁厚 1.7mm 的小接管模型，其中导波的频散曲线在图 2 中计算得到。有限元网格类型为 SOLID 185，是线性三维实体单元。圆周方向有 144 个单元，厚度方向有 3 个单元。在轴向方向上每个单元的尺寸为 3mm。有限元模型如图 4 所示。

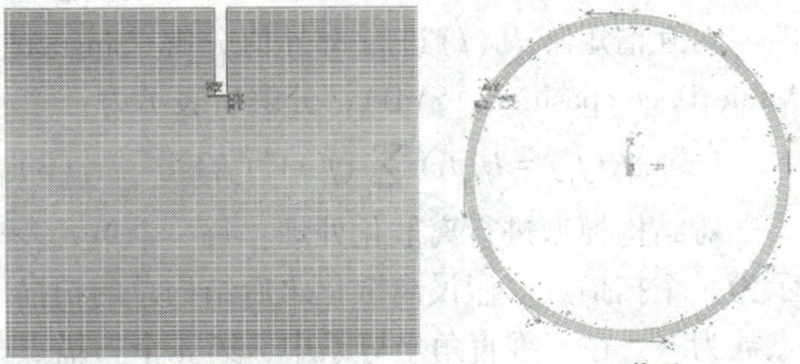

(a)缺陷设置　　(b)截面

图 4　直径 50mm 壁厚 1.7mm 的小接管有限元模型

图 4(a)显示了轴向网格分布和缺陷设置模型。图 4(b)显示了横截面上的网格分布和力载荷。T(0，1)导波激励是通过在图 4(b)中红色箭头表示的管道一端沿圆周方向均匀分布的 8 个节点处施加幅值为 2N 的力来产生的。

每个力载荷为中心频率 90kHz 经过汉宁窗调制之后的 Burst 信号。在管道的每一端有 8 个测量点。总共有 16 个测量点。有限元分析得到的时间响应采用 MUSIC 信号处理方法进行处理。

表 1 给出了 5 种有限元模拟工况的设置。工况 1 作为基准信号模型。在工况 1 中，结构缺陷的环向跨度为 120°。缺陷在圆周方向上位于小接管的中心位置。缺陷的轴向长度为 3mm。缺陷的径向深度 $d=1.7$mm，即该缺陷完全穿透管壁。两个信号接收阵列位于管道两端，以消除边界反射。每个阵列由 8 个监测点组成环形阵列。工况 2 与工况 1(基准)相同，只是工况 2 中缺陷周向跨度为 90°，位于距小接管中心 15°处。在工况 3 中，缺陷深度将减小至 0.85mm。在工况 4 中，将小接管长度延长至 2m，监测阵列位于距离管道末端 10cm 处，使得测量数据中出现边界反射。工况 5 中，缺陷是轴向的长条形缺陷，长度为 51mm，模拟小接管中常见的裂纹缺陷。

4　结果

图 5 显示了将 MUSIC 信号处理方法应用于 5 个仿真模型中测量到的数据，获得的管道图像。在图 5 中，管道沿着轴向切口展开，形成二维表面。基准工况下，图 5 显示了整个扫描区域的 MUSIC 功率。红色的正方形表示数据采集点的位置。红线所围成的区域为 MUSIC 功率最大值的−0.05dB 区域。黑线所围成的面积显示了缺陷的位置和尺寸。

表 1　管道中缺陷的有限元工况设置

编号	周向角度	偏离中心角	轴向长度	径向深度	测量点 1 位置	测量点 2 位置
1	120°	0°	3mm	1.7mm	0m	1.8m
2	90°	15°	3mm	1.7mm	0m	1.8m
3	120°	0°	3mm	0.85mm	0m	1.8mi
4	120°	0°	3mm	1.7mm	0.1m	1.9m
5	30°	0°	51mm	1.7mm	0m	1.8m

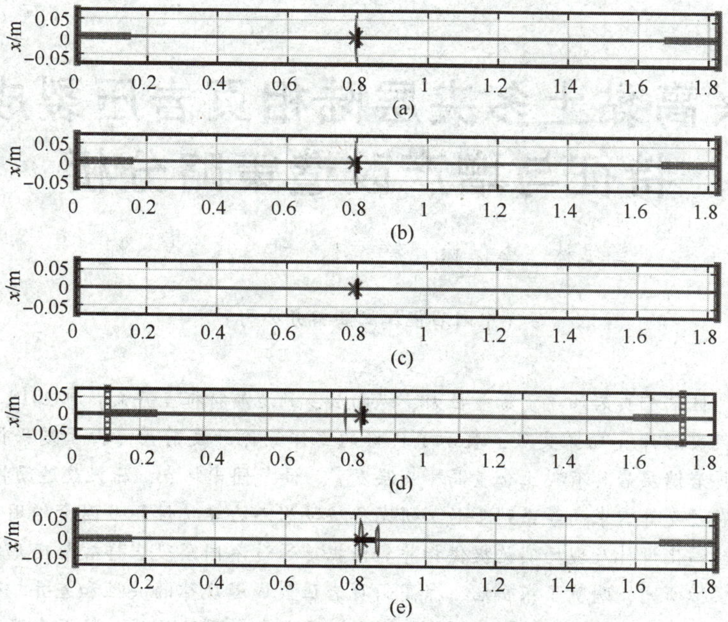

图 5　MUSIC 信号处理方法的小接管缺陷检测结果

对于基准工况，如图 5(a)所示，缺陷位于小接管的圆周中心处。周向误差为零。轮廓线显示了缺陷的形状。对于工况 2，如图 5(b)所示，缺陷中心与小接管中心在圆周方向上存在 15°的偏心角。在工况 2 中，周向误差为 15°。在圆周方向上，最大 MUSIC 功率仍然位于小接管的中心位置。对于工况 3，如图 5(c)所示，缺陷位置与工况 2 相同，但缺陷深度为 0.85mm，缺陷反射信号具有更小的幅度。工况 4，如图 5(d)所示，当检测阵列不在管道边界时，由于边界反射，存在一个额外的轮廓。在工况 5 中，缺陷为轴向裂纹时，也有一个额外的轮廓，如图 5(d)所示。

参 考 文 献

[1] 淡勇，周强，吴曾谅．容器斜接管区应力状态的研究[J]．化工机械，1997(01)：12-18+62.

[2] 刘民．石化装置压力容器、压力管道小接管隐患及管理[J]．石油化工设备，2012，41(03)：94-96.

[3] 胡永．压力管道小接管隐患分析及管理对策[J]．广东化工，2016，43(03)：105+110.

[4] 钟建华，冉文燊，王春生．炼化装置压力管道小接管隐患分析及检测技术[J]．化学工程与装备，2020(10)：72-74.

[5] 何存富，郑明方，吕炎等．超声导波检测技术的发展、应用与挑战[J]．仪器仪表学报，2016，37(08)：1713-1735.

[6] 他得安，刘镇清，田光春．超声导波在管材中的传播特性[J]．声学技术，2001(03)：131-134.

[7] 何存富，李隆涛，吴斌．超声导波在管道中传播的数值模拟[J]．北京工业大学学报，2004(02)：129-133.

[8] R. Schmidt, "Multiple emitter location and signal parameter estimation," in IEEE Transactions on Antennas and Propagation, vol. 34, no. 3, pp. 276 - 280, March 1986.

[9] 张揽月，杨德森．基于 MUSIC 算法的矢量水听器阵源方位估计[J]．哈尔滨工程大学学报，2004(01)：30-33.

复兴高黏土多夹层陆相页岩压裂成缝特征与增产改造策略分析

肖佳林 李保林 张 凡 刘 湘 卢 烁

(中国石化江汉油田分公司)

摘 要 复兴地区陆相页岩油气资源量巨大、纵向层多且地质特征差异大，自2018年以来中石化在该区域部署多口探井获页岩油气勘探突破，展示了良好的立体勘探开发前景。由于复兴侏罗系纵向东岳庙段、凉高山组多套页岩储层岩具有黏土含量高、夹层发育、油气同出特点，压裂改造面临复杂成缝难度大、穿层扩体难度高、有效支撑需求高等系列难题。研究各层段岩石力学特性和多因素作用下破裂成缝影响机理，可为增产方案精细化设计及现场实施提供指导和依据。通过不同层段岩样破裂变形特征、水力压裂物模试验和精细数值模拟研究，明确了东岳庙、凉高山页岩压裂成缝规律的共性和差异。研究结果表明：①复兴陆相页岩宏观-微观成缝形态与国内外典型海相陆相页岩存在明显区别，复页岩泥质含量高、岩石低脆性特征突出，灰岩、砂岩条带对压裂成缝阻隔作用机制存在差异，分米级介壳灰岩具有较强“阻隔”作用，不利于缝高扩展和支撑剂通过，而凉高山层内砂质夹层对缝高影响较小；②垂向应力差值、隔夹层分布及弱面差异、排量、压裂液黏度等对水力裂缝纵向扩展影响较大，增大泵注排量、高黏-低黏液体变黏交替，不仅有助于提高裂缝纵向穿层能力，且能够激活更多的层间微裂缝，阶梯变化排量能够达到激活更多层间微裂缝目的，提高裂缝复杂度。在此基础上，提出了以“持续提净压、转向促复杂”为核心的压裂改造策略，给出了多簇密布缝、循环变排量、不同粒径支撑剂循环充填、高频复合暂堵等工艺优化具体措施，现场应用后取得了本区域陆相页岩单井改造效果、测试产能的重要突破。

关键词 复兴地区；陆相页岩；东岳庙；凉高山；高黏土；多夹层；破裂成缝；扩展机理；改造策略

复兴区块位于重庆境内，构造上属川东高陡褶皱带万县复向斜，主要勘探潜力层系为侏罗系自流井组东岳庙段、凉高山组，埋深在2000~3000m之间，本区域富有机质页岩主要发育在水深大于30m的淡水、还原环境，页岩纹层发育，具有纵向岩性变化大、黏土含量高、单层厚度薄、薄夹/隔层发育等特点。其中东岳庙段主力小层厚度3~10m，黏土矿物占比50%~62%，纵向高应力灰岩隔层发育，层理不发育且胶结强度大，储层整体动用难度大。凉高山组主力小层厚度3~19m，黏土矿物占比40%~50%，可压性优于东岳庙段，具有砂岩条带分割、页岩内部介壳灰岩薄隔层发育等特点，对压裂裂缝延伸扩展造成一定影响。2019年以来，复兴侏罗系部署实施多口探井获页岩油气勘探突破，揭示了该区具有立体勘探前景。但是前期实施井在主体改造工艺及压后测试效果等方面均存在一定差异，同时本区域陆相页岩强塑性多隔夹层条件下压裂成缝规律认识亦存在局限，适应于该类储层的主导压裂工艺思路及措施对策尚需进一步探索。

我国陆相页岩油资源潜力巨大，但具有岩性复杂、黏土含量高、原油流动性差等特性，效益开发面临重大挑战。为了明确陆相页岩压裂缝网络形成与演化的过程，国内外学者们进行了诸多研究和探索。李晓等以鄂尔多斯盆地三叠系延长组7段为研究对象，开展压裂试验与非连续数值模拟，获得地应力对水力裂缝扩展的影响规律。Zhang等以渤海湾盆地济阳坳陷陆相页岩研究对象，通过室内岩心实验系统研究水力压裂过程中岩石矿物组成和力学特征对裂缝扩展的影响及规律。结果表明，脆性矿物和塑性矿物的含量对裂缝复杂性有显著影响，泥质含量高的岩层对裂缝的扩展具有显著的抑制作用。AlDajani等研究了在各向同性和各向异性应力条件下美国Opalinus页岩样本中产生的水力裂缝的差异。结果表明，岩石结构和应力状态的组合影响着页岩水力裂缝的萌生和扩展，各向异性与各向同性应力作用下水力裂缝分别沿着层理面及穿过层里面传播。Zhao等针对陆相页岩储层结构特征，建立水力裂缝穿层扩展流固耦合模型，揭示各项地质与工程参数对水力裂缝穿层扩展行为的控制机理与影响规律。通过岩石结构与力学行为明确储层岩石的成缝特征，并在此基础上进行针对性的压裂工艺设计与施工参数优化，有利于促进裂缝网络的复杂程度，增大改造体积，强化改造效果。周立宏等通过岩石的相关力学参数(杨氏模量、峰值应变和剪胀角)评价岩石破裂的脆性特征，建立缝网指数模型定量分析岩石的压裂裂缝复杂程度，用以指导水平井簇间距、射孔参数与压裂施工参数的优化。刘卫彬等针对松辽盆地青一段陆相页岩压裂过程中难以产生复杂缝网络、纵向拓展受限等难题，采用超临界 CO_2⁺大型水力携砂复合压裂工艺，实现了陆相页岩地层的大型体积改造。王增林等根据东营凹陷页岩油压裂后的储层裂缝分布、物性参数以及流体分布特征，建立页岩油水平井强化缝网改造双重介质两相流压-闷-采全周期流动模型，并对闷井时间及排采制度进行了优化，强化缝网改造与生产制度的合理性。

复兴地区陆相页岩油气储层经济有效改造面临诸多难题，尤其是储层高黏土含量、纵向强非均质性、夹层数量多且类型多样，裂缝扩展规律与其他页岩储层亦存在明显差异。本文以复兴侏罗系东岳庙、凉高山等页岩储层为研究对象，综合应用岩心、露头水力压裂物理模拟及含隔夹层页岩数值模拟仿真等多方法，研究该类页岩压裂成缝规律和影响因素，提出穿层扩体、提升裂缝复杂度的改造策略和具体措施，并分析其现场应用效果。

1　复兴侏罗系陆相页岩压裂地质特征

复兴区块构造整体呈“两隆三凹”构造格局，表现为向斜宽缓、背斜紧闭，呈北东向展布。纵向发育 3 个层段 4 套非常规油气，储层纵向岩性变化大，凉高山组凉二下亚段与东岳庙段东一亚段为页岩油气层，凉高山组凉二中-上亚段为致密砂岩油气层，大安寨段大一亚段致密灰岩油气层。高气油比、原油密度低流动性好、地层高压是侏罗系页岩油气富集高产的有利条件。凉二段、东一亚段主力页岩热演化程度较高，Ro 介于 1.3%~1.7%，处于凝析油-湿气生成阶段。原油密度一般 0.77~0.81g/cm³，油品好，易流动；凉高山组、东岳庙段气油比 300~3800m³/m³，比国内其他陆相盆地气油比都要高。侏罗系纵向上多个隔夹层发育，为成藏提供了良好封闭条件，东岳庙介壳灰岩夹层封闭条件好，页岩气不断生烃导致东岳庙页岩层系多为超压(地层压力系数 1.8~2.0)；凉高山砂岩夹层封闭条件相对较差，形成半开放体系，导致凉二段页岩为常压-超压(1.2~1.5)。隔夹层特征是侏罗系油气纵向压力差异的控制因素，夹层封堵能力的差异和油气充注控制，导致自下而上压力系数呈现下降趋势。如图 1 所示。

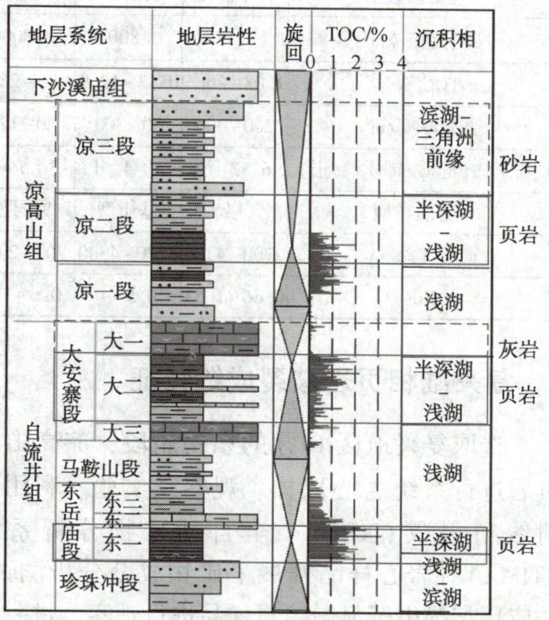

图 1　复兴地区中下侏罗统综合柱状图

相较国内各盆地页岩油储层，复兴侏罗系页岩有机质丰度、厚度等条件略差，其中凉二段页岩油与大庆古龙凹陷页岩油地质条件最为相似，东岳庙段页岩夹层最特殊。同时，复兴侏罗系陆相页岩隔夹层多、但夹层物性差，与夹层型页岩油存在本质差异，不同于济阳坳陷富碳酸盐纹层及延长组长 7 段砂岩夹层均具有较好物性，本区域东岳庙段、凉高山组储层夹层物性差，页岩物性好于夹层，页岩层段仍是储层增产改造的主要目标对象。如表 1 所示。

东一亚段页岩为强-中等还原条件下的浅湖-半深湖相沉积，发育 5 种页岩岩相，凉二下亚段页岩为中等还原条件下的浅湖-半深湖相沉积，发育 4 种页岩岩类，纹层状黏土页岩相为最有利岩相，纹层状混合岩相为有利岩相。整体而言，侏罗系优质页岩矿物组分具有鲜明特点，东岳庙页岩为富碳酸盐质高黏土页岩，凉二段为“长英质+黏土”二元混积页岩。其中高碳纹层页岩相纹层发育，侏罗系优质岩相的岩心尺度纹层密度介于270~550条/m，凉二下亚段页岩纹层密度发育优于东一亚段页岩。相较于古龙坳陷和济阳坳陷，复兴侏罗系纹层兼有共性和差异特征，凉二段页岩纹层成分为长英质与黏土质，与古龙坳陷成分类似，纹层都呈现细而密的特点；东岳庙段纹层成分主要为黏土质、长英质和灰质，纹层细而密，但济阳凹陷纹层主要为黏土质和灰云质，纹层宽而密。考虑不同层段页岩岩相、纹层、地层压力等特征存在差异，储层改造工艺需差异化考虑造缝铺砂的具体需求，包括工艺思路、泵注模式、支撑剂粒径组合等进行针对性的匹配选择。

表1　复兴侏罗系与国内气田页岩油区块储层特征对比

主要参数	吉木萨尔	沧东	鄂尔多斯	古龙凹陷	东营凹陷	溱潼凹陷	侏罗系(东岳庙)	侏罗系(凉高山)
凹陷面积/km^2	1278	1800	370000	3700	5700	1130	2728	2728
TOC/%	1.08~26.6	0.13~12.9	3~28	1.8~4.5	>3	0.5~2	0.59~2	1.0~1.6
页岩厚度/m	200~300	50~300	20~124	100~240	280~470	250~450	57~70	58~90
矿物组成(硅质/钙质/黏土)	6:3:1	5:4:1	3:1:6	5:1:4	3:6:1	4:3:3	1:3:6	4:1:5
页岩油类型	夹层型	基质型	夹层型	基质型	基质型	基质型	基质型	基质型
页岩埋深/m	2700~4100	3200~4300	700~2900	1200~2600	3100~5000	3200~4600	2000~3000	2000~3000
Ro	0.66~1.63	0.5~1	0.6~1.1	1.66	0.5~1.2	0.7~1.1	1.34~1.71	1.05~1.44

2　复兴陆相页岩破裂成缝特征

选取复兴地区D井的东岳庙段、凉高山段页岩进行系统岩心取样、观察及实验。利用X射线衍射仪(XRD)、全自动矿物分析系统(TIMA)对岩心样品开展了矿物成分分析测试，并应用扫描电子显微镜对样品进行观察，进一步了解其微观结构。同时，通过岩石三轴压缩实验，研究了其在不同围压下的力学特性。

2.1　*不同层段微观-宏观尺度力学及成缝特征*

XRD测试结果显示，复兴陆相页岩中石英含量较低，仅为30%~50%；而黏土矿物含量较高，达到45%~50%(表2)，其中高岭石和伊利石为主要成分，TIMA进一步证实了这一结果，表明复兴陆相页岩具有低石英、高黏土含量的特点。通过扫描电子显微镜观察发现，复兴陆相页岩的微观结构复杂，具有明显的层状构造(图2)，发育条带状黏土矿物孔与微裂缝，这些黏土矿物孔和微裂缝为油气的存储和渗流提供了额外的空间，同时方解石的溶蚀孔也增加了储层的孔隙度和连通性。由此，造成了油气各向异性渗流特征明显，在平行于层状结构的方向上，油气渗透性较好；而在垂直于层状结构的方向上，油气渗透性较差。通过进一步对比不同层段微观矿物相图，发现东岳庙段和凉二段受矿物微观展布特征影响(图3)，压裂成缝延伸扩展机制及难易程度存在差异。东岳庙段黏土矿物颗粒占比大，形成岩石骨架，少量石英散布在黏土中，方解石呈团状、条带状无序分布，该类岩石人工裂缝起裂延展过程中易被方解石阻隔，裂缝延伸稳定性、连续性差，对压裂造缝要求高。凉二段黏土矿物颗粒仍占主体，石英呈束状、长条带状展布，且分布连续性相对较好，方解石颗粒细小、零散分布在黏土中，该类岩石人工裂缝延伸稳定性、连续性较好，压裂造缝效率相对较高。

通过单三轴岩石力学试验，进一步揭示了陆相页岩不同岩性强度参数及变形破坏特征。试验结果反映，储层纵向非均质特征明显，总体表现为含砂页岩岩石力学强度最高，其次为介壳灰岩，页岩层段相对较低(表3)。东岳庙段纹层型页岩层段呈现出低杨氏模量、低抗压强度、强塑形特征，岩石力学性质表明在围压30MPa下，抗压强度76.4MPa，杨氏模量10.41GPa，随着围压增加，杨氏模量降低至10GPa以下，应力-应变曲线反映岩石峰值应变达到0.016，且峰前出现显著的塑形屈服，高围压条件下以剪切破裂为主，岩石破裂形态单一，裂纹面光滑(图4)。东岳庙段介壳页岩层段具有高弹性模量和高抗压强度的特征，在围压30MPa下，抗压强度164MPa，杨氏模量26.91GPa，随着介壳发育程度增加，岩石塑形特征明显减小，峰值应变0.007，体现为峰前塑形屈服段明显减小，峰后应力-应变曲线跌落速率也明显减小，峰后裂纹面承载能力增强，裂缝扩展阻力增大，其对裂缝的纵向阻隔作用将更加突出(图5)。凉二段页岩层段在围压 30MPa 下，抗压强度 96.2MPa，杨氏模量 11.4GPa，两项力学参数均略高于东岳庙段，但应力-应变曲线依然呈现出明显的塑性特征，峰值应变约为 0.012，且具有一定的残余强度(图6)。

表2　复兴地区D井典型陆相页岩岩心矿物组分

层位	矿物含量/%						
	石英	钾长石	钠长石	方解石	沸石	黄铁矿	黏土矿物
东岳庙段页岩	32.6	0	2.1	13.1	0	4.5	47.7
凉二段页岩	48.1	0	6.8	0	0	0	45.1

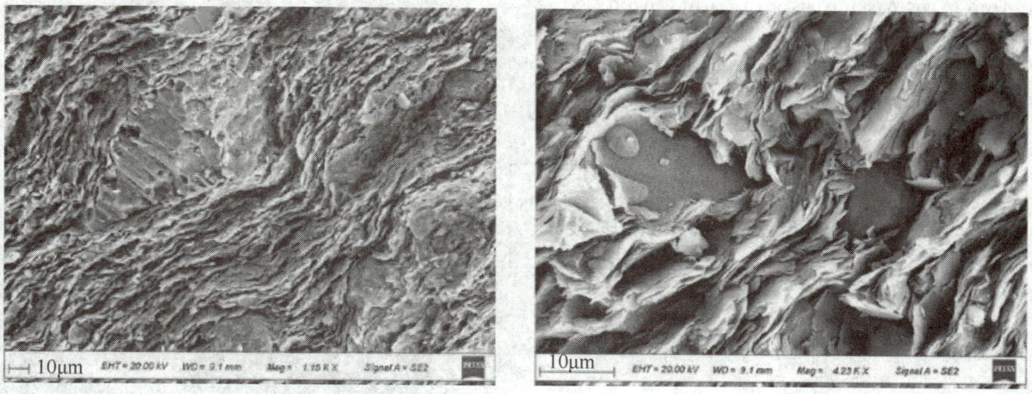

(a)　　(b)

图2　复兴陆相页岩扫描电镜观察结果

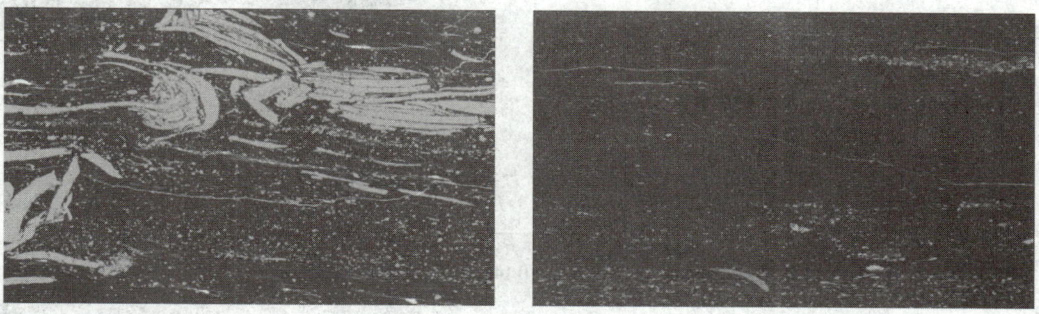

■ 黏土矿物　■ 石英　■ 方解石

(a)东岳庙段页岩　　(b)凉二段页岩

图3　复兴陆相页岩微观矿物相图

表3　东岳庙段、凉二段页岩力学性质测试结果

岩性	样品编号	高度/mm	围压/MPa	抗压强度/MPa	杨氏模量/GPa
D井东岳庙页岩(④小层)	1-1	50.14	0	51.831	9.172
	1-2	49.93	10	65.649	12.424
	1-3	50.03	30	76.419	10.412
	1-4	50.07	50	89.646	7.387
D井东岳庙介壳灰岩(③小层)	3-1	49.98	0	63.104	25.552
	3-2	50.06	30	164.289	26.907
	3-3	50.14	60	214.566	26.642
D井凉高山页岩(⑥小层)	9-4	50.06	0	65.651	13.612
	9-5	50.03	30	96.206	11.401
	9-6	49.99	60	122.131	11.358

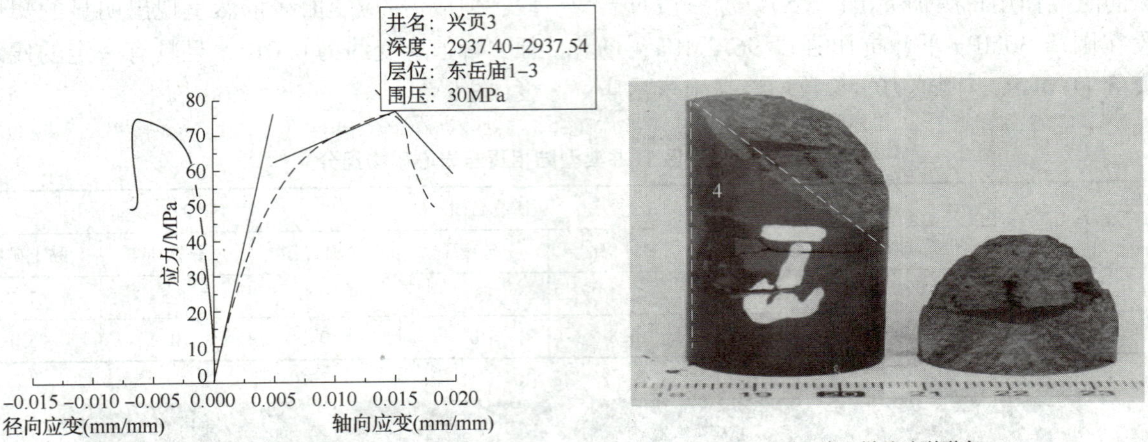

(a)应力应变曲线　　　　(b)岩心样品破裂形态

图4　东岳庙段页岩应力-应变曲线及岩石破裂形态

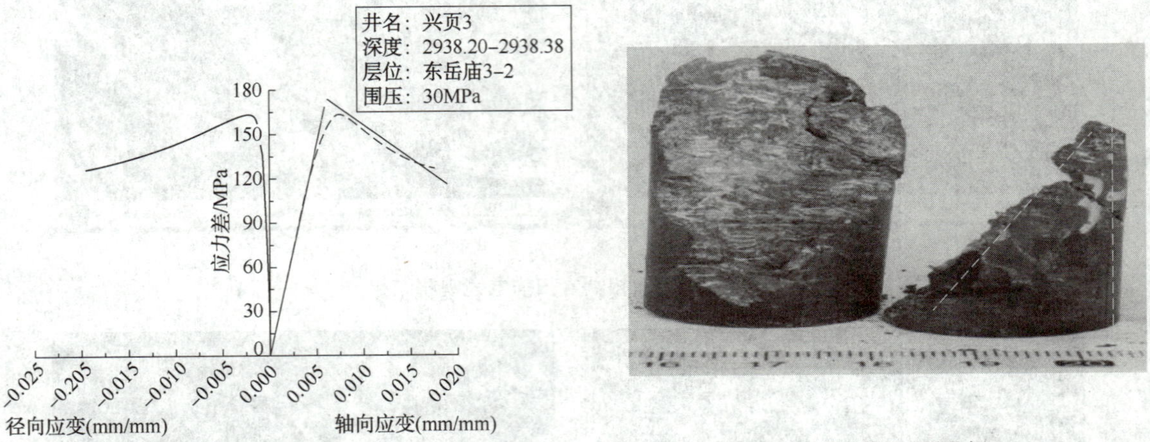

(a)应力应变曲线　　　　(b)岩心样品破裂形态

图5　东岳庙段介壳页岩应力-应变曲线及岩石破裂形态

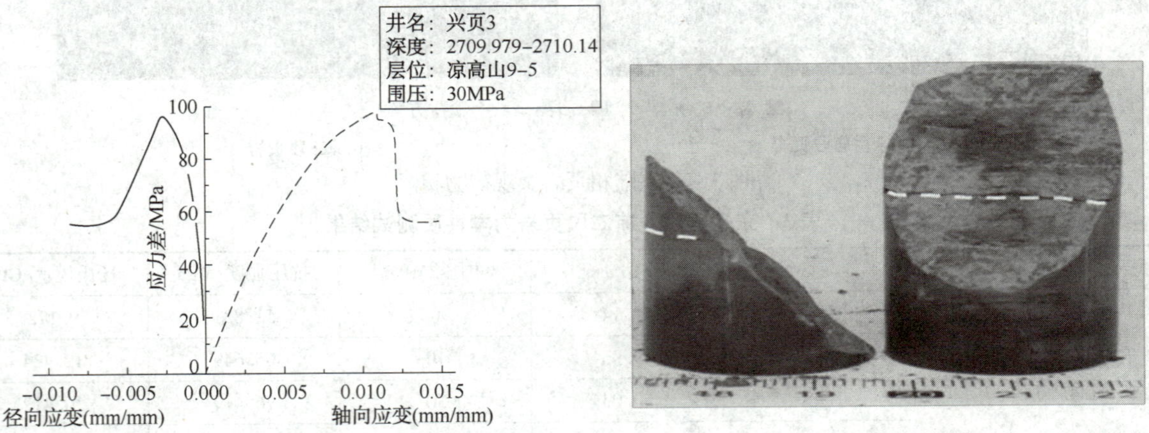

(a)应力应变曲线　　　　(b)岩心样品破裂形态

图6　凉二段页岩应力-应变曲线及岩石破裂形态

复兴侏罗系页岩普遍黏土矿物含量较高，矿物脆性指数较低。从岩石力学性质分析，普遍具有低杨氏模量、中等泊松比，基于岩石力学参数计算脆性指数33%~35%，处于双翼缝到多缝形成区间。由于高黏土矿物占主导，岩心三轴力学测试多呈单一斜剪切面破裂特征，造复杂缝难度大。储层地应力分布反映，侏罗系页岩具有低地应力且水平应力差异系数小的特征，较易于压裂改造。东岳庙段纵向非均质性强，东岳庙介壳夹层比页岩层应力高3~5MPa，为高应力隔层。凉高山组砂岩夹层比页岩层应力仅高 1~2MPa，纵向高应力隔层不明显。两套页岩隔夹层发育特征存在差异，东岳庙页岩段较凉高山组页岩段“穿层”改造难度更大。

2.2 水力裂缝纵横向裂缝扩展机理及影响因素

2.2.1 压裂成缝规律数值模拟分析

三维离散格子方法是基于合成岩体技术和离散格点理论的简化黏结颗粒模型，能够精细直观描述岩体水力裂缝萌生和扩展。在该方法中岩石颗粒用质点表示，岩石颗粒之间的接触采用弹簧表示，采用了嵌入格子、光滑节理单元等方式，能够较好的模拟节理的破裂、滑移、张开/闭合等非线性行为。

考虑复兴陆相页岩强塑性、纹层、隔夹层发育等特征，基于三维离散格子算法，研究了纹层-夹层型页岩在压裂过程中的延伸扩展和成缝形态的变化规律。采用 XSite 软件对页岩进行数值模拟，并将数值模拟结果与理论公式进行对比验证，为后文陆相页岩压裂数值模拟提供理论依据。在无压裂液漏失的情况下，水力裂缝的裂缝半径和解析解为：

$$R(t)=0.52\left[\frac{EQ_c^3t^4}{\mu(1-v^2)}\right]^{1/9} \tag{1}$$

式中，$R(t)$为水力裂缝半径，m；E 为杨氏模量，Pa；Q_c 流体注入速度，m/s；t 为注入时间，s；v 是泊松比，无量纲；μ 为流体黏度，Pa · s。

储层模型尺寸为 20m×20m×20m，岩石杨氏模量为 1.5e+10Pa，泊松比为 0.35，流体注入速度为 0.05m/s，注入时间 5s，流体黏度为 0.01Pa · s，采用流体流动-力学耦合模型进行水力压裂模拟。不同时刻数值解得到的裂缝半长(圆形裂缝半径)与理论解吻合较好(图 7)，证明采用此模型进行数值仿真研究可保证结果的准确性。

根据主要页岩油气产区产量统计数据，海相与陆相页岩在采用水力压裂技术进行增产改造时效果存在一定差异，裂缝纵向扩展距离和裂缝形态差异，是造成海相和陆相页岩储集层改造效果差别较大的重要原因。因此，明确海相与陆相页岩水力压裂后裂缝形态差异对于页岩油气开采具有重要意义。选取海相、陆相页岩实际参数进行数值模拟分析具体参数见表 4。

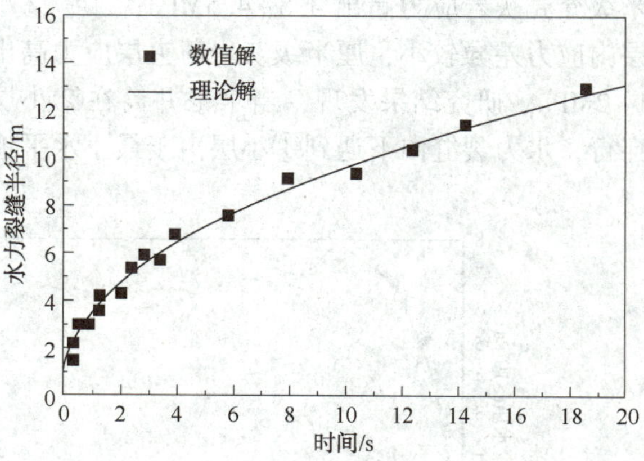

图 7 数值解与理论解对比

表 4 模型参数

参数名称	复兴陆相页岩	涪陵海相页岩
弹性模量 E/GPa	15	35
泊松比	0.35	0.15
上覆应力/MPa	65	65
水平最大/MPa	60	60
水平最小/MPa	55	55
排量/m^3/min	3	3
液体黏度/mPa · s	10	10
井型	水平井单段单簇	水平井单段单簇
井眼直径/mm	120	120
射孔长度/m	1	1
模型长、宽、高/m	20/20/20	20/20/20
抗拉强度/MPa	4	12
岩石密度/(kg/m^3)	2500	2600
孔隙度/%	2	2
渗透率 m^2	$1\times e^{-13}$	$1\times e^{-13}$

分别输入复兴陆相页岩、海相页岩基础地质参数，对比两种类型页岩储层水力压裂后的裂缝形态差异(图 8、图 9)。陆相页岩主裂缝特征以短、宽缝为主，缝长扩展速率明显低于海相页岩，同时起裂压力较海相页岩降低 15%，峰后压裂跌落幅度较小，裂缝延伸压力较高。陆相页岩由于塑性特征显著，随着缝长的增加，裂尖塑性区不断扩大，能量消耗较快，裂缝延伸困难。陆相页岩为保证足够的裂缝穿透距离，必须在缝内憋起足够的净压力，并逐渐增大泵送效率。

侏罗系陆相页岩发育有厚度不等的介壳灰岩夹层，其对水力裂缝缝高延伸具有一定的阻隔效应。以东岳庙页岩层段为例(图 10)，纵向②~④小层发育一定数量的薄层介壳灰岩，③顶部分米级介壳灰岩应力高出 3.8~4.5MPa，④、②小层内应力差异较小，厘米级灰岩薄夹层应力高出 1~2MPa。研究结果发现，当水平井筒在②小层穿行，水力裂缝向下遇到①小层由于最小水平地应力增大，裂缝穿行遇阻；向上水力裂缝可以进入③小层，由于③顶部分米级介壳灰岩应力高，水力裂缝在纵向上无法穿越③顶部分米级介壳灰岩层，水力裂缝发生止裂。

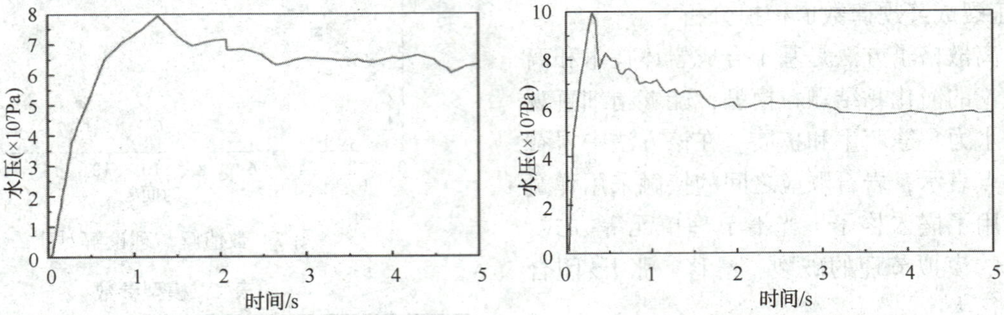

(a)陆相页岩泵压曲线图　　(b)海相页岩泵压曲线图

图 8　复兴陆相页岩、涪陵海相页岩泵压曲线

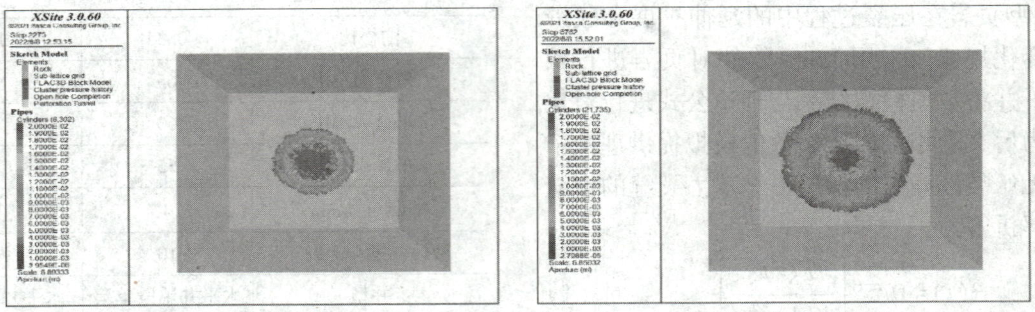

(a)陆相页岩裂缝形态图　　(b)海相页岩裂缝形态图

图 9　复兴陆相页岩、涪陵海相页岩裂缝扩展形态

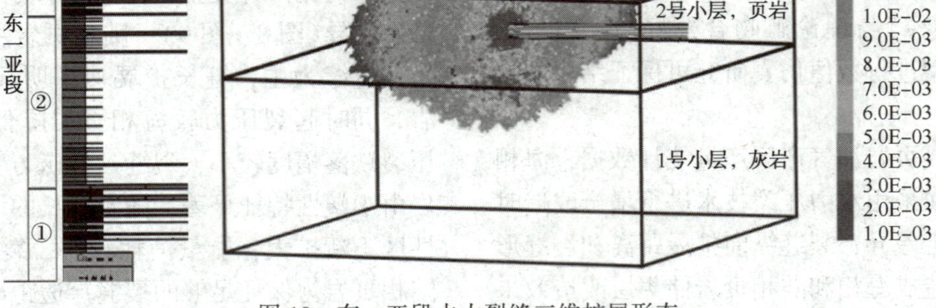

图 10　东一亚段水力裂缝三维扩展形态

2.2.2　压裂成缝规律水力压裂物理模拟分析

页岩油储集层压裂时水力裂缝在不同岩性地层中的扩展形态均存在差异，由于复兴陆相页岩多岩性组合储层导致压后裂缝形态复杂，笔者采用水泥样和露头样同步开展水力压裂物模试验分析研究。首先构建了一套纹层型/互层性陆相页岩水压物理模拟实验方法，系统分析了层间岩性差异、弱面特征、夹层厚度、地应力等对水力裂

缝纵向扩展形态的影响。主要研究思路是基于相识准则分别选用 PO32.5、PO42.5 和 PO52.5 三种不同标号的水泥近似高、中、低三种不同强度的储层，浇筑 300×300×300mm 立方体试样，界面处放置宣纸来模拟层间弱面，反之则为强胶结界面，开展一系列室内水力压裂实验，系统分析了层间岩性差异、弱面特征、夹层厚度、地应力等对水力裂缝纵向扩展形态的影响。同时，利用采集的东岳庙、凉高山井下岩心和地面露头开展了压裂物理模拟实验，重点研究了不同排量、液性等对裂缝扩展影响。

水泥样仿真物模研究反映，垂向应力差值、隔夹层分布及弱面差异、排量、压裂液黏度等对水力裂缝纵向扩展影响较大，东岳庙段页岩层段垂向地应力差较低(4~5MPa)，层间弱面较易发生“脱黏滑移”，水力裂缝易发生转向和止裂，趋向于形成“丰”、“T”字型裂缝，破裂后压力呈缓慢下降趋势(图 11)；凉高山页岩层段垂向地应力差较高(9~10MPa)，受岩性缝高扩展限制作用较小，缝高扩展距离明显增加，泵压曲线出现明显峰值破裂跌落特征，呈现纵向裂缝张开+层理弱面开启的“丰”字形裂缝特征(图 12)。

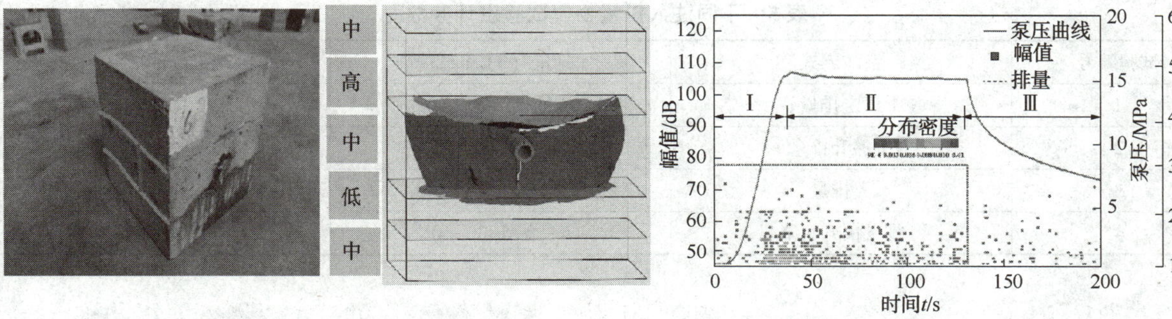

图 11　低垂向应力差(4~5MPa)条件下水力裂缝纵向扩展物模试验结果

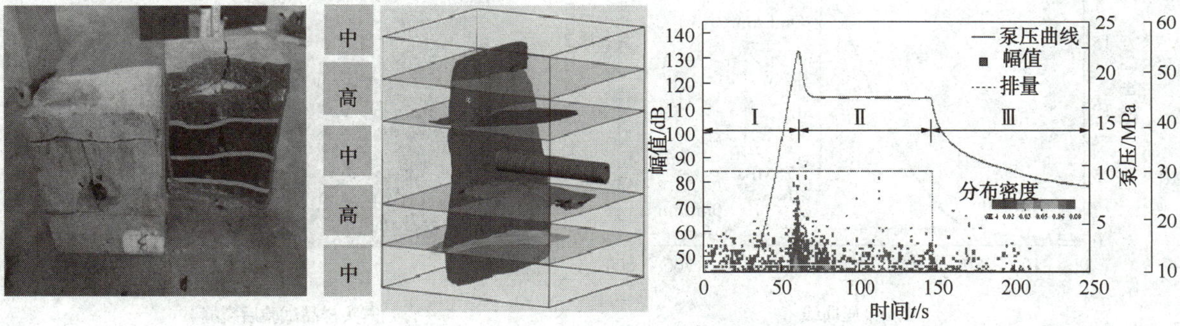

图 12　高垂向应力差(9~10MPa)条件下水力裂缝纵向扩展物模试验结果

小尺寸岩心样品水压物模试验结果反映，灰质、砂质夹层对压裂成缝阻隔作用机制存在差异(图 13)，分米级介壳灰岩具有较强“阻隔”作用，不利于缝高扩展和支撑剂通过，大幅降低压裂效率，而凉高山层内砂质夹层对缝高影响较小。含灰岩条带岩样破裂形态及破裂曲线呈现缝高受限的“工”字形态，含砂岩条带岩样则呈现纵向+层理开启”丰“字形态。

露头样品水压物模试验结果反映，复兴露头黏土含量较高岩石性硬度偏软，主要的裂缝形态都是一条垂直于井筒的裂缝面，层理面以及弱面激活机率较低。不同排量注入条件下压裂裂缝形态及展布存在一定差异(表 5、图 14~图 17)，增大泵注排量，不仅有助于提高裂缝纵向穿层能力，且能够激活更多的层间微裂缝。阶梯升排量能够达到激活更多层间微裂缝目的，提高裂缝复杂度。值得注意的是，快升快降循环变化排量的注液方式较其他注液方式产生的裂缝复杂度更高，压裂液可以浸湿到弱胶结面中。采用高黏度压裂液可降低液体向天然裂缝滤失速率，提升裂缝纵向扩展能力。先用高黏压裂液开启主缝，再用低黏压裂液开启弱裂缝面，其造缝效果好于先用低黏压裂液开启主缝再用高黏压裂液二次压裂，裂缝面更复杂。综合评价，垂向应力差值、隔夹层分布及弱面差异、排量、压裂液黏度等对水力裂缝横纵向扩展影响较大，应作为增产改造压前评价和工艺优化设计的重点关注环节。

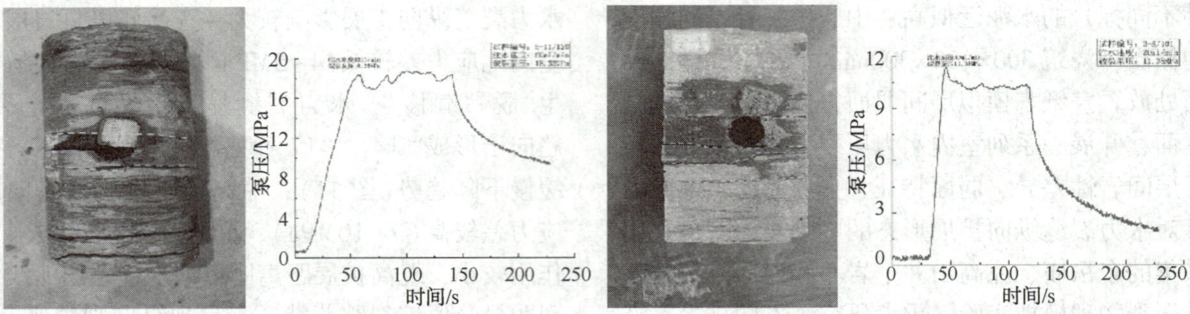

(a)含介壳灰岩夹层页岩岩样　　(b)含砂岩夹层页岩岩样

图 13　小尺寸岩心样品水压物模试验结果

表 5　不同注入排量物模试验设计参数

试验编号	泵注方式	排量/(mL/min)	黏度/mPa·s
1	恒定排量	压前 5，压后 60	5
2	阶梯升排量	5，10，15，20，25，30	5
3	大排量	压前 60，压后 100	5
4	排量快升快降	5-30-5-30-60	5

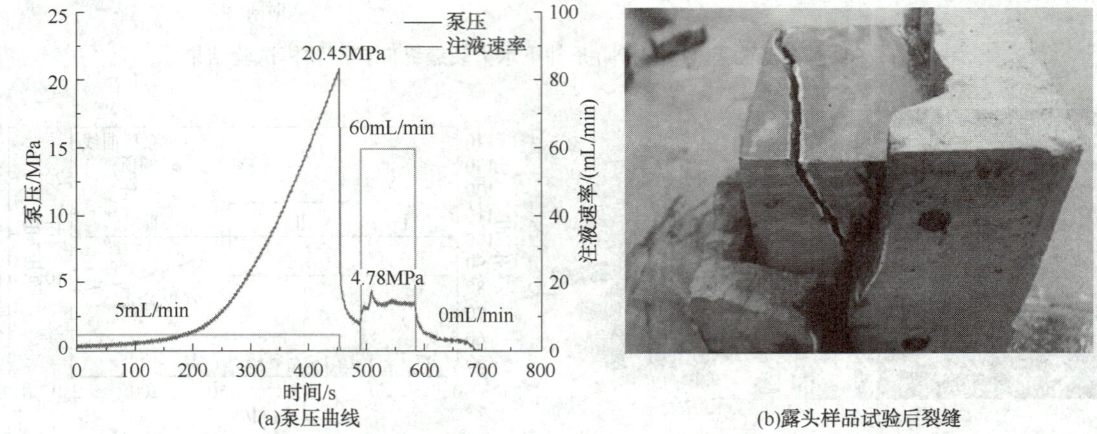

(a)泵压曲线　　(b)露头样品试验后裂缝

图 14　恒定排量物模试验结果

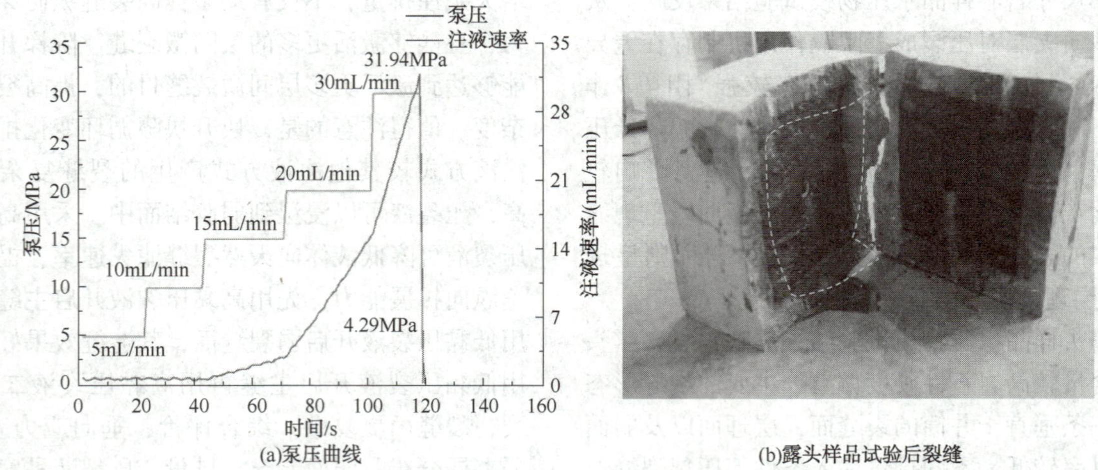

(a)泵压曲线　　(b)露头样品试验后裂缝

图 15　阶梯升排量物模试验结果

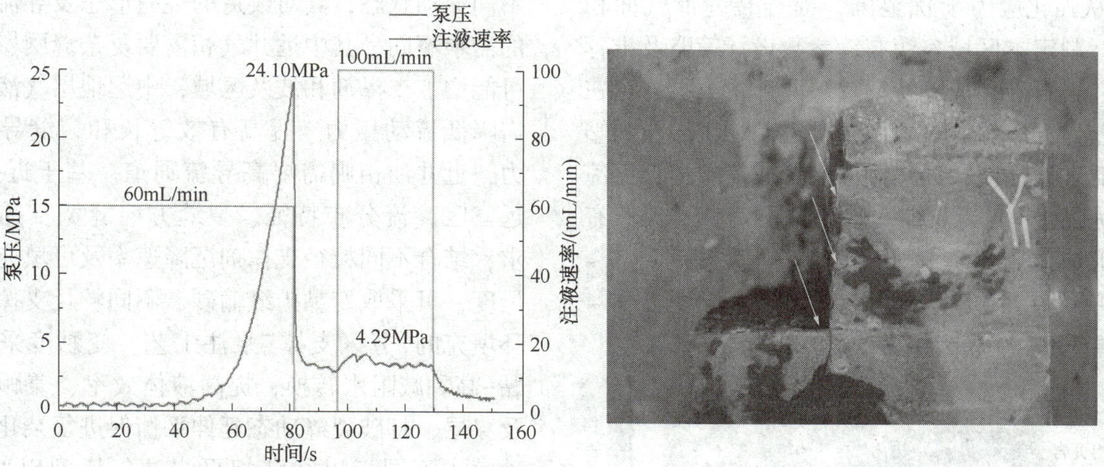

(a)泵压曲线　　(b)露头样品试验后裂缝

图 16　大排量物模试验结果

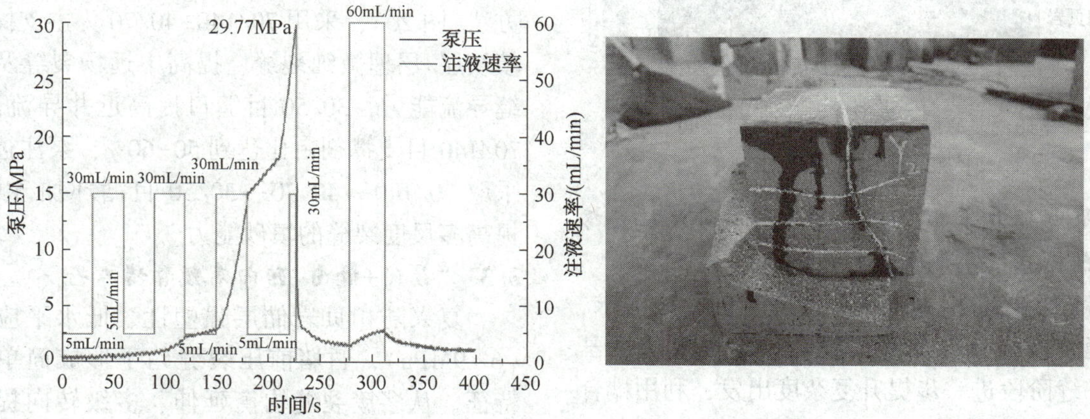

(a)泵压曲线　　(b)露头样品试验后裂缝

图 17　快升快降排量物模试验结果

3　复兴陆相页岩压裂改造策略分析

复兴陆相页岩强塑性、破岩扩缝需能高、成缝趋于简单化、穿层难度大等特征对改造工艺提出了全新要求，一方面，高黏土地层造缝动态缝宽大、裂缝延展受限，易形成短宽缝，造缝效能与海相页岩存在明显差异。另一方面，由于普遍发育厘米-分米级介壳灰岩，可能存在裂缝瞬时扩展能力弱、弹性能利用率低的特点，加之页岩起裂后再次穿越介壳、砂岩隔夹层难度大的特点，低丰度、分隔性很强的复兴陆相页岩各小层井控储量低对“穿层、扩体”的压裂要求更高。因此，提高弹性能利用率、纵向穿透率、纹层/页理缝沟通率成为有效改造的核心目标，具体可通过多簇密布缝条件下强化应力干扰促复杂设计、阶梯变排量+小-中-大三粒径循环填充泵注工艺、“簇间+缝内”双级转向高频暂堵工艺等三个方面来制定措施对策，进而优化工程参数，指导压裂方案设计。

3.1　多簇密布缝条件下陆相页岩强化应力干扰促复杂设计

结合复兴陆相页岩储层地质力学参数，应用融合塑性形变裂缝损伤、多孔介质应力场的多簇裂缝竞争扩展模型开展相同裂缝间距下簇间诱导应力波及分析研究，模拟结果反映，相比海相五峰-龙马溪组脆性页岩地层，本区域陆相页岩应力干扰作用机制与其存在明显差异，其中缝间干扰区波及半径减少 40%(图 18)。考虑复兴陆相页岩油气同出及储层短距离渗流特征，提高密切割程度、次级裂缝数量可疏导裂缝周围渗流阻力，更有利于充分动用储层、提高稳产能力。采用渗流时间方法进行分析，以 30 年生产周期实现储层最大动用为目标，优化基质中心到裂缝的距离 3.5~4.5m，推荐簇间距 7~9m。基于渗透率、原油黏度等关键参数计算 25~30MPa 下，极限泄油半径为 3.7~4.5m，推荐簇间距 7.4~

9m。从强化应力干扰范围、提升裂缝泄气面积出发，制定本区域多簇布缝参数设计策略及推荐方案。岩石破裂成缝特征反映两套主力页岩存在一定差异，东岳庙页岩由于黏土矿物主导、强塑性、低破裂强度，天然倾向于形成简单缝，而凉高山为黏土+石英双控、砂质纹层发育，天然有利于形成复杂缝，因此东岳庙推荐簇间距 5～7m、单段 9～10 簇为主，凉高山簇间距推荐 7～9m、单段 7～9 簇为主。

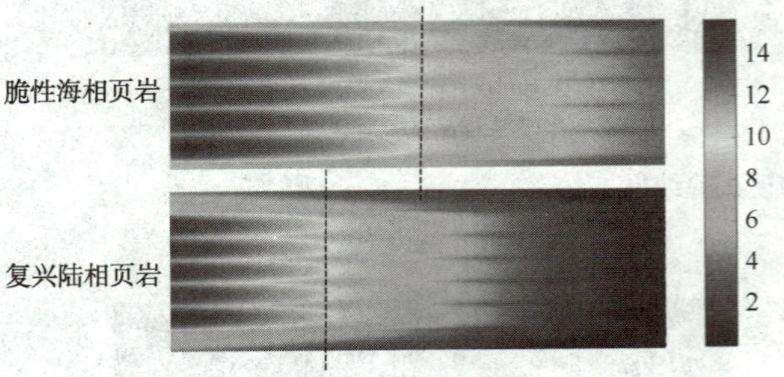

图 18 复兴陆相页岩与海相页岩缝间干扰区波及范围对比

3.2 阶梯循环变排量+小–中–大不同粒径支撑剂循环填充泵注工艺

考虑复兴陆相页岩压裂成缝不同阶段需求，从成缝阶段强化分支缝构建奠定整体复杂度基础、扩缝阶段进一步提升复杂度出发，利用耦合力学特性、纹层/层理及夹层的 Xsite 裂缝离散扩展模型，模拟分析不同工艺参数下纵向裂缝及层理缝扩展形态(图 19)，将模拟过程中破裂压力跌幅幅度定义弹性能利用率、纵向穿透夹层数量占比定义纵向穿透率、纹层/层理缝面积与总面积之比定义为微细裂缝沟通率，以“3 率”为综合评价指标，对比分析不同工艺参数组合下裂缝参数及改造效果。模拟结果表明，在前期造缝及中后期加砂阶段采用阶梯提升排量、中途高–低–高–低排量交互循环以及高–低–高黏液体交替注入模式改造效果最优，可采取成缝阶段高黏液体阶梯提排量($2\sim4m^3/min$ 为台阶)、扩缝阶段中–低黏交替+分步提升排量($1\sim2m^3/min$ 为台阶)、中途投加暂堵材料阶段快降–快升排量($5\sim8m^3/min$ 为台阶)的分阶段促缝扩缝优化方法，高–中–低黏液体交替注入模式、时机、频次同步匹配循环泵注。

前期实施井反映复兴陆相页岩储层具有油气同出特点，东岳庙为近饱和态凝析气藏、凉高山表现挥发油藏特征。由于距井筒不同距离流体有不同流动状态，其对改造的裂缝形态及导流能力的需求不同，其中远井气相需要复杂缝网、需尽可能增加支撑剂和波及区域，中远地层气液两相需降低流动压力、提高有效缝长和裂缝导流能力，近井油相则需要高导流通道。基于近–中–远三区渗流分布特征、裂缝方向缝宽及铺砂需求，结合不同粒径支撑剂沉降速率及可填充裂缝尺度，可采取变黏扩缝输砂、不同粒径支撑剂循环填充的“分区支撑”泵注工艺。变黏度采取低黏–高黏减阻水转换，提高液体效率、兼顾层理及穿层，打破裂缝动态延伸平衡促进复杂化。加砂模式不同于以往陆相页岩油气压裂以“大粒径”为主的工艺模式，需以小粒径为主、小–中–大三粒径循环填充的“分区支撑”泵注工艺设计方法(图 20)，采用 70/140+40/70 为主支撑剂充填纹层/层理微细裂缝，提高中远场裂缝及分支缝导流能力，30/50 目缝口提高近井导流能力，70/140 目支撑剂占比达到 50–60%，泵注过程中采取 70/140→40/70→30/50 目循环加砂模式，提高多尺度裂缝的填砂能力。

3.3 “簇间+缝内”转向高频暂堵工艺

复兴陆相页岩储层强塑性、低水平应力差(6～9MPa)，暂堵前压裂缝趋于形成简单缝的特征。从多簇裂缝均衡延伸、多级转向提净压促复杂出发，采用“簇间投球、缝内投剂”多级暂堵工艺参数优化方法，投球簇间转向促均衡，多次投球(绳结)封堵已改造簇、批次开启未进液簇，增加缝控面积；投剂缝内转向促复杂，采用“大粒径架桥、小粒径填充”缝内暂堵模式，促进缝端转向及分支缝开启。基于离散元法建立陆相页岩暂堵转向裂缝扩展模型，分析研究了暂堵参数(数量、次数、时机)、暂堵位置(缝口、缝中、缝端)对压力变化和裂缝形态的影响规律，制定了“簇间+缝内”高频次复合暂堵转向压裂推荐做法(表 6)。通过 4～7 次复合暂堵，近井–中井可连通天然裂缝，形成复杂裂缝。合理的堵剂浓度及输送排量在一定程度可增强堵剂向主裂缝深部运移进入次级缝，提高缝内转向效果，数模–物模及现场施工参数评价反映双级高频暂堵(2～3 次投球、3～4 次投剂)可实现施工净压力提升、利于复杂裂缝系统形成，微地震等多监测手段表明孔眼及多簇裂缝开启率达到 85%。

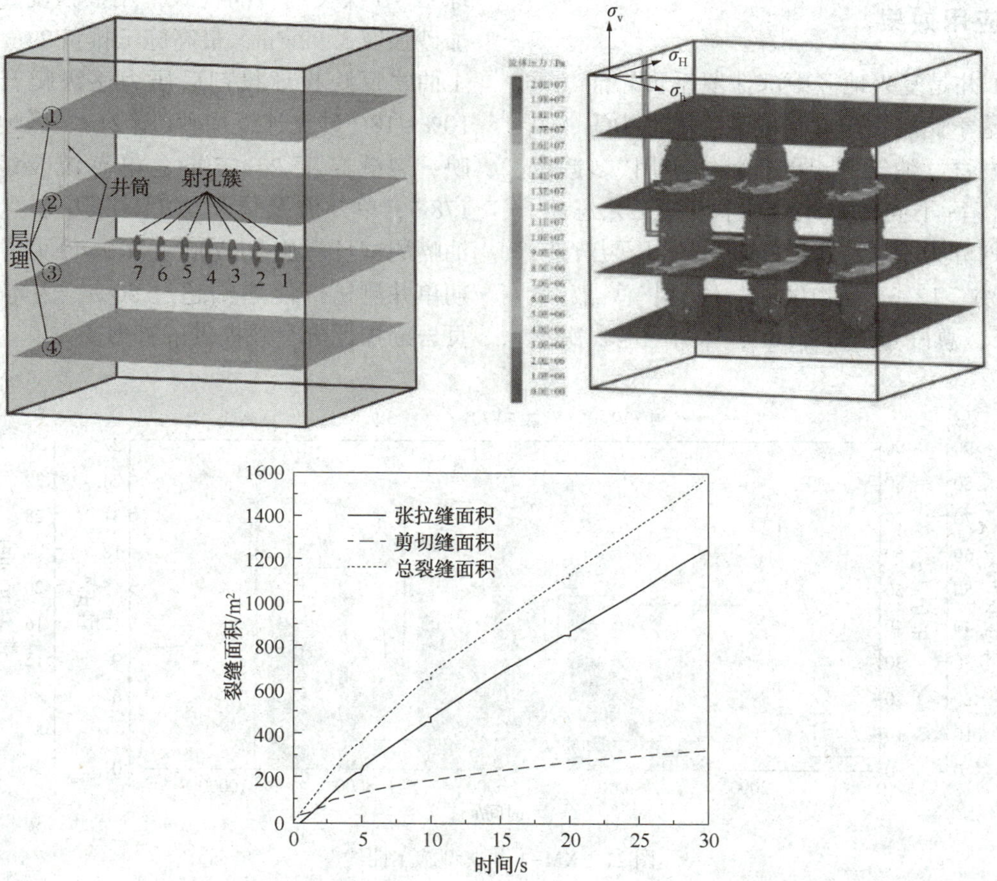

图 19　耦合力学特性、纹层/层理及夹层的裂缝离散扩展模拟示意图

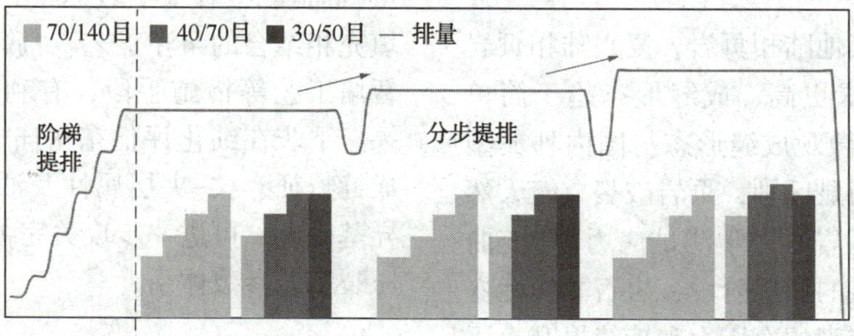

图 20　泵注工艺示意图

表 6　“簇间+缝内”转向高频暂堵推荐工艺参数

内容	类别	设计参数
簇间暂堵设计	次数	6~7 簇 1 次投球；8~9 簇 2 次投球
	数量	单次暂堵>总孔数 50%，2 次暂堵合计>总孔数 66%
	粒径	Φ20~24mm
	排量	降排量，2~8m³/min
缝内暂堵剂设计	加入方法	70/140 目粉砂+颗粒暂堵剂
	加入时机	20%~25%，55%~60%加入暂堵剂
	粒径组合	单次 100~200kg
	排量	不降排量，排量≥15m³/min

4　现场应用效果

XM-1井是复兴地区中部侏罗系页岩油气重点探井，基于储层黏土含量较高、脆性中等、纵向多夹层发育、油气同出的特性，采用"多簇密切+复合暂堵+不同粒径组合支撑"的工艺思路。水平井段划分为33段共计225簇进行压裂改造，裂缝条数12.3条/100m，压裂总液量73254.1m^3，总砂量4677.6m^3，采用1~2次投球+2~3次投剂转向模式，用液强度39.7m^3/m，加砂强度3.92t/m，最高施工排量23m^3/min。施工曲线反映投球投剂后压力逐级爬升，可实现10%~18%砂比连续加砂(图21)。微地震监测反映，裂缝高度24~30m，单翼波及缝长152~178m，单井波及体积2011.67万方。压后6mm油嘴测试日产油55.7吨，气2.49万方，相比初期单井测试产能增幅超过50%，为本地区陆相页岩勘探评价突破提供了有力支撑。

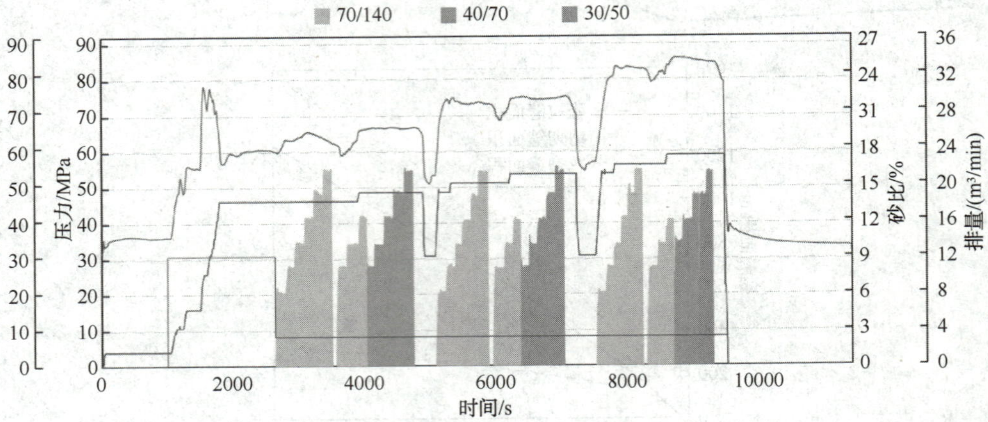

图21　XM-1井典型施工曲线

5　结论

（1）相比国内其他陆相页岩，复兴陆相页岩岩石破裂对能量需求更高、成缝形态趋于简单化。该类页岩宏观-微观成缝形态与国内外典型海相陆相页岩存在明显区别，页岩破裂成缝天然倾向于简单缝特征。岩心力学测试应力-应变曲线反映峰前出现明显的屈服阶段，岩石非线性变形特征明显，保持较高的净压力和持续提升净压力是形成复杂缝的基础。

（2）东岳庙段介壳灰岩夹层和凉高山组致密砂岩夹层均为高强度隔层，岩石力学强度整体表现为致密砂岩>介壳灰岩>页岩，灰岩、砂岩两类岩性夹层对压裂成缝阻隔作用机制存在差异，分米级介壳灰岩具有较强"阻隔"作用，不利于缝高扩展和支撑剂通过，大幅降低压裂效率，而凉高山层内砂质夹层发育厚度较薄，整体对缝高影响较小。

（3）与页岩可压性匹配的改造工艺是陆相页岩油气实现高产的重要保障，复兴陆相页岩强塑性、需能高、简单缝等特征对改造工艺提出了新要求，其核心在于提净压与促复杂。综合应用多簇密布缝强化应力干扰促复杂、阶梯循环变排量+高低黏液体交替注入+不同粒径支撑剂循环填充相结合的泵注工艺、"簇间+缝内"转向高频暂堵工艺等措施手段，有利于提升储层改造效果。下步在细化评估东岳庙、凉高山矿物组成、成缝特征、纹-夹层属性及油气藏类型等方面差异基础上，可进一步攻关完善两套页岩的针对性压裂工艺参数体系。

参考文献

[1] 金之钧，朱如凯，梁新平，等．当前陆相页岩油勘探开发值得关注的几个问题[J]．石油勘探与开发，2021，48(6)：1276-1287.

[2] 鲜成钢，李国欣，李曹雄，等．陆相页岩油效益开发的若干问题[J]．地球科学，2023，48(1)：14-29.

[3] 包书景，葛明娜，徐兴友，等．我国陆相页岩油勘探开发进展与发展建议[J/OL]．中国地质，2023，https：//kns.cnki.net/kcms/detail/11.1167.P.20230510.1545.006.html.

[4] 王坤，郭彬程，林世国，等．中国陆相页岩石油资源地位与发展机遇[J]．能源与节能，2022，8：1-7.

[5] 赵文智，朱如凯，张婧雅，等．中国陆相页岩油类

型、勘探开发现状与发展趋势[J]. 中国石油勘探，2023，28(4)：1-13.

[6] 张子麟，曹嫣镔，周广清，等. 纹层状泥灰质陆相页岩压裂裂缝扩展机理研究[J]. 土木工程，2022，11(4)：550-558.

[7] 宁文祥，何柏，李凤霞，等. 陆相页岩油储层水力压裂裂缝形态的试验[J]. 科学技术与工程，2021，21(18)：7505-7512.

[8] 王迎港，穆景福，孙晓，等. 陆相页岩 CO2 压裂裂缝起裂和扩展特征试验研究[J]. 地下空间与工程学报，2022，18(3)：875-882.

[9] Guo P, Li X, Li S, et al. Experimental investigation of simultaneous and asynchronous hydraulic fracture growth from multiple perforations in shale considering stress anisotropy[J]. Rock Mechanics and Rock Engineering, 2023. DOI: https://doi.org/10.1007/s00603-023-03499-6.

[10] Wang X, Chen J, Ren D, et al. Role of natural fractures with topology structure for hydraulic fracture propagation in continental shale reservoir[J]. Engineering Fracture Mechanics, 2023, 284109237.

[11] Li S, Hu Z, Chang X. Mechanistic study on the influence of stratigraphy on the initiation and expansion pattern of hydraulic fractures in shale reservoirs[J]. Applied Sciences, 2022, 12: 8082.

[12] 李晓，郭鹏，胡彦智，等. 陆相页岩压裂试验与数值模拟——以鄂尔多斯盆地三叠系延长组 7 段为例[J]. 石油与天然气地质，2023，44(4)：1009-1019.

[13] Zhang Z, Zhong A, Yang F, et al. Experimental study on the hydraulic fracture propagation of laminar argillaceous limestone continental shale[J]. Frontiers in Earth Science, 2023, 11: 1193205.

[14] AlDajani O A, Germaine J T, Einstein H H. Isotropic versus anisotropic stress field effects on hydraulic fracture mechanisms in opalinus shale[C]. The 53rd US Rock Mechanics/Geomechanics Symposium. New York: American Rock Mechanics Association, 2019, ARMA 19-1552.

[15] Zhao Y, Wang L, Ma K, et al. Numerical simulation of hydraulic fracturing and penetration law in continental shale reservoirs[J]. Processes, 2022, 10: 2364.

[16] 赵彦昕，许文俊，王雷，等. 陆相页岩储层水力裂缝穿层扩展规律[J]. 石油钻采工艺，2023，45(1)：76-84.

[17] 钟安海. 含纹层陆相页岩力学参数的尺寸效应及其对压裂裂缝的影响[J]. 油气地质与采收率，2023，30(4)：1-9.

[18] 宋斯宇，徐东升，李映艳，等. 芦草沟组页岩油储层地质力学特性与水力压裂数值模拟[J]. 工程地质学报，2023，31(3)：1038-1048.

[19] 邢德钢，崔连可，王树森，等. 泌阳凹陷陆相页岩复杂裂缝起裂及扩展研究[J]. 石油地质与工程，2021，35(2)：93-97.

[20] Ma C, Xing Y, Qu Y, et al. A new fracture parameter optimization method for the horizontal well section of shale oil[J]. Frontiers in Earth Science, 2022, 10: 895382.

[21] Wang H, Zhou T, Li F. A new approach for automatic optimization of complex fracture network in shale reservoirs[J]. Lithosphere, 2021, 1: 7102102.

[22] Luo Y, Guo J C, Zeng F H, et al. Optimization method of hydraulic fracturing design for horizontal shale gas well based on artificial neural network and genetic algorithm[C]. The 56th US Rock Mechanics/Geomechanics Symposium. Santa Fe: American Rock Mechanics Association, 2022, ARMA 22-364.

[23] 周立宏，赵贤正，柴公权，等. 陆相页岩油效益勘探开发关键技术与工程实践——以渤海湾盆地沧东凹陷古近系孔二段为例[J]. 石油勘探与开发，2020，47(5)：1059-1066.

[24] 周立宏，刘学伟，付大其，等. 陆相页岩油岩石可压裂性影响因素评价与应用——以沧东凹陷孔二段为例. 中国石油勘探，2019，24(5)：670-678.

[25] 刘卫彬，徐兴友，刘畅，等. 超临界 CO2+水力携砂复合体积压裂工艺对陆相页岩储层的改造机理及效果[J]. 石油学报，2022，43(3)：399-409.

[26] 刘卫彬，徐兴友，陈珊，等. 松辽盆地陆相页岩油地质工程一体化高效勘查关键技术与工程示范[J]. 地质科学，2023，48(1)：173-190.

[27] 王增林，鲁明晶，张潦源，等. 东营凹陷陆相页岩油强化缝网改造生产制度优化研究[J]. 石油钻探技术，2021，49(4)：71-77.

[28] 王燚钊，侯冰，王栋，等. 页岩油多储集层穿层压裂缝高扩展特征[J]. 石油勘探与开发，2021，48(2)：402-410.

八面河地区颗粒云岩沉积模式及潜力分析

杨　伟

（中国石化江汉油田分公司）

摘　要　干旱、半干旱的咸化湖盆为碳酸盐岩的形成提供了有利的沉积环境，沿岸缓坡带及近岸水下高地等浅水高能环境为颗粒云岩储层的形成创造了有利的的条件。依据岩心观察、薄片分析、测井等资料，对八面河地区沙四段滨浅湖亚相颗粒云岩进行系统研究，结果表明：颗粒云岩是一种由碳酸盐岩白云化后再经淡水、大气及湖浪等综合改造后形成的具有良好储集性能的颗粒型碳酸盐岩储层，主要储集空间为粒间、粒内溶孔。沉积期内水体动静交替，随着水体的多期次变化，区内纵向上形成多套薄层颗粒云岩储层。平面上则受东南部三角洲物源入湖影响，沿物源向两侧依次发育砂岩、颗粒云岩（砂质云岩、灰质云岩）储层。

关键词　颗粒云岩；沉积模式；古潜山；主体构造带

颗粒云岩作为近年新发现的一种储集层类型，具有单层薄，层数多、非均质性强等特征。据区内岩心观察、分析测试及测井等静态资料，该储集层受沉积时的古地貌、古物源、古水动力及古气候影响较大，平面上多分布于远离物源区域，整体具有沿隆顺坡发育规律，纵向上多形成于干旱—半干旱蒸发环境沉积时期。本区平面上存在多个古潜山构造背景，同时纵向上不同时期物源供给能力，气候变化及沉积水体环境复杂多变，致使砂岩、颗粒云岩（包括砂质云岩）及泥晶云岩等不同岩性空间展布复杂。有必要建立相适应的沉积模式，以有效指导本地区颗粒云岩的勘探开发工作。

上世纪中叶以来，湖相碳酸盐岩油气先后在四川大安寨侏罗系、茫崖坳陷及黄烨坳陷被发现，其油气储集能力获得证实，随后碳酸盐岩勘探开发工作逐渐在国内各大油气田陆续获得突破。截至目前，国内湖相碳酸盐岩油气藏累计探明储量超过 6×10^{8}t（当量），渤海湾地区碳酸盐岩探明储量（超过 4 亿吨）占比为 67%，表明湖相碳酸盐岩储层有较大的勘探增储潜力。而济阳坳陷作为渤海湾盆地的六大坳陷之一，仅东营凹陷和沾化凹陷内的 24 个油田目前碳酸盐岩油气探明储量就达 0.7×10^{8}t，显示济阳坳陷具有较大的碳酸盐岩储量规模和勘探前景。本论文涉及地区属于湖相近岸沉积环境，同时区域东南部的广饶凸起作为物源区，古碳酸盐岩母岩发育，为本区提供了碳酸盐岩沉积所需的有利富灰环境。同时，该区处于缓坡带，先期沉积的碳酸盐岩周期性地暴露于浪基面之上，也为颗粒白云岩的形成营造有利环境。本文以岩心观察和薄片分析为基础，结合岩电各项资料，精细刻画不同岩相空间展布特征，配套古地貌、古水动力条件，进而建立颗粒云岩沉积模型，对本地区及相邻区域颗粒云岩的勘探开发具有重要参考作用和借鉴意义。

1　区域地质背景

该区域地层自下而上依次为古近系孔店组、沙河街组和新近系馆陶组、明化镇组及第四系平原组地层。受区域构造活动影响，馆陶组和沙河街组之间及沙河街组内部形成了多个不整合面，本区缺失东营组及沙三下段地层，沙四下地层局部发育。地层对比划分主要标志层有馆陶组底部砂砾岩、沙一段薄层生物灰岩、沙三中段下部稳定泥岩。碳酸盐岩发育的沙四段主要为湖相沉积，东南部发育三角洲前缘亚相沉积，该处一至两支物源持续注入，为本区提供了较为丰富的碎屑物质供给。沙四段地层厚度 218~361m，以砂岩、灰质白云岩，浅灰色灰岩、绿灰色泥岩等岩性为主，含介形虫及螺化石，交错层理发育，厚度和岩性较稳定，与下步孔店组地层呈不整合或假整合接触。而沙四段 4 砂组沉积时期为干旱—半干旱蒸发环境，水体矿化度高，碳酸盐岩储层发育，据常规物性及（铸体）薄片资料，本区主要发育颗粒云岩储层，局部可见少量生物灰岩。

2022 年以来，首先针对该区南斜坡东部低声波特征的碎屑岩“干层”进行取心，薄片分析发现颗粒云岩储层，实施老井复查评价4口，初期日产油均稳定在3.0t以上，南斜坡东段颗粒云认识和评价取得突破。随即开展全区颗粒云岩潜力筛查，发现具有相近构造沉积背景和相似测井响应特征的中西段颗粒云岩潜力区带。新老井复查显示储量规模大，油井初期产量高，进一步证实该区颗粒云岩储层具有较大储量规模和开发潜力。

2　沉积环境分析

该区沉积时期为咸水—半咸水湖盆，早期水体较深，中后期逐渐变浅。据八面河油田沙四段4砂组地层元素分析资料(表1、图1)，4沙四段4砂组沉积时期气候干旱，水体浅，矿化度高，整体为半氧化-半还原环境，且陆源输入少，呈现干旱-半干旱强蒸发环境特征，利于泥晶碳酸盐岩的形成。同时，岩心观察也显示该目的层段主要为灰色纹层状云质灰岩、浅灰色白云岩，灰色灰质泥岩或灰黑色钙质泥页岩。纹层状平行层理、浪成交错层理、风暴搅动及突变构造发育，可见介壳类结构组分，显示沉积时为浅水动荡环境。

表1　西区沙四段4砂组砂组古环境统计表

古水深 <15浅水；>35深水	古气候 <5潮湿；>10干旱	古盐度 <0.2淡水；>0.5咸水	古氧化 <2还原；>7氧化	陆源输入 低<650<中<700<高
8.31	220.87	3.3	2.17	28.19
浅水	干旱	咸水	半氧化半还原	低

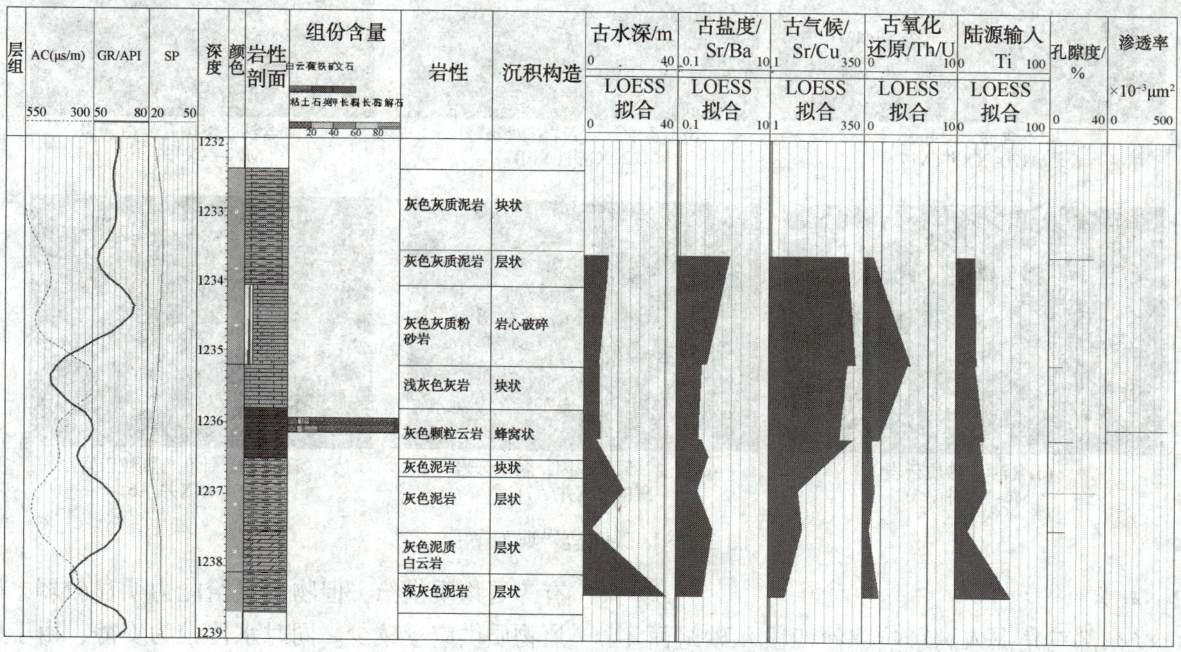

图1　西区沙四段4砂组砂组古环境分析柱状图

3　岩矿特征

该区沙四段沉积时期平面沉积相类型复杂，表现为陆源沉积物与内源沉积物共存特征明显。平面上近源处，由于物源供给相对充足，主要沉积陆源碎屑岩。向两侧随着与物源距离逐渐增大，物源供给逐渐匮乏，则内源沉积物逐渐发育并占主导地位。沙四段4砂组沉积时期，东南部广饶凸起发育一支三角洲，但由于物源供给能力较弱，平面影响范围有限，区内多种沉积相类型共存。东部物源供给区为三角洲前缘岩相沉积，发育有水下分流河道、席状砂及三角洲前端的河口坝等微相，碎屑岩储层发育。物源向东西两侧远离区主要为滨浅湖亚相沉积，发育砂质滩及碳酸盐岩类颗粒滩等微相。由近源至远源与之相对应的岩石类型依次为砂岩、砂质云岩、灰质云岩及泥晶云岩等(图3)。

3.1 白云岩化作用

学术界对白云岩的沉积和形成机理尚存在较大争议，目前主流观点认为自然界非原生沉积的白云岩占比很少，而绝大多少白云岩都是由早期沉积的钙质碳酸盐岩经过次生交代作用而形成，即所谓的碳酸盐岩的白云岩化作用。而对颗粒云岩储层来讲，原始沉积环境是重要条件，白云岩化作用常常是先决条件，而白云岩化之后的二次改造作用才是关键因素。

据资料研究表明，白云岩化作用对碳酸盐岩储层物性的影响通常可进一步分为直接影响和间接影响2个方面。直接影响包括白云岩化过程中的溶蚀作用、等摩尔交代以及等体积交代等方面，岩心分析资料证实，上述过程对本地区白云岩储层的物性影响有限，孔隙度往往较低(泥晶白云岩)，通常2.1%~3.5%，很难具备储集性能[图2(a)]。间接影响主要是白云岩化之后的二次改造(物理改造如风暴、湖浪等)、溶蚀(大气、淡水等)等，可以大幅提高白云岩的孔隙性及渗透性，这也是本地区白云岩向颗粒云岩转化过程中物性大幅提高的决定因素。区内取心井薄片资料可以看到微裂缝、溶蚀孔，同时普遍发育受风暴和正常湖浪改造而形成颗粒状结构，颗粒间及粒内部分碳酸盐岩类组分后期被大气、淡水溶蚀而形成的粒间粒内溶孔[图2(b)、(c)、(d)、(e)、(f)]。基于此，对于本区的白云岩化机理暂不研究，而是着重研究白云岩向颗粒云岩(局部可见礁溶灰岩)转变的过程中成孔、成储机理。

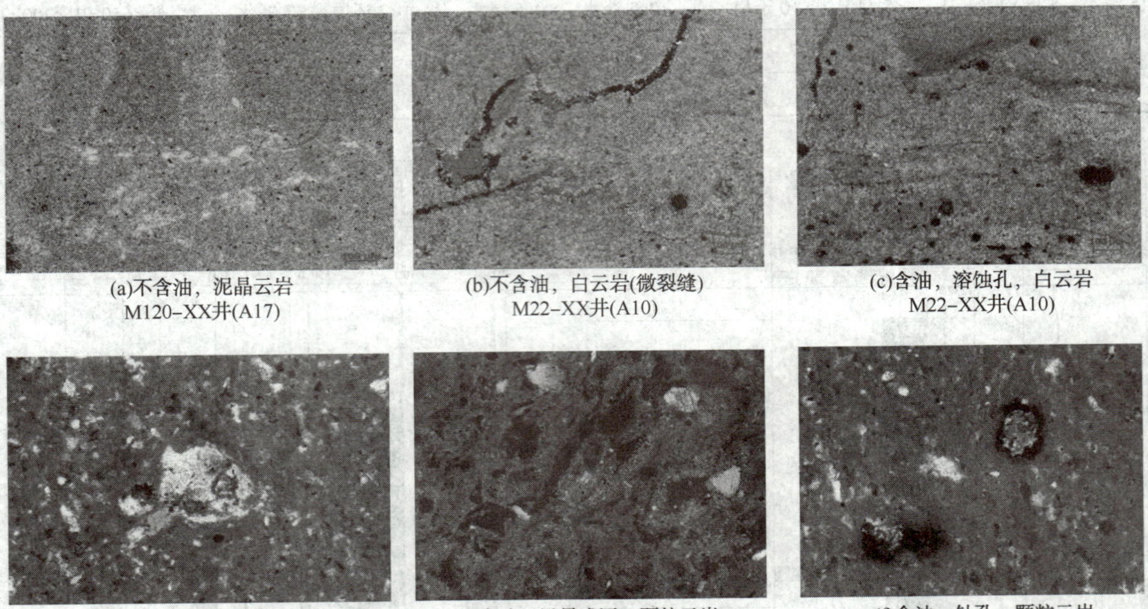

(a)不含油，泥晶云岩 M120-XX井(A17)　(b)不含油，白云岩(微裂缝) M22-XX井(A10)　(c)含油，溶蚀孔，白云岩 M22-XX井(A10)

(d)含油，砂质云岩 M4-XX井(A6)　(e)含油，风暴成因，颗粒云岩 M14-XX井(A7)　(f)含油，针孔，颗粒云岩 M14-XX井(A6)

图2　该区碳酸盐岩典型薄片

3.2 砂岩

受东部三角洲入湖影响，沙四段4砂组面4区沉积作用主要表现为三角洲控制特征，陆源碎屑物供给充足，区块内部发育水下分流河道砂、席状砂及河口坝砂体。同时由于区域水体持续动荡，以及外源淡水的持续注入，区域水体矿化度一致维持在低值区间，抑制了碳酸盐岩类矿物的析出和沉淀，导致近源处主要沉积砂岩，碳酸盐岩类矿物鲜有发育。

3.3 砂质云岩

砂质云岩通常位于三角洲相向湖相过渡的区域(对应面12~14区)，与物源区相比，该区域虽有碎屑物质供给，但物源供给能力明显较弱，碎屑物质供应量较少。同时水体较为安静，由于距离较远，自三角洲注入湖盆的的淡水难以有效波及到该区域，区域矿化度较高。强蒸发环境下，碳酸盐岩类矿物从水体中析出形成泥晶碳酸盐岩，并和少量运移此处的碎屑岩一同沉积下来形成砂质碳酸盐岩，再经白云岩化作用形成砂质云岩。

3.4 泥晶云(灰)岩

自三角洲与湖相交汇的过渡区进一步向湖盆及三角洲更外缘推进，随着与三角洲距离的进一步加大，伴随三角洲一同入湖的碎屑物质及淡水几乎难以到达和影响上述区域。水体更为安静，水的矿化度较过渡区进一步增大，强蒸发环境下，碳酸盐岩类矿物更易析出形成泥晶碳酸盐岩，后期经白云岩化作用形成泥晶云（灰）岩。当然通常白云化作用越强，生成的泥晶白云岩越纯，而部分泥晶碳酸盐岩白云化程度较低，则仍以泥晶灰岩的形式保持下来。然而，对于沿岸斜坡带（紧邻湖岸周边）这一特殊区域，由于受三角洲影响较大，水动力强，矿化度较低，不利于碳酸盐岩类矿物形成，主要沉积一些细粒碎屑物质，岩性仍然以砂岩为主（图3）。

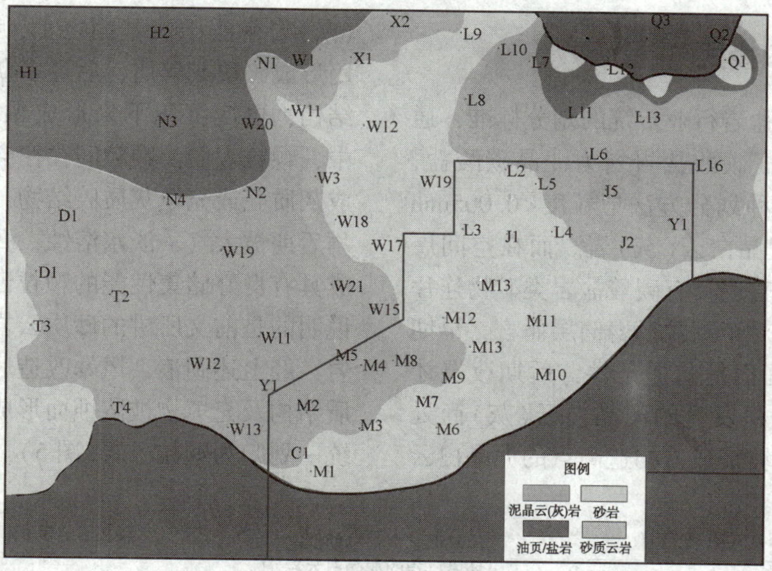

图3　该区沙四段4砂组岩相平面分布图

3.5　岩性测井识别

以该区沙四段岩心观察为基础，结合分析测试资料及测井资料，总结典型岩性的测井响应特征，以达到工作及研究过程中不同岩性的测井识别。目前测井系列对砂岩的识别比较明显，不在一一赘述，这里重点介绍一下测井响应特征差别较小的泥晶云（灰）岩与颗粒云岩储层之间的测井识别。泥晶灰（云）岩普遍具有低伽马、中低值声波时差及中低值微电极响应特征，深浅侧向呈中值响应，但无明显幅度差；而颗粒云岩则具有自然伽马中值响应、声波时差低值响应特征，微电极具高值特征，深浅侧向虽让也呈是中值但与泥晶云（灰）岩相比普遍有较为明显的幅度差（图4）。在上述定性描述和识别的基础上，岩心、测井及分析测试资料相结合进一步建立了该区沙四段不同岩性测井参数对比表，实现了典型岩性的定量识别（表2）。

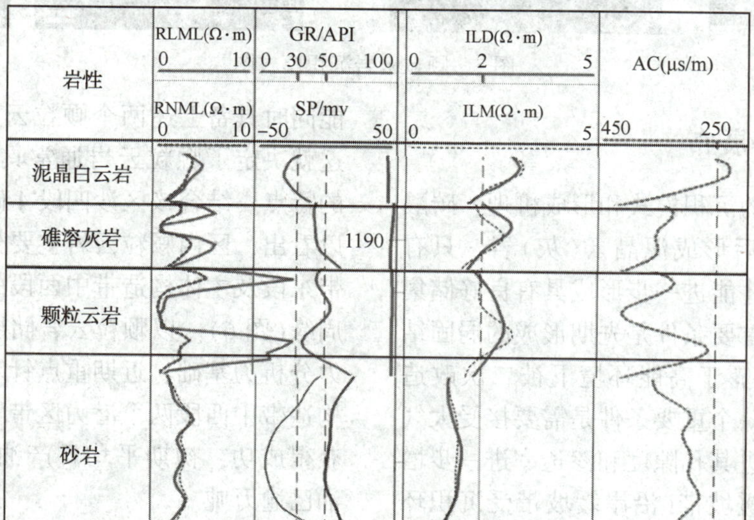

图4　该区沙四4砂组典型岩性测井响应特征

表 2　研究区沙四段 4 砂组不同岩性测井参数对比表

岩　性	碳酸盐岩			砂岩	泥岩
	泥晶云(灰)岩	颗粒云岩	礁溶灰岩		
伽马(API)	<30	30~50	30~50	50~70	>70
声波时差/(μs/m)	<300	250~325	325~360	250~435	>400

4　颗粒云岩沉积模式

按照目前碳酸盐岩行业传统的划分标准，通常将粒度<0.005mm 碳酸盐岩划为泥晶碳酸盐，相应的可以借鉴这种划分方法把粒度<0.005mm 白云(灰)岩划为泥晶白云(灰)岩。而在空间展布上，泥晶白云岩普遍具有碳酸盐岩类矿物连片分布的沉积特征。对于颗粒云岩储层而言，早期的泥晶云(灰)岩沉积是前提条件，后期改造才是关键。早期大面积发育的泥晶白云(灰)尚处于弱固结状态，斜坡带或古构造高点的泥晶白云(灰)岩暴露于浪基面之上，先经湖浪或风暴作用形成碎块或碎屑，后经多期次改造形成颗粒状结构，再次沉积下来形成颗粒云岩。上述过程中，颗粒表面及颗粒间往往会接受再沉积作用形成灰质壳或充填灰质胶结物，这类灰质壳及胶结物后期被大气、淡水溶蚀，孔隙度逐渐提高，形成具有良好储集性能的颗粒云岩储层。需要特别说明的是前文所讲的砂质云岩是一种特殊的白云岩，经上述湖浪、风暴改造后，其粒间、粒内灰质结构及充填物被溶蚀而形成的储集层，本文也统一划归为颗粒云岩(图 5)。

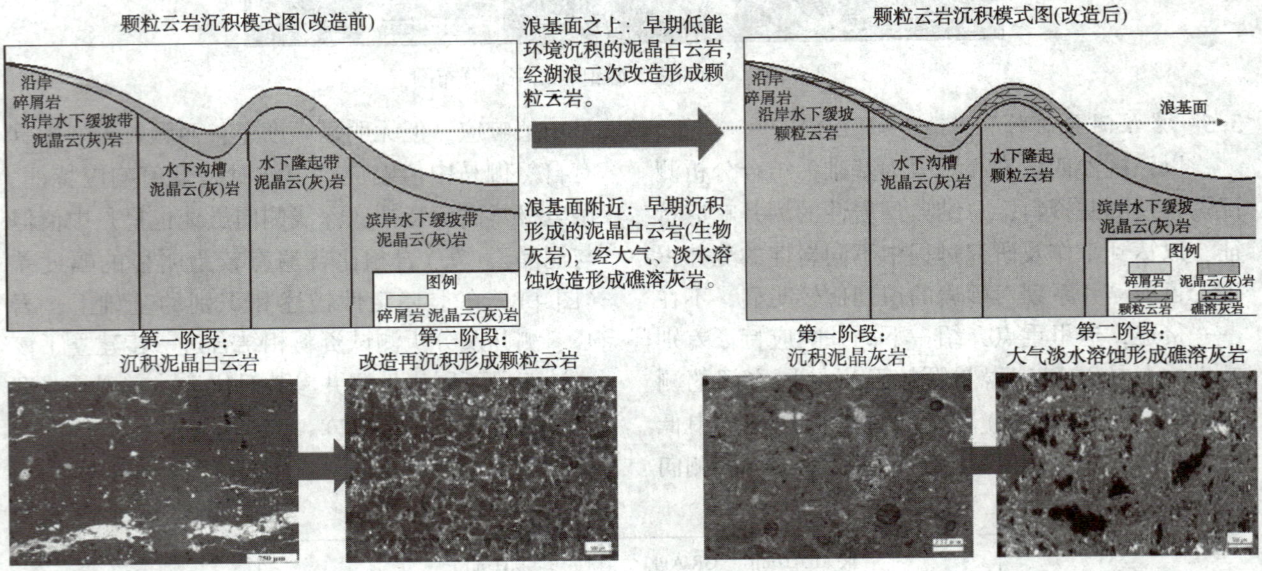

图 5　颗粒云岩沉积模式图

5　颗粒云岩优势展布

依据颗粒云岩的沉积模式和形成机理，碳酸盐岩在白云化作用后形成泥晶云(灰)岩，只有满足下述两个条件才能进一步形成具有良好储集能力的颗粒云岩。首要条件是先期形成的弱固结泥晶云(灰)岩要暴露于高能环境下被二次改造成颗粒状结构。另一个重要条件是需要接受大气及淡水的溶蚀，促进其孔隙度和渗透率进一步增大。显然只有近岸缓坡带(沿岸缓坡带受沉积环境影响主要沉积碎屑岩)和滨岸古地貌凸起处才能同时具备上述两个颗粒云岩形成的必要条件，这就决定了颗粒云岩通常具有“沿隆顺坡”发育的特点。结合该区沙四段 4 砂组沉积时古地貌可以看出，区内颗粒云岩主要分布在近岸的南斜坡带东段及主体构造带中西段的三个古潜山上部及周缘(图 6)。以颗粒云岩储层地质综合研究及潜力分析为基础，近期重点针对南斜坡东段及主体构造带中西段两个潜力区带实施老井复查评价均获得成功，初期平均日产油 4.0t 以上，阶段增油已逾万吨。

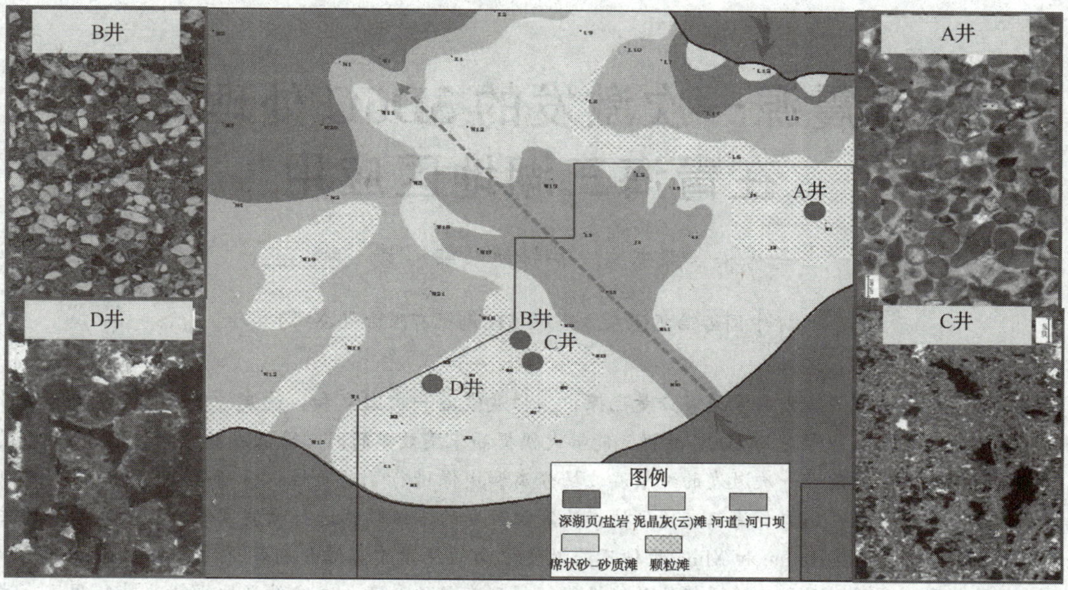

图6 颗粒云岩沉积展布图

6 结论及建议

该区沙四段4砂组沉积时期碳酸盐岩主要为泥晶云(灰)岩，其中部分泥晶云(灰)岩在特定条件下经后期改造形成颗粒云岩，具有良好的储集性能。总体而言，颗粒云岩储层具有“沿坡顺隆发育”的特征，南斜坡近岸缓坡带和滨岸三个古潜山周缘作为颗粒云岩潜力发育区带，是下步滚动勘探增储和评价动用的主战场。

参考文献

[1] 毕彩芹，朱强，等. 渤海湾盆地济阳坳陷沾车地区沙四上亚段湖相碳酸盐岩储层特征[J]. 石油实验地质，2017，(039)002：203-212.

[2] 姜秀芳. 济阳坳陷湖相碳酸盐岩沉积主控因素[J]. 油气地质与采收率，2011，18(6)：23-27.

[3] 张学丰，刘波，蔡忠贤等. 白云岩化作用与碳酸盐岩储层物性[J]. 地质科技情报，2010，29(3)：79-80.

横波震源一次激发的3D6C处理方法在青海三湖地区应用

王秀松 邓志文 岳媛媛 邬 龙 尹 正

(中国石油集团东方地球物理勘探有限责任公司)

摘 要 纯横波震源激发的多波多分量勘探中，横波震源一次激发和纵波震源一次激发获得3D6C数据，相比于两次横波震源激发的3D9C数据，能够大幅提高采集效率的同时降低成本。针对3D6C数据的处理，本文对已形成的横波源一次激发的纯横波波场分离和成像进行了试验性探索研究，HTI模型数据测试证实了该方法的正确性。选取青海三湖地区纯横波震源激发的三维数据进行横波震源一次激发的处理关键技术应用测试，水平方向Inline和Xline两种不同激发方向的纯横波震源分别获得的两组3D6C地震数据，矢量旋转均能取得明显的效果，快慢横波的波场能够得到有效的分离，成像结果快慢横波特征明显，达到预期效果，实际数据的应用效果进一步验证了该方法的有效性和稳定性。

关键词 多波多分量；纯横波震源激发；快横波；慢横波；波场分离

1 引言

目前地震勘探发展阶段面临的问题越来越复杂，单一的纵波勘探面临的困难逐渐增多。作为一种重要的勘探方法，因横波勘探能够观测到更为丰富的波场信息而越来越受到业内的关注和重视，综合利用这些信息，能够更好的揭示地下构造、岩性和油气信息，减少纵波勘探面临的多解性和不确定性。

随着东方地球物理公司大吨位横波震源的研制成功，近年来，在国内多个探区，分阶段进行了广泛而深入的横波勘探试验，均获得了高品质的横波数据。横波震源激发的勘探技术在装备制造、采集、方法研究和处理解释等多个方面都取得了丰厚的成果，同时，多个区域获得的高品质横波数据也为横波勘探领域的研究提供了宝贵的数据基础。

方位各项同性介质中，纯横波处理需要将检波器接收两个水平分量数据做矢量旋转到径向和切向，此时T分量没有反射能量，SV波和SH波得到较好的分离，其中SH波场纯净，是横波处理的优势波场。然而实际情况大多数是方位各向异性介质，横波在方位各项异性介质传播过程中，当偏振方向与地下裂缝斜交时会发生横波分裂现象，分裂的快横波S1和慢横波S2传播到地面往往会因为三分量检波器的两个水平接收方向与横波偏振方向的夹角而导致获得的原始记录是S1和S2混叠在一起的波场，能否对快慢横波S1、S2的波场进行有效分离，是影响纯横波处理成败的关键因素。

现有的方法中，如Alford旋转法，只适用于四分量纯横波，要求输入的数据是两次偏振方向互相垂直的横波震源激发获得的四分量横波数据。然而，四分量数据的采集成本高昂，不利于横波技术的推广和普及，因此找到一种横波震源一次激发的快慢横波分离方法，能够大幅降低勘探成本的同时提高采集效率，对纯横波地震勘探具有重要的意义。对此，对此，我们进行了大量的研究和实验，岳媛媛和邓志文等提出横波一次激发纯横波波场分离方法并采用四分量纯横波分裂分析求得的裂缝方向对横波一次激发所获快慢横波进行分离。但是，3D6C采集无法获取四分量纯横波，本文采用PS转换波求取地下裂缝方向，然后对横波一次激发纯横波进行快慢波分离，模型数据测试和实际资料应用均取得了良好的效果，表明该流程的正确性和合理性。

2 横波源一次激发的波场分离方法

对于纯横波震源激发横波数据的波场分离，目前的方法中只适用于四分量纯横波数据，如Alford旋转法，并在实际地震数据应用中取得了明显的效果，但该方法只适用于四分量纯横波。

对于横波震源一次激发的3D6C地震数据的纯横波处理，应采用2分量纯横波波场分离方法。

在对激发和接受不同分量的方向描述中，沿测线方向定为x方向，垂直测线方向为y方向，炮检连线的径向为r，切向为t，可以清楚的描述横波震源的激发方向和检波器的接收方向之间某一特定的分量信息。该方法对激发的方向没有特定要求，横波的激发方向可以是任意的一个水平方向，针对方位各项同性介质和方位各项异性介质两种不同的情况采取不同的分离方法。对于方位各项同性介质，把检波器水平分量接收的地震数据旋转到径向和切向，可以达到SV/SH有效分离的效果。对于符合大多数地区实际情况的方位各项异性介质，因横波分裂的影响，在获取地下裂缝方向参数之后，将检波器水平分量接收的数据旋转到沿着裂缝方向和垂直裂缝方向，实现快慢横波SS1/SS2的有效分离。

图1为HTI模型数据获得的纯横波四分量合成数据Alford旋转前后对比，图中可知，Alford旋转到径向和切向后，SrRt［图1(b2)］和StRr［图1(b3)］两分量有较强的反射信号，表明地下介质具有明显的方位各向异性特征。把横波震源x方向激发的SxRx和SxRy两个分量和y方向激发的SyRx和SyRy两个分量的两种不同横波震源激发方向获得的两分量纯横波波场进行快慢横波分离，图2(b)为横波震源x方向激发的两分量纯横波波场分离结果，图2(c)为横波震源y方向激发获得的两分量纯横波波场分离结果。

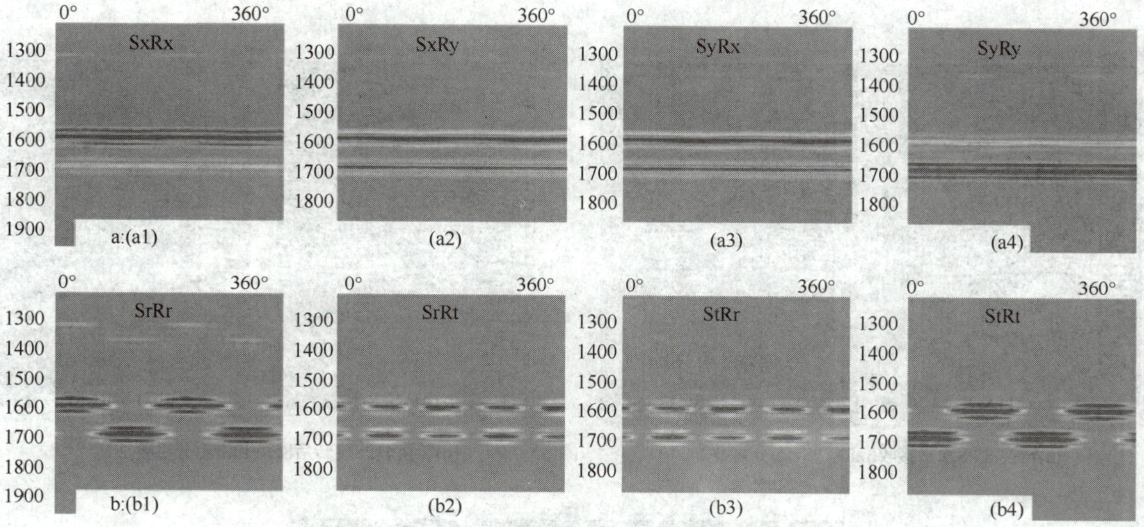

图1　HTI模型纯横波四分量数据Alford旋转前后对比

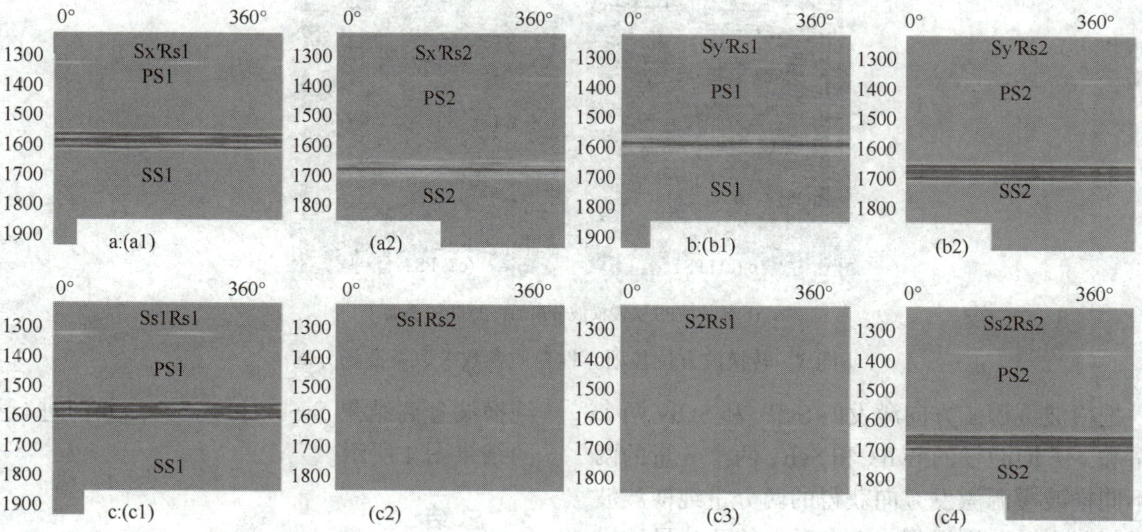

图2　两分量和四分量旋转结果对比

图 2 对比可知，两组不同震源激发方向获得的两分量纯横波波场分离的快慢横波，与四分量 Alford 旋转快慢波分离结果时间一致，两组数据的试验结果均得到了准确的成像。

3　实际地震数据应用

选取青海三湖 3D9C 工区纯横波震源激发的的地震数据开展上述方法的实际资料应用研究，相比于四分量纯横波通过横波分裂分析来获取地下介质的裂缝方向，两分量难以通过该方法进行纯横波分裂分析。对于地下介质中的裂缝参数，鉴于转换波 PV 处理中已有成熟技术，可以利用 3D6C 采集中的 SzRx 和 SzRy 两个分量来求取地下裂缝的参数，应用到一次横波震源激发的两分量横波数据波场分离中。

图 3(a)为检波器接收到转换波 PS 的两个水平分量 SzRx 和 SzRy 叠加，将其水平分量旋转至径向和切向得到 SzRr 和 SzRt 分量，叠加结果见图 3(b)，图中可知 SzRt 分量同样具有较强的有效信号，说明该区域地下具有明显的方位各项异性特征，通过对 SzRr 和 SzRt 分量进行转换横波分裂分析，求取地下方位各项异性介质的裂缝方向，进而对转换波进行 PS1/PS2 分离，叠加结果如图 3(c)所示。图 3 中对比可知，转换横波分离的 PS1/PS2 成像具有更高的信噪比，成层性更好，且二者呈现明显的快慢横波特征，进一步验证了求取的地下裂缝方向的参数准确，把求取的裂缝反方向应用到后续两分量纯横波进行 SS1/SS2 的波场分离中。

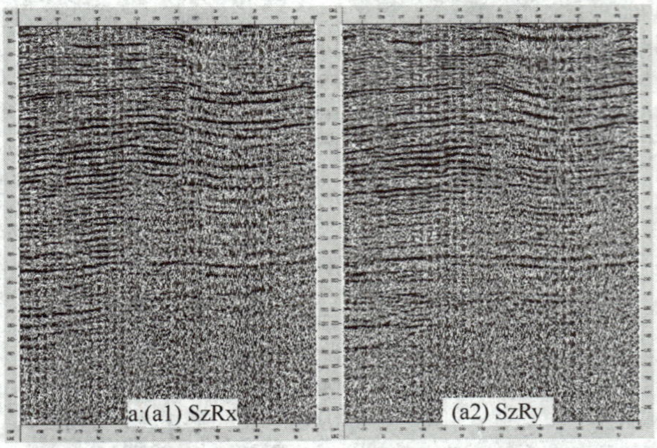

(a)转换波PS水平接收SzRx和SzRy分量叠加

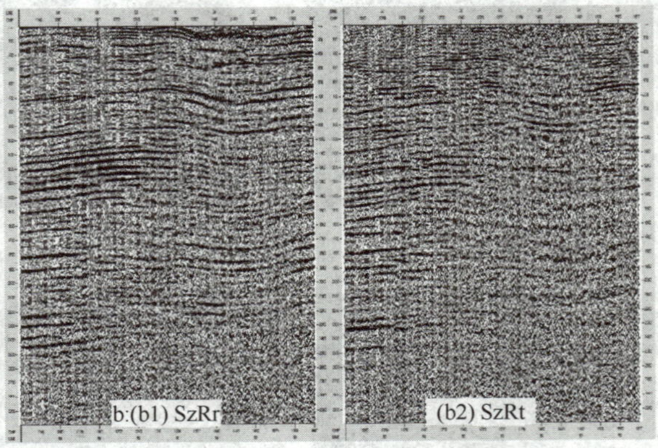

(b)转换波PS旋转后SzRr和SzRt分量叠加

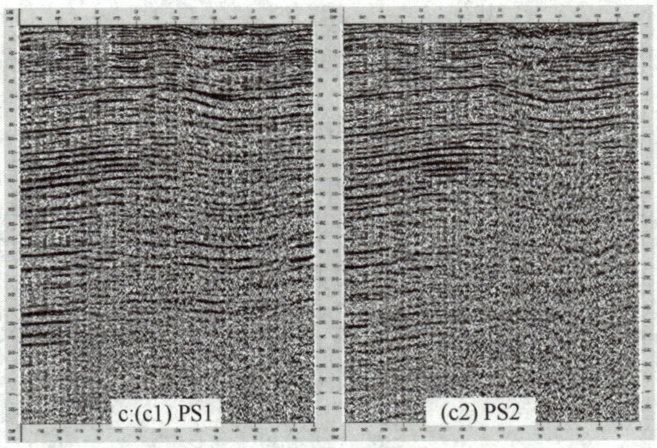

(b)转换波PS.快慢横波分离后PS1和PS2叠加

图 3　转换波方位各项异性介质参数求取及波场分离

把横波震源 x 方向激发的 SxRx 和 SxRy 两个分量和 y 方向激发的 SyRx 和 SyRy 两个分量的两种不同横波震源激发方向获得的两分量纯横波波场进行分离，分别得到 x 方向激发的两分量纯横波分离结果 SxSs1 和 SxSs2，y 方向激发的两分量纯横波分离结果 SySs1 和 SySs2，分别进行叠加的结果图 4 所示。

3　总结

实际数据应用表明，文中所用的方法，可以

对横波震源一次激发的两分量纯横波波场进行有效分离，快慢横波成像品质较高，快慢横波特征明显，进一步证明了该方法的有效性和稳定性。

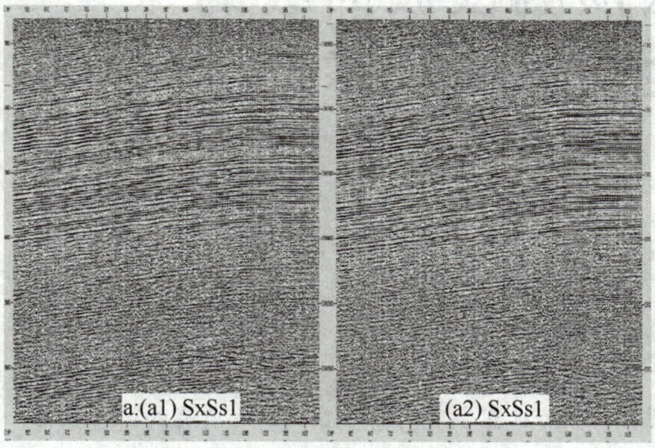

(a)转换波PS水平接收SzRx和SzRy分量叠加

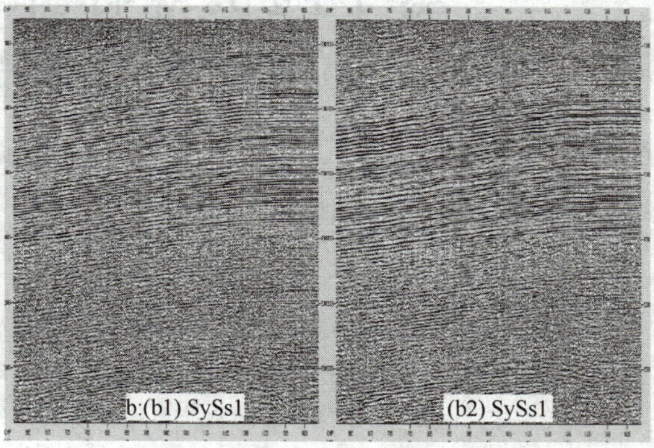

(b)转换波PS水平接收SzRx和SzRy分量叠加

图4

参 考 文 献

[1] Yue, Y. Y., Deng, Z. W., et al., SV/SH or S1/S2 separation for 3D6C data with direct S-wave vibrator exciting once: Third International Meeting for Applied Geoscience & Energy, SEG/AAPG, Expanded Abstracts.

[2] Deng, Z. W., et al., 2022, Direct shear - wave seismic survey in Sanhu area, Qaidam Basin, west China: The Leading Edge, 47-53.

基于随机森林算法预测横波曲线的高精度叠前地震反演技术

沈　亮　曹树春

[中海石油国际能源服务(北京)有限公司]

摘　要　针对叠前地震反演工作中横波曲线缺失的问题，将机器学习中的随机森林算法引入到横波曲线预测中，建立特征测井曲线与横波曲线之间的非线性预测关系来预测横波曲线。具体的步骤包括：收集油田含实测横波曲线各井的基础测井曲线和横波曲线数据，作为机器学习的输入数据。将所有的输入数据随机分成两组，分别是训练数据集(80%)和测试数据集(20%)，首先将训练数据集通过机器学习算法(如随机森林算法)建立目标参数(如横波曲线)和特征参数(如基础测井曲线)之间的机器学习模型，然后将这个机器学习模型应用于测试数据集，获得测试模型，并通过两个模型的可决系数 R^2 值来评估整个机器学习预测模型的精度。如果确定生成的预测模型可靠，再将预测模型应用于本油田内缺失横波曲线的目标井。将本方法应用于海外某油田的横波预测研究，并基于该预测横波曲线进行叠前扩展弹性阻抗反演，基于该反演结果预测的储层对应井的不同产量情况吻合率达到80%以上，证实了本方法为一种精确高效的横波曲线预测方法，并可以适用于油气田的勘探开发工作。

关键词　机器学习；随机森林；横波预测；叠前反演；储层预测

随着油气勘探目标储层的日趋复杂，勘探开发难度逐渐增加，岩性和非常规油气藏逐渐成为研究与开发的重点。针对岩性和非常规油气藏，传统的叠后地震反演因为不能有效区分岩性和流体特征，也不能提供能够反映地质应力特征的弹性参数而变得不再适用。叠前地震反演是获得地下储层岩性、物性、流体特性以及弹性参数的有效手段，而准确的横波测井数据是这个过程中必不可少的基础数据。在实际的情况下，因为成本和工程设备等方面的原因，通常只有很少的井测量了实际的横波曲线。实测横波曲线缺失，导致叠前地震反演不能广泛应用。前人在横波曲线预测方面进行了大量的探索，传统的横波估计方法可以分为两类，一种是依赖于经验公式，一种是基于岩石物理模型。第一种方法包括利用孔隙度、纵波速度、泥质含量和密度等基于确定的公式来预测横波曲线，但是这些公式的准确性有一定误差。比如 Biot 等和 Gassmann 等基于含水介质估算横波速度，然后 Castagna 等在其基础上不断发展，给出了不同情况下的经验公式，Greenberg 等通过 Gassmann 近似公式比较预测纵波速度与实测纵波速度，通过反演得到横波速度。第二种方法是通过不同的基于特定假设条件的岩石物理模型来预测横波曲线，但是部分关键参数(比如孔隙长宽比)的误差导致这种方法存在较大局限性。比如 Xu 等给出了 Xu-White 模型来计算横波速度，Han 等通过纵横波速度统计关系来预测横波速度。随着计算机性能的发展，人工智能技术逐渐被应用于横波曲线估计。Roberto 等通过数据挖掘和机器学习方法来预测孔隙度、饱和度和横波速度，孙宇航等测试了基于 GRU 神经网络预测横波速度。马乔雨等测试了基于一维卷积神经网络模型的横波速度预测。Felipe 等测试了基于深度神经网络算法应用于墨西哥湾工区数据的横波曲线预测。Rezaee 等和 Asoodeh 等验证了利用 ANN 神经网络预测横波速度，得到了较高预测精度的结果。从以上的研究结果可以看到，横波曲线预测是叠前地震反演和 AVO 研究工作的难点所在，任何可以提高横波预测效率以及准确性的技术都是极其有价值的。

本文将随机森林算法引入到横波曲线预测中，通过建立特征测井曲线与横波曲线之间的非线性机器学习模型，通过油田内有实测横波曲线的井曲线预测其他井的横波曲线。其基本原理在于包括横波曲线在内的各种测井曲线之间都存在着复杂的非线性数学关系，而机器学习算法也被证实可以很好地构建起未知变量和已知参数之间的非线性关系。基于机器学习算法的测井曲线预测也是建立在经典岩石物理理论基础之上的，只是在建立各参数之间的数学关系方面，不再基于传统地学(Geoscience)的岩石物理模型量版推导出来的各种等效数学模型，而是利用基于数据科学(Data Science)的机器学习算法建立一种全新的非线性预测模型，Yu 等认为这是从过去传统的基于“归纳-演绎”的“模型驱动”方法过渡到基于“训练-推理”的“数据驱动”方法。

1　随机森林算法理论

很多学者已经研究证实机器学习算法能够高效、精确地基于非线性关系进行预测。这些机器学习算法在医学、金融学等领域都有着广泛的应用。作为一种“决策树”模型的衍生算法，Breiman 等提出的随机森林算法本质上是一种有监督的机器学习算法，其基本单元是“决策树”。通过“引导聚合算法”(Bootstrap Aggregation，也可以简称为 Bagging)，将成百上千棵“决策树”集成在一起，就成为了“决策树森林”，最后将所有的预测结果作为一个整体输出，这就有效克服了单棵决策树容易出现的过拟合、分类精度低等问题。根据其理论，当由决策树形成“森林”的时候，如果每棵树按照如下规则生成：(1)假定训练样本总数为$\{(y_n, x_n), n=1\cdots, N\}$，如果每次抽取 1 个，连续随机且有放回地从这些训练样本中连续抽取 N 次，最终形成了 N 个训练样本 $\omega(x, \eta)$；(2)当每个样本有 K 个属性，在决策树的每个节点需要分裂时，随机从这 K 个属性中选取 m 个属性，满足条件 $m<K$。然后从这 m 个属性中采用某种策略来选择 1 个属性作为该节点的分裂属性，这就形成单棵决策树的弱分类判定标准；(3)决策树形成过程中的每个节点都进行分裂，一直到不能够再分裂为止，即单棵决策树的结果由叶节点决定，而且在整个决策树形成过程中没有进行剪枝；(4)按照以上步骤建立大量的决策树，这样就构成了随机森林。随机森林算法结构如图 1 所示。

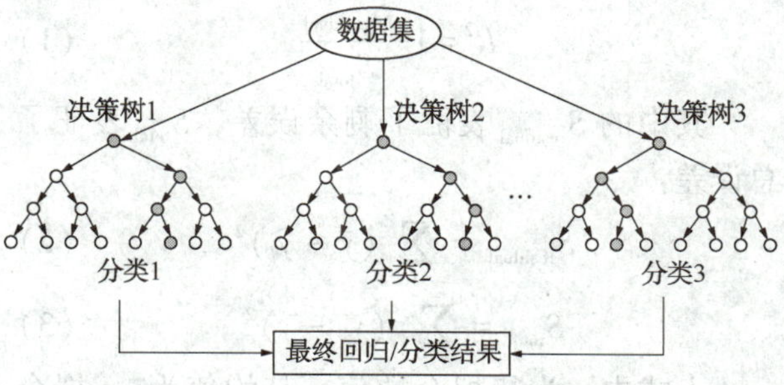

图 1　随机森林算法结构示意图

通过“引导聚合算法”中的随机抽取训练样本过程，这些“决策树”形成的“森林”就具有了随机性。随机性的引入对于随机森林算法的分类性能至关重要，可以使得随机森林不容易陷入过拟合，泛化误差小、抗干扰能力强。在实际应用中，将每棵“决策树”作为单个弱分类器，然后统计这些单个弱分类器的结果，再将若干个弱分类器的分类结果进行选择，从而组成一个强分类器，然后得到最终回归或者分类计算结果。因此，随机森林算法是综合了集成学习思想和随机采样方法的一种优秀机器学习算法，可以应用于回归和分类等算法应用场景。目前随机森林算法已经集成到 Python 程序的算法库中，为其更进一步广泛应用提供了可能性。

2　预测算法建模和验证

本次研究首先通过国外某工区数据对于随机森林算法的预测效果进行了测试，具体的实施步骤如下：首先选定该工区内 6 口已有横波曲线的井作为样本井，将井平均分成两组，其中一组为训练井，另一组为验证井。再选定横波曲线作为目标曲线，选取常规测井曲线，比如声波、密度、自然伽马、孔隙度、深浅侧向电阻率曲线等，作为特征曲线，这和 He 等选择的特征曲线组合基本类似，只是本次测试以深浅侧向电阻率替代了地层真实电阻率。本次测试过程分为两个步骤：(1)预测算法建模，首先将 3 口训练井进行采样，得到的数据样本点通过等比例随机选择，其中 80% 的数据样本作为构建随机森林算法模型的训练数据集，剩下 20% 的数据样本作为测试数据集。分别基于训练数据集和测试数据集来建立预测模型，并通过计算表征回归结果拟合优度(Goodness of Fit)的可决系数(Coefficient of Determination)R^2 值来评估预测模型。R^2 值可以表征出回归结果对于观测值的拟合程度，其值越接近 1，说明回归结果对于观测值的拟合程度越好，R^2 值计算公式如下：

$$R^2 = 1 - \frac{S_{residual}}{S_{total}} \tag{1}$$

其中的 $S_{residual}$ 表征了剩余误差，S_{total} 表征了总误差：

$$S_{residual} = \sum_i (\bar{y} - \hat{y}_i)^2 \tag{2}$$

$$S_{total} = \sum_i (y_i - \bar{y})^2 \tag{3}$$

上式中 y 为待拟合数值，其均值为$\bar{y}$，拟合值为$\hat{y}$。

本次研究对于训练模型和测试模型分别计算 R^2 值。设定最优预测期望值为 1，当训练模型和测试模型的 R^2 值均大于 0.85，则可以认为预测模型精度可靠，然后通过评估训练模型 R^2 值与最优预测期望值之间的偏差(Bias)，以及与测试模型 R^2 值之间的方差(Variance)来优选预测模型；(2)预测算法验证，将 3 口验证井的横波曲线作为盲测井数据，利用上一步建立的预测模型预测出横波曲线，将该预测曲线与实测横波曲线通过平均绝对百分比误差(MAPE，以下缩写为 M)与相关系数来进一步评估随机森林算法的预测效果，如果平均绝对百分比误差的绝对值小于 5%，同时相关系数大于 85%，则表示前面建立的预测模型进一步经过盲测井验证精度可靠。其中平均绝对百分比误差和相关系数的计算公式如下：

平均绝对百分比误差：

$$M = \frac{1}{n}\sum_{i=1}^{n}\left|\frac{y_i - \hat{y}_i}{y_i}\right| \times 100\% \tag{4}$$

相关系数：

$$R_{yx} = \frac{\sum_{i=1}^{m}(y_i - \bar{y})(x_i - \bar{x})}{\left(\sum_{i=1}^{m}(y_i - \bar{y})^2\right)^{1/2}\left(\sum_{i=1}^{m}(x_i - \bar{x})^2\right)^{1/2}} \tag{5}$$

根据经典的岩石物理理论，横波速度和纵波速度在泥岩层段呈现为一种近似线性关系，但是在砂岩层段，横波曲线的预测就比较复杂，需要综合考虑砂岩的孔隙和流体性质，进行流体替代分析。通常在通过岩石物理正演建模来预测横波曲线之前，就必须得到孔隙度、岩性和含水饱和度等曲线来构建等效体积模型。本次研究的目的层段为碳酸盐岩储层，同样利用相关的测井曲线作为特征测井曲线，基于随机森林算法来建立横波曲线的预测模型。如图 2 所示，需要的特征测井曲线分别为孔隙度、密度、声波、GR 和深浅侧向电阻率曲线。考虑到泥质含量曲线和 GR 曲线相关性很强，可以用 GR 曲线来表征岩性信息。深浅侧向电阻率曲线则提供了流体的相关信息。其中孔隙度曲线和声波曲线在预测模型中具有较高的权重，但是单个参数都没有超过 50%，体现出明显的非线性特征。

利用不同的采样间隔和采样点数对于随机森林算法的预测稳定性进行了验证，如表 1 所示。随机森林算法的 R^2 值总体非常稳定，而且预测精度较好，并随着采样点数的增加而提高，只有当采样间隔太稀疏，采样点过少时，测试数据集 R^2 值明显下降，代表拟合精度降低。注意到当采样间隔分别取 0.125m 和 0.25m 时，训练数据集 R^2 值和测试数据集 R^2 值均大于 0.85，说明这两个预测模型达到精度要求。更进一步，当采样间隔为 0.125 米时，训练数据集 R^2 值与最优预测期望值偏差为最小值 0.014，同时和测试数据集 R^2 值的方差为最小值 0.086，代表该预测模型为最优预测算法模型。因此，后期应该选择采样间隔为 0.125m 作为数据采样间隔参数。

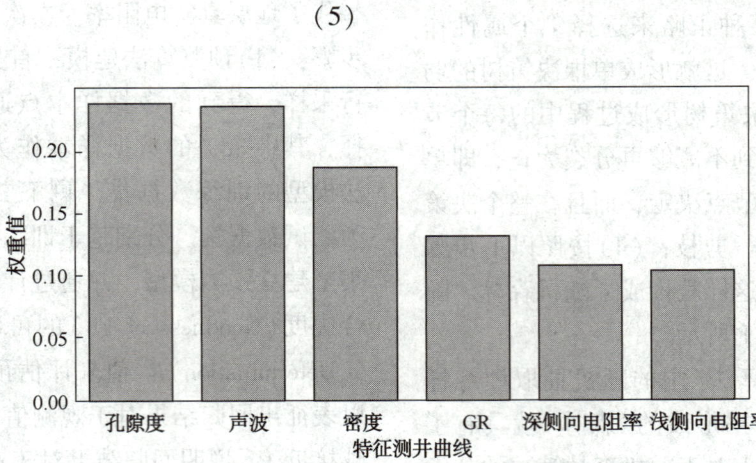

图 2　随机森林算法预测横波曲线的对应特征测井曲线

表1　随机森林算法预测横波曲线建模分析表

采样间隔/m	采样点数	训练模型 R^2 值	测试模型 R^2 值	训练模型偏差	预测模型方差
0.125	17320	0.986	0.900	0.014	0.086
0.250	8660	0.980	0.884	0.020	0.096
0.500	4330	0.977	0.831	0.023	0.146

依次将3口验证井作为盲测井，利用上述建模得到的最优预测模型预测出3口验证井的横波曲线，如图3所示。然后利用预测曲线和实测曲线计算出绝对百分比误差和相关系数，如表2所示。其中绝对百分比误差最大偏差为4.25%，相关系数最低为87.35%，可以认为本次预测横波曲线的随机森林算法模型精度可靠。为了更进一步比较随机森林算法和传统的神经网络算法（如多层感知机）的精度差异，本次研究也利用多层感知机算法同时计算了3口验证井的横波曲线，并如表3和图4所示。从二者的结果比较来看，随机森林算法的精度整体略高于多层感知机算法，后者有两项验证指标未通过门槛值，说明随机森林算法完全可以替代相对传统的神经网络算法，应用于横波曲线预测实际工作中。

表2　随机森林算法预测横波曲线验证分析表

盲测井	绝对百分比误差	相关系数
W4	4.08%	87.35%
W5	3.14%	90.71%
W6	4.25%	90.62%

表3　多层感知机算法预测横波曲线验证分析表

盲测井	绝对百分比误差	相关系数
W4	3.63%	84.37%
W5	4.91%	86.93%
W6	5.75%	88.70%

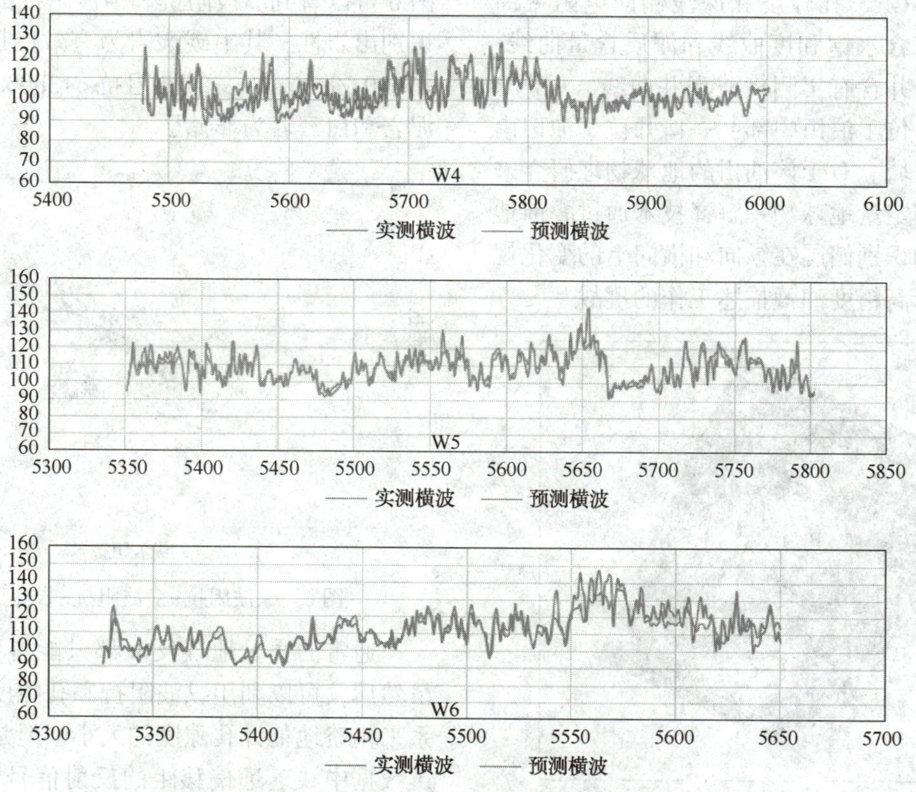

图3　三口验证井横波曲线与实测横波曲线叠合图（随机森林算法）

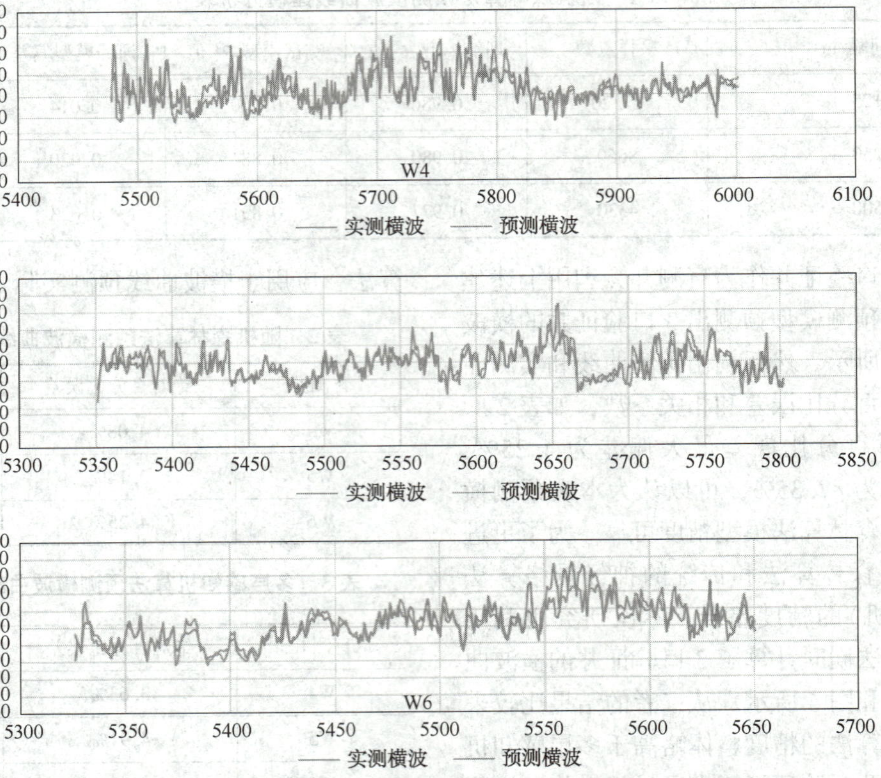

图 4　三口验证井横波曲线与实测横波曲线叠合图(多层感知机算法)

工区目前共有 25 口井，大多数井都有井径、密度、声波、GR、孔隙度和深浅侧向电阻率曲线。部分井有含水饱和度曲线和泥质含量曲线，其中只有 3 口井含有实测横波测井曲线，如图 5 所示，两口井位于油田中部，一口井位于油田南部靠近边缘区域。对于该油田的地球物理研究来说，如何利用定量地球物理解释技术通过叠前地震反演来精确识别储层在纵向和横向上的变化规律是后期进行高精度油藏描述工作的挑战。

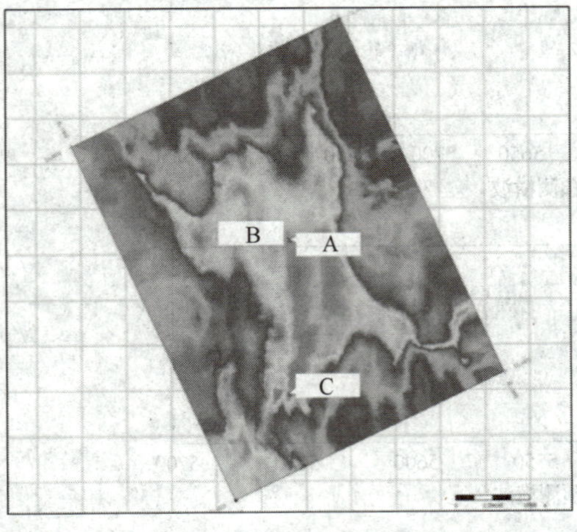

图 5　B 油田内含有实测横波曲线的井位置图

3.2　测井及岩石物理分析

通过含有实测横波曲线的井数据建立岩石物理量版来分析对于储层岩性敏感的弹性参数。从图 6 可以看到纵波阻抗和横波阻抗都可以较好地识别出岩性，其中碳酸岩为有效储层(横波阻抗 <7600g/cm³*m/s，纵波阻抗 <13800g/cm³*m/s)，泥岩和白云岩为非储层。

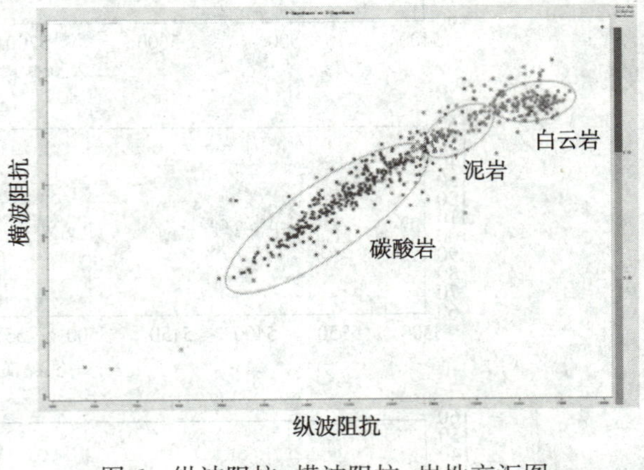

图 6　纵波阻抗-横波阻抗-岩性交汇图

通常的叠后地震反演都只能得到纵波阻抗，虽然后续可以利用纵波阻抗和孔隙度建立线性关系来粗略地估计孔隙度的大小，但是因为叠后地震数据中缺乏远偏移距的反射信号和 AVO 响应信息，不能很好地刻画流体和岩石骨架的特征。对于处于开发期的油田来说，这样的结果不够精细，很难支撑后续油田对于加密井布井方案和精细油藏描述的要求。叠前地震反演可以得到更丰富的储层信息，可以提高储层的描述精度。

通过将横波阻抗与测井解释的总孔隙度进行交汇分析，如图 7 所示，可以看到二者之间有着非常好的相关关系，在有效储层层段，相关系数达到了 89%。因此，本次研究基于叠前地震角度道集数据进行叠前扩展弹性阻抗反演得到横波阻抗，然后再利用其变化分析储层物性。

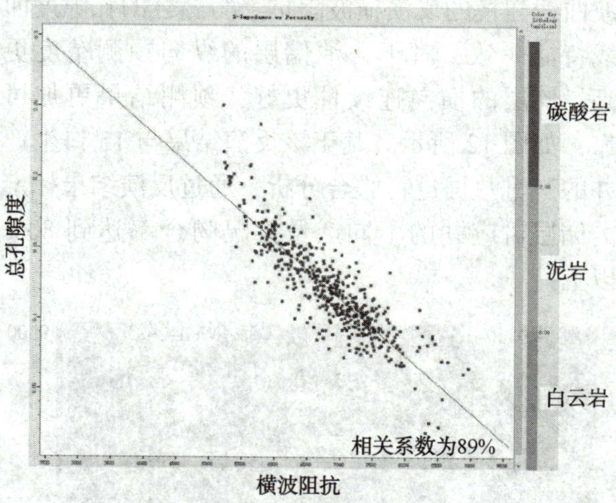

图 7　碳酸岩横波阻抗-总孔隙度-岩性交汇图

3.4　横波曲线预测

通过前文介绍的随机森林算法预测横波曲线流程，可以得到横波曲线预测结果。值得指出的是，在实际工作中，通过增加训练数据的样本点数可以进一步提高预测模型的精度，本次研究还是利用工区已有的 3 口井作为训练数据，建立随机森林算法预测模型。

后期通过新钻井得到了新的含有实测横波曲线的井，可以作为盲测井进一步验证预测得到的横波曲线结果。如图 8 所示，分别显示了新井的实测横波曲线和预测横波曲线，可以看到二者相关系数为 90%。

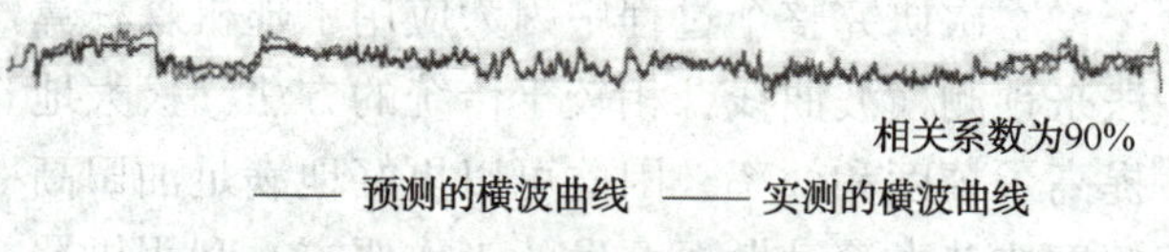

图 8　盲测井预测和实测横波曲线

3.5　叠前扩展弹性阻抗反演

地震油藏描述是降低勘探前期风险以及指导油田评价和开发阶段决策非常有价值的工具。为了更进一步测试本方法预测横波曲线的可靠性，将本方法预测得到的横波曲线结合叠前地震资料进行叠前扩展弹性阻抗反演，并通过实钻井与储层预测结果的对比来进一步验证通过本方法预测出的横波曲线在叠前地震反演中的适用性。

叠前地震 AVO 反演的基础是 Zoeppritz 方程，其精确描述了反射系数随着入射角变化的函数关系以及反射、透射纵横波能量随着入射角变化的分配关系。因为其表示的振幅系数和岩性参数的关系太复杂，通常将其表征的非线性反演问题进行简化，转化为求解模型参数修正量的线性问题，例如 Aki-Richards 近似，Shuey 近似和 Fatti 近似公式等。本次研究采用了基于 Aki-Richards 近似公式的扩展弹性阻抗技术来得到反演后的纵波阻抗、横波阻抗、纵横波速度比等弹性参数。

Aki-Richards 方程代表着一种线性表达的 Zoeppritz 方程：

$$R(\theta)=a\frac{\Delta V_{\mathrm{p}}}{2V_{\mathrm{p}}}+b\frac{\Delta V_{\mathrm{s}}}{2V_{\mathrm{s}}}+c\frac{\Delta\rho}{2\rho} \tag{4}$$

其中 a、b 和 c 可以定义为：

$a=1+\sin^2\theta$，$b=-8k\sin^2\theta$，$c=1-4k\sin^2\theta$

其中：

$$k=\left[\frac{V_{\mathrm{s}}}{V_{\mathrm{p}}}\right]^2 \tag{5}$$

Wiggins 等基于上面的方程推导出了如下的方程：

$$R(\theta)A+B\sin^2\theta+C\sin^2\theta\tan^2\theta \tag{6}$$

其中 A、B 和 C 分别表示截距、梯度和曲率。对于入射角小于 30 度的时候，上面的方程可以近似表示为如下形式：

$$R(\theta)=A+B\sin^2\theta \tag{7}$$

其中：

$$A=\frac{1}{2}\left(\frac{\Delta V_{\mathrm{p}}}{V_{\mathrm{p}}}+\frac{\Delta\rho}{\rho}\right) \tag{8}$$

以及

$$B=\frac{\Delta V_{\mathrm{p}}}{2V_{\mathrm{p}}}-4\left(\frac{V_{\mathrm{s}}}{V_{\mathrm{p}}}\right)^2\left(\frac{\Delta V_{\mathrm{s}}}{V_{\mathrm{s}}}\right)-2\left(\frac{V_{\mathrm{s}}}{V_{\mathrm{p}}}\right)^2\left(\frac{\Delta\rho}{\rho}\right) \tag{9}$$

Whitcombe 等发展了扩展弹性阻抗理论，以便从真实的地震数据中来估计流体和岩性，这也可以将上面方程表示为如下线性形式：

$$R(\theta)A+B\tan\chi \tag{10}$$

$$R_{\mathrm{EEI}}(\chi)=R(\theta)\cos\chi=A\cos\chi+B\sin\chi \tag{11}$$

对于任何所需的参数（物理或弹性参数），扩展弹性阻抗频谱的最佳角度是目标参数与扩展弹性阻抗频谱互相关最大时所对应的角度。通过求取扩展弹性阻抗频谱的最佳角度，就可以得到相应的扩展弹性阻抗频谱来表征所需的弹性参数。

工区内有两口典型井 Well-1 和 Well-2，如图 9 所示，其中前者具有实测横波曲线，而后者没有。通过有效孔隙度曲线和含水饱和度曲线可以看到 Well-2 井的油层厚度为 400m 左右，而 Well-1 井的油层厚度为 250m 左右。生产数据也证实 Well-2 井为一口高产井。

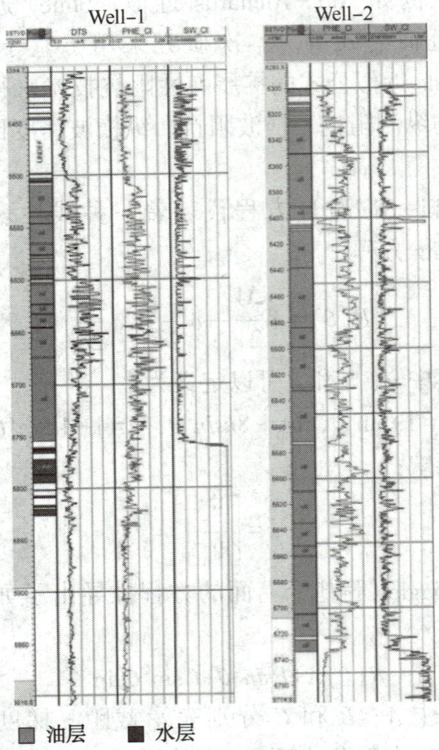

图 9　工区两口井联井分析图

海上测井横波速度曲线相对比较缺乏，在建立低频初始模型的时候可以结合多种信息，包括构造，压实作用以及地震资料处理得到的叠加速度或者偏移速度场共同建立更加精细的低频初始模型。但是本次研究重点是定性测试通过随机森林算法预测得到的横波曲线对于提高储层预测的精度，因此本次研究只是通过将具有横波速度曲线的井视为已知点，基于简单的反距离加权平均算法来插值得到低频初始模型。首先比较了基于两种不同方式建立低频初始模型的反演结果，如图 10 和图 11 所示，展示了反演得到的横波阻抗过 Well-1 和 Well-2 的联井剖面。在其他反演参数都完全一样的情况下，图 10 中的反演结果基于工区最初的含有实测横波曲线的 3 口井建立的横波阻抗低频初始模型，而图 11 中的反演结果基于机器学习预测得到的 22 口井的横波曲线，外加最初含有实测横波曲线的 3 口井共同建立的横波阻抗低频初始模型。对比上下剖面图可以看到，在 Well-1 井处储层特征基本一致，二者相差不大，但是在 Well-2 井处明显可以看出后者的结果更加准确，真实反演出了厚层的油层特征，相比前者提供了更加精细的地下地质模型。后期基于新钻井的 Well-3 井的资料，对于反演结果进行了进一步的验证。基于机器学习预测横波曲线建模的反演横波阻抗，与叠合的孔隙度曲线特征一致，对于含油储层的纵向预测精度更高，储层的横向连续性更好，预测结果更加可靠，如图 12 所示。基于该反演结果与 15 口生产井的产量数据进行联合分析，通过反演结果标定的储层对应井的不同产量情况吻合率达到 80% 以上。

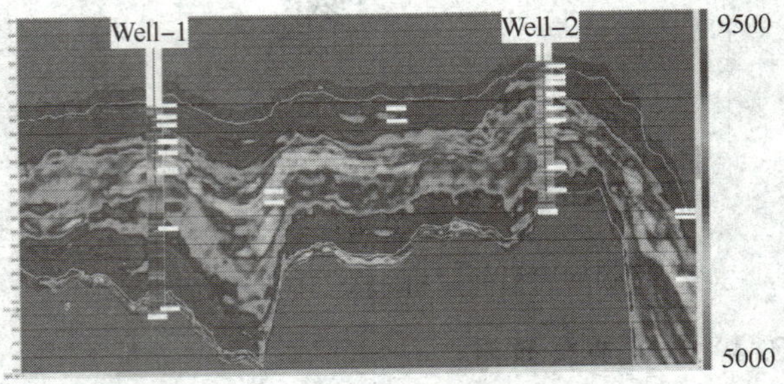

图 10　叠前反演横波阻抗(基于 3 口含实测横波曲线井)

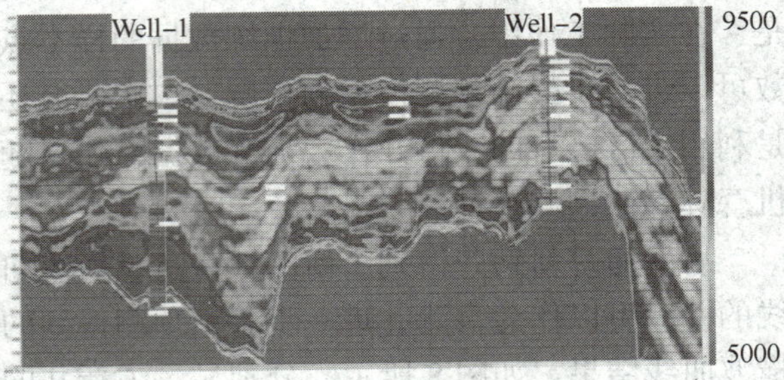

图 11　叠前反演横波阻抗(基于机器学习预测横波曲线的 22 口以及 3 口含实测横波曲线井)

本次研究整个过程中因为应用了随机森林算法来预测横波曲线，相较于传统的方法，极大地提高了精度和效率，因此可以更好地满足油田高精度快节奏滚动勘探开发的工作要求。利用机器学习算法来提高测井曲线预测精度也是中石油经济技术研究院提出的新一代“基于人工智能的测井技术 2.0”。随机森林算法也可以作为“人工智能辅助地震解释技术”(AI-Assisted Seismic Interpretation)中的定量地震解释工具，应用于叠前地震反演工作中。

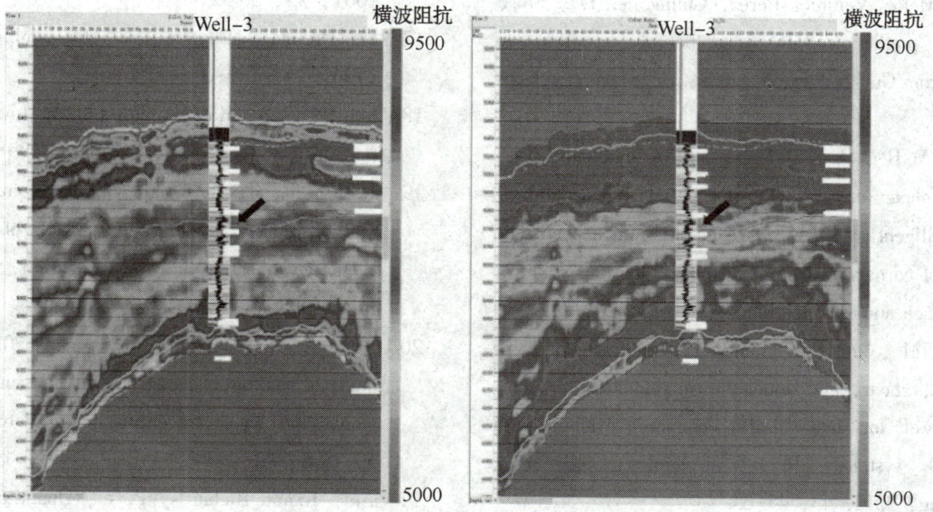

图 12　通过后验盲测井验证反演结果

（左图为实测井结合基于机器学习预测横波曲线建模的反演结果，右图为仅基于实测井横波曲线建模的反演结果）

4　结论

针对叠前地震反演普遍缺乏实测横波曲线的情况，本文将随机森林算法引入横波曲线预测中，得出如下结论。

（1）利用随机森林算法对于测井曲线进行预测时，预测精度随着预测数据的数量增加而提升，这体现了基于数据科学的机器学习算法的特点，即预测模型的表现与数据质量和数量息息相关。相较于传统的神经网络算法（如多层感知机），随机森林算法的精度更高。

（2）通过测试井数据的预测算法建模和验证，基于随机森林算法的横波预测结果与实测横波曲线吻合较好，横波曲线预测方法可靠。通过应用于 B 油田的实际工区数据，基于预测横波曲线数据建立的低频初始模型相比于只应用实测井横波曲线数据的低频初始模型，前者极大地提高了叠前地震反演的成果精度，基于该反演结果预测的储层对应井的不同产量情况吻合率达到 80%以上，为有利目标区的优选、开发井位部署以及储量评估提供了依据。

（3）需要指出的是本文方法虽然能较为准确地预测出横波曲线，但是基于随机森林算法的横波预测方法本质上是一种有监督的机器学习方法，其预测精度很大程度上依赖于训练样本数据的质量和数量，若研究工区缺乏可靠的训练样本数据，则本方法可能不适用，只能选择通过传统的岩石物理建模或者其他基于无监督的横波曲线预测方法。

参 考 文 献

[1] M. A. Biot, Theory of propagation of elastic waves in a fluid-saturated porous solid. I. Low-frequency range, The Journal of the Acoustical Society of America, 1956, 168(28), 168-178.

[2] F. Gassmann, Elastic waves through a packing of spheres, Geophysics, 1951, 673-685.

[3] Castagna J P, Batzle M L, Eastwood R L. Relationships between compressional-wave and shear-wave velocities in clastic silicate rocks, Geophysics, 1985, 50(4): 571-581.

[4] Greenberg M L, Castagna J P. Shear-wave velocity estimation in porous rocks: Theoretical formulation, preliminary verification and applications, Geophysical Prospecting, 1992, 40(2): 195-209.

[5] Xu S, White R E. A physical model for shear-wave velocity prediction, Geophysical Prospecting, 1996, 44(4): 687-717.

[6] Han D H, Nur A, Morgan D. Effects of porosity and clay content on wave velocities, Geophysics, 1986, 51(11): 2093-2107.

[7] Roberto Ruiz, Anna Roubickova, Cyrille Reiser, Neelofer Banglawala. Data mining and machine learning for porosity, saturation, and shear velocity prediction: recent experience and results. First Break, 2021, 39(7): 71-76.

[8] 孙宇航，刘洋．利用 GRU 神经网络预测横波速度［J］．石油地球物理勘探，2020，55(3)：484-492，503.

[9] 马乔雨，张欣，张春雷，周恒，武中原．基于一维卷积神经网络的横波速度预测［J］．岩性油气藏，2021，33(4)：111-120.

[10] Felipe F. Melo, Veronica Perez, ChungShen Lee. Shear sonic log prediction with deep neural networks: an example from Gulf of Mexico, 2022, Geoconvention Conference.

[11] Rezaee, M. R., A. K. Ilkhchi, and A. Barabadi, Prediction of shear wave velocity from petrophysical data utilizing intelligent systems: An example from a sandstone reservoir of carnarvon basin, australia: Journal of Petroleum Science and Engineering, 2007, 55, 201-212.

[12] Asoodeh, M., and P. Bagheripour, Prediction of compressional, shear, and stoneley wave velocities from conventional well log data using a committee machine with intelligent systems: Rock mechanics and rock engineering, 2012, 45, 45-63.

[13] Gardner, G, L Gardner & A Gregory, Formation velocity and density—the diagnostic basis for stratigraphic traps. Geophysics, 1974, 770-780.

[14] SiWei Yu, Jianwei Ma, Deep learning for geophysics: current and future trends. Reviews of Geophysics, 2021, 59(3): 1029.

[15] Zou Z B, Peng H, Luo L K. The application of random forest in finance, Applied Mechanics & Materials, 2015, 740(1): 947-951.

[16] Leo Breiman, Random Forests, Machine Learning, 2001, 45, 5-32.

[17] Leo Breiman, Bagging Predictors, Machine Learning, 1996, 24, 123-140.

[18] Leo Breiman, Randomizing outputs to increase prediction accuracy, Technical Report, 1998, 518.

[19] Dietterich, T., An experimental comparison of three methods for constructing ensembles of decision trees: Bagging, boosting and randomization, Machine Learning, 1998, 1-22.

[20] He, J., S. Misra, H. Li, et al., 2018, Comparative study of shallow learning models for generating compressional and shear traveltime logs: Petrophysics, 2018, 59, 826-840.

[21] Aki, K. and Richards, P. G., Quantitative Seismology: Theory and Methods. Vol. 1, W. H. Freeman and Co., 1980, 100-170.

[22] Shuey, R. T., A simplification of the Zoeppritz equations: Geophysics, 1985, 50, 609-614.

[23] Fatti, J. L., Smith, G. C., Vail, P. J., et al., Detection of gas in sandstone reservoirs using AVO analysis: A 3 - D seismic case history using the Geostacktechnique: Geophysics, 1994, 59 (9), 1362-1376.

王集油田普通稠油非均相复合驱油体系优化与评价

郭　艳　王　熙　张连锋　束华东　李俊杰　李　浩

（中国石化河南油田分公司）

摘　要　针对王集泌161区块的油藏特点，进行了非均相复合驱技术研究。根据聚合物的黏浓、黏温、长期热稳定性以及矿化度对黏度的影响，优选了WJ-1聚合物。优选的表面活性剂X161-5质量浓度为(500~3000)mg/L时，界面张力均可以达到10^{-3}mN/m数量级。表面活性剂浓度大于1500mg/L，和聚合物组成的二元复合驱体系界面张力可以达到10^{-3}mN/m数量级。非均相复合体系(聚合物+PPG)的黏度和弹性均大于相同浓度的聚合物和预交联凝胶颗粒(PPG)的加和，在地层中可以发挥较好的液流转向和驱油性能。岩心驱油实验表明非均相复合驱体系(聚合物+表面活性剂+PPG)比单一聚合物、二元复合体系(聚合物+表面活性)、非均相体系(聚合物+PPG)采收率分别提高9.07%、4.12%、3.05%。岩心渗透率级差为3∶1时，设计前置和后置段塞对高渗层进行Ⅱ型PPG的调驱(主段塞用Ⅰ型)，比调驱均用Ⅰ型PPG采收率可提高3.03个百分点。

关键词　普通稠油；非均相复合驱；长期热稳定性；多段塞组合驱；提高采收率

河南油田王集油田泌161区块油藏类型为构造-岩性油藏，含油面积1.0km^2，地质储量91.44×10^4t，地层温度51℃，孔隙度(16.37~28.19)%，空气渗透率(62.1~850.5)mD，主力油层平均渗透率级差41.6，层间、平面非均质性强。油层温度下脱气原油黏度(167~750)mPa·s、地层原油黏度(160.1~243.9)mPa·s，为普通稠油Ⅰ-2类，地层水总矿化度(1400~4990)mg/L，氯离子含量(90~1226)mg/L，水型为$NaHCO_3$型。自1991年10月正式投入开发以来，由于其构造复杂，岩性变化大，实行滚动开发方式，可分为天然能量开发阶段、注水开发逐步完善阶段，截止到2021年12月，油井开井14口，日产油21.9t，日产液256.2m^3/d，采出程度29.7%，综合含水91.45%，依靠水驱进一步提高采收率的难度较大、层间矛盾加剧、非均质性强等问题突出，使后续开发难度加大。普通体膨型预交联凝胶颗粒主要由具有强亲水基团的交联高聚物组成，能够吸水膨胀，体系黏度低、颗粒大，研究发现带有支化链的新型预交联黏弹性凝胶颗粒(Preformed Particle Gel简称PPG)能够满足强非均质性油层提高采收率的要求，兼有凝胶和水溶性高分子的双重特征，在水中能够形成黏稠液体和黏弹性颗粒共存的分散体系。非均相复合驱油体系(聚合物+PPG+表面活性剂)能够发挥预交联凝胶颗粒与聚合物在增加体系黏弹性方面的加合作用，进一步扩大波及体积，发挥表面活性剂的大幅度降低油-水界面张力的作用，提高洗油效率。非均相复合驱油技术已在河南油田稀油油藏应用，王集油田泌161区块原油黏度较高，为普通稠油油藏，为了更好改善原油性能及岩石的润湿性，改善油藏非均质性，实现较大幅度提高原油采收率的目的，初步确定该区块的化学驱技术路线为非均相复合驱。

1　实验部分

1.1　材料与仪器

驱油用聚丙烯酰胺为山东宝莫环境工程有限公司，基本参数如表2所示；黏弹性颗粒PPG Ⅰ/Ⅱ型，固含量86.5%，Ⅰ型PPG粒径为50~150μm，Ⅱ型PPG粒径为100~300μm胜利油田方圆化工有限公司；表面活性剂，山东新港化工有限公司。实验用水为王集油田油井产出污水，陈化放置，硫化物含量为0mg/L。

物理模拟实验用人造均质岩心，尺寸φ2.5cm×8cm(4块)，渗透率约为0.85μm^2；2.5cm×2.5cm×30cm(4块)。

DV-Ⅱ型Brooker黏度剂，美国Brookfield公司；MOV-313P烘箱，日本三洋公司。HAKKE MARS型流变仪；TX-500C型旋转滴界面张力仪，美国TEMCO公司；OW-Ⅲ型全自动岩心驱替装置，海安县石油科技仪器有限公司。

1.2　溶液的配制

1.2.1　聚合物溶液的配制

用王集油田陈化污水配制聚合物浓度4500mg/L，用王集陈化污水稀释聚合物母液至需要浓度。

1.2.2　表面活性剂溶液的配制

用王集油田陈化污水将表面活性剂产品稀释成1%(有效浓度)，再用王集陈化污水稀释聚合物母液至需要浓度。

1.2.3　非均相复合驱溶液的配制

用王集陈化污水配制浓度为4500mg/L聚合物母液、1%的表面活性剂溶液、4500mg/L PPG溶液，再用王集陈化污水稀释三种溶液至需要浓度。

1.3　化学剂性能的测定

聚合物性能参数数的测定参考中石化企业标准Q/SH CG0159—2021《驱油用聚丙烯酰胺技术要求》；表活剂性能参数的测定参考中石化企业标准Q/SH CG0079—2021《驱油用表面活性剂技术要求》；非均相体系性能参数的测定参考中石化企业标准Q/SH CG0159—2021《黏弹性颗粒驱油剂技术要求》。

2　结果与讨论

2.1　聚合物驱油体系评价

2.1.1　聚合物基本性能评价

根据王集泌161断块聚合物筛选的基本要求，将收集到的I类油藏用的五种聚合物产品开展固含量、特性黏数(分子量)、水解度等9项参数的评价，结果见表1所示。

表1　聚合物基本性能参数评价

样品名称	固含量/%	特性黏数/(mL/g)	水解度/%	表观黏度/mPa·s	过滤因子	水不溶物/%	溶解时间/min	残余丙烯酰胺含量/%
WJ-1	91.03	2579.6	22.37	57.6	1.17	0.07	≤120	0.04
WJ-2	89.84	2800.1	27.93	52.27	1.12	0.05	≤120	0.03
WJ-3	89.03	2851.3	31.71	41.5	1.01	0.01	≤120	0.02
WJ-4	90.78	2668.6	24.66	39.5	1.02	0.31	≤120	0.02
WJ-5	90.01	2713.6	29.54	40.3	1.66	0.01	≤120	0.01
技术指标	≥89	≥2400	≤28	≥35.0	≤1.5	≤0.2	≤120	≤0.1

由表1可以看出，WJ-1、WJ-2聚合物产品满足技术指标要求，开展进一步的性能评价。

2.1.2　聚合物黏浓关系

聚合物黏浓关系评价主要是考察聚合物的增黏能力。油藏温度51℃条件下，两种聚合物溶液黏度与浓度的关系见图1，由图1可以看出，两种聚合物溶液黏度随着浓度的增加而增加，相同浓度和温度下，WJ-1聚合物黏度高于WJ-2。

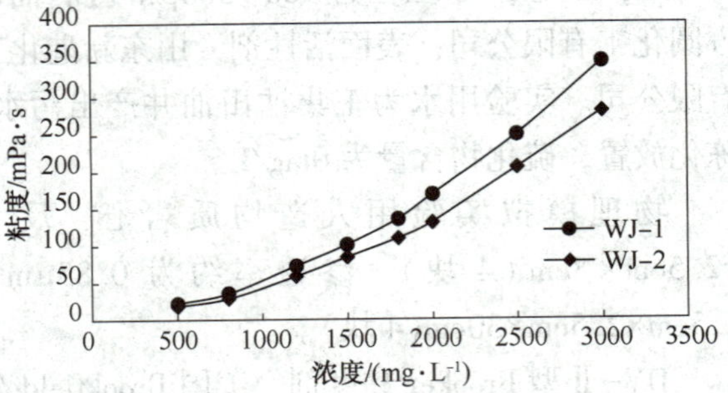

图1　聚合物黏浓关系曲线(51℃)

2.1.3　聚合物的黏温关系

聚合物的黏温关系主要考察聚合物的黏度随温度的变化趋势，是聚合物产品耐温性能的重要指标之一。配制浓度为800、1200、1500和1800mg/L的聚合物溶液，检测分析了聚合物溶液黏度与温度关系，结果见图2。由图2可知：WJ-1和WJ-2聚合物的黏度随着温度的升高而降低；温度从30℃上升到70℃，WJ-1和WJ-2的黏度分别下降12.6%~29.2%、22.4%~47.2%。可见，WJ-1的耐温性能优于WJ-2。

2.1.4　矿化度对聚合物黏度的影响

盐对聚合物溶液的黏度影响较大，聚合物注入地下后，不可避免地与地层水相接触，地层水矿化度一般要高于注入水矿化度，因此评价聚合物的抗盐性能，对聚合物的选择也十分重要。

实验考察了在配制污水中加入不同浓度的氯化钠对聚合物黏度的影响。用王集陈化污水配制聚合物母液4500g/L，用王集陈化污水将聚合物浓度稀释至 1500mg/L，并分别加入不同浓度的氯化钠来提高溶液的矿化度，以此来评价聚合物的抗盐性。黏度计为 Brookfield DV－Ⅱ型，0#转子，6r/min，测黏温度为 51℃。

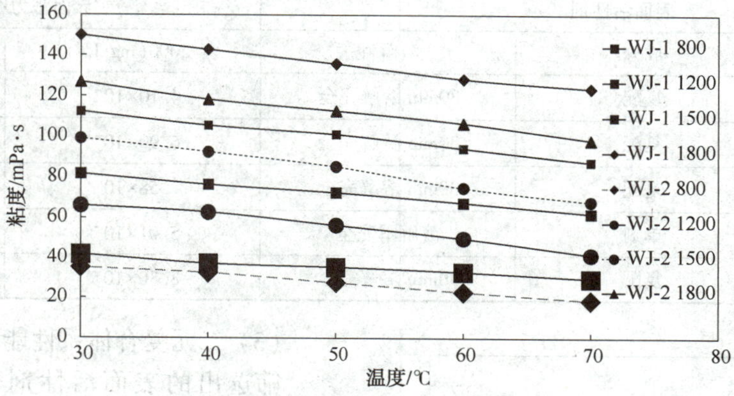

图 2　聚合物黏度随温度变化关系

从图 3 中可以看出，聚合物随着氯化钠含量从 500mg/L 增加到 5000mg/L，聚合物溶液的黏度迅速下降，WJ-1 聚合物溶液黏度从 96.5mPa·s 下降至 65.2mPa·s，WJ－2 型聚合物溶液黏度从 76.0mPa·s 下降至 53.8mPa·s，在增加相同浓度氯化钠的情况下，WJ-1 聚合物黏度要高于 WJ-2，因此 WJ-1 聚合物的抗盐性要强于 WJ-2。

2.1.5　长期热稳定性

用王集污水配制 WJ-1 型和 WJ-2 两种聚合物母液浓度为 4500mg/L，再用王集陈化污水稀释成 1500mg/L，溶解氧控制 0.5mg/L 以下密闭转样至安瓿瓶中，分别放置在 51℃烘箱中进行老化，间隔 1、5、10、20、30 天取出样品，分别在温度为 51℃测定黏度，黏度计为 Brookfield DV2 TRVTJ0，0#转子，剪切速率为 7.34s－1，评价结果见表 2，由表 2 可以看出随着老化时间的延长，聚合物的黏度有所降低，老化 30d 后 WJ-1 的黏度保留率为 95.1%，高于 WJ-2 的黏度保留率 90.0%。

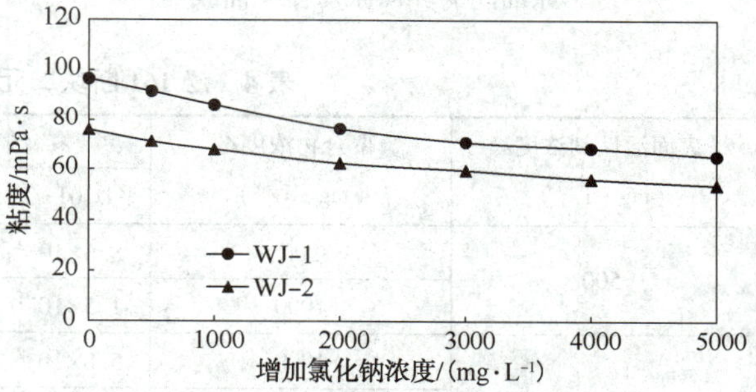

图 3　增加氯化钠浓度对聚合物黏度的影响

表 2　聚合物溶液的黏度与老化时间关系(温度 51℃)　　黏度：mPa·s

聚合物	老化时间/d						
	0	1	5	10	20	30	黏度保留率/%
WJ-1	101.2	100.5	99.2	98.4	97.3	96.2	95.1%
WJ-2	84.3	84.3	82.6	80.9	78.2	75.9	90.0%

根据聚合物的黏浓关系、黏温关系、长期热稳定性及聚合物的抗盐性能，选择 WJ-1 聚合物进行复合驱油体系的评价研究。

2.2　复合驱油体系研究

2.2.1　表面活性剂的筛选与评价

（1）表面活性剂筛选

(前面实验条件删除了，实验方法里有)将收集到几种表面活性剂进行表面活性剂与区块地层水配伍性、油水界面张力等基本参数对比，对比情况见表 3。由表 3 可以看出，表面活性剂 X161-3、X161-5、D161-3 与泌 161 区块原油的配伍性较好，表面活性剂浓度为 2000mg/L 时油水界面张力能达到 10-3mN/m 数量级，对这三种表面活性剂开展进一步的评价。界面张力测试在温度 51℃；实验仪器：TX－500C；测试条件：4500 转/min。

（2）表面活性剂界面张力浓度窗口评价

筛选出的表面活性剂 D161－3、X161－3、X161-5 针对泌 161 断块分别进行不同浓度下的界面张力测试，考察其降低油水界面张力至超低的浓度窗口。实验结果见图4。

表3　泌161表面活性剂基本性能参数对比表

表面活性剂			界面张力/(mN/m)	
名称	成分	溶解性	2000(mg/L)	500(mg/L)
X161-1	复配	30min 溶解完全	4.10×10^{-2}	2.82×10^{-1}
X161-3	复配	30min 溶解完全	6.90×10^{-3}	3.11×10^{-2}
X161-5	复配	30min 溶解完全	1.58×10^{-4}	3.11×10^{-4}
D161-1	单剂	溶解不完全	5.01×10^{-2}	1.62×10^{-1}
D161-3	复配	30min 溶解完全	8.30×10^{-3}	5.61×10^{-2}

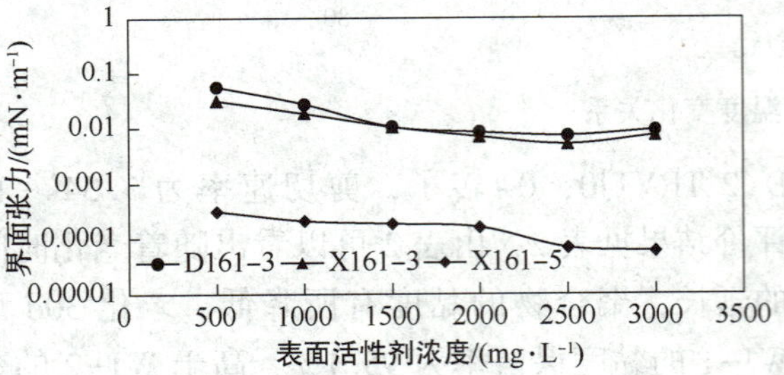

图4　泌161断块不同表面活性剂与原油间的界面张力变化曲线

(3) 二元复合体系性能评价

筛选出的表面活性剂 X161-3、X161-5、D161-3和聚合物进行二元复合体系的性能研究，黏度和界面张力测试在温度51℃，二元体系的界面张力见表4，由表4可以看出X161-5和聚合物具有较好的配伍性，表活剂浓度大于等于1500mg/L，聚合物浓度大于(1000~2500)mg/L，二元体系界面张力维持在10-3mN/m数量级。

表4　泌161断块二元复合体系界面张力性能评价

表面活性剂浓度/(mg·L⁻¹)	聚合物浓度/(mg·L⁻¹)	复合体系界面张力/(mN/m)			黏度/mPa·s		
		D161-3	X161-3	X161-5	D161-3	X161-3	X161-5
500	500	8.6×10^{-2}	6.7×10^{-2}	3.2×10^{-2}	19.6	18.4	18.4
	1000	1.5×10^{-1}	8.4×10^{-2}	1.6×10^{-2}	64.9	62.8	61.7
1000	1000	5.8×10^{-2}	5.6×10^{-2}	8.3×10^{-3}	62.8	60.4	58.3
	1500	6.9×10^{-2}	7.4×10^{-2}	1.8×10^{-2}	97.4	95.2	94.6
	2000	8.1×10^{-2}	9.1×10^{-2}	3.5×10^{-2}	161.3	158.2	156.3
1500	1000	3.4×10^{-2}	8.7×10^{-3}	5.4×10^{-3}	59.2	57.4	56.2
	1500	5.9×10^{-2}	2.3×10^{-2}	7.6×10^{-3}	94.8	92.6	90.5
	2000	6.7×10^{-2}	4.6×10^{-2}	8.4×10^{-3}	159.4	156.3	153.8
2000	1500	1.2×10^{-2}	7.5×10^{-3}	3.8×10^{-3}	89.4	86.8	82.9
	2000	3.8×10^{-2}	1.6×10^{-2}	7.2×10^{-3}	155.1	152.7	148.5
	2500	4.7×10^{-2}	3.1×10^{-2}	9.6×10^{-3}	236.8	232.4	227.6

2.2.3　聚合物+PPG非均相复合体系的黏度评价

针对泌161区块的油藏物性和孔喉特点，结合前期的研究成果，优选PPGI型和Ⅱ型进行非均相体系的性能评价。

(1) PPG与聚合物复合体系性能评价

用王集油田的陈化污水配制聚合物与PPG的复合母液，比例分别为3∶1、3∶2、1∶1，然后用陈化污水稀释为不同浓度的非均相体系，在51℃油藏温度下，测定聚合物+PPG(Ⅰ型、Ⅱ型)非均相体系的黏度，测定结果见表5。

由表5可知：PPG的加入明显提升了聚合物体系的黏度，复合体系的弹性模量也有了明显的提升，并略大于两者的加和；PPG所占的比例越大，复合体系的黏度和弹性模量均较大。PPG与聚合物复配后，体系体相、液相黏度增加，体相、界面黏弹性能增强，颗粒悬浮性改善，具有液流转向和驱油双重作用，能大幅度提高聚合物波及能力，增强洗油效率。

表 5　聚合物+PPG 复合体系黏度

P/PPG比例	化学驱驱剂浓度/(mg·L⁻¹)		Ⅱ型 PPG		Ⅰ型 PPG	
	聚合物(P)	PPG	黏度/mPa·s	弹性模量/Pa	黏度/mPa·s	弹性模量/Pa
3∶1	800	266	28.7	0.208	39.2	0.165
	1200	400	59.7	0.432	82.9	0.386
	1500	500	92.8	0.618	108.4	0.549
	1800	600	105.4	0.816	143.8	0.725
	2000	666	128.5	1.078	171.3	0.886
	2500	833	198.3	1.836	254.6	1.531
	3000	1000	279.5	2.654	356.1	2.286
3∶2	800	533	32.8	0.496	45.3	0.368
	1200	800	62.9	0.782	87.6	0.666
	1500	1000	98.6	1.013	117.5	0.829
	1800	1200	112.1	1.358	145.8	0.964
	2000	1333	135.8	1.769	177.9	1.382
	2500	1666	210.9	2.224	260.4	1.876
	3000	2000	295.8	3.465	369.7	2.594
1∶1	800	800	39.6	0.729	49.5	0.529
	1200	1200	74.7	1.228	98.6	0.836
	1500	1500	117.3	1.864	126.9	1.125
	1800	1800	134.6	2.358	158.4	1.964
	2000	2000	168.2	3.125	186.2	2.697
	2500	2500	246.8	3.864	270.3	3.067
	3000	3000	324.6	4.969	396.4	3.862

(2) 非均相复合驱体系性能评价

用王集油田的陈化污水配制聚合物与 PPG 的复合母液，比例分别为 1∶1、3∶2、3∶1，然后用陈化污水稀释为不同浓度的非均相体系，在 51℃油藏温度下，测定了聚合物+PPG(Ⅰ型)非均相体系的黏度，测定结果见表 6。

表 6　聚合物+PPG 复合体系黏度

聚合物浓度/(mg·L⁻¹)	PPG 浓度/(mg·L⁻¹)	表活剂浓度/(mg·L⁻¹)	黏度/mPa·s	界面张力/(mN/m)	弹性模量/Pa
800	266	2000	38.8	9.6×10^{-4}	0.217
1200	400		81.4	1.3×10^{-3}	0.425
1500	500		106.3	3.5×10^{-3}	0.632
2000	666		172.5	5.1×10^{-3}	1.121
800	533		43.9	1.2×10^{-3}	0.496
1200	800		87.5	3.8×10^{-3}	0.782
1500	1000		118.4	4.3×10^{-3}	1.013
2000	1333		179.2	5.8×10^{-3}	1.769

由表 6 可知：PPG 的加入对复合体系界面张力影响不大，表面活性剂对体系的弹性模量没产生明显的影响。聚合物、PPG 和表活剂的非均相复合体系在保留了二元体系的高黏度性能的同时，仍具有良好的弹性模量和界面张力性能。

2.3　非均相复合驱体系驱油性能评价

2.3.1　单管岩心的驱油实验

使用 SL-I 型(粒径 150~270μm)PPG 样品，

用王集油田陈化污水配制PPG非均相驱油体系，在油藏温度下(51℃)，选择王集泌161断块平均渗透率的胶结岩心(直径2.5cm、长度8cm)进行驱油实验，主体段塞注入量为0.6PV，流速为30mL/h，结果如表7所示。由表7可知：王集泌161断块，聚合物+表面活性剂二元复合体系比单一聚合物提高采收率高4.95%，聚合物+PPG非均相体系比单一聚合物提高采收率高6.02%，聚合物+表面活性剂+PPG非均相复合驱体系发挥了聚合物、表面活性剂和PPG三者的协同作用，比单一聚合物、聚合物+表面活性剂二元复合体系、聚合物+PPG非均相体系提高采收率分别提高9.07%、4.12%、3.05%。

表7 王集泌161驱油实验(0.6PV)

序号	渗透率/μm^2	孔隙体积/cm^3	化学驱油体系/($mg\cdot L^{-1}$)			水驱采收率/%	总采收率/%	提高采收率/%
			表活剂	聚合物	PPG			
1	0.82	9.98	0	1500	0	28.86	44.67	15.81
2	0.874	9.91	2000	1500	0	29.20	49.96	20.76
3	0.841	9.96	0	1500	500	28.41	50.24	21.83
4	0.912	10.4	2000	1500	500	29.31	54.19	24.88

2.3.2 双管并联岩心的驱油实验

使用SL-I型(粒径150~270μm)PPG样品，用王集油田陈化污水配制PPG非均相驱油体系，在51℃油藏温度下，选择王集泌161断块平均渗透率的胶结岩心(长度30cm，2.5cm×2.5cm的方岩心)进行了驱油实验，主体段塞注入量为0.6PV，流速为45mL/h，结果如表8所示。

表8 双管并联岩心驱油实验

岩心编号	渗透率/mD	化学驱油体系/($mg\cdot L^{-1}$)	水驱采收率/%	总采收率/%	提高采收率/%
L-1	1449.3	0.05PV(1500P/500PPG Ⅱ型)+0.5PV(1500P/2000S/500PPG I型)+0.05PV(1500P/500PPG Ⅱ型)	27.6	49.63	22.47
L-2	471.9				
L-3	1404.9	0.05PV(1500P/500PPG Ⅰ型)+0.5PV(1500P/2000S/500PPG I型)+0.05PV(1500P/500PPG I型)	23.0	42.44	19.44
L-4	476.3				

由表9可知：设计前置和后置段塞对高渗层进行Ⅱ型PPG的调驱(主段塞用I型)，提高采收率的幅度高于Ⅰ型PPG的调驱，采收率可提高3.03%。采用多种粒径PPG进行调驱组合提高采收率的幅度比单一粒径的高，这是由于Ⅱ型PPG由于颗粒尺寸较大，能够更好地封堵高渗透层，增大液流流动阻力，调整模型的非均质性，改善了驱油效果。

3 结论

(1) 根据泌161区块的油藏条件，确定其化学驱的技术路线为非均相复合驱，根据聚合物的黏浓、黏温、长期热稳定性以及矿化度对聚合物黏度的影响，筛选出适合的聚合物WJ-1；筛选的表面活性剂与聚合物具有较好的配伍性，组成的二元体系与原油之间界面张力可维持在10-3mN/m数量级。

(2) 非均相复合驱油体系(聚合物+表面活性剂+PPG)提高采收率的幅度高于比单一聚合物、聚合物+表面活性二元复合体系、聚合物+PPG非均相体系，推荐泌161普通稠油区块采用非均相复合驱油体系。

(3) 非均质性油藏采用两种粒径PPG组合调驱提高采收率幅度高于比单一粒径。

参 考 文 献

[1] 于龙，宫厚健，李亚军，等．非均质油层黏弹性凝胶颗粒提高采收率机理研究[J]．科学技术与工程，2014，17(14)：59-63.
[2] 曹旭龙．非均相复合驱油体系设计与性能评价[J]．石油学报(石油加工)，2013，29(1)：115-121.
[3] 陈晓彦．非均相驱油体系驱替特征研究[J]．精细石油化工进展，2019，10(11)：1-4.
[4] 任婷婷，宫厚健，桑茜，等．聚驱后B-PPG与HPAM非均相复合驱提高采收率技术[J]．西安石油

大学学报(自然科学版)，2015，30(5)：54-58.

[5] 崔晓红．新型非均相复合驱油方法[J]．石油学报，2011，32(1)：122-126.

[6] 曹旭龙，刘煜，曹伟东．非均相复合驱中黏弹性颗粒驱油剂与储层孔喉匹配关系[J]．石油学报，2022，43(2)：262-269.

[7] 陈姝芳，赵文森，唐雷，等．非均相复合体系的渗流驱油性能研究[J]．石油化工，2021，50(11)：1141-1147.

[8] 刘文正，何宏，刘浩成，等．非均相驱油体系在多孔介质中流动行为影响因素[J]．西安石油大学学报(自然科学版)，2022，37(2)：32-38.

[9] 赵娟，张建，李先杰，等．预交联凝胶颗粒调驱剂油藏适应性研究[J]．当代化工，2020，49(12)：2665-2670.

[10] 刘煜．黏弹性颗粒驱油剂注入性能研究[J]．西安石油大学学报(自然科学版)，2016，31(5)：60-63.

龙凤山气田解液锁技术研究与实践

张军义

（中石化华北石油工程有限公司）

摘　要　随着勘探开发的进行，储层压实作用造成致密油气藏老井储层渗透率变低，孔喉尺寸变小，易形成液锁，导致气相渗透降低。针对东北油气分公司龙凤山气田储层地质特征、储层物性、流体特征，吸附动力学原理，研发了适用于致密气藏的解液锁剂，实验室内使用浓度1%，表面张力≤28mN/m，对水的接触角≥75°，对油的接触角≥75°，岩心渗透率相对2%KCl水溶液提高≥20%，现场应用9口井，平均日产气量由1300m^3/d提高至2290m^3/d，提升了76%；日产液由0.1m^3/d提高至0.77m^3/d，产液量提高7.7倍，取得良好增产效果。

关键词　东北油气分公司；龙凤山气田；双疏；解液锁

我国致密砂岩气藏资源十分丰富，鄂尔多斯、松辽盆地等21个地区均有广泛分布。在全国第三次油气资源评价中，致密砂岩气资源量占我国天然气总储量的40%左右，资源量约为20万亿立方米。致密砂岩气藏储层结构复杂、非均质严重、渗透性差、孔喉细小、初始含水饱和度低、毛细管压力高。在勘探开发过程中会普遍造成外来流体液相（水、油）侵入，导致储层液锁（水锁、油锁统称），气井低产，甚至无产，极大地影响了气井的产能；在实际生产中，气层的水敏感性、应力敏感性、固相侵入等损害类型常常与液锁损害同时发生，加重储层伤害。化学法是常用的储层解液锁手段，但目前药剂功能单一，只作用于储层水锁，无法解除由于地层反凝析作用导致的储层油锁伤害，而油锁是影响致密气单井产量的影响因素之一；药剂效果持续时间短，不能防止地层油、水及外来工作液水相等再次造成的液锁伤害，不具备长期疏油疏水的性质。为此，基于吸附动力学原理，研发了适用于致密气藏的解液锁剂，实验室内使用浓度1%，表面张力≤28mN/m，对水的接触角≥75°，对油的接触角≥75°，岩心渗透率相对2%KCl水溶液提高≥20%，现场应用9口井，增产效果显著。

1　储层液锁伤害机理

引起液锁伤害的原因主要是毛细管力自吸、液相滞留和反凝析伤害。毛细管自吸作用一般通过毛管力来评价，毛细管压力与界面张力成正比，与多孔介质的半径成反比，其计算公式见式1。水锁是由于层内水的析出和外来水基流体的滞留引起进井地带含水饱和度的增加，使孔喉内液膜厚度增大，造成气相流动的有效截面积减小，从而导致气相渗透率降低引起的。对于低渗致密储层，孔喉尺寸较小，非均质性强，毛细管力较大，贾敏效应明显，且致密砂岩一般亲水，易形成液相滞留，造成更严重液锁伤害。对于凝析油参与流动的气油两相渗流区，在流动过程中，油相挤占气相空间，增大气体流动阻力，影响气相渗透率；凝析油在井底堆积后，增大井底回压，降低了生产压差，同时滞留的油相在毛细管力的驱使下，向近井地层渗吸，进一步降低气相渗透率，产生油锁伤害。

$$P_c=\frac{2\sigma\cos\theta}{r} \tag{1}$$

式中，P_c为毛细管压力，Pa；σ为水的表面张力，10^{-3}N/m；θ为水的；V_o为岩样饱和油的体积，cm^3。

2　解液锁技术原理

该技术主要是利用一种特殊的化学活性药剂——疏水疏油型解液锁增产剂。该药剂进入地层后：①调节储层孔隙表面润湿性，使孔隙表面的液体接触角大小发生可控变化，提高毛细管力，为油气的流动提供动力，“释放”被封锁的剩余气；②可以降低油水的表面张力，提高液滴的变形性，使其流经孔喉时容易变形通过，大幅度降低贾敏效应。③由于润湿性的改变，毛管力由阻力变成驱动力，储层岩石产生自发的渗吸作用，外来水进入岩心，将其中的油相洗出，清洁空隙，提高气相渗透率。④另外该药剂还含有氟离子，在地层中可形成低沸点共沸物，可一定程度增大地层压力，打开不连通的孔隙，达到增产的目的。

3　HBZCH-1 型解液锁增产剂室内实验

HBZCH-1 型解液锁增产剂 PH 值是 7.0～7.5，化学中性，避免了使用酸碱性化学品导致气层的酸敏、碱敏，造成气层堵塞和对油管腐蚀的后果；同时该药剂是一种具有强渗透性化学物质，其分子直径小于 100nm，能够满足渗透率在 0.1mD 左右的致密气层使用(0.1mD 气层毛孔孔吼半径大约 0.25μm，250nm)；密度 0.95～1.05g/cm^3，(25℃)，耐温 300℃，对盐不敏感，可在饱和食盐水中使用。

3.1　抗盐性实验

用 HBZCH-1 型解液锁增产剂与模拟地层水(KCl 与 $CaCl_2$ 混合物)配置不同浓度的溶液，浓度分别为 0.5%、1.0%、1.5%、2.0%、2.5%、3.0%、5.0%装入安培瓶后密封，置于 60℃烘箱中，观察 10 天以上。结果如下：

表 1　抗盐性实验统计

浓度/%	空白样	0.5	1.0	1.5	2.0	2.5	3.0
实验结果	透明	透明	透明	透明	透明	透明	透明
实验条件	60℃密闭条件下，放置 10 天以上						

实验结果表明，HBZCH-1 型解液锁增产剂抗盐性良好，对盐不敏感，可在饱和食盐水中使用。

3.2　润湿性实验

使用岩心切割机将 X-165-1、X-164、X-167、X-370、X-375、X-380 及 X-453 岩心(图 1)，分别切成厚度均匀的岩心薄片(图 2)，编号为 C165-1、C164、C167、C370、C375、C380、C453，用细砂纸将其表面打磨光滑，在恒温干燥箱 60℃条件下干燥 12h 后放入干燥器皿中冷却，测定其岩心渗透率与孔隙度。首先测量蒸馏水与岩心的接触角 θ_1，随后将岩心均放入浓度为 1% 的 HBZCH-1 型解液锁剂水溶液中浸泡 48h(图 3)，然后烘干，再测量蒸馏水与其接触角 θ_2。测定结果见表 2。

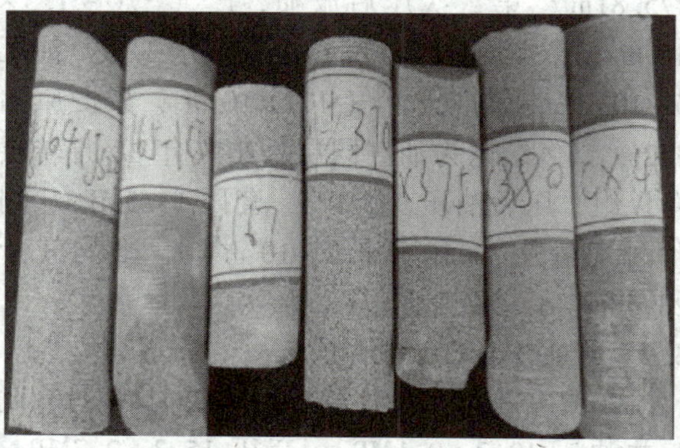

图 1　岩心

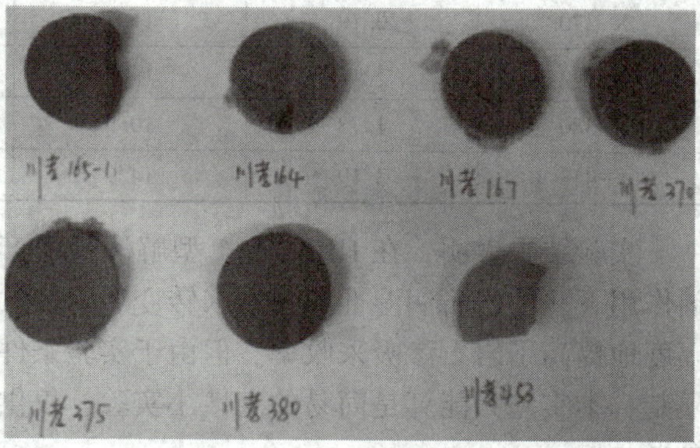

图 2　岩心切片

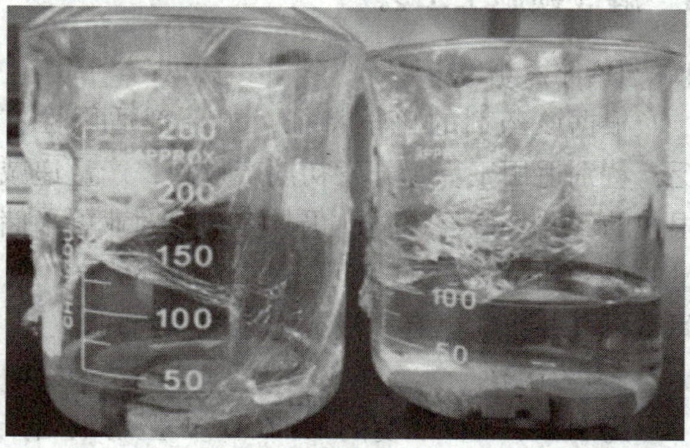

图 3　浸泡岩心切片

表 2　岩心润湿性测定结果

岩心编号	渗透率/mD	孔隙度/%	θ_1/°	θ_2/°
X-165-1	0.97	12.2	70.3	7.7
X-164	2.77	14.2	83.4	9.2
X-167	2.31	13.1	65.5	9.7

续表

岩心编号	渗透率/mD	孔隙度/%	θ_1/°	θ_2/°
X-370	0.19	11.7	46.1	7.3
X-375	3.12	14.9	75.3	9.6
X-380	1.78	10.9	67.2	8.6
X-453	3.19	14.9	54.7	10.7

结果表明，HBZCH-1 型解液锁增产剂能够使岩石润湿性向强亲水转变，非常有利于提高岩心渗吸采收率。

3.3 渗吸实验

将岩心烘干并抽真空后称重，将岩样浸入饱和模拟油。将处理后的岩心悬挂于天平的一侧，并全部浸入浓度为 1%的 HBZCH-1 型解液锁增产剂水溶液中浸泡 48h，渗吸过程中岩心吸水排油，油水密度差使得岩心质量不断增加，48h 后称得岩心质量，按公式 2 计算渗吸效率见表 3。

$$R=\frac{\Delta m V_o}{\rho_w-\rho_o} \tag{2}$$

式中，Δm 为 t 时刻岩心质量变化值，g；

ρ_w 为模拟地层水密度，g/cm^3；

ρ_o 为模拟油密度，g/cm^3；

V_o 为岩样饱和油的体积，cm^3。

表 3　渗吸效率统计

岩心编号	渗透率/mD	孔隙度/%	渗吸条件	渗吸采收率/%
X-165-1	0.97	12.2	纯地层水	8.3
X-164	2.77	14.2	纯地层水	10.5
X-167	2.31	13.1	纯地层水	10.8
X-370	0.19	11.7	1%的 HBZCH-1 型解液锁增产剂	20.1
X-375	3.12	14.9	1%的 HBZCH-1 型解液锁增产剂	27.3
X-380	1.78	10.9	1%的 HBZCH-1 型解液锁增产剂	23.4
X-453	3.19	14.9	1%的 HBZCH-1 型解液锁增产剂	28.9

实验结果表明，在 HBZCH-1 型解液锁增产剂作用下，使岩石润湿性向强亲水转变后，较大幅度地提高了岩石渗吸采收率。但由于实验条件限制，本实验只能算是简易的定性小实验，仅供参考。

4　解液锁施工工艺

4.1 选井原则

根据该药剂的化学特征，本药剂适用性广泛，特别适用于：①开发初期产量高，产量递减很快的气井；②经评估，仍具有一定商业可采储量的低效井；③采收率已超过 80%的低效井、间歇采气井；④已有积液或水淹的停产井。

4.2 工艺流程

配制 1%~3%浓度的 HBZCH-1 型解液增产锁水溶液，关井停产，把该水溶液从套管注入或挤入气井压裂层内(注入甲醇的工艺，并使用注甲醇泵)，参考现有现场使用结果：一口井一次或分次注入 3~10m^3 水溶液，然后闷井 3~7 天，直到井套压力升高到稳定状态即可开井生产，根据现场情况决定是否需进行排水作业，最后制定新的生产制度。

5　实例分析

龙凤山气田属于典型的低孔低渗凝析气藏，随着气田开发的深入，气田内老井压力、气产量不断降低，携液能力不足，导致井底普遍存在积液，形成液锁伤害。

北 X 井是该气田内的一口评价井，于 2015 年 9 月完钻，首次压裂后(营Ⅲ组)，油压 9.9MPa、套压 13.5MPa，瞬时产气 1.56×10^{4}m^3/d，累产气 29.9×10^{4}m^3、累产水 475.81m^3。第二次压后放喷，产气 1.0~1.5×10^{4}m^3/d，平均日产油 2.6t，日产水 1.5t，油压 5~10MPa，累产天然气 171×10^{4}m^3，累产原油 372t，试气结论为油气同层。2017 年 10 月转层营Ⅳ组，压后油压 9.3MPa，套压 13.5MPa，测瞬时气量 2.3×10^4~3.2×10^{4}m^3/d，平均气量 28948m^3/d，评定为气层。

5.1 解液锁工艺措施前情况

2017 年 10 月 28 日至 2021 年 2 月 23 日，北 X 井油压 12.2-0.1MPa，套压 15.3-2.7MPa，累计产气 338.8×10^{4}m^3，累计产水 1044.98m^3。解液锁措施前，该井近期(2020 年 12 月 25 日-

2021年2月23日)平均产气量1300m^3/d(间歇生产)，产液0.1m^3/d，输气最低油压0.1－0.5MPa，最低套压2.6－3.4MPa。根据生产数据，通过理论计算该井可采储量为754×10^4m^3，目前已采出511×10^4m^3，剩余可采储量243×10^4m^3。

5.2 解液锁工艺措施流程

2021年2月23日~3月6日关井恢复压力，油压1.85MPa↗11.9MPa，套压2.84MPa↗11.9MPa，3月5日至3月6日连续2天，油套压均稳定在11.9MPa。同时2月24日通过液面检测仪测得井内套管液面深度为2462.5m。3月6日通过环空向井内注入3%浓度的HBZCH－1型解液锁水溶液3.5m^3，然后关井闷井，关井油压7.6MPa，关井套压4.15MPa。

5.3 解液锁工艺措施后效果

3月6日－3月16日关井，药剂逐渐渗吸进入地层。油压由7.6MPa↗12.13MPa，套压4.15MPa↗13.05MPa。3月12日—16日套压在11.3至13.09之间波动，药剂产生作用(见图5)。3月16日进行液面监测，深度降至3154.3m，将近1042m的液柱渗吸进入地层。3月16日开井生产。

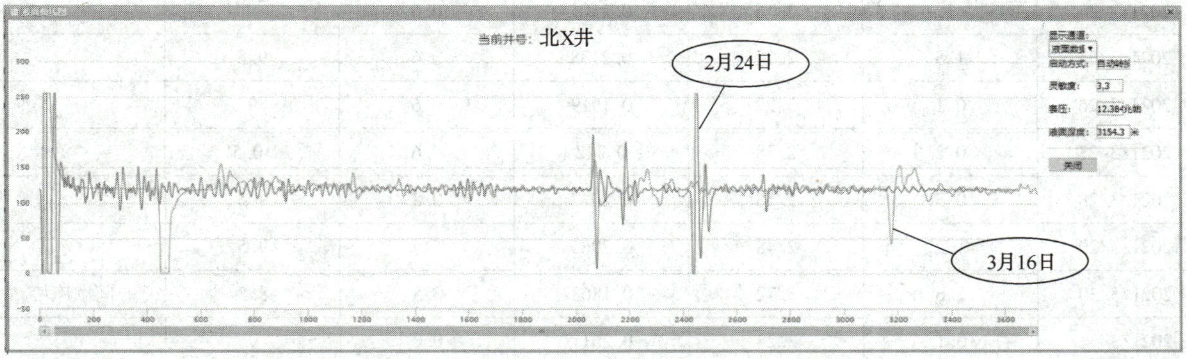

图4　液面监测结果

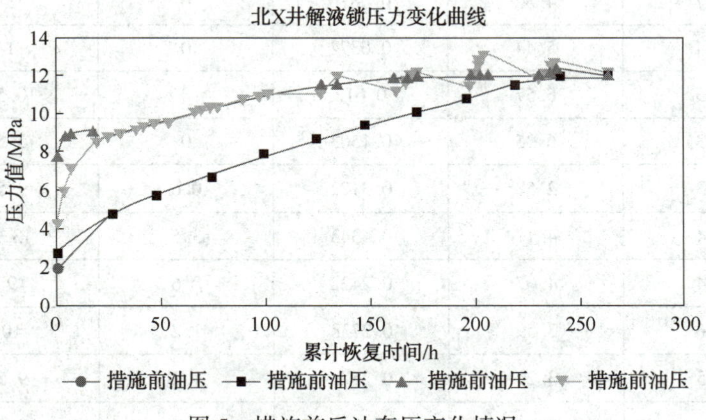

图5　措施前后油套压变化情况

5.4 效果评价

3月16日~4月19日开井生产，为保证试验的客观性，3月16日-3月18日的产量不计入措施效果计算，折算后平均日产气量2290m^3(期间管线冻堵6天)，平均日增气990m^3(措施前日产气量1300m^3)，平均日产气量提高76%；措施前平均日产液0.1m^3，措施后平均日产液0.77m^3，产液量提高7.7倍，取得良好增产效果。

6 结论与建议

(1) 使用HBZCH-1型解液锁增产剂对产层进行措施作业，能将降低孔隙中束缚水对孔隙内壁的润湿角，在孔喉半径不变的情况下，使部分束缚水转化为自由水并驱动剩余气在孔隙压力作用下流向井筒，解除水锁，达到增产的目的；

(2) 经HBZCH-1型解液锁增产剂处理，岩石润湿性发生改变，毛管力由阻力变成驱动力，可以有效提高储层岩石的渗吸作用，外来流体进入岩心，将其中的油相驱出，清洁空隙，提高气　　相渗透率；

表 4　措施后生产情况统计

时间	油压/MPa	套压/MPa	日气/($\times 10^4 m^3$)	排液/m^3	生产时间/h	备注
2021/3/16	8.61	10.69	0.7308	0	20	不计入计算
2021/3/17	3.53	3.57	0.3762	0	10	不计入计算
2021/3/18	0.64	3.33	0.3384	0.6	12	不计入计算
2021/3/19	0.15	3.89	0.1963	1.06	9	
2021/3/20	0.16	3.64	0.1987	0.53	8	
2021/3/21	0.3	2.9	0.2579	0.8	10	
2021/3/22	0.9	2.42	0.2092	0.6	9	
2021/3/23	0.4	2.66	0.2089	0.8	9.5	
2021/3/24	1	2.16	0.2105	0.6	9	
2021/3/25	1.5	2.24	0.2138	0.6	9.5	
2021/3/26	0.1	3.29	0.1919	0.6	9	
2021/3/27	0.2	2.38	0.242	0.6	10.5	
2021/3/28	0.3	2.58	0.2027	0.8	9.5	
2021/3/29	1.2	2.48	0.2065	1	9.5	
2021/3/30	2.6	3.72	0.1863	0.5	8.5	间歇冻堵
2021/3/31	0.1	3.24	0.2011	0.8	9	
2021/4/1	3.6	3.85	0.0492	0	1.5	管线冻堵
2021/4/2	4.7	4.82	0.0816	0	3	管线冻堵
2021/4/3	5.4	5.44	0.0374	0	1	管线冻堵
2021/4/4	6.5	6.57	0.012	0	0.5	管线冻堵
2021/4/5	6.3	6.35	0.1503	0	5.5	管线冻堵
2021/4/6	0.3	2.58	0.3122	0.6	9.5	
2021/4/7	0.4	4.17	0.4343	3.5	13.5	
2021/4/8	0.4	4.07	0.2422	0.6	9	
2021/4/9	0.6	3.59	0.2738	1.2	10	
2021/4/10	0.5	3.29	0.2578	1.2	9.5	
2021/4/11	0.4	3.14	0.2461	1.3	9.5	
2021/4/12	0.8	2.95	0.2308	1.2	8	供电不稳
2021/4/13	0.9	2.43	0.2323	1.2	9.5	
2021/4/14	0.5	2.1	0.2287	1.1	9.5	
2021/4/15	0.7	2.19	0.2105	0.5	9.5	
2021/4/16	0.9	2.43	0.1907	0.6	9.5	
2021/4/17	0.2	2.28	0.2223	0.7	9	
2021/4/18	1.4	1.96	0.2011	0.5	9	
平均			0.2290	0.77		

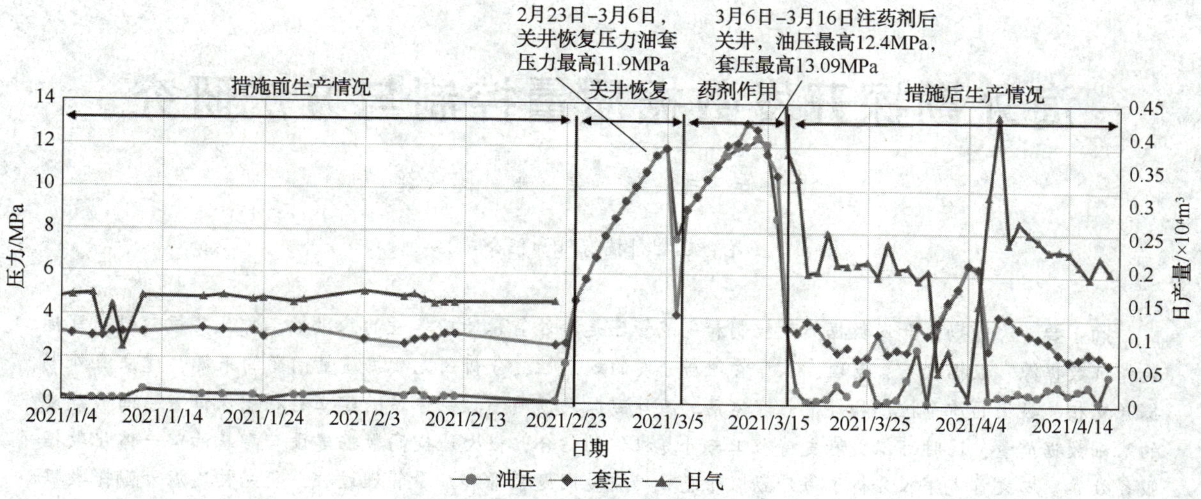

图6　北X井生产动态图

（3）通过现场试验，HBZCH-1型解液锁增产剂可以有效改善储层环境，解除液锁，提高单井气产量和产液量，但仍需配套相应的井筒排水工艺，以提高解液锁措施效果。

参考文献

[1] 于馥玮，苏航．中国致密油特征与开发思路探索[J]．当代化工．2015.44(7)：1550~1552.

[2] 赵哲军，李莎莎，赵华等．气井生产过程中水锁伤害机理研究[J]．天然气技术与经济．2015.9(3)：33~36.

[3] 沈安琪，刘义坤，邱晓慧等．表面活性剂提高致密油藏渗吸采收率研究[J]．油田化学．2016.33(4)：696~699.

[4] 黄成，李建伟．停产凝析气井一体化治理工艺技术[J]．钻采工艺，2018，41(05)：63-66.

[5] 王瑞，张凤云，黄永章等．苏里格气田解水锁剂渗吸性能评价和影响因素分析[J]．石油工业技术监督，2023，39(10)：7-11.

[6] 滕汶江，许剑．中江气田生产井储层水锁解除技术[J]．石油化工应用，2022，41(09)：82-86.

[7] 杜洋，许剑，赵哲军等．中江低渗储层解水锁剂试验研究[J]．能源化工，2018，39(04)：58-62.

[8] 杨永利．低渗透油藏水锁伤害机理及解水锁实验研究[J]．西南石油大学学报(自然科学版)，2013，35(03)：137-141.

[9] 姚广聚，彭红利，雷炜等．低渗透气藏低压低产气井解水锁技术研究及应用[J]．油气地质与采收率，2011，18(05)：97-99+118. DOI：10.13673/j.cnki.cn37-1359/te.2011.05.026.

海外勘探开发数据质量控制与方法研究

王学军 毛 骏 姜 敏 陈晓巍

(昆仑数智科技有限责任公司)

摘 要 海外勘探开发数据质量控制和规范管理是海外智慧油田建设的基础性工作，其核心研究目标是保证数据源、数据收集、整理、入库管理与分发的规范性，分析研究数据质量问题的来源，建立海外勘探开发相关数据的质量控制和规范管理体系。海外勘探数据质量控制体系的建立有利于保证智慧油田建设的基础数据质量，同时可以更好支持人工与计算机化的结合，极大地提高数据建设与智慧油田一体化数据服务效率。本文首先深入分析了海外勘探开发数据质量问题来源和质量管理过程，研究构建海外勘探数据的质量控制体系，从而保证数据内部本身的质量，在此基础上构建数据生态体系，实现海外勘探开发数据的一体化管理和应用。

关键词 海外勘探开发；数据质量；质量控制；智慧油田

1 海外勘探开发数据质量内容与问题来源

海外油气田业务管理与国内的差异性主要体现在风险管理、生产管理、经营管理等方面，海外业务仍存在部分数据依赖于手工采集问题，甚至尚存在纸质文档和电子文档共存的情况，数据管理采用平台上报和邮件等原始方式上报方式共存，部门间横向信息共享困难，另外，由于海外管控方式制约，形成统一的数据标准难度大，数据存储分散，数据质量和安全管理均有待加强。

通常，数据质量指的是数据对专业领域应用的支撑能力，表征的是数据被使用的范围。数据质量也是对数据一个或多个方面特征的综合描述，是对数据特征表现的能力的综合度量。数据质量可以从两个方面理解，即广义的数据质量和狭义的数据质量。广义的数据质量侧重用户或数据的共享，主要通过数据易获取性、数据对用户需求的满足程度、数据表达的清晰性等方面对数据质量进行描述。狭义的数据质量更多关注数的本征特征，包括数据一致性、数据完整性、数据精度等。

数据质量控制是对数据准确性、完整性、一致性、数据精度等的描述及控制，其目的在于提升数据集成与数据应用的质量，保证数据质量满足特定的领域应用需求。一般来说，数据质量控制需要对数据采集、数据集成、数据应用各个环节进行跟踪与监控，从而保证数据的精度、数据完整性、一致性、可靠性、可用性与易用性。

数据质量控制主要需要研究以下两个方面的内容：(1)数据质量问题的来源、类型、表达形式、度量指标与传播规律等；(2)数据的标准规范、质检原则与数据质量控制技术体系。

众所周知，海外勘探开发领域具有业务复杂、专业性强等特点，勘探开发数据呈现较为明显的海量、多源、异构等特征。以数据类型为例，勘探开发数据既包含地震、测井等大块数据，同时也包含井筒数据、地质综合数据、生产数据、成果数据等。这些数据的质量问题贯穿于数据采集、数据集成、数据应用的整个过程。按照海外勘探开发数据的类型与特征，本章将数据质量问题的来源归纳为以下四个方面：

(1) 地学现象本身的不确定性

石油勘探开发业务针对的是一种特殊的地学现象，所涉及数据包含不同类型的地学空间数据。这些数据同时具有空间特征、时间特征和属性特征，且同时伴随着不确定性。地学空间数据的不确定性包括地学现象在空间位置分布与变化的不确定性、发生时间区段的不确定性以及地学现象属性表达的多样性与模糊性。正是由于地学空间现象本身的不确定性，其对应的观测数据也不可避免的存在质量问题。

(2) 海外勘探数据的采集方法与软硬件环境等多样化

海外勘探开发数据采集是数据管理、分析与应用的首要步骤。然而，海外勘探开发数据类型多样，且数据采集过程中采取的方法、仪器设备、软硬件配置各有差异，加之工作人员的认知水平与操作水平的不同，数据采集过程中也伴随着复杂的误差来源，且由此产生的误差会在后续的数据集成、分析应用中进行传播、扩散和积累。因此，数据数据采集误差也是数据质量的主要影响因素之一。

（3）海外勘探开发数据的存储格式精度

由于海外业务的服务商多、技术能力差异大，企业文化背景各异，海外勘探数据的复杂性不仅仅体现于观测数据类型的多样性，同时也体现于同一类型数据存在格式的多样性。例如，地震数据处理成果的存储格式共有5种类型，包括IBM 32位浮点型、4字节定点型、2字节定点型、4字节带增益定点和8位定点型等。不同存储格式的精度存在差异，从而也影响了勘探数据的质量问题。

（4）海外勘探数据处理中产生的误差

海外勘探数据的集成分析与处理应用是一个流程复杂、步骤繁多的过程。由于海外业务数据的来源多，在此过程中，不可避免的会涉及到数据格式选择、数据格式转化、数据精度选取、数据整合计算等多个问题，而且这些问题都将会影响到数据的质量问题。例如，数据格式转化时产生的语义歧义误差、数据精度误差，数据集成处理过程中由于耦合作用叠加产生的误差传播与积累问题等。

综上所述，海外勘探开发数据的质量问题贯穿于整个数据采集、处理应用的流程，且数据质量的问题会发生传播与累积，从而影响领域应用分析结果的准确性和可靠性。为保证数据质量与数据分析结果的可靠性，需要在深入理解数据质量问题来源的基础上，进一步建立和海外勘探开发数据质量控制方法体系。

2 海外勘探开发数据质量控制方法体系

2.1 数据质量控制的原则

海外勘探开发数据质量控制的首先任务要建立数据的质检规则和标准规范，数据质量规则和标准规范的确立有利于保证数据在应用层面的可靠性、应用性和易用性。海外勘探开发数据质量的控制原则主要考虑以下几个方面：

（1）规范性

针对海外业务数据源头的来源多、版本类型等差异大，制订规范性原则。

规范性原则指数据在收集、整理、入库管理与分发过程中的标准性约束。规范性原则的目的在于从数据源头控制数据的质量，是数据质量控制的基本原则。

（2）准确性

准确性原则是指数据实际观测值与理论值间的接近程度，主要用来标识数据观测、集成分析的可靠程度，最常用的准确性度量指标是误差。

（3）完整性

完整性原则包含两层含义：要素完整性与应用完整性。要素完整性是指勘探开发数据本身所描述数据特征的完整程度，而应用完整性则指不同类型勘探开发数据集成后相对于应用需求的冗余或缺失部分，主要用以界定集成数据的可应用范围。

（4）一致性

一致性原则指不同类型勘探开发数据对同一地学现象描述的一致程度，包含表达一致性与逻辑关联一致性。表达一致性主要关注数据在描述表达层面的一致性，而逻辑关联一致性则更多侧重对更高层次的特征逻辑关系一致性的描述。

目前，海外业务中勘探开发数据的规范性、完整性等问题尚受到巨大挑战，数据在入库前的数据规划、数据整理和质量控制过程亟待规范化、流程化；同时，迫切需要解决油气勘探地震成果大数据的标准化、规范化处理和有效的存储管理应用等多方面的问题。

2.2 海外勘探开发数据质量控制方法

为了保证数据的质量，需要在数据质量控制原则的基础上，遵循数据管理业务的ISO9001：2000质量管理体系，建立各专业命名标准、技术标准、规范制度和操作规则与各类勘探数据的质量控制流程，结合质量控制原则对数据进行验证；如下主要针对海外油气勘探开发数据中的大块数据（地震、测井）质量控制工作，对勘探地震数据的质量控制问题进行详细描述。

2.2.1 基于规则的地震数据质量控制方法

（1）对地震数据体的3200字节文本带头（Textual Header）有以下质量控制点：

- 3200个字节，40行，每行80列；
- 3200字节，EBCDIC编码，同时也考虑了ASCII编码的情况，保存时均使用EBCDIC编码；

• 40 行中，每行的首列字符必须为“C”；同时也考虑 3200 个字节文本头中均为空白的情况；

• 客户(CLIENT)、公司(COMPANY)、队号(CREW NO)、测线名(LINE)、工区(AREA)、采样率(SAMPLE INTERNAL)等信息正确。

(2) 对地震数据体的二进制带头和数据道头、地震振幅数据均有相应的一系列质量控制点，限于篇幅就不一一赘述。

2.2.2　基于可视分析的地震数据质量控制方法

可视化分析也是一种有效的地震数据质量控制方法。在显示数据体内部参数时，可以同时显示该数据体的剖面图形。剖面图形能有效辅助地震数据的质量控制，可以判定地震数据的类型和品质情况。通过对剖面图形特征的浏览，落实该数据体的归档类型，如：叠前道集、叠加纯波、叠加成果、叠偏纯波、叠偏成果等，可以了解有效道、无效道、空道的分布等多种信息。

分析下图 1 不同存储格式数据的纯波剖面图形对比分析图可知：四种剖面的图形显示效果相似，普通人通过肉眼观察并没有非常明显的差异，我们还可以通过计算机工具对其振幅值做进一步的计算分析。在实际工作中，内部存储方式与精度差异会直接影响上述不同类型数据的使用价值。

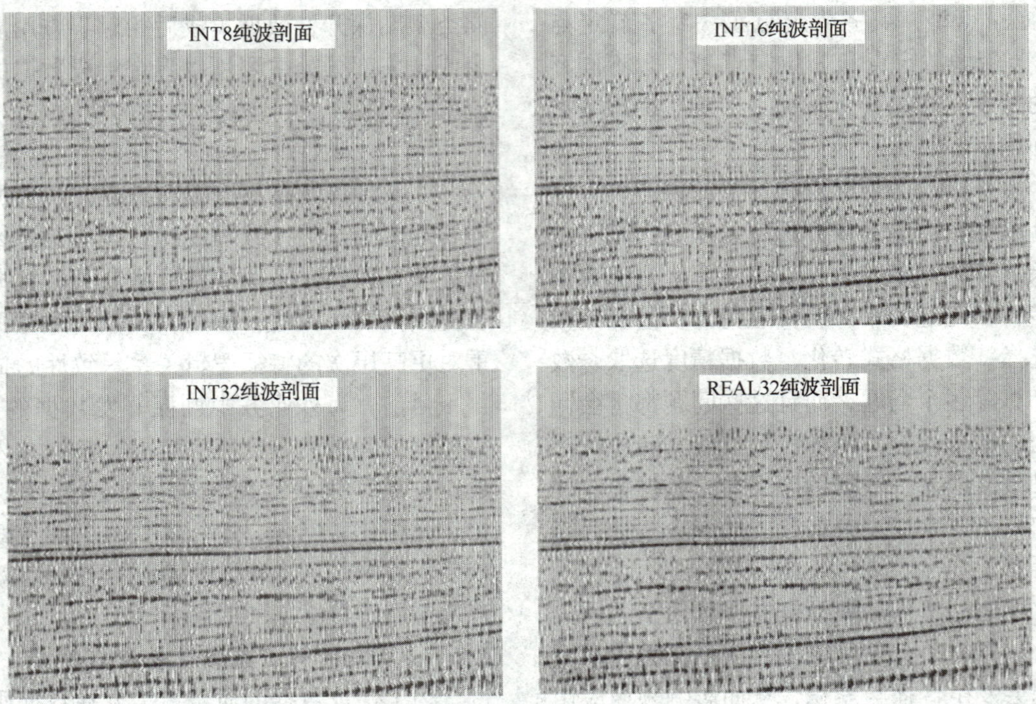

图 1　不同存储格式数据的纯波剖面图形对比分析图

2.2.3　基于软件辅助的地震数据质量控制方法

由于海外勘探开发数据中的大块数据具有数据量大、类型多、数据存放地点非常分散等特点，使得人工式数据质量控制方法难以实施。为此，针对海外勘探开发数据中的地震数据质量控制工作，开发了地震数据质量控制系统等辅助软件工具，通过计算机手段辅助完成快捷、高效的数据质量控制过程，在减轻数据管理与数据操作工作强度的同时，能更好地保证数据质量，不同类型数据的质量控制内容与复杂软件工具，实现自动化的质量控制流程。

3　结论与展望

随着海外智慧油田建设进程与技术的快速进步，海外勘探开发数据质量的规范化、标准化已经引起国内外相关研究机构的高度重视，国际油公司纷纷基于 OSDU 展开数据生态合作，美国 Energistics 组织建立了多个专题工作组，发布了 WITSML、PRODML、RESQML 等数据规范，并定期组织国家数据仓库(National Data Repository)全球性会议，其目的是为石油天然气相关数据收集、传输、存储管理和分发等方面提供规范化与标准化的服务。针对于海外勘探开发数据质量控制与规范化的体系化研究和方法实践，作为海外智慧油田建设的基石，必将越来越受到重视，海外勘探开发数据质量控制的智能化、自动化、流程化研究与应用也一定会越来越深入，助力智海外慧油田建设和有力促进油气行业的数智化发展。

文中有不当之处，敬请领导、专家批评指正。

参考文献

[1] 杨剑锋，等．打造科技创新引擎助力“数字中国石油”建设[J]．石油科技论坛，2021(12)．

[2] 杜金虎，张仲宏，章木英，等．中国石油上游信息共享平台建设方案及应用展望[J]．信息技术与标准化，2017(8)：66-70.

油田井下智能注采工艺技术

童　星　马宏伟　张景辉　焦明远

（中国石化河南油田分公司）

摘　要　河南油田进入开发中后期，不同层段之间物性差异大，需要通过分层注采工艺重新认识各层段潜力，开发潜力层，封堵高含水层，并根据产状的变化及时换层注采。但是常规的分层注采工艺每次改变注采层段都需要进行作业，存在施工工作量大、费用高等问题。

为提升油田分层开发的效果效益，开展了井下智能注采工艺技术研究，通过研究智能开关控制技术，该技术的核心智能开关器通过控制系统控制微电机的工作，来实现井下各层段的开启和关闭，同时还设计有测温测压系统，可不动管柱在地面控制井下开关状态，从而形成了循环分层周期注水工艺技术和智能分层采油工艺技术。

该技术的研究，实现了一趟管柱井下自动注水、采油，地面液压任意换层，地层温度、压力实时监测等功能，且能够适用于大斜度井和水平井，有助于认清储层展布规律，完善注采井网和产能评价。

通过在现场66井次的应用，取得了较好的增油降水效果，减少了施工工作量和作业费用，取得了良好的经济效益和社会效益。

关键词　分层注水；分层采油；智能；开关控制

1　前言

河南油田为复杂断块油田，且进入高含水开发后期，非均质性严重，层间渗透率差异大，层间层内矛盾突出，传统的“强注强采”开发工艺面临经济开采的极限的挑战。为提高储量动用率，挖潜中低渗透层剩余油潜力，经济、有效地提高采收率，需要辅助于创新、高效的采油工艺技术来实现。

随着对地层的精细描述、储层的重新认识，部分开采对象也在不断转换（3~5个月），部分井不同层段出油量发生变化，含油量多的油层经过一段时间开采后，含油量减少，以前含油量相对较少的油层又具有开发价值。要求对应的分层注采工艺不断地去适应变化，改变生产层位，测试地层压力，认识潜力层段。

目前常规的分注、分采工艺在应用中也存在一些不足：常规分注工艺需要通过钢丝下入仪器进行投捞，投捞调配工作量大，而且大斜度井钢丝投捞困难；由于采油层开采时间短，换层开采需要频繁的更换井下管柱，施工费用高。

针对这些技术存在的问题，研究出油田井下智能注采工艺技术，通过机电一体化控制技术的有机结合，形成了循环分层周期注水、智能分层采油和智能开关控制等技术，提升了单井开发效果效益。

2　循环分层周期注水工艺技术

该工艺包含两项技术：自动循环液压控制分层周期注水技术和磁控分层周期注水技术。

2.1　自动循环液压控制分层周期注水技术

工艺原理：采取单片机自动控制原理，地面设定好初始开启时间、持续开启周期、持续关闭周期等参数，达到设定时刻，井下循环注水开关器中的控制电路通过螺旋传动系统，控制开关阀开启、关闭，实现井下自动循环分层周期注水。由于自动循环注水开关器同时只有一个处于开启状态，单层注水量通过地面闸门和流量计即可准确控制。

同时，循环注水开关器设计有压力传感器及信号处理控制系统，通过地面打液压，按照压力高低和持续时间的长短，组成压力随时间变化的编码信号，对应相应的控制功能，井下循环注水开关器接收到压力编码信号，从而控制电机相应的转动，通过螺旋传动系统拖动开关阀开启或关闭，实现液压控制注水。

自动循环液压控制分层周期注水工艺管柱示意图如图1所示，主要由循环注水开关器、注水封隔器、水力锚、控制洗井防砂阀、球座、筛管、丝堵等组成。

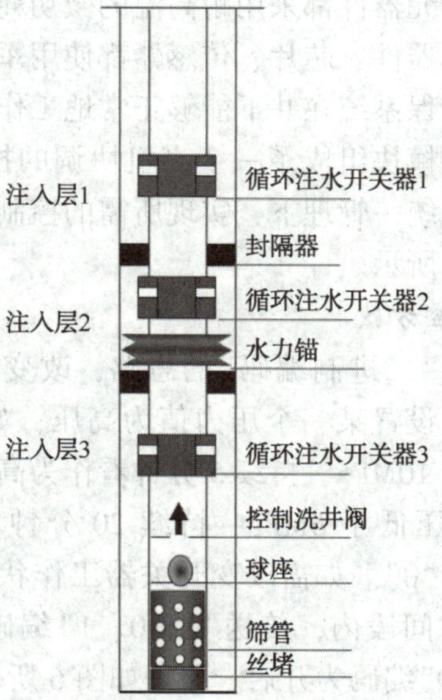

图1　自动循环液压控制分层周期注水工艺管柱示意图

2.2　磁控分层周期注水技术

工艺原理：通过井下带磁控功能的循环注水开关解决注水井多层同时自动循环注水问题。管柱下井后，地面打液压坐封封隔器，实现层间封隔，循环注水开关器设计霍尔传感器及信号处理控制系统，通过地面钢丝下入永磁控制器，在循环注水开关器附近，按照特定时间永磁控制器通过循环注水开关器次数的多少，组成多组磁信号编码，对应相应的控制功能，井下循环注水开关器接收到磁信号编码，从而控制电机相应的转动，控制开关阀的开启、关闭以及开度大小，实现磁控分层注水。

磁控分层周期注水工艺管柱示意图如图2所示，主要由磁控循环开关器、注水封隔器、水力锚、控制洗井防砂阀、球座、筛管、丝堵等组成。

3　智能分层采油技术

针对油井不同层认识不清、常规机械方法分层采油施工工作量大问题，开发出了适用于大斜度井、水平井的智能分层采油技术。在下井前对智能开关器设定工作程序，下井后依次自动开启、关闭，每个层轮流打开单独生产几天，通过计量化验确定出各层的流体性质，明确下步开采方案后，可按照一定的压力编码顺序，通过地面打压，控制智能开关器的开启和关闭。同时开关器内设有压力检测系统，实现地层压力、温度数

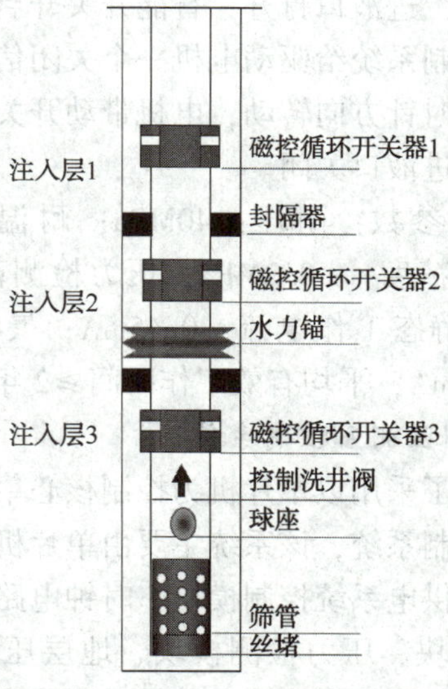

图2　磁控分层周期注水工艺管柱示意图

据记录和存储。

智能分层采油工艺管柱如图3所示，主要由抽油泵、丢手接头、Y441堵水封隔器、安全接头、智能开关器、K341堵水封隔器、丝堵组成。

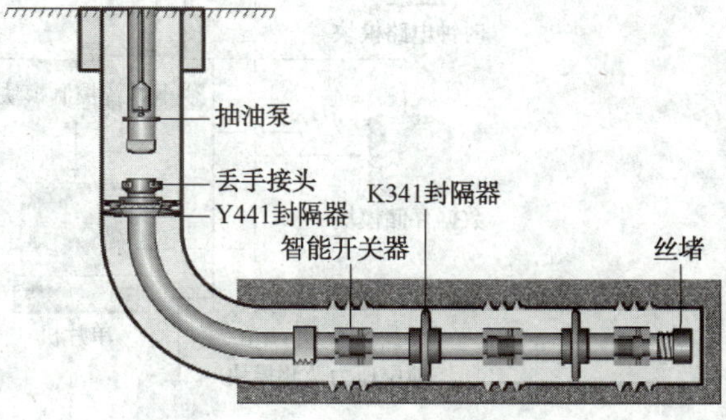

图3　智能分层采油工艺管柱示意图

4　智能开关控制技术

智能开关主要由主体、开关阀、信号接收系统、驱动机构、控制电路等组成，如图4所示。

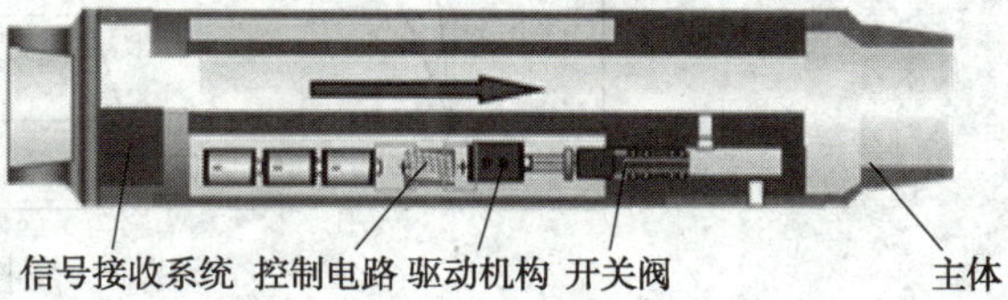

图4　智能分层采油工艺管柱示意图

智能开关的开启和关闭通过控制系统控制微电机的工作来实现。通过设定时间给井下控制电机的控制系统一个打开信号，就可以控制电机以顺时针方向转动，电机带动开关阀活塞向左移动特定距离后，电机停止工作，控制系统处于休眠

待机状态，进液口打开，智能开关开启；根据需要时，控制系统给驱动电机一个关闭信号，控制电机以逆时针方向转动，电机带动开关阀活塞向右移动，进液口关闭。

技术参数：耐压：40MPa；耐温：120℃；压力检测精度：±0.2MPa；压力检测范围：0~40MPa；静态工作电流：0.45mA；最大工作电流：1200mA；平均有效工作时间≥2年。

4.1 可测温测压控制系统

设计了采用以单片机为控制核心单元的可测温测压控制系统，该系统主要由单片机、电源调理模块、供电系统控制模块、时钟电路模块、数据存储模块、压力检测模块、地层压力监测模块、电动机驱动模块、电动机电流监测模块、微型电动机、电池组成。整个控制系统采用大容量的耐高温锂电池供电，电池电源经过电源调理模块后，得到单片机以及其他电路和元件所需要的电源电压，并且必须符合电动机正常工作的要求。所有元器件都采用耐高温的微功耗产品，并且各种元器件、芯片、传感器都使用军品标准产品，以确保系统在井下能够正常地工作。

这些模块组成了一个有机协调的控制系统，在单片机统一管理下，实现所需的控制功能。原理如图5所示。

4.2 压控方法

利用“二进制编码”的思路，改变开关器工作状态，设置某一个压力值为高压，如10MPa，打压高于10MPa，持续5分钟看作为高压，记为“1”，打压低于5MPa、持续20分钟看作为低压，记为“0”。如需改变开关器工作状态时，在相应的时间段内，传送“1、0、1”编码为关闭、“0、1、0”编码为开启。原理如图6所示。

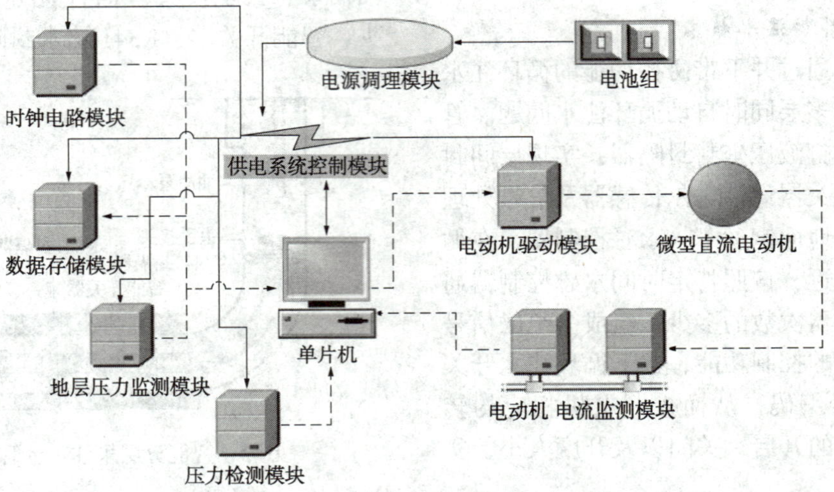

图5　存储式测压测温智能控制系统原理框图

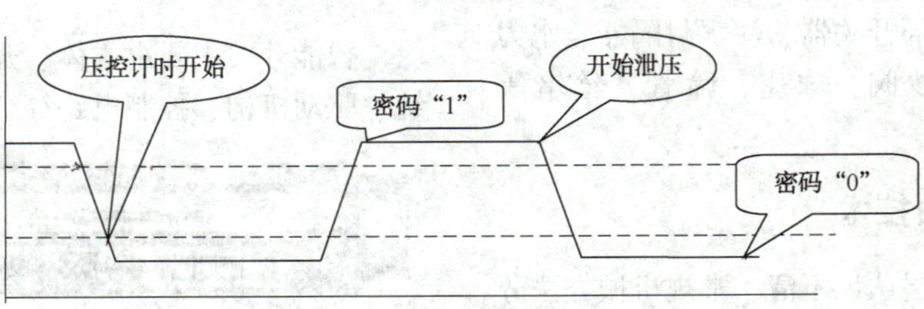

图6　压控方法原理示意图

4.3 压力监测系统

根据实际工况的需要，将地层液体压力作为地层状态监测的对象，同时监测管柱内外的压力。监测可以每天循环进行，将监测数据记录存储起来。地层压力监测原理图见图7所示。

5 现场应用情况

智能注采工艺技术在河南油田推广应用66井次，工艺有效率100%，累计增注$6.1\times10^4m^3$，控制无效注水$7.3\times10^4m^3$，增油6810t，降水$9.5\times10^4m^3$，减少作业费用504万元，创产值4428

万元，创效益 1231 万元，取得了良好的经济效益和社会效益。

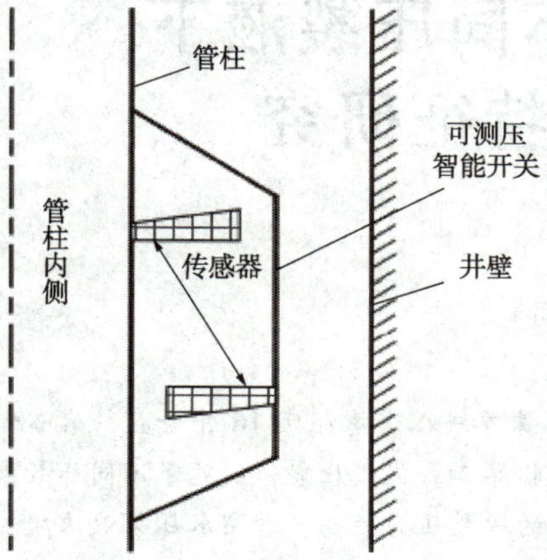

图 7　地层压力监测原理图

6　结论

（1）首次研发出了循环分层周期注水技术，该技术能够按照自动程序控制各层循环周期注水，并且可以通过地面发送压力信号，随时改变注水层位，还可以通过下入磁信号控制器，调节水嘴开度大小，不再需要下入传统的投捞调配测试仪器进行投捞调配，实现了注水井智能化分层周期注水，减轻了一线员工的劳动强度。

（2）井下智能分层采油技术满足了一趟管柱找水、堵水、测试、生产的需求，简化了施工工序，降低了作业成本，对于了解油藏性质和对地层特性进行精细描述具有非常重要的指导意义。

（3）开发出了一套适用于油田井下高温高压的智能控制系统，采用自动+液压双重控制单片机系统模块。自动循环程序控制电机驱动模式占主导，压力控制模式为辅助，休眠电流低，时钟唤醒准确可靠。

（4）通过室内模拟试验和现场长期试验，证明工艺成熟可靠，编制了相关技术规范，并在推广后取得了较好的经济效益和社会效益。

参　考　文　献

[1] 李洪，牛丽．一种新型的水平井智能找堵水技术[J]. 内江科技，2012，05，28-30.

[2] 李德儒，杨岁霞．机械式多级找堵水技术在古城油田的应用[J]. 河南石油，2006，03.

[3] 刘明尧，李兵，马宏伟．井下压力控制系统的研究与应用[J]. 石油机械，2011，39(9)，59-61.

[4] 郭群，薛清祥．机械找堵水一次完成工艺在大港油田的应用[J]. 石油钻采工艺，2005，S1(1).

[5] 柴远波，温迎飞，郭晓伟．井下智能开关器的研究与设计[J]. 电子设计工程，2015，23(10)，118-120.

[6] 俞启泰．周期注水的油藏数值模拟研究[J]. 石油勘探与开发，1993.

[7] 张继春．周期注水实验及增油机理研究[J]. 石油学报，2003.

[8] 张绍东，古光明，李蓉，柴国兴，赵增顺．不动管柱换层采油工艺技术与应用[J]. 石油机械，2002. 04.

八道湾组全直径岩心不同压裂液下三轴压裂裂缝延伸特征研究

孙彬峰

（中国石化河南油田分公司）

摘　要　选用新疆焉耆盆地博湖坳陷，宝浪苏木构造带，下侏罗统八道湾组宝16井全直径岩心制备300mm的立方体试样，分别开展滑溜水压裂液、瓜胶压裂液和超临界二氧化碳压裂，研究了不同压裂液下的破裂压力和裂缝延伸形态特征。研究表明：瓜胶压裂液压裂下的破裂压力最高，滑溜水压裂液次之，超临界二氧化碳的破裂压力最小，压裂时间最短，可以形成更加复杂的缝网，与滑溜水和瓜胶压裂液相比，破裂压力分别降低了26.0%和33.3%；滑溜水压裂液压裂岩样表面可以形成分支缝，全直径岩心可以形成转向裂缝；瓜胶压裂液压裂岩样表面和全直径岩心均形成较为平直的双翼裂缝；超临界二氧化碳压裂岩样表面裂缝形态复杂，裂缝易发生转向，迂曲度大，主缝为双翼非对称缝，可以诱导产生多条贯穿主裂缝，裂缝整体分布呈现“Y”形和“H”形，全直径岩心内裂缝复杂程度高，可形成缝网和转向裂缝，裂缝面具有凹凸不平特性，这对于压裂裂缝自支撑具有重要作用。

关键词　全直径岩心；三轴压裂；破裂压力；裂缝形态

目前国内外主要通过大尺寸真三轴物理实验来直观研究压裂裂缝形态。Daneshy较早地利用真三轴装置开展了砂岩裂缝延伸实验，并采用透明有机玻璃作为材料制备试样以直观观察裂缝形态。Thiercelin等同样采用机玻璃来制作试样，采用高速摄像机来记录裂缝扩展过程。除了采用透明试样外，还诞生了一些间接的观测方法，比如以Terra Tek公司为代表使用了压力传感器来记录泵注压力的变化规律，以加州伯克利分校为代表使用了声发射监测系统来监测水力裂缝形态。部分学者研究了射孔条件下的裂缝扩展规律。Bahrmann和Elbel基于实验研究发现，水力裂缝容易在孔眼尖端起裂，影响起裂的主要因素包括射孔方位角、流体性质以及压裂液排量。Ketterij和Pater研究发现，当射孔方位角为90°时，容易产生扭曲裂缝，而当方位角为180°时，则有利于形成单一的平面缝。部分学者研究了水力裂缝与结构弱面的交互作用。Lamont和Jessen对尺寸为1.5×3.5×4英寸的六种类型的岩石试样开展预置天然裂缝下的裂缝延伸模拟。Blanton对裂缝性石膏和泥页岩开展真三轴物理实验，发现在高地应力差和高逼近角条件下，水力裂缝更容易穿过天然裂缝。Renshaw和Pollard研究得出，水力裂缝在垂向扩展过程中，压裂液首先沿着层间界面渗透一段时间，随后裂缝将可能穿过界面而继续沿着垂直方向扩展，从而产生“十”字形的裂缝形态。Olson等用石膏模拟页岩，用玻璃片模拟天然裂缝，研究了90°逼近角条件下胶结型天然裂缝对水力裂缝延伸的影响。

在国内，陈勉等较早地利用真三轴实验系统开展物理实验，研究了地应力、压裂液黏度、排量等因素对裂缝延伸形态的影响。张广清和陈勉通过实验研究发现，水平井井筒附近存在裂缝转向的情况，且转向距离随井筒方位角的增加而增大。李传华通过实验研究发现，当水平差应力系数由1.5增大至2时，水平井压裂后产生多裂缝的可能性降低。Guo等采用CT扫描技术研究了页岩的压裂裂缝形态，发现当排量与黏度的乘积达到10^{-9}N·m时，更容易形成复杂缝网，而乘积过大或过小都是不利的。Liu等基于CT扫描三维重构，利用3D打印技术制作了透明砂砾岩岩样，并展开了水力压裂实验，研究了围压及材料非均质性对破裂压力影响明显。Liu等、鞠杨等制作了人工砂砾岩试样并开展压裂模拟实验，借助CT扫描技术和分形理论对裂缝复杂程度进行了评价。郭培峰等以混凝土浇铸的大尺寸试样模拟致密储层，通过真三轴物理模拟实验，研究不同逼近角、地应力状态下的含天然裂缝致密储层水力压裂缝延伸规律。邹雨时等采用页岩油储集层井下岩心制备薄互层状页岩岩样，开展小尺度真三轴携砂压裂实验，研究了薄互层型页岩油储集层水力裂缝形态与支撑剂分布特征。

综上，现有的大尺寸真三轴实验多采用露头的大尺寸岩样或者采用混凝土浇灌而成的试样，鲜有采用井下全直径岩心进行大尺寸真三轴实验，对于采用滑溜水、瓜胶和超临界二氧化碳压裂来研究裂缝延伸形态也较少，本文选用宝浪油田含砾砂岩储集层井下全直径岩心，开展大尺寸真三轴水力压裂物理模拟实验，研究不同类型压裂液对储层岩心裂缝延伸形态的影响。

1　实验设计

(1) 样品制备

前人研究结果表明：研究水力压裂缝延伸规律时，保证裂缝的稳定扩展是重要的。使用大尺寸试样可以保证裂缝的延伸过程控制在理想的时间范围内，且裂缝的延伸为准静态扩展或稳态扩展。基于野外露头采集的岩心试样由于具有形状不规则、难以加工、风化严重、存在原始裂缝、无法确定层内非均质性等缺点，同样不能满足本次实验要求，采用混凝土浇铸制作的大尺寸正方体试样，从本质上与储层的岩心结构性质存在差异。而井下岩心试样由于规格受限无法保证裂缝的稳定扩展；将井下全直径岩心中央钻孔形成井眼，黏结井筒后进一步浇铸水泥，形成 300mm×300mm×300mm 的立方体试样，可以满足大尺寸的实验要求，保证裂缝的稳定扩展，实验结果可以进一步的观察到全直径岩心压裂裂缝扩展的情况。

岩样取自新疆焉耆盆地博湖坳陷，宝浪苏木构造带，下侏罗统八道湾组。根据岩心、录井、测井资料综合分析研究，主要岩相类型为中~细砾岩相，砾状~含砾砂岩相和泥岩相。岩石颗粒磨圆度较差，以次菱角状为主，颗粒分选为差—很差，长石颗粒表面风化程度以中等为主。孔喉特征为微细—细为主，且喉道半径分布集中在 0.6um~1.5um，分选性差，以不均质类型为主，弯曲程度较高。岩心的岩性为含砾砂岩，测井数据显示，平均渗透率为 0.03um^2，平均孔隙度为 8.81%。岩心取自宝 16 井，取心深度 2855.66~2914.35m，岩心直径 10cm，长度 11~15cm(见图 1)。关键岩石力学参数与地应力参数如表 1、表 2 所示。

表 1　主要岩石力学参数表

井号	岩心深度/m	泊松比	弹性模量/MPa	抗拉强度/MPa	断裂韧性/$MPa\cdot m^{1/2}$
宝 16 井	2855.66	0.195	20735.3	1.32	0.179

表 2　地应力参数表

井号	岩心深度/m	最大地应力/MPa	最小地应力/MPa	垂向地应力/MPa
宝 16 井	2896.04	63.35	49.75	59.21

实验试样制备：将三块全直径岩心端面切割完整，长度均为 11.0cm，钻孔直径为 12mm，钻孔深度为全直径岩心一半深度 5.5cm(见图 1)；将预制的井筒与全直径岩心固结(见图 2)；以全直径岩心为中心，放入 300mm 的立方体模具中，四周封注水泥，最后获得 3 个 300mm×300mm×300mm 的立方体试样(见图 3)。

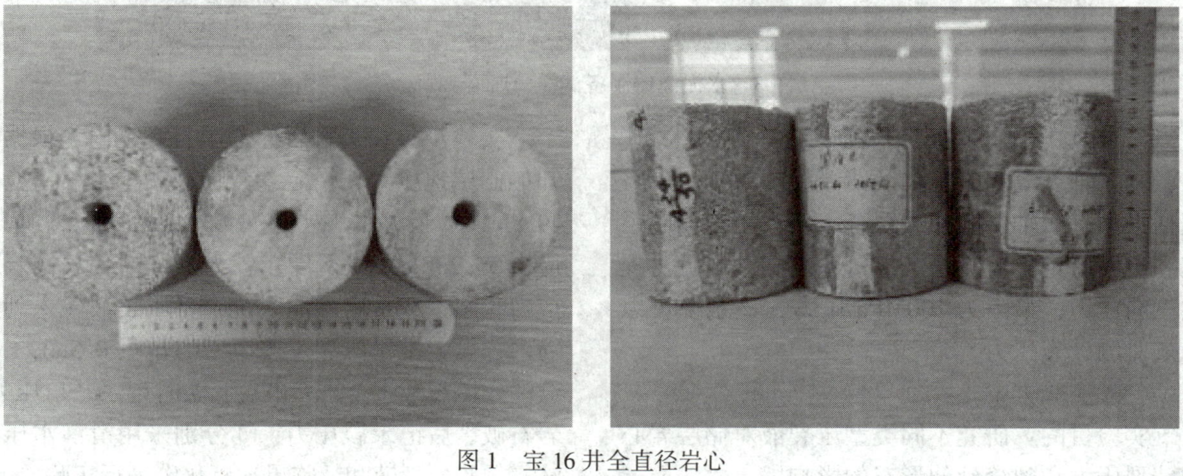

图 1　宝 16 井全直径岩心

图 2　试样制备及井筒固结

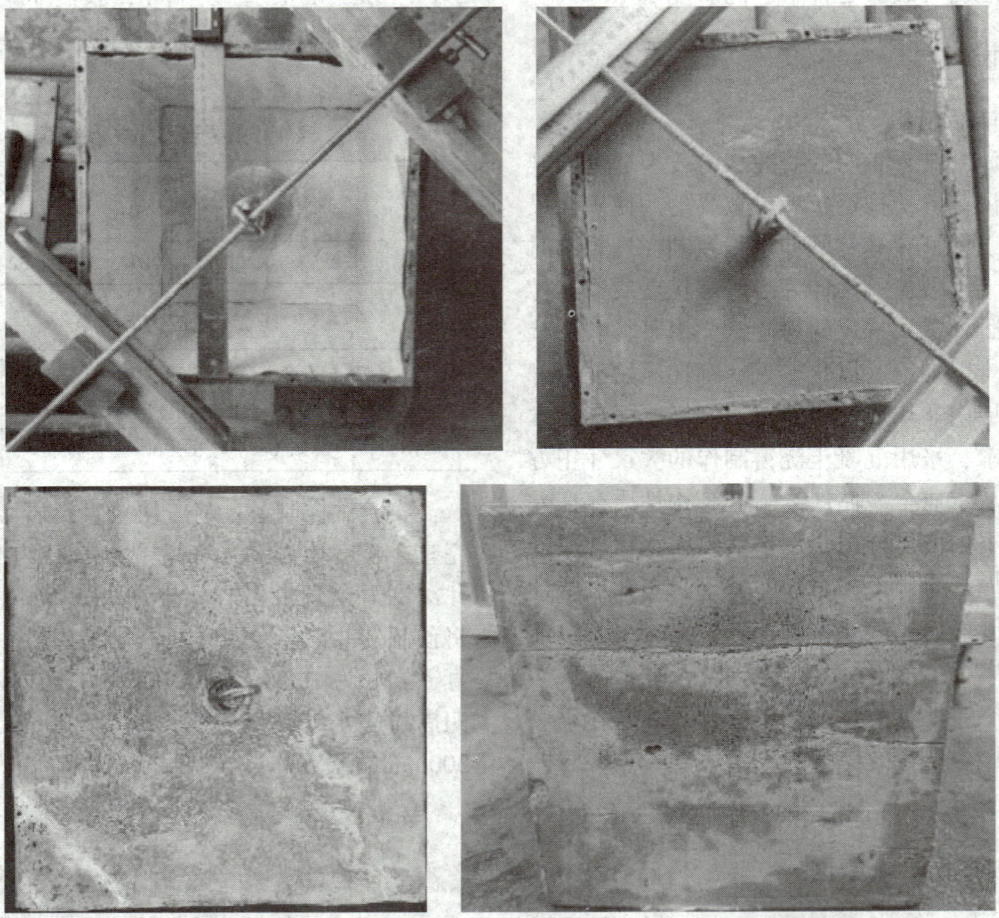

图 3　水泥浇铸制备试样（顶面与侧面）

（2）真三轴压裂实验系统

真三轴裂缝起裂扩展及渗流模拟系统（图 4）包括大型真三轴伺服加载系统、水力压裂伺服系统和声发射定位监测系统。该系统加载装置可提供三向压力，最大为 100MPa 压力，该系统可以有效监测破裂压力。

（3）实验方案

实验目的：研究不同类型压裂液对储层岩心的破裂压力和裂缝延伸形态的影响。

实验步骤：①将岩样置于岩心室内，根据已知的储层地应力，设定参数加载最小水平主应力 49.8MPa、最大水平主应力 63.4MPa 和上覆垂向应力 59.2MPa，该条件能较为准确的代表储层的应力状态；②开启泵注系统，将压裂液注入到井筒内，恒定排量压裂。按恒定的排量 0.5mL/s 持续注入压裂液直至岩石破裂，实时记录井口压力，岩石破裂后记录破压力；③分别采用滑溜水压裂液、瓜胶压裂液和超临界二氧化碳进行实验。

图 4　真三轴裂缝起裂扩展及渗流模拟系统

实验结果：分别记录滑溜水压裂液、瓜胶压裂液和超临界二氧化碳所对应的破裂压力以及裂缝延伸形态特征。

2　实验结果与分析

（1）滑溜水压裂液压裂

采用低黏滑溜水压裂液压裂岩样表面裂缝沿竖直上与垂向应力夹角为 45°左右，水平上与最大水平应力夹角为 45°左右方向扩展，贯穿整个岩石面，形成了一条双翼缝，同时在侧面形成了分支缝（见图 5A）；全直径岩心裂缝面具有一定的凹凸不平特性，同时形成了转向裂缝（见图 6），实验记录得到的破裂压力为 74.6MPa。

表 3　压裂实验方案表

岩心类型	压裂实验方案	三轴应力围压/MPa，$\sigma_v/\sigma_H/\sigma_h$	排量/(mL/s)
宝 16 井全直径岩心	滑溜水压裂液（黏度 5mPa·s）	59.2，63.4 49.8	0.05
宝 16 井全直径岩心	瓜胶压裂液（黏度 100mPa·s）	59.2，63.4 49.8	0.05
宝 16 井全直径岩心	超临界二氧化碳	59.2，63.4 49.8	0.05

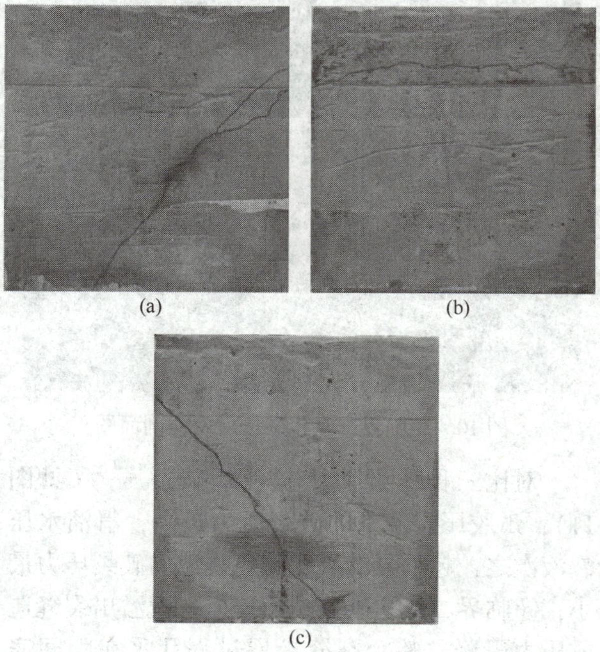

图 5　滑溜水压裂液压后岩样表面展开图（A-侧面，B-侧面，C-侧面）

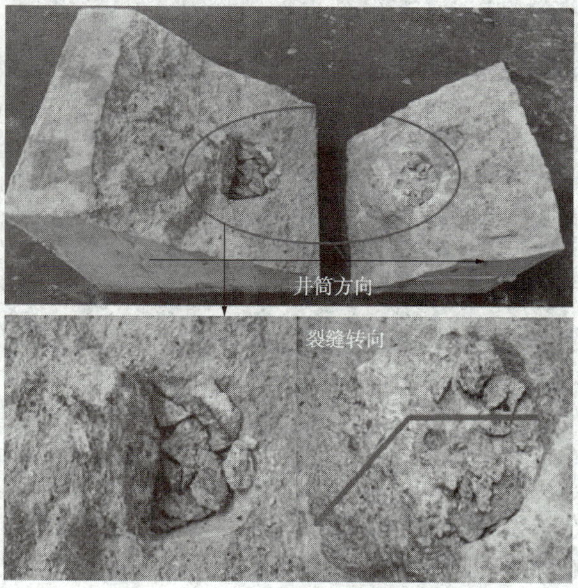

图 6　滑溜水压裂液压后岩样剖面图

（2）瓜胶压裂液压裂

采用瓜胶压裂液压裂岩样表面裂缝沿最大水平主应力、垂直于水平最小主应力方向扩展，贯穿整个岩石面，形成了一条双翼缝，裂缝继续扩展至两侧面，形成了一条转向缝；全直径岩心内形成一条双翼缝，形成的裂缝较滑溜水更为平直和对称，实验记录得到的破裂压力为 82.7MPa。

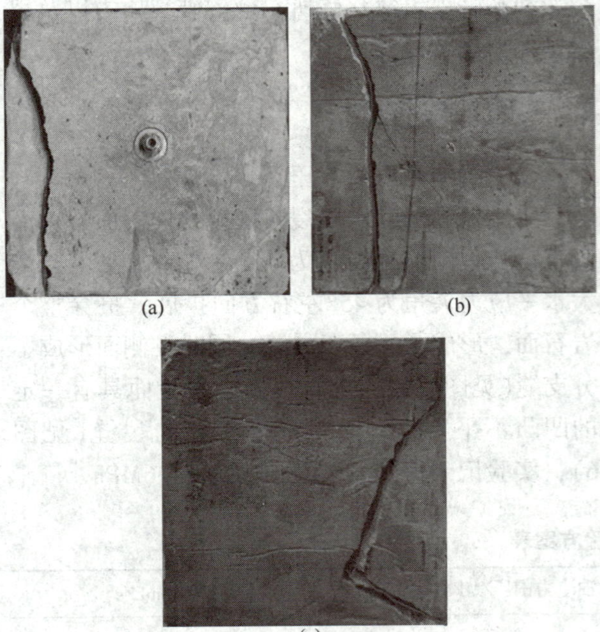

(a)　(b)　(c)

图 7　瓜胶压裂液压后岩样表面展开图

（A-顶面，B-侧面，C-侧面）

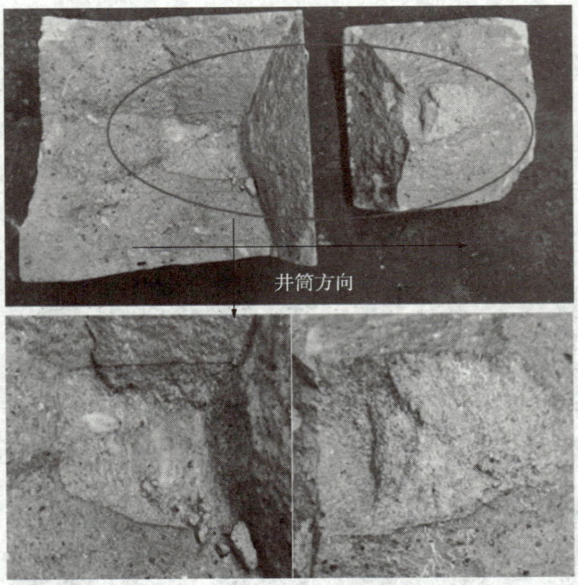

图 8　瓜胶压裂液压后岩样剖面图

（3）超临界二氧化碳压裂

超临界二氧化碳压裂岩样表面裂缝形态复杂，裂缝易发生转向，迂曲度大，主缝为双翼非对称缝，超临界二氧化碳可以诱导产生 2 个及以上的贯穿主裂缝，裂缝整体分布呈现“Y”形（见图 9-A，9-C）和“H”形（见图 9-B）的断裂形态；同时超临界二氧化碳有利于裂缝起裂，实验记录得到的破裂压力为 55.2MPa；全直径岩心内裂缝复杂程度高，可以形成缝网和转向裂缝（见图 10），裂缝面具有凹凸不平特性，这对于压裂裂缝自支撑具有重要作用。

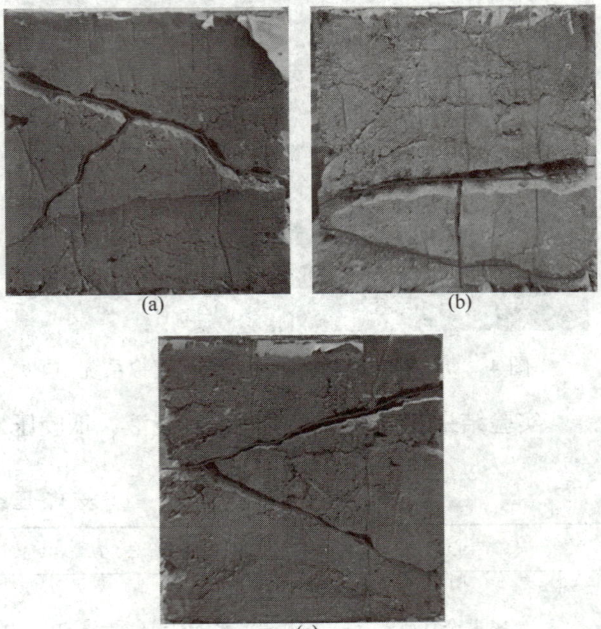

(a)　(b)　(c)

图 9　超临界二氧化碳压后岩样表面展开图

（A-侧面，B-侧面，C-侧面）

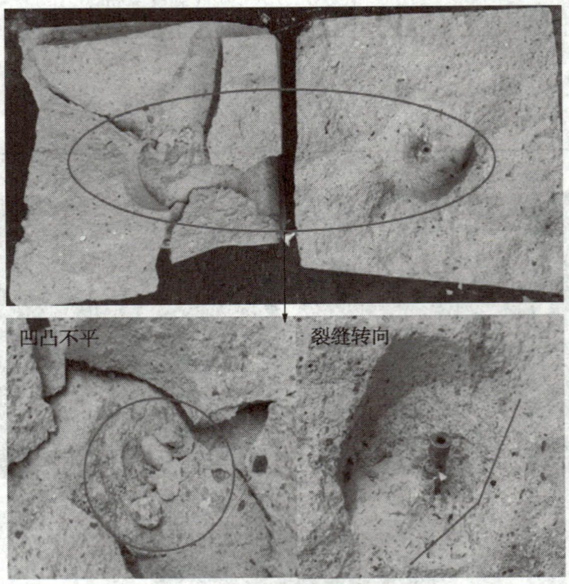

图 10　超临界二氧化碳压后岩样剖面图

对比三种压裂液压裂下的破裂压力（见图 11），瓜胶压裂液下的破裂压力最高，滑溜水压裂液次之，超临界二氧化碳压裂液的破裂压力最小，超临界二氧化碳压裂致使压裂液溢出裂缝造成压力骤降，整个裂缝扩展过程几乎在瞬间完成，压裂时间大幅缩短，可以形成更加复杂的缝网，与滑溜水和瓜胶压裂液相比，破裂压力分别降低了 26.0%和 33.3%。

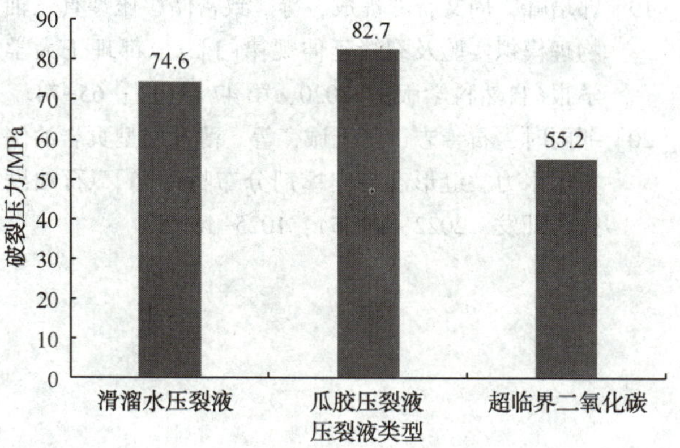

图 11　不同压裂液下的破裂压力图

3　结论

（1）瓜胶压裂液压裂下的破裂压力最高，滑溜水压裂液次之，超临界二氧化碳的破裂压力最小，压裂时间最短，可以形成更加复杂的缝网，与滑溜水和瓜胶压裂液相比，破裂压力分别降低了 26.0%和 33.3%

（2）滑溜水压裂液压裂岩样表面可以形成分支缝，全直径岩心可以形成转向裂缝；瓜胶压裂液压裂岩样表面和全直径岩心均形成较为平直的双翼裂缝；超临界二氧化碳压裂岩样表面裂缝形态复杂，裂缝易发生转向，迂曲度大，主缝为双翼非对称缝，可以诱导产生多条贯穿主裂缝，裂缝整体分布呈现"Y"形和"H"形，全直径岩心内裂缝复杂程度高，可形成缝网和转向裂缝，裂缝面具有凹凸不平特性，这对于压裂裂缝自支撑具有重要作用

参　考　文　献

[1] Daneshy A A. Experimental investigation of hydraulic: fracturing through perforations[J]. Journal of Petroleum Technology, 1973, 25(10): 1201-1206.

[2] Daneshy A A. Experimental investigation of hydraulic: fracturing through perforations[J]. Journal of Petroleum Technology, 1973, 25(10): 1201-1206.

[3] Thiercelin M J, Naceur K B, Lemanczyk Z R, et al. Simulation of three-dimensional propagation of a vertical hydraulic fracture[C]. SPE Paper 13861 presented at SPE/DOE Low Permeability Gss Reservoirs, 19-22 March 1985, Denver, Colorado, USA.

[4] Roberto S R, Stenebråten J, Gadde P B, et al. An experimental investigation of fracture propagation during water injection[C]. SPE Paper 73740 presented at International Symposium and Exhibition on Formation Damage Control, 20-21 February 2002, Lafayette, Louisiana, USA.

[5] Glaser S D, Dudley J W, Shlyapobersky J. Active and passive acoustic imaging inside a large-scale polyaxial hydraulic fracture test [C]. Symposium on Nondestructive and Automated Testing for Soil and Rock Properties, 1998, San Diego, California, USA.

[6] Bahrmann L A, Elbel J L. Effect of perforations on fracture initiation[J]. Journal of Petroleum Technology, 1991, 43(5): 608-615.

[7] Ketterij R B V, Pater C J D. Impact of perforations on hydraulic fracture tortuosity[J]. SPE Production & Facilities, 1999, 14(2): 117-130.

[8] Lamont N, Jessen F W. The effects of existing fractures in rocks on the extension of hydraulic fractures [J]. Journal of Petroleum Technology, 1963, 15(2): 203-209.

[9] Blanton T L. An experimental study of interaction between hydraulically induced and pre-existing fractures[C]. Paper SPE 10847 presented at SPE Unconventional Gas Recovery Symposium, 16-18 May 1982.

[10] Renshaw C E, Pollard D D. An experimentally verified criterion for propagation across unbonded frictional interfaces in brittle, linear elastic materials[J]. International Journal of Rock Mechanics Mining Science and Geomechanics, 1995, 32(3): 237-249.

[11] Olson J E, Bahorich B, Holder J. Examining hydraulic fracture-natural fracture interaction in hydrostone block experiments[C]. Paper SPE 152618 presented at SPE Hydraulic Fracturing Technology Conference, 6-8 February 2012, Woodlands, Texas, USA.

[12] 陈勉，庞飞，金衍．大尺寸真三轴水力压裂模拟与分析[J]．岩石力学与工程学报，2000，19(S1)：868-872.

[13] 张广清，陈勉．水平井水力裂缝非平面扩展研究[J]．石油学报，2005，26(3)：95-101.

[14] 李传华．水平井水力压裂裂缝形态模拟研究[D]．北京：中国石油大学(北京)，2002.

[15] Guo T K, Zhang S C, Qu Z Q, et al. Experimental study of hydraulic fracturing for shale by stimulated reservoir volume[J]. Fuel, 2014, 128: 373-380.

[16] Liu P, Ju Y, Ranjith P, et al. Visual representation and characterization of three-dimensional hydrofracturing cracks within heterogeneous rock through 3D printing and transparent models[J]. International Journal of Coal Sciences & Technology, 2016, 3(3): 284-294.

[17] Liu P, Ju Y, Ranjith P, et al. Experimental investigation of the effects of heterogeneity and geostress

difference on the 3D growth and distribution of hydro-fracturing cracks in unconventional reservoir rocks [J]. Journal of Natural Gas Science and Engineering, 2016, 35: 541-554.

[18] 鞠杨，杨永明，陈佳亮，等. 低渗透非均质砂砾岩的三维重构与水压致裂模拟[J]. 科学通报，2016，61(1)：82-93.

[19] 郭培峰，周文，邓虎成，等. 致密储层压裂真三轴物理模拟实验及裂缝延伸规律[J]. 成都理工大学学报(自然科学版)，2020，第47卷(1)：65-74.

[20] 邹雨时，石善志，张士诚，等. 薄互层型页岩油储集层水力裂缝形态与支撑剂分布特征[J]. 石油勘探与开发，2022，49(5)：1025-1032.

高矿化度普通稠油油藏提高采收率技术研究与应用

陈慧卿　赵　林　赵一潞　常国栋　郝丽娜

（中国石化河南油田分公司）

摘　要　针对CG油田储层矿化度高，原油黏度高、水驱波及系数低，水油流度比大、油井含水上升快，常规驱油体系配伍性差的问题，研究开发了耐高盐、降黏效果好和兼具流度控制的冷采降黏复合驱油体系。该体系一方面可降低原油黏度，改善原油流动性；另一方面自身黏度可调，可通过调节驱替相的黏度来控制流度比，达到扩大波及体积，提高采收率的目的。该体系在CG油田C161-149井组现场试验，日产油从0.7t上升至7.2t，含水从96%下降至62%，在C2-04井组现场试验，日产油从3.8t上升至14.2t，含水从90%下降至60%，阶段增油2048t，措施效果显著。

关键词　冷采降黏；流度控制；复合驱；高矿化度

河南油田稠油资源丰富，普通稠油地层储量为844.71×10^{4}t，采收率仅为18.6%，仍有很大的可开采空间。随着热采进入中后期，油气比低，采出效果差。目前，注水开发是油田最常用的提高采收率和保持油藏压力的方法。注水开发通常是经济有效的，而且比其他方式更容易在油田实现和推广。但是水驱只能提高采收率20%~40%。由于稠油含有较多的胶质沥青质，因此稠油黏度大密度高，水驱开发时水油流度比大，导致水的波及系数低，原油采收率低。

聚合物驱也是一种常用的提高石油采收率的技术手段，其基本原理是通过聚合物来提高水相黏度，从而降低水油流度比、提高波及系数。虽然聚合物驱对常规原油油藏有明显的降水增油效果，但对黏度较高的稠油油藏驱油效果较差，这主要有两方面的原因：首先，开发稠油油藏需要的聚合物黏度更高，但在高盐油藏条件下，常规聚丙烯酰胺聚合物受到高盐的降解作用，聚合物的黏度大幅度降低，导致聚合物对水相的增黏效果很有限。其次，对于黏滞力较强的稠油，聚合物很难把岩石孔隙中的剩余油驱出。单独使用常规聚合物难以满足我国胜利、河南、新疆等油田高盐稠油油藏高效开发的需要。

表面活性剂作为驱油剂，能够降低油水界面张力、改变岩石表面的润湿性，因此表面活性剂能够提高驱替液的洗油效率，但对于黏滞力较强的稠油，界面降低的程度并不能产生足够的动力使剩余油从岩石孔隙中驱出。降黏剂能够通过乳化分散降黏、吸附降黏、反应降黏等机理降低原油的黏度，从而改善水油流度比提高波及系数，从而提高原油的采收率。

对于200~2000mPa·s普通稠油仅从单一驱替相增黏或被驱替相降黏控流度，采收率提高幅度小，无法满足油田大幅提高采收率的需求。因此，研制高性能驱油体系，提高驱替效果，实现稠油降能增产目标，为稠油储量经济有效动用提供技术支撑，将产生巨大的经济和社会效益。

河南油田CG单元生产层位为N1S1Ⅱ2层，油层单一，构造简单，属于高孔高渗（φ：35.7%，K：2.93μm^2）边水稠油岩性油藏。油层温度下（42.2℃~54.42℃）脱气原油黏度为221~1475mPa·s，属于普通稠油Ⅰ-2类，地层水总矿化度为78300mg/L，属$CaCl_2$水型。储层物性好、连通性较好。该单元投产以来利用天然边水驱动能量开发，因原油黏度高、水油流度比大（340~1475），边水指进造成油井含水上升快，油井产能低，剩余油动用不均；地层矿化度高、储层敏感性造成常规驱油体系耐盐差、地层配伍性不强，化学冷采提高采收率难度大。本文通过开展冷采降黏复合驱体系的耐盐性能、抗剪切性能、润湿洗油效果、降黏性能等实验，优选出适合CG油田降黏复合驱配方体系，并通过室内物模实验，研究了不同驱油方式对高矿化度普通稠油提高采收率效果的影响，并开展了现场试验。

1　实验部分

1.1　材料与仪器

实验用油为河南CG油田C2-04井脱水原油

(40℃时黏度为 390.51mPa·s)；实验用水为地层水(矿化度 74870mg/L)或模拟地层水(配制方法见表1)；碳酸钠、氯化钠、硫酸钠、碳酸氢钠、氯化钙、氯化镁，分析纯，国药集团上海化学试剂有限公司；实验用降黏剂 AL、YX、TY-3、BY-2、SDBS、AS，流度控制剂 GN-2、FY、ZJ 均由东营市杰瑞石油技术限公司提供。

表1　C2 区块室内模拟地层水配制方法

品　名	浓度/(mg/L)
碳酸钠	62.5
氯化钠	64490
硫酸钠	1537
碳酸氢钠	396.5
氯化钙	5754
氯化镁	5588.5

ViscotesterIQ 流变仪；SL200B 接触角测定仪；IX71 倒置显微镜；多功能岩心驱替装置、高温高压一维驱替采集系统、填砂管(30cm×Φ2.5cm)、中间容器、水浴恒温装置、恒速电动搅拌器、精密电子称、实验用试管。

1.2　实验方法

1.2.1　冷采降黏复合体系的制备

以多种降黏剂和流度控制剂为原料通过复配和筛选，在常温常压下配成降黏调驱复合体系，用作降黏复合驱剂。该体系外观为澄清透明溶液，pH 值为 6.5~7.5。

1.2.2　冷采降黏复合体系耐盐性能评价

采用地层水分别配制降黏剂和流度控制剂溶液，观察其配伍性。

1.2.3　冷采降黏复合体系降黏效果室内评价

降黏效果主要由降黏率和乳状液稳定性评价。

在 250mL 烧杯中加入 20g 稠油，在 40℃恒温水浴中静置 20min 后，用 ViscotesterIQ 流变仪测定稠油的黏度(η_0)，另取一个 250mL 烧杯中加入稠油和降黏复合驱剂(质量比 1∶1)，在 40℃恒温水浴中静置 20min 后，晃动或用玻璃棒搅拌，直至乳化均匀。在 40℃用 ViscotesterIQ 流变仪测定乳化液的黏度(η_1)。由式(1)计算稠油的降黏率 E：

$$E=(\eta_0-\eta_1)/\eta_0\times100\%$$

将稠油和降黏复合驱剂混合后的乳状液，倒入带刻度的具塞试管中，观察自然沉降脱水速度，并用倒置显微镜观测降黏后乳状液的微观形貌，观察油滴分散大小。

1.2.4　冷采降黏复合体系润湿洗油效果评价

将稠油与 40 目的砂子以质量比 1∶7 混合，在 40℃条件下老化 3 天，称取老化后的油砂 20g 置于量筒中，加入复合体系溶液至油砂完全浸没，在 40℃烘箱中静置 24h 后，取出拍照并计算洗油率。将原油涂覆在玻璃片表面，通过测量复合体系与原油接触角来反映复合体系的润湿性能。

1.2.5　冷采降黏复合驱体系驱油效果评价

采用一维填砂管实验，分别考察水驱+热水驱、水驱+降黏驱及水驱+降黏复合驱三种驱替方式对提高采收率的影响。实验步骤：①制作填砂管模型；②测量模型孔隙体积及孔隙度；③测量模型渗透率；④建立模型原始含油饱和度 70%；⑤先水驱直至含水达到 95%以上，再开展水驱/降黏剂驱/复合体系驱油实验，驱至产液含水率达到经济极限，实验过程中，实施监测填砂管模型沿程压力，记录出口端产水产油、沿程压力随注入 PV 数变化的数据，并计算驱油效率。

2　实验结果及讨论

2.1　冷采降黏复合体系的制备

2.1.1　降黏剂的筛选

将收集到的 6 种降黏剂分别用 C2 地层水配制成 0.5%的溶液，并与 C2-04 原油，按 5∶5 的比例混合，在油藏温度 40℃条件下搅拌均匀后测量原油黏度，结果如表 2 所示。

表2　降黏剂与 C2 区块油水的配伍性

序号	降黏剂	类型	地层水溶解性	溶解时间/min	pH 值	微动力降黏效果	降黏后原油黏度/mPa·s	降黏率/%
1	AL	阴离子型	常温易溶	<15	6.5	分散均匀，油滴较大	23.7	93.93
2	YX	阴离子型	40℃水易溶	<15	6.5	分散均匀，油滴细小	8.4	97.85
3	TY-3	阴离子型	常温易溶	<15	6.5	分散均匀，油滴较大	36.4	90.68
4	BY-2	复合型	沉淀	—		—	—	—

续表

序号	降黏剂	类型	地层水溶解性	溶解时间/min	pH 值	微动力降黏效果	降黏后原油黏度/mPa·s	降黏率/%
5	SDBS	阴离子型	常温易溶	<15	9.0	不分散，无降黏效果	—	—
6	AS	阴离子型	沉淀	—		—	86.0	77.98

可以看出，6 种不同类型的降黏剂均具有较好的水溶性，15 分钟内可完全溶解，0.5%浓度水溶液的 pH 值符合行业标准的要求，pH 范围 6.0~9.0。0.5%的 YX 降黏剂对 C2-04 原油具有较好的分散降黏效果，降黏后的稠油油滴细小，黏度仅为 8.4mPa·s，降黏率高达 97.85%，可作为 C2 区块优选降黏剂进行下一步研究。

2.1.2　流度控制剂的筛选

采用地层水配制流度控制剂水溶液，对待选流度控制剂的溶解性能进行考察，结果如表 3 所示。可以看出，流度控制剂 GN-2 在室内模拟水中溶解不均匀，且有絮状物产生。其他类型的流度控制剂均可在高矿化度的地层水中溶解，溶液澄清透明，溶解时间小于 2h。分别配制不同浓度的 ZJ 和 FY，其黏浓曲线如图 1 所示。可以看出，随着使用浓度的增加，两种流度控制剂的黏度大幅增加，但在相同浓度下 ZJ 黏度略高于 FY 的黏度，为优选流度控制剂。

表 3　流度控制剂溶解性能评价

流度控制剂名称	水溶性	溶解时间	0.2%浓度下的黏度/mPa·s
ZJ	常温易溶，无沉淀	≤2h	20.84
FY	常温易溶，无沉淀	≤2h	19.53
GN-2	常温溶解不均匀，有絮状沉淀	—	—

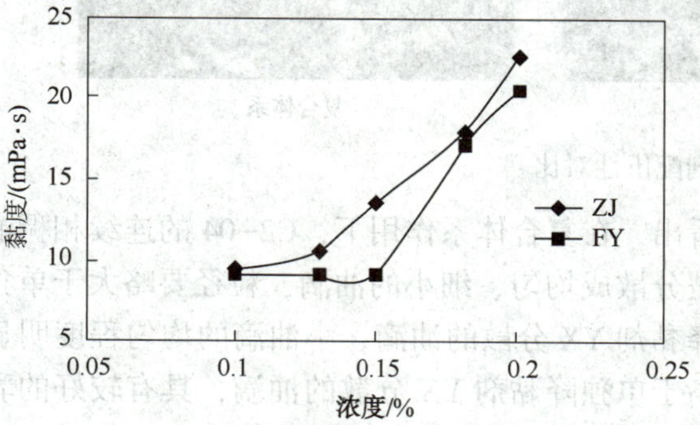

图 1　不同流度控制剂的黏浓曲线

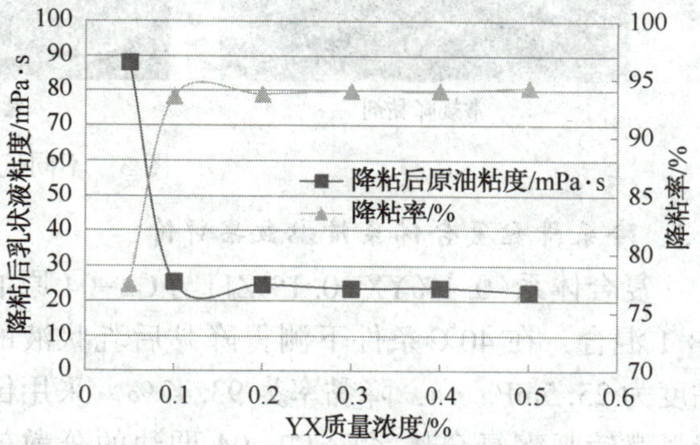

图 2　复合体系降黏率随降黏剂质量浓度变化曲线

2.1.3　冷采降黏复合体系配方的研制

在筛选出降黏剂和流度控制剂类型的基础上，通过对比体系不同浓度条件下的降黏性能、体系黏度和乳状液稳定性，对冷采复合驱油体系的最佳使用浓度进行优化。

固定流度控制剂黏度为 10mPa·s 左右，此时 ZJ 浓度为 0.1%，通过改变降黏剂 YX 的浓度，研究复合体系中降黏剂的浓度对体系降黏性能的影响。结果显示，降黏剂质量浓度对复合体系的降黏性能影响较大，随着降黏剂浓度的增加，复合体系对 C2-04 脱水稠油的降黏率呈现先大幅上升后逐渐平稳的趋势，拐点浓度为 0.1%，因此，复合体系中降黏剂的最佳适用浓度为 0.1%。

固定降黏剂 YX 浓度为 0.1%，通过改变流度控制剂的浓度，研究复合体系中流度控制剂的浓度对体系黏度和降黏性能的影响，结果如表 4 所示。

表 4　流度控制剂浓度对复合体系黏度和降黏性能的影响

流度控制剂浓度/%	复合体系黏度/mPa·s	降黏后原油黏度/mPa·s	降黏率/%	油水黏度比
0.1	9.43	25.5	93.47	2.70
0.15	13.76	38.2	90.22	2.77
0.2	22.88	52	86.68	2.27

实验结果显示，随着流度控制剂质量浓度的上升，复合体系对 C2-04 稠油的降黏率呈现逐

渐下降的趋势。主要有两方面原因：由于流度控制剂黏度随着其浓度的升高而上升，一方面增大了降黏剂活性分子进入稠油内部的难度，另一方面复合体系黏度的增加也增大了稠油乳状液的体相黏度。因此，流度控制剂黏度不易过高，以降黏后稠油油水黏度比≤3 为指标，综合考虑经济因素，优选出流度控制剂最佳适用浓度 0.1%。

综上可得，冷采降黏复合体系配方为 0.1%YX+0.1%ZJ。

2.2 冷采降黏复合体系耐盐性能评价

常规化学驱油体系不耐盐，黏度保留率低，流度控制难度大，同时由于盐敏效应，盐离子压缩流度控制剂分子的双电层造成分子链断、蜷缩，导致出现絮凝或沉淀现象，因此要求复合驱油体系具备良好的耐盐性、地层配伍性。

C2 区块无机盐含量高，主要含有 K^+、Na^+、Ca^{2+}、Mg^{2+}、Cl^-、SO_4^{2-}、CO_3^{2-}、HCO_3^- 离子（K^+、Na^+ 含量为 26014.15mg/L、Ca^{2+} 为 2077.74mg/L、Mg^{2+} 为 669.25mg/L）其中的矿物离子尤其是二价阳离子对常规降黏剂、聚合物影响较大，易导致絮凝沉降失效。用地层水配置筛选出的复合体系溶液黏度较常规聚合物高，放置 18h 后溶液澄清，说明复合体系具有良好的耐盐性和地层配伍性(图 3)。复合体系溶液具有较好的耐剪切性能，在 6r/min、40℃ 条件下连续剪切 2h 后的黏度保留率为 75.63%。

常规降黏剂　　常规聚合物　　复合体系

图 3　不同流度控制剂配伍性对比

2.3 冷采降黏复合体系降黏效果评价

复合体系(0.1%YX+0.1%ZJ)与 C2-04 原油 1∶1 混合，在 40℃ 条件下测得降黏后乳状液的黏度为 25.5mPa·s，降黏率为 93.47%。采用倒置显微镜观察复合体系对 C2-04 稠油的分散效果微观照片(放大 100 倍)，如图 4 所示。可以看出，在复合体系作用下，C2-04 的连续相稠油被分散成均匀、细小的油滴，粒径要略大于单独降黏剂 YX 分散的油滴，小油滴的均匀程度明显高于单独降黏剂 YX 分散的油滴，具有较好的乳化分散稠油的能力。

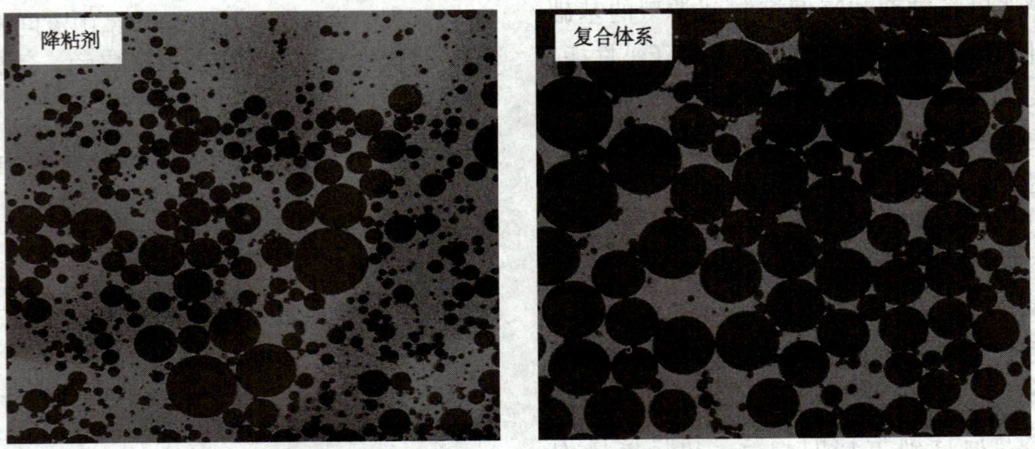

图 4　降黏剂、复合体系分别与 C2 稠油作用效果微观照片

为了进一步探究分散小油滴的稳定性，考察了复合体系乳状液脱水率随时间变化规律如下图

所示。结果显示，复合体系与 C2-04 稠油形成的乳状液相比单一降黏剂具有较好地稳定性，降黏剂与原油形成的乳状液 30min 内脱水率达到 90%，而复合体系 6h 内的脱水率为 50%，且脱出水相清澈、不挂壁，说明流度控制剂不仅能够有效稳定水包油乳状液，还能起到絮凝作用来清洁分离的水相。如图 5 所示。

2.4 冷采降黏复合体系润湿洗油效果评价

为了探究复合体系剥离原油的作用机制，将原油涂覆在玻璃片表面，通过测量复合体系与原油的接触角，解释复合体系与原油之间的作用效果。接触角结果如图 6 所示。

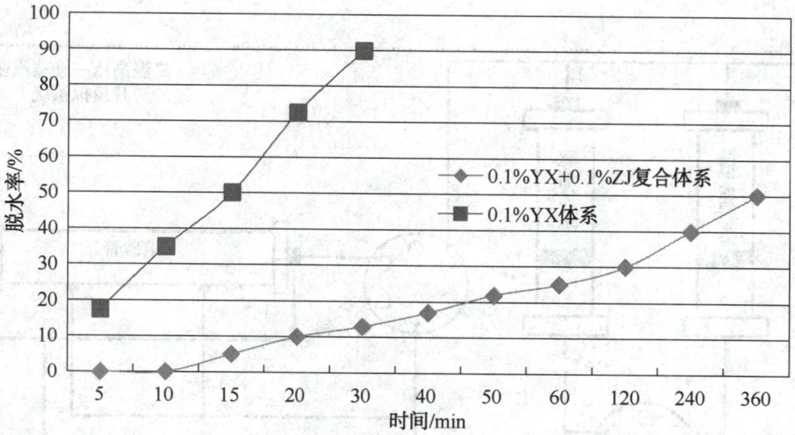

图 5　复合体系与 C2-04 稠油形成乳状液的脱水率随时间变化曲线

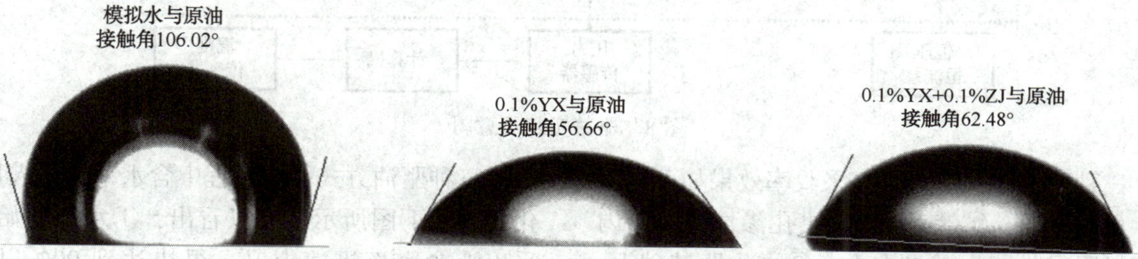

图 6　复合体系与 C2-04 稠油的接触角

可以看出，模拟地层水与 C2-04 稠油的接触角略大于 90°，单独降黏剂溶液与原油接触角较低，为 56.99°，复合体系与原油接触角与单纯的降黏剂溶液相差不大，流度控制剂的加入不会干扰降黏剂对原油接触角的作用效果。

本文通过静态洗油实验考察了复合体系对油砂的洗油效果，结果如表 5 所示。对比空白样，复合体系对油砂的洗油率与单独的降黏剂 YX 溶液相差不大。

表 5　复合体系洗油性能评价

体　　系	洗油率/%
空白样	0
0.1%YX	32.4
0.1%YX+0.1%ZJ	28.7

通过观察原油洗油动态可知，降黏剂 YX 通过剥离油砂上包裹的原油起到洗油的作用；流度控制剂的加入会在一定程度上延缓剥离油膜的速度，但对最终洗油率影响不大。

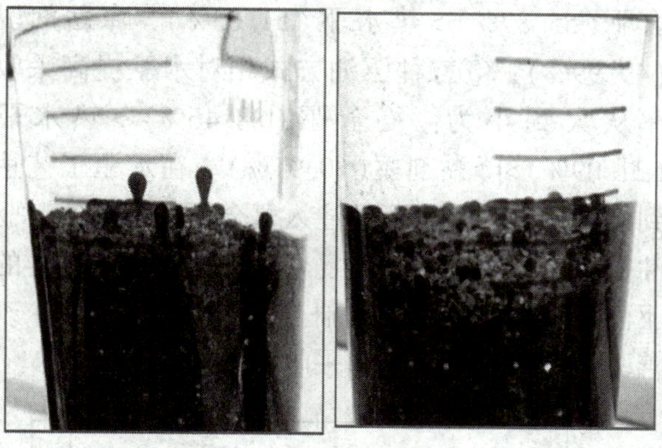

图 7　降黏剂(左图)和 0.1%YX+0.1%ZJ 复合体系(右图)对原油的剥离作用

2.5 冷采降黏复合驱体系驱油效果评价

在研制出 C2 区块降黏复合驱油体系的基础上，针对 C2 区块的油藏、原油和流体特性，开展室内一维物理模拟填砂管驱油实验。通过对比不同驱油方式，评价复合体系配方提高采收率的效果。填砂模型尺寸为30cm×2.5cm，驱替速度为1mL/min，填砂管腔体温度40℃，热水驱注入流体温度为85℃，实验用油为C2-04脱水稠油，实验用水为模拟地层水，饱和填砂相关实验参数和流程如下所示：

表6　不同注入方式填砂模型驱油实验参数

注入方式	水驱+热水驱	水驱+降黏剂驱	水驱+复合驱
注入流体	模拟地层水	0.1%YX	0.1%YX+0.1%ZJ
渗透率/mD	2240.9	2125.76	2214
孔隙度/%	37.34	36.25	36.93
饱和油/%	68.7	70.2	72

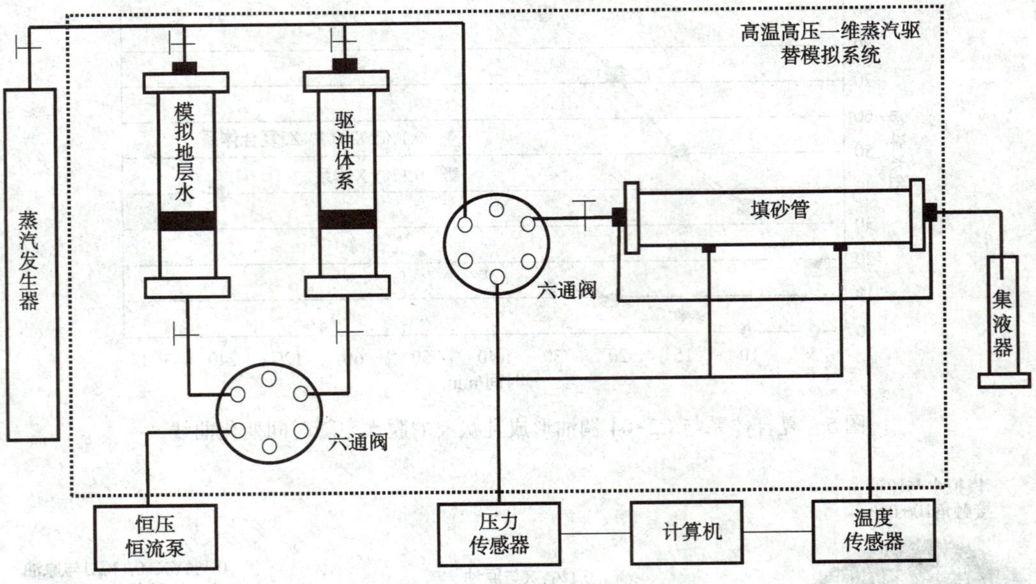

图8　驱替实验示意图

三种驱油方式室内提高采收率效果如下图所示。可以看出，①针对C2区块孔渗情况，室内水驱极限采收率为30%左右；②在水驱基础上，三种驱油方式总采收率极限从大到小依次为：复合驱(55.87%)>热水驱(51.63%)>降黏剂驱(49.99%)；③三种驱油方式相对水驱提高采收率从大到小为：复合驱(28.46%)>热水驱(21.09%)>降黏剂驱(10.91%)。在水驱工艺达到驱油极限的情况下，注入复合驱油体系后，驱油效率大幅上升，表明复合驱油体系具有优异的驱油性能，能在水驱基础上进一步扩大波及、改善驱油效果，提高稠油采收率。

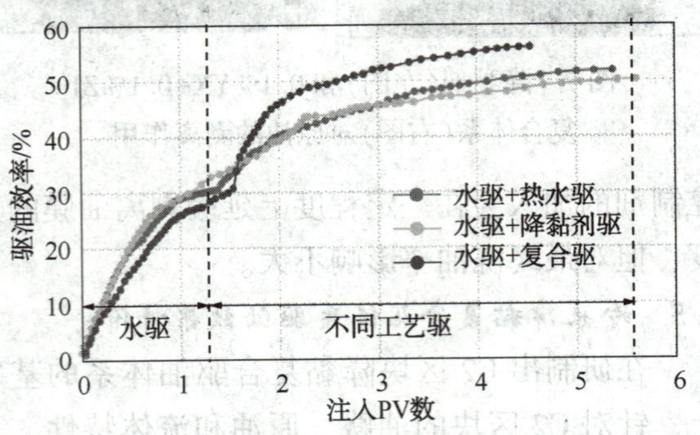

图9　不同驱油方式室内驱油效率随注入量变化

三种驱油方式驱油过程中含水率随注入量变化规律如下图所示。可以看出，①水驱开始后，采出液含水率迅速上升，很快达到90%以上；②在水驱基础上，改变开发方式，复合驱含水迅速大幅下降，而热水驱和降黏剂驱开展后含水降幅较小，且达到最低值后很快上升至含水率90%以上。

在水驱工艺达到含水极限的情况下，注入复合驱油体系后，含水率大幅降低，且拿油期持续时间较长，表明复合驱油体系能够有效延缓含水上升速率。

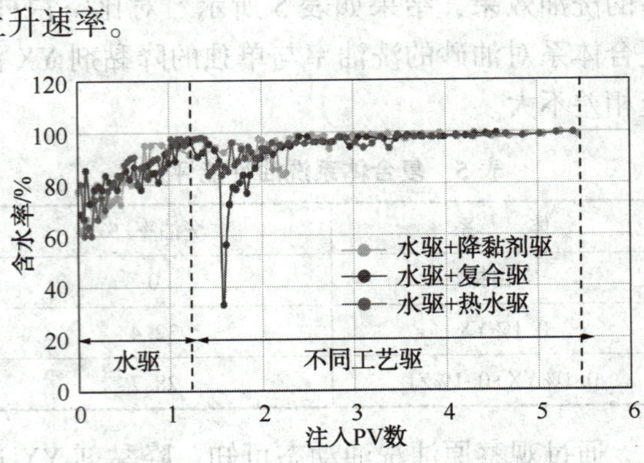

图10　不同驱油方式含水率随注入量的变化

3 矿场应用

C161-149 单元于 2021 年 9 月 28 日开始实施冷采降黏复合驱措施，日配注量 25 方。措施前一个月平均日产油 0.7t，日产液 18.7t，含水 96%；措施后从该井生产曲线上可以看出该井含水逐渐下降，日产油量逐步上升，日产液量相对稳定，截止 2021 年 12 月 16 日，累计增油 137t，峰值日产油 7.2t，含水最大降幅 36%，措施效果显著。

C2-04 井组于 2022 年 10 月 1 日开始冷采降黏复合驱，井组 1 注 3 采。截止 2023 年 10 月 20 日，累计注入 10811m³，井组日产油由 3.8t 上升至 14.2t，含水由 90% 下降至 60%，阶段增油 2048t。

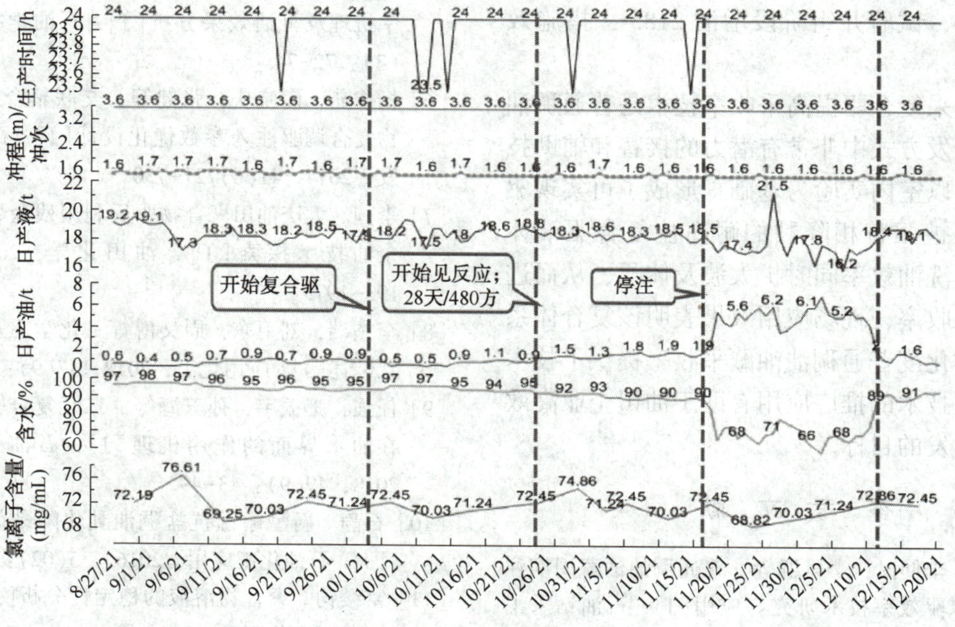

图 11　C149E 井生产曲线

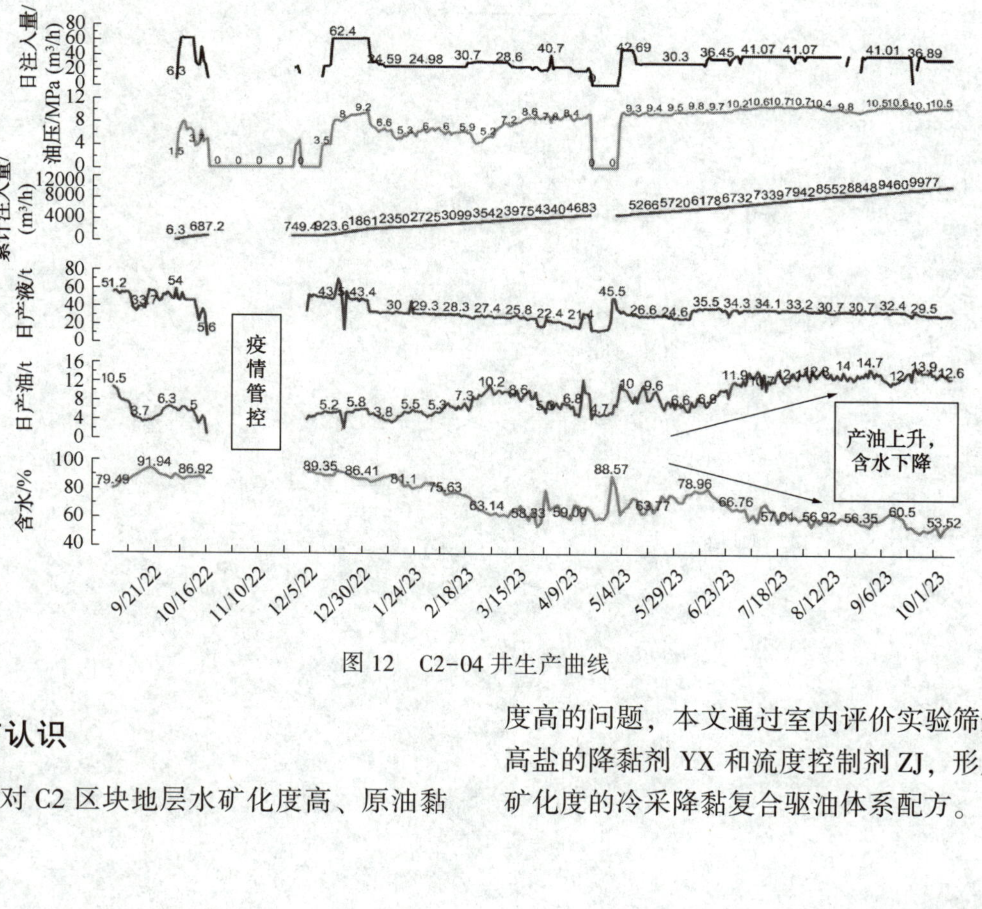

图 12　C2-04 井生产曲线

4 结论与认识

（1）针对 C2 区块地层水矿化度高、原油黏度高的问题，本文通过室内评价实验筛选出了耐高盐的降黏剂 YX 和流度控制剂 ZJ，形成了耐高矿化度的冷采降黏复合驱油体系配方。

(2) 系统评价了冷采降黏复合驱油体系配方的性能。该配方对C2区块原油具有良好的降黏分散、洗油润湿效果，对C2-04原油的降黏率>90%，静态油砂洗油率>25%，在水驱基础上可进一步提高采收率28.46%，具有优异的驱油性能。

(3) 冷采降黏复合驱油体系在C149E、C2-04井组开展现场实验，见效特征为含水下降，产油量上升，试验井组阶段增油2185t，措施效果显著。

化学冷采复合驱提高采收率技术是普通稠油三次采油开发方式中非常有潜力的接替和辅助技术。本研究以室内实验为基础，形成了可实现驱替相增黏、被驱替相降黏的耐高盐复合驱油体系，在提高洗油效率同时扩大波及体积，从而进一步提高采收率，现场应用效果表明该复合体系为提高高矿化度普通稠油油藏采收率提供了技术支持，该项技术的推广应用有助于油田企业高效实现低碳开发的目标。

参 考 文 献

[1] 冯瑞林，李仰民，李凤群等．普通稠油油藏周期注水提高水驱效率技术研究与应用[J]．石油钻采工艺，2001，23(01)：63-66.

[2] 靳晓军，申志军．河南油田泌123、124断块普通稠油油藏注水开发规律探讨[J]．特种油气藏，2003，9(10)：40-42.

[3] 石晓渠，马道祥．古城油田普通稠油油藏注水开发潜力研究[J]．石油地质与工程，2008，4(22)：56-58.

[4] 卢跃海，普通稠油油藏高含水期精细注水技术[J]．内蒙古石油化工，2008，9：225-227.

[5] 宋考平，杨二龙，王锦梅等．聚合物驱提高驱油效率机理及驱油效果分析[J]．石油学报，2004，25(3)：72-74.

[6] 杨俊茹，谢晓庆，张健等．交联聚合物微球-聚合物复合调驱注入参数优化设计[J]．石油勘探与开发，2014，41(6)727-730.

[7] 李国．大庆油田聚合物驱后利用残余聚合物挖潜剩余油技术探索[J]．油田化学，2010，27(2)：193-197.

[8] 李杰瑞，刘卫东，周义博等．化学驱及乳化研究现状综述[J]．应用化工，2018，47(9)：1958-1963.

[9] 任强，王振宇，孙玉海等．二元复合驱表面活性剂在油水界面的作用机理[J]．石油炼制与化工，2018，49(9)：43-49.

[10] 石静．新型耐温抗盐稠油乳化降黏剂的性能研究[J]．石油化工应用，2016，35(02)：100-103.

[11] 富缨钧．聚合物溶液的稳定性分析[J]．化工设计通讯研究与开发，2018，9(44)：127.

强边水断块稠油油藏治理对策应用研究

孙　璐

（中国石化河南油田分公司）

摘　要　强边水断块稠油油藏，经多轮次蒸汽吞吐后，受油水流度比差异和地层非均质性等因素的影响，边水侵入严重，目前开发现状表现为“三低一大”：采出程度低、日产水平低、采油速度低、递减大。通过“三个工艺优化”，即调堵工艺技术优化、热化学提效技术优化、区域治理方法细分优化，有效改善强边水断块稠油油藏开发效果。

关键词　强边水断块；稠油热采；污泥抑水剂；热化学提效技术；区域综合治理

1　强边水断块稠油油藏开发现状

1.1　油藏特征

采油二厂强边水断块稠油油藏集中在新庄油田，主要包括泌浅57区、泌浅67区等区块，断裂发育，构造破碎，断层相互交错，形成众多小断块，属高孔高渗普通稠油断块油藏。E新21断块、泌浅67断块分别为泌浅57区、泌浅67区主力断块，地质储量649×10^4t。泌浅57区、泌浅67区均为层状边水稠油油藏，油藏品味相对较差，油层均富集于断块（断鼻）高部位，含油层段内有多个油水组合，无统一的油水界面，具有含油层位多，含油面积小，含油宽度窄，边水活跃的特点。泌浅57、泌浅67区边水淹严重，边水侵入区储量达520.6×10^4t，占总储量的63.5%，水淹区采出程度仅5.8%。

1.2　开发现状

泌浅57、泌浅67区历经三个开发阶段：规模化开发、层系重组完善、效益配产等三个阶段。目前开发现状表现为“三低一大”：采出程度低、日产水平低、采油速度低、递减大。各层边水推进主要受渗透率、各井采出程度、生产时间等因素影响，沿高渗带、高采出带推进较快，整体含水均在90%以上，日产液大于10t，水淹程度高。平面上，大多区域受井况、水淹等因素影响，井间及水淹区剩余油富集；纵向上，各小层受物性、原油性质及边水能量的不同，强水淹层动用较差；整体仍具有较大开发潜力。见图1。

EX21断块Ⅲ4层采采出程度图

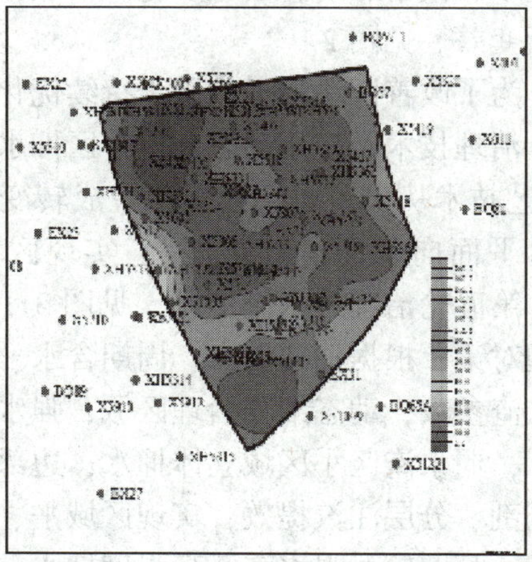

EX21断块主要油层采出情况

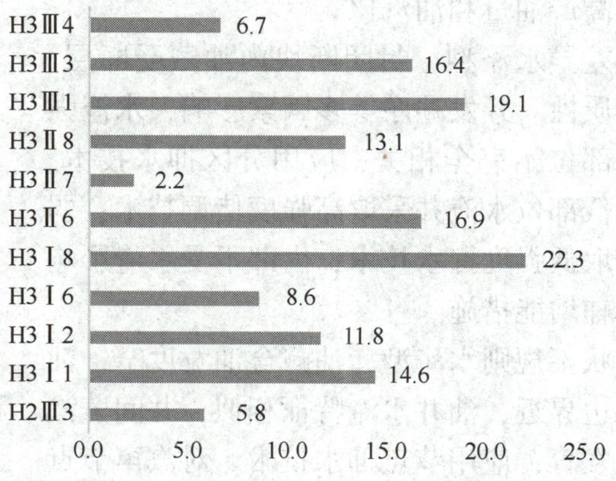

图1　EX21强边水断块平、剖面采出情况图

2　存在问题

多轮次吞吐后期，边水及汽窜加剧，小断块边水油藏控水稳油难度加大，以泌浅57区为例，开发中主要面临三方面问题：一是区域治理方法需要进一步完善。受动态井网不完善因素限制，

综合治理按照构造部位划分“高、中、低”治理区域，治理整体效果改善明显，个别轮次效果差异较大，需要进一步细分治理区域，提高治理技术的指导性，完善分层分区高效治理；二是工艺技术适应性下降。一方面随着吞吐轮次增加，油藏储层孔渗性提高，依据原始物性设计工艺方案适应性下降；另一方面受油藏水淹、黏度等多因素影响，要提高开发效果，工艺技术需要进一步优化提高针对性。

3　治理对策

3.1　区域综合治理对策研究

3.1.1　不完善井网区域应用化学辅助组合吞吐

不完善井网区域，整体面积治理困难较大，根据油井潜力、周期含水、采液强度等水淹参数，细分治理区域，在小区域内优选最佳组合吞吐井。组合吞吐试验区的主要矛盾即为汽窜，其次为边水，通过对关键节点即区块边界、汽窜中心、低部位边水强淹井采取高强度调剖封窜，并通过多轮次转换重点治理井、高低强度调剖间隔实施提高多轮次面积组合吞吐井组效果，具体调剖工艺则应根据单井主要矛盾、孔渗条件、井下管柱请款等进行相应优化。见表1。

3.1.2　完善井网区域应用面积综合治理

在井网完善区域中，根据不同水淹类型，因地制宜实施边水整体治理技术，控制边水快速侵入，减缓区域内含水上升速度。

表1　措施井选择标准

油藏类型	主要矛盾	对　策	调剖井选择	多轮次治理思路
薄互层	汽窜	汽窜节点强封窜阻断区域外汽窜，提高区域内蒸汽热利用率	区块边界强封窜，中心汽窜节点强封窜	多轮次转换重点治理井、高低强度调剖间隔实施、辅助实施其他增效措施
小断块边水	汽窜	汽窜节点高强度封窜阻断面积窜	汽窜中心井封窜	
	汽窜+边水	低部位强水淹潜力井高强度抑水；高部位汽窜中心高强度封窜	低部位强边水井高强度抑水；高部位汽窜中心井封窜	

构造水淹型，边水主要沿高渗带从低部位向高部位突进，应用立体抑水技术。低部位采取高强度抑制措施形成挡水屏障，抑制边水向内部突进，油井采取排水或关井方式；中部位低强度抑水减缓边水影响，调整平面上注汽和边水影响矛盾，油井采取控液生产方式；高部位氮气辅助组合蒸汽吞吐生产，扩大蒸汽波及体积，提高地层能量，提高产油量和油汽比。

区域差异水淹型，封闭断块内油藏受断层、平面非均质性、开发顺序等多因素影响，水淹强弱与构造部位不完全相关，应用分区抑水技术。强水淹区低部位水淹井采取高强度堵调技术；弱水淹区采取低强度抑水技术；内部不受水淹影响井采取氮辅增能措施。

条带状不规则水淹型，油藏含油宽度窄，油井距油水边界近，油井水淹特征相似，井间蒸汽窜流通道发育，应用节点抑水技术。对汽窜节点油井采取高强度堵调，将条带状油藏划分为若干个小井区，井区内实施低强度抑水及氮辅增产技术。

治理过程紧密跟踪生产效果，实施管过程动态分析管控，根据油井潜力、周期含水、采液强度等水淹参数，动态调整治理区域及重点治理井，采取强弱结合、间歇式治理的方式，提高区域治理效果。

3.1.3　完善井网多轮次面积吞吐治理后探索应用降黏复合驱

以泌浅57区某层面积治理理为例，该区块受边水、汽窜影响，实施多轮次治理，生产效果逐渐变差。见图2。

为了改善区块治理效果，持续优化边水区域综合治理技术，应用动态分析分区抑水法，推动“工艺技术从单一类型向多项集成转变，治理区域从平面向剖面持续拓展”，实现区域立体开发。第五轮治理后水淹加剧，见图3。优化分区治理对策，根据油井潜力、周期含水、采液强度等水淹参数，动态细分治理区域，强水淹区返层生产，弱水淹区小区域立体抑水，边部增效区配套调剖、分层注汽提效，实现区域平、剖面立体动用。第七轮对强水淹区高强度抑水，边部氮辅提效，见图4。第六、七轮次动态分区抑水后，整体生产效果稳定，产油在1400t左右，日产油由6t提升至8.7t，综合含水稳定在85%。

该断块层位字2019年开始开展区域综合治

理，开展7个轮次区域综合治理，初期生产效果改善显著，但后期稳产困难。特别是低部位强水淹井随着治理轮次增加，治理无效逐步返层，新增高含水区井有效期非常短，如图5所示。为持续改善区块开发效果，开展复合驱提高采收率是下步发展的方向。

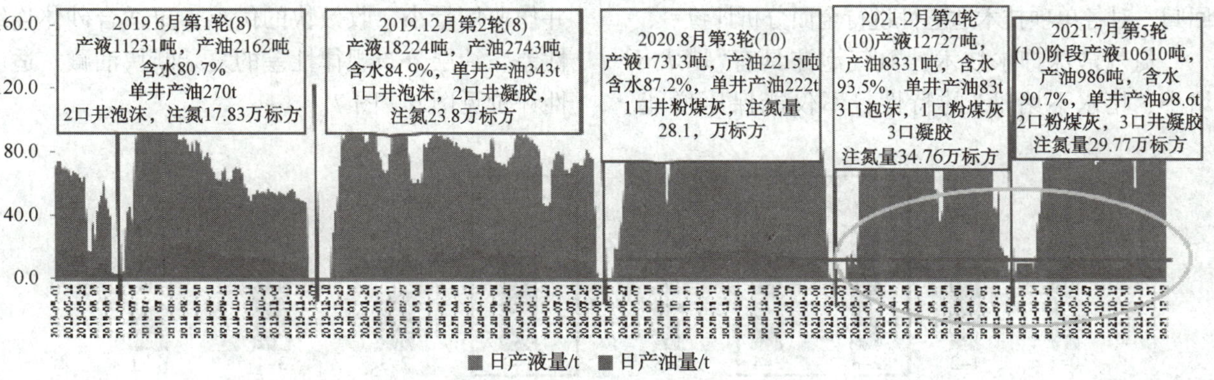

图2　泌浅57区某层多轮次治理面积治理效果图

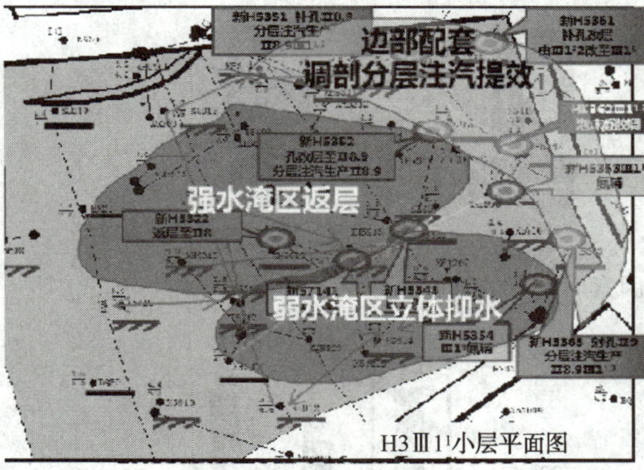

图3　第6轮次治理对策图

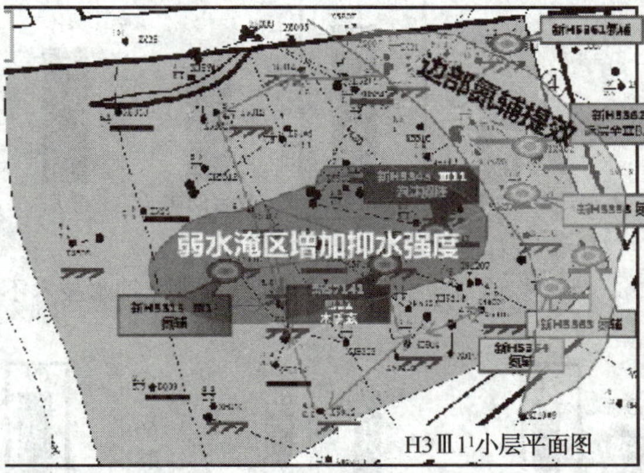

图4　第7轮次治理对策图

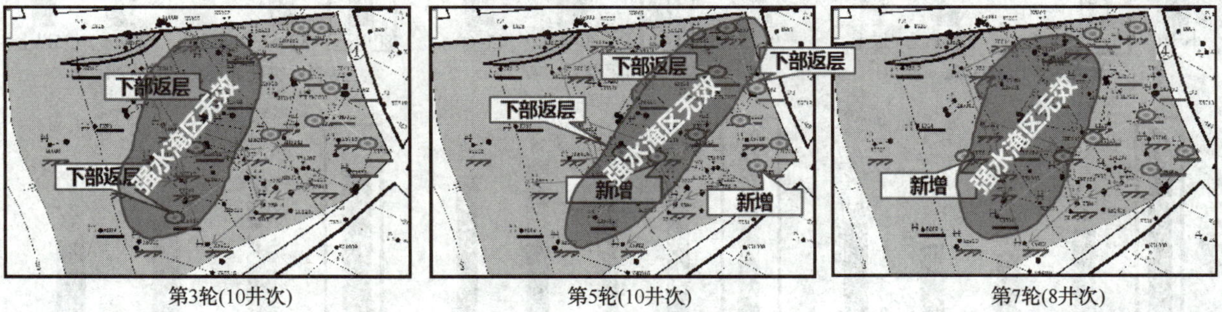

图5　多轮次治理治理无效返层井位图

类比同类型油藏杨浅20区，转降黏复合驱开发取得初步成效。普通稠油多轮次面积吞吐治理后转复合驱需要做好两项工作：一是完善抽稀井网。对于大面积高含水的主要油层，在吞吐过程中形成了严重的层间矛盾和平面矛盾，为了调整层间干扰，保证该层低含水部位更充分受效，控制大量出水，因此有必要进行主要层的井网抽稀工作；二是通过原油降黏率、乳液稳定性、洗油效率、润湿性、界面张力等指标评价分析，优选高效降黏复合驱剂体系，并通过物模实验，优化工艺参数，进一步进行降黏复合驱可行性评价。

3.2　单井工艺配套优化

3.2.1　抑水工艺适应性评价

稠油热采油藏多轮次吞吐后，油藏孔渗性发生变化。通过物模实验发现，高轮次吞吐后汽窜通道整体渗透率是原始渗透率2倍，不同位置的渗透率受蒸汽冲刷量的影响出现不同变化，呈现出两端高中间低的现象，变化倍数为 1.66～3.32 倍。为了提高单向技术的针对性，对近三年调剖井方案进行收集整理，利用前期研究成果对多轮次注汽孔渗进行数据处理回归，通过 346 井次方案效果回归，对各单项技术适应性进行全面分析评价。

氮气泡沫抑水技术，氮气泡沫具有“堵大不堵小、堵水不堵油”的特性，不仅能保压增能、扩大波及体积、提高洗油效率，还能选择性封堵高渗层改善非均质油藏的驱替状况。因良好的选择性能，氮气泡沫已被作为调剖堵水剂广泛应用。氮气泡沫吞吐具有施工简单、安全可靠，单井作业用量小、收效快的优点，更适合砂体连续性差、油层分布规律性差的复杂断块油藏。适应性评价见图 6、图 7。

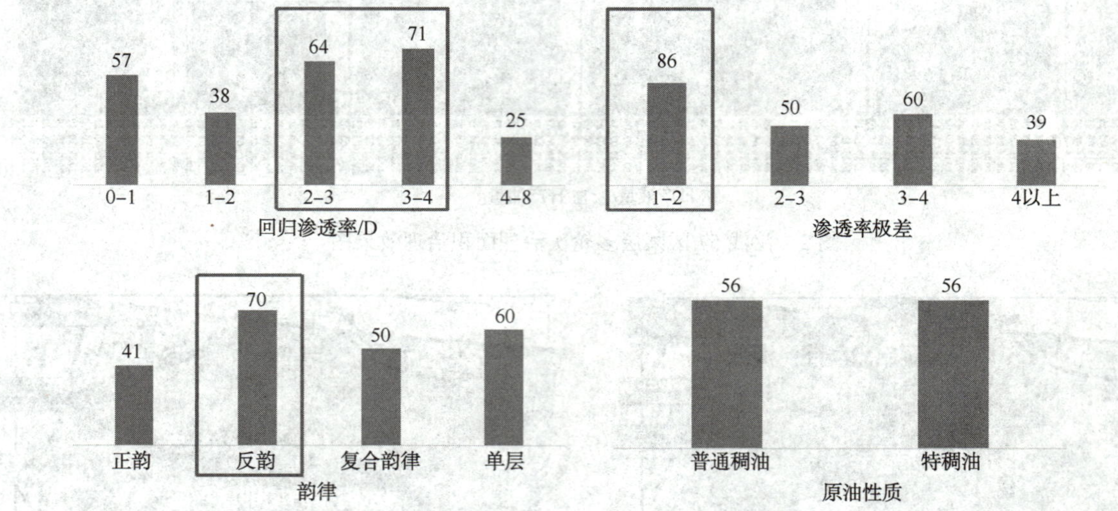

图 6　氮气泡沫抑水技术不同静态因素影响下的措施有效率

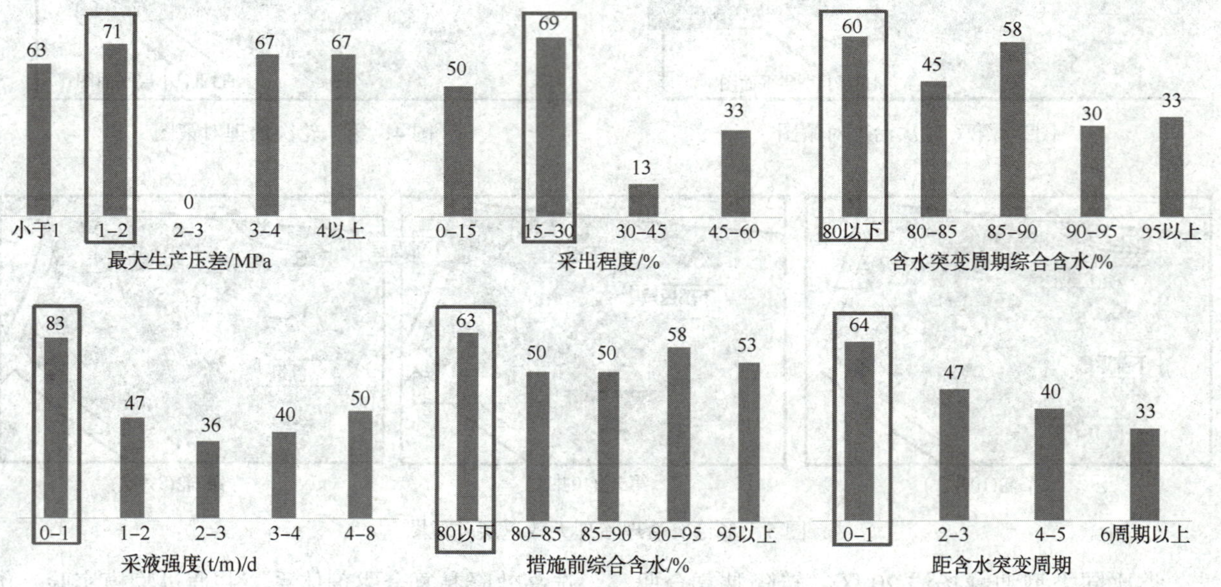

图 7　氮气泡沫抑水技术不同动态因素影响下的措施有效率

凝胶抑水技术，高温凝胶类堵剂由主剂、填料、交联剂、控制剂组成，主剂与填料接枝聚合形成大分子链网状结构的骨架，再以交联的方式形成化学价键来建立三维网络结构，从而可以形成具有较高弹性的聚合物强胶材料。高温凝胶类堵剂注入地层，在地层条件下发生交联反应，生成具有网状结构的不溶于水的冻胶，堵塞地层孔隙，阻止注入水沿高渗透层流动，达到抑水目的。适应性评价见图 8、图 9。

粉煤灰抑水技术，汽窜通道内含水饱和度明显高于其他区域，颗粒堵剂进入后首先被稀释；被稀释后的堵剂对于其中颗粒的携带能力减弱，颗粒出现沉积，这种沉积使得孔道半径减小；当较大量颗粒堵剂注入后，颗粒之间产生一定的聚集，聚集的颗粒容易在孔道狭窄处产生桥连，桥连之后，颗粒会进一步在此处堆积，最终形成堵塞，达到封堵优势水窜通道的目的。适应性评价见图 10、图 11。

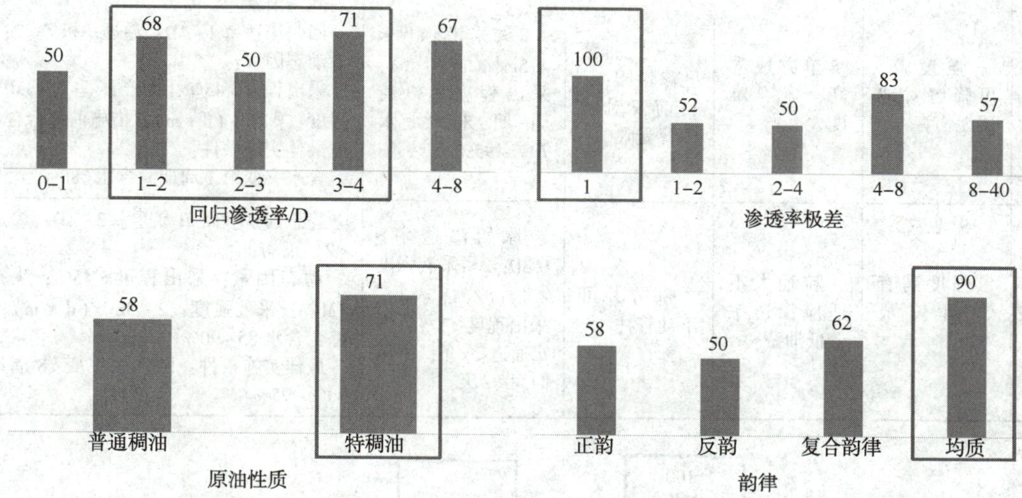

图 8　凝胶抑水技术不同静态因素影响下的措施有效率

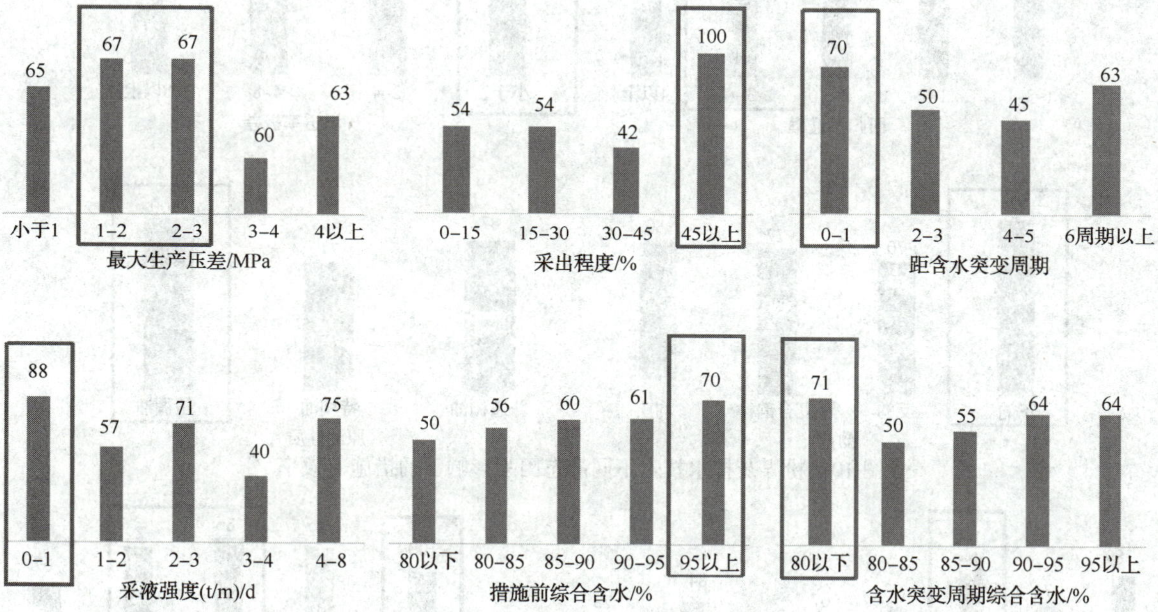

图 9　凝胶抑水技术不同动态因素影响下的措施有效率

对成熟调剖技术再评价，重新界定各类技术的适用条件，见表 1，提升了单项技术的针对性。

表 1　措施井选择标准

技术分类	应用堵剂	优点	缺点	工艺	原适应性	新适应性
泡沫	氮气泡沫	施工难度低、成本较低	封堵强度低、有效期短	不受油藏孔渗性及井下工具限制	渗透率极差<2；采出程度<30%；采液强度：1～3m³/(d＊m)；采注比：0.8～1。	静态因素： 回归渗透率 2-4D；渗透率极差<2；反韵律 动态因素： 采出程度 15%～30%；生产压差<2MPa；采液强度：1～2m³/(d＊m)；措施前综合含水<80% 最佳实施条件： 含水突变第 1 周期，含水<80%

续表

技术分类	应用堵剂	优点	缺点	工艺	原适应性	新适应性
凝胶	凝胶泡沫	强度高、可降解对地层无伤害	单方成本高、施工难度大	不受油藏孔渗性限制，目前仅对防砂管受限	2≤采液强度<4.5m^3/(m*d)；采出程度<30%；周期末含水70%~95%	静态因素： 回归渗透率1~4D；渗透率极差<2；单层； 动态因素： 采出程度>45%；生产压差1~3MPa；采液强度：<1m^3/(d*m)；措施前综合含水>95% 最佳实施条件： 含水突变第1周期，含水<80%
颗粒	粉煤灰	强度高有效期长成本低	粒径大不适应渗透率较低油藏	部分井可不动管柱	原始渗透率>0.8D；2≤采液强度<4.5m^3/(m*d)；采出程度<30%；汽窜通道<3条，见窜时间≥2天	静态因素：回归渗透率3~4D；渗透率极差<2；正韵 动态因素：采出程度>45%；生产压差>1MPa；采液强度：2~3m^3/(d*m)；措施前综合含水85~90% 最佳实施条件：距含水突变<8周期，含水90%~95%

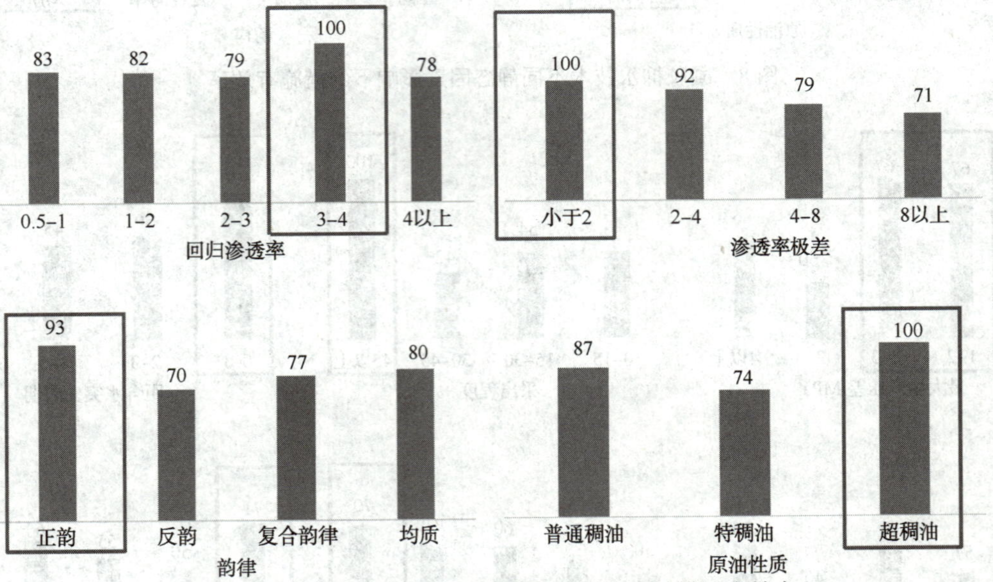

图10　粉煤灰抑水技术不同静态因素影响下的措施有效率

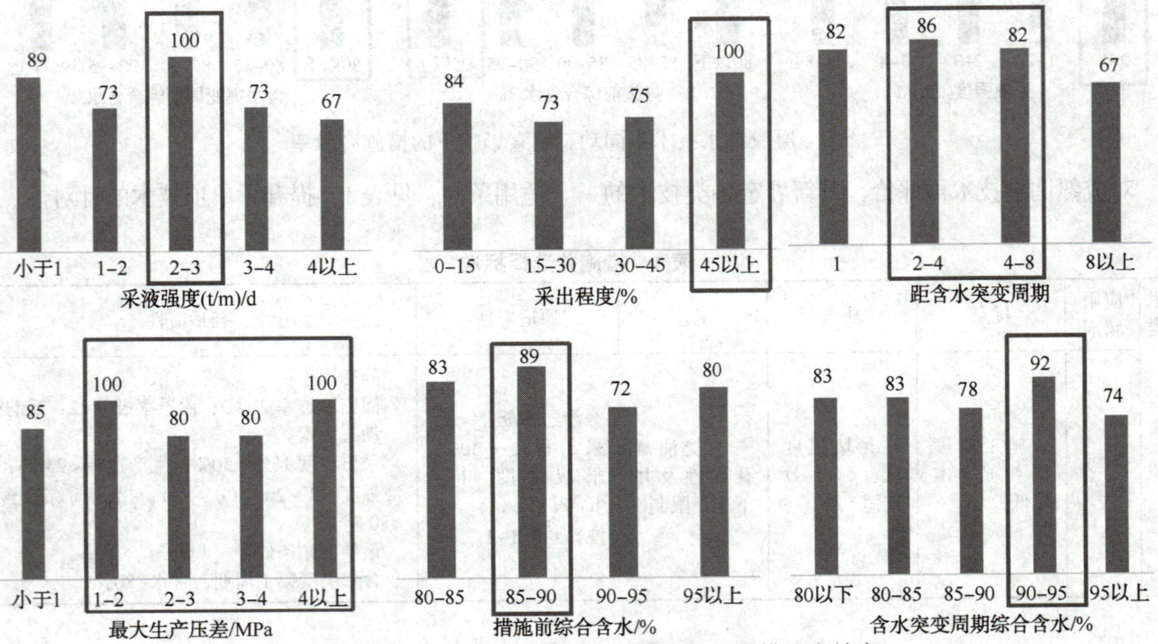

图11　粉煤灰抑水技术不同动态因素影响下的措施有效率

单项抑水技术优选原则：一是经济性，在管柱条件允许下，优先选择低成本粉煤灰调剖技术；二是考虑静态因素，反韵律选择氮气泡沫，单层选择凝胶；三是结合动态因素分析，采出程度15%～30%，措施前综合含水<80%，优选氮气泡沫；采出程度>45%；措施前综合含水>95%，优选凝胶；四是当回归渗透率极差>2时单项措施效果均较差，对于动作井可以采取分层调剖方式，对于不动作业井可采取强弱组合调剖方式。

3.2.2　低成本深部抑水剂研究

随着吞吐周期的增加，近井采出程度高，汽窜、水淹强度增加，地层所需调堵半径逐渐增大。近两年凝胶调剖、颗粒调剖单井用量逐步加大，多轮次治理措施药剂成本大幅提升。急需成本低，注入性好的调剖堵剂。为此开展室内配方优化研究，根据可泵性、抑水强度、成本等指标，优化出新配方（10%粉煤灰，1：4污泥溶液），复配体系具有较好的注入性（黏度1600mP·s）和固化强度（G级冻胶），堵剂成本下降至48元/m^3，满足强边水断块大剂量深部抑水需求。

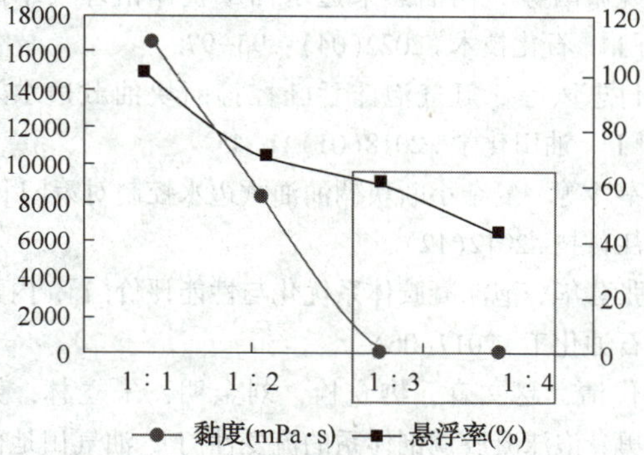

图12　污泥与浮渣前液比例优选实验

实验结果显示，1：4去渣污泥+10%粉煤灰可泵性更优。

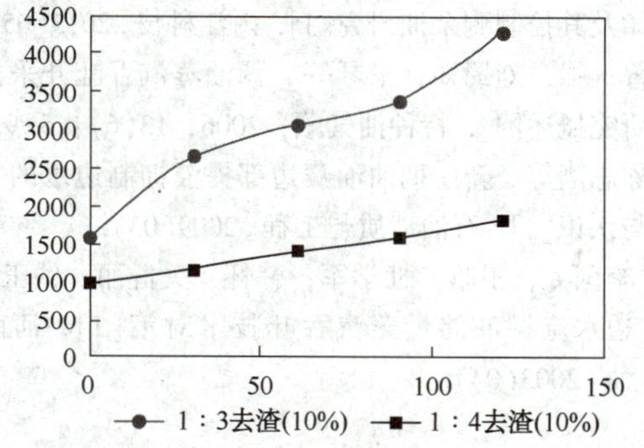

图13　复配粉煤灰后基液优选实验

实验结果显示，污泥：浮渣前液中1：3和1：4黏度低可泵性好。

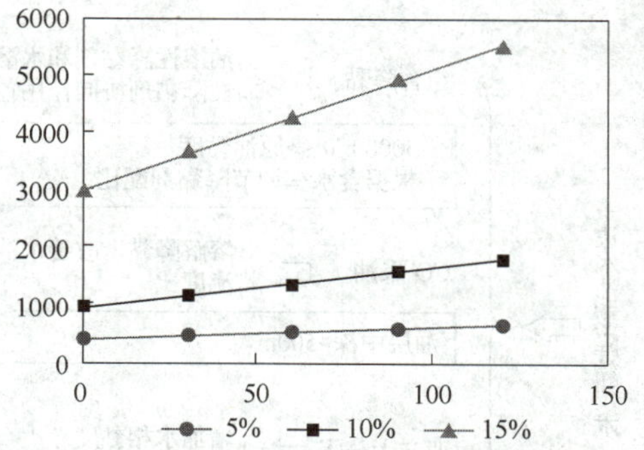

图14　污泥浮渣前液溶液复配粉煤灰浓度优选

实验结果显示，结合可泵性及强度指标1/4去渣（10%粉煤灰）满足工艺需求。

该堵剂在泌浅56断块实施，该断块主要矛盾，一是断块整体边水能量强，日产液22.8t，含水99%，二是面积窜严重，整体采出程度较低（22%）。该断块生产效果差，在2018年低效关井，为提高该区块储量动用，本次分批复产，工艺配套区域综合治理，单井技术优化为污泥深部调剖。第一批复产井组措施后井组累计产油406t，增油406t，综合含水92%，目前井组日产油1.6t。第二批措施初见效果，目前井组日产油17.6t。

3.2.3　热化学提效技术研究

开展降黏复合技术优化研究，明确了各类降黏技术的适用条件，并根据水淹情况优化配套调剖复合降黏工艺设计方法。见图15。

一是调剖复合热采降黏技术。针对存在边水能量强、原油黏度高的问题，配套氮气泡沫、凝胶、高温堵剂复合降黏技术，堵水堵窜降黏，延长生产周期，提高油汽比。泌浅57断块新5007井存在边水活跃和原油黏度高53047mPa·s的问题，生产11个周期，综合含水由83%升至99%。采取泡沫组合凝胶调剖+水溶降黏复合工艺，措施后生产195d，产液1555t，产油271t，含水由100下降至82.6%，增油262t，油汽比0.41。

二是调剖复合二氧化碳采油技术。针对存在边水、汽窜、原油黏度高的问题，优化注入工艺，配套凝胶泡沫调剖复合二氧化碳采油技术，延长生产周期39d，日产油上升5.2t，综合含水下降3个百分点，增油2052t，油汽比上升0.03，提高了单井产能，改善油井了生产效果。

新 H5213 井边水能量强、原油黏度高，配套氮气泡沫、凝胶、高温堵剂复合降黏技术，堵水堵窜降黏，延长生产周期，提高油汽比，四轮次复合治理均效果较好。

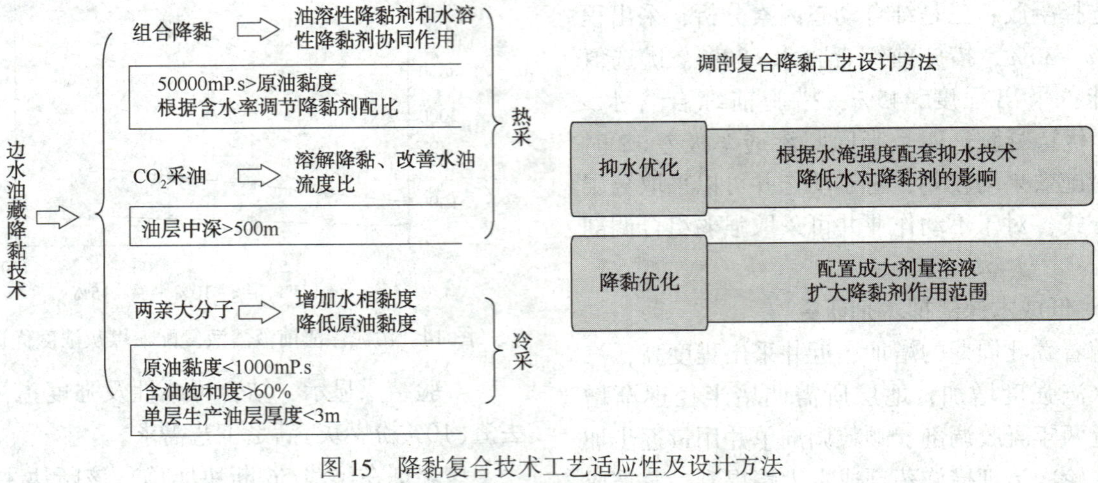

图 15　降黏复合技术工艺适应性及设计方法

三是调剖复合冷采技术。针对存在边水能量强、原油黏度高的问题，在注采井网不完善的天然能量开采井区开展调剖与冷采技术集成应用，油井产能由 9.7t 提高到 17.7t，提高了 8.0t/d，含水下降 2 个百分点，增油 920t，改善油井生产效果。新 K3103 井生产 III4 层，依靠边水能量常采生产，原油黏度高 12532mPa·s，采出程度 26.1%，综合含水 90%。采取强凝胶堵水、油溶性冷采剂、氮气增能复合工艺，措施后累计生产 149d，产油 128t，日均产油 0.9t，含水由 100% 下降至 79%，实现了控水增油。

4　现场应用效果

现场应用 16 井组，优化配套热化学等集成工艺技术 44 井次，注汽井 89 次，阶段产油 11178t，增油 5312t。预计周期结束产油 12185t，增油 6280t，减少无效产液 1016t。

表 2　现场应用效果统计表

井组	产油/t	增油/t	操作成本/(元/t)	减少无效产液/t
16	11178	5312	2182	1016

5　结论及认识

（1）污泥抑水剂可以大幅降低边水治理成本提升治理效果。

（2）对多重因素影响井应用调剖复合降黏技术可以进一步提高措施效果。

（3）动态分区抑水法可以维持井组多轮次治理后效果稳定。

（4）根据井网及治理效果多元化应用综合治理技术是强边水断块治理的有效手段。

（5）原油黏度 2000mPa·s 以下区块（如南三块）冷采效果较好区块，可优先实施复合驱。

参　考　文　献

[1] 魏振国等．稠油热采边水油藏整体治理技术研究[J]．石化技术．2022(04)：95-97.

[2] 付忠凤等．氮气泡沫吞吐控抑断块油藏边水效果[J]．油田化学．2018(01)41-45.

[3] 秦玲等．复杂小断块稠油油藏边水控制对策[J]．内江科技．2012(12).

[4] 张营华．泡沫凝胶体系优化与性能评价[J]．内蒙古石油化工．2017(06).

[5] 代清，赵文森，樊仓栓，刘金明，朱立林，吴学勇．泡沫凝胶调剖体系的流变性[J]．油气田地面工程．2010(11).

[6] 蔡汉文等，井楼油田一区边水治理对策及现场应用[J]．石油地质与工程．2009(02).

[7] 路建忠，张帅，刘振东．边水稠油油藏边水推进规律及其控制剩余油研究[J]．内江科技．2013(05).

[8] 曾玉强，刘蜀知，王琴等．稠油蒸汽吞吐开采技术研究概述[J]．特种油气藏，2006，13(6)：5-9.

[9] 陈志刚等．新庄稠油油藏边部提液抑制边水的实践与认识[J]．石油地质与工程．2009(03).

[10] 李国太，王晗，杜学军，韩怀，关群丽，钱玉宝．边水淹稠油储量蒸汽吞吐技术对策[J]．河南石油．2003(04).

带油环凝析气藏改建地下储气库建库模式研究
——以新疆L油田为例

陈民波[1]　李洪生[1]　糜利栋[2]　何　可[1]

(1. 中国石化河南油田分公司勘探开发研究院；
2. 中国石化石油勘探开发研究院)

摘　要　加快推进我国天然气地下储气库建设，持续提升储气调峰能力，是保障国家能源安全的重要举措之一。目前国内外储气库基本为枯竭气藏改建，针对带油环凝析气藏改建储气库可行性研究尚无先例，本文以L油田为例，在圈闭密封性评价、注采能力评价、储气库参数设计等研究基础上，利用数值模拟针对不同建库模式进行优选。结论认为，高含油凝析气藏不适合直接改建储气库，采用动态调整下限压力的设计思路能够最大化提高储气空间利用率和凝析油采出程度，预计提高凝析油采收率10%以上，并可通过后期排液扩容实现气顶-油环整体建库。初步论证了带油环凝析气藏协同储气库建设可行性，为同类型油藏改建储气库提供参考借鉴。

关键词　带油环凝析气藏；储气库；建库模式；注气提采；提高采收率

随着近年我国加大地下储气库的建设力度和相关技术攻关，目前已形成了复杂地质条件、复杂地层流体、复杂条件盐层等建库关键技术，并针对含水层储气库建库关键技术也进行了初步探索。截至2022年底，国内已建成地下储气库34座，形成储气能力219亿m^3，用时17年完成了从0到超100亿m^3调峰能力建设，短期内高效实现了历史性跨越。但由于我国储气库建设起步晚，加上较之于国外地质构造简单、埋深浅、储层物性好的储气库库址条件，我国地质条件呈现构造破碎、埋深大、储层非均质性强等特点，因此不论是储气库库址筛选，还是储气库方案设计方面难度都更大。面对我国优质建库资源稀缺，建库难度及建设投资逐渐增大的形势，需要攻关开展不同类型油气藏型储气库研究，进一步拓展建库范围，满足当前日益增长的天然气消费需求，确保我国油气的长期供应安全。

笔者调研了国内气藏型储气库建库设计思路，并针对带油环凝析气藏改建储气库建库模式进行论述，优选出了适合该类型油藏的建库模式，初步完成了可行性论证，为同类型油藏改建储气库提供借鉴参考。

1　油气藏型储气库建库模式

截至2022年底，国内外共建成油气藏型、盐穴型、含水层型等储气库716座，其中枯竭气藏型储气库478座，枯竭油藏型储气库45座，分别占总数量的66.7%和6.3%。从类型上看，气藏型储气库占绝对主导地位，形成的工作气量也占到了总工作气量75%以上。油气藏型储气库又可划分为干气气藏、气顶油藏、凝析气藏和带油环凝析气藏，在改建储气库时根据油气藏特点优化设计，以保证在满足调峰需求的同时投资效益最大化。

1.1　干气气藏型储气库以快速形成调峰能力为主要目的

干气气藏改建储气库通常是在开发末期，储层物性较好的干气气藏其采出程度通常可达到70%以上，因其注采能力、库容参数和工作气量落实程度相对较高，所以也是储气库建设的首选目标。该类型气藏改建储气库后注采周期内始终存在高强度应力变化，持续保持大吞大吐运行，初期即可具备一定规模的调峰能力。以相国寺储气库为例，设计库容42.6亿m^3，工作气量22.8亿m^3，投入运行一年后即具备调峰能力，7年后即达到设计库容100%。

1.2　气顶油藏型储气库兼顾储气调峰与提高原油采收率

气顶油藏改建储气库分为三个阶段，建设初期由于储层存在油气水三相流体，为了形成驱油效果需要向油藏顶部注入天然气，并保持最小混相压力之上，运行压力区间较窄。随着次生气顶不断扩大逐步拓展下限压力，驱油的同时初步具备一定调峰能力。后期原油采出程度不断提高，运行方式接近气藏型储气库，通过进一步降低下限工作压力提高工作气量实现储气库扩容达产。

1.3 凝析气藏型储气库兼顾储气调峰与提高凝析油采收率

凝析气藏开发中后期由于地层压力下降，反凝析现象加剧，同时边底水侵入造成储层相态特征复杂，导致建库技术政策相比一般气藏难度更大。国内早期改建的凝析气藏型储气库由于渗流机理认识不够充分且没有经验可借鉴，总体存在达容率较低、工作气量占比较小的问题。目前该类型气藏改建储气库时，通常分为两个阶段，前期主要以补充地层能力、抑制水侵为主，综合考虑提高凝析油反蒸发能力和抑制水侵能力设计下限压力，后期随着凝析油采出露点压力降低，逐步拓展下限压力以进一步提高工作气量，兼具了提高凝析油采收率和储气调峰的双功能。

2 带油环凝析气藏改建储气库关键指标设计

带油环凝析气藏改建储气库目前国内外尚无成熟经验可借鉴，本次笔者以 L 油田为例开展研究，摸索出一套适合该类型油气藏改建储气库的最佳模式。

2.1 研究区概况

L 油田总体构造形态为一长条状背斜，断层较为发育，油气水分布主要受背斜控制，形成背斜圈闭油气藏，沿构造走向的北西方向为一巨大油环，构造高点附近为一凝析气藏(图 1)。油气藏埋藏深度 2250~2700m，含油气层系纵向上可划分为 12 个单层，砂体厚度 5~25m，平均孔隙度 10.34%，平均渗透率 $10.42\times10^{-3}\mu m^2$，凝析油含量 $335g/m^3$，为低孔低渗近饱和凝析气藏。原始地层压力 26.6MPa，露点压力 25.6MPa，天然气地质储量 29.6 亿 m^3，凝析油地质储量 114 万 t，油环区原油地质储量 571 万 t。

L 油田开发中期通过循环注气开采实现了连续 12 年稳产，日产气 20 万 m^3 以上，凝析油日产 30t 左右。由于地露压差小，后期停注采用衰竭式开发后，随着地层压力下降气油比快速上升，表明反凝析现象加剧，同时产量降幅增大，日产气降至 12 万 m^3 左右，日产油降至 10t 左右。油环区开发受储层物性影响，注水效果有限，日产油也由峰值 110t 降至 5.5t，采油速度在 0.1%以下。

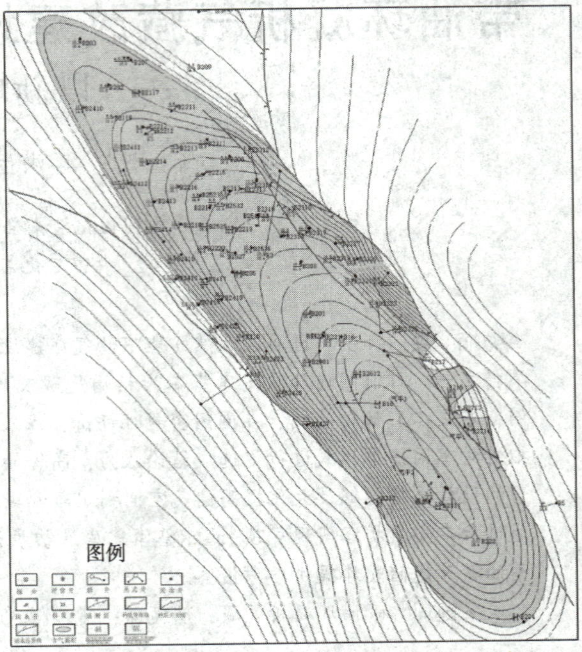

图 1　L 油田Ⅲ1 小层平面图

2.2 建库参数设计

库容量参数设计应以气藏原始含气孔隙体积为基础，考虑压力敏感引起的物性变化、水侵与凝析气藏开采中的反凝析等造成的储气体积减少、带油环气藏剩余油二次饱和溶解以及油层可能的气驱扩大库容量等因素的影响。运行压力应综合考虑圈闭构造、断层、盖层的临界封闭压力，在保证储气库长期安全运行的前提下，尽可能增大运行压力区间，提高储气库工作气量。

在开发效果综合分析基础上，考虑凝析气反凝析损失、应力敏感引起的储渗降低等影响因素进行有效库容评价；在圈闭密封性评价结果基础上，根据历史作业施工和动态资料，按照国内地下储气库设计规范设计运行上限压力；以满足井口外输压力为最低要求，考虑保证储气库采气末期具备一定规模工作气量协同提高凝析油采收率，优化设计运行压力。确定 L 储气库有效库容 15.47 亿 m^3，上限压力 26.6MPa，下限压力 16.8MPa，工作气量 5.34 亿 m^3。

2.3 注采井网

储气库注采井网部署与储气库有效工作气量具有直接关系，与气藏开发井网部署区别在于，储气库注采井网部署不必过分注重井网的规则性，在满足强注强采要求的基础上，兼顾构造位置、储层物性、水淹区范围，以最大化提高单井注采能力和库容动用程度为目的进行部署。L 油田含气层位多且纵向上叠合程度高有效厚度最大达到 78m，同时考虑断层、隔夹层发育，单一井型难以有效控制库容，因此方案采用大斜度井与水平井联合部署，形成不规则井网，最大程度控制库容(图 2)。采用高速有限泄流井控半径法、多节点协调产量法、井控物质平衡法等测算井控半径平均 230m。结合注采能力、工作气量规模设计新钻井 12 口，日注气量 212 万 m^3，日采气量 450 万 m^3。

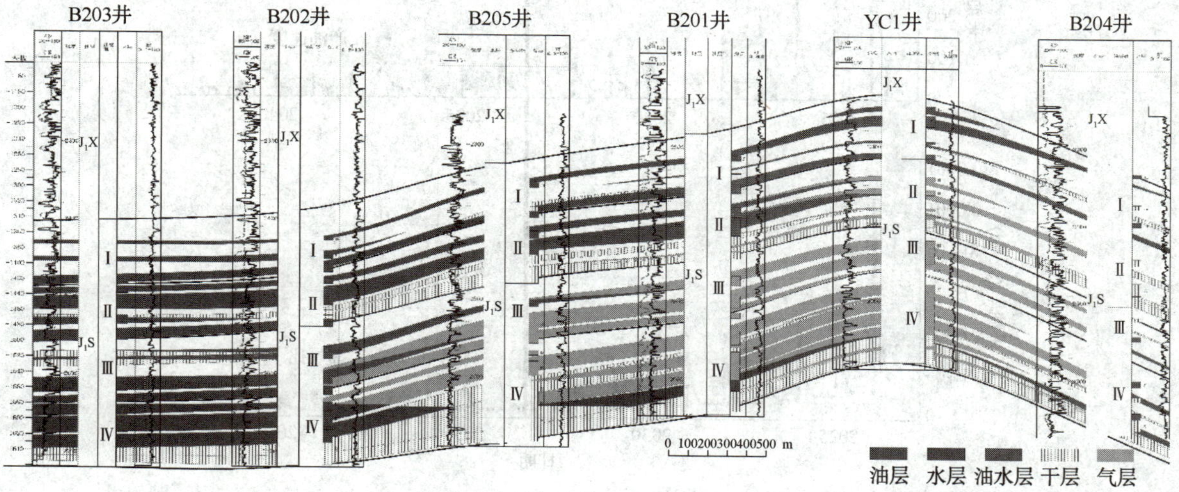

图 2　L 油田油气藏剖面图

3　带油环凝析气藏建库模式研究

基于精细地质模型建立基础上，建立了多相多组分数值模型，结合国内已建成的储气库设计思路，针对 L 油田不同建库模式进行研究，以优选出带油环凝析气藏的最佳建库方式。

3.1　模式一储气库建设为主快速形成调峰能力

采用“夏注冬采”模式以快速形成调峰能力为目标进行储气库建设，在冬季调峰时协同凝析油采出，根据凝析油的采出量，该模式可分为协同建库阶段和常规储气库阶段。

数值模拟结果表明，协同建库阶段油气比逐渐下降并在 11 周期时趋于稳定，此时转为常规储气库阶段，运行 25 周期增产凝析油 9.6 万 t，提高凝析油采收率 10.9%(图 3)。增油机理主要靠大排量注气突破反凝析油在近井地带堆积形成的油脊，驱替反凝析油至井控半径内，同时使部分反凝析油反蒸发，近井地带反凝析油饱和度降低、气相渗透率提高，多周期运行后逐步达到设计工作气量。

3.2　模式二提高凝析油采收率为主协同储气库建设

采用高含油凝析气藏常用的循环注气开发方式，保持露点压力上开采，以最大程度采出凝析油，凝析油阶段采出量下降后降低下限运行压力，转为协同建库阶段，待凝析油采出量降低至一定水平后，进一步拓展下限运行压力并转为常规储气库阶段。该模式建库根据各阶段目标可分为注气提采-提采协同储气-储气调峰-排液扩容四个阶段。

数值模拟结果表明，循环注气 4 年后凝析油产量和亿方天然气增油量均快速下降，为加快形成储气调峰能力，可转为协同建库，运行 10 周期后油气比趋于稳定，转为常规储气库阶段(图 4)，储气库运行稳定后利用油环区老井排液扩容，进一步增加工作气量同时提高原油采收率。此建库模式模拟运行 25 周期增产凝析油 13.08 万 t，提高凝析油采收率 11.5%，油环区增产原油 1.6 万 t。由于模式二第一阶段保持露点压力以上运行，更加利于凝析油的蒸发抽提，同时因第一阶段不作调峰要求，注入气与反凝析油混相时间更长，凝析油在驱替和混相反蒸发双重作用下产出，增油幅度更大。该模式第四阶段类似于气顶油藏型储气库，在气顶区储气库含气范围接近原始气油边界后，油环区原油在天然气重力驱和气压驱动作用下采出，同时进一步提升库容量(图 5、图 6)。

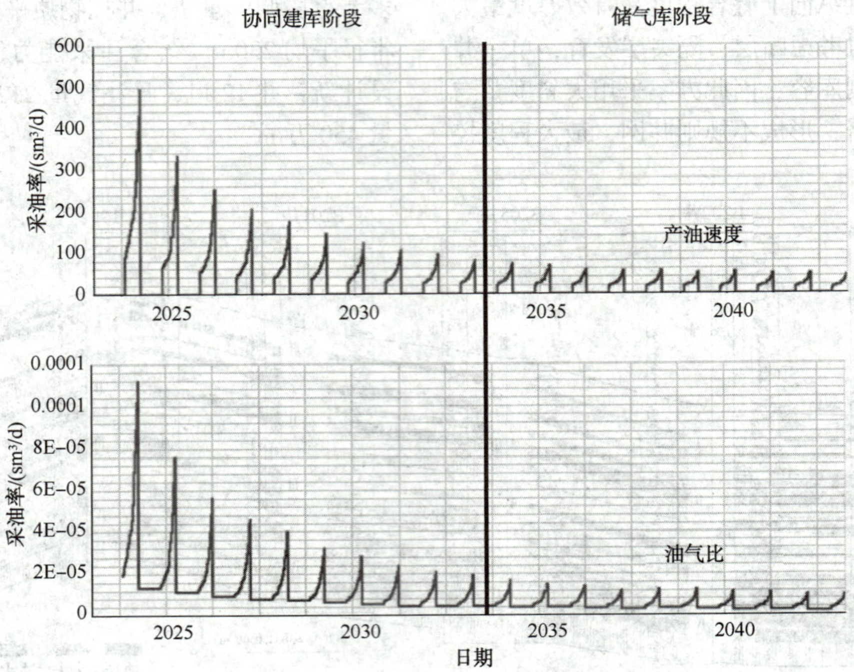

图 3　建库模式一采油速度及油气比变化

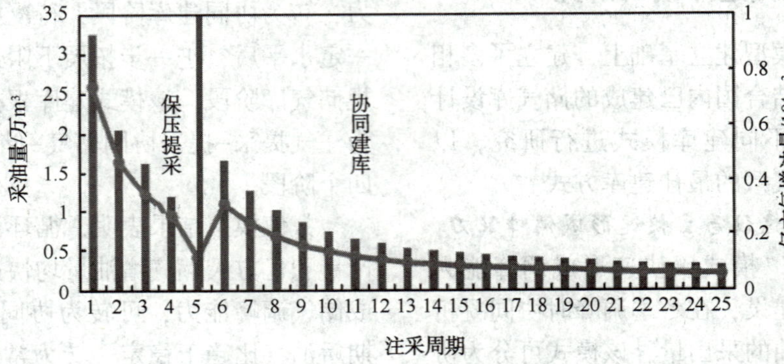

图 4　建库模式二第一至第二阶段转换时机优化

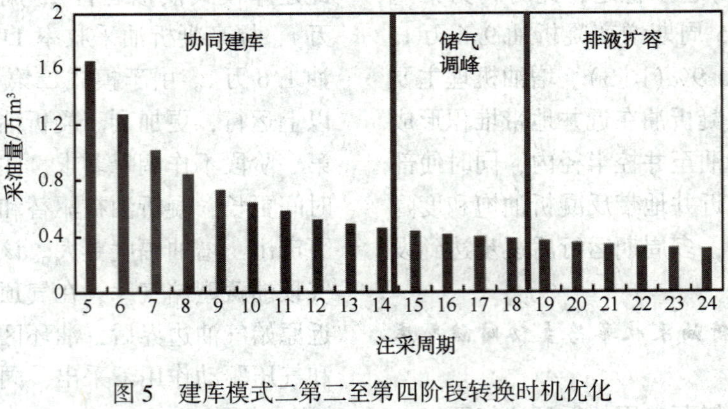

图 5　建库模式二第二至第四阶段转换时机优化

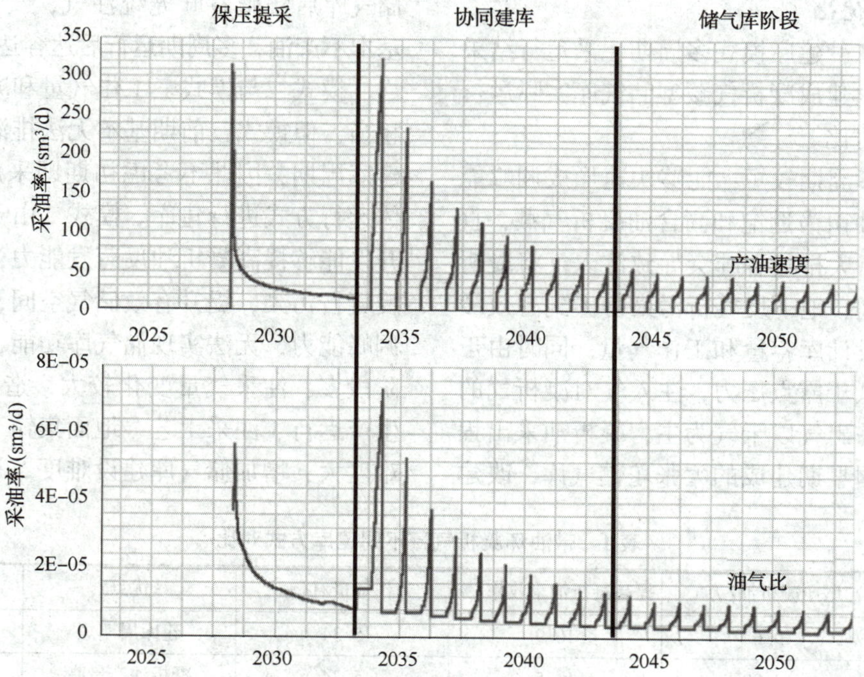

图6　建库模式二采油速度及油气比变化

3.3　模式三考虑油环动用协同储气库建设

储气库建设初期即考虑气顶油环整体运行，气顶区注气驱替，油环区利用老井排液，待排液井产气量明显增多，发生气窜后，转为建库模式二。该模式建库分为排液扩容-注气提采-提采协同储气-储气调峰四个阶段。

数值模拟结果表明，油环排液 2 年产油 0.41 万 t，循环注气 5 年凝析油产量 4.78 万 t，转为协同建库阶段，油气比在运行 10 个周期后趋于稳定，转为储气库阶段。此模式运行 25 周期，增产凝析油 13.17 万 t，提高凝析油采收率 11.6%(图 7)。分析认为，储气库建设前期，由于近井地带反凝析污染严重，注入气直接与凝析油接触进行混相，另一方面驱动凝析油至远井地带，因此在反凝析污染没有得到有效缓解前油环区老井无法发挥排液扩容作用。

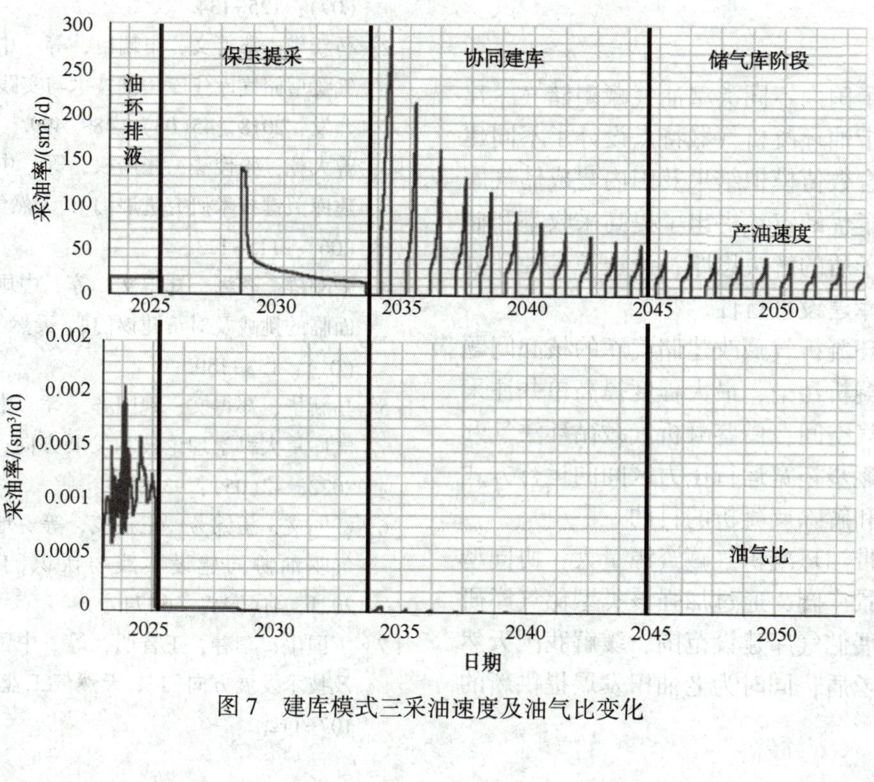

图7　建库模式三采油速度及油气比变化

3.4 建库模式优化

根据上述三种建库模式多周期注采运行结果并结合目前国内建成凝析气藏型储气库实际运行情况进行分析对比。

模式一建库周期较短，能够快速形成调峰能力，但由于L油田为近饱和高含油凝析气藏，直接改建储气库后大排量吞吐会导致注入气将凝析油推向两井中间，地下反凝析污染得不到有效缓解，难以达到设计库容量和工作气量，同时由于运行下限压力低于露点压力，注入气对凝析气的置换不充分，采出气以干气为主，凝析油采出程度低，参考我国早期建成的大张坨储气库，改建储气库后实施吞吐笼统注气，气油比快速攀升，基本不产油，多周期运行后达容达产率较低。

模式二与模式三工作气量和凝析油采出程度相当，但模式三前期基本无法排液进一步延长了建库周期，因此不考虑初期即采用气顶-油环整体运行方式进行建库。模式二由于采用循环注气开发能够提高凝析油反蒸发能力，最大程度解除反凝析污染，提升有效储气空间，但前期不具备调峰能力，无法实现储气库功能，同时设计运行阶段多、注采气量变化较大，造成储气库投资、生产运行、注采工艺、地面集输工艺等统一协调难度大，增加储气库建设难度。

表1　带油环凝析气藏不同建库方式对比

建库模式	增产凝析油/万t	提高凝析油采收率/%	工作气量/亿m^3	优点	缺点
模式一	9.6	10.9	5.34	建库周期短	达容达产率偏低
模式二	13.08	11.5	5.34	凝析油产量高	建库周期长
模式三	13.17	11.6	5.34	凝析油产量高	建库周期长

综上对比，带油环凝析气藏改建储气库时可充分利用模式一与模式二优点，改建储气库前期根据露点压力下降情况保持高压注气，适当减少上下限运行压力区间，加强分析采油速度变化情况，分阶段动态调整下限工作压力，从初期的小吞小吐逐步过渡到大吞大吐，建成初期即发挥调峰保供作用，油环区根据监测井气窜及压力变化状况分多批次打开老井，逐步实现扩容。

4　结论

（1）总结了国内不同类型油气藏型储气库建库模式，考虑带油环凝析气藏特点设计了不同建库模式，并结合数值模拟结果及国内建成储气库情况充分对比了优缺点，提出了提高采收率和储气库建设滞后矛盾的解决思路，论证了带油环凝析气藏型储气库建设可行性。

（2）带油环凝析气藏改建储气库的核心问题是如何解除反凝析污染，最大程度提高单井注采能力和有效储气空间，借鉴凝析气藏循环注气开发思路，通过逐步拓宽运行压力区间的运行方式可以达到预防和解除反凝析的目的。

（3）我国带油环凝析气藏资源量大，协同型储气库建设前景广阔，通过加强该类型储气库研究可进一步拓展储气库建设范围，缓解我国天然气储存和调峰矛盾，同时为老油田发展提供新的机遇。

（4）与其他类型储气库相比，协同型储气库具有油气双效益特点，但建设经验欠缺、各阶段运行参数复杂，需要进一步加强技术攻关，提升带油环凝析气藏型储气库建库效益。

参考文献

[1] 曾大乾，张广权，张俊法，等．中石化地下储气库建设成就与发展展望[J]．天然气工业，2021，41(09)：125-134.

[2] 马新华，郑得文，申瑞臣，等．中国复杂地质条件气藏型储气库建库关键技术与实践[J]．石油勘探与开发，2018，45(03)：489-499.

[3] 曾大乾，张俊法，张广权，等．中石化地下储气库建库关键技术研究进展[J]．天然气工业，2020，40(06)：115-123.

[4] 张刚雄，李彬，郑得文，等．中国地下储气库业务面临的挑战及对策建议[J]．天然气工业，2017，37(01)：153-159.

[5] 马新华，郑得文，魏国齐，等．中国天然气地下储气库重大科学理论技术发展方向[J]．天然气工业，2022，42(05)：93-99.

[6] 江同文，王锦芳，王正茂，等．地下储气库与天然气驱油协同建设实践与认识[J]．天然气工业，2021，41(09)：66-74.

[7] 丁国生，李春，王皆明，等．中国地下储气库现状及技术发展方向[J]．天然气工业，2015，35(11)：107-112.

[8] 孙军昌，胥洪成，王皆明，等．气藏型地下储气库建库注采机理与评价关键技术[J]．天然气工业，2018，38(04)：138-144.

[9] 胥洪成，王皆明，屈平，等．复杂地质条件气藏储气库库容参数的预测方法[J]．天然气工业，2015，35(01)：103-108.

[10] 丁国生，王皆明．枯竭气藏改建储气库需要关注的几个关键问题[J]．天然气工业，2011，31(05)：87-89+123.

[11] 郑得文，胥洪成，王皆明，等．气藏型储气库建库评价关键技术[J]．石油勘探与开发，2017，44(05)：794-801.

[12] 李宗宇，何云峰，姚田万，等．凝析气藏开发关键技术探讨——以雅克拉、大涝坝、轮台凝析气田为例[C]//中国石油学会天然气专业委员会，四川省石油学会．2015 年全国天然气学术年会论文集，2015：378-390.

[13] 郑小敏，钟立军，严文德，等．凝析气藏开发方式浅析[J]．特种油气藏，2008，15(06)：59-61+63+98.

[14] 汤勇，龙科吉，王皆明，等．凝析气藏型储气库多周期注采过程中流体相态变化特征[J]．石油勘探与开发，2021，48(02)：337-346.

稠油油藏主力层动用状况评价及改善开发效果技术研究

吴　晓

（中国石化河南油田分公司）

摘　要　稠油油藏主力层高周期吞吐后存受地层压力保持水平低、平面窜流严重、近井地带采出高、动态井网控制程度低等问题，进一步扩大蒸汽有效波及体积难度大。由于缺乏对主力层油藏高周期吞吐后地下压力、温度变化状况和剩余油分布状况的精细认识，同时对高周期吞吐后地下稠油的渗流状况认识不清，目前的开发技术针对性不强，效果不理想，影响了主力层储量的有效动用。本文以井楼油田七区为研究区，在分析评价稠油油藏主力层开发效果及动用状况的基础上，研究吞吐后期地层温度、压力、剩余油饱和度分布特征，了解吞吐后期地层温度、压力、剩余油条件下的渗流状况，解剖吞吐后期影响主力层开发效果的内在影响因素，确定基于不同开发方式下改善开发效果的技术政策，改善主力层开发效果，进一步提高采收率。

关键词　稠油油藏；开发效果；动用状况；渗流状况；技术政策

1　研究区概况

河南东部稠油主力层主要包括井楼一区Ⅲ5.6、Ⅲ8.9层，中区Ⅳ1.3层，古城泌浅10区Ⅳ9层、Ⅵ3.6层以及新庄新浅45区Ⅱ2.3.5.6层。油藏具有“浅、稠、松、厚、大”的特点，总含油面积13.48km^2，储量1658.1万t。

1.1　油藏地质特点

以井楼七区为典型目标区，该区含油层位为古近系核桃园组Ⅲ-Ⅳ砂组，油层埋藏浅，主力油层Ⅳ2.3层，地面原油相对密度0.9047~0.9698mg/L，油层温度下脱气原油黏度164.1~10863.21mPa·s，属浅薄层普通稠油油藏。七区构造上处于高庄南鼻状构造的东翼。井楼七区含油范围内表现为一个由东南向西北平缓抬起的单斜构造，地层倾角11.2°，倾向98°~130°。区域内发育有①、②两条近东西走向的北倾正断层，两条断层对七区的油气聚集起着控制作用。

1.2　开发简况

稠油主力层历经三个阶段，其中，1994—2001年为投产阶段；2002—2009年为井网完善阶段；2010年至今为经济递减阶段。目前平均吞吐周期高达15个，总井数626口，开井385口，日产液2686t，日产油239.8t，综合含水94.1%，单井日产油0.5t，综合油汽比0.19。2010年以来开始大规模应用氮气辅助吞吐技术，有效周期仅5个左右，目前主力层处于开发后期，呈现“两高三低”的开发特点，即吞吐轮次高、综合含水高、单井日产油低、油汽比低、采油速度低。平均吞吐15个周期，综合含水91.1%，单井日产油0.6t，油汽比0.16，采油速度0.7%，多轮次吞吐后生产开发效果效益变差。

2　存在问题

稠油主力层高周期吞吐后存在着三方面问题制约了开发效果的提升：一是动态井网控制程度低。主力层因工程、地质原因关井、井况及层系转换开采等原因，动态井网控制程度53.1%，仍有约47%的储量未控制，制约了主力层储量的进一步动用。二是多因素制约，常规吞吐扩大蒸汽有效波及范围难度大。主力油层平均吞吐15个周期，采出程度22%，地层压力保持水平低，汽窜严重，加热半径和动用半径难以进一步扩大。三是化学辅助开发工艺技术适应性逐渐变差。近年来配套氮气辅助蒸汽吞吐技术，一定程度扩大蒸汽波及半径，随着轮次增加，蒸汽氮气量增加，蒸汽波及半径增加幅度有限，有效轮次仅5~8个。配套大剂量调剖、分层调剖、分层注汽进一步提高蒸汽有效利用率，但效果改善不明显，近三年调剖封窜有效率67%，操作成本高达3234元/t。

3 动用状况评价

主力层投产早，历经加密、完善、局部调整等阶段后静态井网相对完善，仅部分区域因地面原因及剥蚀线原因未控制，静态井网控制程度高达99%；高周期吞吐后因工程、地质原因关井、井况及层系转换开采等原因，动态井网控制程度53.1%。

目前主力油层动用储量1658.1万t，采出程度22.0%，剩余储量1293.3万t，其中受水淹影响无法动用储量161.7万t，采出程度20.5%；受套损影响无法动用储量39.4万t，采出程度16.8%；受剥蚀线安全风险无法动用储量20.1万t，采出程度11.8%。

4 剩余油分布特征及潜力评价研究

利用油藏工程方法计算了单井采出程度，绘制了采出程度分布图，表明：高周期吞吐后主力层平面剩余油主要分布在靠近断层及剥蚀线附近区域、物性较差的边部、边水影响区、井下故障区、以及井间滞留区域。通过井间检查井取芯印证井间剩余油仍然较富集。

同时，对典型井区七区北开展油藏数值模拟及“三场”分布特征研究，揭示了蒸汽吞吐后期三场分布规律。

通过COMPONENTS模块定义油藏流体组分；通过ROCK-FLUID模块设置油藏的相渗曲线；通过INITIAL_SETTING模块输入油藏的参考温度、参考压力、油水界面深度等；通过WELL&RECURRENT模块完成井定义、射孔、动态数据导入及历史文件生成；最终完成七区北的完整地质模型。

生产历史拟合结果表明：在定产液的工作制度下，区块累产液、累产油、累产水、累注蒸汽、累注氮的模拟误差均小于2%。单井生产动态历史拟合误差均小于5%，模型可靠

通过数值模拟研究了区域三场分布特征，结果表明：井间剩余油仍可高达50%以上，目前区块的平均含油饱和度由65%降至46%；区块压力保持水平约为原始地层压力的38%左右；区块平均温度由28.5℃增加到52.2℃，增加了23.7℃。(图1)

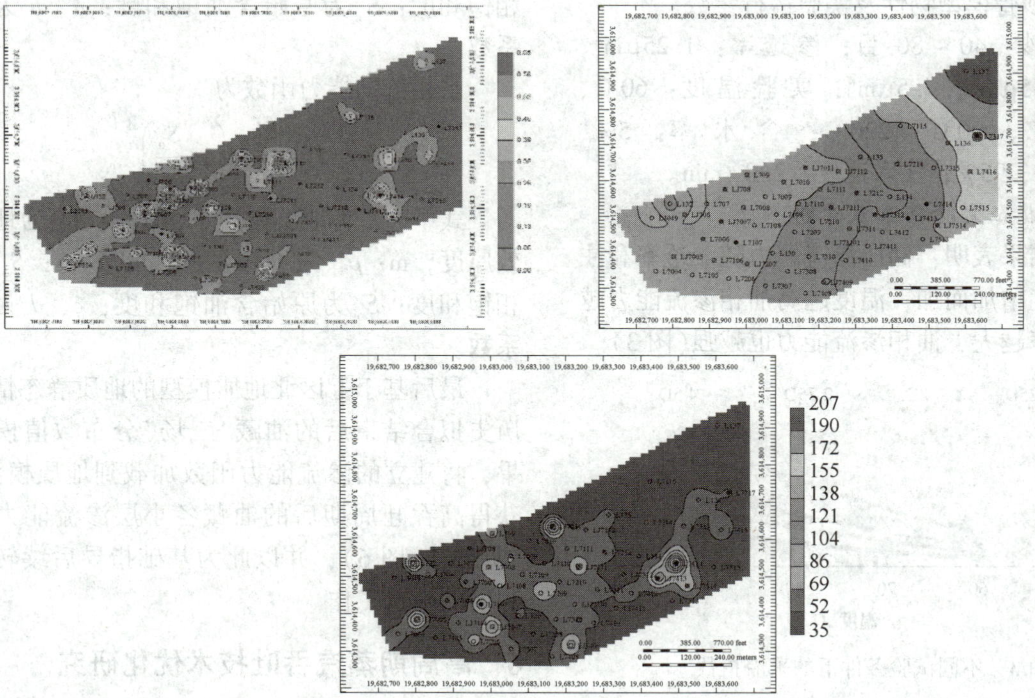

图1　研究区三场分布图(依次饱和度、压力、温度)

5 高周期吞吐后油层渗流状况研究

5.1 稠油渗流特征物理模拟实验研究

实验采用单管模型模拟均质地层，研究其在不同渗透率、不同注入流体温度以及不同饱和度条件下的采液指数，以建立产液能力与各变量参数之间函数关系(图2)。

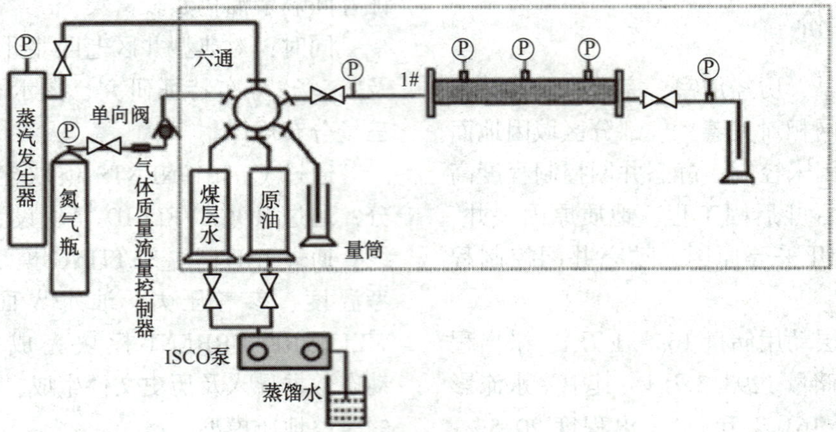

图 2　渗流实验流程图

1. 填砂管参数

填砂管内径：38mm；填砂管外径：50mm；填砂管长度：600mm；

2. 油样处理与测试

七区北油样；脱水，将原油样品先用孔径为 0.045mm(325 目)的不锈钢筛网在 80℃下进行过滤，然后在原油脱水仪中 120℃恒温 2h 进行脱水，经过脱水处理滤油去除杂质，含水率以低于 0.3%为合格；

3. 填砂管模型物性及实验运行参数

石英砂：40～80 目；渗透率：1.25μm^2、2μm^2、2.75μm^2、4.5μm^2；实验温度：60℃、70℃、80℃、90℃、220℃；含水率：5%、10%、50%、95%；注入速度：2mL/min。

5.2　渗流特征实验结果及分析

实验结果表明：储层渗流能力随渗透率和注入流体温度增加而加；温度越高油相渗流能力越强，渗透率越大，油相渗流能力也越强(图 3)。

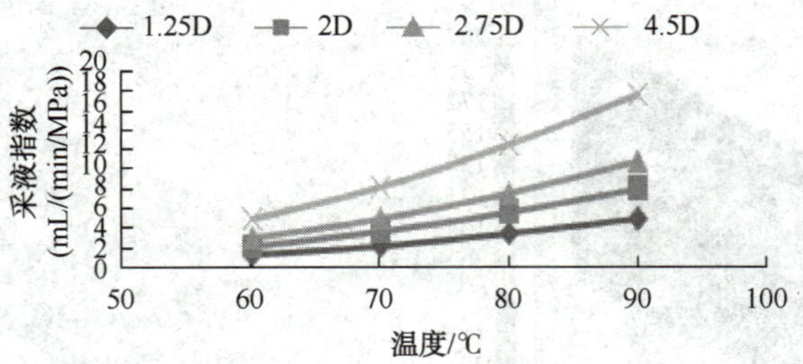

图 3　不同试验条件下的采液指数

5.3　吞吐后油层渗流状况研究

储层的渗流能力与地层渗透率、温度以及原油的黏度等参数相关，而采油指数可以综合反映了这些参数对其的影响，因此引入综合渗流能力函数来定量表征油层的流动能力。

由不同实验条件下的采液指数可以求得对应的采油指数，再根据折算系数换算为矿场条件下的流动能力。利用数理统计中的多元非线性回归，选取剩余油饱和度、渗透率等为自变量进行回归分析，得到适用于矿场实际的流动能力函数。

渗流能力函数为式：

$$J_o = \frac{Kh_e}{\mu_o}\exp\left[-a\left(\frac{S_o}{S_{oi}}\right)^b\right]$$

式中，K 为地层渗透率，μm^2；h_e 为地层有效厚度，m；μ_o 为原油黏度，mPa·s；S_o 为油相饱和度；S_{oi} 为原始含油饱和度；a、b 为回归系数。

水相流动能力函数为

$$J_w = \frac{Kh_e}{\mu_w}c\left(1-\frac{S_o}{S_{oi}}\right)^d$$

式中，K 为地层渗透率，μm^2；h_e 为地层有效厚度，m；μ_w 为水相黏度，mPa·s；S_o 为油相饱和度；S_{oi} 为原始含油饱和度；c、d 为回归系数。

最后基于七区北地质模型的地质静态情况和历史拟合结束后的油藏“三场”分布数值模拟结果，将建立的渗流能力函数加载到地质模型中，获得高吞吐周期后的油藏各小层渗流能力分布(见图 4～图 6)，并以此为基础指导后续转驱有利区的筛选工作。

6　高周期蒸汽吞吐技术优化研究

6.1　动态井网恢复及静态井网完善调整研究

主力层历经完善、加密等阶段，静态井网相对完善，但井楼中区靠近剥蚀线附近仍有部分区域储量未控制。确定了井网调整政策界限，采用不规则七点法井网、井距为 70～110m 共部署完善部署及更新油井 8 口，恢复控制储量 15.4 万 t。

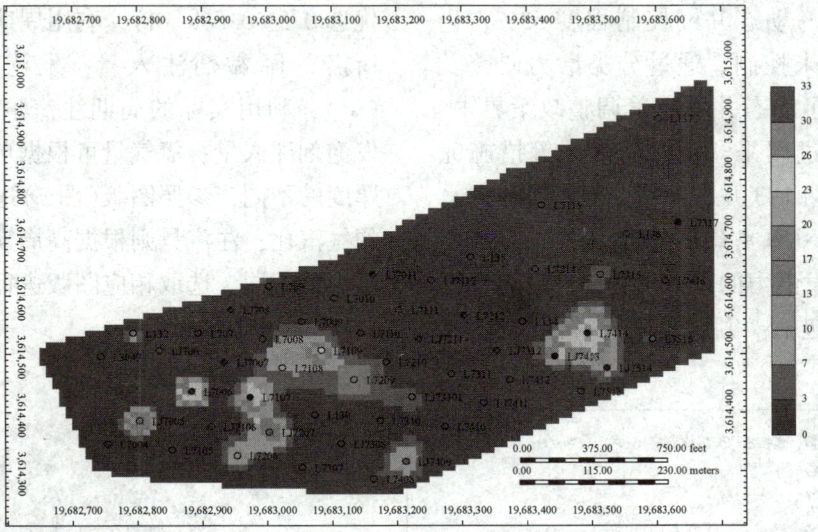

图 4　研究区主力层原油渗流能力分布图

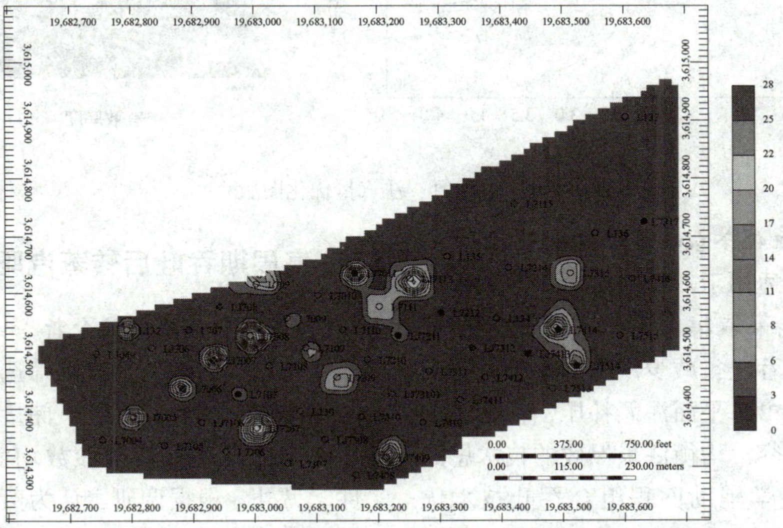

图 5　H3Ⅳ2^2 层水相流动能力分布

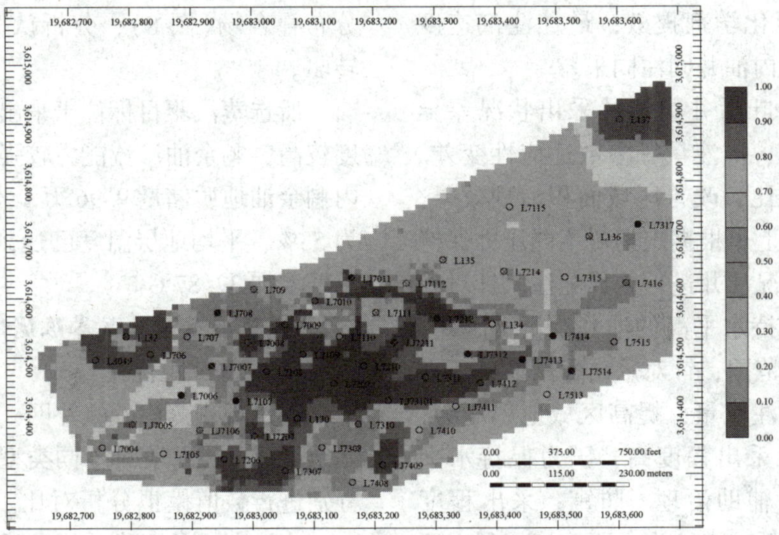

图 6　H3Ⅳ2^2 层含水率分布

主力层因工程、地质原因关井、井况及层系转换开采等原因，动态井网控制程度53%，仍有约47%的储量未控制。通过分类潜力研究及现场实践，确定了动态井网完善调整政策界限。2019—2022年通过回采、复产、修井等措施完善主力层动态井网183井次，覆盖储量146万t。

6.2 单井蒸汽吞吐技术优化研究

针对具有开发潜力的高采出程度井，可选择化学辅助吞吐，包括：氮气、氮气+降黏剂、氮气泡沫、氮气泡沫+降黏剂等。其中降黏剂浓度优选0.3~0.5%(wt)，利用周期注汽量折算得到所需的降黏剂注入量；发泡剂浓度取0.5%(wt)，利用实际的周期注汽量折算得到所需的发泡剂注入量；氮气量可根据单井渗透率、有效厚度的不同，参照图版(图7)进行优化得到最佳的气汽比；注汽量则根据高周期后地层压力保持水平的不同，选取相应图版进行差值计算。

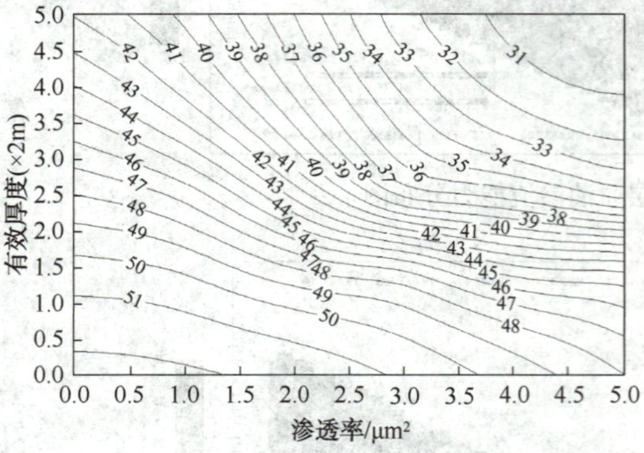

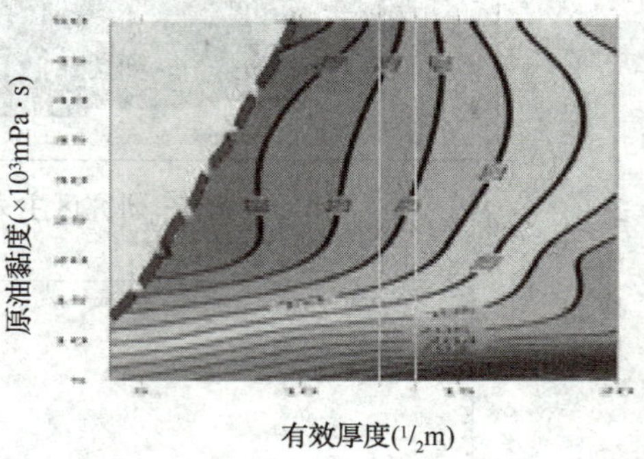

图7　注氮、注汽量优化图版

6.3 化学辅助面积组合吞吐技术优化研究

面积注汽主要适用于一个或多个汽窜现象严重的井组，尽可能采取集中注汽，同时转抽开采，达到多井整体吞吐，减少汽窜的效果。研究期间以节点调剖堵窜，平面注氮补压，辅助驱剂提效，提速注汽扩容，均衡注采保效的技术思路为指导，开展了化学辅助面积组合吞吐技术优化，其中，低部位水淹井采取节点调剖措施；辅助治理井实施氮气辅助吞吐；特、超稠油井配套降黏、二氧化碳等化学剂提效；最佳注汽速度100~120t/d；组合内油井同注同采。

由于高周期吞吐后井组油井采出状况差异大，早期注汽强度、排液量等参数适应性变差。为进一步提升油汽比，改善区域面积治理效果，在数模结果的基础上，根据现场对不同压力保持状况、不同采出状况油井进行差异配注。针对采出程度低、压力保持水平高的油井，正常配注，扩大蒸汽有效波及范围；针对采出程度低、压力保持水平低，加大注汽量，提高区域地层压力，动用井间剩余油；采出程度高、压力保持水平高，减少注汽量，辅助治理、防窜；采出程度高、压力保持水平低，少注汽，不注汽，利用邻井住汽能量干扰增油。

7 高周期吞吐后转蒸汽驱技术优化

7.1 蒸汽驱油藏筛选分析

对比国内外外蒸汽驱筛选标准可以看出：七区北油藏除了有效厚度、储量系数两个参数略低于汽驱标准外，其他参数均满足蒸汽驱筛选条件。另外，根据调研，认为蒸汽驱潜力区筛选标准为$f_w \leqslant 90\%$且$J_o \geqslant 4.59m^3/(d \cdot MPa)$，通过通过叠合含水率和采油指数得到模拟末期的剩余油分布叠合场(图8)，分析认为研究区中部适合转驱。

所选蒸汽驱目标位于采出程度较低、储量丰度较高、剩余油渗流能力较强区域。潜力区范围内剩余油地质储量9.96万t，平均剩余油饱和度为53%，平均地层温度已达到66.37℃，较初始温度增加37.87℃。

7.2 蒸汽驱技术政策界限优化

1. 井网井距优化

立足现有蒸汽吞吐井网，对筛选出的潜力区制定了反九点等五种不同类型转蒸汽驱井网，并分别进行数值模拟分析对比。对比转驱至OSR_{in}=0.12、0.10的开发效果：反九点井网增油量和采出程度最高，因此推荐七区北蒸汽驱采用反九点井网进行开发。井网控制地质储量 19.33 万 t，吞吐阶段累采油 6.02 万 t，采出程度达 30.04%。

2. 注采参数优化

通过开展数值模拟，确定研究区最优参数为：蒸汽干度为 0.7，注汽强度 2.4m³/(d·h·m)，采注比 1.2，注汽方式推荐使用两个月注停的间歇汽驱，氮气泡沫气液比为 2：1，段塞大小 0.25PV。

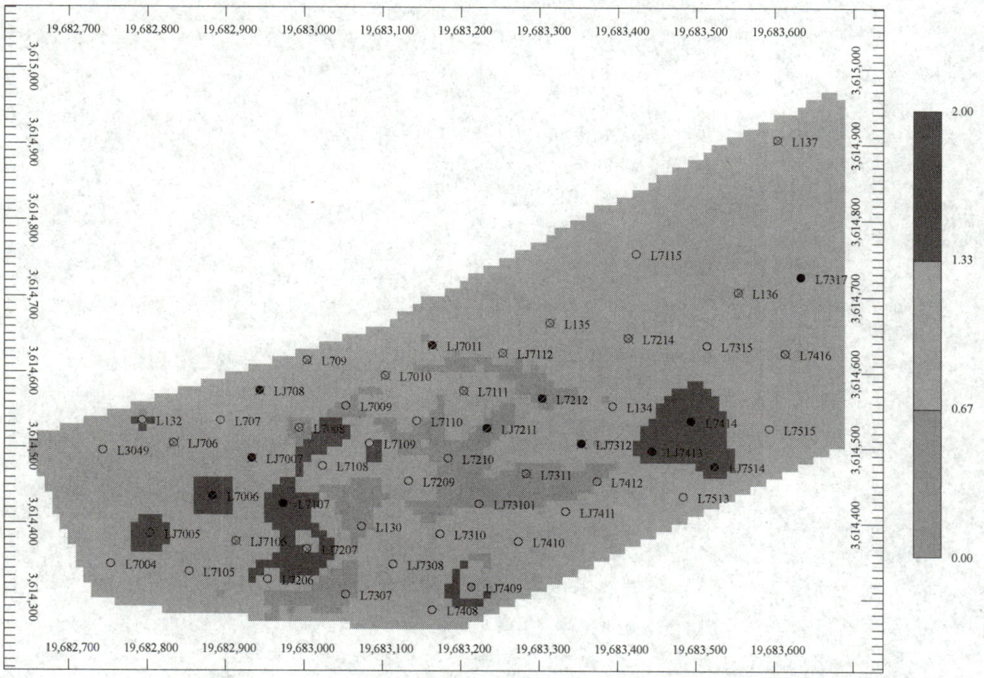

图 8　IV2² 层剩余油叠合图

3. 蒸汽驱最优方案

采用反九点井网，注汽井 3 口，生产井 19 口，注汽强度 2.8t/(d·h·m)、注汽干度 0.7、采注比 1.2，氮气泡沫辅助蒸汽驱，气液比为 2：1，段塞大小 0.25PVc，日配注汽 149.39t，日配产液 89.64t。预测转驱生产 4.21 年，瞬时油汽比低于 0.12，阶段增油 2.75 万 t，采收率达 50.64%，提高采收率 20.54%，采取调剖方案后，采收率为 54.93%，提高采收率 24.8%。

8　结论与认识

（1）对典型目标区开展蒸汽吞吐后期三场分布特征研究。结果表明七区北及新浅 45 区主力层剩余油饱和度 58%、51%，压力保持水平 40%、42%，温度增加约 24℃、17℃；七区北以断层遮挡型、井间滞留型剩余油储量最多。

（2）开展了主力层高周期吞吐后地层渗流特征物模实验。结果表明随渗透率和油层温度增加，储层流动能力增加，流动能力与温度和渗透率呈幂函数形式。基于“三场”分布结果，将建立的渗流能力函数加载到地质模型中，得到高周期吞吐后各小层渗流能力分布，定量表征了高周期吞吐后油藏流动能力和潜力场分布。

（3）开展高周期吞吐后单井吞吐及面积组合吞吐优化研究，形成了辅助措施优选图版以及氮气、蒸汽、降黏剂、调剖剂、日产液量等注采参数优化图版。

（4）对目标区域开展蒸汽驱及热水驱井网及注采参数优化研究，结果表明：七区北采取反九点井网，注汽强度 2.8t/(d·h·m)、注汽干度 0.7、采注比 1.2；新浅 45 区采取反七点变形井网，注水温度 120℃、注入强度 1.6m³/(d·h·m)，注采比 1.0。

参　考　文　献

[1] 陈和平．杜 66 块稠油油藏储量动用程度评价[M]．北京：石油工业出版社，2012.

[2] 崔连训，魏佳伟，费永涛，等．超薄层普通稠油油藏开发实践与认识[J]．河南石油，2005，19(6)：38-40.

[3] 王晗，陈彩云，程都．井楼油田稠油厚油层高周期吞吐后剩余油分布规律研究[J]．石油天然气学报，2010，32(3)：158-160.

[4] 张红霞，刘军红，马迎菊，等．井楼油田三区开发现状及改善开发效果技术对策[J]．西部探矿工程，2009(5)：39-40.
[5] 汪立君，陈新军．储层非均质性对剩余油分布的影响[J]．地质科技情报，2003，22(2)：71-73.
[6] 李世恩．井楼油田中区Ⅳ1-3层储层特征研究[D]．成都理工大学硕士学位论文，2011.
[7] 马洪伟．提高超稠油蒸汽吞吐效果综合对策研究[D]．东北石油大学硕士论文，2012.

南阳凹陷油气富集主控因素及成藏模式

张育衡　李黎明　肖　湘　牛明伟　郑凯文

（中国石化河南油田分公司勘探开发研究院）

摘　要　南阳凹陷为我国东部陆相断陷湖盆，历过50多年勘探，凹陷各构造带油气富集规律已有较为成熟的认识，但对于整个凹陷的油气富集主控因素及成藏模式缺乏系统研究。本此研究通过总结南阳凹陷各构造带的油藏类型及分布，结合烃源岩、沉积、构造等特征，明确了有效烃源岩分布及油源距离、沉积演化、构造样式和砂体与断层的匹配关系对油气富集具有关键的控制作用，并总结了凹陷内魏岗-官庄鼻状构造带复合断阶成藏模式、张店-白秋鼻状构造带牙刷状成藏模式、南部断超带源内砂砾岩体成藏模式、东庄-东赵庄鼻状构造带"凹中隆"成藏模式及其主要特征。

关键词　南阳凹陷；富集规律；主控因素；成藏模式

随着我国东部地区勘探程度的不断深入及油田效益勘探的新要求下，主要含油气盆地中较易发现的构造油藏日益减少，油气勘探的重点逐渐由鼻状、背斜构造的构造油藏向邻近生油中心的岩性类油藏转移。南阳凹陷历经50多年勘探，对凹陷各地区油气富集规律有较为成熟的认识，程旭波等于2004年从断层封堵性于盖层性质分析了张店油田叠瓦状油藏形成原因，何祖荣等于2005年总结了东庄背斜油藏特征，蔡佳等于2012年针对南部断超带提出烃源岩、断层、储集体分布及物性是油气成藏的主控因素，张本书等于2012年指出白秋地区构造油藏分布主要受控于继承性鼻状隆起及主干断裂对油气运移的调节作用。前人虽已对南阳凹陷油气聚集规律做过相关研究，但对于整个凹陷各主要成藏要素匹配关系系统分析较少，本文系统性解剖了南阳凹陷三大鼻状构造油气富集分布与富集主控因素，明确了油气富集的充分必要条件，梳理出了凹陷富油小层及潜力小层，为下部断层-岩性及致密砂岩油藏勘探奠定了基础。

1　区域地质概况

南阳凹陷整体具有隆凹相间的构造格局，发育南北两大沉积体系，北部发育沙堰-焦店三角洲和金华-张店复合三角洲，南部发育黑龙庙、北马庄等小型砂砾岩体，区内分布有东庄、牛三门两生油次凹，多支砂体伸入烃源岩区，砂体与断层共同组成油气运移的高速通道，油气聚集于东赵庄-东庄鼻状构造带、魏岗-官状鼻状构造带、张店白秋鼻状构造带及南部断超带内构造、构造-岩性、岩性等多类型圈闭内。

1.1　构造特征

南襄盆地是一个发育在东秦岭褶皱带上的中、新生代叠合裂陷型含油气盆地。南阳凹陷是南襄盆地的一个相对独立的次级构造单元，位于秦岭褶皱带和扬子板块北缘断裂带的结合部位，是燕山晚期发育起来的南深北浅的中新生代箕状断陷湖盆，南部为新野凸起，北西部是师岗凸起，北东部是伏牛山，东部以唐河低凸起与泌阳凹陷相隔，面积约3600km^2。

南阳凹陷的主体沿南部边界大断裂呈北东向展布，发育北西、北东向两组主控断裂。断裂的切割和块体的升降差异，使其具有明显的南北分带、东西分块、凸凹相间的盆岭构造格局。根据构造和沉积特征，由西向东可将凹陷分为东庄-东赵庄鼻状构造带、魏岗-官庄鼻状构造带、张店-白秋鼻状构造带、南部断超带和东庄、牛三门两个构造次凹等构造单元。

1.2　地层发育情况

根据实钻资料，钻遇地层层序自下而上依次为古近系玉皇顶组+大仓房组、核桃园组、廖庄组，新近系凤凰镇组，第四系平原组。其中，古近系核桃园组是勘探的主要目的层系，目前探明的绝大部分储量都分布在核二段和核三段，该段为一套砂泥互层的三角洲沉积，自下而上可根据岩电组合特征及沉积旋回将核二段划分为H2Ⅰ-H2Ⅲ三个砂层组，核三段划分为H3Ⅰ、H3Ⅱ两个砂组。

1.3 沉积特征

南阳凹陷核三段与核二段沉积时期，湖盆进入深陷扩展阶段。受南部边界新野大断裂活动影响，湖盆南侧仍保持较高的沉降速度，致使湖水加深，水域扩大。古气候为温热干旱，处于半深湖、浅湖环境，物源较多，沉积体呈环状分布，含砂率低，一般为 10%～20%。骨架砂体以粉、细砂岩为主，岩性组合为深灰色——灰色泥岩夹泥质白云岩和油页岩，属湖相三角洲前缘砂、泥岩互层沉积。主要物源为张店-白秋三角洲、焦店三角洲和南部近岸水下扇。

2 南阳凹陷不同构造带主要油藏类型及分布

2.1 魏岗-官庄鼻状构造带

魏岗-官庄鼻状构造带处于牛三门次凹与东庄次凹之间，为北西向东南倾没的宽缓鼻状构造，轴向为北西-南东向，整体上地层由南向北逐渐抬升，自轴部向东西两翼由缓变陡，该区断裂较为发育，区内油藏受断层的控制作用明显：一方面油气沿魏岗鼻状构造轴部呈“串珠状”沿构造轴线连片分布，鼻状构造被一系列北东向和北东东向正断层切割成多个断鼻、断块圈闭；另一方面，魏岗鼻状构造东翼受张店三角洲砂体控制，来自东北部砂体向魏岗主体延伸，与向西抬升的地层匹配形成断层-岩性圈闭，西翼受焦店三角洲砂体控制，来自西北部的砂体向鼻状构造延伸，与向东抬升的地层匹配形成断层-岩性圈闭，经油气充注形成构造-岩性油藏；魏岗主体区构造轴部利于油气聚集，三角洲砂体向前延伸，在前缘末端分支明显，在岩性干带控制下，砂体与断层匹配形成断层-岩性圈闭。

2.2 张店-白秋鼻状构造带

张店-白秋鼻状构造带紧邻牛三门生油次凹。该区构造总体特征为南倾北抬的宽缓鼻状构造，轴向近南北向，南端表现为北北西向，北端为北北东向，西翼较陡，东翼较缓。鼻状隆起被几条北东向断层切割为几个互相套叠的断鼻(断块)圈闭。来自北部的金华—张店复合三角洲砂体自北东向南西方向延伸，对张店—白秋鼻状构造带目的层段储层展布起控制作用，并以水下分流河道、河口坝及前缘席状砂沉积为主，储层物性较好，砂体向前延伸过程中，在张店地区与断层配置易形成断层-岩性圈闭。

2.3 南部断超带

南阳凹陷断超带位于南阳凹陷南部，其南部紧邻南阳凹陷的控凹断裂—新野断裂，该断裂为南阳凹陷的一级控凹断裂，控制凹陷的南部边界，南部断超带附近的地势起伏和地层沉降受边界断裂的影响较大。该区紧邻牛三门生油中心，油源充足，目前所勘探的油气藏也主要分布在凹陷南部的生烃中心附近。该区砂体主要来自南部的小型砂砾岩体(近岸水下扇)，沿边界断裂呈多支朵体进入湖盆，其根部位于边界大断裂附近，砂体自南向北延伸，与断层和向北抬升的构造形态匹配，有利于形成一系列砂岩上倾尖灭和构造+岩性油藏。

2.4 东庄-东赵庄鼻状构造带

东庄和东赵庄断裂展布特征虽然一致，但构造特征却明显不同，东赵庄整体构造形态为北端抬升，向南倾没的鼻状构造，轴向为北西-南东向，被一组北东向断裂斜切，形成了较为明显的断鼻构造形态；东庄地区整体为被北东向断层切割的断背斜构造。

东庄背斜构造受控于东 1 号断层，地层由北向南逐渐减薄，被北东向断层切割易形成断鼻、断块构造圈闭，东赵庄地区整体为轴向北西-南东的鼻状构造，但与张店、魏岗鼻状构造又有所不同。东赵庄鼻状构造并不是由南向北逐渐抬升，而是受两条大断层 F3(南掉)、F4(北掉)的影响，在东赵庄鼻状构造带的中间位置东 8 井附近相对低洼。F3 号断层以北地区地层逐渐抬升，鼻状构造被北东向断层切割；F4 号断层以南地区为被断层复杂化的断鼻构造，但并不像张店、魏岗鼻状构造一样宽缓，宽度约 3km。该区整体构造背景有利，是寻找断鼻、断块油藏的有利区域。

3 油气富集主控因素分析

3.1 有效烃源岩控制油气的分布

南阳凹陷“两凹一隆”的构造格局造就了东庄和牛三门两个次凹烃源岩发育的差异性，从而间接造就了石油分布的差异性。东庄次凹和牛三门次凹发育地层基本一致，纵向上地化特征差异性较大，以核二Ⅲ段和核三段烃源岩条件较好，为主力烃源岩层。

对有机碳含量大于 0.5%、氯仿沥青“A”含量大于 0.02%，生烃潜量大于 0.5mg/g 的烃源岩样品进行统计分析(表 1)。统计表明东庄次凹、牛三门次凹属中等—好烃源岩，其中东庄次凹有机碳含量分布范围为0.5%~2.85%，平均为0.78%；牛三门次凹有机碳含量分布范围为0.5%~2.72%，平均为1.22%。牛三门次凹整体优于东庄次凹。

通过各个层系有效烃源岩范围和探明储量的叠合，可以看出油气主要分布在有效烃源岩范围之内及周缘，油源条件有效的控制了油气的在平面和层段上的分布(图1)。

通过对魏岗、张店各个断块的含油层数和产量进行了统计，由南向北魏岗地区从Ⅰ断块到Ⅴ断块，含油层数和产量逐渐减少，而张店地区从龙1断块向北到南99断块，含油层数和产油却是先增加，到南38断块达到最大，然后从南38断块向北减少(图2)，油源距离只是其中一种影响因素，储层的物性也同时对油气起到控制作用，魏岗Ⅰ断块和南38断块油气最为富集，这是油源和储层物性共同影响的结果，向北油源距离变大，向南储层物性变差，油源距离与储层条件匹配最好的地区是魏岗Ⅰ断块与张店南38块。

3.2 沉积演化影响油气富集层位

大量研究结果表明，在断陷伸展盆地中，沉积体系在湖盆内的分布及其发育不仅仅与湖平面变化，气候等因素有关，而构造才是最主要的作用因素。凹陷内分割性较强，Ⅱ级断层发育，且具有一定规模，对凹陷南北沉积体系的控制较为明显。

表1　南阳凹陷烃源岩有机质丰度分地区统计表

区带	层位	*TOC*/%	*EOM*/%	S_1+S_2/(mg/g)
东庄次凹	H2Ⅰ	0.5~1.53 0.73(50)	0.01~0.047 0.022(18)	0.58~4.4 1.83(7)
	H2Ⅱ	0.5~2.85 0.73(40)	0.01~0.178 0.051(5)	0.58~17.29 3.83(11)
	H2Ⅲ	0.5~1.5 0.82(73)	0.01~0.618 0.134(34)	0.56~6.1 2.92(25)
	H3Ⅰ	0.5~1.68 0.78(131)	0.02~0.11 0.071(21)	0.66~5.75 1.58(24)
	H3Ⅱ	0.5~0.98 0.66(40)	0.02~0.06 0.037(10)	0.53~2.49 1.13(16)
	总平均	0.5~2.85 0.78(333)	0.01~0.61 0.08(88)	0.53~17.29 2.21(83)
牛三门次凹	H2Ⅰ	0.55~2.42 1.13(25)	0.079~0.346 0.155(6)	0.53~14.21 3.9(29)
	H2Ⅱ	0.5~2.71 1.18(52)	0.012~0.629 0.155(32)	0.53~31.81 8.4(31)
	H2Ⅲ	0.52~2.39 1.37(53)	0.039~0.346 0.138(32)	0.5~45.95 8.42(53)
	H3Ⅰ	0.52~2.72 1.25(113)	0.019~0.358 0.145(82)	0.53~18.03 6.8(47)
	H3Ⅱ	0.54~2.27 1.24(68)	0.054~0.308 0.171(46)	1.42~17.13 8.5(37)
	总平均	0.5~2.72 1.22(311)	0.012~0.639 0.152(198)	0.5~45.95 7.3(197)

注：统计结果以有机碳含量大于0.5%的样品统计，各参数为有机质丰度最小值-最大值/平均值；括号中为样品数。

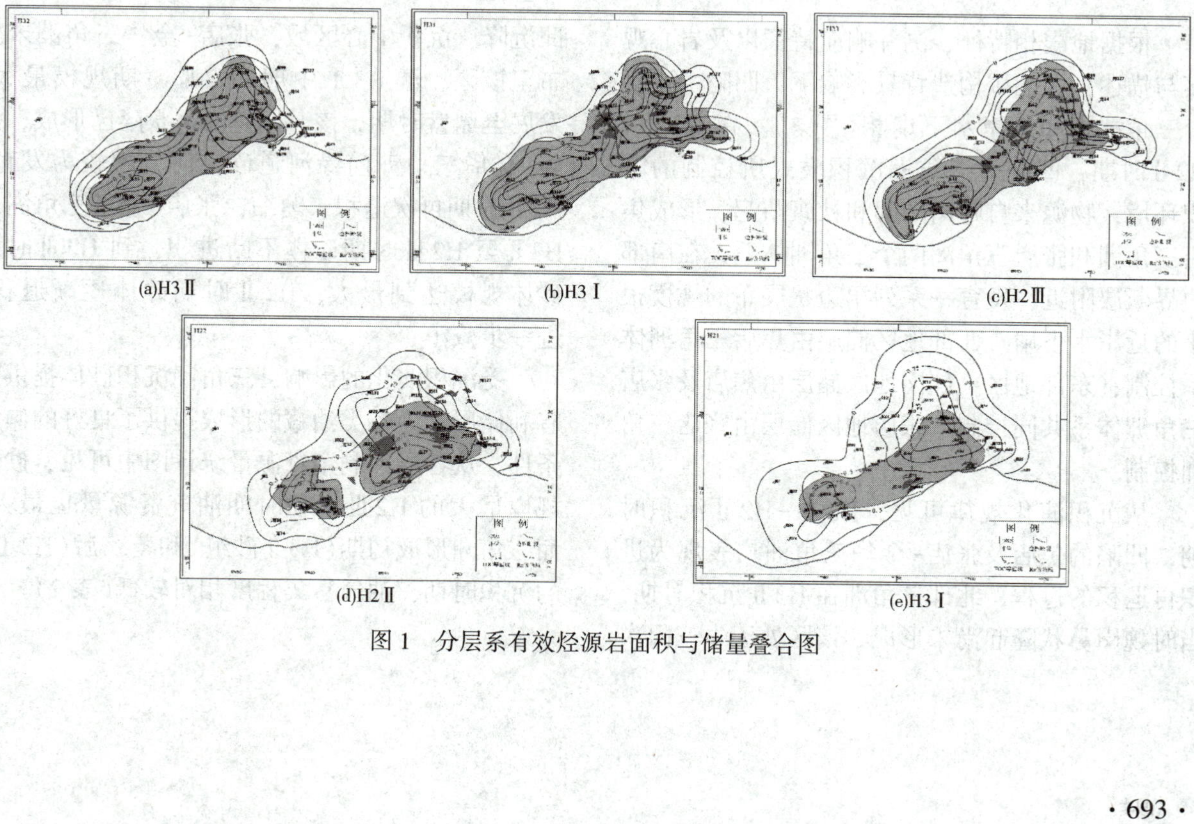

(a)H3Ⅱ　(b)H3Ⅰ　(c)H2Ⅲ　(d)H2Ⅱ　(e)H3Ⅰ

图1　分层系有效烃源岩面积与储量叠合图

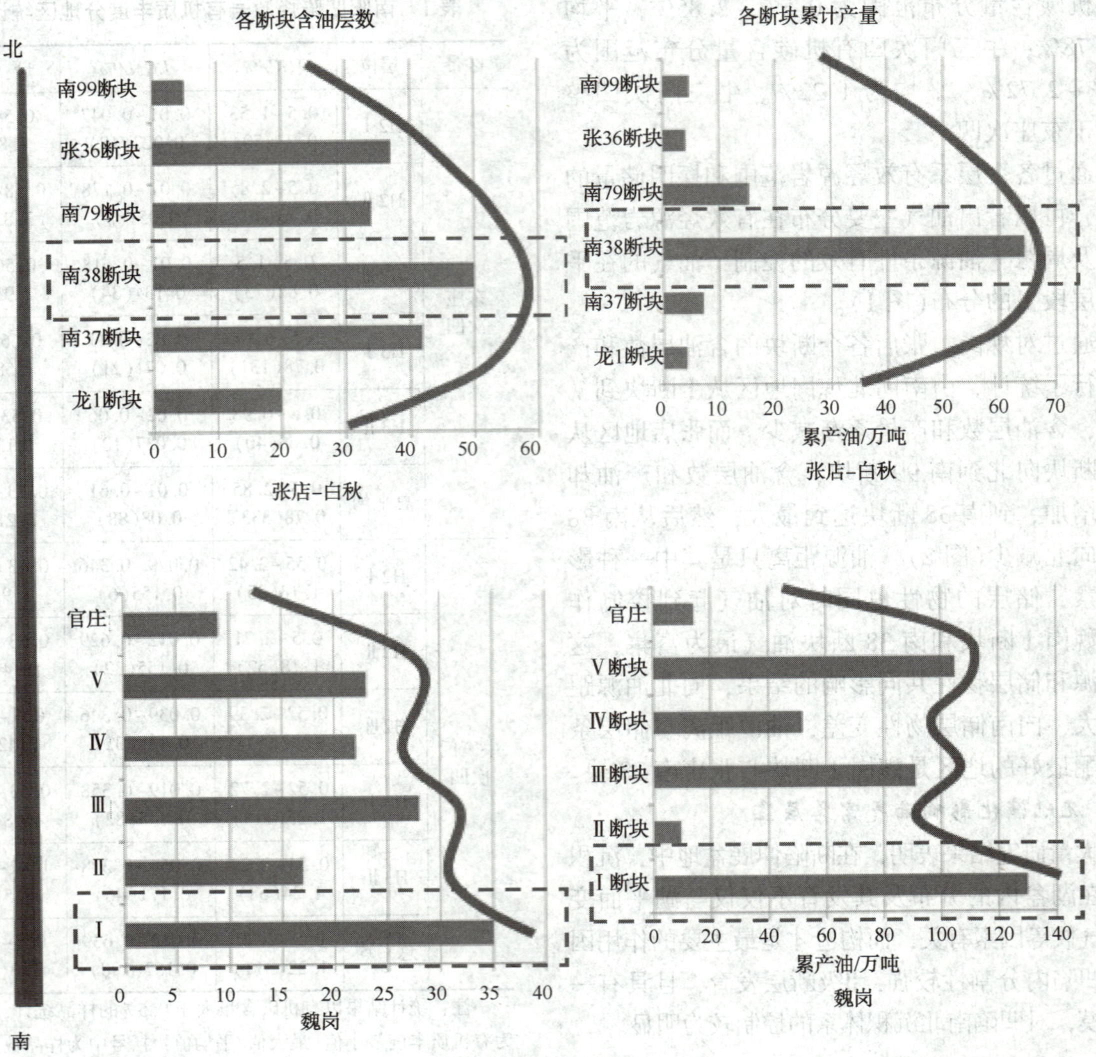

图2 魏岗、张店各断层含油层数及累计产量统计柱状图

根据地震相特征、测井响应特征以及岩心观察与描述，在区域构造背景影响下，凹陷主要发育三角洲相和近岸水下扇相(图3)。在H3Ⅱ-H2Ⅱ时期，凹陷为三角洲沉积模式所控制的沉积环境，物源来自师岗凸起和社旗凸起，形成焦店三角洲和张店三角洲两个三角洲体系，在南部边界断层附近，发育一系列裙边状展布的规模很小的近岸水下扇。西部地区储层由焦店三角洲体系控制；东部地区，魏岗地区储层由焦店及张店三角洲体系共同控制，张店地区储层由张店三角洲控制。

从沉积演化规律可见，H3Ⅱ-H2Ⅱ沉积时期，凹陷的焦店及张店-金华三角洲均表现为进积再退积的过程，北部三角洲在H3Ⅱ沉积时期，当时魏岗鼻状隆起尚未形成，该区处于牛三门次凹沉降、沉积中心区域，张店-金华三角洲未分布至该区，至H3Ⅰ中期-H2Ⅲ时期规模最大，发展至鼎盛时期，该时期魏岗鼻状隆已形成，张店-金华三角洲前缘河道砂，河口坝较为发育；H2Ⅱ时期再次退积、萎缩；张店-金华三角洲从H3Ⅱ至H2Ⅲ时期砂体不断进积，到H2Ⅲ时期砂体规模达到最大，H2Ⅱ时期砂体逐渐退积，进一步减小。

受沉积演化的影响，三角洲沉积砂体提供了有利储层，为各类油藏的形成提供了良好的储集条件，从各层系剩余资源量统计图中可见，砂体规模最大的H2Ⅲ沉积时期油气资源量也最大，而三角洲形成初期(H3Ⅱ砂组)和萎缩后(H2Ⅰ)的沉积时期，油气富集程度相对较低(表2)。

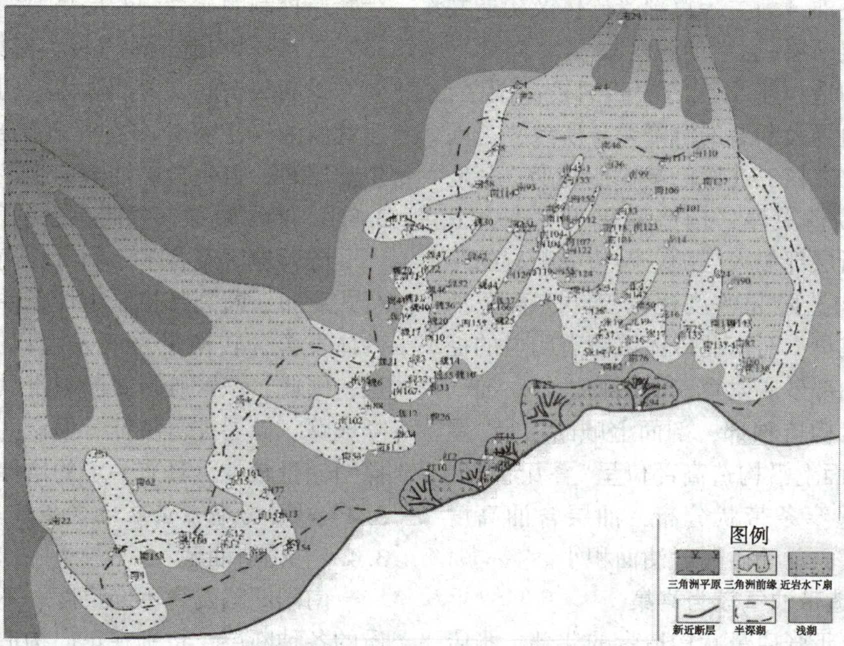

图 3　南阳凹陷 H_2Ⅲ段沉积相图

表 2　南阳凹陷各层系剩余资源量统计

砂组	剩余资源量/万 t	探明储量/万 t
Eh2Ⅰ	748.30	269.64
Eh2Ⅱ	976.56	1157.38
Eh2Ⅲ	1865.31	1091.00
Eh3Ⅰ	296.50	826.00
Eh3Ⅱ	1158.35	68.07

3.3　构造样式决定油气富集区

油气富集主要受控于三级张扭构造带(图 4)。不同三级张扭构造带，不同沉积相带，不同成藏组合样式其油气富集差异较大。凹陷内邻近牛三门生烃中心的鼻状构造油气相对较为富集，帚状构造和凹中隆背斜构造次之。

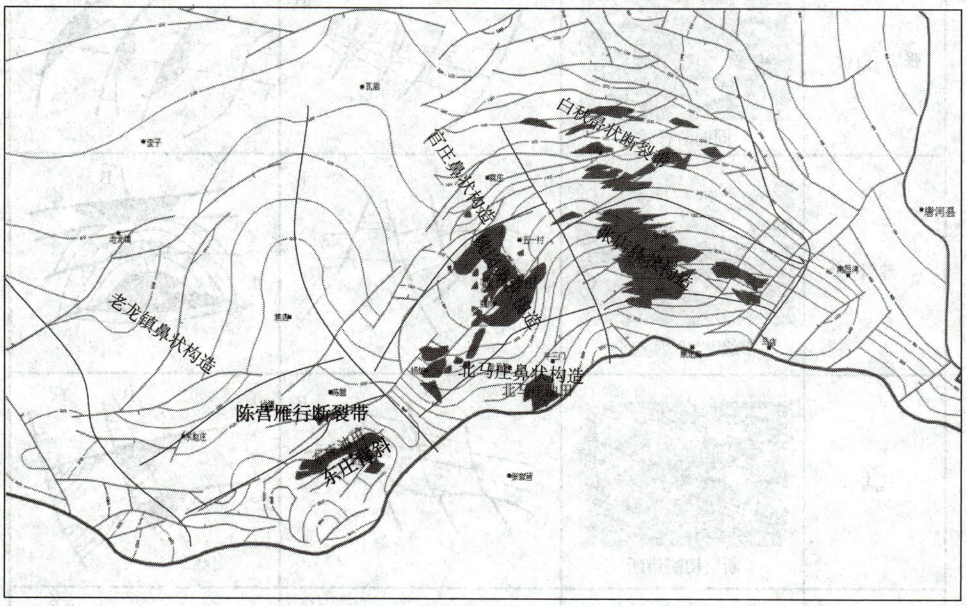

图 4　南阳凹陷三级张扭构造单元划分图

3.3.1　近源鼻状构造油气富集

魏岗鼻状构造带位于牛三门次凹与东庄次凹之间，该构造在核三Ⅱ-核三Ⅰ下部沉积时期为一沉积中心，属牛三门次凹的较深湖区，其形成受基底古构造控制，在核三Ⅱ段沉积末已具构造雏形。在 H3Ⅰ中期-H2I 沉积时期鼻状构造控制了张店-金华三角洲砂体的发育特征，具相势耦合的优越条件。因此，油气富集在鼻状构造轴部，以断鼻断块油藏为主，翼部受砂体及构造共同控制，可形成断层-岩性油藏富集。

张店鼻状构造位于牛三门次凹的较深湖区，其形成是控凹边界大断裂的沉降差异所致，为同沉积鼻状构造，在核三Ⅱ段已具构造雏形。其地层分布特征为顶薄翼厚，构造隆起幅度小大上小，靠近边界断层部位大，随着距边界断裂的距离增大，鼻状构造隆起幅度逐渐变小，直至消失。该构造形成早，对南北砂体沉积有明显的控制作用，构造轴部砂岩发育，储层物性好。油气主要富集在鼻状构造轴部，剖面上顺断层呈“屋脊状”分布，平面上沿构造高部位呈“叠瓦状”展布；单油砂体呈窄条带状分布，油层含油高度小，含油宽度窄，单油砂体含油面积小。

3.3.2　帚状构造带油气较为富集

白秋区块位于张店鼻状构造带的北部，张店鼻状隆起幅度在该区已基本消失，受北东向主断层的影响，发育局部微幅度鼻状构造，平面上由南往北，断层走向由北东向逐渐转为北西向，被入字形的断层切割形成多个断块，呈帚状构造带汇聚。其断层发育特征比张店地区复杂。该区油藏主要分布于 H2Ⅲ、H3Ⅰ段，含油层数较多，受断层控制明显，顺断层呈“屋脊式”分布。

3.3.3　背斜构造带油气较为富集

受断裂空间配置和砂体空间展布的控制，东庄背斜油气主要分布在背斜轴部，H2Ⅱ为主要生油层系，自生自储油藏为主。

3.3.4　断裂断裂转换带具备油气藏形成条件

陈营地区发育多条同沉积南掉正断层，呈雁行式展布，断裂带控制生烃条件，其转换带控制砂体发育，转换带之间发育以下列次级调节断层，因此，该区雁行式断裂带具有近源供烃、断隆成藏、储层控富特征。但该区目前发现的石油探明储量较少，具有一定的增储潜力。

3.4　砂体与断层匹配决定油藏具体分布

3.4.1　构造油藏

南阳凹陷发育不同尺度、不同产状和不同性质的各种断层，特别在正向构造——鼻状构造的主体部位，多组断层相互交切，形成形状不一、大小不等的规则、不规则断块。断层的产生、发展与演化是断层发育区控制油气藏的形成与分布的重要因素，它不仅为油气的成藏提供了圈闭条件，同时还是油气运移、聚集的通道(图5)。

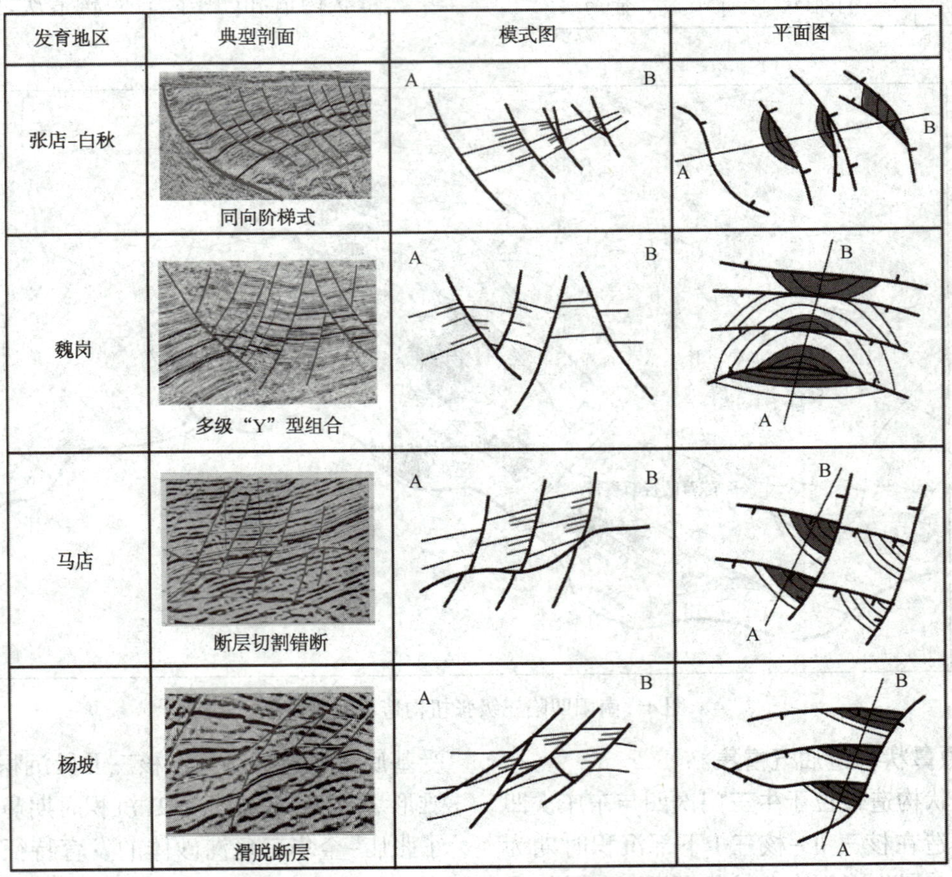

图5　南阳凹陷构造油藏模式图

3.4.2 构造-岩性油藏

构造-岩性油藏既在鼻状构造翼部发育，同时也在构造轴部发育，整体来说，有利的构造背景是该类油藏发育的先决条件，进一步受到砂体的控制，岩性干带是形成该类油藏的必要条件。魏岗鼻状构造西翼主要受焦店三角洲砂体控制，来自西北部的砂体向魏岗主体延伸，与向东抬升的地层匹配形成断层-岩性圈闭；魏岗鼻状构造东翼受张店三角洲砂体控制，来自东北部砂体向魏岗主体延伸，与向西抬升的地层匹配形成断层-岩性圈闭；魏岗主体区构造高部位利于油气聚集，三角洲砂体向前延伸，在前缘末端分支明显，形成岩性干带，断层-岩性圈闭；张店构造主体及翼部均受张店三角洲砂体控制，三角洲砂体在前缘末端分支明显，在构造轴部及翼部与断层形成断层-岩性圈闭（图6）。在构造背景有利的情况下，我们需要运用多种手段，加强单砂体的精细刻画，落实岩性干带，与构造进行匹配，去发现断层-岩性圈闭。

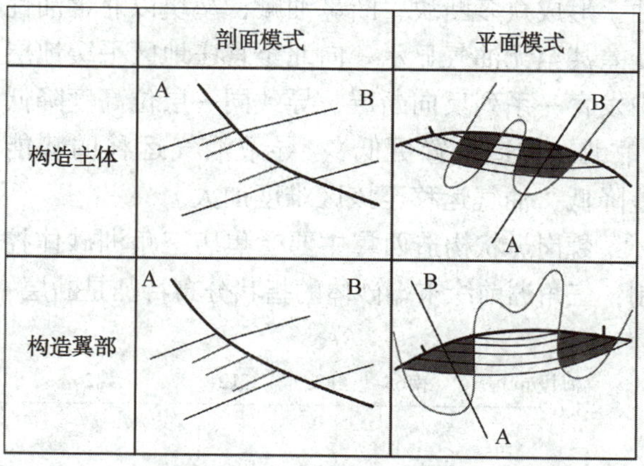

图6 南阳凹陷构造-岩性油藏模式图

3.4.3 岩性类油藏

南阳凹陷东部地区发现的岩性油藏主要分布在魏岗地区及南部断超带，在构造背景有利的情况下，由于砂体向构造高部位变干或者尖灭而形成了岩性干带，对油气起到封堵作用，从而形成岩性油藏，其中魏岗地区部分小层还存在一些砂岩透镜体油藏（图7）。

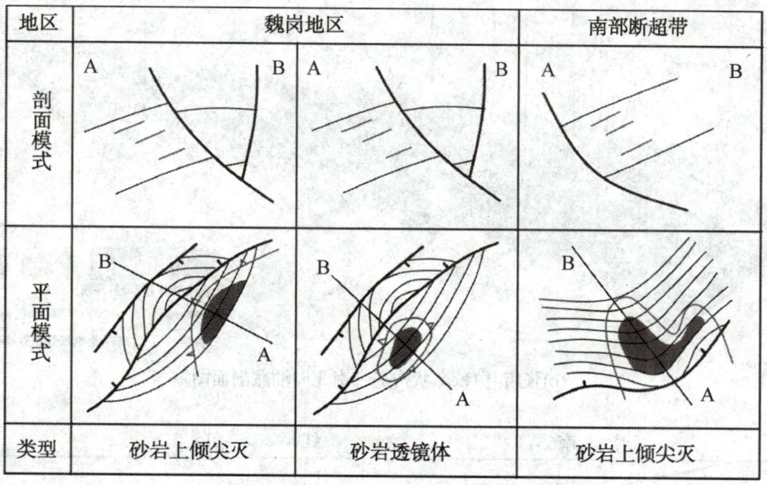

图7 南阳凹陷岩性油藏模式图

4 南阳凹陷不同构造带油气成藏模式

南阳凹陷各区构造特征不一，油气富集及成藏规律也各具特点。不同尺度、不同产状和不同性质的各种断层，特别在正向构造——鼻状构造的主体部位，多组断层相互交切，形成形状不一、大小不等的规则、不规则断块。断层的产生、发展与演化是断层发育区控制油气藏的形成与分布的重要因素，它不仅为油气的成藏提供了圈闭条件，同时还是油气运移、聚集的通道。南阳凹陷的勘探实践表明：断层与鼻状构造的不同配置决定断层的输导或遮挡作用，可以形成不同的油气运聚模式，横切即断层走向与鼻状构造轴向相交，形成油气呈"轴—线"型运聚模式：即断层主要起侧向输导作用，油气穿越断层呈线状运移，聚集在鼻状构造的轴部。

4.1 魏岗-官庄鼻状构造带构造、构造-岩性油藏复合断阶成藏模式

魏岗-官庄鼻状构造带复合断阶型断块组合模式由两组断阶组成，两组断阶倾向不同，平面上可以平行或在浅层相交，两组断阶在鼻状构造中部形成垒块，垒块以南油气富集，多层系含

油，形成众多断块、断鼻油藏，垒块以北含油性变差甚至无油气显示。向北至官庄地区平缓地层中发育一系列反向断层，导致同一层位高度降低（靠北，构造位置更低），导致油气运移的势能差降低，油气运移至该区难度加大。

魏岗鼻状构造西翼主要受焦店三角洲砂体控制，三角洲前缘末端砂体的指状分布特征是断层-岩性油藏的形成的重要条件。来自西北部的砂体向魏岗主体延伸，与向东抬升的地层匹配形成断层-岩性圈闭；魏岗鼻状构造东翼受张店三角洲砂体控制，来自东北部砂体向魏岗主体延伸，与向西抬升的地层匹配形成断层-岩性圈闭；魏岗主体区构造高部位利于油气聚集，在岩性干带的控制下同样可形成断层-岩性油藏[图8(a)]。

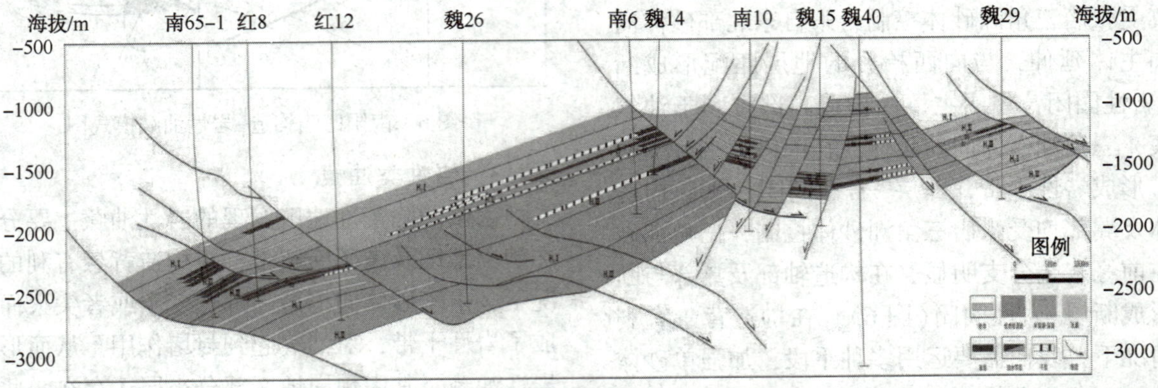

(a)魏岗-官庄鼻状构造带南北向油藏剖面图

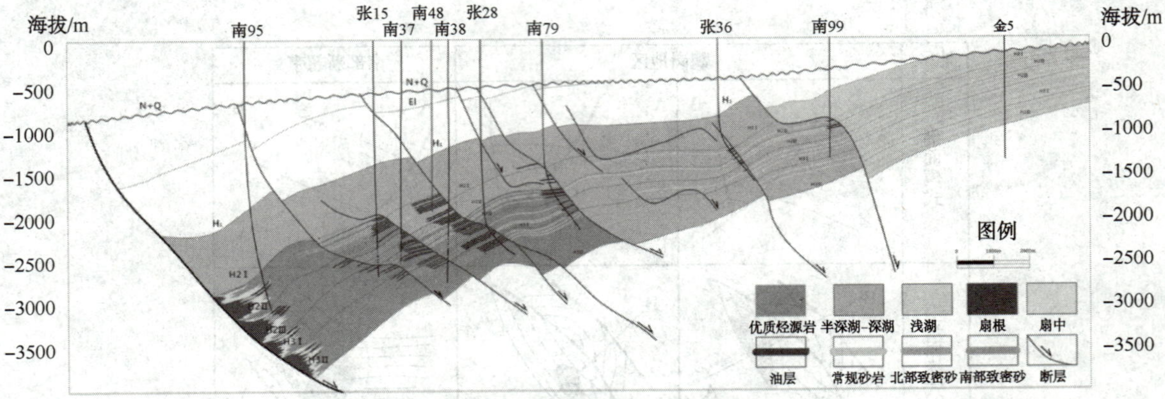

(b)张店-白秋鼻状构造带南北向油藏剖面图

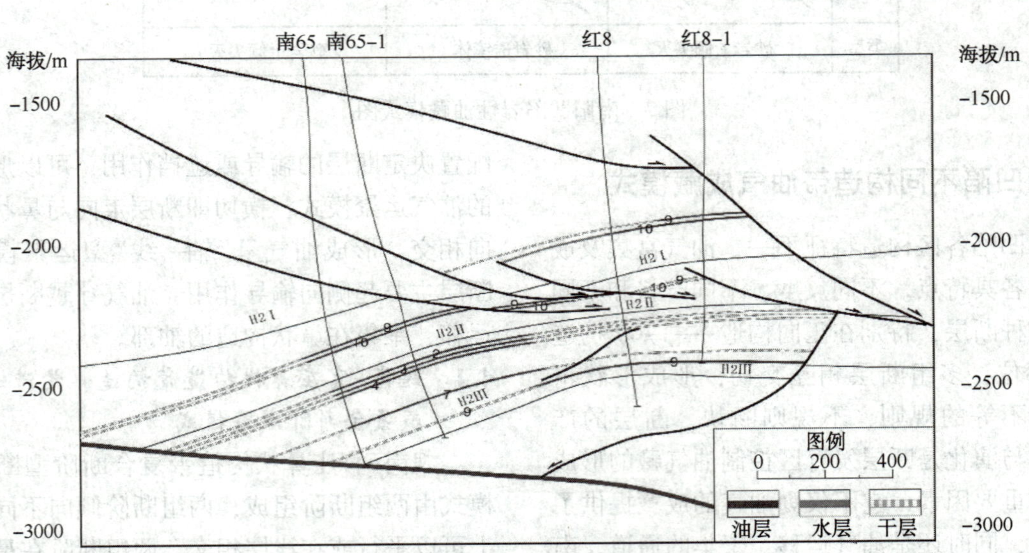

(c)南部断超带北马庄地区油藏剖面图

图8　南阳凹陷各区带油藏剖面图

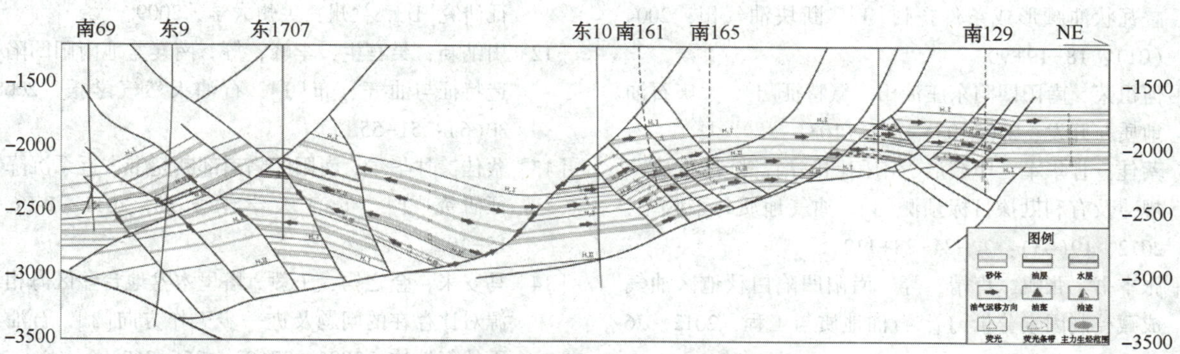

(d)东庄-东赵庄鼻状构造带南北向油藏剖面图

图8　南阳凹陷各区带油藏剖面图(续)

4.2　张店-白秋鼻状构造带构造、构造-岩性油藏牙刷状成藏模式

张店-白秋鼻状构造带由南向北依次发育多条北掉正断层，形成了反向断阶型断块群，在剖面上形成阶梯状组合形态[图8(b)]。该区发育的一系列反向断层，具有上陡下缓的特点，在目的层段断面承受着上覆地层的压力，沿断面易形成连续分布的泥岩沾污带，使得断面具有更好的侧向封堵能力，特别是因构造应力场非均匀叠加形成的一系列北掉北东向转东西向的弧形断层(平面呈弧形)，使大量油气聚集在弧形断层内侧所形成的断鼻、断块圈闭内，呈“牙刷状”展布，形成纵向含油层系多、富集高产的主力油层。

张店构造主体及翼部均受张店三角洲砂体控制，三角洲砂体在南部前缘末端分支明显，在构造轴部及翼部与断层形成断层-岩性圈闭。

4.3　南部断超带源内岩性油藏砂砾岩体成藏模式

南部断超带位于南阳凹陷南部，处在生烃中心和沉降中心，油气运移距离短，来自南部的小型砂砾岩储集体有利于捕获油气成藏。该区主要包括北马庄和黑龙庙地区：①北马庄地区构造属魏岗鼻状构造南部的倾没端，区内主干断层特征多表现为走向北东的北掉正断层，平面上呈侧列式展布；②黑龙庙地区位于张店-黑龙庙鼻状构造带的南部倾没端，构造较为简单。工区主要储层分布在核桃园组二段和三段，沉积环境为边界断裂(新野断裂)控制下的陆相湖盆近岸水下扇和湖相三角洲前缘、前三角洲，主要储集层为南部近岸水下扇砂体。扇体根部位于边界大断裂附近，具有延伸距离近(小于2km)、单层多等特点，砂体自南向北延伸直至尖灭，与鼻状构造配置有利于形成一系列砂岩上倾尖灭油藏和构造-岩性油藏[图8(c)]。

4.4　东庄-东赵庄鼻状构造带构造、构造-岩性油藏“凹中隆”成藏模式

东庄次凹作为南阳凹陷西部的小型生油次凹，为西部地区的生油中心。根据构造演化特征分析，H2Ⅱ沉积时期F1号等同沉积断层断裂剧烈活动，4条雁列式北东向展布的同沉积断层形成了断层转换带，断层转换带成为了来自西北方向沙堰-焦店三角洲进入湖盆的主要通道，砂体沿着断距最小的低部位缓坡向湖盆中心推进，呈朵状或指状展布。同沉积断裂的下降盘控制了砂体运移方向及前缘朵体展布方向，优质储层相对发育。东庄背斜是发育在次凹内的一个背斜构造，具有“凹中隆”的有利成藏条件，优质储层主要分布在东庄背斜主体及翼部，处于三角洲前缘相带，主要发育水下分流河道、河口坝及席状砂沉积微相，砂体平面展布随河道迁移不断摆动。三角洲前缘砂体与背斜构造匹配，同时被北东向断层切割，形成一系列断鼻、断块油藏[图8(d)]。

5　结论

南阳凹陷油气藏类型丰富，油气藏平面分布明显受生油凹陷和砂体的控制，油气藏分布主要在烃源岩成熟区内和边缘；纵向上，油气藏主要分布于核二段和核三Ⅰ段。油气富集具有明显的源控特征，受生油凹陷控制，油气紧邻生油次凹分布；油气主要聚集在正向构造主体部位；储层控制油气富集。南阳凹陷东整体具有“油源控区，构造控聚、储层控富”的“三元控藏”特征。

参　考　文　献

[1] 程旭波，刘峥君，杜新勇，等．南阳凹陷张店油田

叠瓦状油藏形成条件探讨[J]. 断块油气田，2004(01)：18-19+90.
[2] 何祖荣. 南阳凹陷东庄油田成藏特征[J]. 大庆石油地质与开发，2005(03)：5-6+103.
[3] 蔡佳，甘华军，印斌浩. 南阳凹陷南部陡坡带成藏规律及有利勘探目标预测[J]. 油气地质与采收率，2012，19(03)：22-24+28+112.
[4] 张本书，张帆，卢靖，等. 南阳凹陷白秋地区油气成藏控制因素分析[J]. 石油地质与工程，2012，26(05)：9-12+157.
[5] 肖学，王振奇，于群达，等. 南阳凹陷魏岗油田北部地区滑塌浊积岩发育特征[J]. 石油地质与工程，2015，29(1)：32-38.
[6] 李黎明，李小霞，陈雪菲，等. 南阳凹陷魏岗油田储层沉积特征与油气分布规律. 石油地质与工程，2018，32(1)：36-40.
[7] 曾庆才. 南阳凹陷油气成藏规律研究及勘探目标评价[D]. 北京：中国地质大学，2008.
[8] 程学峰. 南阳凹陷核桃园组油气成藏规律研究与勘探潜力分析[D]. 北京：中国地质大学，2008.
[9] 蔡佳，王华，罗家群. 基于层序地层格架的南阳凹陷油气成藏模式[D]. 西南石油大学，2011，33(3)：67-73.
[10] 张艳. 有效烃源岩的识别与应用—以塔里木盆地为例[J]，大庆石油地质与开发，2006，25(6)：9-12.
[11] 刘春艳. 新疆三塘湖盆地石炭系烃源岩地球化学特征研究[D]. 兰州：兰州大学，2009.
[12] 田纳新，吴官生，李峰，等. 南襄盆地南阳凹陷构造特征与油气分布[J]. 石油天然气学报，2008，30(6)：51-55.
[13] 蔡佳，甘华军. 南阳凹陷南部断超带古近系沉降特征研究[J]. 长江大学学学报，2011，8(6)：15-19.
[14] 马安来，金之钧，王毅. 塔里木盆地台盆区海相油源对比存在的问题及进一步工作方向[J]. 石油与天然气地质，2006，27(3)：356-362.
[15] 柳广弟. 石油地质学[M]. 石油工业出版社. 2009.
[16] 杨晓萍，赵文智，邹才能，等. 低渗透储层成因机理及优质储层形成与分布[J]. 石油学报，2007，28(4)：57-61.
[17] 程喆，朱伟，谭承军，等. 陆相断陷盆地缓坡弯折带研究-以南阳凹陷为例[J]. 新疆石油地质，2003，24(6)：527-529.
[18] 陈冬霞，庞雄奇，姜振学. 透镜体油气成藏机理研究现状与发展趋势[J]. 地球科学进展，2002(06)：871-876.
[19] 王敏，秦伟军，赵追，等. 南襄盆地泌阳凹陷油气藏形成条件及聚集规律[J]. 石油与天然气地质，2001，22(2)：169-172.
[20] 蔡佳，罗家群，甘华军，等. 南襄盆地泌阳凹陷隐蔽油气藏模式与富集规律[J]. 石油实验地质，2009，31(3)：244-248.

煤层气田井口积液治理工艺研究与应用

孟凡华　郭冰燕　刘松群　张永琪　王子辉　屈丽彬

（中国石油天然气股份有限公司山西煤层气勘探开发分公司）

摘　要　煤层气开采采用“排水降压”方式，采出气为携带少量游离水的饱和气，在输送过程中受温度、压力变化凝析为液态水积存于管线中。实际生产中，随压力、气量变化，管线积液定位难、定量难。为减少管线积液、降低冬季生产气量影响、提高管输效率，本文转变积液治理思路，由积液产生后“被动排放”模式转变为井口“前端治理”，基于 OLGA 多相流瞬态模拟软件建立煤层气管道水力模型，深化研究积液产生机理，明确不同气量井场含水类型，研制新型井口脱水工艺。结果表明，排采初期，积液由游离水和饱和水析出构成，排采后期，积液为饱和水析出水构成，新型井口脱水工艺有效除去煤层气混合流中液相组分 70%以上。可改变目前积液处理方式，增加煤层气积液控制技术储备，降低管线内积液，提高管输效率。

关键词　煤层气；排水降压；游离水；饱和水；井口前端治理；积液机理

煤层气井地处山区，管线铺设高程差较大，在集输管线输送过程中出现的压差、温差（节流、位差），使饱和水析出，管道内析出的水易聚集在高程起伏的低洼地段，引起管网积液、冻堵，冬季生产时造成气量影响，且近年来气量影响逐年上升。国内外学者就积液问题做了大量研究。薛爱芹等人通过设定不同传热系数和不同管径，主要依据沿线温度变化进行计算，得到结论：温度下降最快的距离均为出井场至井场外750m 左右，一般 2.2km 以后，介质温度接近周围环境温度。故建议在出井场约 2km 以后，地形较低或管线折点上坡地段设置凝水器，但当管道起始处高程差较大时，此结论则不适用。张爱娟等人分析了湿气输送过程中气液比、管线倾角、压力、温度等条件对积液的影响规律。胡倩等人基于对不同含水率、不同管径等工况条件下管道内流型、持液率变化情况的计算，判断管线中的积液情况，结果表明：当设计

管道流速大于 9m/s 时，可以改变集输管线中介质流型，降低管线出现积液的风险；当起伏管道为50°倾角时，管线中的持液率最大，如果管道为非分散流，则可以在此类管道设置凝液缸用以收集排放积液，但研究中未考虑压力等其他影响因素。王磊等人基于煤层气采气管道设计参数，利用 HYSYS 软件计算采气管线沿线的温度、饱和水含量、压力的变化情况，根据管道凝析水量的计算结果，给出分水器安装位置、个数等建议，但研究过程中缺乏含水率多少对积液影响的考虑。上述研究总结积液及管道各参数变化规律，为管道积液定位及排放提供指导意见，但实际应用中，煤层气井气量、压力稳定周期短，管线积液随压力、气量变化表现为定位难、定量难等，是凝液缸每年大批失效且需调整重新安装、放水效果不一的根本原因。随井口产气能力下降，管压下降，约 50%的井管压低于 0.03MPa，低管压运行状态，压力无法将管内积液排出。为此在生产中逐步探索出放水扫线、中压反吹扫工艺，如图 1 所示，但受管网连接方式、调压方式、工艺模式限制，存在吹扫耗时长、气量损失和超压等不适应，随 15#煤开发，不同井场含 H_2S 浓度不同，若在含硫气体环境下直接排放，存在人身伤亡和环保安全风险。

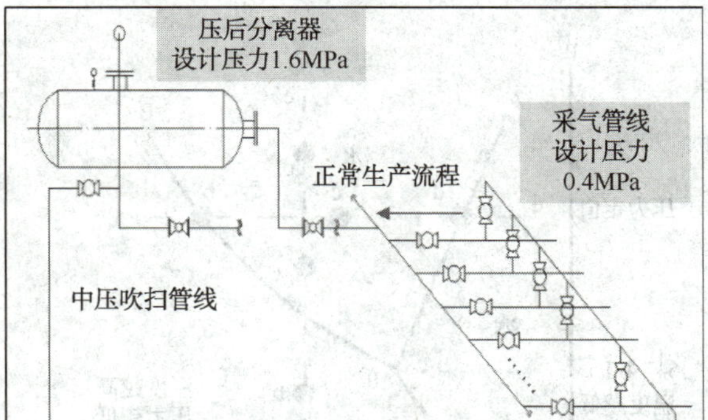

图 1　中压反吹扫流程示意图

针对现有排液技术存在的不适应性，本文转变积液治理思路，由积液产生后“被动排放”治理模式转变为“井口前端”治理思路，分析积液产生机理，旨在研究适用于煤层气开发的井口低压气液分离技术，用于分离井口游离水和饱和水，形成对应前端治理技术，实现低压力损耗、低成本井口分离技术。

1 采气管线积液产出机理

1.1 煤层气井排采各阶段相态变化对积液影响

与常规天然气不同，煤层气是以吸附态形式吸附于煤层孔隙中，开采方式为“排水降压”，如图 2 所示经过“水相流—气水两相流—气流(水流)”阶段排采，在开采过程中，由于煤层井壁失稳、基质破裂等原因而产生煤粉，井底的水和煤粉在排水采气过程中到达地面，大部分煤粉悬浮于水中在井口排出，但仍然有部分水和煤粉随气体进入采气管道。因此，煤层气输送为湿气输送，采气管道中存在气液固等多相流动。

1.2 积液产生主控因素分析

煤层气采用湿气输送，气体中含饱和水蒸气，饱和水含量随温度、压力变化趋势如图 3 所示。在输送过程中，受温度、压力变化影响，饱和水蒸气凝析为液态水。故造成积液产生的因素为压力、温度，随着压力的逐渐下降，水的气态含量将逐渐增多，饱和水析出量减少，压力不是饱和水析出的关键控制因素。

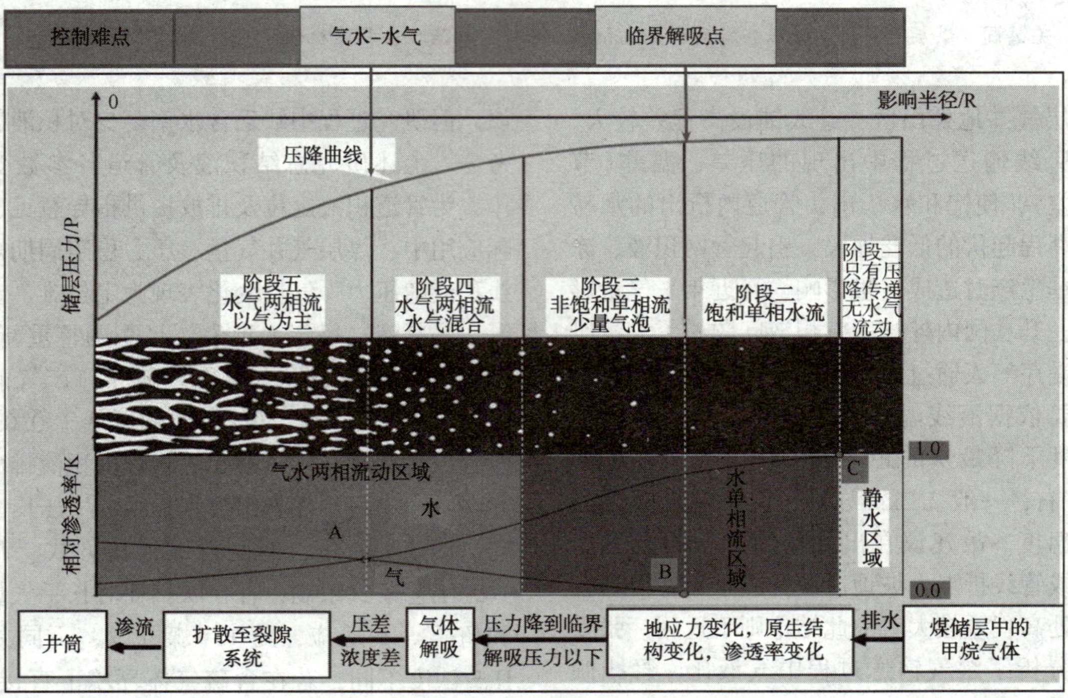

图 2　煤层气井阶段排采示意图

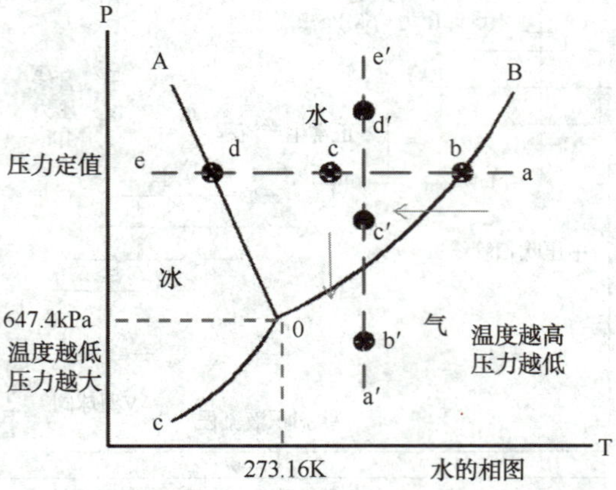

图 3　饱和水含量随温度、压力变化曲线

OA 为液固两相临界线，OB 为气液两相临界线，OC 为气固两相临界线，温度下降，水相的变化趋势为由气态向液态、固态，压力下降，水相的变化趋势由固态、液态向气态转化。

利用 OLGA 多相流模拟软件计算发现：如图 4 所示，生产初期压力高、气体流速高，携液能力强，积液被携带翻越爬坡积存在靠后的低洼点；生产末期管压降低、流速降低，携液能力差，受地形影响，积液无法翻越爬坡，积存于管线前端低洼点。

综上所述，受管压变化影响，不同生产阶段

气体携液能力不同，产生的积液位置不同，所以管压不是沿线饱和水析出的关键控制因素，主要影响沿线的积液位置。

煤层气井井口为保温伴热，井口温度20℃，夏季地温12℃，温降8℃，冬季地温2℃，温降18℃，井口采出气进入管线，温度降低，根据图3，随温度逐渐下降，水的气态含量将逐渐减小，饱和水析出量增多。煤层气井实际生产过程中，如图5、图6所示，冬季生产压力、气量波动明显，夏季不明显，所以湿气输送过程中，饱和水析出的关键控制因素为温度。

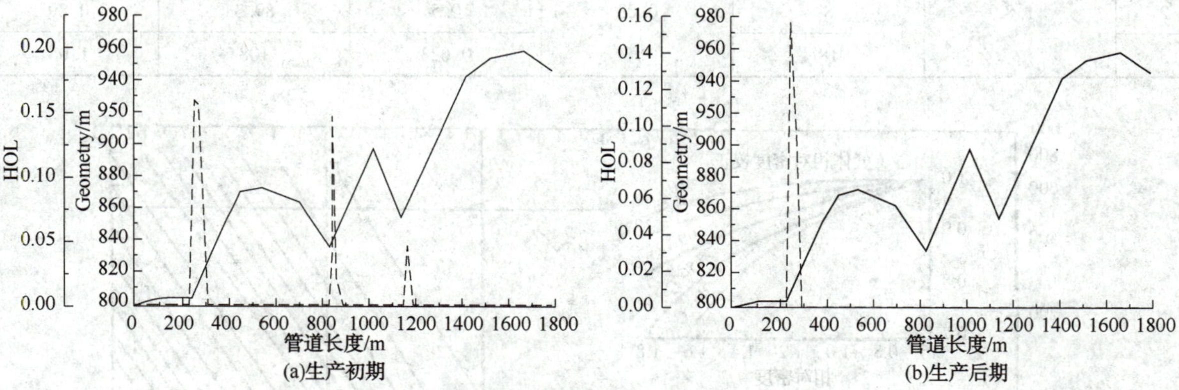

图4　X采气管线生产初期、后期管线持液率变化情况

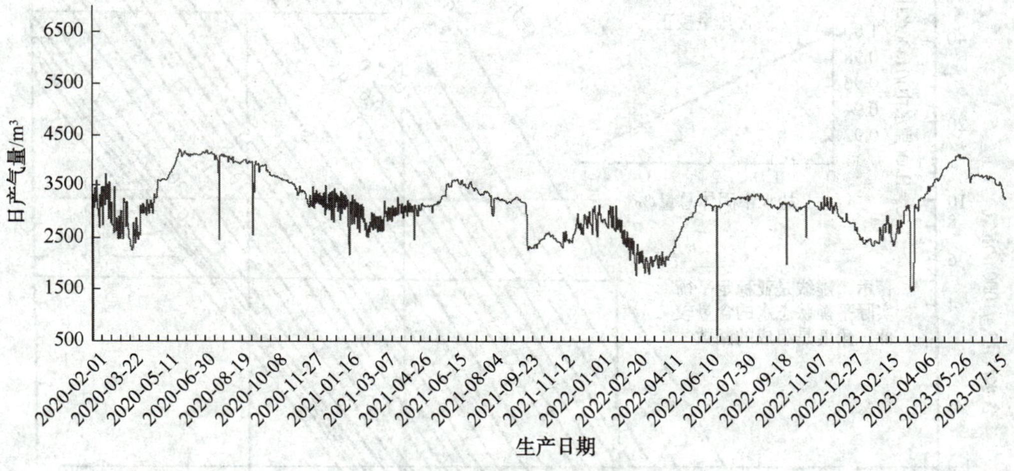

图5　DS-079井日产气量生产曲线

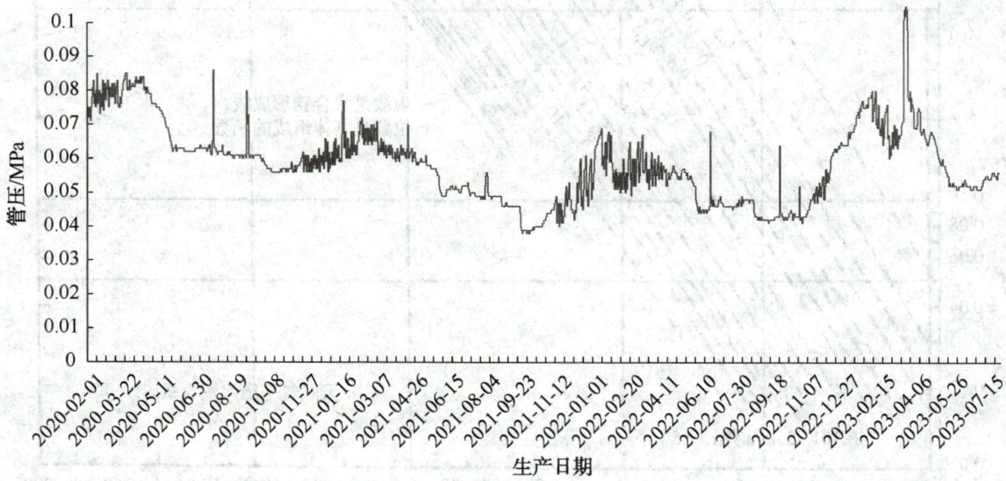

图6　DS-079井生产曲线

如图7所示为饱和水含量的计算图，煤层气相对密度为0.56163mg/m³，根据该计算图计算不同温度下的饱和水蒸气量，以表1为例，冬季井场计量阀组温度为20℃，地温为2℃，理论计算输送过程中析出水量1.08L。

表1　不同含水率条件下饱和水析出情况

序号	气量/万m³/d	温度/℃	压力/MPa	含水率/%	饱和水蒸气/m³	凝析水/L
1		5		0.43	76.9	0.769
2	1.8	8	0.03	0.5	89.3	0.89
3		18		0.623	108	1.08

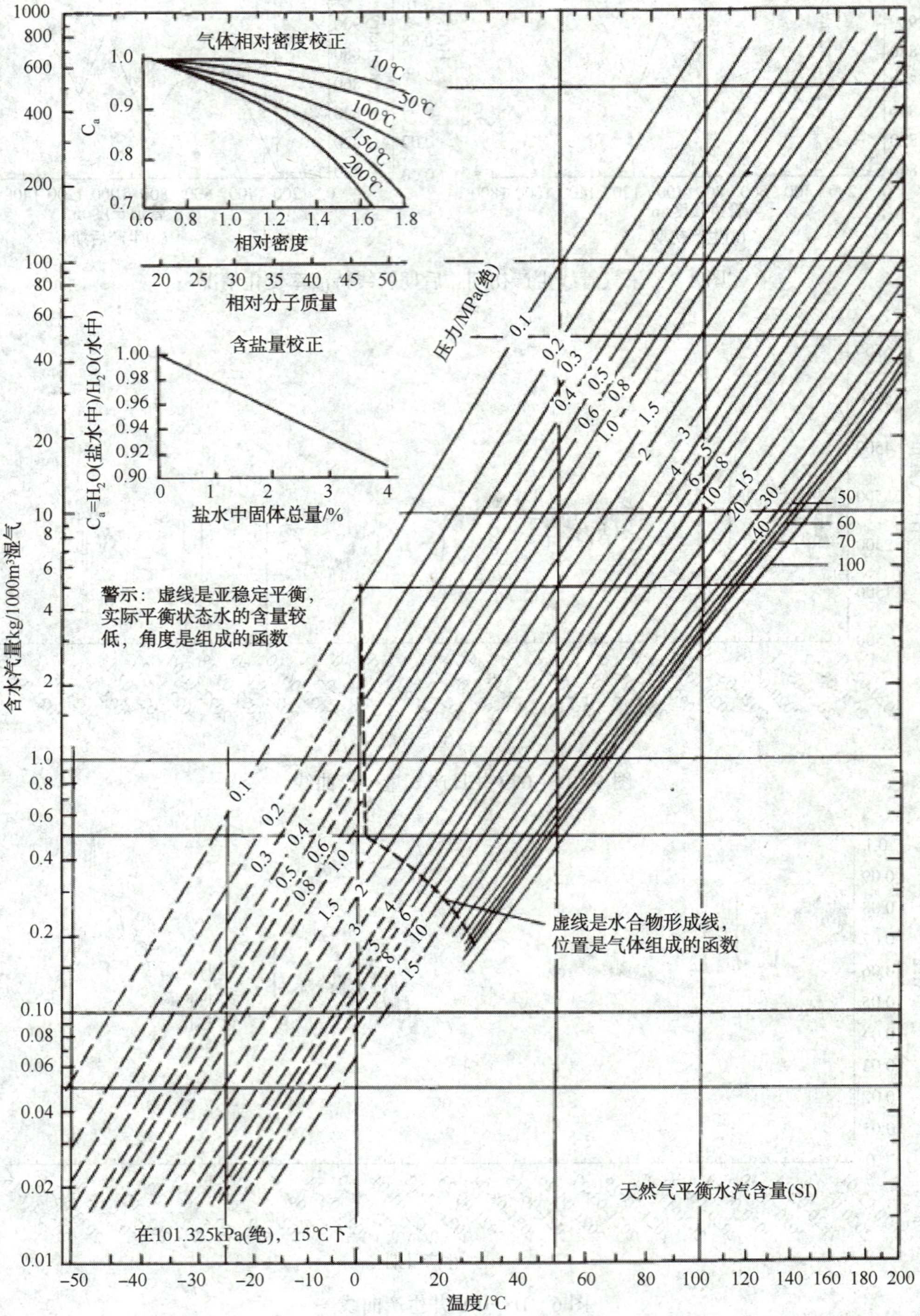

图7　天然气含水量

针对积液运移位置不确定、积液排放不及时等现象，本文将温度作为关键因素，根据这一主控因素制定0~4℃这一关键参数，最后形成一套关键工艺技术，冬季通过人为的井口提前降温，将水截留在井场内。

1.3　高流压井排采初期积液形成机理

为深入研究积液形成机理，明确积液产生是由气体携带游离水产生或气体内饱和水析出，本文利用OLGA多相流模拟软件，选取Basic Case建立积液模型。模拟煤层气井不同排采初期携液情况，以水平井为例，水平段：1km，气量：8000m³/d，井深：800m。

如图8、图9分别为流压2MPa情况下的三维模拟结果及井筒内气体携液模拟结果，排采初期，流压2MPa时，气体可以由井筒携带液态游离水至地面，此时积液由游离水和饱和水析出构成。

图10、图11为Z4P11井组生产曲线，Z4P11井组于2021年12月28日投产，生产过程中在2022年3月12日进行断管放水，此时流压1.798MPa，放水量为1m³/周，理论计算凝析水量为0.06m³/周，产气初期流压2MPa以上，可从地层携带游离水至管线内，积液由游离水和饱和水构成。

图8　流压2MPa条件下的3维模拟结果

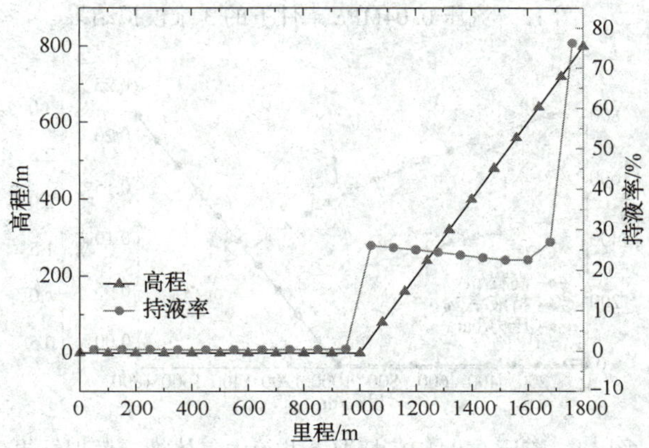

图9　流压2MPa情况下井筒内气体携液模拟结果

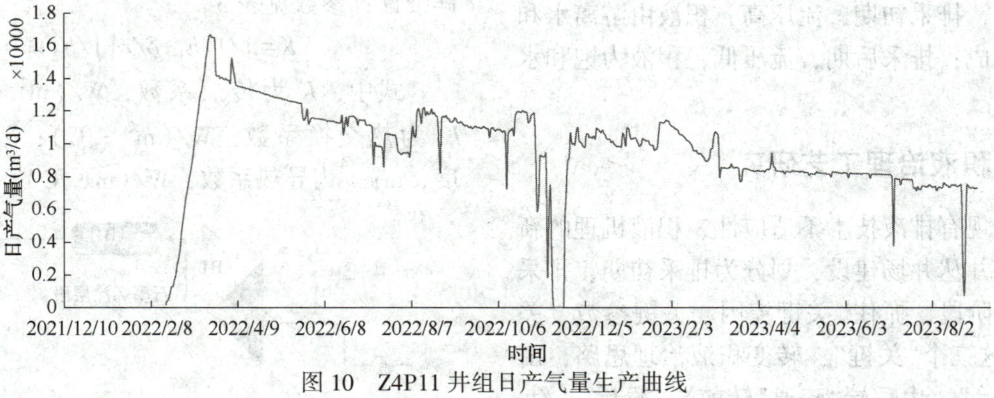

图10　Z4P11井组日产气量生产曲线

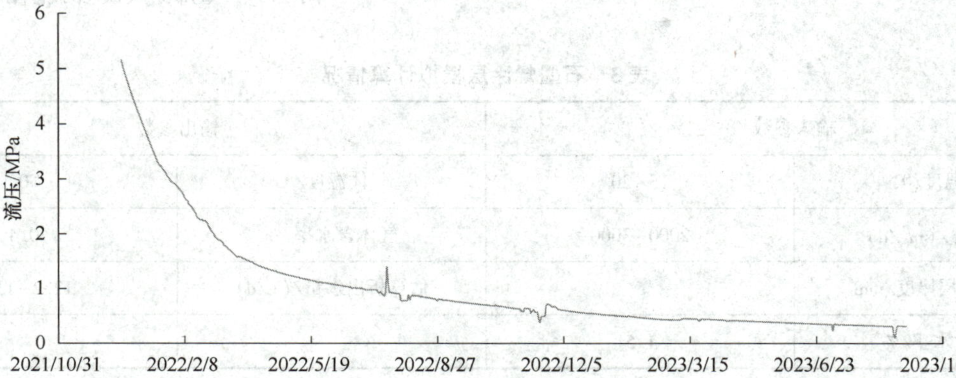

图11　Z4P11井组流压曲线

如图 12、图 13 所示为流压 0.04MPa 情况下的三维模拟结果及井筒内气体携液模拟结果。排采后期，流压 0.04MPa 时，气体无法携带液态游离水至地面，此时积液由饱和水析出构成。

图 12　流压 0.04MPa 条件下的 3 维模拟结果

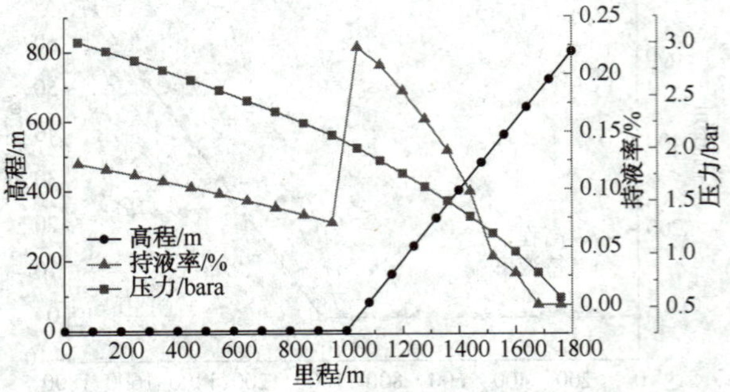

图 13　流压 0.04MPa 情况下井筒内气体携液模拟结果

综上分析，积液构成分排采初期、排采后期两个阶段，排采初期，流压高，积液由游离水和饱和水构成；排采后期，流压低，积液为饱和水析出构成。

2　井口积液治理工艺研究

基于现有排液技术不适应性、积液机理的新认识、大井丛井场建设，划分为排采初期、排采后期 2 个阶段，抓住“关键控因、关键参数、关键工艺”这三个“关键”，转变积液治理思路，由“排”转“治”，由后端“疏通”转前端“截断”。针对游离水和饱和水 2 种积液模式，通过井场工艺优化与改进，研究适用于煤层气开发的井口低压气液分离技术，排采初期以游离水初步分离为主，排采后期以饱和水冷分离为主，实现大部分积液在井场得到治理。

2.1　煤层气饱和水冷分离工艺

饱和水蒸气分离方式有节流、降温两种方式，综合考虑压降、成本、分离效果，依托降温析水，选择石墨烯涂层进行饱和水分离(表 2)。

表 2　饱和水分离工艺比选

序号	饱和水分离方式	工艺	特点
1	节流	设计喷管	压降大，20%的压力损失
2	降温	光杆干燥器	成本高，3 万/台
3	降温	石墨烯涂层	结构简单
4	降温	半导体制冷	结构复杂

石墨烯传热系数 5300W/m·K，钢材传热系数 50W/m·K，石墨烯导热系数高，是钢材导热系数的 100 倍，利用石墨烯高传热系数，实现短距离换热降温，使气体饱和水快速降温析出。如图 14 为石墨烯涂层管段模拟示意图，根据公式(1)，输入温度为 15℃，石墨烯涂层厚度 5mm，经降温分离后出后气温度 0℃，经模拟计算，管段长度 0.5～0.8m，可将气体由 15℃降至 0℃，详细计算参数见表 3。

$$K=1/1/h_1+\delta/r+1/h_2) \quad (1)$$

式中，K 为传热系数，W/(m^2·℃)；h_1，h_2 为热交换系数，W/(m^2·℃)；δ 为材料厚度，m；r 为导热系数，W/(m·℃)。

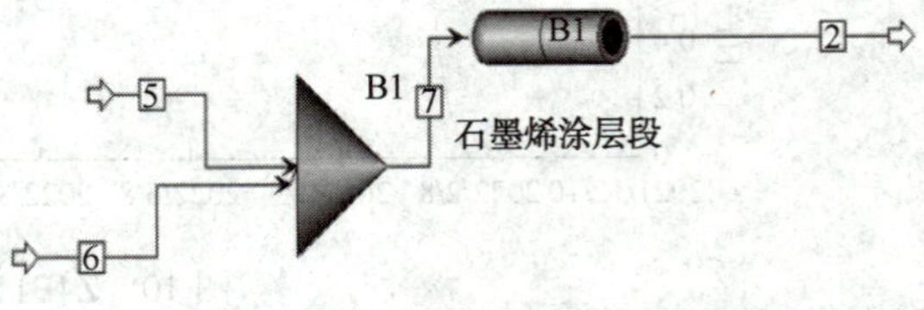

图 14　石墨烯涂层模拟示意图

表 3　石墨烯涂层模拟计算情况

输入参数		输出参数	
气体温度/℃	15～20	气体温度/℃	0
气体流量/(m^3/d)	2000～3000	气体含水率/%	0.4
石墨烯涂层厚度/mm	5	估算析出水量/(L/d)	12.2～13.2
气体含水率/%	1.5		

2.2 游离水初分离装置

如图15所示，游离水初分离装置由旋流组件、液膜发生器、精细分离组成。来气进入旋流组件后，经电解形成液膜所需流路，根据设计流路进入液膜发生器使混合流中液相组份聚集，进入精细分离，再对聚集的液相组份进行精细分离。

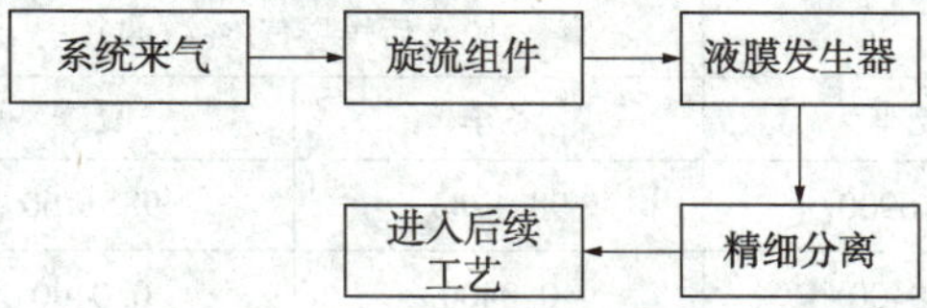

图15　井口低压气液分离装置流程图

游离水初分离装置分离柱内速度场模型为式(2)~式(4)，以此设计液膜所需流路。

r 方向：

$$\frac{u_\theta^2}{r}=\frac{1}{\rho}\frac{\partial P}{\partial r} \tag{2}$$

θ 方向：

$$u_z\frac{\partial u_\theta}{\partial z}=v\left\{\frac{\partial}{\partial r}\left[\frac{1}{r}\frac{\partial}{\partial r}(ru_\theta)\right]+\frac{\partial^2 u_\theta}{\partial z^2}\right\} \tag{3}$$

z 方向：

$$v\frac{\partial^2 u_z}{\partial r^2}+\frac{v}{r}\frac{\partial u_z}{\partial r}-\frac{1}{\rho}\frac{\partial P}{\partial z}=0 \tag{4}$$

求解上述方程可获得分离柱内的流速分布：

轴向速度分布：

$$u_z=\sqrt{-\frac{8R}{K^2\rho}\frac{\partial P}{\partial z}}\left[1-\left(\frac{r}{R}\right)^{\frac{1}{2}}\right] \tag{5}$$

切向速度分布：

$$u_\theta=C_3\left\{-\frac{4}{3}\left(\frac{r}{R}-\left(\frac{r}{R}\right)^{\frac{1}{2}}\right)+\frac{1}{2}\frac{r}{R}\ln\frac{r}{R}\right\} \tag{6}$$

根据式(5)计算低压分离装置液膜厚度：

$$\delta^4-\delta_0^4=5.85\frac{u^2}{\rho^2 g}z \tag{7}$$

轴向速度的表达式：

$$\begin{cases} u_z=\sqrt{\dfrac{8}{3}C}\,r_0^{\frac{1}{2}}\left[\left(\dfrac{r}{r_0}\right)^{\frac{1}{2}}-1\right], & r_0<r<r_{\max} \\ u_z=\sqrt{\dfrac{8}{3}C}\,R^{\frac{1}{2}}\left[1-\left(\dfrac{r}{R}\right)^{\frac{1}{2}}\right], & r_{\max}<r<R \end{cases} \tag{8}$$

切向速度的表达式：

$$u_\theta=A_1r+A_2r^{-1}-\frac{4}{3}C_2R^{\frac{1}{2}}r^{\frac{1}{2}}-\frac{1}{2}C_2r\ln r \tag{9}$$

式中，P 为压力，MPa；g 为重力加速度，m/s^2；ρ 为密度，kg/m^3；δ 为液膜厚度，m。

2.3 井口积液治理工艺流程

基于石墨烯高传热系数、初分离装置工艺原理，优化井场工艺，实现低压分离装置在井场的安装使用，确保大部分液体在井场得到截断，如图16为优化后井口工艺流程示意图。气井来气经过石墨烯涂层管段，温度降低，饱和水析出，气体携带析出的饱和水、游离水再进入初分离装置，经旋流组件、液膜发生器、精细分离，实现液体在井口的分离。

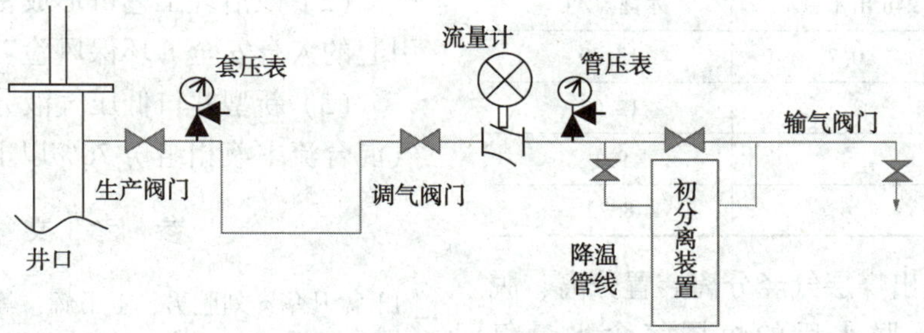

图16　井口工艺流程示意图

3 实例应用

利用该井口积液治理工艺对煤层气井开展试验。在A井场安装试验，井组为直井，气量 $4831m^3/d$，排采设备为抽油机，功率为15kW、11kW，变压器容量为125kVA，汇管管径D114×5mm，详细参数见表4。

表4　A井场生产参数表

井号	排采方式	变频电机功率/kW	管压/MPa	气量/(m^3/d)
A	抽油机	11	0.033	1286
A-1	抽油机	15	0.03	1908
A-2	抽油机	11	0.03	583
A-3	抽油机	11	0.03	1054
合计				4831

井口积液治理装置的设备设计参数：处理能力 $5000m^3/d$，耗电量 250W/h，输入电压 220V，使用电压 24V，压损≤0.001MPa，高 3.1m、直径 0.5m。在 A-2 井与 A-3 井来气汇管间、计量阀组外输阀门处带压开孔新建一路 *DN*50 旁通管线，接入分离装置，并于装置出入口处分别安装 *DN*50 球阀用于进出口控制。

表 5　煤层气脱水后含水率

序号	组分	脱水前煤层气/%(mol)		脱水后煤层气/%(mol)	
		冬季	夏季	冬季	夏季
1	C_1	97.6915	97.6900	98.1783	98.1760
2	C_2	0.0398	0.0400	0.0400	0.0400
3	CO_2	0.4279	0.4300	0.4297	0.4297
4	N_2	1.3433	1.3400	1.3496	1.3495
5	H_2O	0.4975	0.5000	0.0044	0.0048

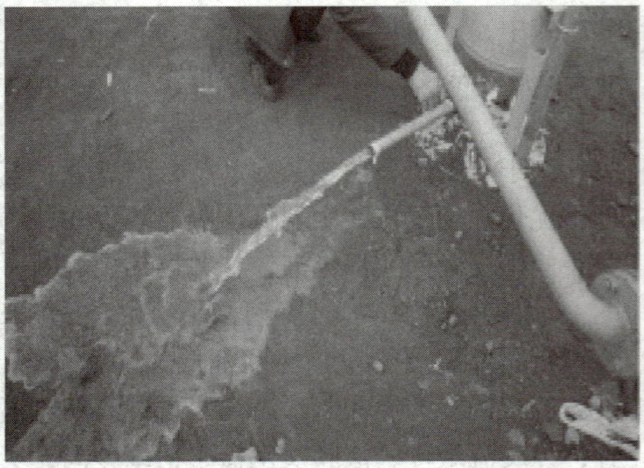

图 17　24 小时系统分离出的水、杂质情况

表 6　24h 分离装置脱水结果

测试点	24h 出水量/L	水露点/℃
1#	0.7	13.09
2#	2.5	12.02
3#	4	9.1
4#	6	8.72

表 5 为井口采出煤层气经分离装置分离、脱水后的气体组分，脱水后的煤层气含水量仅 0.004%，根据图 17、表 6 等现场试验结果发现，24h 该设备分离出的水、杂质较多，该井口脱水工艺系统效果较好，能除去煤层气混合流中液相组分 70%以上，可改变目前积液处理方式，增加煤层气积液控制技术储备，降低管线内积液，提高管输效率。

4　结论

（1）深化机理认识，明确不同排采阶段管线不同积液构成。

（2）该治理工艺可形成密闭空间，降低 H_2S 引起的人身安全、环保风险、管线腐蚀。

（3）新型井口低压气液分离技术可除去煤层气混合流中液相组份 70%以上。

参 考 文 献

[1] 孟凡华，刘胜男，王子辉，等．煤层气低压管道积液动态分析与规律研究[J]．中国煤层气，2020，17(2)：3-8.

[2] 薛爱芹，茆天琪．煤层气采气管线凝水器设置[J]．化工管理，2016(21)：190.

[3] 张爱娟，唱永磊．湿气管线积液影响因素及其敏感性分析[J]．石油化工高等学校学报，2016，29(5)：94-98.

[4] 何军，惠熙祥，巴玺立，等．煤层气集气管道计算影响因素分析[J]．石油规划设计，2015，26(6)：43~45.

[5] 胡倩，肖静，李刚，等．煤层气地面集输管道积液

预判分析[J]. 天然气与石油，2017，35(05)：23-27.

[6] 王磊，唐红伟，于强，等. 煤层气采气管道分水器工艺计算[J]. 天然气与石油，2012，30(01)：17-19+40+99.

[7] 郭简，高杰，王景悦，等. 煤层气集输管路积液预测软件开发[J]. 石油工程建设，2016，42(6)：5-10.

[8] Doe T W，Boyce G. Orientation of hydraulic frac-tures in salt under hydrostatic and non-hydrostatic stress [J]. Rock Mechanics and Mining Science，1989，26：605-611.

[9] 张玮，张光波，刘明仁，等. 煤层气集输管线冬季凝析水排出方法分析[J]. 中国煤层气，2019，16(5)：35-38+18.

[10] 邹红刚，宋军，黄仁琼，等. 煤层气管线积液治理研究及对策[J]. 中国煤层气，2020(4).

[11] 诸林，王兵. 天然气含水量的估算[J]. 天然气工业，1995，15(6)：57-61.

石油石化企业科技创新人才队伍建设

韩佼男　林　鹏

（昆仑数智科技有限责任公司）

摘　要　本论文旨在研究石油石化企业科技创新人才队伍建设的现状和问题，并从建立管理机构、预测关键岗位需求空缺、构建管理岗位胜任力标准体系、完善管理干部候选人评估机制、强化候选人就任的保障机制几方面提出相应的解决方案和策略。通过对目前存在的问题进行分析和研究，可以为石油石化企业提供科技创新人才队伍建设的指导和参考，进一步推动企业的科技创新和发展。

关键词　石油石化企业；科技创新；人才队伍建设

石油石化企业作为我国经济发展的重要支柱产业之一，在国内外市场具有重要的影响力。科技创新是石油石化企业实现可持续发展的关键因素，然而，随着科技的迅速发展和市场的变化，企业面临着越来越激烈的竞争环境和不断升级的技术挑战。在这种背景下，如何建立一支高素质的科技创新人才队伍成为了石油石化企业亟待解决的问题。

1　石油石化企业科技创新的重要性

石油石化企业的科技创新对企业竞争力和行业发展产生了双重影响。首先，石油石化企业通过科技创新可以提高企业的竞争力。新的技术和工艺可以帮助企业更高效地提取原油、炼油和生产石化产品。通过引入自动化生产线和智能化的机器设备，企业可以降低人力成本，提高生产效率。这不仅能够迅速响应市场需求，提供大量的产品，还能节约生产成本，提高企业的盈利能力。同时，科技创新也可以提高产品质量和创新能力，企业能够生产更安全、更具竞争力的产品，满足市场不断变化的需求。这些因素都会显著增强企业的竞争力，在激烈的市场竞争中占据有利位置。

其次，科技创新对石油石化行业的发展具有推动作用。石油石化行业是一个关键的基础产业，对经济发展和社会进步具有重要影响。通过科技创新，石油石化企业可以引入新的技术和工艺，提高资源利用效率和环境友好性。例如，发展先进的勘探技术和提取技术可以帮助企业发现更多的石油储量，保障资源供应；引入新的炼油技术和催化剂可以提高产品质量和生产效率；发展新材料和新能源技术可以推动石油石化产品的创新和多样化。这些创新不仅可以提升企业的竞争力，还能推动整个行业的技术升级和经济增长。除此之外，石油石化企业之间的技术合作和创新共享也会进一步促进整个行业的发展。

2　石油石化企业科技创新人才的特点和需求

2.1　技术专业能力要求

1. 深厚的领域知识

石油石化行业涉及多个领域，包括地质勘探、油气开采、炼油、化工工艺、环境保护等。科技创新人才需要具备深厚的专业知识，以理解和解决复杂的技术问题。

2. 先进的工程技能

掌握最新的工程技术和工具，能够设计、优化和实施复杂的石油石化项目。这包括模拟建模、数据分析、仿真技术等。

3. 安全意识

石油石化领域涉及高风险操作，科技创新人才需要具备严格的安全意识，确保生产过程的安全性和可持续性。

2.2　创新思维和团队合作能力要求

1. 创新思维

石油石化企业需要不断推陈出新，采用新技术、新工艺来提高生产效率、减少环境影响。科技创新人才应具备创新思维，能够提出新的理念和解决方案。

2. 跨学科合作

石油石化领域的科技创新通常需要跨越多个学科领域，如化学、物理、地质、机械工程等。人才需要具备跨学科合作的能力，与不同背景的专家合作，解决复杂问题。

3. 效果卓越的沟通能力

能够将复杂的技术概念以简单明了的方式传达给非技术背景的团队成员和决策者，推动技术创新的实施。

2.3 学习和适应能力要求

1. 持续学习

科技创新人才需要保持对新技术和行业趋势的持续关注，积极参与培训和学术研究，不断提升自己的技能和知识。

2. 快速适应

石油石化行业的技术和市场变化迅速，人才需要能够快速适应新的挑战和机会，灵活调整工作方法和战略。

3. 风险管理

石油石化企业科技创新通常伴随一定的风险，科技人才需要具备风险管理的能力，能够识别潜在风险并采取措施降低风险。

石油石化企业科技创新人才需要在技术专业能力、创新思维和团队合作能力以及学习和适应能力方面具备多方面的特点和能力。这些人才将成为企业科技创新的关键驱动力，帮助企业应对不断变化的市场和技术挑战，实现可持续发展和竞争优势。

3 石油石化企业科技创新人才队伍现状分析

石油石化企业科技创新人才队伍的现状主要包括以下方面：

3.1 人才结构和数量

1. 结构不均衡

科技创新人才队伍结构存在问题，大多数高级人才和专业人士集中在中高层管理层，而基层和青年科技创新人才相对较少。这导致了人才结构的不合理和创新能力的不足。

2. 数量不足

企业在科技创新领域的人才数量有限，无法满足不断增长的科技需求。特别是在石油石化的高级创新领域，人才供给不足，造成了企业在关键技术领域的依赖性。

3.2 人才培养和引进的现状

1. 培养不足

石油石化企业对科技创新人才的培养有时不够重视。高校教育中创新教育的不足以及企业培养体系的不完善，限制了科技创新人才的培养数量和品质。

2. 引进困难

尽管企业意识到引进优秀科技创新人才的重要性，但由于竞争激烈和薪酬福利等问题，引进困难。高级科技人才的引进尤其具有挑战性，限制了企业科技创新人才队伍的培养和发展。

3.3 人才流失和留用问题

1. 流失问题

由于技术领域的竞争及其他行业的吸引力，一些优秀的科技创新人才选择离开石油石化行业，寻求更好的发展机会。这导致了科技创新队伍的不稳定和流动性问题。

2. 留用困难

企业在留住高级科技创新人才方面面临困难。缺乏激励机制、发展机会和良好的职业发展道路，限制了企业留住人才的能力。

这些问题对石油石化企业的科技创新能力和持续竞争力构成一定挑战，需要企业和政府共同努力来解决。通过改善人才结构和数量、强化人才培养和引进机制、加强人才流失和留用管理等措施，可以进一步推动科技创新人才队伍的发展和壮大。

4 石油石化企业科技创新人才队伍建设的策略和措施

4.1 建立管理机构

建立一个有利于科技创新人才队伍建设的管理体系需要考虑以下方面：

1. 创新人才招聘职位

企业需要设立招聘职位，专门负责吸引和招募具有科技创新能力的人才。他们应该了解不同科技领域的最新趋势，能够主动寻找潜在的创新人才，并通过创新性的招聘方式吸引他们加入企业。

2. 创新团队负责人职位

该职位应由具有丰富科技创新经验的高级管理人员担任。他们应对创新团队的运作负责，并促进团队成员之间的合作和沟通，确保创新项目的顺利进行。

3. 创新项目经理职位

项目经理应负责管理和监督企业内部的创新项目。他们需要具备项目管理技能，能够有效地执行创新项目并确保项目能按计划完成。同时，他们还需要具备科技行业的专业知识，以便更好地理解和应用技术。

4. 创新导师职位

企业可以聘请具有丰富石油石化经验和科技创新能力的专业人士担任创新导师，以指导和辅导创新团队成员，提供专业指导和经验分享，帮助他们克服技术和创新方面的难题。

5. 创新评估专员职位

该职位的职能是评估和监测创新项目的进展和成果。他们需要制定评估指标和方法，并定期进行项目评估，以确保项目按计划进行，并提供合适的支持和资源来促进创新项目的成功。

通过设立以上职位和职能，石油石化企业可以建立一个有利于科技创新人才队伍建设的管理体系。这样的体系可以有效的招聘和培训，提供专业的指导和支持，并确保创新项目的顺利进行，从而培养和吸引更多的科技创新人才。

4.2　预测关键岗位需求空缺

石油石化企业需要通过预测关键岗位的需求空缺，以助力科技创新人才队伍建设，这通常需要采取综合性的方法和策略。以下是一些关键环节：

1. 战略规划和业务预测

企业首先需要对自身的战略规划进行审查，了解未来几年的业务发展方向。这包括考虑新项目、市场趋势、技术创新和政策变化等因素。通过深入的战略规划，企业可以预测到哪些领域可能需要更多的科技创新人才支持。

2. 技能需求分析

进行详细的技能需求分析，确定未来关键岗位所需的具体技能和背景。这可以通过与现有员工、业界专家和招聘团队的合作来完成。技能需求分析有助于明确在哪些领域需要更多的人才。

3. 市场和行业研究

技术创新人才的需求通常受市场变化的影响，所以及时跟踪市场和行业趋势至关重要，因为企业可以通过参与行业研究、参加会议和与竞争对手进行对比研究来保持对市场动态的了解。

4. 建立人才储备池

一旦确定了未来的技术需求，企业可以开始建立人才储备池。这可以通过与大学、研究机构和科技初创公司建立合作关系来实现。这些合作伙伴关系可以帮助企业吸引和留住具有相关技能和背景的人才。

5. 招聘和人才管理系统

采用先进的招聘和人才管理系统来跟踪关键岗位的需求和招聘进展。这些系统可以帮助企业更有效地管理人才流程，确保及时填补空缺。

6. 数据分析和预测模型

利用数据分析和预测模型，企业可以更精确地预测未来的人才需求。这些模型可以基于历史数据、市场趋势和业务预测来进行。

石油石化企业预测关键岗位的需求空缺需要综合考虑战略规划、市场趋势、技能需求分析和人才管理策略。通过这些方法，企业可以确保在科技创新领域建立强大的人才队伍，以满足未来的需求。

4.3　构建管理岗位胜任力标准体系

石油石化企业在构建管理岗位胜任力标准体系以助力科技创新人才队伍建设时，需要考虑以下是关键因素：

1. 明确战略目标

企业需要明确自身的战略目标和发展方向。这包括确定企业在石油石化行业中的定位，以及在科技创新方面的愿景和目标。这将有助于确定所需的管理岗位胜任力标准。

2. 识别关键职位

确定在科技创新领域中关键的管理岗位，这些岗位对于实现企业的创新目标至关重要。这些岗位可能包括研发部门的领导、技术经理、创新项目经理等。

3. 制定胜任力框架

为每个关键管理岗位制定具体的胜任力框架。这些框架应明确各个岗位所需的技能、知识、经验和行为特征。胜任力框架应该与企业的战略目标和科技创新需求保持一致。

4. 与业内专家合作

企业可以与行业内的专家和领域内的科学家合作，以确保胜任力标准体系的科技内容具有前瞻性和实用性。这有助于跟上行业最新的科技趋势。

5. 绩效评估和反馈机制

建立绩效评估和反馈机制，以监测相关职员在管理岗位上的表现，并提供反馈和改进建议。这有助于持续提高员工的胜任力。并为表现出色的管理人员提供奖励和激励措施，以激发他们在科技创新人才发掘方面的积极性和创造力。

通过构建管理岗位胜任力标准体系，石油石化企业可以更好地培养和吸引科技创新人才，提高组织的创新能力，推动行业的发展和竞争力。

4.4　完善管理干部候选人评估机制

在选拔过程中，石油石化企业应当采用科学的方法来评估候选人在过往工作岗位上的表现。这可以通过收集候选人的工作履历、工作成果、团队合作等方面的信息，然后将这些信息进行定量或定性的分析和判断，得出相应的结论。为了确保评估的全面性和准确性，石油石化企业在评估候选人时应该考虑不同岗位的工作性质和要求。不同岗位需要不同的能力和素质，因此，在对候选人进行评估时，需要科学地考虑候选人与岗位的匹配度。

具体来说，公司的人力资源部在明确空缺岗位所需要的能力和人才选拔标准之后，应该根据胜任力模型，综合考虑候选人的过往业绩贡献、绩效表现和能力特质等因素进行评估。在一般管理干部的任职中，通常会从基础能力、思考能力、执行能力和团队协作能力等四个方面来考量候选人的综合能力。

① 基础能力主要考察候选人的专业知识和技能，以及对相关领域的熟悉程度。②思考能力则考察候选人的分析和解决问题的能力，包括创新思维、逻辑思维和战略思维等。③执行能力主要考察候选人在工作中的执行能力和实施能力，包括计划能力、组织能力和决策能力等。④团队协作能力则考察候选人在协调与沟通、团队领导和团队合作方面的能力。

通过对这些方面的综合考量，石油石化企业可以更加全面地评估候选人的能力和素质，以找到最适合岗位需求的管理人才，实现人员与岗位的匹配。

4.5 强化候选人就任的保障机制

强化科技创新人才候选人的就任保障可以从增强文化建设和强化组织建设两方面进行。

1. 增强文化建设

建立创新文化。石油石化企业应该树立创新文化，倡导敢于创新、勇于尝试的氛围。通过组织创新主题的活动和讲座，激发员工对科技创新的兴趣和热情，提高创新能力和创新意识。

建立开放宽容的文化环境。为科技创新人才提供充分的沟通和交流平台，鼓励员工提出自己的想法和建议，保障科技创新人才的表达权和尊重，促进团队合作和创造力的发展。

2. 强化组织建设

提供资源支持。石油石化企业应该为科技创新人才提供充足的资源支持，包括资金、设备、技术支持等，确保他们能够充分发挥创新潜能。

建立导师制度。为科技创新候选人配备有丰富科技创新经验的导师，进行指导和培养，提供专业知识和思维方法的传授，帮助他们快速融入和成长。

创新激励机制。为科技创新人才设立科技创新成果的奖励机制，包括专利、技术成果、论文等，激发他们积极性和创新动力。同时，建立科技创新人才职称评审和绩效考核机制，将科技创新能力和业绩纳入评估体系，对科技创新人才给予充分的认可和重视。

提供职业发展路径。为科技创新人才提供明确的职业发展路径和晋升机会，以激励他们持续学习和创新，并为他们提供培训和学习机会，不断提升他们的专业素养和领导能力。

通过增强文化建设和强化组织建设，石油石化企业可以为科技创新人才提供良好的工作环境和发展机会，确保他们能够安心投入到科技创新工作中，发挥出最大的潜力，进而推动企业的科技创新和发展。

5 结论

石油石化企业科技创新人才队伍建设是一项长期而艰巨的任务，需要不断努力和改进。只有应用合适的创新人才队伍建设方法，企业才能在科技创新领域保持领先地位，实现可持续发展。希望本论文的研究和建议能够为石油石化企业的科技创新人才队伍建设提供有益的启示和指导，推动企业不断前行，迈向更加光明的未来。

参考文献

[1] 马喆．企业高质量发展与人才队伍建设[J]．河北企业，2023(09)：128-130.

[2] 陈雍君，田诗雨，李晓健．国企改革背景下人才队伍建设现状与提升策略研究——以某国有勘察设计企业为例[J]．管理现代化，2023，43(04)：104-111.

[3] 庄丽燕．新形势下加强国有企业人才队伍建设的思考[J]．商场现代化，2023(15)：85-87.

[4] 杨斌．新形势下国有企业政工人才队伍建设策略[J]．现代企业，2023(08)：136-138.

[5] 石剑宝．新形势下国有施工企业海外人才队伍建设困境与解决路径探讨[J]．企业改革与管理，2023(14)：70-72.

[6] 朱兆开．新时期国有企业经营管理人才队伍建设的探索[J]．机械制造，2023，61(07)：66-67+71.

[7] 赵军亮．建立健全企业人才队伍建设机制的路径分析[J]．人才资源开发，2023(13)：83-84.

[8] 刘万家．新时期加强国企干部人才队伍建设的策略[J]．投资与创业，2023，34(12)：130-132.

[9] 景晓萌．深化产业工人队伍建设改革为企业高质量发展提供人才支撑[J]．中国煤炭工业，2023(06)：43-45.

[10] 胡文博，王建文，马若雨．加强国有企业科技领军人才队伍建设的思考[J]．人才资源开发，2023(11)：77-78.

[11] 王能武．现代企业制度背景下国有企业党建人才队伍建设探究[J]．中外企业文化，2023(05)：148-150.

石油石化企业数字化招聘管理系统的设计与实现

武敬闯　韩佼男

（昆仑数智科技有限责任公司）

摘　要　在石油石化企业数字化转型的背景下，研究提升石油石化企业的招聘管理水平的方法有重要意义。数字化招聘管理系统在实际应用中具有较高的可行性和有效性，可以为企业节约人力资源成本，提高招聘效率。同时，通过数字化招聘管理系统的实施，石油石化企业可以优化招聘流程，提升招聘质量，从而更好地满足企业的人才需求和战略发展。本文旨在探讨石油石化企业数字化招聘管理系统的设计与实现，为相关从业者提供一定的理论参考。

关键词　石油石化企业；数字化招聘；数字化管理；人力资源

在石油石化行业的竞争中，招聘优秀的人才对于企业的发展至关重要。然而，传统的招聘管理流程通常繁琐、耗时，人力资源成本高且效率低下。为了解决这些问题，数字化招聘管理系统的设计和实现成为石油石化企业关注的焦点。数字化招聘管理系统通过引入现代化技术和信息系统，以提高招聘的效率和质量，从而更好地满足企业的人才需求。

1　数字化招聘管理概述

1.1　数字化招聘的定义及特点

数字化招聘是一种通过使用现代技术和数字工具来改进招聘过程的方法。这种方法利用互联网、社交媒体、在线平台和软件来吸引、筛选、评估和雇佣候选人。数字化招聘的目标是提高效率、减少成本、增强候选人体验以及更好地满足组织的招聘需求。数字化招聘的主要特点包括：

（1）在线招聘平台：组织可以使用在线招聘平台发布招聘职位，候选人可以在这些平台上查找和申请工作。

（2）数据分析和人工智能：招聘软件和工具可以分析大量数据，提供有关候选人的洞察，并自动筛选和匹配候选人与职位。

（3）社交媒体招聘：通过社交媒体平台，招聘者可以更广泛地宣传职位，与潜在候选人建立联系，并了解他们的专业背景和兴趣。

（4）视频面试：数字化招聘可以包括使用视频面试工具，以便远程评估候选人的沟通技巧和适应性。

（5）虚拟现实（VR）和增强现实（AR）：一些组织使用VR和AR技术来模拟工作场景，以便候选人更好地了解工作要求。

（6）数据安全和隐私：数字化招聘也关注候选人数据的安全和隐私问题，确保合规性。

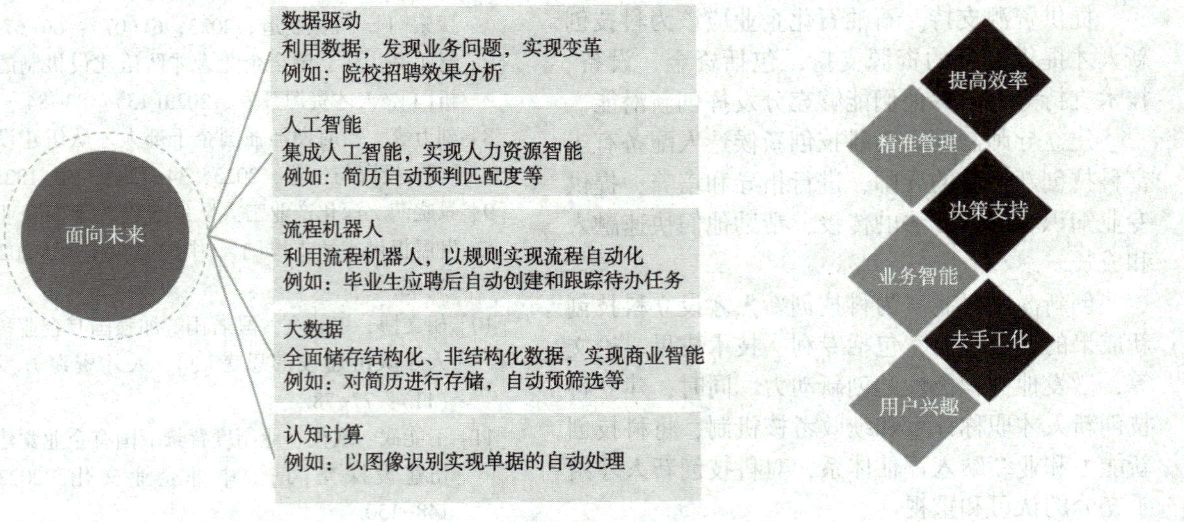

图1

数字化招聘通过引入技术和工具，使招聘过程更加高效、智能化和灵活，有助于组织更好地满足人才需求，减少招聘时间和成本，并提供更好的候选人体验。

1.2 数字化招聘的优势和挑战

数字化招聘的优势：

(1) 提高效率和减少成本：数字化招聘利用自动化和数据分析技术，可以快速筛选和匹配候选人，减少人工工作量，提高效率，并降低招聘成本。

(2) 扩大候选人范围：通过互联网和社交媒体平台，数字化招聘能够吸引更广泛的候选人群体，包括国际候选人。这样可以扩大人才管道，提高招聘成功率。

(3) 提升候选人体验：数字化招聘可以通过在线申请、即时沟通和虚拟面试等方式提供方便、快速和个性化的候选人体验，增强候选人的积极感受。

(4) 数据驱动决策：数字化招聘可以收集和分析大量的数据，提供洞察力，帮助招聘者做出更明智的决策，如改进招聘流程、优化职位描述等。

数字化招聘的挑战：

(1) 技术依赖性：数字化招聘依赖于技术和软件工具，如果系统出现故障或数据泄露等问题，可能会对招聘流程产生负面影响。

(2) 数据安全和隐私：数字化招聘涉及大量候选人数据的收集和处理，保护候选人数据的安全和隐私成为一个重要的挑战。

(3) 人力资源技能转型：数字化招聘需要人力资源团队具备新的技能，如数据分析、技术应用和社交媒体营销等，这可能需要一些培训和技能升级。

(4) 候选人体验风险：尽管数字化招聘可以提供便利和个性化的候选人体验，但某些候选人可能对在线面试或机器筛选等过程感到不适或失去人性化感受。

(5) 数字鸿沟：部分候选人可能因技术或数字化能力不足而在数字化招聘中受到排斥，这可能导致公平性和多样性的问题。

在数字化招聘过程中，招聘者需要权衡这些优势和挑战，合理利用技术和工具，确保有效、公平和可持续的招聘流程。

2 数字化招聘管理在石油石化企业的应用

(1) 数据驱动的招聘决策：数字化招聘管理利用数据分析和人工智能技术，可以帮助石油石化企业做出更明智的招聘决策。通过收集和分析大量的招聘数据，企业可以了解市场趋势、竞争对手的招聘策略，并根据数据指标评估招聘效果。这样，企业可以识别出高效的招聘渠道、改进职位描述和优化候选人筛选过程等，从而提高招聘质量和效益。

(2) 自动化的招聘流程：数字化招聘管理通过自动化工具和系统，可以将招聘流程中的繁琐和重复性任务进行自动化处理，节省人力和时间成本。例如，企业可以使用招聘软件和在线平台来自动筛选和过滤简历，自动发送通知和提醒，统一管理候选人信息等。这样可以大大加快招聘流程，及时处理候选人申请，并提高整体工作效率。

(3) 人才分析与预测：数字化招聘管理可以帮助石油石化企业进行人才分析和预测，以满足组织未来的人才需求。通过跟踪和分析候选人的数据，如教育背景、工作经验和技能等，企业可以识别出潜在的优秀人才，进行人才储备和提前准备。同时，通过数据分析也可以预测人才流失和员工离职趋势，以便及时制定人才留存计划和人力资源战略。

(4) 候选人体验的提升：数字化招聘管理可以通过多种方式提升候选人体验，增强候选人对石油石化企业的积极感受。例如，候选人可以通过在线招聘平台方便地搜索和申请工作，与招聘团队进行实时沟通，参加虚拟面试等。此外，通过自动化和个性化的候选人通知，候选人能够及时了解面试进展和结果，提升整体招聘体验。

(5) 招聘平台与技术的选择：在数字化招聘管理中，石油石化企业需要选择适合自身需求的招聘平台和技术。这包括在线招聘平台、招聘软件、人工智能和数据分析工具等。企业应该根据自身招聘流程和需求，评估和比较不同的技术提供商，选择最适合的解决方案。此外，企业还要关注平台和技术的安全性、可靠性和易用性，以确保数字化招聘的顺利实施。

3 数字化招聘管理对石油石化企业的影响

数字化招聘管理对石油石化企业的影响主要体现在以下几个方面：

（1）人力资源成本的节约：数字化招聘管理可以帮助石油石化企业降低人力资源成本。通过引入自动化筛选和评估技术，可以减少人工操作和人力投入，提高招聘效率。同时，通过统一的招聘平台和系统化管理，可以减少重复招聘和冗余操作的发生，节省人力资源的开支和支出。

（2）招聘效率和质量的提升：数字化招聘管理可以显著提高石油石化企业的招聘效率和质量。通过采用大数据分析和人工智能等技术，可以从海量的求职者信息中快速筛选和评估合适的候选人。精确的数据分析和智能化的筛选方法使招聘决策更加准确和科学，从而提高人才匹配度和招聘质量。

（3）组织结构和文化的变革：数字化招聘管理的实施将推动石油石化企业的组织结构和文化的变革。传统的招聘流程通常是分散、手工操作和线下传统面试，而数字化招聘管理引入了在线招聘、视频面试等方式，推动企业从传统的线下招聘向以数据为基础、技术驱动的线上招聘转变。这需要企业及员工逐渐适应新的招聘方式和工作方式，从而深刻影响组织结构和文化的调整和变革。

（4）人力资源战略的调整：数字化招聘管理可以帮助石油石化企业实现人力资源战略的调整。通过数字化招聘管理的实施，企业可以更好地了解和分析人才市场的趋势和需求，及时调整人力资源战略和应对措施。基于数据分析和智能化的招聘决策，企业可以更精准地定位目标人才群体，制定相应的招聘策略和培养计划，以适应企业的战略目标和业务发展。

4 数字化招聘管理系统的设计策略

4.1 确定数字化招聘管理的目标和范围

石油石化企业数字化招聘管理的目标是通过运用现代化技术和信息系统，提高招聘管理的效率和质量，实现人力资源的精准匹配和优化招聘流程，从而更好地满足企业的人才需求。其主要目标可以概括如下：

（1）提高招聘效率：数字化招聘管理可以帮助企业提高招聘速度和效率。通过建立网上招聘平台，可以快速发布招聘信息，并吸引更多的求职者。利用自动化筛选和评估技术，可以快速筛选出合适的候选人，并减少冗余的人工操作，从而减少招聘流程的耗时和成本。

（2）提升招聘质量：数字化招聘管理可以帮助企业提升招聘质量。通过运用数据分析技术，可以对求职者的信息进行挖掘和分析，从中发现更合适的人才潜力和企业需求的匹配度。借助人工智能和机器学习技术，可以更精确地筛选和评估候选人的能力和素质，减少主观性和误判，提高招聘决策的准确性。

（3）优化招聘流程：数字化招聘管理可以帮助企业优化招聘流程。通过引入在线报名、在线测试、在线面试等环节，可以减少候选人的等待时间，提高整个招聘过程的效率。移动招聘和视频面试等方式可以弥补时空限制，方便不同地区的求职者参与招聘。同时，优化的招聘流程可以提升候选人的招聘体验，增强企业形象和吸引力。

（4）建立人才储备库：数字化招聘管理可以帮助企业建立人才储备库，将合适的求职者信息进行收集和整理，以备将来的招聘需求。通过建立人才储备库，企业可以更快速地找到合适的人选，在短时间内满足人才需求，提高招聘效率和反应速度。

（5）高效整合和共享信息：数字化招聘管理可以实现与其他人力资源管理系统和绩效管理系统的整合，实现信息共享和数据互通。这样可以更好地管理和利用招聘所得的数据，帮助企业做出更科学决策，优化招聘战略和策略的制定。

4.2 明确系统设计原则

数字化招聘管理系统的设计应遵循以下原则：

（1）统一性原则：系统设计应考虑到整个招聘流程的统一性，将各个环节有机地连接起来，确保信息的一致性和流动性。各个模块之间应真实、准确地传递招聘信息，避免信息丢失或重复录入。同时，界面设计应统一，使用户能够方便地从一个模块切换到另一个模块，提高系统的整体一致性和使用效果。

（2）先进性原则：系统设计应采用最新的技术和工具，具备先进的功能和特性。例如，应运用大数据分析、人工智能、机器学习等技术，辅助招聘决策和人才筛选，提高招聘效率和准确性。同时，应密切关注行业的发展趋势和最佳实践，及时更新系统并引入新的功能和模块，以满足企业不断变化的招聘需求。

（3）适用性原则：系统设计应符合石油石化企业的特定需求和特点，满足其独特的招聘流程和要求。需要结合企业的招聘策略、组织架构、人才需求等因素进行定制开发或选择适用的系统。例如，针对石油石化企业的特殊招聘渠道和行业特点，应提供相应的功能和模块来满足其需求。

（4）易用性原则：系统设计应注重用户体验和易用性。界面设计应简洁明了，操作流程应直观易懂，使用户能够快速上手使用系统并完成相应的任务。应提供清晰的操作指南或帮助文档，以便用户在需要时能够及时获得支持和指导。此外，系统的响应速度也需要快速，以减少用户的等待时间，提高用户满意度。

（5）安全性原则：系统设计应注重数据安全和知识产权保护。为了防止数据泄露、篡改或未经授权的访问，系统应具备严格的安全措施和权限管理机制。应采用加密技术保护敏感数据的传输和存储，并定期进行安全漏洞扫描和风险评估。同时，系统设计应确保招聘信息和企业的知识产权得到合理的保护，防止泄露或侵权的发生。

4.3　招聘管理系统设计

招聘管理系统的设计方法通常涉及系统技术架构设计。瑞道平台是一种常用的低代码开发平台，可以帮助企业快速搭建和定制招聘管理系统。以下是基于瑞道平台的招聘管理系统设计方法：

（1）需求分析：首先需要详细了解和分析石油石化企业的招聘需求，包括招聘流程、人才筛选标准、数据处理需求和用户要求等。通过与企业相关人员的沟通和访谈，明确系统的主要功能和特性。

（2）架构设计：根据需求分析的结果，进行系统的技术架构设计。采用瑞道低代码开发平台，可利用可视化界面进行快速、灵活的系统设计。确定系统的核心模块和数据模型，并建立相应的数据库结构。同时，考虑到系统的稳定性和扩展性，选择适当的软件架构，例如分层架构或微服务架构。

（3）数据库设计：设计数据库结构，包括候选人信息、职位信息、招聘流程状态等。根据需求，将数据进行归类和关联，确保数据的完整性和一致性。同时，考虑数据的安全性和访问权限控制机制，采用加密技术对敏感数据进行保护。

（4）模块设计与开发：根据需求分析，将系统分解为多个模块，每个模块负责不同的功能和任务。使用瑞道平台的可视化界面，可以通过拖拽组件进行模块设计和布局。利用瑞道平台提供的组件和功能进行模块的快速开发，编写业务逻辑代码，实现系统的各项功能。

（5）用户界面设计：根据用户需求和交互流程，设计用户界面。通过瑞道平台提供的组件库和可视化编辑器，进行界面的布局、样式设计和交互逻辑的配置。考虑到用户体验和易用性，设计直观清晰的界面，并适当添加反馈信息和操作引导，提高用户的操作效率和满意度。

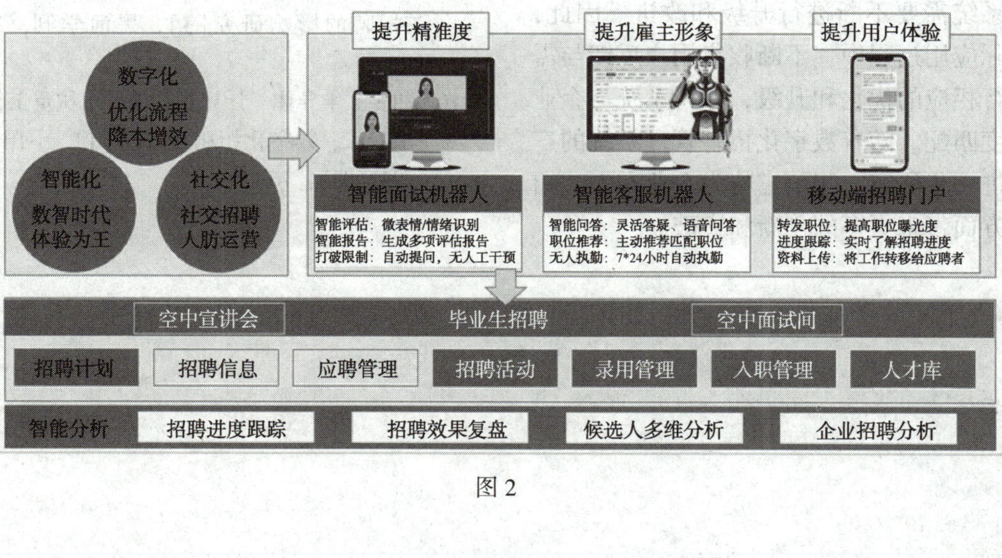

图 2

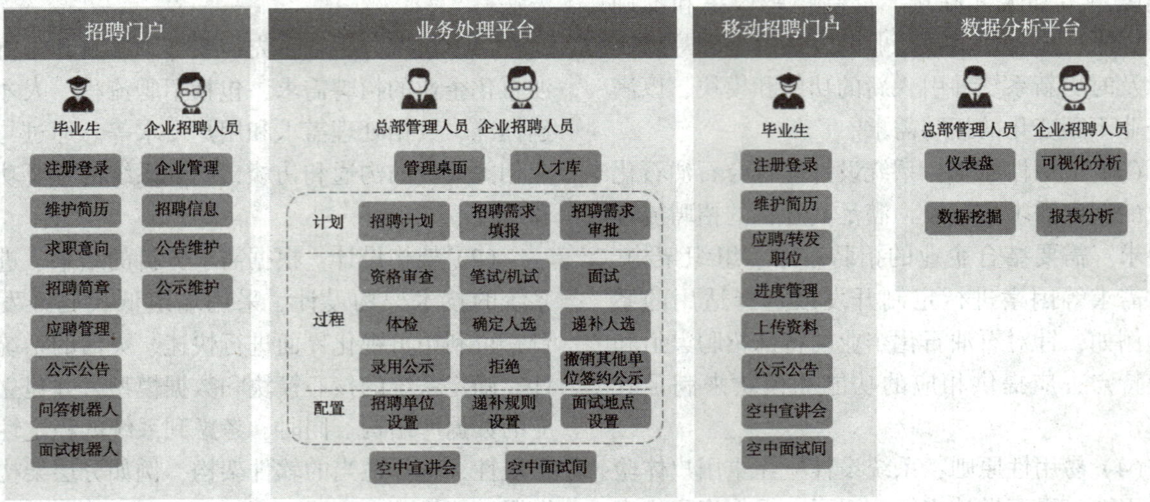

图 3

(6) 测试和优化：开发完成后，进行系统测试，包括功能测试、性能测试和安全测试等。发现和修复系统中的问题和漏洞。同时，根据用户的反馈和需求变化，进行系统的优化和改进，提升系统的可靠性和性能。

(7) 部署和运维：完成开发和测试后，将系统部署到生产环境中。根据系统的实际要求，选择合适的服务器和数据库，进行系统的安装和配置。同时，建立系统的监控和维护机制，确保系统的稳定运行和及时响应。

通过合理的需求分析、架构设计、模块开发和界面设计，以及严格的测试和优化，可以帮助石油石化企业构建高效、可靠、易用的招聘管理系统。

5 结语

数字化招聘管理系统的设计和实现是一个动态的过程。随着技术的不断发展和企业需求的变化，管理系统需要不断进行升级和改进。因此，建议在实际应用过程中，不断收集用户反馈与需求，并进行相应的优化和升级，保持系统与企业需求的高度匹配。随着数字化招聘管理系统的广泛应用和进一步研究，相信它将为企业在人才招聘和管理方面带来更多的创新和突破。

参 考 文 献

[1] 张雅茹，孙鑫，张翼鹤，等．广电数字化招聘系统的设计与实现[J]．中国有线电视，2023(09)：5-10.

[2] 孟凡杰．基于H公司中层管理人员胜任力模型招聘优化措施[J]．现代企业，2023(09)：19-21.

[3] 周培根．信息化背景下高校人事管理系统建设研究[J]．辽宁经济职业技术学院．辽宁经济管理干部学院学报，2023(04)：30-32.

[4] 姜连梅．数字化创新的价值体现及其在招聘中的应用[J]．企业改革与管理，2023(15)：88-91.

[5] 永州．数字化招聘[J]．现代班组，2023(04)：17.

[6] 陈玲，罗井峰．招聘数字化求才求职实现双向奔赴[J]．中国农村金融，2023(04)：89-90.

[7] 贺文博．数字化加速人才招聘效率提升的现实路径[J]．人才资源开发，2022(19)：86-88.

[8] 人才招聘与数字化变革[J]．人力资源，2022(11)：111.

[9] 马梦娇，张炳辉．大数据时代企业数字化转型对员工招聘的影响研究[J]．黑河学刊，2022(03)：1-8.

[10] 胡雯．半导体、计算机软件、机械重工行业人才需求看涨，数字化招聘成趋势[J]．中国对外贸易，2022(03)：76-78.

东胜气田 KPD 堵漏技术

毕明清　杨俊宝　何斌斌

（中国石化华北石油工程有限公司）

摘　要　东胜气田刘家沟组地层井漏多发、易反复、易恶化，漏塌矛盾突出，防漏堵漏难度大。开展了专项堵漏工艺研究，建立了堵漏工艺模型，优化了工艺参数计算方法；明确了精准判断漏层、合理钻具下深、控压适量推挤等措施对保证水泥堵漏效果的作用。根据架桥封堵原理，以漂珠低密度水泥浆为基础，加入复合纤维，调整缓凝剂加量，开发了适应不同井深堵漏需要的 KPD 堵漏剂。KPD 堵漏工艺作为一种应对井漏的方法，在解决诱导裂缝、漏点多、易反复的漏失问题上具有一定的借鉴意义。

关键词　水泥堵漏；井漏；诱导裂缝；刘家沟组；东胜气田

东胜气田位于鄂尔多斯盆地北部，漏失井比例超过 60%，其中 90%以上井漏发生在刘家沟-石千峰组。子洲气田榆 58 井刘家沟组漏失钻井液 1710m³，耗费堵漏材料 468.52t，损失时间 40d，进行了 24 次光钻杆钻井液挤压堵漏，6 次挤水泥作业。东胜气田漏失井平均钻井液漏失量 597m³，平均单井堵漏次数 20.5 次，平均单井堵漏治理时间 22.3d，井漏降低了钻井速度和固井质量，延长了钻井周期，增加了钻井成本、井下安全和井控风险。开展刘家沟组地层水泥堵漏工艺技术研究，作为钻井堵漏的一种补充手段具有积极意义。

1　漏层工程地质特点

1.1　易漏地层地质特点

东胜气田主要漏层刘家沟组，层厚 200~400m，岩性以灰紫、灰白色块状斜层理砂岩为主，下部泥质含量高；埋深从东向西逐步增加，东部的 J58 井区埋深 1950~2400m，西部的 J30 井区埋深 2720~3150m，漏失压力当量密度 1.06~1.28g/cm³。刘家沟组-石千峰组岩心普遍存在大量未充填的高角度裂缝和垂直裂缝，宽度 0.8~6mm，存在微米级裂缝，跨度很大；砂岩中方解石和白云石平均总含量高达 53.6%，属于脆性地层，一旦形成裂缝后，裂缝易延展，进一步增加地层的易漏失性。钻遇刘家沟组不会立即漏失，在液柱和地层压差、激动压力和地层脆性影响下，诱导裂缝不断扩大，直至发生井漏，甚至出现失返性漏失。

1.2　井漏应对策略

刘家沟组地层裂缝发育，纵横交错，宽度跨度大，压力稍有变化，闭合的裂缝就可能张开，发生复漏；漏层厚度大，漏点相对较多，具有易反复、易恶化等特点。下部地层石千峰组易垮塌，钻穿需要提高钻井液密度，漏塌矛盾突出，采取的应对策略是在钻井液充足，安全前提下，尽快钻穿刘家沟组，更换光钻杆专程堵漏。以漂珠低密度水泥浆为基础，加入纤维和膨胀剂，开发可控膨胀堵漏剂（KPD），解决因水泥石体积收缩导致裂缝恢复的堵漏失败问题，采用机械化配制混拌、罐装拉运提高堵漏效率。堵漏工艺采用高注低堵原则，先通过注水泥塞方式将堵漏剂输送至预定井段，再根据漏失情况，推挤堵漏剂进入漏层，控制水泥塞长，实现对漏层的有效封堵。

2　KPD 堵漏工艺

2.1　堵漏工艺流程

（1）堵漏准备。发生漏失后进行分段验漏，确定漏失井段，测静止漏速；编写堵漏施工设计并上报审批；现场备水，固井公司做好堵漏剂配制工作。

（2）技术交底。下入光钻杆至预定堵漏井深；根据前期静止时间和灌入钻井液量精确核准静止漏速，完善施工设计；召开堵漏施工协调会，技术交底，明确分工，落实责任。

（3）注堵漏剂。固井车依次泵入前置液、KPD 堵漏剂、后置液；替浆期间保持泵排量在 25L/s 以上；记录回收罐基准液面高度，准确核准堵漏剂出钻具后的漏失量。

(4) 起钻。替浆结束后立即起钻，起至预计堵漏剂返高以上井深；灌浆量不低于起出钻具排代量；短起到位后，按设计规定量开泵冲洗钻具。

(5) 推挤。根据漏失情况，确定推挤量；关井，在最大允许推挤压力范围内，控制排量实施推挤堵漏剂作业；推挤作业结束后开井观察静止漏失情况，如果开井后井口液面不存在漏失，再次关井进行二次推挤。

(6) 候凝。推挤作业后正常起钻，在稠化时间段内灌浆量等于起出钻具排代量，超过稠化时间以后逐步增加灌浆量，至井内灌满钻井液，10~12h 后即可扫塞；推挤作业后出现反吐现象，立即关井候凝，不少于稠化时间，期间活动钻具。

(7) 扫塞验漏。下钻至堵漏作业中短起井深后注意控制下放速度，谨防漏点判断错误导致的堵漏塞高位滞留；探到堵漏塞顶后，以正常钻进排量循环验漏 10min，无漏失后扫塞，扫扫塞后以正常钻进排量循环验漏 10min，无漏失恢复正常作业；期间任何环节发生漏失，核准具体情况后就地组织二次堵漏。

2.2 工艺参数计算

钻具下深、堵漏剂量、替浆量、推挤量、推挤压力是东胜气田 KPD 堵漏工艺的关键参数，尤其是推挤量，选择是否合适，直接关系堵漏效果，堵漏工艺如图 1 所示。

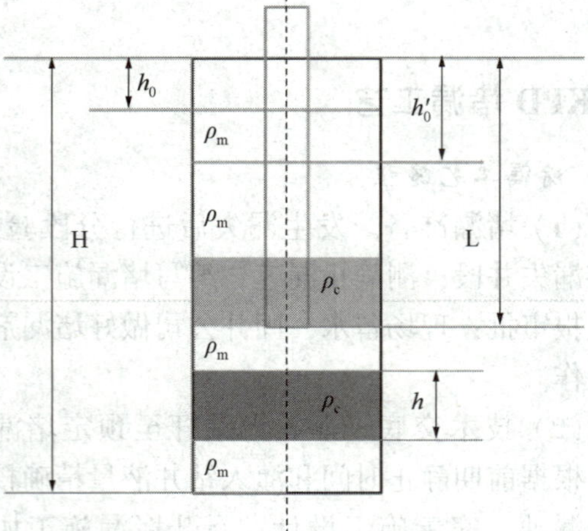

图 1 东胜气田 KPD 堵漏工艺示意图

根据压力平衡原理，确定钻具下入深度。

施工前，漏层深度液柱压力：

$$P_l=\rho_m g(H-h_0) \tag{1}$$

施工后，漏层深度液柱压力：

$$P_l=\rho_m gL'+\rho_c gh \tag{2}$$

施工后，井筒内钻井液段长：

$$L'=H-h_0-\frac{\rho_c}{\rho_m}h \tag{3}$$

施工前，钻具下入深度：

$$L=L'+h'_0=H+(h'_0-h_0)-\frac{\rho_c}{\rho_m}h \tag{4}$$

式中，P_l 为漏层液柱压力，MPa；ρ_m 为钻井液密度，g/cm^3；ρ_c 为水泥浆密度，g/cm^3；g 为重力常数；H 为漏层深度，m；h_0 为施工前环空静液面深度，m；h'_0 为施工后环空静液面深度，m；h 为计划封堵段长，m；L' 为施工后钻井液段长，m；L 为钻具下入深度，m。

根据现场堵漏经验，堵漏剂进入地层至少 10m^3，能够取得较好的堵漏效果。

$$V_d=S_w h+V_c+10 \tag{5}$$

式中，V_d 为堵漏剂量，m^3；S_w 为井眼单位容积，m^3/m；V_c 为施工时间(3 小时)内静止漏失量，m^3。

根据钻具内外平衡原理(不考虑漏失)，替浆量按正常注水泥塞方法计算。

$$V_t=S_d\left(L-\frac{V_d}{S_d+S_a}\right) \tag{6}$$

式中，V_t 为顶替钻井液体积，m^3；S_d 为钻具内单位容积，m^3/m；S_a 为井眼和钻具环空单位容积，m^3/m。

推挤是该工艺的关键步骤，包含推注和挤注两个过程，推注是将堵漏剂输送到漏层位置，挤注是将堵漏剂压入漏层，堵塞裂缝，提高地层承压能力。

$$V_j=S_w(H-L)-V'_c+10 \tag{7}$$

式中，V_j 为推挤量，m^3；V'_c 为堵漏剂出钻具后漏失体积，m^3。

推挤要控制好排量和压力，以不压裂漏层为依据，如果第一次推挤未达到理论量，在井内静止无漏失的情况，可以二次推挤，尽量减少水泥塞长。

$$P_j=(\rho_f-\rho_m)gH \tag{8}$$

式中，P_j 为最大推挤压力，MPa，ρ_f 为漏层破裂当量密度，g/cm^3。

2.3 堵漏特殊情况

当堵漏剂出钻具后漏失量 V'_c 小于 10m^3 时，

在半漏半返工作况下，推挤量超过钻具下深到漏层的井眼体积，堵漏剂还没有进入漏层，按照正常堵漏工艺流程施工(图2)。

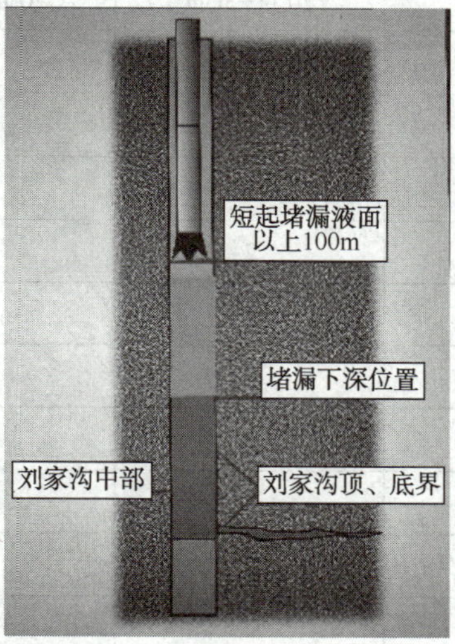

图2　正常堵漏示意图

在堵漏剂出钻具后漏失量 V'_c 大于 $10m^3$ 时，甚至完全失返工况下，推挤量小于钻具下深到漏层的井眼体积，堵漏剂出钻具后直接向下移动，堵漏剂在推挤前已经进入漏层，短起钻具后不做推挤如图3所示。

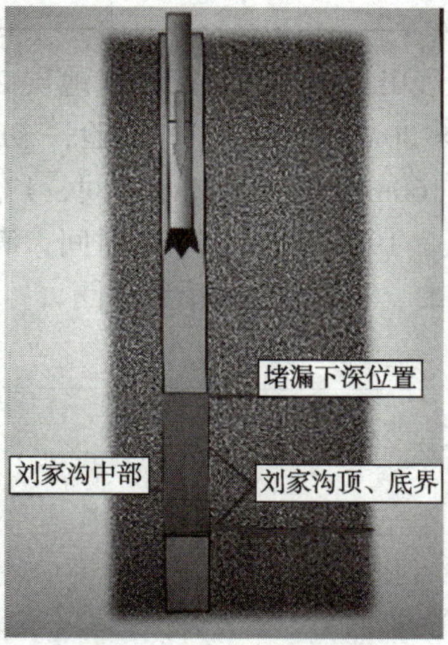

图3　失返堵漏示意图

在堵漏剂出钻具后漏失量 V'_c 很小，甚至正常返浆工况下，堵漏剂出钻具后直接向上移动，堵漏剂几乎全部包围钻具，这种情况一般是漏点闭合或实际漏层比钻具下深浅造成的，此时要遵循理论短起段长附加100m原则，尽快完成短起作业。如果漏点判断准确临时闭合，起钻后按照正常流程施工；如果漏点判断失误，则会将钻井液推挤入地层，留下大段水泥塞，导致堵漏失败如图4所示。

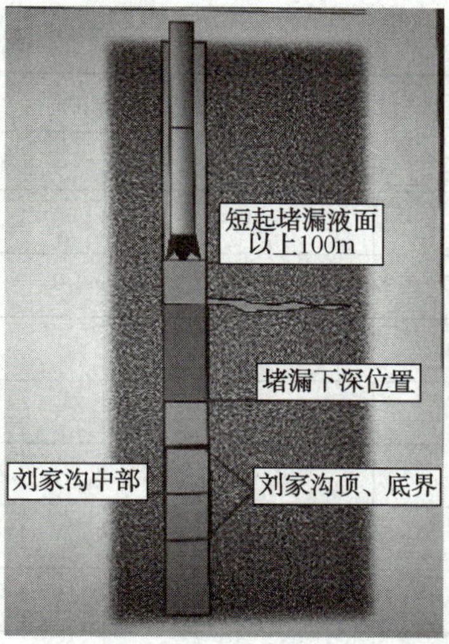

图4　下深超过漏点施工示意图

3　堵漏剂性能评价

KPD堵漏剂设计以 $1.45g/cm^3$ 漂珠低密度水泥浆(84%水泥+8%漂珠+8%微硅+0.5%悬浮稳定剂+2%降失水剂+1%膨胀剂+90%水)为基础，结合漏层裂缝尺寸，加入复合纤维，提高封堵能力，加入膨胀剂，补偿水泥石体积收缩，根据漏层温度和压力，调整缓凝剂，优化稠化性能，满足安全施工要求。

堵漏剂配方：$1.45g/cm^3$ 漂珠低密度水泥浆+X%复合纤维+Y%缓凝剂。

3.1　裂缝封堵性能

基于架桥封堵原理，裂缝宽度2/3的桥堵材料，可于裂缝之间稳定架桥；裂缝宽度1/3的桥堵材料，可深入裂缝内部，堆积形成桥塞，两种材料相结合能有效封堵裂缝孔隙。东胜气田刘家沟组地层宽度为0.8～6mm，因此选择2mm和4mm纤维按照一定比例复配，作为复合纤维加入漂珠低密度水泥浆。通过裂缝模拟装置评价裂缝封堵效果，分别采用20目孔隙(0.83mm)和1mm缝隙、3mm缝隙、6mm缝隙组成3种模型，模拟刘家沟组漏层，以满足承压能力2MPa为目标，筛选复合纤维比例，数据见表1。复合纤维比例不低于3%，4mm纤维不低于1.5%，满足承压要求。

3.2　堵漏剂稠化性能

堵漏剂稠化时间关系到堵漏施工安全，必须充足，原则上由堵漏作业总时间附加30min确定稠化时间；堵漏作业总时间为泵注堵漏浆至推挤结束的时间。

表 1　不同比例复合纤维承压能力

序号	复合纤维		漏层模型(承压)/MPa		
	2mm/%	4mm/%	20 目+1mm	20 目+3mm	20 目+6mm
1	0.5	0.5	—	—	—
2	1	0.5	2	1	—
3	1.5	0.5	3	1	—
4	2	0.5	4	2	—
5	0.5	1	1	—	—
6	1	1	3	1	—
7	1.5	1	4	2	1
8	2	1	5	2	1
9	0.5	1.5	1	2	—
10	1	1.5	2	2	1
11	1.5	1.5	4	3	2
12	2	1.5	5	3	2
13	0.5	2	1	2	1
14	1	2	3	4	2
15	1.5	2	5	4	2
16	2	2	5	5	3

$$T_{min}=T_c+T_t+T_d+T_x+T_j+30 \qquad (9)$$

式中，T_{min} 为最小稠化时间，min，T_c 为注堵漏剂时间，min，T_t 为替浆时间，min，T_d 为起钻时间，min，T_x 为洗井时间，min，T_j 为推挤时间，min。

东胜气田 J58 井区刘家沟组地层 2400m，按照 70℃ × 30MPa × 30min 试验，初始稠度：18.3Bc，160min 达到 30Bc 时间，175min 达到 40Bc 时间，190min 达到 70Bc 时间，满足现场堵漏施工需要，稠化曲线如图 5 所示。

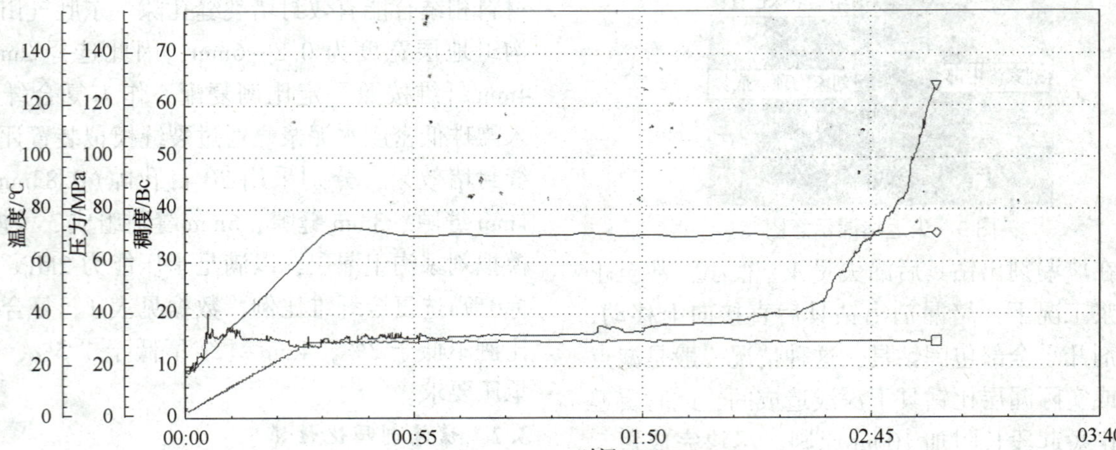

图 5　井深 2400m 温度 70℃条件下堵漏剂稠化曲线

在针对刘家沟组地层漏失的堵漏剂配方基础上，根据不同井深的温度，通过调整缓凝剂加量，开发了针对不同井深漏失的堵漏剂配方，提高工艺的适用范围，详细数据见表 2。

表 2　不同井深堵漏剂稠化时间

序号	化验温度/℃	密度范围/(g/cm³)	稠化时间范围/min	适应井深/(m~m)
1	30	1.42~1.48	230~300	1000~1500
2	45		120~160	1500~2000
3	45		200~240	1500~2500
4	60		171~190	2000~2500
5	70		180~220	2300~2700
5	80		190~210	2500~3000
6	85		330~360	2700~3200

4　现场应用实例

J58P22H 井打钻至 3148m 发生失返性漏失，钻井液密度 $\rho_m=1.19g/cm^3$；通过验漏，判断漏点位于 2430~2600m(刘家沟组 2502~2644m)，计划封堵段长 $h=170m$；灌满钻井液后，通过测环空静液面，无漏失，$V_c=0m^3$；井眼单位容积 $S_w=0.043m^3/m$，钻具单位内容积 $S_d=0.009m^3/m$，井眼和钻具环空单位容积 $S_a=0.03m^3/m$，漏层破裂当量密度 $\rho_f=1.3g/cm^3$。

堵漏剂配方：84%水泥+8%漂珠+8%微硅+0.5%悬浮稳定剂+2%降失水剂+1%膨胀剂+90%水+3%复合纤维+1.5%缓凝剂，密度 $\rho_c=1.45g/cm^3$，流动度 200mm，API 失水 30mL，24h 强度 7.2MPa，初始稠度 18Bc，稠化时间 210min。

钻具下入深度 $L=2392.9m$，堵漏剂体积 $V_d=17.3m^3$，替浆量 $V_t=17.5m^3$，理论推挤量 $V_j=18.3m^3$，最大推挤压力 $P_j=2.6MPa$。

(1) 下光钻杆至井深 2393m。

(2) 固井车注入前置液 3m³，堵漏剂 17.3m³，后置液 1m³。

(3) 钻井泵替浆 16.3m³，堵漏剂出钻具后漏失 3.8m³。

(4) 起钻至 1845m，冲洗钻具 6m³，灌浆 2.5m³。

(5) 推挤 14.5m³，最大压力 2.7MPa。

(6) 憋压 50min 后，压力降为 0，全起钻具候凝，组扫塞钻具。

(7) 下钻至 2213m，探得混浆塞面，实际塞面 2392m，塞底 2592m，无漏失正常钻进。

5　认识

(1) 针对东胜气田刘家沟组地层诱导性裂缝漏失，多种尺寸纤维、漂珠、微硅、水泥等材料，通过优化比例组合形成的堵漏剂，能够作为一种有效的堵漏手段发挥作用。

(2) 坚持钻具下深在漏层上部和高注低堵原则，是保证东胜气田堵漏效果的关键，循环验漏提供相对准确的漏层位置非常重要。

(3) 准确测量堵漏剂出钻具漏失量，确定合理的推挤量，控压适量推挤，尽可能多将堵漏剂挤入漏层，在降低水泥塞长的同时能够提高堵漏效果。

参 考 文 献

[1] 赵文彬．杭锦旗刘家沟组诱导性裂缝漏失机理及防堵漏对策研究[C]//中国石油学会天然气专业委员会．2018 年全国天然气学术年会论文集(04 工程技术)．[出版者不详]，2018：78-83.

[2] 王定峰，吴学升，楚美娟．长庆油田子洲气田井漏现状及堵漏方法[J]．钻井液与完井液，2007(05)：80-82+94.

[3] 李德红，罗宏志，李明忠，等．东胜气田刘家沟组易漏地层随钻防漏技术研究[J]．钻探工程，2022，49(5)：111-117.

[4] 柳耀泉，郁燕飞，李堆军，等．苏里格区块堵漏工艺[J]．钻井液与完井液，2015，32(06)：100-102+110.

[5] 周新桂，张林炎．塔巴庙气田上古生界致密储层裂缝系统基本特征及其在天然气成藏中的作用[J]．地球学报，2006，27(4)：323-328.

[6] 万永平，李园园，梁晓．基于流体包裹体的储层微裂缝研究——以陕北斜坡上古生界为例[J]．地质与勘探，2010，46(4)：711-715.

[7] 任岩，曹宏，姚逢昌，等．岩石脆性评价方法进展[J]．石油地球物理勘探，2018，53(4)：875-886.

[8] 张蕊，姜振权，孙强，等．脆性岩石变形机制与渗透率关系研究[J]．高校地质学报，2012，18(4)：719-723.

[9] 孙庆春．东胜气田刘家沟组井漏与堵漏措施分析[J]．探矿工程(岩土钻掘工程)，2016，43(02)：53-56.

[10] 徐长龙．KPD 堵漏工艺在杭锦旗区块的应用[J]．中国石油石化，2017(04)：27-28.

[11] 窦国奇．鄂尔多斯盆地杭锦旗区块井漏情况分析[J]．中国石油石化，2017(10)：31-32.

[12] 艾昆，张军义，贾光亮，等．KPD 堵漏技术在东胜气田的应用[J]．重庆科技学院学报(自然科学版)，

2022，24(06)：8-11. DOI：10. 19406/j. cnki. cqkjxyx-bzkb. 2022. 06. 015.

[13] 徐华义，余志清．井漏失返条件下水泥浆堵漏工艺参数计算[J]．钻采工艺，1998(05)：29-32.

[14] 幸弋曜．固井注水泥用纤维及颗粒材料堵漏和增韧实验研究[D]．成都：西南石油大学，2011.

[15] 韩婧．一种低密度水泥复合堵漏剂的研制与应用[J]．石油工业技术监督，2021，37(09)：8-11+27.

中国石油石化科技创新大会论文集

下册

徐凤银 宋 宁 张 舒 黄 凌 等◎编

中国石化出版社
HTTP://WWW.SINOPEC-PRESS.COM
·北京·

图书在版编目(CIP)数据

中国石油石化科技创新大会论文集 / 徐凤银等编
. —北京：中国石化出版社，2023. 11
ISBN 978-7-5114-7358-5

Ⅰ. ①中… Ⅱ. ①徐… Ⅲ. ①石油工程-工程技术-中国-文集 Ⅳ. ①TE-53

中国国家版本馆 CIP 数据核字(2023)第 211902 号

未经本社书面授权，本书任何部分不得被复制、抄袭，或者以任何形式或任何方式传播。版权所有，侵权必究。

中国石化出版社出版发行
地址:北京市东城区安定门外大街 58 号
邮编:100011 电话:(010)57512500
发行部电话:(010)57512575
http://www.sinopec-press.com
E-mail:press@sinopec.com
北京富泰印刷有限责任公司印刷
全国各地新华书店经销

*

880 毫米×1230 毫米 16 开本 95.5 印张 2723 千字
2023 年 11 月第 1 版 2023 年 11 月第 1 次印刷
定价:380.00 元(上、下册)

目 录

下 册

第二篇 炼油化工技术与装备篇

第三篇　油气储运技术与装备篇

第四篇　石油工程技术与装备篇

第五篇 石油工程建设与装备篇

第二篇　炼油化工技术与装备篇

习近平总书记考察中国石化九江分公司再次强调：石化产业是国民经济的重要支柱产业，希望中国石化按照党中央对新型工业化的部署要求，坚持绿色、智能方向，扎扎实实，奋发进取，为保证国家能源安全，推进石化工业高质量发展作出新贡献。本篇介绍的炼油化工技术与装备充分体现石油化工科技工作者响应党中央对新型工业化的部署，在各自领域开发的绿色和智能石化技术，提升石化行业高质量发展。

聚乙烯滚塑专用料 DNDC7148 的性能研究

秦晨元　魏福庆　杨世元　邸麟婷　许惠芳

（中国石油天然气股份有限公司石油化工研究院）

摘　要　本工作研究了兰州石化公司生产的聚乙烯滚塑专用料 DNDC7148 的性能特点，旨在更好地了解其在聚乙烯滚塑应用领域的潜在优势。通过与市场上同类产品对比，结果表明：DNDC7148 在基本物性方面与对比产品相当，但具有更好的拉伸屈服强度和拉伸断裂强度；DNDC7148 具有和对比产品相似的流变行为和加工性能；DNDC7148 的熔点和熔融结晶温度范围均高于对比产品；在多次挤出后，DNDC7148 的耐黄变性能优于国内外同类对比产品。综合而言，DNDC7148 在聚乙烯滚塑应用领域具有广阔的发展前景。其出色的拉伸性能、较高的熔点和熔融结晶温度以及优异的耐黄变性能使其成为制备高质量、高性能滚塑制品的理想选择。这些结果为该产品在聚乙烯滚塑应用领域提供了更好的选择，并为开发更高性能的滚塑料提供了参考。

关键词　聚乙烯；滚塑；拉伸屈服强度；耐黄变性能

滚塑也被称为旋转成型，是塑料加工方法中的一种铸造和成型技术。滚塑技术是一种将热塑性聚合物粉末加工成薄壁制品的技术，由于其相对简单的加工程序和较低的投资成本，这项技术在很大程度上取代了迄今使用的吹塑成型、压缩模塑、挤出成型、注射成型等成型工艺。滚塑技术适用于生产小批量、多品种中型至大型中空塑料制品，其制品涉及食品和农业、工业、汽车容器、消费品和玩具等领域。因此，滚塑产品的市场需求量越来越大，这突显了开发适用于滚塑工艺低成本、可持续材料的必要性。

尽管国内的滚塑加工行业起步较晚，但近年来已经实现了快速的发展，年增长率达到了10%~15%。然而，与国外的先进技术相比，国内仍然存在较大的差距。其中，滚塑料的缺乏是导致这种局面的重要因素之一。由于滚塑工艺的特殊性和敏感性，适用于滚塑的材料很少，而聚乙烯因其熔点低、热稳定性好以及成本低而成为滚塑行业中使用最多的材料，占滚塑市场的80%以上。目前，国产滚塑级专用原料的品种很少，供应量不能满足需求，并且主要依靠从国外进口，这严重制约了我国滚塑行业的持续发展。兰州石化公司作为国内知名的石化企业，一直致力于开发和生产高性能的塑料材料。其中，聚乙烯滚塑专用料 DNDC7148 是兰州石化公司针对滚塑行业需求生产的一种滚塑专用料。该材料具有优异的力学性能、热稳定性和耐化学腐蚀性能等特点，具备广阔的应用前景。然而，对于这种滚塑专用料，其性能表现、结构特征与国内外同类产品的差异仍需深入探索和研究。因此，本工作采用熔体流动速率测试仪、电子拉力机、高压毛细管流变仪、旋转流变仪、差示扫描量热仪和色差仪等研究了兰州石化公司生产的聚乙烯滚塑专用料 DNDC7148 与国内外同类产品的结构与性能。

1　实验部分

1.1　实验原料

DNDC7148，兰州石化公司生产；对比样 A，国内同类产品；对比样 B，进口同类产品。

1.2　主要实验仪器

TR 240 型烘干箱，德国 Nabertherm GmbH 公司；UN-100 型全自动塑料注射成型机，中国柳州塑料机械总厂；XH-406D 型平板硫化机，中国广东锡华机械有限公司；ZSE-34 型双螺杆挤出机，德国 Leistrtize 公司；MELTVIS 型熔体流动速率测试仪，VIGNATE-ITALY 型密度梯度柱：意大利 Ceast 公司；1121 型电子拉力机，美国 Instron 公司；IT504 型摆锤冲击仪，美国 Tinius Olsen 公司；E25. S 型耐环境开裂试验仪，德国 Lauda 公司；Alliance GPCV2000 型凝胶渗透色谱仪，美国 Waters 公司；DSC214 型差示扫描量热仪，德国 Netzsch 公司；RT-2000 型高压毛细管流变仪，德国 Goettfert 公司；AR-G2 型旋转流变仪，美国 TA 公司；D8 型 X 射线衍射仪，瑞士 Bruker 公司；Agera 型色差仪，美国 HunterLab 公司。

1.3 样品制备

将 DNDC7148、对比样 A 和对比样 B 置于烘箱内，60℃干燥 12h；通过注塑机在 220℃下制备哑铃型样条；通过平板硫化机在 180℃、15MPa、5min 的条件下进行压片；通过双螺杆挤出机在 150℃~200℃下多次挤出造粒，螺杆转速为 120r/min。

1.4 测试方法及其标准

拉伸性能按 GB/T 1040.1—2018 测试；密度按 GB/T 1033.2—2010 测试；耐环境应力开裂性能按 GB/T 1842—2008 测试；冲击强度按 GB/T 1043.1—2008 测试；弯曲性能按 GB/T 9341—2008 测试；熔体流动速率按 GB/T 3682.1—2018 测试；黄色指数按 HG/T 3862—2006 测试。

相对分子质量及其分布采用凝胶渗透色谱仪进行测试，称取样品 7~8mg，将样品溶于流动相邻二氯苯溶剂中，将溶液注入色谱柱中进行试验，测定温度为 135℃。

结晶度和晶粒尺寸采用 X 射线衍射仪进行测试，测试条件为：Cu 靶，管电压为 40kV，电流分别为 40mA，扫描步长为 0.02°，扫描频率为 0.5s/步，扫描范围为 4°~50°。

热性能采用差示扫描量热仪进行测试，称取样品 5~8mg，以 30℃/min 的升温速度自室温升至 180℃，恒温 5min，消除热历史；再以 20℃/min 的降温速度降至 60℃，再以 20℃/min 的升温速度升至 180℃，恒温 5min，再以 20℃/min 的降温速度降至 60℃。

动态流变性能采用旋转流变仪进行测试，测试温度为 190℃，以 0.01~1000rad/s 的扫描频率对样品进行动态扫描。

毛细管流变性能采用高压毛细管流变仪进行测试，分别在 170℃、190℃和 210℃下对样品的流变行为进行测试。

2 结果与讨论

2.1 基本物性

在塑料加工中，熔体流动速率（MFR）是用来表征聚合物熔体流动性的一个重要指标，测试 MFR 有助于材料性能分析以及预测加工过程中材料流动的相对难易程度。由表 1 可知，与对比样 A 和对比样 B 相比，DNDC7148 的 MFR 相对较低，三种聚乙烯滚塑料的密度、弯曲性能和耐候性能相当。DNDC7148 的拉伸屈服强度和拉伸断裂强度均高于对比样 A 和对比样 B，这表明其在负载能力方面表现更出色。同时，DNDC7148 的断裂伸长率也表现良好，表明其具有一定的韧性，有利于应对某些复杂应力情况。

表 1　DNDC7148 及对比样品的基本物性

项目	DNDC7148	对比样 A	对比样 B
MFR/(g/10min)	5.3	5.8	5.9
密度/(g/cm^3)	0.9371	0.9304	0.9322
拉伸屈服强度/MPa	18.8	14.9	16.2
拉伸断裂强度/MPa	30.9	24.6	23.9
断裂伸长率/%	861	1284	1248
冲击强度/(kJ/m^2)	28.2	50.6	32.1
弯曲强度/MPa	9.7	8.8	9.2
弯曲模量/MPa	393.9	353.9	396.4
耐环境应力开裂/h	40	40	32

2.2 相对分子质量及其分布

相对分子质量及其分布在决定聚合物的力学和流变性能方面起着重要作用，如果不存在异构化或规整性因素，具有相同分子量分布的两种线性均聚物将具有完全相同的力学强度、熔体流变性和密度等物化特性；而聚合物内的其他结构特征（如同分异构体、立构规整性等）可以使聚合物所表现出的性质和性能产生差异，但分子量分布仍然会对这些聚合物特性产生显著影响。通过表 2 可以发现，DNDC7148 和对比样 B 的相对分子质量相对较低，而分子量分布略宽于对比样 A。其中，三种聚乙烯滚塑料的相对分子质量及其分布十分接近，这表明这些样品在化学结构上十分相似，具有类似的聚合程度和分子链长度。

表 2　DNDC7148 及对比样品的相对分子质量及其分布数据

试样	$M_w \times 10^{-4}$	$M_n \times 10^{-4}$	MD
DNDC7148	10.6	2.7	3.9
对比样 A	11.0	2.9	3.8
对比样 B	10.6	2.7	3.9

2.3 结晶度及晶粒尺寸

半结晶聚合物具有多态性，因为它可以通过链结构、制备方式的变化来控制，从而产生不同的半结晶形态和性能。此外，聚合物通常倾向于形成有缺陷的晶体，甚至在许多情况下根本不形成晶体，这主要取决于材料的制备条件、处理方式以及化学组成，这些材料往往表现出不同的结晶度、晶粒尺寸和晶体结构，从而导致最终的产品表现出的性质和性能产生差异。采用X射线衍射仪测试了DNDC7148及对比样品的结晶度和晶粒尺寸，结果见表3，DNDC7148与对比样B具有接近的结晶度和晶粒尺寸，稍高于对比样A，聚合物的结晶度越低，材料内的非结晶部分就越多，晶粒尺寸越小，制品的抗冲击性能越好。

表3 DNDC7148及对比样品的结晶度和晶粒尺寸

试样	结晶度/%	晶粒尺寸(110晶面)/nm
DNDC7148	54	53
对比样A	50	49
对比样B	54	56

2.4 流变性能

采用动态流变仪对DNDC7148及对比样品进行了动态扫描，结果见图1。从流变性能曲线中可以发现，在实验条件的角频率范围内，三种聚乙烯滚塑料的储能模量(G')与损耗模量(G'')均随着角频率的增加而增大。此外，在低角频率区，DNDC7148的G'和G''均小于对比样A和对比样B；在高角频率区，对比样A的G'和G''相对最高，而DNDC7148和对比样B的流变性能曲线几乎重合。

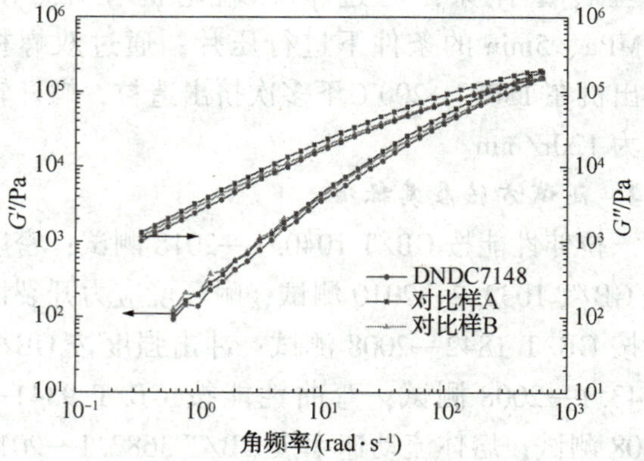

图1 DNDC7148及对比样品的动态流变性能曲线

采用高压毛细管流变仪分别测试了DNDC7148及对比样品在170℃、190℃、210℃下的流变行为，结果如图2所示。

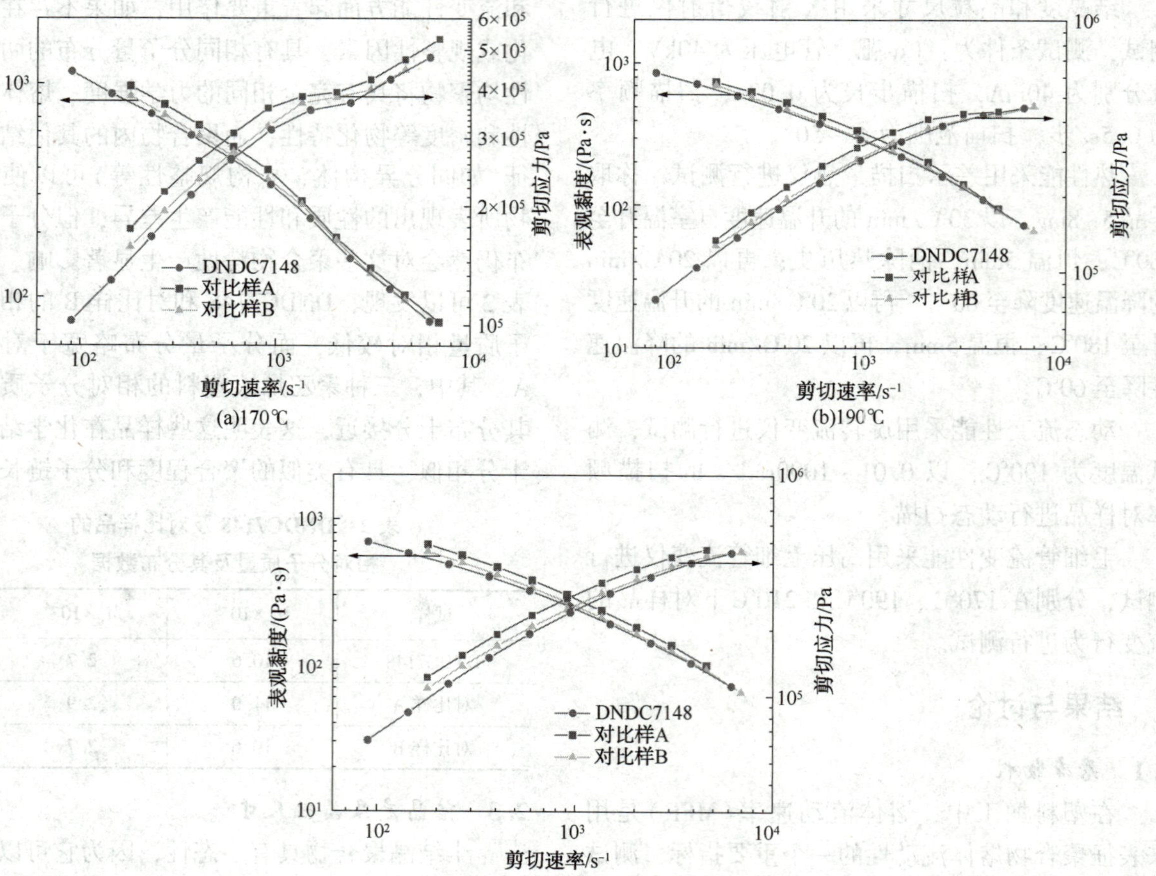

图2 DNDC7148及对比样品在不同温度下的毛细管流变性能曲线

由图可知，在不同温度下，三种聚乙烯滚塑料的表观黏度随着剪切速率的增大而降低，剪切应力随着剪切速率的增大而增大。在相同的剪切速率下，DNDC7148 与对比样 B 的表观黏度和剪切应力相当，可在相同的温度下加工，二者适宜加工温度均低于对比样 A。

2.5 热性能

采用差示扫描量热仪测试了 DNDC7148 及对比样品的熔融温度和结晶温度范围，结果见图 3 和表 4，三种聚乙烯滚塑料具有相似的熔融、结晶行为。与对比样 A 和对比样 B 相比，DNDC7148 的熔融峰温度更高，并且 DNDC7148 具有更高的结晶起始温度($T_{c,s}$)、结晶峰值温度($T_{c,p}$)和结晶终止温度($T_{c,f}$)，可以在更高的温度范围下结晶。这说明 DNDC7148 在结晶温度范围内的结晶速率更快，形成的晶体结构更加完善，晶体的规整度较高，分子链间的相互作用力较强，具有较强的刚性，这与 DNDC7148 具有较高拉伸屈服强度和拉伸断裂强度的力学性能保持一致。

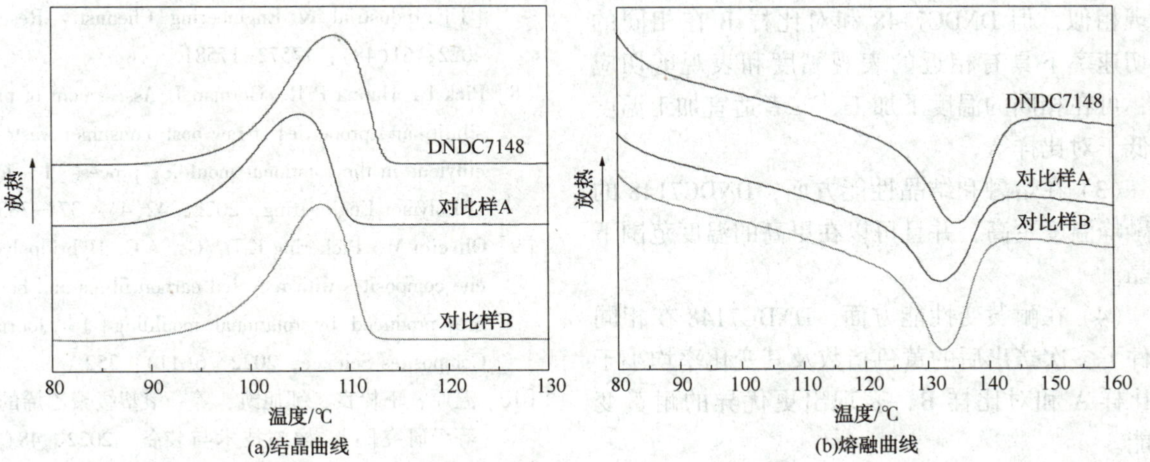

图 3 DNDC7148 及对比样品的 DSC 曲线

表 4 DNDC7148 及对比样品的熔融温度和结晶温度

批号	T_m/℃	$T_{c,s}$/℃	$T_{c,p}$/℃	$T_{c,f}$/℃
DNDC7148	134.2	115.2	108.1	87.3
对比样 A	132.0	111.6	105.0	86.0
对比样 B	132.2	113.1	107.1	86.6

2.6 耐黄变性能

氧气、温度和剪切力的作用是引起滚塑料发生黄变的重要因素，通常使用黄色指数来表征产品的黄变程度，当黄色指数的数值为负时，产品呈蓝色，数值为正时产品则呈黄色，并且黄色指数的数值越大则说明产品越黄。从表 5 中可以发现，DNDC7148 的初始黄色指数最低，经过双螺杆挤出机在 150℃~200℃下多次挤出后，三种聚乙烯滚塑料的黄色指数均随着挤出次数的增加而增大，而 DNDC7148 的变化率明显小于其他两种产品，表明其具有更好的耐黄变性能。

表 5 DNDC7148 及对比样品黄色指数比较结果

挤出次数	DNDC7148		对比样 A		对比样 B	
	黄色指数/%	变化率/%	黄色指数/%	变化率/%	黄色指数/%	变化率/%
0	-6.68	—	-3.31	—	-1.04	—
1	-3.02	54.8	-0.73	77.9	2.74	363.5
2	-2.21	66.9	1.26	138.1	3.70	455.8
3	-1.68	74.9	2.37	171.6	5.47	626.0
4	-1.15	82.8	4.50	236.0	6.31	706.7

3 结论

经测试，兰州石化公司生产的聚乙烯滚塑专用料 DNDC7148 在结构和性能等方面与国内外同类产品存在一定差异，如需侧重某一方面性能，可根据具体应用选择合适的样品。

（1）在基本物性方面，三种聚乙烯滚塑料相当，但 DNDC7148 的刚性优于国内外同类对比产品，并具有较高的拉伸屈服强度和拉伸断裂强度。

（2）在流变性能方面，三种聚乙烯滚塑料的表现相似，但 DNDC7148 和对比样 B 在相同的剪切速率下具有相近的表观黏度和表观剪切应力，可在相同的温度下加工，二者适宜加工温度均低于对比样 A。

（3）在熔融和结晶性能方面，DNDC7148 的熔融峰温度更高，并且可以在更高的温度范围下结晶。

（4）在耐黄变性能方面，DNDC7148 在相同条件下多次挤出后的黄色指数及其变化率均小于对比样 A 和对比样 B，表现出更优异的耐黄变性能。

参 考 文 献

[1] 陈博．国内外复合材料工艺设备发展述评之十一——滚塑成型[J]．复合材料科学与工程，2023：1-9.

[2] Ortega Z，McCourt M，Romero F，et al. Recent developments in inorganic composites in rotational molding [J]. Polymers，2022，14(23)：5260.

[3] GonzalezNunez R G L，Vazquez-Fletes R C，Ortega-Gudino P，et al. Rotational molding of compatibilized PA6/LLDPE blends[J]. Polymer Engineering and Science，2021，61(4)：1007-1017.

[4] 李亚飞，孙小杰，孙苗苗，等．滚塑用耐低温冲击阻燃交联聚乙烯的研制[J]．塑料科技，2021，49(02)：36-39.

[5] Anisko J，Barczewski M，Piasecki A，et al. The relationship between a rotational molding processing procedure and the structure and properties of biobased polyethylene composites filled with expanded vermiculite [J]. Materials，2022，15(17).

[6] 温原，郑燕峰，史春才，等．滚塑行业标准现状研究[J]．中国标准化，2018(7)：125-130.

[7] Chandrasekar A，Abdulhussain H A，Gritsichine V，et al. Adaptive predictive control algorithm for batch processes：Application to a rotational molding process [J]. Industrial & Engineering Chemistry Research，2022，61(48)：17572-17581.

[8] Pick L，Hanna P R，Gorman L. Assessment of processibility and properties of raw post-consumer waste polyethylene in the rotational moulding process[J]. Journal of Polymer Engineering，2022，42(4)：374-383.

[9] Oliveira M，Pickering K L，Gauss C. Hybridpolyethylene composites with recycled carbon fibres and hemp fibres produced by rotational moulding[J]. Journal of Composites Science，2022，6(11)：352.

[10] 温原，王栓良，邹旭凯，等．滚塑级聚乙烯的耐候等级研究[J]．橡塑技术与装备，2022，48(12)：23-26.

[11] Abhilash S S，Lal A R，Singaravelu D L. A comparative study of mechanical，morphological and vibration damping characteristics of wood fiber reinforced LLDPE processed by rotational moulding[C]//Materials Today-Proceedings. 2022，59：510-515.

[12] 杜杰，霍金兰，张静宇，等．滚塑专用聚乙烯 YC7151U 的性能及改进[J]．合成树脂及塑料，2021，38(3)：34-37.

[13] 王跃平，刘少成，张超，等．抗氧剂对滚塑制品黄变性能影响的研究[J]．齐鲁石油化工，2022，50(1)：1-4.

微界面多相传质与反应体系中微气泡检测的实例分析

梁倩卿[1]　赵保槐[1]　张　毅[1]　苑志伟[1]　卜亿峰[2]　门卓武[2]

(1. 中石化催化剂有限公司工程技术研究院；2. 北京低碳清洁能源研究院)

摘　要　加氢、氧化等气液慢反应过程，比如苯加氢、PX 空气氧化、柴油固定床加氢等广泛存在于现代过程工业之中，这些反应过程一般受传质速率控制。因此，对这类多相反应体系的传质强化一直是研究热点之一。界面强化始终是多相体系反应强化的基本原理之一，微气泡是微界面反应强化的基础，微气泡的粒径分布、分散情况、运动情况及微气泡个体的动态特性会影响到微界面传质与反应。本文围绕微气泡的检测方法，基于五种不同的测试原理，包括微断层扫描仪(Micro-CT)、激光粒度仪、高速相机、透射法(PIXSCOPE 探针法)和聚焦光束反射率法(FBRM 探针法)，从实际应用出发，搭建了五种检测微气泡的平台，同时比较分析五种测试方法的适用场合，为开发高效微界面强化传质与反应技术的开发提供有效支撑。

关键词　微界面；传质与反应；微气泡；检测

传质分离过程或化学反应过程中，相界面积是影响其过程效率的重要参数。苯加氢、PX 空气氧化和柴油固定床加氢等多采用固定床反应器、鼓泡反应塔或者筛板塔，内构件较简单，但气泡偏大、气液传质界面积很低，使得传质与反应速率受到严重制约。因此，微气泡(尺寸介于 1~1000μm 之间的气泡)的出现使得多相流传质与反应的界面强化成为可能。近年来，微细气泡凭借其表面积大、停留时间长、界面电位高等优点，广泛应用于催化氧化、化工废液处理和提高原油采收率等领域。在多相传质与反应的动态体系中，单位体积气泡数量估计高达 $10^9 \sim 10^{11}/m^3$，气液相界面积可达 $10^3 \sim 10^5 m^2/m^3$(通常的鼓泡塔反应器气液相界面积为 $10^2 m^2/m^3$ 量级)。因此，准确测试和掌握微界面体系的颗粒动态特征与变化信息，如气泡或催化剂颗粒直径、个数、粒径分布、形状和流动状态等重要数据，对微界面反应器或微界面气体分布器的设计与构效调控方面的研究具有重要意义。

表征多相体系中微气泡组成的微界面多相体系并非易事。迄今为止，微气泡群与催化剂颗粒群在实际体系中的聚并与破碎行为的实际测试研究成果甚少。在此，我们将液相中的微气泡及微气泡群统称为微界面多相体系。微界面多相体系的测量方法一般分为侵入式和非侵入式两种模式。侵入式测量技术一般使用光导纤维探针、电容探针、电导探针、丝网传感器等方便快速获得体系的局部信息，比如微气泡与催化剂颗粒的形状、大小、分布、浮升速度、气含率和液速分布等特性。非侵入式测量技术可以克服此局限，用于全局参数测量的非侵入式测量技术主要有相示踪技术、压力传感器技术、声波技术、辐射衰减技术和动态气泡脱离技术等。用于局部参数测量的非侵入式技术包括摄影技术、颗粒图像测速技术、激光多普勒测试技术、电容层析成像技术、相多普勒测试技术和放射颗粒追踪技术等，然而对这些技术对于颗粒尺度极小且数量众多的乳液状态的气-液-固微界面多相体系的测试精读难以保证，因此在微米尺度上研究气-液、气-液-固多相反应体系的传质强化需要开发新的测量手段和表征技术。本文基于不同的测量原理，分别采用微断层扫描仪、激光粒度仪、高速相机、透射法和聚焦光束反射率法，表征了气泡的大小、形状和尺寸分布，为微气泡的测量技术实际应用提供了参考。

1　仪器与设备

本文涉及的仪器包含有 Micro-CT、激光粒度仪、高速相机、PIXSCOPE 探针法和 FBRM 探针法，仪器参数见表 1。

表 1　实验设备和仪器

名称	规格型号	厂商	仪器配置及技术参数
微气泡发生器	定制	杭州洗悦新材料技术有限公司	外型尺寸(宽×高×深)：160mm×500mm×380mm；气泡水流量为 200L/h；操作流量可调节
Micro-CT	SkyScan 1272	Bruker，德国	(1)X 射线光源(铜靶) (2)CCD 探测器 (3)高精度微调样品台 (4)数据处理软件
高速摄像机	PCO. DiMax	PCO，德国	配合使用镜头为 AF 50mm f/1.8D、FF100mm F2.8 CA-Dreamer Macro 2X
PIXSCOPE 探针法	PBM	PIXACT，芬兰	探头直径为 24mm，探头窗片材质为蓝宝石，探头末端材质为 316L 不锈钢，狭缝宽度为 5mm，探头湿端长度为 300mm；温度范围为 0~120℃，压力范围为常压~8bar，颗粒度测试范围为 1~1000um，图像分辨率为 1.7μm/pix
FBRM 探针法	EasyViewer^{TM}100	METTLER TOLEDO，瑞士	探头材质为哈氏合金 C-22，探头视窗材质为蓝宝石，探头直径为 9.5mm，探头浸入长度为 199mm，观察范围为 1000um×1000um，分辨率>1.5μm，电源为 100/240V，50/60Hz

2　微界面多相体系的五种实例表征方法的搭建

微气泡发生装置如图 1 所示，发生装置包括 1 个增压-释放器和射流器，气-液两相流体首先进入加压的容器罐中，然后再通过释放器产生大量的微气泡。微气泡装置外形尺寸(宽×高×深)为 160mm×500mm×380mm，功率为 50W，气泡水出水流量为 200L·h^{-1}，进气流量为 40、60、80、100、120、140mL·min^{-1}。液相体系中的微气泡极为不稳定，容易湮灭消失，从微气泡发生装置产生的的气泡水呈乳白色，在两分钟左右会变清澈，意味着微米级的气泡在两分钟之内会彻底消失，具体见图 2。

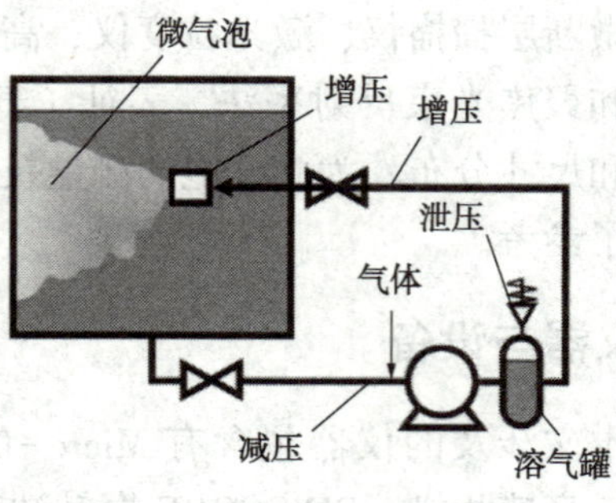

(a)微气泡发生原理示意图

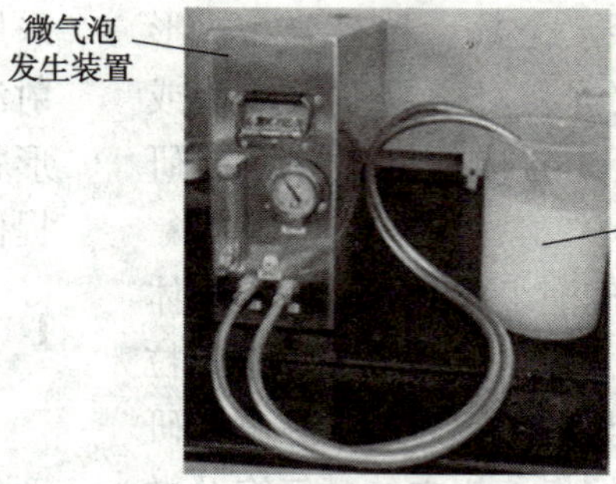

(b)微气泡发生装置实物图

图 1　微气泡发生装置实物图及发生原理

(a)初始　(b)10s　(c)30s　(d)60s

(e)90s　(f)120s　(g)150s　(h)170s

图 2　空气-水体系微气泡消失的情况

2.1　Micro-CT 表征液相微界面体系特性

Micro-CT 通常采用锥形 X 射线束(cone beam)，它不仅能够获得真正各向同性的容积图像，提高空间分辨率，提高射线利用率，而且在采集相同 3D(三维)图像时速度远远快于扇形束 CT。Micro-CT 测量的主要步骤：(1)为减少微气泡在取样管样品激冷过程中溢出，尽可能使反应器气-液混合物体系温度降至冰点附近，必要时可向体系内加入一定量的冰，或采用制冷设备降温。制样过程中用低温循环水浴，温度控制在 0℃左右。(2)开启微气泡发生装置，形成气-液混合物稳定循环系统，取出生化取样用 10mL 薄壁塑料管一支，收集混合物样品，并以最快速度(约 1s)将样品置于实现准备好的液氮保温壶中激冷 20s，以备分析。(3)将样品放入自制的冷台，配合 Micro-CT 使用，保证在测试的 1.5h 过程中恒温，样品不会融化。冷台的结构如图 3 所示，冷媒为聚聚丙烯酸钠和羟甲基纤维素钠。(4)进行扫描测试，测试完毕后进行图像分析后处理。

图 3　Micro-CT 及其配合使用的自制冷台

2.2　激光粒度仪实时监测微气泡群的粒径分布

微气泡粒径分布的表征采用 Mastersizer 3000 激光粒度分析仪，如图 4 所示，测试原理是激光衍射法。将微气泡发生装置产生的气泡水引入到 MS3000 的测试区样品池，形成一个稳定的动态循环流动的系统，实现在线测试粒径分布的目的。使用仪器时，打开马尔文 MS3000 电源，使仪器初始化，自动对光完成后，进入背景测试阶段，然后仪器会提示加入样品，然后调节分散剂阀门开度，调至合适的遮光度范围内，进行测试，测试精度为0.6%。

2.3　高速摄像表征液相中微气泡群的可视化实验

本实验主要借助高速摄像机进行微气泡群粒径分布和运动特性的可视化实验。采用微距定焦镜头(LAOWA FF100mm F2.8 CA-Dreamer Macro 2X)，并辅以近摄光圈能够缩短镜头的最小工作距离，同时可以提高放大倍率。高速相机系统以1968×2016像素的分辨率，速率为1100帧/秒，同时为高速相机配置一台三维位移平台，来实时监测和记录鼓泡装置内的微气泡及其运动情况。将可视化实验采用的鼓泡装置装上去离子水，然后再将含有微气泡的液相引入到鼓泡装置中，即可进行实验。另外，灯源放置在鼓泡装置正后方，保证灯源、鼓泡装置和高速相机在一条直线上。同时打开灯源和连接高速相机的电脑，调整镜头的焦距进行可视化实验，见图5。

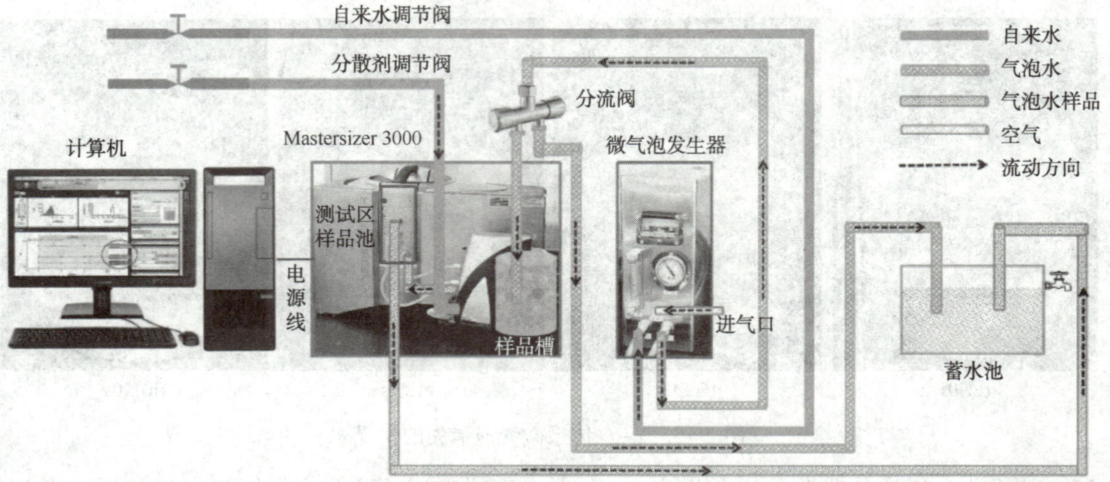

图4　配合Micro-CT使用的自制冷台

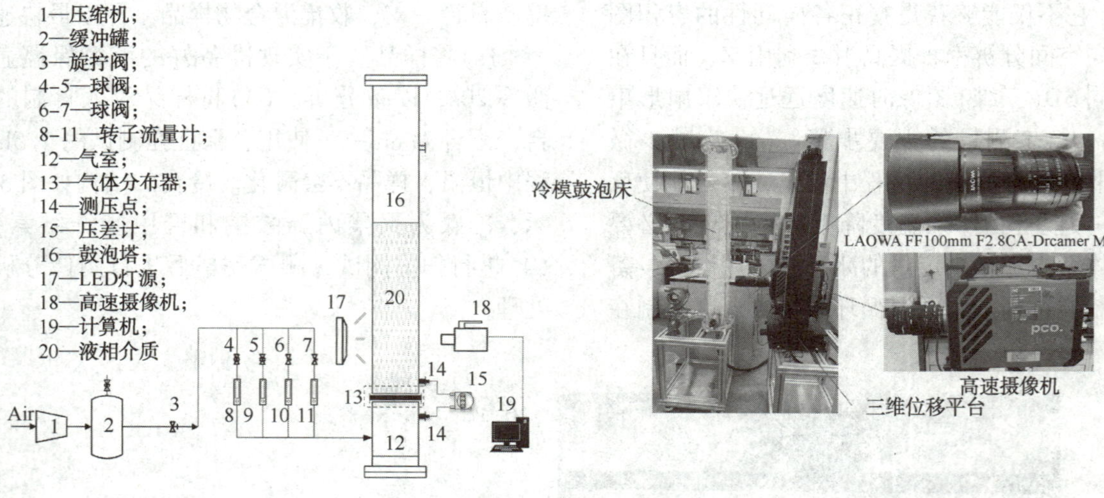

图5　可视化实验装置

2.4　PIXSCOPE探头在线气泡监测系统

PIXSCOPE探头在线气泡监测和气泡粒度测定系统采用透射光原理设计，由仪器的PIXSCOPE探头末端发出的激光透过测试样品，在探头的另一端高放大倍数的CCD相机接收透射光，对颗粒成像。该在线监测微气泡尺寸的系统主要包括微气泡发生器、电动搅拌桨、蓄水池、PIXSCOPE探头、连接探头的信号采集器和电脑，见图6。首先将蓄水池中装满去离子水，然后打开微气泡发生器，打开搅拌桨，设定好流量，产生气泡水，流至蓄水池，调节搅拌桨的转速，能维持蓄水池中的水在测试过程中伴有持续的扰动，但是不影响到微气泡的测试。此测试系统最快的采集速率是20~25张图像/秒，软件最快的图像处理速率是20张图像/秒，为过程控制提供实时监测。

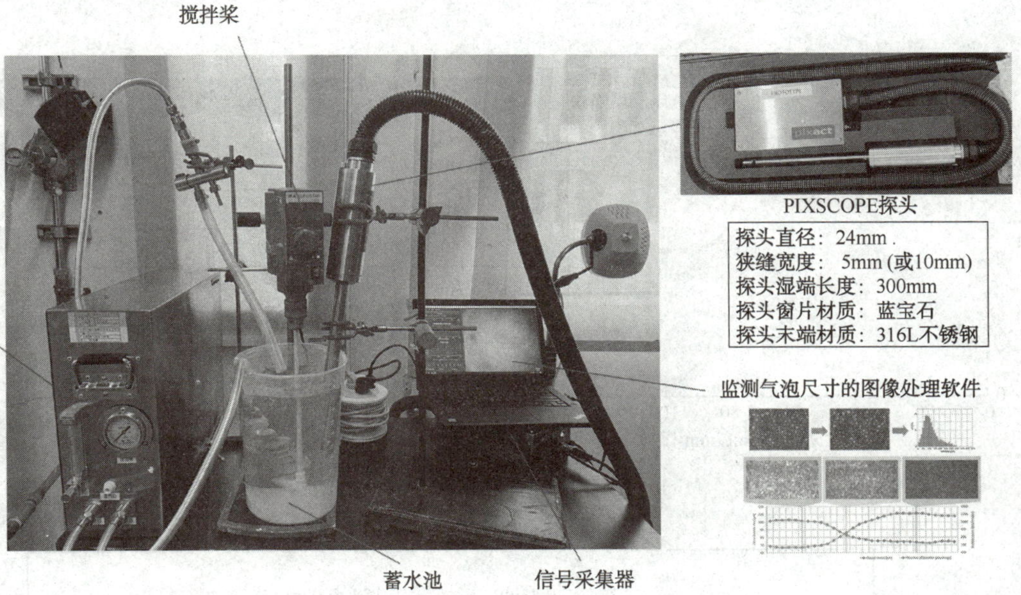

图 6　PBM 在线监测微气泡尺寸及变化的测试系统

2.5　FBRM 探针在线气泡检测系统

聚焦光束反射法的测量依靠光学元件通过蓝宝石窗口聚焦激光束。光学元件的高速旋转(2m/s)允许激光束快速扫描靠近蓝宝石窗口的流体介质。由于光束撞击任何悬浮物体(此处为微气泡或者固体微球颗粒)的边缘，一部分激光束被反向散射。内置的软件系统将反向散射光束转换为信号，从而测量光束穿过物体另一边缘的经过时间。有了激光束的时间和速度，就可以计算出称为弦长的距离。然后基于弦长的分布测试结果，经过一系列的理论计算转换为气泡的尺寸分布。实时在线颗粒成像分析仪的探头测试微气泡的尺寸为 0.5～2000μm，最小分辨率为 1.5μm，测试装置见图 7。

技术参数

探头材质	哈氏合金C-22
探头视窗材质	蓝宝石，金密封
探头直径	9.5 mm [0.375 in]
探头浸入长度	199 mm [7.8 in]
光纤长度	3 m [9.8 ft] (标准) 13 m [42.65 ft] (带USB延长器)
重量	0.66 kg [1.45 lbs] (探头与光纤)
观察范围	1000 μm x 1000 μm (± 50 μm)
分辨率	> 1.5 μm
探头浸入温度范围	-20 ℃ - 135 ℃
探头末端温度范围	0 ℃ - 35 ℃
探头浸入压力范围	0-3 barg
电源	USB延长器：100-240V (自动转换)，50/60 Hz, 0.3A
认证	CE/NRTL-C认证，Class 1激光光源，与21CFR1040.10, 1040.11及IEC 60825-1兼容

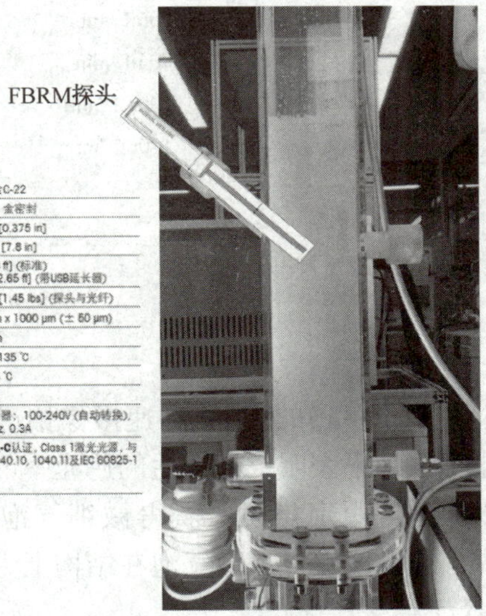

图 7　实时在线颗粒成像分析仪的安装及详细参数

3　微界面多相体系的五种实例表征方法的实例效果分析

从图 8 可知，Micro-CT 测得的气含率结果与床层塌陷法测得的气含率结果进行对比，发现两种测试方法得到的气含率曲线趋势相同，但是 Micro-CT 测得的总气含率低于床层塌陷法的结果。粒径为 6.0～18μm 的微气泡的体积占比最高，其次是粒径为 18～30μm，粒径为 30～42μm 的微气泡对应的体积占比最低。随着进气量的增加，粒径为 6.0～18μm 的微气泡体积占比逐渐增大，从 69.79% 增至 80.71%；粒径为 18～30μm 的微气泡体积占比逐渐减小，从 30.17% 降至 19.14%；粒径为 30～42μm 的微气泡体积占比略有增幅，从 0.04% 增至 0.14%。受到 Micro-CT 测试精度的限制，无法获得粒径<6μm 的微气泡信息。同时，由于在制样和恒温过程中不可控因素，无法获得更大尺寸的微气泡(粒径>50μm)的信息。环境温度为 10℃，粒径为 6～42μm 的微气泡较为稳定。

从图 9 可知，基于衍射法搭建了微气泡气泡尺寸分布在线测量平台，测量精度为±0.6%，具有重复性好、精度高、可控性强、操作简单等优点。同时，该测量方法得到的气泡尺寸分布与溶气-释气法测定的数据非常吻合，大部分气泡的尺寸在 10～150μm 范围内，有一小部分气泡为微米和毫米级尺寸的气泡，主要是由于进入微气泡发生装置为循环水，随着循环量的增加，气泡聚并越来越明显，导致毫米级的大气泡越来越多。

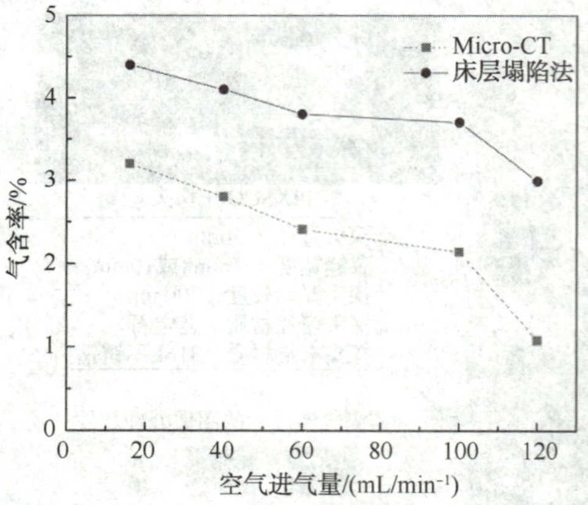

进气样品	气泡尺寸分布对应的体积占比/%		
进气量/(mL·min⁻¹)	6.0~18μm	18~30μm	30~42μm
16	69.79	30.17	0.04
40	69.99	29.95	0.05
60	71.23	28.71	0.06
100	76.57	23.42	0.01
120	80.71	19.14	0.14

图 8　Micro-CT 测得的气含率和微气泡群的粒径分布情况

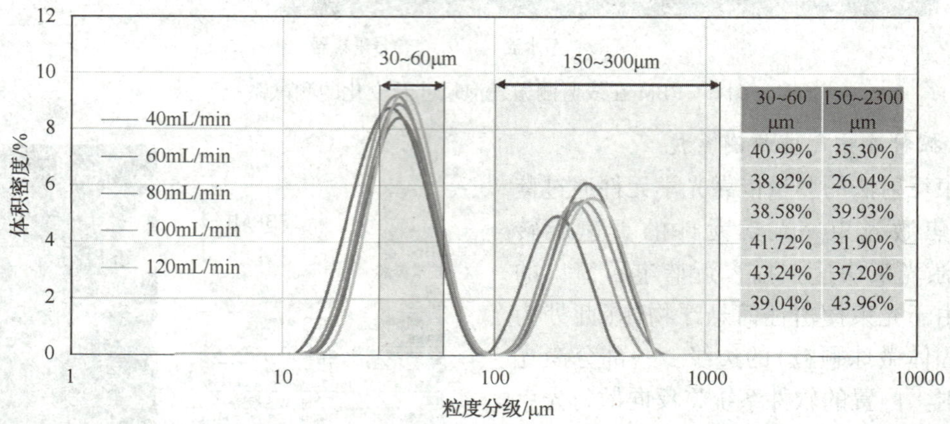

图 9　不同进气量下粒径分布平均值的比较

图 10 可知，基于高速摄像拍摄得到的可视化小试结果表明，在合适的遮光率的情况下，可以通过微距定焦镜头获得微细气泡的形貌和轮廓，球形度较好，微气泡在结构上大致分为内核球体和外圈环状液膜壳体，内核球体主要是气相，液膜主要是由气液两相分子组成的，但需在透明的设备中进行。

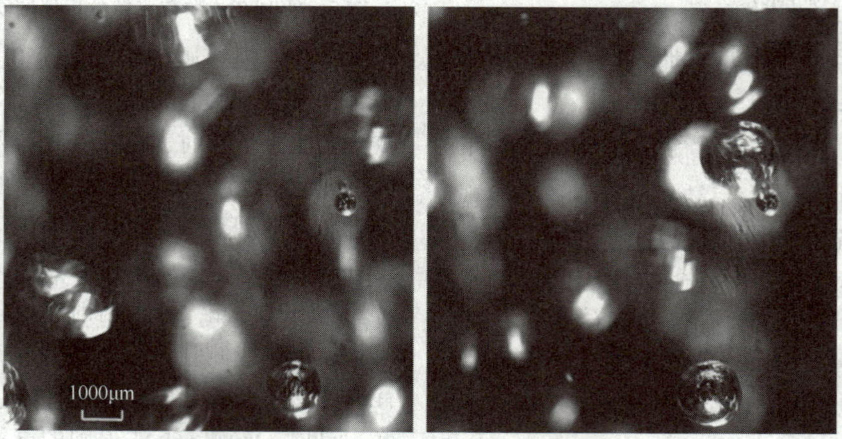

图 10　鼓泡床反应器中微距镜头得到的气泡的形貌

图 11 可知，PIXSCOPE 探头在线监测气泡适用于遮光率高(气含率高)的气液两相系统，测试分辨率为 1μm。测试发现微米级的气泡形状为规则的球形，球形的中心存在一个白色的两

点。同时，可以根据获得的微气泡图片，在线得到微气泡的粒径分布，测试准确性高，可控性良好。设备透明与否不会影响测量结果。

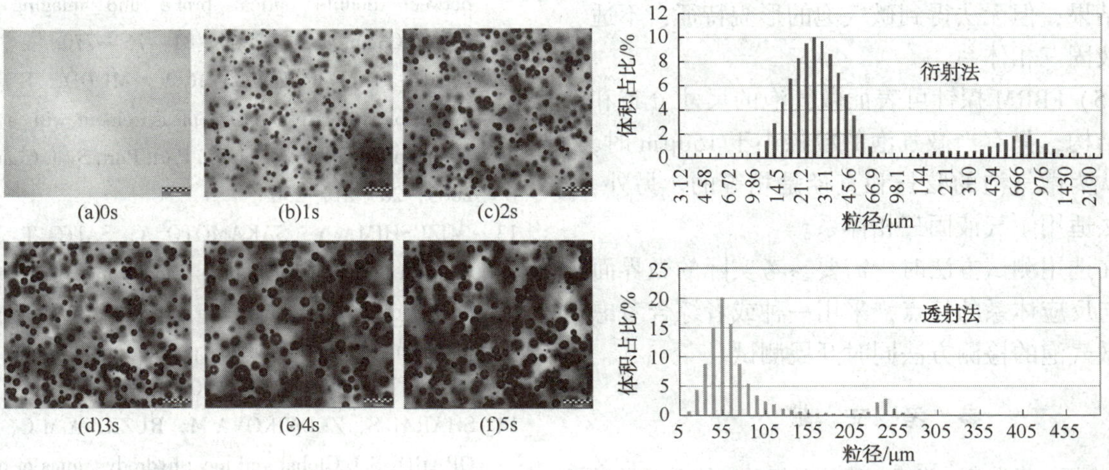

图 11 进气量为 60mL · min^{-1}时 PIXSCOPE 探头在线气泡监测结果

从图 12 可以清晰地分辨出微气泡和固体颗粒的形貌和结构。微气泡与高速摄像拍摄到的结构比较相像，微气泡包括透明的内核和外层液膜，而体颗粒整体都呈现白色。实时在线颗粒成像分析仪得到的直接数据为气泡的弦长，需要进行转化计算成为气泡的直径。当微气泡粒径小于 150μm 时，认为弦长为气泡的直径。当微气泡粒径大于 150μm 时，微气泡的弦长需要理论计算才能转换成气泡的直径，存在一定的误差。在气液固三相体系中，PIXSCOPE 探头测量系统的测试图片不好区分气泡和固体颗粒，因此不适用于气液固三相体系的测量。

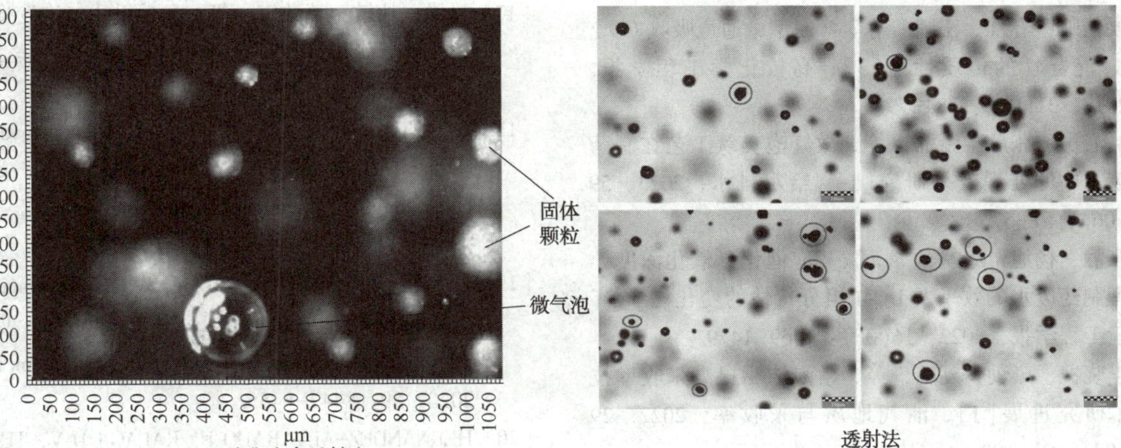

图 12 PIXSCOPE 探头测试到的结果与投射法的比较

4 结论与展望

本文采用了五种不同的表征方法对微界面多相体系中的微气泡进行表征，并进行了比较分析。

（1）采用 Micro-CT 时，由于在冷冻样品取样和恒温测试过程中的不可控因素，发现此方法适用于粒径为 6～42μm 的微气泡的粒径和气含率的测试。

（2）基于衍射法构建的气液两相微气泡粒径在线监测平台，具有重复性好、精度高、可控性强、操作简单等特点，测量精度为±6%。

（3）借助高速摄像测试频台可以获得微气泡的形貌、轮廓和结构特征，但与激光粒度仪的使用条件相同，需要将微界面多相体系中的微气泡群稀释至合适的遮光率，同时需要在透明的设备中进行拍摄。

（4）PIXSCOPE 探头在线测试系统可以在不透明的设备中获得遮光率很高时微气泡在线粒径分析结果，但无法得到微气泡的形貌特征，不适于气液固三相体系。

（5）FBRM 探针可表征微气泡的尺寸分布和形貌结构，只有当微气泡的粒径小于 150μm 时，才可认为微气泡的弦长和直径是相等的。另外，此方法适用于气液固三相体系。

在选用测试方法时，需要参考实际的微界面传质与反应体系的特点，采用一种或者综合考虑多种微气泡的检测方法同时开展测试。

参 考 文 献

[1] 张志炳，田洪舟，张锋，等．多相反应体系的微界面强化简述[J]．化工学报，2018，69(01)：44-49.

[2] 李兆军，杜浩．我国微泡技术发展综述[J]．过程工程学报，2017，17(4)：655-663.

[3] 梁倩卿，卜亿峰，门卓武．多相体系中微气泡的研究与应用现状[J]．应用化工，2022，51(09)：2721-2725+2731.

[4] 马学虎，梁倩卿，王凯，等．基于微吸收器的 CO_2 吸收过程研究进展[J]．化工进展，2018，37(04)：1229-1246.

[5] 梁倩卿，春江，王凯，等．弯曲型微通道吸收 CO_2/N_2 混合气的传质性能[J]．高校化学工程学报，2017，31(04)：784-793.

[6] 叶心彤，张欣，董磊，等．微气泡臭氧工艺在制药废水中的处理效果研究[J]．给水排水，2023，59(06)：51-57.

[7] 张静，杨旭，康帆，等．微气泡催化臭氧化深度处理制药废水的效果及 DOM 组分特性的变化[J]．环境工程学报，2022，16(05)：1469-1479.

[8] 李晓枫，彭勃，刘琦，等．微泡沫驱提高采收率技术研究进展[J]．油气地质与采收率，2022，29(04)：91-100.

[9] 康万利，张黎明，杜会颖，等．气浮法处理油田污水进展[J]．应用化工，2012，41(12)：2147-2149+2153.

[10] 张志炳，田洪舟，张锋，等．多相反应体系的微界面强化简述[J]．化工学报，2018，69(01)：44-49.

[11] KIAMBI S L，DUQUENNE A-M，DUPONT J-B，et al. Measurements of bubble characteristics：comparison between double optical probe and imaging[J]. Can. J. Chem. Eng.，2003，81：764-770.

[12] GUET S，FORTUNATI R V，MUDDE R F，et al. Bubble velocity and size measurement with a four-point optical fiberprobe[J]. Part. Part. Syst. Charact.，2003，20，219-230.

[13] MIZUSHIMA Y，SAKAMOTO A，SAITO T. Measurement technique of bubble velocity and diameter in a bubble column via single-tip optical-fiber probing with judgment of the pierced position and angle[J]. Chem. Eng. Sci.，2013，100：98-104.

[14] SHARAF S，ZEDNIKOVA M，RUZICKA M C，AZZOPARDI B J. Global and local hydrodynamics of bubble columns - effect of gas distributor[J]. Chem. Eng. J.，2016，288：489-504.

[15] NEDELTCHEV S，SCHUBERT M，DONATH T，et al. New evidence for the mixing length concept in a narrow bubble column operated in the transition regime[J]. J. Chem. Eng. Jpn.，2014，47(9)：722-729.

[16] 莫政宇，杜敏，邵梓一，等．文丘里式气泡发生器内气泡输运过程研究[J]．原子能科学技术，2016，50(06)：1034-1039.

[17] 赵梁，杜敏，莫政宇，等．文丘里式气泡发生器渐扩段内单气泡输运过程研究[J]．原子能科学技术，2019，53(06)：1021-1028.

[18] HUANG J，SUN L，DU M，et al. An investigation on the performance of a micro-scale Venturi bubble generator[J]. Chemical Engineering Journal，2020，386：120980.

[19] FENG Y R，MU H F，LIU X，etal.，Leveraging 3D Printing for the Design of High-Performance Venturi Microbubble Generators[J]. Ind. Eng. Chem. Res.，2020，59：8447-8455.

[20] HERNANDEZ-ALVARADO F，KALAGA D V，TURNEY D，et al.，Void fraction，bubble size and interfacial area measurements in co-current downflow bubble column reactor with microbubble dispersion[J]. Chemical Engineering Science，2017，168：403-413.

复合胺改性及其 CO_2 捕集性能研究

杜泽宇

（中石化南京化工研究院有限公司）

摘　要　为解决传统吸收剂的 CO_2 捕集工艺存在的再生能耗高及捕集效率低等问题，新型高效低能耗溶剂的研发已成为当前研究的重点。使用二元胺或多元胺作为主体吸收剂，单元胺作为活化剂改性商业MA复合胺，按总胺质量分数为30%的不同配比混合，以质量分数30%的商业吸收剂(MA)作参考标准，进行 CO_2 吸收-解吸性能测试研究，筛选出配方2吸收效果最优。实验结果表明，配方2不仅具有较高的 CO_2 吸收容量，而且具有优异的再生性能，其饱和吸收量为73.6L/L，最大吸收速率为0.72mL/min，相较于MA上升了28.6%。另外，该吸收剂的最大解吸速率为6.52mL/min、再生量为65.4L/L，与MA吸收剂相比，分别提高了69.8%、30.3%。

关键词　CCUS；有机胺；吸收剂；吸收量；再生量

温室效应是对人类生存环境的严重威胁，CO_2 是温室气体的主要来源之一，因此控制和减少 CO_2 的排放已成为全世界最具挑战性的问题之一。由于技术成熟，醇胺水溶液的化学吸收方法在工业上被广泛用于 CO_2 捕集。在过去的几十年中研究了各种胺基吸收剂，包括伯胺，仲胺，叔胺和混合型胺，例如伯仲单乙醇胺(MEA)、仲胺二乙醇胺(DEA)和叔胺N-甲基二乙醇胺(MDEA)。然而，这些胺吸收剂吸收过程能耗高。CO_2 捕集的研究重点是减少 CO_2 捕集过程中的能源消耗，研究表明再生能耗占整个系统能耗的70%左右。降低醇胺解吸过程中消耗的能量是控制整个碳捕集过程能源成本的重要因素，醇胺溶液的解吸能力是影响醇胺解吸能耗的重要因素之一。

近年来，二元胺或多元胺因其较高的吸收量而备受关注，如：二乙烯三胺(DETA)，哌嗪(PZ)和羟乙基乙二胺(AEEA)等，该类吸收剂同时具备较高的吸收容量和较快的吸收速率。Hartono等研究了羟乙基乙二胺吸收 CO_2 的反应动力学，他们发现提高吸收温度、增加吸收剂浓度有利于提高羟乙基乙二胺吸收 CO_2 的速率；同时，他们也发现二乙烯三胺的 CO_2 平衡溶解度比MEA、MDEA的 CO_2 平衡溶解度有大幅度提高。Muchan等对多种直链多胺结构中氨基的个数进行研究，探究其对吸收剂 CO_2 捕获能力的影响，结果表明 CO_2 平衡溶解度、CO_2 吸收热及初始 CO_2 吸收速率随着直链多胺分子结构中的氨基数目的增加而增加。盖群英等将羟乙基乙二胺(AEEA)加入到MDEA吸收剂中，该结果表明该混合体系吸收性能有效提高并且解吸效率高。

为了优选新型配方溶剂，提高 CO_2 的吸收率和吸收量，本文在单一醇胺吸收剂的基础上，选取高吸收效率、低再生能耗的多元胺作为基础胺改性商业MA复合胺，采用常压搅拌吸收装置和油浴解吸装置对复合胺溶液进行了碳捕集研究，加入了不同类型的单胺作为活化剂，优选最佳的复合吸收液配比，为下一步工业化应用提供有价值的试验数据。

1　实验部分

1.1　有机胺吸收 CO_2 实验步骤

本工作将 N_2 和 CO_2 按一定比例混合后通入吸收装置模拟工业烟气。将模拟烟气通入有机胺吸收液中。水浴槽的温度由温度计测量并由水浴锅的温度器控制温度，确保吸收温度稳定，同时在吸收装置出气位置连接冷凝管，避免气体流动造成水分和有机胺溶剂的流失，保证有机胺吸收剂的浓度不会发生变化。有机胺吸收剂吸收 CO_2 的实验具体步骤如下：

（1）配置有机胺吸收液：根据实验的需要制备4mol/l的有机胺吸收剂，并装入吸收装置中，记录溶剂初始温度，液相溶液的配置采用的是去离子水与胺溶液的配比定量。

（2）加入吸收剂：等通入的气体稳定后，将事先配置好的胺吸收液注入到吸收瓶中，吸收反应开始。

(3) 记录数据：CO_2 吸收过程中，用 CO_2 检测出口气体的浓度。

(4) 反应结束：当 CO_2 分析仪检测的尾气 CO_2 浓度与进入吸收装置的 CO_2 浓度对比无变化时，停止吸收反应。

(5) 计算有机胺溶液的 CO_2 负载量：移取一定量的有机胺富液，采用分析方法测得其中得 CO_2 含量，计算相应有机胺溶液中的 CO_2 负载量。

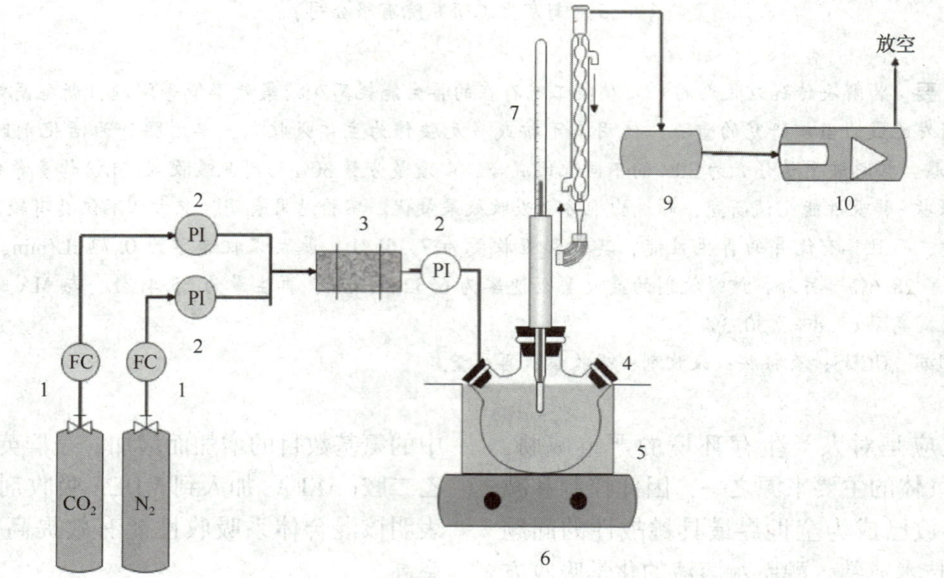

图1　吸收实验装置图

1.2 有机胺再生 CO_2 实验步骤

(1) 提高吸收剂的温度：将吸收饱和后的 CO_2 溶液转移至再生装置中，通过水浴锅加热提高吸收液的温度至120℃，等待再生。

(2) 吸收液再生：升至所需要的温度，随着温度的提高，CO_2 逐渐溢出，再生实验开始。

(3) 计算再生后吸收液的 CO_2 负载：移取一定量的再生液，采用分析方法检测再生液中的 CO_2 的含量，从而获得再生后的吸收剂的 CO_2 负载量。

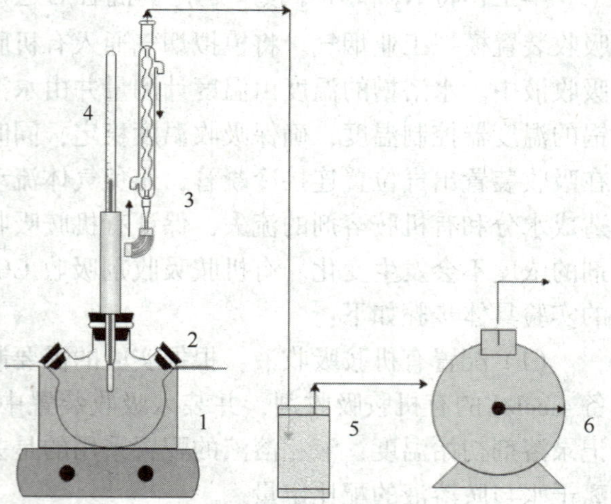

图2　再生实验装置图

2 结果与讨论

2.1 不同有机胺的吸收对比

多元胺的考察对象为胺液1-胺液4，浓度均为4mol/L，控制模拟烟气中 CO_2 浓度为13%，吸收温度控制在40℃。

图3为不同多胺 CO_2 吸收量与时间的关系曲线，由图可知，随着时间的增加，各个有机胺的 CO_2 吸收量逐步增加，最终达到一种平衡状态。同浓度不同单组分胺液的 CO_2 负载量关系为胺液3>胺液1>胺液2>胺液4。胺液1和胺液2的吸收量接近，大约91和88L/L，胺液4的吸收量为51L/L，胺液3的吸收量最高为138L/L。在600min前，胺液3在吸收过程中吸收量曲线一直处于上升趋势，并在660min时达到吸收量最大值为138L/L，而胺液1在480min时达到最大值91L/L。而作为常用的MEA吸收剂，其在240min左右就达到了吸收平衡，最大负载量为56.4L/L，仅为胺液3最大吸收量的40.8%。而就达到吸收饱和的时间而言，MEA到达吸收平衡的时间比胺液1和胺液3都要短，这是因为MEA结构中伯氨基团具有较为活泼的孤对电子，易与 CO_2 反应生成两性离子，因此很快达到反

应平衡，这意味着更短的时间成本，但是同等时刻下胺液 1 和胺液 3 的吸收量仍大于 MEA 的吸收量。

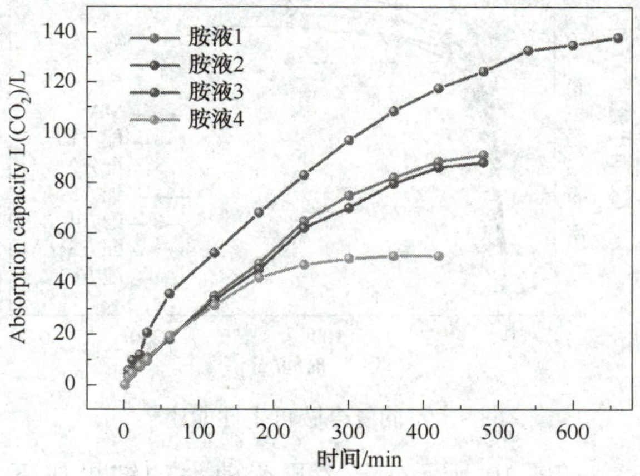

图 3 不同多胺 CO_2 吸收效果比较图

图 4 是不同胺的吸收速率，其中胺液 1、胺液 2、胺液 3 以及胺液 4 的最大吸收速率分别为 0.92、0.94、1.16 以及 0.6mL/min。其中胺液 3 最大吸收速率最高，其次是胺液 2 和胺液 1。这是因为胺液 3 拥有都含有较多伯氨基，其上的孤对电子具有的活泼性导致其易与 CO_2 结合生成形成两性中间离子，所以胺液 3 反应速率相对较快。

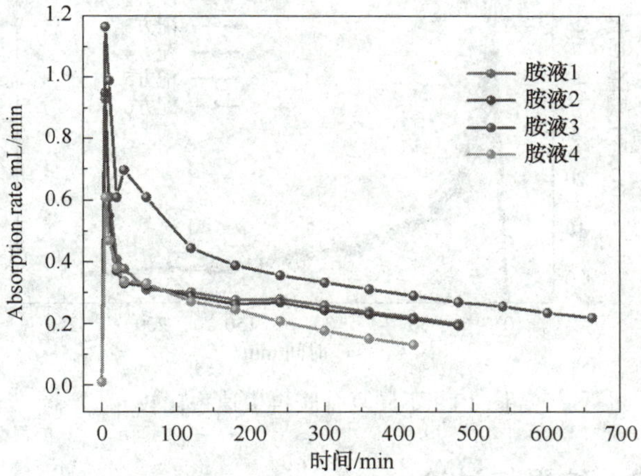

图 4 不同多胺的吸收速率图

2.2 不同有机胺的再生对比

因为吸收剂的解吸速率会影响再生能耗，因此在相同吸收反应条件下，有机胺吸收剂解吸速率越快则该过程中所需能耗越少。本实验在下对 120℃下对吸收 CO_2 达到饱和后的有机胺富液进行解吸实验。图 5 是不同胺的再生性能比较，其中胺液 1、胺液 2、胺液 3 以及胺液 4 的再生率分别为 89%、80%、82.6%以及 95.3%。其中胺液 4 再生率最高，这是因为还有一个叔胺结构，这意味着它与 CO_2 反应的产物除了氨基甲酸盐外，还有大量的 HCO_3^- 和 CO_3^{2-} 离子，比较容易解吸，因此速率较快，该过程中所需的解吸能耗较少，大量 HCO_3^- 和 CO_3^{2-} 离子的存在，这也使得在 CO_2 解吸过程中其脱除率很高但其吸收量较低，但胺液 4 的吸收量较低。

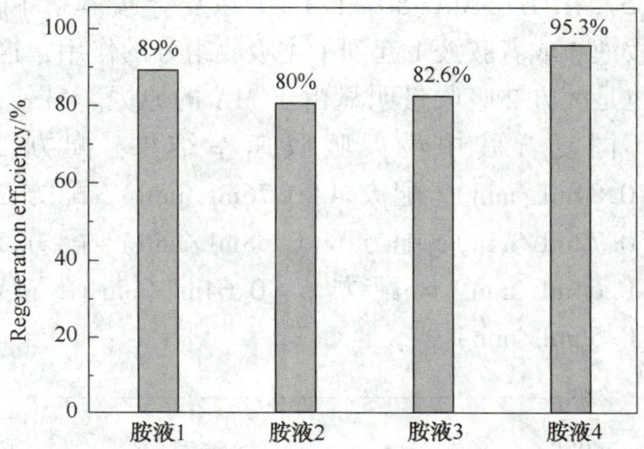

图 5 不同多胺的再生率图

如图 6 所示，对于再生速率的考察，胺液 1、胺液 2、胺液 3 以及胺液 4 的再生速率依次是 2.9、1.3、3.4 以及 4.8mL/min。胺液 1 的再生速率高于胺液 3，这是因为胺液 1 比胺液 3 多一个羟基。羟基的拉电子效应使 N 原子上的电子云密度减小，更易被 H^+ 进攻从而形成更多的 HCO_3^-，即胺液 1 中比胺液 3 中含有更多的不稳定的 HCO_3^- 和 CO_3^{2-}，这也是胺液 3 二氧化碳解吸速率低于胺液 1 的原因。

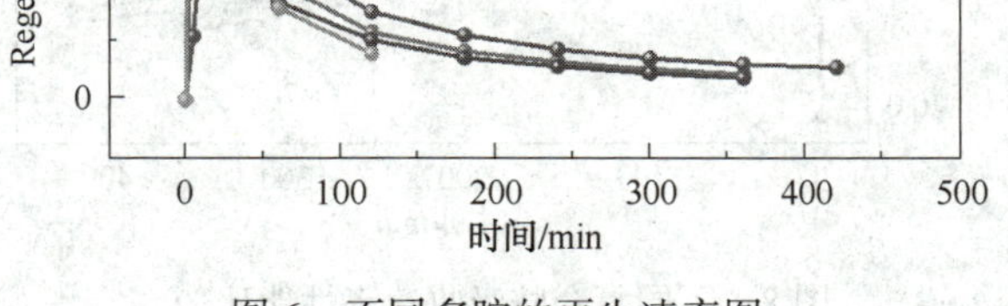

图 6 不同多胺的再生速率图

2.3 复合胺碳捕集效果考察

在上述的研究基础上，以胺液 3 或胺液 1 为基础胺，加入 2 或 3 种单元胺复配成复合胺溶液，将配置的复合胺溶液配置成质量分数 30% 的混合液进行烟气碳捕集实验研究，并与商业

MA 复合胺进行比较，实验步骤与上述一致。

如图 7 和 8 所示，除了 MA 复合胺外，配置了 6 种基于胺液 3 或者胺液 1 的复合胺溶液。吸收结果如下，和 CO_2 吸收量排序，配方 2 (73.6L/L)>配方 6(71.6L/L)>配方 1(66L/L)>配方 3(60.6L/L)≈配方 5(58L/L)≈配方 4 (57.4L/L)>MA(50.2L/L)，在复合胺体系中，胺液 3 或者胺液 1 起到了主吸收组分的作用，这也是配方 2 吸收量明显由于 MA 的原因。另外，不同复合胺中最大吸收速率结果：配方 3 (0.84mL/min)>配方 4(0.76mL/min)>配方 2 (0.72mL/min)>配方 6(0.68mL/min)>配方 1 (0.64mL/min)=配方 5(0.64mL/min)>MA (0.56mL/min)。

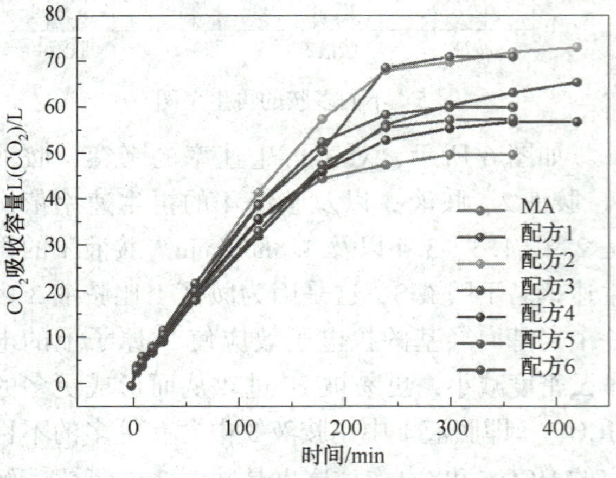

图 7　不同复合胺吸收性能比较

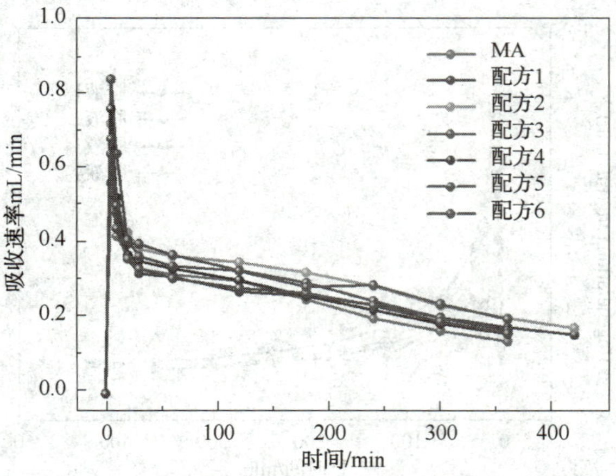

图 8　不同复合胺吸收速率性能比较

如图 9 所示，随着时间的增加，复合胺的再生量逐步增加，并最终趋于平衡。而各个复合胺的再生结果如下：配方 2(65.4L/L)>配方 6 (62.6L/L)>配方 1(59.6L/L)>配方 3(55.6L/L) ≈配方 5(53L/L)≈配方 4(52.4L/L)>MA (50.2L/)。

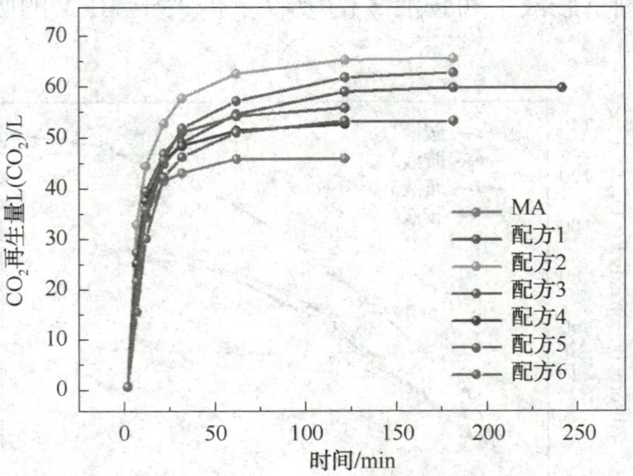

图 9　不同复合胺再生性能比较

如图 10 所示，最大再生速率的结果如下：配方 2(6.52mL/min)>配方 3(5.4mL/min)>配方 4(4.96mL/min)>配方 1(4.92mL/min)>配方 6 (4.24mL/min)>MA(3.84mL/min)>配方 5 (2.88mL/min)。结果显示，多胺系列溶剂解吸速率均高于 MA 复合胺，说明胺液 3 和胺液 1 能提高复配溶剂的再生性能。所以通过综合考量认为，配方 2 是一种颇具潜力的新型 CO_2 吸收剂。

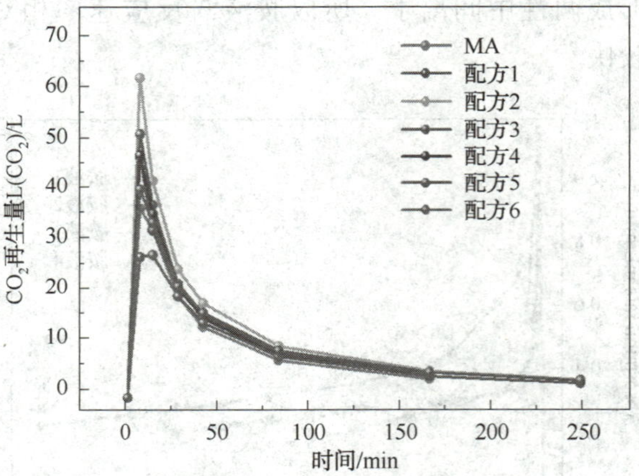

图 10　不同复合胺再生速率比较

3　结果与讨论

本文章测试了 4 组二元胺或多元胺，6 组复合胺及商业吸收剂 MA 的 CO_2 吸收-解吸性能，其中配方 2 吸收剂综合性能最好，结论如下：

(1) 该吸收剂的饱和吸收量为 73.6L/L，最大吸收速率为 0.72mL/min，相较于 MA 上升了 28.6%。

(2) 该吸收剂的最大解吸速率为 6.52mL/min、再生量为 65.4L/L，与 MA 吸收剂相比，分别提高了 69.8%、30.3%。

参 考 文 献

[1] Bernhardsen I M, Knuutila H K. A review of potential amine solvents for CO_2 absorption process: Absorption capacity, cyclic capacity and pKa [J]. Int J Greenhouse Gas Control, 2017, 61: 27-48.

[2] El Hadri N, Quang D V, Goetheer E L V, et al. Aqueous amine solution characterization for post-combustion CO_2 capture process [J]. Appl Energy, 2017, 185: 1433-1449.

[3] 有机胺溶液吸收二氧化碳基础研究 [D]. 杭州：浙江大学，2002.

[4] 刘炳成，李停停，张煜，等. MEA/DEA 化学法捕集电厂烟气 CO_2 系统再生能耗分析 [J]. 太原理工大学学报，2010，41(5)：608-612.

[5] 史澄辉. 醇胺溶液 CO_2 吸收性能与解吸能耗实验研究[D]. 青岛科技大学，2013.

[6] 周莉骅，刘有智，李光明. MDEA 吸收 CO_2 的活化剂及吸收设备研究进展[J]. 化工中间体，2010，6(6)：7-12.

[7] Ardi H, Hallvard F. Svendsen, density, viscosity, and excess properties of aqueous solution of diethylenetriamine(胺液 3)[J]. The Journal of Chemical Thermodynamics, 2008, 41(9): 973-979.

[8] Pailin M, Jessic N T, Chintana S, et al. Effect of number of amine groups in aqueous polyamine solution on carbon dioxide(CO_2)capture activities[J]. Separation and Purification Technology, 2017, 184: 128-134.

[9] 盖群英. 醇胺溶液富集 CO_2 的研究[D]. 辽宁：大连理工大学，2008.

[10] 沈哲琦. 具有二氧化碳刺激响应性的纳米球形聚电解质刷的合成及其应用[D]. 华东理工大学，2017.

炼化企业工控数据采集清洁智能解决方案

杨麟民

（中国石油哈尔滨石化公司）

摘　要　创新地利用虚拟化技术、实时数据库技术及网路技术将两台专业的物理服务器、极小容量的存储及网络设备构建一套安全、稳定、高可用、绿色、可持续化的清洁智能解决方案(智能采集平台)。方案将所有类型的控制系统的数据及可燃气体有毒气体检测数据统一采集保存起来，并提供统一的过程控制工业标准 opc 访问实时数据和 api 访问过程历史数据，全面满足企业所有信息应用系统(如 MES)、先进控制系统 apc(如 pid 整定)及各种监控系统(如国家应急监控系统)对工业控制数据的需求。且具有几乎是无限制的扩展性，可以采集数百套工控系统的数据，为企业的可持续发展提供底层的数据支持。同时平台配置自主开发的智能监控服务，实时的监控每套工控系统实时数据采集的连续性，一旦数据采集出现中断，实时地推送电子邮件和微信到相关运维人员，运维人员收到故障信息后及时地进行故障处理，及时恢复数据采集，并配置好采集平台实时数据库的历史恢复功能和三层鲁棒性架构，排除单点故障，最大限度保证工业控制数据的连续性和完整性，采集平台几乎无限制的快速扩展能力和健壮的高可用性架构配置以及故障实时监控能力在提高系统稳定的基础上，节约了硬件成本，降低了能耗，降低了管理难度，显著提高了管理效率和运维水平，非常值得推广应用。

关键词　智能采集平台；虚拟化技术；实时数据库；数据采集；智能监控

1　实施背景

随着信息技术及工业自动化的的快速发展，一是公司对部署在现场的各种工控系统数据采集需求日益广泛，对基于现场工控系统数据的应用系统也越来越多，二是随着企业的发展，公司新建的装置和需要引入的工控系统也越来越多，每引入一套工控系统的数据都需要增加一台数据采集 buffer 机，一方面随着数据采集 buffer 机数量的越来越多，硬件成本水涨船高，同时管理众多计算机维护成本也随着增加，相应地提高系统的响应速度、提高系统的稳定性和高可用性以及实现零停机、故障后快速恢复的难度都增大。另一方面其中有许多计算机已经老化，运行效率低下，发生故障的机率明显增大，严重影响着系统的安全运行。公司有许多基于工控数据的信息系统，如炼油与化工运行系统(简称 MES)，自控平稳率监控系统，报警监控系统，国家应急监控系统等等。它们已经成公司每天运行的必不可少的应用系统，系统一旦出现问题，如果不能尽快进行恢复，会给公司的生产和经营造成一定的影响。存在的突出问题为：

1.1　中心管理混乱，资源浪费，部署效率低下，存在安全隐患

公司炼油与化工运行系统(简称 MES)实时数据库产品采用的是 honeywell 公司的 phd，工控系统数据采集方式是，每一套工控系统装置都需要在信息中心机房配备一台物理数据采集 buffer 机进行数据采集，随着新上工控系统的增多和新建装置的投用，数据采集 buffer 机越来越多。每增加一套工控系统，就得新购买或新增加计算机，进行软件的安装配置，不仅效率低下，重复工作非常多，且需要不断地增加硬件设备成本，越来越多的计算机增加了服务器机房的能耗负荷，过多地计算机不仅消耗电力资源，也不利于中心机房的合理规划和管理，单机承担不了 7 ×24 小时无故障运行，实际运行过程中这些计算机在长时间的运行过程中经常会出现各种故障，每一个机器的故障就会影响整个一套装置的数据采集，更是给 MES 系统的正常运行带来隐患。

1.2　发现故障不及时，工控数据丢失影响信息正常系统运行

数据采集 buffer 机负责连入工业控制网络，所有应用系统用到的工业控制数据都是数据采集

buffer 机采集的，每个数据采集 buffer 机负责一套工控系统数据的采集，在实际的系统运行过程中，经常会出现数据采集 buffer 机断网故障，机器系统故障，工控防火墙故障，一旦故障产生，现场的工控系统数据就不会采集上来，造成一套装置的数据中断，之前运维人员最多也就是每天对这些 buffer 机和关键服务器巡检一次，单靠巡检是很难发现这些故障的，这种故障基本上都是用户在使用相关应用系统时才发现的，再由用户通知系统运维人员，运维人员去查找故障原因再去解决恢复，往往这个时候故障已经持续很长时间了，有些时候会将故障这段时间的基础数据丢失，造成应用系统的统计计算结果不准确且不及时，不但给用户的使用造成麻烦，也会给信息系统的运维工作带来很大的困难，所有信息系统的使用和运维就是重复着这个过程。

1.3　Opcserver 服务节点切换，工控数据采集中断丢失数据

有些工控系统自身会出现 opcserver 服务节点切换的问题，如公司有些装置用的工控系统是 honeywell 公司的 epks 系统，epks 系统采用容错以太网，为提供更高级的可靠性 epks 系统 Experion 系统服务器采用冗余配置，采用一对配置相同的服务器，以主/备结构方式相互支持，当主服务器出现故障时，备服务器自动转换为主服务器，相应地其提供工控数据的 opcserver 服务也会在两台服务器上发生切换，由于这两台服务器的 ip 地址不同，实时数据库 phd 配置的数据采集接口 rdi 不知道 opcserver 的 ip 地址已经发生变化，也就采集不到工控数据了，造成了数据采集中断，这种 opcserver 的切换分为主动切换和被动切换，主动切换是仪表工程师由于某种原因人为地进行切换，被动切换是系统本身发生故障时，系统进行的切换。当主动切换时，仪表工程师如果主动通知系统运维人员，系统运维人员需要重新配置采集接口 rdi，数据损失不多，如果是被动切换，就只有等到用户在使用应用系统时才能发现了。等到发现时再进行数据采集 rdi 的重新配置，数据已经丢失好长时间了。

2　工业控制数据采集清洁智能方案实施

针对以上情况，为了清洁发展、节能降耗、提高管理效率、降低硬件成本和管理难度，制定工控数据采集清洁智能解决方案，一劳永逸地解决企业对工业控制系统数据的采集需求。决定利用虚拟化技术、实时数据库技术及网络技术以及自主程序开发将两台专业的物理服务器、少容量的共享存储以及网络设备构建一个逻辑的工控数据采集智能平台。平台将所有类型的控制系统的数据及可燃气体有毒气体检测数据统一采集保存起来，并提供统一的过程控制工业标准 opc 访问实时数据和 api 访问过程历史数据，全面满足企业所有信息应用系统(如 MES)、先进控制系统 apc(如 pid 整定)及各种监控系统(如国家应急监控系统)对工业控制数据的需求，且平台具有几乎无限制的快速扩展性、智能性和高可用性，为企业的可持续发展提供底层的数据支持。平台的几乎无限制的快速扩展性表现在平台在不增加任何资源的情况下能够采集数百上千套工控系统，且新增加工控系统只需要分钟级配置，非常快速；平台的智能性表现在一旦任意工控系统数据采集异常，平台会实时发送电子邮件和微信推送报警信息到相关运维人员，同时平台实现了对 OpcServer 切换的工控系统连续不中断采集；平台的高可用性表现在每套装置都配备量个采集 buffer 机，一个出现故障另一个马上接管，且只要两台物理服务器不同时出现故障，就能保障平台正常运行。

2.1　工控数据采集智能平台的设计

利用虚拟化技术，工控数据采集智能平台将原来运行的物理数据采集 buffer 机及服务器上的服务资源都虚拟化成可管理的逻辑资源，这些逻辑资源都透明地运行在工业控制数据采集智能平台上(两台专业物理服务器上)，资源的管理都按逻辑方式进行，完全实现资源的自动分配。利用网络 vlan、trunk 将所有的工控网络聚合到工控数据采集智能平台上的虚拟交换机上，用 vlan 进行隔离，并将所有的物理采集 buffer 机重新整合为几个虚拟数据采集虚拟 buffer 机，将所有类型的控制系统的数据及可燃气体有毒气体检测数据统一采集保存起来，利用实时数据库技术，建立统一的 opcserver 提供统一的过程控制工业标准 opc 访问实时数据和 api 访问过程历史数据。2 台专业物理服务器组成的高可用集群在提高系统的稳定可靠的基础上，节约了数据中心的硬件成本和电力成本又保障了数据中心的合理规划及降低管理难度并且提高了系统的可扩展性，且其可扩展性是快速几乎无限制的，效率非常高的，设计原理如下：假如公司有 100 套工业控制系统，

下面对整合这100台物理采集buffer机到几个虚拟采集buffer机及快速几乎无限制的扩展性进行架构理说明：首先必须对这100套工业控制网络进行vlan划分，将他们逻辑地隔离起来，这样就算它们的网络地址相同，将他们连接到同一物理网络时，它们也是相互独立的，不能相互访问，这样它们就可以同时通过trunk干线进入工控数据采集智能平台的虚拟交换机，为了简单说明，将这100套工业控制网络划分为vlan101到vlan200，它们的数据采集协议都是opcda(以其他采集协议进行数据采集不影响实施结果)，其中这100套工业控制系统中有3套工业控制系统(vlan101，vlan102，vlan103)的opcserver服务器的ip地址相同都是192.168.0.1，有2套工控系统(vlan104，vlan105)的opcserver服务器的ip地址相同都是192.168.0.2。剩下95套工业控制系统的opcserver服务器的ip地址都不相同也与vlan101至vlan105的opcserver服务器的ip地址不同，只有opcserver服务器ip地址相同的工控网络才需要在不同的虚拟采集buffer机上进行数据采集，只要opcserver服务器的ip地址不同，不管是不是同一网络地址的工控网络都可以在一台虚拟数据采集buffer机上进行数据采集，这样只需要在智能工控数据采集云平台上创建3个虚拟采集buffer机(buffer机1，buffer机2，buffer机3)就能完成这100套工业控制系统工控数据的采集，buffer机1采集工业控制系统vlan101，vlan104，vlan106到vlan200共97套工业控制系统的工控数据，需要在buffer机1上创建97个虚拟网卡通过虚拟交换机上打了vlan标签号的端口相应地连接这97个工控网络并创建97个数据采集rdi，buffer2采集工业控制系统vlan102和vlan105共2套工业控制系统的工控数据，需要在buffer机2上2个虚拟网卡通过虚拟交换机上打了vlan标签号的端口相应地连接这2个工控网络并创建2个数据采集rdi，buffer机3采集最后一套工业控制系统vlan3的工控数据，需要创建1个虚拟网卡通过虚拟交换机上打了vlan标签号的端口相应地连接这1个工控网络并创建1个数据采集rdi。为了提供最稳定可靠的数据采集功能，实施实时数据库phd的shadow-buffer-standby鲁棒性三层架构，把buffer机1，buffer机2，buffer机3固定在一台物理服务器上，在另外一台物理服务器上创建虚拟采集buffer机10，buffer机20，buffer机30。Buffer机10与buffer机1的资源配置相同作为buffer机1的standby进行配置，buffer机20与buffer机2的资源配置相同作为buffer机2的standby进行配置，buffer机30与buffer机3的资源配置相同作为buffer机3的standby进行配置，当buffer机1出现故障时，buffer机10就会立即接管buffer机1数据采集任务，相应的当buffer机2和buffer机3出现故障时，buffer机20和buffer机30就会立即接管buffer机2和buffer机3的数据采集任务，这样当其中一个物理服务器出现物理故障时，不用进行虚拟机的漂移(vmotion)，另一台物理机上的standby角色buffer机及时接管数据采集任务，更加稳定的保障了数据采集的连续性，这样6台虚拟机就完成了100套工业控制系统工控数据的数据采集。每台虚拟机只要100G存储空间足够用了，所有数据采集buffer机只需要600G的共享存储空间就可以了，是非常节约成本的，如果所有工业控制网络网络地址都合理规划，没有相同的opcserver服务器ip地址，无论多少套工业控制系统，只需要创建2台虚拟采集buffer机就能完成所有工业控制系统的健壮的鲁棒性数据采集。这样当有新引入工控系统数据的需求时，只要在buffer机1到buffer机3之中的一台虚拟采集buffer机上创建新上工控系统的数据采集rdi即可，为了增加数据采集的健壮性，在buffer机10到buffer机30之中的一台虚拟采集buffer机上创建相同的数据采集rdi并配置为standby，非常快速高效将工控系统的数据采集上了，不需要额外地增加任何物理设备，只需要网络连通即可。实时数据库phd的shadow-buffer-standby鲁棒性三层架构的数据配置也解决了honeywell公司epks工控系统opcserver服务器主备互相切换的问题，假设工业控制系统vlan106是honeywell公司epks系统，其主服务器的ip地址为172.30.1.3，备服务器的ip地址172.30.1.5，在buffer机1上配置工控系统vlan106的数据采集接口rdi时opcserver的ip地址指向epks的主服务器的ip地址172.30.1.3，在buffer机10上配置工控系统vlan106的数据采集接口rdi时opcserver的ip地址指向epks的备服务器的ip地址172.30.1.5，正常情况下，buffer机1采集工业控制系统vlan106的工控数据，当发生opcserver主备切换时，buffer机10

就接管了工控系统 vlan106 的工控数据采集任务了，当承载 buffer 机 1 的物理服务器出现物理故障时，buffer 机 1 会通过 vmotion 网络漂移到另外一个物理服务器上继续进行工控系统的数据采集工作，完美的解决了 opcserver 切换问题。同时为智能工控数据采集云平台配置实时数据库 phd 的历史恢复功能，phd 的 shadow-buffer-standby 鲁棒性三层架构中的 shadow 及基于 shadow 创建的 opcserver 服务是对外提供数据服务的，如果某一工控系统的数据采集 buffer 机上联 shadow 间网络出现故障，buffer 机采集到的数据就不会上传到 shadow 上，当网络故障修复后，配置了历史恢复后，数据采集 buffer 机就会将自己存储的网络故障期间 shadow 缺失的数据自动上传给 shadow，保障了工控数据的数据完整连续。最后为智能工控数据采集云平台配置自主开发的智能监控服务，实时的监控每套工控系统实时数据采集的连续性，一旦数据采集出现中断，实时地推送电子邮件和微信到相关运维人员，运维人员收到故障信息后及时地进行故障处理，最大限度保证数据的连续性和可靠性，从而保障所有基于工控系统数据的信息系统的稳定可靠运行，先于用户发现故障的能力，显著地提高了信息系统的运维水平。

2.2 建立工控数据采集智能平台

在数据中心准备 2 台专业物理服务器，需要 2 台服务器是为了防止其中一台服务器出现物理故障时，另一台服务器能够接管所以的任务，保证智能工控数据采集云平台的高可用性，每台服务器配备 2 块 hba 卡，6 块网卡，也可以每台服务器配置 1 块 hba 卡和 3 块网卡，为了防止单点故障，都用了 2 倍的数量。hba 卡用来连接共享存储，存储空间需要极少容量就够，因为需要创建的虚拟机很少，网卡用来创建分布式虚拟交换机。虚拟环境采用 vmware 和 hyper-v 都可以，本解决方案采用 vmware 进行搭建，在物理服务器上安装虚拟环境，创建集群，将 2 台主机加入集群。规划存储，2 个主机都能访问同一个存储。创建 3 个虚拟交换机，每个虚拟交换机用 2 块物理网卡，防止物理网卡损坏造成单点故障，一个虚拟交换机连接工控网络，这个虚拟交换机用到的 2 块网卡要连接到物理网络交换机的 trunk 端口，物理网络交换机的 access 端口连接着各个工控网络。一个虚拟交换机连接着采集 buffer 机网络，将所有采集到的工控数据传送到 phd shadow 上。一个虚拟交换机连接管理网络进行管理和 vmotion。

2.3 完成相同网段及相同 ip 地址的逻辑隔离

由于每套生产装置或生产单元都有一套单独的工控网络，这些工控网络都是物理隔离的，它们没有联网的需求，所以当时设计时根本不用考虑 ip 地址及网段的冲突，都按默认设置，造成许多工控网络网络地址相同，有些提供数据采集服务的服务器的 ip 地址都相同，通过 vlan 技术将这些工控网络逻辑隔离聚合到数据中心物理网络交换机的各个 access 端口，物理交换机的 trunk 端口再连接到数据中心的工控数据采集云平台上的工控虚拟交换机上，在工控网络虚拟交换机上再创建端口组，指定具体的 vlan id，从而将此 vlan id 的工控网络从 trunk 中分离出来。

2.4 创建虚拟 active、standby 数据采集机可靠的采集数据

在工控数据采集智能平台上创建 active buffer 虚拟机，配置好数据采集接口 rdi，为了实现可靠的数据采集，为每一个虚拟采集 active buffer 机创建一个相同逻辑资源配置的 standby buffer 机，为 standby buffer 机配置同样的数据采集 rdi 接口，需要注意的是 honeywell 公司的 epks 工业控制系统虚拟采集 active buffer 机和 standby buffer 机的创建，它们的逻辑资源配置相同，但其数据采集 rdi 配置中的 opcserver ip 地址的指向不能为同一 ip，一个指向 epks 系统容错网络的主服务器的 ip，另一个指向 epks 系统容错网络的备服务器的 ip。特别要注意的是创建 active buffer 机和其对应的 standby buffer 机最好不要运行在同一个宿主物理服务器上，这样一旦一个宿主物理服务器出现故障，不用进行虚拟机的 vmotion 漂移，其上所以虚拟采集 buffer 机对应在另一台物理服务器上的 standby buffer 机就会直接接管采集任务。

2.5 开发数据采集监控服务，实现实时故障报警推送邮件和微信

虚拟数据采集 buffer 机负责连入工业控制网络，每个 buffer 机负责一套工业控制系统数据的采集，shadow 机负责接收所有数据采集 buffer 机采集到的数据，在实际的系统运行过程中，经常会出现网络断网故障，机器系统故障，工控网闸故障，数据采集 buffer 机方出现故障会影响一套工控系统的采集数据，shadow 机方故障会影响

所有工控系统的采集数据，无论 buffer 机方故障还是 shadow 机方故障都会体现在 shadow 中出现采集数据中断，开发程序对 shadow 中的所有数据的连续性进行实时监控，也就实现了对所有数据采集 buffer 机和 shadow 机及网络的实时监控，一旦数据中断程序自动进行邮件和微信报警推送，这种先于用户发现故障、实时监控、安全推送邮件及微信的方法是非常值得推荐应用的。

2.6 创建 phd shadow 机，配置历史恢复，创建 opcserver 机

创建虚拟 phd shadow 机，将所有工控系统数据从 buffer 机中采集上来；创建配置虚拟 opcserver 机，提供标准 opcda 服务和 api 服务。

这样整个工控数据采集清洁智能解决方案实施完毕，该方案的实施在公司的信息化应用中起到非常关键的作用，为公司的应用系统提供统一底层可靠的工业控制数据支持。

3 实施效果

3.1 有效降低了硬件成本和电力成本，节能低碳，可持续发展

假如有 100 套工控数据需要采集，按之前的方式需要 100 台专业工控机，新的解决方案只需要 2 台专业服务器，按工控机每台 2 万元，服务器每台 15 万元计算，大约节省费用 170 万，服务器的功率大约 1000 瓦，工控机的功率大约 500 瓦，以一年期计算，100 台工控机耗费电量 43.8 万度电，2 台服务器耗费电量 1.75 万度电，以工业用电每度电 1 元计算，智能工控数据采集云平台 1 年节约用电成本为 42.05 万元，减少 114376 千克碳排放。

3.2 增加快速无限制的扩展能力，提高工控系统数据采集的部署效率

在新引入工控系统时，在网络联通的情况下，之前在有库存计算机不需要采购的情况下大约需要 4 个小时能够完成数据采集配置，如果没有库存计算机，加上采购计算机的时间，就需要好几天了，工控数据采集智能平台几乎无限制的快速扩展性，无论同时增加多少套工控系统都不需要采购任何设备，直接在平台上配置，每增加一套工控系统，只需在现有的虚拟机上配置数据采集接口 rdi 即可，大约 10 分钟就能完成工控数据的采集配置，大大提高了部署效率。

3.3 不中断采集 opcserver 服务节点切换工控网络数据，保护数据完整

工控数据采集智能平台 active-standby 配置，完成 opcserver 服务节点切换，都能保证工控数据的不中断连续采集。

3.4 完成故障实时监控报警，邮件微信推送，提高信息运维水平

工控数据采集清洁智能方案的实施，完成了多次故障的实时报警，有网络光纤被施工人员误挖断的情况，有网络交换机断电的情况，有工控网闸死掉的情况，运维人员都实时收到微信和邮件，及时解决故障，保障了相关应用系统的数据完整和平稳运行，以前都是用户在使用系统时才发现故障，故障已经持续很长时间了，严重影响应用系统的使用，平台自身的监控服务，使运维人员第一时间获知故障信息并及时进行处理，先于用户发现故障，最大限度地保障用户的顺畅使用和数据的准确性，显著地提高了信息系统的运维水平。

3.5 降低了管理难度，提高管理效率

在数据中心管理 2 台计算机与只管了 100 台计算机进行比较管理难度大大降低，大大地提高了管理效率，且数据中心计算机的大量减少，保障了机房的合理规划布局，减少了大量的布线工程，节约了人工运维成本。

3.6 统一了平台和接口，为加快企业智能化转型做准备

平台将所有类型的控制系统的数据及可燃气体有毒气体检测数据统一采集保存起来，并提供统一的过程控制工业标准 opc 访问实时数据和 api 访问过程历史数据，全面满足了企业所有信息应用系统对工业控制数据的需求。依托工业互联网平台促进企业智能化转型已经成为业界共识，在中国制造 2025、互联网+、两化融合等国家宏观政策指导下，党中央国务院高度重视发展工业互联网，做出一系列战略部署，支持国有大型企业发展自主的工业互联网平台，工业互联网平台是制造业数字化、网络化、智能化的重要载体，通过构建精准、实时、高效的数据采集互联体系，建立面向工业大数据存储、集成、分析的开发环境，实现工业技术、经验、知识的模型化、标准化、软件化、复用化，形成科学决策与智能控制，提高制造资源配置效率。工控数据采集智能平台就是为工业互联网平台的边缘层的数据接入提前准备布局，企业应用上云是大势所趋。

催化装置绿色停工稳定实施“压干退油”研琢与实践

陈永昕　张　伟　孙　恒　李　波　王　伟

（中国石油哈尔滨石化公司）

摘　要　重油催化裂化装置在装置停工时，稳定单元常规操作，保持系统压力进行退油，当油品退净后，给蒸汽进行吹扫，稳定单元外甩线油品吹扫至罐区，气相物料吹扫进火炬排空，汽油在吹扫时，由于蒸汽温度高，汽油大量汽化变成气相，随着吹扫蒸汽一起排放掉，不仅造成损失，可燃气体排放存在安全隐患，污染环境的同时，产生异味，不符合安全环保高质量发展要求。某催化装置停工优化了以往的停工方案，在稳定单元部分首次采用反应切断进料后，气压机低负荷平稳运行，利用气压机出口压缩富气，对稳定系统管线与设备存油进行“压干退油”，油品压干完成后，采用蒸汽密闭吹扫，降低油品损失，节能降耗环保增效，消除安全隐患，减少停工稳定系统异味对周边环境影响，实现绿色停工质量与本质的升级。

关键词　催化裂化；停工吹扫；压干退油；环保增效

催化裂化装置常规停工不放火炬操作，重油催化裂化装置在装置停工时，随着加工量逐步降低，两器差压控制平稳，外输中压蒸汽量逐步降低，外部提供足够的中压蒸汽维持气压机运转。分馏提高冷后温度，富气量不足时，可补入干气，提高富气总量，全开反飞动来维持气压机低转数运转，避免由于负荷不足造成机组喘振。稳定配合缓慢撤压，降低气压机出口压力，全开提升管各组蒸汽尽量提高反应压力，主风机通过放空排放多余主风，尽量降低再生压力，合理控制两器压差，实现装置停工不放火炬。停运气压机时，用气压机入口放火炬蝶阀控制反应压力，分馏塔顶油气空冷、水冷全部投用，控制尽可能低的冷后温度，尽量减少火炬排放中油气含量。气柜提前降低柜位，气压机停机后，回收部分不凝气。关闭气压机出口至吸收稳定流程，关闭稳定干气和液态烃出装置，维持系统压力。分馏粗汽油改走污油出装置，保持稳定系统压力进行退油，当油品退净后，机泵抽空时停泵，缓慢打开塔顶安全阀副线，向低压火炬系统泄压，确认吸收稳定系统内压力 $P<0.20$MPa 时，投用蒸汽进行吹扫。当稳定单元油品退净后采用 1.0MPa 蒸汽吹扫，汽油在吹扫时，由于蒸汽温度高，汽油大量汽化变成气相，稳定单元外甩线油品吹扫至罐区，油品罐不能过高，不能长时间吹扫，气相物料吹扫进火炬排空，随着吹扫蒸汽一起去火炬排放掉，不仅造成大量损失，对周边环境产生不利的影响，产生大量异味，大量可燃气体排放存在极大安全隐患。

1　绿色停工稳定实施“压干退油”准备与实施条件

某催化装置绿色停工是建立在以往“不放火炬”等环保停工的成功经验上，借鉴兄弟单位的经验，结合装置自身实际特点，创新研琢与实践通过对吸收稳定系统部分流程的改造，基本实现“油不落地”“气（汽）不升天”的绿色停工理念，在反应系统、分馏系统保持绿色环保停工的基础上，对吸收稳定和气压机系统的停工退油和吹扫进行优化和挖潜，稳定实施“压干退油”实现基本零排放停工，最大限度降低废水、废气（汽）排放，实现零污染的目标。装置停工前，提前增设稳定主退油线 *DN*80 连接至粗汽油返罐线，主退油线上配稳定汽油阀组退油线分支，轻泵污油总线线退油线分支，补充吸收剂跨主退油线分支，E303、E304 退油线，主退油线跨贫富吸收油吹扫流程。控制双脱干气脱塔压力≯0.7MPa，燃料气管网压力 0.3~0.4MPa，通知化验每小时对气压机入口富气进行 C3+分析，气压机平稳运行，反飞动全部打开、再吸收塔底富吸收油线副线阀全开，干气维持正常出装置流程。气压机出口压力：0.8MPa，入口压力≮0.08MPa，装置内燃料气脱凝线至 V202 流程畅通，罐底处脱凝阀关闭，具备随时向 V202 引燃料气条件，稳定干气置换结束要求干气中 C3+含量≯5%。如图 1 所示。

图 1　新增稳定主退油线集合管各支线介绍

2　稳定实施“压干退油”富气压干操作原则流程

(1) 反应切断进料后，通过全开反飞动和在吸收塔底富吸收油流程实现富气循环，气压机继续运行，维持吸收稳定系统压力，通过把吸收塔凝缩油罐内存油送入稳定塔和解析塔实现稳定系统各塔内汽油(凝缩油)送至分馏 V202，汽油经污油线送至装置外；挥发出的烃类进入富气循环。

(2) 在控制气压机平稳的条件下，少量开干气出装置外送量，维持气压机运行，逐步降低气压机出口压力至外送至双脱的干气量≯0.2t/h。

(3) 按照液态烃系统→稳定塔底→解析塔进料流程→解析塔→凝缩油罐→吸收塔→再吸收塔→干气系统→再吸收塔，合适的给汽量，控制吸收稳定系统 4 个塔、凝缩油罐和液态烃罐不同的压力梯度，吹扫气体进入分馏塔进行冷却后，凝结水回收，进入污水，富气走低压进入气柜回收。

(4) 操作中需要适当降低反应给汽，在外送富气量减少的情况下，适当降低气压机出口压力，关注气压机出口压力，出现轻微波动，开大干气出装置阀门降低气压机出口压力，或开大燃料气进 V202 阀门，提高气压机入口压力，维持气压机平稳运行。

(5) 吸收稳定系统结束吹扫后，以一定的蒸汽量，在避免大量蒸汽进入低压总管的情况下对装置内低压系统进行有效吹扫，并及时加盲板与低压外系统隔离后对装置内进行彻底吹扫。

(6) 吸收稳定进行密闭退油过程中，粗汽油经粗汽油泵经轻污油线外送至储运轻污油罐，分馏系统其他部分静止状态，改流程准备吹扫；柴油同步走污油线外送至储运轻污油罐。反应系统再生滑阀、待生塞阀关闭，反再各部给一定量蒸汽，维持反应压力大于再生压力 0.1MPa 以上，维持气压机入口灌注量，同时蒸汽对反应沉降器和分馏塔进行吹扫。

3　稳定实施“压干退油”实施步骤

(1) 稳定退油操作(图 2)

停工降量前，把吸收稳定各塔罐液位降至指标下限，停工后把吸收塔、凝缩油罐、液态烃罐内油按正常流程送空，利用气压机运行维持吸收稳定系统压力，保证退油推动力。

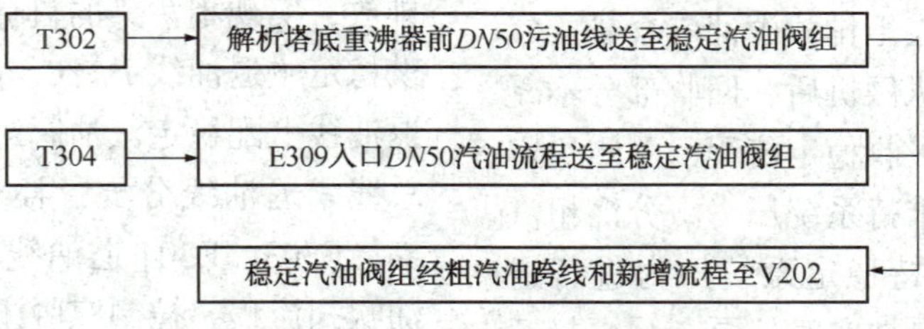

图 2　稳定退油流程操作示意图

吸收塔、解析塔、凝缩油罐内及吸收塔一、二中段流程内存油经各泵入口管线(关闭出口阀)经轻泵房污油流程送至 V202，退泵出口流程存油时关闭所有相关泵的入口阀，打开出口阀 3~5 扣，通过轻泵房内污油线把存油推至粗汽油罐 V202。液态烃系统通过泵体泄压线和液态烃冷却器 E315 入口泄压线有控制缓慢卸至低压系统。

(2) 稳定“压干”操作(图 3)

① 停工时，反应降量后，逐渐提高反飞动量。同时，可适当提高分馏塔顶油气的冷后温度，降低冷却效果以保证气压机入口气体分子量的恒定，并保证反应压力的平稳。当降量至气压机正常运行允许的最低负荷时，全开反飞动量，降低稳定系统压力，使气压机出口压力降低，来保证气压机的正常运行。

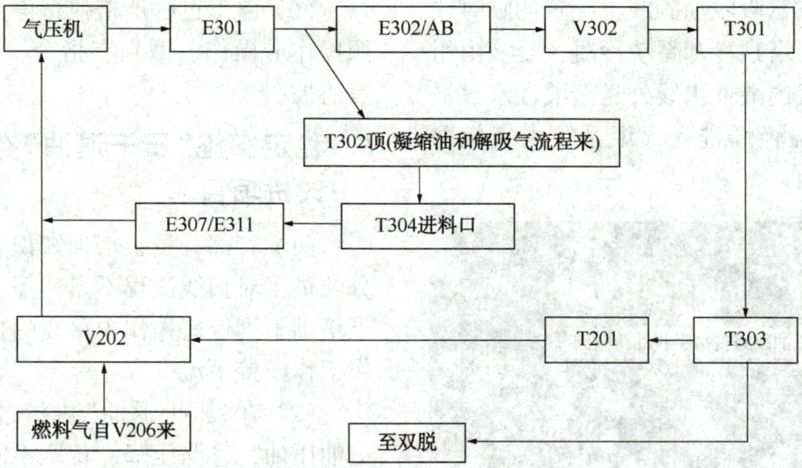

图3　稳定“压干”操作退油示意图

② 反应全部切断进料后，气压机可低速运行，并向粗汽油罐充瓦斯，保证稳定系统退油所需要的压力。

③ 稳定系统正常压油再吸收塔去分馏塔，吸收、解析、稳定塔去罐区。

④ 正常压油后，容器、换热器、冷却器、泵、控制阀低点仍有大量残油，由气压机压净残油。即粗汽油阀组返V202罐线接临时线，稳定系统残油经返罐线返回至粗汽油罐，通过罐底粗汽油泵送至不合格产品罐，达到“压干”。避免了直接用蒸汽吹扫或水顶油带来的风险。通过如下(1)、(2)图配线方法，做到不留死角，彻底“压干”，为下一步更好地“蒸干”打下坚实基础。

用气压机“压干”残油如图4所示：稳定密闭退油扫线原则流程图(红色部分为新增流程)

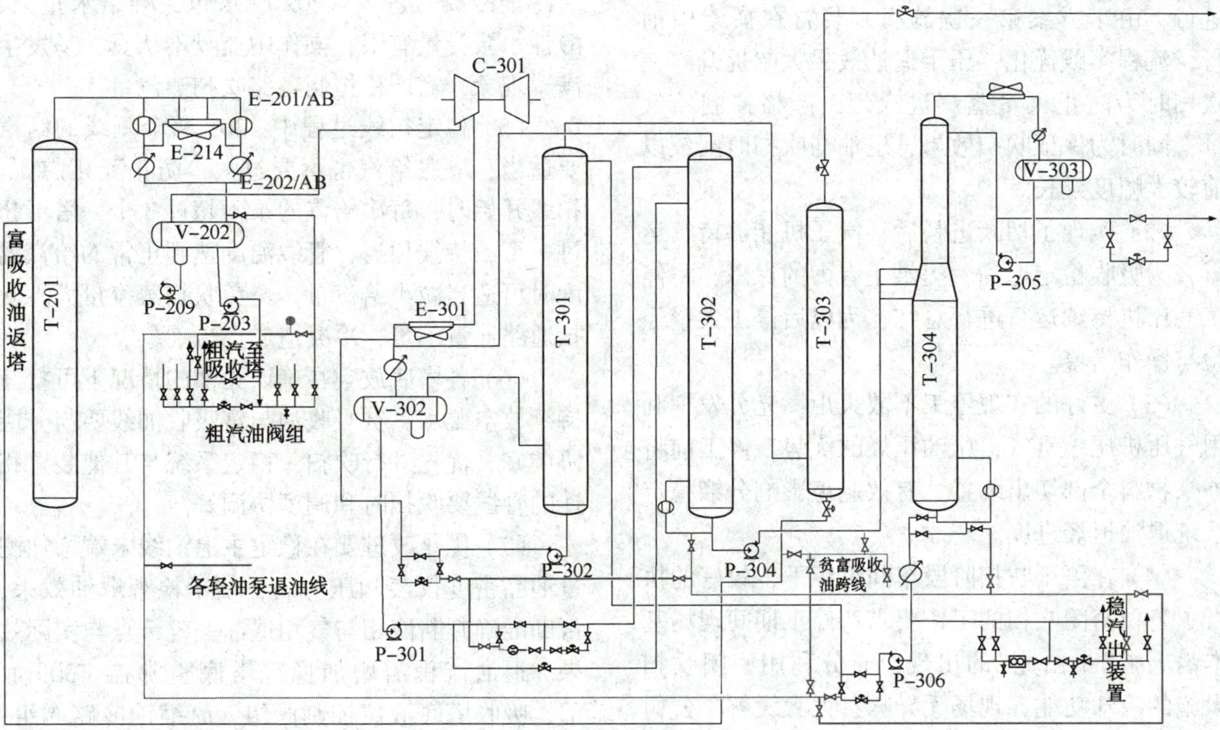

图4　稳定密闭退油扫线原则流程图

4　稳定“压干退油”结束后蒸汽吹扫

瓦斯压油操作完成后，进行设备蒸汽吹扫。将防腐冷却器改侧线，稳定系统蒸汽吹扫，一路各塔顶稍开低压火炬线控制顶温≯100℃，少量的轻轻进入少量的低温轻烃进入火炬系统由气柜回收；另一路由贫富吸收油副线上配置的临时线返回至分馏塔，经塔顶冷却系统冷凝，凝液由粗汽油罐水包经装置内酸性水线外送至酸性水汽提装置，少量的低温轻烃进入火炬系统由气柜回收。如图 5 所示。

图 5　稳定密闭吹扫连接贫富吸收油连接点现场图

5　稳定实施"压干退油"操作亮点

(1) 积极响应公司绿色停工要求，稳定系统此次次停工采用气压机退油以及密闭吹扫的方式进行，由于方案第一次施行，装置在摸索中前行，流程实践优化，压干退油效果大幅提升。在吹扫时为防止大量蒸汽进火炬，严格控制给气量，同时为保证吹扫效果，退油与吹扫时间较以前较大幅度延长。

(2) 实现了切断进料后，气压机能够持续运行，为吸收稳定退油，提供了有力的保障，将停工气压机持续运行进行总结，为以后停工大量经验与操作借鉴。

(3) 更好的实现停工不放火炬，充分发挥利用气压机压缩富气，压油压烃的优势，停工前将外来物料全部切出装置，有效避免影响分馏稳定系统退油退烃进度。

(4) 在停工吹扫阶段车间组织下，较好的执行了公司密闭吹扫的工作要求，停工期间现场基本消灭了"小白龙"的出现，充分利用密闭吹扫设施的冷却功能，现场无异味，大大缓解了公司环保工作的压力。

(5) 在停工吹扫过程，组织有序，准备充分，前期公司和车间进行了多次推演，完善相关细节，对关键节点及风险进行了充分研判，为顺利停工吹扫和检修提供了有力的支撑。

(6) 停工过程严格执行停工方案，操作员按照操作卡操作，做到有指令、有规程、有确认、有监控。

6　稳定实施"压干退油"存在问题与优化改进项目

(1) 有部分员工培训知识点掌握不到位，部分新员工对扫线流程不熟，停工前对个别人员重点培训不到位。操作中存在的盲区，压干退油操作工作衔接不流畅。

(2) 在"压干退油"执行过程中，多路管线退油压油，管路压降、背压不同，退油出现偏流与互窜现象，延长了退油时间。多路退油，油品量大，粗汽油泵排量不足，在今后操作中严格控制各支路退油比例，平稳高效。停工压干操作过程中，出现稳定塔内液面送空后，稳定气相带入分馏塔，造成分馏塔压力升高现象。

(3) 在稳定系统退油吹扫过程中，由于部分流程过长管线粗，同时吹扫，出现吹扫蒸汽量不足现象，需要停工前梳理增加扫线蒸汽的数量，增设助力点与增大扫线蒸汽管径。

(4) 稳定吹扫蒸汽经分馏富吸收油返塔，经后冷全冷凝，进入 V202 脱水包，凝结水量大，酸性水泵排量有限，操作中监盘不认真，易发生满罐现象，需严格控制各路吹扫蒸汽量。

(5) 稳定扫线过程中 T301 两个侧线的给汽要适当，塔底给汽也不要过大，防止互相憋压。扫线开始时，每次给汽的泵不超过 3 个，塔不超过一个，待线顶通，管线温度达到正常的给汽温度时可适当减小给汽量，避免吹扫蒸汽量大，吹扫通路通量不足，冷凝造成水击现象。

(6) 各塔底放空在确认无油的情况下可打开持续放空脱水，贫吸收油与富吸收油线要与分馏协调好，优先进行吹扫，稳定系统与其他装置相连的管线要吹扫时和调度协调好。

(7) 优化改进要在稳定主退油线末端增加测量油品密度仪表和压力表，便于检查退油效果，帮助准确判断液相与气相退油关键节点与实际效果。退油流程需增加稳定塔底重沸器 E309 底部，吸收塔底液位控制阀组，凝缩油冷路阀组，三路退油线至主退油线流程，提高压干操作时油品退油速度，缩短停工退油压干时间。

7　结论

2023 年催化裂化装置停工，首次利用气压机稳定实施“压干退油”蒸汽密闭吹扫的方案，绿色停工稳定装置提前施工配备了主退油线至分馏后冷粗汽油罐 V202，扫线流程配备至富吸收油返塔线，对流程上进行了比较彻底的优化，对人员进行充分的培训，对风险进行了切实有效的识别并制定了相应处理方案。从效果上来看，利用气压机“压干退油”和密闭吹扫效果很好，停工过程严格执行停工方案，操作员按照操作卡操作，停工人员安排精确到点，并提前进行培训，确保内操下达指令时外操及时准确相应。内操实施双人操作，一老带一新，一人操作一人监督、记录、确认操作卡，既能避免误操作，又达到了锻炼新人的目的。首次实施就实现了油不落地、气不升天的目标，同时积累的宝贵的经验，及时总结经验与不足，不断修订方案，为日后稳定区域停工更好，实现绿色停工，“压的干、退的净，扫的精”打下了绿色坚实基础。

聚丙烯催化剂研究进展及应用

李　鹏　苏长志　米海田　王永年　桑　强

（中国石油辽阳石化公司）

摘　要　聚丙烯产品的高性能及多样化离不开聚丙烯催化剂的发展。本文综述了近年来国内外聚丙烯催化剂在丙烯聚合领域的研究进展，对四种聚丙烯催化剂：ZN型催化剂、茂金属催化剂、后过渡金属型催化剂及复合型催化剂的特性、催化机理及应用进行总结，并指出各类催化剂在丙烯聚合应用中的优缺点，对聚丙烯催化剂未来研究方向提出观点。

关键词　聚丙烯催化剂；丙烯聚合；反应机理；应用

聚丙烯(PP)通常为半透明无色固体，无毒无味、密度小、加工性能好，是最轻的通用型塑料。它具有较高的耐冲击性、机械性能强韧、抗多种有机溶剂和酸碱腐蚀，在化工领域有广泛应用，是一种常见的高分子材料。在家电行业、汽车制造业、医药行业、食品包装等领域常常用到。

生产PP的方式为丙烯聚合反应，而该反应中催化剂随着PP产品的多样化而不断改进。引入合适的PP催化剂不但可以降低工艺成本，同时可以提高产品质量。目前，PP催化剂主要有四大类：Ziegler-Natta(ZN)型催化剂、茂金属型催化剂、后过渡金属型催化剂及复合型催化剂。本文将近年来不同种类PP催化剂在丙烯聚合反应中的作用机理及应用进行综述，并对PP催化剂未来研究方向进行展望。

1　ZN型催化剂

ZN催化剂主要研究体系为钛镁体系，其研究方向主要有：氯化镁载体，包括各种镁的化合物经过反应转化成氯化镁，以及氯化镁的活化、形态控制、对催化剂活性影响等；助催化剂，包括助催化剂的选择、与主催化剂的摩尔比，以及与主催化剂的相互作用、作用机理等；给电子体，包括内、外给电子体的作用、机理及对催化剂性能影响等。

1.1　催化机理

ZN催化剂历经五代，通过不断改进，其催化效果逐渐稳定。该催化剂活性中心为通过Ti^{4+}还原得到的Ti^{3+}、载体为$MgCl_2$、助催化剂为$AlEt_3$及内、外给电子体。几部分通过相互作用产生活性金属-碳键，活性金属-碳键的存在是丙烯单体分子反复插入生成聚丙烯大分子链的关键。对ZN催化剂载体的选择一般需满足以下要求：形态好、大小及其分布均匀；比表面积高；具有良好的机械强度和耐磨强度。载体对ZN催化剂活性、定向能力，聚合物形态、结构与性能等方面均有重要影响，常见载体有$MgCl_2$、SiO_2、Al_2O_3载体。其中，$MgCl_2$载体应用于ZN催化剂最为常见。在聚合反应中，助催化剂主要起到活化主催化剂的作用，即把没有催化活性的Ti^{4+}还原成有催化活性的Ti^{3+}。其中，烷基铝为ZN催化剂常用的助催化剂。反应中，烷基铝与催化剂中的内给电子体作用，将内给电子体从催化剂表面转移，从而影响产品等规度；但随着烷基铝引入量增大，催化剂表面细小粒子数增多，小粒子聚集程度加大，很容易造成产品产出细粉，影响装置平稳运行，所以需把控适宜的助催化剂引入量。内、外给电子体是聚丙烯催化剂体系的重要组成部分。内给电子体是在催化剂制备过程中引入的给电子体，可起到改变催化剂分子量分布、提高聚合物立构等规度、改善聚合过程中氢调敏感性等作用。外给电子体是在聚合过程中引入的给电子体，又称选择性控制剂，常用于PP生产中立构选择性控制及产品性能调整。通过加入外给电子体，丙烯聚合过程中活性中心分布改变，而且通过影响动力学提高高等规活性中心比例，提高高等规活性中心链增长速率，从而提高聚丙烯的等规度。

1.2　催化剂应用

Liu等对球形$MgCl_2$载体负载的ZN催化剂

合成等规聚丙烯(iPP)进行研究。结果发现，催化剂颗粒中的活性物种 Ti 分布均匀，该体系中存在 δ-$MgCl_2$，而 δ-$MgCl_2$ 完全活化了催化剂，并表现出高比表面积和高孔隙率特性结构，而丙烯聚合的高活性主要归因于催化剂的完全活化和多孔结构。粒径分析表明，催化剂具有较窄的粒径分布，催化剂的球形结构、均匀的钛分布及窄粒度分布决定了聚合物颗粒细粉少的生产优势。通过核磁共振碳谱(^{13}C NMR)和中等红外光谱分析表明，邻苯二甲酸二异丁酯(DIBP)与 $MgCl_2$ 之间存在很强的络合关系，这是导致 PP 具有较高等规性的原因。刘涛等研究了三种不同烷基铝助催化剂对球形 ZN 催化剂活性影响。结果表明，以三异丁基铝为助催化剂时催化剂活性最高，活性衰减最慢，制备的 PP 重均分子量最高；以三甲基铝为助催化剂时催化剂活性最低，活性衰减最快，得到的 PP 具有最低的重均分子量；以三乙基铝为助催化剂时，得到的 PP 具有最高的等规度和熔点。杨廷杰等对比分析了气相聚丙烯生产工艺中外给电子体二异丁基二甲氧基硅烷(Donor-B)与四乙基硅烷(Donor-T)对丙烯聚合的影响，结果表明：在相同聚合条件下，Donor-B 作为外给电子体时，主催化剂活性明显提高，制备的聚丙烯等规指数较高，刚性和拉伸性能更优；Donor-T 作为外给电子体时，催化剂具有更强的氢调敏感性，生产过程稳定可控。Zhang 等开发了新型生物源松香酸酯化合物，将其作为内给电子体制备 ZN 催化剂，并将其应用在丙烯聚合反应中。结果表明，马来酸三戊酯、马来酸三异戊酯和马来酸三庚基作为内给电子体均具有较高的聚合活性和立构等规度。其中，以马来酸三戊酯为内给电子体的 ZN 催化剂具有最高的催化活性，可高达 33.4kgPP/(gCat·h)。经^{13}C-NMR 测定，PP 等规度可达 96.8%。同时，得到 PP 分子量分布较宽，为 9.0，熔体流动速率为 160.3g/(10min)，并有利于加工，可作为医用口罩熔喷布的基础材料，具有实际的工业应用价值。

2 茂金属型催化剂

茂金属催化剂应用于目前大部分聚合过程，并显示出了优异的聚合特性。茂金属催化剂具有单一的活性中心，可通过对茂金属化合物结构的裁剪对聚合物分子链结构进行精确调控，可获得窄分子量分布的聚合物；具备优异的共聚能力，可应用于多种共聚反应，并获得许多新型 PP 材料，而且共聚单体在聚合物主链中分布均匀。

2.1 催化机理

以茂锆化合物为主催化剂，在茂金属催化的丙烯聚合反应中，助催化剂 MAO(甲基铝氧烷)或全氟苯基硼酸盐首先将金属活化，形成带有空位的单活性配位中心；活性中心再与丙烯分子配位、插入，形成增长的聚合物链；在聚合体系中加入 H_2，可通过链转移机制有目的的调控聚合物链的增长。

2.2 催化剂应用

茂金属催化剂可应用于目前大部分丙烯聚合工艺，产品包括 iPP、间规聚丙烯(sPP)、无规聚丙烯(aPP)、丙烯共聚物、热塑性弹性聚丙烯等。

Tatsuma 等利用茂金属催化剂合成了一种高等规度 iPP。实验发现，茂金属催化合成的高等规度 iPP 具备 1.36N/tex(1.2GPa)的高拉伸强度和 27.4N/tex(25GPa)的初始模量。这些性能均优于 ZN 催化剂合成的 iPP。杨敏等采用 2 种分别具有 C_s 对称性和 C_1 对称性的异双桥联茂金属催化剂($(Me_2C)(Me_2Si)Cp_2TiCl_2$、$[(CH_2)_5C](Me_2Si)Cp_2TiCl_2$，在助催化剂 MAO 的作用下用于丙烯聚合。结果表明，这 2 种催化剂活性最高可达 10^6gPP/(mol·h)，重均分子量可达 7×10^5，分子量分布在 2.0 左右，所得产品为高分子量的 aPP。这两种异双桥联茂金属催化体系在低温下表现出良好的聚合活性，但随着聚合温度升高，聚合活性和分子量呈现明显的下降趋势；随铝钛比的增加，聚合活性和聚合物分子量均呈现先上升后降低的趋势；随着聚合时间增加，活性下降，而聚合物分子量增加。研究表明，这 2 种催化剂具有的大二面角(71.0°、70.3°)结构对催化性能和聚合物的结构有较大影响。陈建军等采用 2 种膦亚胺半茂化合物 $[(t\text{-}Bu)_3P=N]CpTiCl_2$(PT1)和 $[(t\text{-}Bu)_3P=N]CpTiMe_2$(PT2)为主催化剂，分别以 MAO 和 $[Ph_3C][B(C_6F_5)_4]$ 为助催化剂用于丙烯聚合研究，并与典型的(rac-$[En(IndH_4)_2]ZrCl_2$)(1)，$CpTiCl_3$(2)及 Cp_2TiCl_2(3)催化剂的催化效果进行比较。分析结果表明：这 2 种催化剂催化丙烯聚合的活性可高达 3.25×10^6gpp/(molTi·h)，重均分子量高达 4.4×10^5，分子量分布<2.0；降低温度、

升高反应压力及延长反应时间都能使PP分子量增加；聚合初期产物分子量随聚合时间线性增大。序列结构分析表明，所生成的PP为无规结构。

虽然茂金属催化剂具有非常优异的特性，但是其商业化速度至今仍小于人们预期。目前茂金属催化剂制备的PP在PP总产量中的比重不足10%，其主要原因是对于茂金属催化剂的知识仍掌握有限、催化剂成本过高以及传统ZN催化剂的不断改良。

3 后过渡金属型催化剂

除茂金属催化剂，在元素周期表第四副族亚群过渡金属元素之外，出现了以镍、钯、铁、钴等后过渡金属元素构成的催化剂。该类催化剂通常都具备全相结构的活性中心，其每一个过渡金属原子都可以聚集到活性中心，借助MAO可达到非常高的聚合活性，在改进型和新型材料方面，比通常用于单位点多相催化的ZN催化剂更有潜力。但这类催化剂也并不完善，由于催化剂形态均质，无法控制颗粒形状，从而不能直接用于现有的如淤浆法聚合工艺或用于气相聚合工艺。

后过渡金属催化剂主要应用于丙烯均聚及丙烯与极性单体共聚领域。Konishi等合成了含双齿烷基酚醛配体的镍配合物，并将其应用于丙烯聚合及丙烯与极性单体共聚。理论计算表明，在聚合反应过程中，相对于氧化基团的邻位取代基，磷原子上的大体积烷基取代基的使用对于高等规度PP的形成至关重要，并对PP的聚合活性、分子量和等规度有很大影响。Ota等合成了含膦磺酸配体的钯配合物，并在丙烯聚合反应中实现了生成中等等比均聚及丙烯和极性单体共聚PP，并对配体磷原子上的取代基进行了优化。实验发现，体积较大的烷基对于生成高分子量PP至关重要。使用该催化剂时，三元共聚物的等规度可增加到mm＝0.55～0.59，可形成极性结晶PP。Seidel等制备了25种p-立体膦/磺酸盐和双膦-一氧化型钯催化剂，并在极性单体与丙烯的共聚领域进行应用。数据表明，在反应温度为50℃的条件下，制得的三元共聚产物等规度很高(mm＝0.75)。徐卫等研究了新型高活性后过渡金属Fe(Ⅱ)，Co(Ⅱ)催化剂结构。结果表明，此类催化剂是以带有大取代基的吡啶二亚胺为主配体的五配位络合物，在MAO等助催化剂的激活下具有极高的活性，而且制备简单，所生成的PP等规度超过以往的各类催化剂。

后过渡金属型催化剂合成相对复杂、催化剂成本相比于ZN型催化剂较高，且在聚合物形态控制方面没有ZN型及茂金属催化剂完善，但该类催化剂可生产多种新型PP产品。该类催化剂如想快速发展，需对合成工艺及原料成本方面进行细致研究，预计将成为丙烯聚合催化剂的又一发展热点，并与传统ZN催化剂和茂金属催化剂一起推动聚丙烯工业的发展。

4 复合型催化剂

4.1 ZN/茂金属型催化剂

复合型PP催化剂种类繁多，其中ZN/茂金属型催化剂应用最为广泛。PP产品种类具有多样性，其中包含像在PP基体中引入一定比例的弹性体物质(如乙丙二元共聚物，EPR)的一类高性能指标产品，而这类产品，往往使用传统催化剂并不能满足生产需求。基于茂金属催化剂更加优良的共聚性能和对烯烃共聚物的分子剪裁能力，将其与ZN催化剂相结合已成为生产高性能PP的新方向。

Zheng等为适应PP高性能化和功能化的发展需求，通过多重载体化制备了ZN/茂金属复合型催化剂，从而获得兼具高活性、高立体定向性和可调控的共聚性能的功能性PP催化剂，并用于PP/乙丙多相共聚物、高熔体强度PP等高性能PP的制备。吕春胜等采用ZN/茂金属复合型催化剂，按照序列添加方式对丙烯进行了原位聚合。表征结果显示，所得到PP的$M_w=(5.9\sim19.3)\times10^4$、MWD＝3.01～14.7、$T_m=(152.4\sim155.1)$℃、$T_c=(107\sim117)$℃、mmmm＝11.9%～62.2%。根据序列添加催化剂的比例和反应时间可以调节等规-无规PP的组成、熔点、结晶度和等规度，可达到增韧改性的目的。牛慧等基于茂金属催化剂rac－CH_2(3－tBu－1－Ind)$_2ZrCl_2$和以双醚化合物为内给电子体的ZN催化剂，研究了Zr-Ti协同催化下的丙烯聚合反应。结果表明，将具有产生端基含乙烯基双键的

PP大分子单体功能的茂金属催化剂和具有催化丙烯共聚功能的ZN型催化剂组合后，在较低的丙烯聚合压力(0.2MPa)下只得到大分子单体和线型PP混合物，而在较高压力(0.4MPa)下可获得支化PP，进一步增加Zr-MAO浓度可大幅提高大分子单体的转化率，聚合物的Mark-Houwink曲线呈长链支化特征，所得PP粒子具有良好的球形颗粒形态。

4.2 ZN/有机载体型催化剂

由于无机载体成分在最终获得的产品中会引入额外的杂质和表面酸性基团，很可能会限制其在高附加值领域的应用。而多孔有机聚合物(POPs)作为一种主要由C、H和O原子等组成的清洁替代品，由于其具备高比表面积、可控的孔结构及高功能性，在丙烯聚合催化剂领域备受关注。此外，POPs的亲水性较低，使其能够承受聚合介质中较高的水分和氧气杂质含量，无需苛刻的预处理工艺，可提供更接近均相催化的聚合介质。

Wang等设计并合成了一种磺化POP，将其作为丙烯聚合的ZN催化剂载体，制备的POP载体具有高孔隙结构。通过邻苯二甲酸二异丁酯(ID-1)和3-甲基-5-叔丁基-1，2-苯基二苯甲酸酯(ID-2)制备的ZN/POP催化剂具有良好的丙烯聚合活性、高立体规整性和较宽的分子量分布。其中，采用ID-2产生的聚合活性为32.6×106g·PP/mol·Ti·h、Mw/Mn为13.8、等规度可达98.3%。用DSC对PP立构等规度进行表征，结果表明，采用ID-2的POP基催化剂比具有采用$MgCl_2$负载的ZN催化剂产出的产品具备更高的等规度。通过XPS表征分析，无机$MgCl_2$载体和有机聚合物载体催化剂的Ti、Mg、C和O原子结合能存在微小差异。由于活性位点Mg、Ti与POP载体中官能团及添加的ID可产生相互作用，造成了使用ZN/POP催化剂得到的PP具备高等规度及宽分子量分布的特点。

5 结论

PP催化剂目前主要有ZN型催化剂、茂金属型催化剂、后过渡金属型催化剂及复合型催化剂。ZN型催化剂在技术上相对成熟，是一类传统的PP催化剂，重点可考察的方向为催化剂载体、助催化剂、内、外给电子体对该催化剂的活性影响；茂金属相比于传统ZN型适用范围更广，可更精准地调控产品性质，从而生产更多新型PP产品，但目前对于茂金属型催化剂所掌握知识不足，且生产成本过高，所以如想获得高标准PP产品，需对茂金属催化剂反应机理方面继续进行探索；后过渡金属型催化剂合成相对复杂、催化剂成本相比于ZN型催化剂较高，且在聚合物形态控制方面没有ZN型及茂金属催化剂完善，该类催化剂需要更深入研究；复合型催化剂目前主要以ZN/茂金属型催化剂为主，该催化剂将茂金属催化剂特点与ZN型催化剂相结合，可生产一类高性能指标共聚产品。而ZN/有机载体型复合催化剂在具备高活性的同时，相比于其他催化剂更加清洁绿色，有利于生产高附加值领域产品，该类催化剂有望成为未来复合催化剂领域重点研究对象。经过近几年探索，丙烯聚合催化剂已日趋成熟，PP产品也逐渐多样化，但对标于国际市场优秀的PP新材料产品指标仍有一些差距，诸如等规度不高、立构选择性低、灰分高等问题，所以要想解决这些问题，仍需在催化剂组成和结构上进行研究、设计，以便能产出性能指标优异的PP产品。

参 考 文 献

[1] Bouyahyi M, Jasinska-Walc L, Duchateau R, et al. In-reactor polypropylene functionalization-the influence of catalyst structures and reaction conditions on the catalytic performance[J]. Macromolecules, 2022, 3(55): 776-787.

[2] Sarkar M D, Chandel N, Banerjee S S, et al. Development of high melt strength polypropylene and its application in thermoplastic elastomeric composition: [J]. Journal of Elastomers & Plastics, 2022, 54(3): 429-456.

[3] Xia X Q, Li H M, Li C M, et al. Preparation of ultra-high molecular weight polypropylene using Ziegler-Natta catalyst via combining internal electron donor and cocatalyst loading[J]. China Petroleum Processing & Petrochemical Technology, 2021, 23(3): 12-22.

[4] 杨玮婧，王健，李倩，等．聚丙烯Ziegler-Natta催化剂结构和聚合性能小试研究[J]. 合成材料老化与应用，2022，51(01)：50-52.

[5] 付梅艳，周俊领，岑为，等．新型丙烯聚合BHC催

化剂的性能[J]. 石油化工，2022，51(4)：403-408.
[6] Li C，Feng H，Liu H，et al. Effect of dioldibenzoate isomers as electron donors on the performances of Ziegler-Natta polypropylene catalysts：experiments and calculations[J]. 2023，127(5)：2294-2302.
[7] Trivedi P M，Gocher C P，Balachandran V，et al. Insight of polypropylene synthesis with high performance multidentate internal donor catalyst system[J]. Journal of Applied Polymer Science，2023，140(11/12).
[8] Xie K，Xu S，Hao W，et al. Surface effect of the $MgCl_2$ support in Ziegle-Natta catalyst for ethylene polymerization：A computational study [J]. Applied Surface Science，2022，589(1)：153002.
[9] 黄颖，姜晓滨，贺高红，等. 聚烯烃双金属中心催化剂研究进展[J]. 石油化工，2020，49(11)：1126-1136.
[10] Li C，Feng H，Liu H，et al. Effect of dioldibenzoate isomers as electron donors on the performances of Ziegler-Natta polypropylene catalysts：Experiments and calculations[J]. 2023，127(5)：2294-2302.
[11] De R，Sarmento C S，Maria M C，et al. Efeito da estrutura do alquilalumnio na atividade cataltica e nas propriedades do pead obtido com catalisador Ziegler-Natta [J]. Anais do 9º Congresso Brasileiro de Polímeros，2022.
[12] 郎旭东. 聚丙烯催化剂内给电子体研究进展[J]. 石化技术，2023，30(07)：40-42+36.
[13] Guo X，Cui L，Wang Y，et al. Mechanistic study on effect of electron donors in propylene polymerization using the Ziegler-Natta catalyst [J]. The Journal of Physical Chemistry C，2021，125(16)：8533-8542.
[14] Liu T，Li W L，Xia X Z，et al. Study of a novel fourth-generation supported Ziegler-Natta catalyst for propylene polymerization：Relationship between catalyst structure and polymerization properties [J]. China Petroleum Processing and Petrochemical Technology，2015，17(1)：39-47.
[15] 刘涛，李威莅，夏先知，等. 助催化剂对新型球形丙烯聚合用催化剂性能的影响[J]. 合成树脂及塑料，2015，32(3)：1-4.
[16] 杨廷杰，程敏. 外给电子体对丙烯聚合和产品性能的影响[J]. 合成树脂及塑料，2023，40(1)：38-41.
[17] Zhang J J，Yu H C，Xia X Q，et al. Sustainable rosin acid ester as internal electron donors in Ziegler-Natta catalysts for synthesis of isotactic polypropylene with high melt flow rate[J]. Journal of Macromolecular Science. Pure and Applied Chemistry，2021，58(7/12)：686-693.
[18] 高宇新，杨国兴，吴薇，等. 负载化茂金属催化剂的研究进展[J]. 现代塑料加工应用，2022，34(1)：56-59.
[19] Tatsuma K，Kai T，Toshifumi I，et al. High strength fiber obtained from a high stereoregularity metallocene catalyst - synthesized polypropylene [J]. Polymer，2020，202.
[20] Tatsuma K，Shuji W，Toshifumi I，et al. High strength metallocene catalyst-synthesized polypropylene fibers with high stereoregularity and high molecular weight [J]. Journal of Fiber Science and Technology，2021，77(2)：66-75.
[21] 杨敏，胡博文，李波，等. 异双桥联茂金属催化剂催化丙烯聚合制备高分子量无规聚丙烯[J]. 高分子学报，2016，1：25-30.
[22] 陈建军，王铁石，唐正伟，等. 膦亚胺半茂钛催化体系合成无规聚丙烯弹性体的研究[J]. 高分子学报，2017，8：1294-1303.
[23] 倪双阳，任鹤，王玉如，等. 烯烃聚合非茂金属催化剂的研究进展[J]. 弹性体，2023，33(1)：75-80.
[24] 殷学佳，陆顺良. 后过渡金属丙烯聚合催化剂的研究进展[J]. 现代化工，2013，33(11)：9-13.
[25] Konishi Y，Tao W，Yasuda H，et al. Nickel-catalyzed propylene/polar monomer copolymerization [J]. ACS Macro Letters，2018，7(2)：213-217.
[26] Ota Y，Ito S，Kobayashi M，et al. Crystalline isotactic polar polypropylene from the palladium-catalyzed copolymerization of propylene and polar monomers[J]. Angew Chem Int Ed Engl，2016，128(26)：7631-7635.
[27] Seidel F W，Tomizawa I，Nozaki K. Expedient synthetic identification of a p-stereogenicLigand motif for the palladium - catalyzed preparation of isotactic polar polypropylenes[J]. Angewandte Chemie International Edition，2020，132(50)：22780-22790.
[28] 徐卫，祝方明. 新型高活性铁、钴催化剂[J]. 合成树脂及塑料，2000，17(6)：41-43.
[29] 董诚，牛慧，董金勇. 三乙基铝调控的 Ziegler-Natta/茂金属复合催化剂制备聚丙烯催化合金[J]. 高分子学报，2014，8：1143-1152.
[30] Zheng W，He A，Liu C，et al. The influences of alkylaluminium as cocatalyst on butene-1 polymerization

with $MgCl_2$ - supported $TiCl_4$ Ziegler - Natta catalysts [J]. Polymer, 2020, 210.

[31] 吕春胜，裴钰，成名，等．序列添加 Ziegler-Natta 和茂金属催化剂原位聚合合成 iPP/aPP 共混增韧聚丙烯[J]．高分子材料科学与工程，2021，37(4)：19-25+33.

[32] 牛慧，许泽楠，董金勇．茂金属-Ziegler-Natta 催化剂协同催化丙烯聚合[J]．石油化工，2015，44(6)：674-682.

[33] Wang X, KangW, Li G, et al. Porous organic polymer/MMT hybrid supports for efficient metallocene catalysts [J]. Journal of Materials Science, 2021, 56: 19253-19266.

[34] Wang X, Kang, W, Zhang C, et al. Sulfonated porous organic polymer supported Zeigler - Natta polypropylene catalysts with high stereoregularity and broad molecular weight distribution[J]. Microporous and Mesoporous Materials, 2022, 343: 112151.

[35] Wang X, Wu D, Mu X, et al. Porous organic polymers- supported Zeigler - Natta catalysts for preparing highly isotactic polypropylene with broad molecular weight distribution. Polymers 2023, 15(3): 555.

新型低碳烯烃技术研究进展

杨　光　陆　璐

（中国石油辽阳石化公司）

摘　要　低碳烯烃是以乙烯、丙烯为代表的重要化工原料，是石油化工产业的核心之一，当前国内的生产技术及研发方向主要包括蒸汽裂解、催化裂解、烯烃裂解、烷烃脱氢、易位转化、甲醇制烯烃、乙醇制烯烃等等，本文对这些工艺技术进行了汇总分析，阐述其中的工艺原理，研发背景、生产的主要低碳烯烃产品情况，使用的原材料，并总结出这些工艺当前的优缺点及未来的研发方向。由于我国资源供给的特殊性，在双碳政策的推动下，当前的低碳烯烃制备工艺还需要不断进行完善，主要应解决催化反应与热反应之间的平衡问题，催化反应的高效选择性，提高反应的目标转化率和减少低价值副产品的产生。

关键词　低碳烯烃；烯烃技术；研究进展

低碳烯烃主要是以乙烯、丙烯为代表的化学工业原料，是石油化工产业的核心之一，其应用范围主要有高分子材料及精细化工，广泛应用于包装、建筑、电子、汽车、农业、纺织等领域。目前，随着我国资源供给、双碳策略形势的变化，低碳烯烃的生产工艺开始向着多元化发展，开发出石油烃热裂解、甲醇制烯烃、丙烷脱氢等新技术。

1　现有工艺技术概况

1.1　蒸汽裂解工艺

烃类原料在蒸汽环境下，高温裂解成乙烯、丙烯及其他生成物，主要原料除石脑油外还包括炼厂气、天然气和炼厂化工轻烃（乙烷、丙烷、丁烷等）、轻柴油、加氢裂化尾油等。蒸汽裂解工艺的主要缺点是反应温度高、蒸汽用量大导致了能耗高，低价值产物产率高，炉管结焦会造成装置的运行周期缩短，在原料供应和生产成本方面同样不占优势。

1.2　催化裂化及裂解工艺

利用催化裂化及裂解装置制备低碳烯烃，其原料种类丰富，生产产物的分布范围易于调整。

1.2.1　DCC 工艺

石科院（中国石油化工股份有限公司石油化工科学研究院）开发的 DCC 工艺通过催化剂把重质原料裂解成低碳烯烃。该项技术包括Ⅰ型催化裂解工艺（DCC-Ⅰ）和Ⅱ型催化裂解工艺（DCC-Ⅱ），对应的催化剂分别为 CHP-1 催化剂及 CIP 催化剂。其主要原理为原料油经水蒸汽雾化，与专用催化剂接触后，生产出低碳烯烃。

1.2.2　CPP 工艺

石科院以 DCC 工艺为基础，开发出的重油直接制取乙烯、丙烯的催化热裂解工艺，增加了乙烯原料来源，操作方式灵活，可根据需要调整产品结构，使用具有正碳离子和自由基双重反应活性的催化剂。

1.2.3　FDFCC 工艺

中国石化洛阳石化工程公司与西安交通大学等联合开发的双提升管催化裂化工艺。一根提升管用于重油催化裂化，另一根用于汽油改质，分为单沉降器、单分馏塔流程和双沉降器、双分馏塔流程。采用 FDFCC 工艺增产丙烯专用助剂，在催化装置最大幅度增产丙烯。

国外代表性的技术有：KBR 公司与 Mobil 公司联合开发的 MAXOFIN™ 工艺、Exxon Mobil 双提升管工艺、Lummus 公司 SCC 工艺、Neste Oy 公司 NEXCC 技术、UOP 公司 PetroFCC 工艺和 LOCC、多家机构联合开发的 HS-FCC 技术以及印度石油公司 INDMAX 技术。

1.2.4　轻烃催化裂解

主要包括 C_4 催化裂解制烯烃工艺和石脑油催化裂解制烯烃工艺。主要代表有 KBR 公司 Superflex 工艺，KBR 公司和 SK 公司共同开发的催化裂解制烯烃（ACO）技术。

1.3　烯烃裂解技术

1.3.1　OCP 工艺

Atofina 公司与 UOP 公司联合开发，采用专用的 ZSM-5 分子筛催化剂，$C_4 \sim C_8$ 烯烃原料，丙烯收率约为60%，乙烯收率约为15%，可与蒸汽裂解和催化裂化装置、MTO装置结合，大幅提高低碳烯烃收率。

1.3.2 Omega 工艺

日本旭化成公司开发，采用高丙烯ZSM-5分子筛催化剂，C_4～C_8烯烃原料，丙烯收率40%～60%。工艺温度低远低于蒸汽裂解工艺，CO_2排放量降低。

1.3.3 OCC 工艺

中国石化上海石油化工研究院开发，采用全结晶复合孔ZSM-5催化剂，采用C_4/C_5烯烃，丙烯收率约为46.6%，乙烯收率约为12.3%。

1.4 混合烷烃脱氢工艺

1.4.1 丙烷脱氢工艺

在化工行业中一般用PDH表示，是丙烷在催化剂的作用下脱氢生成丙烯的工艺。主要分为有氧脱氢和无氧脱氢两个技术方向，其中无氧脱氢能够得到较高的烯烃转化率以及选择性并且具有较高的安全性，当前丙烷，异丁烷的无氧脱氢技术已经工业化。

（1）Oleflex 工艺

美国环球油品公司（UOP）开发，采用径向移动床反应器，铂催化剂，经过分离和精馏得到聚合级丙烯产品，丙烯收率为84%～89%。

（2）Catofin 工艺

美国ABB公司开发，以C_3～C_5烷烃为原料，采用固定床和循环多反应器，铬系非贵金属催化剂，在反应器中空气向下、烃类向上流动，烃蒸汽在铬催化剂上脱氢，丙烯收率高达90%。

（3）Star 工艺

德国Thyssen Krupp公司开发，采用多室多管反应器和Pt/Sn-Zn Al_2O_4催化剂，丙烯收率为85%～93%。

（4）PDH 工艺

德国Linde公司、巴斯夫公司与挪威国家石油公司合作开发，采用多管式固定床反应器和Cr_2O_3/Al_2O_3催化剂，丙烯收率大于90%。

（5）FCDH 工艺

美国道化学公司开发，采用流化床反应器与Ga/Pt-Al2O3催化剂，丙烯收率为92%～96%。

（6）K-PRO 工艺

美国KBR公司开发，采用同轴式连续反应器和非Cr/Pt专有催化剂，丙烯收率为87%～90%。以上几种工艺对比见表1。

表1 几种主要的工艺技术指标对比

工艺	反应器	催化剂	再生方式	寿命/a	温度/℃	压力/kPa	转化率/%	选择性/%
Oleflex	移动床	$Pt-Sn/Al_2O_3$	连续移出	3.5	600～700	100	35～40	84～89
Catofin	固定床	CrO_3/Al_2O_3	空气燃烧	4	540～640	50	45～50	90
Star	固定床	$Pt-Sn/ZnAl_2O4$	切换，空气燃烧	1～2	480～620	300～700	30～40	85～93
Linde	固定床	Cr_2O_3/Al_2O_3	切换，空气燃烧	>2	550～620	100～200	32～50	91～93
中国石化	移动床	PST-100	连续移出	>3			32	85

1.5 易位转化技术

通过含有过渡金属化合物的催化剂使乙烯和2-丁烯发生歧化反应生产丙烯。

1.5.1 OCT 工艺

源于菲利普斯公司开发的“三烯烃（Triolefin）”工艺，采用固定床反应器和钨基催化剂。丁烯单程转化率60%～75%，总转化率可达到85%～92%，丙烯选择性高于98%。

1.5.2 Meta-4 工艺

将来自蒸汽裂解的C_4组分先进行丁二烯加氢异构化处理，除去丁二烯后利用MTBE生产装置得到富2-丁烯组分，再与乙烯歧化生产丙烯。该工艺操作温度和压力较低，催化剂活性高，2-丁烯总转化率达到90%，丙烯选择性超过98%。

1.5.3 烯烃歧化工艺

可应用于石脑油蒸汽裂解装置增产丙烯，但需要大量消耗乙烯，只有在乙烯产量过剩，丙烯价格高于乙烯价格才有意义。

1.6 甲醇制烯烃

以煤、天然气和生物质为原料的甲醇制烯烃（MTO）工艺，借助类似催化裂化装置的流化床反应形式，生产低碳烯烃的化工技术，其原理为由只有一个碳原子的甲醇得到具有C—C键的烃类化合物的过程。我国的资源特点导致我国更加适合以这种形式生产低碳烯烃，具有相当大的战略意义。以上几种工艺对比见表2。

表2　国内外主要甲醇制低碳烯烃工艺技术对比

项目	DMTO	UOP/Hydro MTO	SMTO	SHMTO	MTP	FMTP
开发单位	大连化物所	UOP/Hydro	中国石化	中国神华	Lurgi	清华大学
反应器床层	流化床	流化床	流化床	流化床	固定床	多段构件流化床
催化剂	SAPO-34	SaPO-34	SAPO-34	SAPO-34	ZSM-5	SAPO-18/34
双烯单耗(甲醇)/(t-t1)	2.89	3.00	2.82	2.89	3.22~3.52	3.36
双烯收率/%	86	80	81	81	65~71	68
甲醇转化率/%	99.18	99.97	99.80	>99.00	>99.00	99.50

大连化物所开发出的DMTO工艺已经发展到了第三代，乙烯和丙烯的选择性为85%~90%。目前主要的研究方向有对分子筛进行改性，提高对目标产物的选择性。当前主流分子筛有：SAPO、ZSM-5、介孔-微孔多级结构等。

1.7　乙醇脱水制烯烃工艺

以可再生能源乙醇为原料生产乙烯，但乙醇主要来自于粮食，与我国国情不符。

2　技术研发进展

2.1　ADHO技术

丙烷与丁烷联合脱氢制丙烯技术，中国石油大学(华东)开发，于2016年在山东恒源石油化工集团完成工业化试验，该技术适宜丙烷、异丁烷单独脱氢以及丙烷与丁烷混合脱氢，采用高效循环流化床反应器及非贵金属氧化物催化剂，实现烷烃脱氢及催化剂再生连续进行。

2.2　PDH工艺

丙烷脱氢技术，中国石化洛阳工程公司开发，采用60×10^4t/a移动床，PST-100催化剂(铂系)，丙烷单程转化率32%，丙烯收率85%。

2.3　二氧化碳加氢制备低碳烯烃技术

2.3.1　费托合成路径

二氧化碳加氢先发生逆水煤气变化反应(RWGS)生成一氧化碳，再经费托合成反应制低碳烯烃(FTO)。

2.3.2　甲醇路径

二氧化碳加氢反应先生成甲醇，后经甲醇催化裂化为低碳烯烃(MTO)。分子筛的拓扑结构和酸性对MTO的催化性能有关键影响，决定了产物的选择性。以上路径见图1。

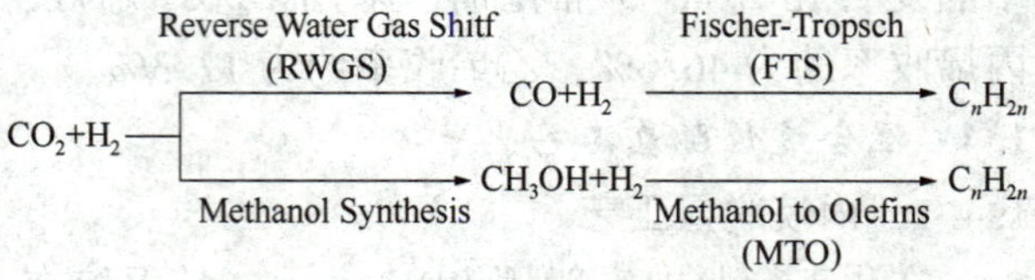

图1　二氧化碳加氢制备烯烃路线

3　结论和建议

目前，乙烯的主要来源是石油烃热裂解技术，丙烯的主要来源是混合烷烃脱氢工艺。当前的低碳烯烃制备工艺还需要进行完善，主要应解决催化反应与热反应之间的平衡问题，催化反应的高效选择性问题，提高反应的目标转化率和减少低价值副产品的产生问题。

随着科技的发展、技术的进步，市场资源供给的不断变化，低碳烯烃的制取方式也在不断发生变化，呈现多元化的发展态势，同时也在不断淘汰落后产能，扩大制取采用的原料范围。未来，在国家政策的干预下，资源市场供给的影响下，我国低碳烯烃产业将按照炼化一体化、园区化、集约化的要求发展，进行技术变革，使其在装置规模、技术设备、原料来源、人工智能、低碳减排方面达到世界先进水平。

参考文献

[1] 张海桐，赵宣．低碳烯烃生产技术综述[J]．化学工业，2014，32(06)：17-21.

[2] 许友好，左严芬，白旭辉，等．靶向生产低碳烯烃的催化裂化技术开发背景、思路和概念设计[J]．石油炼制与化工，2021，52(08)：1-11.

[3] CHP-1催化裂解催化剂．北京市，石油化工科学研究院，2000-01-01.

[4] 施至诚．CIP-1型裂解催化剂的研究[J]．工业催化，1996(2)：30-34.

[5] 黄格省，丁文娟，王红秋，师晓玉，周笑洋，王伟．丙烷脱氢制丙烯发展现状与前景分析[J]．油气与新能源，2022，34(02)：8-13+19.

[6] 王坤．甲醇制烯烃过程研究进展分析[J]．中国石油

和化工标准与质量，2022，42(19)：115-117.
[7] 高奋娥．H-RUB-50和ZN改性的H-SAPO-34分子筛催化甲醇制烯烃反应机理的理论研究[D]．吉林大学，2023. DOI：10.27162/d. cnki. gjlin. 2023. 000942.
[8] Sadrameli S M. Thermal/catalytic cracking of liquid hydrocarbons for the production of olefins：a state-of-the-art review Ⅱ：Catalytic cracking review [J]. Fuel, 2016，173.
[9] 徐海丰．全球乙烯产业格局变化及发展前景分析[J]．国际石油经济，2023，31(01)：65-70+82.
[10] 何盛宝，侯雨璇，王红秋．双碳目标下乙烯生产技术发展趋势[J]．现代化工，2022，42(08)：60-64.
[11] 倪泽南，郭玉鑫，张启俭．二氧化碳加氢制甲醇和低碳烯烃研究进展[J/OL]．应用化工：1-7[2023-09-14]. https：//doi. org/10. 16581/j. cnki. issn1671-3206. 20230712. 016.
[12] 高奋娥．H-RUB-50和ZN改性的H-SAPO-34分子筛催化甲醇制烯烃反应机理的理论研究[D]．吉林大学，2023. DOI：10.27162/d. cnki. gjlin. 2023. 000942.
[13] 戴伟，罗晴，王定博．烯烃转化生产丙烯的研究进展[J]．石油化工，2008，(05)：425-433.
[14] 陈柏冲．正构烷烃和环烷烃热裂解制低碳烯烃的过程模拟研究[D]．长春工业大学，2023.
[15] 黄燕，卢承昊．甲醇制烯烃工艺研究进展[J]．当代化工，2023，52(08)：1975-1979. DOI：10.13840/j. cnki. cn21-1457/tq. 2023. 08. 046.

低温废余热驱动制冷(<0℃)技术在石油化工领域中的应用

祝令辉[1]　熊　伟[1]　谷俊杰[1,2]　许　强[3]

(1. 安徽普泛能源技术有限公司；2. 加拿大卡尔顿大学；3. 中国机械工业标准化协会专家委员会)

摘　要　石油石化产业是我国国民经济支柱产业，关乎我国产业链供应链安全稳定及民生福祉改善。经过数十年发展，我国已成为世界第二石化大国，炼油、乙烯等产能稳居世界前列，但仍存在原始创新能力不足，一些关键技术、核心装备无法做到完全自主可控等问题，严重制约石油石化产业的高质量发展。另一方面，石油石化作为一个消耗巨大的产业，它所消耗的资源和由此造成的环境压力也是巨大的，在此背景下，通过持续不断的科技创新及新技术应用实现节能减排，是摆在企业面前的一个最有效的减少能源消耗、降低污染的重要途径，也是各石油石化企业得以长久健康持续发展的必经之路。

安徽普泛能源技术有限公司研究开发的“低品位热驱动多元复合工质制冷(<0℃)关键技术”，采用最短路径和最高效的能量转化工艺，可以有效利用工业生产中产生的低品位废余热作为驱动能源，直接制取-47℃以上冷能，用于生产过程的低温用冷，相较于电驱动制冷系统，节电效率达95%以上。各项性能指标均领先于国内外同类技术。运行实现废气零排放、不产生固体废弃物，污水排放及噪音均符合国家环保标准。该技术在石油石化领域的推广应用可以有效提高能源利用效率，减少能耗成本和碳排放，促进企业的可持续、健康发展。

关键词　低品位废余热；制冷；石油石化；节能减排技术

1　背景

随着当前能源危机的不断加剧，能源问题已经成为制约世界，尤其是我国国民经济发展的重要关键之一。而由于发展水平的限制，当前我国最主要的能源问题集中在能源利用率偏低。例如我国总体热力发电效率仅为30%~40%，远低于50%的国际先进水平，而在占我国总能耗半数以上的化工、炼油、冶金等行业中的能源利用效率甚至只有先进国家的50%~70%。大量的低品位余热在这些过程工业中被作为余热或废热浪费掉了。这既增加了一次性能源消耗，同时又加重了环境负荷。因此，如何合理利用能源，实现能源系统和热力过程中的能量高度有效利用，尤其是在不对现有工艺进行大规模更新和改进的前提下如何合理回收利用工业废热，成为当前亟待解决的热门研究方向。在此背景下，工业和信息化部等六部委于2022年6月23日共同印发《工业能效提升行动计划》，文件指出，到2050年，能效提升是实现二氧化碳大规模减排的最主要途径，是实现碳减排最重要、最经济、最直接的路径。节能提效进一步成为绿色低碳的“第一能源”和降耗减碳的首要举措。

普泛能源研究开发的“低温热驱动多元复合工质制冷(<0℃)关键技术及装备”，利用100~140℃低温热源(包括工业生产过程中低温余热的回收利用、生物质热能和地热能的梯级利用等)驱动制取温度可达-47℃的冷能，各项性能指标均先进于国内外同类技术，弥补了余热制冷的溴化锂-水系统和氨-水系统的技术不足。可大幅度减少二氧化碳排放。符合国家重点支持的“余热余能回收利用及能源梯级利用”、“节能与能效提升技术创新”、“绿色高效制冷技术”和“绿色低碳技术”。该成果原创性强，具有完全自主知识产权，核心技术和装备达到国际领先水平。荣获2020年第二十四届全国发明展览会“发明金奖”(中国发明协会)及2022年第二十三届中国专利优秀奖(国家知识产权局)。先后入选工信部“国家工业和信息化领域节能技术装备推荐目录(2022)”及“原材料工业2023二十大先进适用低碳技术”。

该项技术的全球首台/套大型低温热驱动多元复合工质制冷(<0℃)机组，成功地应用于中盐安徽红四方股份有限公司年产30万吨乙二醇

生产工艺节能技改项目，安全运行近5年时间，累计节电62500000千瓦时，减少碳排放62,500吨。2020年9月入选“安徽省首台套重大技术装备名单”，2022年入选国家节能中心“第三届重点节能技术典型应用案例”。截至目前，该项技术已广泛应用于化工企业(乙二醇、联碱、纯碱)、新能源企业(多晶硅)等生产工艺余热制冷的节能降碳技术改造，火电企业的余热制冰等商业项目，节能减碳效果明显。

以广东茂名某石化企业污水汽提及重整装置应用为例，污水汽提塔中产生的净化水被塔底的重沸器加热，原料水取热后产生温度130℃、流量220t/h的冷凝液，这部分净化水通过空冷器降到100℃以后再送到四号常减压蒸馏装置和五号常减压蒸馏装置，注水使用。上述过程仍含有大量的热量未经利用，造成了能源的浪费。重整装置中2[#]苯抽提工段同样存在温度130℃、流量327t/h的冷凝液没有得到有效的利用。而上述两个装置内又分别存在-17℃和-2℃的用冷需求，原工艺采用电驱动压缩式制冷设备提供冷量，每年制冷机用电成本达一千三百万元以上。

通过利用安徽普泛能源技术有限公司的低品位热驱动多元复合工质制冷(<0℃)技术，利用上述蒸汽冷凝液为驱动热源“一步法”制取2000kW乙二醇生产工艺的-20℃用冷，不仅解决了冷凝液热能的再利用，而且替代了传统高耗能压缩式电冰机的冷量输出，节电率93.7%，降低了生产成本及能耗。在相同制冷量下，动设备少、噪音低、运行稳定、可靠性高、运行维护成本低，系统制冷工质无衰减。具体工艺原理及流程如图1、图2所示。

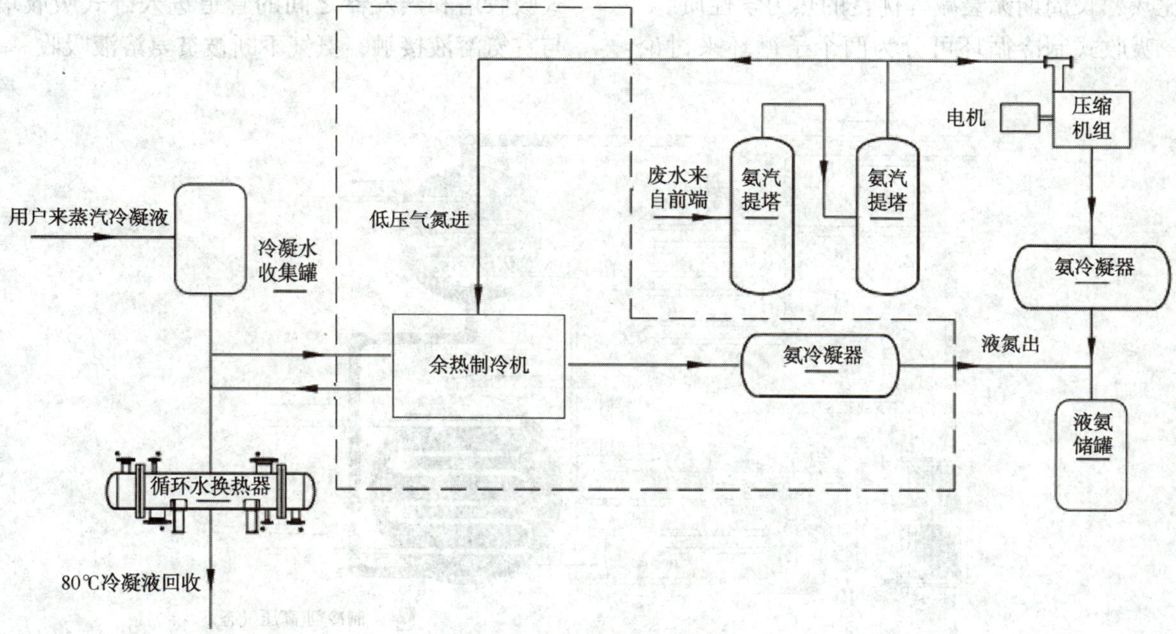

图1　污水汽提装置余热制冷系统工艺流程

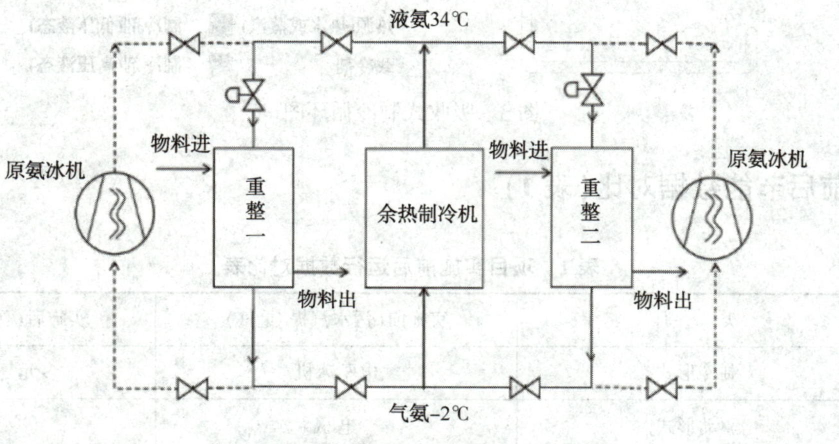

图2　重整装置余热制冷系统工艺流程

2 技术工艺装备说明

低品位热驱动多元复合工质制冷是液体汽化制冷的一种形式，和传统压缩式制冷一样，利用液态制冷剂在低温低压下汽化以达到制冷的目的。所不同的是传统压缩式制冷是靠消耗机械功(蒸汽或电能)是热量从低温向高温转移，而热驱动制冷则是以热能作为驱动能源，通过制冷工质对的吸收/解吸循环来完成这种非自发过程的。传统的低品位驱动制冷使用的是溴化锂机组，由于工质对溶液是溴化锂-水，水作为制冷剂，限制了0℃以下制冷深度的输出。

普泛能源所采用的热驱动制冷机组使用的制冷工质为我司研制出具有自主知识产权的TC多元复合工质溶液，氨作为制冷剂，该溶液无水无油，解吸过程无需精馏分离、且具有高热导率、低比热、长周期无衰减等优良的热力学性质。

吸收式制冷循环可分为两个子循环来讨论：一个是氨循环、一个是多元溶液循环。

多元溶液循环：

从卧式吸收塔来的富氨溶液在沉降式复合再生器中被加热至沸腾状态，大量的氨气分离出来，氨气进入到冷凝器被冷凝成液氨，然后进入到蒸发器中蒸发达到制冷的目的。而沉降式复合再生器中的富氨溶液蒸发掉部分氨后变为贫氨溶液，换热之后回到卧式吸收塔，在卧式吸收塔顶部喷淋，与从蒸发器过来的氨气接触，吸收氨气，使溶液浓度不断增加，吸收过程产生的热量由冷却器带走。卧式吸收塔出来的富氨溶液又重新泵入沉降式复合再生器，完成循环过程。

氨循环：

从沉降式复合再生器出来的氨蒸汽流入水冷方式的冷凝器，氨气凝结成液体进入蒸发器，在蒸发器内蒸发。由于蒸发体积膨胀，氨气通过卧式吸收塔和蒸发器之间的管道进入卧式吸收塔，与贫氨溶液接触，氨气不断被贫氨溶液吸收。

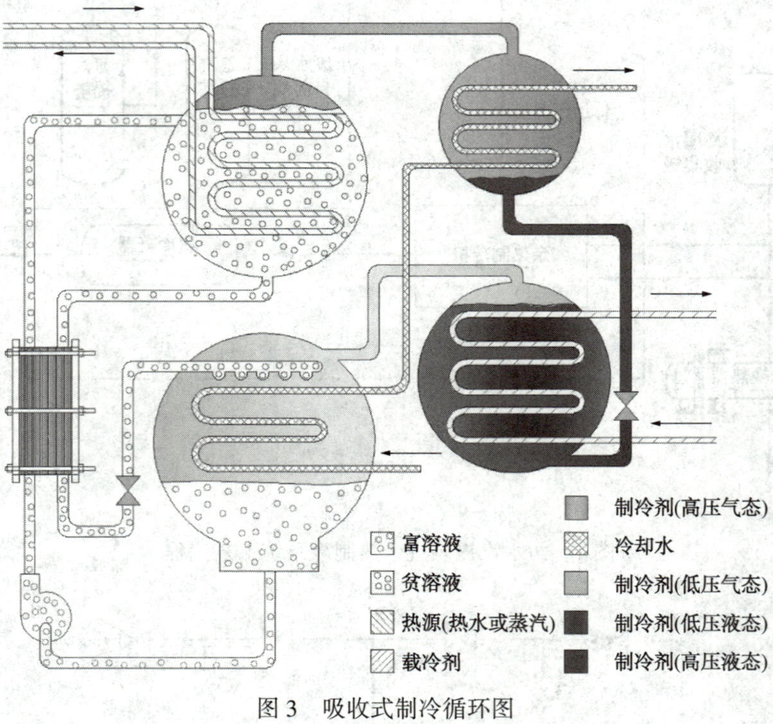

图3 吸收式制冷循环图

3 项目实施前后节能数据对比(表1)

表1 项目实施前后运行数据对比表

序号	类　别	实施前(污水汽提/重整)	实施后(污水汽提/重整)
1	制冷形式	电驱冰机	多元复合工质制冷
2	驱动形式	电驱	冷凝液余热

续表

序号	类　别	实施前(污水汽提/重整)	实施后(污水汽提/重整)
3	制冷量/kW	2317.4/5600	2317.4/5600
4	载冷剂出口温度/℃	-17/-2	-17/-2
5	运行电功率/kW	1，145/1663	61.9/114.9
6	CO_2 减排量/(t/年)	22，038	
7	年节电量/(kW·h)	2210.2万	
8	年节标煤量/t	8840.4	

项目改造前利用电驱式螺杆压缩机进行制冷，电耗较高。项目改造后，利用低品位热驱动多元复合工质制冷，电耗较低。在获取相同制冷量的情况下，运行电功率下降90%以上，改造后的系统在节能、减排方面有着较为出色的表现。

因项目使用的技术较新，仅在原项目基础上谨慎地进行了部分改造。通过实际运行，项目的可靠性得以证实，后续可进行全面改造。

4　技术特点及评价

低品位热驱动多元复合工质溶液无水、无油、无腐蚀、且具有高热导率、低比热，长周期运行无衰减等优良热力学特性；对比传统式余热利用，同等热源条件下，低品位热驱动多元复合工质制冷热回收利用效率为45%～65%，热转换利用效率相对较高。

其自适应调节能力强，制冷负荷调整范围宽，可根据热源、冷量需求的变化自适应调节运行负荷，无透平压缩机在低负荷运行时的喘振和电冰机往复加、空载运行现象；工艺改造简单、与原制冷设备互为备用：机组运行只需接入余热、制冷剂管线，可与原制冷系统实现安全、无缝隙切换，可实现互为备用关系。

制冷深度得到进一步拓展，在同等热源条件下，同样为热驱动制冷技术，依托多元复合工质可将制冷温度从7℃延伸至-47℃。同等制冷量下，节能减排效益显著比电驱冰机节约电耗95%以上，同时可减少碳排放和标煤使用量。

5　结论

我国制冷技术以传统电驱动压缩制冷技术装备为主体，主要能耗是电力，需要消耗大量电能。电力结构以火电为主，根据国家“双碳”政策，企业使用电驱动压缩制冷技术装备，除负担电费成本外，还须计入间接煤耗和CO_2排放。

世界进入双碳时代，化石能源的使用成本进入了长周期涨价。在欧洲，2021年以来，电价暴涨500%，碳价达到60欧元/t(折合约人民币420元/t)。在中国，燃煤电价改革政策出台，对高耗能企业上不封顶，2022年1月起多个地区电价上浮最高达70%，工商电价开始进入长周期上涨，未来碳价亦将逐步上涨到400多元人民币。我国制冷企业面临着用电成本和碳排放成本长周期上涨的双重压力，制冷技术装备的节能改造已经提上日程。

“低温热驱动多元复合工质制冷(<0℃)关键技术及装备”，对工业过程中产生的低品位余热进行回收、利用，实现在统一装置系统中“一步式”的制取、吸收和转化。自2020年起，已在乙二醇、纯碱、合成氨、多晶硅等化工、新能源行业成功推广应用了十余个项目。未来，安徽普泛能源技术有限公司将继续秉承“为用户创造价值”的理念，在“探索本地化低品位能源的高效转化和高价值利用”的目标指引下，继续探索多品位、多样化的本地化能源梯级利用技术。在低温热制冷技术产业化成功应用的基础上积极推进“一步法”二氧化碳捕集提压液化技术的中试研究及应用推广工作，更好的助力企业节能、降碳、增效，为实现中国碳达峰、碳中和的“双碳目标”做出贡献。

参 考 文 献

[1] Zhu Linghui，Gu Junjie，Second law-based thermody-

namic analysis of ammonia/sodiumthiocyanate absorption system, Renewable Energy, 35(2010)1940-1946.

[2] Zhu Linghui, Gu Junjie. Thermodynamic Analysis of a Novel Thermal Driven RefrigerationSystem, World Academy of Science, Engineering and Technology, Vol. 56, 375-380, 2009.

[3] Zhu Linghui, Wang Shujun, Gu Junjie, Performance investigation of a thermal-driven refrigeration system, International Journal of Energy Research, Volume 32, Issue 10, 939-949, 2008.

[4] 高峰. 一种可替代螺杆制冷冰机的余热制冰节能技术[J]. 中国化工贸易, 2017(6).

大型固定床加氢反应过程强化工程技术开发及应用

陈 强 盛维武 李小婷

[中石化炼化工程(集团)股份有限公司洛阳技术研发中心]

摘 要 为适应加氢反应器大型化的发展趋势，保障固定床加氢装置的长周期平稳运行，中石化炼化工程(集团)股份有限公司洛阳技术研发中心和中石化广州工程有限公司以过程强化基本理论为指导，合作开发了大型固定床加氢反应过程强化技术，该技术主要包括双锥形入口扩散器、双层过滤盘、高效管式气液分配器、对撞混合冷氢箱及分块式出口收集器。目前该技术已成功应用于某企业催柴加氢改制单元，并取得良好的实施效果：装置在60%~110%负荷内，两台反应器的各催化剂床层入口径向温差均<3℃，反应器压降均<0.1MPa，分配盘和冷氢箱应用效果良好，能够延缓床层的压降增长，延长催化剂寿命，为装置安全长周期运行提供了保障。

关键词 加氢反应器；过程强化；内构件；分配器；径向温差；压降

1 前言

随着我国经济的发展及环保标准的提高，对于轻质、清洁燃料油的需求逐渐增大，而原油品质却逐年下降，炼化企业面临加工重质原油和高硫原油的挑战，加氢技术是应对这一挑战的有效方法。

为了达到油品质量升级，增产石油化工原料和中间馏分油，以及适应高硫原油、劣质原油深加工的需要和改善环境等目的，石油化工流程中加氢装置的规模逐渐增大。固定床加氢反应器的尺寸也随着炼油产业的集约化和规模化发展而逐渐增大，目前固定床加氢反应器直径基本都达到4~5.8m，封头高度超过2m，其中可利用空间高度超过1m。影响固定床加氢裂化/精制装置运行的问题基本集中在以下两方面：

(1) 反应器压降

反应器压降直接影响装置的运行周期。其关键因素是第一床层的垢物堵塞和催化剂板结现象，其中垢物堵塞的因素占80%以上。

(2) 径向温差

反应器内床层温差过高，会导致局部飞温，造成催化剂烧结失活，进而影响长周期运行。引起反应器径向温差的因素包括物料分布状态和催化剂床层表面堵塞程度。

同时随着反应器大型化的发展，又对反应器内整体空间利用率及内构件实施效果方面提出更高的要求：

(1) 充分利用封头空间，提高反应器的空间利用率；

(2) 传统冷氢箱的设计方法在大直径反应器内占用的轴向高度过高，同时存在混合传热效率低的问题，需要改进冷氢箱的换热混合方式并得到相应的设计方法。

基于以上背景，中石化炼化工程(集团)股份有限公司洛阳技术研发中心和中石化广州工程有限公司合作开发了适应大型化反应器要求的固定床加氢反应过程强化技术。该技术主要包括双锥形入口扩散器、双层过滤盘、高效管式气液分配器、对撞混合冷氢箱及分块式出口收集器，如图1所示。

2 大型固定床加氢反应过程强化工程技术介绍

2.1 双锥形入口扩散器

入口扩散器是物流进入固定床反应器接触的第一个内构件，对于大型加氢反应器(直径≥5m)来说，入口扩散器性能的优劣，直接影响初始分布的状态，对于整个反应器内流体的均匀分布至关重要。开发的双锥形入口扩散器的结构形式如图2所示。

该入口扩散器由上部空心锥形体、双侧纠偏挡板、连接腿、下部的两层伞板组成，伞板的开孔及角度可根据工艺条件进行调整。

气液进料进入入口扩散器的筒体后，由于来流方向垂直于双侧纠偏挡板，在双侧纠偏挡板的

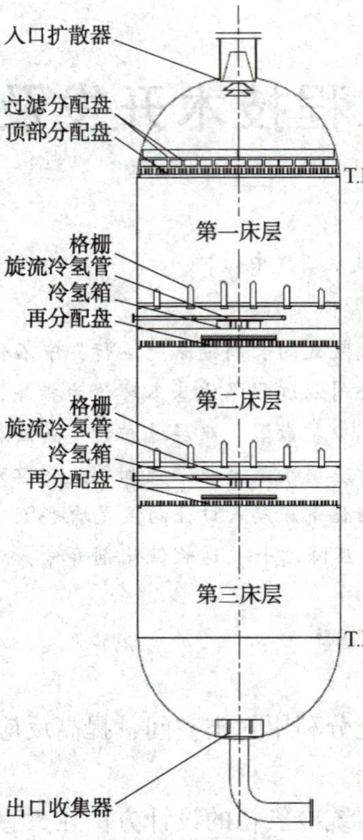

图 1　加氢反应器结构示意图

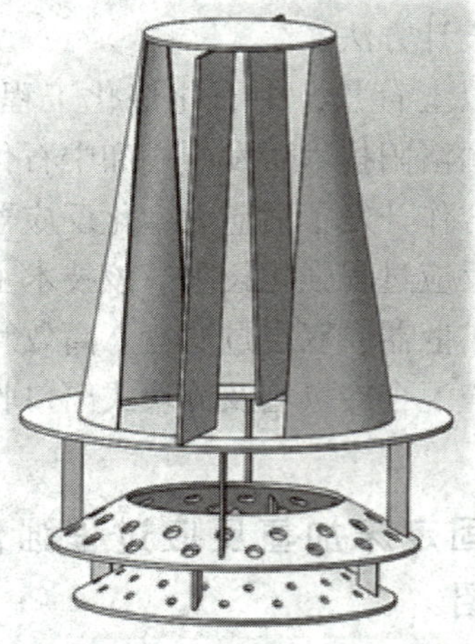

图 2　双锥形入口扩散器结构示意图

拦截下，在空心锥形体内绕流后向下流动，在这个过程中，气液相的偏流得以矫正；经初步整形后，由底板开孔流下：一部分物流直接喷洒至上层伞板上，一部分通过上层伞板的顶部开孔喷洒至下层伞板上。在此过程中，气液物流冲击两层伞板溅射、经其上小孔喷射以及伞板边缘的散射的共同作用下，气液进料均匀地分散至入口扩散器下方的反应器截面上。同时，上述的操作过程也使气液进料得到充分混合和缓冲。

2.2　双层过滤盘

随着反应器尺寸的逐渐增大，封头内的体积也逐步增大，为实现对原料中垢污的拦截，同时充分利用封头空间，提出在反应器封头空间内设置两层或多层过滤盘，通过盘框的分块和布局，实现反应物流的过滤。双层过滤盘的结构形式及安装位置如图 3 所示。

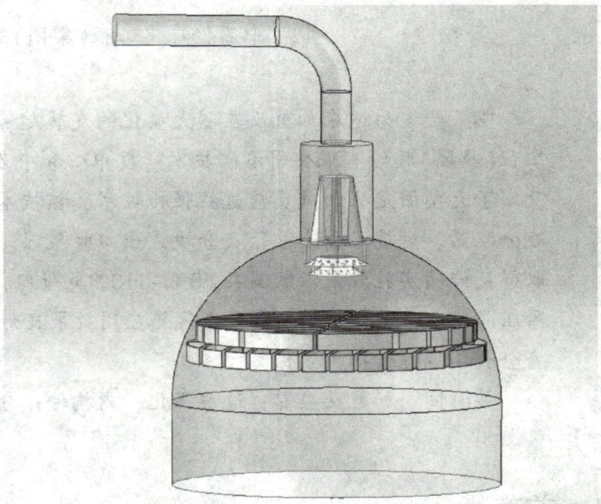

图 3　双层过滤盘结构及安装位置示意图

双层过滤盘根据反应器的封头尺寸进行分块，共设置上下两层过滤槽，呈相互错开 90 度布置，过滤槽底部及侧面为约翰逊网，能够实现在径向截面上的全过滤。盘框之间的缝隙尺寸需满足流通面积是反应器入口管道截面积 25~30 倍之间，保证其不产生太大压降，通过数值模拟计算，正常工况下双层过滤盘产生的压降 <100Pa。

2.3　高效管式气液分配器

气液分配器是为气液两相流体提供混合和相互作用的场所，使液体破碎成液滴分散到气流中，并随着气体一起落到下床层，形成液体在催化剂床层上的初始分布。液体分布的均匀性会直接影响下游催化剂的润湿程度和使用效率，如果分配器结构设计不合理，反应原料分配效果差，会造成加氢反应在催化剂床层的不均匀，导致径向温差过大，降低催化剂的使用效率和寿命，甚至造成产品质量的不达标。

随着反应器大型化和原料的劣质化，对于分配器分配性能的要求进一步提高，因此开发了带有 180°撞击板的高效管式气液分配器，其优势在于：

（1）中心管为直管结构，采用商用标准管径，便于采购和加工，节省制造成本；

（2）顶部设盖板，避免上部来流液体分布对分配器的分布性能产生影响；中心管顶部开槽孔，作为气相通道；

（3）三层溢流孔，当液相负荷较大或者液面较高时，溢流通道逐渐增大，溢流速度加快，通过气液分配器对于分配盘上液位高度的控制，实现较大的操作弹性；

（4）180°撞击板结构，撞击板直径大于中心管外径，气液混合物流在180°撞击板上进行折流扩散，具有近乎180°的大扩散角，能够保证在低空高下实现气液均布，同时能够满足多点相互作用；

（5）内设孔板，强化管内湍动，有效改善贴壁流造成的中心汇流。

高效管式气液分配器的结构如图4所示：

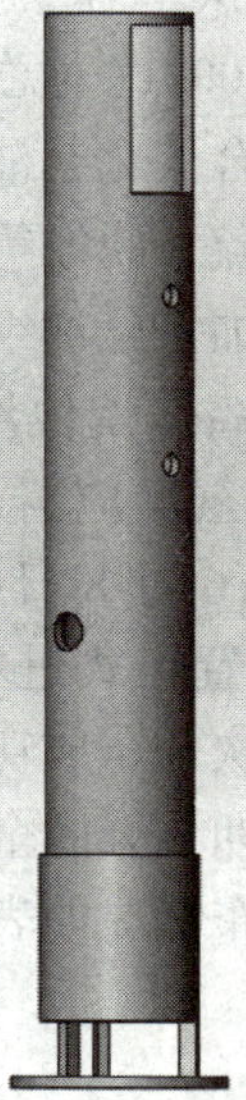

图4　高效管式气液分配器结构示意图

中心管直径较小，能够实现在分配盘上尽可能多的排布，同时利于流体流速的控制；顶部设盖板，避免上部来流液相未与气相混合而直接流入主体圆管内；上端部开口作为气相通道，主体圆管不同高度位置开三层孔作为液相溢流孔，不同高度位置开孔可满足不同液量条件下液相溢流的需求，结合工艺数据和开孔直径对管内液速进行有效调控，保证其混合和撞击湍动程度满足均布需求；在主体圆管内部下端设置孔板，孔板的作用一方面增强气液相扰动，强化传质，另一方面避免液相在主体圆管内壁贴壁流动；底部撞击板由三条支腿和主体圆管连接，撞击板直径大于中心管直径，对气液进行撞击分散，扩散角大，分配盘上进行多管组合后具有大的操作弹性。

2.4　对撞混合冷氢箱

冷氢箱对于固定床加氢反应器的稳定运行极为重要。传统的冷氢箱多数以箱体结构为主，通过为气液两相提供接触面来实现换热，改进多数集中在通过在箱体内部增设挡板、扰流板等，通过延长流道和强化湍动来提高换热效率。目前研究较多的旋流冷氢箱，也依然存在气液间接触面积有限和相互作用不强的缺点，从而限制了其混合传热性能的进一步提高。另外这类冷氢箱的设计准则决定了在大型反应器内轴向高度和径向直径的同步增大，应用在大型反应器当中，势必要占用大量反应器空间，不符合目前要求提高反应器空间利用率的发展要求。

因此所提出的对撞混合冷氢箱结构设计从气液两相的作用方式入手，通过扇形流道设计，引导流体分为若干股，进行两两相撞。通过流道控制，两股相对流体的速度均可达到10~30m/s，通过高速撞击，形成一个高度湍动、相对速度成倍增加的撞击区，在该区域内，两相间的换热系数增大，极大的强化了相间传热。

同时由于流道的流通面积可通过直径控制，在适应大型反应器和大处理量工况下，无需在轴向上进行放大，能够实现低占用高度条件下冷氢和油气的快速混合降温。

对撞混合冷氢箱的结构如图5所示，包括对撞箱和受液盘两部分。对撞箱由顶板、底板、流道板及曲面挡板组成；受液盘由底板、溢流堰、降液孔组成。

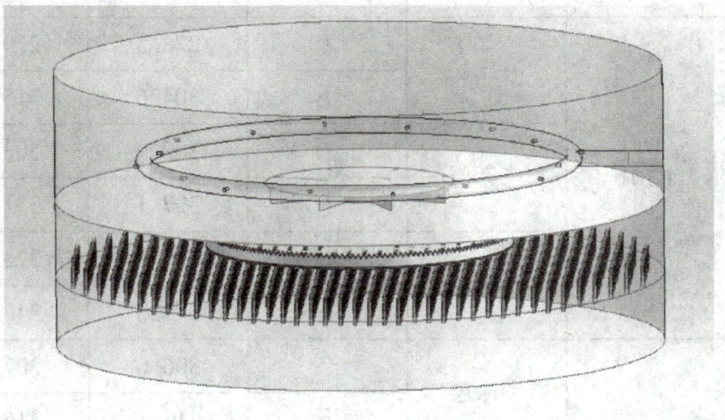

图5　对撞混合冷氢箱结构示意图

工作状态下：氢气和高温油气经过一次换热后与高温油相由上而下落在对撞箱的底板上，气液混合沿着流通面积逐渐减小的流道板进行加速流动，由两个半封闭流道和两个全开流道的出口流出，两两相对撞击，在圆柱形撞击区域内发生快速的混合和换热，对热油进行降温。之后混合流体折流向下，在受液盘上进行二次快速撞击，受液盘会将大量液体反弹回对撞箱的底板，在底板和受液盘上进行多次往复后流向下一层分配盘。

2.5 分块式出口收集器

出口收集器要有足够的支撑强度和过滤精度，对催化剂起到支撑作用，同时对反应物进行过滤，将催化剂固体截留在反应器内，允许气液相反应产品由底部通过。

为解决反应器大型化后出口收集器尺寸变大导致的安装困难问题，需对出口收集器进行分块设置，以便吊装到反应器内后进行组合安装。

所开发的分块式出口收集器的结构如图 6 所示。

图 6　分块式出口收集器示意图

3 工业应用情况

将所开发的大型固定床加氢反应过程强化工程技术应用于某企业催柴加氢改制单元(以下简称 2#柴油加氢装置)，该装置包括两台反应器(R101 和 R102)，其中 R101 为三床层反应器，R102 为两床层反应器，两台反应器由上到下内构件分别设置：入口扩散器、过滤分配盘、管式气液分配器及分配盘、旋流冷氢管、冷氢箱、出口收集器、格栅等。

该套装置设计处理新鲜进料 65×10^4t/a，循环油进料 40×10^4t/a，总进料量为 105×10^4t/a，操作弹性为 60～110%，设计开工时数为 8400h/a，设计催化剂体积空速为 0.6h^{-1}(对新鲜进料)，氢油体积比 500/1(对总进料)。

该套装置以混合催化柴油为原料，通过多环芳烃加氢饱和、脱硫、脱氮等反应，主要生产满足催化单元要求的加氢柴油组分，最终再经催化将加氢柴油转化为高辛烷值汽油或轻质芳烃等，设计为两台串联加氢反应器。装置于 2021 年 4 月 30 日建成中交，6 月 8 日装置进行催化剂预硫化，6 月 11 日装置正式进料，6 月 12 日产品检测合格，装置一次开车成功投产。

对装置进行为期 3 天的全面标定。标定期间测得反应器温度分布情况如表 1 所示。

表 1　反应器温度分布情况

反应器	床层	位置	测温点			水平面平均温度/℃	床层平均温度/℃
			*T*1	*T*2	*T*3		
R101	一床层	上	278.5	279.8	279.2	279.17	294.75
		下	304.6	315.2	311.2	310.33	
	二床层	上	300.9	303.8	302.8	302.50	315.25
		下	327.1	331.3	325.6	328.00	
	三床层	上	323.5	324.3	325.3	324.37	335.57
		下	343.6	348.2	348.5	346.77	
R102	一床层	上	306.6	307.7	307.6	307.30	312.10
		下	317.1	316.5	317.1	316.90	
	二床层	上	308.5	308.8	308.5	308.60	311.53
		下	313.9	315.2	314.3	314.47	

操作负荷为设计值 60%工况下的运行情况如图 7 所示；操作负荷为设计值 110%工况条件下的运行情况如图 8 所示：

可以看出，随调装置操作负荷 60%～110%调整，各催化剂床层入口径向温差均<3℃，大部分床层入口径向温差<2℃，证明分配盘和冷氢箱应用效果好；装置操作负荷为 110%时，R101 反应器压降 0.09MPa，R102 反应器压降

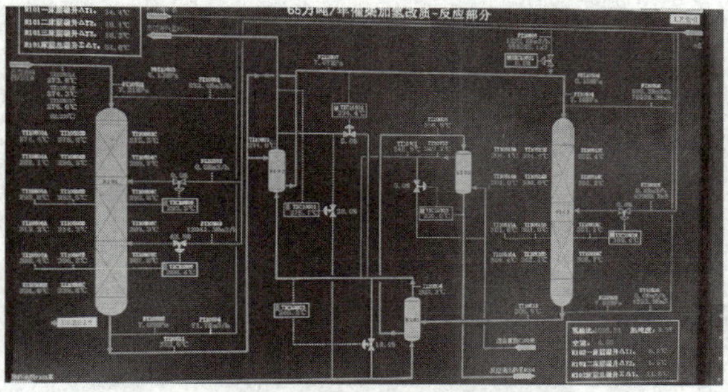

图7　60%负荷条件下两台反应器的运行情况

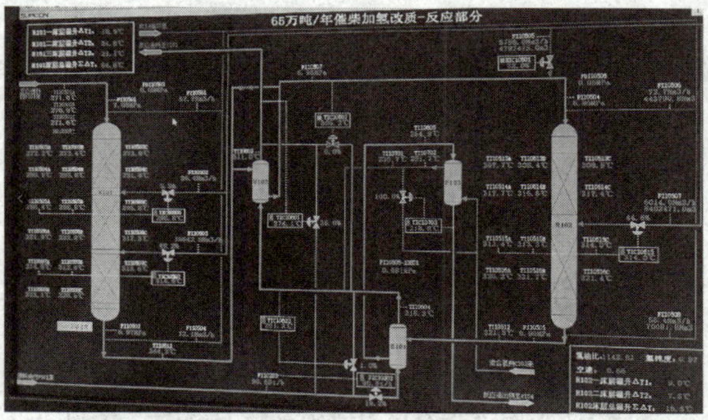

图8　110%负荷条件下两台反应器的运行情况

0.05MPa，随装置操作负荷的调整，在60%～110%负荷条件下，反应器压降均<0.1MPa，反应器压降较低，内构件的过滤性能、混合及分布性能均比较优秀，能够延缓床层的压降增长，延长催化剂寿命。

4　结论

固定床加氢反应器新型内构件技术在某企业催柴加氢改制单元的成功工业应用产生良好的预期效果：降低了反应器压降，减少了装置运行能耗，节省了设备投资费用，为装置安全长周期运行提供了保障，为现有加氢装置反应器内构件改造及延长装置生产运行周期提供了技术支持，对推动大型固定床加氢反应器内构件技术的改进及应用具有重要意义。

参　考　文　献

[1] 龙庆兴，许思维．重油加氢技术特点和发展趋势研究[J]．中国石油和化工标准与质量，2020，40(14)：247-248.

[2] 张甫，任颖，杨明，易金华，等．劣质重油加氢技术的工业应用及发展趋势[J]．现代化工，2019，39(06)：15-20.

[3] 史昕，邹劲松，厉荣．炼油发展趋势对加氢能力及加氢技术的影响[J]．当代石油石化，2014，22(09)：1-5.

[4] 任文坡，李雪静．渣油加氢技术应用现状及发展前景[J]．化工进展，2013，32(05)：1006-1013+1144.

[5] 江波．渣油加氢技术进展[J]．中外能源，2012，17(09)：64-68.

[6] 王少兵，毛俊义，王璐璐．应对原料劣质化的新型高效加氢反应器内构件技术[J]．石油炼制与化工，2016，47(06)：99-102.

[7] 杨秀娜，彭德强，金平，等．加氢反应器空间利用率分析及提升技术开发[J]．炼油技术与工程，2021，51(03)：41-43+56.

生物流化床污水处理技术

何庆生

[中石化炼化工程(集团)股份有限公司洛阳技术研发中心]

摘　要　生物流化床反应器是一种新型流化床组合缺氧/好氧工艺处理污水的生化处理装置，与传统A/O处理工艺相比，具有反应效率高、占地面积小、容积负荷和污泥负荷高、传质快、耐冲击负荷能力强等特点。采用生物流化床污水处理技术分别对煤制乙二醇污水和精对苯二甲酸(PTA)污水开展了工业应用研究，出水水质高标准达标并实现了污水的短流程、装置化、智能化处理，表明该技术在工业废水生化处理领域具有良好的应用前景。

关键词　生物流化床；污水处理；煤制乙二醇污水；PTA污水

随着我国对环境保护的重视程度越来越高，排放标准越来越严苛，企业的环保成本不断上升。同时，随着我国石化行业的持续发展，环境容量的限制，排放总量的指标也被严格规定。因此，尽快提升三废处理工艺技术水平，合理进行给排水系统设计，提高污染治理效率，减少污染物排放总量，才是石化行业绿色低碳发展的未来。

在我国炼化企业，隔油-浮选-生化的“老三套”污水处理工艺一直被广泛采用，近年来一些污水处理场，尽管工艺技术上有些突破，但处理设施大多数采用混凝土结构，占地面积大，能耗高，处理效率相对较低，VOC产生较多和存在污染地下土壤和地下水的风险。为了应对污水提标、污水高效装置化密闭处理要求，亟需开发高效污水处理技术。生物流化床是一种实现生物载体与气相、液相之间的混合、传质、反应的设备。根据气固和液固两相流化床的基本原理，开发了用于污水处理的气液固三相生物流化床工艺和装备。通过气体分布器、生物载体、导流筒和三相分离器等核心内件的开发和特种生物菌群的驯化培养，提高了三相传质效率和处理效果，同时实现了短流程、装置化、智能化操作。

采用生物流化床技术开展了煤制乙二醇污水和精对苯二甲酸(PTA)污水工业应用研究，考察了污水处理效果，测算该技术的经济性，为该技术在工业废水处理领域推广应用提供了支持。

1　生物流化床污水处理技术

1.1　技术原理及特点

缺氧/好氧(A/O)生物流化床技术立足于传统A/O生化法污水处理工艺的基本原理，即好氧硝化与缺氧反硝化耦合反应实现COD、氨氮、总氮同时脱除。A/O生物流化床污水处理技术分别开发了高效好氧生物流化床与缺氧生物流化床反应器。好氧生物流化床反应器是一种气-液-固三相流化床形式，采用活性污泥法和生物膜法混合工艺，通过对气体分布器、内导流筒、顶构件等反应器内构件开发与优化，提高传质效率；通过对载体的筛选优化、细胞固定化以及载体与内构件匹配性研究，提高反应效率；通过反应器结构与工艺匹配性研究，调控反应工艺过程，提高COD、氨氮、总氮协同脱除效果。缺氧流化床反应器，通过内导流筒、布水器和推进器等内构件开发优化，提高液、液传质与气、液分离效率，通过反应器结构与工艺参数匹配性研究，强化缺氧生化反硝化过程。生物流化床污水处理工艺采用塔式钢质结构，替代传统混凝土构筑物，将污水处理技术由横向发展朝纵向发展转变，实现污水处理装置化和密闭化。

A/O生物流化床装置流程如图1所示。污水经调节罐进入缺氧罐，之后溢流至好氧罐，好氧罐中硝化液回流至缺氧罐，上部污水溢流至沉降罐，沉降罐顶部出水，底部污泥回流至缺氧罐中。缺氧罐和好氧罐均采用内外筒的内循环流动形式，缺氧罐内部布置推流器为动力进行混合，好氧罐采用底部曝气作为提升动力进行均匀混合，好氧床中装填生物载体调料。

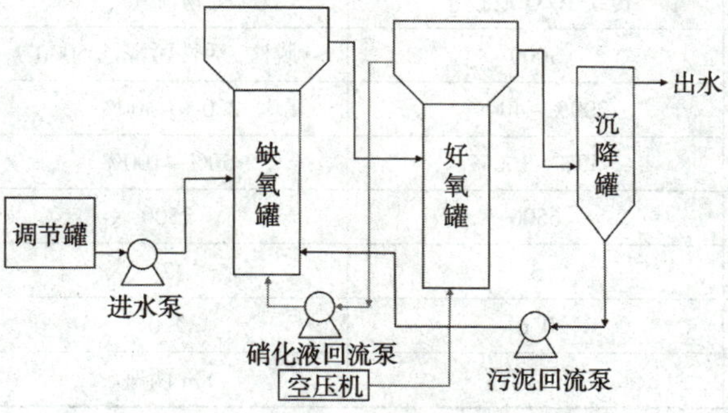

图1 A/O生物流化床装置工艺流程

A/O生物流化床污水处理工艺可同时去除有机物、总氮和总磷，可直接实现达标排放。生物流化床反应器流化均匀、传质效率好，氧利用率高、动力消耗少，载体上附着大量的生物膜，有机负荷去除率高，抗负荷冲击能力强；特种生物活性高，代谢功能强，代谢产物少，产泥量低，降低后续处理费用；A/O生物流化床技术实现了污水处理装置化、密闭化，占地面积小，投资和操作费用大幅降低，不会产生二次污染。

1.2 技术指标

工艺进水指标：COD = 500 ~ 2000mg/L、NH_3-N=40~150mg/L、TN=40~300mg/L、TP=0~10mg/L、SS=150~220mg/L、石油类=30~50mg/L；工艺出水指标：COD≤60mg/L、NH_3-N≤8mg/L、TN≤30mg/L、TP≤0.5mg/L、SS≤40mg/L、石油类≤5mg/L；处理后的水质达到国家一级排放标准。

1.3 技术对比

传统A/O污水处理技术与A/O生物流化床污水处理技术工艺流程对比如图2所示。目前，绝大多数A/O生化处理技术采用传统活性污泥法和接触氧化法，存在占地面积大，处理效率低，易产生二次污染的问题。生物流化床技术是将生物膜技术与活性污泥技术结合起来，突破了传统生物处理技术的缺点，进而大幅度提高微生物的处理效果；高密度的微生物群体，将提高生物流化床的反应效率和处理效能，降低水力停留时间；高效的传质效率，提高了空气中溶解氧的转移效率，进而减少了污水处理鼓风量，降低了气水比，最终降低能耗；较小的水力停留时间，减少反应器的占地面积；较充分的回流混合，提升了反应器抗冲击的能力。

针对同类废水，传统A/O污水处理技术和A/O生物流化床污水处理技术工艺参数比较见表1。(处理量：$200m^3/h$)

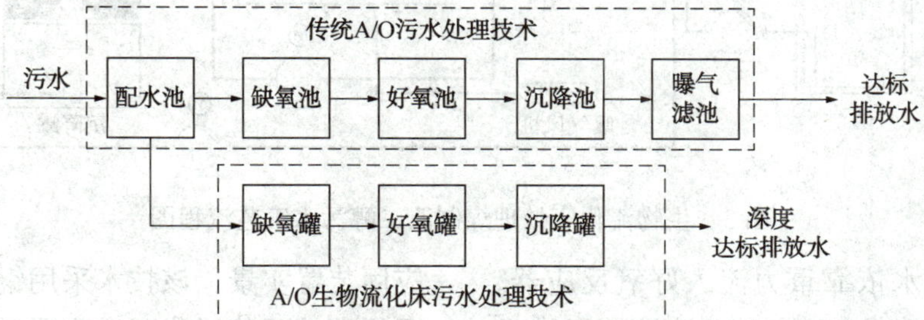

图2 传统A/O污水处理技术与A/O生物流化床污水处理技术对比

表1 不同处理工艺参数比较

单元	比选项目	单位	传统A/O池技术	A/O生物流化床技术
	生化主体流程		A池+O池+二沉池	A罐+O罐+沉降罐
A段	停留时间	h	10	4
	总有效容积	m^3	2500	1000
	总氮容积负荷	$kgNO_x/m^3\cdot d$	0.14	0.36
	混合功率	kW	20	9
O段	停留时间	h	15	10
	总有效容积	m^3	3750	2500
	COD容积负荷	$kgCOD/m^3\cdot d$	0.5	1.4
	氨氮容积负荷	$kgNH_3/m^3\cdot d$	0.07	0.1

续表

单元	比选项目	单位	传统 A/O 池技术	A/O 生物流化床技术
O 段	MLSS 浓度	mg/L	3000	膜法+活性污泥法 5000
	硝态液回流比	%	200%~400%	200%~400%
	活性污泥回流比	%	50%~100%	50%~100%
	曝气风量	Nm^3/h	6500	2500
沉淀	停留时间	h	3	2
	表面水力负荷	$m^3/m^2 \cdot h$	0.6	2.0
	二沉池直径	m	15m 两座	8m 两座

2 生物流化床污水处理技术工程应用案例

2.1 中国石化湖北化肥分公司煤制乙二醇综合污水处理

2018 年，A/O 生物流化床技术在中国石化湖北化肥分公司煤制乙二醇综合污水处理中首次实现工业应用。图 3 为 A/O 生物流化床技术处理煤制乙二醇污水工艺流程图，煤制乙二醇污水经絮凝/沉淀池去除大部分颗粒物后进入配水池，由进料泵提升进入缺氧反应器。进料泵出水、好氧反应器经脱气罐回流的硝态液和沉降罐回流的活性污泥、反硝化所需的反硝化甲醇碳源进入缺氧反应器，进行反硝化脱氮反应。缺氧反应器内设置导流筒和推流器，使进水、回流的硝态液和回流污泥充分混合。

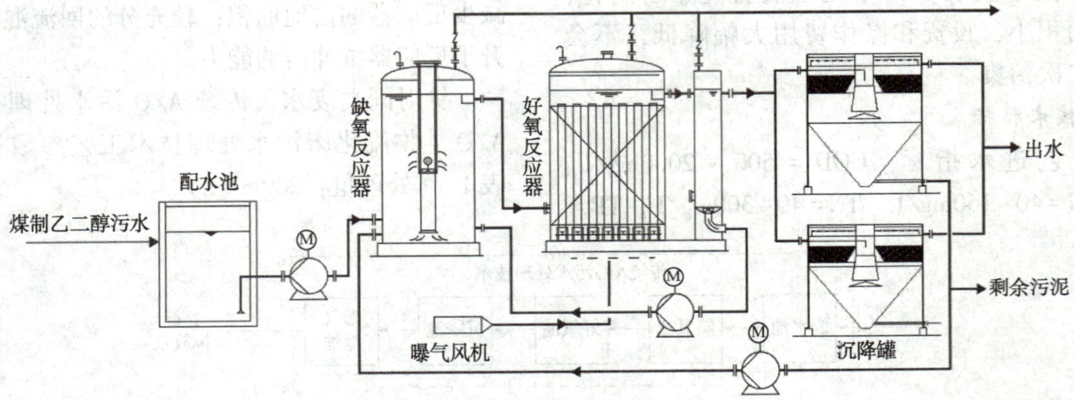

图 3　生物流化床处理煤制乙二醇污水工艺流程图

缺氧反应器出水依靠重力流入好氧反应器。在好氧反应器进水管投加 Na_2CO_3 溶液，以满足好氧反应器内硝化所需的碱度。好氧反应器内设有导流筒、空气分布系统、生物载体等专有内件，曝气风机则提供好氧生化反应所需的氧气和生物载体形成流化状态所需的动力。

好氧反应器出水依靠重力流至脱气罐。脱气罐底部出水经硝态液回流泵回流至缺氧反应器，回流比依据实际情况进行调节；脱气罐溢流进入沉降罐进行固液分离。沉降罐上清液为处理后出水，依靠重力流至下一单元；底部沉淀的污泥经污泥回流泵回流至缺氧反应器，回流比依据实际情况进行调节。污泥回流泵出口设支管，间歇或连续排放剩余污泥至污泥浓缩池。

图 4 为 A/O 生物流化床污水处理技术工业应用装置实景，该技术采用钢制塔式反应器，实现污水处理装置化，反应器顶部设计有拱顶，实现密闭操作，排放的废气通过顶部管线引出至废气处理单元处理。

图 4　A/O 生物流化床污水处理技术工业应用装置实景

应用效果为：在处理水量为 $200m^3/h$、进水的平均 COD = 447mg/L、NH_3-N = 59.2mg/L、TN

$= 117.4mg/L$、$TP = 0.11mg/L$、$SS = 148.4mg/L$ 条件下，处理后出水的平均 $COD = 20mg/L$、$NH_3-N = 2.6mg/L$、$TN = 14.9mg/L$、$TP = 0.04mg/L$、$SS = 22.7mg/L$，各项指标均优于设计指标，达到一级排放指标。运行成本比常规技术降低30%左右。

2.2 上海石化PTA污水预处理

2020年，A/O生物流化床技术在上海石化应用于PTA污水预处理中，其工艺流程示意如图5所示。来自内循环(IC)厌氧反应器的PTA污水，由增压泵输送到生物流化床进行生化反应。加药罐中的营养液，由加药泵送入流化床。反应所需的空气由底部风线进入流化床。生化处理后的污水，溢流进入沉降罐，进行泥水沉降分离，清水从沉降罐顶部排出，沉降罐底部污泥一部分外排，一部分由回流泵返回流化床。

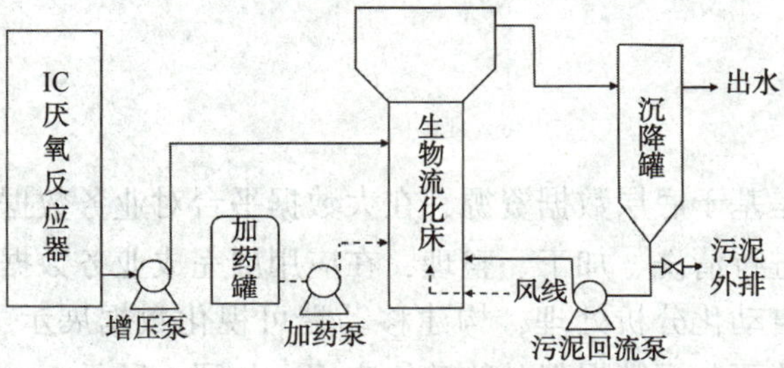

图5 A/O生物流化床PTA污水预处理流程示意图

应用效果为：在处理水量为$100m^3/h$、进水COD为1000~2000mg/L，pH值为6~8，温度为37~40℃，进气量为$600\sim750m^3/h$，水力停留时间为8h条件下，处理后的污水COD<500mg/L，达到企业预处理标准；在相同条件下，生物流化床与传统活性污泥法比较，停留时间减少3/4，气水比降低3/4，容积负荷提高2~5倍，表明该技术具有先进性。

3 结论

(1) A/O生物流化床技术通过开发气体分布器、生物载体、导流筒和三相分离器等核心内件和驯化培养特种生物菌群，提高了三相传质效率和污水处理效果，并替代了传统A/O池的构筑物形式，实现了污水生化处理的短程化、装置化、密闭化操作。

(2) A/O生物流化床技术解决了煤制乙二醇生产污水和PTA污水达标处理问题，极大地降低了对环境的污染，表明A/O生物流化床技术在工业废水处理领域具有良好的应用前景。

参考文献

[1] 李雪凝，栗则，仉潮，等."新标准下"某炼化企业污水处理厂效果评估研究[J]. 环境与发展，2018，30(2)：27-28，30.

[2] 张帆. 炼化行业废水处理浅析[J]. 化工管理，2020(20)：44-45.

[3] 刘献玲，张建成，曹玉红. 生物流化床处理炼油废水工业应用的研究[J]. 石油炼制与化工，2006，37(1)：43-46.

[4] 李友臣，何庆生，范景福，等. A/O生物流化床工艺处理高盐度烟脱废水研究[J]. 炼油技术与工程，2023，53(5)：21-24.

[5] 卢衍波，何庆生，范景福. A/O流化床生物膜反应器处理煤制乙二醇污水工业应用研究[J]. 石油炼制与化工，2020，51(10)：112-117.

[6] 何庆生，刘献玲，张建成，等. 对苯二甲酸污水好氧生物流化床预处理试验研究[J]. 石油炼制与化工，2019，50(11)：102-105.

深挖销售大数据价值，基于移动互联网的能源销售企业数据驾驶舱的探索与实现

谢金君　毛　磊　陈雪松　郭世聪　王　泽　黄　点

（中国石油天然气股份有限公司四川销售分公司）

摘　要　四川销售结合自身情况，围绕数字化产业建设，相继从新零售业务到移动互联网线上平台进行实践探索，随着移动互联网线上平台在企业信息化领域不断深入发展，其带来的效益也显而易见，与此同时企业运营发展的问题也逐渐显现出来，销售数据资源无法有效整合，加之数据总量呈现指数级增长，各系统的处理能力无法支撑数据查询请求，从而导致数据报送不准确，制约了企业数据资源利用。因此，如何实现企业各业务系统数据整合优化重构，破除当前各业务系统间的数据壁垒以及业务数据报送不准、无统一口径而影响企业管理者决策是企业数字化建设以及可持续发展中亟需解决的重要问题。本文探讨构建移动互联网数据驾驶舱快速深化销售数据资源整合以及自动化分析共享，实现数据的深入开发，同时减少人工导表分析的误差以及人力资源的浪费，发挥现有数据与人力真正价值，更好的服务于企业战略决策，助力企业经营体系和营销能力现代化水平提升。

关键词　数据驾驶舱；数据治理；企业战略决策

1　引言

四川销售探索移动互联网数据驾驶舱，综合移动互联网交互性强、便携性高及数据驾驶舱规范展示业务数据全的特点，实施数据整合与应用，重点实现数据整合、数据管理、数据应用、数据协同共享等四个方面的功能，推动产业链大数据支撑企业的决策与业务运转。企业利用现有资源技术，整合数据资源，构建数据资源体系以及治理体系，引导数据建设体系化开展；通过数据资产应用实现对数据的统一管理与业务协同；集成大数据算法模型，提升数据应用能力，实现大数据的决策支持；打破数据流通的部门限制，实现内部数据共享，以提升数据资源利用率。

2　实施做法

2.1　数据驾驶舱体系架构设计

为满足企业业务数据对企业运行状况实时反馈需求，提出一种大数据实时驱动的数据驾驶舱体系架构。数据驾驶舱体系架构根据功能主要划分为4层，1、2两层分别是数据集成层和数据服务层，其主要面向对象是数据；3层是应用配置层，其主要面向对象是业务；第4层是最高层，是面向管理者的人机交互层。整体架构逻辑是基于底层数据资源，在大数据平台对业务数据进行清洗、加工、整理，在应用层完成业务数据自动化分析处理，构建移动端可视化数据展示，从而实现数据驾驶舱整体应用。如图1所示。

（1）数据集成层

数据集成层是通过对接分、子平台及相关部门业务系统进行数据汇聚。对接数据包含批量数据和实时数据：批量数据通过共享交换进行数据汇聚，该数据源分为三种，主要有来自现有业务系统（如加管系统、物流系统、销售ERP、CRM系统等）的结构化数据和系统日志及外部文件等半结构化数据，来自业务系统实时加载的实时数据。

（2）数据服务层

数据服务层是数据驾驶舱体系中的第2层，介于数据集成层和应用配置层之间，在数据服务层的基础上实现各大数据平台和通道交互终端的数据汇聚，通过对多源异构的底层数据进行加工和封装，在其他层数据关系不受影响的基础上，利用数据语义映射方式将数据及时、高效、安全、稳定的从数据服务层传输到应用配置层，进一步提高了系统的灵活性和可拓展性。

（3）应用配置层

应用配置层是数据驾驶舱体系中的第3层，

处于核心层。底层数据服务层通过调用相应的数据服务获取各系统实时运行数据和历史运行数据，利用解析业务指标的语义和数据结构(此处为根据业务需要动态配置，配置后自动生成业务指标库，同时以业务指标为基础变量形成可配置表征库)，获取包括业务指标的输入变量、算法和可视表征方法等指标对象的组态信息，输入自变量，指标算法执行器执行运算过程，将计算结果作为可视表征模型的输入参数，实现业务运行、用户消费等业务指标的实时可视化显示，动态反映业务运行状态。应用配置层，主要是实现数据驾驶舱的指标变量及表征变量的集中配置和管理。

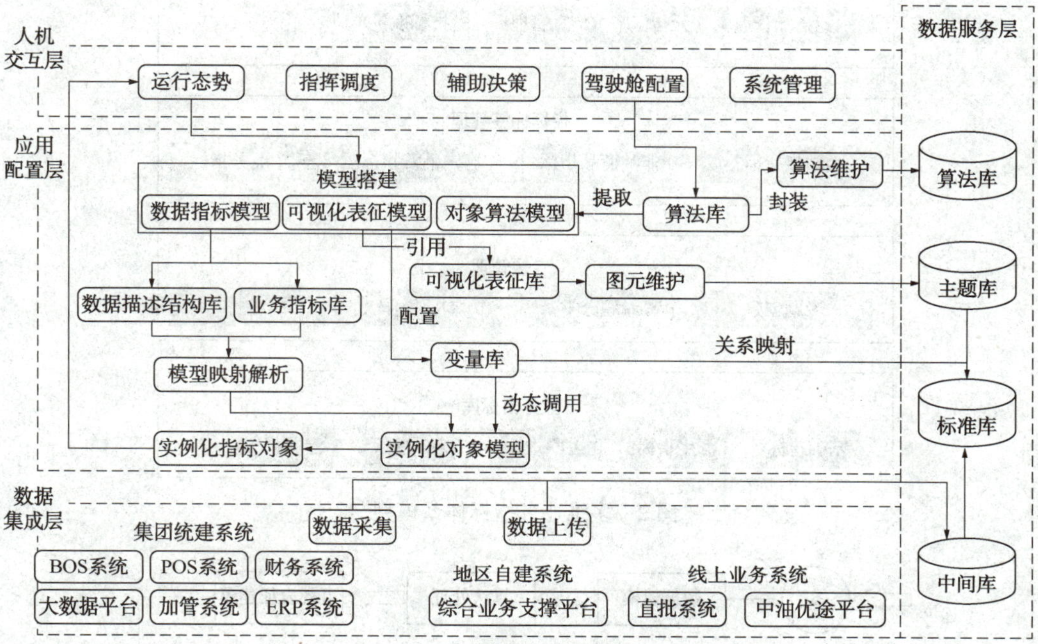

图1 数据驾驶舱体系架构

(4) 人机交互层

人机交互层是数据驾驶舱体系中的第4层，是最高层，可以为管理者提供多种样式的人机操作界面，主要包括业务态势运行、业务指挥调度、业务辅助决策以及系统管理等功能，同时还能对底层业务指标库、变量库和表征库等功能模块进行管理和维护。同时结合系统软件架构及现有企业信息系统访问及应用方式，数据驾驶舱在省、地市、加油站三个层级进行访问控制。

2.2 数据驾驶舱关键实现方法

数据驾驶舱的实质是在企业多源异构数据集成整合的基础上，对数据进行分析、处理后迈开企业数字化智慧化转型的第一步，其实现的关键在于解决企业面临的转型难题。针对背景中提到的技术和业务难题，从实现数据驾驶舱中构建多层次业务指标体系和指标变量与表征参数之间的映射等关键实现方法进行探索解决。

(1) 多维业务指标体系

指标体系主要实现指标全流程、全生命周期的管理，形成准确可行的全领域多视角的多维业务指标体系，其模型如图2所示，并将成为指导和评价业务运行的重要依据。

① 基础要素管理，对指标体系构建所需的基础要素进行管理，主要包括元指标构建、元指标基本信息管理、修饰词管理、指标度量单位。例如：用户元数据，订单元数据，库存调度元数据等。

② 指标标签管理，分层形成加油站指标标签、非油商品指标标签、客户消费指标标签、营销行业指标标签以及派生、关联指标标签。以指标为基础变量形成指标标签库。

③ 专题业务管理，专题业务管理是将各类元指标与派生指标的集群，通过多样性专题构建的方式，构建多领域的专题业务，同时实现对数据的灵活应用、专题业务逻辑分析的准确性表达以及完整呈现。以可视化的形式实现专题构建，使业务人员在构建时操作更简便、逻辑更清晰。在此基础上提供专题业务复制功能，支持用户快

速复制专题，避免重复建设消耗的建设成本，大幅提升了专业业务的逻辑深度与工作效率。其功能包括专题创建、专题操作和专题分类等。

（2）指标变量与表征参数

可视表征参数，是以参数定义的形式明确可视表征模型界面图元的视图样式，构建指标数据模型变量集与可视表征参数之间的映射，从而实现人机交互接口的模型构建。利用结构解析和序列化操作，将其数据结构和逻辑关系进行加工，最终以实例化的业务指标模型的形式进入业务指标库。建模流程如图3所示。

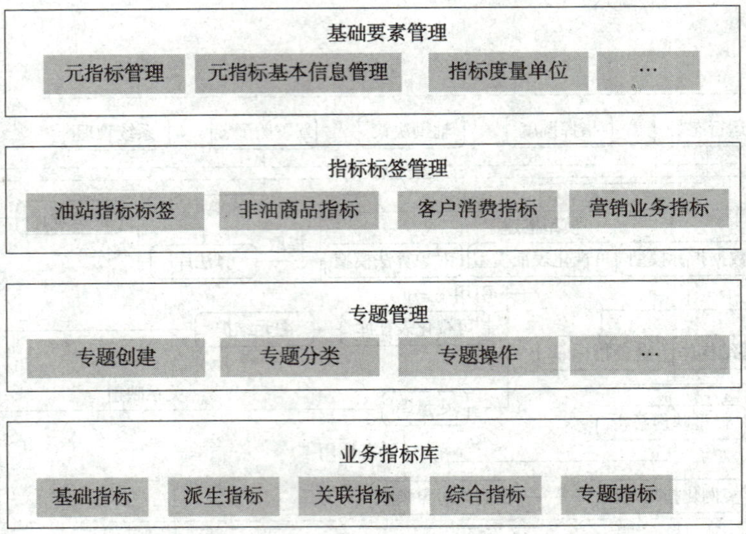

图2　多维业务指标体系模型

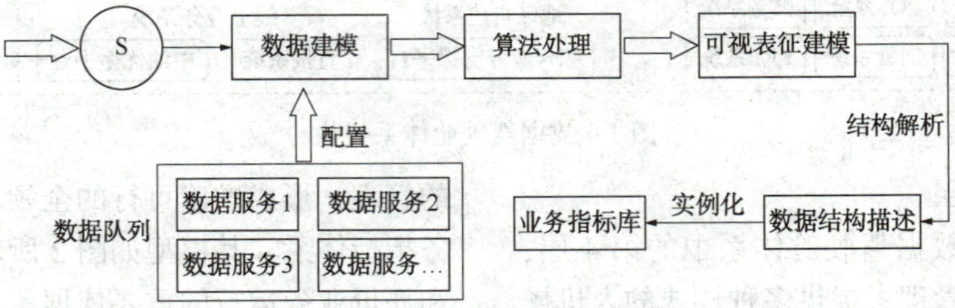

图3　业务指标实例化建模流程

2.3　数据驾驶舱业务感知探索

（1）培养自有信息人才，从业务、技术、安全三个方面组织分析项目落地方案

贯彻落实人才强企工程专项行动，本着在项目中锻炼人才的工作思路，企业组织在移动互联网开发有2年以上工作经验的人员负责研究和搭建数据驾驶舱，同时综合业务需求、技术能力以及信息安全等方面进行探索分析。一是主动走访各业务部门，了解现阶段业务指标划分。二是技术上研究复杂系统数据整合思路，参与大数据培训学习新型技术设计架构，以及数据处理模型构建理念。三是重点总结信息安全风险，全员参与网络安全培训，深刻认识涉及数据安全，网络信息安全都不是小事，在项目设计过程中充分理解《工业控制系统信息安全防护建设实施规范》，必须符合集团企业网络系统项目搭建要求，规避项目建设过程中网络安全风险事件。

（2）研究业务取数逻辑，从油气、非油、资源运行、线上业务等方面列明数据需求

项目组根据业务部门需求，打通企业线上平台“中油优途”app数据与大数据分析运用平台，基于大数据分析应用平台19个油品零售分析模型、15个非油数据分析模型，“中油优途”平台用户信息、不下车加油、油卡充值、平台活动、线上商城等数据，构建关键事务标签，以此为基础涉及数据表598张，形成取数中间表21张，2116个字段，实现企业数据分析的基础环境。

表 1　取数系统及数据表详情

业务系统	数据库	业务数据表数量	取数字段
加油卡	all_b04	28	103
电子券	all_b10	17	81
POS	all_b04	13	112
BOS	all_b04_bos	12	64
HOS	all_b04_hos	24	522
ERP	all_d05	96	341
油库 1. 0	all_c05	24	54
油库 2. 0	all_c05	40	89
物流 2. 0	all_c05	43	83
中油优途	all_fule	18	211
大数据二次分析表	app_db	293	453
合计		598	2116

（3）获取整理可用数据，从准确性、完整性对数据进行分类、归纳、清洗、变换。

首阶段根据源库信息，核查中间表数据行数，确保数据完整性。对存在差异的数据，与业务人员沟通讨论，分析差异原因，适当重新取数，确保数据的可用性，同时针对不符合统计条件的数据，进行函数变换，使其便于后期运用分析。各系统源数据的清洗和转换是数据集成过程中最为耗时也是最关键的步骤。数据出现的问题及解决方案如表 2 所示：

表 2　数据问题及解决方案

数据问题	解决方案
数据值缺失	与业务部门制定数据补全策略，将数据补全后再进行抽取
错误数据	交由业务部门修正数据
数据规格不统一	与业务部门协商，制定数据统一标准
数据值非法	替换为合法值，无法确定的值交由业务部门修正
语义转换	将需要结合维度表才能理解的字段进行语义转换
数据冗余	与业务部门确认后去重

（4）结合架构设计理念，从企业管理人员、部门业务人员、运维人员定义系统角色。

数据驾驶舱系统主要面向企业管理层，包括企业高管和各部门负责人，但由于系统中存在需要手工上传及手工录入的数据，因此，各部门的业务人员也是系统的用户。为了保证数据的安全性，数据驾驶舱系统应针对不同的用户角色显示不同的数据范围及操作界面，数据驾驶舱系统的角色定义如下：

① 企业管理人员，作为数据驾驶舱系统的主要服务人群，企业管理人员可查看除系统管理数据以外的全部数据，通过多样化图表的方式分析全部与企业经营相关的年度、季度、月度及日数据，但不具有修改数据的权限。

② 部门业务人员，部门业务人员可以根据系统确定的需求及各自部门的业务情况，对需要手工上传或手工填报的数据进行维护与修改，查询和修改的数据范围仅限于本部门的业务数据。

③ 运维人员，作为系统管理员，对系统进行管理，保障系统正常运行，职责包括用户管理、权限控制、数据管理及日常维护等。

（5）落地可视化运行日报，从移动共享、实时运行监控等方面验证项目的可行性。

根据企业管理需求，优化日报上报自动化流程同时接入移动端设备，利用企业原有通讯工具，进行快速开发，实现移动端数据日报查询共享以及线上业务实时运行监控以验证数据驾驶舱项目的可行性。并从系统功能结构设计、页面设计着手搭建。

① 系统功能结构设计，可视化运行日报的项目功能主要分为数据集成、数据服务、主题分析、系统管理等功能模块。可视化运行日报如图 4 所示：

② 页面设计，及数据结果的展示窗口，是人机交互的平台，可视化运行日报的页面包括管理驾驶舱以及各主题页面。采用 B/S，后端框架选用，前端框架选用 Vue，结合前端可视化插件 AntV-F2 实现图表的展示。AntV 来源于蚂蚁金服团队，其作为一套全新的数据可视化组件，主要包括底层绘图引擎 G、可视化语法类库 G2、关系可视化类库 G6、移动端图表类库 F2 等。拥有强大的绘图引擎和数据处理交互能力，通过可视化框架将基础技术和中间件进行集成。如图 5 可视化运行日报部分功能界面展示。

（6）逐步完善驾驶舱设计，从企业发展战略、业务运作导向、基层支撑辅助逐层下钻。

企业落实日常运行日报的系统开发后，逐步开始第二阶段数据驾驶舱的设计和开发，详细调研各地区公司的数据业务需求，同时接受销售板块大数据应用服务场景培训后，开始针对站级运营数据管理、非油业务精细化管理、一站式运营管理、风险防控应用等方面去思考评估，如表 3　　所示。

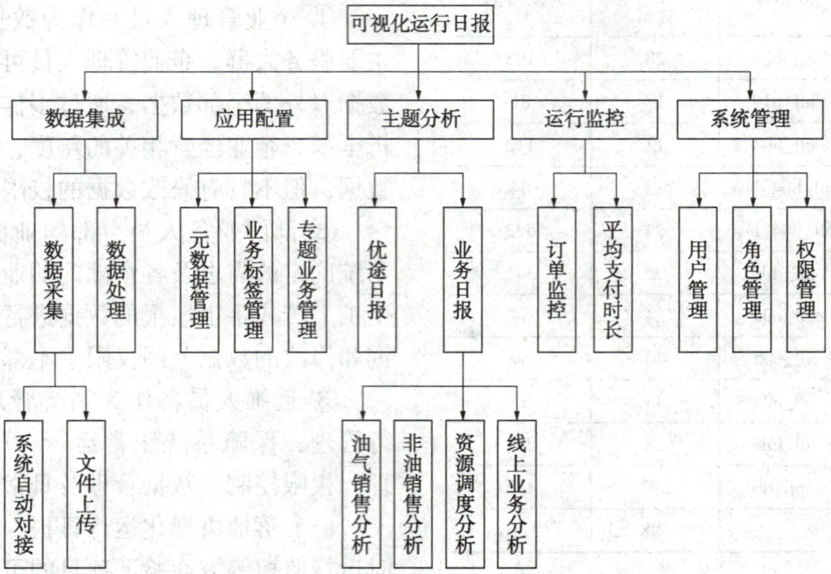

图 4　系统功能模块图

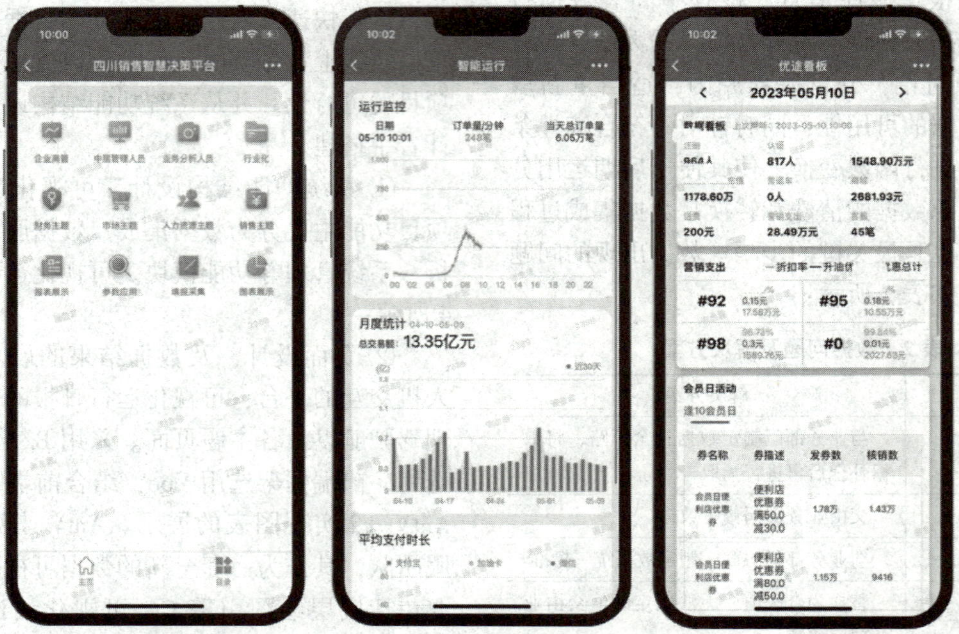

图 5　可视化运行日报部分功能界面

表 3　数据驾驶舱逐层完善的思考

场景	发展战略导向		业务运作导向	基层支撑辅助
	一站式运营	风险防控	精细化管理	站级运营
目的	围绕企业量效等 KPI 指标，运用数据挖掘技术，建立多维运营分析模型，优化数据驾驶舱，为企业提供“一站式”决策支持	根据业务需求设置预警规则，对超出合理范围的指标进行动态预警，帮助企业管理者及时发现运行异常动态你，规避经营风险，提升企业风控能力	打通业务数据和互联网外部数据，紧跟市场态势，建立业务模型，为业务销售提供一系列业务活动数据分析支撑	将站级作为最小核算单位，开展业务财融合分析，形成站级运营数据闭环，有效指导站级运营管理

3 实施效果

3.1 管理成效

（1）随时掌控经营业务数据

四川销售移动数据驾驶舱，自 2022 年 6 月上线以来，累计平稳运行 300 天，自动推送各业务日报 510 份，正全面替代企业员工手动分析经营业务数据，以及通过群聊消息上报分析报表，解放了机关业务员工的生产力，将智能分析统计场景从 PC 端扩展至移动端，企业成员可在移动端随时随地监控数据，掌握一手业务经营动态，为问题的快速定位与及时解决提供有力抓手。

（2）运行反应及时，决策准确

及时追踪问题所在，使数据反馈不再受到时空的限制，使经营决策不再滞后，四川销售移动数据驾驶舱功能嵌入企业已有的即时通信，决策者通过手机就可以随时随地查看经营数据、员工数据、商品库存数据等，在外出差时能及时监控数据是否出现异常，及时应对紧急问题，追踪问题所在，做出快速决策。

3.2 经济成效

（1）系统自动化处理，节约人力成本

四川销售移动数据驾驶舱，突破从其他系统读取相应数据实现系统交互的过程所需要耗费巨大的财力和较长时间周期的人为处理限制，以自动化的智能手段来取代 Excel 表格处理。本项目推进后，节约了 98%的人力成本。

（2）企业自有技术团队搭建，节约项目支出

项目组启用具有两年以上开发经验的自有开发人员以及产品设计，从项目需求、产品设计、技术开发、项目测试上线、后期迭代更新的全生命周期闭环自我搭建，预计可节约项目支出共计 55 万元，同时便于项目后期的运行维护，存在的缺点是对技术力量要求高，从另一个角度上也是在为企业提升培养自有技术团队。委托开发支出明细如表 4 所示。

表 4　委托开发支出明细

	描述[综合 4 级功能]	委托开发费用(单位元)
仪表盘	包含打开、新建、删除仪表盘等	30000
推送报告	新建、打开、删除推送报告副本等	45000
驾驶舱展示	主题变化、添加组件等	65000
数据集成	多系统数据清洗整合、业务数据对接、系统数据库迁移等	380000
数据服务	算法设计、对象数据模型设计、模型训练等	140000
用户权限	按使用层级(3 级)及用户数收费(2000 人+)	50000
业务分析	关键业务组、业务流程(按业务数)	120000
监控与告警	移动端应用、服务端应用、浏览应用等	140000
管理与配置	业务配置、用户配置、事件配置、应用配置	105000
后期运维	功能迭代开发、维持期后运维等	230000
总计		1305000

（3）优化工作分配，助力企业提质增效

节约成本等于创造价值，无论是将人员从重复的简单工作内容中释放出来投入到更高价值的岗位中去所节约的人力成本，还是免去来回确认更新时间节约下的时间成本。从另一种意义来说，就是为企业更好优化工作分配，创造效益增收，创造新的价值。

参 考 文 献

[1] 于晓霏．大数据整合提高成品油销售企业绩效研究［J］．财经界，2023，No. 648（05）：60－62. DOI：10. 19887/j. cnki. cn11-4098/f. 2023. 05. 028.

[2] 张雪雯．基于数据仓库的管理驾驶舱系统的设计与实现［D］．北京交通大学，2020. DOI：10. 26944/d. cnki. gbfju. 2020. 001058.

[3] 刘明周，王强，凌琳．基于实时信息驱动的生产车间运行驾驶舱研究及实现［J］．计算机集成制造系统，2015，21（08）：2052－2062. DOI：10. 13196/j. cims. 2015. 08. 010.

[4] 王瑞，曾佳文，花永盛，等．S 大学采购大数据可视化驾驶舱的设计与实现［J］．中国招标，2022，No. 1479(11)：79-82.

新氢压缩机级间冷却器效率下降分析及对策

潘　强　黄　洁　胡建忠

（中石油克拉玛依石化有限责任公司）

摘　要　本文针对中石油克拉玛依石化有限责任公司 150 万吨/年柴油加氢改质装置 2018 年 9 月升级扩量改造后新增的 4 台新氢压缩机级间冷却器效率下降导致各级排气温度明显上升问题开展研究分析，综合对现场 4 台冷却器运行时的温度变化、循环水压力、流量和水质监测数据分析认为由于循环水水质变化引起的换热器部分管束堵塞和黏泥附着导致冷却器效率下降。在此基础上，提出了冷却器反冲洗、控制循环水最低流速、清洗预膜和冷却器高压清洗四方面的优化改进措施，使得问题圆满解决。

关键词　新氢压缩机；级间冷却器；效率下降；温度上升

克拉玛依石化公司 150 万吨/年柴油加氢改质装置由中国石化工程建设公司北京设计院设计，中油第七建筑公司承建，总投资为 52556 万元，装置于 2011 年 4 月开始建设，2011 年 11 月中交，2018 年 9 月，根据全厂总流程需要，依托原 120 万吨/年柴油加氢改质装置的流程与设备，扩能改造至 150 万吨/年。装置以焦化柴油、催化柴油、I 套蒸馏柴油和部分抽出油为原料，以生产国六汽柴油为主要目的，适当提高裂化深度多产石脑油。本文研究的级间冷却器为该装置 2018 年 9 月扩能改造时新安装的 4 台压缩机级间冷却器，由无锡鼎邦换热设备股份有限公司于 2018 年 6 月设计制造，2018 年 9 月投入使用，2020 年 12 月 1 日至 2021 年 2 月 3 日期间，2 台新氢压缩机各级排气温度均明显上涨，级间冷却器效率明显下降，本文对此问题开展相关的研究分析，并提出了最终的解决方案。

1　级间冷却器简介

150 万吨/年柴油加氢改质装置设置 2 台新氢压缩机 K-3101/CD，采用四列三级压缩，每级之间设置 1 台冷却器，工艺名称为一级冷却器、二级冷却器，分别用于降低各级出口排气温度至下一级入口。一、二级冷却器设计参数如下：

表 1　一级、二级冷却器基本参数

工艺名称	一级冷却器	二级冷却器
壳程设计压力/MPa	4.4	8.25
管程设计压力/MPa	3.6	6.6

续表

工艺名称	一级冷却器	二级冷却器
壳程介质	新氢	新氢
管程介质	循环水	循环水
生产日期	2018 年 6 月 29 日	2018 年 6 月 29 日
生产厂家	无锡鼎邦换热设备股份有限公司	

2　级间冷却器效率下降概况

2020 年 12 月 1 日至 29 日期间，柴油加氢改质装置新氢压缩机 K-3101/D 运行新氢量、循环水进装置温度及压力、一级冷却器进气温度等参数均稳定的情况下，一级冷后温度由 32℃ 逐渐上涨至约 37℃，经二级压缩后，二级冷却器进气温度由 97℃ 涨至 103℃，二级冷后温度由 39℃ 涨至 49℃，一、二级冷后温度均逐渐上升导致压缩机三级排气温度升高至 101℃。具体见表 2。

2020 年 12 月 29 日新氢压缩机 K-3101/C 中修完成，12 月 30 日新氢压缩机 K-3101/D 切换至 K-3101/C，2020 年 12 月 30 日至 2021 年 2 月 2 日新氢压缩机 K-3101/C 运行期间，一级冷却器进气温度稳定的情况下，一级冷后温度由 31℃ 逐渐上涨至约 38℃，经二级压缩后，二级冷却器进气温度由 97℃ 涨至 108℃，二级冷后温度由 40℃ 涨至 53℃，一、二级冷后温度和 K-3101/D 机类似逐渐上升导致压缩机三级排气温度升高至 108℃。具体见下表 3。

表 2 新氢压缩机 K-3101/D 各级温度 ℃

日期	12/1	12/5	12/7	12/9	12/21	12/23	12/25	12/27	12/29
一级进温度	83.55	81.18	80.80	79.35	79.20	80.19	78.97	80.04	80.80
一级出温度	32.11	33.64	34.39	33.41	36.61	37.07	35.70	36.00	37.69
二级进温度	96.83	99.42	100.03	98.88	102.17	102.63	100.87	101.56	103.39
二级出温度	38.71	43.48	43.11	41.57	46.23	46.15	44.76	46.61	48.52
三级排温度	94.77	97.28	96.97	96.44	99.57	99.42	97.59	99.19	101.25
循环水温度	26.82	26.61	26.77	26.02	23.25	23.58	22.56	21.58	22.52

表 3 新氢压缩机 K-3101/C 机各级温度 ℃

日期	12/30	1/4	1/6	1/8	1/10	1/16	1/20	1/24	1/26	1/29	1/31
一级进温度	77.21	74.31	71.87	72.25	75.08	72.18	74.54	80.42	77.21	77.98	77.44
一级出温度	31.35	30.97	30.09	31.53	33.02	32.04	34.63	36.62	36.40	37.31	37.98
二级进温度	97.44	97.82	97.44	99.88	101.71	100.11	102.32	104.00	104.76	107.13	108.58
二级出温度	40.28	40.58	41.31	44.40	47.92	45.93	46.99	47.91	47.76	50.35	53.25
三级排温度	93.47	92.86	92.93	95.38	98.98	100.34	102.24	102.93	103.48	105.29	107.97

综上所述，2 台新氢压缩机均存在级间冷却器效率明显下降问题，压缩机二、三级排气温度联锁值为 125℃，目前是冬天室内环境温度较低，如果夏天室内环境温度高，随气温上升压缩机存在排气温度联锁停机的风险，需要对级间冷却器效率下降问题进行排查和分析。

3 原因分析

（1）冷却器循环水压力分析

2021 年 1 月 27 日在新氢压缩机级间冷却器循环水进、回水线排凝放空处临时安装两个压力表用于检测冷却器进、回水压力，两台压缩机各冷却器循环水进水压力均为 0.48MPa，与循环水进装置压力相同，回水压力在 0.26～0.27MPa，进、回水压差约 0.2MPa，大于设计标准≤0.15MPa。

（2）冷却器循环水流量分析

同时对级间冷却器循环水流量进行测量，数据见表 4，新氢压缩机 K-3101/D 一、二级冷却器循环水量与 2019 年标定数据相比均明显下降，新氢压缩机 K-3101/C 循环水量比 K-3101/D 机略大，但 2019 年未对 K-3101/C 机进行标定无数据对比，故本次研究忽略 K-3101/C 机的数据对比。

表 4 冷却器循环水流量 m^3/h

日 期	1 月 27 日	2019 年标定数据
新氢压缩机 K-3101/D 一级冷却器循环水流量	136	191
新氢压缩机 K-3101/D 二级冷却器循环水流量	88	142
新氢压缩机 K-3101/C 一级冷却器循环水流量	144	—
新氢压缩机 K-3101/C 二级冷却器循环水流量	117	—

综上所述，对循环水压差偏大和流量下降两方面分析来看，判断级间冷却器可能有部分管束堵塞不畅，导致循环水压差偏大和流量下降，故需要对冷却器进行拆检以进一步确认是否堵塞。

（3）冷却器管束堵塞分析

通过对 2 台新氢压缩机级间冷却器管束进行检查，分别打开一级、二级冷却器管箱封头，发现新氢压缩机 K-3101/CD 一级和二级冷却器入口管束均有明显的堵塞情况，K-3101/D 机二级管束略微比一级严重，K-3101/C 机一级和二级冷却器管束堵塞均比较严重，见图 1，这也符合前一章节介绍的一级、二级冷却器的温度变化趋势；从图 1 中可以看出有部分管束已被黏泥堵死，绝大多数管束内壁上附着一层厚度约 2mm 的黏泥，部分管束入口还附着循环水中带入的塑料薄膜片，管箱分层隔板和内壁上均附着一层约

3mm 厚的黏泥。黏泥堵塞或附着于冷却器管束内壁，可导致冷却器管径变小流通面积较小，循环水量下降，同时还会导致管束的换热效率大大下降，冷却器出口温度升高。

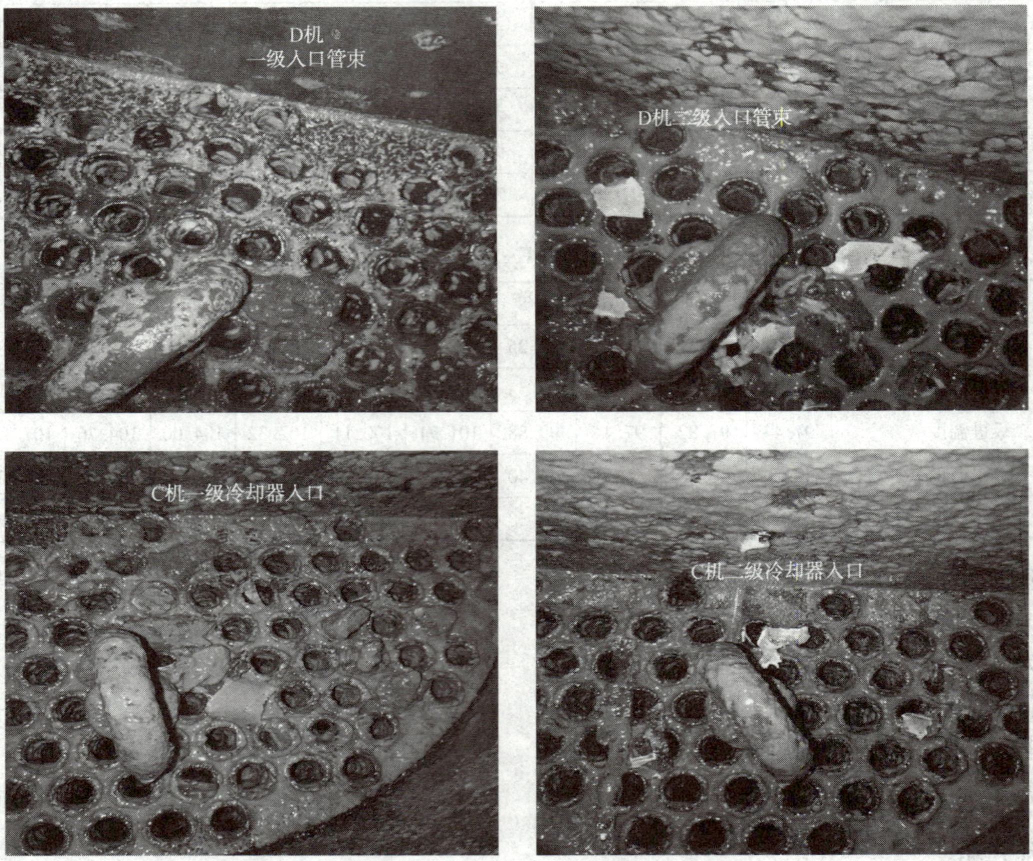

图 1　冷却器管束内部

（4）冷却器循环水水质分析

根据压缩机级间冷却器管束有黏泥附着情况决定进一步对循环水水质进行分析。根据公司 MES 系统中检验检测中心提供的分析数据显示，2020 年 12 月至 2021 年 1 月期间第三循环水场的循环水浊度明显增加，表明循环水水质存在恶化，进一步了解到由于疫情影响，本该清洗预膜的第三循环水场因清洗预膜剂无法送达现场导致循环水清洗预膜周期延迟，这样在冷却器表面附着的黏泥因循环水未按期进行清洗预膜，使得冷却器管束表面附着的黏泥无法被剥离、清除导致管束内壁越积越多，不仅堵塞冷却器管束，还使冷却器冷却效率大大降低。

4　技术改进方案

（1）冷却器管束进行反冲洗

本技术方案的提出是基于保证装置正常生产运行，在不拆除换热器和不停车的情况下提出的一项最优化方案，具体方案内容：对新氢压缩机 4 台级间冷却器进行在线反冲洗，将冷却器循环水入口阀后弯头拆除，打开冷却器附近的排污地漏，利用循环水回水压力对冷却器进行逆向流程反冲洗，冲洗出来的污染物随循环水引流排至地下密闭排污井内，以确保不污染现场地面。现场冷却器管束表面附着大量黏性淤泥，正常运行时很难将其带走，经过反冲后将部分黏泥和堵塞物冲走，提高换热效率。

（2）控制循环水最低流速和流量

公司从节能节水角度考虑要求备用压缩机冷却器循环水手阀均关闭以节约循环水用量，本文根据冷却器相关设计规范要求和现场实践经验来看，备用压缩机冷却器循环水手阀应当保持适当开度或者全开，以确保循环水的流速应大于标准最低流速 0.9m/s 并满足最低流量要求，防止流速过低，循环水中携带的泥沙和微生物菌类在管束内沉积附着，造成冷却器效率下降，循环水最低流速及流量设计规范见表 5。

表 5　循环水最低流速流量

冷却器位号	管子规格/mm	管子内径/mm	单程管子数量	最低流速/(m/s)	最低流量/(m^3/h)
一级冷却器	φ25×2.5	20	101	0.9	102.75
二级冷却器	φ25×2.5	20	58	0.9	59.01

(3) 循环水清洗预膜

不停车清洗是指在装置正常生产运行状态下，通过向循环水系统投加黏泥剥离剂，来破坏菌藻新陈代谢，并利用其表面活性作用降低菌藻和水之间界面张力，使附着在管道、水冷器表面的菌藻脱落；同时，通过投加油污清洗剥离剂及水垢清洗剂将系统中的油污、锈、无机盐垢等物质清除掉，起到清洁系统和为预膜工作打基础的作用。预膜是在清洗后，用较大剂量的缓蚀剂在活化的金属表面形成一层完整的致密薄膜，以此来降低设备的腐蚀速率，提高设备的使用寿命，提高换热效率，以保证生产装置长周期安全平稳运行的需要。

本技术方案的提出是基于以上循环水清洗预膜的原理而来的，具体为加强公司层面的协调能力，对循环水水质进行统筹管理和沟通，加强与工业水车间的沟通联系，如循环水水质异常时，及时告知各用水单位；同时循环水场应如期按要求进行循环水的清洗预膜工作，如不能如期进行，需要通知各用水单位对冷换设备的运行情况进行风险评估，提前制定冷换设备运行应急预案，防止出现冷换设备运行效率下降的隐患。2022 年 7 月~8 月，按计划对第三循环水系统进行不停车清洗预膜，以提高冷换设备换热效率。

(4) 冷却器管束高压清洗

本技术方案适用于装置停工大检修期间或是施工力量充足的条件下进行。对日常换热效率下降的冷却器做好应急监控预案，优先使用本文前面介绍的在线反冲洗方案，如反冲洗后效果不佳，可进一步使用本方案。2022 年 6 月利用公司停工大检修的机会，对 4 台冷却器拆除进行高压管束清洗，本方案是彻底解决冷却器换热效率下降的最有效方案。

5　实施效果评价

2021 年 2 月对新氢压缩机 K-3101/CD4 台级间冷却器管束进行了反冲洗，各级温度变化数据见表 6 中红色数列；2022 年 6 月对 4 台冷却器拆除后进行高压清洗管束，各级温度变化数据见表 6 中黄色数列；2022 年 7 月~8 月对第三循环水系统进行不停车清洗预膜，各级温度变化数据见表 6 中黑色数列；表 6 中绿色数列为措施采取前的数据。通过对比技术措施采取前、后的各级温度变化数据可知，技术改进后各级出口温度均有明显下降的趋势，冷却器换热效率明显提高。

表 6　冷却器反冲洗、高压清洗、清洗预膜后的各级温度　℃

序号	1	2	3	4	5	6	7
日期	2020/12/29	2021/2/5	2021/2/6	2021/2/7	2021/2/8	2022/7/29	2022/9/25
一级进温度	80.80	82.78	80.34	82.10	82.10	84.17	85.14
一级出温度	37.69	27.50	27.92	28.83	29.13	31.53	30.12
二级进温度	103.39	90.87	92.17	93.54	94.15	96.93	95.14
二级出温度	48.52	37.07	38.83	40.66	41.58	43.43	42.23
三级排温度	101.25	92.78	94.00	95.83	95.99	97.29	96.22
循环水温度	22.52	20.87	20.99	21.46	20.90	26.60	25.20

6　结论

本文针对克拉玛依石化公司 150 万吨/年柴油加氢改质装置 4 台新氢压缩机级间冷却器效率下降问题开展研究分析，通过对 4 台冷却器运行时的温度变化、循环水压力、流量和水质监测数据分析，找到了冷却器效率下降的原因为循环水水质变化引起的部分管束堵塞和黏泥附着。在此基础上，提出了冷却器反冲洗、控制循环水最低流速、清洗预膜和冷却器高压清洗四方面的优化改进措施，不仅提高了冷却器的换热效率，而且提出了冷却器长周期运行的具体方案，供同行业参考借鉴。

参 考 文 献

[1] 董杰，李娟平．循环水冷却器换热效率下降的原因及解决办法[J]．山东化工，2013，42：189-194.

[2] 刘孝川．原料油高压换热器换热效率下降原因分析及对策[J]．石油炼制与化工，2017，48(8)：34-37.

[3] 马文礼，何月伦．加氢高压换热器换热效率降低的分析及措施[J]．炼油与化工，2020，03：33-35.

[4] 曾文超，脱科峰，胡进旭．柴油加氢装置高压换热器堵塞原因分析及处理措施[C]．第六届炼油与石化工业技术进展交流会．2015：75-79.

[5] 张海平，陈兵．提高冷却器换热效率的措施[J]．鄂钢科技，2015，000(04)：7-10.

[6] 蔡航，谷成骏，刘哲．贫甲醇冷却器换热效率下降原因分析及对策[J]．西部煤化工，2017，000(02)：59-61.

不同过氧化物对聚乙烯性能的影响

邱麟婷

（中国石油天然气股份有限公司兰州化工研究中心）

摘　要　本研究探究了不同过氧化物对交联聚乙烯(XLPE)结构的结晶状态、电树生长的影响。采用过氧化物交联的方法，在低密度聚乙烯(LDPE)中分别添加了四种过氧化物，统一其掺杂含量，制备了具有不同交联度的XLPE试样。采用外加针板电极的方法加速XLPE的电树枝生成，并通过光学显微镜观察其形态。通过差示扫描量热法(DSC)、扫描电子显微镜(SEM)和偏光显微镜(POM)分析了试样非晶区的结晶形态和形貌变化。根据实验结果发现，加入双叔丁基过氧化二异丙基苯(C)的XLPE具有良好的抗电树生长性能。此外，交联度越高，抗电树生长性能越好。在一定条件下，交联反应不会抑制晶体生长，自由基产生的极性分子会使非晶区中连接分子链的密度增加，呈现出更紧密的层状排列方式，这是随着结晶度增加电树生长受限的原因。

关键词　交联；绝缘料；结晶；熔点；聚乙烯

在聚乙烯树脂中加入一定量的过氧化物和抗氧剂，在一定的温度下，引发聚乙烯中的交联剂，使其分解成化学活性很高的游离基，产生一系列的自由基反应，使聚乙烯生成交联聚乙烯。由于其良好的加工性能和便于操作与维护，交联聚乙烯(XLPE)广泛应用于电力电缆的绝缘材料。然而，XLPE绝缘材料中电树的形成是电力电缆中主要的击穿现象之一，导致了机械和介电性能的退化。因此，研究综合性能优异的XLPE绝缘材料可明确国内电缆绝缘料的优化方向，对国产电缆绝缘料的改进和工业化应用具备重要的指导意义、经济效益和社会现实意义。

XLPE是一种高分子聚合物，具有结晶相和无定形相，易受温度和电场变化的影响。当电缆绝缘材料恶化时，XLPE的分子链结构和晶体结构的结构特征会相应改变。赵等人研究了XLPE的理化参数的变化对电缆安全负荷能力的波影响。说明电缆安全负荷能力主要由XLPE内部的热耗散过程决定。XLPE热耗散过程因微观结构和晶体结构的变化而改变。另外，研究表明，相对于结晶区域，聚乙烯的非晶区域更容易产生电树。同时，研究还发现，XLPE晶体结构的改善减少了空间电荷的积累并加速了耗散过程。

在已有的交联改性体系中，商业上最常用的自由基引发剂是过氧化二异丙苯(DCP)。它具有很强的氢提取能力，产生的自由基可以导致链的分支、交联或聚合物降解。一般来说聚乙烯交联能力由过氧化物结构、反应性、产生的自由基的稳定性和半衰期等因素决定。前期也有对不同过氧化物的相关研究，Muñoz和Bettini曾在不同的分散介质(蒙脱石和碳酸钙)中研究了不同类型的自由基对聚丙烯可控降解的影响。与相同质量浓度添加的DCP相比，DHBP在聚丙烯降解反应中表现出更高的效率。本研究测试比较累四种不同过氧化物的交联特性。

1　实验部分

1.1　主要原料

LDPE，中国石油兰州石化高压聚乙烯装置制备；

抗氧剂300[4,4′-硫代双(2-叔丁基-5-甲基苯酚)]：德国巴斯夫公司；

抗氧剂168[三(2,4-二叔丁基)亚磷酸苯酯]：德国巴斯夫公司；

过氧化二异丙苯：上海阿拉丁有限公司；

过氧化二(十六烷基)二碳酸酯：淮南市科迪化工科技有限公司；

双叔丁基过氧化二异丙基苯：上海阿拉丁有限公司；

2,5-二甲基-2,5-二(叔丁基过氧基)己烷：上海安耐吉有限公司。

1.2　主要仪器

双螺杆挤出机，ZSE34，德国莱斯特瑞兹公司；

高速混合机，GH-10DY，北京英特塑料机械总厂；

差示扫描量热仪，DSC 214，德国耐驰公司；

哈克密炼仪器，90，哈尔滨哈普公司；

平板硫化仪，TP-400，荷兰 FONTUNE 公司；

热台偏光显微镜，DM2500P，德国 Leica 公司；

台式扫描电镜，G6 Phenom Pro，荷兰赛默飞公司；

1.3 试样的制备

利用高混器将抗氧剂与聚乙烯混匀，再利用 ZSE-34 型双螺杆挤出机，设定 1-9 段温度分别为 170、180、190、190、190、190、180、190、180℃，主机螺杆转速为 120r/min，喂料螺杆转速为 15r/min。抗氧剂 300、168 的加入量分别为 0.4%、0.1%。

随后将制备好的样品放入哈克 90 密炼仪器，设定 1-4 段温度分别为 115、115、115、120℃，双头转子转速为 20r/min，密炼时间 20min。分别加入过氧化二异丙苯(A)、过氧化二(十六烷基)二碳酸酯(B)、双叔丁基过氧化二异丙基苯(C)、2,5-二甲基-2,5-二(叔丁基过氧基)己烷(D)分别为 0.2%、0.2%、0.2%和 0.2%。

最后利用平板硫化仪对样品进行升温交联，首先在 130℃的压片机上进行成型压片，随后在 180℃下交联 10min。

1.4 性能测试与表征

差示扫描量热法(DSC)分析：试样的质量为 5~8mg，测试的温度范围为 25~200℃，试样在温度为 30℃条件下恒温 5min，以消除试样的热历史峰，然后以 10℃/min 的升温至 200℃，保温 5min，最后再以 10℃/min 降温至 30℃，以上述步骤完成升温-降温-升温的环节，得到 DSC 曲线，可以获得试样的熔融峰温度、熔融焓和结晶度等参数。

结晶度(Xc)由式 1 计算：

$$X_c = \Delta H_m \div \Delta H_0 \times 100\% \tag{1}$$

氧化诱导期(OIT)分析：在铝坩埚中称量大约 10g 试样，然后将铝坩埚放入 DSC 内，首先通氮气 5min，再以 20℃/min 的速率从室温升温至 200℃，恒温 5min 后，将气体切换成氧气，开始计时，待产生明显的氧化放热出现 5min 后根据氧化放热曲线得出 200℃下试样的 OIT。

凝胶含量：称取 0.3g 左右的 XLPE 试样，其质量记为 m_1，用 120 目铜网包缠，浸没于二甲苯溶液中，在 160℃下用回流抽提器抽提 4h，取出试样用无水乙醇冲洗 3 次，然后置于 100℃的真空干燥箱中干燥 2h，称量干燥以后 XLPE 试样的质量，记为 m_2。运用公式(2)计算 XLPE 的凝胶含量(Cgel)。

$$C_{gel} = \frac{m_2}{m_1} \times 100\% \tag{2}$$

采用荷兰 G6 Phenom Pro 台式扫描电镜表征交联聚乙烯，聚乙烯的表面结构特征。首先，配置高锰酸钾和浓硫酸的混合溶液，随后对预制好的交联聚乙烯薄片进行包埋刻蚀，时间为 5~10min，以及将未交联的聚乙烯薄片进行表面擦拭处理。待对试样进行清洗并干燥后，将其放于玻碳电极上，并在表面上溅射金后进行测试。

电树枝分析：先将钢针电极预埋在两个交联聚乙烯薄片中，确保尖端距离绝缘试样底边 2mm，置于恒温压片机内，以 120℃、10MPa 保持 5min 进行预热，随后温度、压强分别升高至 180℃、15MPa，对绝缘进行化学交联反应，交联反应持续 15min。在 7kV/mm 的电场强度下进行，测试温度 25℃，测试时间 30min，电流采样间隔为 1s。

2 结果与讨论

2.1 热性能分析

2.1.1 熔融、结晶、氧化诱导期及凝胶含量的差异分析

测试了 180℃压片前跟压片后的样品，从氧化诱导期的结果可以看出，发生交联以后抗氧性整体下降，不同过氧化物的氧化诱导期如图 1 左所示，从图上可以看出加入过氧化物 B、过氧化物 D 的抗氧剂交联后的抗氧性迅速下降，这可能是由于在相同温度的受热条件下过氧化物 B、过氧化物 D 产生自由基的速度快，一部分过氧根直接被抗氧剂捕捉，同时致使聚乙烯内部结构得不到完善。结合图 1 右的测试结果图，也可以看到相比于加入过氧化物 C 的样品，过氧化物 A、B、D 样品在测试中都出现了明显的分解，这也是由于抗氧剂被快速消耗掉，在高温通氧的情况下，物质的结构严重破坏，过氧化物 C 的样品起始抗氧性强，同时在加热以后抗氧性的变化率不大，样品也不会出现热分解现象。考虑到

加工的条件一致，不存在过氧化物分布不均匀的问题，说明过氧化物 C 受热分解产生自由基的速度较为平缓，同时也说明此时的样品内部结构在自由基的作用下形成了更加均一的结晶结构。

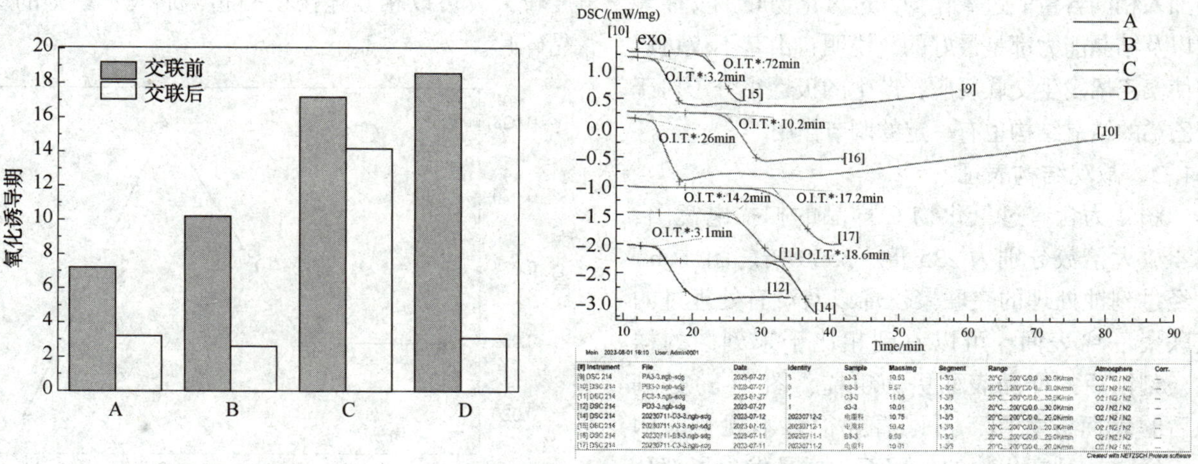

图 1　200℃下样品氧化诱导期对比

结合表 1 熔融结晶结果，可以看出过氧化物 A、过氧化物 C 的熔融焓在交联后有所增加，结晶度也提高了一个点，这也进一步验证了相比于过氧化物 B、D，A、C 的自由基速率更为平缓，在与抗氧剂相互消耗之后，仍旧有自由基产生，进一步完善了聚乙烯的内部结晶结构，提高结晶度。

表 1　熔融结晶

测试结果 / 样品	ΔH_m/(J/g)	T_m/℃	T_c/℃	Crys.
A	83. 88	109. 7	92. 8	29. 20
B	88. 84	109. 6	91. 2	30. 92
C	88. 98	109. 9	94. 4	30. 97
D	87. 1	110. 5	90. 7	30. 32
XLPE-A	91. 18↗	110. 1↗	91. 9↘	31. 74↘
XLPE-B	85. 58↘	111. 1↘	89. 1↘	29. 79↘
XLPE-C	91. 1↗	109. 7↘	92. 6↘	31. 71↗
XLPE-D	85. 63↘	113. 1↗	87. 4↘	29. 81↘

从样品的熔融峰形可以看到过氧化物 D 出现了明显的分解峰，除此之外 B、D 的熔融、结晶峰型较宽，说明他们结构中结晶形貌不规律，而过氧化物 C 是明锐的尖峰，半峰宽更小，则表明晶粒更为规整，结晶越好。如图 2 所示。

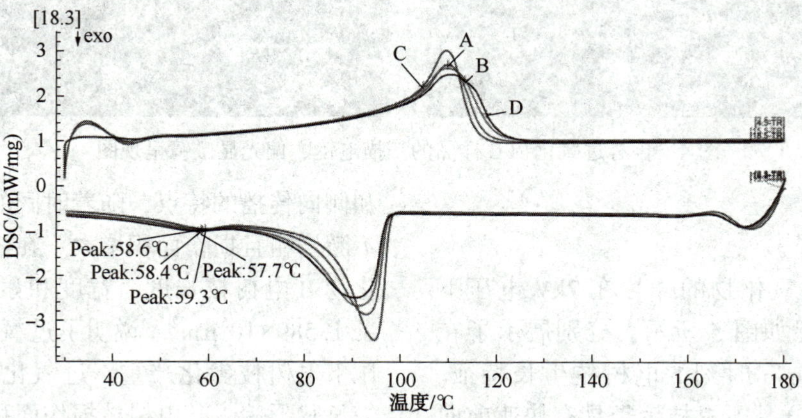

图 2　不同过氧化物的熔融结晶比较图

最后是对样品的交联能力分析，从图3可以看到，过氧化物A的交联度最佳，C其次，这说明，当加入相同含量的过氧化物，过氧化物C的交联能力以及结晶能力都是最好的，说明自由基不仅可以促使聚乙烯发生交联反应，产生的极性小分子对于聚乙烯的结晶结构也有一定的调节作用。

2.1.2　微观结构表征

图4为含有过氧化物C样品的扫描电镜图，图4放大倍数分别为225倍、3500倍。图4(b)是经过刻蚀处理的交联聚乙烯以及没有处理过的交联聚乙烯表面，可以看到相比于未刻蚀的样品，刻蚀后的样品表面更为粗糙，图4(a)是刻蚀后的表面放大图，可以看到很多不规整的印记，说明在过氧化物的作用下，样品发生了部分交联，为了进一步分析聚乙烯结晶，利用了偏光显微镜对刻蚀后的样品进行了观察，图4(c)、(d)是其成像图。从图(d)上可以看到，晶粒密度较大，可以相互连接在一起，形成不规则的球晶碎片。

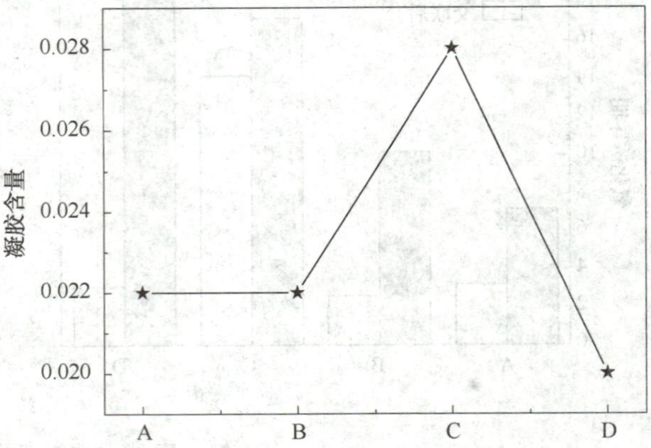

图3　凝胶含量对比

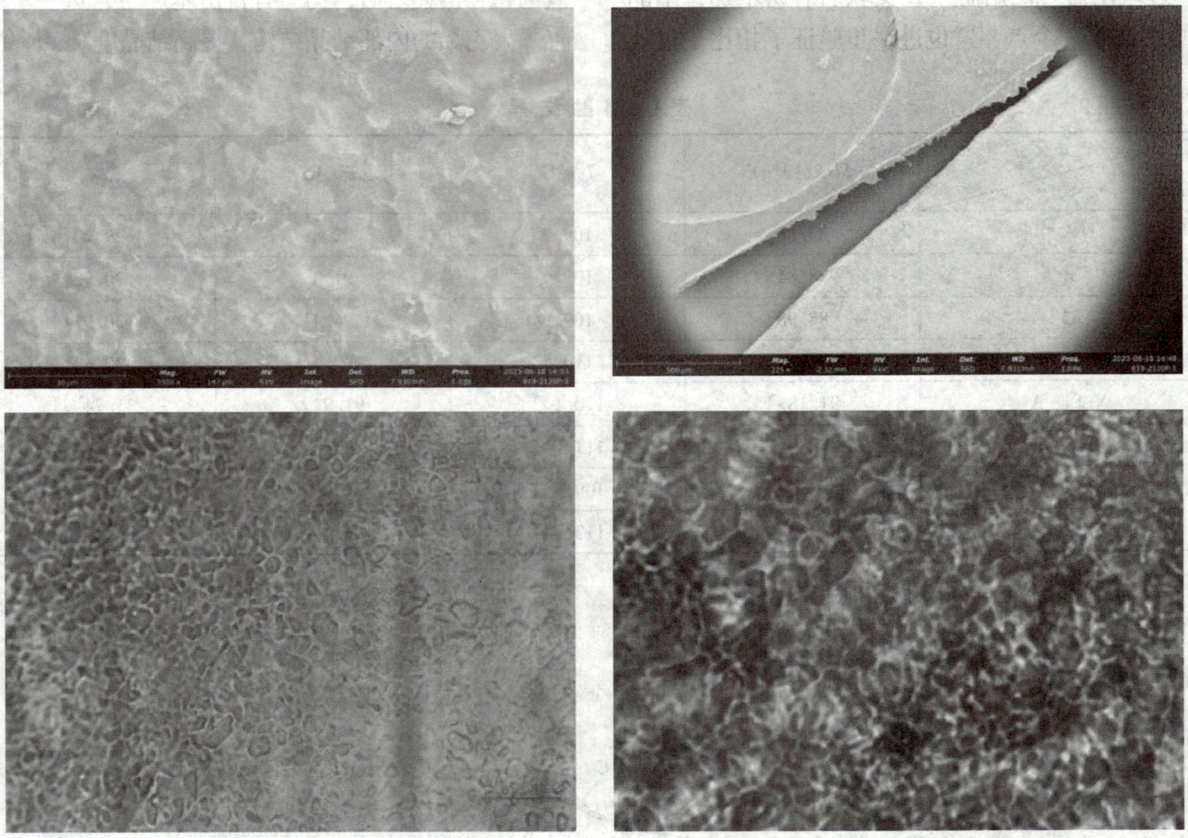

图4　含有过氧化物C样品的扫描电镜、偏光显微镜呈现图

2.2　电性能分析

2.2.1　电树枝

含四种不同过氧化物的样片在7kV电压下的电树枝生长情况如图5所示；分别展示了在10min、20min、30min时刻的电树枝生长特征。过氧化物B、D的样品电树枝生长具有快速前向和侧向传播的特点，随着时间的增长，树枝通道不断增粗且损伤面积增大。在30min时刻，过氧化物B电树枝长度、宽度和累积损伤面积达到了1.589×10^{5}μm^2。说明了过氧化物B在7kV电压下电树枝劣化严重。过氧化物C样品呈现出细长状形貌，其电树枝损伤面积明显小于过氧化

物 B、D，同时其电树枝劣化长度与宽度均为各试样中最低值，表明过氧化物 C 作为交联剂提升了交联聚乙烯的绝缘耐电树枝性能。

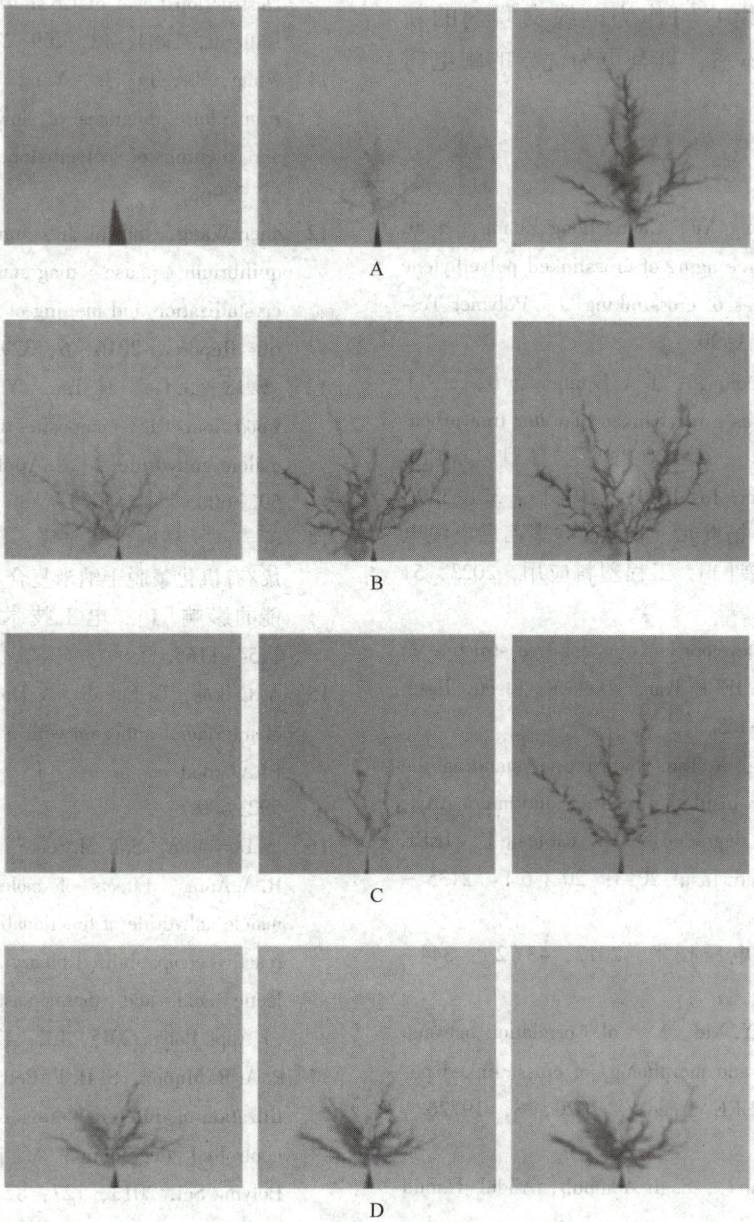

图 5　四种不同过氧化物样品的电树枝图

3　结论

（1）交联降低了聚乙烯分子的柔顺性，增加了结晶难度，交联形成的三维网格结构也会阻碍了晶体的生长；但是不同的过氧化物产生自由基及极性分子的能力有所差异，通过研究发现过氧化物分解的快慢与多少会使交联形成的三维网格结构发生变化，相比于过氧化二异丙苯(A)、双叔丁基过氧化二异丙基苯(C)在促进聚乙烯发生交联之后，对结晶时体系内区域成核也起到了促进作用，因此，结晶度有了一定幅度的提升。

（2）研究了过氧化二异丙苯(A)、过氧化二(十六烷基)二碳酸酯(B)、双叔丁基过氧化二异丙基苯(C)、2,5-二甲基-2,5-二(叔丁基过氧基)己烷(D)四种交联剂与抗氧剂 300 的拮抗作用，对于添加含量相同的 A 与 C，以 BIPB 作为交联剂的 XLPE 绝缘具有更高的电树枝起始电压，且电树枝的生长速度显著减缓，具有更优异的耐电树枝破坏特性。而添加有 B、D 的过氧化物，虽然自身的自由基释放能力不低于 A，但是与抗氧剂共同存在时，样品出现了降解，这是由于聚乙烯内部的结晶完善程度不足造成的。通过本文的研究，提出相比于目前传统过氧化物A交联体系，过氧化物C可作为电缆交联剂的新型绝缘料交联配方体系，具有更为优异的耐电树枝性能。

参 考 文 献

[1] Hong Zhao, Zhiyong Xu, Chengcheng Zhang, et al. Accelerated water tree aging of crosslinked polyethylene with different degrees of crosslinking[J]. Polymer Testing, 2016, 56: 83-90.

[2] Z. Wang, P. Marcolongo, J. A. Lemberg, B, et al. Mechanical fatigue as a mechanism of water tree propagation in TR - XLPE [J]. IEEE Trans. Dielectr. Electr. Insul. 2012; 19(1): 321-330.

[3] 秦晨元，魏福庆，杨世元，等．交联聚乙烯电缆电树老化的研究进展[J]. 工程塑料应用，2023，51(07)：175-181.

[4] M. H. Abderrazzaq. Development of water tree structure in polyester resin. [J]. IEEE Trans. Dielectr. Electr. Insul. 2005; 12(1): 158-165.

[5] K. Zhou, W. Zhao, X. Tao. Toward understanding the relationship between insulation recovery and micro structure in water tree degraded XLPE cables[J]. IEEE Trans. Dielectr. Electr. Insul. 2013; 20(6): 2135-2142.

[6] 杜伯学，等．高电压技术，2017，43(2)：344-354.

[7] Y. Zhao, Z. Han, Y. Xie, X et al. Correlation between thermal parameters and morphology of cross-linked polyethylene [J]. IEEE Access, 2020, 8, 19726-19736.

[8] Muhammad Atiqullaha,, Sagir Adamub, Abdul-Hamid M. Emwas. UHMW Ziegler-Natta polyethylene: Synthesis, crystallization, and melt behavior[J]. Journal of the Taiwan Institute of Chemical Engineers. 2017, 2, 1-15.

[9] W. Banks, M. Gordon and A. Sharples. The Crystallization after Partial of Polyethylene Melting[J]. Polymer, 1963, 4, 289-302.

[10] Chlorosulfonation, J. Martínez-Salazar, P. Cabarcos. Destruction Level of Crystalline Material[J]. Polymer Bulletin, 1984, 12, 269-274.

[11] Wang, Z., Ju, J., Yang, J. et al. The non-equilibrium phase diagrams of flow-induced crystallization and melting of polyethylene [J]. Sci Rep, 2016, 6, 32968.

[12] Zhen Wang, Jianzhu Ju, Junsheng Yang, The non-equilibrium phase diagrams of flow - induced crystallization and melting of polyethylenel[J]. Scientific Reports, 2016, 6, 32968.

[13] S. Lv, J. Gu, H. Tan, Y. Zhang, Modification of wood flour/PLA composites by reactive extrusion with maleic anhydride[J]. J. Appl. Polym. Sci. 2016, 133: 592-600.

[14] 董芸滋，高媛，李秀峰，等．交联度对交联聚乙烯/有机化蒙脱土纳米复合材料拉伸性能和介电性能的影响[J]. 电工技术学报．2023，38(05)：1154-1165.

[15] Á. Csikós, G. Faludi, A. Domján, et al. Modification of interfacial adhesion with a functionalized polymer in PLA/wood composites[J]. Eur. Polym. J. 2015, 68: 592-600.

[16] S. Detyothin, S. E. M. Selke, R. Narayan, M. Rubino, R. A. Auras, Effects of molecular weight and grafted maleic anhydride of functionalized polylactic acid used in reactive compatibilized binary and ternary blends of polylactic acid and thermoplastic cassava starch [J]. J. Appl. Polym. 2015, 132: 42230.

[17] P. A. R. Muñoz, S. H. P. Bettini, Assessment of the utilization of different peroxide dispersion media on the controlled degradation of polypropylene, J. Appl. Polym. Sci. 2013, 127: 87-95.

[18] LI W W, LI J Y, WANG X, et al. Physicochemical origin of space charge dynamics for aged XLPE cable insulation[J]. IEEE Transactions on Dielectrics and Electrical Insulation, 2014, 21(2): 809-820.

减少高密度聚乙烯 GF7750M2 转 23050 过渡料的产生

云春阳

（中国石油兰州石化分公司榆林化工有限公司）

摘　要　通过对转产过渡料的生成原因进行综合分析，针对于在高密度聚乙烯 GF7750M2 转产 23050 时，本文提出了一系列的改进方案及措施以减少在转产过程中过渡料的生成。根据调查发现“熔融指数不合格”是造成装置在转产过程中较多过渡料不合格的主要因素，进一步分析得出催化剂泵出口流量波动大、Al/Ti 超出上下限、氢气加入量偏差大是造成转产过渡料过多的三个主要原因。针对以上三个原因制定相关对策，通过对催化剂泵及其附属管线进行改造，标定各物料设定值来保证催化剂与活化剂在釜中的浓度，根据反应器氢气乙烯比的稳定性来确定氢气加入量，与化验室合作进行各项参数的标定与讨论，通过一系列措施实施，在转产过程中过渡料数量大幅度降低。

关键词　高密度聚乙烯；转产；过渡料；催化剂；H_2

40 万吨/年高密度聚乙烯装置于 2021 年 8 月建成投产，采用德国 Basell 公司 Hostalen ACP 低压淤浆工艺技术，以已烷为溶剂，乙烯、氢气、1-丁烯在催化剂的作用下发生聚合反应，生成产品，既可生产单峰也可生产多峰高密度聚乙烯产品。产品 23050 主要应用于压力管，与传统的管材料相比，具有更好的刚性及韧性，使用寿命更长。所制管材具有较好的耐环境应力开裂、抗冲击、高抗静液压以及高抗熔垂等特性。而 GF7750M2 在单丝生产线上表现出良好的加工性能，主要用于捆绑、绳索和纱线的网，土工布和保护网用在农业和建筑业。由于 23050 与 GF7750M2 两种牌号的聚乙烯产品需求量都较高，生产切换较为频繁，针对切换牌号过程中所产生的过渡料数量便至关重要。

关于产品指数的控制国内外已经做出了许多相关研究：中韩（武汉）石油化工有限公司 Hostalen 工艺 HDPE 装置是中石化第一套三峰 Hostalen 工艺 HDPE 装置，他们针对高密度聚乙烯熔体流动速率和密度的影响因素，从温度、催化剂、氢气乙烯比、停留时间、共聚单体等方面入手，根据实际生产经验和理论计算，提出了一系列具体可行的优化手段。燕山石化针对淤浆法合成高密度聚乙烯，根据高分子化学、高分子物理以及聚合反应原理，分析讨论了催化剂浓度、氢气分压和乙烯分压、共聚单体、聚合温度、原料气的质量，造粒中混炼度等各因素对高密度聚乙烯熔体流动速率的影响。但针对转产过程中的产品指数控制以及过渡料的数量控制研究较少，特别是对于 GF7750M2 与 23050 两种工艺流程不同的生产牌号。

本文针对高密度聚乙烯装置 GF7750M2 转产 23050 时过渡料过多的问题，提出了一系列方案，主要是对催化剂泵及其附属管线进行改造，标定各物料设定值来保证催化剂与活化剂在釜中的浓度，根据反应器氢气乙烯比的稳定性来确定氢气加入量，与化验室合作进行各项参数的标定与讨论。其原理主要在于稳定转产过程中过渡料的熔融指数，从而减少转产中过渡料的生成。

1　现状调查与分析

根据对以往 GF7750M2 转产 23050 的调查，自高密度聚乙烯装置前两次 GF7750M2 转产 23050 时，对其数据进行调查，发现 2 次转产中，第 1 次在线转产未成功，改为停车转产，过渡料多达到 2016 吨，第 2 次转产时过渡料达到 1023 吨，通过对粒料的熔融指数，黑斑粒和色粒，产品密度，氧化诱导时间，简支梁缺口冲击强度，拉伸断裂标称应变等因素的分析，得出造成过渡料过多的主要因素是由于熔融指数不合格。

2　产品熔融指数控制

2.1　反应原理

高密度聚乙烯装置工艺的聚合属于阴离子配位聚合，乙烯单体是具有 π-π 共轭体系的烯类单体，助催化剂三乙基铝与主催化剂钛化合物形成活性中心，处于络合状态的钛铝活性中心，使乙烯单体双键上的电子云密度减少，从而打开乙烯双键，使乙烯单体不断在钛铝活性中心处聚合，其过程主要包括链引发、链增长、链终止三步。如图 1 所示，蓝色的催化剂抓住乙烯分子并激活，将其双键打开，将活化的乙烯分子插入到聚合物链中。

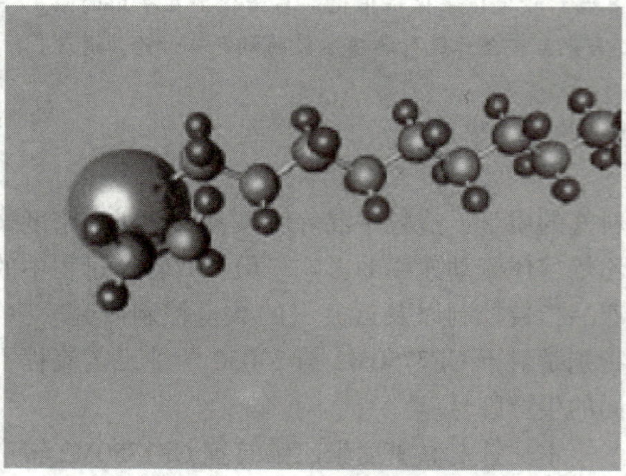

图 1　聚合原理图

2.2　影响熔融指数的因素

高密度聚乙烯的聚合反应过程比较复杂，反应温度、催化剂浓度、共聚单体、氢气和乙烯分压等对聚合反应都有影响，从而产品的熔融指数被影响。在控制过程中，主要是通过控制反应釜的氢气乙烯比来控制产品的熔融指数 MFR，两者存在以下关系：

$\lg(\mathrm{MFR})=a\times\lg[\text{氢气乙烯比}]+b$（$a$、$b$ 为常数）

聚合物熔融指数 MFR 的大小与聚合釜气相中的氢气乙烯比成正比，可以通过改变催化剂进料量和氢气进料量来改变氢气乙烯比的大小，进而调整指数。并且在聚合中，催化剂对产品指数影响显著，而氢气对指数的影响较小。

3　影响因素分析与措施

3.1　催化剂

3.1.1　催化剂的影响

聚合中的催化剂是一个对熔融指数影响较大的因素，当催化剂的进料设定值较高时，进入反应釜中的催化剂多，则反应釜中的催化剂浓度高，此时参与反应的乙烯量便会增多，使反应釜中气相的乙烯含量占比降低，相对应的气相中氢气含量占比降低将会升高，此时反应釜中的氢气乙烯比便会升高，聚乙烯的分子质量降低，从而熔融指数增大。

3.1.2　催化剂泵原理

催化剂泵 P1101 为大连罗伊的隔膜计量泵，用于将催化剂稳定的送至反应釜。其工作原理为电机带动柱塞上的隔膜往复运动。上下两个单向球阀交替地开启和关闭，造成工作腔内的容积的改变，从而将催化剂不断地吸入和排出。如图 2 所示，为催化剂泵在排出催化剂时，内部工作的结构图。

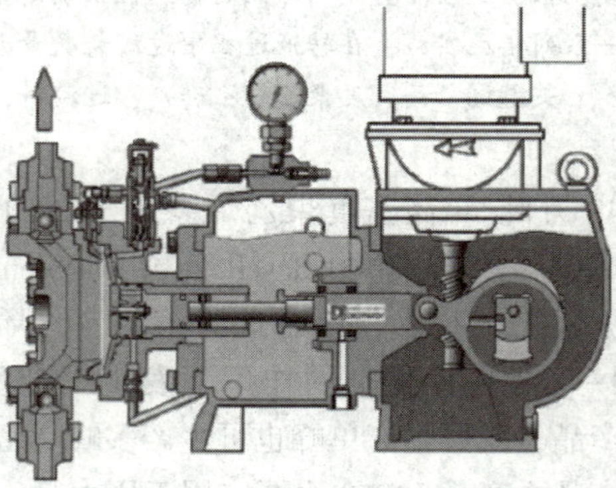

图 2　催化剂泵工作原理图

3.1.3　存在的问题与原因

催化剂系统由于催化剂泵不稳定，导致出口流量波动大，进入反应釜的催化剂量波动较大，造成聚合反应波动，工艺调节困难，反应釜中的 H2/C2 波动大，产品质量不易控制，在转产过程中对熔融指数的影响较大。

针对造成催化剂泵波动的原因进行分析，主要认为有以下三点原因：其一是催化剂泵入口管线管径较小，易堵塞；其二是在制备催化剂时会产生较大粒径，导致堵塞管线；其三催化剂泵采用的“顶进底出”的进料方式不合理。

3.1.4　改进对策

针对上述所分析出的原因，我们提出了一系列措施并给予实施。首先加粗催化剂泵入口管线，并对催化剂系统涉及的过滤器进行改造，其一是将催化剂中间罐 V-1102 出口过滤器更换为目数更小的过滤器，其二是将催化剂中间罐 V-1102 至催化剂进料罐 V1104 中间管线加装 Y 形过滤器，其作用均是避免粒径较大的催化剂颗粒导致催化剂泵波动。

其次，我们对于催化剂泵的安装方式进行探究，原方案使用顶进底出的方式，优点在于单向阀阀体通道宽与带弹簧加载时回位快速准确，可以有效的避免的催化剂颗粒在单向阀内淤积，但催化剂流量波动依旧较大。我们参考了同类装置的催化剂泵进料方式，他们采用的计量泵均为“底进顶出”且出口流量稳定，并且此方案单向阀无弹簧，避免催化剂在阀体内淤积，影响弹簧性能。在对上述对策实施后，催化剂出口流量稳定。

3.2　反应釜 Al/Ti

3.2.1　反应釜 Al/Ti 的影响

反应釜中 Al/Ti 是一个很重要的参数，其反映了反应釜中催化剂的活性，是由反应釜中催化剂 $TiCl_4$ 浓度与活化剂三乙基铝的浓度所决定的，。催化剂是引发反应最重要的物质，其反应活性的高低直接影响聚合生产，影响聚合反应的速率。为保证催化剂的活性，反应器内的 Al/Ti 与收率存在一定的配比范围。从图 3 中看出，最佳的 Al/Ti 的范围为 25~48。在此范围内，催化性能与收率均达到最佳水平。

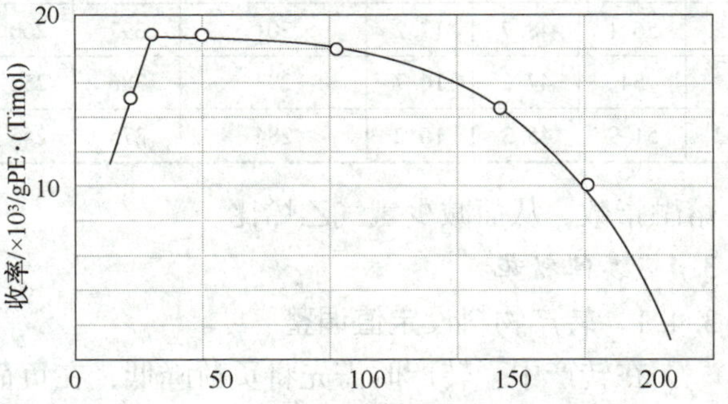

图 3　Al/Ti 与乙烯收率关系曲线图

3.2.2　三乙基铝性质与作用

三乙基铝是高度反应的液体，化学反应活性很高，接触空气会冒烟自燃，遇明火、高热强烈分解燃烧，与氧化剂发生强烈反应，遇水强烈分解，放出烷烃气体，加入反应釜中可以消除对反应有害的毒物。

反应器中活化剂浓度应比配方给出的值略高。活化剂浓度低，将使催化剂活性迅速降低，并且不能通过增加催化剂的量和氢气浓度来调整。当活化剂过量时也会造成催化活性迅速降低，最佳的活化剂浓度是由聚合系统的洁净程度决定的。

3.2.3　存在的问题与原因

由于在转产的过程中，GF7750M2 与 23050 工艺流程不同，分别为串联与并联的工作模式，并且两种牌号对于各物料的加入量也不同，所以在转牌号的过程中，就会造成反应釜中的催化剂与活化剂浓度不确定，从而在调整的过程中便会造成反应釜中 Al/Ti 偏差较大

3.2.4　改进对策

首先，制定了配置催化剂与活化剂的流程与标准，从催化剂桶的摇匀，压料速度，涮罐次数，压料干净与否等因素进行催化剂配制培训，细化每一步的操作，配制标准浓度的催化剂，确保催化剂与活化剂在配置过程中浓度的稳定。

在正常生产过程与转产中，记录并分析催化剂与活化剂的加入量，并根据 Al/Ti 使用如下公式计算出配方表

$$活化剂进料量=\frac{催化剂进料量\times 0.735}{0.876}$$

在生产稳定时对相应负荷的催化剂与活化剂的加入量进行标定，在转产时根据生产稳定时的经验对催化剂与活化剂的加入量进行设定。进料配方表如表 1 所示。

3.3　氢气加入量

3.3.1　反应釜中氢气的影响

氢气在整个聚合反应中，起到分子量调节的作用，氢气加入过多，则会使聚合物内部分子结构发生变化，断链更多，且指数增大，反应釜法人压力升高，氢气占比更大。氢气加入过少，会造成聚合物分子量过大，熔融指数较低。氢气加入的多少直接影响产品的熔融指数，在整个聚乙烯生产中起着至关重要的作用，氢气占比与熔融指数关系如图 4 所示。

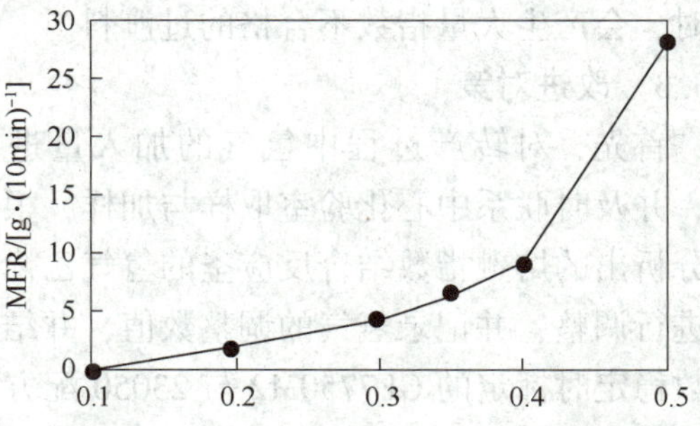

图 4　氢气占比与熔融指数 MFR 关系曲线图

表 1　23050 配方进料表

总负荷/(t/h)	乙烯			母液		乙烷	催化剂(25)	催化剂(20)	活化剂	氢气	丁烯		
	一反/(t/h)	二反/(t/h)	三反/(t/h)	二反/(t/h)	三反/(t/h)	一反/(t/h)	一反/(kg/h)	一反/(kg/h)	一反/(kg/h)	一反/(kg/h)	二反(塔反二反)/(kg/h)	二反/(kg/h)	三反/(kg/h)
54	27.51	14.58	11.88	33.96	59.88	48.73	82.6	99	86.7	25.8	425	595	389
53	27.03	14.31	11.66	33.33	58.77	47.83	80.5	96.5	84.4	25.3	443	584	382
52	26.52	14.04	11.44	32.40	57.66	46.92	78.3	64	82.1	24.8	435	573	375
51	26.01	13.77	11.22	32.07	56.55	46.02	76.2	91.5	80.0	24.3	427	562	368
50	25.5	13.5	11	31.44	55.44	45.12	74.1	89	77.7	23.8	418	551	361
49	24.99	13.23	10.78	30.81	54.33	44.22	72	86.5	75.5	23.4	410	540	353
48	24.48	12.96	10.56	30.18	53.22	43.32	70	84	73.4	22.9	402	529	346
47	23.97	12.69	10.34	29.55	52.11	42.41	68	81.6	71.3	22.4	393	518	339
46	23.46	12.42	10.12	28.92	51.00	41.51	66	79.2	69.2	21.9	385	507	332
45	22.95	12.15	9.9	28.30	49.90	40.61	64	76.8	67.1	21.5	376	496	325
44	22.44	11.88	9.68	27.67	48.79	39.71	61.7	74.4	65.0	21.0	368	485	317
43	21.93	11.61	9.46	37.04	47.68	38.80	60.0	72.1	62.9	20.5	360	474	310
42	21.42	11.34	9.24	26.41	46.57	37.90	58	69.7	60.8	20.0	351	463	303
41	20.91	11.07	9.02	25.78	45.46	37.00	56.1	67.4	58.8	19.6	343	452	296
40	20.4	10.8	8.8	25.15	44.35	36.10	54	65.1	56.6	19.1	335	441	388
39	19.89	10.53	8.58	24.52	43.24	35.19	52.3	62.9	54.9	18.6	326	430	281
38	19.38	10.26	8.36	23.89	42.13	34.29	50.5	60.6	52.9	18.1	318	419	274
37	18.87	9.99	8.14	23.27	41.03	33.39	48.8	58.4	51.2	17.6	310	408	267
36	18.36	9.72	7.92	22.64	39.92	32.49	46.5	56.1	48.7	17.2	301	397	260
35	17.35	9.45	7.7	22.01	38.71	34.58	45	54	47.2	16.7	293	386	252
34	17.34	9.18	7.48	21.38	37.70	30.68	43.2	51.9	45.3	16.2	284	375	245

3.3.2　存在的问题与原因

由于在转产的过程中，由于对于氢气设定值没有经验，所以在转产的过程中氢气进入反应釜的流量波动很大，反应釜中的氢气占比波动大，造成聚合反应的不稳定，从而在转产的过程中会使悬浮液的指数难以控制，在从 GF7750M2 的指数调整为 23050 的指数过程较为困难，导致连续多个反应反应采样不合格，当推至最终聚乙烯粒料时，会产生大量指数不合格的过渡料。

3.3.3　改进对策

首先，对转产过程中氢气的加入量进行调控，并及时联系中心化验室取样与加样，根据取样分析出的熔融指数结合反应釜的氢气乙烯比及时进行调整，并记录氢气的调整数值，并结合在指数稳定时标定的 GF7750M2 与 23050 配方表的氢气数值进行分析与总结，拟定与完善转产方案中，在不同负荷下氢气的加入量，以稳定产品的熔融指数，从而减少氢气乙烯比。

3.4　*其他措施*

3.4.1　转产物料设定值调整

在转产中，转产时需先将负荷降低，在负荷较低时对物料的加入设定值从 GF7750M2 切至 23050 的配方。在降负荷的过程中，当 GF7750M2 的氢气，催化剂等物料的设定值降至 23050 的指标，但总负荷量没降到位时，终止该物料设定值的降低，在转为 23050 后，再缓慢提升该物料的设定值，以维持反应釜中该物料的浓度稳定。

3.4.2　转产控制指标调整

在装置转产的过程中，需要将各系统的控制指标从日常控制指标切换为转产时的控制指标，如各缓冲罐的料位进行低指标控制，来减少在转产中不同牌号的物料互掺而导致过渡料数量的增加。其次，针对并联转串联的工艺方式，还需要第三反应釜补液位，升温等操作，保证反应釜活性，达到反应条件，减少转产的时间，从而降低过渡料的产生。

4 结语

通过对高密度聚乙烯装置在 GF7750M2 转 23050 的转产过程进行一系列的分析，从工艺操作上进行了优化调整，对一些设备进行改造。针对催化剂泵，反应釜 Al/Ti，氢气等因素进行分析并提出了一系列的改进措施。主要得出以下结论：在催化剂系统稳定后，并对在转产中各物料的加入量进行标定并拟定详细的转产方案后，装置在 GF7750M2 转 23050 的转产过程中，所产生的过渡料数量显著降低。

参 考 文 献

[1] 裴小静，孙丛丛．高密度聚乙烯淤浆聚合工艺及其国内应用进展[J]．齐鲁石油化工，2015，43(2)：166-170.

[2] 梁辰．Hostalen 工艺 HDPE 装置产品质量控制的探讨．云南化工，2022，49(5)：87-90.

[3] 张巍桐．高密度聚乙烯熔体流动速率的控制．石化技术，2021，28(8)：109-111.

[4] 陈顺利，王健，刘志军．Hostalen 高密度聚乙烯聚合工艺黏壁物结构剖析及原因分析．石油化工，2009(10)：1111-1115.

[5] 童本进，陈明华，丁素琴．扬子石化公司淤浆法 HDPE 生产技术的改进及国产化[J]．合成树脂及塑料，1997，14(1)：29-31.

乙烯装置201J裂解气透平压缩机防喘振控制在Tricon ITCC系统中的实现

刘三廷

（中国石油兰州石化公司）

摘　要　针对兰州石化裂解气透平压缩机，介绍了北京康吉森ITCC系统防喘振控制原理及其在压缩机防喘振控制中的优势，其中裂解气压缩机防喘振控制是指当工作点越至防喘振控制线以内，喘振控制器使用多种调节方式，使压缩机工作点拉回至防喘振控制线以外，达到保护裂解气压缩机目的；ITCC系统采用工作点在防喘下移线以外使用PID控制，防喘振下移线与喘振线之间开环控制，喘振线左侧动作防喘振电磁阀等控制策略，该防喘控制策略为百万吨乙烯项目压缩机实施提供参考依据。

关键词　PID控制；开环控制；三重控制；防喘控制线；喘振线

1　前言

兰州石化乙烯运行二部乙烯装置201J裂解气压缩机2006年投用，压缩机防喘振控制采用北京康吉森自动化设备技术公司Tricon ITCC控制系统，系统于2016年10月由伍德沃德控制系统改造为Tricon ITCC，控制组件由冗余电源卡件、三重化冗余卡件、端子板、连接电缆组成；该配置在系统存在硬件故障或者是外部干扰信号瞬间跃变，可进行不间断的控制，确保压缩机的正常运行；Bently 3500轴系检测系统通过冗余MODBUS通讯卡将轴振动、轴位移信号通讯至ITCC系统，使轴振动、轴位移在ITCC操作站得以显示；压缩机段间出入口温度、压力、透平壳体温度、振动、位移、透平转速通过冗余4351B通讯卡通讯至DCS，使压缩机轴位移、轴振动、压力、温度、流量等关键参数可在DCS系统显示；压缩机轴位移联锁信号通过Bently 3500轴系检测系统继电器卡硬接线引入Tricon ITCC系统DI卡，从而确保联锁动作的可靠性及稳定性。

Tricon系统依据压缩机的出口流量、温度及压力，入口温度及压力计算出压缩机的喘振线、喘振线右移10%得到防喘振控制线。如果工作点越过防喘振控制线，设定点移动至防喘控制线后不再移动，防喘控制PID调节器使用多种控制方式对防喘控制阀进行不断调节，如果工作点无法被调整至喘振线外，防喘电磁阀失电，防喘振控制阀全开，压缩机出口介质大量的回流至入口处，确保压缩机的运行稳定。

2　防喘振控制的概念

喘振是乙烯运行二部乙烯装置201J透平裂解气压缩机的特性，当该压缩机的入口流量降低至设定值时，裂解气的正常压缩及输送过程被中断，裂解气体的排出不均匀，机身产生极为强烈的来回震荡，机体发出剧烈振动同时也会发出周期性来回震荡的吼叫声。201J裂解气透平压缩机出、入口流量、出入口压力大幅度波动，伴随着出口管道，压缩机厂房巨大振动。防喘振控制器按Tricon控制策略组态的控制程序迅速打开防喘振控制阀，在迅速增加裂解气压缩机的入口流量同时确保了裂解气压缩机出口及入口流量的平衡。乙烯装置201J裂解气透平压缩机流程及防喘振控制流程图如图1所示。

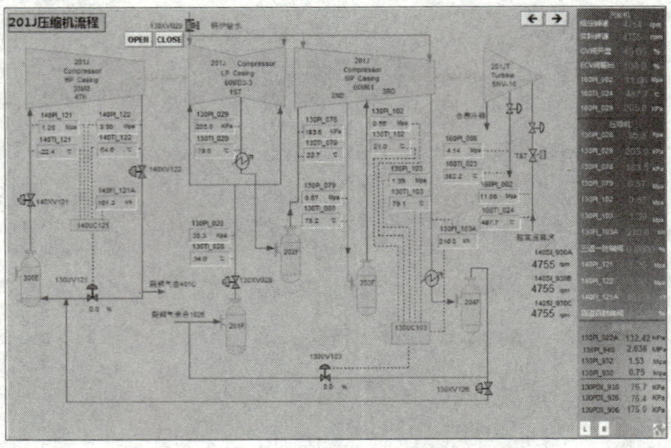

图1　乙烯装置201J透平裂解气压缩机流程图及防喘振控制流程图

3 防喘振控制方案的实现

3.1 201J裂解气压缩机防喘振控制简述

Tricon防喘振系统是出口流量百分比(Hc/Ps)为横坐标、排出压力与入口压力的压缩比(Pd/Ps)为纵坐标建立的基本坐标系，根据乙烯装置201J裂解气压缩机不同转速下的多个喘振点做出喘振曲线，右移10%为乙烯装置201J裂解气压缩机防喘振控制曲线，工作点在坐标系时时移动，当工作点远离防喘振控制线移动，此时设定点在安全裕度线上下移动；当工作点靠近防喘振控制线移动，设定点依1%速率(速率在程序中可设置)不断减小，直到设定点与防喘控制线重合，设定点不再移动；当工作点移动到防喘振下移线，正常的PID控制器无法提供足够的响应，Tricon系统防喘振控制器使用开环控制方式开始打开防喘振阀，而当工作点达到喘振控制线时，防喘控制阀全开。如果工作点越过喘振线，防喘振控制阀电磁阀线圈失电，防喘振控制阀气路切断，防喘控制阀全开；当工作点返回到防喘振控制线右侧，电磁阀线圈自动复位带电，防喘振控制阀慢慢关闭，因乙烯装置201J裂解气压缩机三返一、三返二、三返三防喘振控制回路参数不同，控制算法也略有不同，本文依乙烯装置201J裂解气压缩机三返一防喘振控制回路加以说明，乙烯装置201J裂解气压缩机三返一防喘振曲线图如图2所示，图2中机组喘振线(红色线)，防喘振控制线(绿色线)，防喘振下移线也叫超驰控制线(黄色线)。

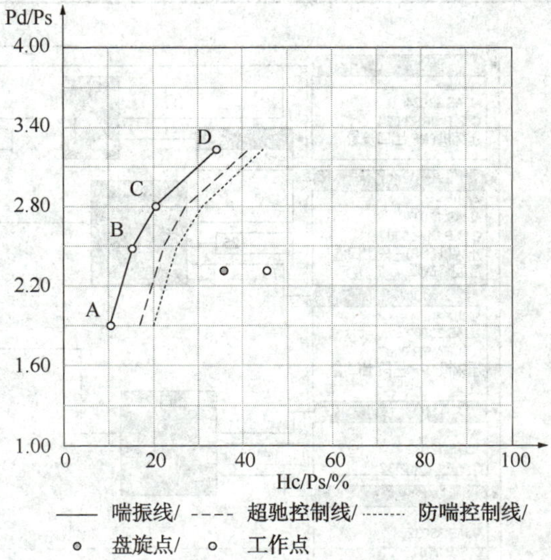

图2　乙烯装置201J裂解气压缩机三返一防喘振曲线图

本文依据兰州石化乙烯201J裂解气压缩机三返一Tricon ITCC系统内部控制程序的计算过程作逐说明。

3.2 201J裂解气压缩机喘振线及防喘振控制线详细计算说明

3.2.1　Tricon系统喘振线横坐标系计算

(1) Tricon系统出口流量计算

计算公式：

$$M_{\text{FLOW}}=M_{\text{FLOW\_MAX}}\times\frac{H_{\text{-PCT}}}{100}\times\sqrt{\frac{P_{\text{FO}}+P_{\text{-ABS-COR}}}{P_{\text{FOB}}}\times\frac{T_{\text{FOB}}+T_{\text{-ABS-COR}}}{T_{\text{FO}}+T_{\text{-ABS-COR}}}}$$

参数	描述	范围	单位	参数	描述	范围	单位
$M_{\text{FLOW-MAX}}$	出口最大流量	330000	kg/h	P_{FOB}	设计工况压力	1550	KPa
$H_{\text{-PCT}}$	出口流量	0~330000	kg/h	T_{FOB}	设计工况温度	82.5	℃
P_{FO}	出口压力	0~2000	KPa	$T_{\text{-ABS-COR}}$	出口温度修正	273.15	℃
$P_{\text{-ABS-COR}}$	出口压力修正	101.32	KPa	T_{FO}	出口温度测量	0~120	℃

参数带入公式：

$$M_{\text{FLOW}}=3300\times H_{\text{-PCT}}\times\sqrt{\frac{P_{\text{FO}}+101.32}{1550}\times\frac{355.65}{T_{\text{FO}}+273.15}}$$

依据201J压缩机三返一的出口流量计算，Tricon系统程序搭建如图3所示。

(2) Tricon系统喘振线横坐标计算

计算公式：

$$Hc/Ps=\left(\frac{M_{\text{FLOW}}}{M_{\text{FLOW\_MAX}}}\times\frac{P_{\text{SB}}}{P_{\text{S}}+P_{\text{-ABS-COR}}}\right)^2\times\left(\frac{T_{\text{S}}+T_{\text{-ABS-COR}}}{T_{\text{SB}}+T_{\text{-ABS-COR}}}\right)\times 100$$

参数	描述	测量范围	单位	参数	描述	测量范围	单位
P_{SB}	入口压力设计工况	606	KPa	T_S	入口温度值	0~100	℃
P_S	入口压力值	0~1000	KPa	T_{SB}	入口温度设计工况	23.4	℃

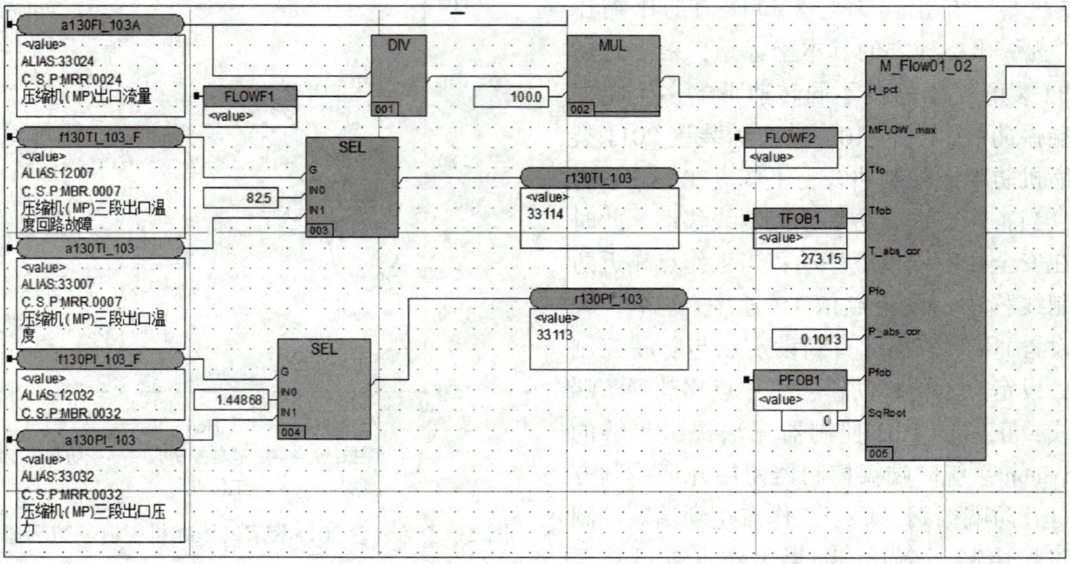

图 3　Tricon 系统出口流量内部功能块组态图

参数及 M_{FLOW} 带入公式：

$$Hc/Ps=\left(\frac{M_{FLOW}}{330000}\times\frac{606}{P_S+101.32}\right)^2\times\left(\frac{T_S+273.15}{296.55}\right)\times100\%$$

依据裂解气压缩机三返一的出口流量计算，Tricon 系统横坐标程序搭建如图 4 所示。

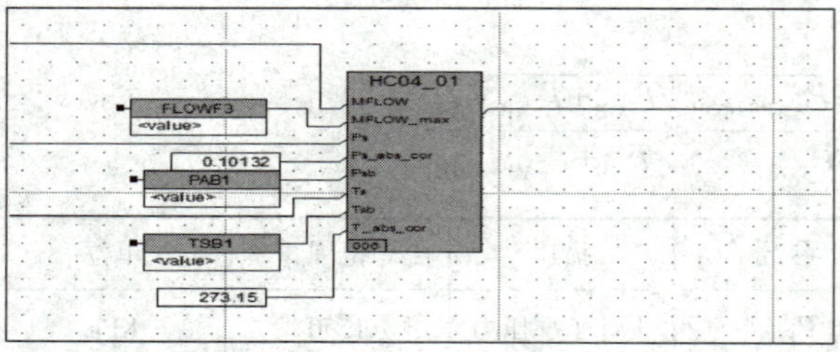

图 4　Tricon 系统出口流量横坐标内部功能块组态图

3.2.2　Tricon 系统工作点纵坐标压缩比计算

$Pd/Ps=\dfrac{P_d+101.32}{P_S+101.32}$，$P_d$ 压缩机出口压力，P_S 压缩机入口压力

依据裂解气压缩机三返一防喘振计算算法，Tricon 系统纵坐标程序搭建如图 5 所示。

3.2.3　Tricon 系统喘振线及防喘振控制线的计算

喘振线方程：$Pd/Ps=K\times(Hc/Pc)+b$

喘振线一般是一条由多个点组成多段线，本程序中使用的喘振点是根据乙烯运行二部 46 万

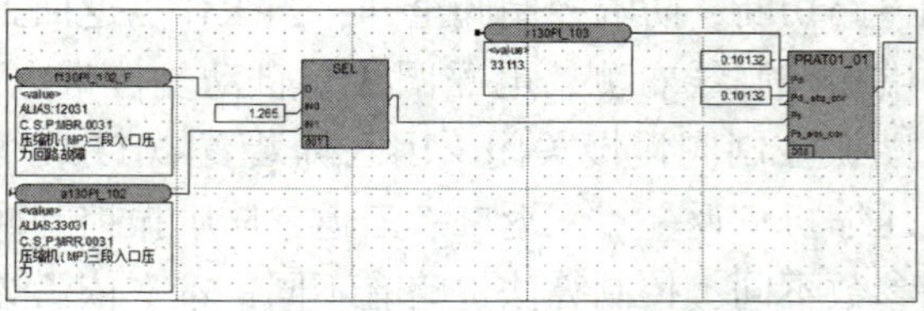

图 5　Tricon 系统压缩机防喘振纵坐标内部功能块组态图

吨乙烯装置 201J 裂解气压缩机随机资料所得。201J 裂解气压缩机三反一防喘振控制四个喘振点坐标分别为 A(10.12，1.91)、B(15.60，2.44)、C(21.28，2.81)、D(34.26，3.23)，由喘振点得到的喘振线方程是：

AB 段喘振线：$Pd/Ps=9.50932\times(Hc/Pc)-8.04279$

BC 段喘振线：$Pd/Ps=16.53986\times(Hc/Pc)-25.19782$

CD 段喘振线：$Pd/Ps=30.90235\times(Hc/Pc)-65.55717$

喘振线方程向右平移 10% 得到防喘控制线是：

AB 段喘振线：$Pd/Ps=9.50932\times(Hc/Pc)+1.95721$

BC 段喘振线：$Pd/Ps=16.53986\times(Hc/Pc)-15.19782$

CD 段喘振线：$Pd/Ps=30.90235\times(Hc/$

Pc)-55.55717

根据裂解气压缩机三返一防喘振控制线方程，Tricon 系统喘振线及防喘振控制线基本坐标系程序搭建如图 6 所示。

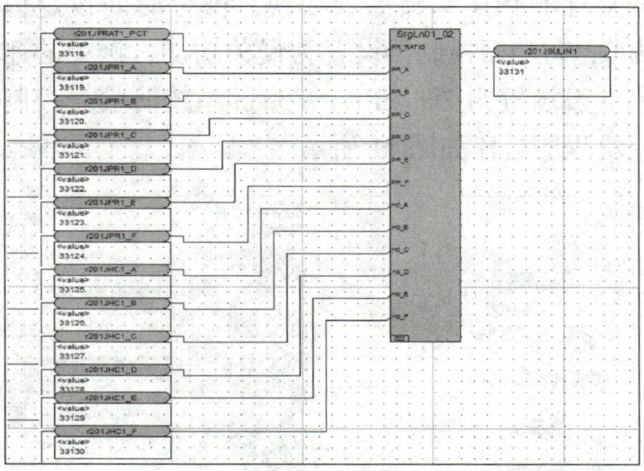

图 6　Tricon 系统压缩机喘振线及防喘振控制线基本坐标系内部功能块组态图

3.3　Tricon 系统防喘振控制实现方法

3.3.1　Tricon 控制系统喘振检测方案

当压缩机遇到较大的喘振时，可采用增加喘振控制裕度，确保压缩机运行在安全范围内。

安全裕度修正模块是当喘振发生时对安全裕度重新修正，修正裕度(RECAL_ATM)加到固定安全裕度(SAFETY_OP)得到总安全裕度(TOT_SAFETY)，即(TOT_SAFETY)=(SAFETY_OP)+T(RECAL_ATM)，Tricon 系统安全裕度修正程序搭建如图 7 所示。

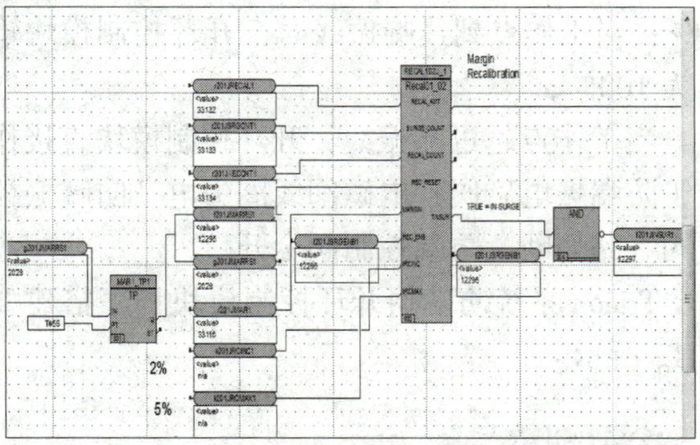

图 7　Tricon 系统压缩机喘振线安全裕度设置模块组态图

(1) 防喘振安全裕度修正条件

① MARGIN(工作点横坐标-防喘喘振线横坐标)小于-1%(该值在程序中可以设置)。

② REC_ENB(修正使能位)为 1。

③ 防喘振控制器处于自动及半自动状态。

(2) 防喘振安全裕度修正过程

如果 MARGIN<-1%，FINSUR(喘振标志位)置 1，HMI 画面中喘振报警灯红色常亮，(TOT_SAFETY)=(SAFETY_OP)+KRCINC，KRCINC(修正增加裕度，本程序设为 2%)，即(TOT_SAFETY)=(SAFETY_OP)+2%；此时，SURGE_COUNT(喘振发生次数)=0+1=1；RECAL_COUNT(喘振修正次数)=0+1=1。

如果-1%<MARGIN<1%，FINSUR、TOT_SAFETY、SURGE_COUNT 及 RECAL_COUNT 维持当前值保持不变。

如果 MARGIN>1%，FINSUR 置为 0、TOT_SAFETY、SURGE_COUNT 及 RECAL_COUNT 维持当前值保持不变；在 HMI 画面按喘振复位按钮可把 SURGE_COUNT、RECAL_COUNT 复位至 0，同时 TOT_SAFETY 回到初始设置值，Tricon 系统喘振检测模块曲线如图 8 所示。

如果再次出现 MARGIN<-1%，FINSUR 再次置为 1，TOT_SAFETY 设置为(SAFETY_OP)+4%，SURGE_COUNT 置为 2，RECAL_COUNT(喘振修正次数)置为 2，以此类推，本程序中 TOT_SAFETY 最大设置为 SAFETY_OP+5%，本程序中 SAFETY_OP 设置为 20%，即 TOT_SAFETY 最大值为 25%，SURGE_COUNT 按喘振情况一直往上记录，RECAL_COUNT 最大设置值为 3。

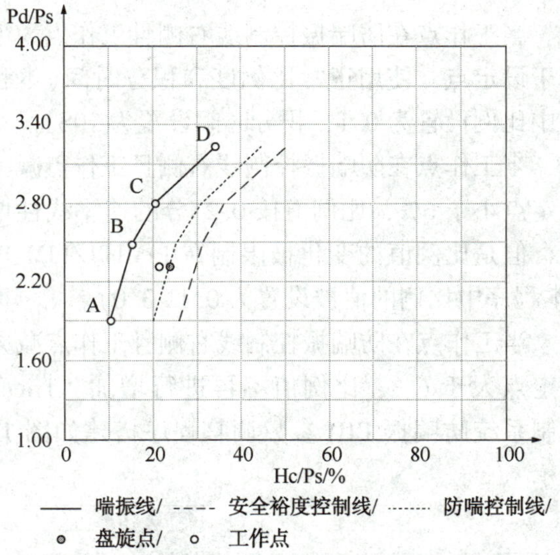

图 8　Tricon 系统喘振检测模块曲线

3.3.2　Tricon 控制系统设定点(盘旋点)跟踪方案

当乙烯装置 201J 裂解气压缩机出口流量增加或压缩比增大时，工作点远离防喘振控制线移动，设定点(盘旋点)设定 SRG_SP=TOT_

SAFETY(总安全裕度)-kHOVER(盘旋裕度，本程序设置盘旋裕度为5%)。

当乙烯装置201J裂解气压缩机出口流量增加或压缩比减小时，工作点靠近防喘振控制线移动，设定点(盘旋点)设定SRG_SP按照kHOV_INC(跟踪速率，本程序设置为1%)减小，在这个过程中，控制程序依据防喘振控制线上对应的点rSCL与当前SRG_SP点高选后作为时时设定点SRG_SP；换言之，防喘振控器设定点(盘旋点)最多可向左移动至防喘振控制线对应的点上。

依据Tricon系统防喘振设定点跟踪方法搭建功能块如图9所示。

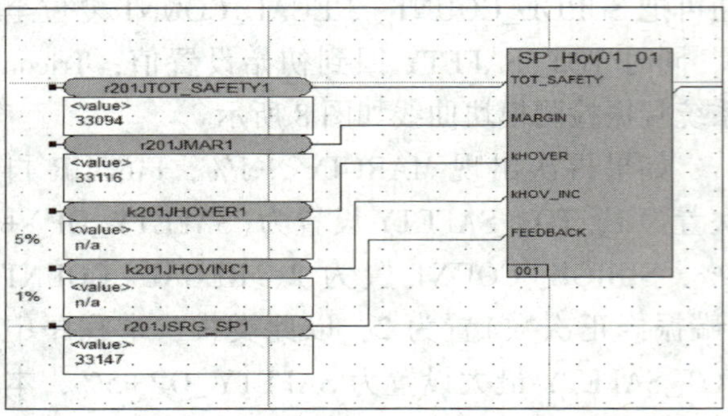

图9　Tricon系统防喘控制器设定值逼近功能模块组态图

3.3.3　Tricon控制系统防喘振PID控制方案

(1) Tricon控制系统防喘振PID参数调整方案

当工作点在防喘振控制线右侧且工作点大于等于设定点，使用正常比例度和积分时间(本程序中比例设置为0.1，积分时间设置为10S)。

当工作点在防喘振控制线右侧且工作点减去设定点小于6%，比例值按0.2/分的速率线性增加，但是比例值的变化被限制在LIMIT1/LIMIT2(本程序中比例的值被设置为0.1~3.0)。

当工作点在防喘振控制线右侧且工作点减去设定点大于6%，比例值不再进行增加。Tricon控制系统防喘振PID参数调整程序搭建如图10所示。

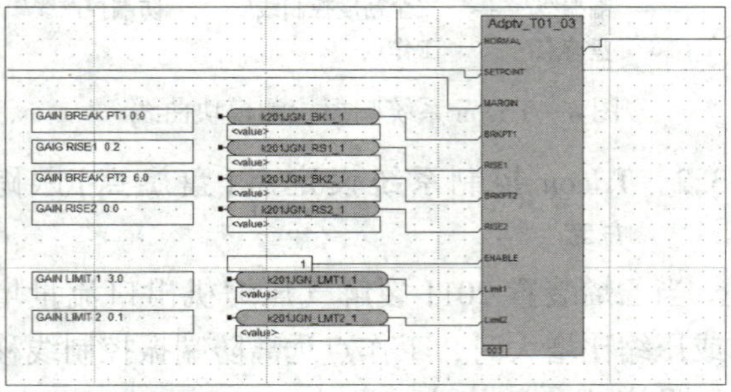

图10　Tricon防喘振PID参数调整程序搭建模块组态图

(2) Tricon控制系统防喘控制方案

防喘振控制器PID设定值来自于设定点(盘旋点)跟踪模块，控制器的正反作用组态为反作用，调节常量为比例和积分两个变量。比例及积分来自于PID调整参数模块，微分时间设定值为0，防喘振控制器设置为慢关功能，慢关的速率一般设置为2%/SEC。Tricon系统防喘振控制模块程序搭建如图11所示。

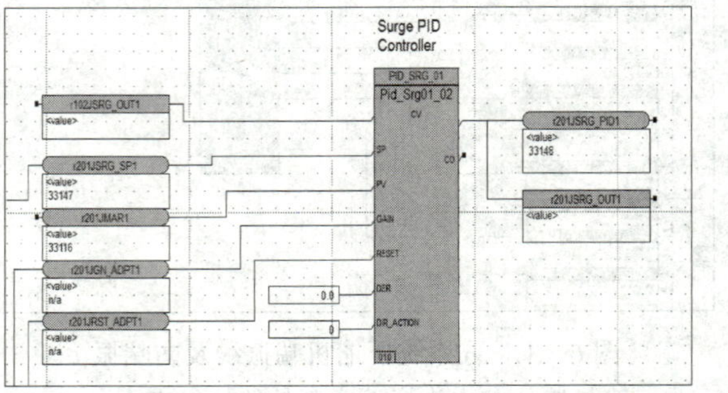

图11　Tricon系统防喘控制模块搭建组态图

(3) Tricon系统防喘振控制开环控制模块

防喘振控制器的开环控制模块独立于比例积分调节模块。当工作点移动到防喘振下移线，正常的PID控制器无法提供足够的响应，Tricon系统防喘振控制器使用开环控制方式开始打开防喘振控制阀。

防喘振控制阀开度为0%~100%，当工作点在喘振线右侧7%时，PID调节失效，此时kSO_ENB=0，开环控制模块输出为0%；当工作点在喘振线右侧3.5%时，开环控制模块输出为50%；当工作点到达喘振线时，开环控制模块输出为100%。

当工作点越过喘振线，开环控制模块直接作用于防喘振电磁阀，电磁阀线圈失电，防喘振控制阀气路切断，防喘控制阀全开。

Tricon系统防喘振开环控制模块程序搭建如图12所示。

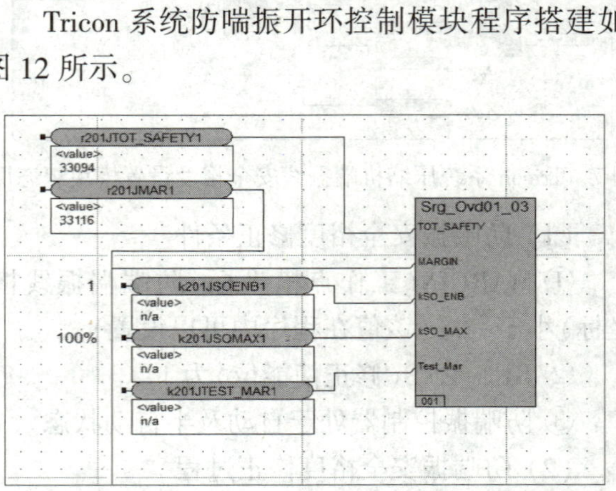

图12　Tricon系统防喘振控制开环模块组态图

（4）Tricon控制系统防喘振阀选择控制方案

防喘控制阀的工作有三种方式：自动、手动、半自动。

当AUTO=1，防喘振控制器设置为自动；两个信号SRG_PID（防喘控制器PID）及SRG_OVRD（喘振开环控制器）高选输出至防喘振控制阀。

当AUTO=0且FULL_AUTH=0，防喘振控制器设置为半自动，自动输出信号与手动输出信号高选输出至防喘振控制阀。

当AUTO=0且FULL_AUTH=1，防喘振控制器设置为手动，手动输出至防喘振控制阀。

Tricon系统防喘阀选择控制模块程序搭建及最终三返一防喘振HMI画面的呈现如图13所示。

为确保生产的稳定，乙烯运行二部乙烯装置201J裂解气压缩机防喘振控制长期置于手动状态，此时，HMI画面手动按钮显示为绿色，工艺人员观察工艺测量值、防喘振控制参数以及工作点、设定点在喘振曲线上位置后，在操作站上使用  按钮手动调整防喘振阀的开度，确保压缩机运行在稳定工况。

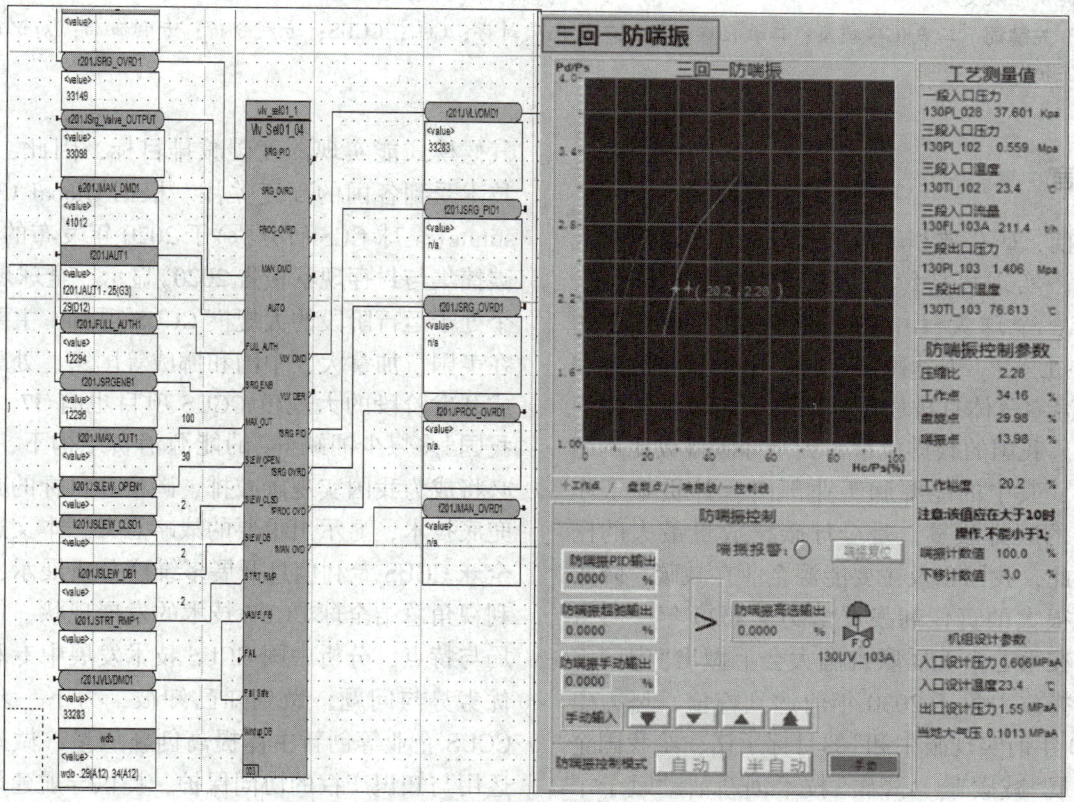

图13 Tricon系统防喘振阀选择模块组态图三返一防喘振HMI画面的呈现

4 结束语

北京康吉森自动化技术股份有限公司Tricon ITCC控制系统通过防喘振控制理念及控制策略在兰州石化乙烯运行二部乙烯装置201J裂解气透平压缩机、501J乙烯透平压缩机、601J丙烯透平压缩机三台大型机组实现了防喘振控制，确保了三台大型透平压缩机运行的连续性、平稳性、安全性，为装置的“安稳长”打下坚实的基础，也为兰州石化公司百万吨乙烯项目的顺利实施提供参考依据。

参考文献

[1] 杨雪，杨得志. ITCC防喘振控制系统在焦化压缩机组中的应用，工业技术 1009-9859（2017）02-0142-05.

[2] 熊军，曹振涛. 康吉森ITCC Tricon在透平压缩机组在透平压缩机组防喘振控制中的应用，《自动化与仪器仪表》2012年第5期（总第163期）.

[3] 李征宏. 兰州石化乙烯装置ITCC压缩机控制系统原理与应用，全国乙烯行业裂解气压缩机“安稳长”运行专题研讨会论文集 2009：38-49.

全球 CCUS 专利技术发展与保护格局研究

李　琰

（中国石油天然气股份有限公司兰州化工研究中心）

摘　要　当前，二氧化碳捕集利用与封存（CCUS）技术是全球应对气候变化的重点技术方向，是我国实现碳中和目标的必备和兜底技术，创新活动日益活跃并已形成大量的专利成果。本文从专利视角总结全球 CCUS 技术的发展现状、保护格局与特点，分析中国 CCUS 技术发展中专利保护的优劣势与问题，形成的基本认识与建议为下一步中国 CCUS 企业等创新主体提高创新质量，做好创新运用与知识产权的协同保护提供导航支撑。

关键词　二氧化碳捕集；二氧化碳利用；二氧化碳封存；CO_2；CCUS；专利分析；专利布局；知识产权保护

1　前言

当前，碳排放和碳减排已经成为全球应对气候变化、实现可持续发展的重大和热点问题，2020 年，全球大气中的二氧化碳浓度已高达 412mg · L^{-1}[1]。发达国家 90%以上的碳排放量和 75%的温室气体总排放量是来自于能源生产和消费活动。我国的碳排放量占到全球碳排放比例超过 20%，其中的能源和工业部门合计贡献了超过 80%的碳排放量，是全球碳排放量最大的国家。因此，我国以及主要能源企业在减碳、降碳方面有很大的责任和发展潜力。2020 年，习近平主席在第七十五届联合国大会上做出“中国二氧化碳排放力争于 2030 年前达到峰值，努力争取 2060 年前实现碳中和”的目标承诺，给我国企业等开展“减碳”、“降碳”技术创新活动赋予了重要驱动力。

目前，全球减碳、降碳主要有两条并行路径：一是上游的能源转型路径，由于二氧化碳主要源于化石能源的燃烧，通过大力发展核能、氢能、风能等清洁能源和新能源，替代煤炭、天然气、石油等化石燃料，可实现源头降碳，并进一步提高能源利用效率；二是下游的二氧化碳捕集利用与封存（CCUS）技术路径，即对产生的二氧化碳进行碳捕获、碳储存和资源化利用，最大限度减少二氧化碳排放。CCUS 减排路径是一个从前端的碳捕获到后端的碳利用的完整技术链条，据政府间气候变化专门委员会（IPCC）第 5 次评估报告认为，假如不使用 CCUS 技术，几乎没有气候模式能实现深度碳减排目标，因此，CCUS 技术受到各国的高度关注。根据 Global CCS Institute（全球 CCS 研究所）于 2020 年发布的《全球碳捕集与封存现状报告 2020》显示，全球现有 28 个处于运行阶段的大规模 CCUS 项目，主要分布在美国、加拿大、中国和挪威等国家，处于在建或开发阶段的大规模 CCUS 项目也有 37 个。在我国“多煤少油缺气”的能源消费结构下，CCUS 必将成为我国实现碳减排、碳中和目标的必备和兜底技术，显示出重要的战略意义。本文通过对全球 CCUS 专利信息开展多维度分析展示，从专利视角总结全球 CCUS 技术的发展现状、保护格局与特点，分析中国 CCUS 技术发展中专利保护优劣势与问题，做到知己知彼，为下一步中国 CCUS 企业等创新主体提高创新质量，做好创新运用与知识产权的协同保护，提供导航建议。

2　研究方法与数据

专利信息是创新活动的基本映射、创新成果的有效载体。本文以“二氧化碳捕集”、“二氧化碳利用”、“二氧化碳地质利用与封存”3 个技术主题为主线，建立 3 个一级技术分支和 11 个二级技术分支的 CCUS 技术分解表（见表 1），以 ISPatent 商用专利检索分析平台为数据来源，运用关键词和 IPC 分类号组合构建整体检索策略。截至 2023 年 6 月 30 日，共检索到有效的 CCUS 技术全球专利申请数据 32482 件，建立专利信息分析数据库。需要说明，统计分析中，因专利包含碳捕集和利用等两个技术分支的独立权利要求，存在分别纳入技术分支统计的情况。为保证分析的准确性，对专利权人名称信息进行了合并和标准化处理。

表 1　CCUS 技术分解表

技术主题	一级技术	二级技术	三级技术
CCUS 技术	二氧化碳捕集技术	溶剂吸收技术	
		吸附分离技术	
		膜分离技术	
		电化学捕集技术	
	二氧化碳利用技术	二氧化碳化工利用技术	二氧化碳制甲醇
			二氧化碳制烯烃
			二氧化碳制合成气
			二氧化碳制烃类燃料
			二氧化碳制甲酸
			二氧化碳制甲烷
			二氧化碳制共聚物
		二氧化碳生物利用技术	
		二氧化碳矿化利用技术	
	二氧化碳地质利用与封存技术	二氧化碳驱油技术	
		二氧化碳驱采天然气/页岩气技术	
		二氧化碳驱采煤层气技术	
		二氧化碳强化地热利用技术	

3　主要认识与结论

3.1　全球 CCUS 技术已经步入创新快车道，中国成为主要专利产出国和表现最活跃的国家

图 1 全球专利申请时间分布曲线看，CCUS 技术自 20 世纪 50 年代起步，经历技术萌芽、缓慢发展两个阶段，21 世纪初 CCUS 技术步入了快速发展阶段。2005 年，IPCC 发布《CO_2 捕集与封存》特别报告，迅速加快了 CCUS 技术的研发、示范和推广活动，全球专利申请量呈现激增态势。2015 年前后申请量虽出现小幅下降波动，但不影响专利申请量整体上扬的走势。2016 年《巴黎协定》生效，CCUS 技术专利申请数量再次增长。近十年，新增专利申请量占全球申请总量的 51.3%，到 2022 年申请量处于峰值，年申请量超过 2500 件。充分体现了全球各国对气候问题的日益重视，CCUS 技术已进入创新的活跃期和大发展时期。

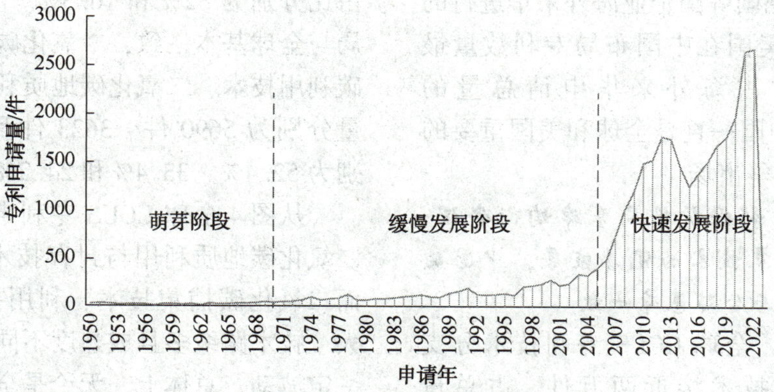

图 1　全球 CCUS 技术专利申请趋势

从专利来源国分析，CCUS 专利主要来自于中、美、日、韩、德等五国，五国的专利申请量约占全球总量的 76%。其中，中国专利申请量 10858 件，占全球总量的 33%，是最主要的专利产出国。其后的美、日、韩、德在全球占比分别为 20%、12%、6%和 5%。

对比五国的 CCUS 专利发展历程，如图 2 所示，美、日、韩、德等国针对 CCUS 技术的研发和布局早于中国，基本在 2010 年前后专利申请量达到高峰，近年来申请量有缓慢下降趋势。我国从无到有，则呈现积极赶超态势。自 2006 年至今，我国陆续发布 20 多项涉及 CCUS 的国家政策，确定了 CCUS 在应对气候变化领域的重要地位，并积极推动 CCUS 技术的推广和示范项目的建设，极大地促进了 CCUS 技术的创新发展。映射到专利申请上，在经历近 30 年的沉睡期后专利呈现快速爆发式增长。近十年，中国的专利申请量年均增速达 20.6%，远高于 7.9%的全球水平，并贡献了全球 1/2 的新增专利申请。近十年的新增量也占到中国专利申请总量的 80.6%，表现十分亮眼，见图 3。

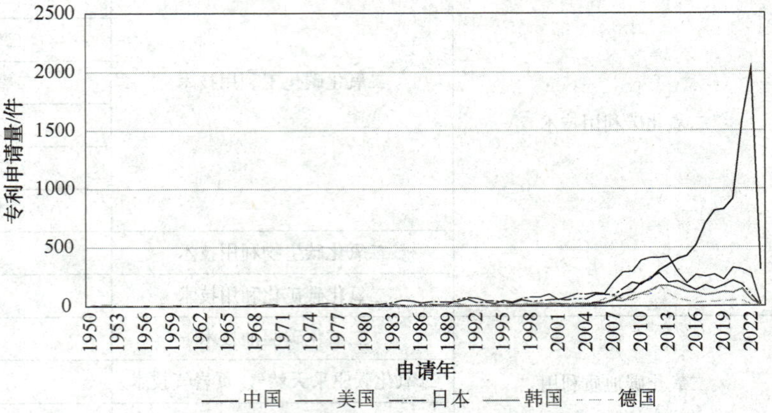

图 2　CCUS 技术专利主要来源国家专利申请趋势

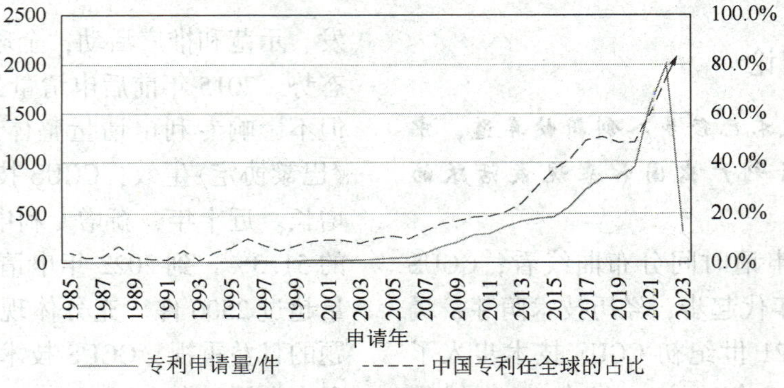

图 3　中国 CCUS 技术专利申请趋势

在布局中国的 CCUS 专利中，有 10.5%的专利是美国、日本、德国等国企业海外来华进行的专利布局。其中，美国在中国布局专利数量最多，接近四百件，占海外来华申请总量的 34.3%。充分说明中国一直是全球和美国重要的 CCUS 技术实施和竞争市场。

3.2　全球 CCUS 专利保护格局基本均衡合理，更关注于碳捕集技术的完善发展，中国的专利保护格局与全球基本一致

数据统计表明，全球 CCUS 专利技术分支中，二氧化碳捕集技术接近两万件，占总量 60%，二氧化碳利用技术和二氧化碳地质利用与封存技术专利申请量分别为 10406 件和 5309 件，占比分别为 32%和 16.3%。中国的专利保护格局与全球基本一致，二氧化碳捕集技术、二氧化碳利用技术、二氧化碳地质利用与封存技术申请量分别为 5690 件、3623 件和 2627 件，占比分别为 52.4%、33.4%和 24.2%。

从图 4 全球 CCUS 专利申请趋势分析可见，二氧化碳地质利用与封存技术一直呈稳定增长，而二氧化碳捕集技术、利用技术因技术复杂度大、技术路线多且成熟度不同，专利增长中出现一定波动。总体上，无论是全球还是中国，产业前端技术-二氧化碳的捕集和产业后端技术-二

氧化碳利用技术均得到广泛重视，专利保护格局较均衡合理。其中的二氧化碳捕集技术作为前端技术创新空间大，是专利申请的热点。

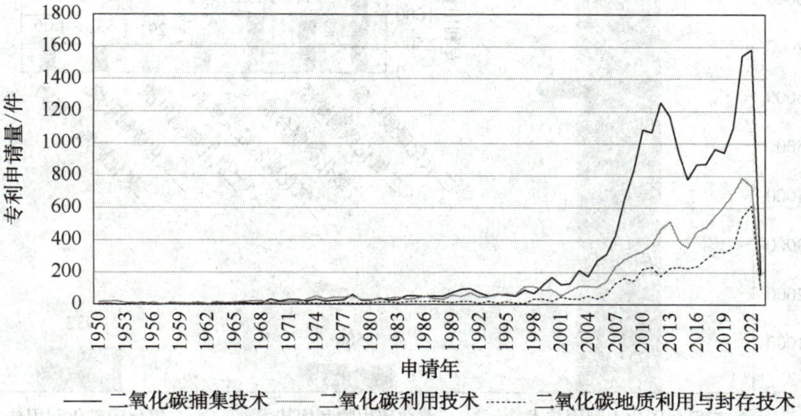

图 4　CCUS 技术分支的专利申请趋势

如图 5 的展示各分支技术的专利布局可见，在二氧化碳捕集技术领域，溶剂吸收技术路线的专利布局最多，全球专利申请量过万件，具体研究热点包括吸收剂、吸收工艺和废液处理方法等。二氧化碳利用技术领域中，由于以二氧化碳为基础原材料的中间和终端化工产品品类丰富，涉及的应用场景众多，每种产品的技术研发阶段各不相同，专利申请量总量也超过 9000 件。其中，二氧化碳制甲醇技术创新最为活跃，专利申请量超过 2000 件，二氧化碳制合成气及制烯烃技术的研究活跃度也较高，见图 6。二氧化碳地质利用与封存技术中，二氧化碳驱油技术已较为成熟，专利申请量超过 1000 件。

3.3　中国在 CCUS 专利布局范围、数量与主要国家没有明显差距，在二氧化碳地质利用与封存技术领域具有创新优势

比较分析中、美、日、韩、德等五大专利技术来源国的专利布局发现（见图 7），美国在二氧化碳膜分离技术、电化学捕集技术、二氧化碳生物利用技术、二氧化碳强化地热利用技术等领域专利申请量领先于中国，但领先优势并不显著。日本在二氧化碳矿化利用技术领域相对美、韩、德三国具有较大优势。中国在二氧化碳驱油技术和二氧化碳驱采煤层气技术领域具有明显创新优势，申请量大幅领先于其他国家。总体上，中国在专利布局范围、数量与先进国家没有明显差距，且有自身的特色优势。

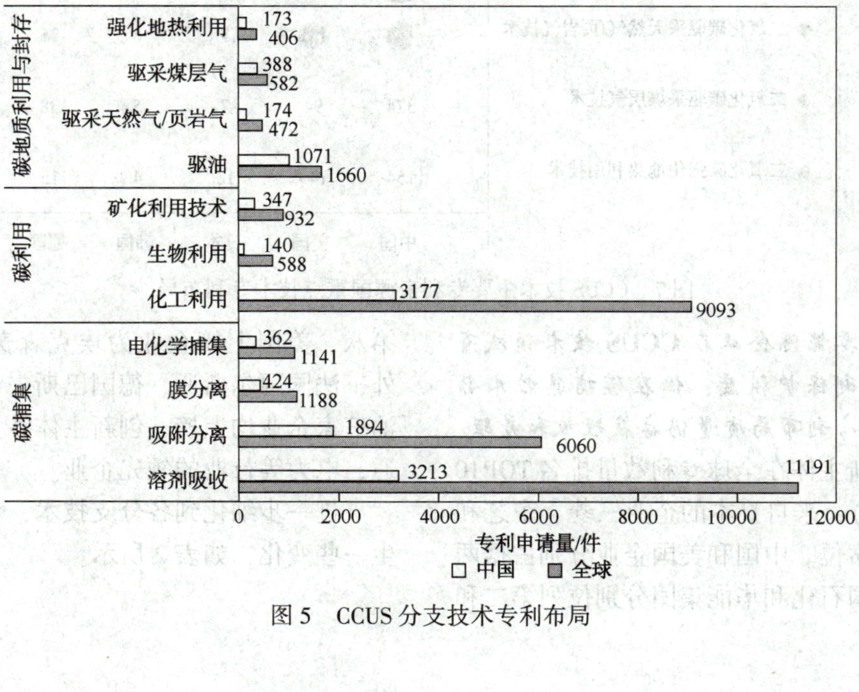

图 5　CCUS 分支技术专利布局

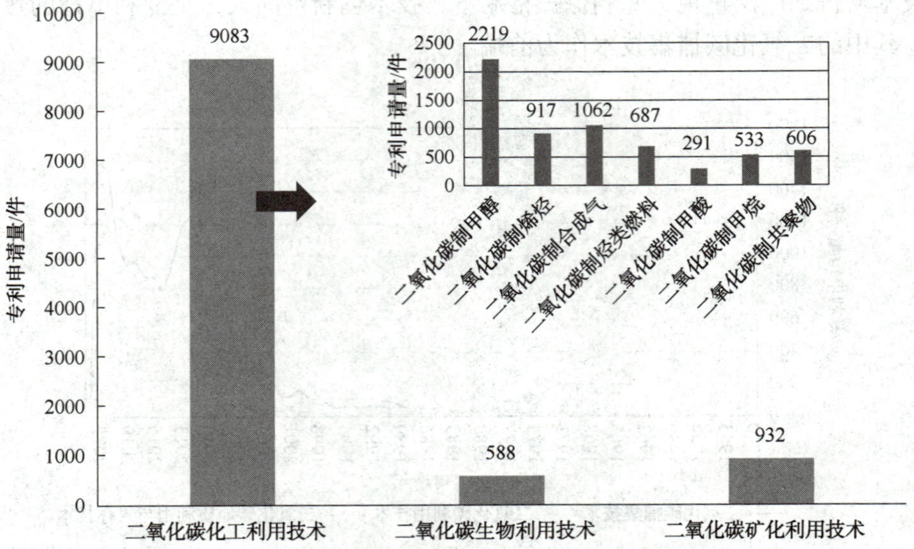

图 6　二氧化碳利用技术的重点技术构成分布

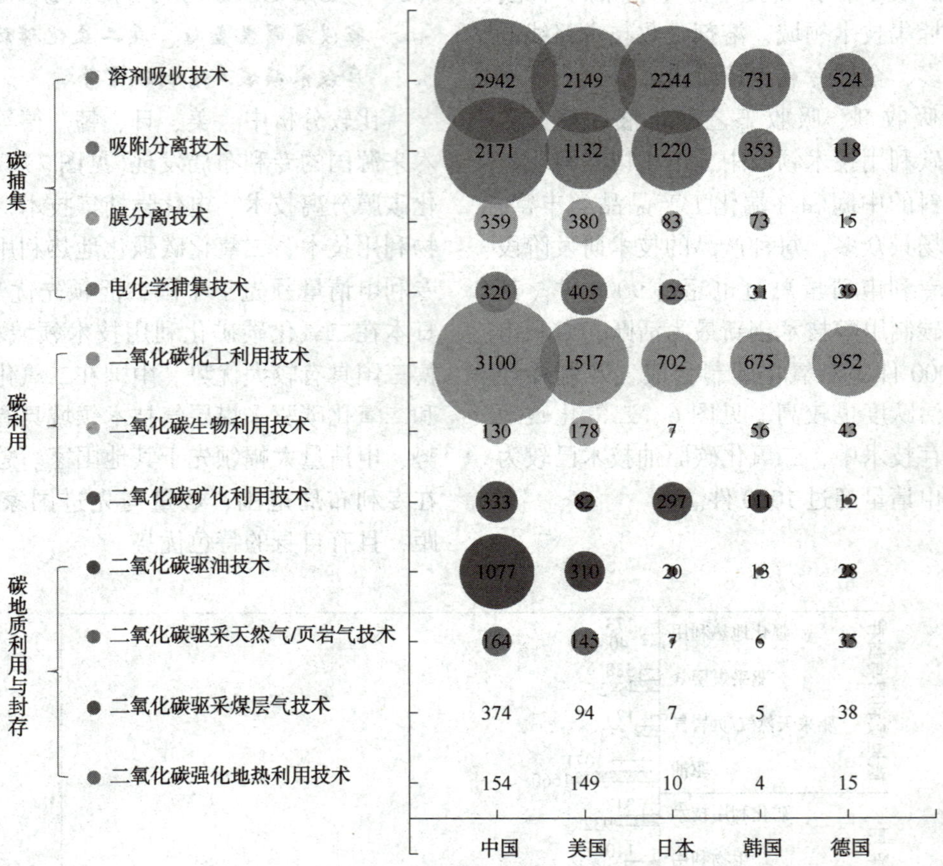

图 7　CCUS 技术主要专利来源国重点技术专利布局

3.4　我国的主要能源企业在 CCUS 技术领域有一定的专利保护强度，但在碳捕集技术领域，以及专利布局质量仍存在短板和差距

通过对创新主体在全球专利数量排名 TOP10 分析表明(图 8)，来自日本的企业三菱、东芝和日立占据三个席位。中国和美国企业分别占据两席，中国的中国石化和华能集团分别位列第二和第八，美国上榜企业为埃克森美孚和通用。此外，法国阿尔斯通、德国巴斯夫、沙特阿拉伯石油三家企业均上榜。创新主体涉及化石能源、交通，电力等行业的领先企业。

进一步细化到各分支技术，创新主体排名发生一些变化，如表 2 所示。

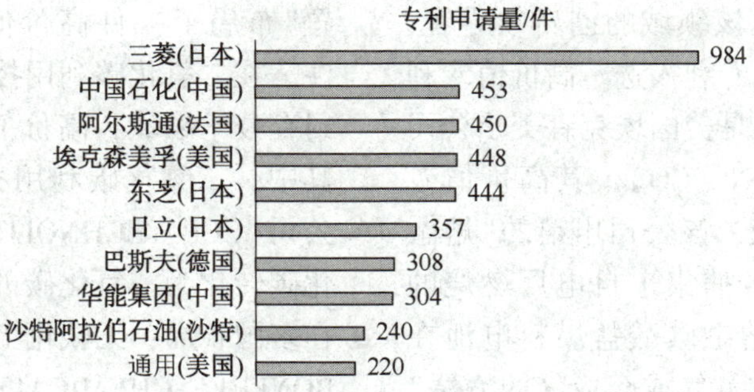

图 8 全球 CCUS 技术专利权人排名 TOP10

表 2 CCUS 各技术分支的专利权人排名 TOP10

申请量排名	二氧化碳捕集技术		二氧化碳利用技术		二氧化碳地质利用与封存技术	
	创新主体	数量	创新主体	数量	创新主体	数量
1	三菱(日本)	898	巴斯夫(德国)	206	中国石化(中国)	177
2	阿尔斯通(法国)	445	中国石化(中国)	140	中国石油(中国)	155
3	东芝(日本)	423	中科院大连化物所(中国)	104	中国石油大学(华东)(中国)	109
4	埃克森美孚(美国)	344	IFP(法国)	85	华能集团(中国)	74
5	华能集团(中国)	206	斯塔米卡邦(荷兰)	79	西南石油大学(中国)	70
6	关西电力(日本)	188	沙特基础工业(沙特)	75	延长石油(中国)	69
7	通用(美国)	187	SK 新技术(韩国)	72	沙特阿拉伯石油(沙特)	59
8	中国石化(中国)	177	加州大学(美国)	72	斯凯欧尼公司(美国)	57
9	沙特阿拉伯石油(沙特)	168	四川大学(中国)	61	西安热工研究院(中国)	54
10	天津大学(中国)	129	大连理工大学(中国)	59	西安交通大学(中国)	53

具体到各技术分支的专利数量排名结果，在碳捕集技术领域，我国无论是优势企业数量，还是专利数量与国外先进企业仍存在一定差距，是我国 CCUS 产业体系后续发展中需要特别关注的问题。在二氧化碳利用技术领域，我国的中国石化、中科院所和高校均有较好的二氧化碳化工利用技术研究基础，与国外差距并不明显。而二氧化碳地质利用与封存技术领域，我国能源龙头企业中国石油、中国石化，以及相关高校院所均显示出较强的技术创新力和专利保护强度，显示出我国在该领域的竞争优势和能力，形成多元化的创新氛围。

专利数量并不能够全面、客观反映一个企业的创新能力。因此，借助 ISPatent 检索平台的高价值专利评估功能，从技术、权利、市场三个维度设计评估模型，通过专利打分筛选出排序在前的 59 篇高价值专利(专利价值分值大于 90 分)，CCUS 技术专利价值分值分布如图 9 所示。

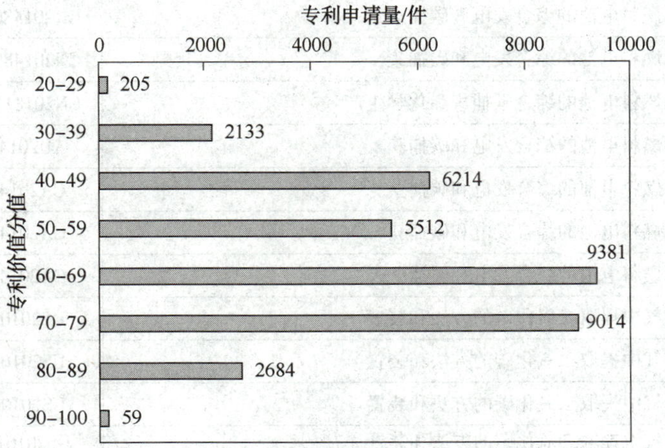

图 9 CCUS 技术专利价值分值分布

高价值专利中，美国专利权人的专利占到80%，充分说明美国仍是该领域的创新领导者，而中国的创新主体还没有专利入选。高价值专利清单中排名首位的权利人是美国埃克森美孚公司（EXXONMOBIL RES & ENG CO），其高价值专利布局在碳捕集技术领域，该公司申请的“熔融碳酸盐燃料电池（MCFCs）捕集来自电厂燃烧的CO_2的系统和方法”、“熔融碳酸盐燃料电池在低CO_2排放下生产电力和氢气或合成气的方法”等两个专利技术方向，在2014年3月13日通过PCT申请在美国、欧洲、加拿大、韩国和中国等国申请20篇专利，并实现了实施转化，专利无论从文本的质量、权项数量、引证量、同族量等数据，均显示出高价值专利的特征，特别值得我国创新主体的关注和学习。此外，美国的碳汇公司（CARBON SINK INC.）专利总量虽然未进入前十，但其在“空气中提取二氧化碳的方法和装置”布局了4件高价值专利，同样值得特别关注。在二氧化碳利用技术、二氧化碳地质利用与封存技术领域，高价值专利的权利人相对分散。其中，二氧化碳利用技术领域，CCP技术有限公司（CCP TECHNOLOGY GMBH）持有的“二氧化碳转化为一氧化碳的工艺和系统”专利技术已在多国布局；无碳化工控股有限责任公司（CARBONFREE CHEMICALS HOLDINGS LLC）、艾瑞莱克公司（ARELAC，INC.）则在二氧化碳封存利用技术领域持有高价值专利。上述高价值专利均从工艺/方法和设备/系统综合进行保护，从专利的优先权数据反映出技术持续改进至今，已经较为完善和成熟，具备很好的实施性，值得我国企业重点研究借鉴，并注意分析是否会产生侵权风险并做好相关的专利法规避研究。具体见表3。

表3　CCUS技术领域典型权利人的高价值专利清单

		序号	专利名称（中文翻译）	申请号	申请日
二氧化碳捕集	埃克森美孚研究工程公司	1	使用燃料电池的集成碳捕获和化学生产	WO2014US25185	20140313
		2	使用燃料电池的综合发电和碳捕获	WO2014US25180	20140313
		3	使用燃料电池的综合发电和碳捕获	WO2014US25179	20140313
		4	使用燃料电池的综合发电和碳捕获	WO2014US25175	20140313
		5	使用燃料电池的综合发电和碳捕获	WO2014US25173	20140313
		6	利用燃料电池集成碳捕获和化学生产	US201414207691	20140313
		7	使用燃料电池的综合发电和碳捕获	US201414207690	20140313
		8	使用燃料电池的综合发电和碳捕获	US201414315479	20140626
		9	使用燃料电池的综合发电和碳捕获	US201414207687	20140313
		10	使用燃料电池的集成碳捕获和化学品生产	KR20157029336	20140313
		11	使用燃料电池的综合发电和碳捕获	KR20157028740	20140313
		12	使用燃料电池的综合发电和碳捕获	KR20157027049	20140313
		13	使用燃料电池的综合发电和碳捕获	KR20157026341	20140313
		14	使用燃料电池的综合发电和碳捕获	EP20140718491	20140313
		15	使用燃料电池的综合发电和碳捕集	CN201480027029.7	20140313
		16	使用燃料电池的综合发电和碳捕集	CN201480015173.9	20140313
		17	使用燃料电池的综合碳捕集和化学生产	CN201810199442.1	20140313
		18	使用燃料电池的综合发电和碳捕获	AU20140235196	20140313
		19	使用燃料电池的综合发电和碳捕获	CA20142902974	20140313
		20	使用燃料电池的综合发电和碳捕获	CA20142902967	20140313
		21	使用燃料电池的综合发电和碳捕获	CA20142902934	20140313
	碳汇公司	22	从空气中提取二氧化碳的方法和装置	US20100903967	20101013
		23	从空气中提取二氧化碳的方法和装置	US20100903962	20101013
		24	从空气中提取二氧化碳的方法和装置	US20100903955	20101013
		25	从空气中提取二氧化碳的方法和装置	US201615243806	20160822

续表

		序号	专利名称（中文翻译）	申请号	申请日
二氧化碳利用	CCP 技术有限公司	26	二氧化碳转化为一氧化碳的工艺和系统	US201214232934	20121220
		27	二氧化碳转化为一氧化碳的工艺和系统	MY2014PI701652	20121220
		28	将二氧化碳转化为一氧化碳的工艺和系统	KR20147020286	20121220
		29	二氧化碳转化为一氧化碳的工艺和系统	CA20122842122	20121220
		30	将二氧化碳转化为一氧化碳的方法；合成气体的生成方法；生成功能性和/或非功能性合成碳氢化合物的方法；将二氧化碳转化为一氧化碳的装置；用于生成合成气的装置；以及用于将合成气转化为功能性和/或非功能性合成烃的装置	BR20141114980	20121220
		31	二氧化碳转化为一氧化碳的工艺和系统	US201214232934	20121220
		32	二氧化碳转化为一氧化碳的工艺和系统	US201615229384	20160805
		33	二氧化碳转化为一氧化碳的工艺和系统	US201615229384	20160805
二氧化碳地质封存	无碳化工控股有限责任公司	34	利用氢氧化镁封存二氧化碳和氢氧化镁的再生	US202016813160	20200309
		35	涉及两种盐基热解过程的二氧化碳封存	KR20137003186	20110708
		36	涉及两种盐基热解过程的二氧化碳封存	EP20110804454	20110708
	艾瑞莱克公司	37	封存二氧化碳的方法	US20100942558	20101109
		38	封存二氧化碳的方法	US20080344019	20081224
		39	封存 CO_2 的方法	CN200880023216.2	20081224

4　发展建议

综合专利研究表明，全球 CCUS 技术已经处于快速发展阶段，“二氧化碳捕集”、“二氧化碳利用”、“二氧化碳地质利用与封存”三个技术分支基本形成均衡发展格局，碳捕集技术是创新的热点。我国 CCUS 研究虽然起步较晚，但仍是 CCUS 技术主要的应用与竞争市场。我国在近十余年，CCUS 技术经历了无到有、从弱至强，现已在三个技术分支均取得大量的应用成果，实现了百万吨级别的 CCUS 示范项目。相应的，在 CCUS 技术领域的整体创新和专利活动势头高涨，并呈现出企业引领，高校作为重要补充的良好创新氛围。但是，从专利保护角度，我国在碳捕集技术领域、高价值专利等方面仍存在薄弱点，在 CCUS 创新发展和产业化过程中，仍需要充分借鉴和关注专利信息，提高自主技术的专利保护强度，降低侵权风险。建议：

（1）持续密切跟踪全球 CCUS 先进技术

国内创新主体应密切跟踪三菱、埃克森美孚、东芝等全球在 CCUS 技术创新领先的企业研发和整体专利动态，了解和准确把握前沿技术发展方向和竞争对手动向，结合自身研发方向建立重点关注专利清单，做好技术学习借鉴与专利规避设计，形成自主技术特色优化专利保护格局。

（2）加强高价值专利培育和布局

按照本文依据的高价值专利筛选条件，CCUS 技术高价值专利的申请人主要来自美国、德国、加拿大等国家，中国创新主体还未有专利入选。我国的相关创新主体应在二氧化碳捕集技术、化工利用技术、驱油技术及驱采煤层气技术等具有创新优势领域进行精准挖掘，提高专利布局数量和质量，进一步培育高价值专利，以有效支撑技术的快速转化实施。

（3）加强产学研合作创新

我国的高校和科研院所具备丰富的科研人力物力资源，企业具备生产实践的硬件条件，产学研合作能够提高技术创新产出效率，实现合作共赢。检索发现，国内各创新主体大都是各自为阵进行研发与布局，尚未形成产学研合作的良好氛围，合作共赢的潜力还有待于进一步挖掘。双方应以开放态度积极寻求合作，提高技术研发起点和创新效率。高校院所助力企业加大在 CCUS 关键技术领域创新力度和加快技术研发进程，使其快速成长为 CCUS 领域创新龙头企业。

（4）强化创新主体的知识产权保护质量意识

创新要走“技术创新－专利保护－成果转化”的高质量发展之路，必须要重视专利保护数量与质量。从高价值专利清单的筛选分析，突出反映出国外先进企业在 CCUS 技术的持续与升级性开发、专利地域布局、专利自主研究与专利收购相结合的战略性考量，而我国企业的专利保护多停留在单点、单区域保护，专利数量多但技术的专利保护强度、密度并不高，在后续 CCUS 产业化进程能否发挥保障与支撑作用存在较大的不确定性。需要我国的创新主体对标国外先进企业做法，提高专利保护质量意识，认真借鉴研究。

参 考 文 献

[1] 谢和平，刘涛，吴一凡，等. CO_2 的能源利用技术进展与展望[J]. 工程科学与技术，2022，54(1)：145-156.

[2] PACHAURI R K，ALLEN M R.，BARROS V R，et al. Climate change 2014：synthesis report. contribution of working groups Ⅰ，Ⅱ and Ⅲ to the fifth assessment report of the intergovernmental panel on climate change [M]. Geneva，Switzerland：IPCC，2014：151.

[3] GCCSI. Global status of CCS 2020 [R]. Melbourne：Global CCS Institute，2020.

废塑料改性沥青混合物用于沥青路面的研究进展

武润平　季　澎　何靖斌

（中国石油化工股份有限公司茂名分公司）

摘　要　塑料的广泛生产和消费是一个紧迫的全球问题，需要多方面的方法和解决方案。回收废塑料可以将其用于沥青路面的相关应用。尽管这种方法可能为塑料提供一个增值的回收渠道，但需要解决几个挑战，以最大限度地利用塑料。基于此，本综述文章提供了与废塑料在沥青混合料中的使用相关的不同方面的全面背景。除了检查含有废塑料的沥青混合料的力学性能外，还对相关的环境问题和生命周期评估相关属性进行了深入探讨。此外，还讨论了通过在几个国家的实地试验成功证明这一技术的情况。越来越多的实验和世界各地交通机构的广泛兴趣表明，这项技术有可能在路面行业中被采用为一种可持续的做法。

关键词　废塑料；改性沥青；干法改性

1　前言

尽管塑料在不同领域有很多的应用，但在过去几十年中，塑料的大规模消费引起了人们对环境的迫切关注。多年来废塑料的积累，导致了一场前所未有的固体废弃物危机，它污染了自然水体，固体废物处理垃圾填埋场到处都是塑料，并且在燃烧过程中传播致癌烟雾。因此，废塑料是需要大范围回收的主要固体废物。然而，世界各地的塑料回收率非常低，因此迫切需要为废塑料找到替代的回收途径和方法。废塑料在建筑行业的使用得到了相当大的关注(例如，砖块、水泥混凝土道路、沥青混凝土道路、水泥砂浆复合材料)。因此，本文重点关注了废塑料在路面沥青混合料相关应用中的利用。

废塑料在沥青混合料中的使用在很大程度上取决于它在不同交通和环境载荷条件下对其机械性能的变化。此外，针对不同废塑料的不同理化性质，必须有针对性地加以解决，才能在沥青混合料中成功应用。因此，需要从机械性能的角度(以及相关的挑战和解决方案)给予相当大的关注，以最大限度地利用它。此外，从可持续性和长期道路建设的角度来看，评估生命周期评估相关属性至关重要。

总的来说，本文的范围如下：(1)在沥青混合料中利用废塑料的挑战和解决方案；(2)废塑料对沥青混合料机械性能的影响；(3)生命周期评价和经济分析；(4)在不同国家的相关现场试验。这篇综述文章有望有助于研究人员、工程师和政策制定者了解该主题的最新信息，并加快废塑料在该领域的利用。

2　主要挑战和解决方案

2.1　主要挑战

塑料家族包括数千种具有独特性能和用途的材料。从广义上讲，塑料根据其化学结构和加热后不同性质的变化可分为热塑性塑料和热固性塑料。热塑性塑料，如聚乙烯(PE)、聚丙烯(PP)、聚对苯二甲酸乙二醇酯(PET)、聚苯乙烯(PS)、。同样，热固性塑料是一组在加热时发生化学变化并形成三维网络的塑料，一旦加工后这些塑料就不能再熔化和改造成其他用途。热固性材料的实例包括聚氨酯(PU)和环氧树脂(ER)。一般来说改性沥青以热塑性塑料作为改性剂为主流，因为它们具有可重复的加工特性。而热固性树脂作为功能改性剂在沥青混合料中的再利用并不容易。重新利用这些塑料的最佳方法是通过机械加工方法，包括粉碎和研磨。

2.2　潜在解决方案

考虑到不同类型的废塑料具有不同的材料属性、熔化温度和其他相关因素，其回收方法也有所不同。废塑料用于沥青路面相关应用时也存在不同的潜在解决方案。

热塑性塑料最常见的回收方法是机械物理方法，包括将其粉碎并研磨成小颗粒，然后将其添加到沥青黏合剂和混合物中。该工艺不可避免地需要非常高的温度和相对长的时间来将塑料与黏合剂混合，以确保改性黏合剂的均匀性。由于废弃热固性塑料的交联结构特性，熔融工艺和化学处理可能不适合回收废旧热固性塑料。这些废物通常被机械回收成细粉末(如破碎和研磨)，然后将其用作沥青混合物中骨料的部分替代品以重新用于沥青混合物。

3 废塑料沥青结合料的流变性能

根据废塑料的性质，预计沥青结合料和混合料的各种力学性能参数会发生不同程度的变化。因此，了解流变性能的不同属性以及各种组成成分之间的物理化学相互作用至关重要。从沥青改性工艺上主要分为湿法工艺和干法工艺。图1显示了将废塑料掺入沥青混合料的两种不同方法的图解说明。

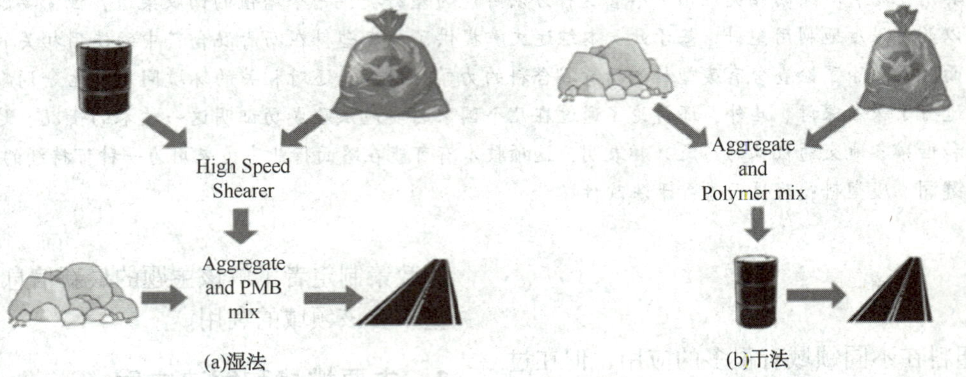

图1　废塑料混合沥青混合料过程

3.1 湿法工艺

湿法搅拌工艺可以假设当塑料与热沥青结合料混合时，它完全熔化并形成均匀的分散体系。然而，这是对物理化学相互作用的过度简化，因为实际过程是更复杂的过程。事实上，塑料在沥青黏合剂中长期储存和现场使用过程中可能出现相分离。黏度的差异可能导致聚合物不会在很大程度上分散在黏合剂中。在混合过程中，沥青黏合剂中较低分子量的成分将有助于聚合物相的溶胀。反应性添加剂，如酸酐、异氰酸酯、环氧化物和硫可以改善黏合剂弹性和流变性能的能力。

一般来说，塑料的添加通常会增加黏合剂的刚度和与之直接相关的性能，进而会对材料的车辙、疲劳和强度等特性产生影响。(1)车辙性能的影响：与基础沥青结合料相比，添加PE后结合料层面车辙性能更好。另外将废橡胶屑与塑料协同作用显示出车辙性能更好的改善。(2)疲劳性能的影响：在沥青混合料中引入塑性成分可以减轻疲劳相关的失效。由于不对称热膨胀，复合材料黏合剂中的界面薄弱可能导致温度变化，这可能导致拉伸应力的发展。例如苯乙烯-丁二烯-苯乙烯(SBS)和碎橡胶，可以提高疲劳寿命。(3)混合料强度的影响：一般来说，加入合理百分比的塑料会提高沥青混合料的抗拉强度。使用小颗粒尺寸的PE会使间接抗拉强度值增加15%。

3.2 干法工艺

在干法搅拌过程中，将废塑料直接添加到沥青混合物中，作为骨料或混合物改性剂的替代品。骨料替代方法通常建议用于熔点相对较高的废塑料这[例如，聚丙烯(PP)、聚碳酸酯(PC)、聚苯乙烯(PS)](即，熔点通常高于沥青混合物的生产温度)。

与湿法混合的情况类似，使用干法添加塑料可以增加沥青混合料的刚度及其相关性能。这些塑料对车辙、疲劳和刚性等特性的影响如下所示。(1)对车辙性能的影响：几项研究表明，随着PS类型废塑料的加入，抗车辙性能普遍得到改善。(2)对疲劳性能的影响：沥青结合料或含有塑料的混合物在混合过程中不熔化，其疲劳性能不如在加工过程中熔化的塑料。一项研究报告称，在沥青混合物中添加10%的聚对苯二甲酸(PET)类塑料后，疲劳性能提高了十倍。(3)对混合料强度的影响：研究表明，废弃PET类塑料的加入可以大大提高了沥青混合料的抗拉强度。

3.3 干法与湿法工艺的适用条件

根据不同研究的结果，考虑到现场的废物处

理和物流问题，使用干法将塑料掺入混合物中似乎更简单。使用干法的沥青混合物中可以使用明显更多量的塑料，因为与湿法中黏合剂的重量(%)相比，它是按骨料的重量(%)添加的。然而，干法的一个重大困难是获得一致的骨料级配。解决这一问题的方法是对塑料进行额外的预处理，但这会提高塑料的处理成本。当考虑最适合每种混合方法的塑料类型时，最简单、最实用的方法是简单地考虑熔化温度。在湿混合的情况下，具有相对较低黏度的塑料将比高黏度塑料更合适，因为它将确保更好地分散在沥青黏合剂中。

4　生命周期评估和经济分析

生命周期评估(LCA)是量化产品在使用寿命结束时对环境影响的一种常用方法，能源消耗和全球变暖潜能值(GHG)是表征道路建设材料影响的最常用属性。尽管在沥青混合料中使用废塑料可以提供足够的工程性能，但是在实际中整体上确定可行是至关重要的。因此，需要量化指标来确定其实施是否在环境和经济上都可行是必要的。当沥青混合物中等量的废 PP 取代 8%的原始 PP 时，二氧化碳的排放量将减少近 10%。另外当大量 PP 和橡胶混合时，在温室气体排放和能源使用方面有积极的影响。基于生命周期评价的工具也被用于评估在混合物中使用各种类型的 PS 废物的效果，PS 的加入提高了路面的弹性，并提供了相对的能源消耗环境影响。当废塑料改性沥青混合料代替沥青混合料中的传统材料用作面层材料时，能耗降低了约 2%。

从经济角度来看，在混合物中使用废塑料可以减少对原料的需求，因此，在节省材料成本方面具有相当大的潜力。此外，随着路面性能的提高，对垃圾填埋场需求的减少可能会带来额外的经济效益。Vasudevan 等人报道称，在 3.75 米长的 1 公里道路上，用废塑料代替 10%的原始沥青可以节省约 1 吨沥青的经济当量。

5　废塑料沥青混合料实地项目

最近在全球范围内进行了几项实地试点研究，此类研究不仅有助于研究人员验证基于实验室的发现，还有助于识别该领域的相关实际挑战，并制定最大限度地利用其在道路基础设施中的指导方针。

5.1　印度实地项目

2013~2014 年，印度的塑料垃圾产生量约为 11 公斤/人/年，预计到 2022 年将增加到 20 公斤/人每年。在过去几年中，印度钦奈一地利用了约 1600 吨废塑料修建了约 1035 公里的道路。随后，该国其他区域也开始了类似的建设。如图 2 所示，2019 年在艾哈迈达巴德建造了不同的路段，到目前为止，它们已经度过了三个季风季节，没有任何视觉缺陷。同样，2019 年在西姆拉进行了一个类似的试点项目，在经历了三次大雪的冬季循环(设计交通量接近 1000 万标准轴)后，该项目表现良好，没有任何视觉缺陷。总的来说，迄今为止，印度已有超过 33700 公里的沥青路面(包括 700 多公里的国道)使用废塑料建造。

图 2　印度艾哈迈达巴德含有废塑料的试验区

5.2　美国实地项目

自 2018 年以来，美国不同地区已经使用干法和湿法铺设了大约 19 个含有废塑料的沥青层的现场路段。例如，2021 年在威斯康星州修建了一条 137 米长的地方道路，其中使用了约 450 公斤的废低密度聚乙烯(LDPE)。同样，2019~2020 年，德克萨斯州使用了约 1594 公斤 LDPE 基废塑料(使用湿法)修建了两条私人道路。为了研究将废塑料添加到混合物中的最合适方式，美国国家航空航天局在 2021 年建造了两条测试轨道，目前正在研究它们的短期和长期性能。此外，洛杉矶公共工作办公室在2020年宣布，将使用含有废塑料的沥青混合物建造主要城市道路，并评估其在重载下的结构性能(预计每车道公里使用约150000个塑料瓶)。

5.3 中国实地项目

中国是最大的废塑料生产国，占全球废塑料总量的五分之一。此外，中国人均每年产生的废塑料约为18公斤/年，仅2019年中国就产生了约1.3亿吨一次性塑料。因此，自2018年1月以来，中国已禁止进口包括塑料在内的24种不同类型的废物。此外，政府正在鼓励回收废塑料，包括探索其在基础设施发展项目中的潜在应用。在这个方向上，华南理工大学2021年建成了第一个300米废塑料沥青路面试点项目，如图3所示。该项目使用了6000多个废弃的PE基再生奶瓶，采用湿法混合。与该项目相关的公司承诺到2030年利用约100万吨废塑料。

图3　中国华南理工大学含有废塑料的试验

6 结论

本文阐述了在沥青混合料中使用废塑料的不同相关方面。首先，讨论了废塑料在沥青混合料中利用的挑战。许多类型的废塑料(包括热塑性塑料和热固性塑料)已显示出用作沥青混合料改性剂的潜力，其中高熔融温度和较差的高温储存稳定性等特性是与其实际应用相关的一些主要问题。当考虑废塑料改性沥青结合料和混合物的力学性能时，一般来说添加这些废塑料有助于提高其强度和耐久性等相关性能。同时发现与高熔点塑料相比，具有低熔点的塑料将更适合湿法混合工艺。在湿法搅拌的情况下，具有相对较低黏度的塑料将比高黏度塑料更合适改性沥青。最后，在考虑将废塑料纳入道路基础设施时，必须通过适当和本地化的生命周期评估工具对这些因素进行定量评估，以选择最佳的应用方法并最大限度地利用它们。

总的来说，世界各地的几个试点项目都取得了令人鼓舞的结果。因此，在筑路沥青中使用大量的废塑料将会为废塑料问题的解决扮演重要的角色，能够有效的解决塑料固体废弃物处理问题。

参考文献

[1] 周飞，彭剑峰．塑料热解制油技术研究进展．塑料工业，(2022)，pp. 27-29.

[2] 陈欢，万坤，牛波，，等．废弃塑料化学回收及升级再造研究进展．化工进展，(2022)，pp. 14-16.

[3] K. K. Jha，T. T. M. Kannan，Recycling of plastic waste into fuel by pyrolysis-a review Mater. Today：. Proc.，37(2021)，pp. 3718-3720.

[4] P. K. Penumakala，J. Santo，A. Thomas，A critical review on the fused deposition modeling of thermoplastic polymer composites. Compos. B Eng.，201(2020)，Article108336.

[5] S. J. Pickering，Recycling technologies for thermoset composite materials-current status，Compos. A Appl. Sci. Manuf.，37(8)(2006)，pp. 1206-1215.

[6] M. A. Dalhat，H. I. Al-Abdul Wahhab，Performance of recycled plastic waste modified asphalt binder in Saudi Arabia，Int. J. Pavement Eng.，18(4)(2017)，pp. 349-357.

[7] J. Lin，Z. Guo，B. Hong，J. Xu，Z. Fan，G. Lu，M. Oeser，Using recycled waste glass fiber reinforced polymer (GFRP) as filler to improve the performance of asphalt mastics. J. Clean. Prod.，336(2022)，Article130357.

[8] S. Wu, L. Montalvo, Repurposing waste plastics into cleaner asphalt pavement materials: a critical literature review, J. Clean. Prod., 280 (2021), Article124355.

[9] M. N. Amin, M. I. Khan, M. U. Saleem, Performance evaluation of asphalt modified with municipal wastes for sustainable pavement construction, Sustainability, 8 (10)(2016), p. 949.

[10] C. S. Mohanta, A. Sreeram, V. Yadav, R. K. Padhan, N. S. Raman, R. P. Badoni, Synergic effect of waste PET and sebacic acid on the rheology of crumb rubber modified bitumen. Int. J. Pavement Eng., 22 (9) (2021), pp. 1143-1154.

[11] Q. Ye, S. Amirkhanian, J. Li, Z. Chen, Effects of waste polyethylene on the rheological properties of asphalt binder, J. Test. Eval., 48 (3) (2020), pp. 1893-1904.

[12] A. H. Abed, H. U. Bahia, Enhancement of permanent deformation resistance of modified asphalt concrete mixtures with nano-high density polyethylene, Constr. Build. Mater., 236(2020), Article117604.

[13] M. Arabani, M. Yousefpour Taleghani, Rutting behavior of hot mix asphalt modified by polyvinyl chloride powder, Pet. Sci. Technol., 35(15)(2017), pp. 1621-1626.

[14] R. K. Padhan, A. Sreeram, C. S. Mohanta, Chemically recycled polyvinyl chloride as a bitumen modifier: synthesis, characterization and performance evaluation, Road Mater. Pavement Des., 22(3)(2021), pp. 639-652.

[15] A. Balaguera, G. I. Carvajal, J. Albertí, P. Fullana-i-Palmer, Life cycle assessment of road construction alternative materials: a literature review, Resour. Conserv. Recycl., 132(2018), pp. 37-48.

[16] B. Yu, L. Jiao, F. Ni, J. Yang, Evaluation of plastic-rubber asphalt: engineering property and environmental concern, Constr. Build. Mater., 71 (2014), pp. 416-424.

[17] Vila-Cortavitarte, P. Lastra-González, M. Calzada-Pérez, I. Indacoechea-Vega, Analysis of the influence of using recycled polystyrene as a substitute for bitumen in the behaviour of asphalt concrete mixtures, J. Clean. Prod., 170 (2018), pp. 1279-1287.

[18] J. P. C. Araújo, J. R. Oliveira, H. M. Silva, The importance of the use phase on the LCA of environmentally friendly solutions for asphalt road pavements, Transp. Res. Part D: Transp. Environ., 32 (2014), pp. 97-110.

[19] R. Vasudevan, A. R. C. Sekar, B. Sundarakannan, R. Velkennedy, A technique to dispose waste plastics in an ecofriendly way - Application in construction of flexible pavements Constr. Build. Mater., 28 (1) (2012), pp. 311-320.

[20] H. (Rischar, 2020.) Los Angeles applies recycled plastic asphalt on first major city street. Construction and Demolition Recycling.

[21] C. Heng, China's plastic waste mountain the biggest in the world: study, accessed on June 18, 2023, South China Morning Post. (2021)

8 1308639

加氢油浆制备针状焦的应用研究

李　超

（中国石化茂名石化分公司研究院）

摘　要　针状焦是人造石墨的重要原材料之一，具有结晶度高、热膨胀系数小、取向性好、导电性能及导热性能优异等特点，目前被广泛应用于电炉炼钢的超高功率石墨电极、特种炭素制品、锂离子电池负极等领域。其中，随着钢铁行业向绿色低碳方向转型升级，电炉炼钢将成为钢铁行业的重点发展方向之一。此外，近年来，锂离子电池行业的蓬勃发展也为针状焦带来了新的发展机遇。然而，目前有很多生产企业对针状焦油浆组分和生焦过程认识不够充分，难以生产高质量针状焦。因此，亟需深入研究相关内容，促进针状焦行业的发展。本文通过分析油浆组分和调整生焦工艺条件，寻找到最优的生焦制备路线，相信能为针状焦质量的提升提供参考。

关键词　针状焦；人造石墨；石墨电极；特种炭素制品；锂离子电池

1　引言

随着能源危机和环境危机的不断加剧、以及人们环保意识的不断提升，全球清洁能源产业进入了一个黄金发展期。作为环保领域的典型代表，电炉炼钢、新能源等行业正得到快速发展。相应地，针状焦作为这些行业的优质原料正受到人们的追捧。当前，针状焦正用于生产高功率（HP）、超高功率石墨电极（UHP）、锂离子电池（LIBs）负极材料和高端碳素制品等产品，在商用和民用方面具有重要的价值。近年来，针状焦的产量正逐年上升。以中国的针状焦市场为例，截至2022年4月底，中国针状焦产能为$263\times 10^4 t/a$，较2021年增加$19\times 10^4 t/a$，其中油系针状焦产能为$152\times 10^4 t/a$，占比达57.79%，煤系针状焦产能$111\times 10^4 t/a$，占比42.21%。当前，针状焦主要在石墨电极和LIBs负极方面得到大量使用。在2021年，石墨电极对针状焦需求占比为61%；锂电池负极材料对针状焦的需求占比达到39%。目前，其他行业对针状焦也存在潜在需求，针状焦基产品有望在多个领域得到应用。

针状焦作为一种多孔碳材料，具有明显的流线型结构、较强的各向异性、良好的导电性和导热性、和低的热膨胀系数等特点，吸引了科研工作者的研究兴趣。针状焦的制备一般是通过液相炭化技术，将焦化原料逐渐热解和缩聚形成中间相小球。中间相小球再经充分长大、融并、定向，最后碳化成流线型结构的针状焦。其生产工艺分为原料优化、延迟焦化和煅烧三个部分。其中，延迟焦化得到的产品称为针状焦生焦。生焦在旋转窑中或者在回转床煅烧炉中进行煅烧（煅烧温度通常为1500~1800K）后得到针状焦煅后焦（也称熟焦）。在煅烧过程中，生焦的热处理能够进一步降低生焦中的挥发分。未经煅烧的生焦在碳制品生产过程中会发生结构收缩，使得产品在处理过程中产生微裂纹。针状焦按照原料的种类可分为油基针状焦（主要是渣油和沥青）和煤基针状焦（主要是煤焦油沥青或煤液化沥青）。虽然原料有所区别，但是这两种针状焦都是通过延迟焦化过程得到的。当前，由于原料的供给不稳定和部分企业技术不成熟，高质量的针状焦生产技术仅掌握在少数生产厂家手中。此外，随着近几年LIBs在电动汽车行业的大量应用，涌现了大量针状焦生产厂家。但是，由于技术不成熟，针状焦市场出现了产品不达标的问题，因此，迫切需要发展针状焦相关技术，帮助企业生产出高质量针状焦。其中，一个重要课题是认识油浆，理清生焦原理，寻找到一种可靠的生焦工艺流程。

基于此，本文详细分析了针状焦原料加氢油浆的组成，重点研究了油浆焦化过程，制备的生焦具有流线型好、硬度高、石墨化程度高等特点。通过我们的工作，相信能够为针状焦的高质量发展和应用提供借鉴。

2 实验部分

2.1 实验药品和材料

实验所用药品和材料见表1。论文中所使用的药品都未经过进一步加工处理。

2.2 实验仪器设备

实验中使用的主要仪器设备见表2。

表1 实验所用药品与材料的重要信息

药品或材料名称、规格	化学式或缩写	厂商
中性氧化铝	Al_2O_3	国药集团化学试剂有限公司(国药试剂)
正己烷、AR	C_6H_{14}	国药试剂
二氯甲烷、AR	CH_2Cl_2	国药试剂
无水乙醇、AR	C_2H_5OH	国药试剂
甲苯、AR	C_7H_8	Aladdin 试剂
加氢油浆	—	茂名石化
聚偏二氟乙烯(PVDF)	$(CH_2CF_2)_n$	国药试剂
Super P	C	国药试剂
N-甲基-2-吡咯烷酮(NMP)	C_5H_9NO	国药试剂

表2 实验所用仪器设备的基本信息

仪器设备名称、型号	厂家
拉曼光谱分析仪、LABRAM/HR800	Horiba Jobin-Yvon
扫描电镜、JSM-6700F	日本 JEOL 公司
X 射线衍射仪、D/max-2500PC Rigaka	日本理学公司
X 射线光电子能谱、ESCALAB MK Ⅱ	英国 VG Scientific Ltd. 公司
热重分析、SDT 2960	美国 TA 设备公司

2.3 油浆分离实验

用铁架台固定直径为26mm、有效长度为385mm、干燥的具砂板层析玻璃吸附柱。取200~300目层析用中性氧化铝100g于真空干燥箱中活化。准备正己烷分析纯、二氯甲烷分析纯及无水乙醇分析纯试剂备用；准备5个50mL茄形瓶用于收集样品，并全部准确称量质量，分别记为 $M1=35.5982$g，$M2=40.5673$g，$M3=38.9672$g，$M4=41.0034$g，$M5=35.7862$g。将加氢油浆样品放在50℃烘箱加热5min为流动状态，充分搅拌均匀；称取2.0g搅拌均匀后的加氢油浆样品置于干净的样品瓶中备用。

在加氢油浆中加入10mL甲苯溶解，100mL甲苯过滤，不溶物置于真空干燥箱中干燥，收集滤液，通过旋转蒸发法去除溶剂。取质量为 $M1$ 的50mL茄形瓶，将上述可溶物除去溶剂后转移到茄形瓶中，放入120℃真空干燥箱内，负压为90kPa以下的条件下，保持2h，取出放置于干燥器中冷却30min后，称量总体质量记为 $m1=37.5932$g。干法装柱，将准备好的中性氧化铝70g倒入层析柱中，通过离心泵使正己烷浸润、压实层析柱，用橡皮棒轻轻敲打层析柱使中性氧化铝紧实平整。将上述装有样品的茄形瓶加入5mL正己烷将样品溶解均匀。溶液倒入层析柱中，待全部溶剂进入吸附层，倒入海砂，使其高于中性氧化铝表面2cm。加入120mL正己烷第一次冲洗层析柱得到饱和分溶液，用 $M2$ 瓶收集，除去溶剂后，称量总体质量记为 $m2=40.9739$g。待上述正己烷全部进入层析柱后加入30mL正己烷：二氯甲烷=4：3第二次冲洗层析柱得到介于饱和分以及芳香分之间的中间组分溶液，用 $M3$ 瓶收集，除去溶剂后，称量总体质量记为 $m3=39.6463$g。待上述混合溶液进入层析柱后加入100mL二氯甲烷第三次冲洗层析柱得到芳香分溶液，用 $M4$ 瓶收集，除去溶剂后，称量总体质量记为 $m4=41.8661$g。待上述二氯甲烷进入层析柱后加入 50mL 二氯甲烷：无水乙醇 =1：2 第四次冲洗层析柱得到胶质组分溶液，用 $M5$ 瓶收集，除去溶剂后，称量总体质量记为 $m5=35.8328$g。根据称量样品质量计算出各组分之间的具体含量：饱和分：$(m2-M2)/m\times100\%=20.31\%$；中间组分：$(m3-M3)/m\times100\%=33.93\%$；芳香分：$(m4-M4)/m\times100\%=43.10\%$；胶质分：$(m5-M5)/m\times100\%=2.33\%$；沥青质：$[m-(m1-M1)]/m\times100\%=0.30\%$。

2.4 针状焦生焦实验

将加氢油浆 50g 置于生焦反应釜，通过调节温度、压力、气体流速、升温速率等参数进行了生焦反应。

2.5 电池组装和电化学性能测试

按照质量比 8：1：1，将制备的材料、Super P 和聚偏二氟乙烯混合后，再加入一定量的 N-甲基-2-吡咯烷酮，研磨 40min 后涂覆在铜箔上，最后放在 110℃的真空箱中维持 12h。将烘干后的铜片压制成小圆片(直径为 12mm)。再将小圆片压实以作为负极用电极片。为了进行 LIBs 的综合性能表征，在充满氩气的手套箱($[O_2]<1$ppm，$[H_2O]<1$ppm)中进行纽扣电池(CR2016)组装，将含有活性物质的电极片作为工作电极，金属锂圆片作为对电极/参比电极，Celgard 2500 膜作为电池隔膜。此外，1 M $LiPF_6$ 溶解在 1：1：1 的碳酸乙烯酯：碳酸二甲酯：碳酸乙酯中作为电池电解液。使用 Ivium-n-Stat 电化学工作站进行循环伏安测试，扫速为 0.2mVs^{-1}，电压设定在 1.0~3.0V。使用 LAND CT2001A 电池测试系统进行恒流充放电测试，电压设定在 1.0~3.0V。使用 Ivium-n-Stat 电化学工作站进行电化学阻抗测试，频率范围为 100kHz 到 10mHz。

3 结果与讨论

我们通过五组分分离方法，得到加氢油浆的饱和分占比为 20.31%，中间组分占比为 33.93%，芳香分占比为 43.10%，胶质组分占比为 2.33%，沥青质组分为 0.30%(见表3)。本次实验重复三次，结果为三次实验的平均数。从结果中可以发现，加氢油浆中沥青质、胶质和饱和分的含量相对较高，而芳烃含量相对较低，可能会导致生焦的石墨化程度较低。下一步工作可以从调整油浆组成中入手，提高芳烃含量，降低沥青质、胶质和饱和分的含量。

表 3 加氢油浆的组成

	饱和分/(占比)	中间组分/(占比)	芳香分/(占比)	胶质/(占比)	沥青/(占比)
加氢油浆	20.31%	33.93%	43.10%	2.33%	0.30%

根据核磁共振氢谱的结果可以看出，饱和分、中间组分以及芳香分之间区别明显，饱和分中位于核磁高场(<6.0ppm)的信号很强，且集中于化学位移为 1~2ppm 位置，说明此组分中含有大量的脂肪烃，见图 1(a)；中间组分与饱和分有非常明显的区别，中间组分中位于核磁高场(<6.0ppm)和低场(>6.0ppm)的积分峰面积大，相比于饱和分，其化学位移为 2~4ppm 位置的信号增强，而化学位移为 1~2ppm 位置的信号明显减弱，化学位移为 2~4ppm 的氢谱信号大部分来源于苯环上的 β-H，说明中间组分含有大量带支链或烷基取代基的小分子芳烃，见图 1(b)；芳香分中在低场(>6ppm)有很强的信号峰以及积分峰面积较大，说明其含有大量芳烃，而化学位移为 1~2ppm 的信号弱，说明几乎不含脂肪烃且苯环上的 γ-H 非常少，即此芳香分中几乎都是稠环芳烃，见图 1(c)；胶质组分中高场以及低场区域均无明显信号，因其各组分含量都很低，但相对而言，低场(>9.0ppm)有信号，说明此组分中含有具 6 个苯以上的稠环芳烃，苯环数量过多并不利于反应的进行，因此具有 6 个苯环以上稠环芳烃含量越低越有利于产生优质针状焦，见图 1(d)。以上证据表明此方法的分离效果好，重现性高。

如表 4 中所示，将同一种油浆在十种不同条件下进行生焦反应，来观察生焦的结果。在实验过程中，我们发现持续通入气体有助于生焦形成流线型结构。此外，考虑到生焦过程有中间相小球形成过程，因此，在低温段(<435℃)保温时间较长可以增加生焦的流线型结构。值得注意的是，升高温度有利于提高生焦的机械强度，促进轻组分转变成碳材料，但是过高的温度，可能使结构中出现更多的无定型结构。

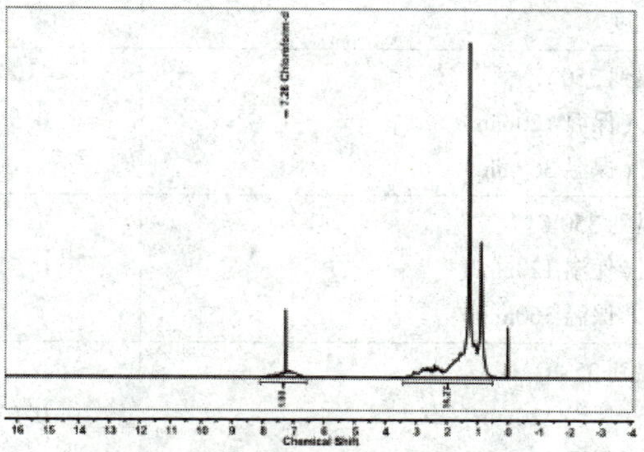

(a)加氢油浆中饱和分的核磁共振氢谱图

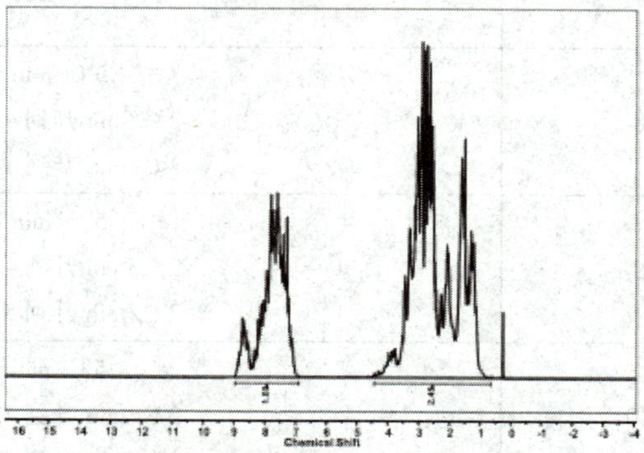

(b)加氢油浆中中间组分的核磁共振氢谱图

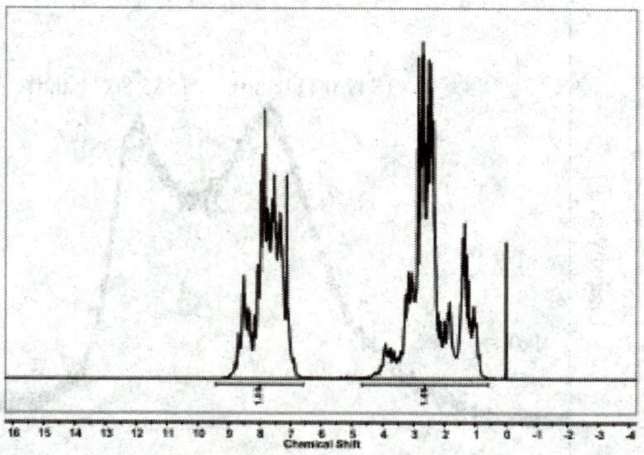

(c)加氢油浆中芳香分的核磁共振氢谱图

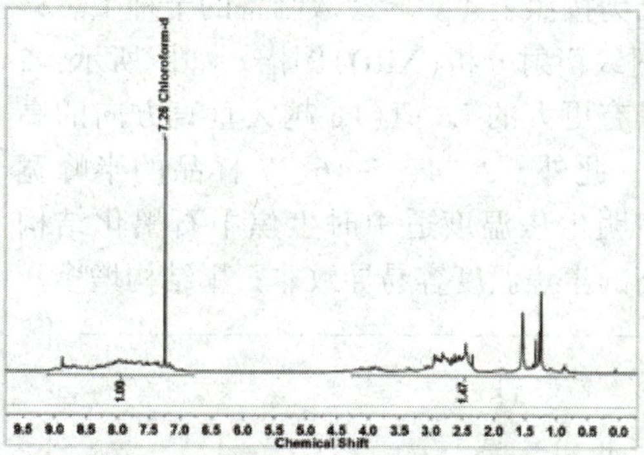

(d)加氢油浆中胶质组分的核磁共振氢谱图

图 1

表 4　加氢油浆在不同实验条件下进行生焦反应

批　次	温　度	压　力
1	5℃/min 升温到 350℃ 2℃/min 升到 425℃(保温 120min) 2℃/min 升到 470℃(保温 360min)	0.5MPa
2	5℃/min 升温到 350℃ 2℃/min 升到 425℃(保温 120min) 2℃/min 升到 480℃(保温 360min)	0.5MPa
3	5℃/min 升温到 350℃ 2℃/min 升到 445℃(保温 120min) 2℃/min 升到 480℃(保温 360min)	0.5MPa
4	5℃/min 升温到 350℃ 2℃/min 升到 425℃(保温 100min) 2℃/min 升到 480℃(保 360min)	0.5MPa
5	5℃/min 升温到 350℃ 2℃/min 升到 425℃(保温 80min) 2℃/min 升到 480℃(保 360min)	0.5MPa
6	5℃/min 升温到 350℃ 2℃/min 升到 425℃(保温 60min) 2℃/min 升到 480℃(保 360min)	0.5MPa
7	5℃/min 升温到 350℃ 2℃/min 升到 425℃(保温 120min) 2℃/min 升到 490℃(保 360min)	0.5MPa

续表

批　次	温　度	压　力
8	5℃/min 升温到 350℃ 2℃/min 升到 435℃(保温 120min) 2℃/min 升到 500℃(保温 360min)	0.5MPa
9	5℃/min 升温到 350℃ 2℃/min 升到 435℃(保温 120min) 2℃/min 升到 510℃(保温 360min)	0.5MPa
10	5℃/min 升温到 350℃ 2℃/min 升到 435℃(保温 120min) 2℃/min 升到 520℃(保温 360min)	0.5MPa

图 2 为按照表 4 实验参数制备的十种生焦样品的 X 射线衍射分析(XRD)图谱。如图所示，2 号生焦具有更大的 Lc 值(Lc 越大垂直方向的高度越高)。此外，2、4、5、6、7 样品的半峰宽较窄，表明生焦温度适中时生焦中石墨化结构多，过高的生焦温度容易导致非石墨结构增多。

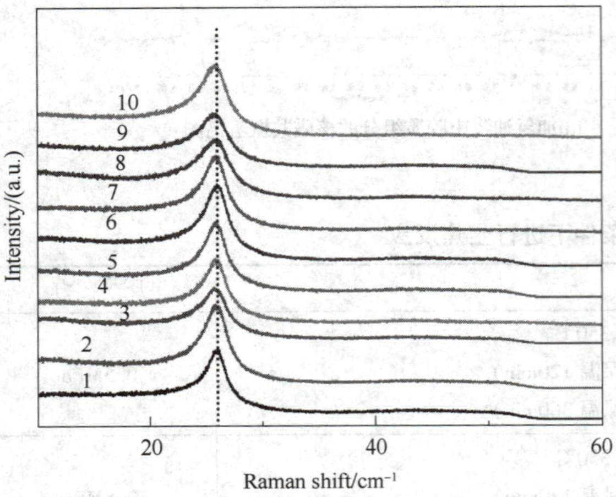

图 2　十个不同生焦样品的 XRD 图谱

我们以 2 号生焦为研究对象，进行了进一步表征。图 3 为 2 号生焦的拉曼光谱图，其中属于炭材料的两个特征峰分别位于 1347.0(D 带)和 1585.8cm^{-1}(G 带)。这两个特征峰的强度之比约为 1.04，表明生焦中含有大量的缺陷，有利于增加电化学反应的活性位点。

图 4 为 2 号生焦的场发射电镜照片，可以看出来 2 号生焦在较低放大倍数下呈现不规则的块状结构，结构较为致密，晶粒边缘有突出的棱角，在较大放大倍数下可以明显看出来层层堆叠的结构。随后，我们将生焦样品石墨化后制成负极材料，进行 LIBs 半电池测试。结果表明，2 号生焦表现出较高的容量(358mAh/g)，优于其他样品，在 LIBs 负极市场具有较高的应用潜力。

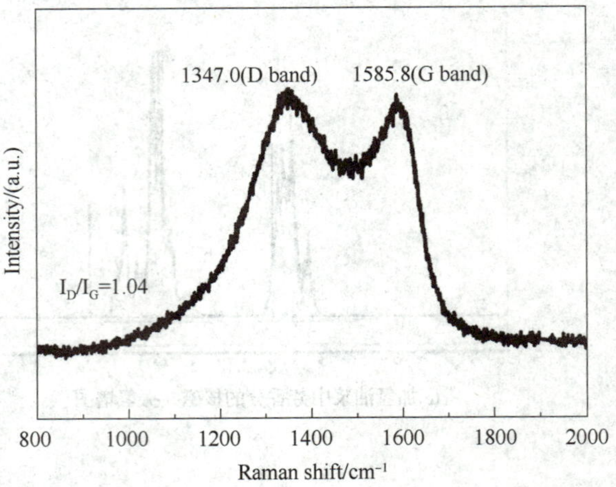

图 3　2 号生焦样品的拉曼图谱

图 4　2 号生焦样品在不同放大倍数下的场发射电镜照片

4 结论

目前阶段，生产高质量的针状焦不仅需要对原料油浆进行优化，也需要对生焦过程进行调控。然而这两个方面都存在着技术壁垒。本文通过油浆五组分分离方法详细分析了加氢油浆中的组成。其中茂名石化加氢油浆中饱和分占比为20.31%，中间组分占比为33.93%，芳香分占比为43.10%，胶质组分占比为2.33%，沥青质组分为0.30%。芳香分含量有待进一步提升，饱和分、胶质、沥青质组分有待进一步脱出。此外，不同实验条件下的生焦样品我们也进行了研究，温度区间适中时生焦效果较好，过高的温度容易导致非石墨结构增多，不利于生焦质量的提升。在LIBs测试过程中，2号生焦表现出较高的容量(358mAh/g)，远高于其他样品，在LIBs负极市场具有较高的应用潜力。

另一方面，LIBs行业的快速发展也为针状焦带来了新的发展机遇，相信未来针状焦的用量和生产必将大幅增加。与此同时，考虑到针状焦未来可能出现的产品过剩以及技术不成熟导致的产品质量不达标等问题，亟需发展新思路，促使针状焦向高附加值材料转变。针状焦能否在各个领域中得到应用，关键是要进行结构和形貌的精确调控、以及工作机理的深入探究。未来，随着技术升级和新建装置增多，如何利用好针状焦将是一项重要课题，需要从化学、生物学、材料学、物理学等多个学科领域进行高质量的合作研究。

参考文献

[1] Guan, B. Y.; Yu, X. Y.; Wu, H. B.; Lou, X. W. D. Complex Nanostructures from Materials based on Metal-Organic Frameworks for Electrochemical Energy Storage and Conversion. *Adv. Mater.* 2017.

[2] Li, C.; Bi, A. T.; Chen, H. L.; Pei, Y. R.; Zhao, M.; Yang, C. C.; Jiang, Q. Rational design of porous Sn nanospheres/N-doped carbon nanofibers as an ultra-stable potassium-ion battery anode material. *J. Mater. Chem. A* 2021, 9, 5740-5750.

[3] Li, C.; Zhao, M.; Sun, C.; Jin, B.; Yang, C.; Jiang, Q. Surface-amorphized TiO_2 nanoparticles anchored on graphene as anode materials for lithium-ion batteries. *J. Power Sources* 2018, 397, 162-169.

[4] Wissler, M. Graphite and carbon powders for electrochemical applications. *J. Power Sources* 2006, 156, 142-150.

[5] Liu, J.; Shi, X.-m.; Cui, L.-w.; Fan, X.-y.; Shi, J.-h.; Xu, X.; Tian, J.-y.; Tian, Y.-c.; Zheng, J.-x.; Li, D. Effect of raw material composition on the structure of needle coke. *Journal of Fuel Chemistry and Technology* 2021, 49, 546-553.

[6] Jäger, H.; Frohs, W.; Sturm, F. v.; Vohler, O.; Weger, E. Polygranular Carbon and Graphite Materials. *Industrial Carbon and Graphite Materials* 2021, 1, 107-121.

原油发电机组烟气余热利用技术在 FPSO 的应用研究

秦小刚　杨风允　王文祥　吕　东　燕夏婧

（中海油研究总院有限责任公司）

摘　要　原油发电机组运行过程中会排放大量高温的烟气，以南海某新建 10 万吨级 FPSO 为例，首次在设计阶段开展了原油发电机组烟气余热利用技术研究，分析了原油发电机组烟气余热利用方案的技术可行性、经济性及碳减排量。案例分析表明，新建 FPSO 通过利用原油发电机组烟气余热加热热介质油，可以部分取代热介质锅炉，在降低热介质锅炉配置规格的同时，减少热介质锅炉的原油消耗，实现节能减排、减少温室气体排放。为其他相关船舶或平台项目原油发电机组烟气余热利用系统的设计提供借鉴。

关键词　浮式生产储油轮；原油发电机组；烟气；余热利用；节能减排

热站是海上浮式生产储卸油装置（FPSO）必不可少的关键设备之一，用于满足上部设施工艺处理流程和船体各舱室加热维温的需求，工程上通常采用直燃式锅炉或者余热回收装置来提供热介质。当平台未设置透平发电机组时，通常采用直燃式锅炉作为热站。

南海某新建 10 万吨级 FPSO 由于自产气量较少，配置 4 台原油发电机组为油田设施提供正常的生产、生活用电。同时热介质锅炉通过燃烧自产原油加热热介质油。原油发电机组排放大量的高温烟气，烟气温度能够达到 350℃左右，通常直接排放的方式尾气余热没有得到回收利用，造成资源的浪费。本项目首次在设计阶段开展新建 FPSO 原油发电机组烟气余热利用技术应用研究，通过利用原油发电机组烟气余热加热热介质油，可以部分取代热介质锅炉，在降低热介质锅炉配置规格的同时，减少热介质锅炉的原油消耗，实现节能减排、减少温室气体排放。

1　余热回收装置设计基础

1.1　FPSO 热负荷需求

新建 FPSO 的热负荷需求组成包括上部设施工艺处理流程热负荷和船体本身各舱室的加热维温负荷两部分，其中上部设施的工艺处理流程热负荷以生产加热器需求为主，FPSO 船体本身各舱室的加热维温负荷又分为正常生产工况下的冬夏季舱室维温负荷、洗舱时海水舱的加热工况负荷等。表 1 列出了南海某新建 FPSO 典型工况下的逐年热负荷需求情况。

表 1　南海某新建 FPSO 逐年热负荷需求情况

年份	冬季正常生产/kW	夏季正常生产/kW	冬季洗舱工况/kW	夏季洗舱工况/kW
2023	7843	5294	10339	7287
2024	11758	9209	14254	11202
2025	10442	7893	12938	9886
2026	9394	6845	11890	8838
2027	8832	6283	11328	8276
2028	8552	6003	11048	7996
2029	8314	5765	10810	7758
2030	8164	5615	10660	7608
2031	8053	5504	10549	7497
2032	7950	5401	10446	7394

续表

年份	冬季正常生产/kW	夏季正常生产/kW	冬季洗舱工况/kW	夏季洗舱工况/kW
2033	7909	5360	10405	7353
2034	7943	5394	10439	7387
2035	7891	5342	10387	7335
2036	7850	5301	10346	7294
2037	7817	5268	10313	7261
2038	7788	5239	10284	7232

注：正常生产工况热负荷包含上部设施的工艺处理流程热负荷和船体部分的舱室保温热负荷。

1.2 FPSO电负荷需求

新建FPSO的电负荷需求包括正常生产、正常生产和修井、正常生产和钻井、正常生产和外输、外输和修井及外输和钻井工况，其中正常生产为主要工况，正常生产和修井、正常生产和钻井、正常生产和外输、外输和修井及外输和钻井工况为间歇工况，主要典型工况的逐年用电负荷需求如表2所示。根据项目逐年电负荷需求情况，在新建FPSO上配置4台原油发电机组，单台机组现场功率5.5MW。正常生产工况下，4台发电机组中的3台并联运行，1台备用。

表2 南海某新建FPSO逐年电负荷情况

年份	正常生产			外输+钻井		
	电负荷/kW	运行台数	负荷率	电负荷/kW	运行台数	负荷率
2023	7215	3	43.72%	14147	3	85.74%
2024	7532	3	45.65%	14464	3	87.66%
2025	9084	3	55.05%	16016	4	72.80%
2026	9937	3	60.22%	16869	4	76.68%
2027	10497	3	63.62%	17429	4	79.22%
2028	10717	3	64.95%	17649	4	80.22%
2029	10805	3	65.48%	13850	3	83.94%
2030	10875	3	65.91%	17807	4	80.94%
2031	10885	3	65.97%	13930	3	84.42%
2032	10885	3	65.97%	17817	4	80.98%
2033	10885	3	65.97%	13930	3	84.42%
2034	10644	3	64.51%	17576	4	79.89%
2035	10679	3	64.72%	13724	3	83.17%
2036	10679	3	64.72%	17611	4	80.05%
2037	10679	3	64.72%	13724	3	83.17%
2038	10679	3	64.72%	13724	3	83.17%

1.3 余热回收装置配置

为了充分利用原油发电机组的烟气余热，同时保证系统控制和操作简单，余热回收装置的数量与原油发电机组的数量保持一致，新建FPSO配置4台原油发电机组烟气余热回收装置。

余热回收装置的型式按筒体布置可以分为卧式和立式两种，卧式余热回收装置将来自热介质循环泵的热介质油从余热回收装置上部以低温送入高温废气包围的盘管中继续流动，热介质油在余热回收装置的对流段被高温烟气加热后，从下部(高温段)送出，供给热用户使用。立式余热回收装置盘管围绕同一个中心紧紧盘绕在一起，这些同轴心盘管是安装在一个气密的壳体内。进出口盘管是连接到余热回收装置出口的集合管上，内部盘管的数量多少取决于余热回收的功率。内部盘管是相互紧紧盘绕在一起并且用焊接法紧固的，两部分之间的间隙选择是以利于烟气通过时有很高的速度并且使压降保持在容许范围内。高速的烟气使得从烟气到热介质油有一个很好的传热率，同时能够保持盘管加热表面的清洁。根据余热回收装置摆放位置以及排气烟道设计方式的区别，新建 FPSO 余热回收装置选择立式方案，将余热回收装置直接安装在主机排烟道消音器后面，节省占用面积和支撑结构的重量。

2　余热回收装置选型

2.1　可利用余热计算

原油发电机组可利用余热量取决于发电机组功率、排烟温度、排烟量、烟气组分、余热回收装置烟气出口温度等因素，原油发电机组烟气可利用余热量估算如下。

（1）确定烟气参数

根据原油发电机组燃料油物性参数等条件，由原油发电机组厂家提供在不同负荷率下的机组烟气参数，包括烟气温度、烟气流量等。表 3 为某原油发电机组厂家提供的机组不同负荷率下的烟气参数。

（2）烟气焓值

单一组分气体的焓值与温度有关，在已知烟气组分和温度的条件下，可查得原油发电机组尾气中不同组分气体的焓值，并根据其所占的比例可估算混合气体不同温度下的焓值。基于混合气体的焓值以及流量即可估算原油发电机组烟气所携带的热值。

表 3　原油发电机组烟气参数

机组功率/kW	5500	4950	4400	3850	3300	2750
负荷率/%	100	90	80	70	60	50
烟气温度/℃	315	316	318	331	345	362
烟气流量/(kg/h)	42768	39366	35680	31693	27504	23193

（3）烟气出口温度取值

余热回收装置烟气出口温度的取值主要考虑两个因素，其一为防止余热回收装置烟道结露腐蚀，取值一般应不小于 150℃；其二取值越小，可供利用的热功率越大，但随着温差的增加，余热回收装置的热交换面积增大，导致余热回收装置的尺寸、重量增加，同时对于主机背压的影响增加。作为综合考虑，本项目新建 FPSO 原油主机烟气余热回收装置排烟温度取 180℃。

（4）可利用热量计算

单台原油发电机组尾气回收热量计算方法为：

$$Q=q\times C_p\times(T_{入}-T_{出})\times\eta \qquad (1)$$

式中：Q 为单台原油发电机组烟气回收热量，kW；q 为烟气质量流量，kg/s；C_p 为定压比热容，kJ/(kg·k)；$T_{入}$为余热回收装置入口烟气温度，℃；$T_{出}$为余热回收装置出口烟气温度，℃；η 为余热回收效率，考虑烟气的旁通泄露量。

结合表 3 进行计算，负荷率取 80%，主机烟气量约为 9.91kg/s，定压比热容取 1.2kJ/(kg·k)，余热回收装置入口烟气温度 318℃，余热回收装置出口温度考虑烃露点腐蚀设计为 180℃，余热回收效率按 0.9 计算，单台原油发电机组烟气余热回收装置回收热量按照 1.5MW 选型。

2.2　热电匹配核算

当原油发电机组的运行工况确定以后，原油发电机组烟气总量以及烟气的焓值便能确定，并由此计算余热回收装置所能够回收的有效利用热量，将其与 FPSO 需求的热负荷进行比较就能判断通过余热回收装置获得的热量能否满足需求。若回收的热负荷小于 FPSO 所需的热负荷时，还需要设置热介质锅炉来满足热负荷需求。

表 4 列出了新建 FPSO 逐年需求电负荷和热负荷的匹配计算结果，从表中可以看出通过利用原油发电机组烟气余热加热热介质油，可以部分取代热介质锅炉，有效降低热介质锅炉配置规格。结合本项目新建 FPSO 热负荷需求，在原油发电机组烟气余热利用基础上，还需配置 2 台 8MW 的热介质锅炉，与余热回收装置并联运行共同为 FPSO 供热。

3　余热回收装置设计特殊点

本项目首次在设计阶段开展原油发电机组烟气余热利用技术应用研究，设计过程中面临很多新问题，经过分析并采用特殊设计最终将其解决，为原油发电机组烟气余热回收装置在新建 FPSO 的应用提供了保障。主要问题及解决方式如下：

表 4　南海某新建 FPSO 逐年热电匹配运行工况表

年份	电站运行情况			余热回收运行情况		热介质锅炉运行情况					
	正常生产			可回收热量		正常生产(冬季)			正常生产(夏季)		
	电负荷/kW	运行台数	负荷率	运行台数	热负荷/kW	热负荷/kW	运行台数	负荷率	热负荷/kW	运行台数	负荷率
2023	11102	3	67.28%	3	4214	3629	1	45.37%	2400	1	30.00%
2024	11419	3	69.20%	3	4250	7508	1	93.85%	6059	1	75.74%
2025	9084	3	55.05%	3	3985	6457	1	80.71%	3908	1	48.85%
2026	9937	3	60.22%	3	4082	5312	1	66.39%	2763	1	34.53%
2027	10497	3	63.62%	3	4146	4686	1	58.58%	2400	1	30.00%
2028	10717	3	64.95%	3	4170	4382	1	54.78%	2400	1	30.00%
2029	10805	3	65.48%	3	4180	4134	1	51.67%	2400	1	30.00%
2030	10875	3	65.91%	3	4188	3976	1	49.69%	2400	1	30.0%
2031	10885	3	65.97%	3	4189	3864	1	48.30%	2400	1	30.00%
2032	10885	3	65.97%	3	4189	3761	1	47.01%	2400	1	30.00%
2033	10885	3	65.97%	3	4189	3720	1	46.50%	2400	1	30.00%
2034	10644	3	64.51%	3	4162	3781	1	47.26%	2400	1	30.00%
2035	10679	3	64.72%	3	4166	3725	1	46.56%	2400	1	30.00%
2036	10679	3	64.72%	3	4166	3684	1	46.05%	2400	1	30.00%
2037	10679	3	64.72%	3	4166	3651	1	45.63%	2400	1	30.00%
2038	10679	3	64.72%	3	4166	3622	1	45.27%	2400	1	30.00%

3.1　与原油发电机组系统的匹配

(1) 原油发电机组系统背压要求

原油发电机组的排气背压对其输出功率有很大影响，因此余热回收装置的烟道阻力要限定在原油发电机组排气背压的允许范围内。通常原油发电机组厂家所能允许的压降值约为 3kPa，本项目在设计阶段结合余热回收装置布置校核了原油发电机组系统背压，经校核新增余热回收装置后系统背压可以满足要求。

(2) 与原油发电机组系统匹配性与兼容性

余热回收装置应采用烟气挡板阀设计，通过同步调节件的开度可调节余热锅炉的进出口烟量，进而调节余热锅炉的供热量。烟气挡板装置需按余热锅炉和原油发电机组的运行状态。如遇某台原油发电机组进行维修或其他工况下，原油发电机组的运行负荷率过高时，烟气量会大大增加，此时应通过烟气挡板阀自动调节旁通阀开度，将部分烟气旁通，这样既确保了原油发电机组的安全运行，也可充分利用原油发电机组的烟气余热。

3.2　与热介质锅炉系统的匹配

新建 FPSO 余热回收装置与热介质锅炉系统采取并联运行，系统流程图如图 1 所示，余热回收装置与热介质锅炉的运行原则是在同时满足余热利用的条件下，最大限度实现新建 FPSO 原油发电机组尾气的余热回收利用。

3.3　燃料的特殊性

原油发电机组烟气余热回收装置相较燃气透平发电机组，余热回收装置受热面存在烟碳玷污问题，长时间运行之后会造成盘管管路堵塞。因此在设计中一方面通过采用光管设计保障加热表面的清洁，另外设计提供了高压淡水清洗设备，定期通过水蒸汽喷雾式清洗吹扫。

3.4　消防安全

结合原油发电机组尾气余热回收装置的结构特点及可燃介质的成分分析，余热回收装置炉膛上部是开放式的，七氟丙烷、惰性气体等灭火系统对保护处所的密封性要求很高，因此选用固定式 CO_2 灭火系统进行保护。

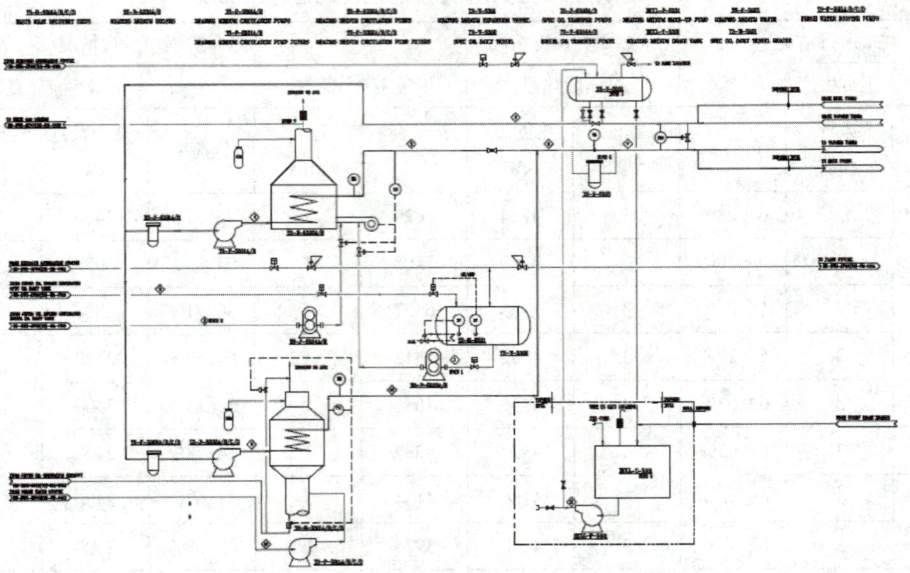

图 1　南海某新建 FPSO 热介质系统流程图

4　经济性及碳减排量评价

4.1　经济效益评价

新建 FPSO 采用原油发电机组烟气余热回收后，可以部分取代热介质锅炉，在降低热介质锅炉配置规格的同时，减少热介质锅炉的原油消耗。结合原油发电机组的运行工况，余热回收装置逐年可回收的热量如表 4 所示，日减少消耗原油为 $11m_3/d$，生产周期内共减少原油消耗 $6.3\times10^4m^3$。以 50 美元/桶的原油价格计算，节省原油的燃料费用约 1.29 亿元人民币。

4.2　碳减排量评价

新建 FPSO 采用原油发电机组烟气余热回收后，可以减少热介质锅炉的原油消耗。碳排放量计算方法如下：

（1）温室气体及全球变暖潜势

大气层中自然存在的和由于人类活动产生的能够吸收和散发由地球表面、大气层和云层所产生的、波长在红外光谱内的辐射波的气态成分，包括二氧化碳、甲烷、氧化亚氮、氢氟碳化物、全氟碳化物和六氟化物。各种温室气体对地球变暖的影响不同，其中 100 年时间迟钝甲烷和氧化亚氮的全球变暖潜势分别为 21 和 310，即 1t 甲烷和氧化亚氮分别相当于 21t 和 310t 二氧化碳的增温能力。

（2）碳减排量计算

余热回收装置节省的原油消防带来的碳减排量可按下式计算：

$$M_{CO_2}=AD\times Q\times EF\times 0.98\times 44/12 \quad (2)$$

式中，M_{CO_2}为原油 CO_2 排放量，t；AD 为原油用量，kg/s；Q 为原油低热值，TJ/kgce；EF 为原油单位热值含碳量，20.1 吨碳/TJ；0.98 为原油碳氧化率。

$$M_{CH_4}=AD\times Q\times EF_{CH_4}\times 10^{-3} \quad (3)$$

式中，M_{CH4}为原油 CH_4 排放量，t；EF_{CH4}为原油 CH_4 排放因子，3kg/TJ。

$$M_{N_2O}=AD\times Q\times EF_{N_2O}\times 10^{-3} \quad (4)$$

式中，M_{CH4}为原油 N_2O 排放量，t；EF_{N_2O}为原油 N_2O 排放因子，0.6kg/TJ。

$$M_{CO_2}e=M_{CO_2}+M_{CH_4}\times 21+M_{N_2O}\times 310 \quad (5)$$

式中，$M_{CO_2}e$ 为温室气体（GHG）排放量，t；M_{CO_2}为 CO_2 排放量，t；M_{CH4}为 CH_4 排放量，t；M_{N2O}为 N_2O 排放量，t。

结合表 4 余热回收装置逐年可回收的热量，每年可减少碳排放约 1.1×10^4t，生产周期内减少碳排放约 17.1×10^4t。

5　结论

本文以南海某新建 10 万吨级 FPSO 为例，通过首次在设计阶段开展原油发电机组烟气余热利用技术应用研究，在优化新建 FPSO 热介质锅炉配置设计的同时，降低了热介质锅炉的原油消耗和碳排放量，实现经济效益与社会效益的双丰收，为其他相关船舶或平台项目原油发电机组烟气余热利用系统的设计提供借鉴。

参 考 文 献

[1] 杜佳，南海 FPSO 台风工况热负荷分析及优化 .
[2] 陈可营，曾斌，何达．余热回收装置在海上油田的应用[J]．石油石化节能，2017，7(4)：46-48.
[3] 贺相军．锦州 25-1 南二期油气田项目余热回收装置选型设计[J]．石油和化工设备，2014，17(11)：35-37.
[4] 海洋石油工程设计指南编委会．海洋石油工程设计指南(海上油气田机械设备设计)[M]．北京：石油工业出版社，2011，159-178.
[5] 于邦廷，刘维滨，秦小刚，等．深水气田余热回收装置的选型设计[J]．石油和化工设备，2020，23(9)：34-37.

浅谈两种催化剂生产聚丙烯薄膜料

徐孝超

（中国石油抚顺石化公司）

摘　要　聚丙烯由于独有的特性和实用性能，广泛的在各个领域得到了使用和发展。在 Unipol 气相流化床反应器中，相同生产负荷下，从催化剂性能、操作条件、反应器壁温、压缩机功率及产品质量性能等方面对比两种不同催化剂生产聚丙烯双向拉伸薄膜(BOPP)。SHAC 催化剂是专门为 Unipol 工艺开发的配套催化剂，使用时间长，推广范围广，技术成熟等特点。CS 催化剂为自主研发的国产催化剂，具有具有活性高、定向性强、粒径及表观密度适中等特点。在实际工业生产中，CS 催化剂与 SHAC 催化剂对比具有活性高、单耗低、操作灵活性好、生产稳定性高、树脂粉料颗粒尺寸集中、流化撤热性好、运输路途短、经济性好及性能更稳定等优势，更值得推荐使用。

关键词　聚丙烯；气相流化床；双向拉伸薄膜(BOPP)；催化剂

聚丙烯由于优异的机械性能和加工性能，得到了迅速发展。目前，聚丙烯仍是五大通用五大合成树脂(PE、PP、PS、PVC、ABS)中增长速度最快的品种之一。是仅次于聚乙烯和聚氯乙烯的第三大品种合成树脂。聚丙烯薄膜根据其生产制造工艺特点，可分为双向拉伸聚丙烯薄膜(BOPP)、流延法聚丙烯薄膜(CPP)、吹膜法聚丙烯薄膜三大类。BOPP 薄膜采用的树脂有均聚聚丙烯和共聚聚丙烯两大类。均聚聚丙烯溶体流动速率在 2~4g/10min 范围内，等规度在 95%左右。聚丙烯树脂及其生产出的薄膜制品物美价廉，可替代性小，实用性价比高。并且聚丙烯具有良好的化学稳定性、优异的成型加工性、极低的密度和低廉的价格，在食品及其他包装、工业及日用黏胶带、电容器用绝缘材料、真空镀铝及雷射防伪材料、装饰、装潢及合成纸等领域都有广泛的使用。

工业生产方法根据聚丙烯生产中撤热的方式以及反应器的不同，而分为流化床工艺和机械搅拌床工艺，Unipol 气相流化床生产聚丙烯已经是世界上广泛的使用的生产技术之一，气相丙烯与分布在流化态聚丙烯树脂中的催化剂相接触并发生聚合反应。二十世纪八十年代初，Shell 公司和 Union Carbide 公司共同研发了气相流化床催化生产聚丙烯工艺，流化床工艺具有工艺流程简单，传热速率快，床层温度均匀。

Unipol 工艺采用 SHAC 高效催化剂体系，与之匹配使用的是 ADT 系列高效给电子体，SHAC 催化剂和 CS 催化剂都是以 $MgCl_2$ 为载体的钛系高效催化剂，助催化剂为三乙基铝和烷氧基硅烷的外给电子体，在用简单的工艺流程及设备就能够生产出包括均聚聚丙烯、无规共聚聚丙烯和抗冲共聚聚丙烯在内的全系列产品，可在较大范围内调节操作条件而使产品性能保持均一。并且该工艺操作灵活，实用经济性好，生产安全性可靠等特点。

气相流化床生产中，分别使用两种催化剂在达到相同负荷 41t/h 平稳生产时，并且选取稳定的生产工艺数据进行比对。SHAC 催化剂是北美进口第四代与 Unipol 工艺相配套并与流化床反应器相适应使用的催化剂，该工艺生产的产品性能范围很宽并可控性好，具有较高活性，应用简单，省去预处理或预聚合工艺过程，使用时间长，推广范围广，技术成熟等特点。CS 催化剂是中国国产第四代催化剂，具有具有活性高、定向性强、细粉含量少、粒径及表观密度适中等特点，并且相对价格低，实用性强，产品可调性强，运输路途短等优势。已在 Hypol 工艺、Novolen 工艺、Innovene 工艺装置广泛运用。

1　工艺流程简介

Unipol 工艺过程包括原料精制、催化剂进料、丙烯聚合、粉料净化和尾气处理、挤压造粒及成品储存、包装等工序。

原料精制：丙烯、乙烯、氢气以及氮气在进入反应器前进行除水脱硫等一些对反应催化剂有毒性的杂质，如氧气、一氧化碳、二氧化碳、水、醇等。

聚合反应：聚合反应在流化床中进行。净化处理合格后的原料(丙烯、氢气，生产无规时含乙烯)与催化剂连续加入反应器，如果生产抗冲共聚物时可将第一反应器与第二反应器串联。T2和SCA作为助催化剂注入循环气管线上，与循环气经分布板共同吹入流化床，提供新鲜原料的同时也撤出因聚合反应而产生的热量。

树脂净化：树脂间歇地从反应器顺序交替控制产品出料系统(PDS)排至产品接收仓，氮气或来自排放气回收系统的回收轻组分，从接收仓底部送入脱除溶解于树脂中和树脂间的碳氢化合物，树脂经产品接受仓旋转阀进入产品净化仓，树脂在脱气仓停留期间微量的碳氢化合物被溶解脱除。残留的催化剂在净化仓中被蒸汽和氮气混合气钝化失活。

尾气处理：尾气处理系统用于回收来自树脂脱气系统排出的富含丙烯物流并排出惰性组分，工艺尾气经过压缩、自制冷及精馏工艺过程：将回收的尾气中富含氮气的轻组分排至高压火炬；丙烷从回收塔底部将排出系统，防止丙烷在反应系统中累积；最后富含丙烯的组分被送回反应系统再次利用.

添加剂：树脂粉料质量流量通过产品净化仓出料旋转阀的转速和产品密度经DCS计算得出树脂流量，该计算量作为主要控制量来控制固体和液添加剂的进料量。粉料与添加剂被树脂输送器送入挤压机进料斗，进料斗中固体物料以重力为动力进入挤压机，而气体通过过滤器排至大气。液体添加剂在需要时通过泵送入挤压机进料。

挤压造粒：树脂与添加剂通过挤压机加料斗进入挤压机，经过挤压、捏合及熔融后进行水下切粒，聚丙烯颗粒经过与切粒水分离，进入旋转干燥器，经筛分器除去不规则大尺寸粒料，靠自身重力进入粒料输送系统。切粒水分离出后经切粒水泵输送到到切粒水箱，并进行收集，切粒水冷却后循环。

树脂掺混、储存及输送：从干燥器来的颗粒树脂经过振动筛，流经质量流量计，靠重力流到粒料接收料斗，经旋转加料器送入指定料仓，料仓达到指定料位后进行掺混，合格后送至包装车间进行包装。

2　催化剂概况

用最少的催化剂生产出更多的产品一直以来就是技术研发及工业生产中所要达到的目标。表1中罗列了SHAC催化剂与CS催化剂的性能，两种催化剂固体含量都相同，CS催化剂活性金属的含量比SHAC催化剂要低，外给电子体及烷基铝所使用的类型及纯度都相同，Al/Si比CS催化剂相对更高些，外给电子体的单耗也更低。CS催化剂活性更高，单耗低，内给电子体活性好，能效的控制产品等规度，所以消耗外给电子体量较少。

表1　催化剂性能

主催化剂类型	SHAC催化剂	CS催化剂
活性金属含量/(wt%)	2.6	2.4
固体含量/(wt%)	27.1	27.1
外给电子体类型	ADT	ADT
烷基铝类型	TEAL	TEAL
烷基铝纯度/%	100	100
Al/活性金属/(mol/mol)	45	45
Al/Si/(mol/mol)	5.5	6.3

3　工艺及设备工况

3.1　操作条件

Unipol工艺生产操作中，丙烯分压与反应器总压对平稳生产至关重要。从表2对比可得出，SHAC催化剂生产控制总压低于CS催化剂近0.2MPa，控制分压基本相同，SHAC催化剂控制温度略高于CS催化剂，氢碳比CS催化剂更低，SHAC催化剂控制温度比CS催化剂略低，二者床高和床重的控制基本一样；CS催化剂使用的氢气相对而言要高，氢调敏感性略低，生产相同的MFR的产品，CS催化剂需要更多的氢气，增加氢碳比，在此负荷下每小时比SHAC催化剂多注入1.25kg的氢气；CS催化剂控制的冷凝量也比SHAC催化剂使用时略低，在同负荷的生产条件下CS催化剂及其他催化剂注入量要明显低于SHAC催化剂，每小时节省注入量1.06kg，外给电子体每小时节省0.87kg，而且活性CS催化剂也比SHAC催化剂更好，降低了物耗，提高了产率。

表 2　操作条件

项目	SHAC 催化剂	CS 催化剂
反应总压/(kPa·g)	3144.6	3311.4
丙烯分压/(kPa·a)	2720.85	2735.69
反应温度/℃	67.5	67.1
反应床重/kg	45118	44804
反应床高/m	18.99	18.52
氢碳比/(mol/mol)	0.0033	0.0040
冷凝量/(wt%)	10.5	8.6
主催化剂/(kg/h)	8.5	7.44
外给电子体/(kg/h)	2.76	1.89
TEAL/(kg/h)	6.521	5.2
催化剂活性/(t/kg)	17.60	20.38

3.2　反应器壁温

催化剂在反应器内分散、流化，选取某区域壁温分布情况进行比对。SHAC 催化剂某一点明显要高于其他几点，温度局部过高，有结块或结片风险，不利于生产的平稳性；CS 催化剂壁温分布比较均匀，偏离设定温度不大，温差相差不大，生产操作起来更稳定，使反应器的操作弹性也更大。

3.3　压缩机运行状况

循环气压缩机是提供流化的动力来源，导向叶片的开度会直接形象着丙烯及催化剂在反应器中的流化及分布情况，持续的气源从分布板下部吹起，夹带着液相丙烯与催化剂在反应器中反应，粉料吹起在反应器中维持着流化状态。

表 3　反应器壁温

设定温度/℃	SHAC 催化剂		设定温度/℃	CS 催化剂	
	实际温度/℃	温差/℃		实际温度/℃	温差/℃
67	64.59	−1.46	66	63.66	−2.36
	64.16	−1.37		63.19	−2.8
	64.43	−2.58		63.61	−2.39
	69.31	2.31		64.31	−1.70

表 4　压缩机运行状况

项目	SHAC 催化剂	CS 催化剂
压缩机功率/kW	880.81	987.83
导向叶片开度/%	46	53
表观气速/(m/s)	0.3524	0.3654

从表 4 中可以看出维持工艺要求范围的表观气速时，CS 催化剂需要的压缩机功率更高，导向叶片开度也要比使用 SHAC 催化剂时开度大。SHAC 催化剂生产的树脂颗粒更容易被吹起来。表观气速及丙烯分压相近的情况下，CS 催化剂操作控制的温度略低，粉料粒径分布较集中，比表面积大，床层流化更平稳，流化撤热效果好。

3.4　反应器静电

静电在流化床反应器中是无法完全消除的，只能通过一些方法在工艺范围内进行有效控制，静电会导致树脂间黏结及树脂与器壁间的黏结，黏结后的聚集热量会使树脂熔融并形成片料或者块料。形成的块料或者片料黏结到一定程度就会落到床层中，质量小的块料会随循环气在流化床中流化后从产品出料系(PDS)排出，造成下料阀堵塞，使反应器瘫痪。如果块料比较大，反应器会很难排出，块料会覆盖在分布板上面，反应器流化状态会大受影响，严重时会带来停车的风险。

从图 1 中可以看出，CS 催化剂与 SHAC 催化剂的静电量都比较稳定，CS 催化剂静电量在-100~100V 之间波动，SHAC 催化剂在 100~300V 之间波动，CS 催化剂静电量控制的更低，在反应中对可控范围更好，操作更稳定，对有效平稳的流化也是一种保障。

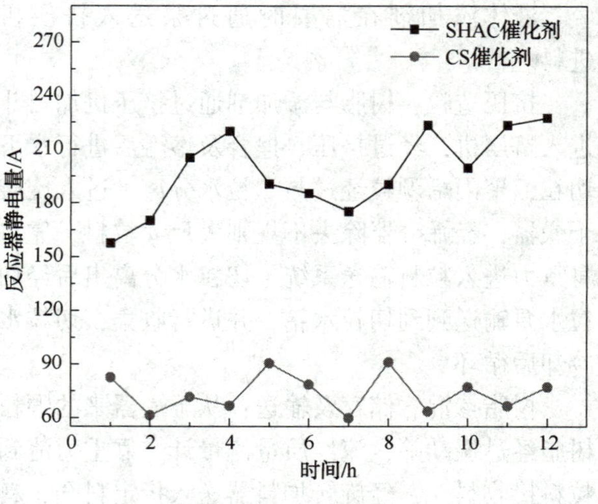

图 1　反应器静电

4 产品质量

4.1 添加剂和产品指标

聚丙烯薄膜树脂在进入挤压机前要与各种添加剂相混合来提高抗氧化性能、稳定游离基、除去残留催化剂生成的酸。从表5中可得知，两种催化剂所使用的添加剂无论种类还是用量都是一样。

生产出来的粉料熔融指数近乎一样，二甲苯可溶物含量数值也很相近；CS催化剂生产的粉料堆积密度明显要比SHAC催化剂生产出来的要高，所以流化起来后相同的流化速度需要循环气压缩机做更多功，这就是为什么表3中CS催化剂生产时压缩机功率高，导向叶片开度大的原因。CS催化剂添加剂的使用比率还可以根据实际生产逐步优化，降低单位使用量，控制好灰分，提高产品优势。

从筛分数据上来看，两种催化剂生产出来的粉料熔融指数以及二甲苯可溶物近乎相等，并且都在工艺指标范围内。SHAC催化剂颗粒尺寸分布较集中，很多催化剂颗粒发生破碎，产生的“爆花料”，CS催化剂颗粒在流化时发生了有效的破裂，粉料质量更好，更有利于挤压机运行的稳定。

CS催化剂生产的粉料具有主体尺寸，生产可操作性更强，35目尺寸颗粒占比达到67.8%，经生产分析发现，有效的操作控制该尺寸粉料占比更大，总体性能较稳定，避免后续加工的生产波动，但是CS催化剂超过200目细粉占比比SHAC催化剂要大，会缩短粉料过滤处理系统的运行维护周期。

表5 添加剂加入比率

项目	SHAC催化剂	CS催化剂
1#添加剂/(wt%)	0.6	0.6
2#添加剂/(wt%)	1.2	1.2
3#添加剂/(wt%)	0.25	0.25

表6 树脂粉料产品性能指标

项目	SHAC催化剂	CS催化剂
熔融指数/(g/10min)	3.68	3.31
二甲苯可溶物/(wt%)	5.95	5.27
堆积密度/(g/cm^3)	0.29	0.42
10目网筛/(wt%)	2.5	0.2
18目网筛/(wt%)	37.4	8
35目网筛/(wt%)	33.4	67.8
60目网筛/(wt%)	16.4	11.7
120目网筛/(wt%)	8.8	4.9
200目网筛/(wt%)	1.2	2.7

聚合物和添加剂连续计量加入挤压机，造粒过程中主电机带动齿轮箱，齿轮箱驱动离合器带动螺杆，在挤压机内经过双螺杆的强力捏合，聚合物和添加剂塑化、熔融，从机头挤出，在切粒室内水下切成颗粒。切粒产品进入颗粒干燥器与冷却水分离排入振动筛，筛分除去大、小粒子后的PP颗粒料通过颗粒气流输送系统送至均化料仓。

表7列出了经过挤压机熔融挤压造粒后的成品指标，两种催化剂成品各项指标均在合格范围内，CS催化剂生产的产品拉伸屈服应力更高，说明成品薄膜可拉伸强度更高。从灰分对比可以看出CS催化剂灰分较低，催化剂残留较少，添加剂除酸剂使用量应较少，结合表5中添加剂用量看出两种催化剂产品需要使用的添加剂种类及使用比例却都一样，CS催化剂树脂挤压造粒添加的添加剂量可以进行逐步优化，调整添加剂使用量，降低物耗，提高产率。

因为两种催化剂生产的粉料粒径分布及堆积密度不同，所以SHAC催化剂与CS催化剂在切换使用时要根据催化剂特性进行有效工艺参数及设备输出调整，避免生产时出现的大幅度波动。

4.2 粉料颗粒形态

由图2可以看出，将两种催化剂生产的粉料颗粒在电镜下放大40倍进行对比观察，两种都有大小不同的颗粒，SHAC催化剂生产的粉料颗粒表面凹凸不平，颗粒形态各异；CS催化剂生产的粉料可以边缘圆滑，颗粒形态近似球形，相比SHAC催化剂，CS催化剂在聚合时控制的树脂形态更好，更规整。

表 7　粒料产品性能

项目	产品指标	SHAC 催化剂	CS 催化剂
色粒/(个/kg)	≤5	5	2
蛇皮和拖尾/(个/kg)	≤15	0	0
大粒和小粒/(g/kg)	≤10	0	5
溶体质量流动速率/(g/10min)	2.7~3.3	2.95	2.98
拉伸屈服应力/MPa	≥29	29.9	31.2
等规指数/(Wt%)	95~97	96.2	96.2
粒料灰分/(Wt%)	≤0.03	0.00214	0.0204
雾度.%	≤5.0	0.7	0.8
鱼眼 0.8mm/(个/1520cm^2)	≤3	1	1
鱼眼 0.4mm/(个/1520cm^2)	≤10	3	3

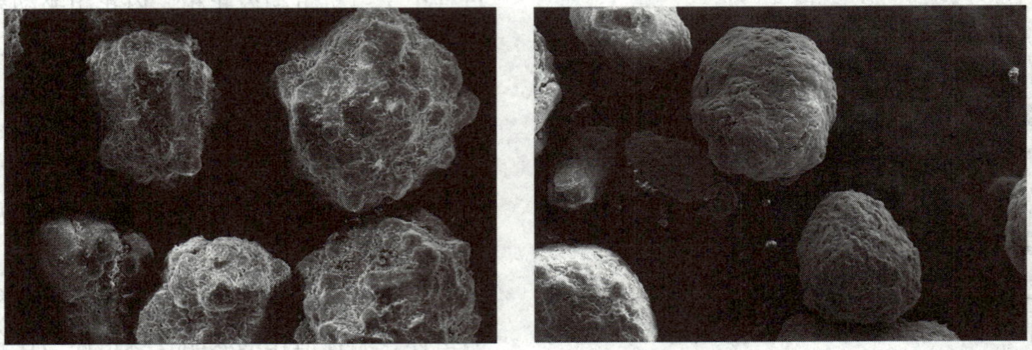

SHAC　　　　CS

图 2　粉料的表面形态(×40)

4.3　挤压机工作情况

树脂粉料的颗粒堆积密度情况影响了挤压机主电机的输出电流情况。

图 3 是 SHAC 催化剂和 CS 催化剂粉料以相同负荷进入挤压机时挤压机的电流分布情况，从图中可以看出，SHAC 催化剂在挤压机中电流波动较大，近第 18 小时时电流最高达到了近 500A，最低达到了近 360A，波动很大，对挤压机平稳运行带来了很大的停车风险及不可逆的机械电气损耗。相比之下 CS 催化剂在挤压机中就运行比较平稳，主电机电流在 420A~440A 之间平缓交替的过渡，平稳性更好。

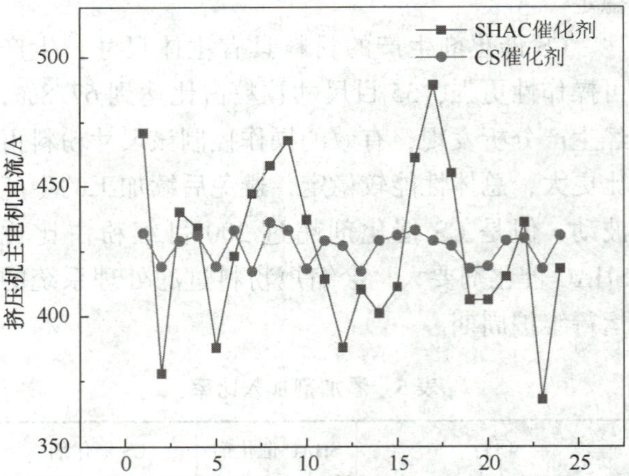

图 3　挤压机电流图

使用 SHAC 催化剂生产时应密切关注挤压造粒机的下料料斗的下料量、主电机扭矩、熔融泵入口压力，防止粉料粒径分布不集中导致生产波动。

5　结论

在 Unipol 气相反应器中，CS 催化剂生产活性更高、单耗更低、操作灵活性更好、生产稳定性更高、树脂颗粒规整度好、流化撤热性好、对杂质适应性强、运输路途短、经济性好及性能更稳定性高，所以是一款更值得推荐使用的国产催化剂。

参　考　文　献

[1] 张云，葛骞．薄壁注塑聚丙烯综述[J]．当代化工，

2018. 47(3)：600-606.

[2] 赵德仁，张慰盛．高聚物合成工艺学[M]. 第二版．北京：化学工业出版社，2009. 1. 224-233.

[3] 姚军龙，胡强，高琳．改性滑石粉增强增韧聚丙烯研究[J]. 当代化工，2014. 42(20). 45-48.

[4] 洪定一．聚丙烯——原理、工艺与技术[M]. 第二版．北京：中国石化出版社，2011. 4(2021. 3 重印). 655-671.

[5] 张晓娟．精细化工反应过程与设备[M]. 北京．中国石化出版社，2008. 209-211.

[6] 洪定一．聚丙烯——原理、工艺与技术[M]. 第二版．北京：中国石化出版社，2011. 4(2021. 3 重印). 491.

[7] 冯松，闫成玉，孙兆申，等．CS-1-C 型催化剂在淤浆法聚丙烯工艺上的应用总结[J]. 能源化工，2016，37(4)：54-57.

[8] 宋寿亮，陈兴锋，黄昌敏，等．CS-1-G 型催化剂在 Unipol 工艺气相聚丙烯装置上的工业应用[J]. 合成树脂及塑料，2021，38(4)：35.

[9] 张健．气相流化床聚丙烯反应器静电的形成及控制[J]. 现代化工，2020，40(10)：228-291.

[10] 洪定一．聚丙烯——原理、工艺与技术[M]. 第二版．北京：国石化出版社，2011. 4(2021. 3 重印). 86.

[11] 薛南锦．杨雪峰，纪苏，等．聚丙烯装置操作工[M]. 北京：中国石化出版社，2008. 260.

[12] 李振昊，胡才仲，荔栓红，等．Unipol 气相法聚丙烯工艺技术进展[J]. 合成树脂及塑料8 1 2013.30 38 (4)：65.

标准差压流量计的能量损失分析与节能措施

齐秉典　吴红卫　李云成

（中海油能源发展股份有限公司销售服务分公司）

摘　要　差压流量计在工业过程控制中应用最广泛，占比高达29%，但存在能量损失。据测算，差压流量计的年运行费用可能超过100万元，也可能低于0.1万元；差压流量计的能量损失可能占管道总能量损失的10%~50%，也可能低于5%。因此，在差压流量计的选型时应进行能量损失的计算与分析，以确定适宜的流量计类型和最佳的流量计参数，确保运行的经济性，达到节约能源的目的。本文依据差压流量计标准ISO 5167，建立并完善了差压流量计能量损失的计算方法，提出了评价差压流量计运行经济性的指标。借助于典型实例，对不同的类型和直径比的差压流量计的能量损失进行了比较、分析，提出了节能措施，可供差压流量计选型时参考。

关键词　标准差压流量计；能量损失；运行费用；经济性指标；比较分析；节能措施

差压流量计在石油炼制、石油化工和天然气化工等工业过程控制中应用最广泛，占比高达29%，作用十分重要。过程的物料平衡、汽-液相平衡和能量平衡的控制都离不开流量计的参与，以保证过程安全、有序、高效地进行。差压流量计主要包括孔板流量计、喷嘴流量计和文丘里管流量计，并已经国际标准化，其实用性、适应(用)性、准确性、可重复性和可靠性等得到了各行业的广泛认可，这主要得益于大量的试验数据支持，使用经验的丰富，技术的完善，尤其是电-液一体化智能技术的发展，使这些古老的流量计重新焕发了青春。近年来，锥形和楔形流量计也已国际标准化，其使用也日益广泛，尤其是锥形流量计，综合了孔板流量计和文丘里管流量计的优点，具有适应性广、测量精度高、能量损失小等优点，应用前景十分看好。

以往，在差压流量计选型时，大多关注的是适应性、精度、可靠性以及一次性投资，而往往忽视了运行时的能量损失和运行的经济性分析，由此可能造成能量的巨大浪费。事实上，差压流量计的能量损失可能相当可观，也可能微不足道。例如，电厂的高温、高压主蒸汽和裂化装置(FCCU)余热回收系统的中温、中压蒸汽的孔板流量计的年运行费用可能高达100万元以上，而一般的文丘里管流量计的年运行费用可能低至0.1万元以下。另外，模拟计算也表明，差压流量计的能量损失可能是管道总能量损失的重要组成部分，占比可达10%~50%，也可能是管道总能量损失的次要部分，占比低于5%。因此，在流量计选型和管道的水力计算时，应对差压流量计的能量损失进行计算与分析，以确定适宜的流量计类型和最佳的流量计参数(包括差压和直径比)，以降低流量计的能量损失和运行费用，提高运行的经济性。

差压流量计能量损失的计算方法十分复杂。本文依据ISO最新的研究成果，建立并完善了差压流量计的静压损失系数和能量损失的计算方法，提出了经济性指标，并通过典型实例对不同类型和直径比的差压流量计的静压损失、能量损失和运行费用的差异进行了比较与分析，以指导差压流量计的选型。

本文提出的差压流量计静压损失系数的计算方法仅适用于单相的牛顿流体在湍流区的亚音速流动。

1　主要技术参数

为了规范了差压流量计的制造、安装和精度的控制，ISO先后颁布并修订了差压流量计标准ISO 5167。该标准与ASME MFC-3M等效，国内也基于旧版ISO 5167—2003制定了差压流量计标准GB/T 2624—2006。差压流量计的工作原理相似，但技术参数差异大。表1推荐的经验数据十分重要，可供选型时参考。

表 1 标差压流量计技术参数

项　　目	孔板	喷嘴(ASME)	文氏管	锥型	楔形
D/mm	50~1000	50~500	50~1200	50~500	50~600
直径比，β	0.10~0.75	0.2~0.8	0.4~0.75	0.45~0.75	0.38~0.79
$(Re_D)_{min}$	5×10^3	1×10^4	2×10^5	8×10^4	1×10^4
$(p_2/p_1)_{min}$	0.75	0.75	0.75	0.75	0.75
Δp_{max}/kPa	45	25	25	12.5	25
流出系数，C	0.605	0.950	0.990	0.820	0.7~0.74
量程比	4∶1	4∶1	4∶1	10∶1	10∶1
精度/%	2~4	1~2	1	0.5	2~4
Δp_s/kPa	高	高中	低	中低	高

表 1 中，差压 Δp_{max} 以水为介质时的上限值，对于其他介质应进行修正。对于气体差压流量计，由于气体的密度相对较小，差压的上限可取更大的数值。

2 能量损失

差压流量计的能量损失通常可以用压力损失或年运行费用来衡量。其中，压力损失仅与流量计的类型、差压、直径比有关，是衡量流量计经济性的唯一指标；而年运行费用仅代表能量损失的大小，与经济性无关。

2.1 静压损失

差压流量计的压力损失包括静压损失、动压损失和摩擦损失。其中，动压损失一般占比较低，可近似忽略，而摩擦损失通常计入管道的摩擦损失，因此在差压流量计的压力损失计算中只需要考虑静压损失部分。

差压流量计的静压损失主要与流量计的类型、差压和(等效)直径比等有关，而雷诺数的影响可近似忽略。通常情况下，静压损失可按式(1)近似计算。

$$\Delta p_s \approx K_{dp}\Delta p \tag{1}$$

式中，Δp_s 为静压损失，kPa；Δp 为差压，kPa；K_{dp} 为静压力损失系数。

通常情况下，静压损失系数可按式(2)近似计算，比较简单，精度适宜。

$$K_{dp} \approx A-B\beta^n \tag{2}$$

式中，β 为(等效)直径比；A、B、n 为与流量计类型有关的常数，如表 2 所示。

表 2 中孔板、喷嘴的常数依据 ISO 5167 或 Gerd Urner 提供的方法得到的，文丘里喷嘴和文丘里管的常数是依据 ESDU 66030 中的近似曲线得到的，但忽略了雷诺数的影响。

表 2 方程(3)常数和误差

项目	A	B	n	误差/%*	备注
孔板	1.00	1.00	1.9	7.8/1.8	ISO5167-2
孔板	1.00	0.95	1.8	5.3/1.2	新增
*IAS*1932	1.21	1.21	1.0	3.3/1.2	新增
长颈喷嘴	1.10	1.14	1.2	3.2/1.6	新增
喉部取压喷嘴	1.22	1.24	1.0	0.2/0.1	新增
文氏喷嘴	0.16	0.15	1.5	—	新增(扩散角 7°)
或文氏管	0.29	0.32	1.5	—	新增(扩散角 15°)
锥型	1.09	0.813	1.0	—	ISO5167-5
楔型	1.09	0.79	1.0	—	ISO5167-6

*以 Gerd Urner 公式为基准的最大误差/均方根误差

模拟计算显示，ISA 1932 喷嘴、长径喷嘴和喉部取压喷嘴的静压力损失系数十分接近，锥形和楔形流量计的静压力损失系也十分接近，经典文丘里管和文丘里喷嘴在相同的扩散角（7°或15°）时的压力损失系数也比较接近。

从图1可以看出，在β相同时，孔板流量计的静压损失系数最大，锥形和楔形流量计的静压损失系数与孔板的相近，喷嘴的静压损失系数比孔板的静压损失系数约低10%~35%，而文丘里管（喷嘴）的静压损失系数最小，大约仅为0.05~0.20。

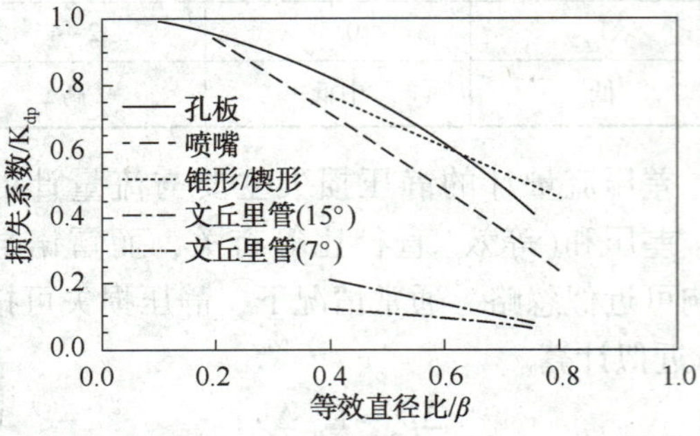

图1　标准差压流量计的损失系数 K_{dp}

对于孔板的静压损失系数，建议按式（3）计算，最大误差不超过1.0%，十分可靠。

$$K_{dp}=F-5.35\beta^{2.5}Re_D^{-0.5} \tag{3}$$

这里，$F=0.9858+0.4299\beta-1.318\beta^{1.5}$

此外，ESDU、Rennels也提出了几种差压流量计压力损失系数的计算方法，但很复杂。

2.2 能量损失与运行费用

差压流量计的单位能量损失、能量损失和能量损失折合成的年运行费用可按如下式（4）~（6）进行计算。

$$\Delta h=\Delta p_s/(\rho\eta) \tag{4}$$

$$\Delta P=\Delta p_s q_v/(3600\eta) \tag{5}$$

$$Cost=0.876Xq_v\Delta p_s/\eta \tag{6}$$

式中，Δh为单位能量损失，kJ·kg^{-1}；ΔP为能量损失，kW；$Cost$为年运行费用，万元；ρ为密度，kg·m^{-3}；q_v为流量，m^3·h^{-1}；Δp_s为静压损失，kPa；η为供能设备的效率，通常为电机效率与泵或压缩机、汽轮机效率以及传动效率的乘积，或锅炉的综合效率；X为电价。

3 能量损失分析

3.1 运行费用和能量损失比较

表3展示了蒸汽和轻汽油介质在典型工况下运行费用和能量损失的模拟计算结果。结果显示：高温、高压蒸汽和催化裂化装置的中温、中压蒸汽的孔板流量计年运行费用高达100万元以上，而文丘里管流量计的仅为30余万元，后者比前者节省约70%能量；以汽油为介质的流量计中，孔板流量计的运行费用最高，文丘里管流量计的最低，二者相差约10倍；当β相同时，不同类型的差压流量计的静压损失、能量损失和运行费用由高到低依次为孔板流量计、楔形流量计、锥形流量计、文丘里流量计。

表3　标准差压流量计的能量损失比较

项目	孔板	ⅡSA932	孔板	孔板	楔形	锥形	文丘里管
介质	蒸汽	蒸汽	蒸汽	汽油	汽油	汽油	汽油
流量 q_m/(t/h)	200	200	80	200	200	200	200
压力 p_1/kPa	13000	13000	3830	660	660	660	660
温度/℃	550	550	450	40	40	40	40
密度 ρ/kg·m^{-3}	37.231	37.231	11.940	738	738	738	738
动力黏度 μ/Pa·s	3.13E-05	3.13E-05	2.66E-06	4.5E-04	4.5E-04	4.5E-04	4.5E-04
等熵指数 k	1.278	1.278	1.282	—	—	—	—
直径 D(20℃)/mm	220	220	201	200	200	200	200
直径 d(20℃)/mm	139.60	139.45	127.30	126.66	0.422[a]	154.8	126.56
差压 Δp_{dp}/kPa	400	160	300	30	21.8	16.5	12
等效直径比 β	0.636	0.635	0.635	0.633	0.633	0.633	0.633
膨胀系数 ε	0.9899	0.9909	0.9743	—	—	—	—
流出系数 C	0.6029	0.9547	0.6035	0.6067	0.713	0.82	0.9608
雷诺数 Re_D	1.01E+07	1.01E+07	5.25E+06	7.8E+05	7.8E+05	7.8E+05	7.8E+05

续表

项目	孔板	ⅡSA932	孔板	孔板	楔形	锥形	文丘里管
损失系数 K_{dp}	0.590	0.441	0.592	0.592	0.576	0.576	0.129
压力损失 Δp_s/kPa	236.01	70.58	177.47	17.75	12.55	9.50	1.55
能量损失/kW	387.09[b]	115.75[b]	440.36[c]	1.88[d]	1.33[d]	1.01[d]	0.16[d]
年费用/万元	101.73[e]	30.42[e]	115.73[e]	1.24[f]	0.87[f]	0.66[f]	0.11[f]

[a] 楔形体 h/D；[b] 效率 0.91；[c] 效率 0.75；[d] 电机效率 0.91，泵效率 78%；[e] 自发电价格 0.3 元；[f] 工业用电价格 0.75 元。

由此可见，不同的差压流量计的静压损失、能量损失和运行费用差压巨大，其中静压损失与流体的流量和 PvT 参数无关，是衡量差压流量计经济性(或能效)唯一指标。

3.2　能量损失占管道总能量损失的比例

在管道的能量损失计算中，差压流量的能量损失占管道总能量损失的比例十分重要，或者说差压流量的能量损失是不是管道总能量损失的主要组成部分十分重要。事实上，差压流量的能量损失是不是管道总能量损失的重要组成部分很难判断，主要是影响因素太多，包括管道的尺寸、长径比、表面特性以及管道中功能部件的类型、尺寸和数量以及雷诺数等因素有关。为了方便，这里仅以输送不可压缩流体管道的模拟计算结果为例进行比较分析。

假定管道内径为 200mm，长度 300m，绝对粗糙度 0.2mm，湍流区摩擦系数计算值约为 $\lambda_T \approx 0.0196$，折合为损失系数 $\lambda_T \dfrac{L}{D}=29.45$；

闸阀 4 个，球阀 1 台，单向阀 1 个，总损失系数 $K=8.52$；

长径弯头 9 个，大小头 2 个，(直流)三通 3 个，出口 1 个，总损失系数 $K=4.0$；

低压降调节阀 1 台，损失系数 $K\approx36.0$；

差压流量计 1 台。选择($\beta=0.5$，0.7)孔板流量计、楔形流量计、锥形流量计、喷嘴流量计和文丘里管流量计中任意 1 台设置在管道中。

流量计的静压损失系数(转化为以管道内流体的动压 $1/2\rho V^2$ 为基准)：当 $\beta=0.5$ 时，孔板流量计 $K=30.0$，楔形流量计 $K=19.83$，锥型流量计 $K=15.25$，*ASME* 喷嘴流量计 $K=9.58$，文氏管流量计 $K=1.97$；而当 $\beta=0.7$ 时，孔板流量计 $K=4.42$，楔形流量计 $K=3.40$，锥形流量计 $K=2.45$，*ASME* 喷嘴流量计 $K=1.31$，文丘里管流量计 $K=0.21$。

依据以上数据，堆积图 5 展示了 $\beta=0.5$、0.7 时不同类型的流量计的损失系数与管道总损失系数的对应关系(比例)。从图 5 可以看出，当 $\beta=0.5$，孔板流量计、楔型流量计、锥型流量计和喷嘴流量计的损失系数占管道总损失系数的比例介于 28%~11%，因此都是管道总能量损失的主要组成部分，而文丘里管流量计的损失系数仅占管道总损失系数的 2.5%，因此不是管道总能量损失的主要组成部分；当 $\beta=0.7$ 时，所有流量计的损失系数占管道总损失系数的比例不超过管道总损失系数的 5.5%，因此都不是管道总能量损失的重要组成部分。

由此可见，差压流量计的能量损失可能是管道总能量损失的主要组成部分，也可能不是，这主要与流量计的类型、差压、直径比以及管道的参数等有关。

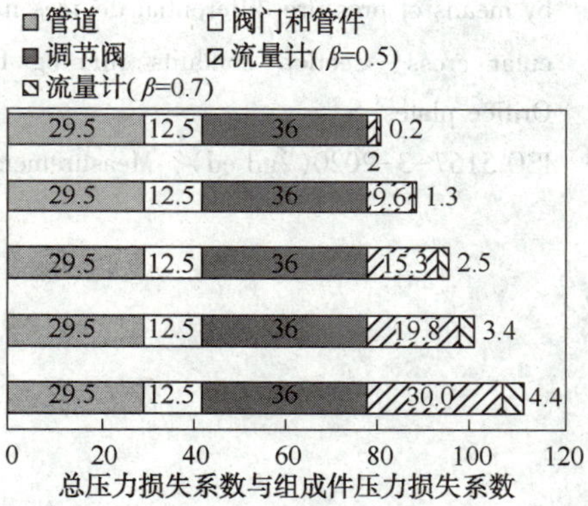

图 2　管道组成件压力损失分布

4　节能措施

从上述分析可知，仅从节能的角度考虑，在差压流量计的选型时，在满足适应(用)性、精度和可靠性的基础上，尽可能的选择低差压、大直径比、低损失系数的流量计。以下要求，可供中大型差压流量计选型参考。

对于中高压过热蒸汽，一般可选择喷嘴流量计，直径比 0.65~0.7，差压 100~200kPa；对于气体，一般可选择文丘里管，直径比 0.5~0.7，差压 2~25kPa；对于液体、气体或蒸汽，都可选择锥形流量计，直径比0.5~0.75，差压5~10kPa；对于高黏的液体，可选择楔形流量计，直径比0.5~0.7，差压15~25kPa。

对于小型流量计，可选用差压流量计。

5 结论

（1）本文提出的方法简化并完善了差压流量计能量损失的计算方法，可指导差压流量计选型时能量损失的计算与分析

（2）差压流量计的能量损失差异巨大，因此在流量计选型时进行能量损失的计算与分析十分必要，尤其是中大型差压流量计。

（3）静压损失是衡量流量计经济性的唯一指标，同时会影响到上下游供能设备的用能。

（4）锥形流量计适应性广，精度高，能量损失较低，是一款值得推广的节能型流量计。

参 考 文 献

[1] ISO 5167-1-2022(3rd ed), Measurement of fluid flow by means of pressure differential devices inserted in circular cross-section conduits running full—Part 1: General principles and requirements[S].

[2] ISO 5167-2-2022(2nd ed), Measurement of fluid flow by means of pressure differential devices inserted in circular cross - section conduits running full—Part 2: Orifice plates[S].

[3] ISO 5167-3-2020(2nd ed), Measurement of fluid flow by means of pressure differential devices insertedin circular cross-section conduits running full—Part 3: Nozzles and Venturi nozzles[S].

[4] ISO 5167-4-2022(2nd ed), Measurement of fluid flow by means of pressure differential devices inserted in circular cross - section conduits running full - Part 4: Venturi tubes[S].

[5] ISO 5167-5-2022(2nd ed), Measurement of fluid flow by means of pressure differential devices inserted in circular cross-section conduits running full-Part 5: Cone Meter[S].

[6] ISO 5167-6-2022(2nd ed), Measurement of fluid flow by means of pressure differential devices inserted in circular cross - section conduits running full - Part 6: Wedge Meter[S].

[7] ASME MFC-3M-2004, Measurement of Fluid Flowin Pipes Using Orifice, Nozzle, and Venturi[S].

[8] GB/T 2624.1~4-2006，用安装在圆形截面管道中的差压装置测量满管流体流量[S].

[9] R. W. Miller, Flow Measurement Engineering Handbook (3rd ed)[M], McGraw - Hill Inc., New York (1996).

[10] URNER, G., Pressure loss of orifice plates according to ISO 5167[J]: *Flow Measurement and Instrumentation*, 1997, 8(1).

[11] ESDU66030(2007): Pressure losses in flow- metering devices[S].

[12] Rennels D. C., Pipe Flow(2nd ed): A Practical and Comprehensive guide[M]. Wiley, 2022.

旋喷分离技术用于烧焦罐改造的模拟研究

陈迩文　张国栋　王明明　王迎波　郑　强

（中国石油独山子石化公司）

摘　要　针对独山子石化乙烯一部裂解装置烧焦罐内件与本体损坏严重，焦粒沉降分离效果下降的问题，对现有设备进行改造。借鉴微旋流分离技术，分析旋喷分离器工作原理，通过 CFD 模拟分析旋喷分离器内部流场，得到了旋喷分离器内部流场和微观液相射流破碎雾化。通过 DPM 模型比较不同条件下旋喷分离器的除尘效率和粒子轨迹，并对除尘效率进行分析。研究结果表明，旋喷分离器在裂解装置烧焦罐中具有良好的应用前景。

关键词　旋喷分离；烧焦罐；CFD 模拟；气固分离

独山子石化乙烯一部裂解装置于 2009 年开始投用，现有裂解炉 9 台，共用两台清焦旋风分离罐（10-V-2031A/B）和清焦罐（10-T-2032A/B），根据一台裂解炉烧焦时产生的清焦气量或两台裂解炉同时热备时的排气量设计。一般情况下两套清焦设备一开一备，其主要成分为水、氮气、氧气、一氧化碳、二氧化碳、二氧化硫、焦粒等。

目前该设备由于冲刷腐蚀，内件与本体损坏严重，尤其是从入口切向位置看的筒体环形壁面，同时焦粒沉降分离效果下降，不能有效将烧焦气中的颗粒物进行沉降。清焦气排放口携带大量焦粒，污染排口半径约 50m 范围的设备外表和地面。因此需要对现有设备进行改造。

1　国内研究现状

为了降低烧焦颗粒对大气的污染，国内化工企业常采取优化后的旋风分离器和烧焦气返炉膛技术改造。返炉膛清焦的处理形式在一定程度上减少了水资源的浪费，更符合乙烯裂解炉节能减排的发展需求，同时降低了清焦管线因为注水，管道温度骤变对管道的应力损伤而带来的安全隐患。独山子石化新增 9#裂解炉设计有烧焦气返炉膛的流程。根据实际运行情况看，烧焦流程切至返炉膛时，炉膛负压及温度受烧焦气流量影响，对流段温度上升，部分控制点的温度超过工艺运行指标，波动较大，造成部分管束接近设计温度，NO_x 难以控制，同时对风机的运行造成一定的影响，不利于裂解炉的长周期运行。此外，焦粒燃烧不充分，导致部分焦炭颗粒被带入对流段，长期累计会造成对流段积灰，影响炉子热效率和增加腐蚀几率。

对于烧焦罐技术的改造有上海石化采用 HL/G 型旋流管，利用微旋流式与旋风式相结合的方式，使固体颗粒通过渐缩型入口进入其内部进行微旋流分离。中石化镇海炼化分公司乙烯装置设计的新型旋流器除尘器内部采用并联集成式旋流管，使分离效率得以强化，能够高效去除烧焦尾气中的微细颗粒物，平均分离效率达到 92.8%，可以有效避免界区中的粉尘污染。

综上所述，独山子石化乙烯裂解装置可借鉴国内其他化工企业的经验，应用一种新型的旋喷分离装置来解决目前所面临的分离效率低的问题。

2　旋喷分离技术原理分析

通常，旋风分离器内气体流动是三维旋转的，既有切向旋转运动，又有轴向和径向运动，其中以切向运动对气体和颗粒的分离影响最大，因为气体和颗粒的分离过程实际上就是颗粒在离心力作用下，不断克服气体黏性阻力过程，并沿径向分离器边壁运动。一旦颗粒到达器壁，就认为已获得分离。

显然，在这一过程中，所有影响离心力和阻力的因素必然是影响分离的因素，比如颗粒的粒径和密度、气体黏度、气体周向速度及旋转半径等等。而要强化分离过程，也就必须从这些因素入手加以解决。由于气体黏度、颗粒密度等属于物性参数，一旦应用条件确定便无法更改，所以只能从改善气体速度分布、缩小旋转半径等方面入手。而这都是通过采用不同结构形式的分离器或采用不同的尺寸匹配方式来实现的。

旋喷分离技术在微旋流分离技术的基础上，旋喷净化芯管在筒体圆柱段设置了液相射流孔，并对筒体柱锥段结构、进气口、中心排气管进行了结构优化，在传统旋流分离器基础上提高分离效率及分级效率。

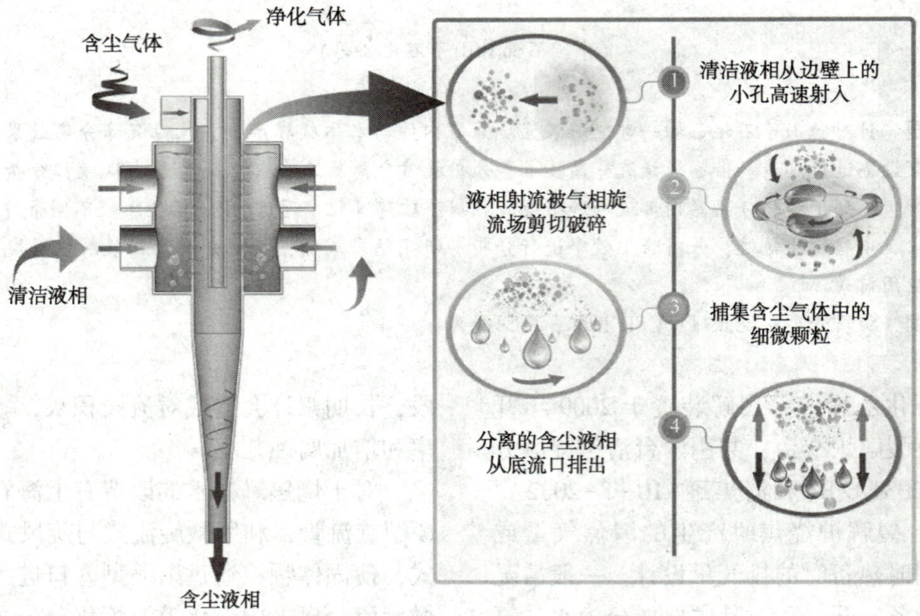

图1　旋喷分离技术原理图

旋喷净化器是利用液体射流场和气体旋流场耦合作用强化气液传质的新型超重力传质设备。与传统气液传质设备中两相流型相比，本设备中存在液相射流和气体旋流的强相互作用现象。在不同的操作条件下，气体旋流场可使液体射流由稳态射流转化为雾化旋线射流，增大气-液相间传质有效相界面积；同时由于两相之间湍流雾滴的强相互作用，也会改善气膜和液膜的传质系数，提高相间总传质系数。由于增大了气液间的相对速度和剪切力，以及增大了有效相界面积和传质系数，因而传质效率高，设备体积小，并且还具有结构简单、无内部运动部件、适应面广、自清洁、不怕堵塞和结垢等优点。

旋喷净化芯管中产生的强旋混合气流场，能够切割径向射流液柱，形成无数个直径约500μm的吸收溶液雾滴，并随设备内高速湍流流场做旋转运动，捕集气体中剩余的细小粉尘。捕集微细颗粒后的液滴在强旋流场的作用下被甩至边壁，从排污口排出，进入循环水槽，净化后的气体沿溢流管排出。

旋喷分离除尘可以分为三个阶段：

(1) 离心分离阶段。在这一阶段，模拟含尘气体经过风机提供的动能加速后以较高的速度从矩形切向进气口进入旋喷净化器内部，并立即产生强大的气相旋流离心场，一部分较大质量的颗粒物会在这个阶段被甩至边壁处，随着外旋涡向下排出；

(2) 破碎雾化阶段。吸收液经过循环水泵的充能后首先流入夹套，随着夹套内液体增多压力不断增大，液相经由筒体上均匀密布的小孔高速喷射进入筒体。从小孔喷射进入筒体的液相射流在高速气相旋流离心场的作用下受到剪切力，加上自身的惯性力和重力，吸收液发生破碎雾化现象，成为无数细小液滴；

(3) 捕集分离阶段。由于液柱发生雾化后形成的小液滴增大了比表面积，而散逸密布在空气中的液滴随着气相旋流场高速运动，从而大大地改善了液滴对细颗粒物的捕获能力。当捕集完毕后，液滴携带颗粒物在自身重力作用下经由除尘器的底流口排出，随着水管进入循环水槽，净化后的气体在内旋涡场的压力作用下经由插入管从出气口排出。细颗粒物去除工艺已基本实现。

与传统的旋流分离器相比，离心雾化除尘器通过在筒体上开设多个小孔使气液两相从不同的地方进入筒体，产生液滴并与颗粒物发生相互作用，增加了破碎雾化并使得颗粒物捕集过程更加顺利，提高了除尘效率。

3 CFD 数值模拟分析

3.1 模型建立及网格划分

乙烯一部裂解装置烧焦罐 10-V-2031 A/B 内径 3100mm，壁厚 50mm，单台设备净重 40t。根据该尺寸，设计了 DN500 的旋喷分离器内件，共计 8 件，在烧焦罐内并联运行，呈周向排布。所使用的物理模型总高度为 2500mm，气相入口矩形横截面积尺寸为 400mm×250mm，气相从入口切向进入旋喷分离器内件后做向下的旋转运动，并从溢流管流出，溢流管内径为 270mm，溢流管底部入口在液相射流区域以下。在圆柱段上半部分的边壁处均匀地设置有环绕型液相射流孔，模拟选用小孔内径为 5mm，每层 16 个呈等间距环向分布，共 5 层。旋喷分离器的流场模型和网格，经过优化后网格质量如图 2 所示。最终总网格数量为 2192806，网格质量均大于 0.39。

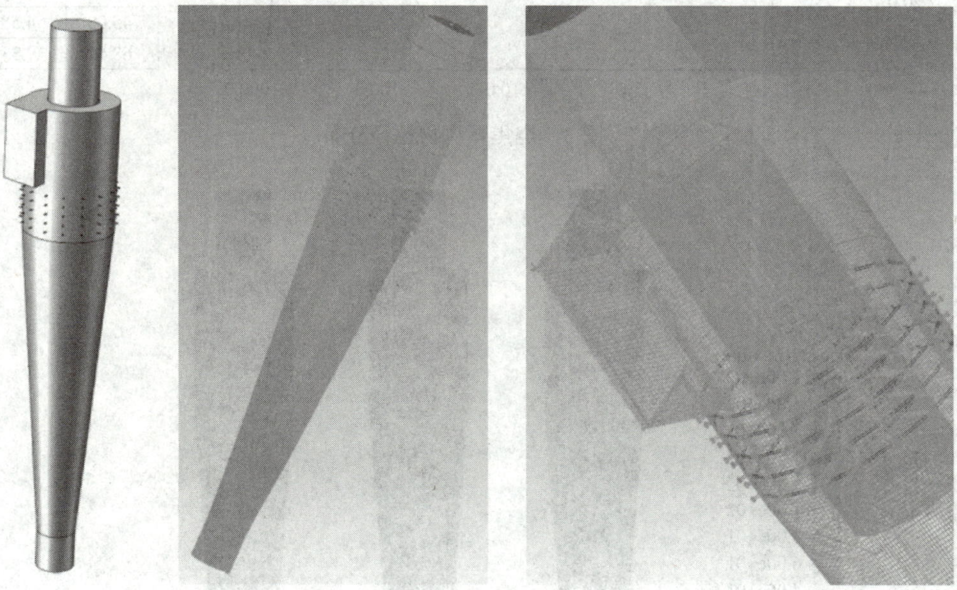

图 2 旋喷分离器流场模型和网格模型

3.2 边界条件确定

独山子石化乙烯裂解装置退炉烧焦时采用蒸汽与空气混合法进行烧焦，根据其烧焦机理，假设沿炉管烧焦反应动力学参数和反应热不变，建立了蒸汽-空气烧焦过程机理模型，模拟结果显示在烧焦初期产生的焦炭含量最高。根据烧焦第一步时的混合气体流量，稀释蒸汽流量 DS 为 43000kg/h，清焦风流量 DA 为 3300Nm^3/h。物料离开裂解炉，进入烧焦罐前温度约 150～200℃，压力 0.1MPa，计算温度取 200℃，计算压力取 0.1MPa(G)(绝压：0.201MPa)。进入烧焦罐中稀释蒸汽与清焦风总体积流量为 46396.2m^3/h，设计旋喷分离器入口截面积为 0.1m^3，求得入口流速为 12.89m/s。利用插值法，求得混合蒸汽的总密度为 1.032kg/m^3，查表得其黏度为 0.4507mPa·s。液相射流使用循环水，通过接金属软管的方式通过边壁小孔进入旋风分离器，在 30℃，0.4MPa 条件下，其密度为 995.8277kg/m^3，黏度为 0.7972mPa·s，液相入口流速选择 2.5m/s 和 3m/s。现场取样分析烧焦罐入口颗粒物结果如图 3 所示。

3.3 旋喷分离器流场模拟分析

根据先前在实验室条件下对 DN40 的旋喷分离器的模拟研究中得到的结论，入口蒸汽-空气混合气体速度越高，液体射流断裂点越接近喷嘴孔，产生的液滴越少。气体速度的不断增加，增加了强旋涡湍流流场的强度，大大提高了气相对液相射流的破碎和雾化效果。根据烧焦操作规程中对烧焦步骤的描述，烧焦第一步的混合气体线速度为 12.98m/s。选择液相射流速度分别为 2m/s、2.5m/s、3m/s 作为边壁速度入口的边界条件。模拟得到旋喷分离器内部流场的两相密度分布见图 4。

如图 4 所示，可以很好的说明不同液速会导致不同的两相密度分布。在液相速度为 2.5m/s 时，液相射流从边壁小孔加速进入高速气相旋流场，并且在气相旋流场中发生两相耦合，发生破碎，形成较小的液滴。为了更加直观的模拟出破碎雾化的效果，单独对其中一个喷孔进行 CFD 模拟，结果如图 5 所示。

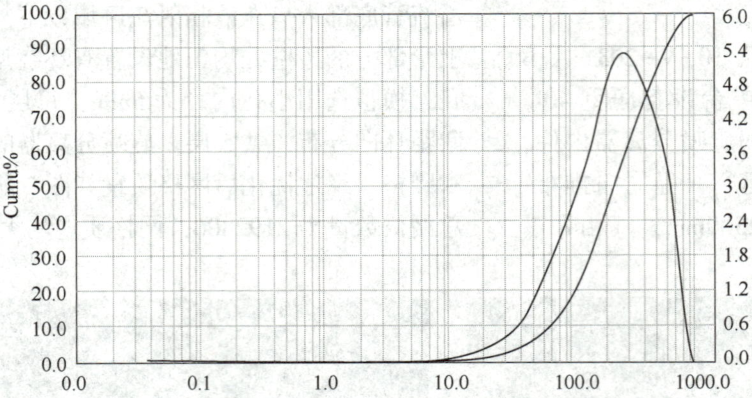

粒径μm	含量%
0.300	0.00
0.510	0.00
1.350	0.00
2.500	0.00
32.00	2.42
38.00	3.37
40.00	3.71
42.00	4.05
45.00	4.58
68.58	9.33

图 3　烧焦颗粒物粒径分布

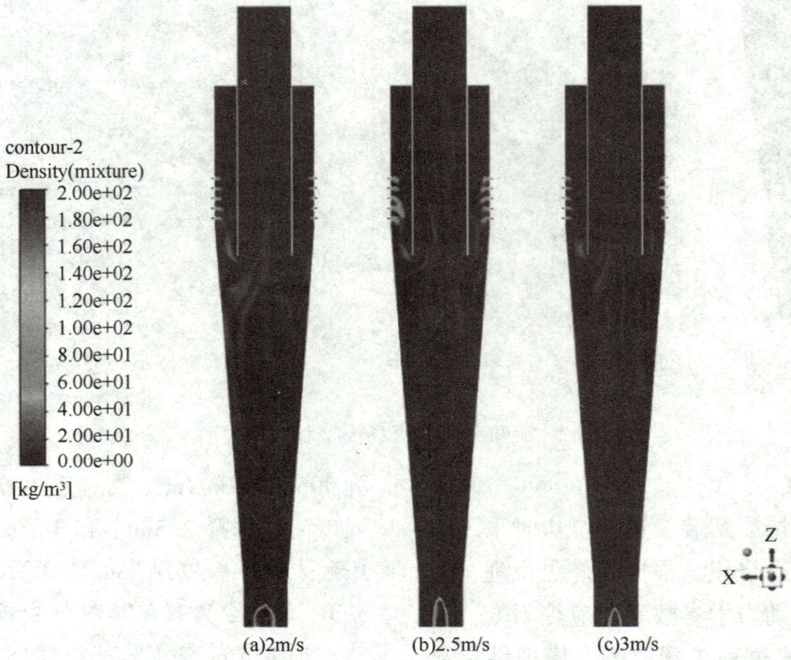

图 4　不同流速下两相密度分布

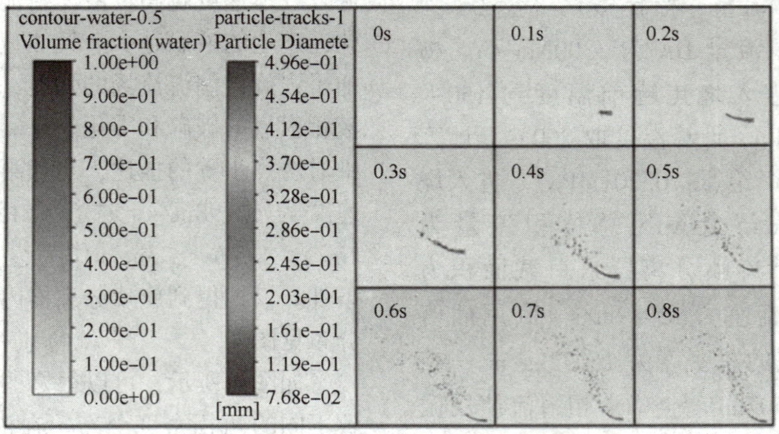

图 5　破碎雾化过程模拟

根据对流场以及射流破碎物化的模拟，可以得出，在 DN500 的旋喷分离器中，蒸汽-空气混合的气相流场和循环水的高速射流可以发生良好的破碎雾化作用，产生细小的液滴，在原本旋风分离器通过密度差和离心力作用基础上，加入液滴对焦粒的捕集作用，能有效提高气固混合物的分离效率。

3.4 颗粒物运动轨迹模拟

图 6 所示为液相射流速度为 2.5m/s 时，焦粒在旋喷分离器内的运动轨迹。

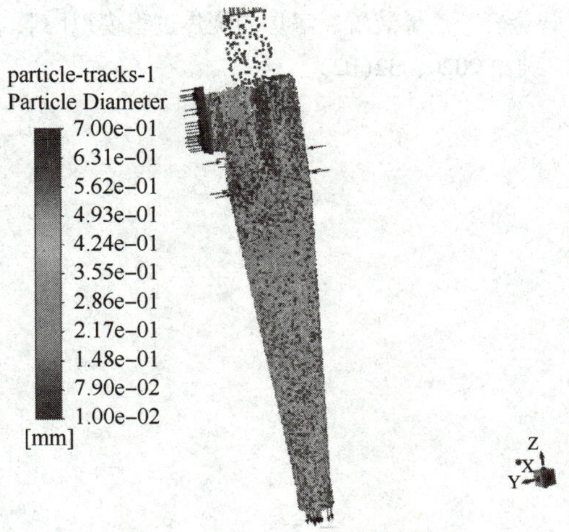

图 6 粒子轨迹追踪图

根据上图可以进一步说明，DPM 模拟射入的焦粒在入口以较高的速度进入旋喷分类器，在圆柱段边壁上有射流液体进入。最终的结果显示，仅有少量的未被处理的微小粒径焦粒从溢流口排除，其余焦粒均被分离去除。

4 旋喷分离器效果分析

4.1 除尘效率对比

DPM 模型可用于计算除尘器内的颗粒物浓度分布，设置溢流口为“escape”，底流口为“trap”，其余为“reflect”，通过射入颗粒物总量和逃逸颗粒物总量计算出不同液速条件下的除尘效率，其中当液体速度为 0m/s 时，旋喷分离器可等效为同尺寸的旋风分离器。在 FLUENT 中模拟当液体速度为 0~3m/s 时的除尘效率，结果如图 7 所示。

根据模拟结果显示，当液速为 0m/s 时，由于没有液相射流进入，即没有破碎物化现象发生，此时模拟的是在该尺寸下，旋风分离器对焦粒的处理效率，其效率为 95.11%。当液速为 2.5m/s 时，根据 FLUENT 模拟结果显示，总计

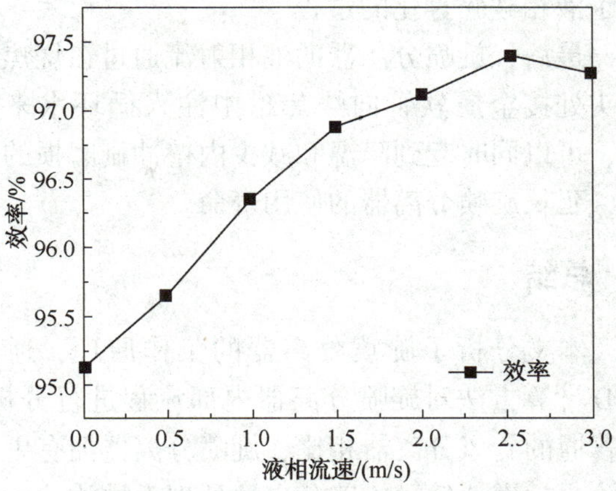

图 7 不同液速下除尘效率的变化

追踪粒子 17.94kg，其中“Escaped”表示从溢流口逃逸的粒子，数量为 0.4593kg，实际对应从烧焦罐顶部随着蒸汽-空气混合物排入大气的焦粒；“Trapped”表示在低流口被捕集的粒子，数量为 17.48kg，实际对应在烧焦罐中经过旋风分离和液滴捕集之后，进入烧焦池中的焦粒。根据计算，在该工况下，除尘效率可以达到 97.4%，在几种工况中除尘效率最高。

根据林德公司提供的烧焦数据表中第一步烧焦时产生的 600kg/h 焦粒计算，其质量流量为 $12765mg/m^3$，旋风分离器效率为 95.11%，即经过旋风分离器处理后排放的焦粒为 $624.2mg/m^3$；旋喷分离器效率为 97.4%，即经过旋喷分离器处理后排放的焦粒为 $331.9mg/m^3$。综上所示，通过 CFD 模拟计算，采用旋喷分离器后排放焦粒的质量流量减少了 46.84%。

4.2 工业侧线分析

根据中试实验的结果，旋喷分离器的实际除尘效率相较于 CFD 模拟的除尘效率更高。首先，在 CFD 模拟中仅对单根旋喷分离器的流场、除尘效率进行了模拟，实际运行时烧焦罐中有 8 根以上的旋喷分离器并联运行，能达到更高的除尘效率。

其次，考虑到计算成本的问题，在本文的模拟计算中，假设液相射流被气相旋流场切割后产生破碎雾化的小液滴被视为连续相，而使用 UDF 编程计算方法，讲液滴视为分散相，可在模拟计算过程中更多的考虑液滴与颗粒之间的相互作用。由于对整个流场采用 UDF 方法模拟计算成本过高，因此仅采用 mixture+RSM 模型对流场进行研究，加入 DPM 模型对颗粒物的运动轨迹和除尘效率进行分析，通过 UDF 计算方法模

拟了液相破碎雾化的过程。

最后，旋喷分离器的液相射流通过在烧焦罐封头处接金属软管向烧焦罐中注入循环水来实现，可以同时起到降温和减少内壁冲刷磨损的作用，延长旋喷分离器的使用寿命。

5 总结

本文分析了旋喷分离器的工作原理，通过CFD计算方法对旋喷分离器内部流程进行分析。与普通的旋风分离器相比，旋喷分离器拥有更高的除尘效率，经过旋喷分离器处理后排放的焦粒能减少46.84%。结果表明旋喷分离器用于处理烧焦尾气具有很好的效果，拥有很好的工业应用前景，对乙烯一部裂解装置烧焦罐改造项目有一定的参考价值。

参考文献

[1] 米孜拉夫·麦麦提，陈永伟．焦粒对乙烯装置旋风分离器内壁磨损形态的分析[J]．乙烯工业，2022，34(04)：53-55.

[2] 吴家伟．裂解炉烧焦气排放系统改造效果分析[J]．乙烯工业，2018，30(01)：44-46.

[3] 瞿文华．乙烯装置烧焦罐技术改造[J]．石油化工技术与经济，2018，34(06)：43-46.

[4] 智茂轩．乙烯装置裂解炉的烧焦过程模拟[J]．乙烯工业，2020，32(02)：34-37.

催化裂化油浆在三次采油技术中的应用

程　禹　张广煜　赵　妍

（中国石油抚顺石化公司）

摘　要　本文利用中国石油抚顺石化公司催化裂化油浆复配馏分油为混合原料，以氯磺酸或气相三氧化硫为磺化剂进行釜式或连续膜式磺化中试反应，中和系统采用氢氧化钠溶液。通过实验探究发现，综合考虑产物的活性物含量、油水界面张力值等因素，确定以催化裂化油浆复配馏分油为混合原料生产石油磺酸盐的优化条件为：反应温度为60℃，酸油比为1.2∶1。石油磺酸盐和重烷基苯磺酸盐进行复配后，产品活性物含量和界面活性均满足行业要求，能使目标油田目标区块油水界面张力值降低到10^{-3}mN/m数量级，拓宽了原料来源，为产品的工业化生产提供有效技术支撑。

关键词　三次采油；催化裂化油浆；化学驱

中国油田开发的实践历程充分证明，提高采收率是油田开发永恒的主题。驱油用表面活性剂是重要的提高原油采收率的化学驱油剂。为工业应用技术发展最快速的国家。化学复合驱是中国最成熟的三次采油技术，是一项可以大幅度提高原油采收率的技术。石油磺酸盐是以馏分油为原料，经磺化反应制得的一种阴离子型表面活性剂。如何利用现有炼厂馏分油资源，生产高性能低成本的驱油用石油磺酸盐类表面活性剂，意义重大。尤其是混合原料的选择、工艺条件的优化和产品的复配技术等。

石油磺酸盐是以石油馏分油进行SO_3磺化制得的一类表面活性剂，在大庆、胜利和新疆油田三次采油中具有广泛的应用。

石油磺酸盐是目前各大油田应用最为广泛的一种化学驱油用表面活性剂，这与石油磺酸盐本身低廉的价格，与地层、原油等良好的配伍性是密不可分的。而且石油磺酸盐驱油体系可以使油水间界面张力达到超低，且生产工艺也较为简单。因此研究石油磺酸盐与原油的配伍性具有很高的学术价值。

催化裂化油浆的构成非常复杂，其成分主要为芳烃以及少量的烯烃和烷烃。根据其组成的特点和市场需求，考虑到抚顺石化公司目前油品的特点，综合利用副产品，实现催化油浆的高效应用。

针对上述问题，本文以抚顺石化公司催化裂化油浆和馏分油为混合原料生产驱油用石油磺酸盐，为了达到芳烃含量和驱油剂产品油水界面活性超低要求，开展了原料油的筛选复配、工艺操作优化条件等研究，合成出的石油磺酸盐产品活性组分含量和油水界面活性均满足行业标准要求，拓宽了原料来源，为目标油田采用石油磺酸盐类表面活性剂产品的工业化生产提供有效技术支撑。

1　小试试验部分

1.1　试验试剂与仪器

本部分原料采用催化裂化油浆复配馏分油，以氯磺酸为磺化剂，进行磺化中和反应，制得石油磺酸盐，确定每种混合原料油的最佳配比和磺化工艺条件，考察各级分石油磺酸盐与原油的配伍性。通过小试试验研究，考察催化油浆与馏分油的配比、磺化反应温度、反应时间对驱油剂油水界面张力值的影响，确定催化油浆石油磺酸盐合成最佳条件。

1.1.1　试验试剂

试验采用的磺化原料为抚顺石化公司催化裂化油浆、馏分油，催化裂化油浆和馏分油族组成及相关分析数据见表1；氯磺酸，分析纯；氢氧化钠，工业级；目标油田模拟水；目标油田脱水原油。

表1　原料油分析数据

项目	催化裂化油浆	馏分油
链烷烃	4.7	17.0
总环烷烃	20.2	56.4
总芳烃	74.2	25.8

续表

项目	催化裂化油浆	馏分油
胶质	0.9	0.8
固含量/%	0.0016	—
分子量	345.6	360.8
运动黏度(40℃)/(mm/s²)	1761.93	34.601

1.1.2　试验仪器

全量程旋转滴表(界)面张力仪：Model TX-500C 型，美国 CNG ENTERPRISES L.L.C. 公司；电子天平；电热恒温水浴锅；数显恒速搅拌机；磁力搅拌器。

1.2　试验方法

常用的磺化剂有很多，例如浓硫酸、三氧化硫、氯磺酸、发烟硫酸、氨基磺酸等。作为磺化剂使用时，氯磺酸有较强的反应活性，而伴随产生的氯化氢气体可以通过真空装置而排出，使反应完全进行并且不可逆，为缓和氯磺酸的强反应活性，还可加入一些氯化烃溶剂混合使用，而且操作简单，在较低的温度下即可反应，并且生产的产品色泽浅纯度也较高。因此本实验选用氯磺酸作为磺化剂。

1.2.1　石油磺酸盐的制备

试验采用氯磺酸磺化法。具体操作：在恒温水浴中固定三口烧瓶，滴液漏斗中按比例滴入氯磺酸，将水浴锅调节至预定温度，逐滴加入氯磺酸，在设定的反应时间内完成滴加操作，用氢氧化钠溶液中和石油磺酸至 pH 值 8~9，即得到石油磺酸盐产品。

2.1.2　石油磺酸盐性能测试

活性物含量检测方法参照 SY/T 7328—2021 标准，驱油剂样品界面张力的检测按标准 SY/T 6424—2014 复合驱油体系性能测试方法进行。能否使油/水之间形成超低的界面张力，是评价表面活性剂驱油体系的一个重要指标。

2　中试试验部分

2.1　磺化操作条件优化试验

采用连续气相 SO_3 膜式磺化生产工艺，来自气体发生单元的 SO_3 与干燥空气混合稀释后，进入磺化反应系统，与加热混合后的原料油以一定酸烃比，在一定温度条件下进行磺化反应，反应产物进入中和系统中和，最后进入产品调制系统制得石油磺酸盐产品。生产工艺流程如图 1 所示。

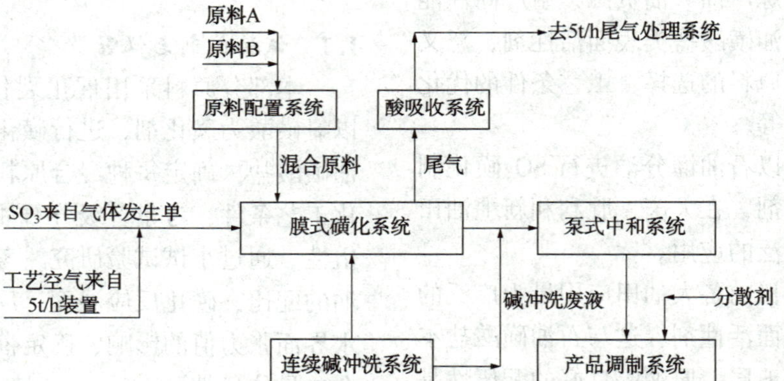

图 1　磺化中试装置工艺流程

通过对催化油浆磺化小试试验数据结果分析，确定了磺化中试放大试验方案，以抚顺石化公司催化油浆和馏分油为原料，硫磺、干燥风和碱等均依托抚顺石化公司洗化厂磺化车间工业装置，进行了磺化中试试验，装置连续运行 24 小时，得到两种磺酸盐中试产品。主要针对两个目标油田目标区块油水进行了界面张力评价试验。

2.2　中试样品界面活性研究

石油磺酸盐样品的油/水界面张力值是考察其性能的一项重要指标。因为通过降低油/水界面张力，可以极大的增加毛细管数，降低粘附功，容易启动粘附在地层的油滴，从而增大洗油效率。而且随着启动油滴的增多，油滴聚并形成油带，在油带行进过程中又继续聚并分散的油滴，提高波及系数，从而提高采收率。

本试验将筛选出的两种石油磺酸盐配制成不同表活剂浓度、弱碱浓度的驱油体系，考察了其界面活性，通过对界面行为的研究，了解石油磺酸盐与原油的配伍性。

3 结果与讨论

3.1 原料油的选择与复配研究

通常用单一组分作为原料生产的石油磺酸盐不能满足产品性能要求。磺化原料的芳烃含量、平均分子量和正态分布是影响产品性能的重要因素。催化油浆澄清油分子量适中，芳烃含量高，适合作为磺化原料，但正因为催化油浆芳烃含量高，黏度大，磺化反应中易结块，因此，在磺化实验中加入了馏分油对其进行稀释，使其黏度、流动性适中，保障其磺化反应的正常进行。

由于原料油的性质各不相同，因此它们按照不同比例混合所合成的石油磺酸盐产品也存在各种差异。

馏分油中芳烃含量较低，催化油浆芳烃含量较高，将两种原料油复配后，有利于提高石油磺酸盐活性物含量。催化油浆固含量较高，需要进行脱固处理后，采用催化裂化油浆澄清液与馏分油进行原料油复配。

3.2 最佳磺化工艺操作参数研究

石油磺酸盐是以原油馏分油作为原料，其主要磺化对象是结构复杂且种类繁多的烷基芳烃。

通过优化实验研究，考察原料配比、助剂加入量、反应温度和反应时间对产品的影响，正交试验设计采用四因素三水平，将界面张力值作为评价指标，试验选用 $L_9(3^4)$ 正交表，正交试验设计见表2，结果直观分析见表3。

表2　正交试验设计

因素	原料配比 A	助剂加入量 B/%	反应温度 C/℃	反应时间 D/min
水平1	3∶2	10	55	30
水平2	1∶1	15	60	45
水平3	2∶3	20	65	60

表3　正交试验结果直观分析表

试验号	因素				界面张力/(mN/m)
	A	B	C	D	
1	3∶2	10	55	30	0.0678
2	3∶2	15	60	45	0.0386
3	3∶2	20	65	60	0.0696
4	1∶1	10	60	60	0.0124
5	1∶1	15	65	30	0.0115
6	1∶1	20	55	45	0.0256
7	2∶3	10	65	45	0.0367
8	2∶3	15	55	60	0.0598
9	2∶3	20	60	30	0.0412
K1	0.1660	0.1169	0.1532	0.1205	
K2	0.0495	0.1099	0.0922	0.1009	
K3	0.1377	0.1264	0.1078	0.1318	
极差 R	0.1165	0.0165	0.0610	0.0309	
主次顺序	A>C>D>B				
优水平	A_2	B_2	C_2	D_2	
优组合	$A_2B_2C_2D_2$				

通过正交试验结果分析，比较表3中各个因素极差大小，通过对极差结果的分析。可以衡量各因素对磺化反应的影响情况。由表3中极差的大小可以看出：$R_A>R_C>R_B>R_D$，即说明对于混合原料油磺化反应来说，各因素对降低油水界面张力影响的顺序依次为：原料配比>反应温度>助剂加入量>反应时间。在混合原料油的磺化反应中，原料配比对结果影响最大，助剂加入量对其结果影响最小。

以降低油水界面张力为指标确定混合原料油的最佳反应条件如下：原料配比 1∶1、助剂加入量15%、反应温度60℃、反应时间45min。

3.3 石油磺酸盐产品性能评价

能否使油/水界面张力达到超低(10^{-3}mN/m)是评价驱油用石油磺酸盐性能的一个重要指标。因为通过降低油/水界面张力，可以极大的增加毛细管数，降低黏附功，容易启动黏附在地层的油滴，从而增大洗油效率。而且随着启动油滴的增多，油滴聚并形成油带，在油带行进过程中又继续聚并分散的油滴，提高波及系数，从而提高采收率。

采用最佳磺化反应工艺参数，制备了两种石油磺酸盐中试产品，将该两种石油磺酸盐配制成不同表活剂浓度、弱碱浓度的驱油体系，考察了其界面活性，通过对界面行为的研究，了解石油磺酸盐与原油的配伍性。

采用目标油田目标区Ⅰ和目标油田目标区Ⅱ模拟污水配置，固定 HPAM 1000mg/L，将石油磺酸盐粗样品分别配制成表活剂浓度为0.05wt%、

0.10wt%、0.20wt%、0.30wt%；碳酸钠浓度 0.0%~1.2%范围的驱油剂，利用目标油田脱水原油测试油/水界面张力，得到界面张力值数据见表4和表5，绘制界面活性图如图2和图3所示。

表4　界面张力数据1

活性剂浓度 wt% \ Na_2CO_3 wt%浓度	0.0	0.2	0.4	0.6	0.8	1.0	1.2
0.3	1.73×10^{-1}	3.66×10^{-2}	2.69×10^{-3}	7.47×10^{-3}	1.82×10^{-3}	7.44×10^{-3}	5.58×10^{-3}
0.2	1.92×10^{-1}	2.70×10^{-2}	5.90×10^{-3}	5.19×10^{-3}	9.13×10^{-3}	4.89×10^{-3}	4.66×10^{-4}
0.1	6.10×10^{-1}	1.82×10^{-3}	1.43×10^{-3}	6.37×10^{-4}	6.40×10^{-3}	9.70×10^{-3}	6.46×10^{-3}
0.05	7.30×10^{-1}	2.69×10^{-3}	3.65×10^{-3}	1.37×10^{-3}	3.35×10^{-3}	1.78×10^{-2}	2.36×10^{-2}

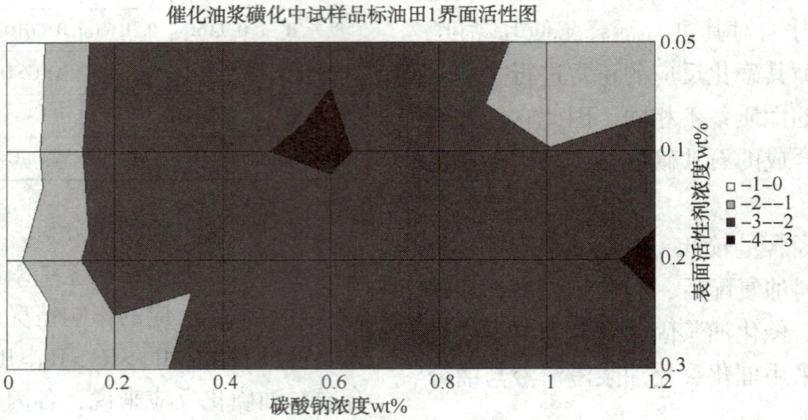

图2　界面活性图1

表5　界面张力数据2

活性剂浓度 wt% \ Na_2CO_3 wt%浓度	0.	0.2	0.4	0.6	0.8	1.0	1.2
0.3	3.79×10^{-3}	2.73×10^{-2}	2.97×10^{-2}	3.09×10^{-2}	2.85×10^{-3}	9.20×10^{-4}	5.78×10^{-3}
0.2	2.36×10^{-3}	2.71×10^{-3}	5.78×10^{-3}	7.20×10^{-3}	3.90×10^{-3}	2.05×10^{-3}	4.06×10^{-3}
0.1	5.01×10^{-3}	4.50×10^{-4}	2.00×10^{-3}	4.39×10^{-3}	7.49×10^{-3}	1.88×10^{-3}	3.41×10^{-3}
0.05	9.44×10^{-3}	1.53×10^{-3}	1.09×10^{-3}	3.97×10^{-3}	8.42×10^{-4}	1.09×10^{-3}	7.83×10^{-3}

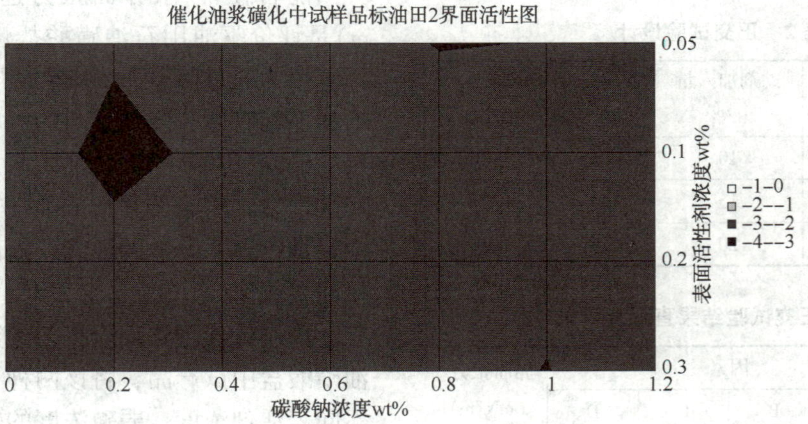

图3　界面活性图2

由石油磺酸盐样品界面活性图可以看出，该样品的界面活性能够满足要求。

3.4　石油磺酸盐的结构剖析

为了获取石油磺酸盐的结构信息，采用一些仪器分析手段对石油磺酸盐的结构进行分析及表征。

石油磺酸盐中试产品通过溶剂溶解、萃取和干燥等方法脱除石油磺酸盐中的未磺化物和无机盐，然后进行样品结构分析，分析结果见图4。

催化油浆磺酸盐分子量分布范围宽，呈正态分布，数均分子量 459~465，平均磺基数 1.18~1.32。分子中平均含有 1~3 个芳环，1~3 个甲基，主要是单磺酸盐，存在部分双磺酸盐。

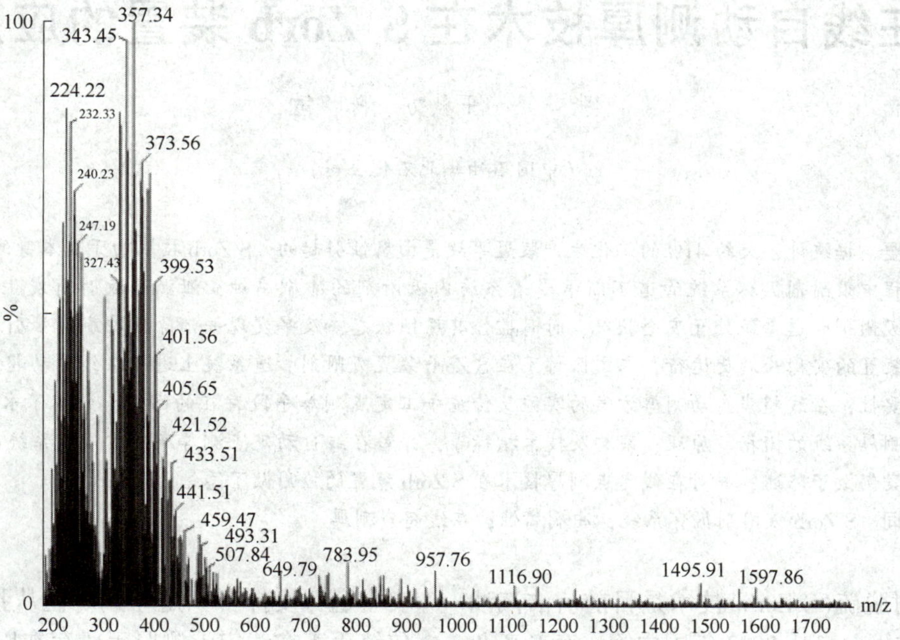

图 4　石油磺酸盐质谱分析结果

4　结论

（1）经过原料筛选，可以采用催化裂化油浆为主原料，添加部分馏分油和助剂，通过磺化小试和中试试验研究，原料配比、助剂加入量、反应温度和反应时间等参数是影响产品性能的主要因素，其影响因子排序原料配比>反应温度>助剂加入量>反应时间。确定了磺化中试装置最佳操作条件，原料配比 1∶1、助剂加入量 15%、反应温度 60℃、反应时间 45min，装置可以达到稳定运行。

（2）根据相似相容原理，在生产催化裂化油浆为主原料的石油磺酸盐的过程中，原料油的复配至关重要，生产的石油磺酸盐产品性能不能满足目标油田要求，可通过几种原料油的复配来完善产品的最终性能指标。

（3）通过对得到的驱油用石油磺酸盐表面活性剂产品，与聚合物、弱碱复配之后的界面性能测试，筛选出最佳原料配方，在弱碱三元体系下可以使油水界面张力降到 10^{-3}mN/m 数量级，符合石油磺酸盐表面活性剂产品行业标准要求，可以大幅度提高原油的采收率。

参 考 文 献

[1] 袁士义，王强. 中国油田开发主体技术新进展与展望[J]. 石油勘探与开发，2018，45(4)：657-668.

[2] 范伟，吴国才. 石油磺酸盐原料油复配及膜式磺化合成工艺研究[J]. 西安石油大学学报(自然科学版)，2023，38(1)：102-107.

[3] 袁士义，王强. 提高采收率技术创新支撑我国原油产量长期稳产[J]. 石油科技论坛，2021，40(3)：24-32.

[4] 刘卫东，王高峰. 化学复合驱“二三结合”油藏产量计算方法[J]. 石油勘探与开发，2021，48(6)：1218-1223.

[5] 伍晓林. 大庆油田复合驱用表面活性剂研究进展[J]. 大庆石油地质与开发，2019，38(5)：183-188.

[6] 陈国浩，郭东红. 国内三次采油用石油磺酸盐合成研究进展[J]. 断块油气田：2019，27(1)：1-5.

[7] 刘晓臣，霍月青. 我国三氧化硫磺化类表面活性剂的发展现状[J]. 日用化学品科学，2019，42(10)：15-19.

[8] 吴洪波，文婕. 催化裂化油浆的净化以及综合利用生产高附加值产品[J]. 应用化工，2020，49(10)：2618-2624，2635.

[9] 杨森，舒政. 超低界面张力强乳化复合驱油体系在低渗透油藏中的应用[J]. 断块油气田：2021，28(4)：561-565.

[10] 罗文利，方琦琦. 长庆减压渣油磺化制备泡沫驱油用表面活性剂[J]. 化学研究与应用，2018，30(10)：27-33.

[11] 张广煜，叶珊珊. 两种石油磺酸盐的结构分析[J]. 中国洗涤用品工业，2020，(5)：82-85.

在线自动测厚技术在 S Zorb 装置的应用

张　泉　王秋方　陈　敏

（中国石油华北石化公司）

摘　要　据统计，大约41%的炼化生产装置事故是由腐蚀引起的。S Zorb 技术由于其本身的工艺特点，在运行过程中吸附剂循环系统管道不断承受着系统内吸附剂的冲刷腐蚀，泄漏事故时有发生。为了使 S Zorb 装置吸附剂管道系统处于安全状况，时时监控其腐蚀状态，及早发现并消除因冲刷腐蚀引起的事故隐患，保证装置的安稳长满优运行，本文探讨了在 S Zorb 装置吸附剂管道系统上进行在线自动超声测厚腐蚀监测的必要性，在线超声自动测厚方案的实施及传统手工定点测厚手段存在的问题，介绍了永感 TM 先进在线超声测厚系统的概括、原理、架构及技术指标等，并对在线自动定点测厚布点方案，系统的应用效果以及应用案例做了陈述，并对在线定点测厚技术在 S Zorb 装置的应用做了总结。

关键词　S Zorb 吸附剂循环系统；冲刷腐蚀；在线超声测厚

汽油吸附脱硫（S Zorb）技术是目前清洁汽油生产的关键技术，自从 2007 年国内第一套 S Zorb 装置建成投产至今，S Zorb 技术也在不断发展和完善。但是由于其本身的工艺特点，在运行过程中吸附剂循环系统管道不断承受着系统内吸附剂的冲刷腐蚀，泄漏事故时有发生，导致吸附剂循环中断，影响产品质量；尤其是含有高温油气的吸附剂管线泄露更会引发火灾事故，当泄露管线不能切除时甚至会造成装置紧急停工；另外吸附剂循环系统泄漏其中的吸附剂粉尘，可燃气体，二氧化硫等都会对环境造成污染，操作人员工作环境恶化；大量吸附剂跑损，还会造成经济损失。因此对吸附剂循环系统易泄露部位进行在线测厚，及时发现和消除因冲刷腐蚀引起的泄露风险，对保证装置的生产安全稳定及长周期运行具有极其重要的意义。

1　传统手工定点测厚手段存在的问题

华北石化 S Zorb 装置十分重视吸附剂系统管道在线定点测厚这项工作，并根据自身吸附剂管道腐蚀情况制定在线定点测厚专项方案，严格执行定期测厚计划，管控腐蚀情况。通过对吸附剂管线各部位密集测厚并对测厚数据进行统计分析，量化吸附剂管线冲刷腐蚀速率，对已排查确定的隐患部位采取更换、贴板等各种防护措施，消除潜在风险，确保吸附剂循环系统管道的安全运行。

手工定点测厚专项方案的实施，对保护设备安全运行发挥了一定作用。但从技术和管理上，传统手工在线定点测厚手段存在以下问题。

（1）测厚数据准确性较差。由于人工现场测厚一致性较差，无法保证每一次测厚仪探头在同一位置，且与设备或管道的表面垂直，常常导致所测数据与实际壁厚有较大差距，甚至出现后一次测得的壁厚数据比前一次还大的不准确情况。

（2）在线高温测厚实施困难。特别是温度大于 300℃的测厚部位，由于定点测厚点表面状况对测厚准确性影响很大，传统定点测厚前均需要对表面进行清理或打磨，因此高温设备及管道现场处理十分困难，甚至无法实现。

（3）高空作业现场实施困难。有很多必须进行定点测厚监测的设备与管道部位，由于处于高空位置且没有操作平台，现场又不可能长期搭脚手架，因此导致无法进行定点测厚。

（4）定点测厚需要专业检测人员，很多企业需要外委完成，人工现场定点测厚带来一定安全问题。此外，检测数据还需要人工输入系统。

（5）由于定点测厚点多面广，在测厚点标记不醒目不明确的地方，在测厚实施过程中经常出现搞错测厚点位置，导致测厚数据完全不正确。

2　在线自动超声测厚技术原理

为解决传统手工在线定点测厚手段存在的问题，华北石化 S Zorb 装置于 2022 年大检修期间在易泄露管线如再生器至再生接收器转剂线，反应器底部转剂线和气返线等易泄露部位安装了深圳格鲁森科技有限公司的永感 TM 先进在线超声测厚系统，实时监控管线腐蚀数据，防范腐蚀泄露风险。

永感 TM 先进在线超声测厚系统是第 4 代超声测厚系统，其原理见图 1。采用双波导杆技术及 AXC 分析及温度补偿算法实现更准确的测量，为腐蚀管理提供连续可靠的决策依据。相比第 2 代和第 3 代系统，极大提升了数据的有效性，为腐蚀和防护决策提供真实而有价值的数据。目前已成功部署在炼油厂各个装置，包括：常减压装置，催化裂化装置、加氢裂化装置、焦化装置、硫磺回收装置、烷基化装置、S Zorb 装置等。

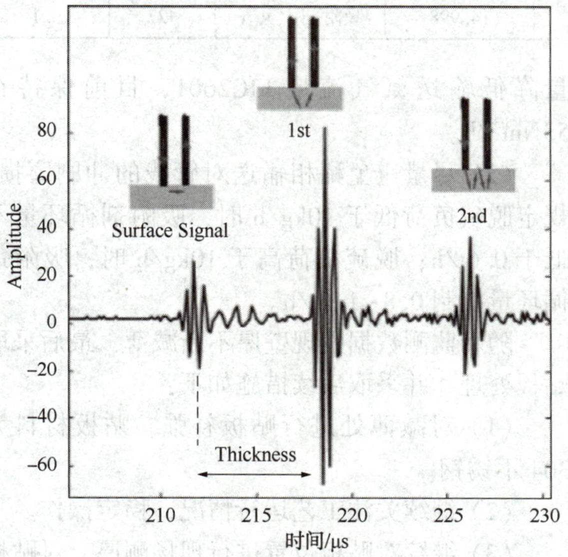

图 1　第 4 代超声测厚原理示意图

3　永感 TM 先进在线超声测厚系统简介与布控方案

永感 TM 先进在线超声测厚系统由探头(传感器)、网关、数据库和分析软件构成。架构示意图见图 2。

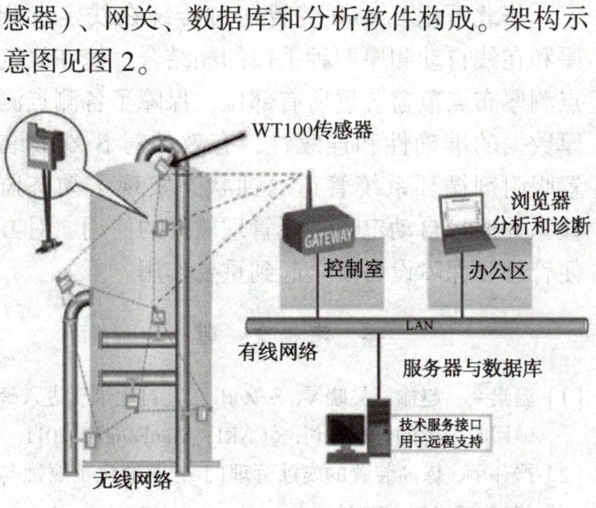

图 2　永感 TM 先进在线超声测厚系统架构示意图

传感器(实图见图 3)采用帝国理工大学专利技术，将超声晶片与恶劣环境分离开，使波导杆与被测设备大面积接触，保证耦合可靠性与数据准确性，示意图见图 4。无线传输采用基于 2.4GHz 的全球无许可波段的自组网技术，及成熟工业无线网络协议 WiHart，保证数据传输稳定可靠。长寿命电池基于超低功耗设计，在每天采集 2 次的常规采集频率下，标准电池寿命长达 3~4 年。

图 3　传感器实图

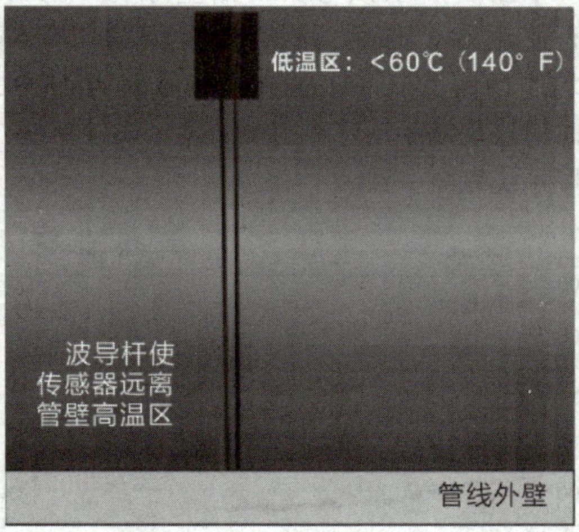

图 4　传感器示意图

综合考虑其他同类装置，并结合自身装置的生产实际情况，共选择再生器至再生接收器转剂线，反应器底部转剂线和气返线等易泄露管线的 10 个部位弯头作为在线自动定点测厚点。具体部位见下表 1。

表 1　华北石化 S Zorb 在线自动定点测厚表

序号	装置	监测点基本信息					
		监测点类型	监测点描述	原始壁厚/mm	介质	温度/℃	压力/MPa
1	S Zorb	在线测厚	R102 至 110 转剂线底部三通	8.106	吸附剂、氮气	502	0.172
2	S Zorb	在线测厚	R102 至 110 转剂线 1#弯头	7.801	吸附剂、氮气	502	0.172
3	S Zorb	在线测厚	R102 至 110 转剂线 2#弯头	7.408	吸附剂、氮气	502	0.172
4	S Zorb	在线测厚	R102 至 110 转剂线 3#弯头	8.558	吸附剂、氮气	502	0.172
5	S Zorb	在线测厚	底部转剂线至 D105 入口前弯头	11.183	吸附剂、氢气	427	3.7
6	S Zorb	在线测厚	气返线 1#弯头	15.337	吸附剂、氢气	427	3.1
7	S Zorb	在线测厚	气返线 2#弯头	15.093	吸附剂、氢气	427	3.1
8	S Zorb	在线测厚	气返线 3#弯头	15.021	吸附剂、氢气	427	3.1
9	S Zorb	在线测厚	气返线 4#弯头	15.699	吸附剂、氢气	427	3.1
10	S Zorb	在线测厚	气返线 5#弯头	14.998	吸附剂、氢气	427	3.1

4　自动在线超声定点测厚系统应用效果

华北石化 S Zorb 装置在线自动测厚系统建成后，解决了传统手工定点测厚实施过程中存在的问题，实时测厚数据自动输入公司腐蚀监测与管理决策系统，对装置主要工艺管道的腐蚀状态实现了动态监测。

自 2022 年 9 月装置大检修后开工，永感 TM 先进在线超声测厚系统上线 6 个月内监测发现 S Zorb 装置再生器至再生接收器吸附剂管线 3 号弯头局部减薄速率快，及时采取措施消除了泄露事故发生的隐患。

如图 5 所示该弯头初始壁厚为 8.558mm，运行使用 6 个月后，测得厚度值为 7.256mm，平均腐蚀率为 3.852mm/a，减薄率为 15.21%。同时对比现场手动定点复测数据，腐蚀率变化与测厚系统完全一致。

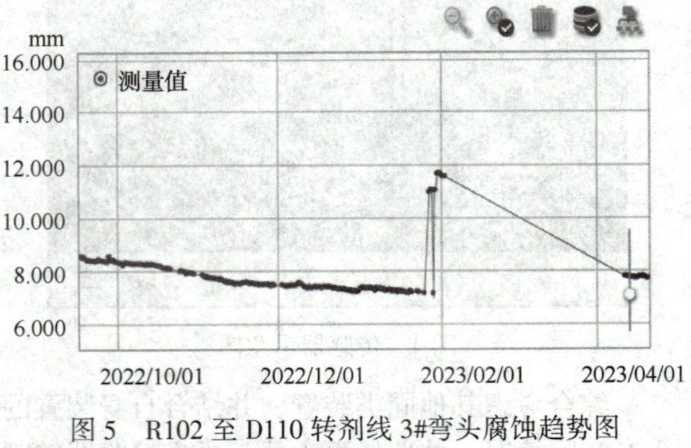

图 5　R102 至 D110 转剂线 3#弯头腐蚀趋势图

原因分析为：原料处理量低，因此吸附剂循环量较低，采取措施对工艺参数进行调整如下：

（1）在满足吸附剂提升效果的前提下，尽量降低输送氮气流量 FIC2601，目前保持在 53Nm^3/h。

（2）尽量避免稀相输送对管线的冲刷磨损，规定脱硫负荷低于 10kg/h 时，吸附剂循环量不低于 0.6t/h；脱硫负荷高于 10kg/h 时，吸附剂循环量控制 0.8~1.6t/h。

随着监测数据发现壁厚不断减薄，最后采取贴板处理，并采取后续措施如下：

（1）对减薄处进行贴板补强，贴板材料为 304 不锈钢。

（2）继续关注工艺运行情况，稳定操作。

（3）继续对贴板位置进行现场测厚，对贴板位置周围及贴板的厚度进行监控。

（4）保管好拆除的在线设备，与厂家结合，选取其他点位进行安装。

5　结语

华北石化 S Zorb 装置通过传统在线定点测厚和在线自动测厚两种手段的相结合，使在线定点测厚布点覆盖装置所有部位，保障了各测点测厚数据的准确性和连续性，有效的对 S Zorb 装置吸附剂循环系统管道腐蚀状态实现了动态监控，并通过自动定点测厚管理软件的使用，对方便管理和保障设备安全起到重要作用。

参　考　文　献

[1] 温崇荣，赵榆，吴晓琴. S-Zorb 工艺再生烟气进入硫磺回收装置的分析探讨.《CNKI；WanFang》，2011.
[2] 严伟丽. 炼油装置的腐蚀管理[J]. 石油化工腐蚀与防护，2012，29(1).

MIBK 溶剂脱油试验研究

张晓琳　林长有　修鹏昊

（中国石油抚顺石化公司）

摘　要　本文简述了目前行业内溶剂脱蜡的技术现状，并简要论述了国内外 MIBK 在脱蜡或脱油中的应用。介绍了以大庆蒸馏装置减四线馏分油为原料，以甲基异丁基酮(MIBK)为溶剂的脱油试验研究，系统研究脱油条件对脱油蜡收率和性质的影响，确定最适宜工艺条件，即脱油一段条件：总溶剂比为 2.7：1，预稀释温度 50℃，预稀释比 0.5：1；一次稀释温度 15℃，一次稀释比 0.9：1；二次稀释温度 3℃，二次稀释比 0.7：1，脱蜡温度 3℃，冷洗比 0.6：1，冷洗温度 3℃。脱油二段条件：稀释温度 3℃，稀释比 1.5：1，过滤温度 3℃，冷洗比 0.6：1，冷洗温度 3℃。脱油三段条件：稀释温度 3℃，稀释比 1.5：1，冷洗比 0.6：1，过滤温度 3℃，三段冷洗温度 3℃。试验结果表明：在最佳工艺条件下，脱油蜡的收率为 32.29%，蜡中含油量为 0.19%，针入度为 18，熔点为 61.40℃。

关键词　石蜡；溶剂；甲基异丁基酮；脱油

润滑油在炼油化工行业的发展中有着举足轻重的地位，各行各业对润滑油及副产品石蜡需求量的增加成就了我国石油行业的美好前景。但由于润滑油和石蜡产品市场的问题，以及目前石蜡和润滑油基础油产品的竞争性、市场价格以及税率的影响，Ⅰ类润滑油基础油市场逐渐萎缩，更多企业开始优化资源配置，石蜡由副产品变为主产品。

目前国内外的石蜡生产技术，主要是溶剂脱蜡脱油技术，目前主流工艺仍为酮苯脱蜡脱油技术。随着经济发展和健康环保要求的日益严格，国际市场特别是欧美市场对石蜡中苯、甲苯、稠环芳烃含量提出严格的限制，酮苯脱蜡脱油技术在进行石蜡加工过程中的苯系溶剂不易去除干净，很难满足欧美各项环保指标要求，即使通过苛刻的操作条件能够生产出溶剂残留的合格产品必然增加消耗，并且生产的稳定性难度也很高。MIBK 与丁酮甲苯溶剂相比，具有低温下油溶性好、溶解蜡量少、蜡结晶状况好、蜡晶中含油少、有利于油蜡的分离、提高蜡的质量等优点。因此开展 MIBK 溶剂脱油的研究也具有很重要的意义。

MIBK 脱蜡脱油工艺技术国外于五、六十年代开始进行研究，直到 20 世纪七八十年代，对 MIBK 的研究达到了鼎盛时期。例如加利福尼亚的 UnionOil 公司在 1954 年建了一套 MIBK 脱蜡装置8 是采用经过水饱和的甲基异丁基酮作为脱油溶剂。美国 Exxon 公司的 Baton Rouge 炼油厂有一套甲乙酮-甲基异丁基酮脱蜡装置。前南斯拉夫 Sisak 炼油厂有一套 MIBK 脱蜡、脱油联合装置。意大利米兰有两套使用法国技术的甲基异丁基酮脱蜡、脱油联合装置。1988 年美国联合油品公司推出了一项应用 MIBK 溶剂进行含油蜡脱油的专利技术，并应用于奥利姆炼油厂，取得较好效果，并陆续在美国有 6 套同类工业生产装置投入生产运行。

本文以甲基异丁基酮(MIBK)为溶剂的脱油试验研究，系统研究和探索不同的脱油条件对脱油蜡收率和性质的影响，确定最适宜工艺条件。

1　溶剂脱油的原理

馏分原料油在一定温度下与溶剂形成溶液，对原料进行多次稀释并降温，随着温度降低，蜡组分在溶液中的溶解度下降并达到过饱和状态而结晶。温度继续降低，析出的蜡就会逐渐增多，溶液降低到目的温度，然后将蜡和油分开，得到凝点降低的脱蜡油和含油蜡膏；含油蜡膏继续加入溶剂，通过过滤分离出蜡下油组分，得到含油量合格的脱油蜡。

溶剂脱蜡脱油中所用溶剂要具备的条件：

（1）选择性好，在脱蜡温度下对油的溶解能力大，对蜡的溶剂能力小。

（2）黏度小凝固点低，在脱蜡过程中能够降低原料的黏度和不至于凝固。

（3）无腐蚀无毒，不起化学反应不影响产品质量。

（4）沸点不应过高，其热容量和蒸发潜热要低，成本低，易取得和回收循环使用。

本文主要根据影响溶剂脱油过程主要因素，从总溶剂比、过滤温度、稀释条件的改变探索以MIBK为溶剂的脱油试验，探索不同的脱油条件对脱油蜡收率和性质的影响，确定最适宜工艺条件。

2　试验

2.1　试验原料与溶剂

2.1.1　试验原料

本次试验以大庆减四线馏分油为原料，其性质见表1。

表1　减四线馏分油主要性质

项目	减四线馏分油
密度(20℃)/(g/cm³)	0.874
运动黏度(100℃)/(mm²/s)	7.522
氮含量/(mg/L)	20.8
硫含量/(mg/L)	29.4
闪点(开口)/℃	236
凝点/℃	50
初馏点/℃	385.7
终馏点/℃	510.2
色度(国标)	19
族组成/wt.%	
饱和烃	93.26
芳烃	5.56
胶质	1.55
沥青质	0.85

2.1.2　试验溶剂

本次试验以甲基异丁基酮（MIBK）为原料，其性质见表2。

表2　MIBK的主要性质

项目	MIBK
外观	无色透明液体，无机械杂质
分子式	$C_6H_{12}O$
相对分子质量	100.14
纯度/wt.%	≥99
水分/wt.%	≤0.1
沸点/℃	115.89
密度(20℃)/(g/cm³)	0.804
运动黏度/(mm²/s)	0.541
表面张力/(mN/m)	25.3
折光率/25℃	1.3960
爆炸极限(空气)/V%	上限1.19，下限7.97
蒸发速度(醋酸丁脂为1)	1.59

2.2　试验装置与方法

2.2.1　试验装置

脱蜡、脱油试验在蜡油溶剂脱蜡试验装置上进行。试验装置由物料系统、溶剂系统、加热与制冷系统、机械混合与分离系统和溶剂回收系统组成。

2.2.2　试验方法

采用三段脱油工艺，脱油一段采用三次稀释工艺，脱油二段和三段采用一次稀释和冷洗工艺。将原料在流动态与少量的溶剂混合均匀后，缓慢降温，以与物料同温的溶剂进行第一次稀释；缓慢降温至适当温度，进行第二次稀释；待降至设定的过滤温度后，进行最后稀释；抽滤分离，得到油剂混合物和蜡膏；在脱油二段，将脱油一段得到的蜡膏用溶剂稀释，稀释后抽滤和冷洗；脱油三段将脱油二段得到的蜡膏再次采用溶剂稀释，稀释后抽滤和冷洗，最后得到油剂混合物和蜡剂混合物；将油剂和蜡剂混合物在氮气条件下加热，回收溶剂，得到脱油蜡和蜡下油。

2.3　产品收率的计算方法

脱油蜡收率=(脱油蜡质量/原料质量)×100%。

3　三段脱油工艺研究

3.1　脱油一段工艺条件研究

3.1.1　过滤温度的影响

该试验采用三段脱油工艺。固定脱油二段、三段脱油条件和一段脱油的预稀释温度、预稀释比、一次稀释温度、一次稀释比、二次稀释比和冷洗比等条件，在总溶剂比4.0∶1的条件下，考查过滤温度对脱油一段蜡收率的影响，结果见表3。

表3　脱油一段过滤温度的影响

项目	过滤温度/℃					
	-13	-10	-5	0	3	5
蜡收率/%	34.87	34.78	34.72	34.48	34.45	33.85

过滤温度由-13 升至 5℃时，蜡收率变化较小，因此，从节省冷冻系统提供的冷量角度考虑，确定最佳脱蜡温度为 3℃。

3.1.2 总溶剂比的影响

固定脱油二段、三段脱油条件和脱油一段过滤温度为 3℃的条件下，考查总溶剂比对蜡膏收率的影响，结果见表 4。

由表 4 可以看出，改变总溶剂比、一次和二次稀释比，蜡膏的收率变化明显。二次稀释比应小于一次稀释比。在冷洗比为 1.0：1 的条件下，脱油一段总溶剂比以 3.1：1 为宜。一段脱油冷洗比由 0.9：1 降为 0.6：1 和 0.5：1 时，蜡膏收率几乎不变。因此，从节能和冷洗效果角度考虑，脱油一段冷洗比以 0.6：1 为宜，此时总溶剂比为 2.7：1。

3.1.3 稀释条件的影响

固定脱油二段、脱油三段工艺条件和脱油一段过滤温度为 3℃、总溶剂比 2.7：1 的条件下，考查脱油一段稀释条件对蜡膏收率的影响，结果见表 5。

表 4 脱油一段总溶剂比的影响

项目	总溶剂比/(V/V)						
	2.5：1	3.1：1	3.0：1	3.5：1	4.0：1	2.6：1	2.7：1
一次稀释比/(W/W)	0.5：1	0.9：1	0.8：1	1.3：1	1.0：1	0.9：1	0.9：1
二次稀释比/(W/W)	0.5：1	0.7：1	0.7：1	0.7：1	1.5：1	0.7：1	0.7：1
冷洗比/(W/W)	1.0：1	1.0：1	1.0：1	1.0：1	1.0：1	0.5：1	0.6：1
蜡收率/%	46.64	47.31	47.09	46.26	45.77	47.35	47.31

表 5 稀释条件的影响

项目	正交实验 1~9 组								
	1	2	3	4	5	6	7	8	9
一次稀释温度/℃	15	15	15	10	10	10	5	5	5
一次稀释比/(W/W)	0.8	0.9	1.0	0.8	0.9	1.0	0.8	0.9	1.0
二次稀释比/(W/W)	0.8	0.7	0.6	0.8	0.7	0.6	0.8	0.7	0.6
蜡收率/%	37.3	37.68	37.33	36.88	37.09	37.28	36.56	37.19	37.06

3.2 脱油二段工艺条件的研究

3.2.1 过滤温度的影响

固定脱油一段和脱油三段的工艺条件以及脱油二段的稀释比为 1.5：1、冷洗比为 0.6：1，考查过滤温度对脱油二段脱油蜡收率和蜡性质的影响，结果见表 6。

表 6 脱油二段过滤温度的影响

项目	过滤温度/℃					
	0	3	5	10	15	20
含油量/wt.%	0.33	0.21	0.2	0.18	0.15	0.1
蜡收率/%	34.87	34.78	34.72	34.48	34.45	33.85

由表 6 试验结果可以看出，当脱油二段过滤温度为 3℃时，脱油蜡收率较高，脱油蜡含油量较低。因此，本试验确定脱油二段过滤温度以 3℃为宜。

3.2.2 稀释比的影响

固定脱油一段和脱油三段工艺条件以及脱油二段的冷洗比为 0.6：1，稀释温度、过滤温度、冷洗温度为 3℃的条件下，考查稀释比对脱油二段脱油蜡收率和蜡性质的影响，结果见表 7。

表 7 脱油二段稀释比的影响

项目	稀释比/(W/W)		
	1.2：1	1.5：1	1.8：1
含油量/wt.%	0.22	0.2	0.18
针入度/0.1mm	20	18	17
蜡收率/%	32.45	32.28	32.21

由表 7 试验结果可以看出，当脱油一段稀释比为 1.5：1 时，所得脱油蜡收率较高，含油量较低，针入度低于 20。因此，确定脱油一段稀释比以 1.5：1 为宜。

3.3 脱油三段工艺条件的研究

3.3.1 过滤温度的影响

固定脱油一段、脱油二段工艺条件以及脱油

三段稀释比为1.5∶1，冷洗比为0.6∶1，考查过滤温度对脱油三段脱油蜡收率和蜡性质的影响，结果见表8。

表8　脱油三段过滤温度的影响

项目	过滤温度/℃					
	0	3	5	10	15	20
含油量/wt.%	0.26	0.19	0.18	0.16	0.13	0.09
蜡收率/%	32.31	32.28	32.25	32.09	31.62	31.07
针入度/0.1mm	20	18	18	17	17	15

由表8试验数据可以确定，当三段过滤温度为3℃时，所得脱油蜡收率较高，含油量较低，针入度低于20。因此，本试验确定脱油三段过滤温度以3℃为宜。

3.3.2　稀释比的影响

固定脱油一段和脱油二段的工艺条件，在稀释温度、过滤温度、冷洗温度均为3℃的条件下，考查稀释比对脱油三段脱油蜡收率和性质的影响，结果见表9。

表9　脱油三段稀释比的影响

项目	稀释比/(W/W)		
	1.2∶1	1.5∶1	1.8∶1
含油量/wt.%	0.21	0.19	0.17
针入度/0.1mm	20	18	17
蜡收率/%	32.33	32.29	32.05
熔点/℃	60.99	61.4	61.52

由表9试验数据可以看出，当脱油三段的稀释比为1.5∶1时，所得脱油蜡收率较高，含油量和针入度较低。因此，确定脱油三段的最佳稀释比以1.5∶1为宜。

3.4　MIBK三段脱油最佳工艺条件

减四线馏分油MIBK溶剂三段脱油的工艺最佳条件如表10所示。

表10　MIBK三段脱油最佳工艺条件

续表

项目	数据
脱油一段条件	
总溶剂比/(W/W)	2.7∶1
预稀释温度/℃	50
预稀释比/(W/W)	0.5∶1
一次稀释温度/℃	15
一次稀释比/(W/W)	0.9∶1
二次稀释温度/℃	3
二次稀释比/(W/W)	0.7∶1
过滤温度/℃	3
冷洗比/(W/W)	0.6∶1
冷洗温度/℃	3
脱油二段条件	
稀释温度/℃	3
稀释比/(W/W)	1.5∶1
冷洗比/(W/W)	0.6∶1
冷洗温度/℃	3
脱油三段条件	
稀释温度/℃	3
稀释比/(W/W)	1.5∶1
过滤温度/℃	3
冷洗比/(W/W)	0.6∶1
冷洗温度/℃	3

4　结论(结束语)

大庆减四线馏分油MIBK溶剂脱油最佳条件是：

(1)脱油一段条件：总溶剂比为2.7∶1，预稀释温度50℃，预稀释比0.5∶1；一次稀释温度15℃，一次稀释比0.9∶1；二次稀释温度3℃，二次稀释比0.7∶1，脱蜡温度3℃，冷洗比0.6∶1，冷洗温度3℃。

(2)脱油二段条件：稀释温度3℃，稀释比1.5∶1，过滤温度3℃，冷洗比0.6∶1，冷洗温度3℃。

(3)脱油三段条件：稀释温度3℃，稀释比1.5∶1，冷洗比0.6∶1，过滤温度3℃，三段冷洗温度3℃。

试验结果：脱油蜡的收率为32.29%，蜡含油量为0.19%，针入度为18，熔点为61.40℃。

参考文献

[1] JIA F C, LEI Y L, FU Y, et al. Demand analysis of lubricating oil in spur gear pairs[J]. Applied Sciences, 2020, 10(16): 5417-5428.

[2] LIU H L, LIU H J, ZHU C C, et al. Effects of lubrication on gear performance: a review[J]. Mechanism and Machine Theory, 2019, 145: 103701.

[3] 欧阳瑞华，杨青松，郭瑞昕．酮苯脱蜡脱油装置提高石蜡收率的调整及分析[J]．当代化工，2018，47

(1)：171-173.
[4] 杨青松，张士博，郭瑞昕. 酮苯脱蜡脱油装置提高经济效益的措施[J]. 当代化工，2019，48(3)：173-175.
[5] 吕忠，南远方，王岩，孙皓，陈娟. 酮苯脱油装置能耗分析及节能降耗措施[J]. 当代化工，2019，48(4)：863-866.
[6] 吴文广. 酮苯二段低温脱蜡—二段脱油工艺研究[D]. 上海：华东理工大学，2019.
[7] 杨西姣. 新型溶剂脱蜡试验研究[J]. 当代化工，2015，44(8)：1903-1907.
[8] Antonov S. A., Kosareva O. A., Zaglyadova S. V., Rudyak K. B., Dogadin O. B. Methods of lube stock solvent dewaxing process intensification[J]. Oil Industry, 2017, 11: 70-72.
[9] 王学强. 甲基异丁基酮的生产技术及应用[J]. 石油化工，2002，31(5)：393-400.
[10] 陈英. MIBK 在酮苯脱蜡中应用的可行性分析[A]. 中国内燃机学会. 中国内燃机学会油品与清洁燃料分会第二届学术年会论文集[C]. 兰州：中国内燃机学会，2009，197-203.
[11] 杨继钢. 中国石油炼油化工技术丛书[M]. 石油工业出版社，2022.
[12] 何佳航，丛玉凤，曹轩铭，黄玮，尹海川，张永军. 溶剂脱蜡助滤剂的研究进展[J]. 当代化工，2021，50(12)：2970-2973.
[13] 岳元，王钰佳，王海彦，刘冬梅，曲圣涛. 酮苯脱蜡脱油技术发展现状[J]. 炼油与化工，2020，31(1)：1-4.

利用DCS实现稀土催化剂自动化配制技术

梁雪强 项术会 韩丛杰 马仲谭

（中国石油独山子石化公司）

摘 要 本文主要描述了使用横河DCS控制系统实现顺丁橡胶稀土催化剂自动化配制生产的一种控制方法，软件方面采用横河批量软件包和SEBOL语言模块化的组态方式，自主开发创新实现DCS一键自动化配制催化剂运行系统，实现整个配制生产过程完全独立自主，节约了系统使用成本，加强了生产过程配方的安全保密性，同时降低了工艺操作强度。

关键词 DCS；催化剂；一键自动化

1 前言

稀土素来有着“工业维生素”之称。中国是世界第一大稀土生产国和消费国，但长期以来没有稀土橡胶制品，主要是来自于德国进口。稀土顺丁橡胶具有链结构规整度高、线性好、自粘性好等特点，物理机械性能优异。轮胎使用稀土顺丁橡胶等量代替镍（Ni）系顺丁橡胶，其生产的胎侧胶的物理性能明显提高。其中轮胎疲劳寿命提高达50%以上。在载重斜交胎胎冠胶中应用，成品的粘附性强度提高28.75%，耐久性提高32.9%，高速性提高54.2%，表面温度降低20度以上。

随着发展，稀土顺丁橡胶成为未来绿色轮胎的主要原材料。稀土橡胶的生产一直是中国橡胶行业的短板。

装置在实际配制稀土复合催化剂过程中，配制步骤复杂，配制过程中对温度、压力、流速、物料加入的先后次序、物料加入量的准确度、物料加入后的等待反应时间等参数要求苛刻，同时需要多人共同参与，要求分工明确、精神集中，需要实时调整控制参数满足配制要求。整个配制过程自动化程度低，人工手动操作频繁，误操作可能性较高，无法保证配制的成功率及复现性。

2 实现自动化配制

2.1 顺控程序的实现方法

改造后配制稀土复合催化剂只需工艺工程师将催化剂配制的终配浓度、终配体积，所需加入各种物料的浓度输入到DCS操作画面。DCS系统根据提前写入的计算公式，自动计算出需要加入的各种物料量。并将加入量通过定量设定功能块（BSETU-2）引入到顺控程序中分步执行。设计思路如图1所示。

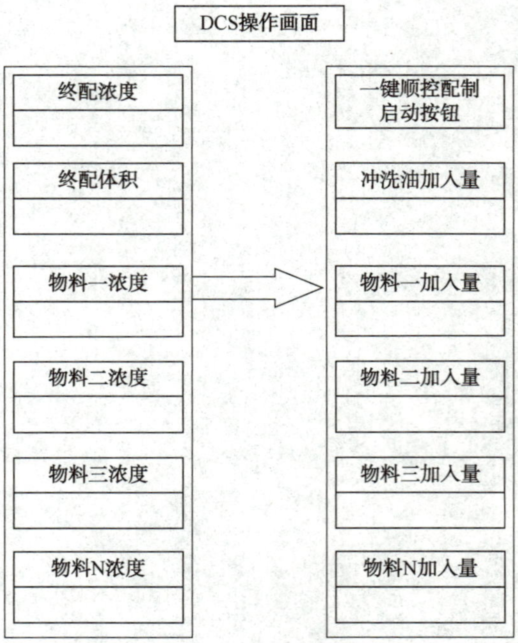

图1 设计思路实现方法

点击“一键配制催化剂”按钮，启动催化剂配制程序，顺控程序将执行自检测，程序自动检测物料配方、相关温度范围、相关压力范围、所有控制阀信号正常且为关闭状态、检测物料搅拌器在远程位置，若仪表参数及设备信号不在正常范围内，则顺控程序进入暂停模式并提示报警，程序无法执行下一步操作。配制复合催化剂的单个控制程序的组合实现方法如图2所示。

2.2 顺控程序的结构设计

将手动配制催化剂的配制步骤进行拆分，将一个复杂的控制描述合理的分成若干步，即每个

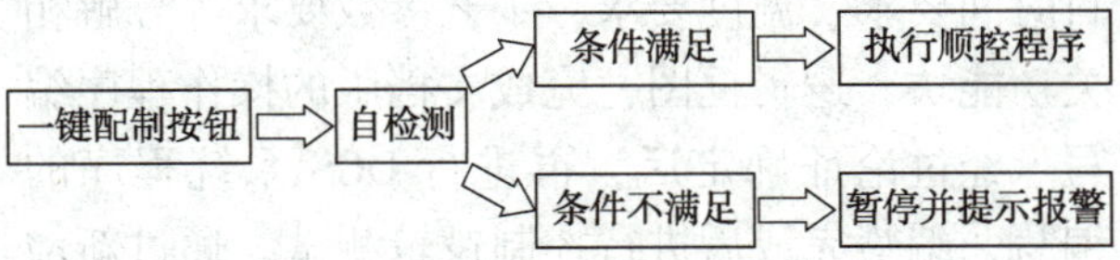

图 2　配置实现方法

过程小步骤组态对应为一个操作(Operation)，分步依照事先定义好的条件及顺控，编写单个控制程序(SEBOL)，并且根据工艺资料，给每个 SEBOL 编写对应的配方参数引用程序以及顺序控制程序。通过步骤模块化的方式，将控制的各个阶段进行排列并逐步执行控制。配置结构如图 3 所示。

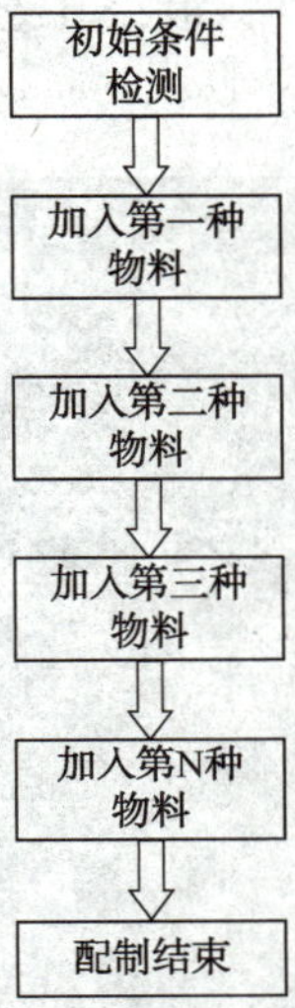

图 3　配置结构图

2.3　集成物料计量累积控制单元

顺丁橡胶稀土催化剂工业化生产，DCS 系统需要增加集成计量累积控制单元。将手动配制催化剂的配制步骤中对加料流速、等待反应时间的要求，利用 DCS 组态软件及定量设定功能块，搭配实现物料计量累积精准控制。BSETU-2 功能块是根据流量信号的累计值，输出操作输出值(MV)的功能块。当累计值到达批量设定值后，输出为 0%。在使用 BSETU-2 块后，可以进行产品的定量出厂控制以及原料的定量装入控制等的批量控制使用。该控制单元具有粗细流量调节功能，可实现在物料初始加入时，阀门开大，物料快速流入，当物料总量接近设定值时，阀门关小，慢速加入，达到精确计量控制，满足工艺计量控制要求。计量累计控制如图 4 所示。

2.4　顺控控制方案的实现

2.4.1　物料搅拌器的启停控制

将配制催化剂过程中各运行参数的控制要求

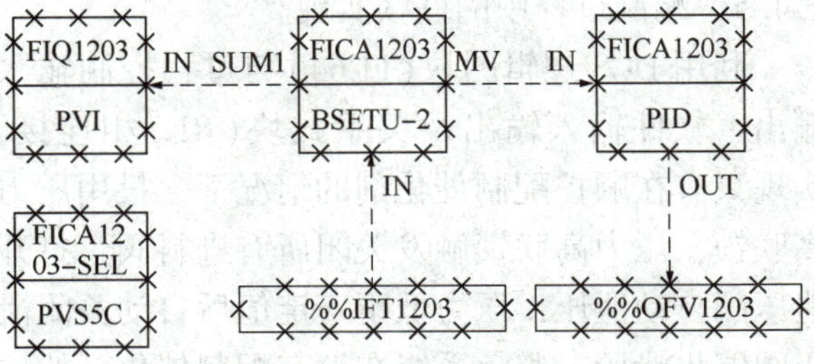

图 4　计量累计控制图

写入到顺控程序中，与单个控制程序进行适应性的结合，实现配制过程中的自动补压、泄压、升温、降温等控制目标。配制过程中的升温、降温等温度控制将分步依照事先定义好的条件及定时器按步执行，无需人工干预。同时配制催化剂过程中的物料搅拌器启停控制，将依照事先定义好的顺控条件及定时器进行自动启停，无需人为操作。

2.4.2　配制过程中的取样提示

配制催化剂过程中的取样检测，将依照事先定义好的顺控条件及定时器在 DCS 操作指导画面中进行自动提示，无需人为计时等待，只需人为取样确认是否合格，即可判断是否继续执行顺控程序。

2.4.3　配制过程中的溶剂冲洗

配制催化剂过程中的溶剂冲洗并不是定值，每次都需根据前期加入的物料进行计算所得。仪表工程师在 DCS 组态时提前将溶剂冲洗计算公式写入 DCS 通用运算块(CALCU)中，利用通用运算块自动计算出每次配制所要加入的冲洗油。再通过扩展型 5 按钮开关块(PBS5C)搭配实现冲洗油加入量的自动选择。并将冲洗油加入量引入到顺控程序中，再通过定量设定功能块执行定量加入。

为避免仪表设备故障或自动控制程序出错，导致配制失败，在自动控制程序中增加关键步骤确认及报警提示，当上一种物料加料完毕时，自动弹出手动确认操作提示；而当上一种物料加料完毕偏差超过一定值时，将自动弹出超差报警提示；避免异常情况的发生。

2.4.4　配制过程中的故障处理

实际生产过程中，当程序自动运行条件不具备时，程序将进入暂停模式并弹出具体的操作指导提示信息，简单明了的指出故障现象，便于及时处理问题，提高工作效率。当现场异常处理完成后，程序可以继续正常执行。

2.4.5　配制过程中的联锁实现

利用 DCS 逻辑图块(LC64)与过程控制输入输出、软件输入输出及关系式块(RL)相连接，实现只有在顺控配制催化剂的情况下，投用压力高联锁，压力高联锁触发关闭所有进料阀，打开泄压阀自动泄压，压力低于一定值后自动关闭泄压阀停止泄压，避免系统在没有配制催化剂的情况下触发压力高联锁。

同时只有在顺控配制催化剂的情况下，投用液位高联锁，液位高联锁触发关闭所有进料阀，避免系统在没有配制催化剂的情况下触发液位高联锁。

2.5　实现稀土催化剂自动化配制

项目团队先对工艺配方、加料顺序要求、加料时间要求、温度要求，工艺参数要求等分解相关功能块，逻辑框图，完成文档版的操作程序编写。经过论证确定后，再进行 DCS 系统程序的编写，编写完成后进行控制逻辑测试。通过新增仪表、调节阀、开关阀等相关设备，在 DCS 系统增加顺控模块，编写顺控配置催化剂程序，并在 DCS 工程师站完成组态下装，同时增加顺控操作画面，增加一键自动化操作，反应时间监控等功能。

在工业化试产时根据实际配制反映情况进行顺控程序的完善调整。最终满足生产要求，为一键自动化配制稀土催化剂产业化生产的稳定控制完成了关键的一步。最终工艺流程画面如图 5 所示。

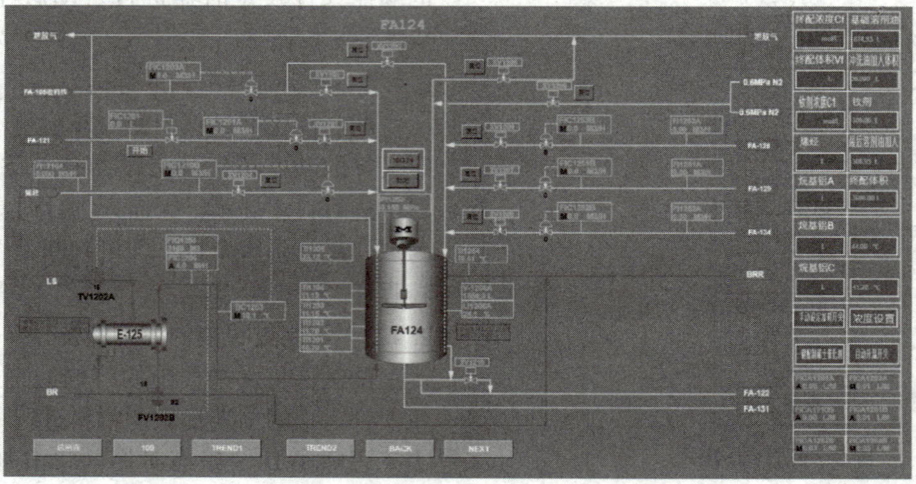

图 5　流程画面

3　小结

将手动配制催化剂步骤及运行参数控制要求全部编写入自动配制顺控程序中，通过这种模块化组合的方法，排列各个条件和操作，在 DCS 系统自主搭建顺控结构，实现一键自动化配制催化剂高效运行系统。

实现整个配制生产过程完全独立自主，节约了系统使用成本，加强了生产过程配方的安全保密性，降低了操作人员的劳动强度及精神压力，将每次配制时间由原来的 12 小时缩短到 3 小时，有效提升了催化剂配制的精确度和可靠性，节约了物料使用成本。为稀土顺丁橡胶长期稳定生产提供了技术保障。早日打破稀土顺丁橡胶国外垄断的局面。

基于 FTA 和 FMEA 的电机可靠性分析及威布尔寿命预测

侯博敦　雷　召

（中韩（武汉）石油化工有限公司）

摘　要　驱动电机能否稳定可靠运行，决定了炼化企业是否能够安全平稳生产。文中通过使用故障树（fault tree analysis，FTA）对故障电机进行系统分析，并进行诊断和预测，倒推电机的故障因素；同时通过故障模式及影响分析（failure mode and effects and analysis，FMEA）梳理电机所有潜在的故障模式及对其对电机所造成的所有可能影响，并提出预防改进措施；验证电机故障模型符合威布尔分布，预测电机的使用寿命，最后提出三因子分析方法，通过综合评价建立可靠性预测模型，提高电机的运行可靠性。

关键词　FTA；FMEA；三因子分析；威布尔分布；可靠性

电动机是驱动风机、水泵、压缩机等旋转机械的主要设备，电动机的用电量占到整个工业用电量的 70% 以上，是旋转机械中数量最庞大的一类设备。电机作为各种旋转机械的主要驱动设备，广泛应用于工业生产中的各个领域，一台大型设备或一条生产线往往需要几十台、甚至数百台的驱动和控制电机，哪怕只有其中一台电机发生故障，将导致整套设备、系统或生产线故障；而炼化企业特别强调连续性，要求成套设备可靠，不间断地运行，由于电机故障导致设备运行的中断，造成生产装置非计划停工，其经济损失就高达几十上百万甚至更多，严重情况下的可能造成成套设备的报废甚至产生人身伤亡事故。因此，驱动电机能否安全可靠地连续平稳运行至关重要。本文通过梳理某炼化企业 3700 余台电机近几年的故障数据，一、使用 FTA 模型进行系统分析，由结果倒推原因，找到电机的主要的故障因素和次要的故障因素；二、进行 FMEA 分析，对电机故障部件做出相对风险系数评定（risk priority number，RPN），并提出合理化建议和改进措施；三、验证全厂电机故障模型符合威布尔分布，求出可靠度函数和失效率函数，对电机使用寿命进行了合理化预测；四、提出三因子分析方法，建立电机可靠运行的预测模型，实现对电机的预测性检修。

1　电机故障树分析

通过试验方法对驱动电机的故障停机问题进行专项研究和问题解决是常用手段，能够降低电机非计划的故障停机，但是试验方法受困于试验条件，并且只能做局部的可靠性分析，无法全面有效的进行系统分析。通过使用故障树可以对故障电机进行系统分析，并进行诊断和预测，倒推电机的故障因素，追溯电机的故障原因，提高电机运行的可靠性。故障树的分析过程主要有六个步骤，分别是明确及熟悉系统，定义故障及故障判据，调查分析系统故障资料，构建故障树，故障树的定性和定量分析以及有效措施的建议与实施。如图 1 所示。

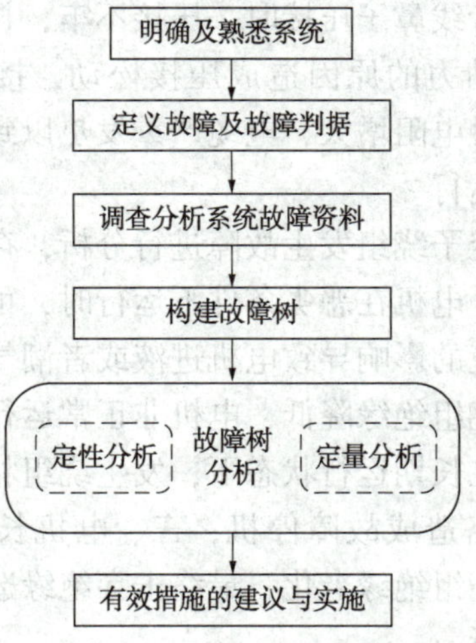

图 1　故障树分析步骤

1.1　电机故障树的定义和分析

通过梳理全厂近年来发生的 68 台次电机故障数据以及日常运行中发现的问题，其中这 68 台次的故障数据涉及到全厂 6 个运行部门，28

个生产装置，高压电机12台，低压电机56台，可以代表全厂的电机运行数据。根据电机的物料状态、结构设计以及组件装配差异性进行分类分析，对造成电机故障的影响因素进行故障树分析。炼化企业非计划停机即故障停机可能会造成装置大面积停工，引起重大生产事故和经济损失，因此收集的电机数据大部分是电机非正常运行数据，也就是在电机相关运行参数发生异常时的运行数据，并不一定会造成故障停机，因此在建立故障树时，将电机非正常运行状态和故障停机视为同等地位进行分析。

电机在正常运行过程中对外呈现平稳驱动，当其发生系统电气故障或者自身设备故障时，电机对外呈现非正常运行状态或故障停机。此时针对电机建立故障树需要排除外部系统的扰动或者故障而导致电机的连锁跳停，仅从电机自身分析原因。目前数据统计得出引起电机故障主要原因分析如下：电机引出线电缆发生故障，定子绕组发生故障，转子轴发生故障以及电机的支架组件发生故障时电机非正常运行或停机。

对电机引出线电缆发生故障进行分析，存在以下原因：一、引出线电缆在安装初期设计余量不足，载流量较小，导致电机在长期过流状态下电缆发热熔断，缺相运行造成电机故障停机；二、电缆自身质量不达标，保护层和绝缘层在长期工作状态下破损，产生放电现象，造成相间短路，电机故障停机；三、电缆与引线桩头采用将军帽或者线鼻子压接时，压接不牢，长期运行下由于电动力的原因造成压接松动，接触面积减小，接触电阻增大，电缆严重发热以致电机非正常状态运行。

对定子绕组发生故障进行分析，存在以下原因：一、电机在恶劣条件下运行时，可能会因为周围环境的影响导致电机进液或者潮气入侵，使得定子绕组绝缘降低，电机非正常运行；二、定子绕组在长期运行状态下，发生绕组相间短路和匝间短路造成故障停机；三、电机长期过载运行，使绕组绝缘老化，最终击穿绝缘造成电机非正常运行。

对转子轴发生故障进行分析，存在以下原因：一、电机长期高强度运行下，转子轴高转速导致应力弯曲，电机振动异常，非正常状态运行；二、转子轴长期高转速下，定转子同轴度发生偏差，转动过程中出现扫膛现象，电机振动异常，出现噪音，影响电机正常运行。

对电机支架组件发生故障进行分析：电机支架组件故障主要原因又分为滚动轴承活动失效和支架底座装配失效。

对滚动轴承活动失效进行原因分析：其一，电机在长期备用状态下且没有投用电加热器，导致润滑油脂碳化，轴承卡涩电机无法盘车运行；其二，润滑油脂随着电机运行温度升高，油脂的稠度减小，流动性增加，直至达到高温极限时液化为油滴析出轴承，如果没有按时加脂，则造成轴承无润滑摩擦运行，导致轴承失效；其三，在进行添加油脂操作时，导致油脂中进入杂质，长期运行造成轴承滚道磨损剥落；其四，轴承本身质量问题，轴承游隙过大，高强度的不稳定运行下损坏失效。

对支架底座装配失效进行原因分析：其一，支架定位柱设计外径尺寸差，运行过程出现偏位，转子与定子间有扫膛现象，最终引起电机停机；其二，用于紧固支架的螺钉装配方式不可靠，长期运行螺钉轴向力减少，出现松动。

1.2　电机故障树建立与分析

通过上述理论分析，对电机故障数据建立故障树模型。电机非正常状态运行或故障停机作为顶事件，是企业最不希望发生的，位于故障树的最顶端，也就是最终的结果。电机引出线电缆故障，定子绕组故障，转子轴故障以及电机的支架组件发生故障作为中间事件，即位于基本事件和顶事件之间的结果事件，运用或门逻辑将其联接起来。对其每一项中间事件进行分析得出基本事件，也就是底事件，通过相应的逻辑将其与中间事件联接，最终建立故障树，如图2所示。

故障树定性研究的重要目的就是找出由顶事件所产生的各种因素与问题集合，针对驱动电机故障树结构特点，应用下行法即从顶事件开始逐层查找对该故障进行分析，找到故障树的最小割集，由图可知：

$T=M1+M2+M3+M4$

$M1=X1+X2+X3$

$M2=X4+M5=X4+(X5+X6)$

$M3=X7+X8$

$M4=M6+M7=(X9+X10+X11+X12)+(X13+X14)$

因此$T=X1+X2+X3+X4+X5+X6+X7+X8+X9+X10+X11+X12+X13+X14$，所以最小割集分别是

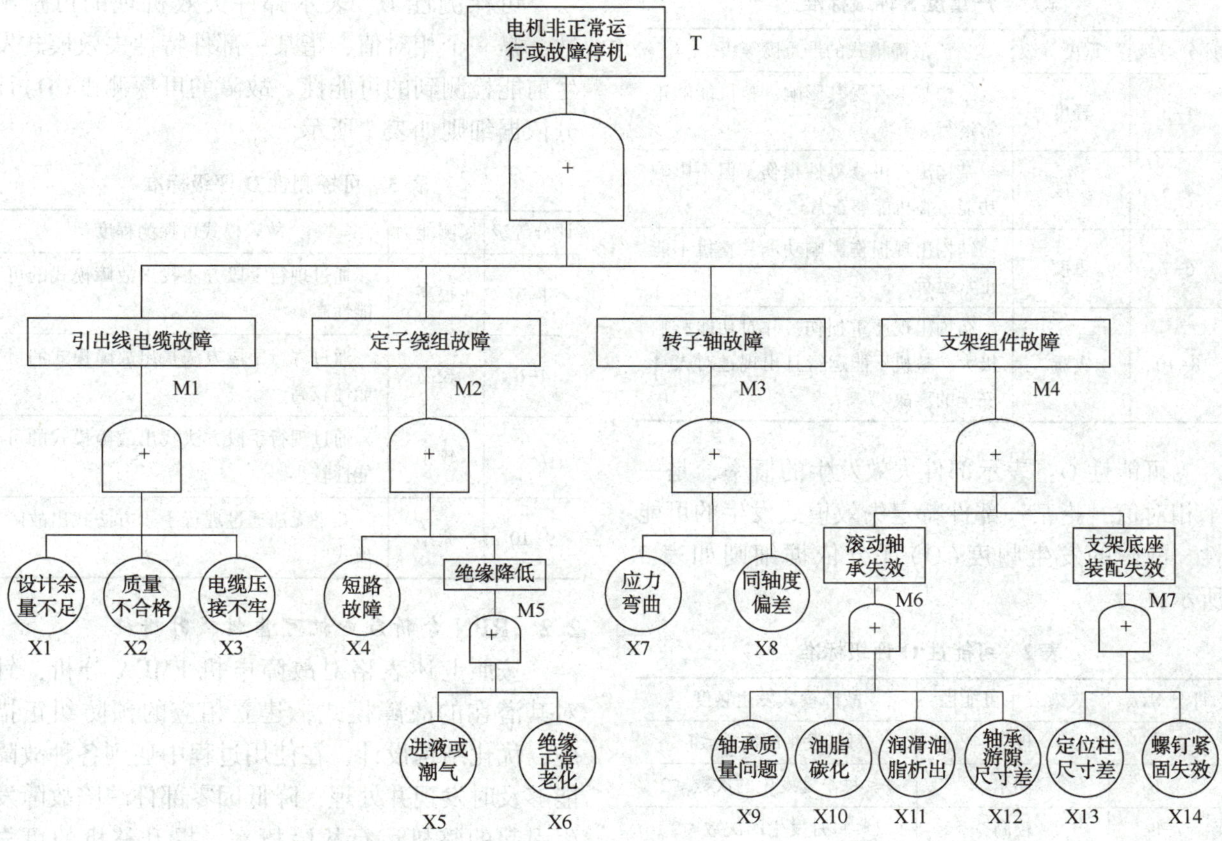

图 2　电机故障树模型

{X1}，{X2}，{X3}，{X4}，{X4}，{X5}，{X6}，{X7}，{X8}，{X9}，{X10}，{X11}，{X12}，{X13}，{X14}，其中每一个的底事件都出现了一次，对于对于驱动电机来说，每一次的底事件发生都会有发生故障的可能，但每一次底事件实际发生的频次和故障强度不同，重要性有所差异。

针对故障树可以分析得出造成电机非正常运行或故障停机的原因主要有 13 种，通过梳理全厂电机出现故障的数据，其中滚动轴承油脂碳化、润滑油脂析出、轴承磨损、电缆绝缘老化以及电缆压接不牢等是影响电机可靠性运行的主要因素，而电缆设计余量不足、短路故障、转子轴应力弯曲等是次要因素，针对电机本身的部件失效问题，接下来进行 FMEA 分析。

2　电机 FMEA 分析

2.1　FMEA 简介及 RPN 评定标准

FMEA 是分析产品中所有潜在的故障模式及对其对产品所造成的所有可能影响，并提出预防改进措施，从而提高产品的可靠性。对驱动电机实施 FMEA 分析，发现和评价电机过程中潜在失效及失效后果，规避或减少电机不良的设计，提高电机质量及可靠性，降低后期电机寿命周期费用。通过统计全厂故障电机的数据，明确故障判据和故障计数原则后，整理分析得到电机所有故障形式。采用风险优先数方法，即定量确定危害性方法 RPN 评定。根据故障数据并结合严重度(S)、发生频度(O)、可探测度(D)的评分等级，得出电机故障部件 FMEA 表格如表 4 所示。表中，风险优先度(RPN)值等于严重度(S)、发生频度(O)和可探测度(D)三者乘积，即 RPN = S×O×D，根据 S、O、D 的得分汇总而来，得分越高，风险越高。风险优先度值越高代表系统发生故障的几率越高；反之系统中发生故障的几率就越小。使用 RPN 针对风险点筛查排序，以便于设计人员通过更合理的设计减少关键零部件的影响因素，在合理预防下能应对潜在的系统故障，从而保证了整机的可靠性。

严重度 S：表示部件失效后果的严重程度，是一个相对值，指某一部件特定的失效模式下发生最严重后果的评价等级，严重度只适用于结果。严重度(S)按照电机失效组件潜在的故障模式对整机影响的后果，将其划分为 4 个等级，评分依据细则如表 1 所示；

表1　严重度 S 评级标准

评分等级	严重度等级	故障模式的严重度等级
1-3	轻度	结构基本不受其影响，整机能够正常运行
4-5	中度	结构出现可修复性损伤，但不影响功能，整机能够正常运行
6-7	重度	结构出现损伤影响功能，整机不能正常运行
8-10	灾难	结构出现严重损伤，并对功能影响极大，整机不能运行且出现过对人身安全的事故

可能性 O：表示部件失效发生的概率，是一个相对值，指某一部件特定失效模式发生的可能性。故障的发生频度（O）评分依据细则如表 2 所示；

表2　可能性 O 评级标准

评分等级	失效发生可能性	故障模式发生频度
1-3	极少	每年发生的次数≤1
4-6	偶尔	1≤每季度发生的次数≤2
7-8	较高	1≤每月发生的次数≤2
9-10	经常	每周都会发生

可探测性 D：表示部件失效机理的可检测性，是一个相对值，指某一部件特性失效模式发生前能检测到的可能性。故障的可探测度（D）评分依据细则如表 3 所示。

表3　可探测性 D 评级标准

评分等级	探测能力	故障模式可探测程度
1-3	很高	通过现行手段方法找出故障模式的可能性高
4-6	较高	通过现行手段方法找出故障模式的可能性较高
7-8	较小	通过现行手段方法找出故障模式的可能性较小
9-10	微小	几乎无法通过现行手段方法找出故障模式

2.2　RPN 分析及电机可靠性提升措施

按照上述表格对故障电机 FMEA 分析，针对其潜在的故障模式，建立相应的预防纠正措施，优化结构设计，在使用过程中遇到各种故障能够及时发现并处理，降低因零部件缺陷故障发生引起的整机运行故障概率，提升整机的可靠性。RPN 评定结果如表 4 所示：

表4　RPN 评定结果

序号	失效部位	失效模式	严重度 S	可能性 O	可探测性 D	RPN	预防措施
1	引出线电缆	电缆压接不牢	6	4	4	96	定期开盖检查
2	定子绕组	绝缘降低或老化	5	4	4	80	定期检查绝缘更换老化电缆
3	转子轴	同轴度偏差或应力弯曲	6	2	3	36	日常巡检关注振动值、声音
4	支架组件	轴承损坏或轴承有劣化趋势	6	7	3	126	关注振动值、声音、温度等
		螺栓紧固失效	4	2	2	16	日常紧固螺栓

通过表格分析可以看出 RPN 最大值 126 相对应的是轴承问题，也就是电机出现故障最多的情况是轴承失效问题，其次是电机的电缆接线问题，这和全厂电机实际的故障情况基本一致，因此这也是我们在电机的日常运行维护中应该投入最多关注的问题，提升电机运行可靠性具体建议和措施如下：

（1）在新电机安装时要严格把控安装质量，严格设计电缆载流量保证余量，在电缆压接过程中严控施工质量。定期对电缆接线盒开盖检查，摇测绝缘和相间直阻合格，防止电缆绝缘损坏放电造成短路故障。

（2）定期对电机进行预防性维护，检查电加热器是否能正常投运，绝缘有无老化，是否存在受潮或进液问题，遇到绝缘损坏问题及时更换电缆。

（3）重要电机每日至少巡检一次，检查电机的振动值、L 值以及温度值是否正常，这是反映电机转子轴或轴承是否存在异常运行的重要参数。

（4）支架底座装配的时候严格把控施工质量。日常巡检时要求巡检人员佩戴小扳手，因为电机在运行过程中振动会导致螺栓松动或定位尺寸偏移，遇到此类问题可以及时拧紧螺栓防止电机运行异常。

（5）电机要定期添加油脂并做记录，添加油脂时必须使用加油枪，避免杂质进入，同时与轴承厂商做专项交流研讨提升轴承的运行可靠性。数采系统中增加电机运行时长监控，并定时提醒相关人员进行运行维护。

3 电机威布尔分布下的寿命预测

为了验证电机的故障模型是否符合威布尔分布并进行寿命预测，统计中韩石化炼油片区共3700余台电动机近四年的电机故障数据68条，挑选出近几年部分电机故障数据展示，如表5所示：

表5　部分电机故障数据

序号	运行部	装置	检修位号	MTBF/天	故障原因
1	炼油二部	3#锅炉	1#风机	235	接线盒发现B相电缆异常发热变黑
2	炼油一部	3#加氢	A-7202B 汽提塔顶空冷器电机	1132	L值超标1.4
3	炼油二部	S-Zorb	进料泵P101A电机	739	轴承内圈滑道局部剥落，磨损
4	炼油一部	1#加氢	P203B 注水注碱泵电机	1607	电机L值异常，立式电机，L值超标1.6
5	炼油二部	锅炉	5#水泵电机	1026	电机前端轴承温度异常
6	公用工程部	一循	23#污水泵电机	575	机泵轴与电机轴共轴套连接，振动超标，轴套磨损
7	公用工程部	空压站	5#空压机电机	775	电机空试声音正常，带载运行中有杂音
8	炼油一部	3#加氢	A-7201B 空冷电机	816	电机运行声音异常，L值超标1.4
9	炼油四部	火炬	4#增压机电机	507	电机后端轴瓦温度高，106摄氏度
10	炼油四部	2#硫磺	P-5301/A 急冷水泵电机	1018	轴承运行声音异常，L值1.2

3.1 计算威布尔分布相关参数

收集到炼油片区近四年的68条故障数据，为了画出直方图进行数据整理，找出其规律性，通过作直方图，可以求出这批故障电机的样本均值及样本标准差，更重要的是通过数据整理可以判断出这批数据总体属于哪种概率分布，步骤如下：

将收集到的这批数据编号为 X_1，X_2，…，X_{72}，取其最大值 X_{max} 以及最小值 X_{min}，即 $X_{max}=\{X_1, X_2, \cdots, X_{72}\}$，$X_{min}=\{X_1, X_2, \cdots, X_{72}\}$。

将收集到的数据分组整理，使用经验公式确定分组的组数 k 如下：

$$k=1+3.3\lg n$$

（1）计算每组的间距 Δt，如下所示：

$$\Delta t=(X_{max}-X_{min})/k$$

（2）确定每组数据的分点值，查数据确定各组数据的上限值和下限值，为了避免数据点落在分点上，选择左闭右开的的方式，即分组的数据等于下限值而小于上限值。

（3）计算每组数据的中心值 t_i 如下式：

$$t_i=(X_{maxi}+X_{mini})/2$$

其中 X_{maxi} 为某组数据的上限值，X_{mini} 为某组数据的下限值。

（4）统计落入各组的数据，即频数 Δr_i，计算频率 ω_i 如下：

$$\omega_i=\Delta r_i/n$$

（5）为了初步判断电机的失效分布，做出产品的平均失效率随时间变化的曲线。平均失效率 $\lambda(\Delta t_i)$，表示在 Δt_i 时间区间内电机的平均失效率，即：

$$\overline{\lambda}(\Delta t_i)=\Delta r_i/n_{s,i-1}\Delta t_i$$

其中，$n_{s,i-1}=n-r_{i-1}$，而 r_{i-1} 指进入第 i 个时间区间内的累计失效数。

通过统计、计算得出，$X_{max}=1762$，$X_{min}=107$，$k=7.13$，微调后取值为8，$\Delta t=206.8$ 天，为了方便作图，修正为210天，整理得出表6数据如下：

表6　电机的寿命数据

寿命区间/天	中心值/天	频数 Δr_i	频率 w_i	$n_{s,i-1}$	Δt_i/天	平均失效率 $\overline{\lambda}$
100~310	205	8	0.11111	72	210	0.00053
310~520	415	4	0.05556	64	210	0.00030
520~730	625	15	0.20833	60	210	0.00119
730~940	835	17	0.23611	45	210	0.00180
940~1150	1045	11	0.15278	28	210	0.00187

续表

寿命区间/天	中心值/天	频数 Δr_i	频率 w_i	$n_{s,i-1}$	Δt_i/天	平均失效率 $\bar{\lambda}$
1150~1360	1255	6	0.08333	17	210	0.00168
1360~1570	1465	5	0.06944	11	210	0.00216
1570~1780	1675	6	0.08333	6	210	0.00476

3.2 作出失效频数直方图和平均失效率曲线

通过对电机的寿命数据进行分析，做出平均失效率直方图以及平均失效率曲线，如图3所示：

由平均失效率曲线可知，电动机的失效率主要趋势为随时间增长而增加，属于损耗型失效，虽然曲线不是严格意义上单调函数，但总体来看是呈单调趋势，所以判断电动机的失效分布为威布尔分布。

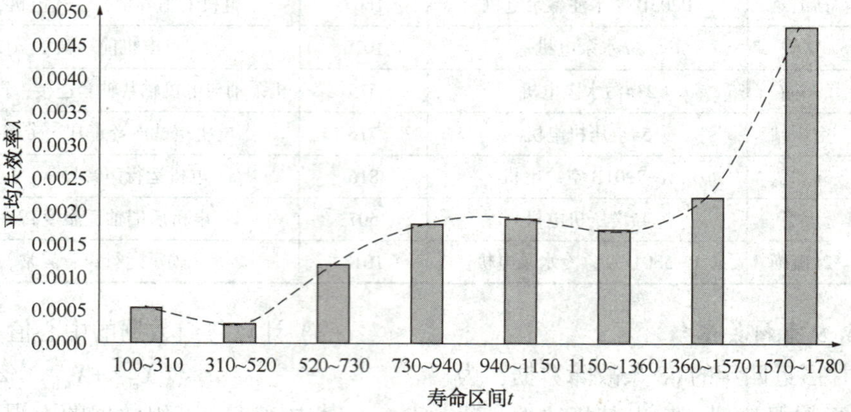

图3 平均失效率直方图以及失效率曲线

3.3 求出电动机的失效分布函数

电机的寿命服从威布尔分布，即所谓的威布尔三参数分布，引入三个特征参数分别为 m，η，δ。其中 m 为形状参数，η 为尺度参数，δ 为位置参数，由于所有电机的寿命数据时间起点都是上一次失效时间，则位置参数 δ 为0。则失效率概率密度函数为：

$$f(t)=\frac{m}{\eta}\left(\frac{t-\delta}{\eta}\right)^{m-1}\mathrm{e}^{-\left(\frac{t-\delta}{\eta}\right)^m},\ (\delta\leqslant t;\ m,\ \eta>0)$$

威布尔分布形状参数 m 决定了失效率。尺度参数 η 影响时间轴的尺度。因此，对于固定的 δ 和 m，η 增大，分布保持起始位置和形状不变，向右侧横向扩展。位置参数 δ 沿着时间轴分布，用于估算最早发生故障的时间。对于 $\delta=0$，分布从 $t=0$ 开始。

电机威布尔分布的累计失效概率函数如下式所示：

$$F(t)=1-\mathrm{e}^{-\left(\frac{t-\delta}{\eta}\right)^m},\ (\delta=t;\ m,\ \eta>0)$$

电机威布尔分布的可靠度函数如下式所示：

$$R(t)=1-F(t)=\mathrm{e}^{-\left(\frac{t-\delta}{\eta}\right)^m},\ (\delta=t;\ m,\ \eta>0)$$

进行电机威布尔分布完全寿命的参数估计，假设文中的68个电机故障样本的失效时间分别是 t_1，t_2，…，t_n，因为位置参数 $\delta=0$，所以为两参数威布尔分布，形状参数 m 和尺度参数 η 的估计值可用下式计算，即：

$$m=\frac{\sigma_n}{2.30258S_{\lg t}},\ \overline{\lg\eta}=\frac{y_n}{2.30258m}$$

式中，σ_n，y_n 为与样本数 n 有关的系数，查《可靠性工程》可知当 $n=60$ 时，$\sigma_n=1.1747$，$y_n=0.5521$；其中，$\overline{\lg t}=\frac{1}{n}\sum_{i=1}^{n}\lg t_i$；$S_{\lg t}=\sqrt{\frac{n}{n-1}[\overline{(\lg t)^2}-(\overline{\lg t})^2]}$。

通过计算得出电机失效率概率密度函数为：

$$f(t)=0.0019\left(\frac{t}{1009.9503}\right)^{0.9050}\mathrm{e}^{-\left(\frac{t}{1009.9503}\right)^{1.9050}},$$
$$(\delta=0;\ m,\ \eta>0)$$

可靠度函数为：$R(t)=\mathrm{e}^{-\left(\frac{t}{1009.9503}\right)^{1.9050}}$，$(\delta=0;\ m,\ \eta>0)$，电机威布尔分布可靠度函数曲线如图4所示。

失效率函数为：$\lambda(t)=\frac{f(t)}{R(t)}=0.0019\left(\frac{t}{1009.9503}\right)^{0.9050}$ $(\delta=0;\ m,\ \eta>0)$

通过设置可靠性数值，可预测电机的无故障工作时间，假设电机可靠度为 $R(t)=0.5$，电机的工作寿命为 $t_{0.5}=833.1888$(天)；

假设电机可靠度为 $R(t)=0.6$ 时，电机的工作寿命为 $t_{0.6}=709.8423$(天)。

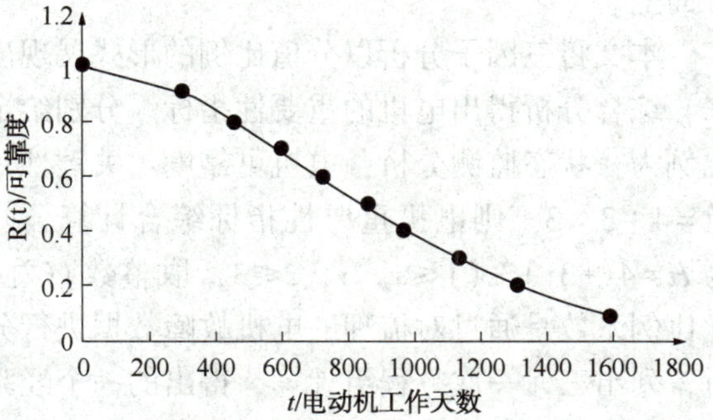

图 4　电机威布尔分布可靠度函数曲线

4　电机三因子参数分析

为了对电机进行更加深入的可靠性分析，实现电机的预测性维修，本文提出三因子模型方法进行深度分析并进行建模，通过综合评价来提升电机的运行可靠性。分别是电机状态监测分析、电机可靠度 $R(t)$ 以及电机关键性评价三种影响因子。下面分别对三因子进行详细说明。

4.1　状态监测分析

针对电机日常运行中最常见的轴承以及转子轴故障问题，能够快速准确识别出电机非正常运行状态，避免电机故障停机，特增加电机状态测量监控点，监控内容包括前端水平振动、前端垂直振动、前端轴向振动、前端 L 值、前端温度、后端振动。测点参考位置(参考 GB/T 6075.3—2011)。

(1) 振动报警值 V：

根据 GB/T 6075.3—2011《在非旋转部件上测量评价机器的振动第三部分》、《2019 版石油化工设备维护检修规程》，将电机振动报警值设置如下：

① 振动一级报警值：$V_1 \geqslant 4.5$mm/s；

② 振动二级报警值：$V_2 \geqslant 7.1$mm/s；

(2) 温度报警值 T：

根据国标推荐值：设置报警值如下：

① 温度一级报警值：$T_1 \geqslant 75$℃；

② 温度二级报警值：$T_2 \geqslant 85$℃；

(3) 轴承状态(L 值)报警：

报警参值设置标准参考建议为：冲击力(轴承)根据目前的数据分析，初选为：

① L 值一级报警值：$L_1 \geqslant 1.0$；

② L 值二级报警值：$L_2 \geqslant 1.3$；

(4) 振动趋势变化报警：

取电机设备任一测点最近一次 V 值 V_i，与前一次该测点值 V_{i-1} 比较；

当 $V_i \leqslant 2.8$，则该点振动值趋势变化不进行评价；

当 $4.5 \geqslant V_i > 2.8$，且 $V_i - V_{i-1} \geqslant 1.5$mm/s，筛选该设备列入报警清单，并注明报警类别为“设备振动 V 报警”；

当 $V_i > 4.5$，且 $V_i - V_{i-1} \geqslant 0.8$mm/s，筛选该设备列入报警清单，并注明报警类别为“设备振动 V 报警”；

(5) 温度趋势变化报警：

取设备任一测点最近一次 T 值 T_i，与前一次该测点值 T_{i-1} 比较；

当 $T_i \leqslant 60$℃，则该点温度趋势变化不进行评价；

当 $75℃ \geqslant T_i > 60℃$，$T_i - T_{i-1} \geqslant 15$℃，筛选该设备列入报警清单，并注明报警类别为“设备温度 T 报警”；

当 $T_i > 75$℃，$T_i - T_{i-1} \geqslant 8$℃，筛选该设备列入报警清单，并注明报警类别为“设备温度 T 报警”；

(6) 轴承状态值(L 值)趋势变化报警：

取设备任一测点最近一次 L 值 L_i，与前一次该测点值 L_{i-1} 比较，当 $L_i \geqslant 0.9$，且 $(L_i - L_{i-1})/L_{i-1} > 10\%$，筛选该设备列入报警清单，并注明报警类别为“轴承状态 L 值报警”。并注明趋势报警。

当同一电机设备的振动值 V、温度值 T、轴承状态值 L 三类趋势中只有一种状态变化趋势变差，持续观察即可，但当三种状态趋势中有有两类或三类报警均出现，则该设备应当被特别筛选出来，并注明所有报警类别如表 7 所示：

表 7　报警逻辑类别

报警逻辑状态	显示内容	报警级别
V、T、L 三个状态趋势变化同时报警	装置+设备位号+监测状态趋势恶化	重度报警推送
V、T、L 三个状态趋势变化有两个报警	装置+设备位号+监测状态趋势可能恶化(注明是 V、T、L 中的哪两个)	中度报警推送
V、T、L 三个状态趋势变化有一个报警	装置+设备位号+监测状态趋势需要排查(注明是 V、T、L 中的哪一个)	轻度报警推送

4.2　电机可靠度 $R(t)$

随着电机运行时间越长，电机的可靠度 $R(t)$ 不断降低，电机运行到某一固定天数时的可靠度可以计算得出，为一常数。

通过第 3 章对电动机的可靠性分析与寿命预测，得出了电动机基于威布尔分布可靠度函数曲线，确定了可靠度与运行时间的关系。基于此项关系，可以通过运行时间推测出电动机在该运行时间条件下的可靠度。推测出的可靠度作为一项影响因子引入到三因子模型的构建中。

4.3　关键性评价

在电机安装开机以后，在原设备分级管理基础上，专业开展设备关键性量化评价，用以指导风险评估，检验检测、预防性维修策略的制定。按照重要性、使用率、转速、使用条件、电压等级 5 个维度。分为 ABC 三级。其中重要性占比 45%，使用率占比 15%，转速占比 15%，使用条件占比 15%以及电压等级占比 10%。具体分级如下表 8 所示。

根据此标准对全厂 3700 余台电机进行设备分级，按照重要性等级进行电机的检测维护，将更多的精力放在最重要的问题以及问题最重要的方面上。

本文将三因子分析以分值比例的形式展现出来，综合分析得出电机的重要性指标。分别给定比例为：状态监测分析：电机可靠度：关键性评价=4：3：3。则电机重要性指标综合计算公式为 $H=4x+3y+3z(1\leqslant x, y, z\leqslant 3$，取整数)(注：此比例系数是通过对梳理的电机故障数据进行分析，列出三元一次方程组计算，得出的一个经验比例，随着后期故障数据的积累逐渐完善并优化此模型)。通过计算得出相应分数判断是否对电机进行预测性维修。如表 9 所示为电机重要性指标综合评分标准。

表 8　电机的设备分级

要素	重要性	使用率	转速	使用条件	电压等级	评分标准
占比	45%	15%	15%	15%	10%	
要素说明	参照设备故障强度等级和设备性质进行评分，表示故障停机时对装置造成的影响(按照停机后将造成的最大影响评估)	有无互备电机，评价设备使用频率，使用时间越长分数越高	按照电机级对数，区分电机转速。转速影响电机可靠性	对电机回路设备的运行环境及结构进行评估，主要评估以下影响因素：户外环境、腐蚀环境、高温环境、频繁起动、频繁过载等进行评估	电气设备所采用电压等级	A 类≥2 分，1.5 分<B 类<2 分，C 类≤1.5 分

表 9　电机重要性指标综合评分标准

重要性指标	指标 1	指标 2	指标 3	综合评分
状态监测分析	轻度报警推送	中度报警推送	重度报警推送	25≤H≤30，良好运行；20≤H≤25，轻微缺陷；15≤H≤20，较大缺陷；H≤15，故障状态。
	3 分	2 分	1 分	
可靠性指数	可靠度≥0.8	0.6≤可靠度<0.8	可靠度<0.6	
	3 分	2 分	1 分	
关键性评价	A 类电机	B 类电机	C 类电机	
	3 分	2 分	1 分	

通过表 9 以及公式计算建模，可得电机重要性指标最大分值为 $H_{max}=30$，最小分值为 $H_{min}=10$，因此我们人为定义当 $25\leqslant H\leqslant 30$，电机处于良好运行状态；当 $20\leqslant H\leqslant 25$，电机可能出现轻微的运行缺陷，可观察运行，若发现电机部分指数有劣化趋势，立即停机检查；当 $15\leqslant H\leqslant 20$，电机出现较大缺陷，需要立即停机进行预防性维护或者检修，确保装置安全平稳生产；当 $H\leqslant 15$，则，确定为电机出现故障，严重情况下造成非计划停机，对生产产生一定影响。因此在电机日常运行过程中，需密切关注电机运行参数，充分利用好电机重要性评分指标，对电机运行情况做好把脉问诊，提升电机的管理水平，保证装置安全平稳生产。

5　结论

本文通过梳理全厂 3700 余台电动机近几年来的故障数据，使用 FTA 模型、FMEA 分析，利用威布尔分布对电机的运行寿命进行合理预测，最后通过三因子分析对电机运行状态进行建模。得出结论如下：

（1）通过 FTA 分析得出滚动轴承油脂碳化、润滑油脂析出、轴承磨损、电缆绝缘老化以及电缆压接不牢等是影响电机可靠性运行的主要因素，而电缆设计余量不足、短路故障、转子轴应力弯曲等是次要因素；

（2）通过 FMEA 分析得出电机出现故障最多的情况是轴承失效问题，其次是电机的电缆接线问题，日常运行维护应重点关注在轴承和电缆；

（3）电机故障模型符合威布尔分布，通过威布尔三参数计算可知当可靠度为 0.5 时，预测电机平均工作寿命为 833 天。

（4）综合考虑在满足一定可靠度条件下，提出三因子模型方法进行深度分析，建立 EITPM 平台，通过电机综合评价模型，指导企业实现电动机的预测性维修。

参 考 文 献

[1] 孙权. 应用故障树解决实际问题[J]. 电子质量，2005(8)：26-31.

[2] 马建章，高驰名，吴迪. 基于 FMEA 方法的电子设备结构可靠性分析[J]. 无线电工程，2015，45(7)：75-78.

[3] 陈洪根，方亚鹏，李镇. 可靠性工程[M]. 化学工业出版社，2022.

[4] 王立志，王雪奇，安博，等. 基于 FTA 进行电力系统可靠性评估的方法[J]. 电气自动化，2015，37(5)：89-91.

催化裂化干气 C_{3+} 含量高的问题分析及措施改进

张金霞

（中国石化北京燕山分公司）

摘　要　中国石化北京燕山分公司 2.0Mt/a 重油催化裂化装置副产品干气 C_{3+} 含量高，频繁超过装置技术规程控制指标 3.0%v 的要求，损失大量液化气组分。检修期间对吸收稳定系统进行技术改造，下移粗汽油进吸收塔位置，由原来的全部进入第 30 层塔盘，改为部分经一中返塔进入 25 层塔盘和二中返塔进入 14 层塔盘，增加吸收塔中下部吸收负荷。解析塔增上中间再沸器，增加解析塔中部热负荷，解决解析气携带大量液化气组分的问题，降低解析气量。优化操作降低吸收剂和补充吸收剂温度、降低稳定汽油中 C_4 组分含量，改善吸收塔吸收效果。通过技术改造和操作优化，干气 C_{3+} 含量降低至 1.0%v 以下。干气中丙烷含量降低 93.08 个百分点，丙烯含量降低 66.13 个百分点。丁烷含量降低 81.27 个百分点，丁烯含量降低 58.06 个百分点。C_5 含量降低 20 个百分点。干气携带的高附加值组分含量均有不同程度降低，彻底解决了干气 C_{3+} 含量高的问题。

关键词　催化裂化；吸收；粗汽油；干气；C_3 以上组分；解析

中国石化北京燕山分公司 2.0Mt/a 重油催化裂化装置（以下简称三催化）由中国石化工程建设公司（SEI）设计，采用高低并列式两段再生技术，一段贫氧、二段富氧再生，1998 年 6 月建成投产。2005 年及 2007 年两次进行 MIP-CGP 改造，2016 年进行 LTAG 改造。

催化裂化装置副产品干气主要包括：氢、甲烷、乙烷、乙烯、氮气等组分，还包括少量的丙烷、丙烯、异丁烷、异丁烯、C_5 等组分，这部分 C_{3+} 组分是液化气组分，属于高附加值产品。催化干气经干气提浓装置提纯氢气后进入瓦斯管网供应加热炉系统。干气 C_{3+} 含量越高，高附加值组分流失越严重，不仅影响装置的经济效益而且给下游装置和瓦斯管网带来安全隐患。

在长周期、重原料、高负荷运行过程中，三催化装置干气 C_{3+} 含量偏高，频繁超技术规程控制指标 3.0%v 的要求。本文针对三催化装置干气 C_{3+} 含量高的问题进行分析，介绍吸收稳定系统进行的操作优化和大检修中针对降低干气 C_{3+} 含量进行的技术改造，对比技术改造和操作优化前后干气组分变化情况。

1　吸收稳定系统介绍

吸收稳定系统是重油催化裂化装置生产的最后一道工序，系统运转好坏将直接关系到上游生产出来的反应物能否高收率、高质量地转化成稳定汽油、液化气和干气组分。

催化裂化压缩富气吸收分离的过程是在板式塔（或浮阀塔）内进行的。其目的是把干气和液化气分开，分离的关键组分是碳二和碳三。要求吸收后的干气中尽量少含碳三，要求解析后的脱乙烷汽油中尽可能不含碳二，从而使其按碳二、碳三这两种关键组分分开。

三催化吸收稳定系统的主要流程示意如图 1 所示。从分馏部分出来的富气被压缩机压缩后与解吸塔顶气体混合，经空冷器冷却后与吸收塔底油混合。混合后再经湿空冷冷却，之后进入油气分离器，分离出富气和凝缩油。

吸收塔位于解吸塔上部，从凝缩油罐来的富气进入吸收塔下部，从分馏部分来的粗汽油以及补充吸收剂分别由 30 层和 35 层塔盘进入，与气体逆流接触。为取走吸收过程放出的热量，在吸收塔中部设有两个中段回流，分别从第 15 层及第 26 层用泵抽出经水冷器冷却，然后返回塔 14 层和 25 层上方，吸收塔底的饱和吸收油经空冷冷却后与压缩富气混合。

从吸收塔顶来的贫气进入再吸收塔底部，与作为吸收剂的轻柴油逆流接触吸收贫气携带的汽油组分，从再吸收塔顶排出的干气送往干气脱硫部分，塔底富吸收油返回分馏塔。

自凝缩油罐出来的凝缩油经泵加压后与稳定汽油换热进入解析塔上部，塔底设有重沸器分别由分馏塔一中回流和贫吸收油供热，解吸塔顶气体经空冷冷却后与压缩富气混合。

解析塔底的脱乙烷汽油与稳定汽油换热后进入稳定塔。稳定塔塔底重沸器由分馏塔二中回流供热。C_4 及 C_4 以下的轻组分从稳定塔顶流出，经湿空冷冷却后进入回流罐，一部分作为塔顶回流，另一部分作为液化气产品送入脱硫单元。塔底的稳定汽油经换热后一部分作为补充吸收剂进入吸收塔，另一部分作为产品送出装置。如图 1 所示。

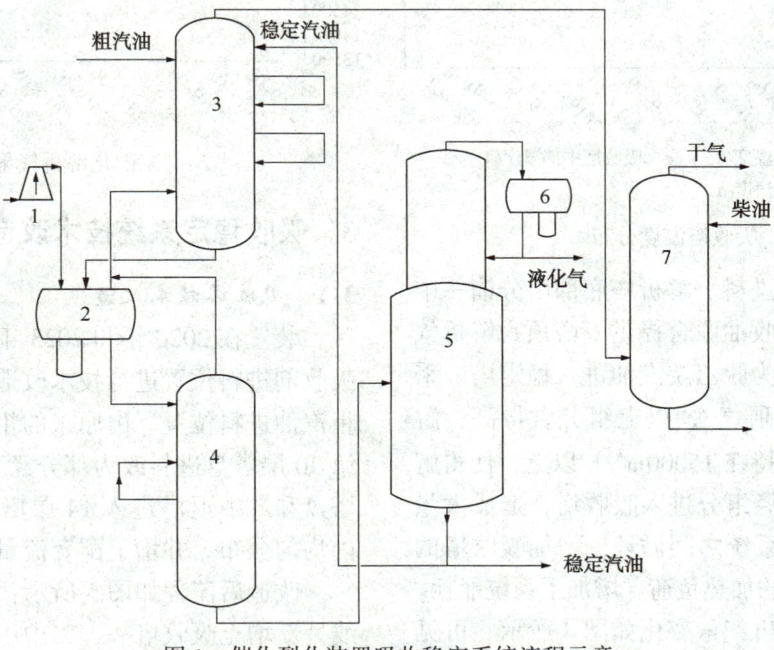

图 1　催化裂化装置吸收稳定系统流程示意

1—富气压缩机 K301；2—凝缩油罐 D301；3—吸收塔 C301；4—解析塔 C302；5—稳定塔 C303；6—液化气罐 D302；7—再吸收塔 C304

2　干气 C_{3+} 含量偏高问题分析

三催化在之前的运行周期内干气 C_{3+} 含量一直维持在较高水平，频繁出现超控制指标 3.0% v 的问题，干气中的丙烯、异丁烯、丙烷含量较高，重组分含量增多，造成 C_3、C_4 等高附加值组分的流失。

改造前三催化干气 C_{3+} 含量平均值 3.16%(v/v)维持在较高水平，超技术规程控制指标≯3.0%(v/v)的范围要求。国内同类装置干气 C_{3+} 含量基本维持在 0.4%(v/v)左右，差距较大。如图 2 所示。

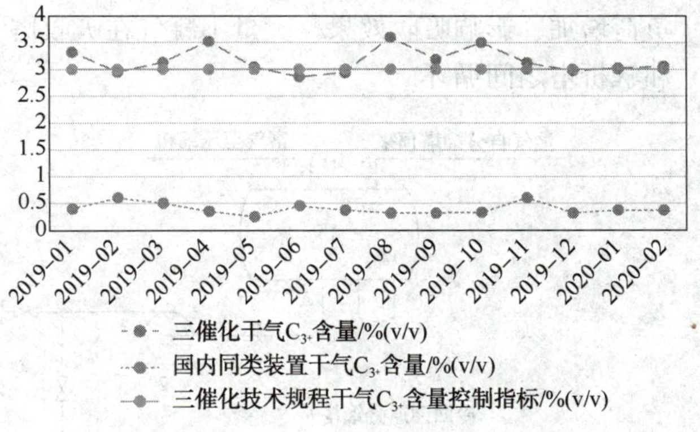

图 2　干气 C_{3+} 含量对比

吸收塔、解析塔、稳定塔以及再吸收塔的运行工况都能影响干气 C_{3+} 含量。主要的影响因素是吸收塔的吸收效果，吸收塔的吸收过程属于物理吸收，在物理吸收过程中，利用不同气体组分在吸收剂中的溶解度不同实现混合气体的分离。吸收是一个放出热量体积减小的过程，低温高压有利于吸收。

2.1　吸收塔温度分布不均衡

三催化装置吸收塔的吸收剂和补充吸收剂分别从塔顶第 30 层塔盘和第 35 层塔盘进入，与富气逆向接触进行物理吸收放热。导致塔顶吸收作用较强，塔中部和下部吸收作用较弱，整个塔吸收负荷分布不均衡。由图 3 可知，吸收塔上部温度波动较大主要受吸收剂量和吸收作用变化影响，中部温度维持稳定吸收作用较弱，底部吸收作用最弱主要为富吸收油组分，温度主要受进料影响较大。

2.2　解析气量大

三催化装置解析塔设置 35 层塔盘，位于吸收塔下方。凝缩油与稳定汽油换热后进入解析塔

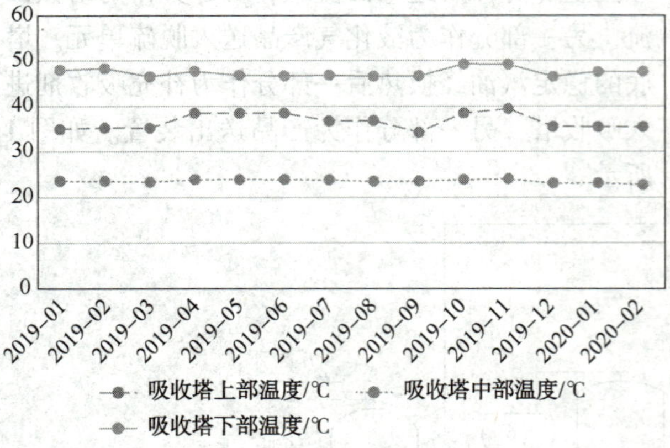

图 3　吸收塔温度分布

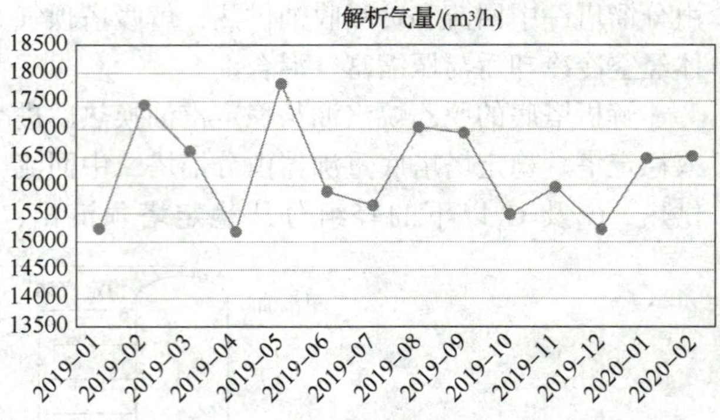

图 4　三催化解析气量变化趋势

上部，作为塔的热进料。解析塔底部由分馏一中循环回流油与贫吸收油联合提供。塔顶为解析气进入吸收塔，塔底为脱乙烷汽油进入稳定塔。采用该种方式解析塔顶气 C_3 以上组分含量高，解析气量较大一般维持在 15000m³/h 以上，使得解析塔顶过多的液体烃组分进入吸收塔，造成大量不凝气在吸收解析系统之间循环，增加吸收塔的冷却负荷和解析塔的加热负荷，增加了系统能耗。

三催化装置解析气量变化如图 4 所示。可见在统计时间内装置解析气量较大，最大达到 17800m³/h，最小为 15183m³/h，平均值维持在 16244m³/h。由于解析气量增加造成吸收塔吸收负荷增加，影响吸收效果。大量不凝气在吸收塔和解析塔之间循环。

3　吸收稳定系统技术改造和操作优化

3.1　吸收塔技术改造

装置在 2020 年和 2023 年检修期间对吸收塔吸收剂进料位置进行技术改造，主要包括：下移粗汽油进料位置。由原来的粗汽油全部从吸收塔第 30 层塔盘进料改为部分经一中返塔进入 25 层塔盘和二中返塔进入 14 层塔盘。让吸收剂在塔内均匀分布。并增上配套流量调节控制系统。

改造后流程如图 5 所示：在粗汽油分配器副线处新增至吸收塔一、二中出口流程，借用原有顶水线，并入泵出口主管线上。增上两台孔板流量计 F215 和 F2151，分别计量粗汽油进吸收塔总流量和进吸收塔一、二中总流量。利用流量控制阀 FV215 和该控制阀的副线阀调整粗汽油进吸收塔不同部位的负荷。

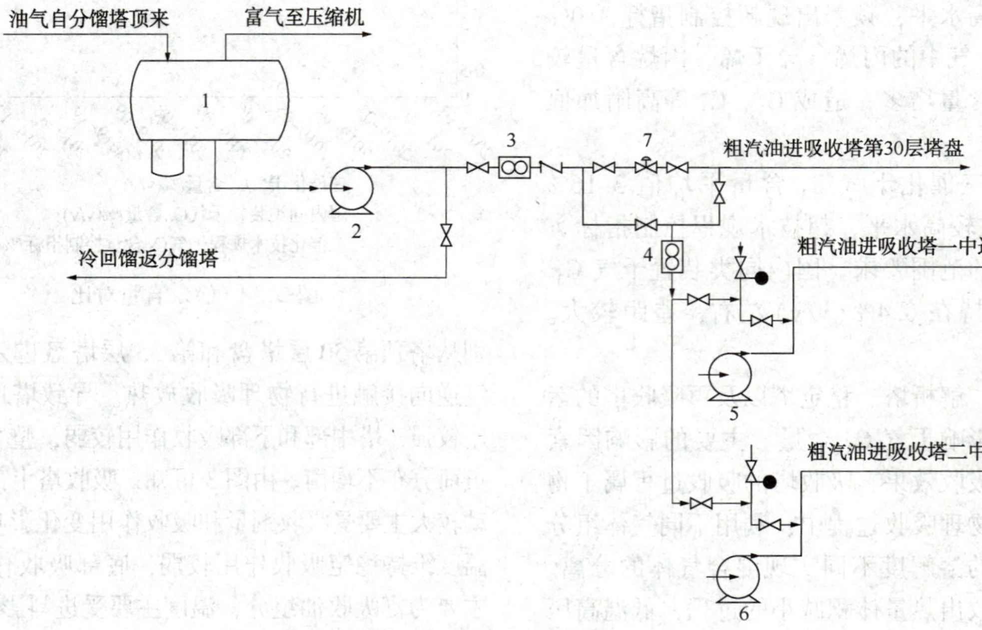

图 5　吸收塔改造后流程示意

1—分馏塔顶回馏罐 D201；2—粗汽油泵 P203；3—孔板流量计 F215；4—孔板流量计 F2151；
5—吸收塔一中回流泵；6—吸收塔二中回流泵；7—流量控制阀 F215

3.2　解析塔技术改造

装置在 2020 年检修时对解析塔进行改造，以稳定汽油作为热源增上解析塔中间再沸器 E311。主要改造内容如下：

(1) 增设解吸塔中间再沸器(E-311)。解吸塔中间馏分自塔第 12 层集油箱抽出至中间再沸器(E-311)壳程，与稳定汽油换热后，返回解吸塔第 8 层。

(2) 中间再沸器的热源由稳定汽油提供，补充吸收剂是稳定汽油组分，可实现补充吸收剂温度的降低。稳定汽油经过换热器(E306)与脱乙烷汽油换热，进入新增的中间再沸器(E-311)与解析塔中段物料换热，进入稳定汽油/除盐水换热器(E-312)，进入稳定汽油/凝缩油换热器(E-305)，最后进入稳定汽油空冷(EC-302)冷却。

(3) 原解吸塔进料换热器(E-305)的壳程增加跨线，解吸塔进料可以不与稳定汽油换热，实现冷进料。

改造后流程如图 6 所示。

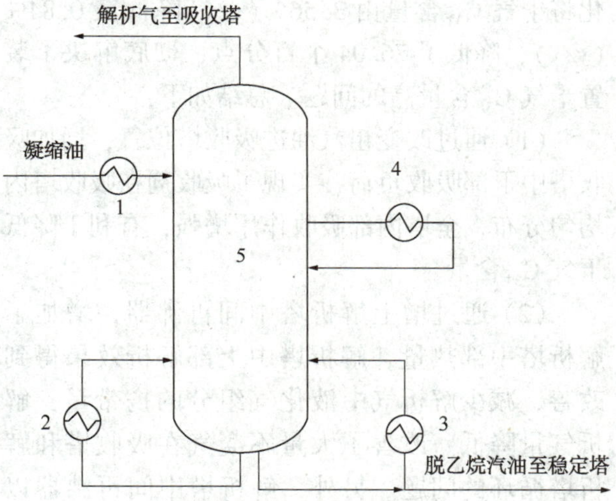

图 6　解析塔改造后流程示意

1—解析塔进料换热器 E305；2—解析塔底再沸器 E309；3—解析塔底重沸器(二)E303；4—解析塔中间再沸器 E311；5—解析塔

3.3　操作优化

吸收过程主要是放热过程，气体组分被吸收油吸收转化为液化气，要放出冷凝潜热。

吸收温度对吸收塔的吸收效果有显著的影响，装置深挖吸收塔两个中段循环的潜力，保持两个中段水冷器 E307 和 E308 循环冷却水出入口阀全开。同时优化操作降低粗汽油和补充吸收剂进塔温度。

根据理论可知增加液气比可增加吸收效果，由于粗汽油流量主要受分馏系统操作影响，因此粗汽油进吸收塔流量几乎为不可调整因素。如果补充吸收剂流量持续增加，则解析塔和稳定塔负荷将显著增加，大量稳定汽油在系统内循环，一方面增加吸收稳定系统能耗，另一方面热源供应不足影响解析塔脱乙烷汽油中 C_2 含量和稳定汽油蒸气压。另外装置吸收塔采用浮阀塔盘，补充吸收剂量增加后，吸收塔液流强度增加，对浮阀塔盘冲击力增加，受塔开孔率影响，吸收效果得不到改善。

补充吸收剂是稳定汽油组分，降低稳定汽油中 C_4 组分有利于提高吸收效果。装置在满足稳定汽油蒸气压的前提下，高控稳定塔底温度。

4　改造后运行分析

4.1　主要操作参数

改造前后吸收稳定系统主要工艺参数列表如表 1 所示。

表 1　吸收稳定系统主要工艺参数

项目	改造前 2020 年 1 月	改造后 2023 年 9 月
塔压力/MPa	1.38	1.28
塔上部温度/℃	35.4	31
塔中部温度/℃	23.7	33.4
塔底部温度/℃	40.8	43.4
粗汽油进塔温度/℃	47	41
补充吸收剂进塔温度/℃	40	26
一中回流量/(t/h)	80	105
二中回流量/(t/h)	90	123
补充吸收剂流量/(t/h)	100	75
吸收剂进塔顶流量/(t/h)	70	12
吸收剂进一中流量/(t/h)	0	35
吸收剂进二中流量/(t/h)	0	35
解析气流量/(m^3/h)	15640	12133
稳定塔底温度/℃	179	182
干气 C_{3+} 含量/%(v/v)	3.56	0.84
干气 C_{3+} 含量/%(w/w)	6.223	3.673

改造后干气 C_{3+} 含量由 3.56%(v/v) 降低至 0.84%(v/v)。随着进入塔顶的吸收剂量减少，塔上部吸收作用减弱、温度降低。吸收剂进入塔

一、二中流量增加，使得塔中、下部吸收作用增强，温度升高，吸收塔吸收效果明显改善。

改造后塔顶压力较改造前降低 0.1MPa，主要是由于装置利用检修契机对全塔进行彻底清理、塔盘液流强度和气相流速分布情况更加合理，全塔压降降低，富气压缩机出口压力随之降低，起到节能降耗的作用。

改造后解析气量由 15640m^3/h 降低至 12133m^3/h，由于装置利用检修契机增加解析塔中间再沸器，解析塔中部热量增加，改善解析塔整体解析效果，减少塔顶解析气携带液化气组分，吸收塔进料中液化气组分随之减少，对降低干气 C_{3+} 含量起到积极作用，改善了吸收解析系统内不凝气循环问题。

操作优化后，粗汽油进塔温度由 47℃降低至 41℃，补充吸收剂进塔温度由 40℃降低至 26℃。吸收剂和补充吸收剂温度降低，对提高吸收塔吸收效果起到明显作用。

操作优化后，稳定塔底温度由 179℃提高至 182℃，稳定汽油中 C4 以下组分减少，有利于提高补充吸收剂的吸收效果。

4.2 干气组分

改造前后干气组分情况如表 2 所示。

表 2　改造前后干气质量一览表

干气组分	改造前 2020 年 1 月/%(v/v)	改造后 2023 年 9 月/%(v/v)	改造前后变化/%
甲烷	26.1	26.6	1.92
乙烷	9.8	10.5	7.14
乙烯	10.3	9.6	-6.80
丙烷	1.59	0.11	-93.08
丙烯	1.24	0.42	-66.13
异丁烷	0.2	0.08	-60.00
正丁烷	0.17	0.05	-70.59
反丁烯	0.14	0.04	-71.43
正丁烯	0.14	0.03	-78.57
异丁烯	0.02	0.03	50.00
顺丁烯	0.01	0.03	200.00
C_5 含量	0.05	0.04	-20.00
氢含量	30	34.8	16.00
氧气	1.1	0.77	-30.00
氮气	16.1	12.9	-19.88
$CO+CO_2$	2.6	1.86	-28.46
$\leqslant C_2$	46.7	48.8	4.50
$\geqslant C_3$	3.56	0.84	-76.40

由表 2 可知，干气 C_{3+} 组分由改造前 3.56%(v/v)降低至 0.84%(v/v)，降低 76.40 个百分点。丙烷含量由 1.59%(v/v)降低至 0.11%(v/v)，降低 93.08 个百分点；丙烯含量由 1.24%(v/v)降低至 0.42%(v/v)，降低 66.13 个百分点；丁烷含量由 2.83%(v/v)降低至 0.53%(v/v)，降低 81.27 个百分点；丁烯含量由 0.31%(v/v)降低至 0.13%(v/v)，降低 58.06 个百分点；C5 含量由 0.05%(v/v)降低至 0.04%(v/v)，降低 20 个百分点。

5　结论

燕山石化三催化装置通过技术改造和操作优化将干气 C_{3+} 含量由 3.56%(v/v)降低至 0.84%(v/v)，降低了 76.04 个百分点，彻底解决了装置干气 C_{3+} 含量高的问题。总结如下：

(1) 通过改变粗汽油进吸收塔位置，增加吸收塔中下部吸收负荷，实现了吸收剂在吸收塔内均匀分布，全塔内部吸收作用增强，有利于降低干气 C_{3+} 含量。

(2) 通过增上解析塔中间再沸器，增加了解析塔中部热量，解析塔中上部解析效果得到改善，减少解析气中液化气组分的携带量，解析气量降低。改善了大量不凝气在吸收塔和解析塔循环的问题。另外，解析塔中间再沸器以稳定汽油作为热源，进一步降低了补充吸收剂的温度。

(3) 通过优化操作，吸收剂和补充吸收剂进塔温度降低，补充吸收剂携带 C_4 组分含量降低，提高了吸收塔的吸收效果。

(4) 利用检修契机清理吸收塔内部和塔盘使得吸收塔压降降低，富气压缩机出口压力随之降低，实现节能降耗。

参 考 文 献

[1] 张金霞. 催化裂化柴油回炼生产高辛烷值汽油组分工艺[J]. 石油化工，2021，2(50)：179-184.

[2] 胡海荣. 催化裂化装置吸收稳定系统的技术改造与操作优化[J]. 炼油技术与工程，2015，29(9)：38-41.
[3] 张可伟. 重油催化裂化装置吸收稳定系统流程改进及操作优化[J]. 石油炼制与化工，2007，38(2)：16-19.
[4] 田永志，王继国，徐可新. 催化裂化装置吸收稳定系统优化改造[J]. 炼油技术与工程，2001，31(3)：28-31.
[5] 程千里. 催化裂化装置降低干气 C_3 技术改造与效果分析[J]. 中国石油和化工标准与质量，2017，37(4)：104-105.

炼化企业大幅度降低吨产品水耗的新途径

陈长顺[1]　李建国[2]

（1. 中国石油化工股份有限公司沧州分公司；2. 河北汇泉环保科技有限公司）

摘　要　本文通过对某炼化企业总体耗水量分析，全厂的耗水量80%以上来自循环水场。循环水场损失水量包括蒸发损失水量、风吹损失水量、循环水系统的排污水量和系统的漏流损失水量等，蒸发损失水量每天占循环水量的28.8%以上。为最大限度的降低循环水耗水量，循环水冷却塔新的节水技术开发成功了，该技术利用任何天气寒冷带来的冷却塔富余冷却能力，引入闭式的间壁换热冷却方式，使水气分流，根绝雾气产生，从而实现节水降耗。该技术已经在大型、中型、小型冷却塔上均已获得成功应用，具有较好推广价值。

关键词　节水；全消雾；单位产品耗水量；冷却塔；循环水

1　炼化企业的总体耗水量分析

炼化企业的耗水量，在主要生产装置（常减压、加氢、重整、重油催化、制氢、烯烃等）的占比并不多，而在辅助生产装置（循环水场、消防、污水处理场、）却占有较大比例，尤其是循环水场。

从下表的某炼化企业某次工业水平衡测试数据汇总可以看出，该炼化企业，全厂的耗水量，80%以上来自循环水场，如表1所示。

表1　某炼化企业某次工业水平衡测试数据汇总

企业管理分类	用水单元名称	耗水量		占比统计	备注
		各装置	小计		
主要生产装置	常减压	71	630	4.1%	占比很低
	硫磺回收	12			
	重油催化	331			
	催化原料预处理	35			
	加氢裂化	24			
	连续重整	135			
	制氢	2			
	聚丙烯	20			
辅助生产装置	给排水、消防	288	12720	80.8%	占比很高
	污水处理场	1			
	炼油循环水场	8532			
	化工循环水场	3759			
	油品储运	140			
附属单位	绿化	1860	1860	12.2%	
全厂耗水量合计			15210		

经过多年努力，炼化企业采用了各类节水技术，再要继续节水降耗，遇到了瓶颈。通过上述水平衡测试数据的分析可以发现，炼化企业内部的耗水大户，是循环水场。因此从循环水场进行发掘，才有可能有效的减少企业耗水量，从而缓解水资源紧张，大幅降低吨产品水耗。

2　循环水系统补水量分解

循环水场的耗水量，也就是循环水系统的水量损失，会通过补水来平衡。补水量越大，说明企业的耗水量越大，炼化吨产品的水耗就越高。

循环水系统的水量损失，由以下四部分构成：冷却塔的蒸发损失水量、风吹损失水量、循环水系统的排污水量和系统的漏流损失水量。若要保持循环水系统的水量平衡，就要给循环水系统补水，补水的水量要与这四部分损失水量相等，也就是说：

补水量=冷却塔的蒸发损失水量+冷却塔风吹损失水量+循环水系统的排污水量+循环水系统的漏流损失水量

冷却塔蒸发损失水量，是所需补水量最大的部分，约占循环水量的1.2%左右，是开式冷却塔设计上所必须损失的水量，只有实现蒸发，才能完成冷却；

冷却塔风吹损失水量，由塔上喷淋引起的飘滴损失和塔下进风口的飞溅损失两股水量构成，数值上是所需补水量最小的部分，在没有同型冷却塔试验资料的情况下，设计上按循环水量的

0.01%取值，也是常规开式冷却塔设计上不可避免的；

循环水系统的排污水量，与补充水的水质有关，与循环水浓缩倍数的控制有关，在通常情况下，如控制浓缩倍数在4左右，排污水量一般约占循环水量的0.3%左右，这部分排污损失水量，主要用于控制循环水系统的离子浓度的平衡；

最后一部分，即漏流损失水量，包括池体的漏流和管网系统的漏流。池体的漏流，一般在建造循环水池体等设施的质量控制阶段，通过沉降试验、闭水试验等措施，就可以得到很好的解决。管网系统的漏流，通过日常良好的运维管理，也可以得到完美解决。这一部分漏流损失水量，一般认为在整体项目建设验收和生产管理方面已经解决，不再进行计算和考量。

上述水量之间的相互关系，数量大小，如图1所示。

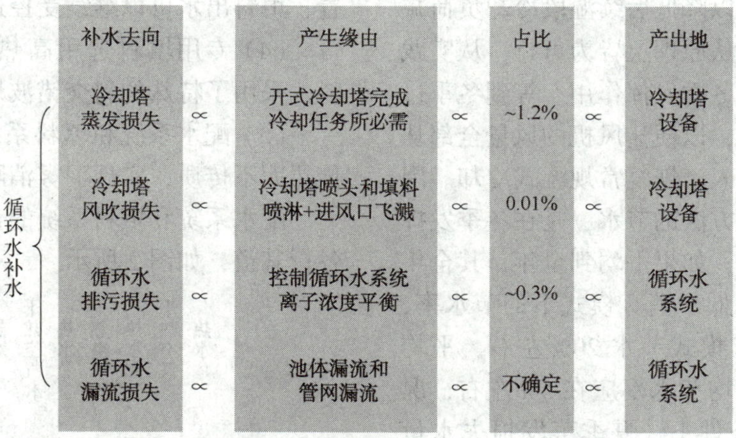

说明：占比数值，是以循环水量为基数。

图1 循环水系统补水量分解辨析简图

从表1的占比数据来看，最大的是蒸发损失水量，约1.2%，该数量的绝对值不高，但是，它是以循环水量为基数，循环水量的单位是m^3/h，也就是说，是以每小时进行计算的，折合到每天，1.2%×24=28.8%，这表明每天约有循环水量的29%的水蒸发走了，大约3.5个昼夜即可蒸发掉一个循环水的标称水量，若以大型炼化企业常见的$5000m^3/h$的冷却塔为例，每小时蒸发的水量为$60m^3/h$，每天蒸发水量$1440m^3/d$。

由于冷却塔的蒸发损失，造成循环水系统的离子浓缩，为维持水质稳定，除投加水稳药剂外，还需要排出一部分高离子浓度的水，也就是会有排污水，其水量约占循环水量的0.3%，折合到每天，0.3%×24=7.2%，这部分水量也不小。

由于喷溅和进风口的涡流飞溅，造成冷却塔存在风吹损失，这部分水量较低。

上述分析可以看出，在完成冷却任务的条件下，如能有效降低蒸发损失水量，就会连带降低排污损失水量，如同时减少喷溅和进风口飞溅，就能够大幅降低循环水的补水量，从而实现大幅度节水，降低吨产品水耗。

3 大幅度节水降耗的措施

循环水冷却塔的节水，似乎为我们提供了企业内部的水库，把蒸发损失水量降低的同时，又可以消除羽雾，一举两得。降低蒸发损失水量，必然减少冬季羽雾，比较直观，因而人们自然而然地把节水和消雾联系在一起。消雾的冷却塔，必然是节水的冷却塔，消雾彻底的冷却塔，必然节水更有效，节水率更高。

3.1 探索的脚步

人们为了消除羽雾，为了降低蒸发损失水量，曾经想了许多办法，付出了不少努力。例如：在冷却塔风筒出口加装百叶板，意将蒸汽碰撞百页板后形成水滴回落塔内；还有的在冷却塔气室加装能量提升装置，使羽雾增能增温，出塔后不会饱和不见羽雾；还有的对气室中的水蒸气进行吸附捕捉，使之回归塔内，减少蒸发损失水量。实践证明，对于冷却塔，上述几种方法，目前还不成熟，有的应用之后，效果不佳，有的未获得广泛应用。

3.2 小幅度的节水消雾方法

在目前的冷却塔节水消雾措施中，有两种方

法已经获得较多应用。一是采用气室安装冷凝模块的方法，二是采用在气室段安装翅片管的方法。这两种方法在冬季消雾模式下的节水率在5~20%之间，全年平均节水率会是远远低于此值。

这两种方法，都是在冷却塔气室段设置上部进风口和活动百叶窗，等到冬季来临，打开活动百叶窗，从上部引一部分冷风进塔，或用来冷却湿热空气获得冷凝水回流，或用来通过翅片管预冷却冷却上塔的热水以降低后续湿段冷却负荷减少蒸发，这两种方法从原理上皆为可行，从实践上都有效果，都是在冬季发挥作用。等到冬季过后，关闭活动百叶窗，以便让风机的风量全部从常规的下部进风口进入，恢复常规湿式冷却。因而，这两种节水消雾方法的节水，是在冬季发挥作用的，其所节之水，如果平均到全年，其全年的平均节水率会远远低于消雾模式下的节水率，如果一个冬季的消雾模式节水20%左右，平均到四个季度，全年平均节水率应在5%左右，况且，在同样热负荷条件下，夏季蒸发损失水量更大。

正是因为活动百叶窗面积较大，靠风机较近，关闭不严密，漏风较严重，大约有15%左右的风量从上部通道短路进入风机，这会使得冷却塔的改造后冷却能力明显降低。这两种消雾节水方法的难点之一，就是冷却塔的主功能被打折扣。

3.3　大幅度节水消雾新技术

经过多年潜心研究和试验，一种完全消除冷却塔羽雾的方法，已经获得国家发明专利，这种方法真正有效的降低出塔空气的相对湿度，真正有效的减少了蒸发损失水量，随之有效降低循环水系统的排污损失水量，也明显降低冷却塔风吹损失水量，从而实现循环水补水量的大幅度减少，实现企业耗水量降低，吨产品水耗降低。

3.3.1　循环水冷却塔大幅节水的技术核心

这种方法的核心是：在现有冷却塔固有的条件下，最大限度利用闭式冷却来完成冷却任务，减少开式冷却塔比例。其基本原理是利用任何天气寒冷带来的冷却塔富余冷却能力；见缝插针引入闭式的间壁换热冷却方式，代替开式的蒸发散热方式，使水气分流，根绝雾气产生，从而实现节水降耗。突出特点是充分利用大自然提供的冷量，彻底扭转普通节水消雾技术的被动局面，着眼点前移，从而实现大幅度节水和消除羽雾。

3.3.2　循环水冷却塔大幅节水的技术原理

节水消雾的技术原理：

（1）根据外界环境温度和出塔水温自动转换运行模式，控制循环水的下淋喷溅通道，以尽量多的采用闭式冷却来完成冷却任务；

（2）自动调整节水消雾专用填料片之间的配水配气方式，使空气与淋水各行其道；

（3）节水消雾专用填料模块做为单元组合布置，填料出水可以继续受控进入管式散热系统；

（4）专用填料选用高热交换性能的复合材料，采用了特殊的斜交错波形设计；

（5）配水系统和填料系统组合使水气分离，传热而不传质，实现羽雾消除，最大限度节水。

配水系统和填料系统的合理组合，实现水气各行其道，如图2所示。

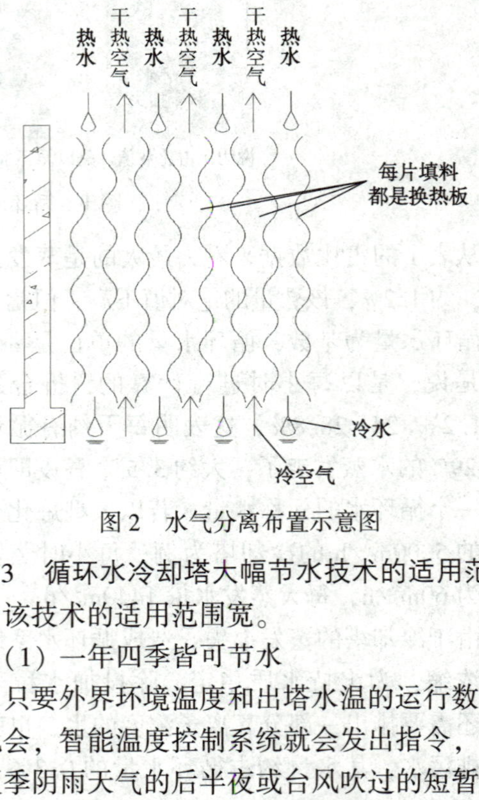

图2　水气分离布置示意图

3.3.3　循环水冷却塔大幅节水技术的适用范围

该技术的适用范围宽。

（1）一年四季皆可节水

只要外界环境温度和出塔水温的运行数据出现机会，智能温度控制系统就会发出指令，哪怕是夏季阴雨天气的后半夜或台风吹过的短暂凉爽之际，通过控制循环水的下淋喷溅通道，在保证完成冷却任务的条件下，尽量多的采用闭式冷却实现节水。

至于水气分离分布所占比例，其完全受控于出塔水温和外界环境空气温度，在智能控制系统的管理下，自动精确调节，一年四季皆可见缝插针实现节水，而无需人工跟踪调节。开式、闭式冷却在塔内分布的大致情况是：

冬季：天气很冷时，全部填料淋水处于闭式

冷却状态，水气全部分离。

夏季：最热天气时，全部填料淋水处于开式冷却状态，水气全部交融，塔内全部处于常规湿式冷却状态，保证实现充分冷却。

春秋季：部分填料的淋水处于闭式冷却，部分处于常规的开式冷却。

四季中或一个昼夜中，气温高的时段，开式冷却的比例较大；气温低的时段，闭式冷却的比例较大，智能自动实现；

开式闭式的比例控制要素：出塔水温符合工艺要求，与其他未改造冷却塔一致。

（2）新塔老塔都适合

该技术的适用范围宽，不仅表现在一年四季的全天候皆可节水，也在新塔设计和老塔改造时均便于应用。

该技术用于新塔设计时，不需要有意加高塔体，不需要加大风机配置，不需要提高风机电机的功率，在同样的工艺条件下，更加节能和节省总体投资。通过各专业的配合，使得冷却塔更加合理配置，在扩建项目上更容易和原有冷却塔的建筑风格匹配，更加容易实现工艺与结构的便捷搭配。

对于老塔改造，又特别适用。老塔改造时，不开设高位进风口，不设置活动百叶窗，不破坏塔体，不对原有风机和电机做任何改变，不在气室内添置任何阻风块体，只在塔内配水系统和填料系统做改动，并配套配水保护系统和温度智能控制系统，冷却塔的荷载几乎没有变化。老塔改造的效果，立竿见影，可以快速看到明显区别，一目了然。

4 大幅度节水降耗技术的研发历程和应用

经过多年努力，水的重复利用率提高的很多，几近极限；各类节水措施基本用尽，该省下来的水都省下来了。然而，随着全球气候变化，水资源不断走向枯竭的大趋势依然未有撼动，新项目越来越受制于用水指标。节水事业面临瓶颈，可谓山穷水尽。大幅度节水降耗，已经成为大家多年的夙愿，成为长期难解的课题。

本文前述的“炼化企业总体耗水量分析”和“循环水系统补水量分解”，找到了企业内部的耗水大户，发现了“内部水库”，但是，如何进行发掘，如何“有效开采”，从而实现大幅度节水降耗，是我们共同面对的问题。

4.1 研发历程

一种全新的思路形成后，在世界上还找不到任何参考的情况下，没有任何资料和数据介绍，没有计算模型，不能知道这种思路是否能取得预期效果。此时，只好通过试验进行验证。

试验验证需要依次进行，先进行模糊的、笼统的设计描述，再逐步深化，让思路逐步明晰。实验装置的研制，经历了较长的时间。有实验装置后先进行流程和水量平衡验证和改进，再进行冬季实地带负荷运行，观测记录相关数据资料，分析归纳整理，再完善提高，仔细评价效果和前景，得出初步结论。试验验证的节水型全消雾冷却塔，请见图3。

图3 试验验证的先驱工业塔

经过冬季的消雾节水考核，经过夏季的冷却能力考验，效果得到初步验证，基本思路得到认可，研发完善的方向更加明晰了。

大幅度节水的能力具备，冬季羽雾全无，出塔空气湿度明显降低，冷至零下-10℃，试验塔没有可见羽雾。

4.2 实塔应用

目前，这种能够实现大幅度节水的技术，已经在大型、中型、小型冷却塔上均已获得成功应用。每种塔型均已经历了至少一个完整的春夏秋冬的运行检验，有的已经达到三年。

4.2.1 单塔循环水量400m³/h冷却塔的运行应用

该塔已经投用经历3个春夏秋冬，冬季完全没有羽雾，在严寒的-15℃也看不到羽雾，经权威单位检测，完全消雾模式的节水率最高可达74%，夏季冷却能力有较大幅度提高，改造后实塔测试的冷却能力为119%，超过设计值19%，综合性能非常优秀。正在运行的节水型冷却塔，如图4所示。

图4 400m³/h 节水型冷却塔

4.2.2 单塔循环水量2500m³/h冷却塔的运行应用

该塔为钢筋混凝土结构，为使用7年的老塔，改造后已经经历1个春夏秋冬的运行，冬季完全没有羽雾，即便是冰雪笼罩的严寒时段，也看不到雾气，在连续三天0℃～-11℃的寒冷期间测试，改造后节水型除雾冷却塔的蒸发损失水量减少率为53%，在盛夏，改造后节水型冷却塔的出塔水温比未改造同型冷却塔低0.4℃，改造非常成功，深得用户好评。图5为正在运行的冬季运行状况(左侧的一台为改造后的塔)。

图5 冬季运行的2500m³/h 节水型冷却塔

4.2.3 单塔循环水量5000m³/h冷却塔的运行应用

该塔为新建钢筋混凝土结构，已经投用运行了1个春夏秋冬的，冬季完全看不到羽雾，远远望去，该塔就像没有运行一样。经初步测试，该节水型冷却塔冬季的节水量30m³/h，在盛夏，该节水型冷却塔完全正常运行，冷却能力优于未采用该技术的冷却塔，图6为冬季运行的冷却塔。

图6 冬季运行的5000m³/h 节水型冷却塔

5 结束语

综上所述，该技术利用任何天气寒冷带来的冷却塔富余冷却能力，引入闭式的间壁换热冷却方式，使水气分流，根绝雾气产生，有效的降低出塔空气的相对湿度，减少了蒸发损失水量，降低循环水系统的排污损失水量，从而实现循环水补水量的大幅度减少，实现企业耗水量降低，吨产品水耗降低，且已经在大型、中型、小型冷却塔上均已获得成功应用。该技术可适用于新建和改建冷却塔，具有较好推广价值。该技术具有如下特点：

(1) 根据外界环境温度和出塔水温自动转换运行模式，控制循环水的下淋喷溅通道，以尽量多的采用闭式冷却来完成冷却任务；

(2) 自动调整节水消雾专用填料片之间的配水配气方式，使空气与淋水各行其道；

(3) 节水消雾专用填料模块做为单元组合布置，填料出水可以继续受控进入管式散热系统；

(4) 专用填料选用高热交换性能的复合材料，采用了特殊的斜交错波形设计；

(5) 配水系统和填料系统组合使水气分离，传热而不传质，实现羽雾消除，最大限度节水。

参 考 文 献

[1] 国家发展改革委等部门关于《推动现代煤化工产业健康发展的通知》发改产业〔2023〕773号

[2] 中国石油化工集团公司《炼化企业节水减排考核指标与回用水质控制指标》标准号 Q/SH 0104—2007

第三篇　油气储运技术与装备篇

油气储运技术与装备是保障国家能源供应和提高行业生产效率的关键。为了满足当前不断增长的能源需求，进一步提高油气行业可持续性和安全性，需要在数字化转型、自动化控制、新材料和智能装备等方面进行更深入的研究和创新。本篇结合近年来国际前沿技术进展，分享了油气储运技术与装备领域的新技术、新应用和新方法，以实现更高效、智能化的能源运输和储运。

国家管网 LNG 接收站创新运营模式研究

李　宁　朱虎宝

（国家管网集团液化天然气接收站管理公司）

摘　要　在“X+1+X”新的油气体制下，国家管网所属 LNG 接收站进行公平开放成效显著，面对 LNG 接收站行业激烈的竞争环境，分析了 LNG 行业发展趋势，对国家管网 LNG 接收站公平开放进行了回顾，认为当前竞争压力较大，需要创新现有经营模式，提高企业抗风险能力。重点分析了比利时 Zeebrugge LNG 接收站，西班牙 LNG 接收站等国际成熟运营的接收站，研究建议：①接卸、存储、外输三个环节分析 LNG 接收站加工费，创新运营模式，打造灵活性服务产品；②LNG 接收站和管道、储气库协同运营，进一步发挥背靠“全国一张网”的优势，尽快构建接收站、管道、储气库业务共赢、利益共享的发展模式；③打造专业化运营团队；④打造 LNG 生态圈；⑤让“公开、公平、公正”成为管网 LNG 接收站公平开放标签；⑥提供优质服务为客户创造价值。通过以上措施，在实现企业发展的同时，激发其他市场主体的参与度，建立全国天然气协同发展的“生态圈”和“朋友圈”，促进天然气行业发展。

关键词　公平开放；LNG 接收站；创新运营模式；价格分析；协同运营

2017 年 5 月 21 日，国务院印发《关于深化石油天然气体制改革的若干意见》，明确油气体制改革的总体思路和主要任务，按照“管住中间、放开两头”的体制架构，实现管输和生产、销售分开，以及向第三方市场主体的公平开放。国家石油天然气管网集团有限公司于 2019 年 12 月 9 日在北京成立，负责全国油气干线管道以及部分储气库、LNG 接收站等储气调峰设施的投资建设，负责干线管道互联互通及与社会管道联通，形成“全国一张网”，负责原油、成品油、天然气的管道输送，并统一负责全国油气干线管网运行调度，定期向社会公开基础设施剩余能力，实现基础设施向所有符合条件的用户公平开放等，标志着深化油气体制改革迈出关键一步。

1　LNG 行业发展

1.1　LNG 需求量持续增加

中国天然气发展进入“黄金”期，LNG 将成为天然气行业发展的主力军。预计中国天然气消费量将快速增长，2025 年需求量约为 4500 亿方，2035 年需求量约为 6000 亿方左右。与此同时，LNG 将扮演着主力军的角色。预计 2023 年底，LNG 进口量约为 7100 万吨左右，同比增加 15%，为全球第一 LNG 进口国。中长期看，随着 2025 年后 LNG 上游资源方产能进一步释放，国内买家大量签署长协供应合同，LNG 仍将实现快速发展。

1.2　全国 LNG 接收站发展迅速

在天然气大发展的背景下，国内 LNG 接收站基础设施项目建设加快。2023 年上半年，全国投产的 LNG 接收站为 26 座，接卸 LNG 能力约为 11000 万吨左右。预计到 2025 年全国大约 42 座 LNG 接收站运营，接卸 LNG 能力约为 23000 万吨，实现井喷式发展。当然，随着 LNG 接收站数量和运营主体不断增加，行业竞争日趋激烈。

表 1　LNG 接收站数量及处理能力统计

时间	全国在役接收站数量/座	第三方开放型接收站投产运营数量/座	第三方开放型接收站处理能力/（万吨/年）	总处理能力/（万吨/年）
2023（上半年）	26	7	3060	11000
2025	42	10	4260	23000

国家管网 LNG 接收站面向社会进行公开、公平、透明的公平开放，其本身不参与 LNG 资源采购、贸易、销售，在 LNG 整个产业链条中，目前只提供 LNG 接收站基础设施加工服务其中一个环节。国内其他主体的 LNG 接收站仍然为集 LNG 采购、销售、接收站加工的一体化模式。

2 国家管网 LNG 接收站运营情况

2.1 国家管网 LNG 接收站公平开放回顾

2021 年 2 月，国家管网集团组织所属 7 座在役 LNG 接收站面向社会公平开放，开展了第一次 LNG 接收站窗口期集中受理，当年国家管网集团所属 LNG 接收站的托运商达到 17 家，在原三大石油公司基础上新增了华润燃气、深圳能源、新奥股份天然气等 14 家中小托运商。截至 2022 年底，国家管网集团所属 LNG 接收站托运商数量达到 19 家，同比增加 2 家。上游“X”数量持续增加，“X+1+X”的中国 LNG 市场新格局初步形成，也是油气体制改革的重要成果。LNG 接收站是重要海上能源进口通道，国家管网所属 LNG 接收站实现公平开放，推动上游供应主体多元化，对于提高天然气资源配置效率，促进中国天然气行业发展，保障国家能源安全意义重大、影响深远。

2.2 国家管网 LNG 接收站经营形势

2021 年国家管网 LNG 接收站公平开放成效显著，油气体制改革红利充分释放，但未来国内 LNG 接收站竞争加剧，未来 LNG 接收站负荷率将呈下降趋势。预计到 2025 年全国将有 42 座 LNG 接收站运营，LNG 处理能力超过 23000 万吨/年左右，增长近 2.3 倍，年均增长率 28.5%，增量部分主要是第二梯队接收站。第二梯队托运商未来也是一体化运营的接收站，对国家管网 LNG 市场带来较大冲击。2021 年全国接收站负荷率 74.4%，预计 2025 年将下降到 38%，同期国家管网接收站负荷率将由 2021 年的峰值 61.47%，降低至 2025 年的 38%左右，不同主体 LNG 接收站负荷率总体上都将处于下降通道，全国 LNG 接收站处理能力将由 2020 年之前的“紧缺”，转变为 2025 年以后的“过剩”。总体看，竞争压力较大，需要创新现有经营模式，提高企业抗风险能力。

3 国内外主要 LNG 接收站运营模式对比

3.1 国内 LNG 接收站运营模式

由于油气体制改革只将中石油、中石化、中海油三大石油公司部分 LNG 接收站资产划入国家管网集团，因此目前国内 LNG 接收站主要有两种运营模式。一种为完全面向社会第三方公平开放，提供基础设施能力服务，不参与 LNG 销售的国家管网集团所属 LNG 接收站。另一种为以中石油、中石化、中海油、新奥集团、北京燃气集团、新疆广汇等企业为代表的从事 LNG 上游资源贸易，中间 LNG 接收站加工，下游 LNG 销售等产业链一体化模式。一体化模式下，虽然中石油、中海油部分 LNG 接收站也拿出部分剩余能力，面向社会开放，但规模较小，且受其体制本身受限，无法完全面向社会开放，因此仍属于一体化经营模式。不同的运营模式带来不同的经营方式。以上两种运营模式最大区别在于，国家管网所属 LNG 接收站不参与上游资源贸易和下游天然气销售，只提供基础设施加工服务。而一体化运营的 LNG 接收站参与上游资源采购、贸易，下游市场销售环节。

表 2 国内不同 LNG 接收站运营模式对比

运营模式	代表企业	特点	优点	缺点
完全第三方开放型	国家管网所属接收站	只提供设施能力加工服务。不参与 LNG 贸易及下游销售环节	与客户不存在竞争关系；有利于促进上下游“X”壮大	无法传导 LNG 市场波动
一体化运营型	三大石油公司、新奥、广汇、北燃等	参与上游资源贸易和下游市场销售环节	可传导市场波动，抗风险；部分与长协绑定，加工量有保障	不同主体无法完全参与

通过对目前国内 LNG 接收站主要的两种运营模式对比发现，国家管网所属 LNG 接收站只从事 LNG 产业链中间接收站加工环节，主营业务单一，抗风险能力需要提高，商务运营模式还不够丰富，接收站与管道的协同运营还需要进一步加强以更高水平的公平开放，服务行业发展。

3.2 国际主要 LNG 接收站运营模式及带来的启示

3.2.1 比利时 LNG 接收站运营模式

欧洲比利时比利时 Zeebrugge LNG 接收站运营模式较为成熟，商务模式最丰富，客户满意度较高的接收站之一。比利时 LNG 接收站人员配置精简，近三年平均总员工人数仅有 47 人，其中销售及商务拓展人员最多，约占 40%，其精简的人员结构主要依赖于托运商自助购单模式结合信息化技术与工具的应用，使得接收站专注于经营管理并高效运行。

比利时 Zeebrugge LNG 接收站在运营模式上主要特点是：①由于比利时 Zeebrugge LNG 接收站将接收站接卸、存储、外输三个环节价格进行了分拆，促进运营模式更加丰富。服务类型根据客户需求进行了灵活搭配，形成了约 25 种服务产品及组合产品，以满足不同托运商需要。基础服务产品包含停泊、灵活性存储及气化外输服务。组合服务产品包含船舶、槽车装卸及转运服务。衍生服务产品包含 LNG 产业链衍生服务。回程(虚拟)液化服务可以将已气化进入管道的气体通过反向指定，增加接收站存储 LNG 的服务。②二是基础设施剩余能力的预定可通过一级或二级市场进行。一级市场主要通过开放季或分配窗口进行，未在开放季进行的可通过竞拍或先到先得进行。二级市场通过托运商间交易进行。③可以提供虚拟液化服务。

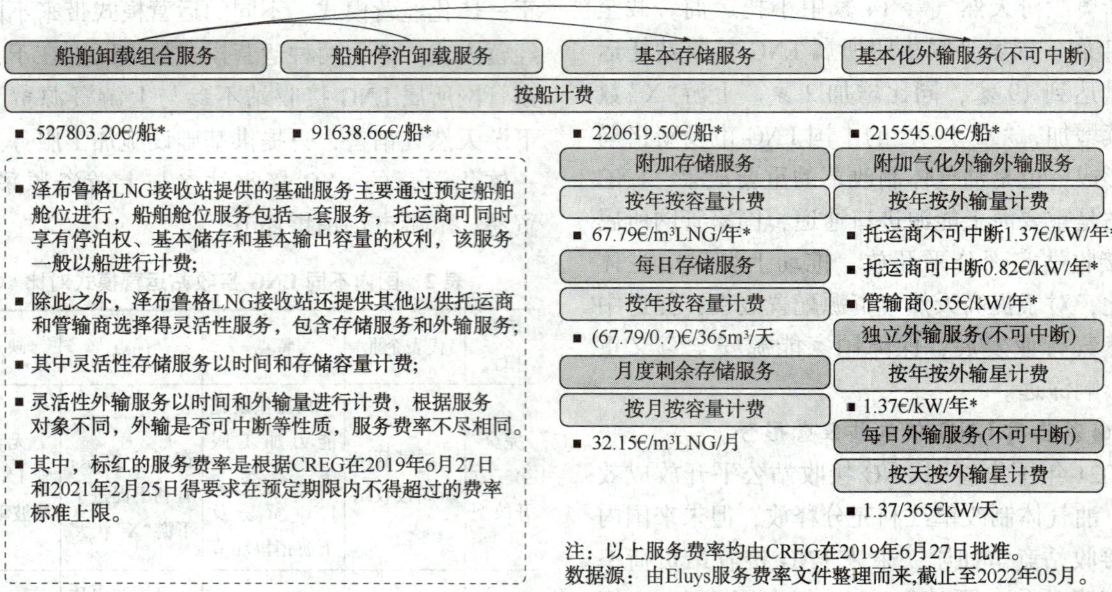

图 1　比利时 Zeebrugge LNG 接收站产品概况

3.2.2　西班牙 LNG 接收站运营模式

西班牙是欧洲拥有最多 LNG 接收站的国家，也是储气能力最高的欧洲国家，总储气能力占欧盟(加上英国)的 35%。设施运商营为 Enagas。Enagas 于 2012 年 8 月获得欧盟委员会认证，成为独立的基础设施运营商。该公司运营 12000 公里天然气管道、3 个地下储气库、8 座 LNG 接收站。Enagas 在西班牙境内运营 11000 公里天然气管道、6 座 LNG 接收站、3 座地下储气库。西班牙 LNG 接收站运营模式主要特点：①一是一体化运营。接收站、管道及地下储气库一体化运营。西班牙已建立了全球首个 LNG 虚拟交易枢纽(“TVB”)。客户可在西班牙任意 6 个 LNG 接收站中任选一个 LNG 接收站卸载、提货。在实际运营中，Enagas 也会根据客户意向选择具体卸载的 LNG 接收站。②西班牙的接收站卸载、储存、气化外输、槽车等均分开定价，这是一切商务模式灵活操作的基础。如图 2 所示，客户在申请服务时，可以只申请靠泊服务进行卸载，对应的只申请气态外输。在价格分拆的基础上，服务产品也较为灵活，可以开展罐内交易、冷舱、虚拟液化等服务。③西班牙拥有自己的现货价格交易指数 PVB。客户正常卸载到储罐后，可以根据 PVB 情况再决定如何操作。后续如下游价格倒挂，也可临时申请仓储服务进行存储。每项服务均单独定价，服务较为灵活。如通往法国等其他国家的管道气价格高于西班牙，可以申请气态外输进行套利。④西班牙基础设施主要由 Enagas 运营，但其他业务，也会有不同的主体参与，激活市场活跃度。除了运营商，还会有渠道商、交易中心、结算公司、经纪公司参与。真正实现了交易生态圈，以及围绕运营的朋友圈。

4　国际成熟运营 LNG 接收站运营模式带来的启示及建议

(1) 运营模式灵活。国际上比利时、西班牙等 LNG 接收站已均实现卸载、存储、外输环节分拆定价，在此价格模式下，接收站服务产品将更加灵活，满足客户差异化需求。

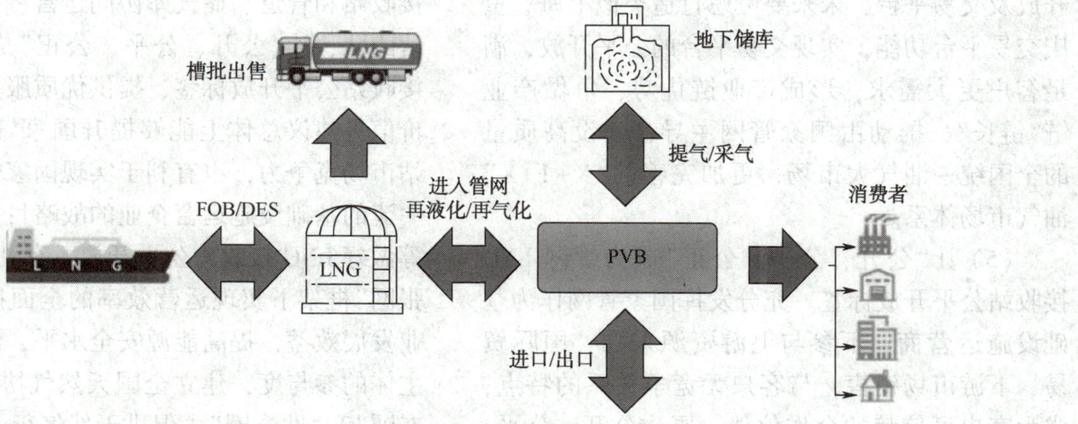

图 2　西班牙接收站价格指数 PVB

国家发展改革委于 2022 年 5 月发布《关于完善进口 LNG 接收站气化服务定价机制的指导意见》(发改价格为 2022~768 号)，赋予 LNG 接收站企业更大自主定价权，LNG 接收站气态外输由价格主管部门确定最高价格，液态价格由企业和客户协商定价。但接收站收费仍是整体收加工费，接卸、存储、外输环节并未分开收费，对比国际主要接收站，灵活性还需要提高，一旦分拆各环节价格，国家管网可打造国内交易、转运、仓储、管道气置换等数十种服务产品。鉴于价格拆分工作量较大，且较为专业，应组建专项工作团队。团队的组建应包括接收站运营期企业的财务、市场、生产、人事等部门人员，其中团队中财务人员做好成本核算，分拆具体事项，市场人员做好价格分拆后相关产品的新定价模式，生产人员配合做好成本测算，人事人员做好团队其他人员的抽调，组织保障等工作。

(2) LNG 接收站和管道、储气库协同运营。参考西班牙基础设施在以 Enagas 为主的运营主体下，实现了接收站、管道、储气库一体化运营，向客户提供服务，可以实现资源最大配置效率。国家管网 LNG 接收站和管道储气库还应进一步加强协同运营，面对日益激烈的市场竞争环境，进一步发挥背靠"全国一张网"的优势，加快构建接收站、管道、储气库业务共赢、利益共享的发展模式，贯彻"以客户为中心的服务理念"，进一步提升资源的配置效率，在站管库协同运营范畴下，还要做好 LNG 接收站、管道、储气库市场人员融合，加强各基层单位客户经理人员的横向协同和融合，实施各单位客户经理团队轮值牵头联合开发市场，实现一站式服务，提高客户满意度。

(3) 打造专业化运营团队。比利时 Zeebrugge LNG 接收站销售及商务拓展人员最多，约占总人数的 40%。国家管网 LNG 接收站应强化市场组织机构，建立适应新的市场竞争形势的市场团队。组建一支有战斗力的市场团队，建议做好以下几个方面，一是明确目标。市场团队的目标制定应与企业发展愿景、战略规划相结合。二是做好教育培训。国家管网的 LNG 接收站属于产业链的中间环节，团队成员应熟悉国际 LNG 贸易、资源采购、主要资源国市场情况，以及国际 LNG 价格、供需等。同时，还应了解国内天然气销售市场行情、市场结构、价格体系等。只有熟悉 LNG 上游、下游市场，才能洞察客户需求，更好地为客户提供好服务，提高客户满意度。三是建立有效的绩效评估体系。为保障市场团队的效能和工作稳定，需要建立有效的绩效评估体系。明确团队每个人的工作目标和职责，并制定具体的衡量指标的量化方法。通过定期的绩效评估，发现存在的问题和改进的空间，并及时采取措施进行调整。此外，绩效评估还可以为团队成员提供反馈和发展建议，以促进个人职业发展。四是团队协作文化建设。市场团队需要各岗位的密切配合，打破传统部门之间的壁垒，促进信息的流动和知识的分享，通过团队协作文化建设，进一步提升市场竞争力和整体绩效。五是营造积极的工作氛围。积极的工作氛围是激发团队成员创造力和发挥潜力的重要因素，直接影响团队竞争力。六是细化岗位，按照市场营销、客户管理、商务执行、计划管理、市场洞察等业务细分团队职责，企业可以结合实际情况进一步完善。

(4) 打造 LNG 生态圈。加快国家管网公平开放及交易平台，未来要考虑打造类似上海、重庆交易平台功能，实现交易平台的公平开放，满足客户更大需求，形成产业链优势，争做产业链“链长”，推动由国家管网主导，建设高质量的全国统一油气大市场，更加完善的“X+1+X”油气市场体系。

(5) 让“公开、公平、公正”成为管网 LNG 接收站公平开放标签。充分发挥国家管网作为基础设施运营商，不参与上游资源采购、国际贸易、下游市场销售，与客户无竞争关系的特点，成为客户可信赖的合作伙伴。要让公开、公平、公正成为国家管网 LNG 接收站对外开放模式的主标签。

(6) 提供优质服务为客户创造价值。与客户成为长久伙伴关系最核心的要素是让客户在与管网的合作中实现自身发展，实现价值创造，这也是客户选择管网最核心的动因。因此，要重点打造管网特色的服务产品体系，拓展服务领域，探索研究为客户提供包括 LNG 船运、槽车物流、接收站加工、管网输气等一揽子服务方案，进一步发挥全国“一张网”核心竞争力，提高资源配置效率。让灵活化、定制化、差异化的服务产品成为管网特色的品牌。

5 结论

对国家管网 LNG 接收站而言，应对未来严峻的行业竞争形势，应尽快开展运营模式优化，打造适合于国家管网特点的新模式。本文对国家管网 LNG 接收站提出的加工费价格分拆，LNG 接收站和管道、储气库协同运营、打造专业化运营团队、让“公开、公平、公正”成为管网 LNG 接收站公平开放标签、提供优质服务为客户创造价值等建议总体上能够提升国家管网 LNG 接收站市场竞争力，也有利于实现国家管网打造世界一流的基础设施运营企业的战略目标，有利于统筹做好 LNG 接收站公平开放，有利于在全国“一张网”框架下实现运营效率的全面提升，实现企业发展效益，提高能源安全水平，激发其他市场主体的参与度，建立全国天然气协同发展的“生态圈”和“朋友圈”，促进天然气行业发展。

参 考 文 献

[1] 中国共产党中央委员会，中华人民共和国国务院. 中共中央国务院印发《关于深化石油天然气体制改革的若干意见》[EB/OL].(2017-05-21)[2022-07-01]. http://www.gov.cn/zhengce/2017-05/21/content_5195683.htm.

[2] 邹才能，赵群，陈建军，李剑，杨智，孙钦平，陆家亮，张刚雄. 中国天然气发展态势及战略预判[J]. 天然气工业，2018，38(04)：1-11.

[3] 李宁. 国家管网集团建设液化天然气“大物流”运营体系可行性初探[J]. 国际石油经济，2023，31(02)：105-109.

[4] IEA. GasMarketReport，Q1-2022[R/OL].(2022-01-20)[2022-04-20]. https://iea.blob.core.windows.net/assets/4298ac47-e19d-4ab0-a8b6-d8652446ddd9/GasMarketReport-Q12022.pdf.

[5] 黄维和，王军，黄龑，梁严，郑龙烨. “碳中和”下我国油气行业转型对策研究[J]. 油气与新能源，2021，33(02)：1-5.

智能管道关键设备故障预测与健康管理关键技术研究综述

古自强[1] 李 华[2] 李国明[1] 蒋辉娟[2] 肖 旺[1]

（1. 国家管网集团西部管道有限责任公司；2. 国家管网集团科学技术研究总院公司）

摘 要 智慧管网具有综合性预判等方面能力，但目前油气管道关键设备如压缩机组非计划停机频发、维修保证策略以"事后维修"和"定期维修"为主，对故障预知预测的研究思路不够清晰、方法不够科学维修检修定期开展，故障管控能力及维护策略需进一步提升。总结了国内外典型关键设备故障预测与健康管理平台建设的现状，首次分析了管道压缩机组燃机性能算法、压缩机效率算法、模拟仿真等算法的解决的核心问题、研究方法、关键量化指标及各研究方法优点。针对故障预测与健康管理研究重点难点，从平台融合与系统设计、机组变工况、多元数据分析技术、停机故障失效模型及算法研究、验证评价体、知识图谱系等重点研究内容提出了思考和展望。研究对提升油气管道关键设备管理，开展平台融合设计及智能管道核心技术研究具有一定借鉴意义。

关键词 关键设备；故障预测；健康管理；关键技术；研究综述

1 前言

设备故障预测与健康管理是指利用各类先进传感器实时监测运行的各类状态参数及特征信号，借助各种智能推理算法和模型（如物理模型、专家系统、神经网络、模糊逻辑等）来评估设备的健康状态，在其故障发生前对故障进行预测，提供维修保障决策，最终目标是实现从"事后维修"和"定期维修"到"视情维修"和"基于状态的维修"的转变，提高设备可靠性、降低运维成本等目标。21 世纪中叶中国管道总里程将超过 30×10^4km，智能化需求带给油气储运行业巨大的挑战和机遇，国家"十四五"智能制造发展规划中提出故障预测与健康管理系统是工业软件突破提升行动的重要内容之一。国家管网集团提出，智慧管网具有综合性预判等四大能力，设备关键设备故障预测及健康管理在现有 SCADA 系统及设备远程监测系统的远程实时监控、远程诊断等功能基础之上，强调事前综合报警分析、故障预测预防、健康寿命管理等能力，是实现智慧管网的重要技术支撑。

与航空航天及高铁行业管理的设备及其分布方式不同，油气管道输气站场"线长、点多"、站场关键设备类型复杂，为满足不同阶段的设备远程管理需要，各国家管网集团区域公司已建成完成了不同的远程诊断平台，开展了故障预测、寿命方面探索性的研究。油气管道关键设备故障预测与健康管理理念及应用处于起步阶段，本文对国内外管道行业相关的平台应用情况、燃机气路性能算法、离心压缩机故障及功率、故障预测与健康管理算法及模拟仿真最新研究进展进行介绍，在此基础上从管输设备平台融合与系统设计、机组变工况、多元数据分析技术、停机故障失效模型及算法研究、算法验证评价等重点研究内容等提出了展望。

2 研究现状

基于信息化、数字化技术和工业互联网技术快速发展，国外大型企业开发的相关数字平台故障预测与健康管理功能在航空航天、工业制造领域已较为成熟，保证了乘客及飞行器的安全、提高了设备运行的经济性。鉴于油气管道行业的故障预测与健康管理发展现状，现阶段研究内容主要在平台基础建设和预测核心算法研究两方面，其中数字平台建设是实现数据储存、数据融合、高效计算、可视化展示及管控能力提升的载体和基础，预测算法是实现设备故障预测及健康管理的核心功能。

2.1 管输设备故障预测与健康管理平台建设现状

国内天然气管道工程建设初期，现场关键设

备以进口为主，工程配套压缩机组均安装了状态监测系统，满足了机组启停及运行期间状态监测的基本需要。随着管输企业管控能力及要求的不断提高，对设备故障的深度分析及成本的控制需求也日益强烈，GE、SIEMENS、SOLAR公司设备在管道行业应用普遍，开发管理平台特点如表1所示。

以上平台在国外民用航空、石油石化等行业设备提供了故障预测及健康管理功能，由于国内企业无法将设备数据传输至国外公司的远程监测诊断平台，以上平台在国内应用案例较少。如表2所示。

表1　国外主要健康管理平台现状及特点

序号	厂商名称	系统名称	特　点
1	GE	Predix	聚焦于知识与技术共享，通过工业云服务提供数据开发与分析平台，Predix平台可将任何供应商的资产连接至Predix云端，通过收集分析实时和历史数据，采用托管等方式的服务，实现设备健康管理、预测性维护、提升效率，实现设备智能运维
2	SIEMENS	SiePA	以历史运行数据深入分析为基础，借助机器学习和自然语言处理等人工智能算法等工具，建立的预测性维护系统。在人工智能技术的支持下，通过设备运行状态预测预警模块与智能排查诊断模块，预测预警运营中的故障风险，高效诊断故障原因并指导维修维护，从而控制风险、实现降本增效
3	SOLAR	InSinght	根据燃机设计制造、运行维护的经验开发的设备健康管理系统，系统采集机组控制系统工艺量参数，具有实时状态监控、报警信息显示、趋势显示、性能分析、历史数据管理、备件管理、运行指标统计等功能

表2　管道行业压缩机组故障诊断与健康管理平台现状及特点

序号	厂商名称	系统名称	功能及特点
1	国家管网集团	燃驱机组健康管理系统\CEHM系统	接入西气东输一线、西二线等部分天然气管道燃驱机组，具有燃机典型气路故障分析、性能衰减计算、热端部件剩余寿命计算、高温部件剩余寿命管理等功能
2	沈阳鼓风机集团公司	云服务平台 远程监测中心	接入长输管道离心压缩机、化工行业氢气回收、芳烃回收、C_2回收等压缩机装置，提供启机指导、机组异常预警、机组故障诊断等服务
3	中船重工集团第七〇三所	透平发电机组远程诊断及专家支持平台	具有运行状态异常检测、机组健康度监测与趋势预测功能，可开发智能异常检测算法开发、软件，为设备运行、维护、修理等工作提供专家支持

管输企业结合自身应用特点，先后建设了不同功能的压缩机组故障诊断预测及健康管理系统。西气东输管道公司建设的CEHM系统接入了西气东输一线44台机组，具有燃气轮机性能分析、金相分析和寿命预测模块，通过计算压缩机压头与效率、入口流量等指标，提高了压缩机组运行效率、降低了机组维修成本。西部管道公司以两座压气站13台机组为研究对象，开发了燃驱机组部件原始模型与气路分析技术、滑油传感器及滑油分析技术、数据容错监测技术、高温部件的寿命管理技术等关键技术等，可发现或预判燃气轮机典型气路故障。北京天然气管道公司远程诊断中心接入陕京一、二、三线及储气库压缩机组，对所辖范围离心压缩机、往复式压缩机组振动数据进行了监测。北方管道公司在廊坊搭建了压缩机远程监测与诊断中心，自动采集压气站与压缩机组振动及工艺参数，实现压缩机组图谱分析、通过诊断专家库预判机组故障，实现集中监测与在线诊断。

随着油气管道设备国产化进程快速推进，为提高综合服务能力，国内燃机及离心压缩机制造企业也开发了不同的功能机组诊断及监控管理平台。沈阳鼓风机集团公司搭建的远程监测云服务平台，为长输管道离心压缩机、化工行业氢气回收、芳烃回收、C_2回收等压缩机装置，可提供机组启机指导、机组异常预警和机组故障诊断等服务。中船重工集团七〇三所建立的远程诊断与专家支持中心，实现了在线监测和远程诊断服务，通过开发智能异常检测算法开发、开展故障及健康预测，为接入的燃气轮机机组运行、维护、修理等工作提供技术支持。

2.2　管道设备故障预测与健康管理算法研究现状

管道燃气发生器主要为航改型燃机，其故障

预测及健康管理的算法研究可借鉴航天领域经验，目前已在算法方面开展了探索，按照油气管道机组故障的影响程度、发生概率、研究重点，主要对机组性能、机械振动、健康管理、模拟仿真相关的算法研究现状分析。如表3所示。

表3 燃机及压缩机组故障预测与健康管理技术研究方法

研究目标	作者	方法及理论	优点	精度范围
建立气路性能评估模型	肖旺	通过模拟退火-粒子群优化混合算法进行故障诊断；建立了量化的概率指标衡量气路部件的状态	准确度较高；算法收敛时间大幅减少	输出功率计算误差小于1%
提升燃机性能计算准确性	李景轩	利用燃机实际运行数据，设计了3种机理-数据混合模型，通过仿真说明混合模型精度更高	对不同的机组所设计的混合结构模型均具有较高的准确性	平均相对误差1.5%以内
提升燃机能计算精度提升	路绪坤	分别利用BP、RBF神经网络、极限学习机以及BP-GA神经网络对压气机性能模拟，分析不同模型的特性拟合优势	BP-GA神经网络收敛速度快、精度高	平均绝对误差在0.19%以内，训练时间缩短至19.07秒
燃机叶片结垢及性能预测	聂勇恒	利用粒子群算法、遗传算法和布谷鸟算法对燃机结垢性能的预测	提高了诊断效率和非线性拟合能力	非线性拟合度为0.93
建立压缩机性能预测模型提高准确性	王苇玺	基于深度学习网络的压缩机实际能头特性预测模型	具有良好收敛能力、较高的能头预测精度与泛化计算能力	最大相对误差2.6%，最小相对误差0.32%，平均相对误差0.78%
建立轴承振动报警或停机故障预警	王猛	单节点路径蚁群算法的轴承报警策略	快速识别摩擦、喘振故障，误报率低	提前40秒预警
提高剩余寿命预测准确度	刘连胜	通过对抗神经网络(GAN)扩增飞机辅助动力装置性能参数，提升预测准确性	通过增加虚拟参数，解决了分析参数预测不准确的问题	误差提高8.55%，均方根误差提高3.62%
实现燃气轮机剩余寿命及健康管理	韩国栋	通过一维卷积神经网络提取燃机气路时序退化深度特征，学习映射规律，实现剩余寿命预测	减小特征参数冗余，预测参数不受初始状态影响	误差提高3%以上，训练时间减少了120秒以上
预测燃机剩余寿命	应雨龙	研究变工况自适应热力模型，利用气路数据建立非线性自适应气路诊断方法	可对复杂非线性系统故障诊断和预测	形成了技术路线及方法，未对精度分析
建立燃机参数及性能仿真模型	沈立锐	建立燃机分段线性化实时模型，通过代码生产技术和封装技术，将模型集成在数字仿真平台和硬件回路平台中	准确性高、计算时间短	最大相对误差不超过3%，计算时间最大耗时0.13ms
建立燃机本体及辅助系统启动过程仿真模型	汤鑫宇	利用现场运行数据及机组运行机理，采用模块化建模思想，在模拟平台搭建燃机启动过程模型	建立了对燃机本体及辅助系统启动过程模型，实现了精细化建模	最大误差控制在0.15%以内
建立机组启停全过程虚拟仿真	曹军	采用虚拟DCS技术及模块的建模思想，开发了高精度全范围仿真系统	动静态精度高；可利用模型开展培训、反事故研究及试验	关键计算数据偏差不超过±3%，排气温度波动误差±4%
分析天然气掺氢对燃烧性能的影响	崔耀欣	通过试验台对全温、全压、全流量对掺氢混合燃烧情况试验测试	工况变化大、机组数据全面真实	含氢≤20%满足要求

燃气轮机长期在高强度及恶劣条件下运行，零部件结构退化引发的机械故障将导致机组失效，产生高额经济损失，燃机和离心压缩机的整体效率直接关系到机组运行的能耗及成本，国内学者对燃机气路故障性能、压缩机的性能研究内容和方法较多，多数学者均采用模型驱动与数据驱动结合的方法，研究目标集中在建立更准确的预测模型、减少偏差、提升收敛性能，缩短模拟时间等问题；转子寿命消耗的技术主要采用疲劳损伤理论和断裂力学为基础的循环计数法，在剩

余寿命和健康管理研究方面，以数据驱动模型为主，通过增加虚拟参数或减少特征参数，计算燃气轮机机组对寿命预测的准确性；在模拟验证方面应用多维度、多学科对燃气轮机进行总体设计分析，通过模拟仿真、建立分段线性模型，对机组全工况运行模型，能够使仿真更准确的反应整机的实际运行状态，实现动态精细化建模。

综上，虽然故障预测与健康管理算法研究的对象不同，但数据驱动与模型驱动混合结合的方式是算法研究的主要方法；对燃机性能及剩余寿命模拟预测误差控制在±3%以内；未来，电驱压缩机组占比将大幅上升，但目前压缩机组配套电机及变频器、仪器仪表、控制系统硬件的故障预测与健康管理研究还是空白；在“双碳”背景下，针对天然气管道混氢输送的发展趋势，通过试验台全工况测试，对不同含氢量燃料气的燃烧稳定性、噪音等影响分析也将是未来的研究热点。

2　发展趋势

（1）平台融合与系统设计。平台的融合和系统建设是实现故障预测与健康管理的基础，需要建立技术架构及管理体系，全面考虑故障处理、数据存储、维护检修、管理决策、能耗数据、油气市场价格等平台关键环节接口，研究适合企业自身现有诊断平台、管理机制、职责分工、数据及流程的故障预测与健康管理机制和体系，保证系统功能能够不断完善、性能不断提升。

（2）变工况多元数据分析技术。机组启动、盘车、点火、加载等启动、停机过程是一个多数据变化的动态过程，启停过程的建模相比其他工况需要考虑更多的因素。应按照机组顺序控制的不同进程，构建机组标准数据及曲线序列，通过阈值及差分等原理，实现机组启停状态与标准曲线序列的自动比对和判定。通过对启动过程模块化分解、采用机理模型、数据驱动串并联混合建模等方式，研究标准启动曲线及常见故障的偏差及异常智能算法，实现机组复杂工况故障早期发现与预警、减少人工无效、低效分析判断。

（3）故障失效模型及算法研究。压缩机组故障原因分析包括内部直接原因及外部因素，直接原因包括部件物理、化学等方面变化；外部因素包括操作使用、环境变化等方面原因。单纯通过数据驱动的诊断方法，黑箱过程无法体现系统机理、诊断精度很难提高，对于突变信号或故障原因不明信号，预测结果的准确率和可信度低，在算法开发前剔除信号突变、人工操作等方面的事件，重点选择具有故障前期信号征兆、具有一定的数据判断处理及报警时间的故障，通过信息融合进行算法开发。

（4）仿真测试与评价技术。机组故障算法完成编译、部署和应用前，宜对其进行模拟仿真，验证的关键指标包括灵敏度、预测偏差范围、收敛特性、计算速度等综合指标，较为成熟的仿真试验方法包括信号模拟、故障注入和数据仿真等方式。另外随着不同智能算法大量涌现，算法的被理解度也在不断增加，最终用户需建立简洁全面的指标评价体系，如形成对测试难度、样本数量、搭建环境方面的算法生成指标；形成数据误差、检测门限方面的准确度指标；形成预测范围、误报率方面的诊断性能指标，通过建立综合评价体系，可降低算法评估判断的局限性、主观性，实现不同算法科学比对和选用。

（5）构建故障及健康知识图谱。为避免机组相同故障的重复发生，减少经验的以往与流失，应构建以智力为资产的设备知识管理体系，依托故障预测与健康管理平台及系统，将投产及运维过程中总结出来的原理、规律、逻辑及经验等转换为核心算法，实现知识积累沉淀、共享与传承，推动关键设备可靠性持续提升，实现企业管理水平可持续高质量发展。

3　结论

油气管道关键设备故障预测与健康管理是设备设施智能化的核心功能之一，目前设备故障诊断预测及智能算法开发已开展了探索性的研究，但工程经验缺乏，暂无法大规模应用及推广，已开发算法仍需与在工程应用中长期验证和优化；管道企业应培养兼备专业知识、数字化及智能算法开发能力的复合型技术人才，从与外部联合攻关向自主开发的模式过度，逐步实现企业智能核心算法自主可控。全面实现故障预测与健康管理是一项长期而系统的工程，企业需持续发力并投入资源保障，将故障预测与健康管理理念嵌入企业管理流程，建立以央企为核心新型创体系与外部形成良性发展生态。开展油气管道关键设备故障预测与健康管理系统建设，不仅是“工业互联网+安全生产”的建设需要，也能全面促进油气行业全产业链科技创新和技术进步、提升企业核心竞争力，将为打造智慧互联大管网、建设世界一流基础设施运营商提供更加有力的保障。

参考文献

[1] 年夫顺. 关于故障预测与健康管理技术的几点认识[J]. 仪器仪表学报，2018，39(08)：1-14.

[2] 黄维和，郑洪龙，李明菲. 中国油气储运行业发展历程及展望[J]. 油气储运，2019，38(01)：1-11.

[3] 高顺华，侯大立. 燃气轮机在线分析诊断及视情维修系统在长输管道上的开发及应用[J]. 燃气轮机技术，2014，27(04)：54-59+53.

[4] 王振声，陈朋超，王巨洪. 中俄东线天然气管道智能化关键技术创新与思考[J]. 油气储运，2020，39(07)：730-739.

[5] 肖旺，陈成，杨坤等. 燃驱压缩机组气路故障预测诊断与健康管理技术[J]. 油气储运，2021，40(06)：699-707.

[6] 李景轩，周登极，肖旺等. 燃气轮机机理-数据混合建模方法研究[J]. 热能动力工程，2019，34(12)：33-39.

[7] 路绪坤，张士杰，迟金玲等. 基于遗传算法的压气机性能曲线拟合方法研究[J]. 热能动力工程，2022，37(01)：105-109+123.

[8] 聂勇恒，余又红，贺星. 基于 PSO-BP 神经网络的燃气轮机结垢性能预测[J]. 舰船科学技术，2021，43(19)：108-112.

[9] 王弗玺，李晓平，陈新果等. 压缩机实际能头特性的深度学习网络预测方法[J]. 油气储运，2020，39(04)：459-466.

[10] 王猛，王静，钟震宇等. 电驱离心式压缩机组的单节点蚁群算法轴振报警策略[J]. 油气储运，2022，41(03)：348-353.

[11] 刘连胜，张晗星，刘晓磊. 面向飞机辅助动力装置在翼剩余寿命预测的性能参数扩增方法[J]. 仪器仪表学报，2020，41(07)：107-116.

[12] 韩国栋，曹云鹏，徐志强等. 基于 SMIV-1DCNN 的燃气轮机剩余使用寿命预测方法研究[J]. 热能动力工程，2022，37(02)：25-32.

[13] 应雨龙，李靖超，庞景隆等. 基于热力模型的燃气轮机气路故障预测诊断研究综述[J]. 中国电机工程学报，2019，39(03)：731-743+952.

[14] 沈立锐，胡忠志，房娟等. 一种基于燃气轮机实时模型的硬件在回路平台集成与验证[J]. 热能动力工程，2021，36(08)：42-47+71.

[15] 汤鑫宇，胡振超，陈金伟等. 基于精细化模型的燃气轮机启动过程建模及半物理仿真验证[J]. 热能动力工程，2021，36(10)：197-203.

[16] 曹军，周东阳，王喆. 安萨尔多 F 级燃气-蒸汽联合循环机组高精度全范围仿真系统的开发[J]. 热能动力工程，2021，36(02)：9-17.

[17] 崔耀欣，刘晓佩，陈明敏. F 级重型燃气轮机燃烧器天然气掺氢全压试验研究[J]. 燃气轮机技术，2021，4(02)：38-42.

[18] MEHER-HOMJI C，CHAKER M，MOTIWALLA H. Gas turbine performance deterioration[C]//Proceedings of 30th turbomachinery Symposium，2001：139-176.

[19] HANACHI H，MECHEFSKE C，LIU J，et al. Performance-based gas turbine health monitoring，diagnostics，and prognostics：a survey[J]. IEEE Transactions on Reliability，2018，67(3)：1340-1363.

[20] JAW L C，BRYG D，KHALAK A. Concept and prototype of GCSS-AF research environment for condition based and reliability centered maintenance[C]//2007 Integrated System Health Management (ISHM) Conference，2007.

[21] ASTM Committee E08 on Fatigue and Fracture Subcommittee E08. 04 on Structural Applications. E1049-85 (2005) Standardpractices for cycle counting in fatigue analysis[S]. West Conshohocken，PA：ASTM International，2005.

[22] 李铁磊，马正军，马佳毅等. 船用燃气轮机总体性能分布式集成仿真平台设计及功能验证研究[J]. 热能动力工程，2022，37(03).

DVC6000 定位器工作原理与反馈偏差问题探讨

宋文强

（国家管网集团西部管道公司）

摘 要 介绍了管线阀门 DBB、DIB 的定义、分型、结构特点和密封原理，并对 DBB、DIB 管线球阀的选型和维护保养提出建议。

关键词 DBB；DIB；管线球阀；选型

1 结构和工作原理

1.1 结构组成

DVC6000 系列定位器主要由接线盒、行程传感器、电子模块、IP 转换器组件、气动放大器、压力表组成，如图 1 所示。无论是用于直通阀还是旋转阀，其结构相同，模块化设计可以方便更换维修，同时还可以减少备件库存。

图 1 DVC6000 系列定位器结构组成

1.2 工作原理

当定位器接收到阀门位置指令信号（4mA 全开，20mA 全关）后，由 I/P 转换器将电流信号转换为压力控制信号，通过气动放大器改变定位器的输出压力，从而达到控制阀门开度的目的。定位器的控制有行程控制与压力控制两种，行程控制由行程传感器参与控制，压力控制由输出压力参与控制，如图 2 所示。

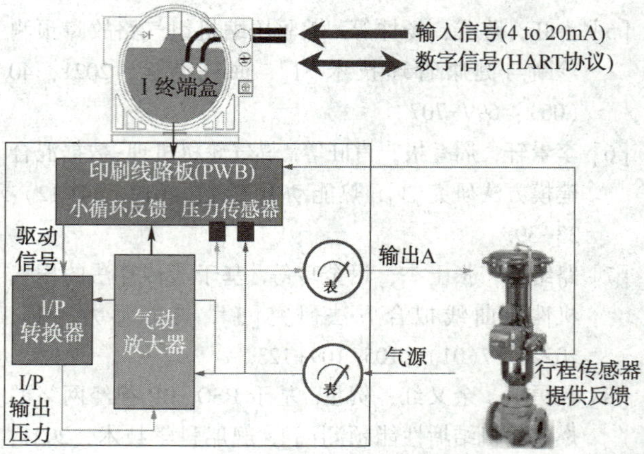

图 2 定位器工作原理图

1.3 输出压力控制

输出压力的控制通过 I/P 转换器和气动放大器实现。I/P 转换器可看作是气动放大器的输入控制信号，当给出关阀命令时，即电流信号增大，磁力增加，衔铁带动挡板向喷嘴移动，放大器的输入信号增加，推动膜片克服弹簧力移动，进气阀打开，供气压力通过进气阀到放大器出口，输出压力增加，阀门向关阀方向移动。开阀动作与关阀相反，输入信号减小，放大器出口压力推动膜片移动，压力通过排气阀泄放，阀门向开阀方向移动，如图 3 所示。

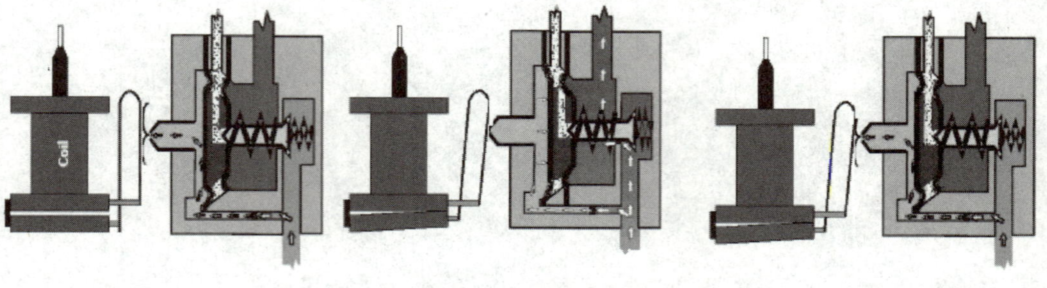

图 3 输出压力控制原理图

2 反馈偏差原因分析

2.1 定位器自身行程偏差

由于定位器的行程传感器为旋转式结构，而调节阀为直行程结构，当定位器以行程传感器中电位器的变化趋势来标定阀门行程时，其对应关系如下图蓝线所示。所以，为保证控制信号与阀门行程的线性关系，安装直行程与旋转结构相对运动关系，在主板中进行了电容补偿，如图4所示。

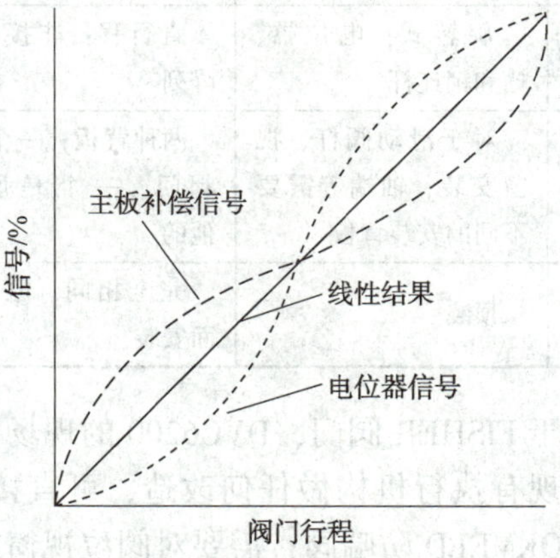

图4 定位器的行程标定

然而实际情况是：主板补偿信号并未完全消除电位器信号引起的行程偏差，而是有效减弱了行程偏差。定位器的行程偏差不会直接影响反馈偏差，但是会造成阀门的实际行程出现偏差，而位置变送器读取的是阀门的实际行程，从而间接造成反馈偏差的出现。

2.2 位置变送器偏差

位置变送器产生反馈偏差的原理与定位器一样，由于其自身为旋转式结构，当使用它来标定阀门的直线行程时会产生一定的偏差，虽然电容补偿了一定的偏差，但是偏差不能完全消除。而且由定位器造成的实际行程偏差，对位置变送器产生的偏差起到了叠加效应。如图5所示。

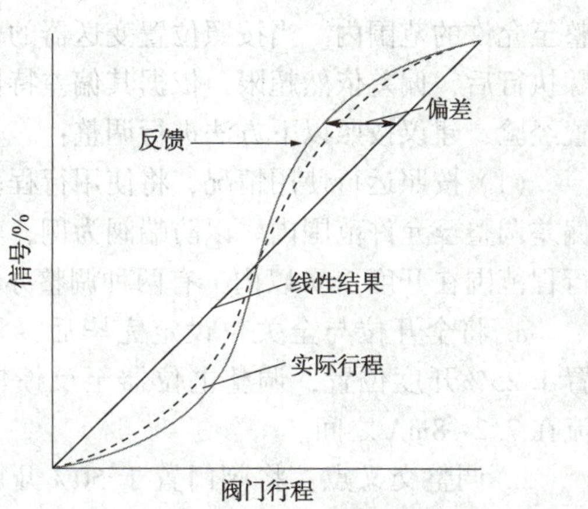

图5 反馈偏差示意图

2.3 连接机构造成的偏差

当阀门在现场实际安装运行后，由于现场运行及阀门自身工作特性，会造成定位器及位置变送器与阀杆间的连接机构造成损伤。主要表现在管线振动及阀门自身高循环运动造成的连接螺栓松懈、连接臂变形和磨损。如图6所示。

电位器随旋转角度的变化是极为灵敏的，以定位器行程传感器为例，其有效旋转角度对应4寸的阀门行程。所以，连接机构的损伤会直接导致电位器的变化，即阀门行程和行程反馈的变化。

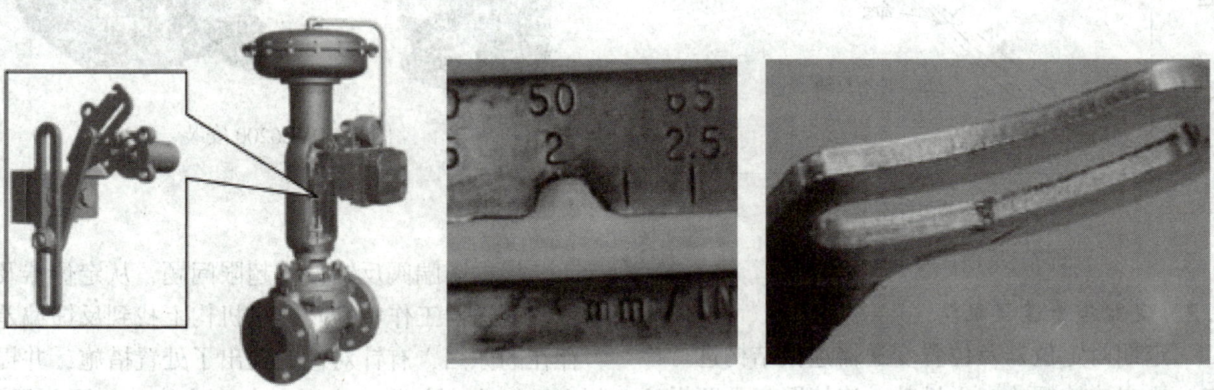

图6 连接机构磨损变形实例

3 处置措施

3.1 重新标定阀门行程

建议按照以下操作来进行阀门行程的标定工作：首先，将阀门的全行程进行等份划分，划分单位越小越好；其次，对定位器进行行程校验，建议选择手动校验模式，将交叉点校验准确；最后，连接Valvelink软件，按照划分的标尺给出对应的阀门位置命令，按照实际偏差情况，在 Valvelink 软件中进行赋值调整，直到阀门位置指示与标尺位置重合，保存赋值数据，并下载至定位器中。

3.2 重新校验位置变送器

重新校验位置变送器的目的是将反馈偏差调整至允许的范围内。当按照位置变送器的校验步骤执行后，偏差依然超限，依据其偏差特性和处置经验，建议按照以下方法进行调整：

（1）按照运行使用情况，将使用行程范围内偏差调整至允许范围内。以防喘阀为例，其使用行程范围在开度 30%以内，有两种调整办法：

a. 将全开位与全关位设定完毕后，将阀门置于 25%开度位置，调整电位器至反馈输出电流在 7.2~8mA 之间。

b. 调整交叉点：将阀门置于 50%开度，调整电位器至反馈输出电流接近 12.8mA。

（2）调整反馈跨度。将阀门置于全开位，调整电位器至反馈输出电流低于且接近 4mA，然后将阀门置于全关位调整电位器至反馈输出电流高于且接近 20mA。

（3）如调整结果仍不理想，可将上述 2 种方法结合使用。如图 7 所示。

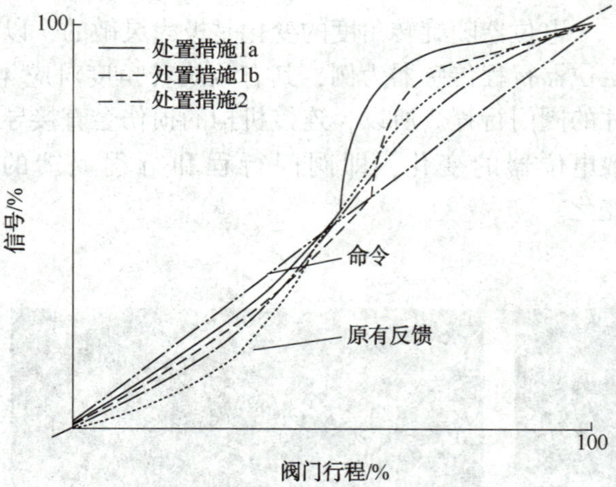

图 7　反馈偏差处置效果图

3.3 定期检查连接机构

定期对定位器及位置变送器连接结构进行检查，检查连接螺栓有无松动，连接臂有无磨损变形等异常情况，并做视情处理或更换。

3.4 升级改造

就目前所使用的 DVC6000 系列旋转型定位器以及旋转型位置变送器与阀门直行程匹配出现的偏差问题，可将 DVC6000 系列定位器升级为直行程安装的 DVC6200，它自带阀位反馈，不需要额外安装位置变送器，DVC6200 与 DVC6000 之间的参数差别如表 1 所示。

表 1　DVC6200 与 DVC6000 参数对比

参数	DVC6000	DVC6200
行程反馈	旋转式：电位器、槽和销连杆	直行程：非接触式磁阵列
执行机构安装	对于滑动阀杆、视窗安装、轴端等需要不同的安装背板	两种背板：一个是 GX 阀门，一个是所有其他的
接线端子	顶装	完全相同，但需要侧面安装

对于 FISHER 阀门，DVC6200 的现场安装不需要对现有执行机构做任何改造，可直接安装；对于 MOKVELD 防喘阀，需要对阀位视窗或位置变送器背板进行改造。如图 8 所示。

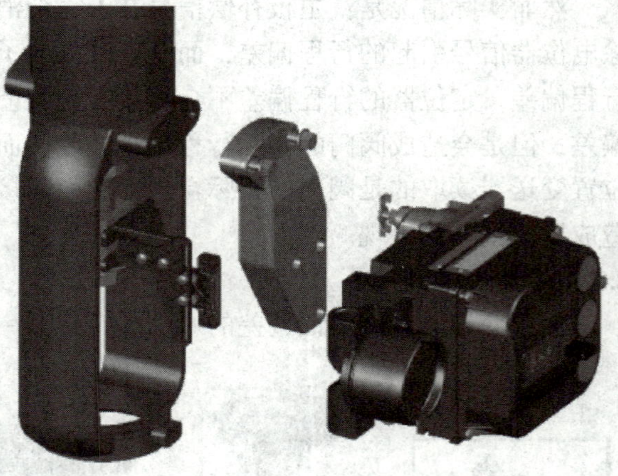

图 8　DVC6200 安装

4 总结

根据防喘阀反馈偏差超限问题，从定位器及位置变送器工作特性及连接机构上找到反馈偏差存在的原因，有针对性的提出了处置措施，并提出升级改造意见以达到完全消除偏差超限问题，为今后防喘阀反馈偏差处置提供了解决途径。

油气管道环焊缝成型异常交变励磁检测系统研制及实验

黄 杰[1,2] 李 睿[2] 富 宽[2] 王亚楠[2] 段金尧[2] 陈攀宇[1]

(1. 中国石油大学(北京)机械与储运工程学院；2. 国家管网集团管网研究总院)

摘 要 油气管道环焊缝异常检测技术作为目前国内外管道行业关注的热点问题之一，在石油与天然气等能源的运输中发挥着重要作用。本文基于交变励磁检测技术的理论研究，设计研制了环焊缝成型异常内检测传感及电子系统；通过对该系统采集到的环焊缝成型检测数据进行处理，对检测系统的环焊缝错边、根部内凹、成型高度异常的检测能力进行了测试，并对几种典型信号进行了对比，实验结果表明该检测系统可以在15mm的提离高度下实现最小0.5mm错边量的有效识别。

关键词 油气管道；内检测；环焊缝成型异常；系统研制；交变励磁检测

1 介绍

管道作为继铁路、公路、航空、水运之后的第五大国民经济运输方式，是衔接油气上下游工业发展的关键环节，在石油与天然气长距离运输中发挥着重要作用。近年来，我国油气管网规模不断扩大，仅2021年，我国新建成油气管道里程约5414km。截至2021年底，中国大陆建成油气长输管道里程累计达到15.0×10^4km，其中天然气管道里程约8.9×10^4km，原油管道里程约3.1×10^4km，成品油管道里程约3.0×10^4km，根据《中长期油气管网规划》，预计到2025年底我国管网规模将达到24×10^4km。根据美国运输部管道和危险材料安全管理局(PHMSA)的数据显示，2003~2022年间，在美国各省，可称为重要管道事故的数量为12785起。2005年，美国阿拉斯加州北部发生一次严重的原油泄漏事故，约6500桶原油从管道中流入附近的苔原地带，造成了触目惊心的污染事件，而事故的起因就是管道的一个焊缝出现了裂缝。2018年，中缅天然气管道晴隆段发生泄漏燃爆事故，造成1人死亡、23人受伤，直接经济损失2145万元。经调查，因现场焊接质量不满足相关标准要求，在组合载荷的作用下造成环焊缝脆性断裂，导致管内天然气大量泄漏，与空气混合形成爆炸。

常见的管道环焊缝缺陷为裂纹、错边、咬边和未焊透等，这些缺陷的存在严重降低了管道强度。作为目前最为有效的维护管道完整性和安全性的方法，管道内检测是确定管道运行状况、保证管道运行能力的有力手段。目前常用的内检测技术分别为漏测检测、涡流检测、超声检测以及交变励磁检测技术。漏磁检测技术是目前业内广泛接受的安全可靠的管道检测技术之一，占据着检测市场大约90%的设备总量。不同于超声检测只能用于液体管道，漏磁检测技术可用于一定壁厚范围内(30mm内)石油与天然气管道内外体积型缺陷的检测，对于管道清洁度的要求也不如超声检测那么高。相较于磁粉、渗透等方法，由于漏磁场检测是用磁传感器检测缺陷，MFL更易于实现自化。通过计算机对缺陷信号进行判断，可以从根本上解决渗透以及磁粉检测中人为因素的干扰。漏磁检测作为应用最成熟的油气管道内检测技术在环焊缝检测方面依旧有其固有的局限性，受检测速度和提离距离影响大，检测效果并不理想甚至无法检出。交变励磁检测作为一种新型快速在线检测技术对体积型缺陷检出率高，受外界干扰小，能够解决由于腐蚀引起的管道失效，可以有效弥补常规检测对于环焊缝成型异常的短板。

本文基于交变励磁检测原理，在第二节介绍了交变磁场作用下的管道焊接区域磁畴偏转、磁畴壁移动规律；第三部分通过对管道环焊缝成型异常模型进行数值模拟，探究环焊缝成型高度异常响应信号的变化规律；第四节介绍了管道环焊缝成型缺陷检测电子系统组成以及设计原理；第五节介绍了环焊缝成型异常试件实验研究结果，并将其与仿真结果进行对比分析，验证了仿真实验方案的可行性，为日后缺陷样本库的形成奠定实验基础；第六节总结了现有的结论和成果。

2 交变励磁检测技术理论分析

交变励磁检测技术是在涡流检测技术上发展而来的一种检测方法。其原理是通过检测材料微观磁性变化来识别试件表面缺陷。

交变励磁检测技术原理如图1(a)所示，铁磁性材料未被磁化时，相邻磁畴内部原子磁矩转向不同且相互抵消，不显磁性；当线圈中存在交变电流 I_1 时，如图1(b)所示。根据安培定律，激励线圈将产生垂直于试件表面的交变磁场 H_1。根据法拉第电磁感应定律，试样表面会产生感应涡流(EC)，同时激发出涡流磁场 H_3 以阻碍交变磁场 H_1 的变化，其数值可以通过公式(1)、(2)计算：

$$\nabla\times\left(\frac{A}{\mu}\right)=J_0+J_e \tag{1}$$

其中，μ 表示被检测金属的磁导率，A 表示磁矢量电势，J_0 表示激励线圈中的电流密度，J_e 表示被测金属试样的感应涡流，可以表示为：

$$J_e=-\sigma\frac{\partial A}{\partial t} \tag{1}$$

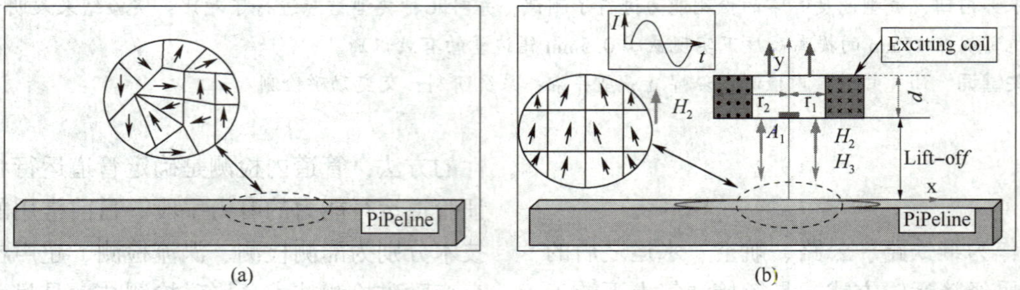

图1 空间磁场梯度检测技术原理图

在交变磁场 H_1 的激励作用下，金属内部磁畴发生旋转，诱发出与交变磁场 H_1 方向相同磁化磁场 H_2。在检测点 A_1 处放置的磁性芯片感应到空间中复合磁通信号 B，其数值由式(3)确定：

$$\vec{B}=\vec{B_1}+\vec{B_2}+\vec{B_3} \tag{3}$$

式中，B 表示复合磁场的磁通密度，B_1 为交变磁场 H_1 的磁通密度，在激励参数已知的条件下可以通过 Biot-Savart 定律计算得到；B_2 为磁化磁场 H_2 的磁通密度，可以通过公式(4)计算得到；B_3 为涡流磁场 H_3 的磁通密度，其数值可由公式(5)确定：

$$B_2=\frac{\mu_0 J_C}{2}\int_0^{\infty}\frac{\chi(\lambda_0 r_1,\ \lambda_0 r_2)}{\lambda_0^2}(\mathrm{e}^{-\lambda_0 d}-\mathrm{e}^{-\lambda_0(d+h)})R(\lambda_0)\mathrm{e}^{-\lambda_0 y}[J_1(\lambda_0 x)x_0+J_0(\lambda_0 x)y_0]d\lambda_0 \tag{4}$$

其中，μ_0 是真空中的磁导率；J_c 是等效的理想单匝线圈电流密度；$J_1(\lambda_0)$ 是一阶贝塞尔函数；λ_0 是积分变量；$R(\lambda_0)$ 是与待测材料的电导率和磁导率相关的物理量。H_1 是激励线圈在试样处产生的磁场强度，d 是线圈与试样之间的距离，r_1 表示励磁线圈的内径，r_2 表示励磁线圈的外径。

涡流磁感应强度 B_3 可表示为：

$$B_3=\begin{cases}\mu_0(H_1+\chi H_g) & H_g=H_w\\ \mu_0[H_1+\chi(H_w-H_y)] & otherwise\end{cases} \tag{5}$$

式中：χ 为磁化率；H_1 为激励线圈产生的磁场强度(A/m)；H_g 为被测试件磁场强度(A/m)；H_w 为被测试件缺陷时的磁场强度(A/m)；H_y 为缺陷导致被测试件所减小的磁场强度(A/m)。

通过上述原理分析可知，交变磁场 H_1 不会因缺陷存在而发生改变。但是，缺陷会阻碍涡流形成回路，使局部涡流磁场对应的磁通密度增加，从而导致涡流磁场 H_3 增大，使磁化磁场 H_2 减小。综合来看，焊缝缺陷的存在会引起空间中的复合磁通量发生畸变(减小)，通过提取转化后畸变信号的特征量可以实现被检测管道环焊缝成型缺陷关键尺寸的反向求解。

3 传感及电子系统研制

为了探究环焊缝成型异常与磁场信号关系，本文设计研发了一套管道焊缝成型缺陷检测系统(图2)，该系统主要包括信号发生模块、阵列检测探头、信号调理模块、A/D 转换模块、数据采集模块、数据存储模块、里程及重锤模块。其中阵列检测探头负责收集焊缝异常信号，并通过信号放大/滤波模块和 A/D 转换将电压信号转化为数字信号，并通过数据采集模块对多通道的数字信号进行并行的采集并存储。

3.1 阵列探头设计

环焊缝成型检测探头如图 3 所示，激励线圈由漆包线圈缠绕制成，用于产生交变磁场。其核心模块是一种用于获取磁场信号的新型磁性传感器-TMR 磁敏元件，两侧是强磁体层，中间是约 1nm 的薄绝缘体的势垒层。当固定层的磁化方向被固定，自由层的磁化方向根据外部磁场方向而变，元件的电阻也随之而变，并将磁场信号转化为电压信号输出。

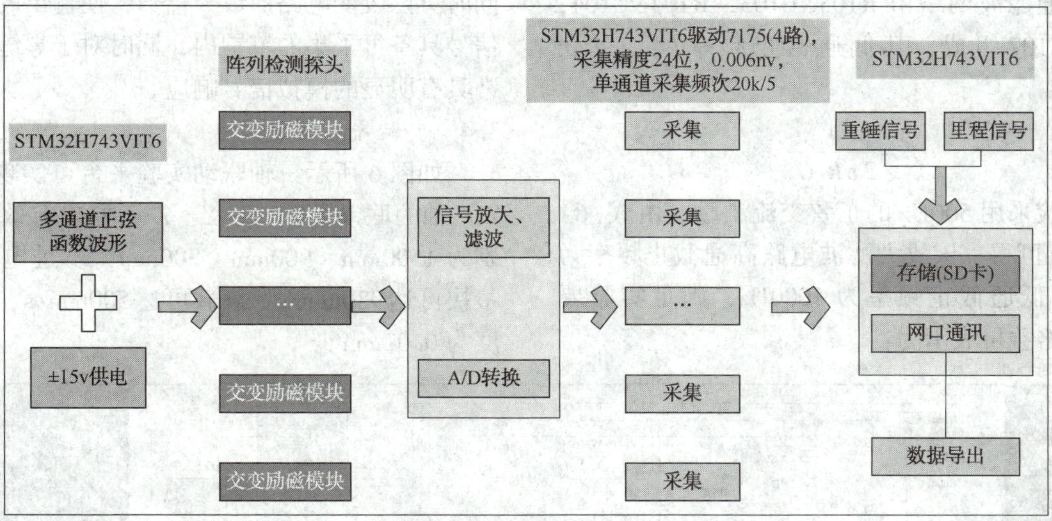

图 2 焊缝成型内检测电子系统框图

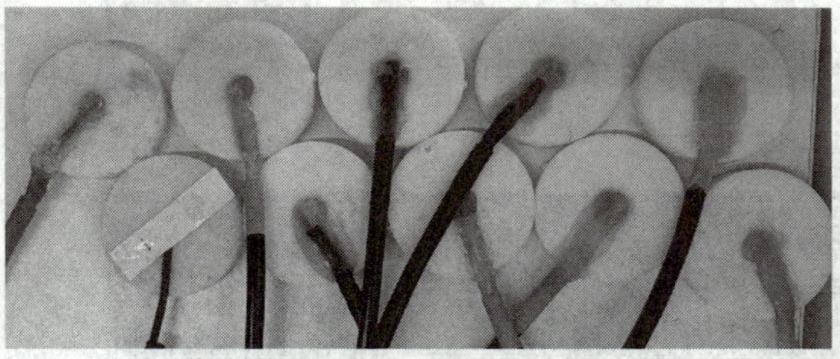

图 3 焊缝成型检测探头

该传感器可在 5V 供电的条件下，感知与 TMR 元件垂直方向的磁场信息，磁场检测灵敏度达到 5×10^{-4} V/Oe，线性感知磁场的量程为 ±750Oe，本底噪声为 50nT。

3.2 信号发生模块设计

阵列检测探头需要输入 1kHz 的正弦电源型信号，单个正弦波由 100 个点组成，信号点更新的频次达到 100K。正弦型信号发生电路模块如图 4 所示，选用具备 2MB Flash、1MB RAM、480MHz CPU、ART 加速器、一级缓存、外部存储器接口和以及大量外设功能的 STM32H743VIT6 芯片，支持双精度和单精度数据处理指令与数据类型。STM32H7 MCU 支持全套 DSP 指令和存储器保护单元(MPU)，可增强应用的安全性。

实测信号点更新频率可达 200K，且幅值、频率可调。能配合高频定时器，按照正弦波形输出 DAC 信号。

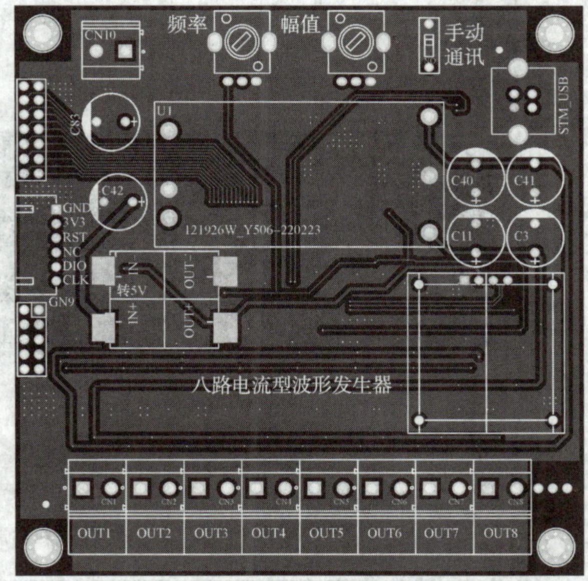

图 4 信号发生电路 PCB 图

3.3 信号调理模块设计

信号调理电路作为焊缝成型异常检测核心模块之一，可以将来自磁敏元件的微弱信号进行滤波放大处理，提高缺陷信号辨识度。

该放大滤波电路选用低噪声运算放大器 SGM722 和高精度电容、电阻，其中：C101 = C102 = C106 = C_1 = 100nF，C103 = C104 = C107 = C_2 = 560pF，C100 = C105 = 1u，R101 = R102 = R106 = R109 = R_1 = 10kΩ，R103 = R104 = R107 = R_2 = 180kΩ，

R100 = R105 = 51R，放大滤波电路板。

高通滤波网络由 R101&C101、R102&C102、R106&C106 组成，其高通截止频率（f_1）可表示为：

$$f_1 = \frac{1}{2\pi R_1 C_1} \tag{6}$$

低通滤波网络由 R103&C103，R104&C104，R107&C107 组成，其低通截止频率（f_2）可表示为：

$$f_2 = \frac{1}{2\pi R_2 C_2} \tag{7}$$

实验采用 500Hz 的正弦交流激励，由式(6)和式(7)可得，该放大滤波电路高通截止频率为 200Hz，低通截止频率为 1000Hz，满足实验要求。其增益可表示为：

$$Av = \left(\frac{R103}{R101}\right)^2 = \left(\frac{R104}{R102}\right)^2 = \left(\frac{R107}{R106}\right)^2 \tag{8}$$

代入相关参数计算可得，实际放大倍数为 324 倍。利用 multisim 软件对调理电路进行电路仿真(图 5 所示)，通过调节电路中的 RC 值可以实现改变调理电路的带宽以及中心频率的目的，同时可以改变电路的放大倍数，使输出的模拟量信号具备可采集的范围内，同时对于焊缝成型异常具有明显的模拟信号响应。

3.4　实验平台搭建

如图 6 所示三轴联动实验平台可实现 X-Y-Z 三轴的联动。其 X、Y、Z 三方向有效行程分别为 1500mm、900mm、300mm，步进电机空载最快可达 930mm/s，满载可达 500mm/s，模组精度为 0.02mm。

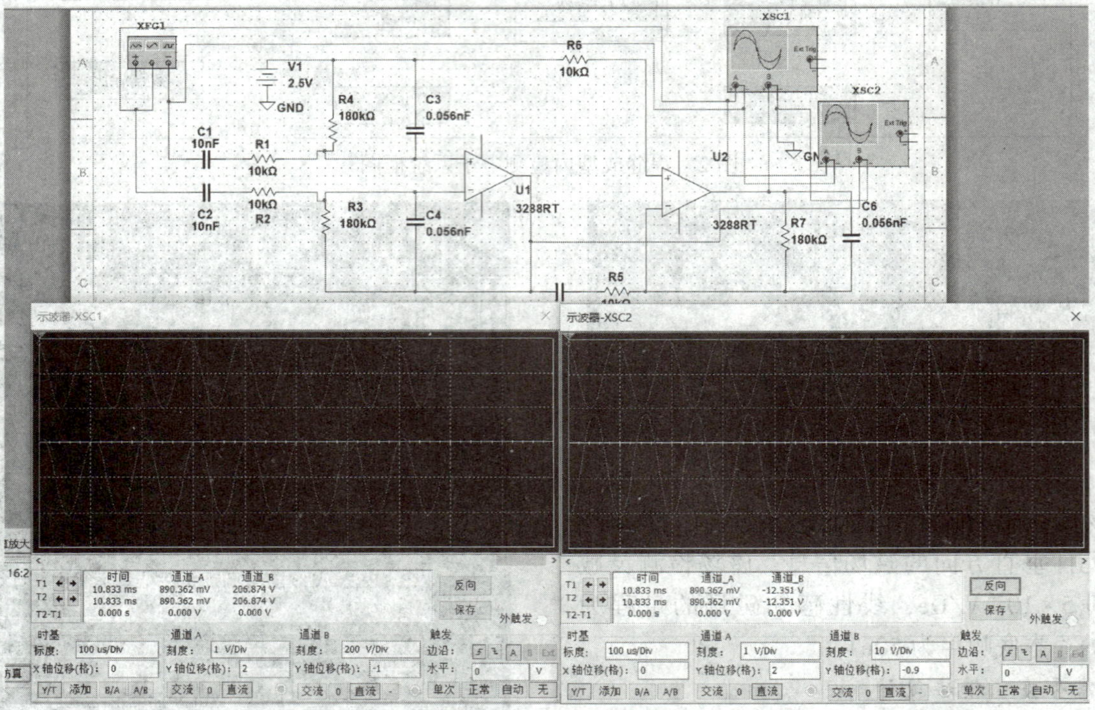

图 5　信号调理电路仿真分析

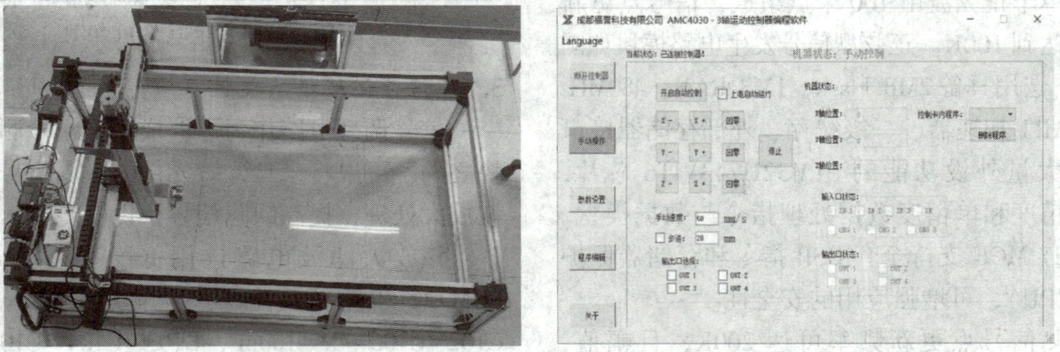

(a)X-Y-Z三轴联动实验平台实物图　　(b)实验平台控制软件

图 6　三轴联动实验平台和控制软件

4　环焊缝成型异常信号分析

考虑到1219mm管道的曲率比激励线圈半径大5倍，曲率对检测信号的影响很小，本次实验将管道模型近似用平板模型代替；由于管道的轴对称以及探头沿管道周向等距密排的特性，环焊缝成型高度异常以及根部内凹检测采用的是1/4管道(X52钢)进行实验。以上缺陷均为人工制造缺陷，其中错位缺陷是在45#钢的平板试件上实现的。

4.1　错边检测实验

为了探究研制的环焊缝成型检测探头对于错边的检测能力及响应信号随错边量的变化规律，实验中设置探头与被测试件间的提离距离(TL)分别为5mm、10mm、15mm，分别对错边量为0.5mm和1mm的试件进行扫查。

通过可以看出，探头由管道焊接低侧扫查至高一侧时，探头的输出量增加，信号产生畸变，畸变程度与提离高度和错边量密切相关。当探头TL值从5mm增大至15mm，探头错边量的输出信号畸变量分别减小了93.87%和92.51%。由此可见对于同一错边量的扫查，探头输出信号的畸变量随着TL高度的增加而减小；同一TL高度下，探头的输出信号畸变程度随着错边量的增加而增加。如图7和表1所示。

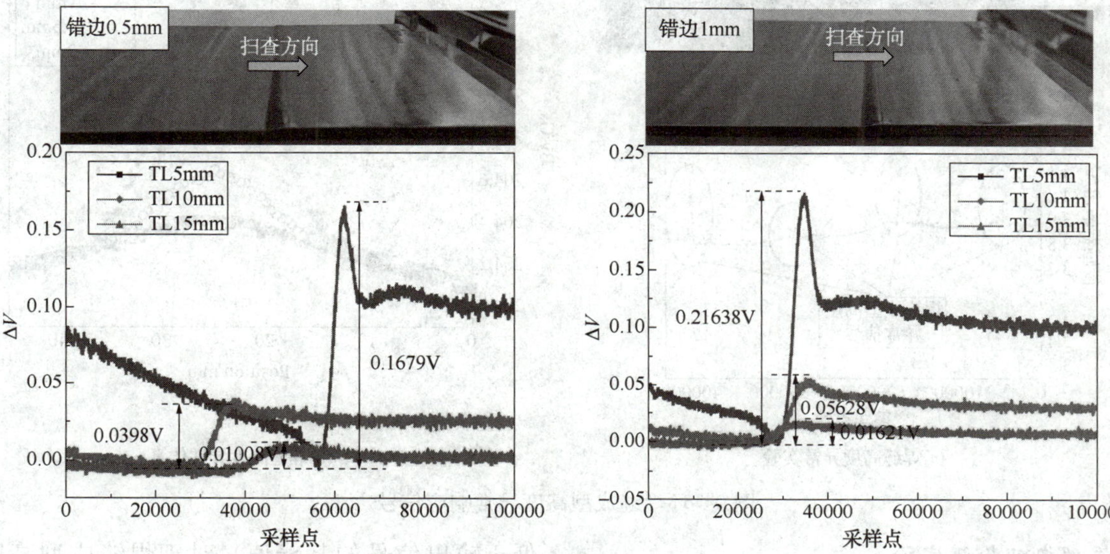

图7　焊接错边响应信号

表1　畸变程度与提离高度和错边量关系

错边量	TL	畸变信号 ΔV
0.5mm	5mm	164.5mV
	10mm	51.9mV
	15mm	10.08mV
1mm	5mm	216.38mV
	10mm	56.28mV
	15mm	16.21mV

4.2　成型高度异常检测实验

为了保证仿真模拟与实验的一致性，仿真模型按照真实实验参数进行等比例建模，所用材料和实验相同。考虑到管道的轴对称以及探头沿管道周向等距密排的特性，仿真实验采用了2D有限元分析模型如图8所示。

通过图9可以看出，经过高度为0.5mm、1mm、1.5mm、2mm的环焊缝仿真信号会产生明显变化：随着环焊缝成型高度由0.5mm增加到2mm，B_y信号呈现出“先增后减”的变化趋势，变化程度随成型高度逐渐增大，该信号趋势和仿真结果高度吻合，并且随着环焊缝成型高度的不同信号凸起的程度也不同。对于①、②、③、④号焊接成型响应信号的畸变量ΔV分别为0.1751V、0.2230V、0.0442V、0.2653V。受到试件加工的误差影响，管道内表面基线值不同，导致环焊缝成型信号未呈现出预期的规律性改变，但可以发现不同的环焊缝成型高度会导致成型高度异常响应信号不同。

结果表明仿真模拟对于焊缝成型异常检测实验的开展具有指导作用，通过仿真与实验结果的对比，可以提高仿真精度和实验的准确性，有望为后期环焊缝成型异常缺陷库的建立奠定基础，解决环焊缝成型高度异常检测的难题。

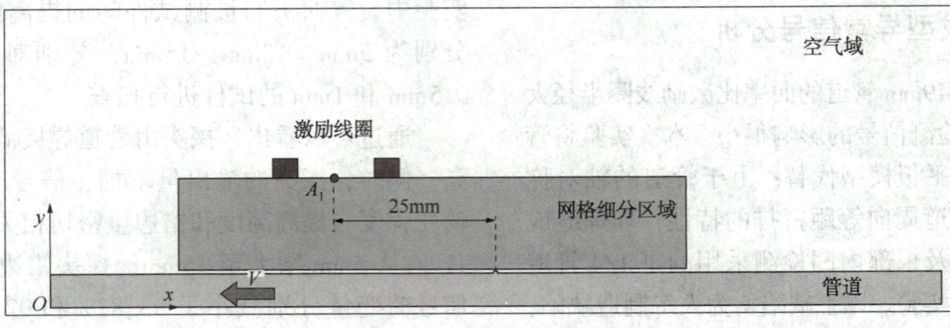

图8　简化仿真模型

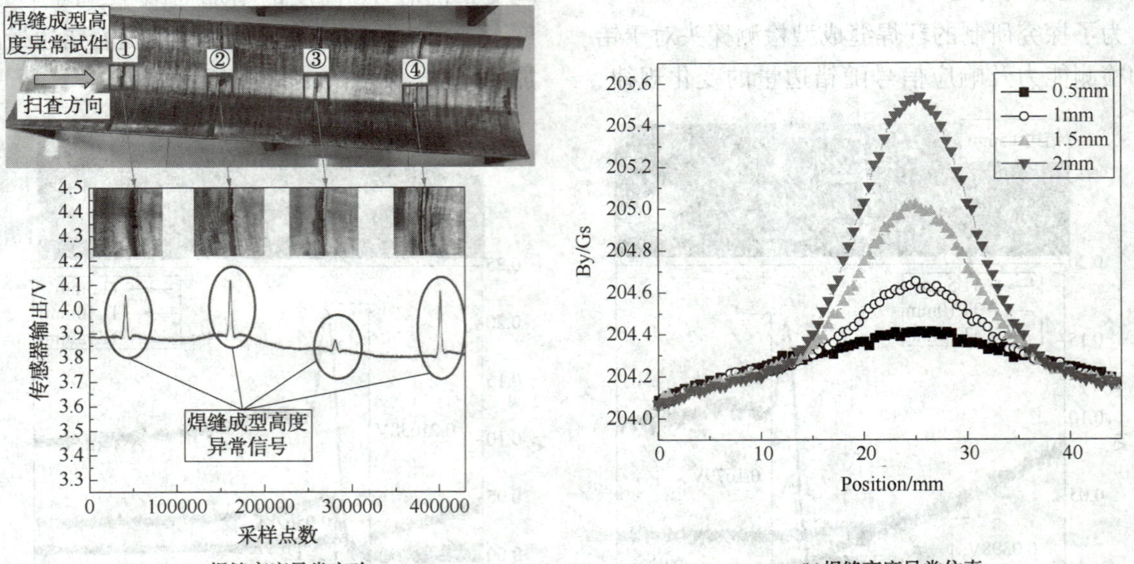

(a)焊缝高度异常实验　　(b)焊缝高度异常仿真

图9　环焊缝成型高度异常响应信号

4.3　根部内凹检测实验

通过图10可以看出，探头沿着管道轴线方向扫查，经过环焊缝根部内凹处信号跳动，但探头未呈现出明显的规律性改变。分析原因一方面是环焊缝成型异常检测探头基于磁畴磁化原理研制，检测的是一定范围内管道内壁磁畴、磁化偏转程度的矢量和；同时由于环焊缝表面“鱼鳞纹”、热影响区域的存在导致环焊缝区域的电磁特性复杂。因此该探头对于环焊缝根部内凹缺陷的识别能力有待于进一步提升。

4.4　典型焊缝成型异常响应信号比对分析

图11所示(a)、(b)、(c)分别为错边、根部内凹、焊缝高度成型异常的响应信号。可以看出对于错边来说，信号的响应特征呈现出“阶梯”状态，与探头距离近的一侧由于探头与管壁间的磁化感应明显，因此该侧的响应信号幅值明显高于另外一侧。对于根部内凹缺陷来说，由于焊缝根部附近的金属缺失，导致探头经过该区域时，磁化作用减弱，信号出现向下的延伸，明显低于输出信号的基线值。对于焊缝成型高度来说，探头经过此区域时，响应信号出现凸起，并且焊缝成型高度不同，探头与管道内表面间的距离不同，当成型高度偏大时，探头与焊缝内表面的距离较小，探头磁化作用增加导致响应信号增强；当成型高度偏小时，探头与焊缝内表面的距离增加，探头磁化作用降低导致响应信号减弱。

因此通过对周向阵列布置的探头进行比对分析，结合典型焊缝缺陷的响应信号特征可以实现焊缝错边、根部内凹、成型高度异常的检测与识别。

5　总结

本文提出了一种基于交变励磁检测技术的油气管道环焊缝成型异常检测方法。该方法利用自行设计的探头和电子系统，通过感知管道内壁磁畴的变化，实现了对环焊缝错边、咬边、成型高度异常等缺陷的识别。本文通过数值模拟和实验对比验证了该方法的可行性和有效性，并分析了

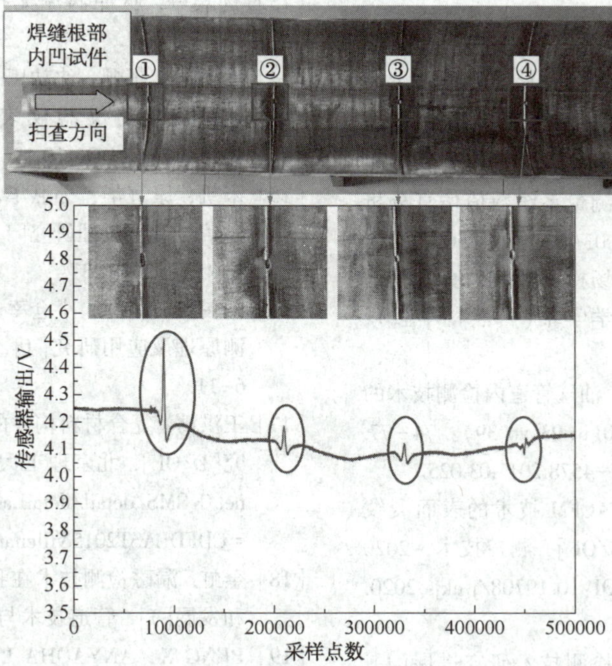

图10　环焊缝成型异常-根部内凹缺陷响应信号

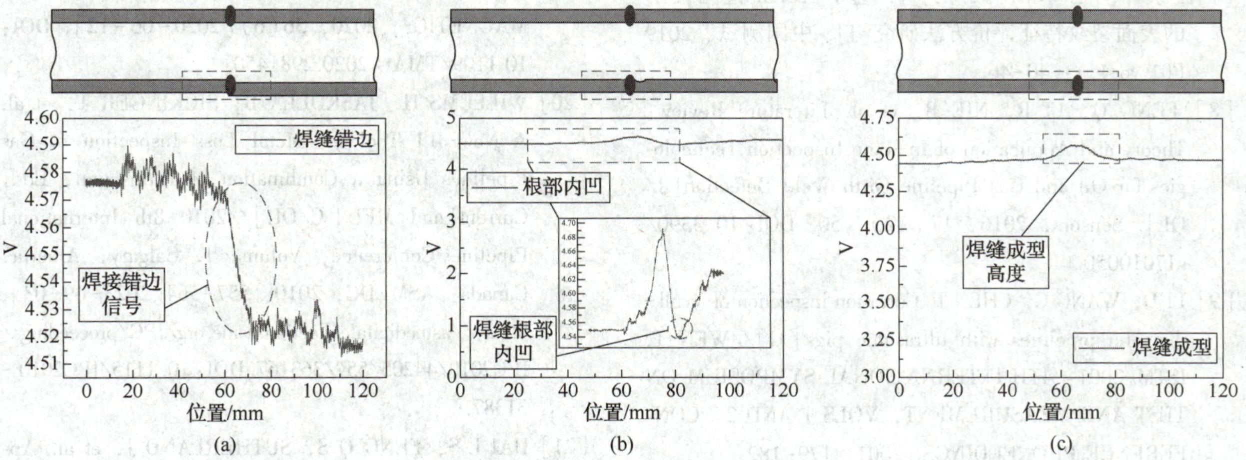

图11　焊缝成型异常信号对比

探头输出信号与缺陷特征的关系。本文的主要贡献有：

（1）设计了一种新型的环焊缝成型异常检测探头，采用TMR磁敏元件作为磁场传感器，开发了一套完整的环焊缝成型异常检测电子系统，包括信号发生模块、信号调理模块、数据采集模块等，能够实现对探头输出信号的生成、放大、滤波、转换和存储。

（2）进行了数值模拟和实验的对比研究，验证了该检测系统对不同类型和程度的环焊缝成型异常的检测能力，发现探头输出信号的畸变程度与提离高度和缺陷量呈现出一定的规律性。

（3）提出了一种基于信号特征的缺陷识别方法，通过对比分析周向阵列布置的探头输出信号，结合典型焊缝缺陷的响应信号特征，可以实现对环焊缝错边、根部内凹、成型高度异常等缺陷的定性识别。

未来的工作方向有：

（1）优化探头结构和参数，提高探头对根部内凹等微小缺陷的灵敏度和分辨率。

（2）建立环焊缝成型异常缺陷库，通过仿真和实验收集不同类型和程度的环焊缝成型异常响应信号，为后续的机器学习和智能识别提供数据支持。

（3）考虑管道曲率对检测信号的影响，通过有限元分析或实验方法研究管道曲率对磁场分布和信号响应的影响规律，提高检测结果的准确性和可靠性。

参 考 文 献

[1] 李梦雪，吴志煜，王春艳. 交变磁场测量法在表面裂纹无损检测中的应用[J]. 计测技术，2016(02 vo 36)：42-45+57.

[2] 胡媛媛，罗飞路. 交变磁场测量系统数值仿真分析[J]. 仪表技术与传感器，2003(06)：48-50.

[3] 齐玉良，陈国明. 交流电磁场检测数值仿真及其信号敏感性分析[J]. 石油大学学报(自然科学版)，2004(03)：65-68+140-141.

[4] 周燕，董怀荣，周志刚，等. 油气管道内检测技术的发展[J/OL]. 石油机械，2011(03 vo 39)：74-77. DOI:10.16082/j.cnki.issn.1001-4578.2011.03.025.

[5] 郑玲慧，任尚坤，王景林. ACFM 技术的表面裂纹识别和尺寸反演算法研究[J/OL]. 测控技术，2020(05 vo 39)：80-85+106. DOI:10.19708/j.ckjs.2020.05.014.

[6] 宋生奎，宫敬. 油气管道内检测技术研究进展[J]. 石油工程建设，2005(02)：10-14+2.

[7]王景林，任尚坤，张丹，等. 基于 ACFM 检测技术的表面裂纹特征评价方法研究[J]. 中国测试，2019(01 vo 45)：40-46.

[8] FENG Q，LI R，NIE B，et al. Literature Review: Theory and Application of In-Line Inspection Technologies for Oil and Gas Pipeline Girth Weld Defection[J/OL]. Sensors，2016，17(12)：50. DOI: 10.3390/s17010050.

[9] LI D，WANG C，CHEN J. Corrosion inspection of small-diameter pipelines with ultrasonic pigs[C]//WEN T. ISTM/2001: 4TH INTERNATIONAL SYMPOSIUM ON TEST AND MEASUREMENT，VOLS 1 AND 2，CONFERENCE PROCEEDINGS. 2001：179-182.

[10] 杨理践，耿浩，高松巍. 长输油气管道漏磁内检测技术[J/OL]. 仪器仪表学报，2016(08 vo 37)：1736-1746. DOI:10.19650/j.cnki.cjsi.2016.08.005.

[11] ABBASI Z，YUHAS D，ZHANG L，et al. The Detection of Burn-Through Weld Defects Using Noncontact Ultrasonics[J/OL]. MATERIALS，2018，11(1). DOI:10.3390/ma11010128.

[12] BIN ALI K，ABDALLA A N，RIFAI D，et al. Review on system development in eddy current testing and technique for defect classification and characterization[J/OL]. IET CIRCUITS DEVICES & SYSTEMS，2017，11(4)：338-351. DOI: 10.1049/iet-cds.2016.0327.

[13] 杨宾峰. 脉冲涡流无损检测若干关键技术研究[J]. 2006.

[14] 武新军，张卿，沈功田. 脉冲涡流无损检测技术综述[J/OL]. 仪器仪表学报，2016(08 vo 37)：1698-1712. DOI:10.19650/j.cnki.cjsi.2016.08.003.

[15] 宋凯，康宜华，孙燕华，等. 漏磁与涡流复合探伤时信号产生机理研究[J]. 机械工程学报，2009(07 vo 45)：233-237.

[16] 常俊杰，卢超，小仓幸夫. 非接触空气耦合超声检测原理及应用研究[J]. 无损探伤，2013，37(4)：6-11.

[17] 王洪博. 复合材料构件的超声无损检测关键技术研究[D/OL]. 北京理工大学，2014. https://kns.cnki.net/KCMS/detail/detail.aspx? dbcode=CDFD&dbname=CDFDLAST2015&filename=1014086742.nh&v=.

[18] 金虹. 漏磁检测技术在我国管道腐蚀检测上的应用和发展[J]. 管道技术与设备，2003(01)：43-46.

[19] PENG X，ANYAOHA U，LIU Z，et al. Analysis of Magnetic-Flux Leakage(MFL) Data for Pipeline Corrosion Assessment[J/OL]. IEEE TRANSACTIONS ON MAGNETICS，2020，56(6)[2020-06-12]. DOI: 10.1109/TMAG.2020.2981450.

[20] WILLEMS H，JASKOLLA B，SICKINGER T，et al. A New ILI Tool for Metal Loss Inspection of Gas Pipelines Using a Combination of Ultrasound，Eddy Current and MFL[C/OL]//2010 8th International Pipeline Conference，Volume 1. Calgary，Alberta，Canada: ASMEDC，2010：557-564[2023-09-03]. https://asmedigitalcollection.asme.org/IPC/proceedings/IPC2010/44205/557/363167. DOI: 10.1115/IPC2010-31387.

[21] DAI L S，FENG Q S，SUTHERLAND J，et al. Application of MFL on Girth-Weld Defect Detection of Oil and Gas Pipelines[J/OL]. Journal of Pipeline Systems Engineering and Practice，2020，11(4)：04020047. DOI:10.1061/(ASCE)PS.1949-1204.0000497.

[22] 戴光，李鹏，李良，等. 基于脉冲涡流检测的管道腐蚀仿真与实验研究[J]. 化工设备与管道，2016(02 vo 53)：63-66+75.

[23] 张继楷，杨芸，康宜华，等. TMR 传感器及其在电磁检测中的应用[J]. 无损检测，2016(12 vo 38)：36-39+67.

[24]《中长期油气管网规划》发布[J]. 天然气工业，2017，37(07)：114.

气田开发排污系统工艺管道冲刷腐蚀机理及对策研究

徐　东

（中国石油长庆油田公司）

摘　要　针对天然气开发过程中站场排污系统工艺管道管件频繁刺漏问题，借助于宏观形貌分析、壁厚检测、数值模拟与现场试验跟踪评价等方法开展了刺漏原因分析与防治对策研究。结果表明，导致排污系统管道频繁刺漏的原因是阀门后端管道尺寸小，一旦电动阀门开启，大量液体排出时内部介质流速高，对于管道内壁的剪切作用增大，加速腐蚀。尤其是当排液含砂时，固相颗粒对于管道内壁的磨损作用增强，会大大缩短其服役寿命，导致其发生快速的刺漏穿孔。所筛选出的陶瓷衬里管件具有良好的耐磨性与抗冲刷腐蚀的能力，现场实施15个月未发生刺漏。

关键词　排污系统；冲刷腐蚀；防治对策；陶瓷衬里

中国石油长庆油田分公司第二采气厂共管辖集气站55座。排污系统是站场必备功能系统之一，主要由排污管、排污阀以及采出液罐组成，担负着站内排污收集、储存、外运等任务，对保持站场功能完整性起着重要作用。当前我厂排污阀组大多会设置2个阀套式排污阀、2个阀套式排污阀中间为电动排污球阀。两端手动排污阀平时全开状态，电动球阀与分离器液位计连锁，当液位显示达到液位计2/3液面时，电动阀瞬时全部打开，所以排污过程中阀组为全开模式。实际生产过程中，电动球阀开启，会有大量液体排出，其在排污管弯头处流向会发生急速变化，导致转角区域产生较大的速度梯度和较强的湍流强度，进而对排污管内壁产生剪切作用与冲击磨损，造成局部区域腐蚀减薄。已报道文献中，也表明现场冲蚀会造成金属管材快速发生腐蚀失效。近年来，第二采气厂集气站分离器排污系统累计发生刺漏事件19次，严重威胁着了天然气生产安全。

因此，有必要借助于宏观形貌观察、壁厚检测、数值计算等方法对气田开发排污系统的刺漏原因开展深入研究，明确导致其刺漏穿孔的原因，并在此基础上提出针对性的防治对策，延长排污管道的服役寿命，以保障站场设施的生产安全。

1　研究方法

1.1　宏观形貌观测

将现场排污系统弯管沿轴向剖开，采用目视的方法观察内部腐蚀状况，并采用游标卡尺沿减薄区域或者刺漏位置周向进行壁厚测量。

1.2　数值模拟

将阀组段管路设定为与阀后管路相同的直管结构，排污管线总体结构图与局部结构如图1和图2所示。弯头按排污液流程向下游流动方向依次编号，排污液流出分离罐遇到第一个弯头（阀前）为1#弯头，遇到第2个弯头（阀后）为2#弯头，遇到第三个弯头（埋地后第1个弯头）为3#弯头。1#弯头为水平方向的弯头，2#与3#弯头分别为入地与埋地的直立弯头。基于弯头实际几何结构与尺寸，利用Fluent软件进行建模，并进行网格划分。根据集气站现场实际系统压力，选择2MPa作为管线入口压力，出口压力为0.5MPa，含砂量为2kg/m³，砂粒尺寸为100目，砂粒密度为2650kg/m³，仅将是否增设缓冲球列为唯一变量，具体参数如表1所示。

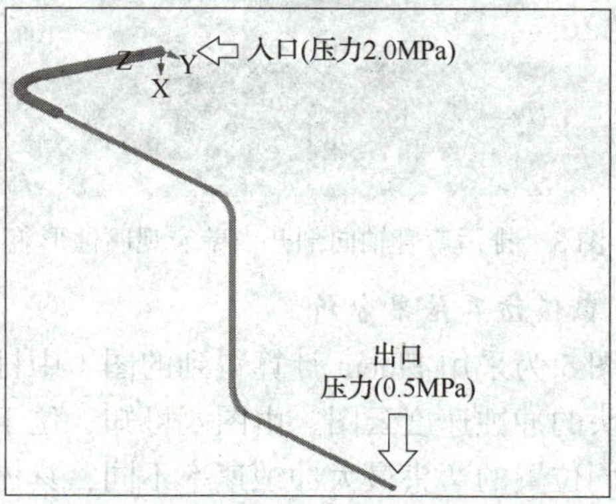

图1　排污管计算域结构结构图

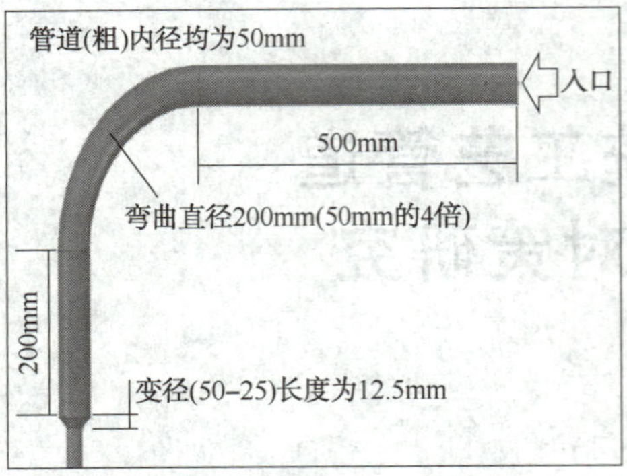

图 2　排污管局部尺寸结构图

表 1　排污管线运行工况表

管线入口压力	2.0MPa	管线出口压力	0.5MPa
含沙量	2kg/m^3	砂粒密度	2650kg/m^3
砂粒直径	0.15mm(100 目)		

2　刺漏原因分析

2.1　宏观形貌观测结果分析

图 3 为现场更换下来的排污系统弯头沿轴向切割后的内壁腐蚀形貌。从内壁形貌来看，弯管内壁较为平整，无明显的局部腐蚀坑与大量的腐蚀产物存在，但从截面图可以看出外弯部分的壁厚减薄严重，壁厚测试结果见图 4。从壁厚测试结果也可以看出，内弯壁厚无明显减薄，在 6.0~7.0mm 之间，外弯部分减薄严重，最薄区域剩余壁厚仅为 2.28mm，可见明显的冲刷腐蚀形貌。在此基础上，对弯管内液体流态、固相颗粒的流动轨迹及壁面冲刷腐蚀速率进行计算，进一步分析弯管刺漏穿孔的原因。

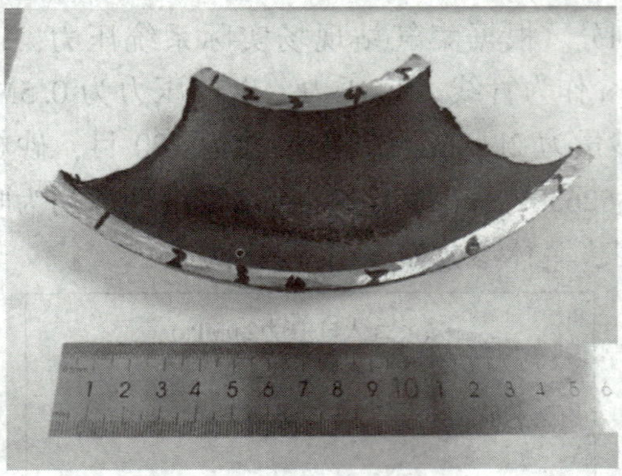

图 3　排污弯管轴向剖开内壁宏观腐蚀形貌

2.2　数值仿真结果分析

图 5 为采用 Fluent 计算得到的图 1 中排污管各弯头的冲蚀速度云图。由图 4 可知，位于排污管不同位置的弯头最大冲蚀速率不同，具体如表 2 所示。表 2 中平均值为整体弯头结构的所有内

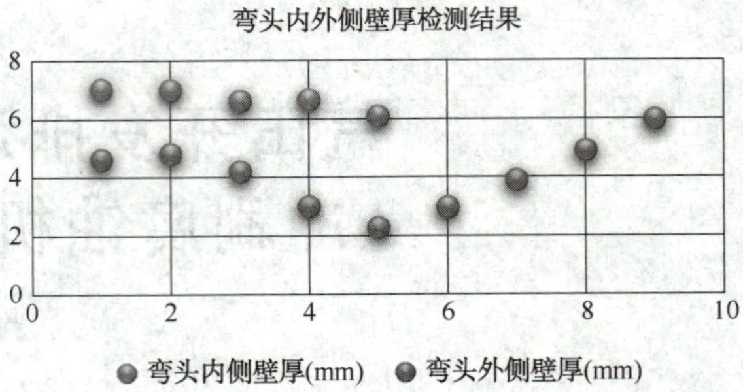

图 4　排污弯管壁厚检测结果

表面冲蚀速率的平均统计值，最大值为整体弯头结构的所有内表面最大冲蚀速率的统计值，最大冲蚀速率为不同时刻内不同颗粒冲击弯头不同位置的最大数值，而由于颗粒在管路内呈非稳定分布状态，导致不同颗粒不可能重复冲击某一固定位置。由计算结果可知，三个排污弯管冲蚀速度较高的区域主要分布在弯管的外侧。从冲蚀速率来看，2#弯头的冲蚀速率最大，为 12568.99mm/y；3#弯管的冲蚀速率次之，为 6283.84mm/y；1#弯头的最小，且远小于 2#弯头与 3#弯头的冲蚀速率。这主要是因为阀前与阀后管路内径分别为 50mm 及 25mm，导致相同流量下阀前管路流速明显小于阀后流速(见图 6)，所以 1#弯头的冲蚀速率明显小于 2#及 3#弯头。这和现场实际发生刺漏事件一致，排污主控阀后管路、管件受冲蚀导致的刺漏次数大于阀前管路，特别是弯头位置。

此外，按照图 1 中的管路分布图，排污液、砂砾在冲击到 2#弯头后，在惯性力与液体阻力的共同作用下砂粒会明显靠近管路流向一侧(图中靠近管路右侧壁面)。由于埋地管路较浅，砂砾仍聚集在管路中线右侧，未能充满管路整体，在 3#弯头处任呈明显的非均布式分散状态，导致大量砂砾被排污液带走，部分砂砾能对 3#弯头内壁形成有效冲击。因此，3#弯头整体冲蚀速率明显小于 2#弯头，如图 7 所示。

2.3　排污管刺漏原因分析

压裂是天然气开采过程中提高采收率的一项重要技术。压裂过程中需要用到压裂支撑剂，支撑剂同高压溶液进入地层充填在岩层裂隙中，起到支撑裂隙不因应力释放而闭合的作用，从而坚持高导流能力，使油气畅通，增加产量。但在生产过程中，尤其是新井，气流将携带压裂支撑剂以及地层砂等固体颗粒大量进入地面系统，为排污系统的冲蚀提供了基础，如图 8 所示。

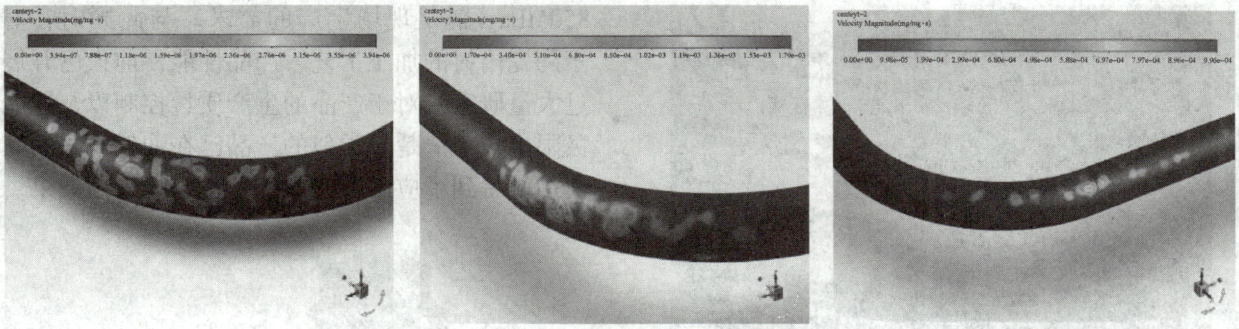

1号弯头　　2号弯头　　3号弯头

图 5　不同管路结构下各弯头冲蚀速度云图

表 2　排污管线各弯头冲蚀速率表

管路		1#弯头		2#弯头		3#弯头	
		mm/y	$kg/m^2 \cdot s$	mm/y	$kg/m^2 \cdot s$	mm/y	$kg/m^2 \cdot s$
冲蚀速率	平均值	0.96	$2.19 \cdot 10^{-7}$	290.39	$6.63 \cdot 10^{-5}$	63.07	$1.44 \cdot 10^{-5}$
	最大值	42.30	$9.66 \cdot 10^{-6}$	12568.99	$2.87 \cdot 10^{-3}$	6283.84	$1.43 \cdot 10^{-3}$

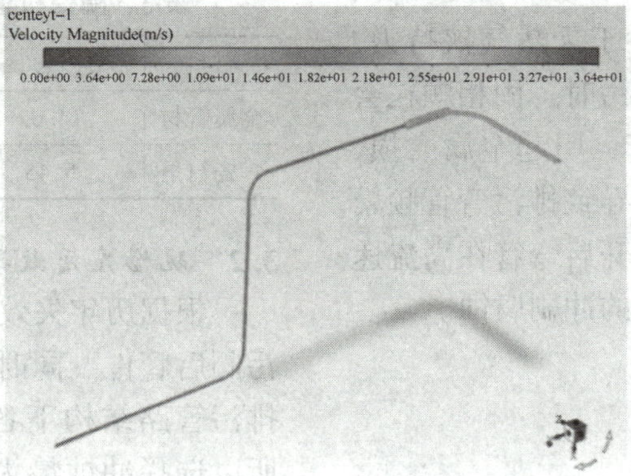

图 6　不同管路结构速度云图

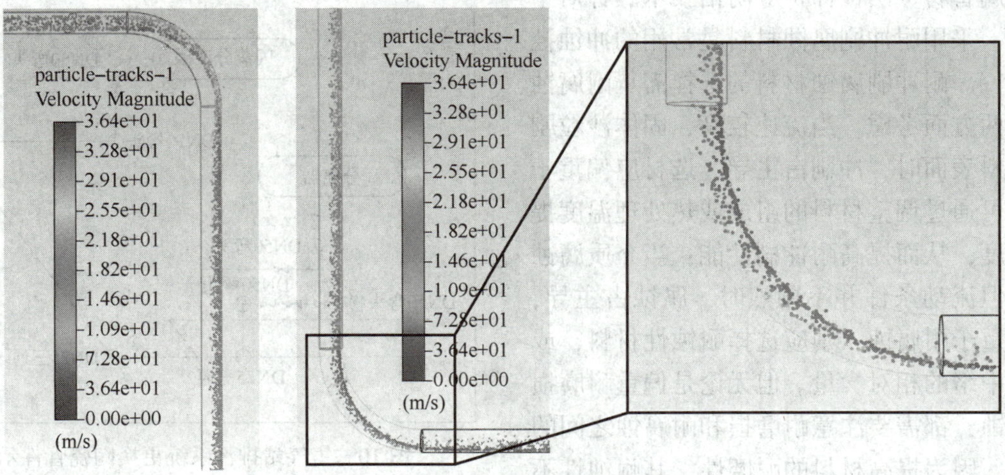

图 7　2#与 3#弯头附近颗粒分布沉降图

在排污期间，当电动球阀打开瞬间，由于后路管路为常压，排污流速可达 35m/s，远超天然气在集气站设置的经济流速 15m/s。高流速将携带压裂支撑剂不断以切削的方式冲击管道表面，导致其产生严重的局部塑性应变，塑性变形会导致材料活性增加，耐腐蚀性下降，加剧材料的腐蚀。同时，电动排污阀阀体为球阀，其特点全开全闭，不能起到控制压力、流速作用，排污时流

图8　排污系统出砂取样图

场发生突变，尤其是弯头部位，流场变化最为剧烈，造成流体对管壁的切应力较大，切应力能够把已经形成的腐蚀产物膜剥离并让流体带走，从而加速腐蚀。同时，由于分离器空间突然增大，天然气流速降低，天然气携带的固体颗粒、大液滴受自身重力影响。当重力大于天然气挟持力，固体颗粒、液滴就聚集。在排污时，固相颗粒会在高速液体的携带下冲击弯管，引起金属磨损，加速弯管的减薄。由此可知，导致排污弯管频繁刺漏的主要原因是电动球阀打开后弯管在高流速含砂污水的作用下发生了严重的冲刷腐蚀。

3　防治对策研究

3.1　防治对策优选

目前，油气田在用的腐蚀防治技术有缓蚀剂、非金属管材、阴极保护等防治技术。针对于冲刷腐蚀，采用耐冲刷腐蚀材料是常用的冲蚀控制方法之一。耐冲刷腐蚀材料的选择需从耐腐蚀和耐冲刷两方面考虑。当流速较高，固体沙粒剧烈冲击材料表面时，冲刷占主导，选材应偏重于耐磨损，可通过调整材料的组成或热处理温度提高材料硬度，从而提高耐冲刷性能；当介质腐蚀性严重，但流动条件并不剧烈时，腐蚀占主导，选材应偏重于耐腐蚀，则应选择耐蚀性材料，或提高材料中络的相对含量。但无论是偏重耐磨损还是耐腐蚀，都需要注意耐磨损和耐腐蚀之间的合理调配，因为提高材料的耐磨性，其耐蚀性不一定提高，反之亦然。通过调研，选择如图7所示的陶瓷衬里管件作为弯管防冲蚀技术，其理化性能如表3所示。由表3可知，相比于普通的碳钢管材来说，陶瓷衬里的硬度为21.5Gpa，约为金属材料的2倍。同时，其抗弯强度可达到850MPa，满足现场生产的需求。与此同时，对于陶瓷内衬的加工工艺、产品性能，前人已开展过大量研究，对于产品的生产质量控制以及性能极限也较为清楚。类似的产品已在油气开采的其他领域得到了应用，并取得了良好的应用效果。

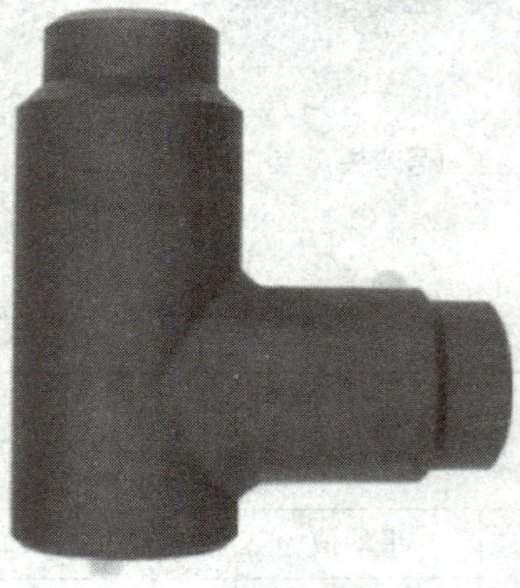

图9　陶瓷衬里管件

表3　陶瓷衬里材料与普通金属材料对比表

材料	密度/(g/cm^3)	硬度/Gpa	抗弯强度/MPa
金属管材	14.02	13.0	1500
陶瓷衬里	5.45	21.5	850

3.2　现场应用效果跟踪评价

根据历年失效统计，发生刺漏多为分离器排污阀后管件。同时，根据计算机仿真模拟计算，排污管路结构下各弯头冲蚀速率，2#>3#>1#。所以选择冲蚀最为严重的2#、3#弯头进行现场试验(图10、图11)。

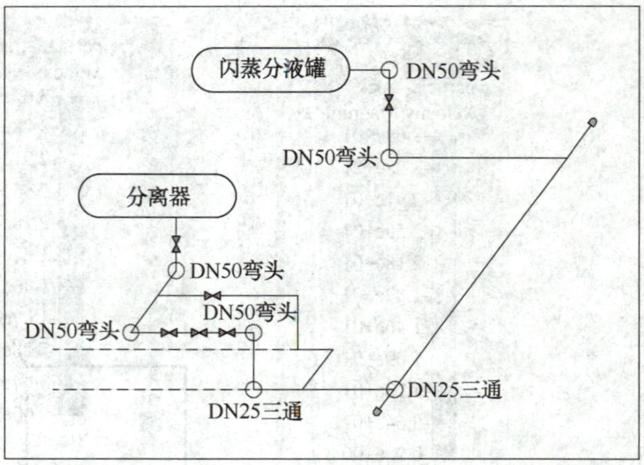

图10　集气站排污系统更换陶瓷管件示意图

连续运行15个月后，20#刚和L245N的金属损失率分别达到了48.57%和34.33%，冲蚀严重，而陶瓷衬里管件的质量损失仅为0.09%，表明该产品能够有效缓解冲刷对碳钢管材的冲蚀作用，具体的现场试验对比结果如表4所示。

图 11　集气站排污系统更换陶瓷管件

表 4　陶瓷衬里材料与普通金属材料现场冲蚀试验结果

材质	工况				质量			质量损失率/%
	产气/($10^4m^3/d$)	产水/(m^3/d)	含砂量/(g/d)	砂流量/(g/h)	试验前/g	试验后/g	损失/g	
金属材质 1(20#)	25	3.9	543.9	22.7	149.9	77.1	72.8	48.57
金属材质 2(L245N)	25	3.9	543.9	22.7	150.9	99.1	51.8	34.33
陶瓷衬里管件	25	3.9	543.9	22.7	115.6	115.5	0.1	0.09

4　结论

（1）基于弯管宏观腐蚀形貌以及壁厚检测结果、模拟计算结果的分析，可知导致排污弯管频繁刺漏的主要原因是电动排污阀未全开全闭，无法控制流量，打开后弯管会在高流速含砂污水的作用下发生了严重的冲刷腐蚀。

（2）由于阀前与阀后管路内径分别为 50mm 及 25mm，导致相同流量下阀前管路流速明显小于阀后流速，1#弯头的冲蚀速率明显小于 2#及 3#弯头；

（3）由于排污液、砂砾在冲击到 2#弯头后，在惯性力与液体阻力的共同作用下砂粒会明显靠近管路流向一侧。但埋地管路较浅，砂砾仍聚集在管路中线右侧，未能充满管路整体，在 3#弯头处任呈明显的非均布式分散状态，导致大量砂砾被排污液带走，部分砂砾能对 3#弯头内壁形成有效冲击，导致 3#弯头整体冲蚀速率明显小于 2#弯头；

（4）陶瓷衬里具有较高的硬度与抗弯曲强度，抗冲蚀能力强，在现场冲蚀严重的 2#与 3#弯头位置连续服役 15 个月后，未见明显破损，质量损失也仅为 0.09%，可作为排污系统抗冲刷腐蚀的主要防止技术。

参 考 文 献

[1] 杨院生，曲敬信，邵荷生. 两种金属材料腐蚀磨损的交互作用[J]. 摩擦学学报，1996，16(1)：47-53.

[2] 赵国鹏，于欣伟，吴荫顺，等. 腐蚀磨损协同作用率的研究[J]. 摩擦学学报，1998，18(2)：157-161.

[3] 刘洁，刘峥，陈世亮. 石油生产中腐蚀的原因及缓蚀剂的应用[J]. 腐蚀与防护. 2012，33(08)：657-662.

[4] 郭建. 玻璃钢管道在集输管道中的施工及应用[J]. 中国石油和化工. 2016(S1)：206-207.

[5] 陶佳栋，卢明昌，曾万蓉. 玻璃钢管道在油气田的应用与发展[J]. 石油管材与仪器. 2017，3(05)：1-4+8.

[6] 田加明. 离心 SHS 法制备 Al_2O_3复合陶瓷及耐磨性研究[D 哈尔滨：哈尔滨理工大学，2005.

[7] 张洪霖. 油管内衬 SHS 陶瓷涂层的变形损伤研究[D]. 大庆东北石油大学，2013.

[8] 沈于森，陶瓷内衬油管端部强韧化及抽油泵摩擦副磨损性能研究[D]. 长春：吉林大学，2010.

[9] 何鹏，刘寒梅. 陶瓷内衬复合油管在靖边油田的应用[J]. 延安职业技术学院学报，2011，3(25)：128-130.

[10] 李厚补，王守则，杨永利. 自蔓延高温合成氧化铝陶瓷内衬 J55 钢油管的性能[J]. 机械工程材料，2016，40(6)：46-50.

上广电 Innovert 10/10 型变频器功率单元自动旁路功能投用与调试技术

韩小虎

（国家管网集团西部管道有限责任公司）

摘　要　本文通过介绍上广电 Innovert10/10 型变频器的功率单元自动旁路功能工作原理，提出了自动旁路功能的投用方法、调试步骤以及注意事项，进而形成了完整的功率单元自动旁路功能投用与调试技术，期望对后续上广电变频器功率单元自动旁路功能的投用调试及故障处理等工作提供有益参考。

关键词　上广电；变频器；自动旁路；调试

1　引言

西三线上广电 Innovert 10/10 型变频器带有功率单元自动旁路功能，当某一个功率单元出现故障时，通过功率单元的自动旁路功能可将故障的单元旁路，而不影响其他功率单元的正常运行，变频器可持续降额运行，从而减少因功率单元突然故障导致的机组非计划停机事件。

2　功率单元自动旁路功能工作原理

在变频器运行过程中，若某个功率单元发生故障，为保证三相输出电压平衡，变频器采用中心点自动偏移技术，自动调整中性点位置（如图 1 所示）。例如，假设 A8 功率单元故障，变频器在 250ms 内将故障单元旁路，控制系统自动调整三相输出电压的相位角，保证电机端的线电压平衡，此时电压值降为额定电压值的 93.8%，变频器继续降额运行（如图 2 所示）。同时，变频器发出报警信号，提醒运行维护人员及时申请停机检查，更换故障的功率单元。

功率单元自动旁路功能触发逻辑如图 3 所示。

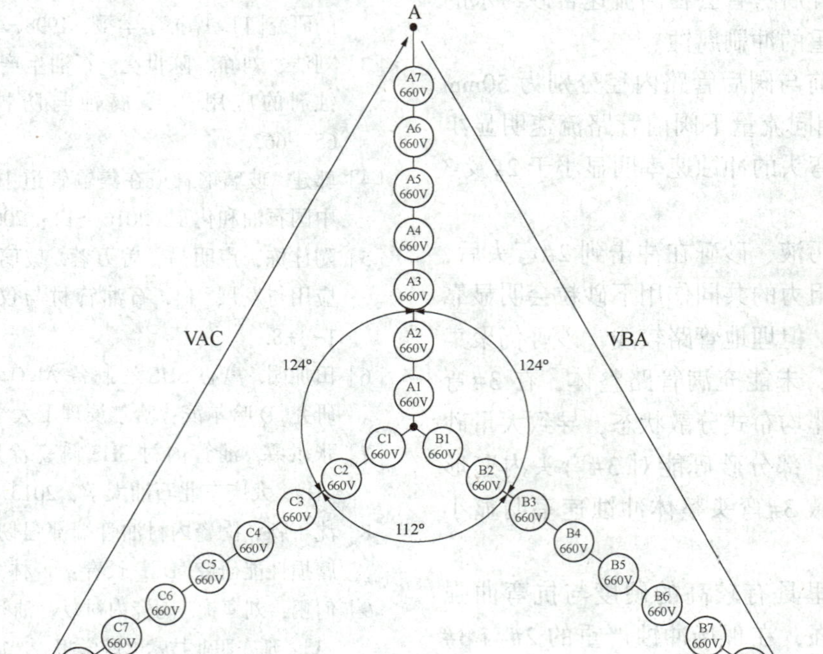

图 1　中性点自动偏移

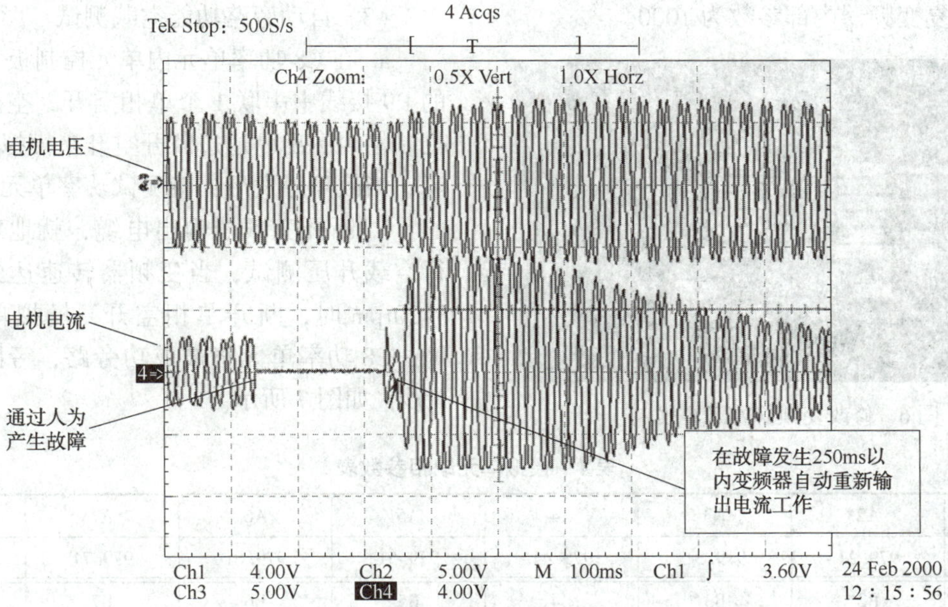

图 2 自动旁路过程

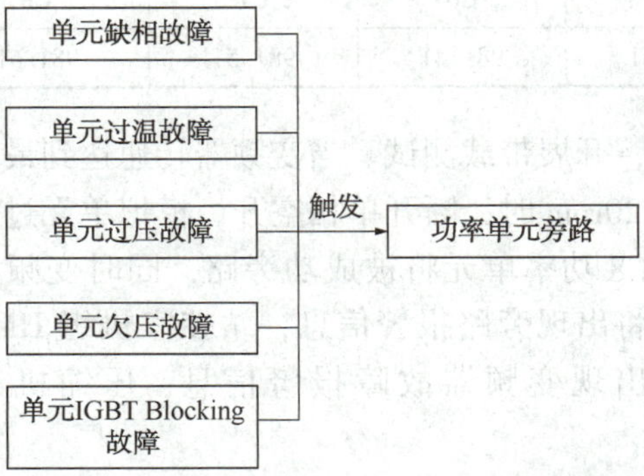

图 3 单元自动旁路功能触发逻辑

3 自动旁路功能投用方法

（1）作业人员分别将 24 个功率单元的单元驱动板上的 CN8 端子排接线恢复（将临时包扎的接头插入 CN8 端子排），如图 4 所示。

图 4 CN8 端子排接线恢复

（2）在触摸屏的参数设定→单元参数中将“快速旁路使能”选中，即可启用旁路功能，如图 5 所示。

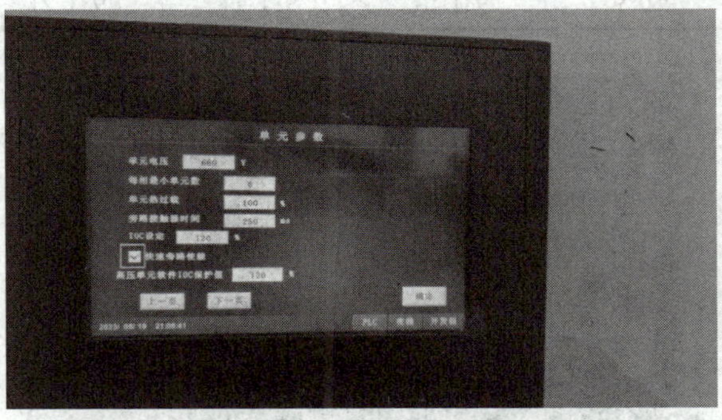

图 5 自动旁路功能启用

4 自动旁路功能调试技术

（1）测量旁路接触器接触电阻

分别为变频器 24 个功率单元的旁路接触器线圈接入 48VDC 电源，测试接触器常开触点闭合后的接触电阻；断开 48VDC 电源，测试接触器常闭触点的接触电阻，并记录测试结果。接触电阻测试使用仪器为 Fluke754，测量方法为：Fluke754 选择“电阻测量档”，两个表笔分别接至接触器待测试触点的两端（表笔直接测试触点两端的铜排即可）。

（2）自动旁路功能就地测试

如图 6 所示，手动在触摸屏上修改变频器内部参数（将原内部参数 1000 改为表 1 中对应单元的值），即可模拟单元缺相故障，从而使相应功率单元旁路。逐个测试 24 个功率单元的旁路接触器动作情况，并记录测试结果。注意：测试完毕后，须恢复变频器内部参数为1000。

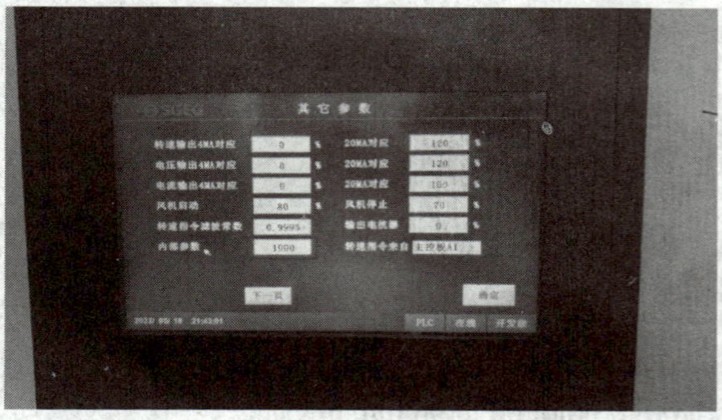

图6　修改变频器内部参数

（3）自动旁路功能空载测试

a. 在C8功率单元内单元控制板上CN2端子的P9接线中串联1个单相空开，空开从变频器控制柜内引出，通过断开空开来模拟单元过温故障，当故障触发后，待测试功率单元将被旁路。

b. 断开变频器输出电缆，就地对变频器进行空载升压测试，当变频器转速达到最小转速3120rpm时，断开单相空开，模拟单元过温故障，C8功率单元将被成功旁路，旁路过程持续1秒，如图7所示。

表1　模拟单元缺相参数表

A1	A2	A3	A4	A5	A6	A7	A8
979.11	979.21	979.31	979.41	979.51	979.61	979.71	979.81
B1	B2	B3	B4	B5	B6	B7	B8
980.01	980.11	980.21	980.31	980.41	980.51	980.61	980.71
C1	C2	C3	C4	C5	C6	C7	C8
980.91	981.01	981.11	981.21	981.31	981.41	981.51	981.61

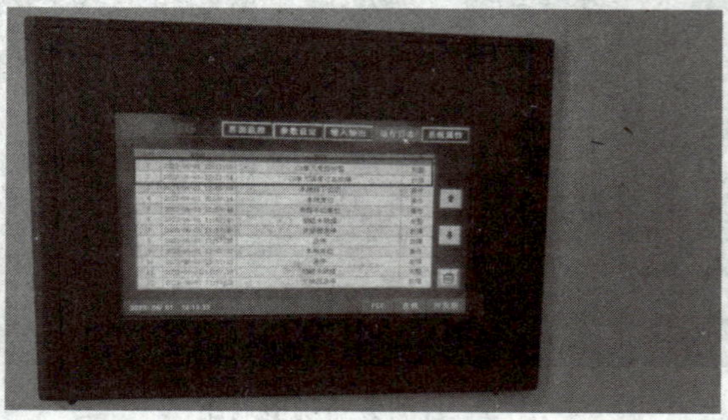

图7　C8单元成功旁路，变频器未停机

（4）自动旁路功能带载测试

a. 恢复变频器输出电缆，远程带载启动变频器，开展带载测试。当变频器转速达到最小转速3120rpm时，断开单相空开，模拟单元过温故障，C8功率单元将被成功旁路，同时变频器触摸屏将出现旁路报警信息，站控室机组HMI画面将出现变频器故障报警信息，压缩机组不停机。

b. 在测试过程中，须记录变频器旁路前、最大跌落点及旁路后的关键参数，并填写空载/带载旁路动作数据记录表。

c. 测试完毕后，须拆卸现场安装的临时空开，并恢复现场接线。

基于 TCS-900 系统的离心压缩机组防喘及负荷分配控制技术浅析

魏国富

（国家管网集团西部管道有限责任公司）

摘 要 针对西三线增输工程压气站新增压缩机组的使用的 TCS-900 系统，分析该控制系统的防喘振控制、单机组性能控制和多机组负荷分配控制原理及算法，为机组后期日常控制操作、运行维护等提供技术支持。

关键词 压缩机；防喘振；负荷分配；TCS-900；性能控制

1 引言

西三线增输工程张掖、永昌和瓜州站新增压缩机组为沈鼓公司 PLC804 国产压缩机组，机组控制系统为浙江中控 TCS-900 产品，该机组控制系统由 UCP 系统、ESD 系统和振动监视系统组成，其中 UCP 和 ESD 系统均使用浙江中控 TCS-900 产品，编程组态软件使用 SafeContrix，HMI 软件使用配套的 VxSCADA 综合监控软件，振动监视系统使用 Bently3500 产品。T9100 系统具有高速处理器、高速 IO 模块，具备适应增量 PID 算法，可实现超速保护快速响应，满苏 SIL3 要求，具备防喘振控制、调度控制、性能控制、油气控制等功能。机组的关键核心控制程序防喘振控制、单机组性能控制、多机组负荷分配控制等使用浙江中控开发的 T9100 压缩机控制软件包中的防喘控制功能块和性能控制功能块实现，两个专用功能块均为加密封装功，功能块只提供了部分主要的输入输出引脚及引脚功能的相关描述，如下图 1 所示。

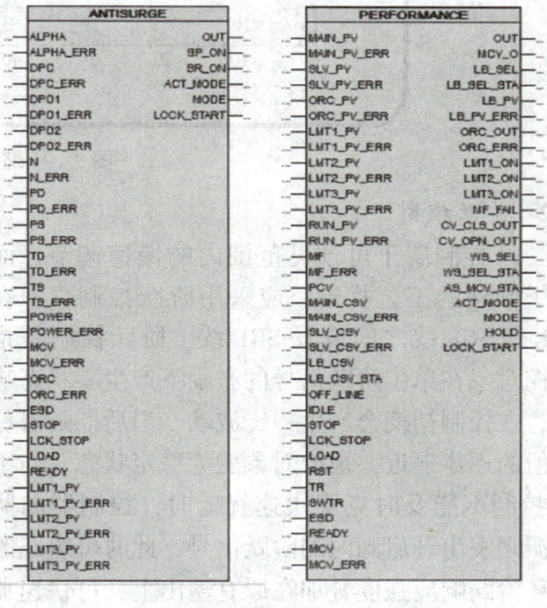

图 1 防喘和性能控制功能块

2 防喘振控制

当压缩机入口流量减少到某一值时，压缩机就会出现气流脉动和振动加剧，并伴随嘶吼声，这一不稳定工况即为喘振，如何安全有效的进行防喘振是压缩机控制研究的重点。浙大中控 T9100 压缩机专用软件包中 ANTISURGE 功能块用于控制机组的防喘振控制，其分别在现场特性曲线的基础上设置喘振极限线（SLL）、喘振控制线（SCL）、阶跃响应线（SRL）和喘振保护性（SPL），见图 2，较以往压缩机控制系统增加了阶跃、紧急和超弛控制，可基本实现不同工况扰动下的防喘振控制。

2.1 PI 控制

在正常工况下，压缩机的工作点在 SCL 线上运行，可保证随时调节防喘振阀使压缩机的工作点远离 SLL 线。SCL 控制响应采用模糊 PI（比例、积分）控制，根据预设值和实际值构成控制偏差，将偏差的 PI 通过线性组合构成控制量，从而实现对被控对象的连续性调节控制。当工作点越过 SCL 线时，PI 响应的计算输出变大，防喘振阀门打开，出口气体回流至入口，入口流量增大，工作点返回安全区域。PI 控制主要用于克服小幅度的喘振扰动，如负荷变化引起的缓慢扰动。

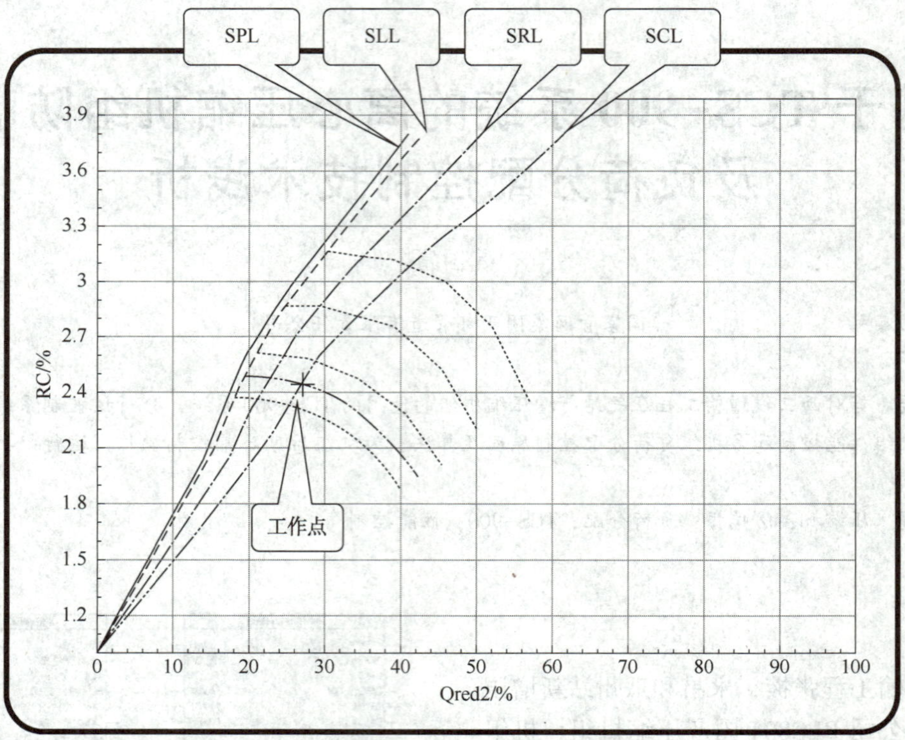

图 2　压缩机防喘振特性曲线

2.2　阶跃控制

PI 控制属于可预见范围内的慢速调节，而对于剧烈的工艺扰动，应采用阶跃控制，即在 SLL 和 SCL 线之间设置 SRL 线。阶跃控制是指被控对象在单位阶跃信号的激励下产生零状态响应，在控制初期会产生一定波动，但后期随着稳定值的逐步逼近，被控对象变为稳定状态。当主 PI 控制不能及时克服快速扰动时，控制器向防喘振阀发出开启阀门的阶跃信号，此时可组态的开环阶跃响应强度叠加在原有输出上，可快速加大防喘振阀的阀门开度，在较小的裕度下将工作点拉回安全区域。

2.3　紧急控制

在极个别情况下，如防喘振阀堵塞、回流管线积液等，工作点会越过 SLL 线继续向左移动，此时已发生喘振，PI 控制和阶跃控制均无法及时响应。当工作点触及 SPL 线时，紧急控制将自动增加 SCL 和 SRL 线的裕度，将其右移并再次触发阶跃响应，此时防喘振阀全开。通常可在一次执行周期中使工作点回到安全区域，同时触发紧急喘振报警事件并锁定，等待操作人员确认。

2.4　超驰控制

超驰控制需要操作人员对每台压缩机组设置入口压力或出口压力限值，当入口压力降低到无法通过调整转速适应时，超驰控制直接打开防喘振阀，通过回流保证入口压力；当入口压力升高超过限值时，防喘振阀自动关闭，入口压力恢复到正常转速控制。超驰控制不仅实现了防喘振控制，也保证了入口压力在限值之内运行。

3　单机组性能控制

3.1　压力闭环控制

单机组的性能控制主要依据入口、出口压力对转速进行调节，浙大中控 T9100 压缩机专用软件包中 PERFORMANCE 功能块用于机组的性能控制，CCS 性能控制器将压力监测值与设定值进行 PID 运算，并将结果发送至变频调速器进行调速，保证压缩机组的工况维持在最佳工作点附近，控制示意见图 3。为更好的实现手动、自动方式无干扰切换，减少压缩机故障时产生的影响范围，CCS 性能控制器采用只对当前误差积分，运算量相对较小的增量式 PID 运算。受测量值测量精度和误差干扰的影响，压力监测值不会真正稳定在某一点，而总是与设定值之间存在一定偏差，这种偏差导致系统频繁动作、无法稳定，故将非线性死区控制引入 PID 运算中。当偏差值进入死区后，则认为没有偏差，转速输出不变。

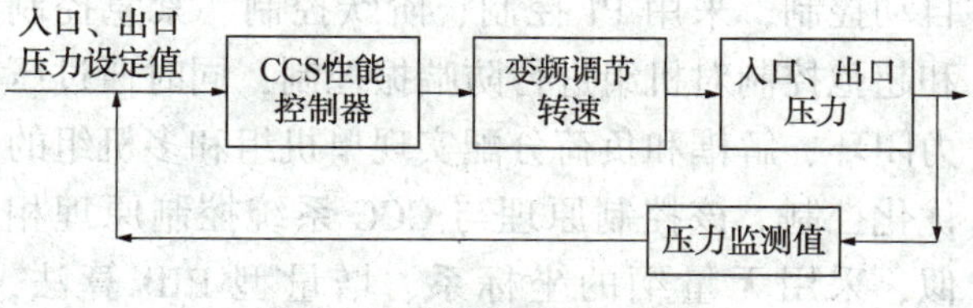

图 3　压力闭环控制示意图

3.2　解耦控制

压缩机组的防喘振控制和压力闭环控制之间存在耦合关系，当防喘振控制器检测到工作点越过 SCL 线时，PI 控制会打开防喘振阀，减少流过压缩机的能头，而防喘振阀的开启会影响性能控制器，使性能控制器的动作明显滞后，因此需要增加防喘振控制到压力闭环控制之间的解耦，反之亦然。增加解耦控制后，将多变量耦合控制系统转化为多个独立的单变量控制系统，每一个输入对应一个输出，每一个输出只受一个系统控制，克服了互相干扰的影响。

4　多机组负荷分配控制

负荷分配控制包括两方面，一是负荷控制，即通过调节各单机组负荷，保证站场汇管进出口压力、流量满足要求；二是平衡控制，即保持各单机组的能力一致。综上所述，负荷分配控制系统应保持多台并联压缩机组均在距喘振控制线相等的距离下运行，即各机组出口流量系数相同，以避免不必要的回流循环量。负荷分配控制系统一般包括主性能控制器、各并联压缩机组的负荷分配控制器和防喘振控制器。由于该工程为张掖、永昌和瓜州新增机组，这三个站的负荷分配系统由原 CCC 系统实现，因此单独新增的机组可在后期经过调试，并入 CCC 系统的负荷分配系统进行控制。而在中俄东线压气站，由于站控系统和压缩机组控制系统均采用浙江中控同一厂家的 PLC，因此将两系统深度融合，将主性能控制器并入站控系统，将负荷分配控制器和防喘振控制器分别并入单台控制系统中，负荷分配控制原理见图 4。

负荷分配控制包括两种控制功能，一是站场内任意机组投入或退出控制，二是对已投入运行的机组按照要求进行负荷分配。机组投入使用：负荷分配控制器向主性能控制器发出请求负荷分配的指令后，机组投入并达到最小转速后完成暖机操作，如该机组为首台投入，则自动提升转速至防喘振阀全关或转速达到预期要求，如该机组为非首台投入，则根据输气管道的压力需求，对刚投入的机组和已在负荷分配控制内的机组依据工作点相同的原则分配总流量。机组退出负荷：一是通过 HMI 界面发出退出指令，二是在 HMI 界面取消负荷分配控制模式，两者区别在于是否考虑负荷分配继承问题。

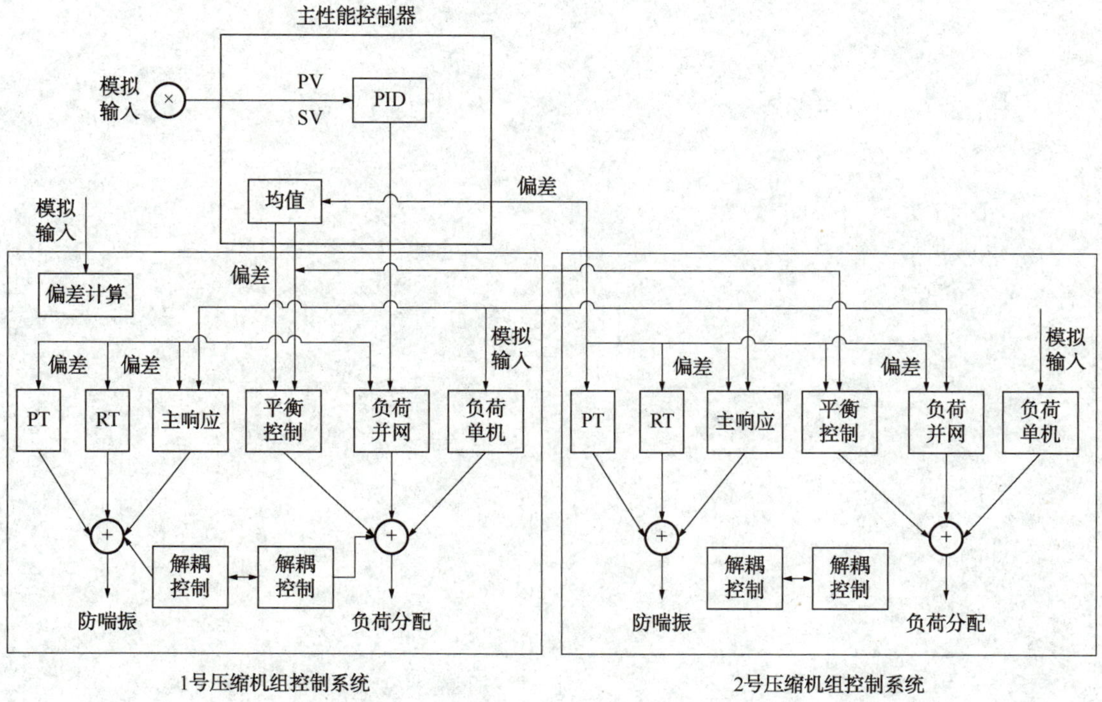

图 4　多机组负荷分配控制原理图

对于已投入负荷分配控制的机组首选按出口压力控制模式。操作人员在 HMI 人机界面上设定汇管压力，主性能控制器将负荷分配计算结果送入各压缩机组控制系统，机组中的负荷分配控制器根据结果对转速进行调节，同时联合防喘振控制器工作，将出口压力维持在要求范围内。当出口压力过低达到报警值时，控制系统自动转为以该报警值为设定值的出口压力调节，同时统计该时刻转速，作为切换回出口压力控制的依据。

5　结束语

基于 TCS-900 系统的离心压缩机组防喘及负荷分配控制系统为实现压气站压缩机组的远程自动控制，采用 PI 控制、阶跃控制、紧急控制和超弛控制对机组进行防喘振控制，同时通过压力闭环、解耦和负荷分配实现单机组和多机组的优化控制。该控制原理与 CCC 系统控制原理相似，采用无量纲的坐标系、增量型 PID 算法，多层级。多方位的防喘振应对策略和性能控制策略，控制算法先进、稳定。

参　考　文　献

[1] 林焕明，邓立，李清亮，等. 天然气压缩机组防喘振与负荷分配控制技术研究[J]. 石油和化工设备，2021 年.

CO_2超临界/密相输送管道停输再启动过程研究

王　智　白剑锋　霍富勇　宏小龙　李永军

（长庆工程设计有限公司）

摘　要　本文通过对一条算例管道进行CO_2超临界管道停输再启动的模拟及分析，探讨了CO_2超临界/密相管道停输再启动过程对管道安全的影响以及CO_2超临界/密相管道安全停输时间。通过分析发现CO_2超临界/密相管线停输再启过程除了类似于液体管线特性之外，还存在密度等物性参数会发生突变的情况且突变发生时会导致管道的震荡以及对阀门造成巨大的冲击而产生破坏。

关键词　CO_2超临界/密相管道；停输再启动；停输时间；管道安全

1　前言

国外自上世纪七十年代初期开始建造CO_2长输管道，至今已有40余年的CO_2长输管道设计、施工及运行管理经验，如美国已经建立了全长7200km的CO_2输运管道，无论是在工艺设计和计算还是经济性评估等方面都作了大量研究。但我国CO_2管道输送技术起步较晚，计划在到2030年完成CO_2输送干线长度不低于1000km的技术示范。为了保证将来建设的CO_2长输管道能够安全、有必要对CO_2超临界/密相管道停输再启动特性进行探讨。

在管道正常运行或者发生异常状况时，都会存在停输和启动过程。如发生泄漏事故时，应紧急停输，管道系统修复后重新启动；另外对管道进行检修时也会进行停输和再启动操作。停输和启动过程管内都会存在瞬态过程，需要了解该过程对CO_2管道的影响。因此，结合超临界CO_2的物性及相态特性，研究停输及启动过程CO_2管道内参数变化规律，针对瞬态过程提出安全的操作建议具有重要意义。

2　基础条件参数

2.1　输送要求

CO_2输量为1Mt/a，管道埋深1.2m；全线管道埋深处的冬季地温为3℃，夏季地温为12℃；输送管道全线设置一座首站和一座末站，中间不设分输站；管道末端注入地层压力为25～30MPa。气源地距离注入地约175.36km，沿线有地形起伏，高程如图1所示。

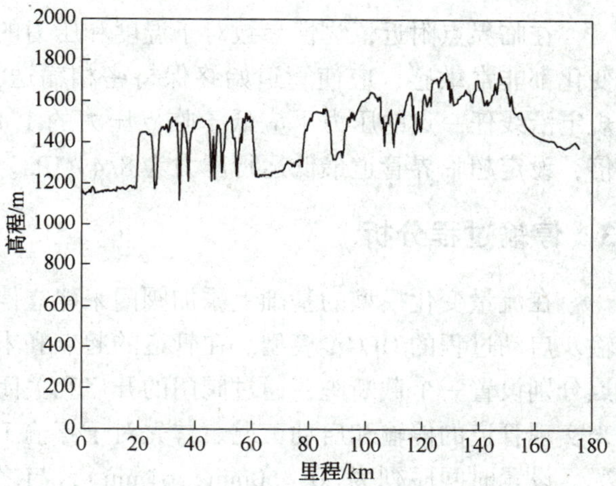

图1　管道沿线高程

2.2　气源相图

CO_2由煤化工捕集而来，气体已经过除杂干燥处理，经捕获的CO_2已经过初压缩，压缩后的初始压力为2.2MPa，来气温度20℃。捕集的CO_2气体含有N_2、H_2、C_2H_6等杂质，混合气体组分见表1。

表1　CO_2流组分

序号	组分	含量/mol%
1	CO_2	95
2	H_2O	0.01
3	H_2	0.5
4	N_2	2
5	CO	0.2
6	C_2	2.28

选择 PR 方程为计算模型，利用 HYSYS 模拟含杂质 CO_2 流体相态图，如图 2 所示，可见 CO_2 流体的临界点压力和温度分别为 7.72MPa、28.0℃。

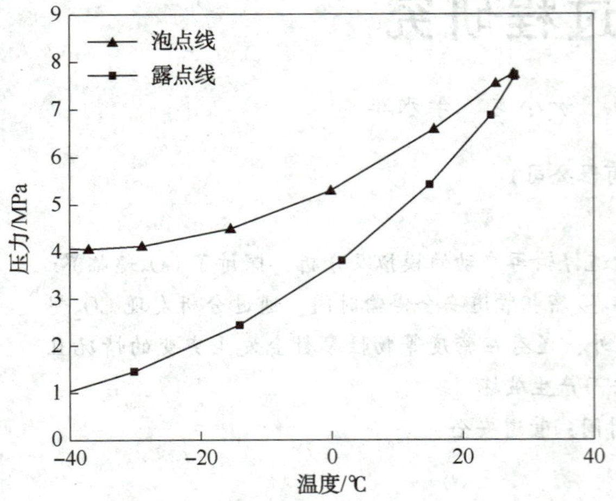

图 2　CO_2 气源相图

在临界点附近，物性参数对于温度和压力的变化都非常敏感，应使管道始终保持密相输送，规定沿线任一点的压力不应低于临界压力的 1.1 倍，设定超临界管道最低运行压力为 8.49MPa。

3　停输过程分析

在流量变化模型的基础上添加阀门来建立停输及启动过程的 OLGA 模型。在管道的起点和末点分别设置一个截断阀，通过阀门的开启和关闭来实现管道的停输和启动工况。首先对于停输工况，设置时间序列为(0，60min，61min)，与之对应的阀门开度为(1，1，0)。即在 0~60min 内阀门全开，管道稳定运行；在 60~61min 内阀门关闭，停输过程开始。通过该模型在不同工况下的模拟计算，得到停输过程中各参数的变化规律，以及相关安全措施。在管线中设置三个特征点，为管道的起点、中点和终点，分别设为 P1，P2 和 P3。模拟得到管段两端阀门关闭后压力、温度和密度等参数的变化规律，图 3 为停输过程的模型图。

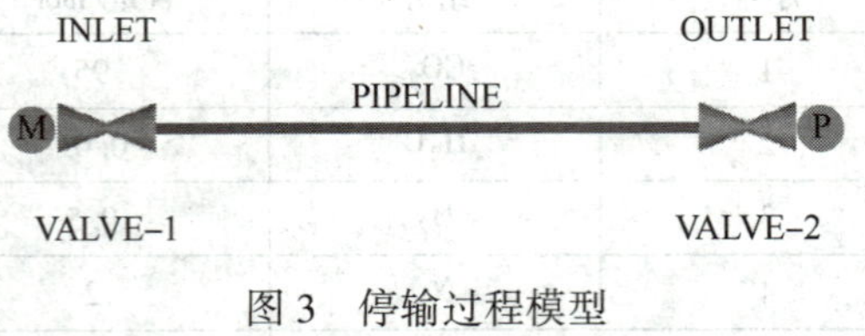

图 3　停输过程模型

将管道末端压力设置为 9MPa，研究当末端压力低于 10MPa 工况下停输时各参数的变化规律，以及安全停输时间。

图 4 为管道输送末端压力为 9MPa 停输至 5h 过程中，各参数的变化规律。在停输的初始阶段，(a)为停输 5h 内特征点压力随时间的变化规律，(b)为停输过程中 0.8~2h 范围内压力的变化情况。可以看出，阀门关闭瞬间 P1 点压力迅速下降，P3 点压力迅速上升，P2 点压力几乎不变。阀门关闭后，起点流量为零，减压波沿管线向末端传播，各点压力迅速达到一致；流体流速不为零造成超临界 CO_2 向管道末端压缩；从而产生了起终点压差，该压差引起流体反向流动。之后管内压力达到一致，三点压力继续下降，且在下降过程中完全重合。由图(c)和图(d)可知，各点温度下降，密度增大，密度的变化主要受温度影响。由图(e)和图(f)可知，流量由−20.7kg/s 下降为−3.5kg/s，流速由−0.8m/s 下降为 0.1m/s。

随后，由于密度差的存在，超临界 CO_2 小流量反向流动，压力下降，温度下降，密度上升。当时间进行到 2.8h，即停输时间为 1.8h 时，流量突变为−28.3kg/s，流速突变为−0.75m/s。管内流体突然由静止变为反向流动，0.7h 后恢复静止状态。分析其原因，2.8h 时管道起点压力为 78.5bar，温度 31.7℃。温度和压力都在临界点(7.38MPa，31.4℃)附近，结合 CO_2 的物性变化规律，当压温在临界点附近时密度等物性参数会发生突变。由图(d)可知，管道起点的密度突增，体积减小，流速增大，引起了该突变过程。该过程可能会引起管道的震荡，以及对阀门造成巨大的冲击而产生破坏，具有很大的危险性。综上所述，在所选的运行工况下进行停输时，安全停输时间为 1.8h。当停输时间大于安全停输时间时，管内流体会产生突变现象，对管道以及阀门等设备造成较大伤害。

管道终点压力低于 10MPa 停输时，安全停输时间大大缩短。为保证安全给出以下建议：在停输时对管道进行保温操作，或者将管道停输在末点压力，或者在管道下游装设安全泄压流程。以保证管段内超临界 CO_2 不会发生相变，保证停输安全。

4　安全停输方式

超临界 CO_2 在临界点附近时，有可能发生相变，对停输过程设备的安全性造成严重的威胁。

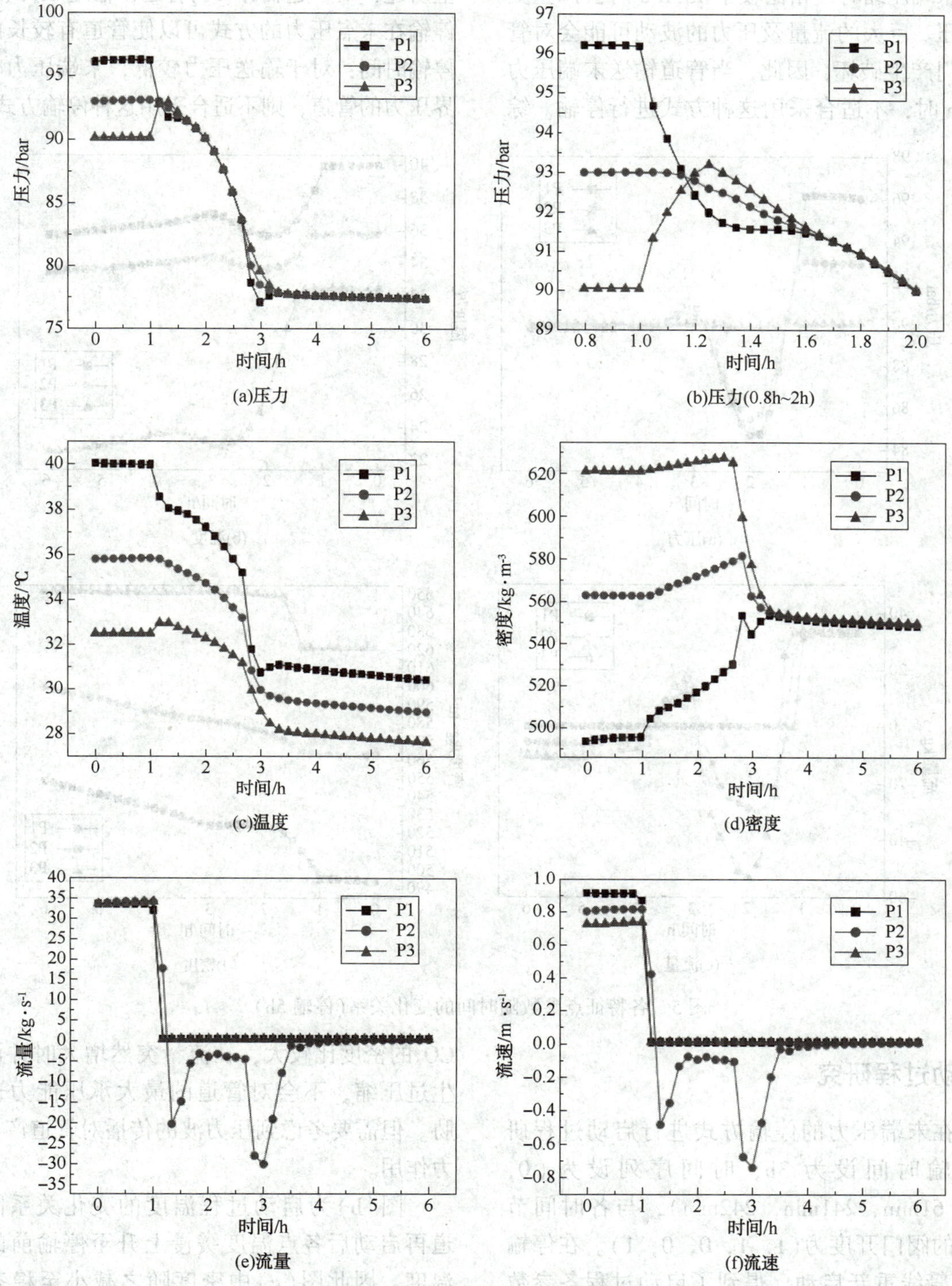

图4　各特征点参数随时间的变化关系(停输5h)

针对以上停输过程的研究，随着温度降低，压力下降，一定时间后管内有可能发生相变。下面对管道停输在末点压力的方式进行研究，判断该方式是否能够获得较长的安全停输时间。

当管道停输在末点压力9MPa时，在停输的初始阶段，各参数的变化都要剧烈很多。图5(a)为特征点压力随时间的变化规律，管内压力在停输后2.5h达到稳定。阀门关闭后，出现了压力过减现象，2h时起点压力降至最低8.47MPa，与P3点压差0.53MPa。这是因为输送压力较低，超临界CO_2的密度较低，相比较15MPa时性质跟接近于气体。

由于压差的作用，管内存在逆向流动，P3点最大流量大-52.9kg/s。管内的温度和密度的波动也比较大。原因是压力为9MPa时，已经接近准临界区域，物性受压力温度的影响增大。当流体在管道末端压缩时，相比较于15MPa时会产生更大的增压。巨大的流量及压力的波动可能会对管道及阀门产生破坏，因此，当管道输送末端压力为9MPa时，不适合采用这种方式进行停输。综上所述，对于超临界CO_2管道，输送压力较高时，停输在末点压力的方式可以使管道有较长的安全停输时间；对于输送压力较低，末端压力临近临界压力的管道，则不适合采用这种停输方式。

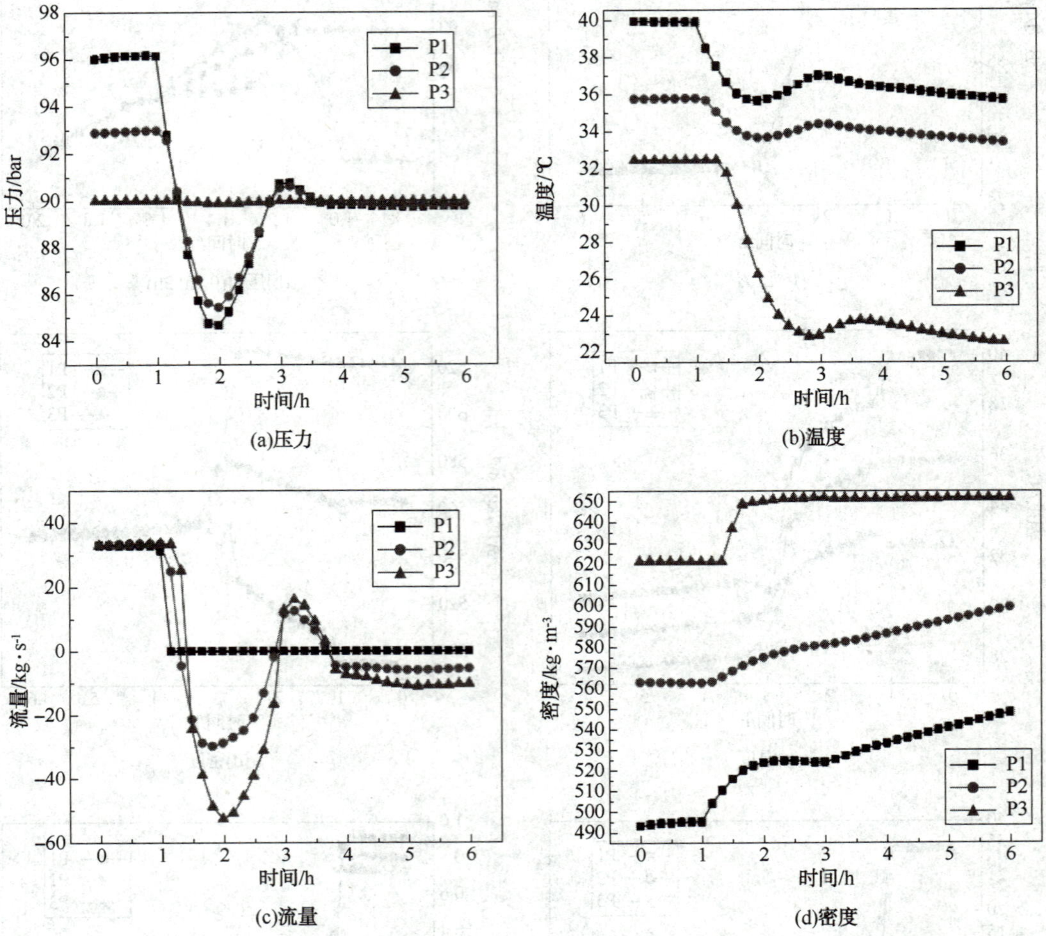

图5　各特征点参数随时间的变化关系(停输5h)

5　启动过程研究

对在末端压力的停输方式进行启动过程研究。停输时间设为3h，时间序列设为(0, 60min, 61min, 241min, 242min)，与各时间节点对应的阀门开度为(1, 1, 0, 0, 1)。在停输3h后，管线重新启动，得到了启动过程各参数随时间的变化规律，如图6所示。

图(a)为启动过程压力的变化关系，可以看出，4.03h时管道重新启动，流量增大，P点的压力瞬间增大，压力波沿管线向末点传播。压力波的传播速度非常快，P1和P2点的压力几乎同时恢复停输前的稳态压力值。在4h左右，管线内的压力恰好下降至15MPa左右，为停输前末端压力，因此P3的压力变化不大。在启动过程中没有出现压力的过增现象，这是因为超临界CO_2的密度比较大，在流量突然增大时并没有产生过压缩，不会对管道的最大承压能力造成威胁。但需要考虑到压力波的传播对管道产生的应力作用。

图(b)为启动过程温度的变化关系图，管道再启动后各点温度缓慢上升至停输前的稳态温度，因此图(c)中密度随之减小至稳态输送时密度值。图(d)为启动过程管线内流量的变化关系，启动后P1点流量瞬间达到33kg/s，随着超临界CO_2在管内的流动，P2点和P3点流量在6h左右恢复至33kg/s，P3点滞后于P2点。

综上所述，在启动过程中压力没有出现过增量，密度没有产生突变现象，平衡稳定时间为2h。在设计管道的最大承压能力时不需要考虑压力过增量的影响。

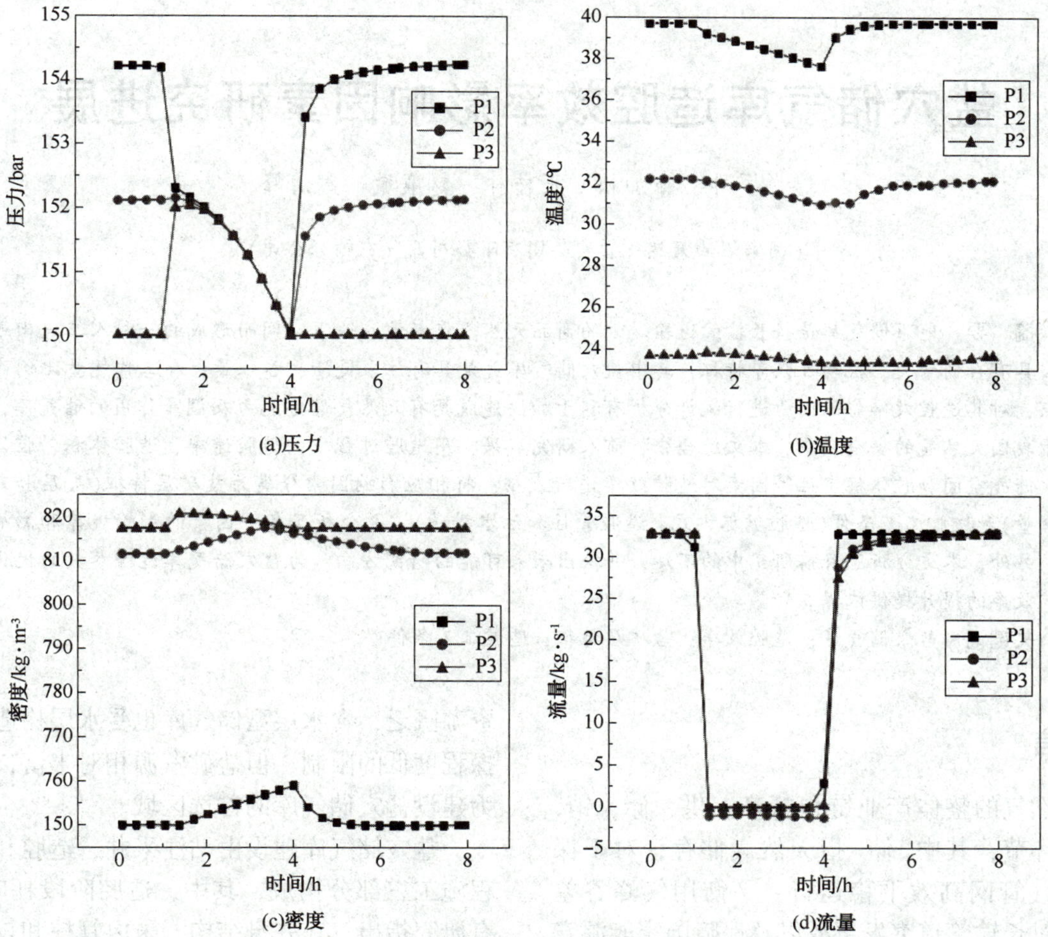

图6 各特征点参数随时间的变化关系(启动过程)

6 结论

CO_2超临界/密相管道应保障停输过程中管内压力不会下降至临界点附近，避免物性突变带来的危险。出口压力为9MPa，停输时间大于安全停输时间时，管内流体会产生突变现象。管道终点压力低于10MPa停输时，安全停输时间大大缩短。输送压力较高的超临界CO_2管道，可以采用停输在末点压力的方式；输送压力较低时不适合。同时停输的初始阶段会出现水击现象，应尽量将水击引起的管道振动控制在一定范围内，保证管道系统的安全。

参考文献

[1] Suoton P, Nejat R, Iqbal M. CO_2 Pipeline Design: A Review[J]. Energies, 2018, 11(9): 2184-2190.

[2] 赵青，李玉星. CCUS技术在中国管道输送的发展趋势[A]. CIPC 2013中国国际管道会议论文集[C]. 中国河北廊坊: 2013, 8-11.

[3] 李舒宏，李献亮，杨文超，等. 基于不同状态方程模型的$N_2/O_2/CO_2$相平衡特性分析[J]. 化工学报, 2014, 65(S2): 25-32.

[4] 龙安厚，狄向东，孙瑞艳，等. 超临界二氧化碳管道输送参数的影响因素[J]. 油气储运, 2013, 32(1): 15-19.

[5] Patricia Seevam KamalKBotros, Brian Rothwell Claire Ennis Mo Mohitpour. 含杂质二氧化碳管道输送[M]. 赵帅，张健，李清方，等. 北京: 中国石化出版社, 2014.

盐穴储气库造腔效率影响因素研究进展

肖罗坤　陈加松　王桂林　赵廉斌　武海峰

（国家石油天然气管网集团有限公司西气东输分公司）

摘　要　地下储气库是将长输管道输送来的商品天然气重新注入地下空间而形成的一种人工气田或气藏，具有存储量大、机动性强等特征，其中盐穴储气库更是具有注采灵活、吞吐量大和工作气量比例高等优点，对其造腔效率影响因素进行统计分析有利于加快建成具有天然气储备能力及调峰作用的储气库，有利于我国天然气的安全供应。本文综合分析前人研究成果，用造腔过程中的造腔速率、造腔体积、腔体形态、储气空间和腔体稳定性等因素对造腔效率进行表征；将相应影响因素分类为盐矿层特征（夹层和可溶盐含量）和造腔工艺条件（造腔循环方式、造腔管柱和注水排量），并分析了各个因素的影响规律和影响机理。另外，本文分析了目前研究中的不足，并给出未来可能的研究方向，为盐穴储气库造腔参数的优化和造腔效率的提升提供依据。

关键词　盐穴储气库；造腔效率；盐矿层特征；造腔工艺条件

1　引言

天然气的整体产业链包括产、供、储、销、运5个环节，其中“储”指天然气储存，对于保障天然气管网高效平稳运行、平衡用气峰谷差异、应对长输管道突发事故以及保障国家能源安全具有重要意义。当今世界，地下储气库是天然气储存的主要方式。

地下储气库是指天然气注入至地下构造空间形成的储气场所，具备安全性好、库容量大和调节能力强等优点。根据地下构造空间的不同，可将地下储气库分为五种类型：枯竭气藏型，枯竭油藏型、含水层型、盐穴型和其他类型（岩洞、废弃矿坑等）。

在上述各类型地下储气库中，盐穴型地下储气库（下文简称“盐穴储气库”）采用溶盐采矿的方式，即在地下盐层或盐丘中通过水溶盐岩形成腔体来储存天然气。盐岩较低的渗透性、较好的蠕变性和优越的自修复能力使得盐穴储气库具有注采速率快、吞吐量大和工作气量比例高等优点，也因此受到越来越多国家的青睐。比如美国，在2008年底，盐穴储气库储存的气量仅占全美总量的5.5%，但根据美国天然气协会的统计数据分析预测：从2009年到2030年，盐穴储气库新增工作气量将占全美新增总量的60.7%。我国长三角、中南和东南沿海地区是国内天然气的主要消费地区，气藏和油藏型地下储气库库址资源匮乏，含水层型储气库也受水层构造地质勘探程度低的限制，但盐矿资源相对丰富，因此成为建设盐穴储气库的首选区域。

盐穴储气库建设由钻注采井、造腔和地面工程施工三部分构成，其中，造腔阶段耗时最长。有研究指出，在井身结构、采卤管柱和技术手段均合理的情况下，使$25\times10^4m^3$腔体具有$4342\times10^4m^3$的储气能力，造腔耗时超过三年。因此，对造腔阶段影响造腔效率的关键因素进行梳理总结将有利于对各项造腔参数进行优化，从而加快盐穴储气库的建设进度，对提升我国天然气的安全供应具有至关重要的意义。

盐穴储气库的造腔效率可由造腔速率、造腔体积、腔体形态、储气空间和腔体稳定性等因素共同决定。本文基于现有研究资料，介绍了盐穴储气库的造腔原理与方法，并将影响造腔效率的因素分为盐矿层特征和造腔工艺条件，其中盐矿层特征主要涉及到盐层中的夹层和可溶盐含量，造腔工艺条件则主要包括造腔循环方式、造腔管柱（管柱两口距、管柱提升次数和油垫层位置）和注水排量。为未来盐穴储气库造腔参数的优化、造腔效率的提升提供理论依据。

2　盐穴储气库造腔原理及方法

盐穴储气库造腔是指在一定条件下，通过井眼持续向盐岩层注入淡水或低浓度卤水，利用溶解作用在地下形成特定形态储存空间的过程。

国际上普遍采用单井造腔法来建造盐穴储气库，主要分为三个阶段，如图1所示。第一阶段是建槽期，主要是在盐层中溶解出一个“陀螺”形底坑，以便堆积掉落的不溶物；第二阶段是造腔期，在盐层中部快速溶解出一个近似圆柱形的空间，该部分体积较大，是腔体储存天然气的主体；第三阶段是封顶期，主要是在盐层上部逐渐溶解形成阶梯状拱形腔顶，起到稳定腔体的作用。

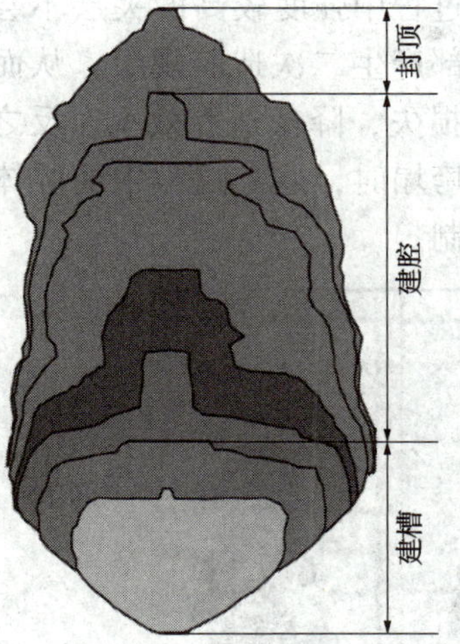

图1　腔体发展过程

不同于国外盐岩层厚度大（单层厚度>200m）、盐岩品位高的特点，中国的盐岩矿床主要由湖相沉积形成，具有盐层薄、夹层多、杂质含量高等特征，这些不良的地质条件增大了国内盐穴储气库的建设难度，但同时也促使国内出现多项造腔新技术，包括双井小间距水溶造腔方法、水平对接井造腔方法以及水平井多步回退造腔方法等。

3　盐矿层特征的影响

影响建设盐穴储气库的因素很多，主要可分为地质条件和其他条件。地质条件主要为盐层埋藏深度、构造条件、盐矿层特征以及顶底板稳定性等。其中，盐矿层特征对水溶造腔效率具有明显的控制作用。

盐矿层特征可概括为盐岩层厚度、可溶盐含量、夹层厚度和岩性等。一般来讲，单盐层的厚度越大越好，当厚度小于100m时将无法被建造成具有一定储气规模和经济效益的盐穴；盐岩层可溶性盐含量越高，对建造储气盐穴越有利；夹层的厚度和岩性对造腔影响也较大，当夹层为泥岩时，较易造腔，而当夹层为硬石膏、石膏岩、白云岩或泥灰岩且厚度较大时，不易被水溶解，给造腔带来困难，降低造腔效率。本节主要对夹层和可溶盐含量对造腔效率的影响进行梳理分析。

3.1　*夹层的影响*

盐岩层中的夹层特征主要用其数量、厚度和岩性进行表征，这些因素会对造腔速率、腔体形态、腔体储气空间和腔体稳定性产生影响。

相关研究表明，在一定范围内，夹层数量越多，造腔速率越小。徐孜俊对国内A1井进行了造腔分析，造腔天数为720d，发现在盐层中没有夹层和有3个夹层时，造腔体积分别为255000m^{3}和178000m^3，平均采盐速率也由15.54m^3/h降为10.54m^3/h（图2、3）。栾建建给出了三个地质模型，模型中盐岩层的夹层数量分别为1、2、3，造腔时间（240d）及其他条件均相同，造腔结果见表1：当盐岩中没有夹层时，造腔体积为25520m^3，采盐速率可达15.582m^3/h；而当盐岩中夹层数量逐渐变大，溶解出的造腔体积和腔体有效体积会有所减小，采盐速率也逐渐降低。可见，夹层数量越多，相同时间内造腔体积和平均采盐速率就越小，造腔速率也就越小，造成盐穴储气库较长的造腔周期。夹层数量对造腔速率的影响机制在于，在水溶造腔过程中，腔体内的卤

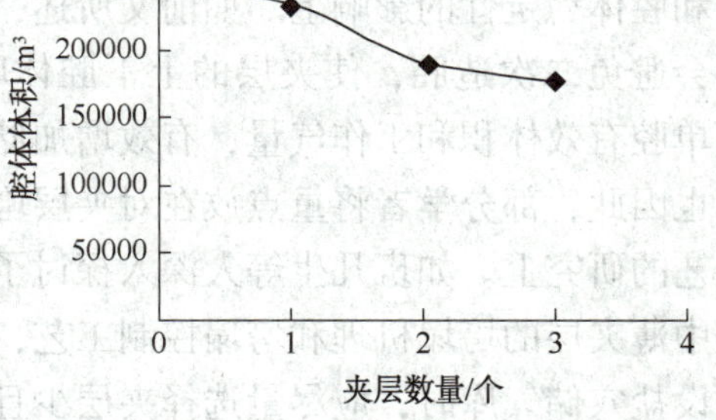

图2　不同夹层数量造腔腔体体积

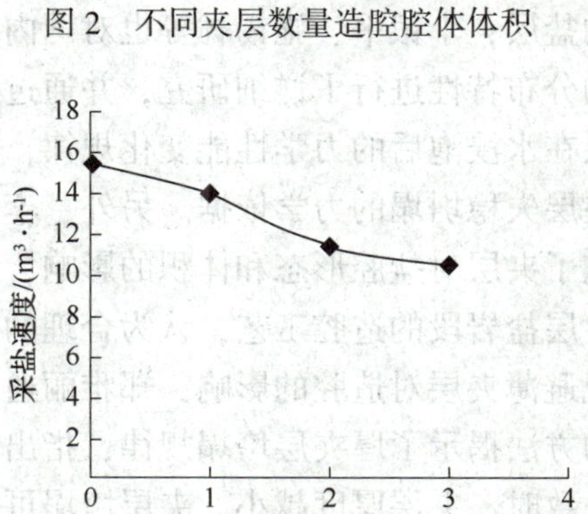

图3　不同夹层数量造腔采盐速度

水通过管柱与外界的淡水进行物质交换，但夹层的存在阻碍了两者的输运对流扩散过程，导致交换不充分，进而降低了采盐速率，增加了盐穴储气库造腔时间。

表 1　夹层对溶蚀速度的影响

地质模型	夹层数量/个	有效体积/m^3	腔体体积/m^3	采盐速度/(m^3/h)
1	0	25520	28330	15.582
2	1	23390	25620	13.983
3	2	17880	20870	11.396

夹层数量也会对腔体形态产生影响。根据国外经验，“上小下大”的梨形形态符合腔体稳定性的要求。班凡生利用造腔软件 CPSLS1.1 对含不同夹层数量的地层建设盐穴储气库过程进行了模拟计算，结果显示：当盐岩层不含夹层时，造腔边界具有良好的连续性，整体形态呈现梨形，稳定性好；而当夹层数量增多时，造腔边界不规则现象愈发明显，稳定性逐渐变差(图 4)。这说明盐岩层中的夹层影响着腔体形态的发展，即夹层数量越少，腔体形态越规则，且越容易被控制。产生这种现象的原因是，盐岩层中组分差异较大的夹层具有不同的抗拉强度和抗剪强度，造腔过程中强度较高的夹层不会坍塌，导致在其上部产生二次造腔现象，从而造成造腔体积大量损失，降低造腔效率。反之，当夹层容易断裂垮塌时，造腔过程中的腔体形态就比较容易控制。

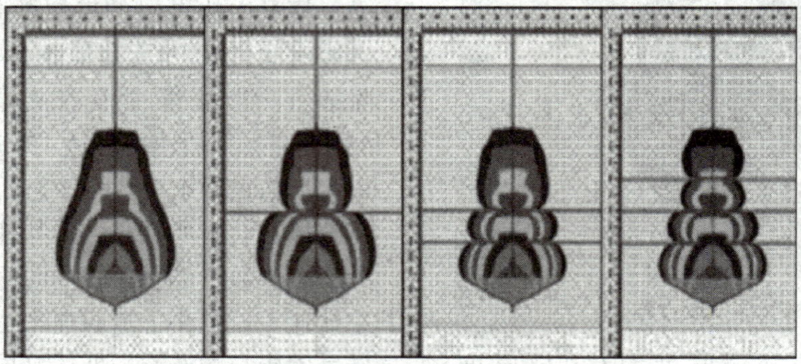

图 4　夹层数目不同时溶腔形态

夹层厚度对造腔效率的影响主要体现对储气空间和腔体稳定性的影响上。如前文所述，夹层垮塌会避免二次造腔，使夹层的上下腔体联通，提高单腔有效体积和工作气量，有效增加储气空间。也因此，部分学者将重点放在对夹层垮塌控制工艺的研究上。如班凡生等人深入探讨了造腔过程中薄夹层的垮塌机理和垮塌控制工艺，提出在建设盐穴储气库时，应尽量选择夹层少且厚度较小的盐层；李银平、施锡林等也对国内外盐岩夹层的分布特性进行了详细研究，并通过实验得出夹层在水浸泡后的力学性能变化规律，从而获得了夹层失稳坍塌的力学依据。另外，李建君等还研究了夹层对盐腔形态和体积的影响，总结出含多夹层盐岩段的造腔工艺，认为合理的造腔工艺可规避薄夹层对造腔的影响；郑雅丽通过数值模拟的方法揭示了厚夹层垮塌规律，指出在其他条件一致时，夹层厚度越小，夹层垮塌可能性就越大。在腔体稳定性方面，王元刚指出，当巨厚夹层作为腔体的直接顶板时，腔体的稳定性较好，发生整体失稳的概率较小。栾建建对夹层对造腔效率的影响规律进行了一些总结：在造腔初期，夹层的存在可以提高盐岩层的利用率，从而增加造腔体积；在造腔中期，夹层的存在可以有效控制上溶，防止顶板的过早坍塌；在造腔后期，如果夹层位于腔体顶板，能够增加腔体的稳定性。

3.2　可溶盐含量的影响

盐岩层的可溶性盐主要为 NaCl，其次为 Na_2SO_4。本小节主要用盐岩品位，即单位质量的盐岩中所含盐(氯化钠)的百分数来对其进行表征。理论上，盐岩品味是影响盐穴储气库造腔速率、造腔体积和腔体形态的重要因素。

一般来讲，盐岩品味越高，造腔速率越大，腔体形态越规则。栾建建分析了盐岩品味与造腔速率和造腔体积之间的关系：(1)对于表 2 给出的四种地质模型，盐层盐岩品味由 70%依次增大到 75%、80%、85%，在相同的造腔时间内，采盐速率可由 7.27m^3/h 逐渐增大到 13.34m^3/h；

(2)对于图5的四个腔体，盐岩品位由70%逐渐增至87.6%，在造腔时间、造腔工艺基本相同且忽略夹层的影响下，造腔体积由6.24×10^4m^3增大到10.99×10^4m^3，两者呈线性关系；班凡生对七种不同盐岩品味的地质模型(盐岩品味分别为70%、75%、80%、85%、90%、95%和100%)进行了为期720d的造腔，发现当盐岩品味由70%增至95%时，造腔体积由12.1×10^4m^3增大到28.5×10^4m^3；同时，他发现盐岩品味越高，腔体形态会越规则。对于上述规律，有研究指出，盐岩中包含的不溶物以及泥岩夹层垮塌后会在腔底形成残渣，残渣会遇水膨胀，侵占腔体体积，当不溶物含量越高(即盐岩品味越低)，侵占的腔体体积则越大。

表2　盐岩品味对溶蚀速度的影响

地质模型	盐层品位/%	有效体积/m^3	腔体体积/m^3	采盐速度/(m^3/h)
1	70	128820	174110	7.27
2	75	151530	202020	8.73
3	80	186820	233480	11.42
4	85	219770	258790	13.43

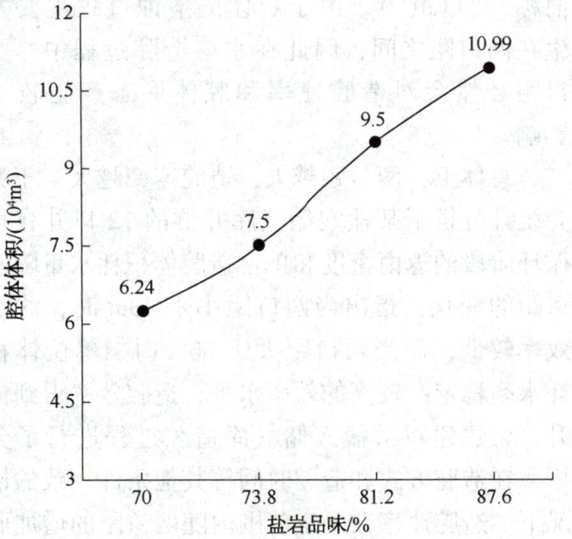

图5　盐岩品味与腔体体积的关系

4　造腔工艺技术的影响

造腔工艺技术是另一种影响盐穴储气库造腔效率的关键因素。本节结合前人研究成果，将影响造腔效率的造腔工艺技术分为造腔循环方式、造腔管柱和注水排量三个方面。其中，造腔管柱可分为造腔管柱两口距、管柱提升次数和油垫层位置三个因素。下面将分别对其影响规律进行分析总结。

4.1　造腔循环方式的影响

上文已经提到，盐穴储气库造腔是一个将淡水或低浓度卤水注入盐岩层，溶解盐岩并排出卤水的过程。在注水前，首先要向井眼内下入三层造腔管柱，由内到外分别是中心管、中间管和生产套管。其中，中心管直径较小，需下入腔体的底部，中间管则在中心管位置基础上进行确定，两者距离称为管柱两口距。淡水或低浓度卤水在后续即通过中心管和中间管进行注入和排出，依据其注入方式和流动方向的不同分为正循环和反循环造腔。正循环造腔指的是通过中心管向腔体内注入淡水，水由腔体底部向上流动，卤水则通过中间管排出腔体；反循环造腔则是指从中间管向腔体内注入淡水，水由腔体顶部向下流动，卤水通过中心管排出腔体(图6)。

各类研究表明，造腔循环方式会对造腔速率和腔体形态产生影响。王建夫分析了金坛储气库处于造腔期的6口井，发现在其他条件接近时，相较于正循环造腔，反循环造腔使平均排卤质量浓度提高10.2%(图7)，这表明反循环造腔可以显著提高造腔速率；王建夫还在另一份研究中统计了金坛储气库10口造腔井的造腔速率数据，发现与正循环相比，反循环造腔方式会使造腔速率提高10.07%；栾建建对比了国内某盐穴储气库3个腔体的造腔过程，指出在淡水注入排量(35.6m^3/h)和累计造腔时间基本相同(分别为221d，222d以及227d)的情况下，反循环造腔时间越长，造腔体积越大，即造腔速率越大；同时，他还发现正循环造腔时间越长，腔体的形态越规则。在对腔体形态的影响上，班凡生的研究显示，采用正循环造腔方式获得的腔体形态通常为“上小下大”的梨形，这种形态的腔体在底部发生溶蚀的接触面积较大，溶蚀速率较低；相反，反循环造腔方式会获得“上大下小”的倒梨形腔体形态，这种腔体在上部发生溶蚀的接触面积较大，溶蚀速率相对较快；孙春柳也提出造腔循环方式会对造腔不同阶段的腔体形态有所影响。

对于造腔循环方式对腔体形态的影响机理，要从不同方式下腔体中流体运动特征进行分析。正循环是从中心管底部向腔体内注入淡水，对腔体进行溶蚀后向上运移扩散，当到达中间管高度时则从中间管底部排出。然而，有一部分淡水在

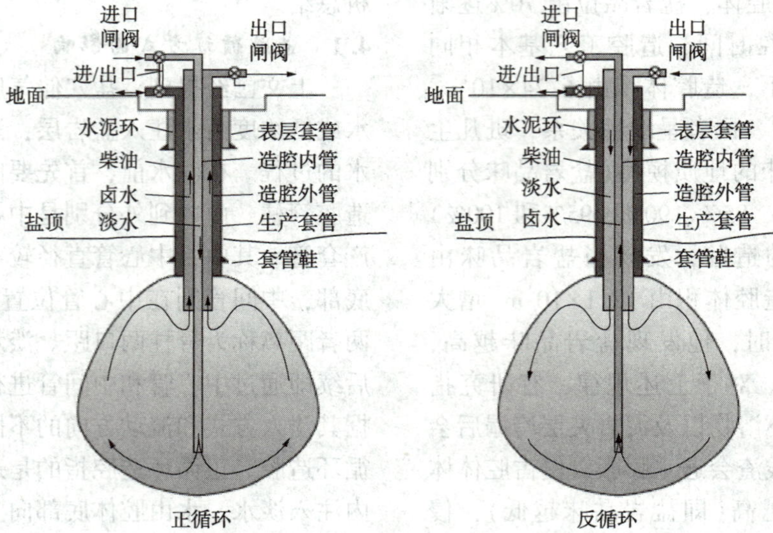

图 6　造腔循环方式

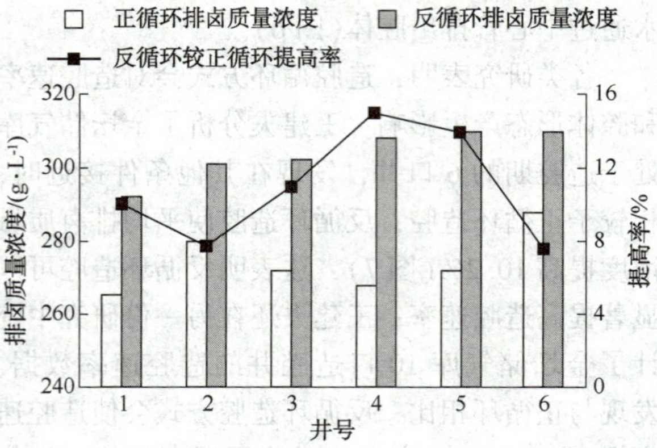

图 7　正、反循环排卤质量浓度对比

腔体内没有得到充分扩散时就从中间管排出，另一部分则沿管壁而上，在两口距范围内进行对流。可见，正循环时，两口距范围内强迫对流明显，且越靠近中心管，强迫对流越显著，卤水浓度变化越大，腔体变化也越明显，从而形成梨形腔体；反循环是从中间管底部注入淡水，淡水会沿中心管壁向上运移，到达腔顶时再向下运移，在中间管底部到腔顶范围内强迫对流现象明显，底部的高浓度卤水从中心管返出，这样注入的淡水就能和卤水进行充分的物质交换。可知，反循环造腔方式在降低腔体内卤水浓度方面要好于正循环，可明显提高造腔速率。

综上，在盐穴储气库造腔过程中，提高造腔速率最直接有效的方式是采用反循环造腔方式，但是为了控制腔体形态，需与正循环造腔方式进行充分结合：在造腔初期即建槽阶段需采用正循环造腔方式，打开腔底盐层，形成不溶物堆积空间；中期则采用正、反循环合理交替的造腔模式来加快造腔速率；末期需采用正循环的方式来控制腔顶形态。

4.2　造腔管柱的影响

4.2.1　造腔管柱两口距

前文已经提到，盐穴储气库造腔施工过程中，需要向腔体中下入三层造腔管柱，其中中心管和中间管的距离被称为造腔两口距(下文简称“两口距”)。由于腔体的溶蚀过程主要发生在两口距之间，因此在水溶造腔过程中，两口距必然会对造腔速率和腔体形态产生较大影响。

总体上，两口距越大，造腔速率越大。于鹏亮统计分析了某盐穴储气库井群的 12 口井在反循环阶段的返卤密度和单位造腔体积耗水量随两口距的变化，指出当两口距小于 40m 时，滤取效率较低，而当两口距大于 60m 时，单位体积耗水率稳定在较高的效率水平，造腔效率得到提升；栾建建对某盐穴储气库造腔过程进行了分析，在造腔方式和造腔时间等其他条件一致的情况下，造腔速率在一定范围内随两口距的增加而增加。

两口距对腔体形态的影响方面，班凡生通过数值模拟发现当两口距在 10m 到 50m 范围内时，腔体形态为一个完整的腔体；而当两口距从 60m 增加到 90m 时，腔体形态基本上保持上下两个腔体。原因是两口距越小，造腔有效溶蚀区间也会变小，造腔效率降低；两口距过大，会由于对流扩散作用造成腔体上部溶蚀的腔体半径过大，在与下部较低的溶蚀速率共同作用下，形成不规则的造腔形态。有研究指出，调整两口距本质上就是调整浓度场和速度场中源汇项的相对位置，通过速度场的改变影响浓度场，进而对造腔形态产生影响。因此，在盐穴储气库造腔过程中，要确定合适的两口距来同时提高造腔速率和保证腔体形态的连续性及稳定性。

4.2.2　管柱提升次数

管柱提升次数的变化会对造腔速率和腔体形态产生重要影响。在盐穴储气库的造腔过程中，由于夹层等不可溶物质的存在，腔体底部残渣高度会逐渐累加，为了防止出口位置被堵塞，需要逐渐提升中心管的位置，以确保腔体上部的盐层得到充分溶蚀，从而提高造腔效率。此外，在中心管提升过程中，为了控制两口距以保证规则的腔体形态，中间管的位置也需要相应提升。在此过程中，涉及到管柱的提升次数。

王荔对不同造腔阶段管柱提升已有过探讨：采用反循环建槽时，中心管往往下至盐层底部，由于建槽初期底部空间较小，所以为了防止杂质堵塞中心管，就需要对中心管进行提升；采用反循环造腔时，由于底部已形成较大空间来储存杂质，所以这一阶段主要通过调整中间管和油垫层的位置来控制腔体形态；造腔后期采用正循环进行短时间溶颈，这一段根据实际情况确定是否调整管柱；班凡生通过研究金坛某储气库腔体形态随管柱提升次数的变化，得到以下结论：如图8所示，随着管柱提升次数的增加，腔体形态更加接近梨形形态，同时腔体边界的连续性和稳定性也得到改善；然而，他也指出，管柱提升次数过多会导致造腔成本增加，因此，盐穴储气库水溶造腔管柱提升次数不宜过大，一般在6~9次之间较为合适。

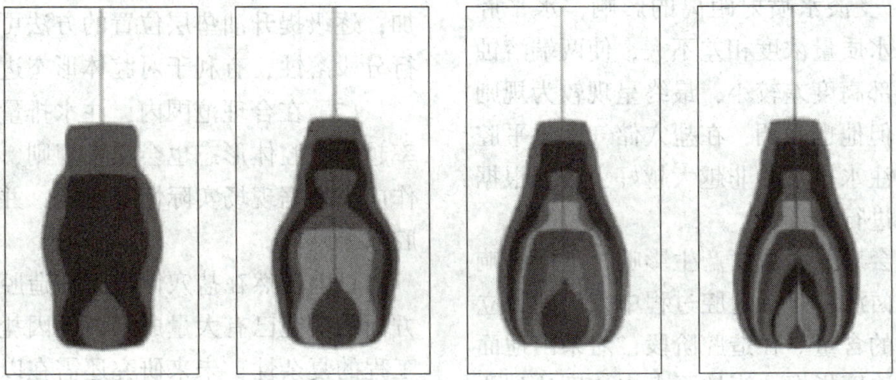
(a)3次　(b)5次　(c)7次　(d)9次

图8　某储气库不同管柱提升次数下的腔体形态示意图

4.2.3　油垫层位置

盐穴储气库造腔过程中，需要向生产套管和中间管之间的环形空间注入一定量的阻溶剂，阻溶剂不溶于水，也不溶于盐层，当腔体上部充满该介质时，可以在卤水和腔体顶部之间形成一层保护层，防止卤水直接与盐腔顶部接触，造成腔体上溶过快，有效保护腔体顶部及上部裸眼段。

油垫层位置对造腔体积及腔体形态均会产生影响。栾建建分析了某盐穴储气库油垫层位置变化与造腔体积的关系，发现在其他条件不变的情况下，油垫位置每增加5m，造腔体积增加越大。魏东吼指出在控制腔体形态的工艺参数中，油垫控制对腔体形态变化的影响最大，应采用自下而上逐级提升油垫的方法对盐层进行分段溶蚀，控制腔体形态，油垫的位置一般位于中间管管口以上1m，并应随中间管位置的变化而变化。

4.3　注水排量的影响

注水排量是指单位时间内向盐腔中注入淡水的体积，是影响盐穴储气库造腔速率的重要参数。

一般来讲，注水排量越大，造腔速率越大。栾建建分析了国内某盐穴储气库3个盐岩品味基本相同的造腔井累积造腔时间与平均注水排量的关系(不考虑夹层含量)，发现当平均注水排量分别为42.6m^3/d、38.4m^3/d和31.8m^3/d时，达到基本相同的造腔体积所消耗的时间分别为831d，871d，974d，即注水排量越大，造腔速率越大；周俊驰也指出，在单井造腔的相同时间内，注水排量越小，造腔体积增加越慢，建库周期也就会越长；另外，他还进行了双井造腔物理模拟实验，发现注水排量越大，造腔体积就越大，腔体形态越“饱满”，造腔效率越高；当注水排量减小时，造腔体积也会减小，形态由最初的“哑铃状”转变为圆柱状，造腔效率变低；王建夫选取了平均注水排量在50~100m^3/h之间的造腔井，并对建槽期注水排量对造腔速率的影响进行了研究。结果发现，随着注水排量的增加，平均造腔速率呈现先增加后降低的趋势，当注水排量在80~90m^3/h之间时，造腔速率达到最大值。

注水排量也会对腔体形态产生影响。王建夫在研究注水排量对造腔速率的影响时还发现，注水排量对腔体形态的规则程度影响较大，尤其是建槽期的腔体形态；王文权开展了水平井多步法造腔工程室内试验，发现注水排量对水平井腔体形态有显著影响：当排量为5、10mL/min时，水平腔体的形态因受卤水质量浓度分布的影响呈现不均匀特征，即在水平注入端和直井出水端之间形成一个左高右低的斜面；而当排量为20、30mL/min时，受淡水喷射距离的影响，水平腔左右两端的卤水质量浓度相差不大，使两端溶蚀得到的腔体顶部高度差较小，最终呈现较为规则的圆柱形态。但他也强调，在盐穴储气库水平腔造腔过程中，注水排量并非越大越好，应当根据现场实际情况进行设计。

注水排量会对采卤浓度产生影响，进而影响造腔速率。采卤浓度是指造腔过程中采出的每立方米卤水中盐的含量。在造腔阶段，对采出地面的卤水会设定浓度指标，当地面卤水浓度达到要求时将直接被用于人工制盐；而当卤水浓度低于要求时，将被重新注入地下盐层继续用于造腔。由于被返回地下的卤水已经具备一定的浓度，因此注水排量过小引起的采卤浓度过小会延缓盐穴储气库的造腔速率。

5 结论与展望

综上所述，盐穴储气库造腔过程中的造腔速率、造腔体积、腔体形态、储气空间和腔体稳定性等受到盐矿层夹层和可溶盐含量的影响，也受造腔循环方式、造腔管柱和注水排量等造腔工艺条件的影响。影响规律概述如下：

（1）盐岩层中的夹层数量越多，造腔速率越小；夹层数目增多会使腔体边界的连续性和稳定性变差；夹层厚度越小，夹层垮塌可能性越大，从而增加造腔储气空间；当巨厚夹层位于腔体顶板时，会提升腔体稳定性，减小发生整体失稳的概率。

（2）一般来讲，在一定范围内，盐岩层可溶盐含量越高，造腔速率越大，腔体形态越规则，造腔效率越高。

（3）反循环造腔方式可显著提高造腔速率，但腔体形态不易受控；正循环造腔方式可以较好地控制腔体形态，但造腔速率较慢。因此，造腔过程中要对两者进行合理规划。

（4）在一定范围内，造腔两口距越大，造腔速率越大，但当两口距过大时，会形成不规则的造腔形态。

（5）造腔过程中，为防止腔体底部不溶物堵塞中心管，需要对中心管进行提升，以提高造腔效率；另外，随着管柱提升次数的增加，腔体形态更加接近稳定的梨形，但受到造腔成本的限制，管柱提升次数不能太多。

（6）油垫层位置增加，造腔体积也会逐渐增加；逐级提升油垫层位置的方法可实现对盐层进行分段溶蚀，有利于对腔体形态进行控制。

（7）在合理范围内，注水排量越大，造腔速率越大，腔体形态也会愈发规则，但实际造腔工作应当根据现场实际情况确定，并非排量越大造腔效果越好。

目前虽然在盐穴储气库在造腔效率影响因素方面的研究已有大量成果，但因盐穴储气库造腔工程的复杂性，未来研究还需在以下方面加强：

（1）目前对造腔效率影响因素的梳理和总结大多针对单井造腔工艺，对于新兴的水平对接井造腔、水平多步法造腔等的造腔效率影响因素研究还需进一步进行统计分析。

（2）当前研究大多探讨了单一因素对盐穴储气库造腔效率的影响，但实际造腔效率是受多因素叠加影响的，后续需加强相关研究，分析各因素影响权重，形成相应模型，指导数值模拟。

（3）国内已成熟投产的盐穴储气库数量有限，造腔经验来源单一。在未来平顶山、淮安及楚州等盐穴储气库的造腔过程中，需多总结分析造腔经验，对现有结论进行补充和完善。

（4）限于时间和作者水平问题，本文多针对国内相关研究结论进行梳理，鲜对国外造腔经验进行探索和总结，得到的一些认识也较为浅显，后续需进一步进行梳理归纳，逐渐形成一套完备的盐穴储气库造腔效率影响因素综述。

参 考 文 献

[1] 郭洁琼，周韬，李刚，等. 传统管理背景下中国地下储气库经营模式[J]. 油气储运，2022，41(09)：1004-1013.

[2] 阳小平，王同涛，孙博，等. 中国地下储气库建设需求和关键技术发展方向[J/OL]. 油气储运，2023，1-8.

[3] 郑得文，王皆明，丁国生，等. 气藏型储气库注采运行优化技术[M]. 北京：石油工业出版社，2018：1-10.

[4] 杨春和，梁卫国，魏东吼，等. 中国盐岩能源地下储存可行性研究[J]. 岩石力学与工程学报，2005(24)：4409-4417.

[5] 戴鑫. 金坛盐穴储气库造腔工艺参数优化及应用[D]. 中国石油大学(华东)，2016.

[6] 张艺. 金坛盐矿老腔改建储气库可行性研究[D]. 重庆大学，2011.

[7] Q/SY 1417—2011. 盐穴储气库造腔技术规范[S].

[8] 杨海军，盐穴储气库造腔工程[M]. 南京：南京大学出版社，2018.

[9] 王建夫，朱阔远，李友才，等. 金坛盐穴储气库造腔关键参数优化[J]. 石油钻采工艺，2020，42(04)：471-475.

[10] Wang T T, Yang C H, Shi X L, et al. Failure analysis of thick interlayer from leaching of bedded salt caverns[J]. International Journal of Rock Mechanics and Mining Sciences, 2015, 73: 175-183.

[11] Yang C H, Wang T T, Li Y P, et al. Feasibility analysis of using abandoned salt caverns for large-scale underground energy storage in China[J]. Applied Energy, 2015, 137: 467-481.

[12] 王磊. 山东省岩盐矿区建造储气盐穴地质评价[J]. 化工矿产地质，2022，44(03)：257-264.

[13] 徐孜俊，班凡生. 多夹层盐穴储气库造腔技术问题及对策[J]. 现代盐化工，2015(02)：10-14.

[14] 栾建建. 盐穴储气库造腔效率评价方法研究[D]. 中国石油大学(北京)，2017.

[15] 班凡生. 盐穴储气库水溶建腔优化设计研究[D]. 中国科学院研究生院(渗流流体力学研究所)，2008.

[16] 郑雅丽，赵艳杰，丁国生，等. 厚夹层盐穴储气库扩大储气空间造腔技术[J]. 石油勘探与开发，2017，44(01)：137-143.

[17] 班凡生，袁光杰，赵志成. 盐穴储气库溶腔夹层应力分布规律[J]. 科技导报，2014，32(16)：45-48.

[18] 袁光杰，班凡生，赵志成. 盐穴储气库夹层破坏机理研究[J]. 地下空间与工程学报，2016，12(3)：675-679.

[19] 班凡生，袁光杰，申瑞臣. 多夹层盐穴腔体形态控制工艺研究[J]. 石油天然气学报，2010，32(1)：362-364.

[20] 施锡林，李银平，杨春和，等. 多夹层盐矿油气储库水溶造腔夹层垮塌控制技术[J]. 岩土工程学报，2011，33(12)：1957-1963.

[21] 施锡林，李银平，杨春和，等. 盐穴储气库水溶造腔夹层垮塌力学机制研究[J]. 岩土力学，2009，30(12)：3615-3620.

[22] 姜德义，张军伟，陈结，等. 岩盐储库造腔期难溶夹层的软化规律研究[J]. 岩石力学与工程学报，2014，33(5)：865-873.

[23] 李银平，施锡林，杨春和. 深部盐矿油气储库水溶造腔控制的几个关键问题[J]. 岩石力学与工程学报，2012，31(9)：1785-1796.

[24] 李建君，王立东，刘春，等. 金坛盐穴储气库腔体畸变影响因素[J]. 油气储运，2014，33(3)：269-273.

[25] 郭凯，李建君，郑贤斌. 盐穴储气库造腔过程夹层处理工艺——以西气东输金坛储气库为例[J]. 油气储运，2015，34(2)：162-166.

[26] 李建君，陈加松，吴斌，等. 盐穴地下储气库盐岩力学参数的校准方法[J]. 天然气工业，2015，35(7)：96-102.

[27] 王元刚，陈加松，刘春，等. 盐穴储气库巨厚夹层垮塌控制工艺[J]. 油气储运，2017，36(09)：1035-1041.

[28] 张博，安国印，刘团辉，等. 平顶山地下盐穴储气库建库盐层分布预测[J]. 盐科学与化工，2021，50(02)：5-9+13.

[29] 张博，刘团辉，席增强，等. 平顶山盐矿改建地下盐穴储气库前期评价与认识[C]//中国石油学会天然气专业委员会. 第32届全国天然气学术年会(2020)论文集. 2020：2853-2861.

[30] 王建夫，安国印，王文权，等. 盐穴储气库造腔设计方法及影响因素研究[C]//中国石油学会天然气专业委员会. 第31届全国天然气学术年会(2019)论文集(06储运安全环保及综合). 2019：336-345.

[31] 班凡生，肖立志，袁光杰，等. 地下盐穴储气库快速建槽技术及其应用[J]. 天然气工业，2012，32(09)：77-79+134-135.

[32] 孙春柳，丁国生，完颜祺琪，等. 盐穴储气库造腔过程盐腔形态工艺控制方法[C]//中国石油学会天然气专业委员会，四川省石油学会，浙江省石油学会. 2017年全国天然气学术年会论文集 2017：

1819-1823.
[33] 于鹏亮. 盐穴地下储气库井反循环阶段两口距的影响分析[J]. 中国石油和化工标准与质量，2022，42(23)：104-106.
[34] 王荔. 盐穴储气库单腔建设投资优化研究[D]. 西南石油大学，2015.
[35] 胡开君，巴金红，王成林. 盐穴储气库造腔井油水界面位置控制方法[J]. 石油化工应用，2014，33(05)：59-61.
[36] 魏东吼. 金坛盐穴地下储气库造腔工程技术研究[D]. 中国石油大学，2008.
[37] 周俊驰. 盐穴储气库双井造腔模拟技术研究[D]. 中国石油大学(北京)，2016.
[38] 王文权，杨海军，刘继芹，等. 盐穴储气库溶腔排量对排卤质量浓度及腔体形态的影响[J]. 油气储运，2015，34(2)：175-179.
[39] 齐得山，李建君，赵岩，等. 金坛盐穴储气库精细造腔造腔体积优化[J]. 油气储运，2018，37(6)：633-638.
[40] 王文权，苗胜东，邢红艳，等. 注水排量对水平井造腔腔体形态影响实验研究[J]. 石油钻采工艺，2020，42(04)：476-480.

工况参数对流量计检定结果的影响分析

王柯栩　刘博韬　侯　阳　杨　阔　付顺康　彭　娇　万志雄　王敏安

（国家石油天然气管网集团有限公司西气东输分公司）

摘　要　天然气流量计实流检定是一个多参数组合测量过程，影响检定数据准确性的因素较多，涉及的参数包括流量、温度、压力和天然气组分。检定工况参数不稳定，参数测量结果不准确都会影响检定结果的准确性和可靠性。而且这些影响往往不易觉察，需要使用核查技术进行监视和判断。本文以标准表法流量标准装置检定流量计为例，通过对天然气流量计检定原理的分析，对影响天然气流量计检定结果的温度、压力、天然气组分等因素进行定性和定量分析。

关键词　检定结果；工况参数；稳定性；准确性

随着国家“节能环保”政策实施，天然气作为一种优质、高效、清洁低碳能源，截止目前消费量达 4440.57 亿立方米。流量计作为主要计量工具，是天然气能源贸易结算、环境监测等诸多领域中的关键设备，其计量问题始终是天然气产、供、销的关键问题之一，计量器具的计量准确直接关系生产企业、销售企业和下游用户的利益，这就对天然气流量计的检定提出了更高的要求。在实际的检定过程中，流量计的检定结果会受多种因素的影响，例如介质温度、压力、天然气组分等工艺参数的变化。工艺参数容易受到环境条件的影响，导致测量存在一定的偏差，从而直接影响检定结果的准确性。本文以标准表法流量标准装置检定流量计为例，通过对天然气流量计检定原理的分析，对影响天然气流量计检定结果的因素进行定性和定量分析，最后给出了减小温度、压力及天然气组分变化对检定结果影响的措施。

1　流量计检定误差计算模型

用标准表法天然气流量标准装置检定流量计时，依据的是流体流动的连续性原理，即质量守恒原理。检定过程中，将标准涡轮流量计与被检流量计所测量的标准流量值相比较，经压力、温度、组分换算，计算得到被检流量计的示值误差。用标准表法天然气流量标准装置检定流量计的等效工艺原理图如图 1 所示。

标准流量计和被检流量计用管道连接，在一定的时间间隔内，流入标准流量计 MM 的质量流量为 m_1，流入被检流量计 MUT 的质量流量为

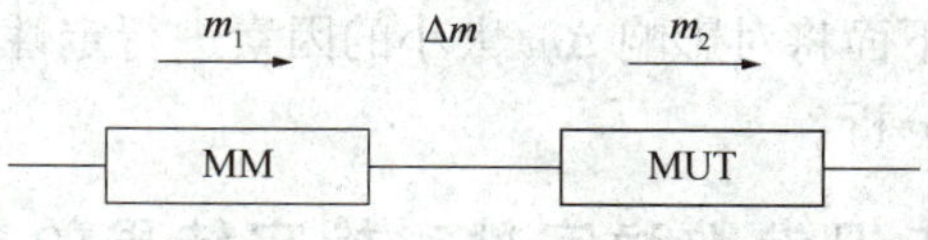

MM—标准流量计，MUT—被检流量计

图 1　用标准表法流量标准装置检定流量计的原理图

m_2，标准流量计和被检流量计间管容内质量变化量为 Δm，则：

$$m_1 = m_2 + \Delta m \tag{1}$$

当流动达到稳定状态时，$\Delta m = 0$，所以

$$m_1 = m_2 \tag{2}$$

此时天然气流量计的检定是在稳定条件下使天然气连续流过标准流量计和被检流量计，记录在相同时间间隔内标准流量计和被检流量计的测量值，通过计算被检流量计的示值误差(3)，来判断流量计检定是否合格。

$$E = \frac{Q_m - Q_{s,m}}{Q_{s,m}} \times 100\% \tag{3}$$

$$Q_{s,m} = Q_{s,s} \cdot \frac{p_s \cdot T_m \cdot Z_m}{p_m \cdot T_s \cdot Z_s} \tag{4}$$

式中，E 为被检流量计的相对示值误差，%；Q_m 为被检流量计的累积流量，m^3；$Q_{s,m}$ 为标准流量计的累积流量换算到被检流量计处工况条件下的流量值，m^3；$Q_{s,s}$ 为标准流量计的累积流量，m^3；P 为天然气的压力，MPa；T 为天然气的温度，K；Z 为天然气的压缩因子。下标“s”表示标准流量计处的参数，下标“m”表示被检流量计处的参数。

如果检定过程中的工况参数不稳定，管容中温度和压力有变化，即流动状态是非稳定流时，

$\Delta m\neq 0$，则 $m_1\neq m_2$，即流过标准流量计和被检流量计的量值不一致，此时用式(3)计算得的被检流量计的示值误差不能准确地反映流量计的真实特性。

检定过程中管容中工况参数温度和压力不稳定，对流量计检定结果示值误差的影响量 ΔE 用式(5)计算：

$$\Delta E=-\frac{\Delta m}{m_1}\times 100\% \tag{5}$$

可见：

1）当 $\Delta m>0$ 时，$\Delta E<0$，即流量计的示值误差向负向偏移；

2）当 $\Delta m<0$ 时，$\Delta E>0$，即流量计的示值误差向正向偏移。

下面将对影响 Δm 大小的因素进行定性和定量的分析。

2 工况参数稳定性对检定结果的影响分析

2.1 理论分析

根据状态方程，管容内天然气的质量可用式(6)计算。

$$m=\frac{pVM}{ZRT} \tag{6}$$

式中，P 为管容内天然气压力，Pa；V 为管容，m^3；M 为天然气摩尔质量，$kg\cdot kmol^{-1}$；Z 为管容内天然气的压缩因子；R 为通用气体常数，$kJ\cdot kmol^{-1}\cdot K^{-1}$；$T$ 为管容内天然气温度，K。

在此只考虑管容中压力和温度变化的影响。管容中天然气质量变化量与管容中压力和温度变化量的关系为：

$$\Delta m=\frac{MV}{ZRT}\left(\Delta p-\frac{\Delta T}{T}p\right) \tag{7}$$

由式(7)可见：

1）当管容内压力升高($\Delta p>0$)或温度降低($\Delta T<0$)时，会使管容内的天然气质量增加($\Delta m>0$)，即流过被检流量计的气量小于流过标准流量计的气量，式(5)计算的误差变化值为负($\Delta E<0$)，即检定的流量计的示值误差值将向负向偏移；

2）当管容内压力降低($\Delta p<0$)或温度升高($\Delta T>0$)时，会使管容内的天然气质量减小($\Delta m<0$)，即流过被检流量计的气量大于流过标准流量计的气量，式(5)计算的误差变化值为正($\Delta E>0$)，即检定的流量计的示值误差值将向正向偏移；

3）当管容内压力升高、温度亦升高或管容内压力降低、温度亦降低时，由于压力变化和温度变化引起管容中天然气质量变化相反，所以，管容中天然气质量变化量将取决于压力和温度变化的具体量值，即检定的流量计的示值误差值的偏向取决于压力和温度变化的具体量值而定。

2.2 实测分析

为了有个定量的了解，在此以一组实际检定数据为例，分别给出管容中压力和温度变化一定量值对流量计检定结果的影响。

以某站为例，可取天然气组分数据如表1。

表1 典型天然气组分

名称	甲烷	乙烷	丙烷	氮气	二氧化碳
组分/%	98.2822	0.2291	0.0053	0.7931	0.6903

假设检定过程中，附加管容内天然气的温度为22.5℃，绝对压力为6.3MPa。天然气物性参数计算采用广泛使用的由美国 NIST 出版的 RefProp 9.0 软件计算。可算得附加管容中天然气的摩尔质量 $M=16.364$kg/kmol；工况条件下压缩因子为 0.89420、天然气的密度为 46.902kg/m^3；基准条件下的压缩因子为 0.99813、天然气的密度为 0.68156kg/m^3、则 $Z_m/Z_0=0.89599$。

在实际检定过程中，通常设置检定时间为100s，假设标准表和被检表之间的最大管容约为2m^3。在附加管容内温度波动±0.1℃～±0.5℃，压力波动±0.1%～±0.5%时，用式(7)可分别计算出附加管容中的质量变化量见表2和表3。

表2 温度波动引起附加管容中天然气质量变化量

温度波动值 ΔT/℃	±0.1	±0.2	±0.3	±0.4	±0.5
附加管容中质量变化值 Δm/kg	−/+0.0317	−/+0.0635	−/+0.0952	−/+0.1269	−/+0.1586

表 3　压力波动引起附加管容中天然气质量变化量

压力波动值 Δp/%	±0.1	±0.2	±0.3	±0.4	±0.5
压力波动值 Δp/kPa	±6.3	±12.6	±18.9	±25.2	±31.5
附加管容中质量变化值 Δm/kg	±0.0938	±0.1876	±0.2814	±0.3752	±0.4690

以检定 DN200 的超声流量计为例，DN200 超声流量计的流量范围是(40～4000)m^3/h，按检定规程，取 4 个检定点为 q_{min}、q_t、$0.4q_{max}$、q_{max}。在检定时间 t 内流过标准表的质量流量 m_1 用式(8)计算。

$$m_1 = \rho \times q_v \times t \div 3600 \tag{8}$$

在不同流量点下，流过标准表的质量见表 4。

在不同流量点下，管容中温度和压力波动对流量计检定示值误差的影响分别见表 5 和表 6。

由表 5 和表 6 可见：

1）在一定的检定流量下，管容中的温度和压力波动值越大，引起的被检流量计示值误差的变化就越大。

表 4　检定时间内流过标准表的气体质量

流量点	流量值/(m^3/h)	检定时间内的质量 m_1/kg
q_{min}	40	52.11
q_t	400	521.13
$0.4q_{max}$	1600	2084.53
q_{max}	4000	5211.33

2）对于一定的管容中温度和压力波动值，流量越小，引起的示值误差的变化就越大。在最小流量点 40m^3/h 时，管容中的温度波动 0.1℃时，可引起被检流量计示值误差变化 0.06%；管容中的压力波动 0.1%(6.3kPa)时，可引起被检流量计示值误差变化-0.18%。

表 5　不同流量点下管容中温度波动引起示值误差的变化(%)

流量点	温度波动值 ΔT/℃ 流量值/(m^3/h)	±0.1	±0.2	±0.3	±0.4	±0.5
q_{min}	40	±0.0609	±0.1218	±0.1827	±0.2435	±0.3044
q_t	400	±0.0061	±0.0122	±0.0183	±0.0243	±0.0304
$0.4q_{max}$	1600	±0.0015	±0.0030	±0.0046	±0.0061	±0.0076
q_{max}	4000	±0.0006	±0.0012	±0.0018	±0.0024	±0.0030

表 6　不同流量点下管容中压力波动引起示值误差的变化(%)

流量点	压力波动值 Δp/kPa 流量值/(m^3/h)	±6.3	±12.6	±18.9	±25.2	±31.5
q_{min}	40	-/+0.1800	-/+0.3600	-/+0.5400	-/+0.7200	-/+0.9000
q_t	400	-/+0.0180	-/+0.0360	-/+0.0540	-/+0.0720	-/+0.0900
$0.4q_{max}$	1600	-/+0.0045	-/+0.0090	-/+0.0135	-/+0.0180	-/+0.0225
q_{max}	4000	-/+0.0018	-/+0.0036	-/+0.0054	-/+0.0072	-/+0.0090

2.3　分析结果

由此可见，工况参数的稳定性对检定结果有较大的影响，尤其是小流量点影响更大。

在检定规程 JJG 1030 和 JJG 1037 中规定对准确度等级不低于 1.0 级的流量计，在每个流量点的每一次检定过程中，检定用气体的压力波动应不超过±0.5%、温度变化应不超过±0.5℃。由表 5 和表 6 可见，压力变化±0.5%、温度变化±0.5℃时，在不同流量点下对被检流量计检定结果的影响可达(0.009～0.9)%和(0.003～0.304)%。

可见，当管容中的压力或温度变化量为检定规程中的最大允许值时，将对天然气流量计的检定结果产生不可忽视的影响。所以，对于准确度要求较高的天然气流量计的检定应控制工况参数保持稳定。

由式(6)可见，对于一定的温度和压力波动值，当检定过程中流过的天然气质量越大时，对检定结果产生的影响就越小。

另外，由式(7)可见，对于一定的温度和压力波动值，当附加管容的容积 V 越大时，对检定结果产生的影响也越大。

3　工况参数准确性对检定结果的影响分析

3.1　理论分析

标准流量计和被检流量计处工况参数测量的准确性会影响检定结果。由式(3)和(4)可见：

1）当标准流量计处压力测量值 P_s 偏高或温度测量值 T_s 偏低时，使标准流量计测量值换算到被检流量计处工况参数下的量值 $Q_{s,m}$ 偏大，式(3)计算的示值误差值 E 将向负向偏移。

2）当标准流量计处压力测量值偏低 P_s 或温度测量值 T_s 偏高时，使标准流量计测量值换算到被检流量计处工况参数下的量值 $Q_{s,m}$ 偏小，式(3)计算的示值误差值 E 将向正向偏移。

3）当被检流量计处压力测量值 P_m 偏高或温度测量值 T_m 偏低时，使标准流量计测量值换算到被检流量计处工况参数下的量值 $Q_{s,m}$ 偏小，式(3)计算的示值误差值 E 将向正向偏移。

4）当被检流量计处压力测量值 P_m 偏低或温度测量值 T_m 偏高时，使标准流量计测量值换算到被检流量计处工况参数下的量值 $Q_{s,m}$ 偏大，式(3)计算的示值误差值 E 将向负向偏移。

3.2　实测分析

假设被检流量计处的温度为 T_m 时，天然气的压缩因子是 Z'_m，则由被检流量计处温度测量误差造成的体积转换的相对偏差由式(8)计算。

$$\Delta Q'_{s,m}=\frac{T'_m Z'_m-T_m Z_m}{T_m Z_m}\times 100\% \tag{8}$$

假设被检流量计处的压力为 P''_m 时，天然气的压缩因子是 Z''_m，则由被检流量计处压力测量误差造成的体积转换的相对偏差由式(9)计算。

$$\Delta Q''_{s,m}=\frac{Z''_m/p''_m-Z_m/p_m}{Z_m/p_m}\times 100\% \tag{9}$$

对于 2.2 中给出的天然气组分和工况条件，假设被检流量计处压力为 6.3MPa 保持不变，温度测量误差为 0.1℃~0.5℃，则可算得标准表测量值换算到被检流量计工况参数下体积值的变化量见表 7。

由表 7 可见，当被检流量计处温度测量误差为 0.1℃~0.5℃时，可使标准表测量值换算到被检流量计处的值增大 0.051%~0.251%，即可使流量计检定结果产生约为-0.05%~-0.25%的偏差。

表 7　被检流量计处温度测量误差对标准表体积换算结果的影响

温度 T_m 变化值/℃	0	0.1	0.2	0.3	0.4	0.5
温度 T_m/℃	22.5	22.6	22.7	22.8	22.9	23.0
压缩因子 Z_m	0.89420	0.89435	0.89449	0.89464	0.89479	0.89493
$\Delta Q'_{s,m}$/%	0	0.051	0.100	0.151	0.201	0.251

对于 2.2 中给出的天然气组分和工况条件，假设被检流量计处温度为 22.5℃保持不变，被检流量计处的压力测量误差为 0.1%~0.5%，则可算得标准表测量值换算到被检流量计工况参数下体积值的变化量见表 8。

表 8　被检流量计处压力测量误差对标准表体积换算结果的影响

压力 p_m 变化值/%	0	0.1	0.2	0.3	0.4	0.5
压力 p_m 变化值/kPa	0	6.3	12.6	18.9	25.2	31.5
压力 p_m/MPa	6.3	6.3063	6.3126	6.3189	6.3252	6.3315
压缩因子 Z_m	0.89420	0.89411	0.89401	0.89392	0.89382	0.89373
$\Delta Q''_{s,m}$/%	0	-0.110	-0.221	-0.330	-0.441	-0.550

由表 8 可见，当被检流量计处压力测量误差为 0.1%~0.5%(即 6.3kPa~31.5kPa)时，可使标准表测量值换算到被检流量计处的值减小 0.110%~0.550%，即可使流量计检定结果产生约为 0.110%~0.550%的偏差。

由上面的定性分析和定量计算结果可见，温度和压力测量的准确性对流量计检定结果的影响很大，必须采取措施进行监控。

4　天然气组分测量准确性对检定结果的影响分析

针对表 1 中给出的组分，分别按氮气组分变化、二氧化碳组分变化、乙烷组分变化及丙烷组分变化四种情况进行讨论分析。假设其他组分增加 1%时，使甲烷组分减小 1%，分别计算相应的压缩因子以及工况下的压缩因子与基准条件下的压缩因子比值 Z_m/Z_0 的变化。工况下温度为 295.65K、绝对压力为 6.3MPa；基准条件下温度为293.15K、绝对压力为0.101325MPa。表1中天然气组分的 Z_m/Z_0=0.89588。

4.1 氮气组分变化的影响

根据表1中给出的组分，氮气组分增加1%时，按表9中组分计算工作条件和基准条件下的压缩因子。

表9　氮气增加1%后的天然气组分

名称	甲烷	乙烷	丙烷	氮气	二氧化碳
组分/%	97.2822	0.2291	0.0053	1.7931	0.6903

可算得表9中天然气的摩尔质量 M=16.484kg/kmol。在工况条件下，压缩因子 Z_m=0.89562，天然气的密度 ρ=47.170kg/m³；在基准条件下，压缩因子 Z_0=0.99815，天然气的密度 ρ=0.68653kg/m³。可算得 Z_m/Z_0=0.89728，$\Delta(Z_m/Z_0)$=0.156%。

4.2 二氧化碳组分变化的影响

根据表1中给出的组分，二氧化碳组分增加1%时，按表10中组分计算工作条件和基准条件下的压缩因子。

表10　二氧化碳增加1%后的天然气组分

名称	甲烷	乙烷	丙烷	氮气	二氧化碳
组分/%	97.2822	0.2291	0.0053	0.7931	1.6903

可算得表10中天然气的摩尔质量 M=16.644kg/kmol。在工况条件下，压缩因子 Z_m=0.89294，天然气的密度 ρ=47.771kg/m³。在基准条件下，压缩因子 Z_0=0.99811，天然气的密度 ρ=0.69322kg/m³。可算得 Z_m/Z_0=0.89463，$\Delta(Z_m/Z_0)$=-0.140%。

4.3 乙烷组分变化的影响

根据表1中给出的组分，乙烷组分增加1%时，按表11中组分计算工作条件和基准条件下的压缩因子。

表11　乙烷增加1%后的天然气组分

名称	甲烷	乙烷	丙烷	氮气	二氧化碳
组分/%	97.2822	1.2291	0.0053	0.7931	0.6903

可算得表11中天然气的摩尔质量 M=16.505kg/kmol。在工况条件下，压缩因子 Z_m=0.89146，天然气的密度 ρ=47.450kg/m³。在基准条件下，压缩因子 Z_0=0.99809，天然气的密度 ρ=0.68743kg/m³。可算得 Z_m/Z_0=0.89317，$\Delta(Z_m/Z_0)$=-0.303%。

4.4 丙烷组分变化的影响

根据表1中给出的组分，丙烷组分增加1%时，按表12中组分计算工作条件和基准条件下的压缩因子。

表12　丙烷增加1%后的天然气组分

名称	甲烷	乙烷	丙烷	氮气	二氧化碳
组分/%	97.2822	0.2291	1.0053	0.7931	0.6903

可算得表12中天然气的摩尔质量 M=16.645kg/kmol。在工况条件下，压缩因子 Z_m=0.88942，天然气的密度 ρ=47.962kg/m³。在基准条件下，压缩因子 Z_0=0.99806，天然气的密度 ρ=0.69329kg/m³。可算得 Z_m/Z_0=0.89115，$\Delta(Z_m/Z_0)$=-0.528%。

4.5 分析结果

将上述分析计算结果汇总，见表13。

表13　天然气组分变化影响汇总表

组分	原组分	N_2增加1%	CO_2增加1%	C_2H_6增加1%	C_3H_8增加1%
摩尔质量/(kg/kmol)	16.364	16.484	16.644	16.505	16.645
工况密度/(kg/m³)	46.902	47.170	47.771	47.450	47.962
标况密度/(kg/m³)	0.68156	0.68653	0.69322	0.68743	0.69329
Z_m	0.89420	0.89562	0.89294	0.89146	0.88942
Z_0	0.99813	0.99815	0.99811	0.99809	0.99806
Z_m/Z_0	0.89588	0.89728	0.89463	0.89317	=0.89115
$\Delta(Z_m/Z_0)$/%	—	0.156	-0.140	-0.303	-0.528

由表13可见，天然气组分测量的准确性对天然气体积量值换算为基准条件下的结果的影响也是不可忽视的，即对流量计的计量结果会有不可忽视的影响。在上述四种情况下，对体积换算结果的影响分别为0.156%、-0.140%、-0.303%和-0.528%。氮气含量增加时，压缩因子增大；

二氧化碳、乙烷、丙烷含量增加时，压缩因子减小。

对于流量计的检定而言，由于被检流量计与标准流量计之间的温度和压力都很接近，组分的变化同时影响 Z_m 和 Z_s，所以，用标准涡轮流量计标准装置检定体积输出的流量计时，天然气组分变化对用式(4)计算的体积的影响不是很大。即组分的变化对检定结果的影响不大。但从尽量提高检定结果的准确性和可靠性目的出发，也应保证色谱仪测量结果的准确性，尤其是对质量流量计进行检定或校准时，由于进行体积量值与质量量值转换时需要用到天然气的密度，而组分的变化会直接影响天然气的摩尔质量和密度值。

5 结论建议

通过前文对温度、压力及天然气组分准确性及稳定性影响的分析，为了保证检定结果准确可靠，提出减小温度和压力变化对检定结果影响、保证温度和压力测量准确性以及保证组分测量准确可靠的措施及建议。

5.1 减小工况参数稳定性对检定结果影响的建议

1）在检定过程中要保持工况参数稳定，即使流动处于稳定流动状态。可以通过严格的操作控制，使检定过程中工况参数保持稳定。另外，为了减少环境条件的影响，应对检定工艺管道作保温处理。

2）在设计阶段就应该考虑尽可能减小标准流量计和被检流量计之间的管容，以便减小工况参数波动对检定结果的影响。

3）在标准流量计和被检流量计之间的管容确定后，为减小工况参数稳定性对检定结果的影响，需保证足够的测量时间，尤其是在小流量检定时应延长检定时间以保证流态稳定。

5.2 保证温度和压力测量准确性的建议

为了提高和保证温度和压力测量的准确性，可以采取如下措施：

1）选择测量范围合适、准确度高的变送器。

2）保证温度和压力变送器的安装和使用正确。

3）按照相应的检定规程进行检定和校准，必要时可温度和压力变送器的测量结果进行修正。

4）对温度和压力变送器的测量结果进行核查，对测量结果异常的变送器及时校准。

5）对于口径小于或等于 DN150 管道上的测温管段和温度套管进行保温处理。

5.3 保证组分测量准确可靠的措施

要保证天然气组分测量准确可靠，就要正确安装、使用和维护在线色谱分析仪。主要考虑以下内容和措施：

1）选用合格的标气；

2）正确安装和操作；

3）经常进行检查和维护；

4）使色谱仪和标气操作环境条件满足要求；

5）定期对色谱仪开展检定和校准；

6）开展多台色谱仪之间的比对测试；

依据 GB/T 28766—2018《天然气分析系统性能评价》对色谱仪系统进行评估。

参考文献

[1] 李玲. 今年我国天然气市场将迎复苏[N]. 中国能源报，2023-04-24(008). DOI:10.28693/n.cnki.nshca.2023.000755.

[2] 安丰媛. 气体流量计检定结果的影响因素探讨[J]. 中国设备工程，2021(02)：93-94.

[3] 国家计量检定规程 JJG 643—2003. 标准表法流量标准装置[S]. 北京：中国计量出版社.

[4] 国家标准 GB/T 19205—2008. 天然气标准参比条件[S]. 北京：中国标准出版社.

[5] 国家标准 GB/T 18604—2014. 用气体超声流量计测量天然气流量[S]. 北京：中国标准出版社.

基于 AI 的管道地质灾害预警系统设计与应用

刘付刚[1]　徐明珠[1]　张玉龙[1]　顾世森[1]　金计伟[2]

(1. 中国石油长庆油田公司；2. 长庆工程设计有限公司)

摘　要　文章基于 AI 技术，对管道中线图像进行地质灾害特征提取和矢量化，并对灾害进行智能变化检测与分析，识别地质灾害信息，发布地质灾害信息的预警图斑，自动生成预警报告，为管道安全运营管理提供智能分析和决策支持。

关键词　管道安全；地质灾害；特征提取与矢量化；预警图斑

深度学习(Deep Learning，DL)是机器学习中一种基于对数据进行表征学习的方法，它通过大量的训练数据来优化深度学习模型，让识别更加精准。深度学习在图像预处理、基于像素的分类、目标识别和场景理解等遥感科学的几个方面中，深度学习在目标识别和场景理解上的研究成果显著，解决了以往难以从底层原始特征(通常是像素)抽象为具有具体含义的信息问题；另一方面，深度学习在图像预处理和像素级分类(特别是考虑大量训练集的成本时)的成果应用也得到了广泛的应用。

管道地质灾害 AI 预警系统采用深度学习、智能识别技术，是利用大数据人工智能对图像进行处理、分析和理解，以识别各种不同模式的目标和对象。通过对管道中线带状图像细致的特征分析，针对性地提出了各种黄土地区常见地质灾害图像的结构特征，人工智能地质灾害识别系统通过自主研发的大数据地灾识别算法对滑坡、坍陷、水毁等灾害进行识别，并通过深度学习神经网络技术不断提高识别准确率，极大的提高了管道地质灾害识别的自动化程度和准确性。

1　系统总体架构

管道地质灾害 AI 预警系统主要包括管道数字地图展示系统、地质灾害自动诊断与预警系统、气象环境感知系统组成。

系统总体上包括前端交互和后台服务两个部分。系统相关功能中，数据入库及管理功能，深度学习相关的算法，包括训练、特征提取以及模型管理等功能，各类分析算法等，均以服务化的方式实现。

深度学习以及各类数据处理计算的相关算法在生产环境的部署为一个集群环境，可并行计算。其中一个节点作为算法启动节点，作为算法启动设备，同时在其上部署算法封装的服务，供外部应用访问。

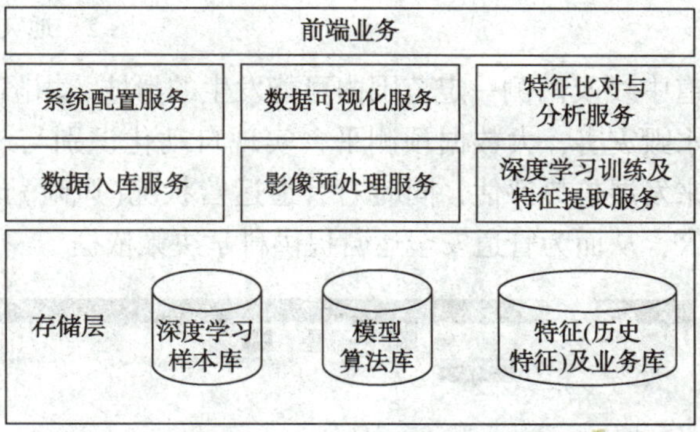

图 1　系统层次架构

2　功能设计

2.1　数字地图展示系统

系统梳理管道工程地质勘察资料、工程设计资料、局地气象资料等，并将上述资料融入遥感资料，建立管道数字地图。系统提供无人机航飞成果以及发现的灾害数据在线浏览功能，负责为管道地质灾害 AI 预警系统的各种服务资源提供“一站式”的在线展示，实现管道地质灾害矢量特征地图的显示功能；支持矢量特征数据的显示和无人机航飞影像数据的显示，同时可根据用户的选择，支持不同的影像和矢量数据图层的叠加显示或综合展示切换。

2.2　地质灾害自动诊断和预警决策系统

基于已建立的包含地质灾害信息、气象信息的样本数据库，采用人工智能技术自动化识别管

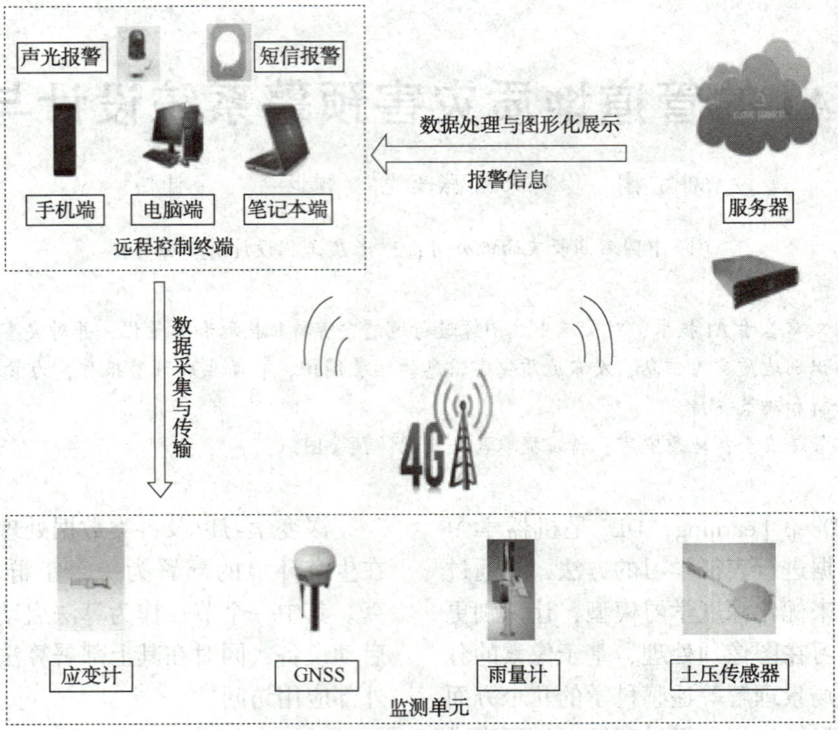

图2　地灾监测系统总体架构

道中线及两侧一定范围内可能发生的滑坡、坍陷，水毁灾害，大数据预测平台实现自动化识别与未来发展趋势评估，同时对管道运营状况（风险）预警，从而为管道安全运营提供科学决策依据。

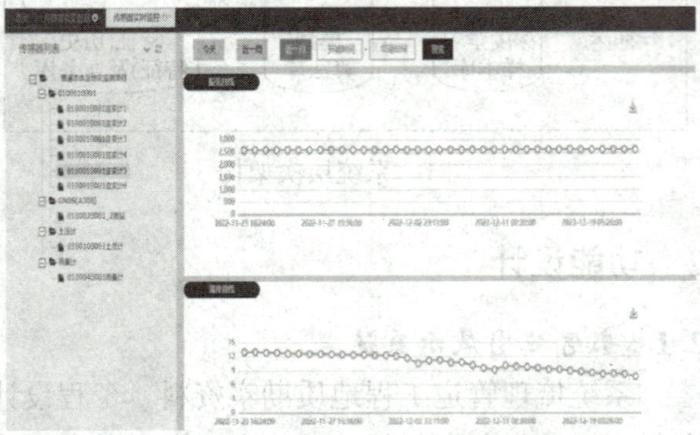

图3　地质灾害监测系统

2.2.1　管道中线影像数据智能解译

（1）数据导入

将采集的中线带状图像数据导入到系统中，并由系统管理起来。数据格式包括（但不限于）GeoTiff，带有坐标文件的通用影像格式，以及一些常用的GIS、影像处理系统，例如ArcGIS、ENVI、ERDAS等系统支持的栅格数据格式。

（2）管道中线影像数据预处理模块

影像数据在进行解译处理前都需要对数据进行统一的规范化整理，使之符合解译处理的要求；系统将提供数据裁剪、数据拼接、重采样、数据转换等功能。

2.2.2　深度学习样本库与模型库管理

整合地质灾害特征数据、孕灾环境特征数据，并将上述原始数据格式化导入分布式样本数据库。开发管道地质灾害智能识别算法，利用核匹配追踪识别算法对地质灾害的一般规律进行快速识别，实现图像数据的人工智能自动化识别与采集。设计适用的数据预处理和清洗算法，实现采集数据的处理分析与预处理，进而完成管道地质灾害大数据预测平台样本数据库的搭建。

以管道地质灾害的特征提取为例，通过灾害样本矢量数据和与之匹配的影像数据进行处理，生成深度学习样本库。

2.2.3　基于管道中线影像的地质灾害特征提取和矢量化

对一批管道中线影像数据进行深度学习的特征提取计算，根据用户指定的类别对特定地物进行提取，生成提取后的模板数据。提取后得到的结果数据往往存在大量的噪声数据。进一步，可根据集合特征对数据进行滤波处理，例如根据形状、面积等，对明显不是地质灾害的一些特征进行剔除，从而提高结果的可用性。

利用上述结果数据进行像素比对，利用数学形态学的相应算法，进行特定地物类别的变化检测，并标示出变化的特征。除此以外，可进一步对结果数据进行矢量化处理，然后在矢量数据的基础上进行灾害检测。管道地质灾害信息提取服务主要由数据加载模块、信息提取 AI 预测模块、信息提取后处理模块、信息提取模型优化模块，具体组成如图 4 和图 5 所示。

管道应力性感器　土压监测
雨量监测　地表位移监测

图 4　地灾监测设备

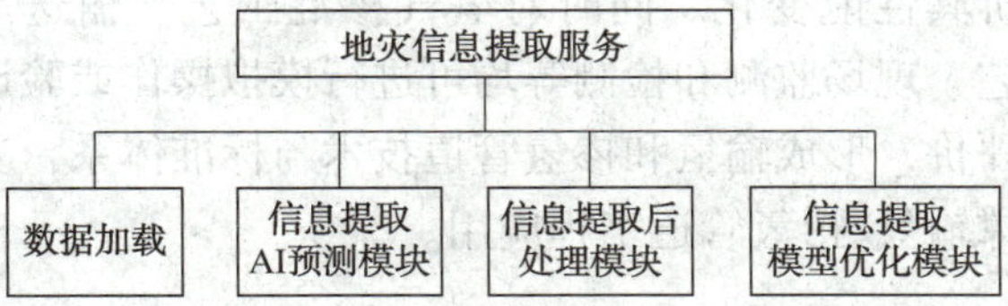

图 5　地质灾害信息提取服务子系统组成

2.2.4　智能变化检测与提取

这一功能模块面向前端的变化检测应用，包括检测范围选择，特征提取与比对，变化特征参数生成等。检测范围选择包括人工交互方式，按行政区方式等。例如，人工交互方式可由作业人员手工圈出检测范围，后续的计算机分析工作仅针对该范围内的数据进行。

比对的过程根据特征的类型采用不同的方法，比如栅格特征比对、矢量特征比对，对两种方法，都可以标示出变化数据是新增、消失还是发生了位置或形状的变化。此外，系统可提供配置功能，由用户自定义各类阈值或规则，调整比对策略。

2.2.5　变化检测分析

根据变化检测的结果，以可视化的方式标识出变化的部分，并以不同的方式表示出新增、消失、改变，以及相应的置信度等信息。系统可根据用户需求，将不同期的数据放置在不同窗口进行比对，或者以退扫帘幕的方式进行显示，供用户核对检查，并实时标识或修改结果。

此外，模块最终可以以报告的形式，给出各类统计数据，并使得报告中的数据与数据库中的空间几何特征一一对应，达到报告(表格)和图形信息的动态切换，相互链接，一一对应，实现可交互的图形-属性互查功能。

2.2.6　变化检测预警

根据管道中线影像自动诊断和灾害提取的结果发布疑似地质灾害信息的预警图斑，自动生成预警报告，报告显示疑似地质灾害信息的不同期照片信息、所在历程、坐标信息，形状大小以及其他信息，在系统发出预警提醒，在岗人员收到信息后通知人员赶赴现场核实情况，情况属实则定义为预警事件；如情况不属实，人员现场采集和更新现状信息，保存到系统，误告预警影像则作为样本录入样本库进行深度学习训练。

2.3　气象环境感知系统

管道现场布设雨量计、土壤温湿度计、视频监控，实现降雨、降雪、土壤含水率实时感知，并实现在数字地图上的可视化呈现各项指标数据，监测管道地质灾害诱发因素指标，并对达到阈值的指标进行预警。

2.4　用户管理

负责用户维护，设置用户权限。用户管理模块将用户分为普通用户和管理员用户两类，管理员可以对用户赋予不同的权限。管理员可以对用户信息与权限进行增加、删除和修改操作，普通用户只能对信息进行浏览。

3　结语

管道地质灾害 AI 预警系统具有感知交互可视、系统融合互连、精准识别、运行智能高效、智能预警的特征，实现管道管理可视化、智能化，为管道安全运营管理提供智能分析和决策支持，对提高防灾减灾能力有着重大的意义，同时也是建设智能化油田的需求。

参　考　文　献

[1] 李海润. 智慧管道技术现状及发展趋势[J]. 天然气与石油，2018，v. 36(02)：135-138.

[2] 李遵照，王剑波，王晓霖，等. 智慧能源时代的智能化管道系统建设[J]. 油气储运，2017，036(011)：1243-1250.

在役天然气管道掺氢输送平台研究

张　蕊[1]　胡　涛[1]　邱　鹏[1]　樊国涛[1]　周子栋[1]　陈国伟[2]　曾益铭[2]

(1. 中国石油长庆油田分公司长庆工程设计有限公司；2. 中国石油长庆油田分公司)

摘　要　氢能是最有潜力的碳中和清洁能源载体，天然气掺氢在管道输运和终端应用方面具有优势。长庆油田以工业副产粗氢作为氢源，充分利用已建设施及管网，构建在役天然气管道掺氢示范平台，实现对工业副产粗氢的高效利用，并同步开展高压、高钢级抗氢管材、氢气压缩机，3%~84%下掺氢比下在役管道与装备、掺混工艺、计量、泄漏检测、分层等现场试验，为掺氢天然气管道在国内规模应用提供借鉴意义。

关键词　天然气管道；掺氢；示范平台；油气站场

氢能利用是我国“双碳”战略的主要组成部分，氢能产业是我国战略性新兴产业，国家全力统筹推进氢能“储输用”全链条发展。2022 年国家发改委发布《氢气产业发展中长期规划(2021—2035 年)》明确要求“开展掺氢天然气管道、纯氢管道等试点示范”。

当前，氢能储运成本约占到“制储输用”全产业链总成本的 30%~40%，纯氢管道输送、天然气管道掺氢输送都能够实现氢能的远距离、大规模、低能耗运输，但我国的纯氢管道规划与建设刚刚起步，形成大规模输氢能力需要较长的周期。而我国天然气管网总里程约为 1.1×10^5km，“全国一张网”已基本建成，2025 年总里程将达到 1.63×10^5km，这为发展天然气掺氢产业提供了坚实的基础条件。可以认为，以掺氢天然气的形式开展氢能储运与利用，将是快速突破氢能产业规模化发展瓶颈的主要方式。

通过管道输送解决工业副产氢消纳及绿氢外输问题前景广阔，但管道输氢技术仍面临挑战。目前，国内天然气管道掺氢输送基本现处于实验和前期示范验证阶段，现有掺氢示范项目主要针对城镇燃气，具有压力低、钢级低、流量小等特点，且多为新建管道，上述示范项目应用成果无法有效指导在役天然气集输管道和长输管道掺氢输送。此外，国内外研究机构开展了大量实验室研究工作，关注氢环境对管材强度及韧性的影响。但是，实验室试样测试环境与管道实际服役工况存在差异，一方面试样机加工后，表面光洁度高，而服役管道通常有涂层及腐蚀产物的影响，影响氢分子的吸附和解离。此外，试样加工后存在应力释放，与钢管相比约束程度不同，而材料氢环境性能与应力状态密切相关。

综上所述，在掺氢天然气管道工程规模应用之前，有必要开展现场试验研究，模拟管道实际运行条件，将研究对象(钢管、弯管、阀门等)连入管道系统，在长时间运行过程中，检验并评价其性能变化。同时对氢气掺混工艺、输送工艺、现场监测和检测等均可进行模拟操作或验证评价，形成输氢和掺氢管道技术与标准体系，支撑输氢/掺氢管道工程应用。

1　设计思路

1.1　现有同类平台

国内天然气掺氢项目多处于研究和示范验证阶段，已建成投运的示范性项目有 2 个，分别是辽宁省朝阳市天然气掺氢示范项目和宁夏宁东天然气掺氢中试项目。

2019 年，国家电投集团在辽宁朝阳开展了国内首个天然气掺氢示范项目的研究，利用燕山湖发电公司现有碱液电解制氢站新建氢气充装系统，氢气经压缩瓶储后通过集装箱式货车运至掺氢地点，在使用单位通过掺混设施实现天然气掺氢示范燃烧。掺氢比例 10%，实现了制氢、储运、掺混、利用全链条验证。

宁夏宁东天然气掺氢中试平台利用宝廷新能源公司化工副产氢作为氢气来源，平台占地 3200m^2，设计压力 4.5MPa，实际运行压力 1.5MPa，站内管径 DN80~DN100，试验流量 1200~3000Nm^3/h，测试 6%~24%掺氢比例下管材(20#、L245N等)，流量计、阀门、检测仪表、可燃气体探测器等性能变化、分层现象及氢脆等反应的相关指标，提出天然气掺氢产业化最佳方案及现有天然气供气设施改良方案。

如表1所示，目前我国现有落地掺氢示范项目主要针对城镇燃气管道，燃气管道管径小、钢级低、运行压力低，相关经验不能有效指导天然气集输和长输管道掺氢输送。亟需开展高压力、大流量，全尺寸纯氢/掺氢输送工业化试验平台，形成在役天然气管道掺氢适用性评价体系，建立天然气管道掺氢输送标准体系并逐步示范推广应用。

表1　国内天然气掺氢示范项目一览表

类型	主体单位	地点	项目阶段	掺氢比例	管道类型	管道运行压力	管道材质
城燃	国家电投集团有限公司	辽宁朝阳	2019.9投产	10%	未公开	1MPa	20#
长输+城燃	宁国运集团	宁夏	详细设计	6%~20%	新建管道掺氢	4.5MPa	20#/L360/L450
城燃	内蒙古科技厅、乌海凯洁燃气有限责任公司	乌海、通辽	启动	纯氢	新建管道	1.6MPa	未公开
长输	内蒙古西部天然气股份有限公司	包头–临河	设计	10%	新建管道	6.3MPa	未公开
城燃	深圳燃气	深圳	规划	5%~20%	新建及在役管道掺氢	0~4MPa	L245，X42，
长输	广东省	广东	规划	20%	在役海管掺氢	4MPa	L415M

1.2　长庆掺氢平台

长庆油田在役天然气管道掺氢示范平台坚持总体部署，统一规划，远近结合，分步实施，提高效益。在开展天然气管道掺氢试验的同时不影响下游用户用气质量，合理规划掺氢配套系统，优化地面改造方案，完善配套设施，提高试验平台抗风险能力，确保充分发挥平台作用。

示范平台以长庆乙烷制乙烯项目副产氢气作为氢源，利用在役管道和站场，建成在役天然气管道掺氢先导试验平台，开展掺氢管道现场试验，验证管道材料与掺氢环境相容性、掺混与输送工艺、管道监检测与安全防护措施等。后续拟与国家管网或地方管网协调合作，结合管道具体服役工况，将掺氢天然气注入陕京管线或地方管网，实现工业副产氢高效利用。

2　整体布局

示范平台通过新建粗氢管道，改造第一掺混点、第二掺混点、第三掺混点建成一套能够在站内同时进行多掺氢比、高浓度掺氢试验的天然气管道掺氢输送先导试验平台，实现对在役天然气管线X的精准掺氢。输氢规模为$16\times10^4m^3/d$，站内试验平台掺氢比为3%~84%，在役天然气管线X掺氢输送掺氢比为3%~20%。同时通过站内改造，能够进行在役管材、处理设备、管道运行等对掺氢适应性的研究与装备研发。通过简化流程、优化设备选型，实现工程投资降低、建设周期缩短的目的。

2.1　第一掺混点

原第一掺混点为处理量$190\times10^4m^3/d$的增压站场，来气经DTY1600电驱往复式压缩机增压后通过2套$200\times10^4m^3/d$脱水装置脱水，脱水后天然气通过管线X输往用户端。为实现站内精准掺氢，扩建增压区、进站计量区、管材试验区、分层试验区。氢源点来粗氢经清管收球筒贸易交接计量后，在第一掺混点增压至5.2~9MPa，在站内进行高压输氢管材研究后调压至5.2MPa后与经过分离脱水后的氢气混合，输往第二掺混点(图1)。

2.2　第二掺混点

原第二掺混点处理气量约为$56.50\times10^4m^3/d$，采出液外输液量$90m^3/d$，来气在站内分离后输送至第一掺混点增压、脱水后输送至榆林处理厂。第二掺混点扩建一套精准掺混装置、总机关及在役管线试验区，第一掺混点增压后的粗氢与干气在第二掺混点二次掺混后进入在役管线试验区，分别对不同掺氢比、不同钢级在役管线、流量计进行试验，掺混后天然气利用已建管线X输送至用户端(图2)。

2.3　第三掺混点

经过二次掺混的天然气由已建管线X输往第三掺混点，在第三掺混点经汇管进一步稀释后输往用户。

2.4　管线

新建一条始于氢源点终于第一掺混点的粗氢管线，线路总长3.8km。管线设计压力1.0MPa，

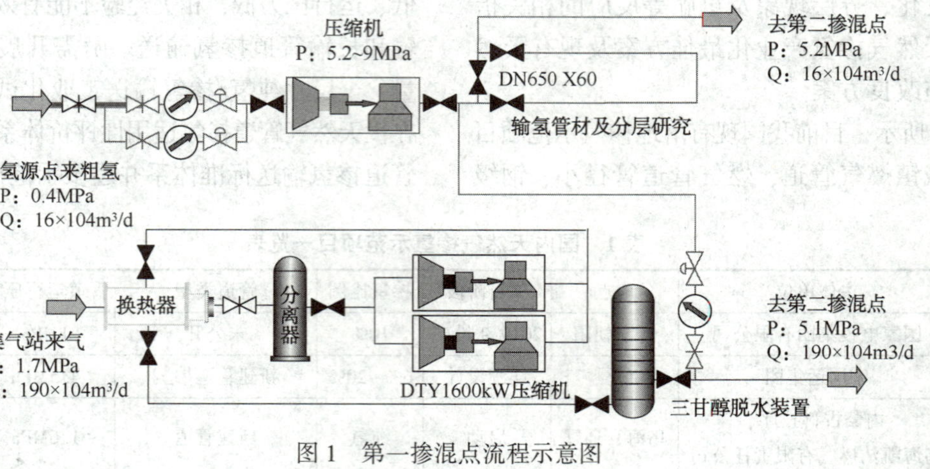

图 1　第一掺混点流程示意图

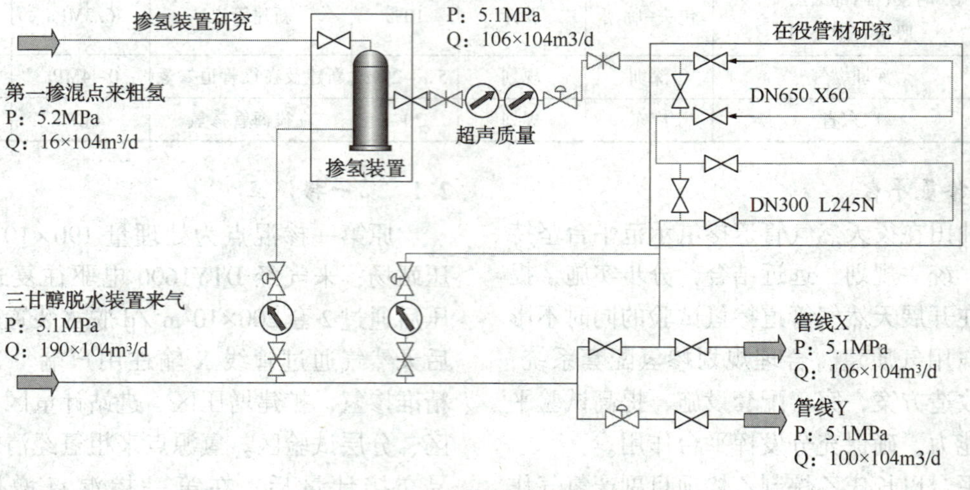

图 2　第二掺混点流程示意图

运行压力 0.6MPa，设计输送气量 60×10^4Nm³/d，一期运行气量 16×10^4Nm³/d，管外径 Φ406.4mm，运行温度 40℃。设置输氢管材研究段，对合作单位研制的 L360M 高频电阻焊钢管、螺旋缝埋弧焊钢管、直缝埋弧焊钢管及热煨弯头进行低压高掺氢试验(表 1)。

表 2　粗氢管道管材选择方案

钢管类型	钢级	规格	长度/km
HFW 焊管	L360	Φ406.4×10.8mm	2
螺旋焊管		Φ406.4×10.8mm	0.5
直缝焊管		Φ406.4×10.8mm	0.5
热煨弯头弯管		Φ406.4×10.8mm	16 件

3　平台流程

根据兰州石油长庆乙烷制乙烯项目副产粗氢的气质条件，结合长庆油田已建天然气集输管网现状，开展天然气管道掺氢工业试验平台建设，验证在役天然气管道可接受掺氢比。

3.1　氢源与输量

示范平台氢气来源为长庆乙烷制乙烯项目副产粗氢，长庆乙烷制乙烯项目乙烯生产能力 80×10^4t/a，副产氢气约 8×10^8 m³/a，氢气纯度 83.9%，副产氢气主要作为裂解炉燃料使用。

根据 GB/T 37124—2018《进入天然气长输管道的气体质量要求》，进入天然气长输管道的气体质量要求氢气≤3%，结合下游用户实际运行情况，按照掺氢比 0~3%(体积分数)经 Unisim 软件模拟计算，可掺粗氢流量范围为 4×10^4Nm³/d~16×10^4Nm³/d。

根据 GB 17820 一类气质指标—高位发热量≥34MJ/m³ 的要求，以下游用户输量 300×10^4Nm³/d 计算，平台最大掺氢量为 60×10^4Nm³/d。示范平台分两期建设。第一期满足规范 GB/T 37124 要求氢气含量≤3%，建设规模为 16×10^4Nm³/d，第二期：以下游用户可接受最大掺氢比 15% 考虑，建设规模为 60×10^4Nm³/d。

表3　掺氢对商品气热值的影响

设计日输量/($×10^4m^3$/d)	不同掺氢比下的掺氢量/($×10^4m^3$/d)		热值 MJ/m^3
300	1%	4	37.66
	2%	7	37.45
	3%	11	37.18
	5%	19	36.65
	10%	42	35.3
	15%	60	34.31
	20%	90	32.91

3.2　掺混流程

如图3所示，$16×10^4Nm^3$/d 氢气经质量计量后通过新建粗氢管线输往第一掺混点，输送压力0.4MPa。在第一掺混点经过二次计量后增压至5.2~9MPa与经过脱水的干气进行一次掺混，以84%~20%的掺氢比进行高压管材研究。随后降压至5.2MPa，输往第二掺混点进行二次掺混，在第二掺混点经过二次掺混后进行管材、阀门适应性研究，随后通过19.8km长在役管线X输往第三掺混点。在第三掺混点经过三次掺混后以3%的掺氢比输往用户。

3.3　研究内容

示范平台围绕在役天然气管道掺氢输送难题，设置五类研究内容，预期形成在役天然气管道掺氢输送适用性分析评价技术、掺氢天然气输送管材和装备研发技术以及天然气掺氢输送配套技术，修订掺氢天然气管道分析化验、产品标准及安全运行等方面标准规范，构建一套完整的在役天然气管道掺氢输送技术体系(图4)。

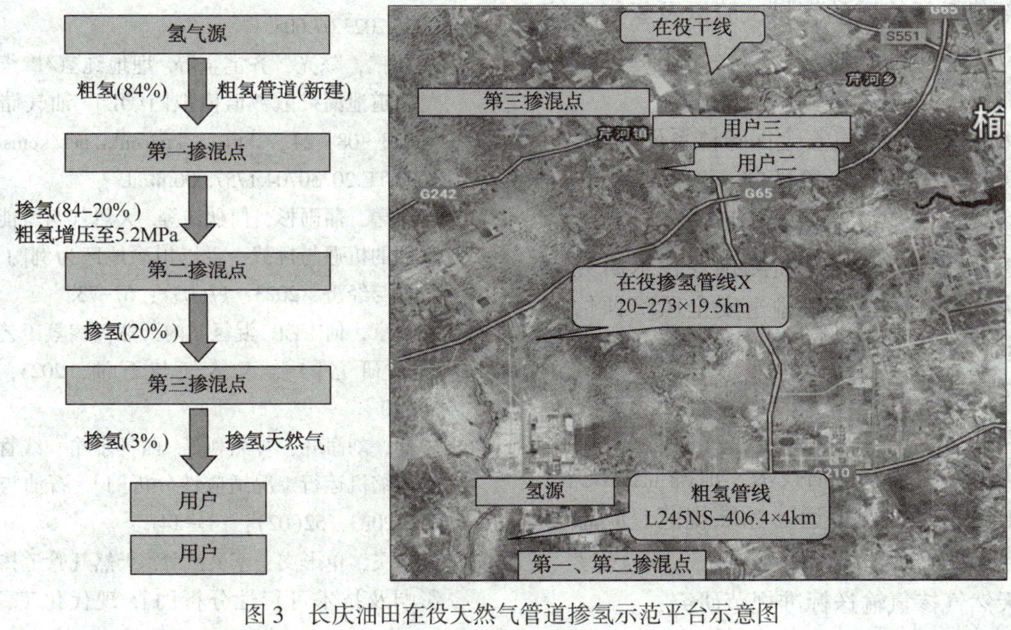

图3　长庆油田在役天然气管道掺氢示范平台示意图

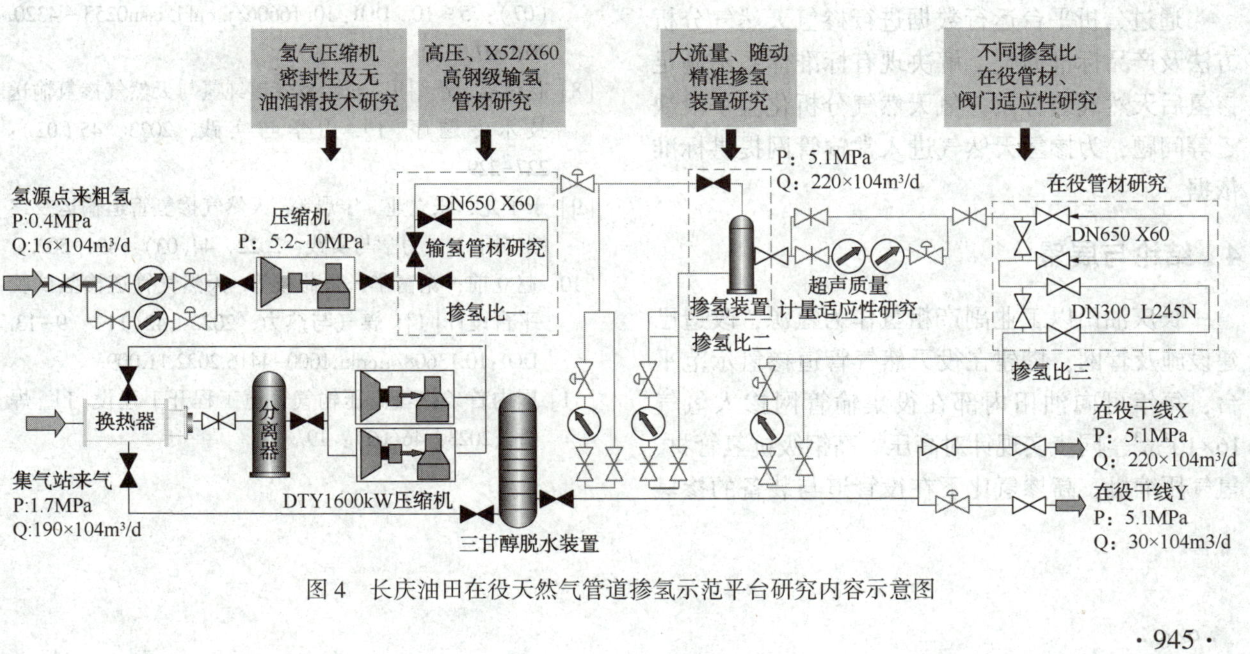

图4　长庆油田在役天然气管道掺氢示范平台研究内容示意图

（1）在役天然气管道掺氢试验平台工艺技术研究

研发调试大流量、随动精准掺氢装置，并对场站在役承压设备掺氢环境损伤机理、氢环境检测进行测试研究，解决缺少在役天然气管道掺氢输送工业应用试验平台问题，为在役天然气管道长距离、高掺比、大流量输送工业化应用打下基础。

（2）在役天然气管道掺氢输送适用性研究

解决掺氢管道现场试验方案设计、掺氢管道现场试验与安全评价等问题，通过服役前后管段、管材性能分析、挂片试验等形成掺氢输送管道现场试验指南、掺氢输送管道现场试验技术与长期服役评估技术。

（3）高压输氢管材与氢气压缩机研发

通过新建粗氢管道的管材试验以及氢气压缩机无油润滑与密闭技术研究，形成高压输氢管材与氢气压缩机产品。

（4）天然气管道掺氢安全保障体系研究

通过天然气管道掺氢输送安全风险评估、在役天然气掺氢输送管道性能劣化规律及防控技术研究、掺氢天然气管道泄漏监测预警技术研究等研究，解决天然气管道掺氢输送安全风险评估技术缺乏、事故演化机理不明确、既有腐蚀与掺氢对管道影响机制不清晰、泄漏监测技术亟需攻关、安全运营标准规范缺乏以及应急处置方案不健全等问题，实现安全风险评估技术、泄漏监测技术、在役管道阻氢技术、安全运营标准规范、应急处置方案等成果。

（5）天然气掺氢输送标准规范研究；

通过分析平台运行数据进行掺氢天然气分析方法及产品标准研究，解决现有标准体系不满足掺氢后天然气组分及掺氢天然气分析化验手段缺乏等问题，为掺氢天然气进入常输管网提供标准依据。

4 结论与展望

长庆油田以工业副产粗氢作为氢源，改造已建设施及管网，搭建在役天然气管道掺氢示范平台，每年可向油田内部在役集输管网掺入氢气$16\times10^4m^3$，同步实现针对高压、高钢级抗氢管材、氢气压缩机，高掺氢比下在役管道与装备的掺氢适应性研究。后续将针对天然气管道掺氢输送、掺氢天然气终端利用瓶颈问题，进一步联合行业骨干企业、优势高校与科研院所，集中力量开展天然气掺氢产业关键材料、技术、工艺、设备的科技攻关。基于先导示范平台研究成果，逐步提升平台掺氢规模与掺氢比，为各油气田利用在役天然气管道掺氢输送提供范例。

参 考 文 献

[1] 李敬法，李建立，王玉生等. 氢能储运关键技术研究进展及发展趋势探讨[J/OL]. 油气储运：1-19[2023-08-24]. http://kns.cnki.net/kcms/detail/13.1093.TE.20230711.2125.006.html.

[2] 张贺宏，赵雄，司永宏等. 天然气管道掺氢技术对管材影响及完整性管理研究[J]. 辽宁化工，2023，52(07)：1065-1068. DOI：10.14029/j.cnki.issn1004-0935.2023.07.008.

[3] 胡玮鹏，陈光，齐宝金等. 埋地纯氢/掺氢输送天然气管道泄漏扩散数值模拟[J/OL]. 油气储运：1-15[2023-08-24]. http://kns.cnki.net/kcms/detail/13.1093.TE.20230704.1757.006.html.

[4] 何太碧，蒲雨杉，何秋洁等. 天然气与氢能产业协同发展的机遇与挑战——以川渝地区为例[J]. 天然气技术与经济，2023，17(03)：67-73.

[5] 刘京京，何宏凯. 混氢站内天然气掺氢工艺及其安全控制研究[J]. 天然气与石油，2023，41(03)：36-40.

[6] 牟磊，刘海峰，甘燕利等. 西气东输一线管道掺氢输送压缩机运行工况适应性分析[J]. 石油与天然气化工，2023，52(02)：133-141.

[7] 宋鹏飞，单彤文，李又武等. 天然气管道掺入氢气的影响及技术可行性分析[J]. 现代化工，2020，40(07)：5-10. DOI：10.16606/j.cnki.issn0253-4320.2020.07.002.

[8] 赵建福，董绍华. 长距离管道纯氢与天然气掺氢输送技术专题序[J]. 力学与实践，2023，45(02)：227-229.

[9] 于子龙，张立业，宁晨等. 天然气掺氢管道输运及终端应用[J]. 力学与实践，2022，44(03)：491-502.

[10] 赵立前，党富华，张荷枝等. 天然气管道掺氢试验平台设计[J]. 煤气与热力，2022，42(11)：9-13. DOI：10.13608/j.cnki.1000-4416.2022.11.009.

[11] 国内首条掺氢高压输气管道工程开工建设[J]. 焊管，2023，46(03)：19.

油气管道数字孪生与运行智能化应用与实践

张海津

（中海石油（中国）有限公司天津分公司）

摘　要　本论文旨在探讨数字孪生技术在油气管道领域的应用与实践，以解决管道运行中的挑战。首先详细介绍了数字孪生的原理和潜在应用，对其与传统方法进行了比较。分析了油气管道运行中的需求，强调了智能化运行对管道安全和效率的重要性，以及数字孪生技术在此背景下的潜力。接下来聚焦于数字孪生技术在管道健康监测中的应用，强调其在故障预测和维护计划制定中的作用。最后，结论部分总结了研究的主要发现和贡献，重申了数字孪生技术在提高油气管道运行安全性和效率方面的重要性。本论文的研究成果有望为油气管道领域的相关研究和实际应用提供有价值的参考和指导。

关键词　数字孪生；油气管道；智能化应用；安全性

1　引言

油气管道，作为全球能源供应链中的重要组成部分，一直以来都面临着监测、维护和安全管理方面的挑战。这些管道在输送能源资源的过程中扮演着至关重要的角色，但管道事故仍然可能导致严重的环境破坏、经济损失和人员伤亡。因此，提高管道运营的效率、可靠性和安全性一直是行业的首要任务之一。近年来，数字孪生技术作为一种新兴技术，开始在油气管道领域引起关注。数字孪生是一种虚拟模型，通过数字化手段模拟实际管道的状态，持续跟踪和反映管道的物理特性、运营情况和健康状况。这一技术的引入为管道运营带来了革命性的变革，为运营者提供了更及时、更准确的监测和预测管道性能的能力。

本论文旨在深入研究数字孪生技术在油气管道领域的应用与实践。将详细介绍数字孪生技术的基本原理和概念，以及它在管道监测和管理中的广泛应用。同时，将探讨油气管道运营所面临的挑战，特别是安全性和效率方面的问题，以突出数字孪生技术在解决这些挑战中的巨大潜力。通过实际案例研究，将展示数字孪生技术在管道健康监测、故障预测和维护计划制定方面的实际效果。这些案例研究将揭示数字孪生技术如何为管道运营提供有力的支持，帮助解决具体的运营问题，并提供详细的数据和结果分析。最后，在结论部分，将总结研究的主要发现和贡献，并探讨数字孪生技术在油气管道领域的未来发展方向。期望本论文的研究成果将为油气管道行业的从业者和研究人员提供有益的见解和指导，推动管道运营向更智能、可持续的方向迈进。

2　数字孪生技术概述

2.1　数字孪生基本原理和构建流程

数字孪生技术的核心原理在于创建一个虚拟的、与实际系统相对应的模型，使其与实际系统状态实时同步，以便实现更深入的理解、监测和优化。数字孪生的基础是建立一个精确反映实际管道系统的数学模型。这个模型可以基于物理原理建立（物理模型），也可以基于大量的实际数据和机器学习技术构建（数据驱动模型）。在管道领域，物理模型可能包括流体力学、热传递等方面的方程式，而数据驱动模型则依赖于历史运行数据来捕捉管道系统的复杂行为。

数字孪生需要大量的数据来支持模型的构建和训练。这包括传感器数据、管道材料特性、操作记录等多源数据的集成。数据集成的关键是确保数据的准确性和完整性，以便模型能够准确地反映实际系统的状态。一旦建立了数字孪生模型，它将与实际管道系统保持实时连接，接收来自传感器和其他数据源的信息，以及管道系统的操作状态。这种状态反馈允许数字孪生模型不断更新自身，以反映实际管道的实时状态。这种实时性是数字孪生技术的一个关键特征，它使运营者能够更快速地做出决策并采取行动，以应对管道系统的变化和问题。数字孪生技术在管道领域具有广泛的适用性。它能够模拟管道内的流体运动、压力变化、温度分布等物理现象，并对管道的健康状况进行实时监测。

为了构建有效的数字孪生模型，需要遵循一系列关键步骤，从数据采集到模型验证和部署。以下是数字孪生构建流程的详细步骤：

数据采集是数字孪生的基础，需要从管道系统中的传感器和数据记录中获取多种信息，包括流量、温度、压力、振动等。同时，确保数据的质量和完整性非常重要，包括清除异常值和处理缺失数据。只有高质量的数据才能支持准确的数字孪生模型构建。特征提取是将原始数据转化为对管道系统状态和性能监测有用的特征的过程。通过特征工程，可以降低数据的维度，同时保留关键信息，以提高模型的效率和准确性。特征提取的目标是从大量的原始数据中提炼出关键特征，以便更好地描述管道系统的特性。

根据管道系统的特性和需求，选择适当的模型类型是至关重要的。可以选择物理模型、数据驱动模型或混合模型，根据模型的精度、计算复杂性和实时性等因素进行权衡。一旦选择了模型类型，需要使用历史数据对模型进行训练。训练过程包括使用已知的数据来拟合模型参数，以便模型能够准确地反映管道系统的行为。模型的参数校准是确保模型能够准确反映实际管道系统特性的关键步骤。这可能需要多次迭代，以不断优化模型的性能。参数校准的过程包括调整模型参数，以使模型的输出与实际观测结果尽可能接近。通过参数校准，可以提高模型的准确性和可靠性。模型验证是确保数字孪生模型准确性的关键环节。使用验证数据集来评估模型的性能，包括模型的预测精度和泛化能力。验证数据集通常是与模型训练数据不重叠的独立数据，用于测试模型在新数据上的表现。通过模型验证，可以确定模型是否满足管道监测和管理的要求。一旦数字孪生模型经过验证并达到要求的准确性和性能水平，就可以部署到实际管道系统中。模型部署后，它将与管道系统实时连接，接收来自传感器和其他数据源的信息，并提供有关管道系统状态和性能的实时反馈。模型部署是数字孪生技术应用于管道监测和管理的关键一步，它使运营者能够更快速地做出决策并采取行动，以应对管道系统的变化和问题。

2.2 数字孪生在管道领域的应用

数字孪生技术在油气管道领域的应用包括以下方面：

通过与传感器和数据源的连接，数字孪生模型可实时监测管道内流体情况、管壁状况、温度和压力分布，有助于及时发现问题和制定维护计划。模型构建需考虑管道部分特性和操作环境的变化，需要根据具体情况优化参数。

数字孪生模型模拟不同操作条件下的管道行为，可帮助确定最佳操作策略，提高管道效率和可靠性。例如，优化输送泵的运行参数以降低能源消耗和成本。性能优化需要不断调整模型参数以适应不同场景和优化目标。

数字孪生技术可用于故障预测，通过分析历史数据和模拟不同故障模式，提前识别潜在的故障迹象并提供预警信息。这有助于减少突发故障造成的生产中断和损失。故障预测需要根据不同故障类型调整模型参数。

数字孪生技术为管道运营和管理提供了更多的数据支持和决策工具，提高了管道系统的效率、降低了风险，并促进了可持续发展。

2.3 数字孪生与传统方法的对比

数字孪生技术相对于传统的管道监测和管理方法具有明显的优势。数字孪生基于精确的数学模型或大数据分析构建，具有高精度性，远远超过传统方法可能受限于人为误差和有限监测数据的准确度。此外，数字孪生不仅可以监测管道健康状况，还能进行性能优化和故障预测，实现了多功能性。传统方法通常需要多种工具和方法来覆盖不同的需求，效率较低。最重要的是，数字孪生技术有潜力提高管道系统的运营效率，通过实时监测、精确预测和智能优化，减少了生产中断和维护成本，为管道系统的可靠运行提供了更全面的支持。这些优势使得数字孪生技术在油气管道领域的应用前景广阔，为管道运营和管理带来了全新的可能性。

3 油气管道运行智能化的需求

3.1 油气管道运行智能化的挑战和问题

在油气管道运行中，存在着一系列严峻的挑战和问题，这些问题不仅直接影响着管道系统的正常运行，还对环境、人员安全和财产造成潜在威胁。

安全隐患：油气管道系统常常受到各种安全隐患的困扰。这些隐患可能包括管道腐蚀、机械损坏、地质灾害等。当这些问题发生时，可能导致油气泄漏，造成环境的严重污染，威胁人员生命安全，并引发财产损失。传统的巡检和维护方法难以及时发现和解决这些安全隐患，因此需要更加智能化的方法来监测和预防潜在的风险。

运行效率低下：管道系统的低效率运行可能导致能源资源的浪费和运营成本的增加。传统的管道管理模式通常是基于经验和定期维护计划的，难以充分利用数据和先进的分析工具来实现最佳的操作和维护策略。这导致了管道系统的能源效率不高，资源利用不充分，以及不必要的运营成本。

突发故障：管道系统的突发故障可能对其稳定运行构成直接威胁。这些故障可能包括管道泄漏、阀门故障、设备损坏等。传统的维护方法通常是基于事后维修的，一旦故障发生，才会采取应急措施。这导致了生产中断、维修时间延长，以及可能的环境风险。因此，提前发现潜在故障迹象和实施预测性维护变得至关重要。

这些挑战和问题迫切需要解决，而运行智能化以及数字孪生技术的应用为解决这些问题提供了新的途径和可能性。通过实时监测、智能分析和预测性维护，可以更好地管理和维护油气管道系统，提高其安全性、效率和可靠性。

3.2　运行智能化的影响

运行智能化在油气管道管理中具有深远的影响，通过数字孪生技术的应用，可以在多个方面提升管道系统的性能和可靠性。

运行智能化的核心目标之一是提升管道系统的安全性。数字孪生技术通过实时监测和预测分析，可以有效降低潜在安全隐患的风险。通过数字孪生的模拟和模型化能力，管道系统能够模拟各种可能的危险情况，如泄漏、压力异常等，并在早期发现问题的迹象。这使得运营团队能够更及时地采取措施，降低事故的发生概率，保护环境、人员安全和财产。

运行智能化通过数字孪生模型的优化和智能决策支持，能够显著提高管道系统的运行效率。数字孪生模型可以实时监测管道系统的状态，并根据实际情况进行操作参数的调整，以优化能源消耗和资源利用。此外，通过数字孪生的预测性能力，管道运营团队能够更好地规划维护工作，避免不必要的停产时间，降低运营成本，提高资源利用效率。这为管道运营提供了更灵活、高效的管理方式，有助于应对不断变化的市场需求。

数字孪生技术的应用使管道系统能够更早地识别潜在故障迹象。通过历史数据的分析和数字孪生模型的预测，运行智能化可以提前发现可能的故障和问题，并向维护人员提供准确的信息支持。这有助于规划通球、维修等工作的优先级，提高故障处理的效率，减少停产时间。通过预测性维护，管道系统的可用性和可靠性得到提高，降低了突发故障对管道运营的不利影响。

4　数字孪生在管道健康监测中的应用

4.1　数字孪生在管道健康监测中的典型应用案例

数字孪生技术在管道健康监测领域的应用案例丰富多样，为提高管道系统的可靠性、安全性和效率提供了创新的解决方案。数字孪生技术可以通过实时监测管道系统的各种传感器数据，如流量、压力、温度等，以及管道材料的状况，来预测可能的故障和问题。例如，在监测到管道内部的流量异常时，数字孪生模型能够迅速发现可能的泄漏或堵塞情况。这样的早期警示有助于运维团队采取及时的措施，避免了潜在的灾难性事件。

针对管道系统中常见的腐蚀问题，数字孪生技术可以结合材料科学知识和实时监测数据，建立腐蚀模型。这个模型能够预测管道材料的腐蚀速率，并提前警告运维团队何时需要进行维修或更换管道部件。这项技术在延长管道寿命、减少维修成本方面具有巨大潜力。数字孪生还可以用于管道清洗和维护的优化。通过监测管道内部的沉积物和污物情况，数字孪生模型可以提供最佳的清洗计划，减少清洗频率，同时确保管道内的流体运动效率。这有助于节省维护成本和能源消耗。对于潜在的地质灾害风险，如地震、滑坡或土壤侵蚀，数字孪生技术可以结合地质和气象数据，建立风险评估模型。这种模型可以预测管道系统受到的风险，并在风险增加时提供预警，以减轻可能的损失和安全风险。

4.2　数字孪生的成功经验和益处

数字孪生技术在管道健康监测中的成功经验和益处远不止于故障预测和维护计划优化。以下是更详细的探讨，包括实际应用中的优化改进方法：

数字孪生技术的实时监测和分析功能赋予管道运营团队更迅速的决策能力。在实际应用中，数字孪生系统可以与自动化控制系统集成，实现对管道的实时控制和调整。例如，在监测到管道内部流量异常波动时，系统可以自动调整阀门和泵效以维持正常运行状态，同时发出警报通知操作人员。这种实时决策支持有助于降低潜在风险，提高管道系统的安全性。

数字孪生技术的数据驱动方法可帮助管道系统实现更高级的性能优化。通过分析实时数据，系统可以自动调整操作参数，以最大程度地提高管道系统的效率。例如，根据实际流量需求，系统可以调整输送泵的运行效率和数量，从而减少能源消耗。此外，数字孪生还可以推动管道系统的智能化维护，根据实际状况制定维护计划，减少不必要的维修和停产时间。这种数据驱动的性能优化有助于提高管道系统的可靠性和经济性。

数字孪生技术在降低管道运营成本方面发挥了重要作用。通过更准确的故障预测，维护计划的优化，以及对操作和维护的持续改进，数字孪生有助于降低维护成本和停产时间。此外，通过最大化资源利用效率，数字孪生还可以减少能源消耗和废料产生，从而降低管道运营的总体成本。

数字孪生技术为管道系统的持续改进提供了持续的平台。通过不断分析和优化数字孪生模型，管道运营团队可以发现潜在的改进机会。例如，模型可能会识别出管道系统的瓶颈，从而指导投资以增加输送能力。此外，数字孪生还可以帮助运营团队更好地理解管道系统的复杂性，以更好地满足市场需求，提高客户满意度。

这些优化改进方法不仅提高了管道系统的整体性能，还为管道运营提供了更高水平的智能化和效率，使其能够适应不断变化的市场环境和技术趋势。数字孪生技术的成功经验和益处表明，它在管道健康监测中的应用将在未来继续发挥关键作用。

5 结论

本论文总结了数字孪生技术在油气管道运营中的关键作用和潜力，以及其在管道健康监测、性能优化和故障预测方面的具体应用。数字孪生技术通过实时同步管道系统的状态，提供实时决策支持，降低风险，提高安全性。在管道健康监测方面，数字孪生技术实现了对管道系统的持续监测和改进，提前识别故障，优化维护计划，降低成本，提高效率。数字孪生在管道健康监测领域的应用取得了显著成就。数字孪生技术的成功经验包括实时决策支持、数据驱动的性能优化、成本降低和持续改进。它提供了更高水平的智能化和效率，使管道运营更具竞争力。然而，数字孪生技术的应用仍面临挑战，需要解决数据集成、模型构建和安全性等问题。未来的研究和实践将继续推动数字孪生技术在油气管道领域的应用。

综上所述，数字孪生技术已经在油气管道运营中展现出潜力，提高了安全性和效率，为管道运营带来了经济益处。数字孪生技术将继续为管道监测和管理做出重要贡献。

参 考 文 献

[1] 庞瑞. 地理信息技术在油气管道数字化管理中的应用[J]. 石化技术，2023，30(09)：209-211.

[2] 高铁珊. 油气管道防腐施工质量影响因素及控制对策研究[J]. 中国石油和化工标准与质量，2023，43(16)：25-27.

[3] 袁川晋，赖香霖，张志俞等. 油气管道运输中的工艺设备与自动化控制[J]. 天然气技术与经济，2023，17(04)：30-33.

[4] 朱熹育，翁光远，商倩. 地磁作用下油气管道力磁耦合仿真分析与实验研究[J]. 石油工业技术监督，2023，39(08)：1-4+28. DOI：10. 20029/j. issn. 1004-1346. 2023. 08. 001.

[5] 安志彬. 数字孪生在长输油气管道无损检测中的应用[J]. 无线互联科技，2023，20(13)：94-96+107.

[6] 丛瑞，冯骋，沈晨等. 油气管道数字孪生技术应用[J]. 油气田地面工程，2022，41(10)：108-113.

[7] 陈渝，胡耀义，曹宏艳. 一种基于数字孪生体的油气输送管道完整性管理方法[J]. 油气与新能源，2022，34(05)：84-88.

[8] 陈钢. 数字孪生技术在石化行业的应用[J]. 炼油技术与工程，2022，52(04)：44-49.

[9] 赵国深，赵嘉玲，刘思妤等. 数字孪生技术在油气管道管理中的应用[J]. 化工管理，2022(04)：71-74. DOI:10.19900/j.cnki.ISSN1008-4800.2022.04.0020.

[10] 熊明，古丽，吴志锋等. 在役油气管道数字孪生体的构建及应用[J]. 油气储运，2019，38(05)：503-509.

在役海底输油管道增输后腐蚀速率实验研究及应用

程 霖 薄 昭 赵铭文 杨小乐 李翔云

(中海石油(中国)有限公司天津分公司)

摘 要 海底管道是海洋油气田开发的重要组成部分，海底管道的腐蚀情况直接关系到海底管道的运行安全与剩余寿命。海底管道在输送介质发生后需要重新评估其剩余寿命，以便合理使用在役海底管道。在役海底管道在增加天然气介质输送后，CO_2腐蚀有明显增强，如何合理评估增输后海底管道的剩余寿命意义重大。本文通过实验模拟在相同条件下的海底管道的腐蚀情况，确定了在役海底输油管道增输后的腐蚀速率。并且应用于某海底管道成功评估了其剩余寿命，对今后类似情况有一定借鉴意义。

关键词 海底管道；腐蚀速率；实验研究；在役海管；CO_2腐蚀

海底管道是指通过密闭的管道在海底连续地输送大量油、气的管道，是海洋油(气)田开发生产系统的重要组成部分)。海底管道的使用寿命关系到油田开发年限，在役海底管道在输送介质发生变化后需要及时根据实际运行情况开展剩余寿命评估)。

本文基于某海洋油气田开发工程项目，在海底输油管道增输天然气后，通过实验获得准确的腐蚀速率，并成功评估了该条海底管道的剩余寿命。

海底管道的腐蚀主要包括细菌腐蚀、大气及保温层下腐蚀、海水腐蚀、SSC/HIC/SOHIC 和 CO_2腐蚀)。项目中海底管道为输油海管，混输后仅增加了天然气，原有原油及水的特性及输量不变，因此前四种腐蚀机理与海管现有腐蚀机理相同。而由于补充天然气中的 CO_2含量较高，且与水共存，CO_2腐蚀需给与重点关注)。

CO_2和 H_2O 共存条件下，易对钢铁材料发生腐蚀。CO_2对碳钢的腐蚀一般表现为局部减薄或点蚀，通常发生在湍流和冲击区，有时在管道焊缝的根部，会产生腐蚀点或腐蚀沟槽。

当 CO_2溶于水形成碳酸(H_2CO_3)时会发生 CO_2腐蚀。酸会降低 pH 值，足够的量会促进碳钢的均匀腐蚀和/或点蚀。影响 CO_2腐蚀的因素包括 CO_2的分压、pH 值和温度。CO_2分压的增加会导致较低的 pH 值凝结物和较高的腐蚀速度，而升高的温度会增加腐蚀速度直到 CO_2 汽化的点。

1 实验与数据

某海洋油气田开发项目从 A 平台至 B 平台的海底输油管道用于油气混输后，如继续用添加药剂的方法抑制 H_2S 和细菌，硫化物应力腐蚀开裂和细菌腐蚀的情况和混输前相比，无明显变化。保温层下腐蚀属外部腐蚀，不受管道输送介质的影响。

海管增输后，受天然气 CO_2 含量影响，CO_2 分压增加，CO_2腐蚀可能会有变化。为准确评估油气输送管道材料抗 CO_2腐蚀特性，以预测海管剩余寿命，本文利用高压反应釜，对拟进行油气混输的管道材料，进行模拟实际水介质、环境、冲刷速度下对管线材料样品进行预先的抗 CO_2腐蚀实验。最终获得了基于实验模拟数据的在役海底输油管道增输天然气后的腐蚀速率，更准确的评估了在役海底输油管道增输天然气后的剩余寿命。

采用图 1 所示实验型磁力搅拌高温压力釜进行腐蚀试验，釜体材料为 Ti 合金，最高耐压 8MPa，最高搅拌速度 1500r/min，最高加热温度 400℃。可实现精确控温 ±0.1℃。内腔尺寸为 Φ35mm×82mm。

采用图 2 所示的高精密度电子天平(AND GR-120)，其精度为 0.1mg，对样品腐蚀前后进行称重并计算腐蚀速率。

利用日本岛津 XRD-7000 型 X 射线衍射仪(如图 3 所示)，对管道内腐蚀表面和产物进行

图 1　高温压力反应釜

图 2　高精密度电子天平

物相分析，确定腐蚀产物的相组成。衍射仪采用多功能水平型 θ-θ 测角仪，在测量过程中，X 光管和探测器绕试样转动，样品水平静止不动。

图 3　X 射线衍射仪

图 4 为加工 X56 样品示意图，样品尺寸为 20×5×2mm，样品一端钻取直径 2mm 通孔，用于装夹样品于夹持杆上，装夹时，样品之间用 Φ4mm×5mm 的聚四氟垫片隔开。

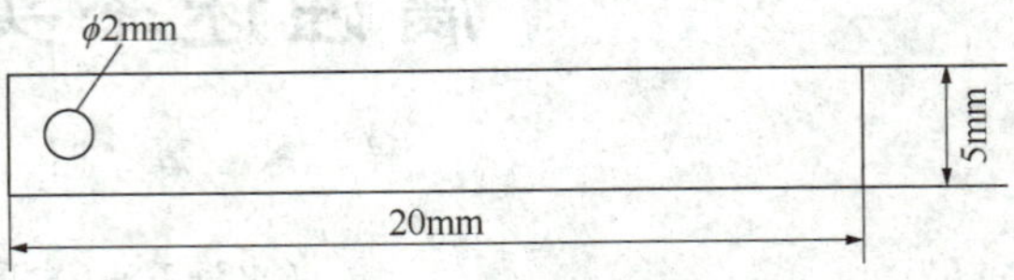

图 4　X56 样品示意图

高压釜腐蚀模拟，图 5 为实验所用高压釜示意图及样品装夹位置。样品 1-7#按照图示排序和位置，安装于高压釜内，为了对比，1-3#样品处于釜内气相介质中，4-7#样品处于液相介质中。釜底部放置磁力搅拌子，在磁力的作用下，旋转搅拌，搅拌速度可调。

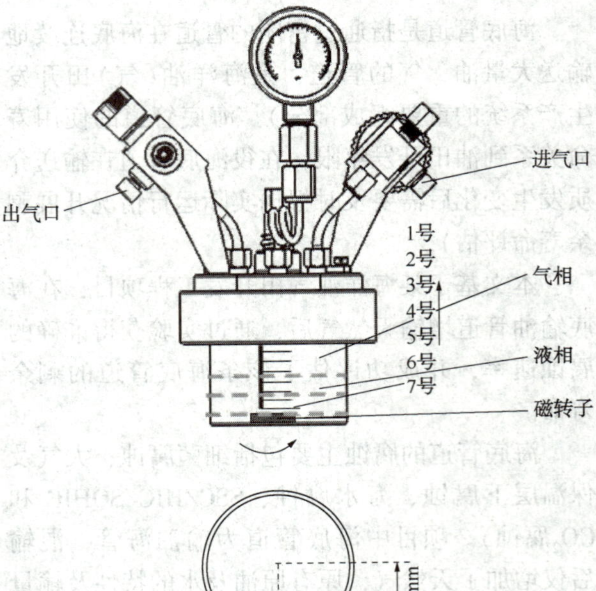

图 5　高压釜示意图及样品装夹位置

腐蚀介质及参数调控，按照下表所示实际输送原油中水质成分配比，配置相应的水溶液，以作为样品的腐蚀液相介质。

表 1　输送原油中的水质成分配比表

Ca^{2+}/mg/L	Mg^{2+}/mg/L	Cl^-/mg/L	Na^+/mg/L	SO_4^{2-}/mg/L	总溶固	PH	P-碱度 $CaCO_3$	M-碱度/$CaCO_3$
20.06	5.17	2973.35	2040	191.28	5000	8.13	55.31	391.59

按照项目给出的输送天然气成分和下表所列温度、压力、腐蚀时间先后进行三组实验。试验使用分别含 9.93%及 3.48%CO_2 的 N_2/CO_2 混合

气体，为了保证高压釜中气体的纯净度，高压釜加热前对釜内预先通气 2 小时，以排除腔体内部残留空气。随后，将高压釜升温至试验温度，磁搅拌转速调至 1500r/min，对应在样品位置介质相对流速为 2.355m/s，与实际输送条件一致。将釜内充入气体压力调至 1.5MPa，开始腐蚀实验。

表 2　对比实验

组号	CO_2 含量/%	压力/MPa	温度/℃	腐蚀时间/h
1	9.93	1.5	94	96
2	9.93	1.5	85	36
3	3.48	1.5	85	96

达到预定的腐蚀时间后，取出样品，观察腐蚀形态。前后三组实验的样品，从表面状态看，在液相中浸泡样品腐蚀表面颜色呈浅灰色且腐蚀产物较致密，而在界面和气相中样品表面颜色呈深黑色且较疏松。腐蚀表面均呈现明显的均匀腐蚀形态。取出样品后立即用无水酒精冲洗，并在酒精中超声清洗 10 分钟后，称重得到腐蚀状态的重量。随后用 HCl（1.19g/cm^3）+Sb_2O_3 20g+SnCl 250g 溶液酸洗（用该溶液酸洗原始样品 2 分钟，称重未发生重量改变）40 秒后再称重，结合原始重量计算样品腐蚀失重。三组实验样品经酸洗后，表面均未发现明显的局部腐蚀形态。根据清洗腐蚀产物后的腐蚀失重，依据如下腐蚀速率计算公式，计算每个样品的平均腐蚀速率：

$$R=\frac{K(W_1-W_2)}{ST\rho}$$

式中，R 为腐蚀速度，mm/a；K 单位转换常数=8.76×10^7；W_1，W_2 为试验前后样品质量，g；S 为腐蚀表面总面积，cm^2；T 为腐蚀时间，h；ρ 为材料密度（kg/m^3）=7850kg/m^3。

$$S=2\times0.5\times2+0.5\times0.2\times2+2\times0.2\times2-3.14\times0.2\times0.2\times2=2.7488\text{cm}^2$$

含 9.93% CO_2 气体腐蚀 96 小时后结果如表及图所示，表明液相中样品受到介质冲刷和酸性腐蚀增大，腐蚀速率明显高于气相中样品。

表 3　样品腐蚀前后质量变化及腐蚀速率（9.93%CO_2，96h）

编号 \ 状态	1	2	3	4	5	6	7
原始态质量/g	1.5100	1.5210	1.4952	1.4780	1.4951	1.5176	1.4903
腐蚀后质量/g	1.5105	1.5233	1.4985	1.4694	1.4828	1.5071	1.4818
清洗腐蚀产物后质量/g	1.5074	1.5188	1.4933	1.4666	1.4771	1.5002	1.4744
腐蚀速度/（mm/a）	0.1099	0.0930	0.0803	0.4820	0.7611	0.7358	0.6723

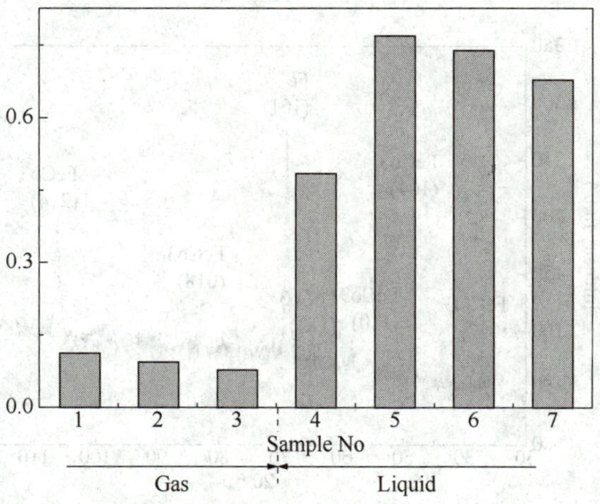

图 6　不同位置样品腐蚀速率对比（9.93%CO_2，96h）

将 1-7#样品清洗后，按与图 5 相反顺序装入工装，按照从气相到液相顺序，重新编号为，1-1~7-1，重新放入含 9.93%CO_2气体及液体介质腐蚀 36 小时后，结果如表 4 及图 7 所示，试验后水溶液 PH 下降至 6.5~7.0 之间，显极弱酸性。与第一组实验对比，其腐蚀速率稍有增加，可能是由于腐蚀前期表面腐蚀层较薄，抑制腐蚀作用较低而造成的。样品在液相和气相中的腐蚀速度的规律并未发生变化。

将最初 1-7#样品经第二次腐蚀后，仔细清洗，仍按图 5 形式和顺序排放，编号为 1-2~7-2，放入含 3.48%CO_2气体及液体混合腐蚀介质，试验温度 85℃，经 96 小时后结果如表 5 及图 8 所示，试验后用试剂法测定水溶液 PH 值下降至 6.319，测试温度 16.3℃，显弱酸性。腐蚀结果显示，当降低 CO_2分压后，腐蚀速率明显降低。

通过对 X56 管线钢的 CO_2腐蚀速率进行实验室模拟，分析结果显示，在压力 1.5MPa、温度 85℃、CO_2含量 3.48% 的条件下，腐蚀速率为 0.3087mm/y。

表 4　样品腐蚀前后质量变化及腐蚀速率(9.93%CO_2，36h)

状态 编号	1	2	3	4	5	6	7
原始态质量/g	1.5074	1.5188	1.4953	1.4666	1.4771	1.5002	1.4744
腐蚀后质量/g	1.4996	1.5180	1.4950	1.4669	1.4775	1.5013	1.4752
清洗腐蚀产物后质量/g	1.4987	1.5109	1.4912	1.4636	1.4756	1.4993	1.4723
腐蚀速度/(mm/a)	0.9800	0.8908	0.4623	0.3383	0.1691	0.1014	0.2368

表 5　样品腐蚀前后质量变化及腐蚀速率(3.48%CO_2，96h)

状态 编号	1	2	3	4	5	6	7
原始态质量/g	1.4987	1.5170	1.4929	1.4640	1.4717	1.4952	1.4671
腐蚀后质量/g	1.5003	1.5179	1.4942	1.4633	1.4715	1.4939	1.4630
清洗腐蚀产物后质量/g	1.4942	1.5159	1.4908	1.4598	1.4667	1.4885	1.4598
腐蚀速度/(mm/a)	0.1902	0.0465	0.0888	0.1776	0.2114	0.2833	0.3087

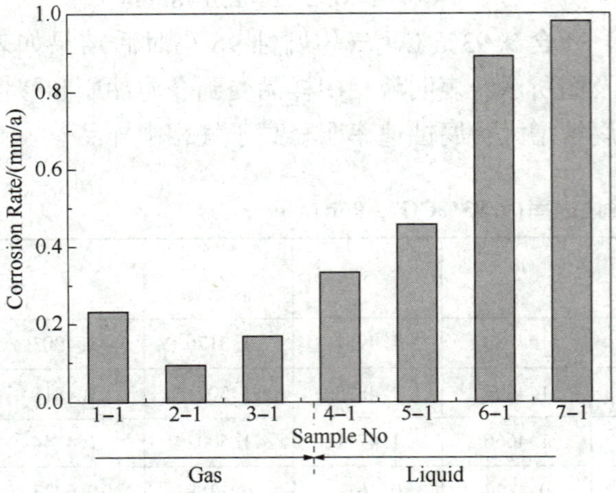

图 7　不同位置样品腐蚀速率对比(9.93%CO_2，36h)

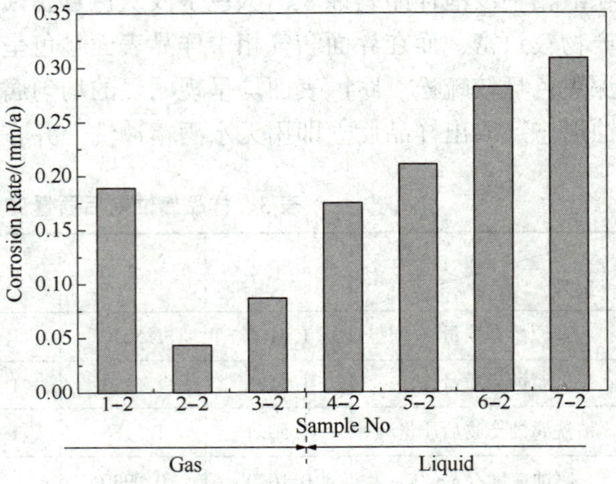

图 8　不同位置样品腐蚀速率对比(3.48%CO_2，96h)

2　分析及应用

为了判断样品表面腐蚀产物的相成分，分别选取 1-2#(气相)和 7-2#(液相)样品进行 X 射线衍射分析，射线源使用 Cr 靶激发 X 射线，下面图 9 和图 10 是分别样品 1-2#和 7-2#的 X 射线衍射图谱。从图中可看出，腐蚀产物主要为 $FeCO_3$，证明腐蚀过程为典型的 CO_2 酸性腐蚀。在液相中的 7-2#样品 $FeCO_3$ 衍射峰的相对强度要高于在气相中 1-2#样品，证明在液相中腐蚀膜厚度大于在气相中样品，结合表 5 和图 8，证实在液相中样品腐蚀速度大于气相。

研究认为，当 CO_2 分压，$PCO_2 \leq 2MPa$ 时，此时腐蚀产物膜主要是

Fe 在 CO_2 酸性腐蚀介质中的阳极溶解形成的，其机制有以

下三种反应形式：

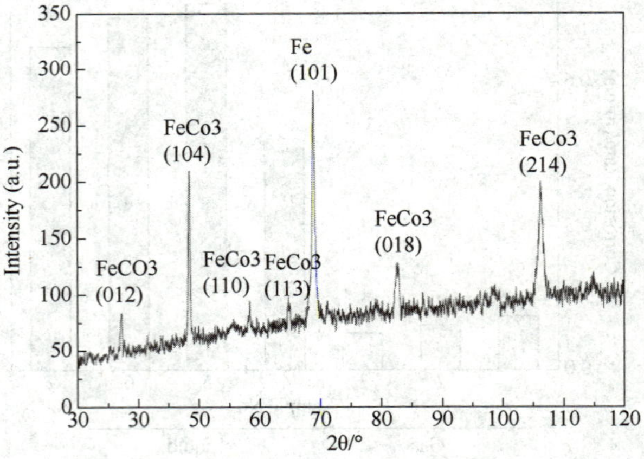

图 9　1-2#样品 XRD 图谱(3.48% CO_2，96h)

$$Fe \longrightarrow Fe^{2+} + 2e \qquad (6-1)$$

$$Fe^{2+} + CO_3^{2-} \longrightarrow FeCO_3 \qquad (6-2)$$

$$Fe+ + CO_3^{2-} \longrightarrow FeCO_3 + 2e \qquad (6-3)$$

$$Fe + HCO_3^{-} \longrightarrow FeCO_3 + 2e + H^{+} \qquad (6-4)$$

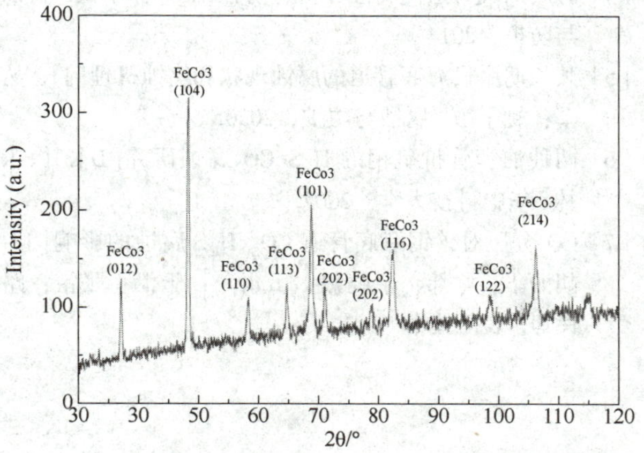

图 10　7-2#样品 XRD 图谱(3.48% CO_2，96h)

最终形成 $FeCO_3$ 腐蚀产物膜覆盖在基体表面。其中(6-2)形成腐蚀的次生产物，反应(6-3)、(6-4)形成腐蚀初生产物。初生腐蚀产物膜结构致密，硬度高；次生腐蚀产物结构疏松，硬度低。具体本试验样品及工艺条件下，液相内部样品由于受到液相冲刷作用力较强，其表面次生腐蚀产物被冲刷脱落，其表面腐蚀产物主要为致密的初生腐蚀膜，且在液相中酸性介质对样品的润湿度要远远高于气相，两种因素结合导致液相中样品腐蚀速率相对于气相中样品急剧增大。而在气相，样品受到的冲刷作用大大降低且由于液相含量急剧降低，均导致此处样品表面产生为疏松的次生腐蚀产物，且腐蚀速率较低。从气-液界面样品明显看出，处于气相一边样品腐蚀速率明显低于液相中的样品。

基于此腐蚀速率，同时考虑海管壁厚制造负偏差，采用保守算法，可以评估海管增输后的剩余寿命。设计压力为 1.5MPa，设计温度为 85℃，混输量为为 30000m^3/d 气、1000m^3/d 液。仍用 3.05mm 代表整条海底管道的当前最小壁厚，以实验室结果 0.3087mm/year 作为此海管混输后壁厚的减薄速率，随着海管壁厚的逐年减薄，海管在 1.5MPa、85℃的运行条件下，海管承载的环向应力、内压引起的轴向应力、温差引起的轴向应力、总的轴向应力及等效应力。如表 6 所示。

表 6　计算结果

年份	最小壁厚/mm	最大运行温度/℃	环向应力/MPa	轴向应力（内压引起）/MPa	轴向应力（温差引起）/MPa	轴向应力/MPa	合成（等效）应力/MPa	许用应力/MPa
2011	3.05	85	41.3791	7.525819672	178.848	186.3738	169.5153	196.85
2012	2.74	85	46.03883	8.457766388	178.848	187.3058	169.0553	196.85
2013	2.43	85	51.88122	9.626243525	178.848	188.4742	168.6296	196.85
2014	2.12	85	59.42194	11.13438721	178.848	189.9824	168.3305	196.85
2015	1.82	85	69.52746	13.15549251	178.848	192.0035	168.3743	196.85
2016	1.51	85	83.77448	16.00489545	178.848	194.8529	169.2989	196.85
2017	1.20	85	105.365	20.32300885	178.848	199.171	172.584	196.85

由上表可知，在 2033 年，海管壁厚减薄为 1.20mm，总的轴向应力超出许用应力，海管处于不安全状态。因此在 1.5MPa，85℃的操作条件下，海管的应力承载能力可以维持至 2032 年。

3　结论

由于补充气源中含有 CO_2，且含量较高，因此 CO_2腐蚀对海管的危害较大，为了进一步了解其腐蚀程度，对 X56 管线钢的 CO_2腐蚀速率进行了实验室模拟，分析结果显示，在压力 1.5MPa、温度 85℃、CO_2含量 3.48%的条件下，腐蚀速率为 0.3087mm/y。

依据该条海管目前最小剩余壁厚作为基础，按海管历史运行工况进行模拟分析，2033 年及以后海管结构应力存在超出许用应力的情况，海管的高温运行会给管道安全带来较大风险。因此，建议对该条海管的生产运行工艺适当进行优化，采取逐年合理降温降压的方式，来降低海管结构承受的运行应力，避免海管结构高负荷运行带来的安全风险。

通过对海管腐蚀机理及防腐措施和效果的分析，海管细菌腐蚀、大气及保温层下腐蚀和 H_2S 腐蚀的危害并不严重。CO_2腐蚀是引发该海底管道内腐蚀的主要原因，海底管道的 CO_2腐蚀实际是由于高温高压下多相流介质引起的 CO_2腐蚀问题。建议对此条在役海管采取添加缓蚀剂或脱除

CO_2处理等防腐措施，减少相应腐蚀给海管带来的危害，保证海管安全运行。

参考文献

[1] 海底管道内壁腐蚀实时监测与预测软件系统设计开发[D]. 李庆发. 大连理工大学，2013.

[2] 海底管道稳定性分析[J]. 赵党；郝双户；何宁. 舰船科学技术，2013.

[3] 掺氢天然气管道输送研究进展[J]. 李敬法；苏越；张衡；宇波. 天然气工业，2021.

[4] 海底油气管道内腐蚀分析与防护[J]. 徐学武. 腐蚀与防护，2014.

[5] 某长期服役海底管道的腐蚀现状和腐蚀机理[J]. 丛军；姚子敏. 腐蚀与防护，2020.

[6] 两种油套管抗硫钢的 H_2S/CO_2腐蚀研究[D]. 徐东林. 华中科技大学，2007.

[7] CO_2分压对碳钢海底管道 CO_2/H_2S 腐蚀的影响[J]. 胡丽华；常炜；余晓毅；田永芹；于湉；张雷；路民旭. 表面技术，2016.

超临界 CO_2 输送管道腐蚀规律研究

商永滨　林　罡　程忠钊　霍小菊

（长庆工程设计有限公司）

摘　要　通过化学成分、金相组织分析及力学性能测试 L360、L415、L450 管材均满足 GB/T 9711—2017 的标准要求；利用高温高压釜实验系统，采用挂片试验方法，借助金相显微镜及图像分析系统，研究了 7 种不同杂质条件下 L360、L415、L450 材质挂片的表面腐蚀形貌，测试了挂片腐蚀速率。结果表明：三种材质的耐腐蚀性能基本相当，且腐蚀规律一致，在干燥 CO_2 气体中无腐蚀；在含水蒸气饱和蒸气压的 CO_2 气体中出现中度腐蚀现象，在 CO_2 水溶液中的腐蚀速率急剧增大且均呈极严重腐蚀；分别在含水蒸气饱和蒸气压的 CO_2 气体、CO_2 水溶液中加入 50ppm 的 H_2S 后，三种材质的腐蚀呈增大趋势，前者为中度腐蚀，后者呈极严重腐蚀；分别在含水蒸气饱和蒸气压的 CO_2 气体、CO_2 水溶液中加入 0.2% 的 O_2 后，三种材质的腐蚀呈显著增大趋势，前者为中度腐蚀，后者呈极严重腐蚀。

关键词　超临界；腐蚀速率；表面形貌；腐蚀行为；含水蒸气饱和蒸气压；CO_2 水溶液

随着世界工业生产的迅猛发展，过多 CO_2 排放到大气中，使全球气温升高，易引起温室效应，导致两极冰川融化、海平面升高，部分沿海城市淹没，土地沙漠化、农业减产、破坏生态平衡，损害人体健康等。CO_2 捕集、埋存、利用技术（CCUS）被认为是实现全球 CO_2 减排的最有效方式，CO_2 管道输送是 CCUS 技术链中关键环节，当前世界上绝大多数 CO_2 输送管道建于美国，且输送方式多采用超临界态或密相态输送。目前国内外关于超临界 CO_2 条件下钢的腐蚀行为，主要研究了不同条件下的腐蚀速率、腐蚀产物膜的结构、形貌及组成、电化学行为等。根据长庆油田 CCUS 的输量设计规模，CO_2 以超临界状态输送，输送压力在 7.3MPa 以上，管径在 Φ500mm 以内，结合目前石油天然气工业常用的输送钢管材质及等级，选择 L360、L415、L450 三种钢级管道材质开展超临界 CO_2 输送管道选材及适用性评价研究。

1　实验

1.1　材料

实验材料为 L360、L415、L450 三种材质，加工成 50×10×3mm 的试片。针对 CCUS 气源的组分特点，采用表 1 的实验参数进行室内模拟实验，以评价 CO_2 在 H_2O、H_2S、O_2 等不同因素作用下对管材的腐蚀影响规律。

表 1　实验参数

实验条件	气相				液相	温度/℃	实验周期/d	样品相态	备注
	H_2O/%	CO_2 压力/MPa	H_2S 浓度/(mg/m³)	O_2/%					
1	0	10	0	0	无	40	7	气相	干燥 CO_2
2	0.074	10	0	0	H_2O	40	7	气相	H_2O 饱和蒸气压
3	—	10	0	0	H_2O	40	7	液相	模拟存在游离水
4	0.074	10	50	0	H_2O	40	7	气相	H_2O 饱和蒸气压
5	—	10	50	0	H_2O	40	7	液相	模拟存在游离水
6	0.074	10	0	0.2	H_2O	40	7	气相	H_2O 饱和蒸气压
7	—	10	0	0.2	H_2O	40	7	液相	模拟存在游离水

1.2　仪器

高温高压釜实验系统，美国 Cortest 公司；Spectrovac2000 直读光谱仪，Baird；MeF3A 金相显微镜、MEF4M 金相显微镜及图像分析系统，徕卡公司。

1.3 材质物性

1.3.1 化学成分

依据 GB/T 4336，分别对 L360、L415、L450 三种管道材质的化学成分进行分析，结果见表 2，材料的化学成分均满足 GB/T 9711—2017 的标准要求。

表 2 化学成分检测结果(wt%)

元素	L360	L415	L450	GB/T 9711—2017
碳(C)	0.069	0.077	0.070	≤0.26
硅(Si)	0.19	0.22	0.19	—
锰(Mn)	1.15	1.26	1.23	≤1.4
磷(P)	0.012	0.015	0.0093	≤0.030
硫(S)	0.0036	0.0026	0.0024	≤0.030
铬(Cr)	0.022	0.16	0.27	—
钼(Mo)	0.0021	0.0008	0.001	—
镍(Ni)	0.0080	0.014	0.0060	—
铌(Nb)	0.019	0.040	0.018	
钒(V)	0.0032	0.0038	0.005	Nb+V+Ti≤0.15
钛(Ti)	0.019	0.013	0.014	
铜(Cu)	0.0062	0.035	0.0069	—
硼(B)	0.0001	0.0001	0.0002	—
铝(Al)	0.033	0.027	0.028	—

1.3.2 金相组织

依据 GB/T 13298、GB/T 10561 及 GB/T 6394，对 L360、L415、L450 三种管道材质取样进行组织、晶粒度、夹杂物分析，结果见表 3。

表 3 金相组织检测结果

材质	非金属夹杂物	组织	晶粒度
L360	A1.5，B0.5，D0.5	PF+P	11.0 级
L415	A0.5，B0.5，D0.5	PF+P	11.0 级
L450	A0.5，B0.5，D0.5	PF+P	12.0 级

1.3.3 力学性能

依据 GB/T 228.1、GB/T 229 标准，分别对 L360、L415、L450 等 3 种管道材质力学性能进行检测，结果见表 4 所示，三种材质的力学性能满足 GB/T 9711—2017 标准要求。

表 4 力学性能检测结果

实验项目	抗拉强度 Rm/MPa	屈服强度 $Rt_{0.5}$/MPa	冲击功/J	延伸率/%
L360	512	452	153	33
L415	594	496	173	32
L450	645	522	238	30

2 结果与讨论

2.1 条件 1 实验结果

三种材质试样在表 1 条件 1 下实验后的重量变化如表 5 所示、样品表面微观形貌如图 1 所示，三种材质试样在干燥的 CO_2 环境中实验后重量基本无变化，样品表面无腐蚀，仍可观察到原始的磨痕。

表 5 实验前后试样重量变化情况

材质	试样编号	重量/g		
		实验前(G1)	实验后(G2)	ΔG(G1-G2)
L360	1	10.9928	10.9928	0
	2	10.6572	10.6573	0.0001
	3	10.7844	10.7844	0
L415	1	10.5568	10.5568	0
	2	10.4596	10.4597	0.0001
	3	10.4108	10.4109	0.00010
L450	1	10.7819	10.7819	0
	2	10.5523	10.5523	0
	3	10.9415	10.9415	0

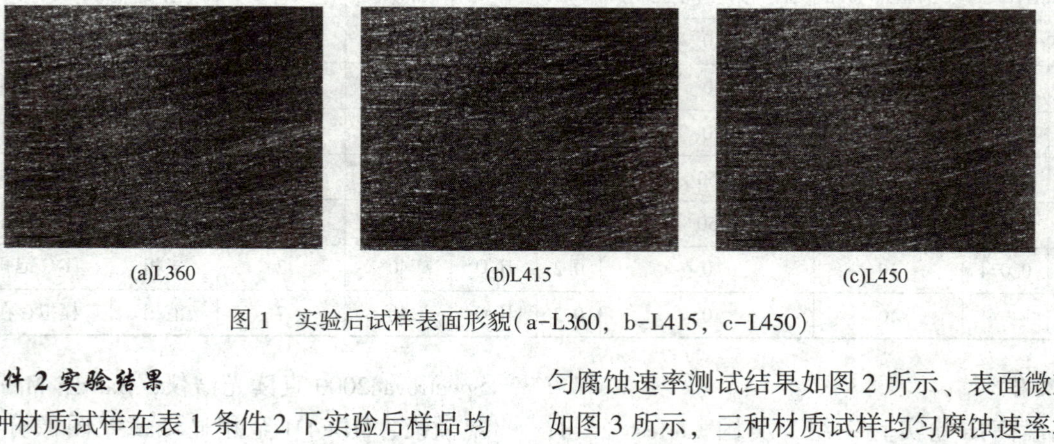

(a)L360 (b)L415 (c)L450

图 1 实验后试样表面形貌(a-L360，b-L415，c-L450)

2.2 条件 2 实验结果

三种材质试样在表 1 条件 2 下实验后样品均匀腐蚀速率测试结果如图 2 所示、表面微观形貌如图 3 所示，三种材质试样均匀腐蚀速率均为中度腐蚀，实验后表面无明显的点蚀坑存在。

2.3　条件 3 实验结果

三种材质试样在表 1 条件 3 下实验后的均匀腐蚀速率测试结果如图 4 所示、样品表面微观形貌如图 5 所示，三种材质试样均匀腐蚀速率均为极严重腐蚀，实验后表面存在大量的腐蚀坑。

2.4　条件 4 实验结果

三种材质试样在表 1 条件 4 实验后的均匀腐蚀速率测试结果如图 6 所示、样品表面微观形貌如图 7 所示，三种材质试样均匀腐蚀速率均为中度腐蚀，实验后表面局部存在明显的腐蚀坑。

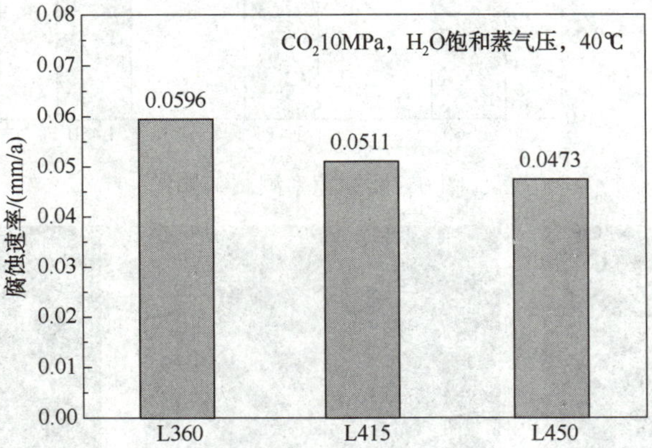

图 2　腐蚀速率测试结果（a-L360，b-L415，c-L450）

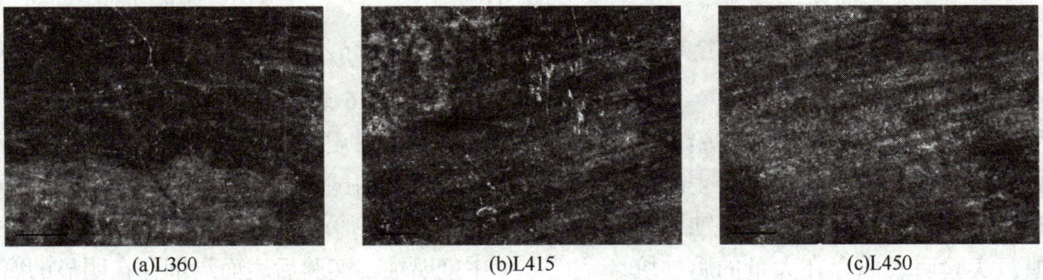

图 3　实验后试样表面形貌（a-L360，b-L415，c-L450）

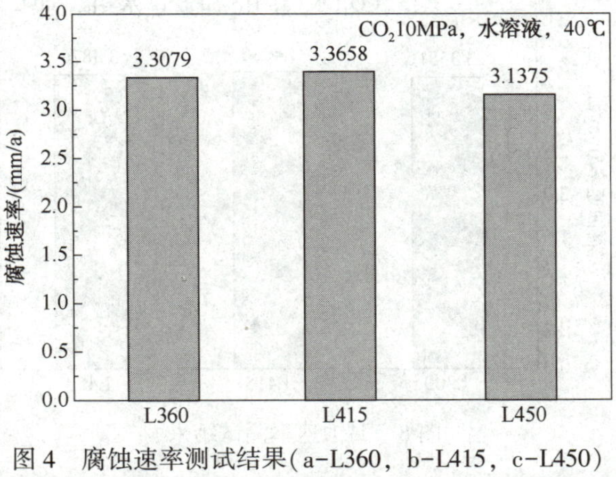

图 4　腐蚀速率测试结果（a-L360，b-L415，c-L450）

图 5　实验后试样表面形貌（a-L360，b-L415，c-L450）

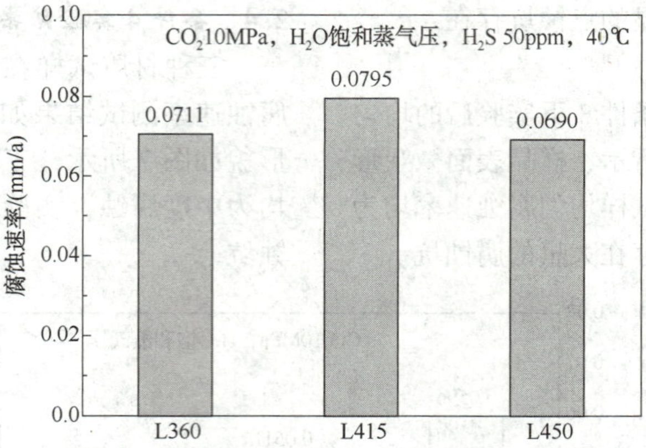

图 6　腐蚀速率测试结果

图 7　实验后试样表面形貌(a-L360，b-L415，c-L450)

2.5　条件 5 实验结果

三种材质试样在 1 条件 5 下实验后的均匀腐蚀速率测试结果如图 8 所示、样品表面微观形貌如图 9 所示，三种材质试样均匀腐蚀速率均为极严重腐蚀，实验后表面存在大量的腐蚀坑。

2.6　条件 6 实验结果

三种材质试样在表 1 条件 6 下实验后的均匀腐蚀速率测试结果如图 10 所示、样品表面微观形貌如图 11 所示，三种材质试样均匀腐蚀速率均为中度腐蚀，实验后表面局部存在明显的腐蚀坑。

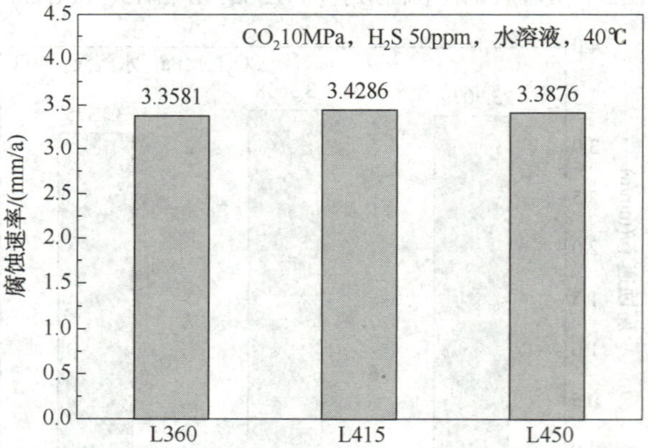

图 8　腐蚀速率测试结果

图 9　实验后试样表面形貌(a-L360，b-L415，c-L450)

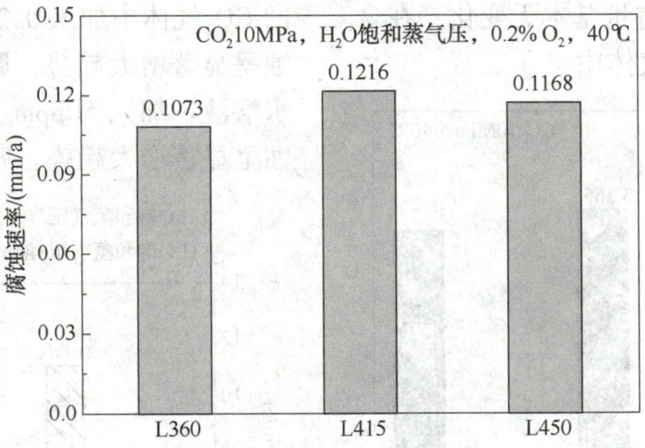

图 10　腐蚀速率测试结果

(a)L360　(b)L415　(c)L450

图 11　实验后试样表面形貌(a-L360，b-L415，c-L450)

2.7　条件 7 实验结果

三种材质试样在表 1 条件 7 下实验后的均匀腐蚀速率测试结果如图 12 所示、样品表面微观形貌如图 13 所示，三种材质试样均匀腐蚀速率均为极严重腐蚀，实验后表面存在大量的腐蚀坑。

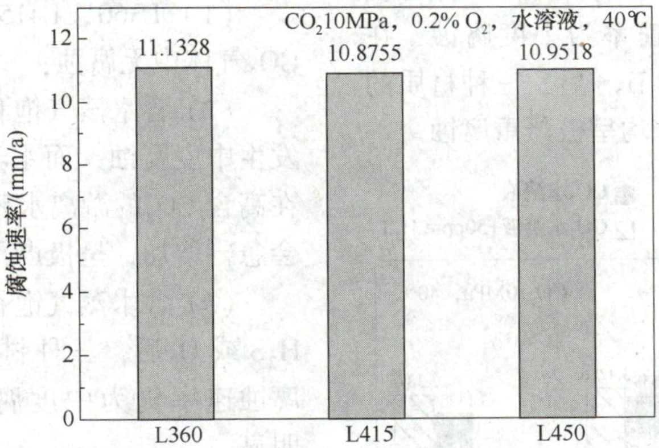

图 12　腐蚀速率测试结果

(a)L360　(b)L415　(c)L450

图 13　实验后试样表面形貌(a-L360，b-L415，c-L450)

2.8　结果讨论

2.8.1　H_2O 对管材腐蚀行为的影响

三种材质试样在不同含水状态下的均匀腐蚀速率对比结果如图 14 所示。结果表明：L360、L415、L450 三种材质的耐腐蚀性能基本相当，且腐蚀规律一致；三种材质在干燥 CO_2 气体中基

本无腐蚀，实验前后试样重量基本无变化；在含水蒸气饱和蒸气压的 CO_2 气体中

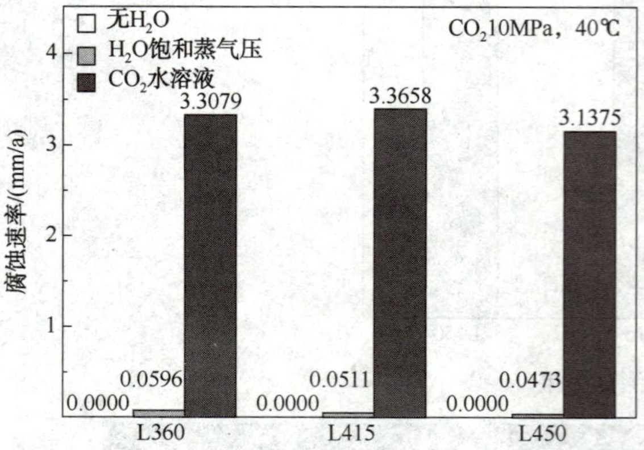

图 14　不同含水状态下的均匀腐蚀速率对比结果

出现腐蚀现象，腐蚀速率均呈中度腐蚀；在 CO_2 水溶液中的腐蚀速率急剧增大，腐蚀速率均呈极严重腐蚀。

2.8.2　H_2S 对腐蚀行为的影响

三种材质试样在不同含水及 H_2S 状态下的均匀腐蚀速率对比结果如图 15 所示。结果表明：L360、L415、L450 三种材质的耐腐蚀性能基本相当，且腐蚀规律一致；在含水蒸气饱和蒸气压的 CO_2 气体中加入 50ppm 的 H_2S 后，三种材质的腐蚀呈增大趋势，腐蚀速率为中度腐蚀；在 CO_2 水溶液中加入 50ppm 的 H_2S 后，三种材质的腐蚀呈增大趋势，腐蚀速率均呈极严重腐蚀。

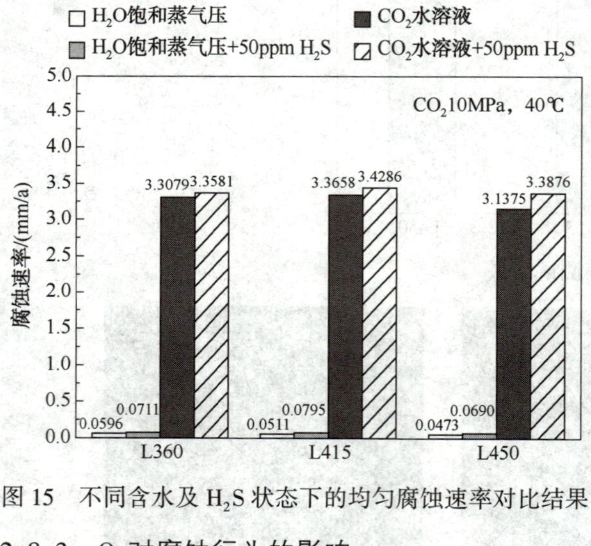

图 15　不同含水及 H_2S 状态下的均匀腐蚀速率对比结果

2.8.3　O_2 对腐蚀行为的影响

三种材质试样在不同含水及 O_2 状态下的均匀腐蚀速率对比结果如图 16 所示。结果表明：L360、L415、L450 三种材质的耐腐蚀性能基本相当，且腐蚀规律一致；在含水蒸气饱和蒸气压的 CO_2 气体中加入 0.2%的 O_2 后，三种材质的腐蚀呈显著增大趋势，腐蚀速率为中度腐蚀；CO_2 水溶液中加入 50ppm 的 H_2S 后，三种材质的腐蚀呈显著增大趋势，腐蚀速率均呈极严重腐蚀。

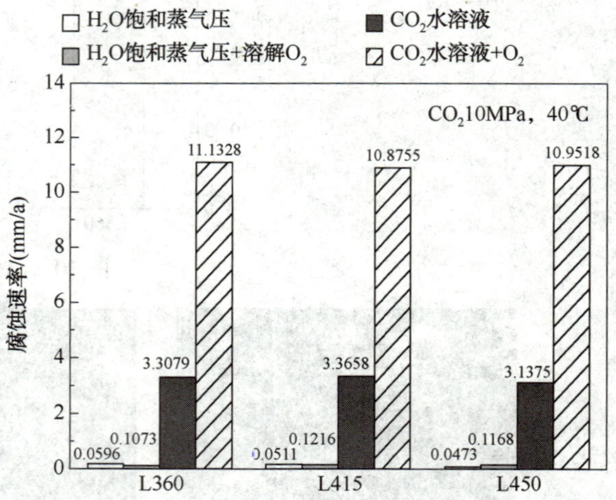

图 16　不同含水及 O_2 状态下的均匀腐蚀速率对比结果

3　结论

三种材质在不同介质条件下腐蚀规律基本一致，超临界 CO_2 长距离输送应保持输送介质干燥，且尽可能减少 H_2S、O_2 等杂质气体。

（1）L360、L415、L450 三种材质在干燥 CO_2 气体中无腐蚀；

（2）含水蒸气饱和蒸气压的 CO_2 气体中则会发生中度腐蚀，而水蒸气一旦凝结成游离水后，在高含 CO_2 的游离水环境中三种材质的腐蚀速率会急剧增加，呈极严重腐蚀；

（3）含水蒸气饱和蒸气压的 CO_2 气体中加入 H_2S 或 O_2 后，三种材质的腐蚀呈增大趋势，但腐蚀速率仍为中度腐蚀，其中 O_2 的作用更为明显。

参　考　文　献

[1] 张磊. 超临界 CO_2 条件下温度对 5 种典型钢腐蚀行为的影响[J]. 油气储运，2020，39(09)：1031-1036.

[2] 赵国仙，严密林. 石油天然气工业中 CO_2 腐蚀的研究进展[J]. 腐蚀与防护，1998，19(2)：51-54.

[3] 张玉成，屈少鹏，庞晓露，等. 超临界 CO_2 条件下钢的腐蚀行为研究进展[J]. 腐蚀与防护，2011，32(11)：854-858.

国内外管道完整性管理效能评价技术对比分析

张银辉[1]　马毓聪[2]　刘小杰[2]　欧阳峥峥[2]　王富祥[1]

（1. 国家管网集团科学技术研究总院分公司；2. 中国科学院成都文献情报中心）

摘　要　为了确定国内外管道完整性管理在法律法规及标准、效能评价方法、效能评价指标等方面的特点及差异，并为管道运营企业实施有效的完整性管理提供参考，通过国内外管道完整性管理法律法规、标准要求、文献资料等的调研，对管道完整性管理效能的相关评价方法和指标体系进行了系统梳理和分析。分析表明，效能评价指标体系可以围绕危害管道完整性具体因素、完整性管理的综合效能等方面开展，设立多级不同层次的具体评价指标。建立适用于企业自身的管道完整性管理效能评价指标体系并进行分析，给出更全面和科学的改进建议，可保障管道安全可靠运行，持续提高企业的管道完整性管理水平和竞争力。

关键词　管道；完整性；效能评价；指标体系

1　引言

随着社会经济的发展，油气资源需求量不断增加，油气管道建设总里程不断增长。据统计，截止 2022 年我国长输管道建设总里程达到 15.5 万千米。管道所经过的环境也更加复杂多样，为保障管道的安全运行，对管道的完整性管理提出了更高的要求。

完整性管理是确保管道安全高效运行的重要技术手段，我国自引进吸收欧美发达国家的完整性管理理论与体系已有二十多年。经过发展，逐渐形成了适用于我国管道运行特点的完整性管理模式，并发布了国家标准 GB 32167—2015《油气管道完整性管理规范》，取得了良好的应用效果。对于管道运营企业，在完整性管理措施推行后，会通过相关方法对完整性管理的效能进行评价，确定完整性管理实施的效果。效能评价方法的适用性及可靠性决定了对管道完整性管理实施效果评价的准确性，相关学者也针对效能评价方法开展了广泛的研究。但总的来看，目前国内外在效能评价方法及指标体系应用等方面仍存在多种形式，无统一的技术方法，且效能评价方法也再不断的发展过程中。

因此，为不断完善完整性管理体系，并提高应用效果，需针对管道完整性管理效能主要评价方法及相关指标体系进行梳理及分析。本文从管道完整性管理法律法规及标准要求、效能评价方法、效能评价指标三个方面，对国内外的研究现状进行了总结及对比分析，以期为油气管道完整性管理体系的完善提供参考。

2　管道完整性管理法律法规及标准要求

2.1　国外法律法规及标准

国外大部分发达国家针对管道的运行安全管理均颁布了相关的法规及标准，且颁布时间较早。相关法规及标准的内容较为丰富且系统，涉及了管道安全管理的多方面，为保障管道的安全运行提供了重要的保障。目前，国外一些与管道完整性管理相关的主要法规及标准如表 1 所示。API 1160《危险液体管道的完整性管理》及 ASME B31.8S《输气管道系统完整性管理》的应用更为广泛，其中对管道完整性管理的效能评价做了相关规定。

表 1　部分国外管道安全运行及完整性管理相关法律法规及标准

国家/地区	法律法规及标准
美国	法规《管道安全改进法案 2002》(H. R. 3609) 法规《管道检测、保护、实施及安全法案 2006》(H. R. 5782) 联邦法规 49 CFR 192《天然气管道在高后果区开展完整性管理》 联邦法规 49 CFR 195《危险液体管道在高后果区开展完整性管理》 GAO-06-946《进一步加强完整性管理效能评价》 API 1160《有害液体管道系统的完整性管理》 ASME B31.8S《输气管道完整性管理系统》

续表

国家/地区	法律法规及标准
俄罗斯	РД153-39.4-056《干线输油管道运营技术规程》 РД153-39.2-076-01《关于事故原因和干线石油产品管道损坏，事故统计故障和石油产品不可挽回损失的技术调查细则》 РД08-204-98《向俄罗斯联邦国家矿山和工业监督局各地区机构通告和提交关于天然气和危险液体干线管道运输设施的事故和危险使用条件信息的程序》 РД39-110-91《干线石油管道事故和损坏消除细则》 РД153-112-014-97《关于在干线石油产品管道中消除事故和损坏处的细则》
英国	BS PD 8010-2《管道实施规程-陆上钢质管道-管道风险评估在含可燃物的重大事故危险管道附近拟议开发项目中的应用指南》 BS PD 8010-4《陆上和海底钢制管道-完整性管理实践准则》
澳大利亚	AS 2885.3《气体与石油液体管道第3部分：运行和维护》 AS 1697《气体传输和配送系统》 AS/NZS 1200《承压设备、锅炉和压力容器》
加拿大	CSA Z662《油气管道系统》 CSA B51《锅炉、压力容器与压力管道规范》
欧洲	EN 16348《燃气传输基础设施的安全管理系统及燃气输送管道的管道完整性管理系统》

2.2 国内法律法规及标准

国内通过借鉴国外在管道完整性管理方面的经验、法规及标准等，已发布相关管道保护法及标准规范。主要采用的法规及标准如表2所示。

表2 国内管道安全运行及完整性管理相关法律法规及标准

国家/地区	法律法规及标准
中国	2010《中华人民共和国石油天然气管道保护法》 GB 32167—2015《油气输送管道完整性管理规范》 GB/T 42033—2022《油气管道完整性评价技术规范》 SY/T 6621—2016《输气管道系统的完整性管理》 SY/T 6648—2016《危险液体管道的完整性管理》 SY/T 6628—2011《油气管道地质灾害风险管理技术规范》 Q/SY 1180.8—2013《管道完整性管理规范第8部分：效能评价》

2.3 国内外法律法规及标准对比分析

如表1中所示，美国从不同方面颁布了详细具体的法律法规，且不同法规具有不同的侧重点。规定了相应的对公共安全及环境影响的评估及评价要求、对完整性管理效能评价报告的要求以及对完整性管理程序有效性的检测方法的要求等。相较于美国较为细化的法规内容，俄罗斯、英国、澳大利亚、加拿大以及欧洲等国家的法规则主要是针对整个管道完整性的管理过程，如澳大利亚 AS 2885.3、俄罗斯法规 RД153-39.4-056及欧洲 EN16348 从管道管理体系、维抢修、安全环保、效能评价及 HSE 审核进行了相应的要求。目前，国外不同国家和地区使用的法规不同，但在管道完整性管理效能评价要求制定方面，ASME B31.8S 及 API 1160 是被广泛应用的两项标准。

我国整体上在完整性管理方面起步较晚，但通过吸收引进国外管道完整性管理经验，针对我国的管道特点，也取得了诸多创新并形成了相关标准。2015年发布了国家标准 GB 32167《油气输送管道完整性管理规范》，该标准属于纲领性标准，规定了管道完整性管理的目标、内容、方法及要求。2022年又发布了管道完整性技术国家标准 GB/T 42033《油气管道完整性评价技术规范》，该标准对管道完整性评价技术进行了系统性的规定。此外，还有将 ASME 31.8S 及 API 1160 采纳而转标的2个推荐性行业标准，即 SY/T 6621 及 SY/T 6648。在效能评价方面，形成了企业标准 Q/SY 1180.8，并也已在一些管道运营企业中得到了应用。

3 管道完整性管理效能评价方法

效能评价指的是对管道完整性管理结果或进程的质量好坏、作用大小、自身状态等效率指标的量化计算或结论性评价，调研并总结国内外管道完整性管理效能评价标准以及相关文献，目前针对效能评价的基本方法可分为指标评价法、管理审核法及对标法三大类。

3.1 指标评价法

在应用指标评价法开展管道完整性效能评价工作前，需建立一定的指标体系，并对建立的指标体系进行全面和科学的评价。在效能指标评价法方面，主要包括数据包络分析法 DEA)、层次分析法(AHP)、网络层次分析法(ANP)和德尔菲法(又称专家打分法)等，表3对这几种方法进行了对比分析。

表 3　常用指标评价法的比较

指标评价法	适用性	优点	缺点
DEA 法	具有“多产出—多投入”特征的系统	具有客观强的特点，指标权重不受人为影响，投出产出量纲无影响，不用构建生产函数	依赖于建立的投入和产出指标，对于产出为负的情况无法衡量，对于决策单元仅可进行相对效率评估
AHP 法	对于有层次化及全面的效能指标体系具有较好的适用性	对定量数据需求少，同时具有定性及定量特点，并可将多目标、多准则的决策问题化为多层次单目标问题	定量数据较少使得科学性较低，对于统计量过大的指标体系权重较难确定，仅可优选效能评价方案
ANP 法	对于同时存在递阶及内部循环相互支配层次结构的效能指标体系较为适用	对指标间的复杂关系具有较好的反映效果	计算过程复杂
德尔菲法（专家打分法）	具有广泛的适用性	具有较好的互动性且参与度高	由于人为打分，主观性较强且对专家专业性要求高

3.2　管理审核法

除上述指标评价法以外，对于效能评价还可以采用管理审核法。管理审核法分为内部审核和外部审核，内部审核是指管道运行企业自行进行审核，当内部审核反馈完整性管理存在重大不足等情况时，需进一步由外部机构进行独立的外部审核。

3.3　对标法

根据 GB 32167《油气输送管道完整性管理规范》，效能评价可采用对标法，该方法是通过与同行业先进企业的完整性管理体系运行情况进行对比分析，确定本公司在完整性管理上的不足，从而根据对比分析结果制定相应改进措施。对于所对比的管道事故数据，可以包括国内外管道行业数据，主要的国外对比数据来源如表 4 所示。

表 4　国外管道事故数据来源

国家/地区	数据来源
美国	美国交通部管道和危险材料安全管理局(PHMSA)
英国	英国陆上管道运营协会(UKOPA)
加拿大	加拿大阿尔伯塔省能源监管机构(AER)
欧洲	欧洲天然气管道事故数据组织(EGIG)

3.4　国内外应用方法对比分析

管理审核法是国外应用较多的一种方法，API 1160 中给出了一些需要审核的具体内容。

目前，国内在相关标准中也给出了一些推荐方法，其中指标评价法是应用最为广泛的方法，标准 Q/SY 1180.8 对指标的建立以及评估均给出了具体的指导意见。如表 3 中所述，指标法同样存在优缺点，整体上未有统一的指标体系，需针对不同的管道企业运营特点进行相应的调整及制定。

4　管道完整性管理效能评价指标

国内外管道完整性管理效能评价均基于法律法规及标准要求开展，并根据管道运营公司自身的实际情况建立相应的评价指标体系。通过调研相关国内外标准及文献，总结得到部分管道完整性管理效能评价指标体系。

总结标准 API 1160、ASME B31.8S 以及相关文献可知，应定期选用效能度量标准，开展针对危害管道完整性因素的相关评价。图 1 是围绕内腐蚀、外腐蚀、第三方损坏、应力腐蚀开裂、自然灾害和外力危害、环焊缝缺陷、误操作等危害因素的效能评价指标体系，该指标体系主要在数据的收集、检查和整合、标准和风险评价、完整性评价以及效能测试等方面设立了不同层级的具体评价指标。

国内学者根据管道完整性管理的目标，从考核衡量其目标是否实现的角度，针对完整性管理的综合效能，通过“投入—产出”关系建立了效能评价指标体系，如图 2 所示。该指标体系主要包括了数据管理、高后果区识别、风险评价工作等 10 个一级指标，并在每个一级指标下设立了多级具体指标。该体系具有多投入、多产出且各投入、产出在性质与价值方面存在较大差异的基本特征，采用 DEA 法对决策单元进行相对有效性评价。通过试点应用表明，该指标体系可实现效能的客观评价，并能满足企业管理需求。

有学者从效能含义和经济角度出发，形成了过程与结果、成本与效益相结合的评价体系，指

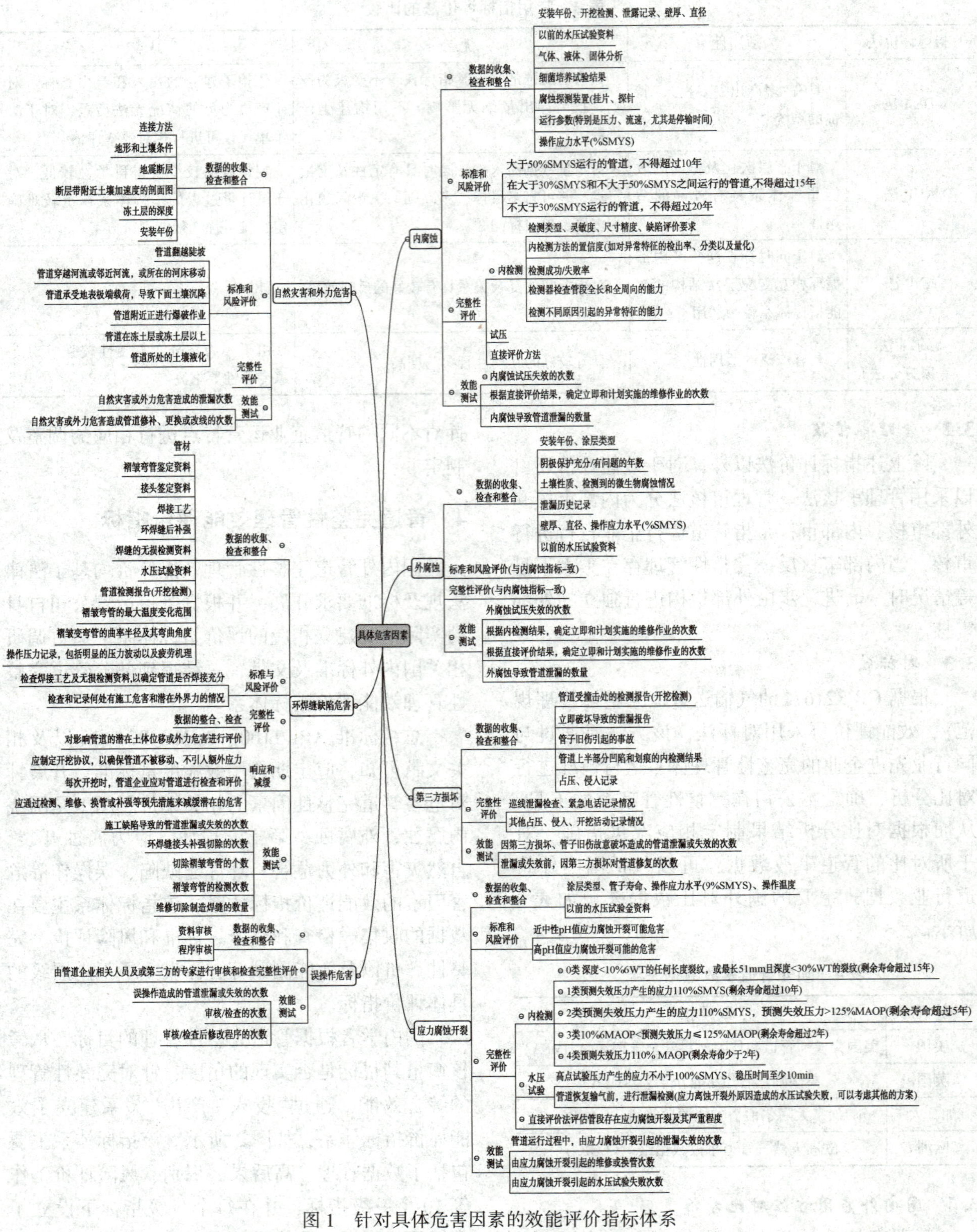

图1　针对具体危害因素的效能评价指标体系

标体系围绕管理过程、管理效果以及管理效益、效率3个层面建立，如图3所示。在管理过程层面，包含基础管理、专项管理、事件管理、事故管理。在管理效果层面，包含完整性状况及风险情况。在管理效益及效率层面，包含成本及效益。经过试点验证，该指标体系能够比较全面的评价管道完整性管理效能现状。

有学者结合管道和站场完整性管理理念及实施过程和特点，基于PDCA的循环模式原理，遵循SMART、可操作性、全面性等原则，利用系统工程法建立了一套针对管道和站场完整性管理效能的评分指标体系，如图4所示，指标体系包括领导力、策划、支持、运行、事件以及绩效评估。相比于其他传统的定性评价体系，该指标体系具有指标量化性高、客观、实际的特点，且评分过程也相对简单。目前，该指标体系在某两家企业管道完整性效能评价的试点应用中也取得了较好的评价效果。

总的来看，管道运营企业多根据自身运营特点，建立相应的效能评价指标体系，并可从不同维度进行构建，形成能够较好确定管道完整性管理效能评价的方法。

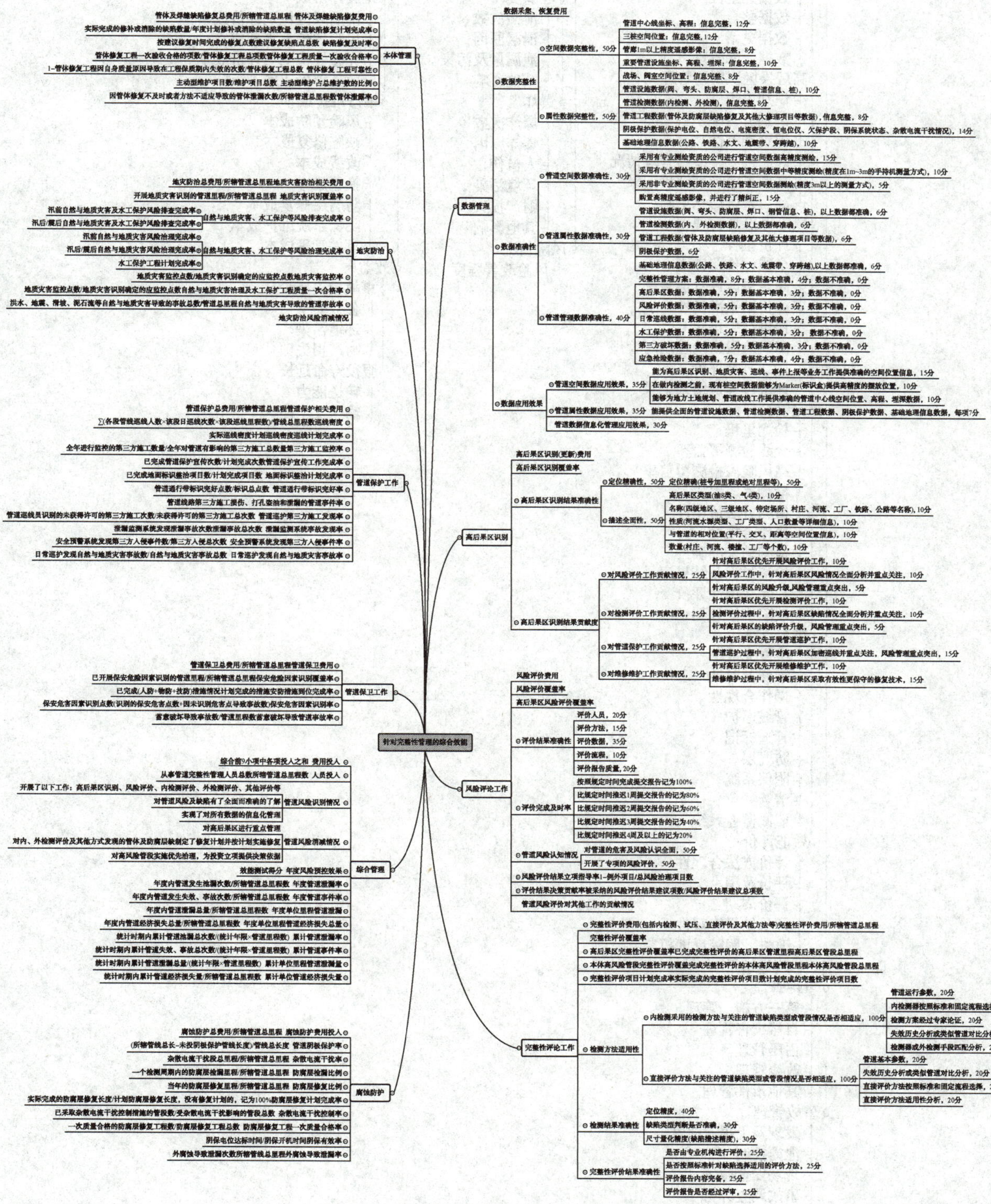

图 2 针对管道完整性管理综合效能评价指标体系

- 针对管理过程、效果、效益及效率
  - 管理过程
    - 专项管理
      - 数据收集管理
        - 数据准确性
        - 数据一致性
        - 数据时效性
        - 数据完整性
        - 数据整合
        - 数据更新
        - 数据入库管理
      - 高后果区识别与管理
        - 识别里程
        - 识别覆盖率
        - 识别准确性
        - 高后果区整改与管理情况
        - 高后果区识别评价记录
        - 高后果区信息更新
      - 风险评价与管理
        - 评价里程
        - 全线评价覆盖率
        - 高后果区评价覆盖率
        - 评价结果准确性
        - 评价结果排序
        - 高风险段风险控制与管理
        - 持续风险评价
        - 评价过程及结果记录
      - 完整性评价
        - 检测里程
        - 全线检测覆盖率
        - 高风险段检测覆盖率
        - 检测完成率
        - 检测方法适用性
        - 操作合规性
        - 检测结果准确性
        - 检测过程及结果记录
        - 缺陷适用性评价
        - 缺陷维修计划
      - 维修维护
        - 维修完成率
        - 维修及时性
        - 操作合规性
        - 管线巡护
        - 管道标记
        - 防腐层
        - 阴保系统
        - 清管
        - 监测监控系统
      - 效能评价
        - 评价方法合理性
        - 评价范围
        - 评价周期
        - 评价结果客观性
        - 改进、跟踪反馈机制
        - 改进结果
    - 事件管理
      - 第三方施工管理
      - 自然灾害管理
      - 占压管理
      - 改线管理
      - 其他事件管理
    - 事故管理
      - 发现及上报及时性
      - 泄露控制
      - 现场安全救援
      - 事故调查分析
      - 事故学习
  - 管理效果
    - 完整性状况
      - 停输
        - 停输次数
        - 停输原因
        - 停输影响
      - 泄漏
        - 泄漏次数
        - 泄漏原因
        - 泄漏量及污染
        - 其他影响
      - 爆炸
        - 爆炸次数
        - 爆炸原因
        - 人员伤亡
        - 环境污染
        - 财产损失
        - 其他影响
    - 风险情况
      - 风险改善程度
  - 管理效益、效率
    - 成本
      - 基础管理成本
        - 人员投入
        - 资金投入
        - 物资投入
      - 检测评价成本
        - 高后果区识别评价成本
        - 风险评价与管理成本
        - 完整性检测与评价成本
        - 效能评价成本
      - 维修维护成本
        - 风险预防成本
        - 缺陷修复成本
        - 改线成本
        - 换管成本
        - 防腐层修复成本
        - 阴保系统维护成本
        - 事件管理成本
    - 效益
      - 事故损失减少
        - 公众安全
        - 环境污染
        - 财产损失
      - 服役寿命延长
        - 输送能力
        - 输送安全性

图3 针对管道完整性管理过程、效果效益及效率指标体系

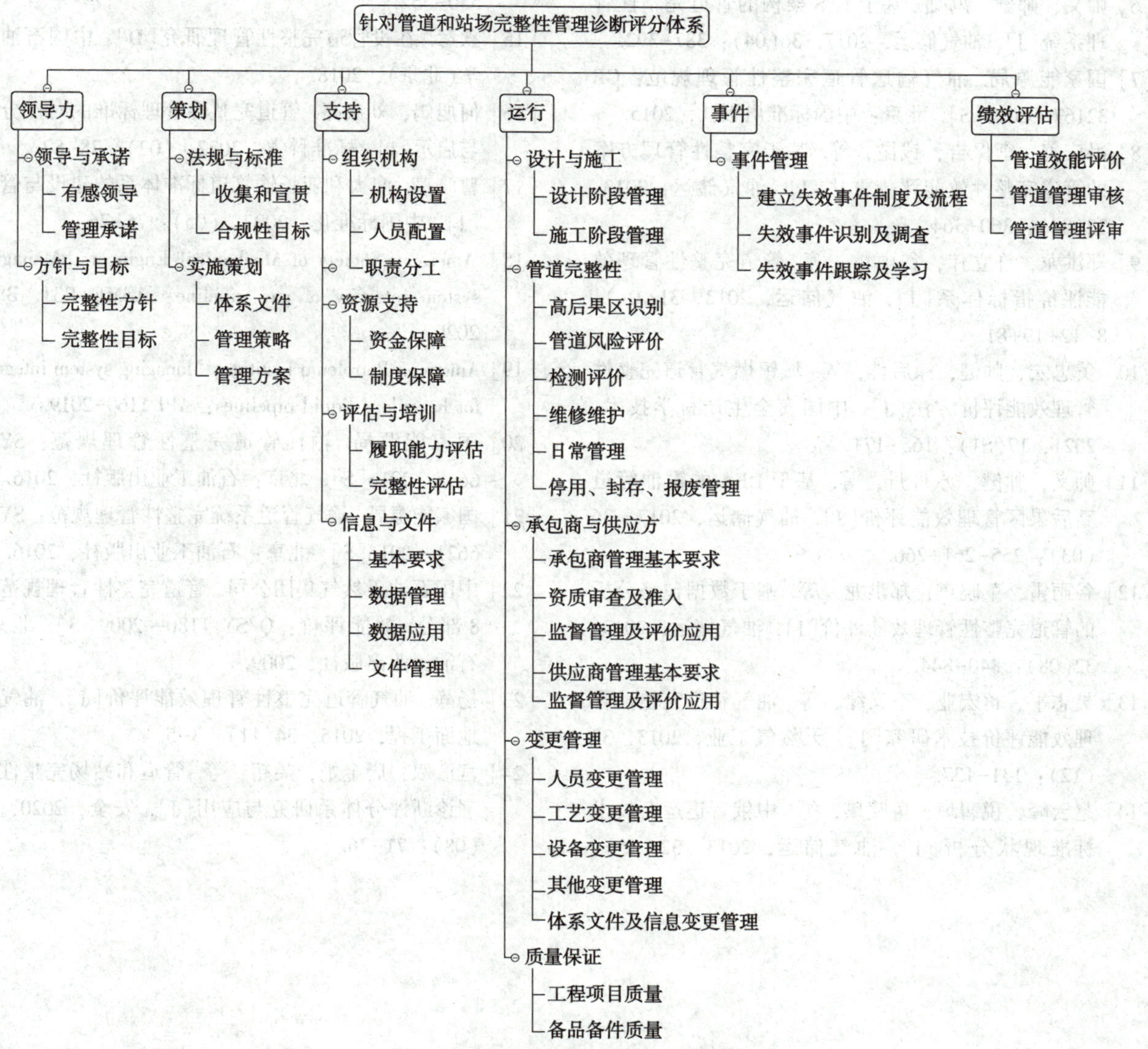

图 4 针对管道和站场完整性管理诊断评分指标

5 结论

本文通过调研国内外相关法律法规、标准要求以及文献资料，对管道完整性管理效能评价应用方法及指标体系进行了系统的梳理和分析。分析表明，国内外在管道完整性管理法规、标准及效能评价方法方面都各有特点，所形成的法规及标准等都很好地确保了管道的安全运行。管道完整性管理效能评价的基本方法包括指标评价法、管理审核法以及对标法三大类。效能评价指标体系可以围绕危害管道完整性具体因素、完整性管理的综合效能等方面开展，设立多级不同层次的具体评价指标。此外，相关管道研究人员还需继续基于现有研究基础，结合管道完整性管理实施的具体情况，建立适用于企业自身的管道完整性管理效能评价指标体系并进行分析，给出更全面和科学的改进建议，可保障管道安全可靠运行，持续提高企业的管道完整性管理水平和竞争力。

参 考 文 献

[1] 姜昌亮. 油气管道全生命周期质量管控与安全管理探讨[J]. 油气储运，2023，42(10)：1081-1091.

[2] 陈朋超. “双碳”愿景下管网多介质灵活输运与智能化高效利用发展战略思考[J]. 油气储运，2023，42(7)：21-730.

[3] 张银辉，帅健，张航，等. 1 种基于云服务平台的滑坡管道状态远程实时监测系统[J]. 中国安全生产科学技术，2020，16(02)：124-129.

[4] 高振宇，张慧宇，高鹏. 2022 年中国油气管道建设新进展[J]. 国际石油经济，2023，31(03)：16-23.

[5] 董绍华，袁士义，张来斌，等. 长输油气管道安全与完整性管理技术发展战略研究[J]. 石油科学通报，2022，7(03)：435-446.

[6] 帅义，帅健，冯灿. 基于B/S架构的管道完整性管理系统[J]. 油气储运，2017，36(04)：387-392.

[7] 国家能源局. 油气输送管道完整性管理规范：GB 32167—2015[S]. 北京：中国标准出版社，2015.

[8] 冯庆善，李保吉，钱昆，等. 基于完整性管理方案的管道完整性效能评价方法[J]. 油气储运，2013，32(04)：360-364.

[9] 郑洪龙，许立伟，谷雨雷，等. 管道完整性管理效能评价指标体系[J]. 油气储运，2012，31(01)：8-12+19+81.

[10] 黄忠宏，帅健，徐后佳，等. 城镇燃气管道完整性管理效能评价方法[J]. 中国安全生产科学技术，2021，17(S1)：165-171.

[11] 帅义，帅健，苏丹丹，等. 基于DEA的输油管道高后果区管理效能评价[J]. 油气储运，2017，36(03)：255-261+266.

[12] 谷雨雷，董晓琪，郑洪龙，等. 基于数据包络分析的管道完整性管理效能评价[J]. 油气储运，2013，32(08)：840-844.

[13] 吴志平，蒋宏业，李又绿，等. 油气管道完整性管理效能评价技术研究[J]. 天然气工业，2013，33(12)：131-137.

[14] 赵云峰，税碧垣，董晓琪，等. 中俄管道运营技术标准现状分析[J]. 油气储运，2013，32(05)：550-552.

[15] 狄彦. 在役管道完整性管理研究[D]. 中国石油大学(北京)，2018.

[16] 何旭鸿，刘庆亮. 管道完整性管理标准的对比分析与启示[J]. 标准科学，2022，(02)：78-82.

[17] 曹晓燕. 澳大利亚长输管道标准体系的建设与管理[J]. 中国标准化，2007，(05)：75-76.

[18] American Society of Mechanical Engineers. Managing system integrity of gas pipeline：ASME B31. BS-2020.

[19] American Petroleum Institute. Managing system integrity for hazardous liquid pipelines：API 1160-2019.

[20] 国家能源局. 输油管道完整性管理规范：SY/T 6648—2016[S]. 北京：石油工业出版社，2016.

[21] 国家能源局. 输气管道系统完整性管理规范：SY/T 6621—2016[S]. 北京：石油工业出版社，2016.

[22] 中国石油天然气集团公司. 管道完整性管理规范第8部分-效能评价：Q/SY 1180—2009[S]. 北京：石油工业出版社，2009.

[23] 杨静. 油气管道完整性管理效能评价[J]. 油气田地面工程，2015，34(11)：3-5.

[24] 宫彦双，唐金娟，吴超，等. 管道和站场完整性管理诊断评分体系研究与应用[J]. 安全，2020，41(08)：71-76.

基于特征融合与注意力机制的焊缝缺陷特征增强方法

王玉霞

（国家石油天然气管网集团有限公司科学技术研究总院分公司）

摘　要　X 射线焊缝图像缺陷检测是管道无损检测领域的重要组成部分。随着深度学习技术的不断发展，基于卷积神经网络的焊缝图像缺陷检测算法成为国内外学者研究的热点。针对焊缝图像中缺陷体积较小、特征值求取精度不足的问题，提出了基于特征融合与注意力机制的焊缝缺陷特征增强方法。首先，对不同尺度的缺陷检测特征图进行反向融合并引入不同空洞率的空洞卷积来扩大浅层特征图的感受野以捕获更多的上下文信息；其次，设计了自注意力模块从通道和空间两个维度对各检测特征图建模加权，校准通道间特征、增强局部特征的表达能力，进一步对缺陷特征进行增强。实验证明，所提方法有效地提高了缺陷检测准确度，准确度比改进前提高了 4.6%。其中，反向融合是所提方法中最有效的改进成分，使得准确度提高了 2.5%。

关键词　焊缝缺陷检测；卷积神经网络；特征融合；自注意力模块

1　引言

射线检测作为管道环焊缝无损检测的主要方法之一，具有精确测量缺陷的特征、尺寸和位置，底片容易保存的优点。近年来，随着计算机硬件性能的提升以及人工智能技术的飞速发展，基于深度学习的计算机视觉技术成为射线焊缝图像自动识别的研究热点。其中，目标检测作为计算机视觉领域的重要组成部分，在焊缝缺陷检测中得到了广泛应用。渠慧帆等人分析了 Faster-RCNN 的结构特点及焊缝缺陷图像特点，从生成边界框尺寸、特征提取网络选取等方面有针对性地提出了小尺寸目标检测的改进方法。李衍照等人为了提高数据增强的效率，采用 Mosaic+Mixup 的方法，引入了轻量级的 GhostNet 网络来代替 YOLOv5 主干网络中的模块。许佳伟等人基于 Weld-SSD 算法模型和 Weld-RCNN 算法模型，设计并实现了基于 Anchor-based 的 Weld-RCNN 算法，该算法有效提升了网络性能并具有很好的鲁棒性。

现有的目标检测算法以基于卷积神经网络为主，包括 R-CNN、Faster-RCNN 等两阶段检测算法和以 YOLO、SSD 等为代表的一阶段检测算法。虽然近年来目标检测算法的性能在不断提升，但它仍存在着小目标检测准确度低、精度与速度相互制约、目标遮挡等问题，将其运用于焊缝缺陷检测中，仍有许多问题值得探究。具体而言，工业 X 射线焊缝图像存在着图像对比度低、缺陷体积较小、缺陷模糊等问题，比如未焊透导致的缺陷和背景之间的界线模糊等。这些问题导致在识别中难以精确提取焊缝缺陷特征值，影响了识别效果。考虑到工业上焊缝缺陷自动检测与处理的效率，一阶段检测算法因实时性的特点得到了更广泛的应用，但这类算法的准确度相对较低。目前许多的一阶段检测算法如 SSD 等在多个不同尺度的特征层上进行检测，小目标通常在具有高分辨率、低语义信息的浅层特征图上被检测到。但是由于浅层特征图的感受野较小、缺乏语义信息导致对小目标的检测效果较差，这是 SSD 等算法特征表达能力不足的重要表现。

通过分析焊缝图像因缺陷体积较小等原因导致难以精确提取特征值的情况以及 SSD 等算法对小目标检测精度低的问题，提出了基于特征融合与注意力机制的焊缝缺陷特征增强方法。(1) 针对特征提取网络中浅层特征语义信息低的问题，对多尺度检测特征图进行反向融合，通过由高到低融合不同层级的特征信息来提高浅层特征图的语义信息；同时引入不同空洞率的空洞卷积来扩大浅层特征图的感受野，在不损失细节信息的情况下，将更多的全局信息融合到浅层特征图上。

(2)通过设计的自注意力模块从通道和空间两个维度对各检测特征图进行建模加权，校准通道间特征并增强局部特征的表达能力、抑制背景干扰，进一步对检测特征进行增强。

2 方法

所提方法的整体网络结构如图1所示。针对SSD等一阶段检测算法对焊缝缺陷等小目标检测准确度低的问题，从多尺度检测特征层之间以及特征层内部进行改进。在特征层之间，通过对检测特征进行由高到低地反向融合并引入不同空洞率的空洞卷积来提高浅层特征图的感受野，实现对浅层特征的增强效果；同时设计了自注意力模块从通道和空间两个维度对各检测特征图进行建模加权，从而达到缺陷特征的进一步增强。

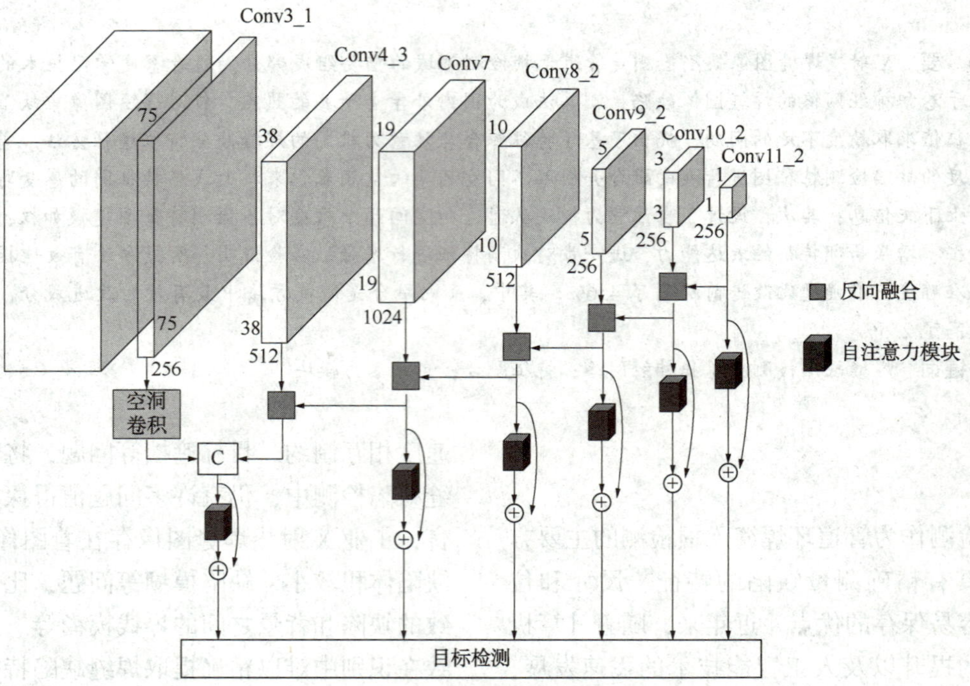

图1　所提方法整体网络结构

2.1 基于反向融合与空洞卷积的浅层特征增强

为了对浅层特征进行增强，首先对网络中不同尺度的检测特征图进行反向融合，通过由高到低融合不同层级的特征信息来提高浅层特征图的语义信息。一个反向融合操作如图2所示，首先通过双线性插值法的方式将反向融合特征图rf-map n+1上采样到与主干网络特征图f-map n相同的尺寸；之后通过1×1的卷积操作确保特征图rf-map n+1的通道数与特征图f-map n相同；最后将两个特征图以元素相加的方式进行合并，得到f-map n对应的反向融合特征图rf-map n。通过该操作得到网络中各个检测特征图对应的反向融合特征图。

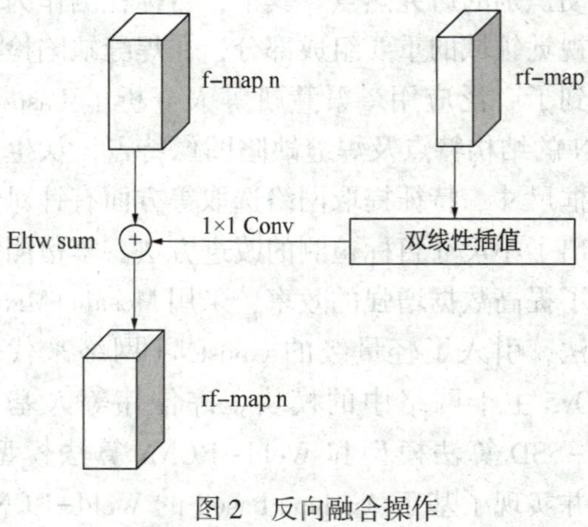

图2　反向融合操作

其次，通过引入不同空洞率的空洞卷积来扩大浅层特征图的感受野、捕获更丰富的上下文信息。SSD中的Conv4_3作为最浅层的检测特征图，常被用来进行焊缝缺陷等小目标的检测。该层虽然具有较高的分辨率，但是感受野太小，获得的全局信息十分有限。通过引入空洞卷积，在不降低分辨率的情况下，增大感受野，将更多的全局上下文信息融合到浅层特征中。如图3所示，首先对Conv3_1进行卷积核为3×3、空洞率为2和3的两种空洞卷积操作，通过设置不同的空洞率在扩大感受野的同时捕获更加丰富的多尺度信息；之后，将空洞卷积获取的特征图进行

Concat 拼接，再将其与 Conv4_3 拼接，空洞卷积后获取的全局上下文信息融入到 Conv4_3 中；最后通过 1×1 的卷积操作对拼接后的特征图降维，还原 Conv4_3 的通道数。经过反向融合与空洞卷积后的浅层特征图不仅具有丰富的细节信息而且具有更多的全局上下文信息。

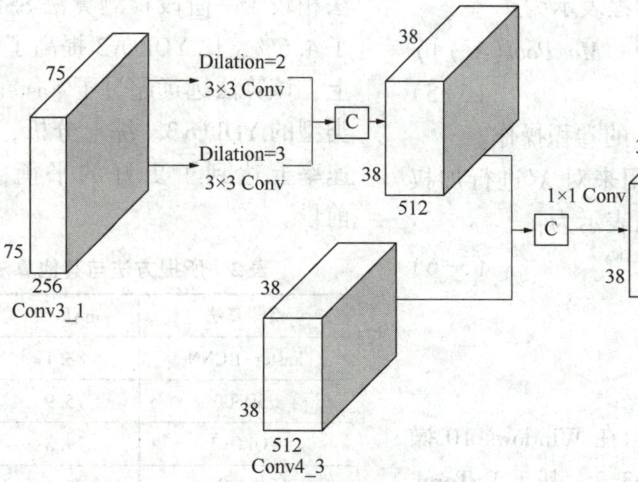

图 3　空洞卷积操作

2.2　自注意力模块

在 Non-local Neural Networks 中，作者利用自注意力机制对特征图中空间位置上的特征考量其相关性，并根据这种相关性对特征进行加权以获得新特征。在 Squeeze-and-Excitation Networks 中，作者通过建模特征各通道之间的关系来提升网络性能。基于这些思想，设计了自注意力模块对各层检测特征图进行建模加权，提高特征图对自身信息的关注度并有选择的抑制无关特征。一个自注意力模块如图 4 所示，它包含通道自注意和空间自注意两部分。

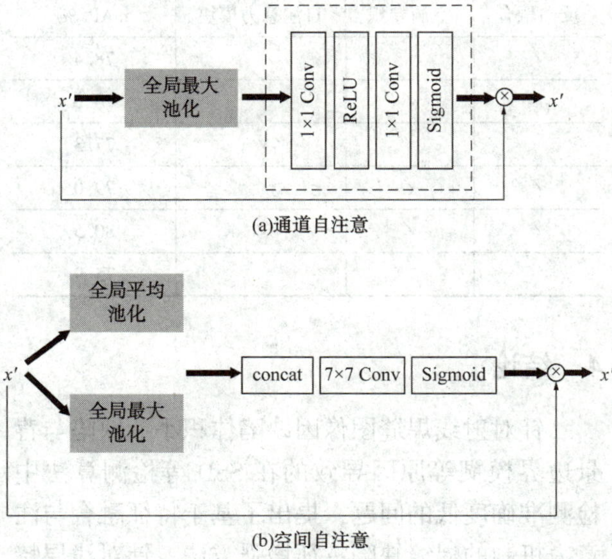

图 4　自注意力模块

通道自注意能够对各检测特征图的空间信息进行修剪，重点关注通道和对象类之间的关系，如图 4(a)所示。它包含三个阶段：全局平均池化，通道自学习和特征加权。给定一个输入 $X \in \mathbb{R}^{C\times W\times H}$，首先将其沿着空间维度 $W\times H$ 进行全局平均池化，以聚合空间信息，生成通道描述子 $Z \in \mathbb{R}^{C}$。一个通道描述子的第 i 个元素可以表示为：

$$Z_i = \frac{\sum_{h,\ w} X_{ihw}}{HW} \tag{3-1}$$

通道自学习指使用两个全连接层(1×1 的卷积层代替)、ReLU 非线性激活函数和 Sigmoid 激活函数来对各通道间的相关程度进行建模，产生激活特征 $S \in \mathbb{R}^{c\times1\times1}$，公式如下：

$$S = Sigmoid(W_2 \cdot ReLU(W_1 Z)) \tag{3-2}$$

其中，$W_1 \in \mathbb{R}^{c/r\times c}$，$W_2 \in \mathbb{R}^{c\times c/r}$，$r$ 是衰减率，文中 $r=4$。

最后进行特征加权操作，使用建模后得到的激活特征 S 对特征图 X 进行加权处理，获得 $X' \in \mathbb{R}^{C\times W\times H}$，其中：

$$X'_{ihw} = X_{ihw} \cdot S_i \tag{3-3}$$

空间自注意能够修剪特征图的通道信息，实现对特定空间区域内信息的关注。如图 3(b)所示，它包含三个部分：全局平均池化和全局最大池化，卷积运算和特征加权。首先，沿着通道进行全局平均池化和全局最大池化，生成两个空间上下文描述子：

$$AvgPool(X'),\ MaxPool(X') \in \mathbb{R}^{1\times W\times H} \tag{3-4}$$

通过 Concat 操作将生成的两个描述子进行拼接，使用卷积操作对级联后的特征描述子进行编码，通过 Sigmoid 函数进行激活，得到一个 2D 的激活特征 $M\in\mathbb{R}^{1\times W\times H}$。该过程表示为：

$$M=Sigmoid(conv[AvgPool(X')\,;\,MaxPool(X')])\tag{3-5}$$

其中，*conv* 代表一个 7×7 的卷积操作。

在特征加权阶段，M 被用来对 X' 进行加权处理，最终得到的特征图可以表示为：

$$X''=M\times X'\in\mathbb{R}^{C\times W\times H}\tag{3-6}$$

3　应用验证

3.1　实验配置

所提方法的训练和测试均在 Windows 10 操作系统上完成，语言为 python3.7，基于 PyTorch 框架进行实现，并配置 Nvidia GTX 2080 GPU 进行加速。用动量为 0.9、权重衰减为 0.0005 的随机梯度下降法（SGD）进行优化，Batch size 为 16，初始化学习率为 0.0001。实验使用了数据增强策略对训练图像进行随机的扩展和裁剪。

3.2　评价指标

在目标检测中，mean Average Precision（mAP）即各目标类别 AP 的均值常被用来对模型准确度进行评估。AP 是指精确率 Precision 和召回率 Recall 组成的 pr 曲线的面积，用公式表示为：

$$AP=\int_0^1 p(r)\,dr\tag{3-7}$$

精确率的计算公式为：

$$Precision=\frac{TP}{TP+FP}\tag{3-8}$$

召回率的计算公式为：

$$Recall=\frac{TP}{TP+FN}\tag{3-9}$$

其中，*TP* 指被正确地预测为正样本；*TN* 指被正确地预测为负样本；*FP* 指被错误地预测为正样本；*FN* 指被错误地预测为负样本。

3.3　实验结果及分析

首先将收集的某 A、B 两条管道实际焊缝图像制作成 VOC 格式的焊缝缺陷数据集。为了证明所提方法的有效性，利用该焊缝缺陷数据集分别对所提方法以及 SSD300、Faster－RCNN、YOLOv3 网络模型进行训练和测试。实验结果如表 1 所示，通过对比发现，针对 X 射线焊缝缺陷检测，Faster-RCNN 的检测精度最高，达到了 83.1%，但其检测速率很低。所提方法虽然在精度上低于两阶段检测算法 Faster-RCNN，但该方法相较于一阶段检测算法 SSD300 在精度上提高了 4.6%，比 YOLOv3 提高了 1.3%。在检测速率上，该算法远远超过了 Faster-RCNN，也快于同类型的 YOLOv3。综上分析，所提方法在精度和速率上达到了更好的平衡，具有很好的应用前景。

表 2　所提方法与其他算法测试结果对比

检测算法	mAP/%	速率/(f * s^{-1})
Faster-RCNN	83.1	13.0
SSD300	75.9	42.0
YOLOv3	79.3	33.0
所提方法	80.5	38.0

通过表 2 来证明各改进成分的有效性。从表中可以看出，反向融合、空洞卷积以及自注意力模块均对模型准确度有所提高，其中反向融合对模型准确度提升最为明显，提高了 2.5%；通过反向融合与空洞卷积后，模型的准确度提高了 3.1%，准确度为 79.0%，进一步证明了反向融合与空洞卷积对浅层特征的增强效果；最后特征融合与自注意力模块相结合的方式，使得准确度提升到了 80.5%，这也充分说明了文中提到的特征融合与自注意力模块相结合方式的有效性。

表 3　不同改进成分的有效性对比

反向融合	空洞卷积	自注意力模块	mAP/%
✓			78.4
	✓		76.6
		✓	77.3
✓	✓		79.0
✓	✓	✓	80.5
			75.9

4　结论

针对射线焊缝图像因缺陷体积小、缺陷与背景边界模糊等原因导致的在 SSD 等检测算法中检测准确度低的问题，提出了基于特征融合与注意力机制的焊缝缺陷特征增强方法。针对浅层特征表达能力不足的问题，通过对多尺度检测特征图的反向融合以及引入不同空洞率的空洞卷积来提高浅层特征图的语义信息、扩大感受野，实现对浅层特征的增强；同时设计了自注意力模块从通道和空间两个维度对各检测特征图进行建模加权，达到对检测特征进一步增强的效果。最后，将收集的某 A、B 两条管道实际焊缝图像制作成 VOC 格式的焊缝缺陷数据集进行验证，证明了文中所提方法的有效性。

参 考 文 献

[1] 封雨鑫，邓宏贵，程钰. 基于卷积神经网络的焊缝表面缺陷检测方法[J]. 计算机测量与控制，2021，29(274)：07 62-66+72.

[2] 肖文凯，南水鱼，张琳琳. 基于卷积神经网络的 X 射线焊缝缺陷检测算法研究[J]. 自动化仪表，2022，43(493)：08 72-77.

[3] 渠慧帆. 基于深度学习的焊缝缺陷自动检测研究与实现[D]. 北京邮电大学，2019.

[4] 李衍照，于镭，田金文. 基于改进 YOLOv5 的金属焊缝缺陷检测[J]. 电子测量技术，2022，45(399)：19 76-81.

[5] 许佳伟，杨亮，郝思佳. 基于深度学习的焊缝 X 射线图像缺陷识别模型[J]. 科学技术创新，2023：18 64-67.

[6] Girshick R，Donahue J，Darrell T，et al. Rich feature hierarchies for accurate object detection and semantic segmentation[C]//Proceedings of the IEEE conference on computer vision and pattern recognition. 2014：580-587.

[7] Ren S，He K，Girshick R，et al. Faster R-CNN：towards real - time object detection with region proposal networks[J]. IEEE transactions on pattern analysis and machine intelligence，2016，39(6)：1137-1149.

[8] Redmon J，Divvala S，Girshick R，et al. You only look once：Unified，real - time object detection[C]//Proceedings of the IEEE conference on computer vision and pattern recognition. 2016：779-788.

[9] Liu W，Anguelov D，Erhan D，et al. Ssd：Single shot multibox detector [C]//European conference on computer vision. Springer，Cham，2016：21-37.

[10] 胡桉得. Research on Weld X-ray Image Defects Recognition Based on Deep Learning[D]. 兰州理工大学，2020.

[11] 张龙飞，高炜欣，冯小星. 基于卷积神经网络 X 射线环焊缝缺陷检测[J]. 焊接，2022，No. 585 03 36-44.

[12] 山圣旗. Research on Weld Defect Detection Algorithm Based on Convolutional Neural Network[D]. 河北工业大学，2022.

[13] Carranza-García M，Lara-Benítez P，García-Gutiérrez J，et al. Enhancing object detection for autonomous driving by optimizing anchor generation and addressing class imbalance[J]. Neurocomputing，2021，449：229-244.

[14] Oksuz，K.，Cam，B. C.，Kalkan，S.，& Akbas，E.，Imbalance problems in object detection：A review，IEEE transactions on pattern analysis and machine intelligence，2020.

基于国密算法的 SD-WAN 组网技术在油气管输企业 SCADA 系统中应用探索

陈晓华　王延帆

（国家管网集团华南分公司）

摘　要　SCADA 系统是油气管输企业重要的工业控制系统之一，随着智慧能源、智慧管网的发展，互联互通的需求不断增加，而互联互通又给能源基础设施的网络安全带来了新的风险与挑战，传统的防护措施和手段难以满足智慧化过程中的网络安全防护需要。SD-WAN 技术（软件定义广域网络）作为新兴的网络组网技术，是将 SDN 技术应用到广域网场景中所形成的一种服务，可有效解决专线资费过高，租用线路繁多而难以统一管理的问题，但互联网在生产中的应用也相应带来网络安全风险，SCADA 系统数据一旦被篡改，将造成生产安全事故，必须保证数据完整性及真实性，油气管输企业 SCADA 系统普遍存在安全设计不足、缺少安全校验机制等问题，应采取相应的密码技术进行数据安全保障。为保证油气管输企业 SCADA 系统自主可控，本文针对油气管输企业 SCADA 系统基于国密算法的 SD-WAN 组网技术应用进行探讨。

关键词　SCADA 系统（Supervisory Control And Data Acquisition）；SD-WAN（software-defined networking in a wide area network）；国密算法；油气管输

1　油气管输企业 SCADA 系统现状

目前油气管输企业 SCADA 系统基本采用控制中心-站场两级部署模式，控制中心与场站之间物理通信链路通常采用以自建光缆为主租用专线为辅的方式实现，油气管道通常跨越地域广，存在部分无自建光缆资源的场站只能租用专线作为通信链路，SCADA 系统因为对数据实时性要求高，业务不可长时间中断，通常在关键节点租用运营商专线作为备用通信链路。同时，随着企业的不断发展，互联互通的需要逐渐增加，新业务不断引入，租用专线的数量及带宽不断提高。而租用专线存在费用高昂，专线无法管理，专线开通周期长等问题，导致企业租用专线成本负担高，该方式急需进行优化。

随着信息技术的快速发展，为满足公司经营发展中数据分析的需要，油气管输企业原本独立负责生产的工控系统 SCADA 系统逐步与企业管理网互联互通。目前 SCADA 系统通常采用 TCP/IP 协议等以太网技术进行数据通信，但普遍缺乏国产密码的自主安全防护手段，且存在设备自主程度不高的问题。SCADA 系统中的工程师站、操作员站、HMI 等设备大量使用 Windows 或 Linux 系统，因早期 SCADA 系统部署环境封闭、人员操作单一等，未考虑操作系统病毒防护、TCP/IP 技术在生产系统的应用、登陆人员识别、信息安全管理等问题，上述弱点使得 SCADA 系统在没有进行有效安全防护直接与管理网互联互通后，控制中心及站场系统面临系统被攻击、恶意下发工控装置开关指令、生产数据被泄露等风险，而 SCADA 系统数据一旦被篡改，将造成严重的生产安全事故。

2　油气管输企业 SCADA 系统发展过程及趋势

2.1　SCADA 系统概述

在石油行业标准 SY/T 0091—2006《油气田及管道计算机控制系统设计规范》中 SCADA 系统的定义是“一种以多个远程终端监控单元通过有线或无线网络连接起来，具有远程监测控制功能的分布式计算机控制系统。”SCADA 系统是一种集成了计算机技术、通信技术、自动化控制技术和传感器技术等领域的综合性系统，用于实现工业生产过程的实时监控、数据采集、故障诊断等功能。在油气管输领域，SCADA 系统扮演着至关重要的角色，能够实现油气管道的远程监控、故障诊断、安全预警等功能，从而提高油气管道的可靠性、稳定性和安全性。

SCADA系统作为管输企业关键信息基础设施之一，它是基于调度控制中心的中控系统、分布在沿线工艺站场的站控系统、阀室的RTU系统及数据传输网络组成如图1所示。

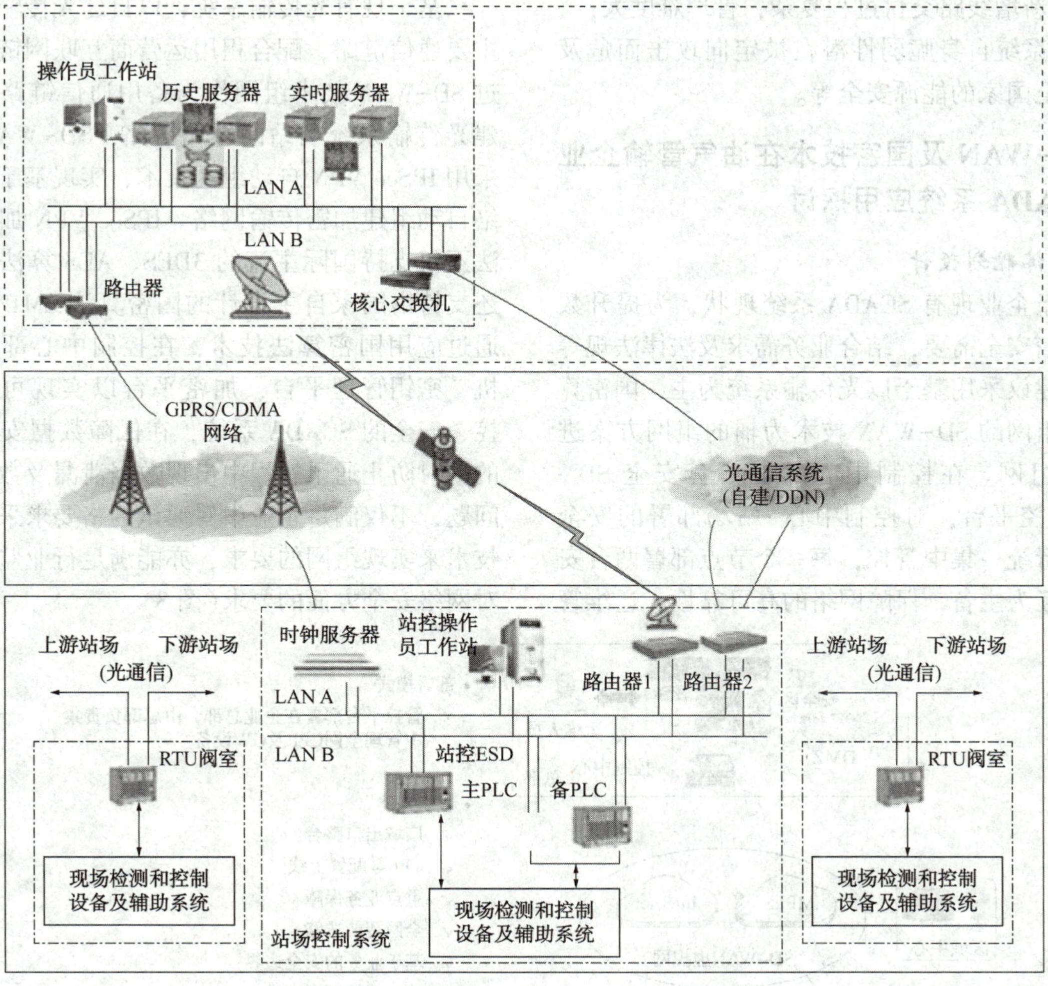

图1

SCADA系统组网通常由控制中心和站控系统组成，控制中心系统主要包含工程师站、操作员站、HMI、通信及网络基础设施等设备，站控系统由远程终端单元(RTU)、可编程逻辑控制器(PLC)、操作员站、通信及网络基础设施等硬件设施组成。控制中心与站控系统之间通常采用专线方式进行通信，操作系统通常采用Windows或Linux操作系统。

2.2　油气管输企业SCADA系统现状

截至2022年底，我国长输油气管网总里程约18万公里，预计未来10年至20年我国管道运输还将处于稳定增长期。SCADA系统用于实现对油气管道运行的参数采集和设备控制，是油气管道运行的“大脑”。

随着企业数字化转型，数据已然成为企业重要的生产要素之一，业务需求剧增给系统带来大量数据处理及网络、数据安全防护方面的压力。2006年实施《中华人民共和国网络安全法》要求建设、运营网络或者通过网络提供服务，应当依照法律、行政法规的规定和国家标准的强制性要求，采取技术措施和其他必要措施，保障网络安全、稳定运行，有效应对网络安全事件，防范网络违法犯罪活动，维护网络数据的完整性、保密性和可用性；2020年实施《中华人民共和国密码法》要求法律、行政法规和国家有关规定要求使用商用密码进行保护的关键信息基础设施，其运营者应当使用商用密码进行保护等。

因历史原因，国内油气管道SCADA系统严重依赖国外品牌，关键技术被国外厂商垄断，站场大量接入了不同厂家的各类设备，终端管理复杂，各级监控和运维难度较大，为确保网络及数据安全，备用链路及光缆不可达的油气站多采用点对点运营商专线，导致以下问题存在：

1）租用传统运营商线路成本高昂；

2）设备种类多，难定位，运维效率低；

3）新增线路交付过程复杂，管理难度大；

4）系统自身脆弱性潜在被定向攻击而危及管道甚至国家的能源安全等。

3 SD-WAN 及国密技术在油气管输企业 SCADA 系统应用探讨

3.1 整体规划设计

基于企业现有 SCADA 系统现状，为提升数据及通信安全需要，结合业务需求及法律法规等要求，建议采用基于以光传输系统为主，国密算法技术组网的 SD-WAN 技术为辅的组网方案进行安全组网。在控制中心部署一套安全 SD-WAN 管控平台，对控制中心-站场部署的安全网关进行统一集中管控，每一个节点部署两台安全网关互为主备，保障网络的高可靠性，运维管理人员可以通过管控平台远程管理和配置安全网关设备(图 2)。

基于现有光传输系统，以自建光传输系统为主要通信链路，配合租用运营商互联网链路，通过 SD-WAN 技术组网作为备用通信链路及无自建光传输系统场站的主用链路，SD-WAN 技术采用 IPSec VPN 自动组网技术，实现基于广域网络自动组建加密传输网络。IPSec VPN 加解密算法不仅支持国际主流的 3DES、AES 算法，同时还支持由国家自主设计的国密算法 SM1/2/3/4。通过应用国密算法技术，在控制中心部署加密机、密钥管理平台、加密平台以实现可信、可控、安全的 SCADA 系统，在保障数据安全传输的同时防止通讯过程中出现数据泄漏及数据篡改问题，不仅满足企业中对通讯网络要求采用密码技术来实现组网的要求，亦能满足行业监管机构对网络安全方面的要求(图 3)。

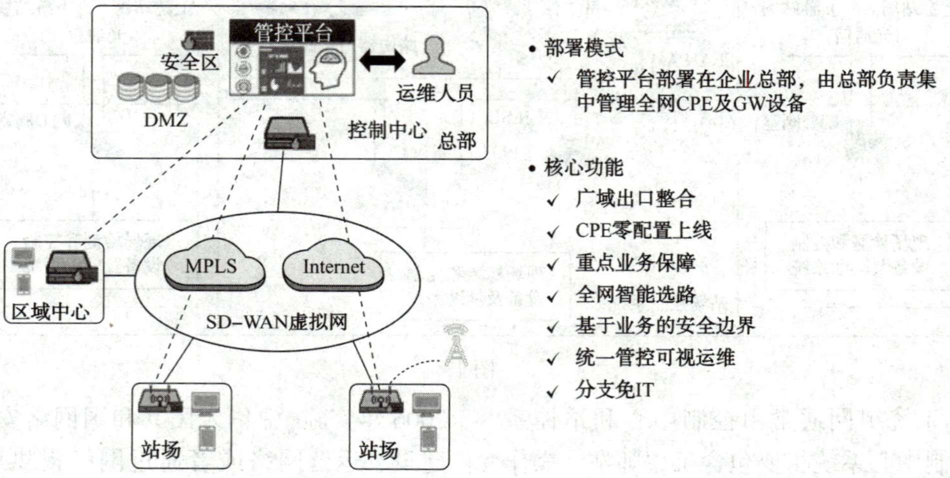

图 2

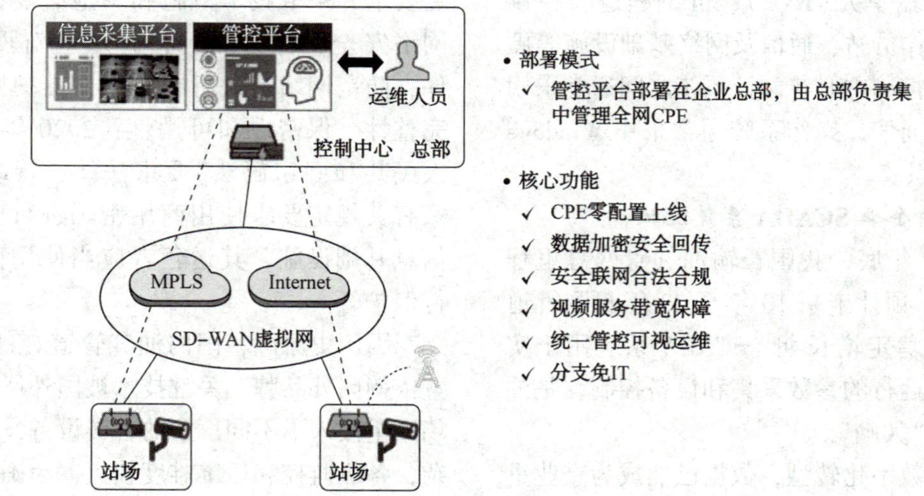

图 3

3.2 自动安全组网

SD-WAN通过引入Overlay虚拟化技术，在物理网络上构建出一张或多张虚拟的Overlay网络，业务策略部署再虚拟网络中，与物理网络脱离，从而将业务复杂度与WAN互联的复杂度解耦，同时整合物理网络中不同链路资源，实现传统专线、MPLS专线以及因特网、4G/5G网络链路灵活组合。同时SD-WAN具备自动智能选路能力，根据接入的物理链路质量、链路组、负载分担、应用优先级情况，结合选路策略配置，可实现自动选路，充分保障网络的可靠性，保障业务不因单链路故障导致中断，满足SCADA系统的业务连续性要求。

基于国密算法组网的SD-WAN实现企业控制中心与站场之间全自动组建加密虚拟专用网的能力，管理员只需关心业务访问策略如何配置，由管控平台下发业务访问策略时，会自动基于业务访问策略实现自动组建基于该业务的虚拟专用网(VPN)。相比传统方案，采用VPN组网的过程对管理员不可见，管理员不需要具备专业的配置VPN的技能，实现在互联网上自动搭建安全隔离的虚拟专用网的同时，大大提高了安全网关上线、运维的工作效率，保障通讯安全(图4)。

基于SD-WAN自动安全组网的能力，在自建光传输系统的基础上，可以通过租用互联网链路代替点对点专线链路，采用SD-WAN技术作为备用链路，达到降本增效的效果的同时，可缩短新链路周期，大幅提高效率，使用了加密隧道，充分保障安全性，满足SCADA系统的安全要求。

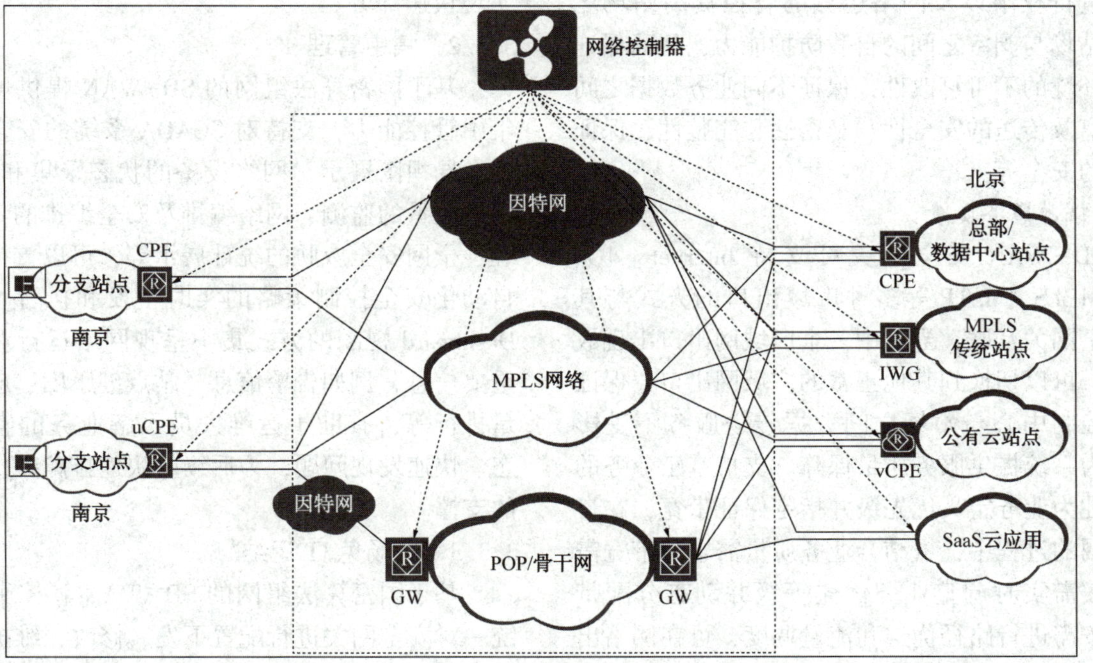

图4

3.3 保障数据安全

SCADA系统对数据安全要求高，SCADA系统数据一旦被篡改，将造成严重的生产安全事故。因此应充分考虑及保障SCADA系统的数据安全性，传统解决方案中，需要依靠部署防火墙等安全防护设备，油气管输企业站场部署跨越地域广，且分支站点多，若全部署防火墙设备将造成网络管理困难，急需一种既可保障数据安全性，又能同时具备网络及统一管理能力的解决方案。

基于国密算法组网的SD-WAN可在控制中心到站场之间建立基于业务隔离的安全连接，并可支持国际算法以及国密算法的加密数据传送，CPE站点间互访基于Underlay网络建立Overlay隧道，业务流量由Overlay建立的IPSec隧道连接来传输数据，CPE间建立IPSec隧道时，会通过网络控制器分发建立IPSec SA所需的信息，不再需要使用IKE协议建立连接。通过加密、完整性验证等机制，保证数据不被窃取或篡改。同时CPE具备防火墙功能及ACL功能，可实现对流量进行访问控制，充分保障网络边界安全(图5)。

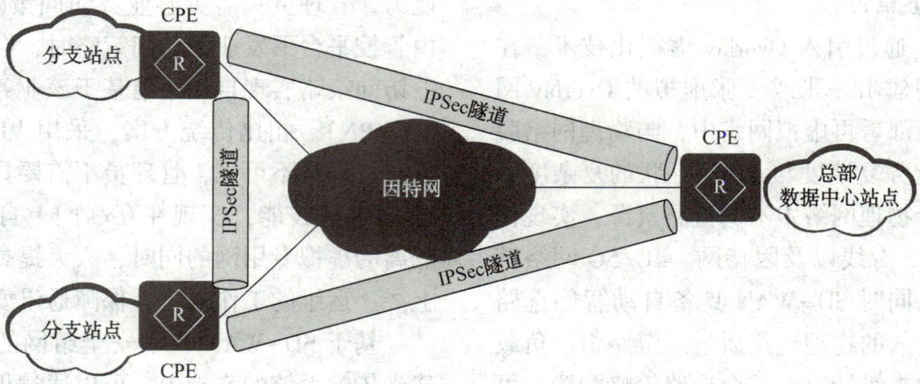

图 5

SCADA 系统调控中心可作为可信、可控、安全管控和策略下发的核心，实现控制中心与站场、站场之间、站场与阀室之间构建可信运行环境，通过调控中心对站场之间、站场与阀室之间设备进行权限以及网络边界的管控提高站场之间、站场与阀室之间的自我防护能力，从而保证运行环境的不可篡改性，保证不同业务数据之间的隔离及传送的安全性、私密性、完整性，保证数据的安全等。

3.3 提升服务质量

SD-WAN 安全网关可支持 Internet、4G、5G、MPLS、MSTP 等多种广域出口的方式与其它安全网关互联，当其中一个广域网出口出现故障时，可以切换到其他正常的广域网出口，保证系统控制中心与站场之间数据传送服务不受影响，为系统提供服务质量保障。支持基于业务的重要性为业务定义优先级并指定保证带宽，在自动组网的过程中，可结合业务质量需求和带宽需求，按需实时调整业务优先等级并动态分配带宽，按需进行路径优选和流量调度，可在网络出现抖动时，最大限度的保障高优先级的业务的可靠性。SCADA 系统对业务连续性的要求高，采用 SD-WAN 的自动选路功能，充分保障业务的连续性。

3.3 智能便捷运维

3.3.1 零配置部署

传统 WAN 开局需要进行现场配置调测，技术门槛要求较高，且容易出错，存在误操作的风险，部署效率低下，SD-WAN 提供了业务自动开通、站点快速上线的功能。安全网关可支持多种零配置方案，获取本地上网地址后会自动注册到管控平台，并从管控平台获取初始化网络配置和安全策略配置，极大缩短了设备上线时间，节省运维实施成本。

油气管输企业站场多位于城市偏远地区，现场实施不方便，采用 SD-WAN 的方式，对实施设备安装人员技术要求不高，可实现即插即用，实现快速部署。

3.3.2 集中管理

基于国密算法组网的 SD-WAN 提供可视化集中管控能力，支持对 SCADA 系统的安全网关的全局视图展示、网络设备的状态采集和告警、网络质量的监测、网络编排及安全编排的集中管理、全网安全威胁的统计展示等，可以支持全网自动化安全控制策略的实时下发和执行。通过 Dashboard 视图的方式集中呈现网络运行业务的重要信息，例如告警信息、站点健康度、应用流量排行等，有助于运维人员了解业务的整体状态、快速发现问题，为后续的快速排障提供有力的支撑。

3.3.3 站场免 IT 运维

基于国密算法组网的 SD-WAN 管控平台可统一对安全网关进行配置下发、修改、维护，可大大提高管理员的工作效率，降低对运维管理人员的技术高要求，实现站场免 IT 运维等。

3.4 纵深安全防护

基于国密算法组网的 SD-WAN 通过组网技术与安全技术的融合，支持多种安全防护，如漏洞防护、攻击防护、病毒防护以及 URL 过滤策略防护等，在自动组网同时自动同步安全策略，让弹性灵活的组网结构完全结合安全能力，也支持安全能力的按需部署和灵活扩展，为 SCADA 系统提供全方位的防护同时也满足监管机构的要求。SD-WAN 安全解决方案包含系统安全及业务安全两大部分，具体如图 6 所示。

系统安全主要为组件安全，可分为组件自身

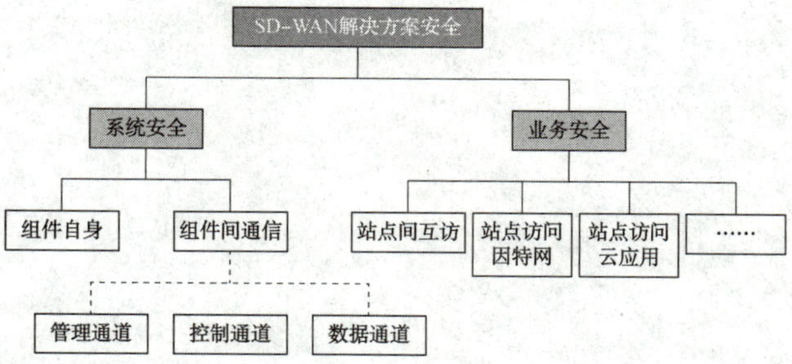

图6

安全以及组件间的通信安全。组件自身具备健壮的系统架构和完善的安全加固策略，并可通过权限控制、账号/密码管理、数据保护、安全审计等多种措施保证自身的安全性。网络控制器作为网络的大脑，具备完善的安全加固策略，以消减各种安全风险。网络安全网关具备对业务数据、用户名、密码等敏感信息进行加密保存的功能，且提供系统权限控制和账号权限管理功能，对登录行为进行严格的身份认证和权限控制。同时安全网关具备防范网络攻击功能，支持CPCAR、安全审计功能，充分保障安全网关的自身安全。组件间通信通过采用基于国密算法的认证、加密、验证技术进行安全交互。SD-WAN基于零信任的接入认证原则，严格验证组件的身份信息，确保只有合法的组件才能接入网络(表1)。

表1

分类		具体措施	削减安全风险
认证及权限控制	身份认证	提供本地认证、远程认证	削减管理员被仿冒的风险
	权限控制	基于角色的权限控制，基于租户的分域控制	削减用户权限被篡改或被非法提升的风险
数据保护	密钥管理	使用安全的加密算法，密钥分层管理	削减关键数据泄露的风险
数据保护	数据存储	提供数据访问控制，支持数据加密存储	削减关键数据泄露的风险
	数据传输	使用安全的通信协议，支持数据加密传输	削减关键数据泄露的风险
安全检测与响应	攻击检测	提供针对端口、Web、操作系统等的攻击检测	削减遭受外部非法入侵的风险
	入侵防御	防御各类入侵行为	削减遭受外部非法入侵的风险
	防DoS/DDoS	防御常见流量攻击	削减遭受DoS攻击的风险
隐私保护		严格控制访问权限	削减隐私数据被泄露的风险
安全管理	安全审计	支持完备的日志、事件记录功能	削减抵赖的风险
	安全升级/补丁	提供管理员鉴权，通过认证后才能执行升级/打补丁操作	削减升级流程中被篡改的风险
系统保护		提供软件和补丁的完整性保护，提供签名校验	削减被恶意篡改的风险
安全部署		分区规划，分层部署，部署防火墙实施隔离	削减遭受非法入侵及重要数据泄露的风险

业务安全方面，对于油气管输SCADA系统，在保证SD-WAN组件间安全通信前提下，通过建立IPSec隧道，保障业务数据不被窃取及篡改，同时组件内置安全功能，包括流量过滤、防火墙、IPS等，可实现SCADA系统网络边界安全防护。对于SCADA系统数据安全，通过启用国密加密传输，可进一步削减数据泄露的风险，与完备的主机防护措施结合使用，可建立自主可信的油气管输SCADA系统。

结合油气管输SCADA系统的特点，SD-WAN基本涵盖了边界安全及数据安全，通过结合国密算法的应用，充分保障了自主性。

4 结语

随着企业核心及重要系统国产化的替代，SCADA系统作为油气管输企关键基础设施之一也将面临新的挑战，本文通过对SCADA系统现状及面临问题进行分析，探讨在油气管输企业SCADA系统中基于国密算法的SD-WAN组网模式，以实现企业降本增效、合规安全运营，确保SCADA系统数据安全、高可靠运行。

参 考 文 献

[1] 石油行业标准SY/T 0091—2006《油气田及管道计算机控制系统设计规范》.

[2] 中华人民共和国数据安全法，2021.

[3] 屠寅灿. 自研SDWAN在全球业务场景中的设计与实现[J]. 电子测试，2021(04)：77-78+28.

[4] 李涛. SDWAN分布式控制代理关键技术研究与实现[D]. 北京邮电大学，2018.

[5] 刘锐，薛金良，张志群等. 油气管道SCADA系统工控安全策略研究与实现[J]. 自动化应用，2021(09)：168-172.

第四篇 石油工程技术与装备篇

随着国内油气勘探与开发向低渗、致密、非常规及新能源等领域拓展，石油工程技术与装备作为勘探开发的利器，起到了举足轻重的作用。但由于勘探开发对象的变化，对石油工程技术与装备也带来了极大挑战，包括钻完井周期长、压裂有效率低、建井成本高等，极大制约了上述储层的有效勘探和经济开发。本篇针对上述问题，依次介绍了钻完井及压裂技术相关基础研究、方法研究、工具与材料研发、现场新工艺技术及智能化技术等内容。

高温地热井井筒热损失随时间变化趋势研究

高文龙　叶西安　孙立伟　高清春

（中国石油集团长城钻探工程有限公司）

摘　要　世界上高温地热资源量大，高温地热发电是重要应用领域之一。高温地热井能提供高温地热蒸汽供地热发电，但是地热井的蒸汽温度却随着时间不断的变化，地热井筒热损失量随着时间不断的加大，对应的地热发电量也相应的不断降低。为了充分认识高温地热井井筒热损失随时间的变化趋势，采用Ansys和Matlab等软件工具对地热井井内温度随时间的变化进行仿真和分析，预测10年、20年后井筒整体温度场稳态时候的分布情况。为了更直观的了解井筒热损失的现场情况，现场选取肯尼亚一口高温地热井进行分析，计算出了10年、20年后地热发电量的降低比例，计算结果直接反映出了地热井井筒热损失的程度，为下一步进行地热井筒热损失防护，提供了理论依据。

关键词　高温地热井；井筒热损失；发电量；变化趋势

1　前言

世界上拥有丰富的地热资源，这些地热资源为人类带来了诸如发电、采暖、养殖、洗浴等益处，这对世界各国应对气候变化，实施蓝天保卫战，优化能源结构，绿色高质量发展做出了重要贡献，而高温地热资源主要侧重于电热发电。我国已经在京津冀附近地区进行更深部的高温地热勘探，在青海共和盆地已经初步探明了恰卜恰-达连海连片干热岩体，储量丰富，温度高，适宜高温地热发电。西藏的羊八井是国内高温发电的典范，建好发电的时候，发电量能够占到60%的拉萨供电。2018年在黑龙江安达市松辽盆地松科二井孔底温度达241℃，孔底最大深度达7018米，是目前我国探索的深度最深、温度最高的深部地热资源。

近年来国外地热发电进展迅猛，从2000年的装机容量8594M瓦到2016年的13200M瓦，北美与亚太地区是地热发电主要地区。北美以美国、尼加拉瓜和墨西哥为主，装机容量达到了3.9GW，亚太以印尼、菲律宾、日本和新西兰为主，达到了4.8GW。冰岛地热发电发展迅速，全球地热发电装机容量从2000年的8594MW，增加到2016年6月的13200MW。亚太地区与北美地区地热发电装机容量居主导地位，分别为4.8GW和3.9GW。冰岛是目前世界地热开发温度最高地区，深井钻井项目“IDDP-2”钻孔温度已经超过了500℃，高温地热发电量约占到该国电力的1/3。肯尼亚高温地热钻井井底温度高达392℃，地热发电开发以惊人的速度向前推进，2018年装机容量超过700MW，地热发电量占用电量的49%。

地热发电的能量大小与地热井的温度有关，温度越高，持续时间越长，发电量越多。如果地热井筒沿程热损失大，随着开发时间的延长温度降低的快，那么地热资源就得不到充分的利用。目前国内外对地热井筒热损失及地热发电随时间变化趋势的研究比较少，亟需进行相关的研究，给予地热井开发能力的预判，从而让高温地热资源更加有效、长久、经济地造福人类。

2　井筒温度场时变仿真预测分析

肯尼亚OW-A地热井井身结构图如下图1所示，这种地热井井身结构在肯尼亚很普遍，以四开为主。OW-A地热井一开为26″井眼，钻至60m深，下20″套管固井，水泥返至地面；二开为17½″井眼，钻至300m深，下13⅜″套管固井，水泥返至地面；三开为26″井眼，钻至1000m深，下12¼″套管固井，水泥返至地面；四开为8½″井眼，钻至3000m深，下7″筛管不固井。

根据肯尼亚OW-A地热井井身结构图建立井筒模型，如下图2所示。

对节点施加温度载荷，把经过1年之后的井筒内壁和最外层水泥环施加完温度载荷后的情况如图3所示。

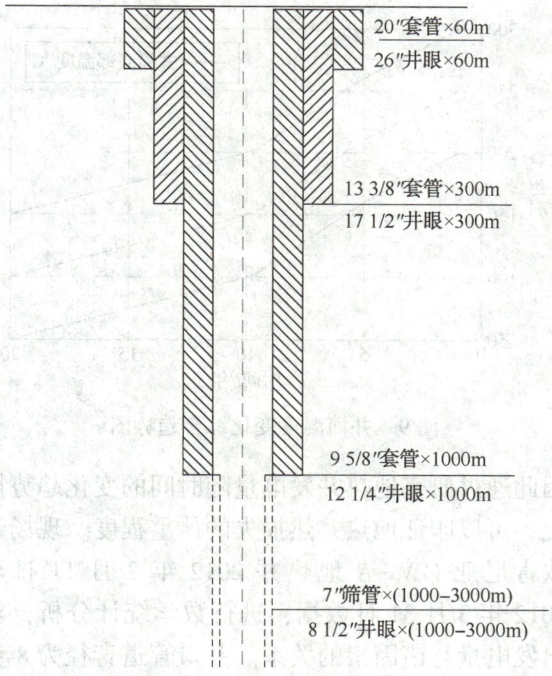

图 1　OW-A 地热井井身结构图

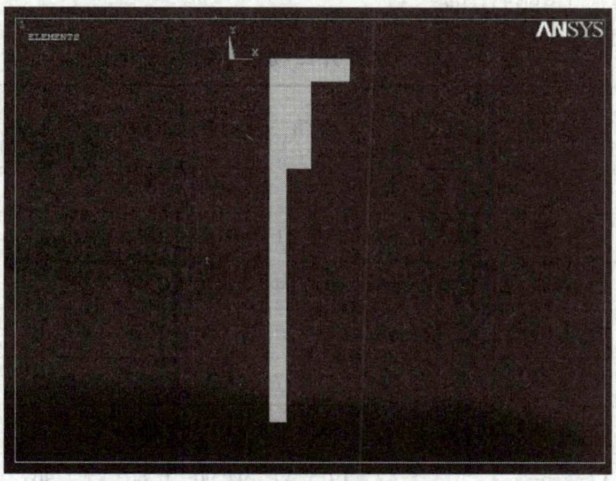

图 2　井筒模型图

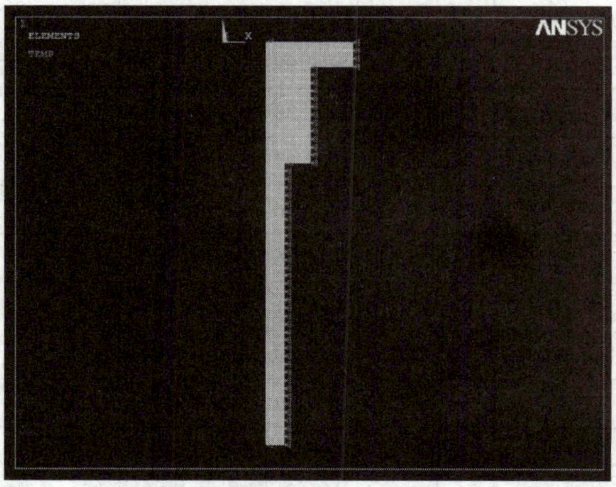

图 3　井筒施加温度载荷图

进行温度场的分布求解，最后将结果显示出来，整体温度场如图 4 所示。

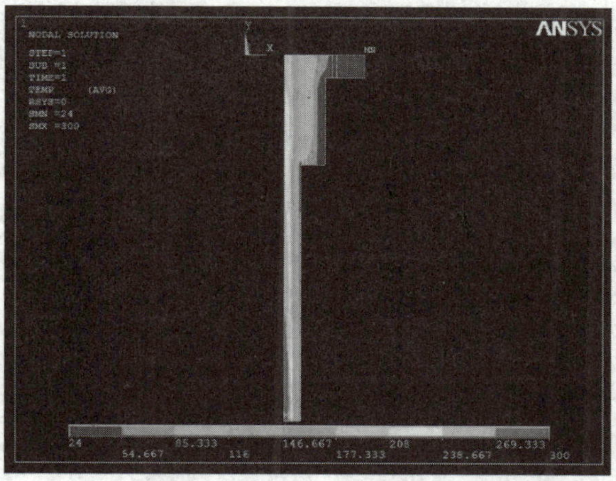

图 4　整体温度场仿真图

将节点的温度改成 3 年后的井筒内壁和最外层水泥环的温度，得到经过 3 年后，井筒整体温度场稳态时候的分布图，如图 5 所示。

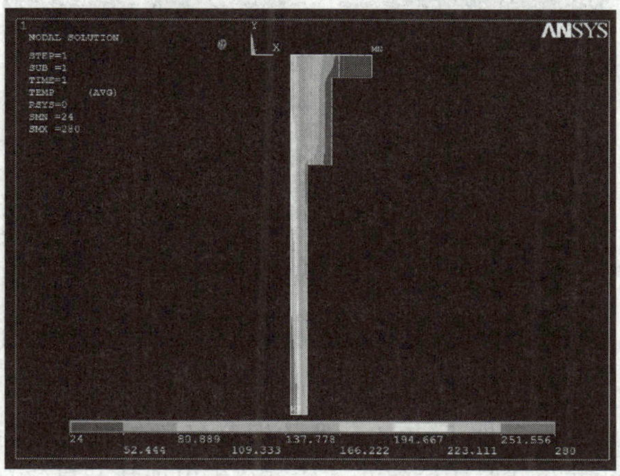

图 5　年后整体温度场仿真图

同样，按照上面的步骤和方法，依次得到 5 年、10 年、20 年后，井筒整体温度场稳态时候的分布图分别为图 6、图 7、图 8。

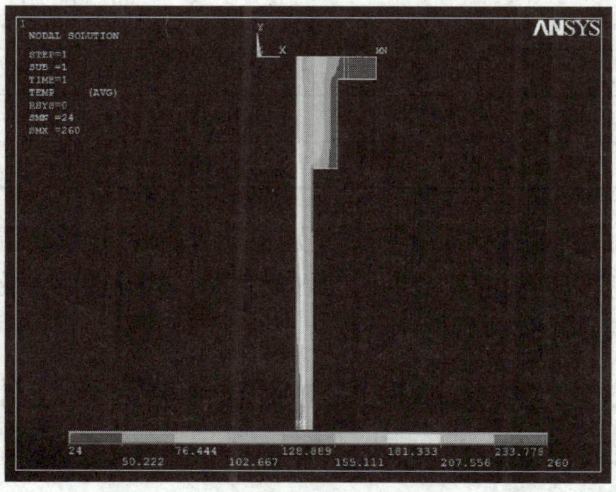

图 6　年后整体温度场仿真图

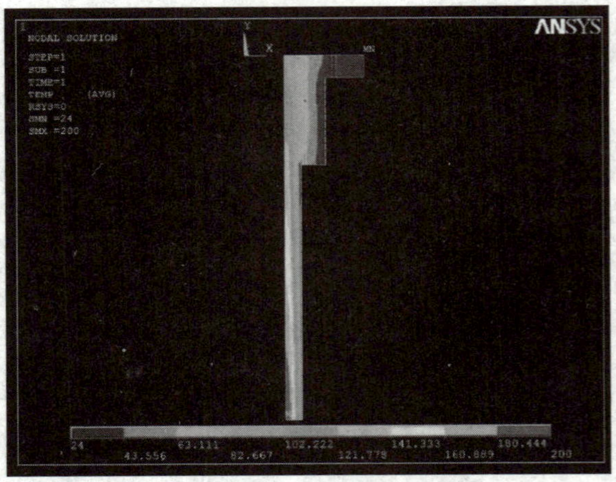

图 7　年后整体温度场仿真图

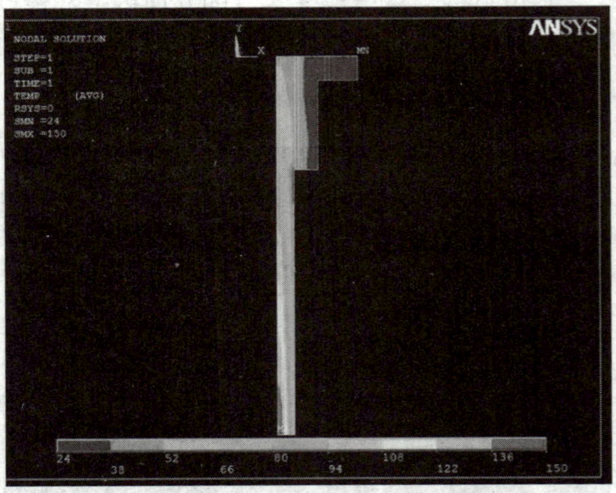

图 8　20 年后整体温度场仿真图

由于地下 3000m 处的温度经过较长时候后的变化情况比较复杂，仿真分析以地热井最终衰竭的趋势，作定性的分析。

以上述仿真为基础，编制以下表格：

表 1　相关参数和对应单位

时间/年 温度/℃	1	3	5	10	20
井筒底部最高温度	300	280	260	200	150
井筒井口最低温度	200	180	160	100	50
井筒平均温度	250	230	210	150	100

在 MATLAB 里面分别绘制井筒底部最高温度、井筒井口最低温度以及井筒平均温度的变化趋势图：如图 9 所示。

3　地热热损失影响发电量多因素统计分析

地热井热损失最终会导致发电量的降低，发电量降低的多少也间接的表现出热损失的程度，

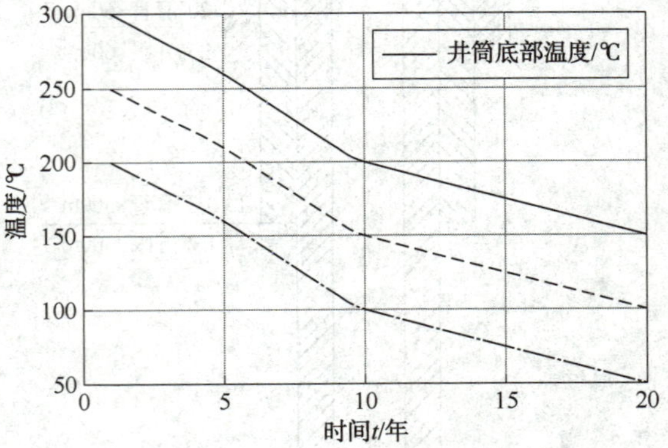

图 9　井筒温度变化综合趋势图

因此通过研究地热井发电量随时间的变化趋势情况，可以印证地热井热损失的严重程度。现场选取肯尼亚 OW－A 地热井 2012 年 2 月 11 日至 2012 年 3 月 31 日数据，进行数学统计分析，求出发电量与诸因素的关系。井口管道直径为 8 英寸，各项参数见下表 2，其中干度为气相质量和产气量的比值。

表 2　OW－A 井井口物性参数和发电量

时期	天数	水马力（bara）	热焓	产气量	干度	发电量（兆瓦电力）
	t	x1	x2	x3	x4	y
11－Feb－12	0	7.35	2407.01	90.50	0.84	10.50
12－Feb－12	1	5.90	2203.94	85.70	0.74	8.80
13－Feb－12	2	5.56	1927.27	90.60	0.61	7.70
15－Feb－12	3	5.76	1977.17	92.30	0.63	8.10
16－Feb－12	4	5.48	1935.12	95.20	0.61	8.10
17－Feb－12	5	5.42	1915.49	94.90	0.60	7.90
18－Feb－12	6	5.42	1941.34	93.50	0.62	8.10
19－Feb－12	7	5.42	1941.34	93.50	0.62	8.10
20－Feb－12	8	6.11	1962.99	92.70	0.63	8.10
21－Feb－12	9	6.11	1991.38	89.40	0.64	8.00
22－Feb－12	10	6.11	1973.27	88.40	0.63	7.80
23－Feb－12	11	6.11	1974.56	98.40	0.57	7.80
24－Feb－12	12	6.11	1974.56	98.40	0.57	7.80
25－Feb－12	13	7.69	2074.61	87.60	0.68	8.30
26－Feb－12	14	7.56	2089.79	90.10	0.69	8.60
27－Feb－12	15	7.56	2089.07	90.10	0.69	8.60
28－Feb－12	16	7.56	2090.84	90.30	0.69	8.60
29－Feb－12	17	7.56	2106.79	88.90	0.70	8.60
1－Mar－12	18	7.56	2108.25	89.20	0.70	8.60
2－Mar－12	19	7.56	2165.47	88.30	0.72	8.90

续表

时期	天数	水马力(bara)	热焓	产气量	干度	发电量(兆瓦电力)
2-Mar-12	20	10.59	2142.63	87.10	0.71	8.60
3-Mar-12	21	10.45	2150.26	78.50	0.72	7.90
4-Mar-12	22	10.45	2157.53	82.00	0.72	8.20
5-Mar-12	23	10.45	2201.09	80.20	0.74	8.20
6-Mar-12	24	10.59	2168.77	83.70	0.73	8.40
7-Mar-12	25	10.59	2168.94	83.80	0.73	8.40
8-Mar-12	26	10.59	2175.11	83.50	0.73	8.40
9-Mar-12	27	18.04	2221.38	81.30	0.75	8.40
10-Mar-12	28	18.17	2209.83	83.00	0.74	8.60
11-Mar-12	29	18.24	2202.31	82.90	0.74	8.50
12-Mar-12	30	18.24	2206.25	84.10	0.74	8.60
13-Mar-12	31	18.52	2251.60	83.00	0.76	8.80
14-Mar-12	32	18.52	2249.90	82.70	0.76	8.80
15-Mar-12	33	18.52	2253.91	82.00	0.77	8.70
16-Mar-12	34	5.42	2199.71	82.60	0.74	8.50
17-Mar-12	35	5.28	2198.44	79.80	0.74	8.20
18-Mar-12	36	5.21	2191.90	78.60	0.74	8.00
20-Mar-12	37	5.14	2198.30	78.60	0.74	8.10
21-Mar-12	38	5.21	2173.02	79.40	0.73	8.00
22-Mar-12	39	5.21	2209.32	77.90	0.74	8.10
23-Mar-12	40	5.21	2209.73	77.90	0.74	8.10
24-Mar-12	41	5.21	2209.73	77.90	0.74	8.10
26-Mar-12	42	5.07	2215.02	77.68	0.75	8.05
27-Mar-12	43	5.07	2292.26	87.30	0.78	9.50
28-Mar-12	44	5.07	2292.26	87.30	0.78	9.50
29-Mar-12	45	5.07	2292.26	87.30	0.78	9.50
30-Mar-12	46	5.07	2287.17	87.20	0.78	9.50
31-Mar-12	47	5.14	2270.42	93.90	0.77	10.10

为了找出发电量与水马力、热焓、产气量、干度的关系，利用多元线性回归分析进行计算，发电量 y 与水马力 x_1、热焓 x_2、产气量 x_3 和干度 x_4 的关系经过线性回归计算后的表达式如下示：

$$y=-0.003x_1-0.0064x_2+0.0734x_3+22.3461x_4 \tag{1}$$

相关系数 $r^2=0.8862$

为了提高回归分析的精度，继续利用其他编号的地热井，井口管道同为 8 英寸的参数进行回归分析，得到下表 3：

表 3　不同地热井发电量方程

系数	编号	发电量方程	相关系数 r^2
i=1	OW-B	$y=-0.0615x_1-0.0128x_2+0.0534x_3+49.2487x_4$	0.9971
2	OW-C	$y=1.1697x_1-0.0146x_2+0.0306x_3+43.0607x_4$	0.9979
3	OW-D	$y=0.1170x_1+0.005x_2+0.1327x_3-14.5336x_4$	0.9989
4	OW-E	$y=0.9588x_1-0.0004x_2-0.0068x_3+8.7307x_4$	0.9797
5	OW-F	$y=0.3273x_1-0.0091x_2+0.0531x_3+29.624x_4$	0.9994
6	OW-G	$y=-0.6022x_1-0.0022x_2+0.0849x_3+10.8476x_4$	0.9995
7	OW-H	$y=-0.003x_1-0.0064x_2+0.0734x_3+22.3461x_4$	0.8862

为了整合每口井的回归方程，并使得精度最高，利用权值进行了考量。不同的系数权值由相关系数决定，相关系数越高，说明回归方程越准确，权值越大。

$$K_i=\frac{r_i^2}{\sum_{i=1}^{7} r_i^2} \tag{2}$$

$$y=\sum_{i=1}^{7} K_i y_i \tag{3}$$

由式(2)和(3)推出：

$$y=0.2748x_1-0.0058x_2+0.0602x_3+21.3517x_4 \tag{4}$$

4　地热井热损失趋势随时间变化数学计算分析

假设发电量随时间的变化过程服从威布尔分布，其概率密度函数为：

$$f(t)=\frac{\beta}{\theta}\left(\frac{t}{\theta}\right)^{\beta-1}e^{-\left(\frac{t}{\theta}\right)^{\beta}} \tag{5}$$

其中，β 为形状参数，θ 为尺度参数。

结合数据，利用 matlab 假设检验工具箱中的 Kolmogorov-Smirnov 测试进行拟合优度检验，检验函数为 Kstest，调用形式为：

$$[H,\ p,\ ksstat,\ cv]=kstest(x,\ [x,\ weibcdf(x,\ \theta,\ \beta)],\ 0.05) \tag{6}$$

其中 P 为原假设成立的概率，KSSTAT 为测试统计量的值，CV 为是否接受假设的临界值。

测试水平为 0.05，H=0 接受原假设，即数据符合威布尔分布。

两参数威布尔分布的 MLE 必须进行数值计算。对于完整数据，可以通过解以下方程求出形状参数 β 的估计值：

$$g(\hat{\beta})=\frac{\sum_{i=1}^{r}\hat{t}_i^{\beta}\ln t_i+(n-r)\hat{t}_s^{\beta}\ln t_s}{\sum_{i=1}^{r}\hat{t}_i^{\beta}+(n-r)\hat{t}_s^{\beta}}-\frac{1}{\hat{\beta}}-\frac{1}{r}\sum_{i=1}^{r}\ln t_i=0 \quad (7)$$

尺度参数 θ 的 MLE 估计为：

$$\hat{\theta}=\left\{\frac{1}{r}\left[\sum_{i=1}^{r}\hat{t}_i^{\beta}+(n-r)\hat{t}_s^{\beta}\right]\right\}^{\frac{1}{\hat{\beta}}} \quad (8)$$

选择 OW-A 号地热井，井口管道直径为 8 英寸的数据，对发电量进行归一化处理，时间进行相应处理后，根据上式计算解得：

$$\theta=15.7852 \quad \beta=0.9268$$

发电量变化趋势为图 10：

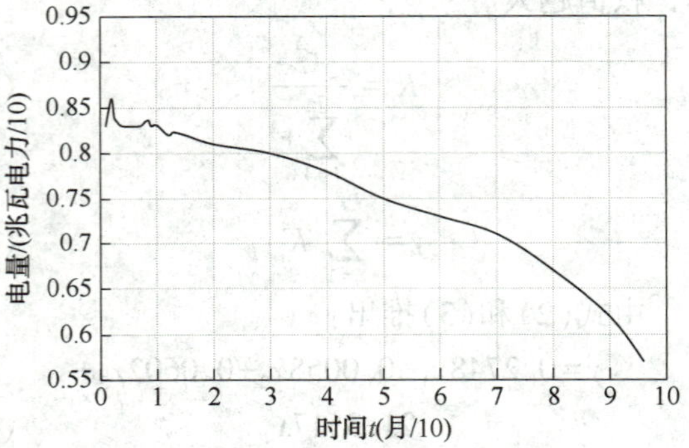

图 10　归一化后发电量变化趋势图

预测 10 年之后，即 $t=\frac{10\times12}{10}=12$ 的发电量：

$$y'=\exp\left[-\left(\frac{12}{15.7852}\right)^{0.9268}\right]=0.4604 \quad (9)$$

反归一化处理后得到发电量为：

$$y=4.6040$$

预测 20 年之后，即 $t=\frac{20\times12}{10}=24$ 的发电量：

$$y'=\exp\left[-\left(\frac{24}{15.7852}\right)^{0.9268}\right]=0.2289 \quad (10)$$

反归一化处理后得到发电量为：

$$y=2.2890$$

根据数据列表初始发电量为 8.5 兆瓦电力，则 10 年和 20 年之后发电量占初始发电量的比例为：

$$\frac{4.6040}{8.5}=54.16\%$$

$$\frac{2.2890}{8.5}=26.93\%$$

通过 10 年和 20 年之后发电量占初始发电量的比例，大约估算出热损失 10 年后降低一半，20 年之后降低三分之二，和数值模拟的井筒平均温度的变化趋势基本一致。

5　小结

本文主要对高温地热井井筒热损失随时间的变化进行了研究：①运用了 Ansys 和 Matlab 软件工具对地热井井内温度随时间的变化进行仿真和分析，求出了地热井井筒温度随时间的变化趋势；②运用多元回归线性方程，进行数学统计分析，求出发电量与诸因素的关系；③进行了地热井热损失趋势随时间变化数学计算分析，计算得到 10 年后和 20 年后的发电量占初始发电量的比例，估算出热损失 10 年后降低一半，20 年之后降低三分之二，和数值模拟的井筒平均温度的变化趋势基本一致。从分析结果来看，地热井筒热损失程度严重，需要采取针对性的措施减少井筒热损失，这样才能保障地热井长期发电，造福人类。

参　考　文　献

[1] Ramey, H. J., 1962. Wellboreheat transmission JPT, 14(4): 427~435.

[2] Satter, A., 1965. Heat losses of steam down a wellbore. J. Pet. Tech., 7: 845~851.

[3] Tragesser, A. F., Grawford, P. B., al., e., 1967. A method for calculating temperature. JPT, 11: 1507~1512.

[4] Willhite, G. P., 1967. Overall heat transfer coefficients in steam and hot water intection wells JPT, 5: 607~615.

[5] J. E. Chappelear, C. W. Volek. The Injection of a Hot Liquid into a Porous Medium [J]. SPE2013, 1968: 100~114

[6] Raymond, L. R., 1969. Temperature distribution in a circulating drilling fluid. JPT, 3: 333~341.

[7] R. C. Smith, R. J. Steffensen. Computer Study of Factors Affecting Temperature Profiles in Water Injection Wells[J]. JPT, 1970: 1447~1458.

[8] Holmes, C. S., Swift, S. C., 1970. Calculation of

Circulating Mud Temperatures. Journal of Petroleum Technology, 22(6): 670~674.

[9] Witterholt, E. J., Tixier, M. P., 1972. Temperature Logging in Injection Wells, SPE Annual Fall Meeting, San Antonio, pp. 8~11.

[10] E. J. Witterholt, M. P. Tixirer. Temperature logging in injection wells[J]. SPE4022, 1972.

[11] 朱佳玲. 地热能开发与应用技术[M]. 北京：化学工业出版社，2006：58-81.

[12] 王文勇等. 超高温地热井钻井泡沫抗高温性能研究[J]. 钻采工艺，2012，35(1)：78-80.

[13] 赖晓晴，楼一珊. 超高温地热井泡沫钻井流体技术[J]. 钻井液与完井液，2009，26(2)：37-38.

[14] 杨世铭. 传热学基础[M]. 北京：高等教育出版社，2003：53-58.

[15] 庄纯才. 地热井筒热损失工程计算方法研究与应用[M]. 大庆：东北石油大学，2016.

基于改进等效岩石元素理论与有效介质对称导电理论的致密砂岩饱和度模型

胡　凯[1]　丛月姣[2]

（1. 中国石油集团长城钻探工程有限公司地质研究院；2. 中国石油测井公司辽河分公司）

摘　要　徐家围子地区深层致密砂岩储层孔隙结构复杂、含泥、非均质性强的特点，给储层饱和度的准确求取带来了一定的困难。本文针对这一难题，首先将致密砂岩等效成孔隙大小和流体分布特征不变的纯岩石，利用改进等效岩石元素理论描述岩石孔腔和吼道比、孔隙弯曲程度对岩石导电性的影响，利用有效介质对称导电理论描述岩石不同组分连通性、分布特征对岩石导电性的影响，并将二者联立，从而求取混合流体的电导率。然后利用有效介质对称导电理论描述由骨架、泥质和混合流体三组分组成的岩石的导电规律，从而建立了本文考虑储层复杂孔隙结构的饱和度模型。利用徐家围子地区深层致密砂岩岩样的岩电实验数据对模型进行了实验验证，结果表明模型计算的电阻率值与实验测量值的相对误差仅为3.8%，由此表明本文建立的考虑储层复杂孔隙结构的饱和度模型能够准确地描述研究区致密砂岩的导电规律。利用本文建立的饱和度模型及其确定的模型参数值对研究区井进行处理解释，并将解释结果与试油结果相对比，结果表明本文建立的饱和度模型适用于研究区致密砂岩储层饱和度的评价。

关键词　致密砂岩；改进等效岩石元素理论；有效介质对称导电理论；孔喉比；孔隙曲折度；等效混合流体；饱和度模型

随着勘探开发的不断深入，非常规储层已经成为勘探开发的热点，而致密砂岩储层是非常规储层研究的重点，其测井评价方法成为国内各油田面临的难题，尤其是储层饱和度参数的准确求取一直是一个难点。

为准确求取致密储层的饱和度，国内外许多学者对其导电规律和导电模型进行了深入研究。周荣安、Montaron等人基于岩电实验数据对致密储层的岩电规律进行了深入研究，结果表明致密储层的地层因素F与孔隙度φ、电阻增大系数I与含水饱和度S_w之间的关系呈现出非阿尔奇的特性，因而阿尔奇公式无法准确地描述致密储层的导电规律。为提高阿尔奇公式的适用性，李秋实、刘之的等人通过建立胶结指数m、饱和度指数n与孔隙度φ、渗透率K等储层参数之间的关系来对阿尔奇公式进行改进，在一定程度上，增强了阿尔奇公式的适用性，但是变参数阿尔奇公式没有考虑致密储层复杂孔隙结构和泥质附加导电对储层导电性的影响，从而导致其在致密储层评价中的应用效果不理想。刘堂宴等人考虑储层孔隙结构对导电性的影响，利用球管模型，建立了考虑储层孔隙结构对储层导电性影响的饱和度模型，但是该模型将储层复杂的孔隙结构过于理想化。覃豪等人针对酸性火山岩孔吼半径比大以及孔隙结构复杂的储层特征，在储层孔隙结构及其储层导电规律研究的基础上，建立了考虑孔隙结构的变参数含气饱和度解释模型，并在实际资料处理应用中取得了较好的效果。Herrick和Kennedy将岩石孔隙空间等效为横截面积变化的弯曲毛管，综合考虑储层孔隙横截面积变化、孔隙弯曲程度和孔隙流体分布特征对岩石导电性的影响，建立了孔隙几何形态导电理论，该理论能够较好地描述复杂储层的导电规律。Shang等人将纯岩石等效成规则的圆柱体，将岩石的孔隙空间等效为小孔隙和大孔隙串联的直毛管，建立了考虑岩石孔喉比对储层导电性影响的等效岩石元素理论，但该理论没有考虑致密储层泥质附加导电和孔隙弯曲程度对岩石导电性的影响。宋延杰等人针对清水洼陷沙三段储层和徐家围子地区深层致密砂砾岩储层的储层特征，基于有效介质对称导电理论、等效岩石元素理论以及孔隙曲折度分别建立了研究区的导电模型，但建立的导电模型没有综合考虑复杂孔隙结构和泥质附加导电对储层导电性的影响。

徐家围子地区深层致密砂岩储层孔隙度主要分布范围为2.0%~9.0%，平均孔隙度为4.3%，渗透率主要分布范围为 0.01~5.0mD，平均渗透率为 0.35mD，分选系数主要分布范围为 1.0~3.0，平均分选系数为 2.0，最大孔隙半径主要分布范围为 0.03~3.0μm，平均最大孔隙半径为 0.68μm，泥质含量主要分布范围为 3.0~11.0%，平均泥质含量为 6.3%，因此，研究区储层物性差、分选性差、非均质性强、孔隙结构复杂。目前研究区没有建立综合考虑这些影响因素的饱和度模型，因而，本文针对研究区的储层特征利用等效岩石元素理论来描述孔隙不同孔喉比对储层导电性的影响，利用孔隙曲折度来描述孔隙弯曲程度对岩石导电性的影响，并利用有效介质对称导电理论考虑泥质附加导电的影响，从而建立了考虑储层复杂孔隙结构的致密砂岩饱和度模型。利用研究区全直径致密砂岩岩样的岩电实验数据，采用最优化算法确定模型中各参数的值，并利用实验数据、试油资料等评价了该模型在致密砂岩储层中的适用性。

1　改进等效岩石元素理论

Shang 等人在等效岩石元素理论中将饱含水纯岩石等效成小孔隙(V_{Pf})和大孔隙(V_{Pp})串联的直毛管，并将小孔隙体积与大孔隙体积之比定义为孔隙结构效率 e_{ps}。宋延杰等人基于弯曲毛管的观点在等效岩石元素理论的基础上引入孔隙曲折度 τ 来描述孔隙弯曲程度对岩石导电性的影响，从而对等效岩石元素理论进行改进。改进等效岩石元素理论的等效体积模型图和等效电路图如图 1(a-b)所示。

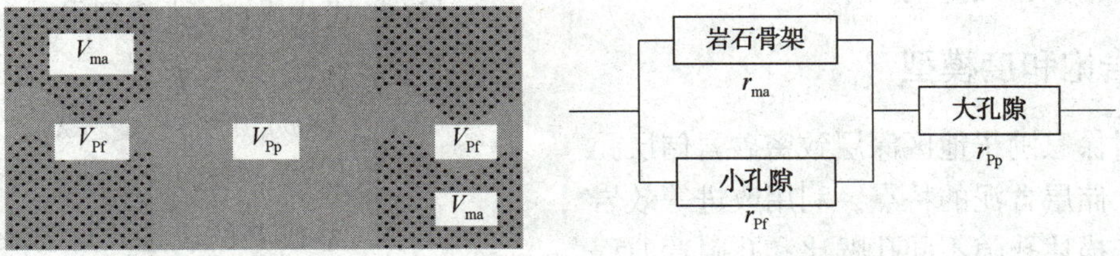

(a)体积模型　(b)等效电路

图 1　饱含水纯岩石改进等效岩石元素模型的体积模型和等效模型图

根据其等效电路图，利用串并联导电理论可得地层因素 F 的表达式为：

$$F=\frac{R_0}{R_w}=\frac{\tau^2}{\varphi}+\frac{(\varphi-\tau)^2}{\varphi e_{ps}} \tag{1}$$

式中，R_0 为饱含水岩石电阻率，Ω·m；R_w 为地层水电阻率，Ω·m；φ 为有效孔隙度，小数。

当岩石中存在油气时，含油气改进等效岩石元素模型的体积模型及其等效电路见图 2(a-b)。油气存在致使水的导电路径更加弯曲，并且随着含水饱和度的减小，其导电路径弯曲程度增加，其等效孔隙曲折度为 τ'，并假设 $\tau'=\tau S_w^{-n}$，n 为等效孔隙曲折度指数。由于油气在大小孔隙中的分布是非均匀的，因而引入非均匀系数 r，并假设 $r=S_w^k$，k 为非均匀分布指数。根据其等效电路图，利用串并联导电理论可得视地层因素 F_w 的表达式为：

$$F_w=\frac{R_t}{R_w}=\frac{\tau'^2}{S_w\varphi}+\frac{(\tau'-S_w\varphi)^2}{S_w\varphi e_{psw}} \tag{2}$$

$$e_{psw}=\frac{e_{ps}r}{1+e_{ps}(1-r)} \tag{3}$$

式中，R_t 为含油气岩石的电阻率，Ω·m；e_{psw} 为水的孔隙结构效率，无量纲；S_w 为含水饱和度，小数。

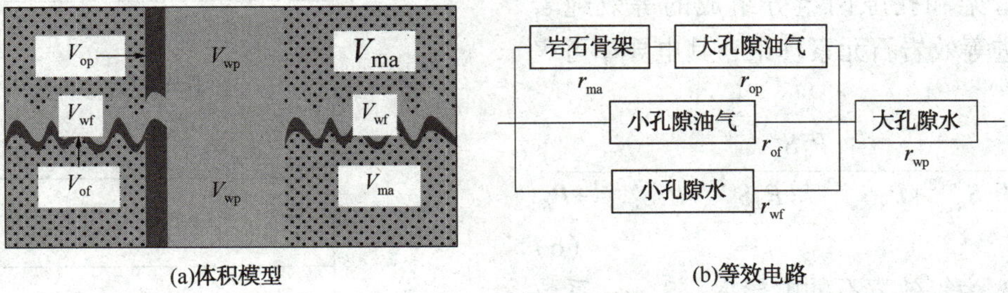

(a)体积模型　(b)等效电路

图 2　含油气纯岩石改进等效岩石元素模型的体积模型和等效电路图

2　有效介质对称导电理论

基于低频下有效介质对称各向异性导电理论，以及 Koelman 和 de Kuijper 提出的有效介质 SATORI 电阻率模型，则 n 种组分混合介质的电导率可以表示为：

$$\frac{C_t-C_{og}}{C_t+2C_{og}}=\sum_{k=1}^{n}\varphi_k\frac{C_k-C_{og}}{C_k+2C_{og}} \tag{4}$$

$$C_{og}=\sum_{k=1}^{n}\frac{\lambda_k\varphi_k^{\gamma_k}}{\sum\limits_{i=1}^{n}\lambda_i\varphi_i^{\gamma_i}}C_k \tag{5}$$

式中，C_t 为混合介质的电导率，S/m；C_{og} 为虚介质电导率，S/m；C_k 为第 k 种组分的电导率，S/m；φ_k 为第 k 种组分的含量，小数。λ_k 为第 k 种组分的渗滤速率，无量纲；γ_k 为第 k 种组分的渗滤指数，无量纲。

3　致密砂岩饱和度模型

本文针对徐家围子地区深层致密砂岩储层孔隙结构复杂、储层含泥的特点，利用改进等效岩石元素理论来描述孔隙不同孔喉比和孔隙弯曲程度对岩石导电性的影响，并利用有效介质对称导电理论考虑泥质附加导电的影响，从而建立了考虑储层复杂孔隙结构的致密砂岩饱和度模型。

本文在致密砂岩储层饱和度模型的建立过程中，首先将泥质看做不导电骨架的一部分，并且认为孔隙空间的大小、流体分布特征均保持不变，对于该等效纯岩石，分别利用改进等效岩石元素理论和有效介质对称导电理论描述其导电规律，令两种理论计算的等效岩石的电导率相等，从而得到混合流体(油气、水)的电导率。然后利用有效介质对称导电理论描述由骨架、泥质和混合流体三种组分组成的致密砂岩的导电规律，从而建立了研究区致密砂岩储层的饱和度模型。

3.1　混合流体电导率的确定

对于由骨架和孔隙两组分组成的等效纯岩石，利用改进等效岩石元素理论，其电导率可表示为：

$$C_{t1}=\frac{1}{R_wF_w}=\frac{P_1S_w^{2n+k+1}}{P_2S_w^{2n+2}+P_3S_w^{2n+k+2}+P_4S_w^{n+1}+P_5S_w^{n+k+1}+P_6} \tag{6}$$

式中，C_{t1} 为等效岩石的电导率，S/m；系数 P_1、P_2、P_3、P_4、P_5、P_6 的表达式见附录。

利用有效介质对称导电理论，等效纯岩石的电导率可表示为：

$$\frac{C_{t2}-C_{og}}{C_{t2}+2C_{og}}=(1-\varphi)\frac{C_{ma}-C_{og}}{C_{ma}+2C_{og}}+\varphi\frac{C_{fe}-C_{og}}{C_{fe}+2C_{og}} \tag{7}$$

式中，C_{t2} 为等效岩石的电导率，S/m；C_{ma} 为骨架电导率，S/m；C_{fe} 为混合流体的电导率，S/m。

整理(7)式可得：

$$C_{t2}=2C_{og}\frac{\varphi C_{fe}}{C_{fe}+2C_{og}-\varphi C_{fe}} \tag{8}$$

由(5)式可得虚介质电导率 C_{og} 的表达式为：

$$C_{og}=\frac{\lambda_{fe}C_{fe}\varphi^{\gamma_3}}{\lambda_{ma}(1-\varphi)^{\gamma_1}+\lambda_{fe}\varphi^{\gamma_3}} \tag{9}$$

式中，λ_{fe}、λ_{ma} 分别为混合流体、骨架的渗滤速率，无量纲；γ_1、γ_3 分别为骨架、混合流体的渗滤指数，无量纲。

将(9)式代入(8)式整理得：

$$C_{t2}=\frac{2\lambda_{fe}\varphi^{\gamma_3+1}}{\lambda_{ma}(1-\varphi)^{\gamma_1+1}+3\lambda_{fe}\varphi^{\gamma_3}-\lambda_{fe}\varphi^{\gamma_3+1}}C_{fe}=PC_{fe} \tag{10}$$

式中，系数 P 的表达式见附录。

联立(6)、(10)式，可得混合流体的电导率为：

$$\begin{aligned}C_{fe}&=\frac{P_1S_w^{2n+k+1}}{P(P_2S_w^{2n+2}+P_3S_w^{2n+k+2}+P_4S_w^{n+1}+P_5S_w^{n+k+1}+P_6)}\\&=\frac{P_1S_w^{2n+k+1}}{P_7S_w^{2n+2}+P_8S_w^{2n+k+2}+P_9S_w^{n+1}+P_{10}S_w^{n+k+1}+P_{11}}\end{aligned} \tag{11}$$

式中，系数 P_7、P_8、P_9、P_{10}、P_{11} 的表达式见附录。

3.2　致密砂岩饱和度模型建立

基于徐家围子地区深层致密砂岩储层的特征，将研究区致密砂岩等效成由骨架、泥质以及孔隙三部分组成，其等效体积模型如图 3 所示。由其等效体积模型可得其物质平衡方程为：

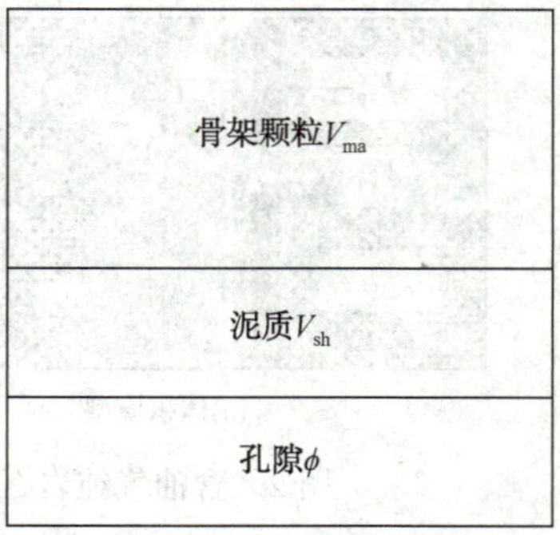

图 3　致密砂岩储层等效体积模型

$$\begin{cases}V_{ma}+V_{sh}+\varphi=1\\ \varphi_h+\varphi_w=\varphi\end{cases} \tag{12}$$

式中：V_{ma}、V_{sh} 分别为骨架颗粒体积含量、泥质体积含量，小数；φ_h、φ_w 分别为含油气孔隙度、含水孔隙度，小数。

基于有效介质对称导电理论，由骨架、泥质以及混合流体三部分组成的致密砂岩的电导率可表示为：

$$\frac{C_t-C_{og}}{C_t+2C_{og}}=V_{ma}\frac{C_{ma}-C_{og}}{C_{ma}+2C_{og}}+V_{sh}\frac{C_{sh}-C_{og}}{C_{sh}+2C_{og}}+\varphi\frac{C_{fe}-C_{og}}{C_{fe}+2C_{og}} \tag{13}$$

将 $C_{ma}=0$ 代入(13)式，整理得：

$$C_t=2C_{og}\frac{V_{sh}C_{sh}(C_{fe}+2C_{og})+\varphi C_{fe}(C_{sh}+2C_{og})}{(C_{sh}+2C_{og})(C_{fe}+2C_{og})-V_{sh}C_{sh}(C_{fe}+2C_{og})-\varphi C_{fe}(C_{sh}+2C_{og})} \tag{14}$$

上式中虚介质的电导率为：

$$C_{og}=\frac{\lambda_{sh}C_{sh}V_{sh}^{\gamma_2}+\lambda_{fe}C_{fe}\varphi^{\gamma_3}}{\lambda_{ma}V_{ma}^{\gamma_1}+\lambda_{sh}V_{sh}^{\gamma_2}+\lambda_{fe}\varphi^{\gamma_3}}=\frac{\lambda_{sh}C_{sh}V_{sh}^{\gamma_2}+\lambda_{fe}C_{fe}\varphi^{\gamma_3}}{Q} \tag{15}$$

式中，λ_{sh} 为泥质的渗滤速率，无量纲；γ_2 为泥质的渗滤指数，无量纲，系数 Q 的表达式见附录。

将(11)式代入(15)式整理得：

$$C_{og}=\frac{Q_1S_w^{2n+2}+Q_2S_w^{2n+k+2}+Q_3S_w^{n+1}+Q_4S_w^{n+k+1}+Q_5+Q_6S_w^{2n+k+1}}{Q(P_7S_w^{2n+2}+P_8S_w^{2n+k+2}+P_9S_w^{n+1}+P_{10}S_w^{n+k+1}+P_{11})} \tag{16}$$

将(11)、(16)式代入(14)式整理得：

$$\begin{aligned}&J_1S_w^{6n+6}+J_2S_w^{6n+k+6}+J_3S_w^{5n+5}+J_4S_w^{5n+k+5}+J_5S_w^{6n+k+5}+J_6S_w^{4n+4}\\&+J_7S_w^{6n+2k+6}+J_8S_w^{5n+2k+5}+J_9S_w^{6n+2k+5}+J_{10}S_w^{4n+k+4}+J_{11}S_w^{5n+k+4}\\&+J_{12}S_w^{3n+3}+J_{13}S_w^{4n+2k+4}+J_{14}S_w^{5n+2k+4}+J_{15}S_w^{3n+k+3}+J_{16}S_w^{6n+2k+4}\\&+J_{17}S_w^{4n+k+3}+J_{18}S_w^{2n+2}+J_{19}S_w^{6n+3k+6}+J_{20}S_w^{5n+3k+5}+J_{21}S_w^{6n+3k+5}\\&+J_{22}S_w^{4n+3k+4}+J_{23}S_w^{5n+3k+4}+J_{24}S_w^{3n+2k+3}+J_{25}S_w^{6n+3k+4}+J_{26}S_w^{4n+2k+3}\\&+J_{27}S_w^{2n+k+2}+J_{28}S_w^{5n+2k+3}+J_{29}S_w^{3n+k+2}+J_{30}S_w^{n+1}+J_{31}S_w^{3n+3k+3}\\&+J_{32}S_w^{4n+k+3}+J_{33}S_w^{2n+2k+2}+J_{34}S_w^{5n+3k+3}+J_{35}S_w^{3n+2k+2}+J_{36}S_w^{n+k+1}\\&+J_{37}S_w^{4n+2k+2}+J_{38}S_w^{2n+k+1}+J_{39}S_w^{6n+3k+3}+J_{40}=0\end{aligned} \tag{17}$$

式中，系数 J_1、J_2、J_3……J_{40} 的表达式见附录。

(17)式即为本文建立的徐家围子深层致密砂岩饱和度模型。

4　致密砂岩饱和度模型实验验证及其参数确定

利用研究区 4 口井 8 块致密砂岩岩样的验电实验数据，令 $\lambda_{ma}=1.0$，$\gamma=\gamma_1=\gamma_3$，采用最优化算法求解 $C_t-C_w-S_w$ 的非相关函数，可得到模型参数孔隙结构效率 e_{ps}、孔隙曲折度 τ、等效曲折度指数 n、非均匀分布指数 k、泥质渗滤速率 λ_{sh}、混合流体渗滤速率 λ_{fe}、骨架或混合流体渗滤指数 γ、泥质渗滤指数 γ_2 的值(见表1)。将优化的模型参数值带入本文建立的饱和度模型方程中可计算出每块岩样不同含水饱和度时的电阻率值，图 4 给出了部分岩样的模型计算值与实验测量值的对比图。由图中可以看出，模型计算的电阻率值 R_{tc} 与实验测量值 R_t 基本相符，其相对误差仅为 3.8%，表明本文建立的致密砂岩饱和度能够较好地描述研究区的导电规律。图 5(a-h)给出了优化的各模型参数值与其孔隙度的交会图，由图中可以看出各参数均与孔隙度无明显关系，且其参数值变化范围较小，故取其均值为模型参数值，其中 $e_{ps}=5.91$，$\tau=4.55$，$n=0.49$，$k=0.51$，$\lambda_{sh}=0.70$，$\lambda_{fe}=1.17$，$\gamma=1.14$，$\gamma_2=2.33$。

表 1　致密砂岩饱和度模型的优化参数

井名	岩样号	τ	e_{ps}	n	k	λ_{sh}	λ_{fe}	γ	γ_2	$\sum\frac{(R_t-R_{tc})^2}{R_t^2}$
徐深 X1	4	4.93	6.28	0.60	0.60	0.61	1.27	1.04	2.49	0.034081
	5	4.24	5.50	0.60	0.60	0.69	1.01	1.24	2.06	0.033725
	7	4.51	6.00	0.39	0.38	0.74	1.08	1.02	2.19	0.041067
	14	4.40	5.98	0.53	0.54	0.89	1.23	1.13	2.32	0.047406
	15	4.46	6.00	0.43	0.39	0.72	1.37	1.15	2.31	0.042664
徐深 X2	6	4.67	5.69	0.50	0.60	0.71	1.01	1.22	2.50	0.027797
徐深 X3	4	4.57	5.80	0.50	0.60	0.61	1.11	1.09	2.40	0.029707
徐深 X4	C1	4.66	6.07	0.41	0.38	0.61	1.25	1.02	2.40	0.049071

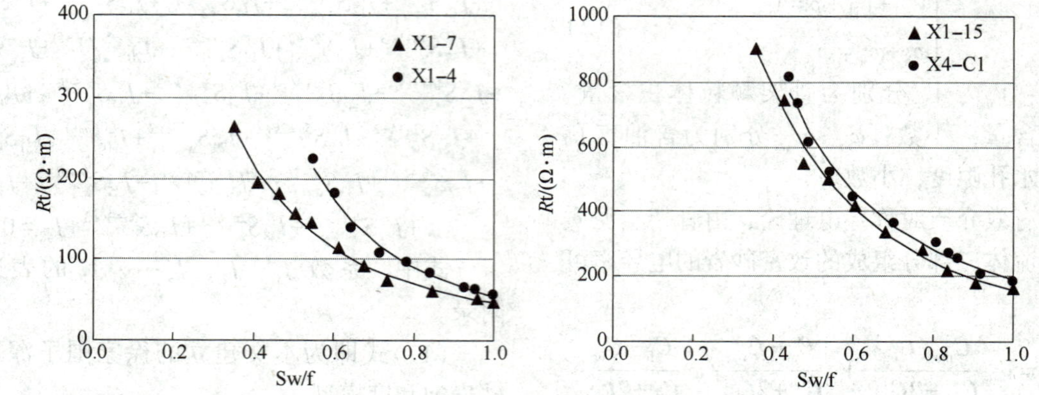

图 4　部分岩心电阻率与计算电阻率对比图

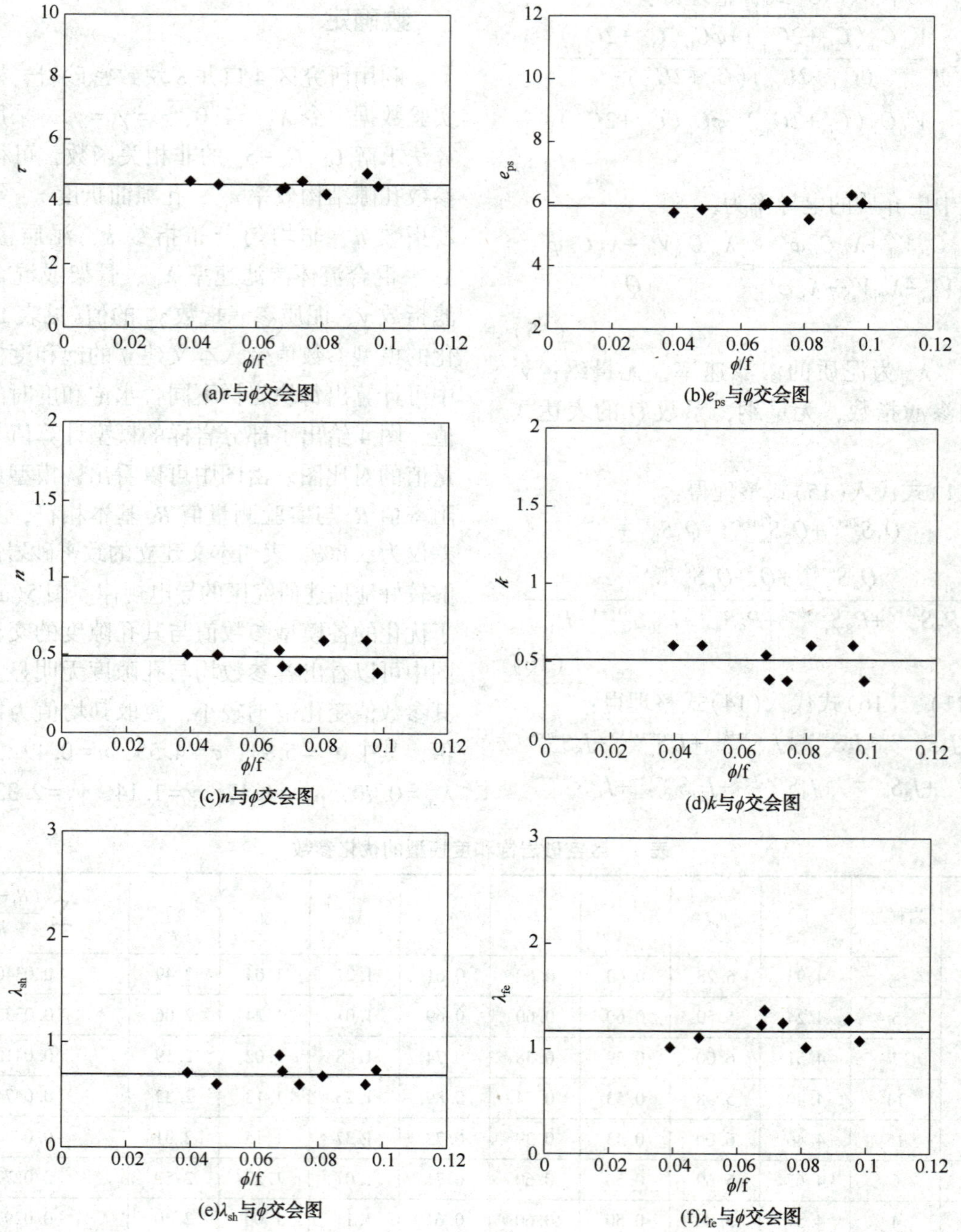

(a)τ与ϕ交会图　(b)e_{ps}与ϕ交会图

(c)n与ϕ交会图　(d)k与ϕ交会图

(e)λ_{sh}与ϕ交会图　(f)λ_{fe}与ϕ交会图

图 5　不同参数与孔隙度的交会图

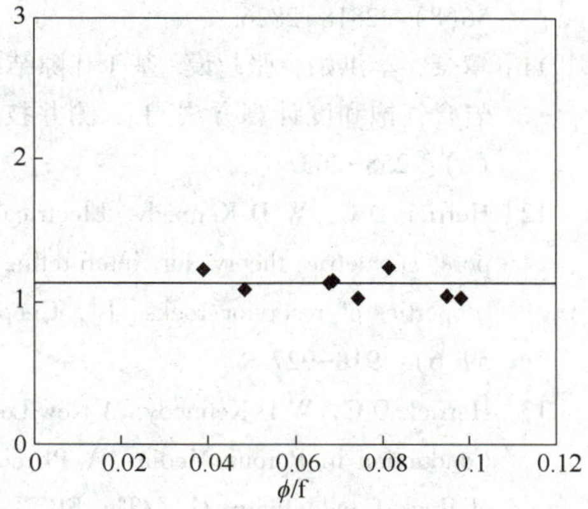

(g)γ与φ交会图

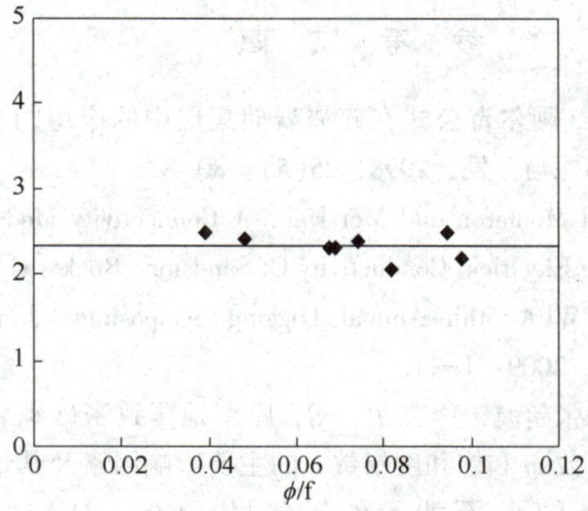

(h)γ_2与φ交会图

图5　不同参数与孔隙度的交会图(续)

5　致密砂岩饱和度模型实际应用效果评价

利用本文建立的致密砂岩饱和度模型及其确定的模型参数值，处理了研究区的徐深XX井，并将处理解释结果与试油结果进行对比。

图6为徐深XX井的测井解释成果图。该井处理深度段为3550m～3700m，共处理解释了5个小层，其中气层1个，气水同层4个。该井1、5号层为试气层位，其中1号层压后自喷，日产气15516方；5号层压后自喷，日产气4252方，日产水19.2方。利用本文建立的饱和度模型求取的1号层的含气饱和度在60%左右，综合解释为气层，其解释结果与试油结果相符；5号层上部的含气饱和度为50%左右，下部含气饱和度为30%左右，综合解释为气水同层，其解释结果与试油结果相符。

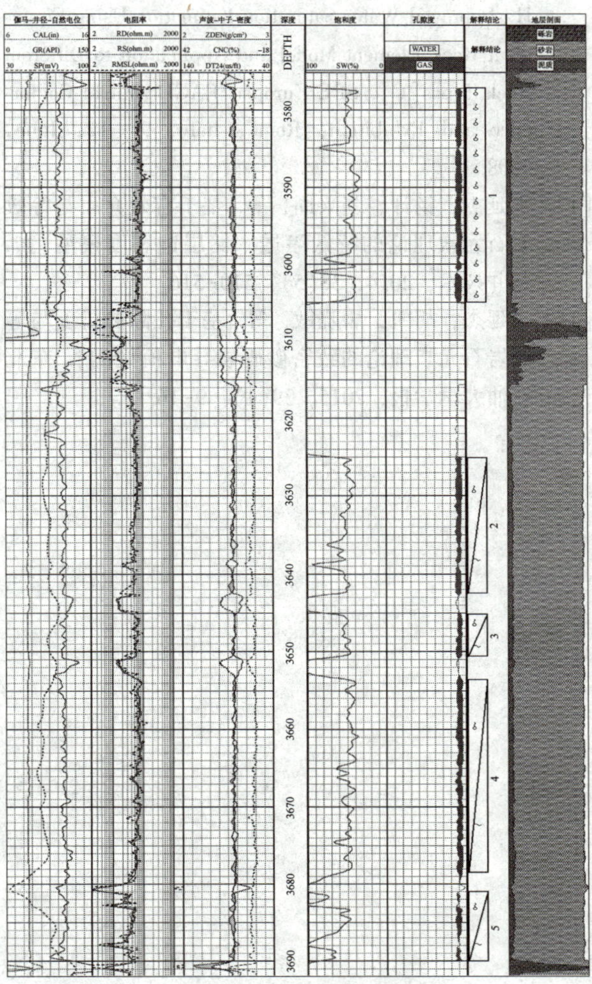

图6　徐深XX井测井解释成果图

6　结论

（1）本文利用改进等效岩石元素理论描述了孔隙孔腔和吼道比以及孔隙弯曲程度对岩石导电性的影响，利用有效介质对称导电理论描述了泥质附加导电性的影响，从而建立了考虑储层复杂孔隙结构的致密砂岩饱和度模型，该模型适用于孔隙结构复杂、物性差、非均质性强的致密砂岩储层。

（2）将致密砂岩等效成孔隙大小和流体分布特征均不变的纯岩石，分别利用改进等效岩石元素理论和有效介质对称导电理论描述了该等效岩石导电规律，二者联立求取了混合流体的电导率。利用有效介质对称导电理论描述了由骨架、泥质和混合流体三组分组成的致密砂岩的导电规律，并代入求取的混合流体的电导率，从而建立了考虑储层复杂孔隙结构的致密砂岩饱和度模型。

（3）利用研究区致密砂岩岩样的验电实验数据对模型进行了实验验证，结果表明本文建立的致密砂岩饱和度模型能够准确地描述储层的导电规律。实际资料应用效果表明本文建立的饱和度模型适用于孔隙结构复杂的致密砂岩储层评价。

参 考 文 献

[1] 周荣安. 阿尔奇公式在碎屑岩储集层中的应用[J]. 石油勘探与开发，1998，25(5)：80-82.

[2] Bernard Montaron and Mei Han. A Connectivity Model For The Electrical Conductivity Of Sandstone Rocks[C]. The SPWLA 50th Annual Logging Symposium，June 21-24，2009：1-11.

[3] 李军，张超谟，唐文生，等. 库车地区致密砂砾岩胶结指数 m 和饱和度指数 n 的主要影响因素及其量化研究[J]. 石油天然气学报，2009，31(6)：100-103.

[4] 李军，张超谟，唐文生，等. 库车地区致密砂砾岩胶结指数 m 和饱和度指数 n 的主要影响因素及其量化研究[J]. 石油天然气学报，2009，31(6)：100-103.

[5] 石玉江，李高仁，周金昱. 泥质型低渗砂岩储层岩电性质研究及饱和度模型的建立[J]. 测井技术，2008，32(3)：203-206.

[6] 李秋实，周荣安，张金功，等. 阿尔奇公式与储层孔隙结构的关系[J]. 石油与天然气地质，2002，23(4)：364-367.

[7] 刘之的. 变 m 值法计算火山岩含油饱和度[J]. 长江大学学报(自然科学版)，2010，7(3)：62-65.

[8] 郑庆林，王钰森，赵雨. 低孔隙度条件下阿尔奇含水饱和度解释模型改进[J]. 测井技术，2006，30(1)：57-59.

[9] 张龙海，周灿灿，刘国强，等. 孔隙结构对低孔低渗储集层电性及测井解释评价的影响[J]. 石油勘探与开发，2006，33(6)：671-676.

[10] 刘堂晏，汤天知，杜环虹，等. 考虑储层孔隙结构的岩石导电机制研究[J]. 地球物理学报，2013，56(8)：2818-2826.

[11] 覃豪，李洪娟，张超谟. 基于孔隙结构的酸性火山岩含气饱和度计算方法[J]. 测井技术，2013，37(3)：258-263.

[12] Herrick D C，W D Kennedy. Electrical efficiency -A pore geometric theory for interpreting the electrical properties of reservior rocks[J]. Geophysics，1994，59(6)：918-927.

[13] Herrick D C，W D Kennedy. A New Look at Electrical Conduction in Porous Media：A Physical Description of Rock Conductivity[C]//The SPWLA 50th Annual Logging Symposium，June 21-24，2009，paper BB.

[14] Kennedy，W. D. The Porosity - Water Saturation - Conductivity Relationship：An Alternative to Archie's Model，*Petrophysics*，2007，48(5)：335-361.

[15] Shang，B. Z.，Hamman，J. G.，and Caldwell，D. H. A Physical Model to Explain the First Archie Relationship and Beyond[C]. SPE Annual Technical Conference and Exhibition，Denver，Colorado，U. S. A.，5-8 October，2004.

[16] Shang，B. Z.，Hamman，J. G.，and Caldwell，D. H. Improved Water Saturation Estimation Using Equivalent Rock Element Model and Application to Different Rock Types[C]. SPE Europec/EAGE Annual Conference and Exhibition，Rome，Italy，9 - 12，June，2008.

[17] 宋延杰，杨汁，刘兴周，等. 基于有效介质与等效岩石元素理论的特低渗透率储层饱和度模型[J]. 测井技术，2014，38(5)：510-516.

[18] 宋延杰，胡凯，唐晓敏，等. 基于孔隙曲折度与等效岩石元素理论的致密砂砾岩导电模型[J]. 东北石油大学学报，2015，39(1)：9-16.

苏里格气田苏X区块低饱和度致密气藏气水分布与开发对策

王　颖

（中国石油集团长城钻探工程公司地质研究院）

摘　要　苏里格气田苏X区块中部气藏储量规模大，但储层含气饱和度低，气井生产差异大且普遍产水。为了实现区块产能接替及效益开发，本文基于地质背景调查、成岩演化解剖、综合地质分析、岩心取样及实验分析等资料，深入研究低饱和度气藏成藏主控因素、富集规律、气水分布模式，探索该类气藏开发技术对策。研究结果表明：①低饱和度气藏的主控因素：宏观上为烃源岩生烃强度和储层非均质性，其次为气藏构造幅度低；微观上受岩石物理性质、成岩和压实作用的影响，该类储层微观孔喉偏低、孔隙结构复杂和高束缚水饱和度。②根据储层、微构造特征及地层水赋存类型，将气水分布模式总结划分为构造低部位滞留水、致密低渗带滞留水和孤立透镜状水，同时明确不同类型的分布特征。③通过开发实践，优选井型及开发部署方式，探索形成了避水建产、配产控水、优化排水的地质工程一体化技术思路。在新认识指导下，苏X区块中部优选含气富集区3个，投产Ⅰ+Ⅱ类井比例由探评井阶段54.1%提高到81.3%，取得了较好开发效果，为实现低饱和度致密气藏储量有效动用和产量突破提供了有效途径。

关键词　致密砂岩气；低饱和度；成藏主控因素；气水分布模式；避水开发

随着开发不断深入，苏里格气田主产区井网已基本完善，苏X区块中部作为重要产能接替区，储层物性条件差、非均质性强、多期河道随机展布、连续性差，更为典型的是含气饱和度低，较主产区低近10%，气水关系复杂。近几年勘探开发证实，无论钻遇厚层砂岩、还是薄砂岩储层气井均

出现不同程度产水，气井见水后产能快速下降，导致储量动用程度低，部分开发指标达不到方案设计要求，严重制约了气田开发效果。许多学者针对苏里格苏X区块中部低饱和度致密气藏作了大量研究，在构造、沉积、储层、地层水识别方面取得了明显的进展，但是截至目前尚未明确成藏及气水分布模式。为此，本文基于地质背景调查、成藏演化解剖、钻井地质分析、岩心取样及实验等手段，对该区天然气成藏主控因素、富集规律、气水分布模式等开展了研究，总结出“源储控藏、物性+微构造控气”的成藏模式，明确了低饱和度致密砂岩气成藏的主控因素，建立3种气水分布模式，探索开发技术对策，以期指导苏里格气田低饱和度致密砂岩气藏的规模勘探及开发实践。

1　区域地质特征

1.1　地质概况

苏里格气田是长庆油田乃至我国最大的天然气田，位于内蒙和陕西境内，总面积达$4.39\times10^4km^2$。苏X区块中部位于鄂尔多斯盆地苏里格气田西北部，整体位于盆地伊陕斜坡北部，呈北东高、南西低的西倾单斜构造，平均坡降3～5m/km，区块面积$347.8km^2$。区内断层不发育，仅发育一系列北东-南西走向低缓鼻隆构造，宽度5～8km，长度10～35km，起伏幅度10～25m（图1）。研究区天然气资源量丰富，已探明的天然气地质储量$357.0\times10^8m^3$，其主力含气层段为二叠系下石盒子组盒8段和山西组1段。

1.2　储层特征

研究区盒8、山1段储层为河流-三角洲沉积体系，受沉积物源和水动力条件影响，河道频繁摆动迁移，造成砂体多期复合叠置，连片性差。砂体类型主要为心滩、边滩砂体，其次为决口扇、天然堤及废弃河道砂体，复合砂体厚度在20m左右，宽1.5～2.0km，近南北向展布，非均质性强。岩石类型以中-粗粒岩屑石英砂岩为主，结构成熟度偏低，填隙物以黏土为主，钙质

次之。孔隙类型主要为粒间溶孔、胶结物内溶孔、高岭石晶间孔及残余原生粒间孔，裂缝罕见；面孔率主要集中在1%~2%，普遍较低。经过长期压实、胶结等成岩作用，储层物性大大降低。根据5口取芯井793个样品的物性资料统计结果，盒8、山1段孔隙度主要分布在6.0%~12.0%之间(图2)，渗透率集中在0.1~6.0mD之间，属于低孔特低渗储层，压汞资料分析储层分选差，结构成熟度低，平均孔隙半径82.6μm，而喉道半径中值仅仅在0.03~0.4μm之间，表现出小孔微喉特征，同时，结合毛管压力曲线分析表明，退汞效率较低(小于45%)说明储层喉道连通性差。

1.3　地层水特征

地层水在储集层孔隙中的赋存状态主要受孔隙大小、喉道及岩石颗粒润湿性所控制。区内盒8、山1段储层无明显的气水界面与边底水，产水井在平面上分布零散，纵向上气、水关系复杂，根据储层非均质性、孔喉结构配置关系将储层地层水分为3类，分别为吸附水、毛细管水和自由水，其中毛细管水为主要地层水类型，占60%以上。苏X区块试气出水井主要为气水同出，平均出水量为1~20m^3/d，出水层水分析资料显示，水型为$CaCl_2$型，平均矿化度为33.9g/L，最高达49.6g/L，为封闭埋藏环境下的古沉积水。

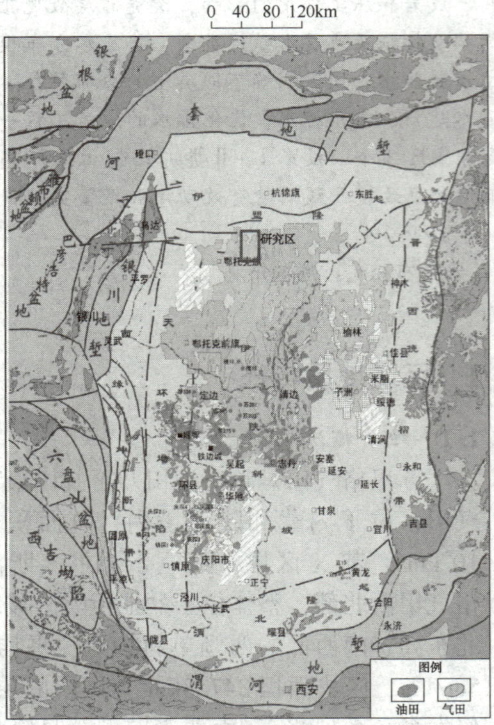

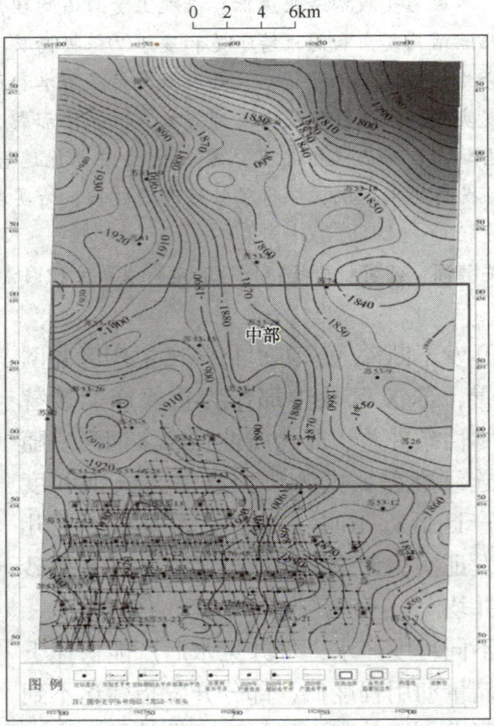

图1　鄂尔多斯盆地构造单元划分(据文献[6]修改)与研究区盒8段底面构造图

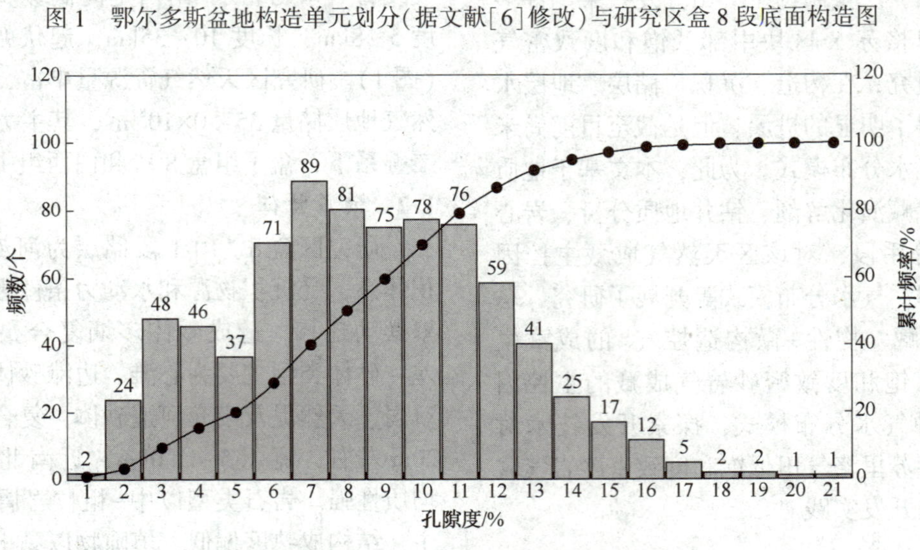

图2　苏X区块中部岩心分析孔隙度直方图

表1　不同地层水赋存状态特征描述统计表

地层水状态	电性特征	示意图	解释结论	压汞形态	孔径分布	描述	试气效果
束缚水	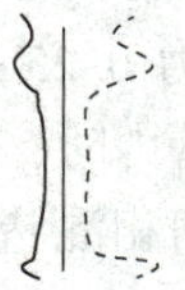	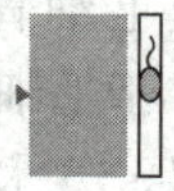	气层 含气层	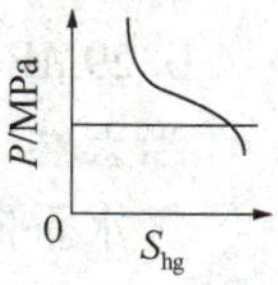	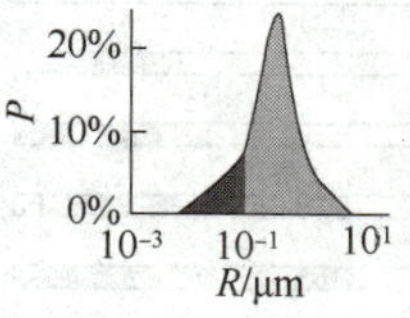	储层岩石表面、微毛细管水，孔隙度小 $\phi>8\%$ $K>0.35\mathrm{mD}$ $R_c<0.2\mu m$	产气、部分井产少量凝析水
毛细管水	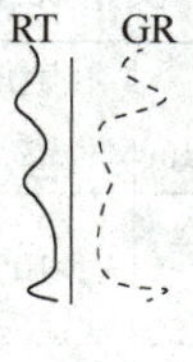	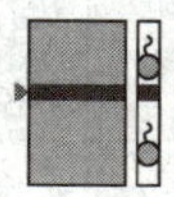	微含气层 气水同层	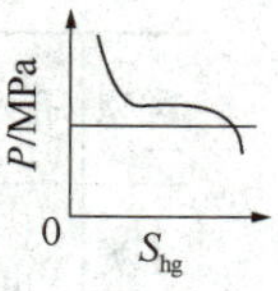	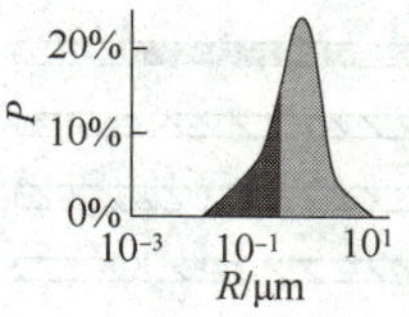	储层纵向非均质性强，孔隙度较小，小孔隙含水 $\phi<8\sim10\%$ $K<0.35\sim1.1\mathrm{mD}$ R_c 介于 $0.2\sim0.7\mu m$	气水同出
自由水	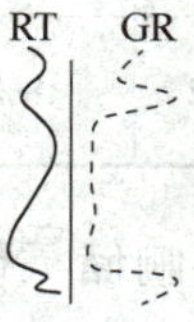	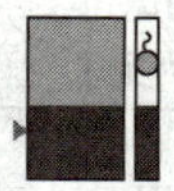	含气水层 水层	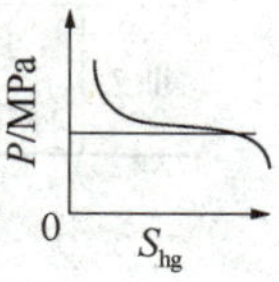	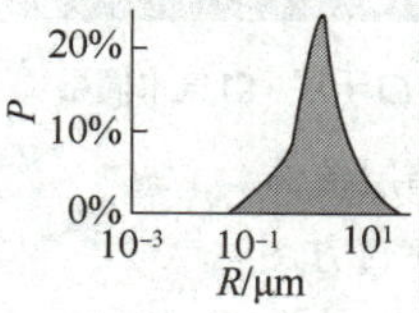	储层均质，孔隙度较好，气水纵向上存在弱分异 $\phi>10\%$ $K>1.1\mathrm{mD}$ $R_c>0.7\mu m$	产水、微产气或不产气

2　成藏主控因素

2.1　宏观因素

2.1.1　充足烃源是天然气成藏的前提，天然气近源富集

烃源岩是气藏形成的重要物质基础，直接决定着储层天然气充注程度。苏X区块中部气源岩主要为本溪组-山西组煤系烃源岩，主力生气层段为本1、太2段煤层，煤层平均厚度6.8m，全区均有分布，表现广覆式生烃、供烃的特点，生气强度介于 $15\sim70\times10^8\mathrm{m}^3/\mathrm{km}^2$，呈东西两侧低、中间高的分布特征，中部生烃强度普遍大于 $45\times10^8/\mathrm{km}^2$，而东西两侧平均仅为 $17.5\times10^8/\mathrm{km}^2$，产水气井也由区块中部向东西两侧逐渐增多(图3)。从气藏剖面上可以看出，储集层与气源岩的距离在一定程度上控制着储层中气体的充满程度：距离烃源岩相对较近的山1段和盒8下亚段优质砂岩天然气充注程度高，气层和含气层发育，盒8上亚段气层含气饱和度偏低，以含气层和微含气层为主。总体表现为：含气饱和度按山1段-盒8下亚段-盒8上亚段的顺序逐渐降低。

2.1.2　储层非均质性决定气藏的分布和形成规模

储层非均质性影响天然气富集程度，从而影响储层分布和规模。在有利的成藏条件下，受沉积、成岩作用等影响，砂岩储层内部容易形成部分强致密层，物性较好砂岩被优先充注，而致密层由于毛管阻力较大，多出现成藏滞留水，造成其含气饱和度低。同时，河流沉积体系储层物性变化快，心滩、河道、天然堤微相储层非均质性逐渐增强，纵向上可形成多套气层-干层-水层的组合模式。气藏对比剖面上，由于储层的强非均质性，气层、差气层、水层横向上多数不连续，且单个气层规模较小。综合测井解释数据分析，气层的孔隙度主要集中在10~15%；含气层的孔隙度分布在6~10%；微含气层孔隙度介于2~8%之间，说明储层物性越好，其含气饱和度越高，反之，含气饱和度越低(图4)。

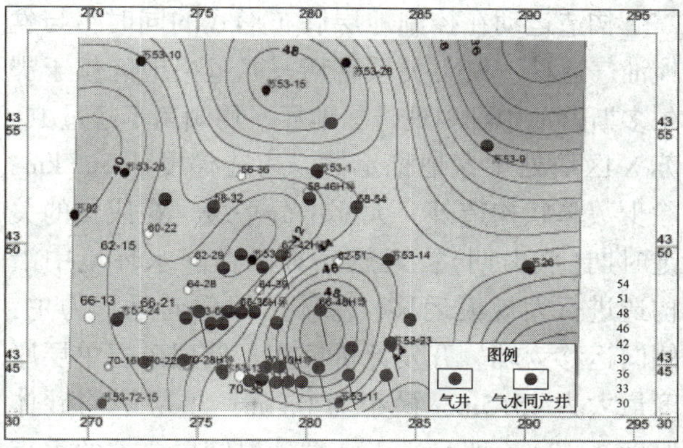

图3　苏X中部上古生界生烃强度图

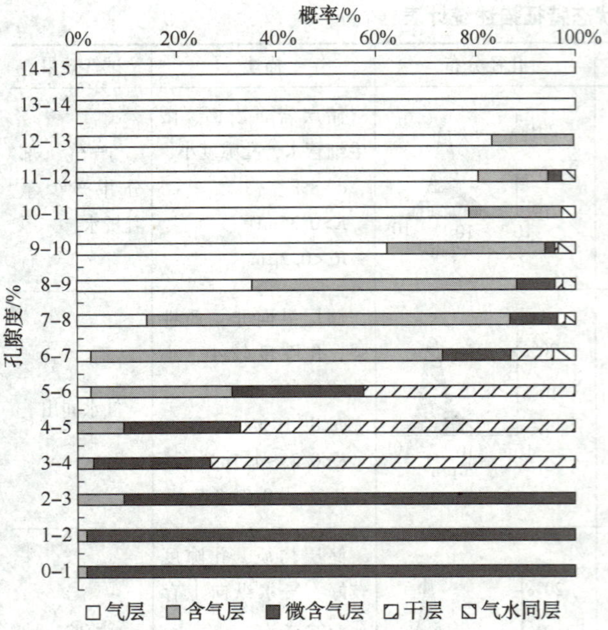

图4　苏X区块中部储层流体随孔隙度变化累积频率直方图

2.1.3　古今构造、砂体与小幅度构造配置关系控制了天然气的富集

构造运动在控制地层展布形式的同时，与盆地油气运移、聚集关系密切。苏里格地区位于鄂尔多斯盆地中部斜坡带，地层平均倾角不超过1°。苏X区块处于盆地稳定区，构造梯度4.5m/km，除少数鼻状构造外，大都十分平缓。在成藏的关键时期(燕山期)，天然气难以在静水环境中沿构造进行大规模运移，总体上以垂向运移为主，侧向运移为辅。开发评价证实，储层砂岩单层厚度最大为15.5m，最小为0.4m，单层平均砂体厚度2.60m，明显小于细粒砂岩储层要求的垂直临界高度12.5m。在构造平缓、砂体规模小的致密储层中，气体的压差小，天然气的向上浮力难以克服毛细管阻力的影响，导致气、水分异作用减弱，地层水饱和度偏高。

2.2　微观因素

2.2.1　储层孔喉结构是造成气水分布高度复杂的关键因素

在气藏圈闭构造坡度平缓、石英砂岩强亲水性的成藏环境下，毛细管力和天然气向上浮力对苏X区块中部气水分布具有明显控制作用。根据毛细管压力曲线形态及孔喉特征参数，将储层孔隙结构分为3种类型，分别为小孔-微细喉型、中孔-中喉型和大孔-粗喉型(表2、图5)，研究区以小孔-微细喉型和中孔-中喉型为主，吼道中值半径主要分布在0.03~0.4μm之间，地层条件下的储层毛细管阻力介于0.13~1.67MPa(图6)。实验分析表明，横向连通、物性相对较好的气层天然气向上浮力分布在0.07~0.29MPa之间(对应毛细管力0.25~0.8MPa)。当天然气向上浮力小于毛细管力时，会导致储层气水垂向分异不明显、气水两相混储，容易形成高含水气藏。

表2　苏X区块孔隙结构分类情况统计表

类型	孔隙结构	孔隙类型	中值半径/μm	孔隙度/%	渗透率/md
Ⅰ类	大孔-粗喉型	粒间孔、粒间溶孔	>0.7	>10%	>1.0
Ⅱ类	中孔-中喉型	岩屑溶孔、粒间溶孔	0.2~0.7	8%~10%	0.35~1.0
Ⅲ类	小孔-微细喉型	杂基溶孔、晶间孔为主	<0.2	<8%	<0.35

2.2.2　束缚水饱和度直接影响储集砂体的含气饱和度

束缚水饱和度的高低直接影响着气层含气饱和度的高低，束缚水的来源及其含量对低饱和度气层的成因至关重要。随着埋藏深度增加，成岩作用逐渐加强，自生黏土矿物会不断调整结构和成分，已达到新的平衡和稳定，主要为黏土矿物的类型和成分变化，即随着埋深增加，自生黏土矿物组合类型呈现出规律性的变化：从蒙脱石→伊/蒙混层→伊利石、高岭石、绿泥石。研究区X射线衍射数据表明，黏土矿物的类型主要为伊/蒙混层，其次为绿泥石、伊利石和高岭石(图7)。由于弱水动力沉积条件，大量的黏土矿物沉积下来，同时在长期成岩作用中，长石溶蚀后孔隙水中沉淀出自生黏土矿物，不仅增加孔隙迂回度、孔隙结构复杂化，而且为黏土矿物吸附大量束缚水提供了有利条件。由核磁共振实验分析的数据可知：气层的束缚水饱和度分布范围为31.75%~45.31%，低饱和度气层束缚水饱和度分布范围为45.31%~64.62%，如表3所示。因此，高束缚水饱和度是形成含气饱和度低的主要因素之一。

3　气水分布模式

依据苏X区块中部储层、构造特征，综合地层水赋存类型及主控因素研究认识，平面与剖面、微观与宏观紧密结合，将气水分布模式总结划分为构造低部位滞留水、致密低渗带滞留水和孤立透镜状水。

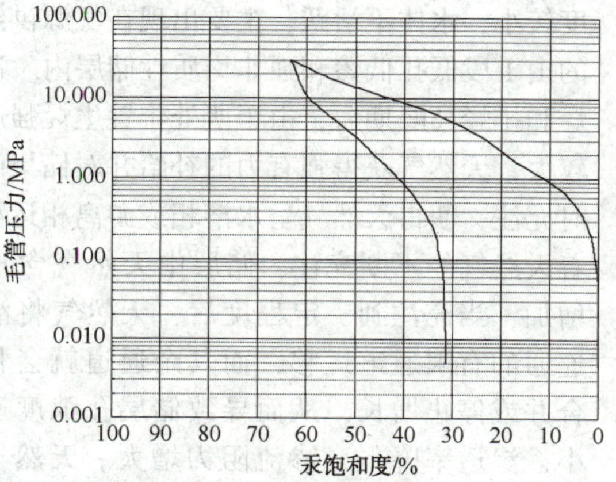

Ⅰ类：大孔-粗喉型
(58-46HD，3294.0m，ϕ：11.1%，K：1.12md)

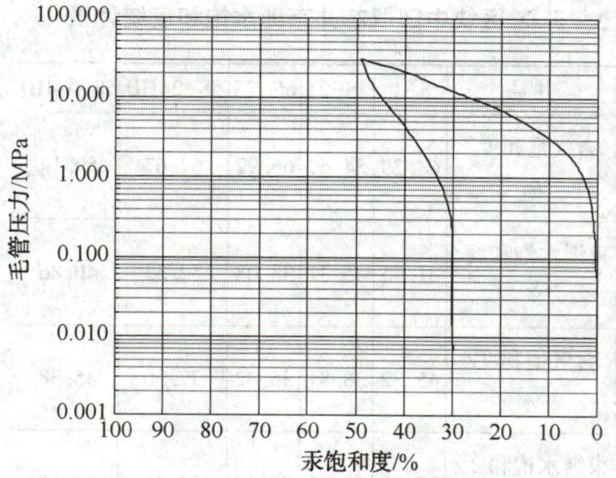

Ⅱ类：中孔-中喉型
(58-46HD，3294.5m，ϕ：8.81%，K：0.84md)

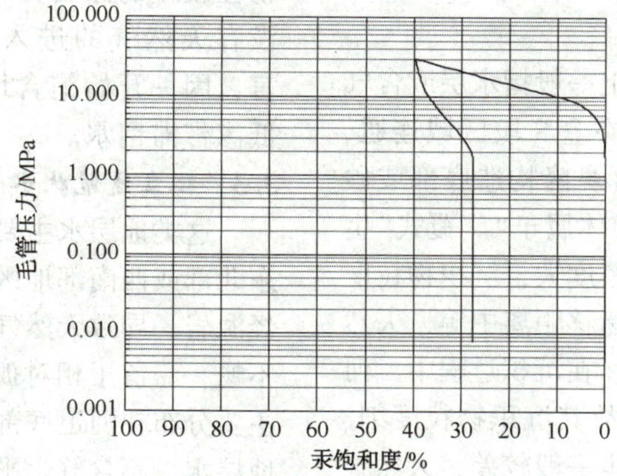

Ⅲ类：小孔-微细喉型
(58-46HD，3384.42m，ϕ：5.0%，K：0.15md)

图 5 不同类型井压汞法毛管压力曲线

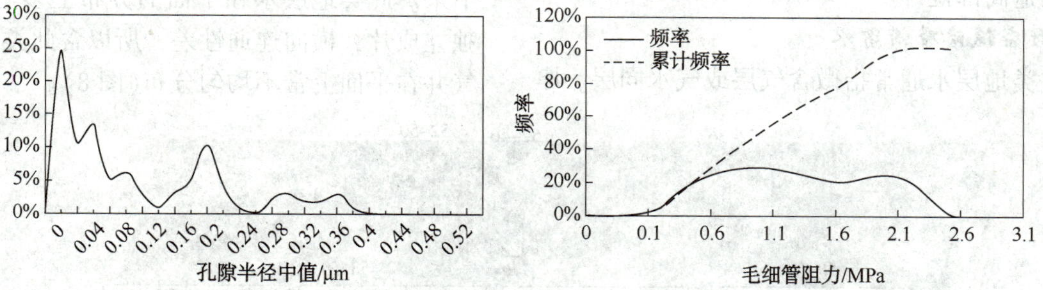

图 6 苏 X 区块中部储层喉道中值半径分布与毛细管阻力分布图图

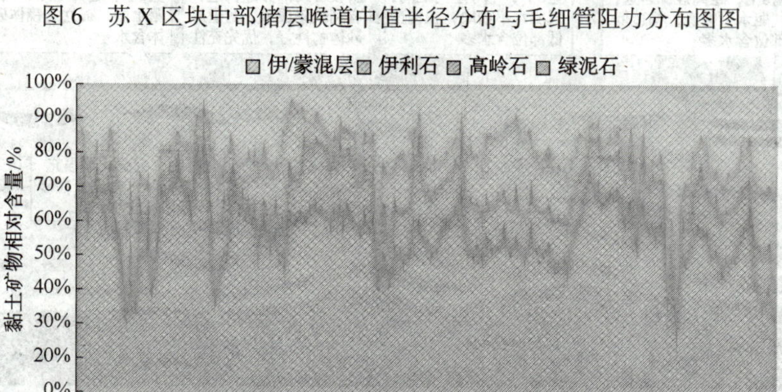

图 7 苏 X 区块中部粘土矿物相对含量分布图

表 3　苏 X 区块中部取芯井束缚水饱和度统计表

类型	井号	S-1	S-2	66-28	58-24HD	58-46HD
气层	含气饱和度/%	68.25	54.69	66.92	67.67	59.14
	束缚水饱和度/%	31.75	45.31	33.08	32.33	40.86
低饱和度气层	含气饱和度/%	45.32	38.81	36.42	37.30	35.38
	束缚水饱和度/%	45.31	60.65	56.12	53.33	64.62

3.1　构造低部位滞留水

这类地层水在测井解释上一般指水层或含气水层、厚度较大，主要分布在盒 8 段区域连通、物性相对较好的砂体低部位(鼻隆构造底部或砂体下倾尖灭)。苏里格气田整体属于“广覆式”生烃特点，而盒 8 下亚段砂体厚度大，沉积物粒度粗、物性最好，天然气垂向运移距离中等，天然气驱替地层水作用不够彻底。在沉积过程中，河道边部的水动力条件较弱，故其沉积物粒度细、泥质杂基含量高，储层物性也一般较差，天然气驱替地层水作用不彻底，使得地层水多分布在构造斜坡带的砂体边部，天然气主要富集于斜坡带鼻隆构造高部位。

3.2　致密低渗带滞留水

这类地层水通常指微含气层或气水同层、厚度较小，水体不活跃，主要出现在气源供给充足的山 1 段低孔低渗和强非均质性储层内。进入生烃和排烃高峰期后，由于所处位置生烃强度相对较大，天然气获得强有力的补给并对储集砂体及时充注，使得天然气呈水溶相或游离相运移。随着天然气的不断充注，储层中天然气含量逐步增加，当充注到一定程度后，天然气将沿着已连通的有限通道运移，而其余通道就会相应的合并或停止增长，从而导致储层孔隙度逐渐变小，渗透率降低，渗流阻力增大。天然气充注到最后，物性较好的储层含气性往往较好，而物性较差的储层含气性差，一些致密储层甚至没有天然气的进入。而对于物性较差砂体而言，因一开始饱含地层水，水量较大，易形成低渗带滞留水。

3.3　孤立透镜状水

这类地层水主要分布在研究区盒 8 上亚段的东北部或西南部地区，储集砂体规模较小且远离烃源岩，导致天然气充注强度不足，地层水排泄不畅，滞留于相对孤立的单砂体内。该类地层水主要分布在河道底部相对孤立的砂体中，完全为地层水，不含气。平面上分布多不连续，被不渗透或渗透性较差的泥岩和粉砂质泥岩所包围，地层水聚集在此类砂体后很难流出，因而被保存了下来。此类地层水在平面的分布上多呈孤立状，独立成片，横向连通性差，所以含此类地层水的气井在平面上常不均匀分布(图 8)。

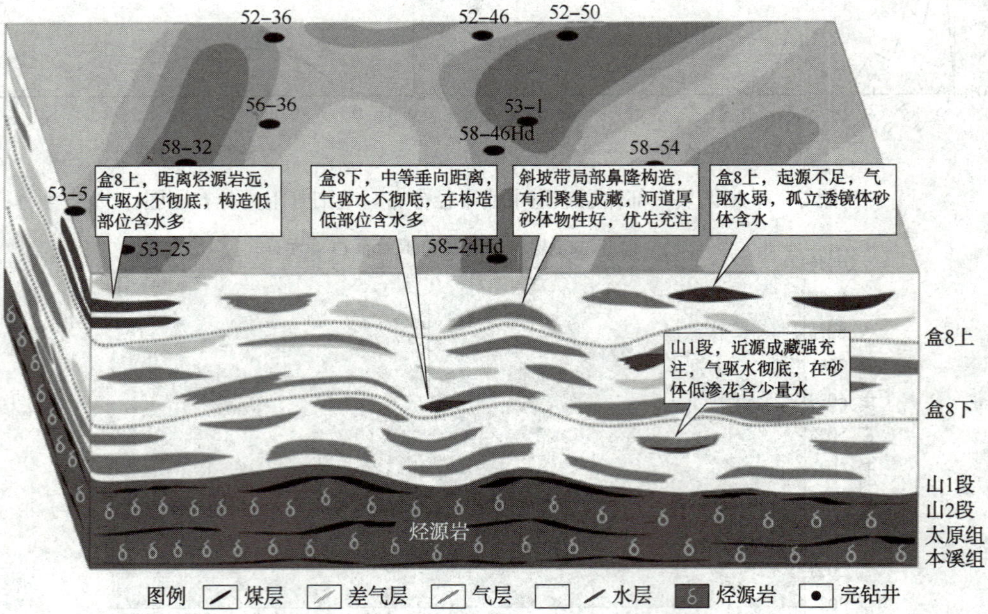

图 8　苏 X 区块中部气水分布及成藏模式图

4 开发技术对策

4.1 优化井型及开发部署方式，实现避水建产

依据气水分布与天然气成藏模式，综合地震含气性检测及测井解释可动水评价技术，开展精细地质研究，优选含气富集区 3 个，区域面积 77.0km^2；针对不同气水分布模式，结合经济效益评价结果，优选井型及开发部署方式，分区制定差异化开发技术对策。在开发甜点区内采用直定向井、水平井整体部署，集中建产，突出规模效益；针对甜点区与地层水富集区以外区域，实行直井、侧钻水平井评价部署，在局部构造高点、高含气区域，适度甩开部署建产。同时，基于核磁共振实验，建立可动水测井解释模型，优化压裂射孔方案，降低新井产水风险。通过开发实践，Ⅰ+Ⅱ类井比例由探评井阶段 54.1%提高到 81.3%，钻井成功率也由早期的 63%提高到 95%，甩开部署实施 5 口直井，初期日产气 3.0~5.0 万方，实现了高效布井。

4.2 差异化气井配产，延长无水采气期

苏里格气田储层变化快，气水关系复杂，若配产不合理，会造成能量损失、储层伤害、井底积液甚至水淹等问题，严重影响气井产能和气藏采收率。因此，合理优化气田采气速度，控制合理压降，延缓水侵速度，实现气田均衡开发。对于苏 X 区块中部高含水气藏，不同气水分布模式，地层水的活跃程度存在一定差异，基于多次变围压应力敏感、启动压力、滑脱效应、气水相渗及流动模拟实验建立直井和水平井产能评价模型，开展单井动储量分析及临界携液流量计算，以能量合理利用、压降均衡、采气速度均衡、有效控水、携液安全位原则，指导气井动态配产，实现控水采气。2022 年，苏 X 区块中部投产井 16 口，直井平均日产气 $1.7\times10^4 m^3/d$，水平井平均日产气 $5.5\times10^4 m^3/d$，累计生产天然气 $0.98\times10^8 m^3$，取得较好开发效果。

4.3 优化排水采气方案，提高储量动用程度

对于低饱和度致密砂岩气藏，气井产水是其主要开发特征，因此，动态监测是贯穿气藏开发整个生命周期的一项重要工作。加强动态监测，及早制定控排水对策，可以避免气藏大幅度水淹。国内外大量学者致密气渗流实验发现：气体须在发生膨胀且占据 50%以上孔隙空间时才能流动。由此得出，气藏部分气井产水后，继续降压开采，使被水封闭的天然气不断膨胀，冲破水封，进入生产井底。因此，提高此类气藏采收率的方法是从产水井中强化排水采气，地层能量逐渐消耗后，借助压力差和水在孔隙中的渗吸驱气作用，使“死气区”的天然气逐渐“复活”释放，能够有效提高采收率。根据苏 X 中部气井不同生命周期阶段的积液规律和不同排水采气工艺的适用条件，结合气井日产气量、液面高度、产水量、油套压等参数判断，建立不同的排水采气措施流程，排水采气有效率由 2021 年 53.6%上升至目前 89.1%；措施增产气量由 2021 年的 $0.43\times10^8 m^3$ 上升至 $0.66\times10^8 m^3$。

5 结论

（1）明确了高含水致密砂岩气藏成藏主控因素，宏观上，造成低饱和度气藏的主控因素为烃源岩生烃强度和储层物性，其次为气藏构造幅度低；受岩石物理性质、成岩和压实作用的影响，形成该类气藏的微观机理为储层微观孔喉偏低、孔隙结构复杂和高束缚水饱和度。

（2）根据储层、构造特征及地层水赋存类型，将气水分布模式总结划分为构造低部位滞留水、致密低渗带滞留水和孤立透镜状水，同时明确不同类型的分布特征。

（3）通过开发实践，优选井型及开发部署方式，探索形成了避水建产、控水采气、优化排水的地质工艺一体化技术思路。在新认识指导下，该区块开发效果得到显著提升，为实现致密高含水气藏储量和产量突破提供了有效途径。

参 考 文 献

[1] 何自新，付金华，席胜利，等. 苏里格大气田成藏地质特征[J]. 石油学报，2003，24(2)：6-12.
[2] 刘圣志，李景明，孙粉锦，等. 鄂尔多斯盆地苏里格气田成藏机理研究[J]. 天然气工业，2005，25(3)：4-6.
[3] 傅诚德. 鄂尔多斯深盆气研究[M]. 北京：石油工业出版社，2001：132-188.
[4] 刘孝汉，王欣，董钢，等. 鄂尔多斯盆地上古生界气水分布和地层压力[J]. 低渗透油气田，1998，3(2)：32-36.
[5] 闵琪，杨华，付金华. 鄂尔多斯盆地的深盆气[J]. 天然气工业，2000，20(6)：11-15.
[6] 侯伟，杨宇，周文，等. 子洲气田气水层测井识别方法[J]. 岩性油气藏，2010，22(2)：103-106.

[7] 谢庆宾，谭欣雨，高霞，等. 苏里格气田西部主要含气层段储层特征[J]. 岩性油气藏，2014，26(4)：57-64.

[8] 赵林，夏新宇，洪峰. 鄂尔多斯盆地中部气田上古生界气藏成藏机理[J]. 天然气工业，2000，20(2)：17-21.

[9] 李仲东，惠宽洋，李良，等. 鄂尔多斯盆地上古生界天然气运移特征及成藏过程分析[J]. 矿物岩石，2008，28(3)：77-83.

[10] 李贤庆，侯读杰，胡国艺. 鄂尔多斯盆地中部气田地层流体特征与天然气成藏[M]. 北京：地质出版社，2005：39-87.

[11] 石彬，陈芳萍，王艳，等. 鄂尔多斯盆地延长组下组合储层评价与有效开发技术策略[J]. 非常规油气，2016，3(3)：80-86.

[12] 王敏，段景杰，陈芳萍，等. 鄂尔多斯盆地边底水油藏开发方案效果评价—以东仁沟延 10 油层组为例[J]. 非常规油气，2016，3(2)：53-58.

[13] 刘晓鹏，赵小会，康锐，等. 鄂尔多斯盆地北部盒 8 段砂体形成机理分析[J]. 岩性油气藏，2015，27(7)：196-204.

[14] 侯加根，唐颖，刘钰铭，等. 鄂尔多斯盆地苏里格气田东区致密储层分布模式[J]. 岩性油气藏，2014，26(3)：1-6.

[15] 谢庆宾，谭欣雨，高霞，等. 苏里格气田西部主要含气层段储层特征[J]. 岩性油气藏，2014，26(4)：57-66.

[16] 王泽明，鲁宝菊，段传丽，等. 苏里格气田苏 20 区块气水分布规律[J]. 天然气工业，2010，30(12)：37-40.

[17] 刘红岐，彭仕宓，唐洪，等. 苏里格庙气田气层识别方法研究[J]. 西南石油学院学报，2005，27(1)：8-11.

[18] 柳娜，周兆华，任大忠，等. 致密砂岩气藏可动流体分布特征及其控制因素——以苏里格气田西区盒 8 段与山 1 段为例[J]. 岩性油气藏，2019，31(6)：14-25.

[19] 杨县超，张林，李江，等. 鄂尔多斯盆地苏里格气田储层微观孔隙结构特征[J]. 地质科技情报，2009，28(3)：73-76.

[20] 李士祥，邓秀芹，庞锦莲，等. 鄂尔多斯盆地中生界油气成藏与构造运动的关系[J]. 沉积学报，2010，28(4)：798-807.

260℃低摩阻温控压裂液

肖　兵[2]　郭粉娟[1,2]　王延平[1,2]　邱　伟[1,2]　董永刚[1,2]　王雪婷[1,2]

(1. 中国石化中原石油工程有限公司井下特种作业公司；2. 中国石化石油工程压裂酸化技术中心)

摘　要　为解决目前压裂液耐温能力不足，交联时间快、基液黏度高，导致施工压力高的问题，本文通过优选稠化剂，研制温控交联剂、温度稳定剂，形成了260℃高温压裂液配方，即：0.75%聚合物+(0.4~1.4)%温控交联剂+1.0%温度稳定剂，且通过交联剂的加量控制交联温度，并对该体系进行了耐温性、悬砂性及破胶性评价，均满足标准要求。成功应用于顺南蓬1、顺北16X等10井次(储层温度209℃)，降阻率高达67%。

关键词　低摩阻；压裂液；温控交联；高温

随着浅层石油资源大量被开发而不断减少，石油需求却不断增加，油气勘探开发不得不向深部地层发展，压裂面临的地层温度已越来越高，同时，对压裂设备、管柱及工艺技术也带来了极高的挑战性。非常规油气储层具有“三高一深”特点：埋藏深，均在7500~8800m；储层温度高，大部分在160℃以上，甚至达到230℃；地层压力系数达到1.44，地层破裂压力梯度2.4MPa/100m；井底延伸压力高(>150MPa)，地面施工压力达到120MPa($4 \sim 5m^3/min$)，是典型的超深超高温高压油气藏，压裂改造难度大。其储层特征及压裂施工特点对压裂液性能提出如下要求：1)更优异的耐温耐剪切性能，满足储层高温要求；2)较长的交联时间，满足长井段，高排量的施工方式；3)低基液黏度，满足地面泵送并降低摩阻。资料显示，目前，常规HPG类植物胶压裂液耐温能力有限(一般≤180℃)，且体系pH高(一般≥12)，不利于储层保护；而PAM类聚合物压裂液体系虽可满足180℃以上耐温要求，但存在高浓度下泵送困难、交联时间短、摩阻高等问题；因此，本文以合成聚合物为稠化剂，研制了交联控制剂、温度稳定剂并形成260℃温控交联压裂液体系。

1　实验部分

1.1　材料与仪器

实验材料：聚合物稠化剂(1#~6#)、胶囊破胶剂，工业级；氯化钠、氯化钙、氯化镁、碳酸氢钠、硫酸钠，分析纯；交联控制剂、温度稳定剂，工业级，实验室自制；低密度支撑剂30/50目，69MPa，金刚新材料股份有限公司。

主要实验仪器：RS6000高温流变仪，德国HAAKE公司；M5600高温高压流变仪，美国Grace公司。

1.2　试验方法

1.2.1　释放温度测定

用RS6000流变仪，在套筒中加满压裂液后，对样品加热，控制升温速度为3℃/min±0.2℃/min，从室温开始试验，同时转子以剪切速率$170s^{-1}$转动，压裂液在加热条件下受到连续剪切，以表观黏度出现升高的“拐点”时对应的温度表征为试样的黏度释放温度。

1.2.2　耐温能力测定：

RS6000流变仪，在套筒中加满压裂液后，对样品加热，控制升温速度为3℃/min±0.2℃/min，从30℃开始试验，同时转子以剪切速率$170s^{-1}$转动，压裂液在加热条件下受到连续剪切，以表观黏度降为50mPa·s时对应的温度表征为试样的耐温能力。

1.2.3　盐水的配制

1000mL蒸馏水，加入2.8g氯化钠、2.6g氯化钙、2.7g六水氯化镁、0.8g碳酸钠、2.5g硫酸钠，搅拌溶解后即得总矿化度10000mg/L、钙镁和量1250mg/L的盐水。

1.2.4　其他性能评价

高温流变性能测试方法参照中国石油天然气行业标准ST/T 5107—2016《水基压裂液性能评价方法》；破胶性能测试方法参照标准SY/T 6380—2008《压裂用破胶剂性能试验方法》。

2　结果与讨论

2.1　260℃压裂液室内研究

2.1.1　稠化剂研选

稠化剂也称增粘剂，是指能够使压裂液变成凝胶，从而增加其黏度的化合物。由于植物胶稠化剂耐温性能有限，本体系稠化剂以聚合物为研究对象。基于稠化剂高耐温、高抗盐、低粘弹要求，研选具有$-COO^-$、$-SO_3^-$、$-N^+(R)_3$等基团的四元聚合稠化剂。室内通过对0.75%浓度稠化剂的增黏性、耐盐性、耐温性进行对比，结果见表1，筛选出耐温性能好、表观黏度低的2#稠化剂作为该高温压裂液用稠化剂。

表1　稠化剂的综合性能对比

稠化剂编号	1#	2#	3#	4#	5#	6#
表观黏度/mPa·s	72	85	65	64	80	75
黏度保持率(盐水)/%	65	80	75	72	60	68
耐温/℃	167	185	166	155	174	170

2.1.2　温控交联剂的研制

本文以有机类锆、钛作为研究对象。有机钛特点是水解快、交联快，低温下有足够的交联能力，但压裂液抗温、抗剪切性能相对较差。有机锆的特点是低温下水解慢、交联慢，在高温下其水解速度加快，可弥补有机钛因高温而部分失去的交联作用，从而提高压裂液体系的抗温、抗剪切能力。这种特性恰可作为高温释放用交联剂，达到进一步降低施工管柱摩阻的目的。

因此室内在优选并复配主、配体的基础上，利用分子尺寸大小和空间位阻效应合成了温控交联剂。区别于常规的室温条延迟交联，该交联剂可在高温下延迟交联，且交联的温度可由交联剂加量控制，室内用HAAKE RS6000流变仪，设置剪切速率$170s^{-1}$、温度260℃、时间100min，进行高温流变性能测试，具体如表2和图1~图3所示。

表2　不同交联剂加量对应的交联温度

交联剂加量/%	0.8	1.2	1.4
交联温度/℃	80	120	150
流变曲线	图1	图2	图3

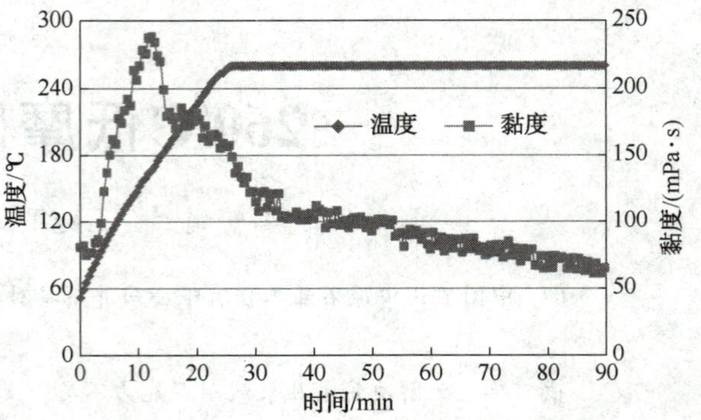

图1　260℃压裂液高温流变曲线(交联温度80℃)

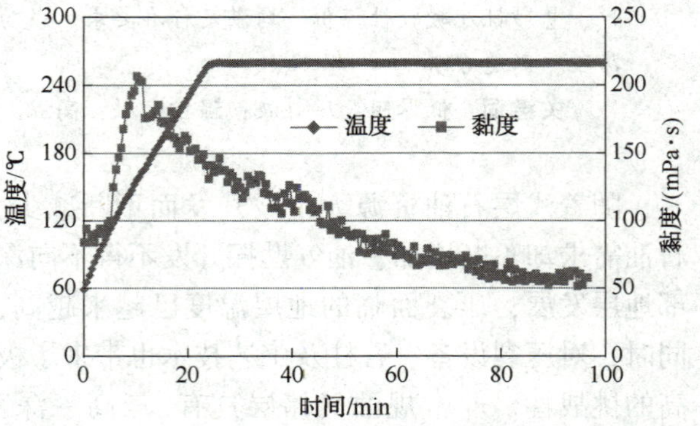

图2　260℃压裂液高温流变曲线(交联温度120℃)

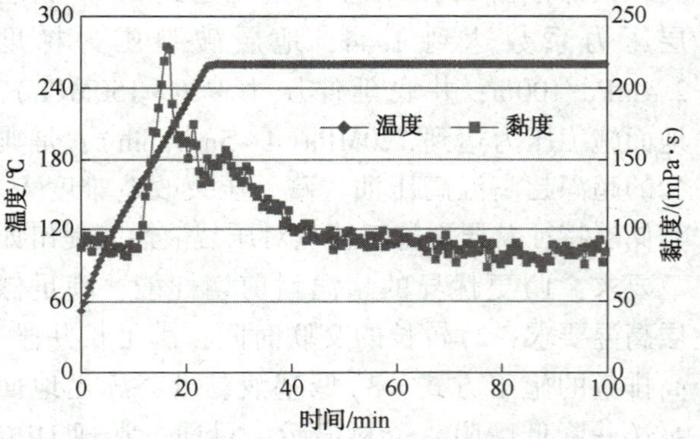

图3　260℃压裂液高温流变曲线(交联温度150℃)

2.2.3　温度稳定剂

聚合物压裂液在高温下的降解主要是氧化降解和热降解。为降低聚合物水溶液老化现象，提高压裂液体系在高温下的稳定性，室内通过对除氧剂、电子供体化合物、热稳定剂的优选及组成比例优化，研发了具有除氧、热稳定功能的耐温增强剂，来提高压裂液体系高温下的稳定性。

室内用HAAKE RS6000流变仪，设置剪切速率$170s^{-1}$、温度260℃、时间90min，对比不同耐温增强剂加量下压裂液的黏度提高值，结果如下表3。

表3　不同耐温增强剂加量下压裂液的黏度提高值

耐温增强剂加量/%	0.4	0.6	0.8	1.0	1.2	1.4
黏度提高值/mPa·s	35.8	59.4	84.6	105.7	109	115

由表3可知，不同的耐温增强剂加量下，压裂液的黏度均有不同程度的提高，当其加量大于1.0%时，黏度提高值变化不大，最终确定耐温增强剂的最优加量为1.0%。其中，1.0%加量下的对比曲线如图4所示，可见，加入温度稳定剂的260℃压裂液体系最终黏度为165.7mPa·s，相比空白组53.6mPa·s，黏度提高值为112.1mPa·s，温度稳定剂使用效果显著。

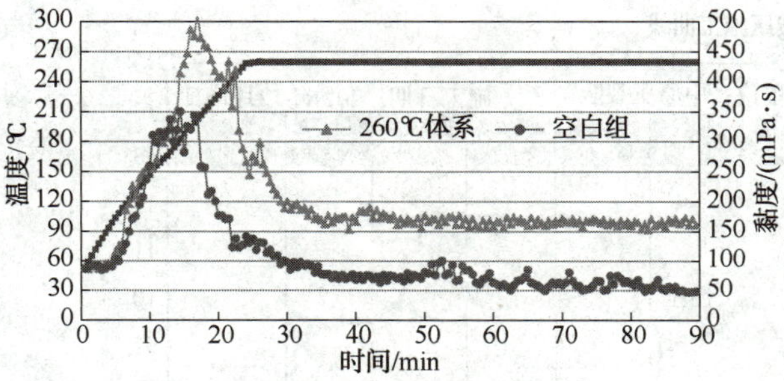

图4　260℃压裂液体系与不加稳定剂的流变曲线对比

2.2　压裂液体系的性能评价

2.2.1　配方

根据以上试验结果，最终形成了260℃压裂液体系配方：0.75%稠化剂+(0.4~1.4)%温控交联剂+1.0%温度稳定剂，其中，(0.4~1.4)%浓度的温控交联剂可控交联温度范围为(40~150)℃。

2.2.2　高温流变性能

采用RS6000流变仪，45℃升温至240℃后恒温，剪切速率170s^{-1}条件下测试该高温交联体系的流变性能，见图5。从结果分析，该压裂液体系在100℃以下，弱交联作用，黏度在95mPa·s左右，100℃以上黏度逐渐升高，并且连续剪切9min后黏度为180mPa·s，说明体系在压裂施工中，具有良好的耐温耐剪切性能，可满足长井段、高温储层加砂压裂改造需求。

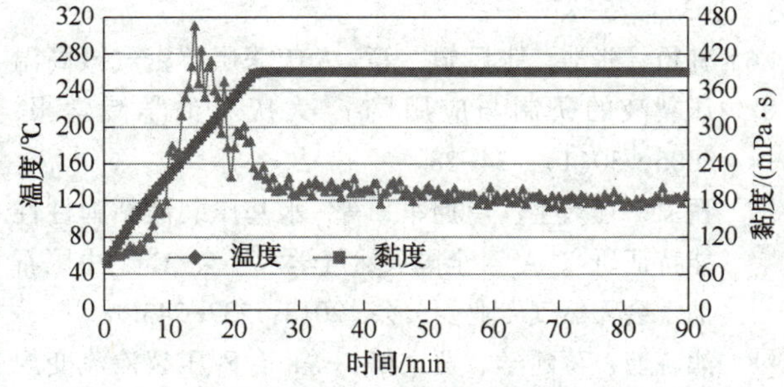

图5　260℃压裂液高温流变曲线

2.2.3　悬砂流变性能评价

为了达到较理想的压裂效果，现场施工会泵注携带支撑剂的压裂液进入地层，研究含砂压裂液的流变规律可以为压裂液在管道和裂缝中的携砂能力预测提供更加准确的理论依据。将压裂液和支撑剂看做整体进行流变试验，研究混合流体表观黏度随剪切速率变化的规律和机理。

室内使用M5600高温流变仪，将压裂液和支撑剂看作整体进行流变实验，即260℃压裂液+13.4%/20%支撑剂(φ(300~600)μm，69MPa，低密)，温度：260℃、剪切速率170s^{-1}，结果如下图6所示，连续剪切95min，含砂压裂液体系依旧具有较好的黏度。

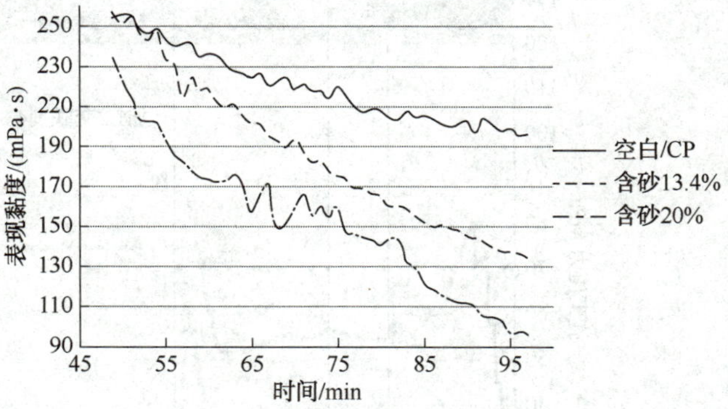

图6　260℃压裂液含砂流变曲线

2.2.4　破胶性能

压裂液使用的聚合物，具有可增稠、可输送支撑剂、可悬浮、可控制滤失及可进行层间隔离的特性，在作业完成之后难降解，往往会造成聚合物伤害。因此，压裂作业要求添加破胶剂来降解聚合物从而降其分子量，降低压裂液黏度，以便压裂液返排和支撑剂留在缝里，形成一定的裂缝和支撑剂孔隙渗透率，达到压裂增产的目的。

按260℃压裂液中，加入0.05%的破胶剂，搅拌均匀并移至老化罐中，密闭状态下200℃恒温2h，冷却后取出破胶液，用毛细管黏度计测定黏度，并按《SY/T5107—2016水基压裂液性能评价方法》进一步测定破胶液的残渣含量和表面活性，结果见表4。

表4　压裂液破胶后的性能

名称	黏度/(mPa·s)	残渣含量/(mg/L)
破胶液	2.1	126

从表2可以看出，所开发的260℃压裂液破胶彻底，残渣低。

3　现场应用

该高温压裂液体系现场应用10井次(顺南蓬A、顺北A、顺北B等)，最大井深8396m，最高井温 209℃（中石化最高施工井温记录），共注入高温压裂液 $6800m^3$，最大排量 $11.0m^3/min$，最高降阻率 67%。

其中，顺北 B 井施工井段 7000.00~7533.00m，储层温度高达 209℃。酸压施工中采用 260℃温控交联压裂液体系。第四阶段正挤压裂液和第六、七、八阶段正挤交联酸相比，压裂液阶段排量 $8m^3/min$，油压约 95MPa，交联酸排量为 $7.5m^3/min$，油压约 110MPa，可知，和交联酸相比，高温压裂液阶段具有更高的施工排量，更低的施工摩阻，说明压裂液降阻效果良好。

同时通过 PT 压裂软件压后摩阻计算分析，压裂液排量在 $8m^3/min$ 时，体系降阻为 67%，可见其优良的降阻效果，有效解决了高浓度、大排量下泵送困难、交联时间短、摩阻高等问题，降低了压裂施工难度，保障了施工顺利完成。

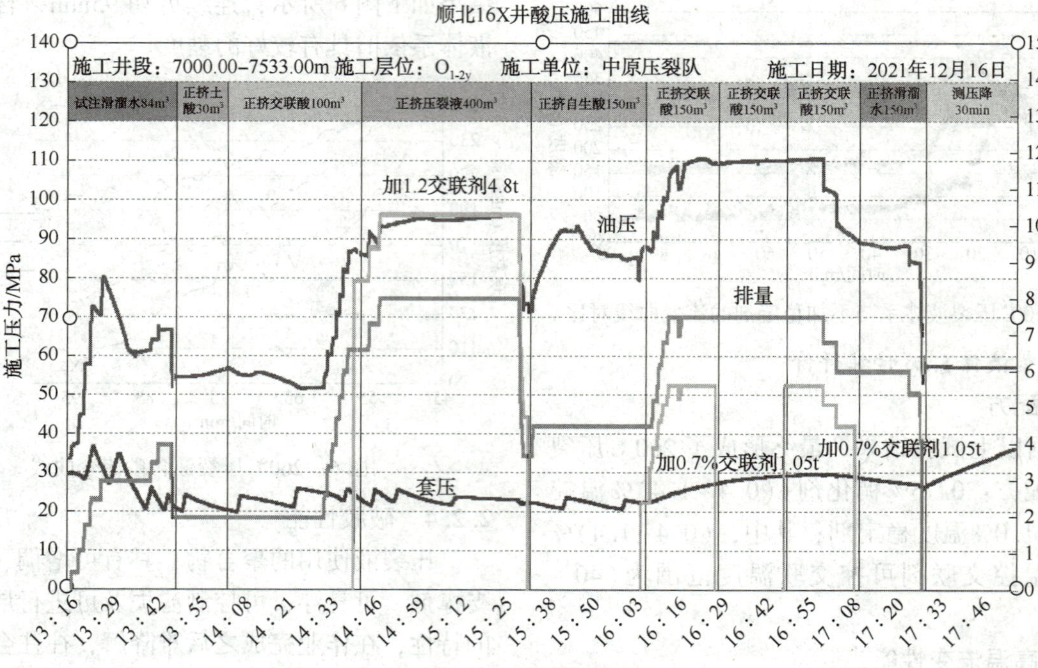

图 7　顺北 B 井压裂施工曲线

4　结论

（1）通过自主研发的温控交联剂，可使体系交联温度在（40~150）℃之间可控，在高排量压裂施工中，可有效降低管柱摩阻，减小施工压力。

（2）该体系优良的耐温耐剪切性能，以及含砂流变性能，可满足长井段、高温储层加砂压裂改造需求。

（3）破胶液黏度仅 2.1mPa·s，破胶彻底，对储层伤害低。

（4）现场应用效果良好，体系降阻率高达 67%。

参 考 文 献

[1] 王益山，罗亚平，周俊然，等. 储层改造特殊技术[M]. 北京：石油工业出版社，2017：219.

[2] Prakash C，Achalpurkar M P，Uppuluri R. Performance Evaluation of High Temperature Fracturing Fluid[C]. *SPE*171710，2014：1-9.

[3] Liang F，Al-Muntasheri G，Ow H，et al. Reduced Polymer Loading，High Temperature Fracturing Fluids using Nano-crosslinkers[C]. *SPE*177469，2015：1-13.

[4] Song L，Yang Z. Synthetic Polymer Fracturing Fluid for Ultrahigh Temperature Applications[C]. *SPE*188597，2016：1-10.

[5] 段贵府，胥云，卢拥军，等. 耐超高温压裂液体系研究与现场试验[J]. 钻井液与完井液，2014，31(3)：75-77.

[6] 韩松，张浩，张凤娟，等. 大庆深层致密气藏高温压裂液的研制与应用[J]. 大庆石油学院学报，2006，30(1)：34-38.

[7] 翟文、程兴生、卢拥军，等. 水基压裂液粘弹性性能特征研究[A]. 全国天然气学术年会[C]. 中国石油学会天然气专业委员会. 2013：237-243.

[8] 熊晓菲、蒋廷学、贾文峰，等. 含砂压裂液流变规律实验研究[J]. 钻井液与完井，2018，35(4)：114-125.

[9] 刘静、周晓群、管保山，等. 压裂液破胶性能评价方法探讨[J]. 石油化工应用，2012，31(4)：17-20.

抗高温表面水化抑制剂及作用机理研究

王晓军　许　佳　鲁政权　景烨琦　孙云超　任　艳　刘宏宇

（中国石油集团长城钻探工程有限公司）

摘　要　针对常规抑制剂控制黏土表面水化不足导致的井壁失稳问题，研制了表面水化抑制剂，其分子结构中具有大量的强吸附基团和疏水基团，分子量小，无毒环保且具有良好的热稳定性。抑制作用机理分析表明，抗高温表面水化抑制剂通过强吸附基团优先进入黏土片层间，交换出层间的水合钠离子，结合静电引力有效减小黏土的静电斥力及表面水化短程斥力；通过降低水溶液表面张力和改变黏土润湿性，控制泥页岩自吸能力和比亲水量，减少水相的侵入；吸附及抗解吸附能力强，能长时间吸附于黏土表面，提升黏土表面的疏水性，减少自由水的侵入。室内评价实验表明，自主研发的抗高温表面水化抑制剂具有良好的抑制造浆，控制黏土水化膨胀和防止泥页岩崩散等性能，具有良好的应用前景。

关键词　插层吸附；表面水化；结构表征；抑制机理；井壁稳定

泥页岩地层钻井过程中，由于黏土矿物水化膨胀、分散会引起诸多复杂事故发。黏土矿物水化有渗透水化和表面水化两种形式，通过向钻井液中添加有机盐或者低活度无机盐，使钻井液与泥页岩地层处于活度平衡状态，能够较好解决泥页岩渗透水化引起的井壁失稳；而表面水化的水化势极大，遇水极易发生，常规抑制剂受限于分子结构和分子量，很难控制表面水化作用。近年来发展起来的胺基聚醚类抑制剂通过氢键和水解出的铵根的静电引力将黏土片层束缚在一起，通过减少水分子进入降低了黏土矿物表面水化程度，但抑制效果与油基钻井液相比仍然存在着较大差距。笔者研发了一种能够较好控制黏土表面水化的抑制剂，在对其结构表征的基础上进行了作用机理深入分析，并通过评价实验进行了验证。

1　实验部分

1.1　实验原料与仪器

主要原料：四氢呋喃，化学纯试剂，阿拉丁试剂(上海)有限公司；1,3-丙磺酸内脂，分析纯试剂，上海联迈生物工程有限公司；吩噻嗪，分析纯试剂，上海展云化工有限公司；四乙烯五胺，工业品，日本东曹株式会社。

主要仪器：JJ1A 增力电动搅拌器、DV-20 数显恒温水浴锅，氮气瓶，三口烧瓶，Thermo Scientific Nicolet iS20 型红外光谱仪，日本岛津 xrf-1800 仪、NETZSCH STA 449F5 型热重测试仪、waters1525 型凝胶色谱仪、Bruker autoflex maX MALDI-TOF(TOF)型质谱仪、AAS 6000 型原子吸收光谱仪、AVANCEIIIHD500 型核磁共振仪、BZY-1 型表面张力仪、HZ-9912S 水浴振荡器、Mastersizer 3000 型纳米粒度电位仪和 Dataphysics 接触角测量仪

1.2　实验方法

（1）制备原理与方法

根据蒙脱石晶层间距和插层吸附抑制机理研究分析得出，为最大程度地拉紧相邻晶层，抗高温表面水化抑制剂分子量不能太大，而且分子结构需是二维的平面结构；为了提高高温稳定性和耐盐性，分子结构上需要具有耐温基团。

在 N_2保护下向圆底烧瓶中按照一定顺序先后加入四氢呋喃、四乙烯五胺和吩噻嗪，在设计温度下反应一定时间后加入 1，3-丙磺酸内酯，即得抗高温表面水化抑制剂 GW-INH。

（2）表面水化抑制剂结构表征方法

红外光谱测试的波数范围 4000～400cm^{-1}，扫描次数 32，分辨率 4cm^{-1}，X 射线衍射测试的 X 射线管采用 4KW 薄窗口，铍窗 75μm，Rh 靶，管电流 140mA。测角仪定位重现性±0.0001°，最大扫描速度 300°/min，元素测定范围：4Be～92U；热重测试条件为 N_2 氛围，升温速度为 10℃/min，温度范围为 30～600℃；高效凝胶色谱测试条件为水作为溶剂，缓冲液作为流动相，流量为 1mL/min，色谱柱温度为 150℃；质谱测试条件为测试离子源为 ESI，测试模式为正谱；

原子吸收光谱测试条件为波长范围 190nm～900nm，测试动态稳定性 0.005Abs；氢核磁共振测试所用氘代溶剂为 D_2O。

（3）表面水化抑制剂作用机理分析

利用 BZY-1 型表面张力仪，采用铂金板法测定不同浓度抗高温表面水化抑制剂水溶液的表面张力；采用紫外分光光度法测定抗高温表面水化抑制剂与黏土颗粒的吸附曲线；采用 X 射线衍射分析测定层间距；采用 Mastersizer 3000 型纳米粒度电位仪测试悬浮液的 Zeta 电位；使用接触角测量仪的内置软件计算接触角大小；利用紫外分光光度法测定其吸附量和解吸附量；通过测定泥页岩(浸入表面水化抑制剂溶液)质量随时间变化曲线来表征抑制自吸性能。

2　抗高温表面水化抑制剂的结构表征

2.1　傅里叶红外光谱测试

取少量抗高温表面水化抑制剂置于金刚石 ATR 模块中，波数范围 4000～400cm^{-1}，扫描次数 32，分辨率 4cm^{-1}，采用 Thermo Scientific Nicolet iS20 型红外光谱仪测定抗高温表面水化抑制剂的红外光谱图，测试结果如图 1 所示。

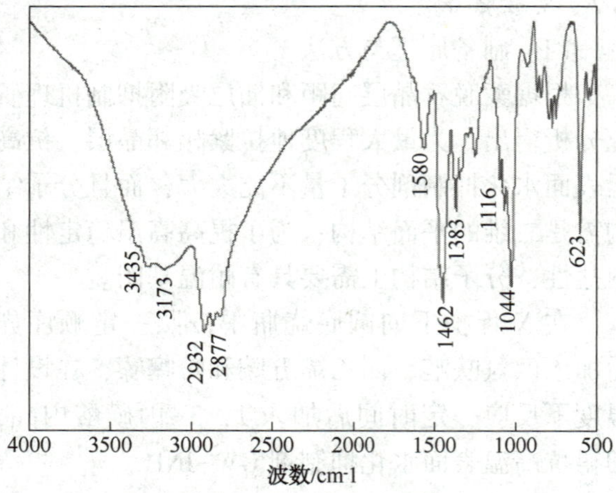

图 1　抗高温表面水化抑制剂的红外光谱图

从图 1 中可以看出，3435cm^{-1}处的吸收峰为—NH_2的伸缩振动吸收峰，2932cm^{-1}和 2877cm^{-1}处的吸收峰是—CH_3 的振动吸收峰，1580cm^{-1}为—NH_2的弯曲振动峰，1462cm^{-1}为—CH_3 的不对称伸缩振动峰，1383cm^{-1}为—OH 的面内弯曲振动峰，1116cm^{-1}为 C—N 的伸缩振动吸收峰，1044cm^{-1}归因于 C—N 的不对称伸缩振动吸收峰，623cm^{-1}附近的吸收峰为—SO_3的特征峰。因此推测抗高温表面水化抑制剂中含有伯胺基、叔胺基、醇基、磺酸基及长链疏水基。

2.2　X 射线衍射测试

取少量抗高温表面水化抑制剂置于测试架上，采用日本岛津 xrf-1800 仪测定抗高温表面水化抑制剂的元素组成。X 射线管采用 4KW 薄窗口，铍窗 75μm，Rh 靶，管电流 140mA。测角仪定位重现性±0.0001°，最大扫描速度 300°/min，元素测定范围：4Be～92U。XRF 测试结果如表 1 所示。

表 1　抗高温表面水化抑制剂的 XRF 测试结果

元素	测试结果
N	9988.705mg/L
S	72.9476mg/L
Si	15.3393mg/L

由表 1 所示，所测样品中含有 N，S，Si 元素，其中 N 元素含量最高(9988.705mg/L)，进一步说明抗高温表面水化抑制剂分子结构中含大量的胺基。

2.3　热重测试

取少量抗高温表面水化抑制剂置于坩埚中，采用 NETZSCH STA 449F5 型热重测试仪测定抗高温表面水化抑制剂的热稳定性。测试条件为 N_2氛围，升温速度为 10℃/min，温度范围为 30～600℃。热失重曲线如图 2 所示。

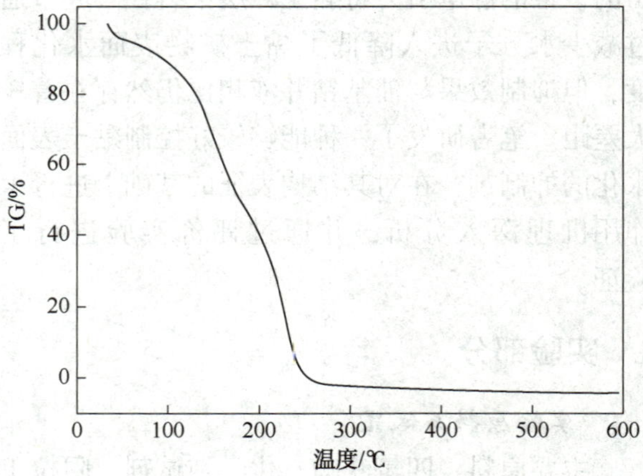

图 2　抗高温表面水化抑制剂的热失重曲线

从图 2 中可以看出，室温至 100℃的热失重约为 7.57%，是少量的吸附水蒸发所致。100℃～190℃的热失重可归因于所测样品的部分链段分解。200℃左右热失重曲线下降趋势明显，说明所测样品的分子结构高温下开始分解。因此，所测抗高温表面水化抑制剂具有较好的热稳定性，190℃以下聚合物骨架结构不会发生热分解。

2.4 高效凝胶色谱测试

采用 waters1525 型凝胶色谱仪测定抗高温表面水化抑制剂的相对分子量。测试条件为：以水作为溶剂，磷酸盐缓冲液作为流动相，流量为 1mL/min，色谱柱温度为 150℃。GPC 测试结果如图 3 和表 2 所示。

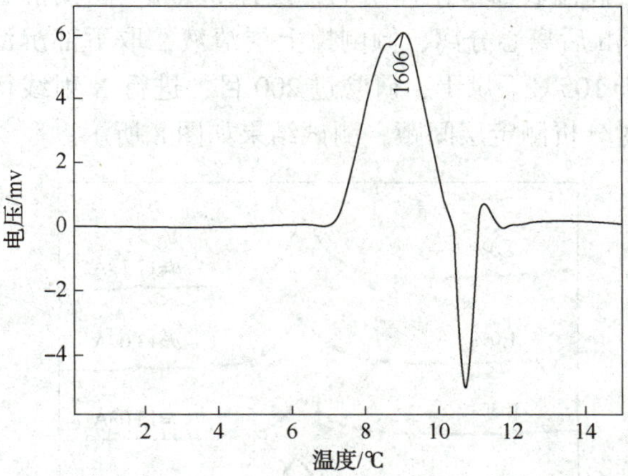

图 3 抗高温表面水化抑制剂的 GPC 测试曲线

表 2 抗高温表面水化抑制剂的 GPC 测试结果

分子量	Mn/(g/mol)	Mw/(g/mol)	MP/(g/mol)	Polydispersity
	1292	7064	1606	5.4669

从图 3 和表 2 中可以看出，抗高温表面水化抑制剂的重均分子量 Mw 为 7064，数均分子量 Mn 为 1292，GPC 曲线中峰值分子量 MP 为 1606，分散指数为 5.4669。

2.5 质谱测试

采用 Bruker autoflex maX MALDI-TOF 型质谱仪测定抗高温表面水化抑制剂的分子量分布。实验条件为：测试离子源为 ESI，测试模式为正谱。测试结果如图 4 所示。

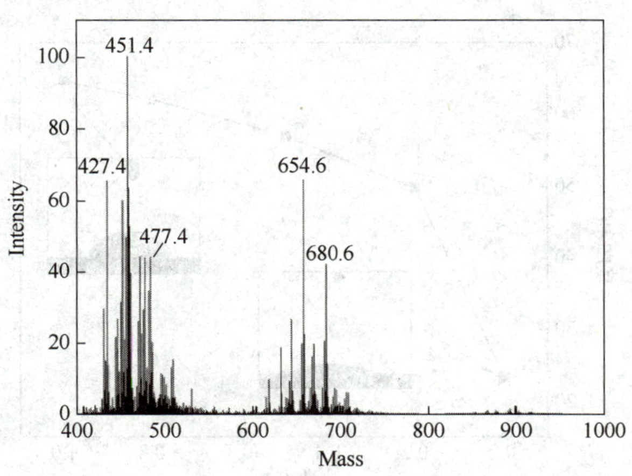

图 4 抗高温表面水化抑制剂的质谱图

从图 4 中可以看出，质谱图中出现了质荷比依次为 680.6，654.6，477.4，451.4，427.4 的主峰。因此，抗高温表面水化抑制剂的平均分子量小于 1000，分子量大于 1000 的部分比例较小。

2.6 原子吸收光谱测试

采用 AAS 6000 型原子吸收光谱仪测定抗高温表面水化抑制剂中重金属的含量。实验条件为：波长范围 190nm~900nm，测试动态稳定性 0.005Abs。测试结果如表 3 所示。

表 3 抗高温表面水化抑制剂的原子吸收光谱测试结果

重金属	Cu	Ni	Pb	Zn	Mn	Cr
含量/%	0	0	0	0	0	0

由表 3 所示，抗高温表面水化抑制剂中不含 Cu，Ni，Pb，Zn，Mn，Cr 等重金属，满足国家的排放标准要求。

2.7 氢核磁测试

采用布鲁克 AVANCEIIIHD500 型核磁共振仪测定抗高温表面水化抑制剂的氢核磁谱图，实验所用氘代溶剂为 D_2O。测试结果如图 5 所示。

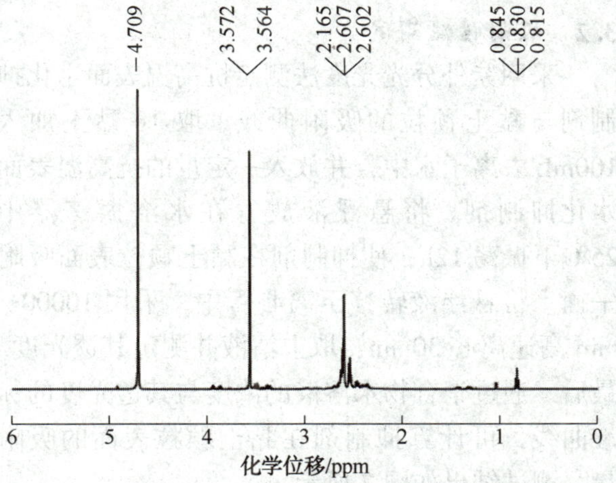

图 5 抗高温表面水化抑制剂的氢核磁谱图

从图 5 中可以看出，各基团 H 的化学位移 δ 归属为：3.572，C—OH；3.564，C—N；2.607，$—CH_3$；0.830，$—NH_2$。进一步说明抗高温表面水化抑制剂中含有叔胺基、伯胺基、醇基及长链疏水基。

3 抗高温表面水化抑制剂作用机理分析

3.1 表面张力测试

采用 BZY-1 型表面张力仪，通过铂金板法测定不同浓度的抗高温表面水化抑制剂水溶液的表面张力，测试结果如图 6 所示。

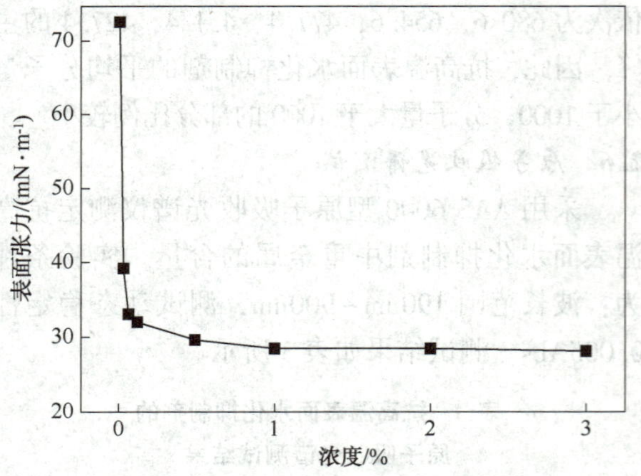

图6 不同浓度抗高温表面水化抑制剂溶液的表面张力曲线

从图6中可以看出，随着抑制剂浓度的增加，溶液的表面张力不断降低，尤其是在低浓度下，溶液的表面张力下降趋势明显，当抑制剂水溶液浓度仅为0.05%时，表面张力便可降低至33.2mN/m，说明自主研发的储层吸附抑制剂能有效降低溶液的表面张力。降低钻井液的表面张力可有效降低低孔低渗地层的毛细管力，从而有利于减少滤液的侵入，提升泥页岩井壁稳定性。

3.2 吸附性能测试

采用紫外分光光度法测定抗高温表面水化抑制剂与黏土颗粒的吸附曲线。取1g黏土加入100mL去离子水中，并放入一定量的抗高温表面水化抑制剂。将悬浮液放置在水浴振荡器中25℃下振荡12h，使抑制剂在黏土颗粒表面吸附平衡。将悬浮液转移至离心管中，采用10000r/min高速离心30min，取上清液并测定其透光度。最后，通过聚合物水溶液的浓度与其透光度的标准曲线，可计算抑制剂在黏土颗粒表面的吸附量，测试结果如图7所示。

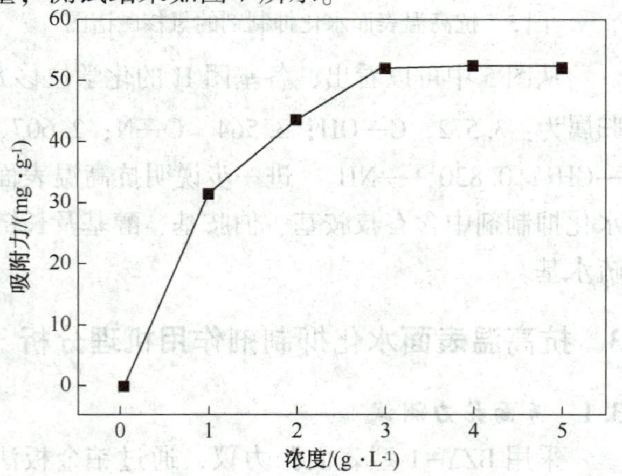

图7 抗高温表面水化抑制剂在黏土颗粒表面的吸附曲线

从图7中可以看出，随着抗高温表面水化抑制剂浓度的增加，黏土颗粒的吸附量也迅速增加，增加趋势逐步平缓至饱和吸附，饱和吸附量为52.6mg/g，说明其吸附能力较强。

3.3 层间距测试

在2%钠膨润土悬浮液中分别加入不同浓度抗高温表面水化抑制剂，搅拌30min，密闭静置24h后离心分离，倾倒掉上层清液，取下部沉淀于105℃下烘干，研磨过200目，进行X射线衍射分析测定层间距，测试结果如图8所示。

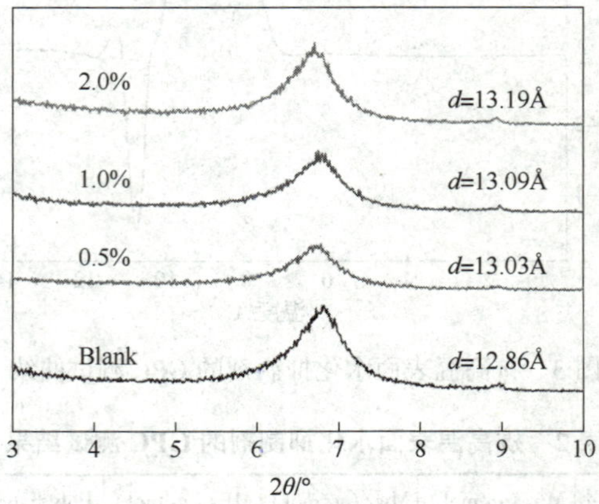

图8 抗高温表面水化抑制剂对钠膨润土层间距的影响

从图8中可以看出，原始膨润土的层间距为12.93Å。不同浓度的抗高温表面水化抑制剂对黏土进行改性后层间距分别增至13.07Å、13.14Å、13.45Å和13.73Å，说明抑制剂已插入膨润土的层间。

3.4 对黏土润湿性影响测试

在1%黏土悬浮液中加入不同浓度抗高温表面水化抑制剂，使用接触角测量仪的内置软件计算接触角大小，测试结果如图9所示。

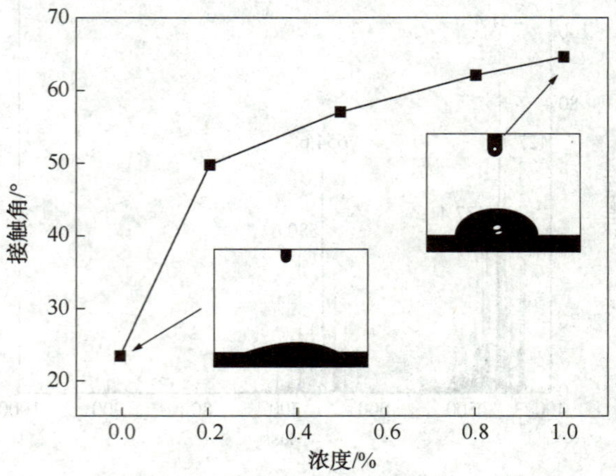

图9 抗高温表面水化抑制剂对黏土润湿性的影响

从图 9 中可以看出，原始黏土的水接触角为 23.07°，展现出较强的亲水性。改性黏土的水接触角随抑制剂浓度的增加不断增大，浓度 1%的抑制剂与黏土作用后，改性黏土的水接触角增加至 64.21°。因此，抗高温表面水化抑制剂在黏土表面吸附后，黏土表面发生润湿性改变后将形成一层疏水层，可减少水分子吸附。

3.6　解吸附性能测试

取 1g 黏土加入 100mL 去离子水中，然后加入不同浓度的抗高温表面水化抑制剂。将悬浮液放置在水浴振荡器中振荡 12h，使抑制剂在黏土颗粒表面吸附平衡，利用紫外分光光度法测定其吸附量。然后，加入蒸馏水稀释到无限稀，在恒温滚动下让其解吸一定时间后，离心分离，利用上层清液进一步测量其解吸附量，测试结果如图 10 所示。

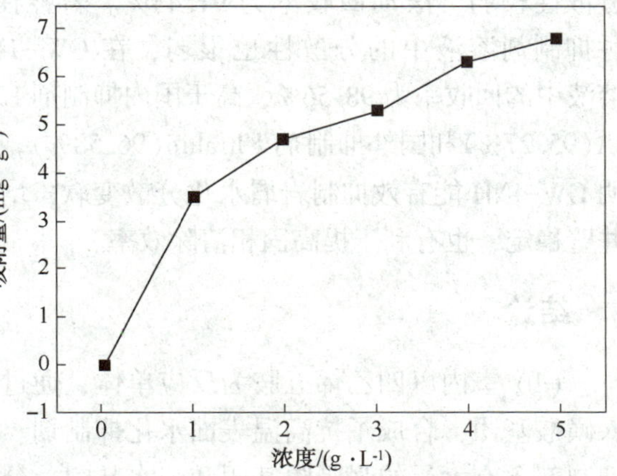

图 10　抗高温表面水化抑制剂在黏土颗粒表面的解吸附曲线

从图 10 中可以看出，随抗高温表面水化抑制剂浓度的增加，解吸附量也逐渐增加，但增幅较小，解吸附量最高仅为 6.8mg/g。因此，抗高温表面水化抑制剂的吸附能力较强，一旦吸附后很难解吸，能发挥长效抑制作用。

3.7　抑制自吸性能测试

将泥页岩样品放置于 105℃ 烘箱中干燥 12 小时，记录泥页岩样品的初始质量；然后将泥页岩悬挂在天平上，保持泥页岩下端浸入不同浓度的抗高温表面水化抑制剂溶液的液面 1mm；将天平清零后，测试泥页岩质量随时间的变化趋势，测试结果如图 11 所示。

从图 11 中可以看出，空白泥页岩自吸水能力较强，总吸水量高达 9.24%；将其置于不同浓度的抑制剂溶液中，泥页岩的自吸水能力显著

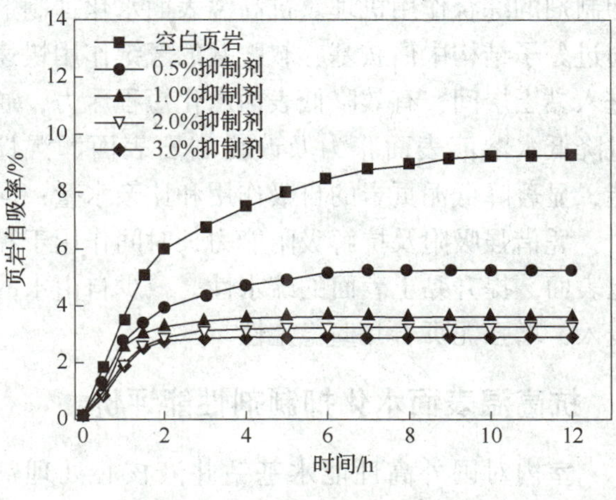

图 11　泥页岩自吸实验结果

降低，吸水速率趋于平缓。在浓度为 1%的抗高温表面水化抑制剂溶液中，泥页岩总吸水量仅为 3.63%。因此，抗高温表面水化抑制剂能显著降低泥页岩的自吸能力，可提高泥泥页岩地层的井壁稳定性。

3.8　降低比亲水量性能测试

将泥页岩粉碎过 100 目，并在 105℃ 下烘干备用。利用抽真空干燥器装置测定恒温饱和水蒸气压条件下的平衡吸水量，求得单位质量岩样的吸水量，除以比表面积便可得比亲水量。室内对比了不同浓度抗高温表面水化抑制剂作用后泥页岩比亲水量的变化，实验结果如表 4 所示。其中，S_w 为比亲(吸)水量，g/cm^2；W_2 为干燥器内放蒸馏水时的平衡称重，g；W_1 为干燥器内放浓 H_2SO_4 时的平衡称重，g；W_0 为铝盒重，g；SS 为岩样比表面积，m^2/g。

表 4　泥页岩比亲水量实验结果

抑制剂浓度/%	W_0/g	W_1/g	W_2/g	SS/(m^2/g)	S_w/(10^{-7}g/cm^2)
0	13.215	14.198	14.413	58.664	3.728
0.5	13.116	14.023	14.138	58.027	2.185
1	12.947	13.848	13.937	58.513	1.688
2	12.869	13.757	13.784	57.107	0.532
3	13.210	14.013	14.026	57.658	0.281

由表 4 所示，空白泥页岩比亲水量高达 3.728×10^{-7}g/cm^2，与浓度为 3%的抗高温表面水化抑制剂作用后，泥页岩比亲水量降低率高达 92.5%。因此，抗高温表面水化抑制剂能有效降低泥页岩的比亲水量，从而抑制表面水化作用。

3.9　抗高温表面水化抑制剂作用机理小结

基于上述测试结果，分析了抗高温表面水化

抑制剂的综合作用机理。抗高温表面水化抑制剂通过分子结构中伯胺基、叔胺基的氢键作用快速进入黏土层间，有效降低表面水化短程斥力；通过降低水溶液表面张力及改变岩石表面润湿性能，显著降低泥页岩的自吸作用和比亲水量；同时，凭借强吸附及抗解吸附能力长时间作用于黏土表面，提升黏土表面的疏水性，减少自由水的侵入，增强泥页岩井壁稳定性。

4　抗高温表面水化抑制剂性能评价

室内对国外高性能水基钻井液核心处理剂 Ultrahib、国内应用效果良好的聚胺抑制剂 LX-JA 和自主研发的表面水化抑制剂 GW-INH 三种处理剂进行性能测定，通过对比抑制造浆性能、防膨性能和防崩散性能，来综合比较三种处理剂的防塌效果。

4.1　抑制膨润土造浆性能

采用钻井液用钠膨润土，参考参考文献，分别测试了去离子水、LX-JA、Ultrahib 和 GW-INH 的抑制造浆性能。由图 12 可见，去离子水中随着膨润土加量的增加，黏土水化分散并形成一定的空间网络结构，体系动切力迅速增大，逐渐失去流动性；而加有 GW-INH 体系的动切力变化趋势相对缓慢，表明抗高温插层吸附抑制剂能有效抑制黏土水化造浆，对膨润土的容量较大，其抑制效果优于国内外的聚胺抑制剂。

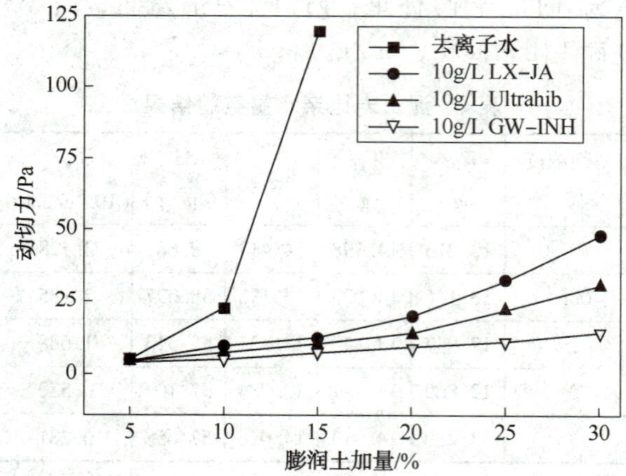

图 12　钻井液动切力随膨润土加量的变化

4.2　防膨性能

在去离子水中加入 0.5% 抑制剂（GW-INH、Ultrahib、LX - JA），用钠膨润土压制岩样（6000psi/30min），通过泥页岩膨胀仪进行水化膨胀性能的测试，结果如图 13 所示。3 种抑制剂均具有良好的控制膨润土水化膨胀的效果。其中，GW-INH 的抑制效果最强，48h 线性膨胀率仅为 8.0%。

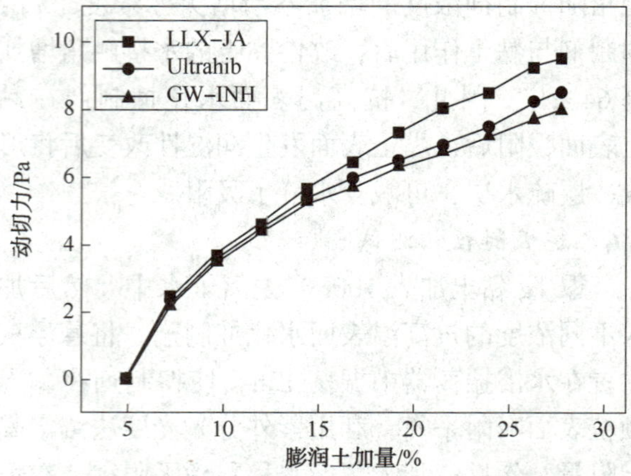

图 13　3 种抑制剂的线性膨胀率对比

4.3　泥页岩滚动分散性

实验结果表明，泥页岩岩样在去离子水中的分散性较弱，滚动回收率为 91.43%。岩样在 3 种抑制剂溶液中的分散性也很弱，在 GW-INH 溶液中的回收率为 98.56%，高于国内抑制剂 LX-JA（95.27%）和国外抑制剂 Ultrahib（96.58%），说明 GW-INH 能有效抑制岩屑水化分散变软，增强井壁稳定，也有利于提高固相清除效率。

5　结论

（1）室内以四乙烯五胺为反应单体，通过引入磺酸基团，合成了抗高温表面水化抑制剂。该抑制剂含有大量的强吸附基团和疏水基团，分子量小，无毒环保且具有良好的热稳定性。

（2）抗高温表面水化抑制剂的作用机理主要是通过强吸附基团优先进入黏土片层间，交换出层间的水合钠离子，结合静电引力有效减小黏土的静电斥力及表面水化短程斥力；通过降低水溶液表面张力，控制泥页岩自吸能力和比亲水量，减少水相的侵入；吸附及抗解吸附能力强，能长时间吸附于黏土表面，提升黏土表面的疏水性，减少自由水的侵入；

（3）室内评价对比得出，自主研发的抗高温表面水化抑制剂具有良好的抑制造浆，控制黏土水化膨胀和防止泥页岩崩散等性能，有利水基钻井液的流变性稳定和井壁稳定，具有良好的应用前景。

参　考　文　献

[1] 鄢捷年. 钻井液工艺学[M]. 东营：石油大学出版

社，2001：307-308.

[2] 梁大川. 泥页岩水化机理研究现状[J]. 钻井液与完井液，1997，14(6)：29-31.

[3] 苏俊霖，董汶鑫，罗平亚，徐显广，黄进军. 基于低场核磁共振技术的黏土表面水化水定量测试与分析[J]. 石油学报，2019，40(4)：468-474.

[4] 刘令云，陆芳琴，闵凡飞，张明旭. 微细高岭石颗粒表面水化作用机理研究[J]. 中国矿业大学学报，2016，45(4)：814-820.

[5] 陈楠，张喜文，王中华，等. 新型聚胺抑制剂的实验室研究[J]. 当代化工，2012，41(2)：120-122，125.

[6] 张国，徐江，詹美玲，等. 新型聚胺水基钻井液研究及应用[J]. 钻井液与完井液，2013，30(3)：23-26.

[7] 王中华. 关于聚胺和"聚胺"钻井液的几点认识[J]. 中外能源，2012，17(11)：36-42.

[8] 张兴来，罗健生，郭磊，等. 聚胺抑制剂 PF-UHIB 与膨润土相互作用机理[J]. 油田化学，2016，33(2)：195-199.

[9] 徐建根. 页岩气地层水基钻井液稳定井壁技术研究[D]. 青岛：中国石油大学(华东)，2019：56-58.

[10] 郭文宇，彭波，操卫平，等. 钻井液用低聚胺类页岩抑制剂的结构与性能[J]. 钻井液与完井液，2015，32(1)：26-29.

[11] 钟汉毅. 聚胺强抑制剂研制及其作用机理研究[D]. 青岛：中国石油大学(华东)，2012：47-48.

[12] 霍锦华，张瑞，杨磊. CTAB 诱导膨润土乳液转相机理及其在可逆乳化油基钻井液中的应用[J]. 石油学报，2018，39(1)：122-128.

[13] 王晓军. 一种抗高温表面水化抑制剂：中国，201810566560.1[P]. 2020-09-22.

[14] Zhong H Y，Qiu Z S，Tang Z C，et al. Study of 4,4′-methylenebis-cyclohexanamine as a high temperature-resistant shale inhibitor[J]. Journal of materials science，2016，51(16)：7585-7597.

井下电控扭矩离合式导向钻井技术研究与试验

徐　涛　施连海　白冬青　孙少亮　罗　军　效世杰　韩　龙　石　林　苏　洋

（中国石油集团长城钻探工程有限公司工程技术研究院）

摘　要　扭矩离合式导向钻井技术是在旋转导向钻井与常规滑动导向钻井基础上的创新型延伸技术，技术原理是通过一定方法将下部钻具与上部钻具的扭矩进行分离，实现上部钻柱低转速旋转送钻，同时下部钻具进行常规滑动定向钻进的功能，低成本、大幅度地提高导向钻井轨迹控制能力和水平段延伸能力。可部分代替旋转导向，具有广阔应用前景。本文提出的电控扭矩离合式导向钻井技术区别于近些年国内外提出的纯机械式半程旋导技术，其工作原理是将电控半程旋导工具安装于近钻头端钻柱中，地面信号下传装置发送泥浆负脉冲指令，井下半程旋导工具接收指令后执行钻柱扭矩分离和结合动作。扭矩分离后对反扭矩的控制是该技术关键，本文通过引入抗反扭扶正器和吸扭储能器，与钻具摩擦扭矩法配合使用，可抵抗螺杆的反向扭矩，稳定工具面。现场试验表明，该技术可大幅缓解托压，降摩减阻，提高钻压传递效率，工具具备反扭矩控制能力，扭矩分离后工具面保持平稳，机械钻速有所提高。

关键词　降摩减阻；电控式；反扭矩控制；扭矩离合；缓解托压；半程旋转

随着油田勘探开发进入中后期以及非常规油气的开发，大位移、大斜度井的应用越来越频繁，在滑动定向钻井过程中，钻柱在井眼内的摩阻过大引起的托压问题尤为突出，导致钻压不能进行有效传递，定向摩阻大、托压等问题凸显，对于大位移井滑动机械钻速比旋转机械钻速大幅下降，滑动定向钻进延伸能力不足，这严重影响钻井效率。

为解决钻井过程中摩阻大、托压严重等问题，目前一般采用旋转导向、井口扭摆等技术方案。但旋转导向钻井技术成本高，且对钻井工况要求严格；井口扭摆技术扭摆圈数有限，且存在倒扣风险，降摩减阻效果也随井深增加而不断衰减。结合滑动导向钻井和旋转导向钻井的特点，基于顶驱扭摆减阻控制技术，结合旋转导向和常规导向，近些年国内外提出了在近钻头管柱间安放一种扭矩离合式导向钻井工具，可实现上部钻柱连续旋转送钻，井下动力钻具同时进行滑动定向钻进功能，大幅降低工具以上钻柱摩阻，缓解托压，提高常规导向钻井的轨迹控制能力和水平段延伸能力。

1　扭矩离合式导向钻井技术

1.1　国内外现状

扭矩离合式导向钻井技术是近几年出现的钻井类前沿技术。在国外，加拿大的 CT energy 公司开发的纯机械式 Hydro Clutch 工具（液力离合器），液力离合器是基于传统螺杆钻具设计的一种特制反向安装螺杆钻具，该工具的作用相当于一台由转盘及上部钻柱旋转驱动的泵。与常规螺杆钻具类似，该工具也有容积式动力部分，当上部钻具以某一转速转动时，会有一定量的泥浆被吸入转子轴和定子间的空腔后，进入泥浆汇合短节（其余泥浆则通过工具转子轴中间孔道流过），从而在工具的动力部分和泥浆汇合短节之间会产生 5~7MPa 的压差。该压差可因上部钻具的转动而产生一个反扭矩，此反扭矩用以平衡抵抗下部螺杆钻具钻进的动力扭矩。当上部钻具转速超过用于平衡螺杆钻具反扭矩的转速时，工具上下钻具以一定转速差进行地层的复合钻进，其结构如图 1 所示。

液力离合器长度 10~12m，可安装在传统滑动导向钻具之上，应用于定向井钻井轨迹控制，可以替代旋转导向工具（RSS），如图 2 所示。

在国内，井下扭矩离合式导向钻井技术目前仍处于研发初级阶段，西南石油大学等高校进行了初步理论分析研究、样机研制和室内试验。2020 年以来各大油田公司及钻探公司争相开展研究类似于 HydroClutch 的扭矩离合工具，如西部钻探、川庆钻探、渤海钻探、中石化石油工程技术研究院等，但大都留在理论研究和室内试验阶段，未见现场试验及推广应用报道。本文首次提出采用旋转导向信号下传，井下采用电控方式实现的半程旋导技术，并提供了有效的克服螺杆反扭矩的方法。

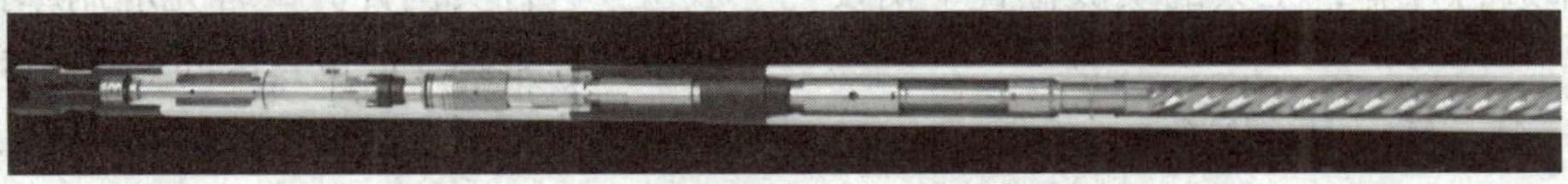

图 1　CT energy 公司 HydroClutch 示意图

图 2　HydroClutch 钻具组合示意图

1.2　技术原理

本文提出了一种电控的扭矩离合式导向钻井技术，即井下钻柱的离合采用电控方式实现，与加拿大的 CT energy 公司开发的纯机械式 Hydro Clutch 工具相比自动化程度高，且工具本身无压耗，可与常规动力钻具、MWD/LWD 配合使用，该技术完全适用于国内常规导向钻井市场。

电控扭矩离合式导向钻井技术由三个系统构成，分别是地面泥浆信号下传系统、井下接收及控制系统、机械离合及反扭矩控制系统。其中，地面信号下传系统的信号下传方式为泥浆负脉冲的不停泵下传方式，上位机无线传输信号编码至地面信号下传装置的分流阀及无线信号控制模块，调节分流阀的开度生成一串泥浆负脉冲信号。井下接收及控制系统接收地面指令并解码，驱动执行机构实现离合机构的分开与接合。机械离合及反扭矩控制系统通过某种机械结构实现钻柱扭矩的传递与断开，实现上转下不转，同时抵抗螺杆钻具反扭矩，保持工具面稳定，其原理如图 3 所示。

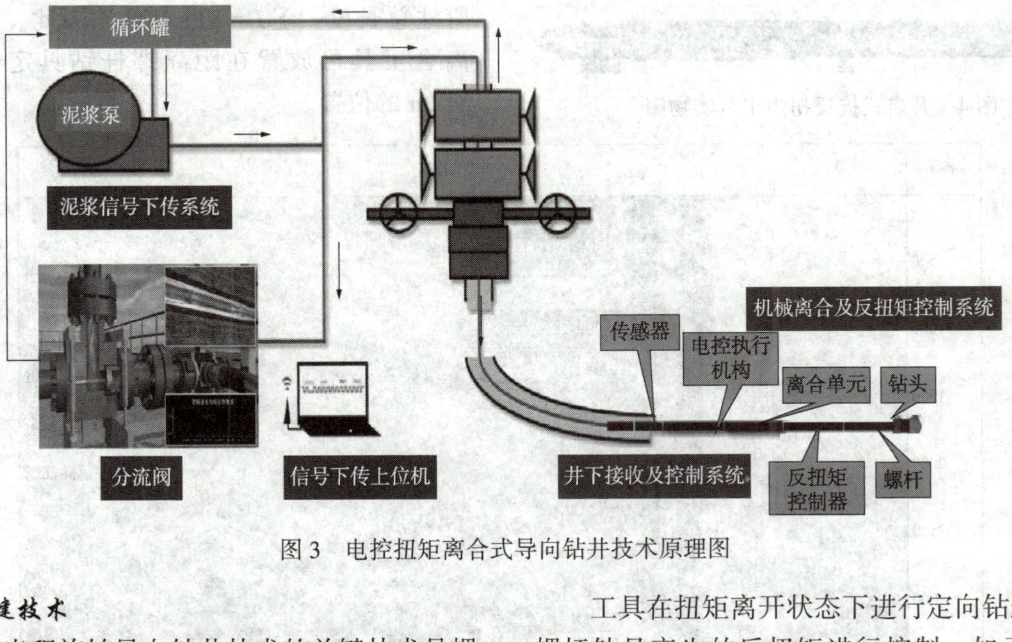

图 3　电控扭矩离合式导向钻井技术原理图

1.3　关键技术

电控半程旋转导向钻井技术的关键技术是螺杆钻具的反扭矩控制技术，即钻柱扭矩分离前反扭矩通过井内整体钻具组合和锁定转盘来进行控制，扭矩分离后完全依靠下部管柱对抗螺杆反扭矩，因此需找到克服反扭矩的方法。

工具在扭矩离开状态下进行定向钻进时需对螺杆钻具产生的反扭矩进行控制，如无法平衡反扭矩将导致工具面失稳，无法进行有效的轨迹控制。目前主流的反扭矩控制方法是钻柱摩擦扭矩平衡法，即通过水平段一定长度的钻具（如 300～400m 钻柱）与井壁之间的摩擦力产生的周向扭矩来抵抗螺杆钻具的反扭矩。要确定半程旋导工具的安放位置，就需对工具下部钻具的摩阻扭矩分布进行计算，工具的安放位置平衡设计标准为：

$$M_r = M_P = M_F = \sum f_c \times r \quad (1)$$

式中，M_P 为钻头破岩扭矩；M_F 为反扭矩（与 M_P 大小相等，方向相反）；f_c 为管柱周向摩擦阻力；r 为钻柱半径。

通过摩擦扭矩平衡法可粗略计算出工具的安放位置，该方法要求半程旋转导向工具必须安放在距离钻头较远处，较大程度地影响工具的使用效果。本文在主流反扭矩控制方法的基础上，提出了通过抗反扭扶正器和下部管柱的周向摩擦扭矩的复合式反扭矩控制方案，配合钻具摩阻扭矩平衡法达到控制螺杆反扭矩的目的。该方法增加了反扭矩控制的稳定性，缩短了所需摩擦管柱的长度，工具可更接近钻头端安放，更好地缓解托压，提高钻压的传递效率，提升工具整体降摩减阻效果。抗反扭扶正器如图 4 所示，扶正器外筒设有支撑臂。中心轴与扶正外筒之间设置有单向轴承和棘轮机构，中心轴正转时外筒不转，支撑在井壁上，中心轴反转时外筒与中心轴一起转，外筒与井壁的磨阻增加了中心轴反转阻力，起到抵抗螺杆反扭矩作用。

图 4　开启式抗反扭矩工具实物图

明确了反扭矩控制方法后，需确定工具的具体安放位置。本文通过单井实钻数据，对工具安放位置进行实例计算。首先应用摩擦扭矩平衡法初步计算工具安放位置区间。W-H84-4 井是一口页岩气水平井，完钻测深为 6035m，井身结构如图 5 所示。常规定向段钻具组合为：Φ215.9mm PDC 钻头+Φ172mm1.5°无扶螺杆+411＊4A10 变扣接头+Φ165mm 浮阀+Φ167mm 无磁钻铤＊1 根+Φ171mm 无磁悬挂+Φ127mm 加重钻杆＊3 根+Φ165mm 震击器+Φ127mm 加重钻杆＊5 根+Φ127mm 钻杆＊4 根+Φ176mm 水力振荡器+Φ165mm 旁通阀+Φ127mm 钻杆＊5 根+Φ127mm 钻杆＊273 根+411＊520 变扣接头+Φ139.7mm 钻杆。

图 6 为近钻头工程参数测量短节实测的螺杆上端扭矩，根据实钻扭矩和常规螺杆制动扭矩的数值，可知在实钻过程中滑动钻进时螺杆扭矩为 6kN·m，在 4040～4070m 因托压严重导致工具面不稳达到了螺杆制动扭矩均值 10kN·m，相应的机械钻速变慢。本文先以 10kN·m 作为工具安放位置的参考标准。将钻具组合进行模型简化，由摩擦扭矩计算公式(1) 可以算得稳斜段各段钻具受到的摩擦扭矩，如表 1 所示：表中管柱的总摩擦扭矩为：$\sum M = 10055.18\text{N} \cdot \text{m} > 10000\text{N} \cdot \text{m}$。管柱总长度：$\sum L = 311.90\text{m}$，因此，钻柱扭矩离合工具可放置在距离螺杆钻具定子下端面 312m 的位置。

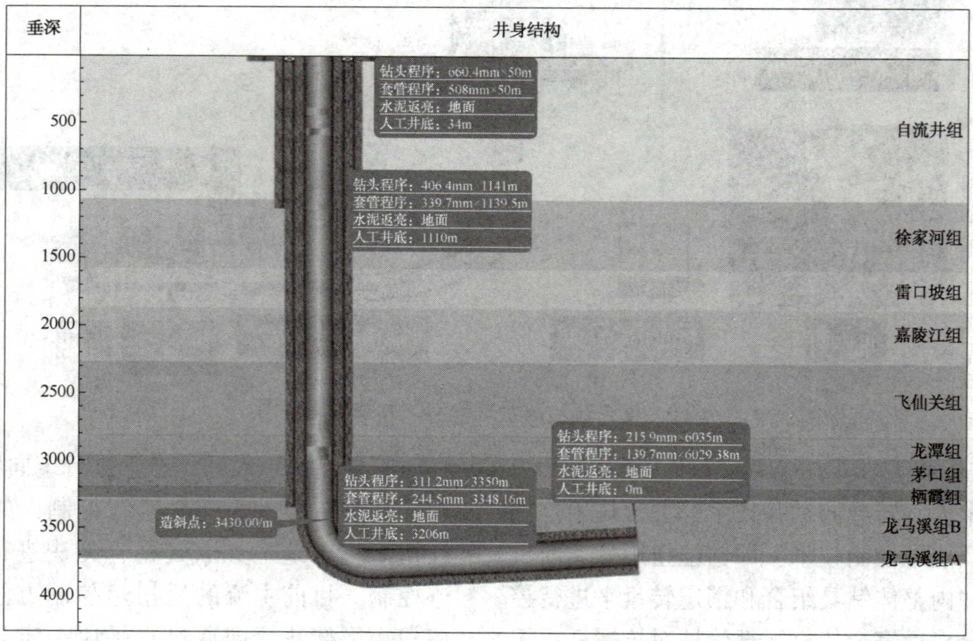

图 5　W-H84-4 井井身结构图

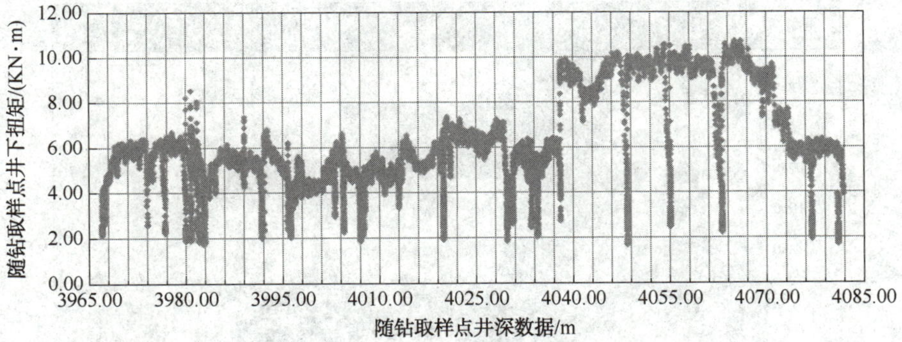

图 6　W-H84-4 井不同工况下随钻取样(3965m~4085m)井下扭矩-井深散点图

表 1　钻具组合摩擦扭矩计算表

管型	摩擦系数	钻铤线重/(kg/m)	钻井液密度/(kg/m)	内径/m	外径/m	单根长度/m	管段长/m	摩擦扭矩/N·m
Φ172mm 螺杆和钻铤	0.32	150.00	2050.00	0.07144	0.1720	8.5+7.6	16.10	2041.03
Φ127mm 加重钻杆＊6 根	0.32	75.27	2050.00	0.07620	0.1270	9.30	55.80	2622.17
Φ127mm 钻杆＊9 根	0.32	31.06	2050.00	0.10862	0.1270	10.00	90.00	1745.17
Φ139.7mm 钻杆	0.32	35.40	2050.00	0.12136	0.1397	10.00	150.00	3646.81
						合计	311.90	10055.18

针对 W-H84-4 井的钻进情况，螺杆扭矩均值为 6000N·m 的情况，由上述计算结果可知，工具可安放在 9 根 Φ127mm 钻杆上端，总摩擦扭为：$\sum M=M_{螺杆}+M_{加重}+M_{钻杆}=6408.37N\cdot m>6000N\cdot m$，得出管柱总长度：$\sum L=\Delta L_1+\Delta L_2+\Delta L_3=161.90m$，取安全系数 1.3，结果如表 2 所示。

表 2　工具推荐安装位置表

W2-75X 井	井斜角	螺杆钻具反扭矩	推荐安装位置
水平井段 3508~5008.99m	88°	6kN·m（实测扭矩）	离螺杆钻具以上 162m 处
		10kN·m（制动扭矩）	离螺杆钻具以上 311m 处

通过计算工具安放区间为距离螺杆钻具 162~311m，在实钻作业过程中螺杆反扭矩是随工况而发生变化的，只能提供一个范围区间。所以通过引入抗反扭扶正器反扭矩控制方案，可另外提供 4~5kN·m 的抗反扭能力，保证半程旋导定向钻进过程中工具面基本保持稳定。

4　现场应用

N-XX-6 为一口完钻的页岩气水平井，完钻测深 5008m，水平段长度 1508m，井身结构如图 7 所示。根据井眼轨迹参数，三开稳斜段水平段 3508~5008.99m，井斜角为 88°，方位角为 172.86°，裸眼摩擦系数为 $\mu=0.32$，设计钻井液密度 $\rho=2.05g/cm^3$。

钻具组合为：Φ215.9mmPDC 钻头+Φ172mm 螺杆+Φ165mm 浮阀+411＊4A10 变扣+Φ172mm 无磁钻铤+Φ172mm 无磁悬挂+Φ170mm 滤网接头+Φ127mm 加重钻杆＊3 根+Φ165mm 震击器+Φ127mm 加重钻杆＊3 根+Φ127mm 钻杆＊8+Φ178mm 水力振荡器+Φ165mm 旁通阀+Φ127mm 钻杆+φ172mm 半程旋导工具+520/411 变扣+Φ139.7mm 钻杆×306 根。工具安放于距离钻头 120m 处。工具本井次试验入井 60h，进尺 333m，在试验井段 3620m~2953m 钻进期间进行 4 次扭矩离开，4 次扭矩合上试验，扭矩离开时，转盘以 10r/min 转速转动，4t 小钻压送钻，泵压 20~22MPa，排量 29.5~33l/s,，转盘扭矩从之前的 6.8kN·m 降为 4.5kN·m，离合离开，3~5t 钻压半程旋转定进观察工具面，显示工具面稳定在 90.33°，如图 8(a)，钻时 4.68min/m，机械钻速较快。然后当扭矩合上时，进行正常复合钻进 2.5m，钻时 13.3min/m，工具面不稳定，如图 8(b)所示。

由现场应用可知 4 次离合动作执行后转盘扭矩均有明显减少，降摩减阻效果明显，动作执行成功率 100%，工具基本满足钻具半程旋转定向钻进要求。半程旋转定向钻进与常规滑动定向钻进期间相比，明显提高了机械钻速，降摩减阻效果显著，携岩能力有所提升，录井数据如图 9 所示。

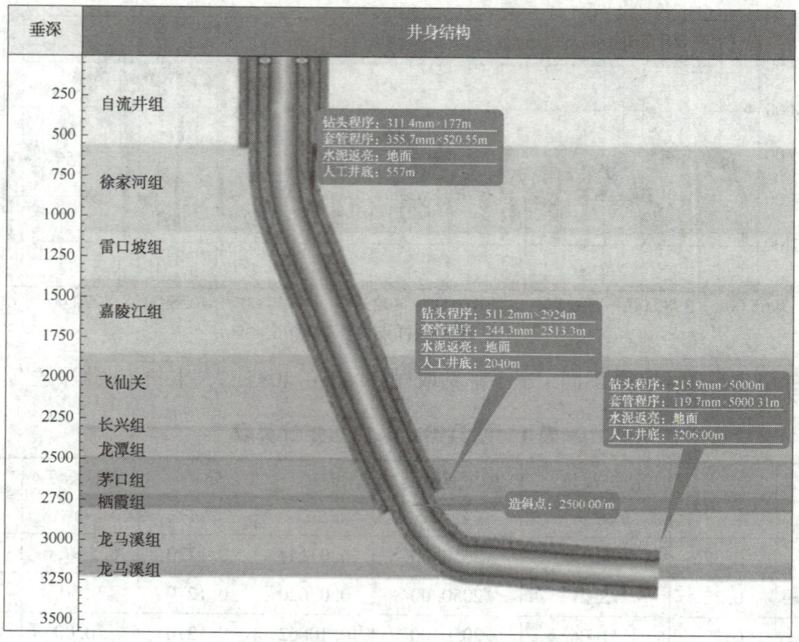

图 7　N-XX-6 井井身结构图

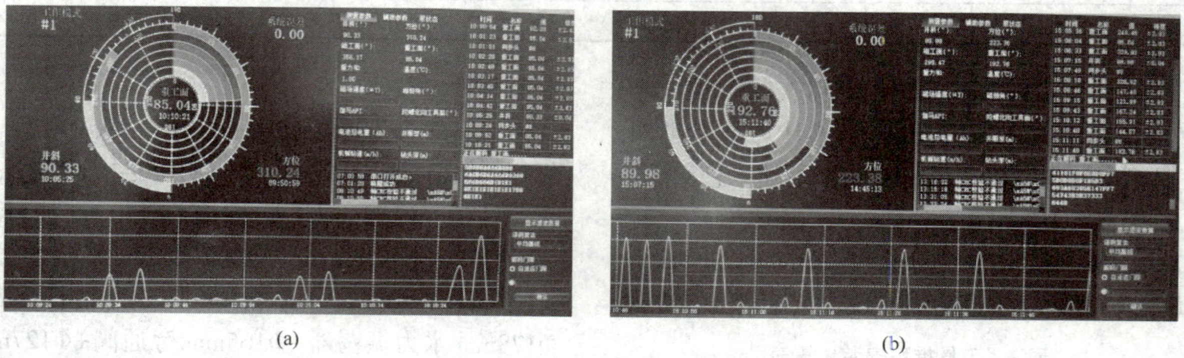

图 8　扭矩离开/合上后工具面变化实录图

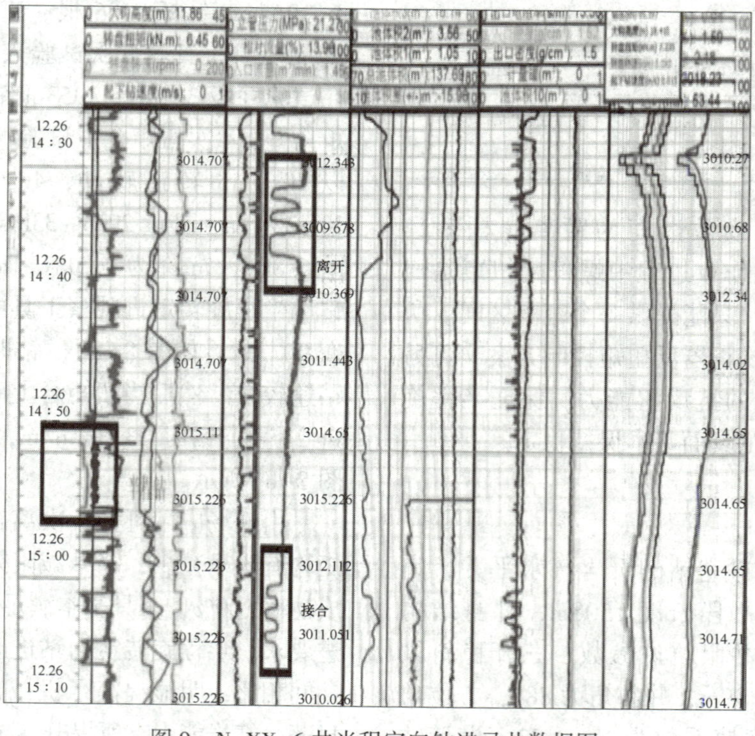

图 9　N-XX-6 井半程定向钻进录井数据图

5 结论与认识

（1）本文提出的扭矩离合式导向钻井技术采用电控方式在井下实现钻柱的扭矩传递与断开，满足钻井降摩减阻、缓解托压的迫切需求，可部分替代旋转导向功能，提高常规导向钻井在长/超长水平段水平井以及大位移井水平段的延伸能力。

（2）螺杆钻具反扭矩的控制是该技术应用中的关键点。通过实例计算和现场应用情况，确定半程旋导工具的合理安放位置，验证了反扭矩控制方案的可行性，工具具备了反扭矩控制能力。

（3）现场应用表明，电控扭矩离合式导向钻井工具满足井下施工要求，降摩减阻效果明显。机械钻速相比常规滑动定向钻进有大幅提高，具备推广应用价值。

参 考 文 献

[1] 肖辉. 快速滑动定向钻井工艺技术研究[J]. 石化技术，2015，24(12)：34-36.

[2] 姜伟，蒋世全，付鑫生，等. 旋转导向钻井技术应用研究及其进展[J]. 天然气工业，2013，33(4)：75-79.

[3] 骆新颖. 长宁威远区块页岩气水平井提速技术研究[D]. 西南石油大学，2017，7(10)：80-90.

[4] CT energy，HydroClutch：The Game Changer[EB/OL]，https://www.ctenergyservices.com/the-game-changer/

[5] 汪兴明. 水平井扭矩离合钻井工具研制及减阻性能评价[D]. 西南石油大学，2017，11(9)：45-47.

[6] 刘伟，杨晓峰，张华. 钻柱扭摆滑动钻井技术在四川油气田的应用[J]. 钻采工艺，2018，12(1)：22-27.

[7] 郑德帅. 可旋转钻柱定向钻进工具设计及测试[J]. 石油钻探技术，2021，6(49)：81-85.

[8] 王礼学，陈卫东，贾昭清，等. 井眼轨迹计算新方法[J]. 天然气工业，2003，2(23)：85-86.

[9] 宋争. 涪陵江东与平桥区块页岩气水平井井眼轨迹控制技术[J]. 石油钻探技术，2017，6(45)：14-18.

[10] 常玮，易先中，万继方，等. 机械振动降摩减阻技术在滑动钻井中的应用[J]. 机械工程师，2015，2(3)：146-148.

[11] 祝效华，童华，刘清友，等. 基于钻柱系统动力学的摩阻扭矩计算新方法[J]. 系统数值计算学报，2007，19(21)：4853-4856.

量子示踪剂压裂监测技术及其在苏里格气田的应用

冯汝强

（中国石油集团长城钻探工程有限公司工程技术研究院）

摘　要　量子示踪剂压裂监测技术利用量子点独特荧光特性，覆于支撑剂表面的量子涂层随流体流动而不断释放量子点，量子点随地层流体流动至地面，取样分析后就可以对压裂效果进行监测。量子示踪剂同其他类型示踪剂相比具有释放速度稳定、监测精度高、监测时间长、安全环保等特点，在非常规油气具有广阔的发展前景。该技术在苏里格气田一口水平井成功监测4段，监测一年时间取样分析两次，能够准确监测各段产气贡献率，取得了较好的应用效果，验证了地质解释干层段的产气潜力，同时监测结果表明水平段长度和储层物性是影响各段产气贡献率的主要因素，投产初期，水平段长度影响权重较大，生产后期储层物性影响权重较大，监测结果对下步压裂层段优选及压裂参数优化具有一定借鉴意义。

关键词　压裂监测；量子示踪剂；产气贡献率；压裂参数

我国非常规油气储量非常丰富，非常规天然气储量约 $100\times10^{12}m^3$。近年来，非常规油气在我国油气总产量中所占比例越来越大，非常规油气资源的高效开发是我国油气增储上产的重要保证。目前非常规油气主要类型有致密油、致密气、页岩油、页岩气、煤层气等，其显著特征之一是无自然工业稳定产量，达西渗流不明显，油气开发需要借助水平井分段压裂、体积压裂等特殊方法才能获取有效经济产能。针对非常规油气水平井分段多簇大规模压裂改造后的效果评价是水平井开发方案优化，产量精细挖潜，提高最终采收率的重要保证。对压裂效果进行监测，目前常采用微地震监测与示踪剂监测技术。微地震监测采用发射层析成像地下破裂点定位方法，将目标区域做网格划分，根据地层速度模型计算出每个网格到地面各站点的理论走时，再根据地面接受到的信号计算每个网格的成像值，确定地下三维空间的破裂形态，监测缝长、缝宽、压裂几何形态及平面分布，但其不能监测产液剖面，信噪比低，影响监测精度的因素较多。而压裂示踪剂监测技术是选择示踪物质作为示踪剂，在压裂过程中，不同层段加入不同种类示踪剂，压裂完成后，对压裂后产出流体进行密集取样，检测产出流体中示踪剂的浓度，绘制示踪剂浓度随时间变化曲线，计算各段产液量、产气量，从而分析裂缝形态，确定各段对产液量、产气量的贡献，明确压裂后井筒和井间的连通性。压裂示踪剂监测技术相比于微地震监测技术能够精确监测压裂各层段产液剖面情况，近些年在国内取得了一定的应用，具有广阔的发展前景。

1　示踪剂压裂监测技术

示踪剂压裂示踪剂监测技术是裂缝监测技术直接监测方法的一种，常用示踪剂具有检测灵敏度高、与压裂液的配伍性好、性质稳定、无毒无污染、成本低等优点，近年来被广泛的应用于现场。压裂示踪剂监测技术是在压裂过程中向井内注入有特殊试剂的流体，然后在压后生产过程中测量这种试剂的产出浓度，通过示踪剂浓度产出曲线解释地层参数的一种测试方法。示踪剂根据所指示地层流体不同，分为油溶性示踪剂、水溶性示踪剂和气溶性示踪剂，根据示踪剂介质不同又分为化学示踪剂、同位素示踪剂、微量物质示踪剂及量子示踪剂等，传统示踪剂种类及优缺点如表1所示。

表1　传统示踪剂种类及优缺点

示踪剂监测技术	介质	优点	缺点
化学示踪剂	无机盐类、荧光染料类、卤代烃类	种类多、易监测	用量大，部分毒害，适应性差，精度低、易失效

续表

示踪剂监测技术	介质	优点	缺点
放射性同位素	含氖化合物	用量少易监测，灵敏度高	操作严格、存在安全隐患
非放射性同位素	^{12}C、^{13}C、^{15}N、^{18}O	无放射性，易监测	种类少、费用高监测方法复杂
微量物质	地层中不存在或含量极少的物质	安全稳定，可选种类多	监测设备昂贵

压裂示踪剂主要作用有：

(1) 根据返排压裂液中各水相示踪剂浓度确定各段压裂液反排率与井筒连通性；

(2) 根据压裂井生产后油、气相示踪剂浓度确定各段油、气产能剖面与贡献率；

(3) 根据压窜井产液中示踪剂浓度及种类，确定压窜层段及压窜程度；

(4) 根据示踪剂浓度曲线确定裂缝形态及反演相关裂缝参数。

压裂示踪剂筛选标准上主要考虑以下因素：①在地层中的背景浓度低；②在地层表面吸附量少；③与地层矿物不反应；④与所指示的流体配伍；⑤易检出，分辨率高，操作简便；⑥化学、生物和热稳定性好；⑦无毒、安全，对生产、环境无影响；⑧来源广，成本相对低。

2　量子压裂示踪剂监测技术

2.1　量子示踪剂原理

量子示踪剂监测技术是近几年兴起的一种新型压裂示踪剂监测技术，其原理是将利用高温胶体合成技术获得的尺寸在 2 到 10nm 之间的半导体纳米晶体作为量子点，将内含量子点的聚合物单分散球形微粒设计为信息载体，得益于量子尺寸效应，该微粒具有独特的荧光特性。胶体量子点被整合在固体示踪标记物的聚合物结构中，合成后具有相应的荧光特性。基于不同的量子点组合，可以得到大量的示踪标记代码，每一种组合称为标记代码，每段地层使用独有的标记代码。如图 1、图 2 所示。

图 1　量子示踪剂在紫外线辐射下状态

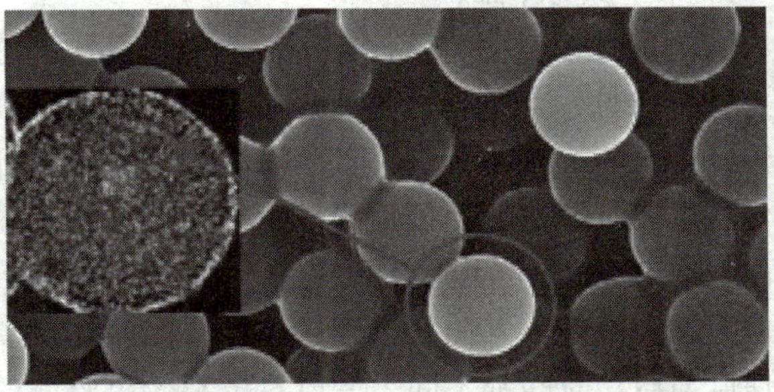

图 2　扫描电子显微镜下量子示踪剂状态

将压裂支撑剂表面涂上内含示踪量子的聚合物涂层材料，涂层材料包括不可溶聚合网络、功能性填料和示踪量子点，不可溶聚合网络为保护性骨架，用于维持强度，避免破坏或改变聚合物颗粒的几何尺寸，功能性填料遇油、水或气溶解，产生亲油、亲水或亲气扩散通道，使示踪量子由聚合物内部运移至其表面，释放量子点聚合物，量子点聚合物作为油气水高精度指示标志用于压裂参数监测。从聚合物涂层释放到流体中示踪量子数量与地层流体的冲刷速度成正比，因此通过检测各段量子示踪剂浓度就能得到各段产液贡献率，从而评价压裂效果。如图 3 所示。

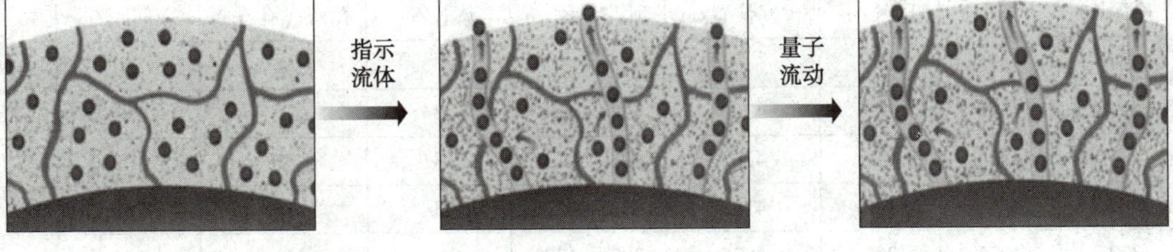

图 3　量子示踪剂技术原理图

2.2 量子示踪剂特点

量子示踪剂具有以下特点：

（1）温度稳定性，即在同一温度下量子示踪剂释放速度稳定；

（2）量子涂层后对支撑剂各项性能无影响；

（3）量子涂层后支撑剂不影响压裂液交联性能；

（4）量子涂层释放量子示踪剂速度与流体流速成正比；

（5）量子示踪剂为非自然界存在物质，地层本底浓度为零且无吸附；

（6）测试精度高，测试精度可达 10^{-11}g/mL；

（7）测试有效期长，可达 2~3 年；

（8）安全环保。

非常规油气的特殊储层特性决定了其压裂施工的复杂性，为选择合适的压裂液、优化压裂规模、降低压裂成本和提高油气藏采收率，需要评价各层段压裂液的返排情况、生产初期的产液剖面、产气剖面、各层段的贡献率、井间连通性等，但是在非常规油气压裂过程中，各层段流体流动速度与启动时间都不同，造成对压裂效果监测的时间要求长，测量精度要求高，传统压裂示踪剂监测技术测量时长短且精度受限，因此量子示踪剂监测技术对于非常规油气井的压裂监测具有良好的应用前景，是未来压裂示踪剂的发展方向。

3 量子示踪剂压裂监测技术在苏里格气田的应用

3.1 施工井概况

S53-82-BH 井于 2022 年 02 月 26 日开钻，2022 年 03 月 29 日完钻，完钻井深 4525.0m，完钻层位盒 8 段 4 小层，实钻轨迹剖面图如图 4 所示。水平段长 1000m，录井解释共钻遇砂岩段长度 773m，气层+含气层 481m/11 层。应用 114.3mm 套管完井方式，压裂改造采用“套管注入、桥塞分段、大排量体积压裂”技术思路。非均匀段簇设计，主体段平均段长 143m。压裂液优选性能稳定，携砂好、摩阻低、低伤害胍胶体系，支撑剂采用 20/40 目中密陶粒。

为评价苏里格气田 S53 区块不同物性储层在不同时间段内的产气剖面差异，以及不同施工参数与储层产气量的关系，利用量子示踪剂压裂监测技术对第 2 段低产气层、第 4 段干层、第 5 段干层、第 6 段产气层进行产气剖面测试，为今后压裂设计参数调整提供方向，分段及射孔簇情况如表 2 所示。

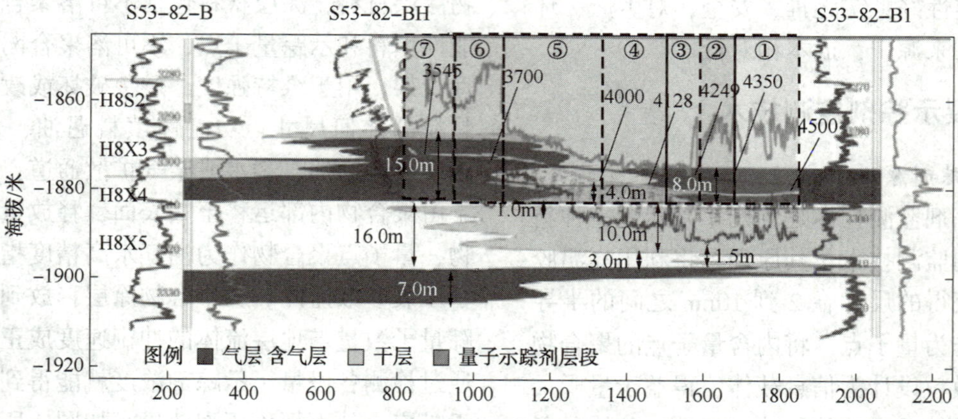

图 4 S53-82-BH 井实钻轨迹剖面图

表 2 S53-82-BH 井分段及射孔簇情况

段次	顶深/m	底深/m	段长/m	桥塞位置/m	射孔井段/m	簇长/m	孔密/(孔/m)	簇间距/m	备注
1	4370	4525	155	—	4502~4505	3	16	—	气层
2	4265	4370	105	4370	4344~4347	3	16	155	低产气层
3	4150	4265	115	4265	4239~4242	3	16	102	气层
4	4025	4150	125	4150	4127~4130	3	16	109	干层
5	3727	4025	298	4025	3999~4002	3	16	125	干层
6	3593	3727	134	3727	3704~3707	3	16	292	气层
7	3525	3593	68	3593	3570~3573	3	16	131	气层

3.2 施工设计

（1）气相量子示踪剂用量

根据监测井岩性、渗透率、储层深度、压力系数、预测日产气量、监测时长等参数，利用量子示踪剂模拟软件计算量子示踪剂用量，量子示踪剂监测原理是每段加入量子点的数量相同，生产时产量与量子点释放成正比，所以本井设计每段加入 3t 的气相量子示踪剂。

（2）气相量子示踪剂加入时机

在连续加砂倒数第二步加入量子示踪剂。气相量子示踪剂的监测原理为有气体经气相量子示踪剂时其表面的功能性填料会膨胀，在其内部形成通道，通道内的量子点随着气流不断的被携带出来，所以气相量子示踪剂的铺置在靠近孔眼的位置效果最好，有气体流过就会携带气相量子示踪剂出来。实际生产时，水平段靠近井筒的位置可能会反砂，影响长期监测效果。综合考虑在连续加砂最后端预留 5%-10% 左右普通支撑剂，既能防止返砂又不影响监测。

（3）取样原则及方法

压裂返排结束地层产出流体进入生产管线后开始取气样，取样前在产气管线上加装取样管线如图 5 所示，取样时替换可拆卸法兰的过滤装置即可。采用过滤膜附着量子点方式取样，每次取样需要先吹 20min，停 20min，再吹 20min 即可取完一个样品。此种取样方式避免了瞬时样品的误差，单个样品更接近真实产量。根据压裂后投产新井生产规律设计取样频率，在新井投产初期加密取样，投产后期生产稳定后减小取样频次，目标井由于采取排水采气等措施出现产量波动时加密取样，取样频次如表 3 所示。

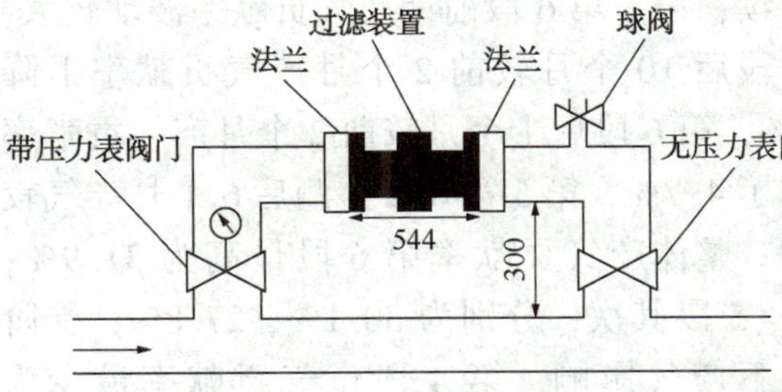

图 5　气样取样装置图

表 3　S53-82-BH 井量子示踪剂取样频次

序号	生产时间/天	间隔时间/天	取样频率	样品数量/个	送检要求
1	1~15	15	2 个/1 天	30	首批次样品选取 30 个送检
2	16~30	15	1 个/1 天	15	
3	31~60	30	2 个/5 天	12	
4	61~90	30	2 个/5 天	12	第二批次样品选取 30 个送检
5	91~365	30	2 个/7 天	78	

3.3 施工数据

S53-82-BH 井在压裂第 2、第 4、第 5 和第 6 段加砂浓度 450kg/m^3 阶段末期各加入 3t、1.7m^{3}量子示踪剂，累计加注量 12t、6.8m^3，加入过程中压裂压力略有上涨，总体施工平稳顺利，压裂曲线如图 6 所示。

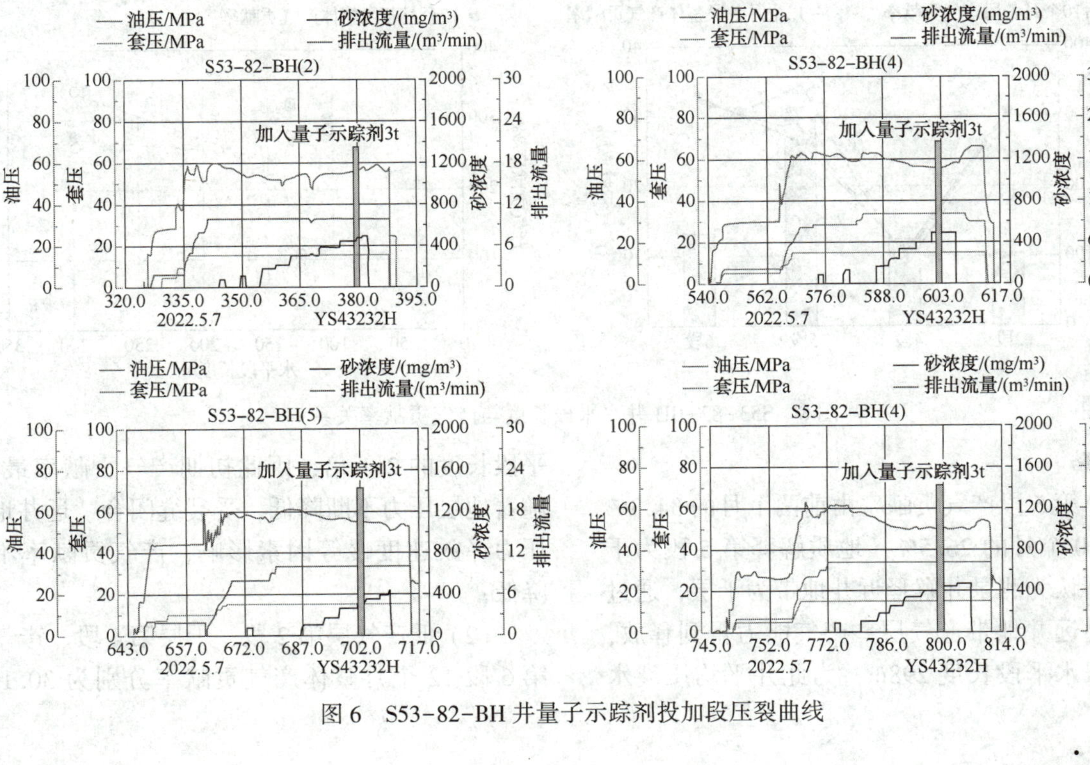

图 6　S53-82-BH 井量子示踪剂投加段压裂曲线

3.4 监测结果分析

各段累计产气贡献率及日产气贡献率如图 7 所示，第 2 段产气贡献率相对平稳，波动范围 20%-40%；第 4 段产气贡献率本井最低，产气不持续；第 5 第 6 段前期产气贡献率波动较大，第 5 段后 10 个月较前 2 个月产气贡献率下降 7.8%，第 6 段后十个月较前 2 个月产气贡献率升高了 4.7%，第 5 第 6 段监测后 6 个月产气较平稳；整体产气贡献率第 6 段最高为 31.9%；第 2、5 段其次，分别为 30.1%、27.8%；受阶段性不产气影响，第 4 段产气贡献率最少为 10.1%。

3.5 产气贡献率与地质及压裂参数相关性分析

（1）水平段长度

水平段长度与产气贡献率关系如图 8 所示，从图中可以看出，水平段长度与产气贡献率无明显相关性，投产初期，水平段长度为影响产气贡献率主要因素，随着生产时间增加，储层物性影响权重逐步增加，生产后期储层物性为影响产气贡献率主要因素。

（2）压裂参数

综合来看产气贡献率与砂量、液量、加砂强度、加液强度关系如图 9 所示，相互之间无明显关系。

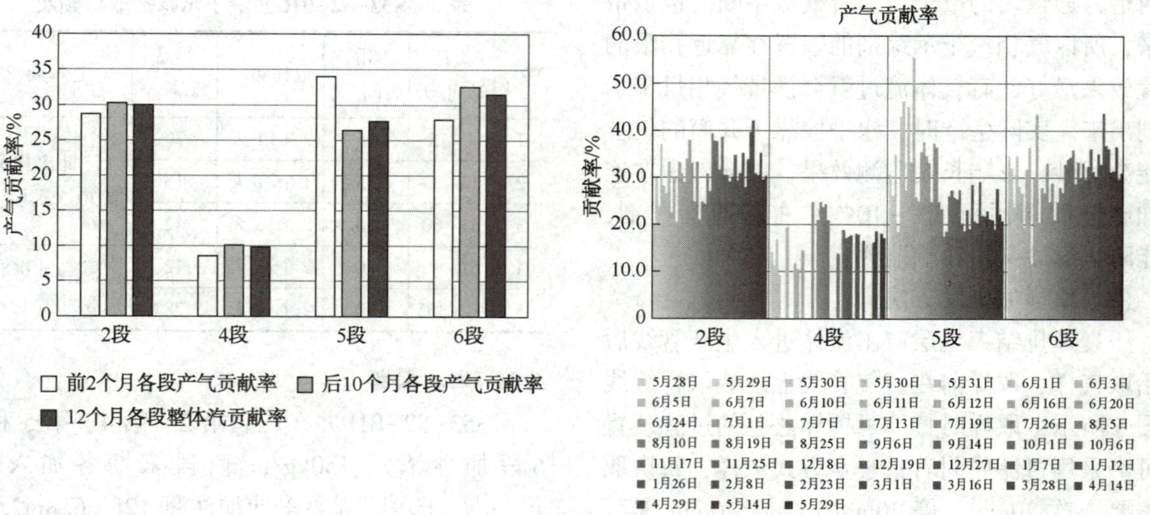

图 7　S53-82-BH 井产气贡献率

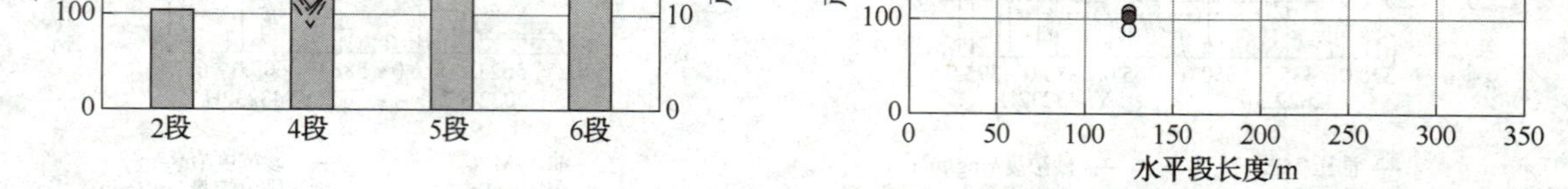

图 8　S53-82-BH 井水平段长度与产气贡献率关系

3.6 小结

（1）第 5 段产气贡献率由前两个月的 34.3% 降至后 10 个月的 26.5%，地质解释第 5 段为干层，分析认为测录井解释近井地带为干层，通过压裂沟通远井地带产气层，产气能力得到释放，同时本段水平段长度 298m，为此井平均压裂水平段长度的 2.1 倍，因此初期产气贡献率最高，随着地层压力不断降低，受裂缝闭合、远井地带压力释放速度慢等因素影响，产气贡献率不断降低；

（2）低产气层第 2 段、干层第 4 段、产气层第 6 段 12 个月整体产气贡献率分别为 30.1%、

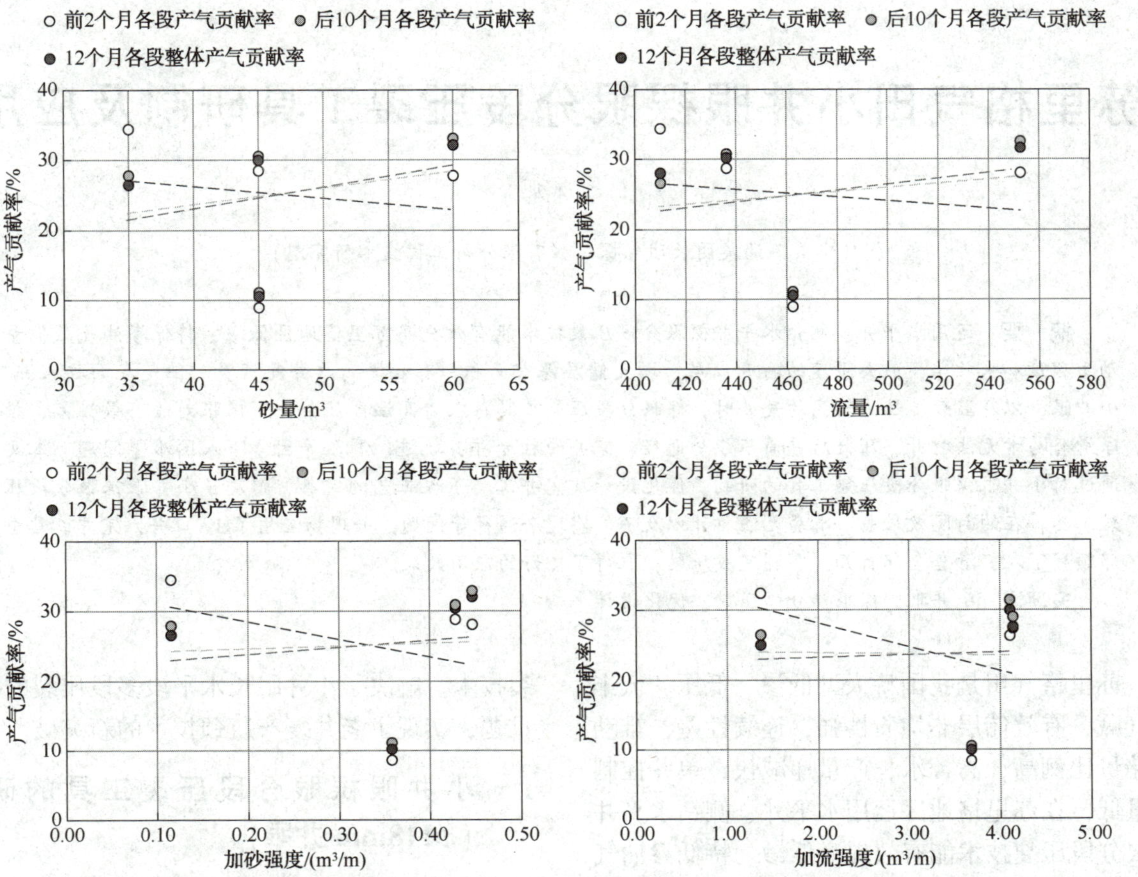

图9　S53-82-BH井砂量、液量、加砂强度、加液强度与产气贡献率关系

10.1%、31.9%，各段压裂段长相当，分析认为产气贡献率主要受储层物性影响较大，干层有一定产气贡献率；

(3) 综合来看，各段产气贡献率主要受储层物性及压裂段长影响，施工参数对各压裂层段产气贡献率无明显影响；

4　结论

(1) 量子压裂示踪剂监测技术监测时间长，性质稳定，监测精度高，具有广阔的应用前景，是未来压裂示踪剂的发展方向；

(2) 量子示踪剂压裂监测技术在S53-82-BH井上取得成功应用，证明了地质解释干层段通过压裂沟通远井地带产气层后具备一定的生产潜力，对今后压裂设计调整具有一定借鉴意义；

(3) 量子示踪剂压裂监测技术监测结果表明水平段长度和储层物性是影响各段产气贡献率的主要因素，投产初期，水平段长度影响权重较大，生产后期储层物性影响权重较大。

参 考 文 献

[1] 邹才能，张国生，杨智等. 非常规油气概念、特征、潜力及技术——兼论非常规油气地质学[J]. 石油勘探与开发，2013，40(04)：385-399+454.

[2] 邹才能，陶士振，白斌等. 论非常规油气与常规油气的区别和联系[J]. 中国石油勘探，2015，20(01)：1-16.

[3] 张佳琦. 超低渗油藏井中微地震监测技术机理[J]. 石化技术，2018，25(09)：306+310.

[4] 邓大伟. 水平井压后示踪剂监测技术应用研究[J]. 中外能源，2021，26(04)：48-51.

[5] 赵国瑜. 井间示踪剂技术在油田生产中的应用[J]. 石油勘探与开发，1999(4)：92-95.

[6] 金成志. 水平井分段改造示踪剂监测产量评价技术及应用[J]. 油气井测试，2015，024(004)：38-39，42.

[7] 梁顺，彭茜，李旖旎等. 水平井分段压裂示踪剂监测技术应用研究[J]. 能源化工，2017，38(04)：32-36..

[8] 武波. 示踪剂技术在油田开发中的应用研究[J]. 化学工程师，2018，32(11)：66-68.

[9] 杨士荣，刘同敬，YANG Shi-rong等. 微量物质井间示踪测试技术简介[J]. 测井技术，2007，31(5)：408-412.

苏里格气田小井眼裸眼分段压裂工具研制及应用

孙振旭

（中国石油集团长城钻探工程有限公司工程技术研究院）

摘　要　运用水平井、侧钻水平井裸眼分段压裂技术能有效提高苏里格地区低渗、特低渗油气藏储量动用程度和采收率，最大限度的打开储层，增大储层裸露面积，有效提高单井气产量。但是在面临深井、小井眼、以及温度、压力较高的气井时，裸眼分段压裂工具存在着高温高压条件下裸眼封隔有效性差、投球滑套易卡无法打开、压裂后井筒不能全通径、完井管柱受井身轨迹、摩阻等因素下入困难等问题。本文通过对小井眼裸眼分段压裂工具的研制、优化设计及完井工具下入工艺的完善，解决了小井眼裸眼分段压裂工具存在的封隔效果差、滑套无法打开以及不能实现全通径等问题，并现场应用了17口井，完井工具全部顺利下入，滑套全部打开，顺利完成压裂，取得了良好的应用效果。

关键词　小井眼；裸眼；分段压裂；优化设计

苏里格气田是我国特大型低渗、低压、低丰度气藏，有效储层非均质性强，连续性差，难动用储量比例高，高含水，产量递减快，单井控制储量低，在苏里格地区运用水平井、侧钻水平井裸眼分段压裂技术能有效提高低渗、特低渗油气藏储量动用程度和采收率，最大限度的打开储层，增大储层裸露面积，提高单井气产量，单井产量是周边直井的3~5倍。小井眼裸眼分段压裂技术在实际应用过程中存在着高温高压条件下封隔器裸眼密封难、滑套易卡死失效无法打开、压裂后井筒内通径小等技术难题，我们开展了裸眼封隔器、投球滑套等工具的研制及管柱下入工艺的研究，形成了苏里格气田小井眼裸眼分段压裂技术。解决了小井眼长水平段多段压裂的技术难题，实现了老井复产瓶颈技术的新突破。

1　小井眼裸眼分段压裂工具的研制（ϕ118mm井眼）

1.1　高温高压裸眼压裂封隔器

针对苏里格气田眼裸眼分段压裂技术在实际应用过程中存在的高温高压条件下封隔器裸眼密封难、层间风格性差的问题，研制了耐高温高压的裸眼压裂封隔器，解决了高温高压条件下的裸眼密封难题，保证了压裂施工过程中的封隔效果。高温高压裸眼压裂封隔器如图1所示。

图1　高温高压裸眼压裂封隔器

（1）工具性能参数：最大外径ϕ108mm；内通径ϕ62mm；工作压力20MPa；双向耐压70MPa；耐温150℃。

（2）工具优点如下：

① 胶筒设计了创新性的支撑机构，可实现胶筒居中均匀胀封，如图2所示，采用铅封、高纯石墨、耐高温橡胶组合结构，提高了胶筒的耐高温和密封承压能力，耐温150℃、双向承压70MPa；

② 设计有自锁功能和限位机构，防止胶筒回缩和过度压缩；

③ 设计了组合式防突机构，防止胶筒局部突起；

④ 外径尺寸小，更容易下入。

1.2　超级密封可捞式投球驱动滑套

投球驱动滑套与裸眼压裂封隔器配合使用，每个滑套内都装有一个球座，球座内径自下而上依次增大，压裂时通过泵送可溶球至相应的球座内，憋压打开滑套，对产层进行分段压裂。在实际施工中会出现滑套卡死失效无法打开、后期钻磨球座易出套卡钻的等问题。

针对上述问题，研制了超级密封可捞式投球驱动滑套，解决了滑套易卡死失效无法打开、后期钻磨球座易出套卡钻的问题，缩短施工周期的同时降低施工成本。可捞式投球驱动滑套如图3所示。

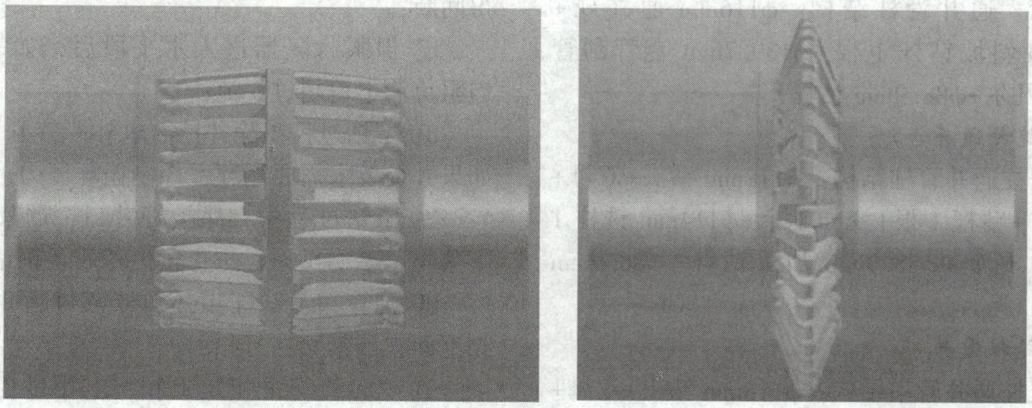

图2　胶筒支撑机构胀封前后示意图

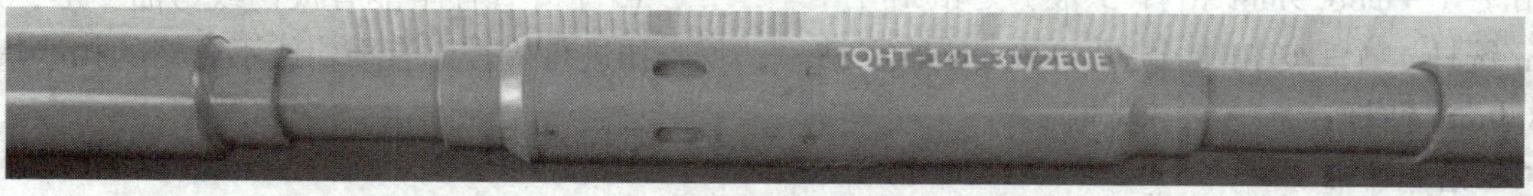

图3　超级密封可捞式投球驱动滑套

（1）工具性能参数：最大外径 ϕ108mm；内通径大于 ϕ32mm；工作压力 23MPa；双向耐压 70MPa，耐温 150℃；最大工作级差 14 级，级差 3.175mm，采用可溶球，打捞球座后可实现 ϕ76mm 内通径。

（2）工具优点如下：

① 采用超级密封方式，优化零件结构、增加液缸与活塞的配合间隙及强化零件表面热处理方式，解决了薄壁滑套不耐冲蚀、耐压性差、液缸抱死无法打开的问题。超级密封结构如图4所示；

② 球座采用可捞免钻结构，内通径大，为后期作业统一完井管柱内通径提供前提，解决了后期钻磨球座易出套、卡钻的风险，缩短施工周期的同时降低施工成本。可捞免钻球座结构如图5所示；

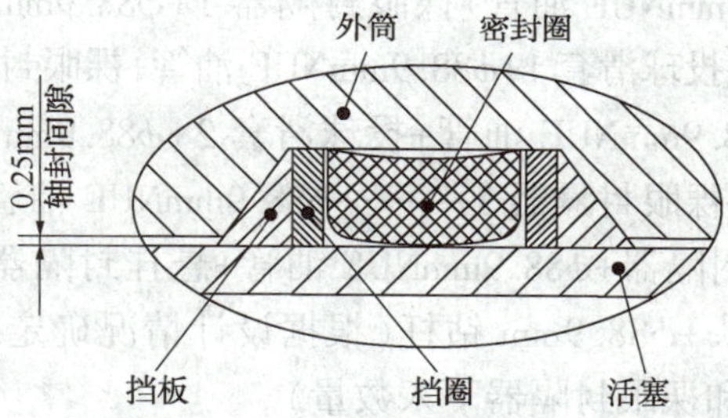

图4　超级密封结构图

③ 滑套可防转和自锁，确保压裂过程中滑套处于常开状态；

④ 压裂作业时滑套打开简单方便；

⑤ 外径尺寸小，更容易下入。

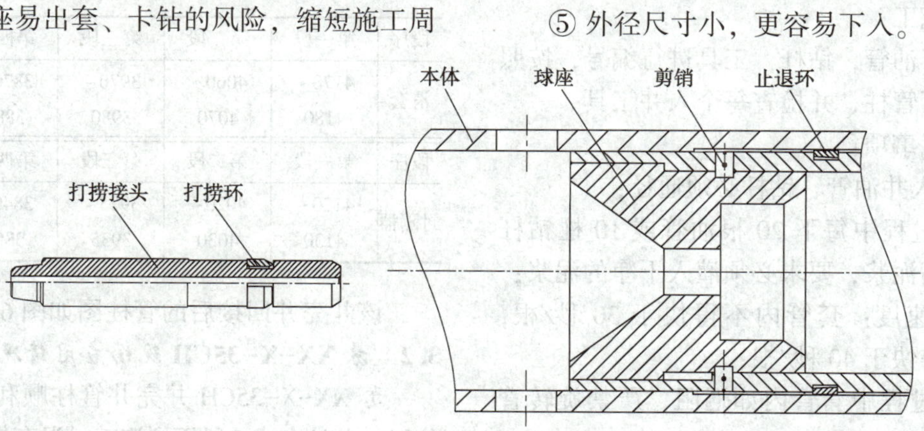

图5　可捞免钻球座结构图

2 小井眼裸眼分段压裂完井管柱下入工艺

2.1 刮套管、通井规通刮套管

刮管、通井管柱结构：ϕ116mm 通井规+ϕ88.9mm 斜坡钻杆 1 根+ϕ139.7mm 套管刮管器+回压凡尔+ϕ88.9mm 钻杆；

2.2 单铣柱通井

单铣柱通井管柱结构：ϕ118mm 钻头+双母+回压凡尔+钻杆 1 根+变扣 1 个+ϕ114mm 铣柱 1 个+变扣 1 个+ϕ88.9mm 加重钻杆+ϕ88.9mm 钻杆；

2.3 双铣柱通井

双铣柱通井管串结构：ϕ118mm 钻头+双母+回压凡尔+钻杆 1 根+变扣 1 个+ϕ114mm 铣柱 1 个+变扣 1 个+ϕ88.9mm 钻杆 3 根+变扣 1 个+ϕ114mm 铣柱 1 个+变扣 1 个+ϕ88.9mm 加重钻杆+ϕ88.9mm 钻杆；

2.4 下入完井管柱

（1）管柱结构：引鞋+ϕ88.9mmNUE 打孔油管*1+浮箍 1+ϕ88.9mmNUE 油管*1+浮箍 2+固定球座+ϕ88.9mmNUE 油管+压差滑套+ϕ88.9mmNUE 油管+裸眼封隔器 1+ϕ88.9mmNUE 油管+投球滑套 1+ϕ88.9mmNUE 油管+裸眼封隔器 2+ϕ88.9mmNUE 油管+投球滑套 2+ϕ88.9mmNUE 油管+裸眼封隔器 3+……+ϕ88.9mmNUE 油管+套管内封隔器+ϕ88.9mmNUE 油管+悬挂封隔器+转换接头+ϕ88.9mm 钻杆（根据设计情况确定投球滑套和裸眼封隔器下入数量）。

（2）下入管柱前召开施工前交底会，明确作业顺序，并进行最后一次分段压裂工具下入表的核对，核对无误后，要求甲方代表，现场监督，井队及服务方在配管表上签字确认，确认后方可进行下管柱施工；

（3）所有油管，钻杆，工具进行编号，按照配管表进行下管柱，并检查每个入井工具。

（4）注意事项：

① 所有入井油管、钻杆必须通径；

② 下管过程中每下 20 根油管或 10 柱钻杆往管柱内灌满泥浆，要求必须灌入干净的泥浆；

③ 下管速度：套管内不得快于 30 秒/根，裸眼段内不得快于 40 秒/根；

④ 下管过程中套管内如遇阻，严禁旋转管串、强行下放；

⑤ 悬挂器入井后，需要使用水泥车进行顶通循环，要求排量不超 0.3 方/分钟，压力控制在 3MPa 以内；

⑥ 管串进入水平段后，必须连续下钻，不得间断；

⑦ 裸眼封隔器进入水平段后，如果遇阻，遇阻负荷不得超过 5 吨；

⑧ 下钻过程中除井控需求外严禁开泵循环，如果井控要求需要循环，控制循环压力；

⑨ 下钻过程中，保护好井口，严禁造成井下落物，平稳操作，防止猛提猛放及顿钻；

⑩ 油管扣、钻杆扣必须抹密封脂并涂在公扣上面，严禁涂在母扣；

⑪ 必须按标准扭矩上扣，上扣过程中打牢背钳，严禁打滑，严禁管串转动；

⑫ 下井管柱不能有损伤或弯曲变形，必须对每个扣进行检查，有损伤或不合格的扣严禁下井。

3 现场应用

小井眼裸眼分段压裂技术在苏里格气田累计完成 17 口井完井管柱下入施工，全部完成压裂并投产，共计压裂 112 段，施工成功率 100%。其中，苏 XX-X-35CH 井压裂后无阻流量为 103.5 万方，为当年所有侧钻水平井单井最高产量，压裂增产效果显著。

3.1 苏 XX-X-35CH 基本情况

苏 XX-X-35CH 井是苏里格气田的一口 ϕ139.7mm 套管开窗，采用 ϕ118mm 钻头侧钻的水平井，位于内蒙古自治区鄂尔多斯市鄂托克前旗昂素镇毛盖图嘎查伊陕斜坡，该井侧钻点 3056 米，完钻井深 4376 米，水平段长 600.03 米。该井的分段完井设计如表 5 所示。

表 5 苏 XX-X-35CH 井分段完井设计

段序	第一段	第二段	第三段	第四段	第五段
滑套	4170~4180	4060~4070	3970~3980	3870~3880	3740~3750
段序	第一段	第二段	第三段	第四段	第五段
封隔器	4120~4130	4020~4030	3925~3935	3840~3850	3672~3682

该井完井回接后的管柱图如图 6 所示。

3.2 苏 XX-X-35CH 现场应用情况

苏 XX-X-35CH 井完井管柱顺利下入到设计位置，共计完成 5 段压裂施工，滑套依次打开，成功完成压裂。图 7、图 8 所示为部分压裂施工曲线。

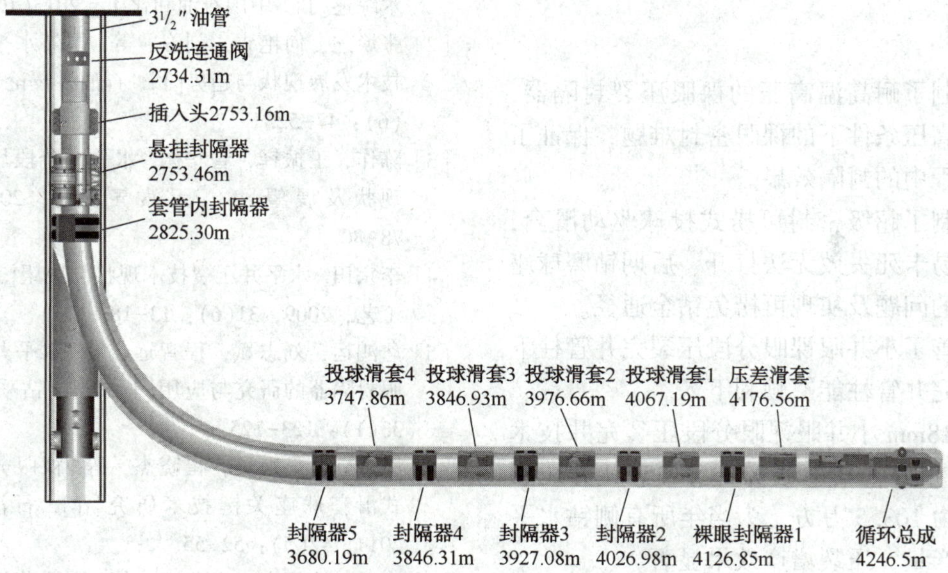

图 6　苏 XX-X-35CH 井完井、回接管柱图

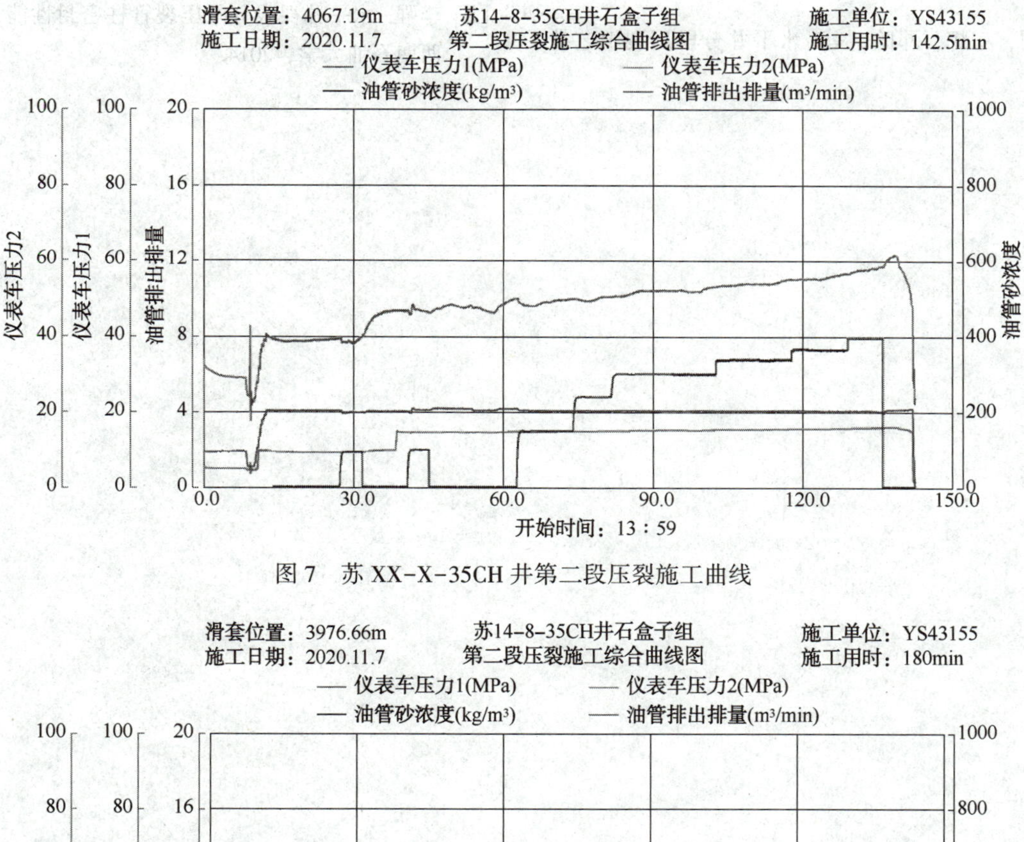

图 7　苏 XX-X-35CH 井第二段压裂施工曲线

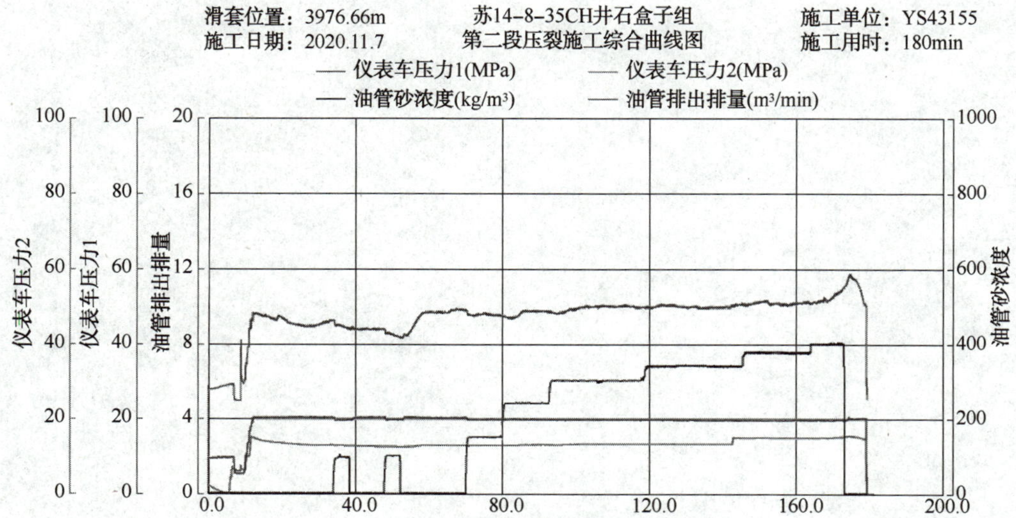

图 8　苏 XX-X-35CH 井第三段压裂施工曲线

4　结论

（1）研制了耐高温高压的裸眼压裂封隔器，解决了高温高压条件下的裸眼密封难题，保证了压裂施工过程中的封隔效果。

（2）研制了超级密封可捞式投球驱动滑套，解决了滑套易卡死失效无法打开、后期钻磨球座易出套卡钻的问题及实现可捞免钻全通径。

（3）完善了小井眼裸眼分段压裂完井管柱下入工艺，使完井管柱能够顺利下入。

（4）ϕ118mm 小井眼裸眼分段压裂完井技术共计应用 17 口井，其中苏 XX-X-35CH 井压裂后无阻流量为 103.5 万方，为当年所有侧钻水平井单井最高产量，压裂增产效果显著。

参　考　文　献

[1] 李少明，王辉，邓晗，等. 水平井分段压裂工艺技术综述[J]. 中国石油和化工，2013(10)：56-59.

[2] 张焕芝，何艳青，刘嘉，等. 国外水平井分段压裂技术发展现状与趋势[J]. 石油科技论坛，2012，31(6)：47-52.

[3] 陈作，王振铎，曾华国. 水平井分段压裂工艺技术现状及展望[J]. 天然气工业，2007，27(9)：78-80.

[4] 李宗田. 水平井压裂技术现状与展望[J]. 石油钻采工艺，2009，31(6)：13-18.

[5] 詹鸿运，刘志斌，程智远，等. 水平井分段压裂裸眼封隔器的研究与应用[J]. 石油钻采工艺，2011，33(1)：123-125.

[6] 秦金立，吴姬昊，崔晓杰，等. 裸眼分段压裂投球式滑套球座关键技术研究[J]. 石油钻探技术，2014，42(5)：52-55.

[7] 李斌，沈桓宇，朱兆亮，等. 水平井投球滑套密封结构研究[J]. 石油机械，2015，43(7)：104-108.

[8] 李强. 水平井裸眼分段压裂管柱密封性能研究[D]. 西南石油大学，2014.

径向水平钻孔技术研究与发展

施连海 韩 龙 黄志强 效世杰 戴运才 徐 涛 刘平全

（中国石油集团长城钻探工程公司）

摘 要 径向水平钻孔技术是近年发展起来的一项油田完井新技术，其原理是在原井眼目的层的不同深度和方向上径向钻出多个水平孔眼，有效穿越井眼污染带，解除近井污染，增加原井眼的泄流半径，提高油藏动用程度，以达到提高油井产量的目的。本文概括介绍了径向水平钻孔技术现状，重点介绍了旋转钻进径向水平钻孔技术研究情况，包括工具结构原理、特点、施工流程及应用情况等，简要展示了径向水平钻孔技术研究的最新进展和发展趋势，为促进径向水平钻孔技术的发展及规模推广应用，提供了借鉴和参考。

关键词 径向水平钻孔；套管开窗；高压射流；旋转钻进；鱼骨分支

目前，我国主力油田已进入开发中后期，老井、枯竭井的数量不断增加，新探明储量严重不足，未动用储量大多数属于低渗透、稠油、薄油层以及裂缝性油气藏。老油田的开发还面临着注水压力高、边缘井采收率低等难题。

径向水平钻孔技术利用专用井下工具可在目的层指定深度、方向钻出多个辐射状水平孔眼，形成液流通道，从而解除近井污染、扩大单井泄油面积，达到提高油藏动用程度和原油最终采收率、提高单井产量的目的。目前该技术已在开采复杂油气藏中显示了诸多优势，逐步成为老油田挖潜、稳产的有效手段。同时，随着应用的不断深入，油藏类型和井下工况日益复杂，特别是深井对技术的要求越来越高。近几年国内外积极开展了相关研究，开发了新一代技术，取得了一些重要的新进展，大大提高了施工可靠性、效率和适应性。

1 技术现状

径向水平钻孔技术起源于 20 世纪 70～80 年代，美国人 Wade Dickinson 首次提出了径向水平钻孔的技术概念，其所在的 Petrophysics 公司在 Bechtel 投资公司支持下，成功研制出了套管段铣开窗型径向水平钻孔系统。此后的几十年里，美国、加拿大、中国等国家的多家单位纷纷开展了径向水平钻孔技术方面的研究，并逐渐形成了“万向节套管开窗+高压水力喷射地层钻进”的高压水力喷射径向水平钻孔技术，利用万向节开窗工具进行套管开窗，然后利用高压喷射软管带自进喷头进行喷射钻进，在地层中形成多个泄流孔道。现场应用展示了该技术可解除近井污染、显著提高单井泄油面积的优势，而且具有工艺简单、成本低等特点。

1.1 万向节套管开窗技术

万向节套管开窗工具主要包括螺杆马达、万向节、开窗钻头及导向器等，其结构如图 1 所示。万向节下接开窗钻头，上接螺杆马达，送入导向器；地面泵入钻井液驱动螺杆马达，带动万向节及钻头旋转；钻头在一定压力及旋转速度下切削套管，钻出一个小孔，钻穿后退出万向节及钻头，完成套管开窗。

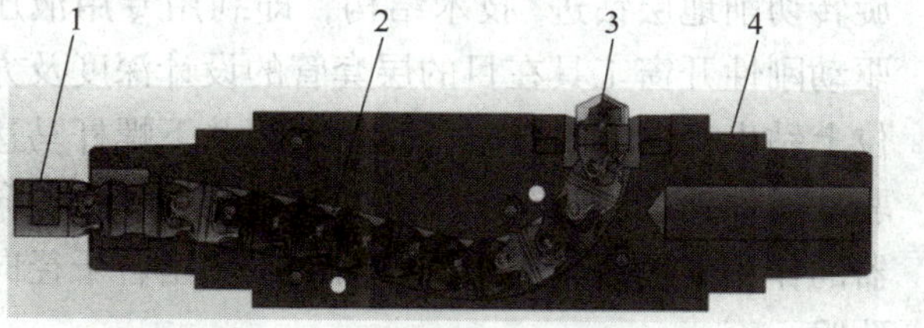

图 1 万向节套管开窗工具结构示意图

1—螺杆马达；2—万向节；3—开窗钻头；4—导向器

1.2 高压水力喷射地层钻进技术

高压水力喷射地层钻进工具主要包括喷射管、喷头、导向器、扶正器等，其结构如图 2 所示。高压喷射软管下端安装高压喷头，经喷射导向器通道，进入套管开窗工具钻出的孔眼；地面泵入 60～70MPa 的高压流体，在喷头处形成高速流体，正向喷嘴用于冲蚀地层破岩，反向喷嘴用于辅助扩眼、推动喷头前行，进入岩层形成孔眼。

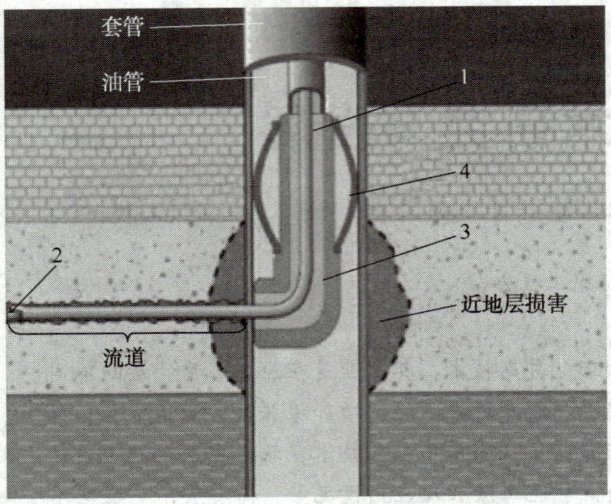

图 2　高压水力喷射地层钻进工具结构示意图

1—喷射管；2—喷头；3—导向器；4—扶正器

1.3　存在问题

(1) 由于万向节柔性大，同时传递扭矩和钻压控制难度大、可靠性差、容易扭断且孔径偏小，尤其面对高钢级、厚壁套管施工时效果较差。

(2) 由于摩阻压耗等影响，高压水力喷射地层钻进工具井下实际效果有限，在疏松岩层中能够喷射，在硬地层中喷射困难，且喷射软胶管易弯曲、打折，判断喷射长度为地面送入长度，不一定是进入地层长度，进尺计量不可靠。

2　旋转钻进径向水平钻孔技术

针对“万向节套管开窗+高压水力喷射地层钻进”存在的问题，研制了“液压驱动刚性开窗+旋转切削地层钻进”技术结构，即利用专用液压驱动刚性开窗工具在目的层套管的设计深度及方位上钻出径向水平孔眼，然后利用井下螺杆马达驱动柔性钻杆，带动微型破岩钻头旋转，在导向器的作用下实现转向，并在目的层钻出若干径向孔眼。

2.1　液压驱动刚性开窗技术

液压驱动刚性开窗工具主要由钻头、传动系统、配流系统及螺杆马达组成，如图 3 所示。地面泵入高压钻井液流经配流系统，一部分进入螺杆马达，驱动螺杆马达旋转，其轴向旋转经传动系统转变为径向旋转并传递到钻头上，为开窗提供扭矩，实现钻头旋转；另一部分钻井液进入传动系统，形成液压推力，为钻头提供稳定钻压，实现钻头边旋转切削边径向进给，从而在套管上开出光滑、高质量的窗口，如图 3 所示。

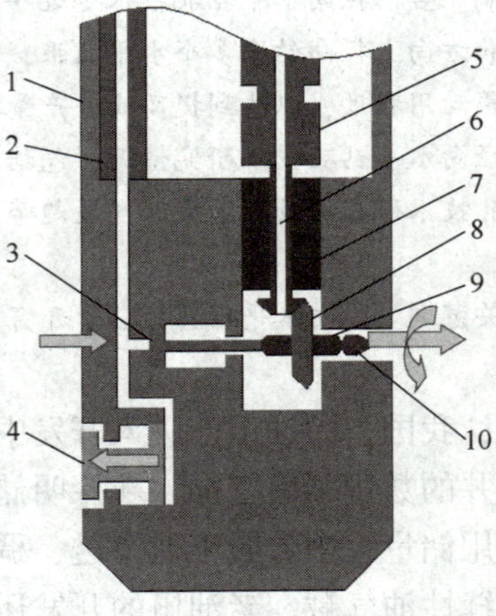

图 3　液压刚性驱动套管开窗工具结构示意图

1—开窗主体；2—配流系统；3—开窗活塞；4—推靠活塞；5—螺杆马达；6—传动轴；7—轴承总成；8—换向机构；9—推进杆；10—开窗钻头

与万向节套管开窗技术相比，液压驱动刚性开窗工具采用液压与机械相结合的方式，将扭矩传递与切削进给相互分离，能够传递的扭矩大，切削进给也更为平稳，且工作中工具与套管相对固定，开窗的整个过程相对平稳，开窗施工更可靠，开窗孔径更大，此外还可实现开窗状态的实时显示，解决了万向节开窗传动扭矩小和进给不稳定，无法对高钢级套管开孔的问题。

2.2　旋转切削地层钻进技术

旋转切削地层钻进工具主要由重力封隔器、反扭矩自锁器、螺杆马达、柔性钻杆及钻头组成，如图 4 所示。

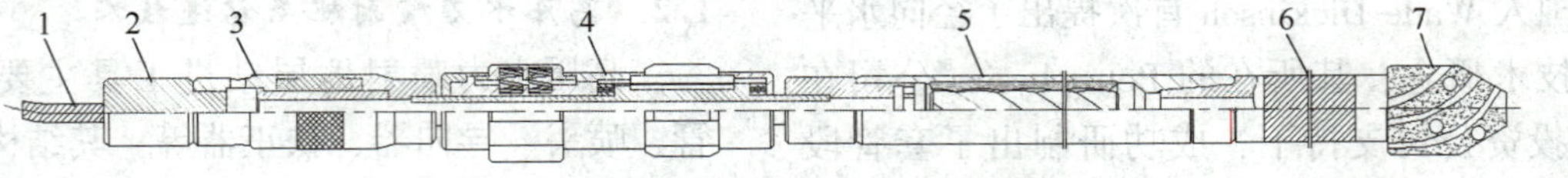

图 4　旋转切削地层钻进系统结构示意图

1—电缆；2—电缆连接器；3—重力封隔器；4—反扭矩自锁器；5—螺杆马达；6—柔性钻杆；7—微型破岩钻头

现场施工中，开窗工具、导向器、锚定工具等通过油管下入井筒，构成油管管柱。地面绞车通过电缆将地层钻进工具串下入油管管柱内，依靠自重下行，到达管柱底部时，钻头和柔性钻杆经过导向器、窗口抵在水泥环上，钻进方向由轴向变为径向，工具串继续下放，重力封隔器涨开，封闭油管内径，形成活塞。高压泵从井口注入高压钻井液，钻井液经重力封隔器上的循环孔进入工具串内部，依次流经反扭矩自锁器、螺杆马达、柔性钻杆，最后经钻头水眼喷出。钻井液流经工具串产生的压降作用在活塞端面上产生轴向推力，与工具串重力一起形成钻头钻压。螺杆马达在钻井液驱动下形成扭矩，带动柔性钻杆、钻头旋转切削水泥环/地层，实现旋转切削地层钻进，地面试验钻孔情况如图5所示。反扭矩自锁器用于平衡螺杆马达的反扭矩，保证螺杆马达上方钻具相对周向静止，螺杆马达下方钻具相对旋转。

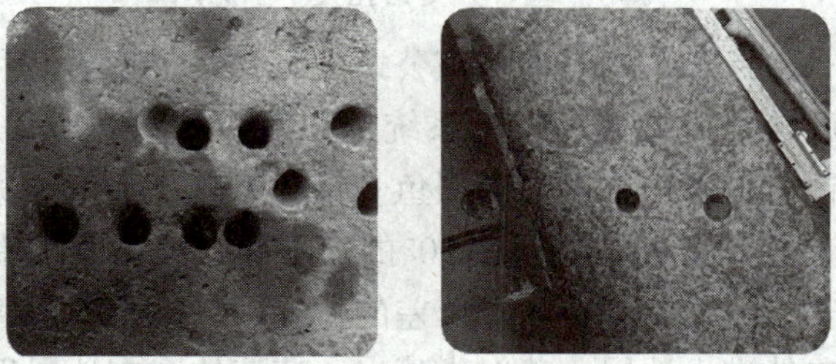

图5　旋转切削地层钻进试验

2.3　主要技术参数

旋转钻进径向水平井技术主要技术参数如表1所示。

表1　旋转钻进径向水平井技术主要技术参数

开窗孔径/mm	钻进孔径/mm	钻进长度/m	井身条件	适用套管尺寸
30	26~30	5~8	井深<4000m，井斜<40°	5″、5½″、7″、9⅝″单层套管

3　现场应用

目前，旋转钻进径向水平井技术在辽河、吉林、新疆、华北等油田累计应用60余口井，应用方向包括解除近井地带污染、注水井解堵、诱导压裂、降低压裂启动压力等多个领域，应用效果显著。

3.1　解除近井地带污染

随着开发进入中后期，地层压力越来越低，各种措施(钻井、修井等)对油层造成污染，形成近井污染带(据文献污染半径rs一般在0.6~1.2m)，目前射孔(包括深穿透射孔)不能有效穿透污染带，影响油气井产量。

以S3井为例，S3井是一口预探井，完钻井深3542.00m，大民屯凹陷致密油气沙四段砂砾岩致密储层，在3065m~3115m射孔后地层测试。流压3.54MPa，静压5.36MPa，回收水0.038m^3。测试结论为无油、干层。

2015年4月在原射孔段采用径向钻孔完成10个孔眼施工(单孔平均长度11.6m)后地层测试，流压10.73MPa，静压28.16MPa，回收油0.29m^3，表明有效穿透污染带，落实该层为差油层。测试后实施压裂，投产初期日产油14.1m^3。

3.2　注水井解堵

油田开发进入二次/三次采油阶段，注入的大量流体(水或聚合物)，造成注入井近井堵塞，导致注入压力逐渐增高，注入量降低。利用旋转钻进径向水平井技术可穿透堵塞带，有效降低注入压力，提高注水量，补充地层能量。以J69井为例，J69井2017年7月投产，生产井段2162.0~2241.5m，23.9m/7层，初期产油5.6t，水10.4t，2018年1月20日转注水井，注水井段2162.0~2241.5m，23.9m/7层。采用旋转钻进径向水平井技术施工前，该井间注，日注入量约2~6m^3，注入压力13.5~13.8MPa。

分析认为注入层位受到污染堵塞。对该井实施旋转钻进径向水平井技术服务，完成了6个分支径向水平孔眼施工，日注入量达到30m^3，注入压力降至10MPa。

3.3　引导压裂

深层低渗、致密油井等开采常需要射孔后酸化、压裂，部分井会出现启动压力高的现象，现场又受机、泵、管等条件限制，造成酸化、压裂实施困难，效果不理想。为提升储层改造效果，采用旋转钻进径向水平井技术进行储层改造，作为压裂预处理工艺，通过径向钻孔，在储层内钻出多个通道减少启动压力，扩大波及面积。以L99井为例，L99井为预探井，属致密油藏，地层较硬。2014年12月完钻，完钻井深3528m，未射孔。周边几口井采用射孔+压裂方式，投产效果不理想。本井实施13个孔眼后进行压裂，加入压裂液710m^3，泵压77-72-56-58MPa，排量7.5~6.0m^3/min，加砂42m^3，砂比20%。压后连续正常生产413天，平均日产8.15t，累计产油3430.37t。在雷家致密油区块，稳产时间最长，从一定程度上验证了“径向钻孔+压裂”储层改造的有效性。

4　技术发展

4.1　电控旋转钻进径向水平井技术

目前应用的旋转钻进径向水平井技术，采用

水力驱动完成套管开窗及地层钻进，需要油管或连续油管配合施工，开窗、地层钻进过程根据水压波动变化进行分析，无法直接监测，而且作业周期长，成本高，制约了技术的推广应用。

为此，在水力旋转钻进径向水平井技术的基础上开展了电控旋转钻进径向水平井技术研究。如图 6 所示，该技术将水力驱动变为电力驱动，不需要油管传输，仅通过电缆将工具仪器下入井内预定位置，地面发送指令，工具即可在井下实现开窗、对孔、地层钻进，形成多个长 2. 00m 以上、直径 20. 0~30. 0mm 的孔眼。施工过程无需油管作业配合，1~2 天完成 1 口井施工，大幅提升施工效率，降低施工成本。

该技术与火药射孔相比，作业周期相当，穿透距离是其 2~3 倍，无压实效应，且不受火工产品限制，施工操作安全性高；与水力旋转钻进径向水平井技术相比，穿深稍短，但大幅提升作业效率，降低施工成本，可作为常规深穿透措施应用。

2019~2023 年，电控旋转钻进径向水平井技术在辽河油田进行了 6 口井现场试验，完成 100 多个孔眼施工，最大穿深大于 2m，直径 20. 0~30. 0mm。现场试验后，效果非常显著。该技术为近井地层改造提供了一种新的技术途径，且增产效果明显，值得推广应用。

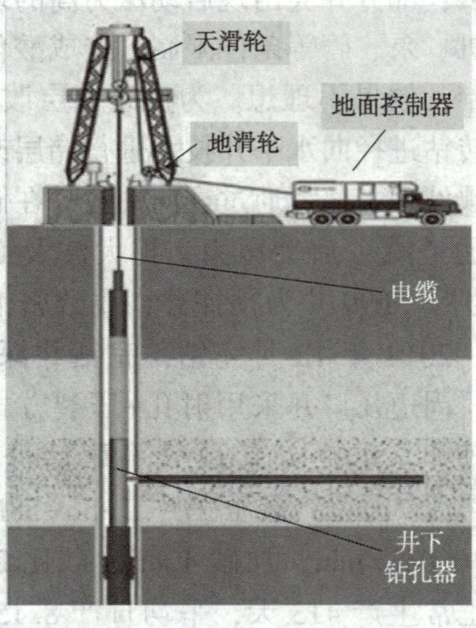

图 6　电控旋转钻进径向水平井技术系统结构

4. 2　裸眼井鱼骨分支钻孔技术

鱼骨分支钻孔技术是由挪威 Fishbones 公司提出并率先研发成功的一项新技术。如图 7 所示，该技术可根据生产需要，完井时在裸眼井中同时钻出多达 100 个以上分支孔，解除地层污染，同时可大幅增加储层泄油面积，进而提高产量。目前在美国、挪威等国的致密灰岩、致密砂岩以及煤层气等领域应用，平均增产 2~8 倍，效果良好。施工中，随完井管柱一次下入，作业时间短(全部钻孔 4-5 个小时完成)、成本较低。

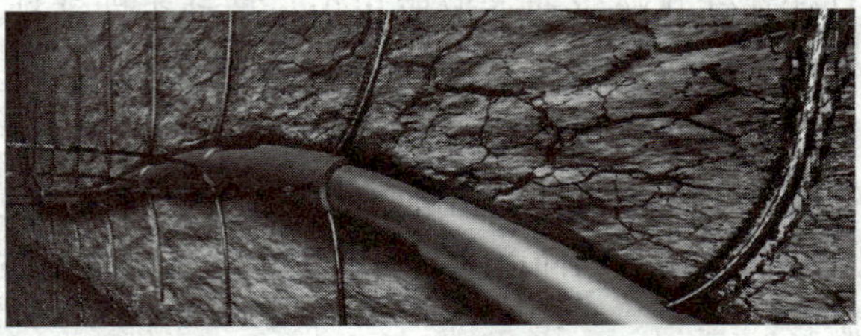

图 7　鱼骨分支钻孔技术示意图

针对不同岩性，该公司先后开发了喷射型和旋转钻进型两种工具系统，如图 8 和图 9 所示。针对较软地层，喷射型鱼骨钻孔工具每个工具短节内安装有 4 根互成 90°的喷射管，喷射管前端安装喷射头。在内外压差的作用下，推动喷射管向外进入地层，喷射头喷出高速流体，在地层里形成分支孔眼。针对较硬地层，旋转钻进型鱼骨钻孔工具每个工具短节内安装有 3 根互成 120°的钻进管，每根钻进管前端带微型钻头。当完井管柱下至设计深度后，以一定排量循环钻井液，内部涡轮提供动力，驱动钻进管和前端微型钻头旋转钻进破岩。

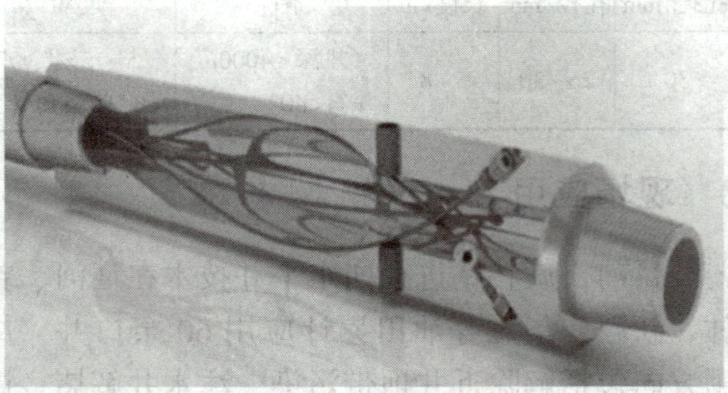

图 8　喷射型鱼骨钻孔工具

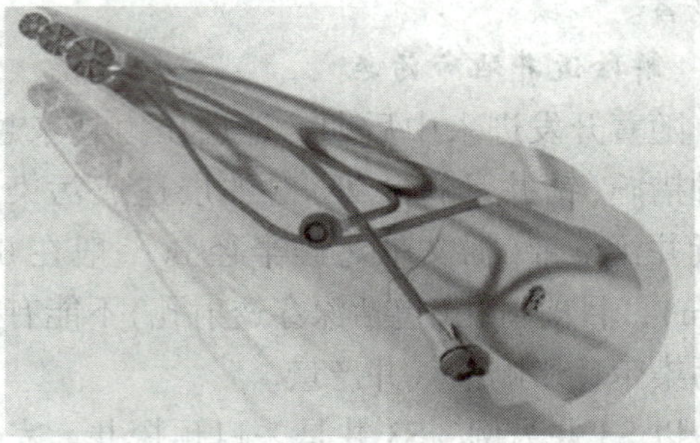

图 9　旋转钻进型鱼骨钻孔工具

目前，该技术已在挪威、美国、中东海上等多个国家和地区现场试验了 10 余口井，初步展示出了良好的应用效果和前景。

4.3 微型涡轮钻井(MTD)技术

微型涡轮钻井(MTD)技术是由 Fraunhofer 协会 Niklas Geißler 研发出的一项针对地热能开发的新技术，利用 MTD 技术可在主井筒上钻出更多分支井，增加热水的开采面积，显著降低勘探风险。

MTD 的核心工具包括微型钻井涡轮，由含有金刚石颗粒的碳化钨基体组成的特制钻头及特制偏转装置。如图 10 所示，该微型涡轮直径 36mm，长度 100mm，上端与高压软管相连，高压软管输送的进口压力约 100bar、泵速 200L/min 的水驱动涡轮带动钻头以 80000r/min 的转速高速旋转研磨，从而实现旋转钻进。MTD 技术可以在不更换钻具的情况下，先钻穿钢制套管，然后再钻进岩石，其钻进速度可达 2～3m/h。偏转装置可将特制钻头、微型工具等以大约 45°的角度侧钻出主井筒。

图 10　喷射型鱼骨钻孔工具

MTD 技术在瑞士哥达隧道附近的 Bedretto 地下实验室(BUL)进行了试验，试验表明，该技术非常稳定可靠。现场施工中，微型涡轮的叶片在旋转时会发出特有的脉冲类型，其声音可作为声学参考来进行分析。通过分析音频记录，可以确定出钻头是否以正确的速度旋转，是否卡钻，甚至能判断钻头是否正在干转。该声音可作为结构声传递至钢管，然后在地面进行记录。

MTD 技术不仅适用于地热应用，也可用于所有深层钻进作业，降低生产井的风险与成本，甚至还能提高作业效率。

5　结论及认识

(1) 高压水力喷射径向水平钻孔技术可应用于较软地层施工，解除近井污染、显著提高单井泄油面积的优势，而且具有工艺简单、成本低等特点。但喷射钻进进尺不可靠，万向节套管开窗也存在同时传递扭矩和钻压控制难度大、可靠性差、易损坏且孔径偏小等缺点。

(2) 旋转钻进径向水平钻孔技术包括“液压驱动刚性开窗+旋转切削地层钻进”技术，开窗、钻进稳定性好、可靠性高，可用于软硬多种地层，钻进效果、应用广泛性均优于高压水力喷射径向水平钻孔技术，但作业周期长，成本高，制约了技术的推广应用。

(3) 电控旋转钻进径向水平井技术以水力旋转钻进径向水平井技术为基础，继承了旋转钻进的钻进方式及可靠性。同时，水力驱动变为电力驱动，不需要油管传输，仅通过电缆将工具仪器下入井内预定位置，地面发送指令，工具即可在井下实现开窗、对孔、地层钻进，大幅提升了施工效率，降低了施工成本，可应用于污染、堵塞较轻的井位。

(4) 鱼骨分支钻孔技术可在裸眼井中大幅增大储层泄油面积，具有作业周期短、成本低等特点，在裂缝型、低渗等油藏具有良好的应用前景。微型涡轮钻井(MTD)技术利用微型钻井涡轮驱动特制钻头旋转钻进，可应用于地热开发领域，在主井筒上钻出更多分支井，增加热水的开采面积，显著降低勘探风险；也可用于所有深层钻进作业，降低生产井的风险与成本，甚至还能提高作业效率。作为新一代径向钻孔前沿技术，以上两项技术具有诸多优点，建议应尽快开展自主研究。

参 考 文 献

[1] 韩龙. 旋转钻进径向水平井技术研究与应用[J]. 中国新技术新产品，2020，(03)：54-55.

[2] 周卫东，师伟，李罗鹏. 径向水平钻孔技术研究进展[J]. 石油矿场机械，2012，41(4)：1-6.

[3] 施连海，杨帆，黄志强等. 径向水平井技术的应用及其发展方向探讨[J]. 西部探矿工程，2014，26(07)：60-65.

[4] 刘平全. 径向水平井技术发展及工具特点[J]. 石油矿场机械，2018，47(01)：23-27.

[5] 范翔宇，王俊瑞，夏宏泉，等. 基于灰色系统理论的钻井液污染储层深度预测[J]. 西南石油大学学报(自然科学版)，2013，35(3)：98-104.

[6] 黄志强. 径向水平钻孔技术在 LU2028 井的应用[J]. 石油地质与工程，2015，29(06)：117-122.

[7] 刘平全，李磊兵，施禹岑，等. 井壁深穿透电控钻孔技术研究与现场试验[J]. 钻采工艺，2021，49(3)：55-61.

[8] 黄志强，陈勋，施连海，等. 微小井眼径向钻孔技术研究新进展及分析[J]. 石油钻探技术，2021，43(03)：27-30.

低成本有缆式智能分注技术研究

张　凯　王　聪　张　雷　罗　杨　王鹏飞　暨梦琪　张紫檀

（中国石油化工股份有限公司胜利油田分公司石油工程技术研究院）

摘　要　胜利油田有缆式智能分注技术已推广应用130余井次，通过实时数据采集，注采耦合调控，减少了现场测调工作量，为智能油田建设提供了数据支撑。受进口电子元器件成本制约，该技术实施成本较高，限制了规模化推广。为了加大有缆式智能分注技术应用规模，助力智能油田建设，硬件方面通过配水器功能分级，研发了具有通信、测试功能的中枢配水器和具有调节功能的调控开关；软件方面通过编写PID控制算法、编制自动调配程序，实现了对分层注入流量的精确调控；通过集中控制技术研究，减少了控制柜数量。研究形成的低成本有缆式智能分注技术成本降低30%左右，现场应用6井次，单层调配误差≤5%，同井场实现了一台控制柜控制三口井，取得了较好的开发效果，为有缆式智能分注技术的大规模推广应用奠定了基础。

关键词　低成本；智能油田；智能分注；功能分级；自动调控

胜利油田以水驱开发为主，水驱产量占总产量的75%左右，水驱储量的稳定开发是油田稳产的基石。国内分层注水技术已由固定式分注技术、活动式分注技术、测调一体化分注技术发展到智能分注技术阶段，包括有缆式智能分注和无缆式智能分注两种类型。大庆油田、华北油田以有缆式智能分注技术为主，研发的智能配水器集成了温度、压力监测和流量测控功能，通过电缆载波通信技术与地面实时通信，获取井下数据，控制分层注水量。长庆油田以无缆式智能分注技术为主，研发了适用于超低渗透油藏的压力波通信分层注水技术，通过地面与井下电控阀开度调控，在井筒内产生压力波动，实现了地面与井下的数据传输和井下分层流量调控。中海油开展了电缆永置式井下测调技术和电控+液控智能注水技术的攻关研究。电缆永置式井下测调技术将测调组件集成于井下测调工作筒内，通过电缆进行数据与指令传输，实现对井下数据的监控和注水量的调节。胜利油田2014年开始进行有缆式智能分注技术的攻关和无缆式智能分注技术的试验应用，有缆式智能分注技术已推广应用130余井次。该技术通过电缆将井下智能配水器采集到的分层流量、压力、温度等数据上传到地面，地面控制柜通过无线网络将数据传输给远程计算机终端，工作人员对各层的实际注水量与配注量进行对比，如果实际注水量与配注量偏差不超过20%，则不对智能配水器进行调控；若偏差超过20%，工作人员远程发送调控指令，对智能配水器进行调配，直至满足配注要求。

受进口电子元器件成本制约，常规有缆式智能分注技术实施成本较高，限制了规模化推广应用。因此，急需研发低成本有缆式智能分注技术，将统一配置的井下智能配水器进行功能分级，优化为具有测试、通信功能的中枢配水器和具有调节功能的配水调控开关，减少高温芯片的使用数量；同时编制了自动调控程序，减少了人为干预；攻关集中控制技术，减少同井场控制柜使用数量。

1　有缆式智能分注技术

有缆式智能分注技术技术构成如图1所示，包括有缆智能配水器、过电缆封隔器、电缆、井口电缆穿越装置和地面控制柜等。有缆智能配水器采集井下分层压力、温度、流量等数据，并控制各注水层的注入量。过电缆封隔器将不同的注水层段进行封隔。有缆智能配水器采集的各层数据通过电缆采用直流载波通信的方式上传到地面控制柜，控制柜将数据通过无线方式传输给远程计算机终端，工作人员对上传数据进行分析，如果实际注水量与配注量偏差≤20%，则不进行调控；若偏差>20%，则发出调控指令，对智能配水器进行调配，直至满足配注要求。

为了实现井下精准测控，智能配水器中选用了进口电机和温度、压力传感器，各层配水器同等配置，均具有数据(温度、压力、流量)采集、流量调配和通信功能。配水器耐温125℃，耐压60MPa，流量测量范围0~300m³/d，误差≤2%FS，参数配置上有冗余。

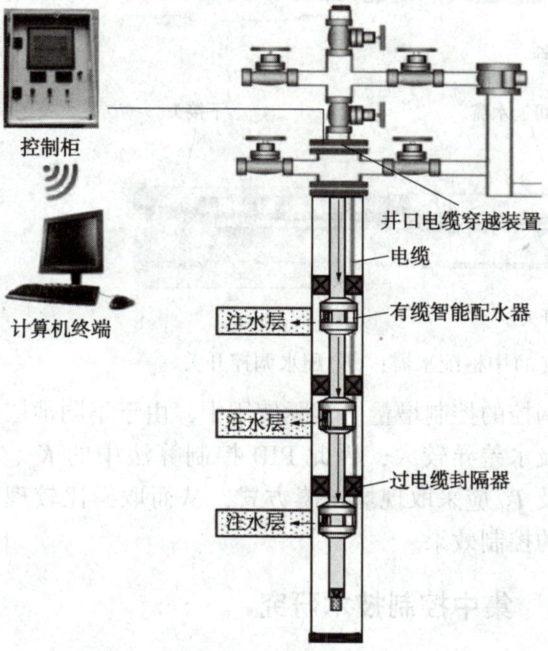

图1　有缆式智能分注技术技术构成

2　功能分级配水器设计

为了实现配水器功能差异化，对智能配水器进行了功能分级，将统一配置的有缆式智能配水器优化为中枢配水器和配水调控开关，形成了功能分级的智能分注管柱，如图2所示。

功能分级智能分注管柱的配注装置主要由中枢配水器和配水调控开关组成。中枢配水器具有采集全井流量、分层流量、压力、温度的基本功能，同时能够进行双向通信；配水调控开关具有采集外压、控制水嘴开关的基本功能。

中枢配水器主要由上接头、电磁流量计、一体化可调水嘴、中心过流管、差压流量计及下接头组成，如图3(a)所示。其中电磁流量计用于测量全井流量，差压流量计用于测量分层流量，压力传感器可测量管内外的压力，温度传感器实现层段温度的测量。中枢配水器可实现水嘴开度调节、控制进入地层的流量及数据双向通信的功能，同时还设计了多级密封结构，以保证长期密封的可靠性。

中枢配水器配置的传感器种类齐全，而配水调控开关相当于低配的智能配水器，无内压传感器、温度传感器以及对应的采集电路，成本降低

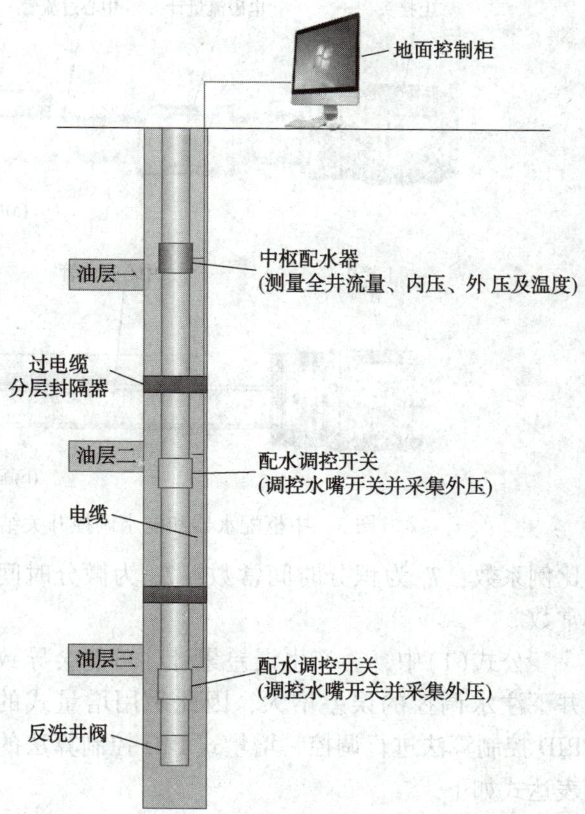

图2　功能分级智能分注管柱

约30%。如图3(b)所示，配水调控开关主要由上接头、外压传感器、下接头、外护管、中心过流管及一体化可调水嘴组件等组成。通过控制水嘴开度实现分层流量调节，调控开关对应层位的流量值通过换算得到(水嘴开度-压差-流量的关系)。进一步可得，内压=中枢配水器所在位置处内压+层段间静液柱压力-摩阻；温度=中枢配水器所在位置处温度+层间距×温度梯度。配水调控开关也具备多级密封结构。

3　分层流量控制算法研究

分层注水过程中，井下流量的控制精度直接决定了注水井的层段合格率，因此合适的控制算法对于注水流量的精确控制至关重要。目前井下流量调控常用的控制算法包括PID控制算法、模糊控制算法及模糊自适应PID控制算法，其中模糊控制及模糊自适应控制算法均需要根据以往经验设计模糊控制器，因此，本文所设计的低成本配水器采用增量式PID控制算法对注水流量进行控制，PID控制算法的表达式如下。

$$u(t)=K_p\left(e(t)+\frac{1}{T_I}\int_0^t e(t)dt+T_D\frac{de(t)}{dt}\right) \quad (1)$$

式中，$u(t)$为输出量；$e(t)$为误差；K_p为

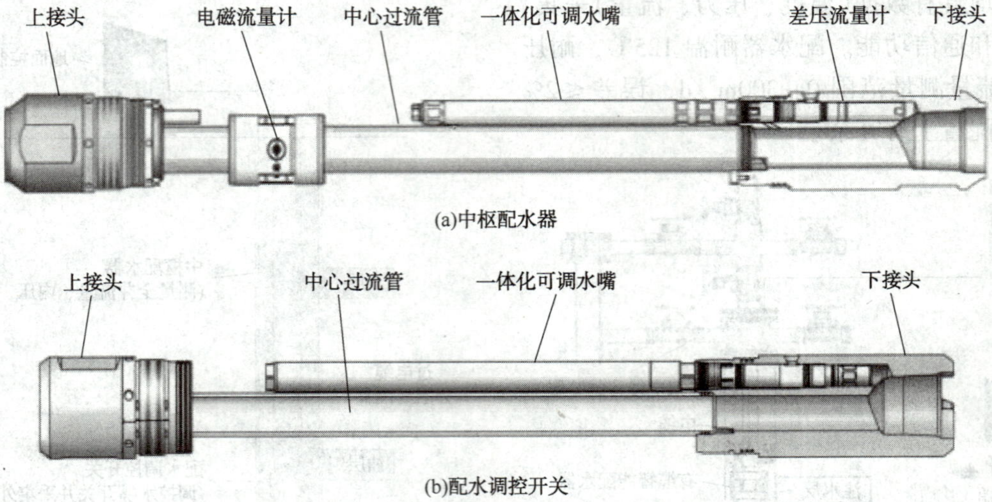

图 3　中枢配水器和配水调控开关结构图：(a)中枢配水器；(b)配水调控开关

比例系数；T_t 为积分时间常数；T_D 为微分时间常数。

公式(1)中，会产生误差累计，可能会导致井下注水调控的误差增大，因此采用增量式的PID控制算法进行调控，增量式PID控制算法的表达式如下。

$$\Delta u(t)=K_p\Delta e(t)+T_t e(t)+T_D[\Delta e(t)-\Delta e(t-1)] \quad (2)$$

$$\Delta e(t)=e(t)-e(t-1) \quad (3)$$

由公式(2)及公式(3)可知，一旦确定了PID控制算法的比例、微分及积分系数，只要使用本次控制周期前后三次的偏差，即可得到流量调控的控制增量。实际使用中，由于不同地层的吸水差异较大，因此PID控制算法中的 K_p、T_t 及 T_D 应采取现场试凑方式，从而取得比较理想的控制效果。

4　集中控制技术研究

结合现场安装条件，同井场或同平台多口智能分注井可以共用控制柜，减少控制柜使用数量。采用“多路分时复用”技术，设计了一控多控制柜，通过切换不同井的井号，可以实现一台控制柜最多对6口智能分注井供电、远程数据读取和调控。

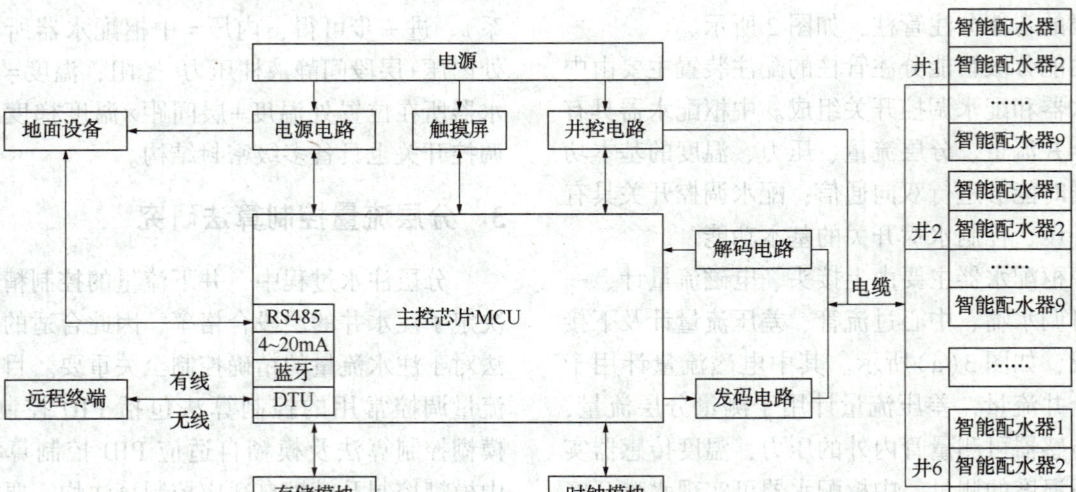

图 4　控制柜一控多技术

设计的一控多控制柜由电源模块、主控芯片、解码电路、发码电路等部分组成，适用环境温度-35~80℃，供电电压AC220V±15%，输出电压DC30~110V，输出电流0~1A。

同时编制了自动调控程序，设计调控时间和调控次数两种控制逻辑，实现了自动调控，减少了人为干预，提高了测调效率。

全井总水量自动调配过程如图5所示，地面控制柜读取井口流量计数据并与全井配注量之和作对比，当来水量与各层配注量之和偏差超过20%时，地面控制柜发出调节指令，通过电缆，传输给井口流量计，井口流量计中电机驱动阀门进行自动调节，调节后判断偏差，若偏差仍大于20%，则继续调节。因配水间来水量少，无法满足全井水量时，地面控制柜报警，提示管理人员调整总来水量。

5　现场试验

在胜利油田某井试验了自动调控技术，如图6所示，设置三层目标层配注分别为：20m³/d、40m³/d、40m³/d，设置调控次数为12次，调配完成后，三层实际注水量分别为19.41m³/d、38.80m³/d和38.81m³/d，调配合格，满足设计要求。

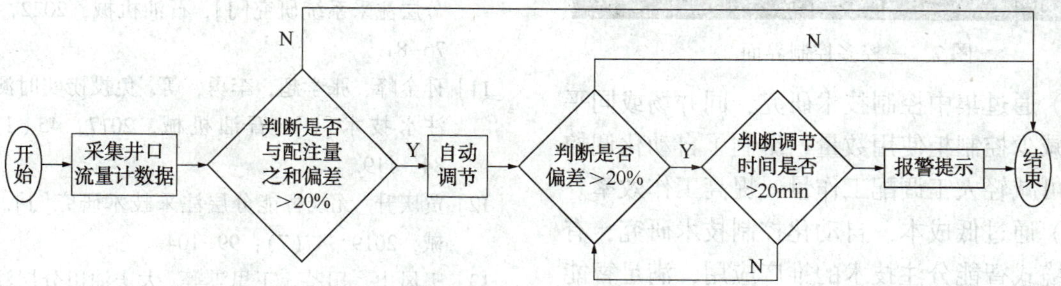

图5　全井自动调配流程图

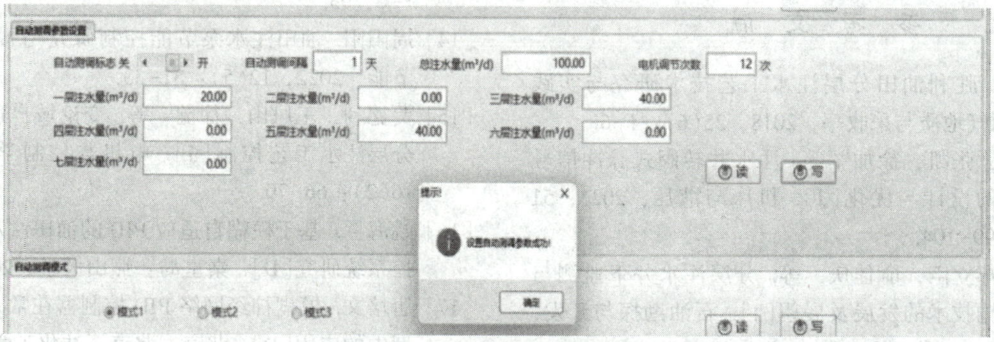

(a)设定配注和调配次数

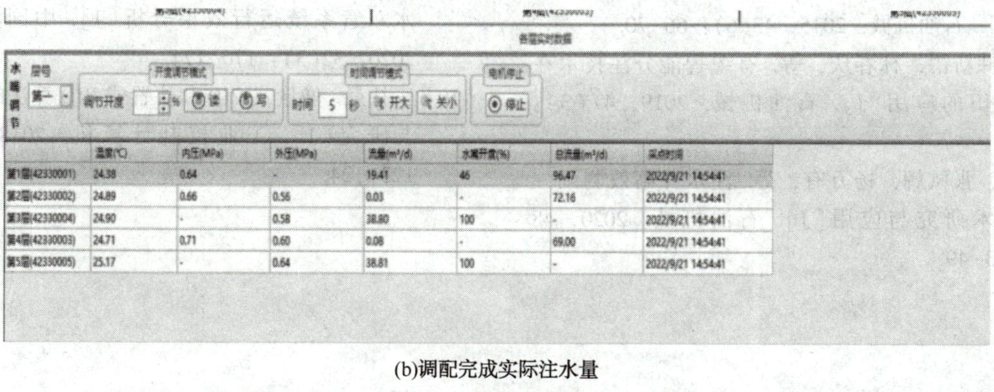

(b)调配完成实际注水量

图6　自动调控界面：(a)设定配注和调配次数；(b)调配完成实际注水量

在胜利油田某井场试验了一控多技术，实现了一台控制柜对三口智能分注井的控制，如图7所示。上电时默认井1通电，其他井断电，当需要切换时，先关断当前上电井，然后选择需要控制井的井号。通过选择不同井号，可以对不同分注井进行数据读取与控制，减少了控制柜使用数量。

6　结论

（1）对智能配水器进行功能分级，设计了中枢配水器和配水调控开关，降低了有缆式智能分注技术实施成本。

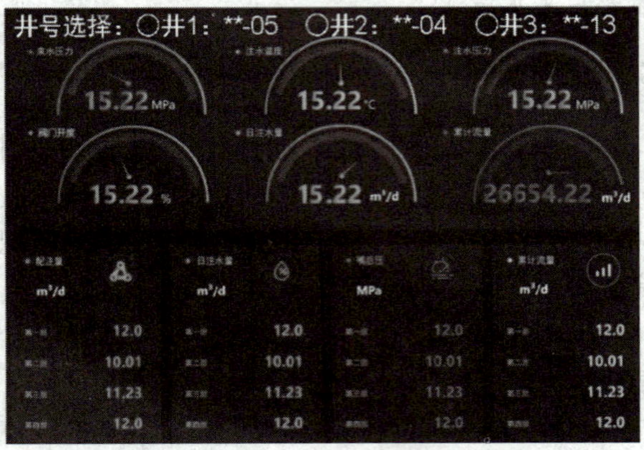

图7　一控多控制界面

（2）通过集中控制技术研究，同井场或同平台可以减少控制柜使用数量；编制了自动化调控程序，可减轻人工调配工作量，提高工作效率。

（3）通过低成本、自动化控制技术研究，有助于有缆式智能分注技术的推广应用，满足智能油田建设对数据实时感知的需求。

参 考 文 献

[1] 王增林. 胜利油田分层注水工艺技术研究与实践[J]. 油气地质与采收率，2018，25(6)：1-6.

[2] 崔玉海，张凯，徐加军等. 注水井转阀式脉冲信号发生器的设计与优化[J]. 机床与液压，2023，51(08)：99-104.

[3] 刘合，郑立臣，俞佳庆，等. 分层注水井下监测与数据传输技术的发展及展望[J]. 石油勘探与开发，2023，50(1)：174-182.

[4] 李常友. 胜利油田测调一体化分层注水工艺技术新进展[J]. 石油机械，2015，43(6)：66-70.

[5] 张旭，韩新德，林春庆，等. 有缆智能分注技术在华北油田的应用[J]. 石油机械，2019，47(3)：87-92.

[6] 徐兴安，张凤辉，杨万有，等. 注水井高效测调一体化技术研究与应用[J]. 石油机械，2020，48(8)：43-49.

[7] 胡改星，刘延青，张天杰，等. 基于压力波通信的注水井分层调控系统研究[J]. 石油机械，2022，50(11)：104-110.

[8] 佟音，金振东，刘军利，等. 大庆油田缆控分层注水技术研究及应用[J]. 石油科技论坛，2022，41(3)：94-99，105.

[9] 张凤辉，薛德栋，杨万有，等. 电缆永置式井下测调技术研究与应用[J]. 石油机械，2015，43(9)：79-82.

[10] 薛德栋，杨万有，张凤辉，等. 海上油田电控液驱分层注采系统研究[J]. 石油机械，2022，50(5)：76-81.

[11] 孙金峰，张学超，李勇，等. 免投捞实时测控精细注水技术[J]. 石油机械，2017，45(1)：81-84，119.

[12] 贾庆升. 无线智能分层注采技术研究[J]. 石油机械，2019，47(7)：99-104.

[13] 王凤山，田茎，王思淇等. 大庆油田分层注水工艺技术现状与发展趋势[J]. 采油工程，2022(03)：1-6，95.

[14] 周阳阳. 油田注水泵节能控制研究[J]. 石油石化节能，2022，12(5)：31-33.

[15] 贾德利，王凤山，徐健，等. 变论域自适应模糊的分层注水工艺控制[J]. 电机与控制学报，2012，16(2)：66-70.

[16] 姚海兰. 基于模糊自适应 PID 的油田注水井智能监控系统研究[D]. 秦皇岛：燕山大学，2011.

[17] 唐培文. 模糊神经网络 PID 控制器在常减压仿真模型中的应用[D]. 北京：北京石油化工学院，2022.

[18] 周良胜，颜筱函，周晓红，等. 基于 PID 控制的深水双管系统运行效果分析[J]. 中国海上油气，2020，32(3)：170-174.

[19] 王祎晨. 增量式 PID 和位置式 PID 算法的整定比较与研究[J]. 工业控制计算机，2018，31(5)：123-124.

基于有杆轨道泵的采油与重力储能技术探索

陈　跃

（中国石油西南油气田公司）

摘　要　我国最广泛的人工举升采油设备是抽油机，存在能耗高效率低的普遍现象，严重影响油气生产成本和油气藏采收率，为了改变这种现状，通过对游梁式抽油机采油过程做功原理的分析，找出能耗高效率低的根本原因在于：上下往复运动采油过程中，抽油杆自重所消耗的额外功巨大，为此，结合轨道泵的技术原理，利用变频电机驱动抽油杆组件在360°圆环形轨道旋转运动所产生的重力势能作为井下泵柱塞的驱动力采油，在每一冲程中利用重力加速度与惯性原理实现充分节能，同时打破传统有杆泵作业模式，让抽油杆与油管分开独立运行，并在油管一定距离段设置球式单向阀，由此发明了一种基于有杆轨道泵的采油装置与方法，以“轨道+重力势能+惯性原理+杠杆式柱塞泵+油管单向阀”组合技术为采油模式，将传统抽油机需要努力克服的抽油杆重量之不利因素转化为有利因素，从做功本质原理上改变了传统抽油机采油模式，因其与竖井式重力储能技术工作原理几乎相同，在采油过程中顺势而为开展与重力储能技术的集成应用，可大幅提高采油装置整体效率提质增效，为绿色低碳开采油气探索了一种全新的技术与思路。

关键词　抽油机；有杆轨道泵；重力势能；重力储能

应对气候变化，实现碳中和是全球大势、时代命题，关乎人类未来生存发展，如果没有颠覆性、变革性技术突破，不可能实现碳中和，全球约一半以上的原油生产井通过抽油机采出，我国抽油机采油占比高达90%以上机械效率平均只有25%左右，其耗费成本约占油田生产成本的30%以上，地层中油气资源的寻找、发现与钻开都只是过程，采出才是目的，因此，提高油气开采设备的机械效率，拓展油气开采过程中的绿色低碳集成化技术，将决定油气生产成本和油气生产企业的核心竞争力，面对国际油价的大幅波动和地缘政治动荡的不确定性因素增多，减少油气对外依存度将能源的饭碗端稳在自己手里，关系到国家繁荣发展、人民生活改善和社会的长治久安，唯有通过不断的技术创新，方能增强油气自主保障能力。

1　传统抽油机能耗高效率低的根本原因

抽油机主要分为游梁式与无游梁式两种类型，自抽油机诞生的100多年以来，全世界有石油的地方几乎就有抽油机的身影，是世界上应用最为广泛的采油设备，其应用经久不衰的根本原因是井下泵结构简单运行相对可靠。我国抽油机普遍存在这些缺点：①体积庞大配件多制造成本高；②能耗高机械效率低；③受抽油杆自身重量制约采油深度有限，采油极限深度不超过4878m；④杆管同轴同空间作业容易造成抽油杆与油管之间的磨损，造成油管易磨破渗漏、折断需经常修井等诸多缺点。

对任何机械设备而言，消耗的总功等于额外功加有用功之和，有用功除以总功则为机械效率，对传统游梁式传统抽油机的工作模式进行分析，在采油过程中主要有两种做功能量的消耗：一部分消耗在采出的液体（原油或气田水）上，这种做功消耗属于有用功，另一种能量主要消耗在抽油杆自身重量上，这种做功消耗属于额外功，假如井筒有2500m深，Φ25mm的抽油杆的自重约为10.23×10^3kg（见表1）：

表1　抽油杆带节箍重量参考明细表

规范	长度/m	重量/（kg/m）	重量/（kg/根）
Φ19mm	8	2.35	18.8
Φ22mm	8	3.136	25.088
Φ25mm	8	4.091	32.78

重约10.23×10^3kg的抽油杆在井筒中的上下往复运动，在不采一滴油的情况下，所消耗的额外功都不是一个小数目，但在传统抽油机的工作模式下，又不得不做这种额外功消耗才能将石油采出，而每一天每时每刻，全国各地数十万台抽油机都在如此采油，据中国石油的有关统计，全

国抽油机的耗电量约占油田机电设备总耗电量的40%以上，足可以见其耗电之巨大。在我国“双碳”战略目标和科技强国的号召下，这种有一百多年历史不曾根本性改变的采油设备，严重制约着我国石油工业的高质量发展，予以创新突破时不我待势在必行。尤其在我国陆地浅层油气资源逐渐面临枯竭的状况下，如果不对主要采油设备进行大刀阔斧地创新改进加以提质增效，要实现低成本的油气开采将会面临越来越大的困难。在开采石油中，同样使用抽油机采油，油气资源越浅的地区的抽油杆越短越轻，采油成本就越低，反之采油成本则会越高，为了减轻抽油杆的整体重量，科技工作者曾试图将抽油杆直径减小或者将钢制抽油杆改成碳纤维或玻璃钢的，但在比较深的井筒中采油时，容易出现抽油杆折断以及伸缩效应造成风险，所以，如果不从做功的本质原理及工作模式上做彻底的根本性的改变，无论怎么节能改造几乎都很难大幅度地提高采油装置的机械效率，这是由地球引力和相关牛顿运动定律所决定了的。

2　有杆轨道泵采油技术探索

多年以来，为了提高我国采油设备的机械效率，许许多多的油气开采科技工作者进行着坚持不懈地科技攻关，取得了很多有价值的实实在在成果，但是与国际石油公司油气开采设备比较，哈利伯顿、斯伦贝谢、贝克休斯等国际石油巨头通常从数控装置、深井开采装置、动力部分等进行技术突破，壳牌公司则在海上平台技术方面大幅领先，我国油气开采领域人工举升设备的整体技术实力还须加大自主研发力度加速追赶与技术瓶颈的突破，唯有通过坚持不懈地自主创新加强技术原创方能弯道超车，在举国上下都在鼓励科技创新的时代背景下，笔者通过学习专业知识并结合生产实际探索创新了一种基于有杆轨道泵的采油装置，希望为绿色低碳开采油气尽一份力。

2.1　有杆轨道泵采油装置结构组成

为了实现充分提高效率节能减碳降耗的目的，将传统抽油机需要努力克服的抽油杆重量的不利因素转化为有利因素，有的放矢的系统性破解难题，基于有杆轨道泵的采油装置包括地面动力单元、井口装置单元和井内杆管泵单元三部分，地面动力单元主要包括：变频低速电动机及附件、光杆、轨道及止逆系统、滑轮滑杆系统、减震与限位器、四柱支架与顶底盘等相关组件；井口装置单元主要包括：双管柱井口装置、光杆密封总成及采油采气管道等相关组件；井内杆管泵单元主要包括：套管、油管、油管球式单向止回装置、抽油杆、井下泵及附件、井下泵固定锚杆等相关组件（见图1）。

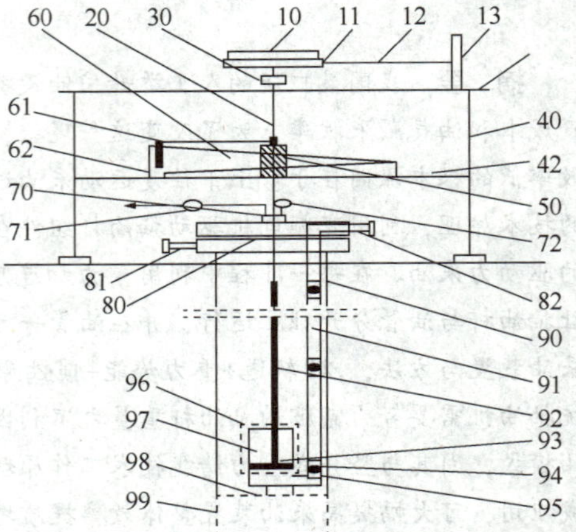

图1　基于有杆轨道泵的采油装置结构示意图

10—变频低速电动机；11—电动机固定架；12—电动机固定杆；13—滑槽；20—光杆；30—联轴器；40—四柱支架；41—顶盘；42—底盘；50—限位与减震器；60—轨道；61—滑杆；62—滑轮组合；70—防喷光杆密封总成；71—变频防爆抗硫真空泵；72—压力显示与变送器；80—双管柱井口装置；81—油套管环空采气管；82—采油管；90—套管；91—油管；92—抽油杆；93—井下泵柱塞；94—球式单向阀；95—泵管连接头；96—防砂罩；97—井下泵泵筒；98—井下泵固定锚杆；99—射孔段

2.2　有杆轨道泵工作原理

采用井口直驱，由地面双管柱井口装置顶部的变频低速电动机提供机械动力，带动固定在光杆上的滑杆以及滑轮组合在双管柱井口装置上部的360°圆形轨道上做逆时针如同“过山车”一般旋转滑行，当滑轮组合沿逐渐上升的圆形轨道逆时针旋转上行时，固定在滑轮组合上的滑杆必然带动光杆以及联动的抽油杆最终带动井下泵柱塞做提升上行，当滑轮组合行至轨道最高点之后，随着轨道的断崖式的变化而出现陡降运动，由此带动与之关联的组件共同做近似自由落体式的运动，在这运动过程中产生的重力势能作为井下泵柱塞的工作动力，将自动流入井下泵内的液体挤压至与泵底连通的油管之中，如此周而复始将井底的石油或气田水通过中间有球式单向阀连接的油管采出至地面。

2.3　井下泵简单可靠有防砂自洁功能

不论是管式泵还是杆式泵的传统抽油机，地

层砂粒是影响井下泵工况的重要因素，故此，有杆轨道泵采油装置的井下泵结构简单可靠(见图2)，并充分运用杠杆式柱塞泵原理工作，在井下泵淹没状态时，所有能够流到泵筒内的液体，不论是含砂含溶解气还是较高黏度的稠油，均能可靠采出，井底石油液体中的细砂粒与溶解气，对井下泵的工况影响甚微，柱塞与泵体、抽油杆与油管之间无刚性接触，无需任何橡胶密封易损材质，耐高温高压，井下泵防砂罩在每一冲程中，能随抽油杆组件的旋转位移并产生陡降运动，将附着在防砂罩表面的较大固体颗粒在陡降运动中沉降到深井泵以下的井筒尾管段，实现防砂自洁功能，可大大延长检泵周期，提高井下泵工作效率。

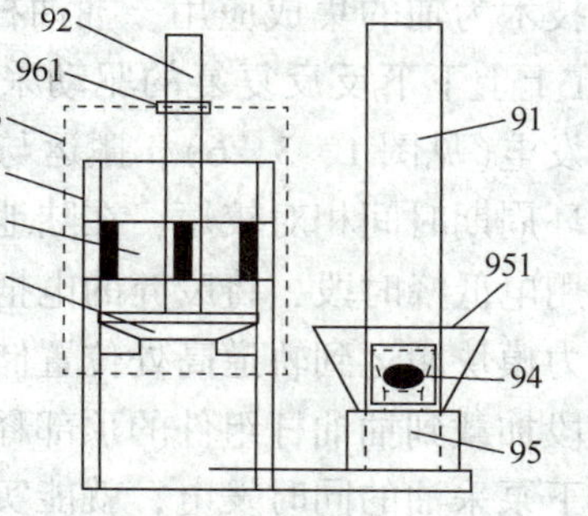

图2　井下泵示意图

91—油管；92—抽油杆；93—井下泵柱塞；94—球式单向阀；95—泵管连接头；951—油管连接导向喇叭口；96—防砂罩；961—防砂罩固定环；97—井下泵泵筒；971—液体窗

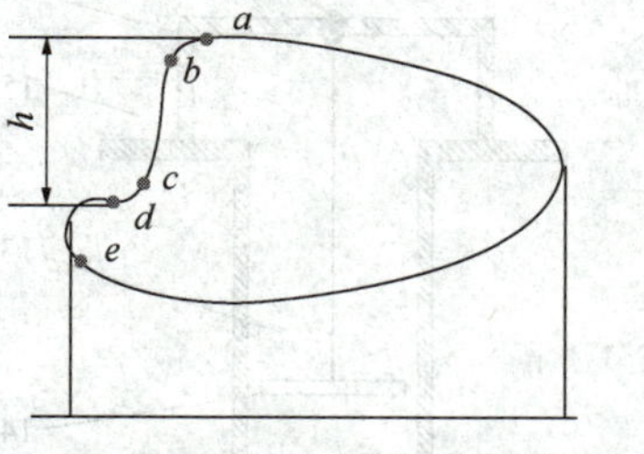

图3　有杆轨道泵运行轨迹示意图

a—轨道最高点；b—轨道次高点；c—轨道次低点；d—轨道最低点；e—做功起始点

2.4　有杆轨道泵与传统抽油机等效率对比

由于在传统抽油机工作模式下，在采油过程中既要对所采石油液体做功，又要对抽油杆做功才能采出石油，其总功率 $P_{总}=P_{杆}+P_{液}$，而在有杆轨道泵采油工作模式下(驱动端运行轨迹示意见图3)，只需在部分上坡段对抽油杆组件做功(有用功)，额外功的消耗只有上坡段摩擦阻力，传统抽油机与有杆轨道泵的理论示功图可在图4中直观的比较：

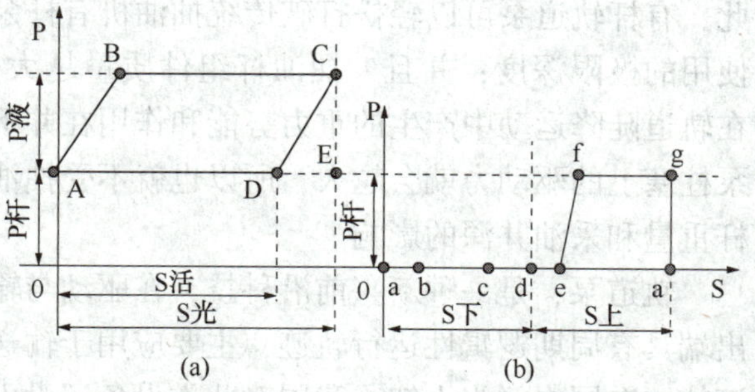

图4　传统抽油机与有杆轨道泵理论示功对比图

图4中的左侧(a)为传统抽油机理论示功图，图中：ABC为上冲程，CDA为下冲程，上下冲程中的总功率 $P_{总}=P_{液}+P_{杆}$；AD段距离为井下泵活塞位移距离 $S_{活}$，AE段距离为光杆位移距离 $S_{光}$。传统抽油机在下冲程中，为了达到动力平衡以及减速需求，仍然有大量做功消耗。

图4中的右侧(b)为有杆轨道泵理论示功图，图3、图4中：a-b-c-d段为下冲程，无需任何做功消耗；e-f段表示为了克服上坡摩擦阻力，对抽油杆组件做功从零到满负荷段；f-g段表示对抽油杆组件满载荷运行段，d到e距离段为抽油杆组件陡降运动后无需任何动力的惯性位移段，d-e-a距离段是轨道上坡运行段(即上冲程)，在轨道e点位置时，位移速度开始逐渐降低，如果不补充动力，到f对应的轨道位置时，抽油杆组件滑轮组合就会完全停止运行，所以变频电机在轨道e位置点时就必须开始补充动力，直到f点时，变频电机须提供驱动抽油杆组件运行的满载荷动力直至将其搬运到示功图里g对应的轨道最高位置点a。只有在上冲程h上运转过程中，才有"搬运"抽油杆组件的做功消耗，下冲程h下全过程无需任何做功消耗。在上冲程运行中，最低位置点d到做功起始点e这一段距离，由于重力加速度+惯性抛射原理，这一段距离也无需任何做功消耗，这是对有用功的节省，并且每一个冲程中都有这样的节约，还可以在轨道底部c-d大圆弧段增加弹射装置，增强节能效果，上冲程中 $P_{总}\leqslant P_{杆}$，下冲程中 $P_{总}=0$，故此，有杆轨道泵采油装置的整体机械效率能够实现大幅度提升；如图1所示：在井筒内，左侧抽油杆和右侧油管的高度与井筒的深度相等，利用杠杆原理，只要抽油杆组件在井下泵柱塞上产生的作用力，大于油管中液体产生的重力以及摩擦阻力，就具备将井底石油液体采出的物理力学条件，理论上讲，可以不受井筒深度的限制，故

此，有杆轨道泵可以轻松打破传统抽油机有杆泵使用的极限深度；并且，抽油杆组件质量越大，在轨道陡降运动中产生的重力势能和作用在井下泵柱塞上的驱动力就会越大，所以也就不受抽油杆重量和采油井深的影响。

轨道泵，是一种新兴前沿科技，在驱动与输出端具有周期逻辑性运行轨迹，主要应用于输送液体，在国内鲜为人知，我国对此类设备还没引起足够的重视(几乎还是空白)，目前仅有美、英、德少数西方发达国家在研发制造，并已在我国申请了为数不多的相关轨道泵技术国际发明专利，轨道泵最显著的技术优势是运行特性趋于恒定：如图5有杆轨道泵理论示功图，在实际生产应用中，每一运转周期全过程的生产示功图与理论示功图的形状几乎不会有大的变化，因为在运转周期中的任意时间与空间节点上，对应的可改变运行状态的影响参数是趋于固定的，这正是设备高可靠性的体现，而传统游梁式抽油机在实际生产中，经常会出现“锯齿状”“刀把状”等形状各异的生产示功图，生产示功图与理论示功图往往差别很大，由此可见轨道泵技术的显著优势，对有杆轨道泵而言，井口装置以上部分就是它的驱动端，井下泵部分则是它的输出端，它是汇集了轨道泵与有杆泵技术精华的一种创新。在现有的无梁式抽油机中，有一种液压式抽油机，不论是井口直驱还是井下直驱，其在井筒内的抽油杆、油管、井下泵之间的工作模式与传统游梁式抽油机完全相同，改变的仅仅是井口地面部分的驱动方式，井筒内采油过程中“重约数吨以上抽油杆消耗的巨大额外功+搬运石油或气田水所做的有用功”的做功模式并未改变，采油过程的自由适应度也远没有本装置灵活，也没有实现杆管独立工作和每一个冲程中有用功的节约，有杆轨道泵的井下泵简单可靠适应度高，从井底到地面井口液体传输过程的可变因素较少，所以就能根据井口出液量变化准确判断井底液体的渗流速度，再通过智能化调节驱动端变频电机转速避免无效空转，它能克服螺杆泵技术的杆管摩擦以及电潜泵技术惧怕泥沙溶解气的弊端，实现大幅提高采油机械效率降本增效。

3 有杆轨道泵采油与重力储能技术的集成应用

在我国《“十四五”新型储能发展实施方案》规划里，除电化学电池储能、压缩空气储能外，还有一项储能技术：重力储能(Energy Vault)，其工作原理是将物体“搬运”到一定高度再垂直降落中实现发电，这从侧面证明了具有显著质量的物体在需要反复上下运动时，顺势而为的利用其重力势能做功的优越性和应用价值，而有杆轨道泵工作原理与竖井式重力储能技术关键技术部分的工作原理几乎如出一辙，唯一的区别在于，竖井式重力储能技术在储能工况时，通常连续将数以千吨的重力模块从井底搬运到几百米高的井口区域储存，需要电力的释能工况时将重力模块连续释放来发电(见图5)，完成一个储能工况与释能工况的闭环周期时间通常较长，而有杆轨道泵采油储能技术是以采油工作模式为主，重力储能发电技术为辅的集成应用，抽油杆组件(或加载物)在上上下下反反复复的驱动采油过程中实现储能发电(见图1、3、6)，搬运与释放发电的一个闭环周期时间相对较短：在陆地，有杆轨道泵可在用电低峰时段，将废弃的电把水抽到高处或将重力模块搬运到轨道高处位置储存，在用电高峰时段加载到抽油杆组件的顶部释放重力势能驱动井下泵采油的同时发电，就能实现采油与重力储能技术的完美结合，为绿色低碳开采油气带来前所未有的技术变革。

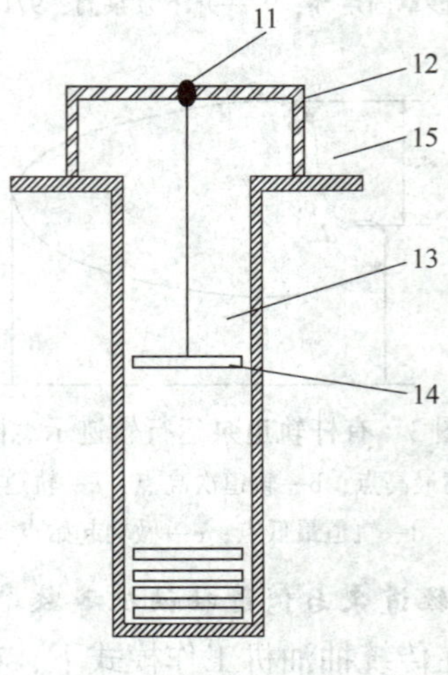

图5　竖井式重力储能系统

11—绞盘；12—起重设备；13—竖井；
14—重物；15—地面储物区

目前，我国海洋油气绝大多数都是依靠电动潜油泵等设备开采，由于需要连接高压电缆，受气液固分离效果以及扬程、温度的影响，传统电潜泵采油设备已不能完全满足海上采油的需求，为了提高海洋油田的采收率，需要开发新的采油

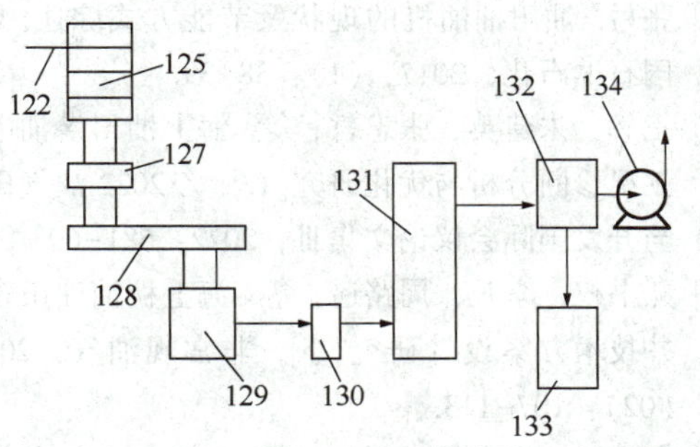

图6　有杆轨道泵重力储能发电单元工作原理

122—缆绳；125—卷筒；127—液力耦合器；128—齿轮变速器；129—发电机；130—稳压器；131—电池柜；132—逆变器；133—抽油杆组件驱动电机；134—水泵

设备。海洋油气水下生产系统关键设备主要包括：水下采油树、水下控制系统、水下多功能汇管、水下井口四大件，总的来说成本高风险大，后期的运维与保障难度很大，为了克服这些因素，我国"海基一号"首次尝试深水导管架平台开发模式，把生产系统从水下搬到了平台上，它的成功应用为经济有效开发我国中深水海域的油气资源开拓了一条新路。如果将有杆轨道泵技术在"海基一号"平台的干式井口上开采石油，等于将抽油机搬到了海上平台，将过去认为这是异想天开的事变为现实，从而可减少海底水下生产系统的数量，显著节约成本与减小风险。从主井辐射多分支井起源于20世纪50年代的苏联，可大幅提高油气产量节约成本，是21世纪最受重视优先发展的钻井技术之一，在陆地与海洋，如果充分将"多分支井技术+超大水垂比大位移钻井+有杆轨道泵采油"技术完美结合，方圆十几公里的油气资源，假如仅需钻探一口辐射状多分支与超大水垂比位移主井就能实现油气开采，那么，有杆轨道泵采油装置希望实现的一个井筒一根抽油杆伞状开花辐射拖多方向多井底泵的超级采油模式就必将实现，若在采油中顺势而为的开展与重力储能技术的集成应用，必将助力我国石油工业的高质量发展与"双碳"战略目标的稳步实现！

4　结语

"把装备制造牢牢抓在自己手里，努力用我们自己的装备开发油气资源，提高能源自给率，保障国家能源安全"，2022年习近平总书记在海南考察连线"深海一号"作业平台时强调。工欲善其事必先利其器，采油设备的节能与效率，直接关系到石油工业的高质量发展，我国要实现"碳达峰碳中和"，油气行业通过技术创新实现节能减碳提效是重中之重，基于有杆轨道泵的采油与重力储能集成技术，仅仅是希望显著提高我国采油设备效率和绿色低碳开采油气所做的大胆创新探索，其实际节能以及与重力储能技术的集成应用效果，还有待在生产实践中进行全面的检验，希望有更多的科技工作者把科技强国的智慧写在祖国的油气田上，在保障国家能源安全的使命任务中，撸起袖子加油干！

参 考 文 献

[1] 戴厚良，苏义脑，刘吉臻，等. 碳中和目标下我国能源发展战略思考[J]. 石油科技论坛，2022，41(1)：1-8.

[2] 黄震，谢晓敏. 碳中和愿景下的能源变革[J]. 中国科学院院刊，2021，36(9)：1010-1018.

[3] 孙海萍，张胜军，徐立昊，等. "双碳"目标下中国油气行业低碳发展措施与路径探讨[J]. 油气与新能源，2021，33(5)：27-31，45.

[4] 张庆海，节能技术在游梁式抽油机中的应用[J]. 石化技术，2022，(7)：114-116.

[5] 郑新权，师俊峰，曹刚，等. 采油采气工程技术新进展与展望[J]. 石油勘探与开发，2022，49(3)：565-576.

[6] 杨能宇，孙艺真，赵捍军，等. 机采系统数字化技术研究与发展建议[J]. 石油科技论坛，2022，41(03)：35-42.

[7] 刘昕晖，李春爽，陈琳，王昕. 游梁式抽油机节能技术综述[J]. 吉林大学学报(工学版)，2021，51(1)：1-26.

[8] 孙延安，李强，雷宇，等. 抽油机智能运行控制系统[J]. 石油钻采工艺，2022，44(5)：579-583.

[9] 董巧玲. 基于改进神经网络的抽油机故障智能诊断研究[D]. 西安石油大学学报(自然科学版)2022，37(06)：124-132.

[10] 郑东志. 滚珠丝杠抽油机的研制与应用[J]. 石油机械，2021，49(12)：119-124+132.

[11] 周勇，陈香玉，简霖，等. 游梁式抽油机飞轮储能系统设计及实验[J]. 储能科学与技术，2022，11(02)：593-599.

[12] 王增林，姜东，苏秋涵，等. 盘式电机驱动自平衡游梁抽油机设计[J]. 石油矿场机械，2023，52(2)：81-89.

[13] 胡其杰，王涛，杨雷，等. 基于SRM的立式抽油机控制系统设计[J]. 世界石油工业，2022，29(03)：72-76.

[14] D. P. 斯佐马克，R. J. 加隆，J. J. 穆恩. 发动机启动方法[P]. 中国：CN103511100B，2016-01-27.

[15] P. A. 麦克布赖恩. 用于轨道泵的安全装置[P]. 中国：CN113423955B，2023-06-06.

[16] 格哈德. 库纳特，帕特里克. 斯坦格尔，拉尔斯. 乌伯索恩，等. 一种用于输送液体介质的包括凸面的轨道泵装置，方法及用途[P]. 中国：CN112460004A，2021-03-09.

[17] 薛鑫，綦耀光，余焱群，等. 液压抽油机的适应性分析与应用现状[J]. 机床与液压，2016，44(10)：151-154.

[18] 百度百科. 常规型游梁式抽油机[W/OL]. [2022-11-16]. https://baike.baidu.com/item/%E5%B8%B8%E8%A7%84%E5%9E%8B%E6%B8%B8%E6%A2%81%E5%BC%8F%E6%8A%BD%E6%B2%B9%E6%9C%BA? fromModule=search-result_lemma.

[19] 王猛，龚鑫，徐波，等. 一种重力储能系统. [P]. 中国：CN116658384A，2023-08-29.

[20] 王义刚，王智勇，孟东. 我国石油开采设备领域专利技术现状与发展建议[J]. 统计分析，2012.

[21] 张弓. 油田抽油机的现状及节能方式综述[J]. 中国石油石化，2017，(1)：38-39.

[22] 王辉，朱建英，张忠哲，等. 海上油田潜油电泵井工况诊断分析与优化研究[C]. //2022 油气田勘探与开发国际会议论文集Ⅲ，2022：681-693.

[23] 熊书权，李凡，周路遥，等. 海上稠油油田多分支井技术方案设计研究[J]. 非常规油气，2021，8(02)：107-113.

[24] 靳文博，党文辉，刘超，等. 6 级分支井完井技术研究[J]. 钻采工艺，2011，34(2)：13-14，41.

[25] 张强，秦世利，饶志华，等. 南海超大水垂比大位移 M 井钻井关键技术[J]. 石油钻探技术，2021，49(5)：19-25.

[26] 陈跃. 一种基于有杆轨道泵的采油装置与方法[P]. 中国：CN114837623B，2022-08-02.

[27] 侯慧，徐焘，肖振锋，等. 基于重力储能的风光储联合发电系统容量规划与评价[J]. 电力系统保护与控制，2021，49(17)：74-84.

[28] 王卓冉，张梦研，郭恩岐，等. 重力储能放能效率探究[J]. 大学物理实验，2023，36(2)：1-4.

BH-VDT 远程传输系统开发与应用

陈红飞　陶松龄　黄　峰　张长春　陈奇涛　左　岳

（中国石油集团渤海钻探工程技术研究院）

摘　要　随着石油天然气勘探开发规模的不断扩大，以及信息技术的不断发展，对钻井监测及远程传输提出了更高的要求。本文针对井下数据的监测、预警、远程传输等开展系统深入的研究，开发了一套集现场监测，后方监测，智能预警，历史回放，参数同步等功能于一身的垂直钻井工具井下数据实时远程传输系统。介绍了系统的总体架构，阐述了系统各个部分的功能特点。该系统的开发有助于满足后方技术专家对现场数据的实时监测需求，有助于全面了解工具现场服务情况，及时提供远程技术支持，从而提高工具现场服务质量。

关键词　BH-VDT；远程传输；实时监测；智能预警；远程控制

1　前言

BH-VDT 垂直钻井系统是一种带有井下闭环控制，通过机、电、液一体化协同实现井下主动纠斜、保持井眼垂直的先进钻井工具，主要用于解决山前高陡构造、大倾角及逆掩推覆体等易斜地层的防斜打快钻井难题。由于井场分散和位置偏僻，后方技术专家很难实时掌握各井现场情况，不便于实时对现场提供技术支持，一定程度上影响了 BH-VDT 现场服务质量。因此，为了满足现场和后方工作人员对于井下数据进行实时监测的需要，需要开发一套 BH-VDT 的井下数据远程系统，实现现场数据采集与分析、智能预警、辅助分析、数据远程传输、远程实时监测与控制等功能，以满足垂直钻井技术服务的最新需求，进一步促进钻井与信息化的深度融合。

2　系统架构

BH-VDT 远程传输系统主要是用来解决实时计算分析 BH-VDT 井下泵压数据并且实时远传到后方服务器的问题，系统整体架构如图 1 所示。

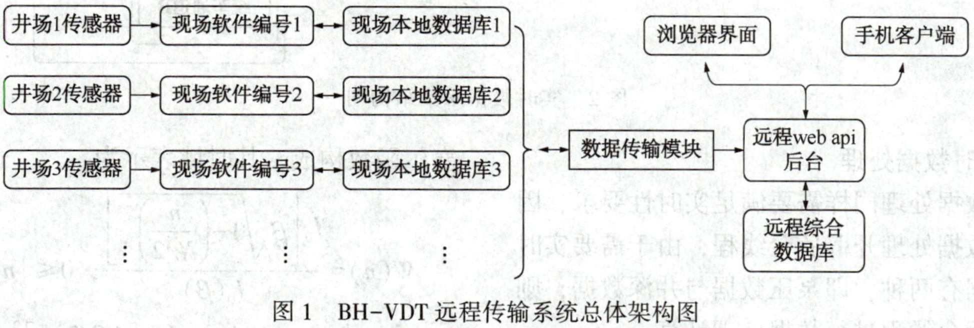

图 1　BH-VDT 远程传输系统总体架构图

如图所示，使用该系统的人员大体可以分为两类人员，分别为现场工作人员和后方决策人员，当垂钻工具开始工作后，软件可根据实际情况创建趟钻进行监测，显示随钻泥浆脉冲原始泵压信号以及过滤信号，同时根据解码算法计算出井斜、振动值、井底压力等数据，帮助工程师掌握井下钻进数据，根据工程师给定预警规则，进行智能预警，提醒工程师及时对现场情况做出对应调整。另外软件可自动录入井深等数据，根据工程师录入地层数据，帮助工程师直观观测当前钻进的地质情况。最后所有以上数据均被录入数据库，后续可作为井史数据以图表的方式直观地帮助工程师进行辅助分析。

远程传输系统实时的将本地数据库中所有数据传输到后方数据库，并且可以在网络断开连接时候记忆通信中断位置，在通信恢复之后自动从中断位置开始传递后续数据。现场软件也可接收后方人员发送的参数更改指令。后方专家可通过内网互联的计算机或手机对现场进行监控，查看信号及数据。对数据进行评估分析，随时发出参数调整指令，使现场监控参数时刻达到最优水准。

3　系统功能组成部分

我们将该系统分为现场处理、数据远传、后方 web 三个部分。

3.1　现场处理部分

现场部分是整个系统中所需要数据的入口，更是整个系统的基石。现场处理部分主体由地面设备硬件以及软件构成。地面硬件包括但不限于压力传感器，大钩悬重传感器，绞车传感器，基于 USB2085 集成的解码箱，计算机。现场数据处理软件设计实现包括，数据采集，实时数据处理，用户界面搭建。

3.1.1　实时数据采集

为了可以方便高效的采集传感器数据，本系统采用了基于 USB 总线的数据采集卡——USB2085，可将地面设备中的各个传感器采集到不同通道中，并直接与计算机的 USB 接口相连。支持 USB2.0 Full-Speed 协议，真正实现即插即用，并且备有配套的驱动程序，因此软件只需对驱动程序进行适配代码的编写即可进行采集数据。后集成在解码箱中作为软件与地面传感器之间的媒介。

软件系统对于实时性的要求是毋庸置疑的，并且该实时系统必须要能够在实时采集数据的同时及时响应用户或操作系统的指令，为了满足这一需求，软件采用 C#语言进行编写，执行速度快性能高，基于 .NET Framework 开发框架，对于实时数据采集部分可直接开辟后台线程执行该部分任务，可靠稳定不会卡顿且不会影响软件其他响应需求。

采集的实时数据分处在 4 个通道，分别为压力通道、悬重通道、绞车通道 A 与绞车通道 B，由于硬件采集规则限制，多通道采集的数据融汇在一个缓存区中，为此，软件只需开辟 4 个通道子缓存，在采集过程中按照各通道在缓存区中的偏移进行数据分发，最后得到各自独立数据即可。整体结构如图 2 所示。

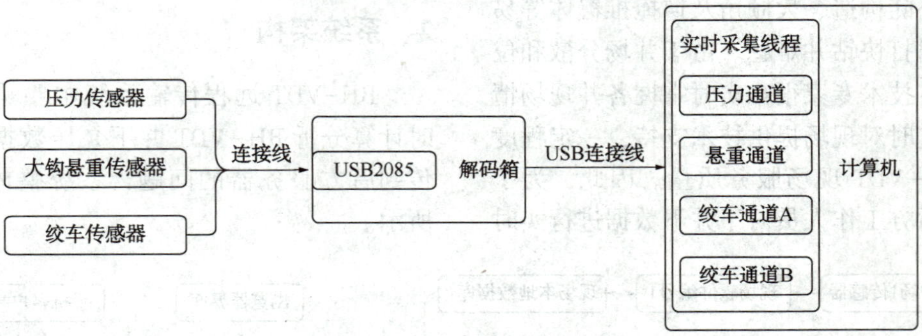

图 2　实时数据采集结构图

3.1.2　实时数据处理

实时数据处理同样需要满足实时性要求，因此同样为数据处理开辟后台线程，由于需要实时处理的数据有两种，即泵压数据与井深数据，则开辟两个后台线程进行数据处理计算。

对于实时采集到的压力通道数据，采用算术平均滤波算法，得到原始泵压，平均值滤波对周期性干扰抑制能力良好，但对异常信号和噪声抑制作用差。又由于井下各种及随机噪声多且强度大，因此从含有噪声的信号中有效检测识别出需要的脉冲信号就尤为重要。

在各类滤波函数中，Kaiser 窗主瓣能量与旁瓣能量之比最大，且可以自由选择主瓣宽度和旁瓣高度间的比重，Kaiser 窗由第一类零阶修正贝塞尔函数构成，其时域表示为：

$$W(n)=\frac{I_0\left[\beta\sqrt{1-\left(\frac{n}{N/2}\right)^2}\right]}{I_0(\beta)},\quad 0\leqslant |n|\leqslant N/2$$

式中，$I_0(\beta)=1+\sum_{n=1}^{\infty}\left[\frac{(\beta/2)^n}{n!}\right]^2$ 为第一类变形零阶贝塞尔函数；N 为窗函数的长度；β 为窗函数的形状参数，通过调节 β 可以控制主瓣宽度和旁瓣高度的衰减比例。

因此本软件为去噪采用低通或带通的 Kaiser 窗函数模型，通带选用 0～0.8Hz；选用一组普适性较强的带通滤波系数，并通过解码反馈情况，不断地优化出一组优选的滤波数组，满足了对于原始泵压数据进行有效过滤的需要。

之后对过滤信号进行计算分析。一个周期包括 10 个脉冲为了识别脉冲进行解码，本软件系统通过手动设置脉冲阈值，对超出阈值的各个脉冲间隔和脉冲宽度进行判断记录达到识别效果，并对这些脉冲的极值进行计算解码，得到解码数据并进行智能预警，涵盖井斜、振动值、动态压差、高边转动、信号情况以及悬重变化。并且为了满足预警的灵活性，软件提供用户预警规则的可修改入口，以人性化的界面进行呈现。

对于实时采集到的绞车及负荷通道，为了正确且自动更新深度数据，本软件基于用户根据现场实际情况做出的标定或校准来进行综合计算分析。用户利用负荷标定将通过负荷传感器采集到的 AD 数据与实际大钩负荷建立线性关系；利用绞车标定将绞车转动圈数和大钩偏移量建立线性关系。由此软件在给定深度初值后，能达到自动将采集到的 AD 数据转化为钻深及测深的效果。经过测试，由于不可避免会有误差，软件对此做出优化，用户手动更改钻深进行覆盖或修正误差，如图 3 所示。

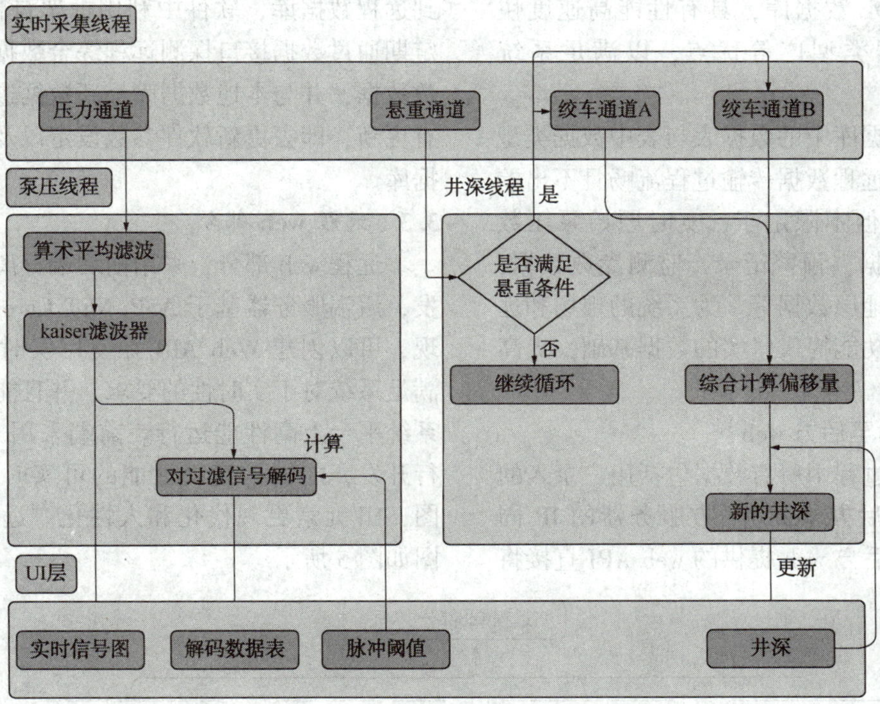

图 3　实时处理流程图

3.1.3　软件界面设计及相关功能

考虑到软件对实时性要求较高，以及软件对于实时监测曲线以及辅助分析的绘图需求，软件界面设计搭配了高性能 DevExpress UI 框架进行开发，开发遵循以下原则，1. UI 界面与运算逻辑分离，UI 与逻辑之间通过 C#中的事件进行消息传递，有利于软件模块化开发，提升软件可扩展性。2. 采用 UI 框架中的工具集进行开发，提高开发速度，提高软件维护性便于软件界面改进升级。3. 采用多窗口界面开发，提高用户使用体验。

同时为了满足现场预警及分析等需求，软件共设计功能界面如图 4 所示。

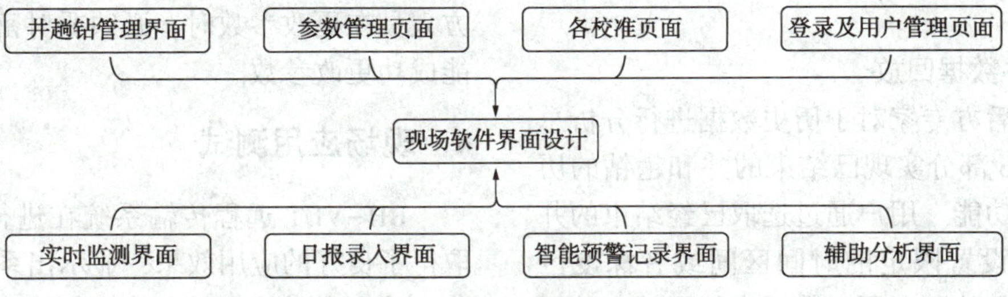

图 4　现场软件结构图

3.2 数据远程传输部分

数据传输部分是现场软件及远程web的联接纽带，针对系统中数据实时远传以及后方指令传输至现场的需求，基于不同的本地数据库与远程综合数据库，实现软件与远程web端数据的双向传输。

由于钻井作业区常常远离网络信号基站，通信过程中的断联情况必须考虑在内，因此将数据库设立为不同井场的本地数据库与远程综合数据库所构成的数据库集群，集群数据库全部选择PostgreSQL数据库，具有性能高速度快稳定性高，数据类型广等优点，以满足系统要求。

另外，各数据库中的数据表与表中数据类型完全相同，便于远程数据传输过程流畅且不出差错。数据表包括但不限定于，实时原始泵压数据，实时解码数据，预警记录，监测参数数据，预警参数数据，地层数据等。为系统的现场和远程的监测和分析功能提供坚实的数据基础，提高数据管理的效率。

3.2.1 软件传输至后方web

软件在监测过程中所有数据包括用户录入的数据都将传输至后方web，后方服务器的IP固定，软件可通过后方web提供的web API直接将数据传输并保存至远程综合数据库。而考虑实际使用情况，现场有断网的可能，即每当传输失败都会将数据记录至受保护的临时文件，实现了通信中断保存断点的功能，通信恢复后会将未传输数据重新传输。

3.2.2 后方web传输到现场

远程web传输到现场的数据一般只有监测参数的更改。但现场软件端的IP地址可能常因为网络原因更改，不能依靠远程web精准识别，因此采用如下传输规则，后方web的更改直接保存到远程数据库，软件中利用框架自带的定时器，定期通过数据接口探测远程综合数据库中最新参数数据，并与本地数据库最新数据进行比对，若有更新，即去更新软件参数设定以及插入本地数据库。

3.3 远程web部分

远程web部分，采用前后端分离技术进行开发，后端服务器基于ASP. NET Core网络框架实现，可以创建Web API并使用实时技术，能够满足系统对于实时性的要求，并且能够在跨操作系统平台上高性能运行。前端采用VUE技术进行开发，能够构建高性能的可实时更新的曲线图，UI元素更现代化和人性化。远程web结构图如图5所示。

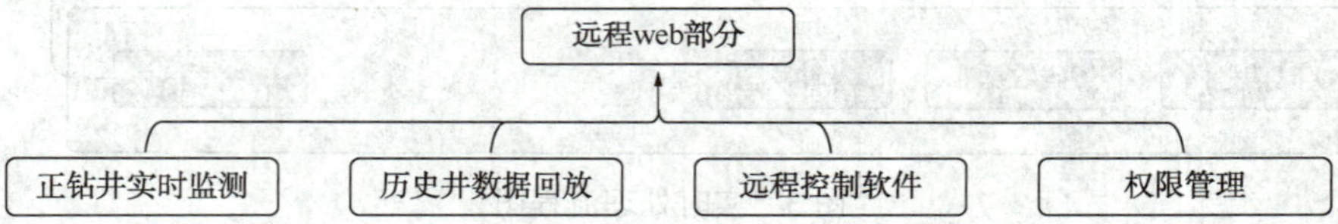

图5　远程web结构图

3.3.1 正钻井实时监测

由于监测的过程是实时的，后台数据库的数据在实时远传的过程中，数据不断增加，为了使页面感知实时数据，使用ASP. NET Core的实时技术，定时探测数据库中是否有新的数据，一旦有，就进行数据处理并传递给前端页面，web页面就会呈现新的实时数据，供后方人员监测及了解现场井况。

3.3.2 历史井数据回放

为了满足后方专家对于历史数据进行分析总结的需要，web部分实现已结束的井和趟钻的历史数据的回放功能。用户通过选取已经结束的井和趟钻，也可设置限定的时间区间或者深度区间，将对应录入的所有历史数据进行回放，并可对监测参数做临时调整。

3.3.3 远程控制软件

该模块可帮助后方人员实时监测现场正钻井时，对现场软件做出参数调整，从而实现远程控制软件的功能。

3.3.4 权限管理

为了对远程控制模块做出限制，采用如下权限管理规则，管理员每天都可更新权限密码，后方人员在更改参数时，必须要对密码进行验证才能成功更改参数。

4 现场应用测试

BH-VDT远程传输系统在进行了应用测试，取得了良好的应用效果，显示出系统具有很好的稳定性和实时性，后方技术专家可以实时掌握现场工具运行及工况数据，从而更好地进行技术指导，提高了 BH-VDT 现场服务质量。以 BZ24-2 井三开钻井为例，根据第一趟 BH-VDT4000 工具实时传输的现场工况数据，后方技术专家及时调整下一趟工具的参数配置，并根据远程传输的现场作业动态数据及时提供技术指导，调整相关作业参数。第二趟工具从 3038m 钻至 3420m，持续稳定工作超过 200h，起钻时井斜 0.14°，期间远程传输系统一直稳定运行，信号解码率始终大于 90%，有力地保障了现场钻井作业施工进度。

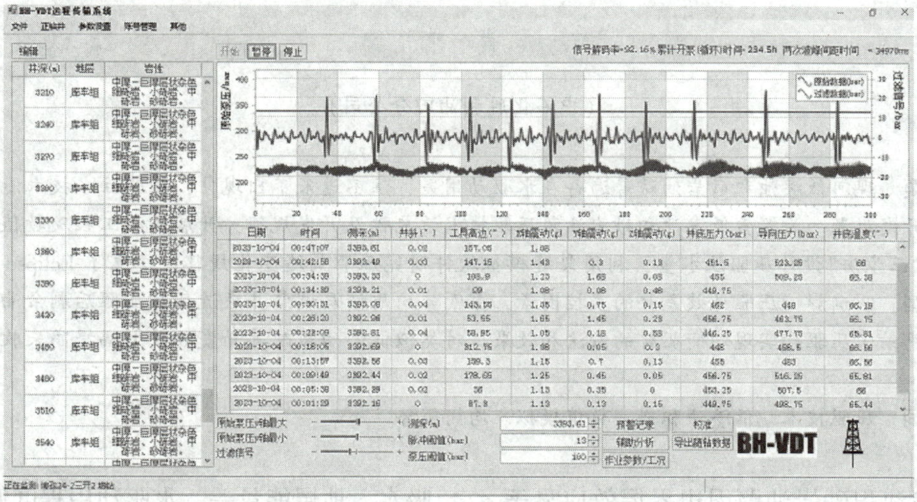

图 6　现场软件应用界面图

5　结论和认识

（1）研究形成了一套集现场和后方同步监测、智能预警、历史回放、辅助分析等功能于一身的垂直钻井工具井下数据实时远程传输系统，满足了后方技术专家对现场数据的实时监测需求，有助于实时掌握工具现场服务情况，从而及时做出科学决策。

（2）本系统实时将本地数据库中所有数据传输到服务器数据库，并且可以在网络断开连接时候记忆通信中断位置，在通信恢复之后自动从中断位置开始传递后续数据，保障了钻井现场网络不稳定时数据传输的完整性。

（3）本系统采用传统阈值调节滤波算法，需要手动设置阈值进行识别解码，同时随着高速螺杆的大量应用和超深井规模开发，对信号的干扰和传输也带来新的挑战，因此需要开展针对微弱信号或噪声大的信号的自适应滤波算法研究来保障系统的解码率，从而提升系统稳定性和泛用性。

参　考　文　献

[1] 黄志强. SQL Server 在固井数据管理中的应用[J]. 长江大学学报(自科版)，2009，6(1)：72-74.

[2] 黄志强. 定向井下套管摩阻数值计算及其应用[J]. 石油地质与工程，2009，23(4)：79-81.

[3] 黄志强. 注水泥动态过程研究与计算机模拟[J]. 特种油气藏，2009，16(3)：92-94.

[4] 徐璧华，何松，何可. 高温超压地层固井平衡压力注水泥软件设计[J]. 西部探矿工程，2012(7)：75-81.

[5] 黄浩，李阳发，孙诗杰等. 固井施工设计模拟与监控软件的开发[J]. 长江大学学报(自科版)，2014，11(25)：30-33+3. DOI:10.16772/j.cnki.1673-1409.2014.25.014.

现河低渗浊积砂岩油藏压驱注水提高采收率探究与实践

肖　晴

（中石化胜利油田分公司）

摘　要　现河低渗浊积砂岩油藏普遍存在水驱动用差，注不进采不出现象，压驱注水技术能有效解决注采两难开发难题。为探索低渗浊积砂岩油藏压驱技术适应性及开发规律，开展油藏工程及数值一体化研究，创新“三步法”设计压驱注水量，利用裂缝模拟软件研究压驱裂缝变化规律，建立了 Eclipse 非均质储层概念模型，明确影响压驱见效差异的主控因素，探索非均质储层调整井底流压对压驱后剩余油分布的影响规律，总结了压驱后实现均衡驱替的做法和效果，对类似低渗油藏改善开发效果大幅提高采收率有重要指导意义。

关键词　压驱技术、低渗浊积岩、数值模拟、均衡驱替

现河低渗浊积砂岩油藏因边界层效应显著、启动压力梯度高、贾敏效应综合影响导致渗流阻力大，难以建立有效驱替系统，“注不进、采不出”矛盾突出。压驱注水技术能有效解决这一难题，但目前存在压驱裂缝拓展规律及压驱效果影响主控因素尚不明确的问题，且缺乏科学定量的方法设计合理的压驱注水量并指导压驱后的流线调整。因此，开展压驱技术油藏工程及数值模拟一体化研究与应用，对改善低渗油藏开发效果大幅提高采收率具有重要意义。

1　现河低渗浊积砂岩油藏基本概况

1.1　地质特征

现河低渗油藏含油面积 149.48km^2，动用地质储量 1.19×10^{8}t，可采储量 2160×10^{8}t，采收率 18.1%。其中，浊积砂岩油藏储量占比 86.9%，主要为三角洲前缘滑塌浊积岩沉积。储层为深—半深湖相沉积背景下的浊积岩，以大套暗色泥岩为主，夹粉、细砂岩，岩性细，分选性较好。油藏深度 3150-3450m，机械压实作用强，储层孔渗性较差，具有构造简单、纵向小层多、层间层内非均质性强的特点。孔隙度为 8~20%，渗透率为 4.8~47.1×10^{-3}μm^2，整体上属于低孔低渗储层。

1.2　主要开发矛盾

低渗浊积岩油藏目前处于中高含水，中采出程度，低采油速度开发阶段，普遍存在欠注、不吸水，地层能量差、水驱动用程度低、单井产液能力低的问题。水驱动用程度低于 50% 单元有 23 个，储量占比 51.9%，日产液能力小于 5t/d 的井数占比 54.3%，日注水能力低于 15m^3/d 的水井占比 56.8%，长期不吸水井 71 口，占总开井数的 26.1%，水井吸水差，井间难以建立有效驱替关系，注采两难矛盾突出，制约油藏采收率的提高。

2　压驱技术机理

压驱注水技术是一种水力压裂与注水相结合，以接近或高于地层破裂压力快速注入，实现水井增注、地层增能、油井增产，并有效改善储层渗流能力、提高油藏采收率的技术。

2.1　微缝增流

压驱时，高压注水产生微细裂缝，引发裂缝拓展，提高储层渗透率。近破裂压力时，岩石应力增加，形成大量微裂缝。在高速渗流条件下，低渗透岩心的渗流速度和驱动压力呈线性关系。流速增大，渗透率先增大后趋于平稳（图 1），高压水进入微裂缝后，拓展微裂缝宽度，提高岩石渗流能力。现场压驱后水井试井解释曲线呈现明显裂缝特征（图 2）。

2.2　高压增容

压驱过程中，注入水进入岩石基质孔隙中，显著增加基质孔隙压力，随着孔隙压力的升高，孔隙和喉道尺寸变大（图 3），连通的孔隙和喉道

数量增加，地层孔隙度会提高2%~3%左右。现场压驱水井恢复常规注水后普遍呈现吸水能力上升、注水油压下降现象，平均启动压力下降2~3MPa，吸水指数增大2~5倍，部分油井地层表皮系数下降，说明压驱改善了小孔隙低渗带的孔渗性。

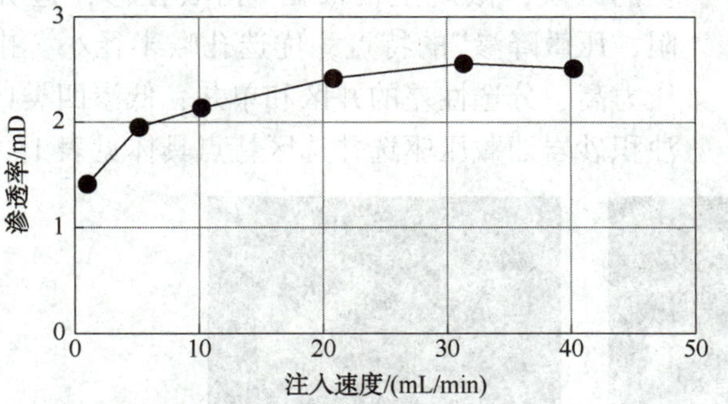

图1　不同流速下的岩心渗透率变化曲线

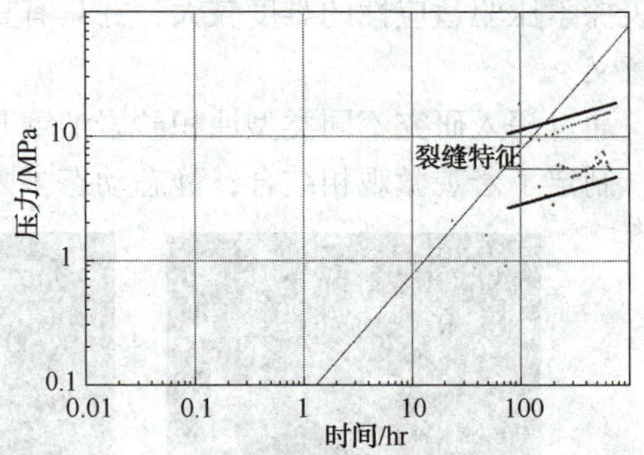

图2　水井压力降落试井解释曲线

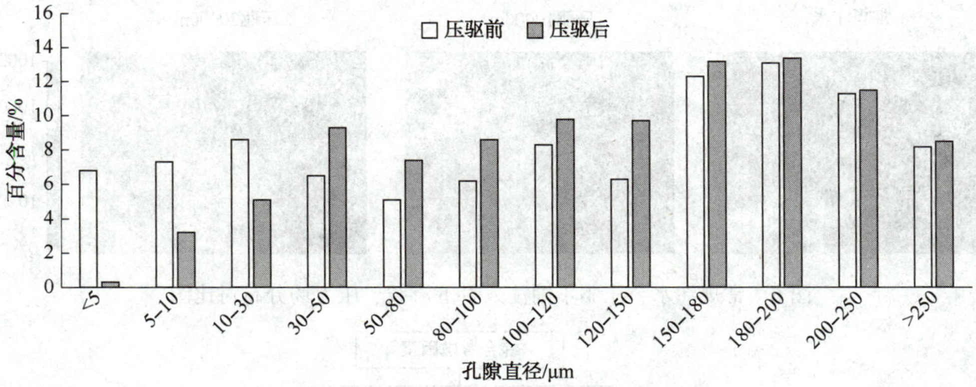

图3　压驱前后孔隙直径变化对比图

2.3　提效扩波及

压驱改变油水运动规律，提高驱油效率和波及系数。高压高速渗流下，随着驱替压力梯度上升，相渗曲线共渗点左移(图4)，出现润湿反转现象，水相相对渗透率增大，驱油效率先增加后趋于稳定(图5)。

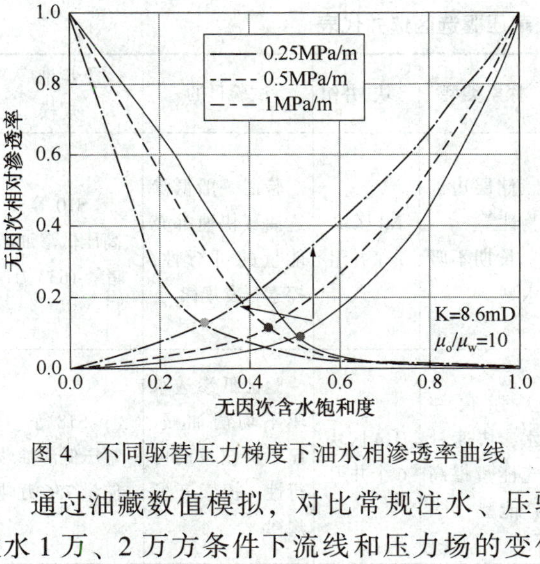

图4　不同驱替压力梯度下油水相渗透率曲线

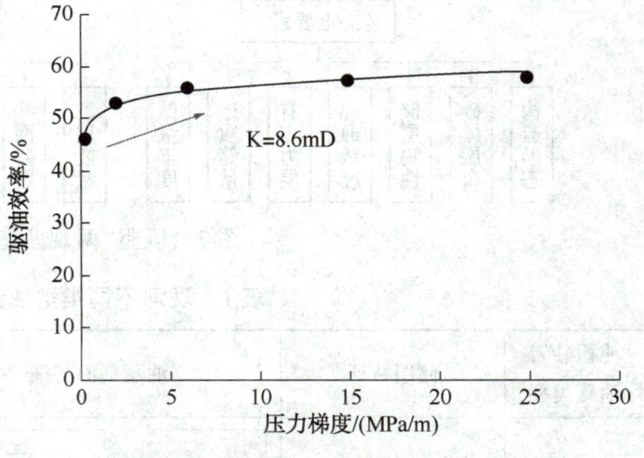

图5　驱油效率与压力梯度的关系曲线

通过油藏数值模拟，对比常规注水、压驱注水1万、2万方条件下流线和压力场的变化(图6)，压驱注水时井间流线增多，压力波及范围明显扩大，验证了压驱注水扩大波及体积、提高采收率的机理。

3　压驱矿场适配技术研究

3.1　压驱选井选区研究

现河浊积砂岩油藏主要有四种亚类，有主力层多层透镜体、无主力层多层透镜体、单一砂体岩性透镜体和薄互层。受开发单元数量多、油藏特征差异大、水驱开发程度不一、井筒地面条件限制等因素影响，选取各类型浊积砂岩油藏典型代表探索压驱适应性的难度较大，并具有重要指导意义。

通过深入研究不同类型浊积砂岩油藏开发需求，制定了宏观微观相结合，静态动态多因素考虑的选区选井原则（图7）。宏观上，对构造特征、储层条件、开发状况进行筛选，优选储层相对封闭、连通性好、井网完善、常规水驱采收率低的区块；微观上，根据“孔喉控渗，边界增阻，压敏降渗”的特点，优选孔喉半径小、排驱压力高、分选性差的井区和单井，低渗四类典型浊积砂岩油藏压驱选井选区特点具体见表1。

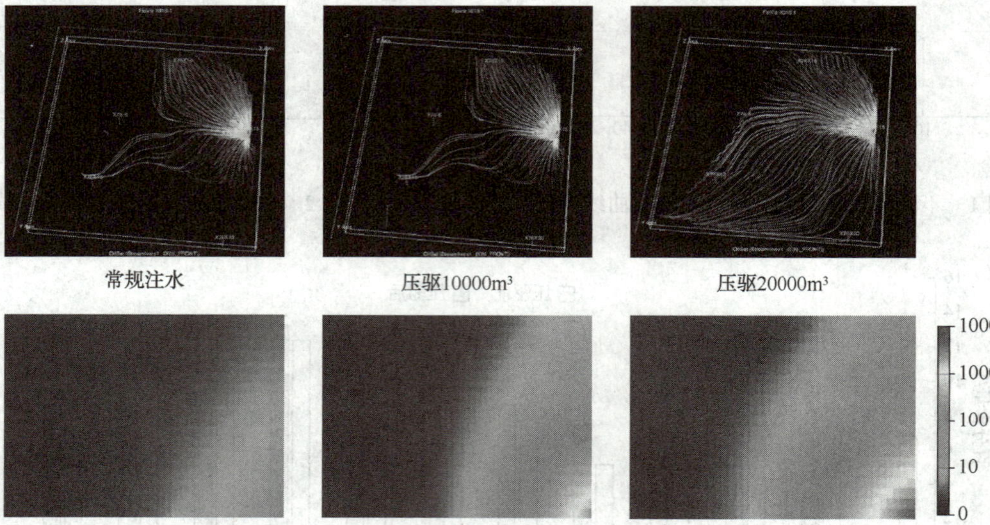

图6　常规注水、压驱不同注入量下流线、压力场分布对比图

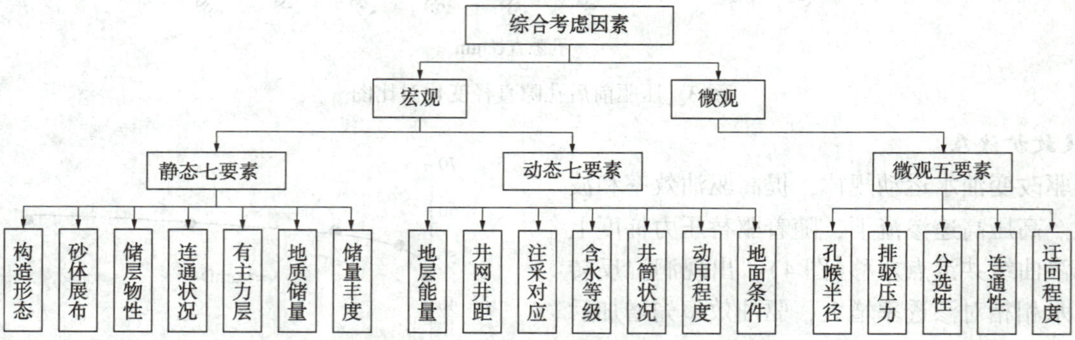

图7　压驱“两观两态多要素”选井选区考虑因素

表1　现河不同类型浊积砂岩油藏压驱选区选井代表

浊积砂岩油藏类型	储层特征	油藏剖面特征	探索类型	区块/井组	试验目的	下步推广规模
有主力层多层透镜体 14个	构造简单 纵向小层多 主力层明显 含油井段纵向跨度大	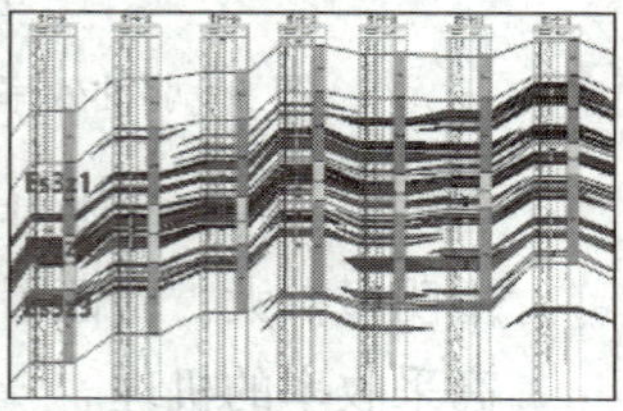	储层边部物性差 长期不吸水型	N3区块 7个井组	验证一般低渗透油藏快速补充能量的可行性，探索开发规律	S10等 高压低渗油藏 储量1633万吨
无主力层多层透镜体	构造简单 纵向小层多 无明显主力层 含油井段纵向跨度大	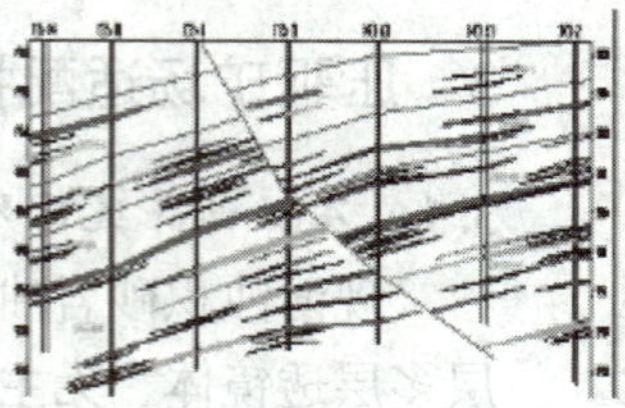	强化注水，快速补充能量提高产能型	H14区块 6个井组	验证低渗透水驱不均衡油藏，压驱扩波及的可行性，探索开发规律	S18等 常压低渗油藏 储量756万吨

续表

浊积砂岩油藏类型	储层特征	油藏剖面特征	探索类型	区块/井组	试验目的	下步推广规模
单一砂体岩性透镜体	构造简单 纵向储层单一 主力层明显 含油井段相对集中	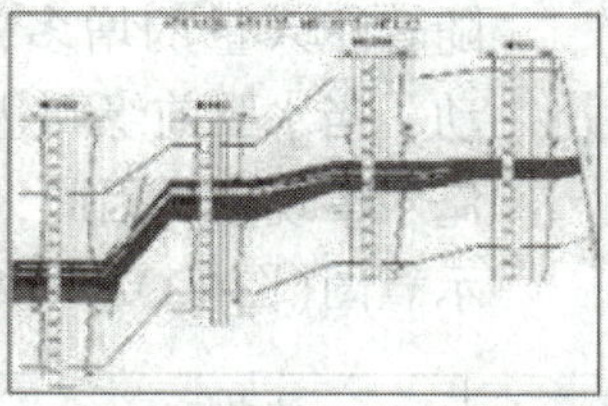	CO_2 驱超前增压型	L13 区块 2 个井组	探索压驱快速补充地层能量至混相压力转 CO_2 驱的经济性与可行性，探索开发规律	S11 等品质优等一般低渗透油藏储量 1054 万吨
薄互层	构造相对复杂 纵向小层多且储层薄 含油井段相对集中	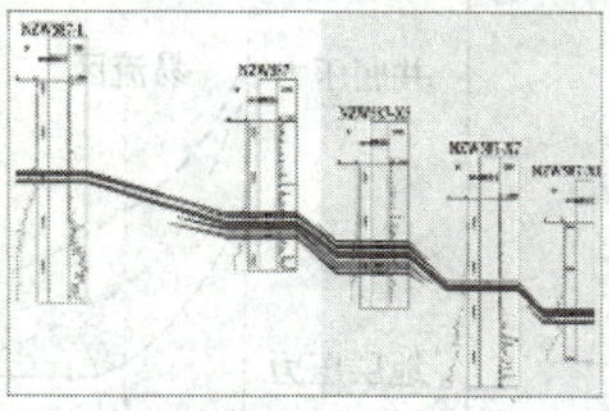	存量资产恢复利用型	S12 区块 3 个井组	探索压驱+径向钻组合开发模式提高采收率	W57 等高压低丰度低渗油藏储量 1654 万吨

3.2　井网及注水量设计

压驱井网、注采井距、注水量是影响压驱效果的重要因素，针对不同类型储层分布特征，分类设计压驱井网方式。对于独立小砂体区块，采用点状矢量化井网，提高压驱水井控制储量。针对连边发育的大砂体，采用排状或折线推进式压驱井网，充分利用老区井网适配井距。

压驱时注采压差增大，油井极限泄油半径增大，井间滞留区变小，存在较大水窜风险。结合油藏物质平衡法、压裂椭圆渗流理论，创新“三步法”精细设计压驱注水量，在合理恢复地层压力的同时降低水窜风险。

$$r_{极限}=3.226(P_e-P_w)\left(\frac{K}{\mu}\right)^{0.5992} \tag{1}$$

第一步，利用物质平衡法计算压驱注水量与地层压力恢复的关系。

已知未饱和油藏天然水驱和人工注水弹性驱动物质平衡方程为：

$$N_pB_o=NB_{oi}C_t\Delta P+(W_i+W_e-W_p)B_w \tag{2}$$

其中：岩石综合压缩系数为 $C_t=C_o+\frac{C_wS_{wc}+C_f}{1-S_{wc}}$，弹性产率为 $K_1=NC_tNB_{oi}$，由式 2 变形得到：

$$\frac{d\Delta P}{dt}=\frac{IPR-1}{K_1}\frac{dWL}{dt}=\frac{IPR-1}{K_1\times IPR}\frac{dWi}{dt} \tag{3}$$

其中：$\frac{d\Delta P}{dt}$：单位时间内的总压降；$\frac{dWL}{dt}$：单位时间内的累采液量；$\frac{dWi}{dt}$：单位时间内累计注水量；

利用公式 3 绘制不同注采比下地层压降变化情况，明确压驱注水量与地层压力变化关系（图 8）。

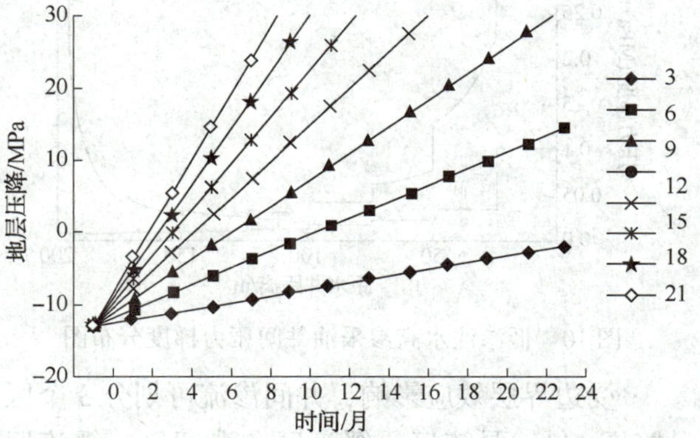

图 8　定液生产不同注采比下地层压降变化情况

第二步：流体连接法确定最大驱替半径。

低渗油藏孔喉半径小，存在启动压力梯度，表现为非线性渗流特征，考虑油水两相稳定渗流时，注采井间启动压力梯度、驱动压力梯度公式如下：

启动压力梯度：

$$G=0.056(\lambda)^{-0.893} \tag{4}$$

驱动压力梯度：

$$\frac{\partial p}{\partial r}=\frac{Q\mu}{2\pi khr}\frac{L}{(L-r)} \tag{5}$$

式中，λ 为流度，$10^{-3}\mu m^2/mPa\cdot s$；$Q$ 为流量，m^3/s；K 为油层渗透率，$10^{-3}\mu m^2$；μ 为地层原油黏度，mPa·s；h 为油层厚度，m；L 为注采井距，m；R 为距水井的距离，m；P 为任意时刻、任意径向距离处的地层压力，MPa。

压驱注水提高井间注采压差，保持驱替压力

梯度始终大于启动压力梯度，建立有效驱替系统，利用公式 4、5，计算高渗注水低渗采油、低渗注水高渗采油情况下井间压力梯度分布曲线（图 9、图 10）。

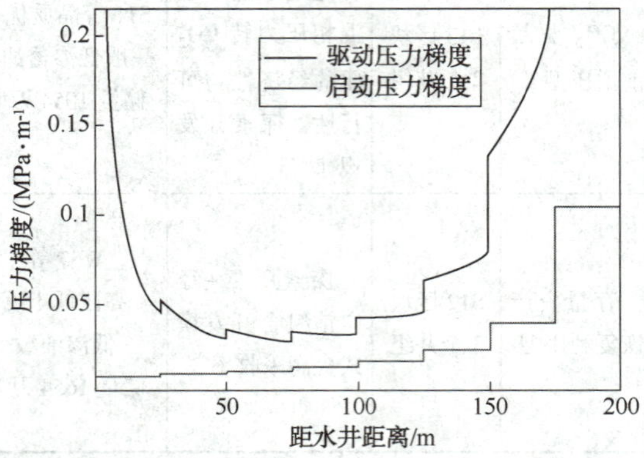

图 9　高渗注水低渗采油井间压力梯度分布图

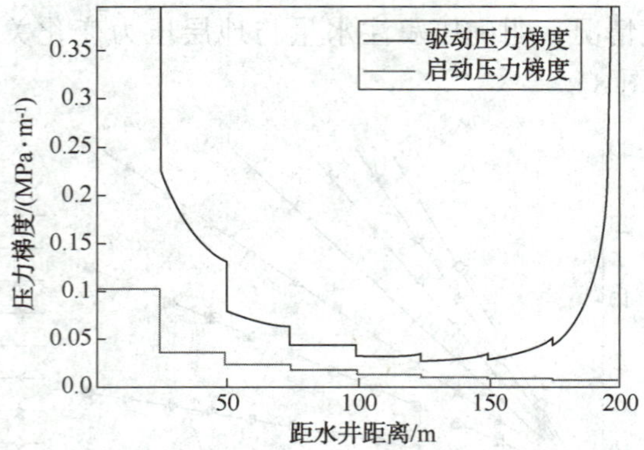

图 10　低渗注水高渗采油井间压力梯度分布图

受边界层效应影响，井间渗流可划分 3 个区域（图 11）：易流区、缓流区和滞留区。缓流区和易流区反映了从油层供油边界到油井井底之间，随着驱替压力梯度由低到高，储层流体由非线性流动向线性流动的变化，低渗透油藏有效泄油半径近似等于易流区半径。

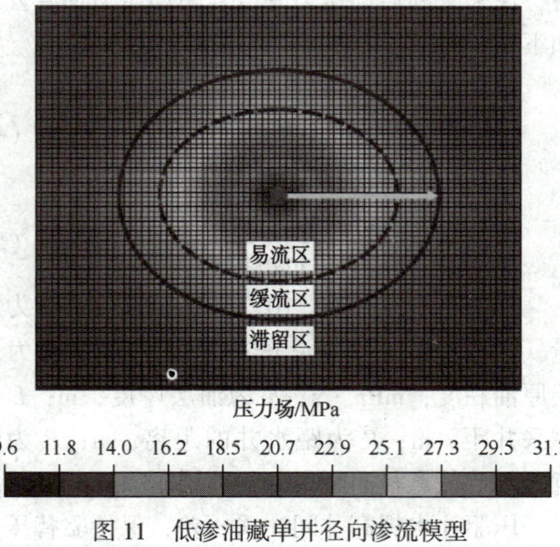

图 11　低渗油藏单井径向渗流模型

常规注水时，注入压力低，驱动压力梯度小，井间滞留区较大。压驱增大驱替压力梯度，滞留区减小（如图 12），形成新的压力平衡点。随着注入量的增多，压力平衡点会向油井端移动，当水驱前缘到达油井易流区后，油井发生水淹水窜现象。因此，绘制压驱最大水驱波及半径示意图（图 13）。

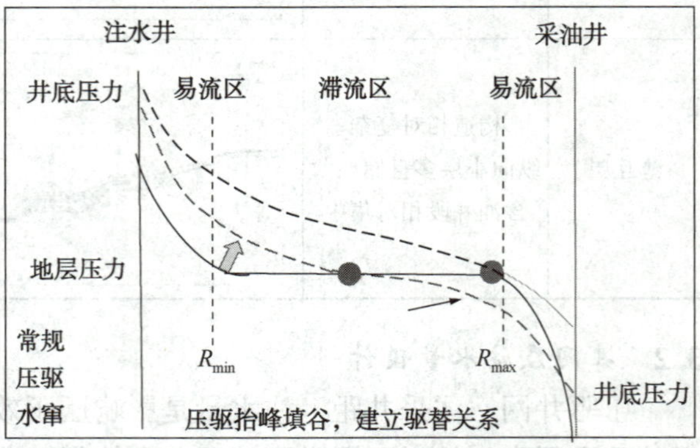

图 12　井间压力变化示意图

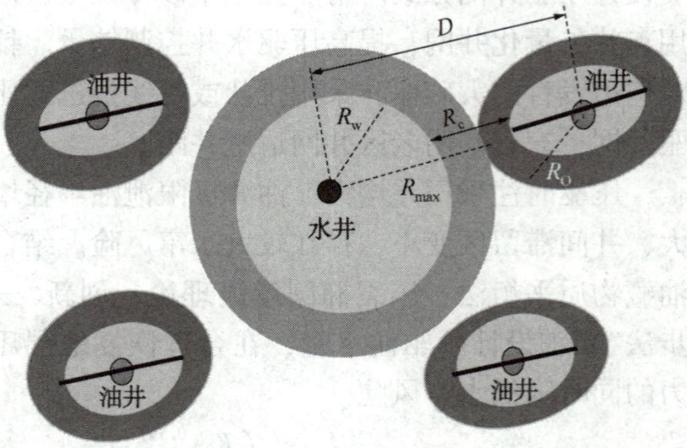

图 13　最大压驱水驱波及示意图

$$D=R_w+R_c+R_o \tag{6}$$

其中，D：注采井距；R_w：水井极限易流半径；R_o：油井极限泄油半径；R_c：滞留区阻流距离。

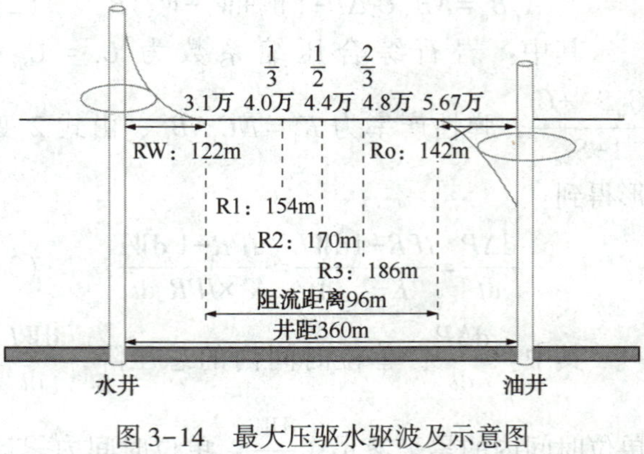

图 3-14　最大压驱水驱波及示意图

合理的压驱波及半径应尽可能缩小井间滞留区距离，但不突破油井的极限泄油半径，即 R_w<

压驱波及半径 $<R_c+R_w$。确定最大水驱波及半径为：

$$R_{max}=R_c+R_w=D-R_o=D-3.226(P_e-P_w)\left(\frac{K}{\mu}\right)^{0.5992} \tag{7}$$

第三步：椭球法约束极限注水量，减少水窜风险。

结合压裂椭球渗流理论，压驱注水前缘呈类似椭球形态（图15）。利用椭球模型（图16、公式8）计算最大压驱波及半径内的孔隙体积求取最大压驱注水量。

$$V=\frac{2}{3}\beta\Phi\pi RmaxFH \tag{8}$$

式中，β 为修正系数，1.1～1.18；Φ 为孔隙度，%；H 为厚度，m；F 为参考压驱裂缝带宽。

对比约束物质平衡法理想地层压力系数下对应压驱注水量，优选水驱波及半径位于滞留区1/3～2/3范围内的压驱注水量（图14），达到合理恢复地层压力的同时扩大水驱波及范围降低水窜风险的目的。

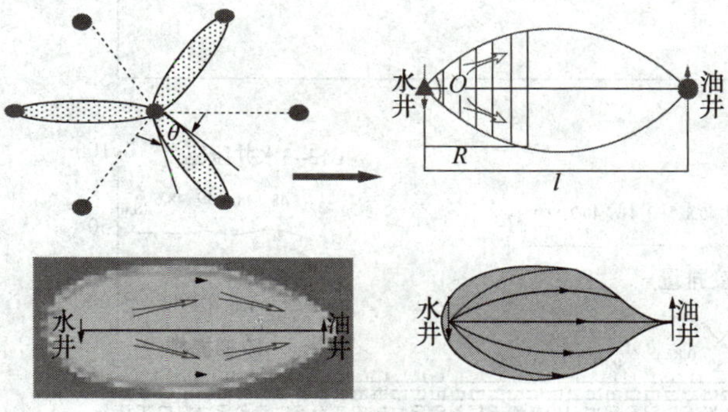

图15　水驱前缘波及示意图

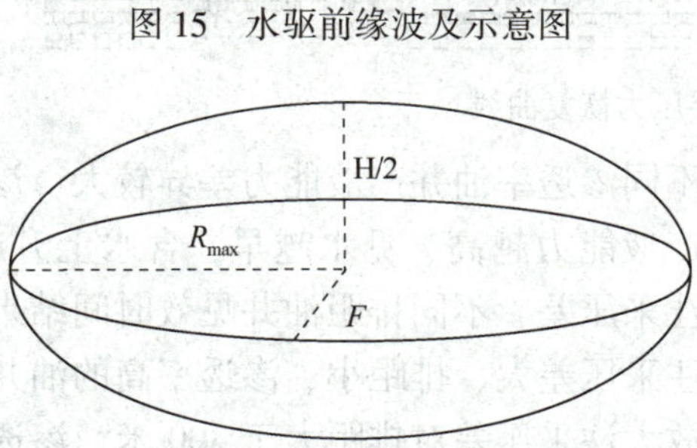

图16　压驱注入量体积计算模型

3.3　压驱裂缝参数模拟

利用Meyer软件单一变量式模拟不同渗透率储层下，不同排量、注入量以及变排量注入时压驱裂缝参数，对比研究裂缝变化规律，科学优化指导压驱现场施工，改善压驱效果。

排量为1m³/min，总注入量为10000m³，不同渗透率储层裂缝参数如图17。由图可知储层渗率增大，半缝长变短，带宽增加，当渗透率大于16mD后，带宽增加幅度变大。模拟16mD储层不同排量、注入量下裂缝参数变化如表2、图18所示，随着排量增加，缝长增加，带宽先增加后平稳。以上结果表明，压驱裂缝总沿最大主应力方向延伸较长。

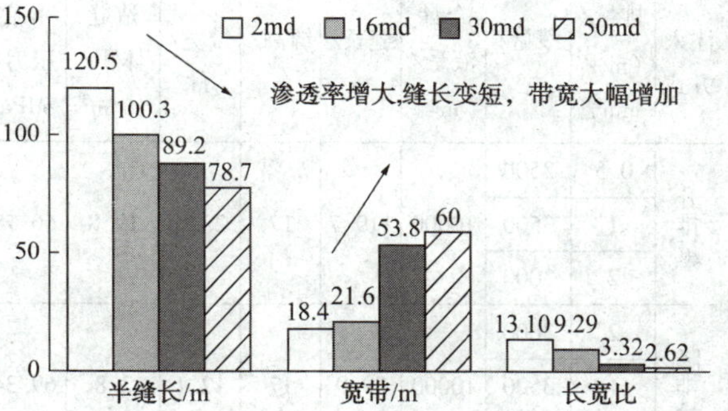

图17　不同渗透率下压驱裂缝参数表

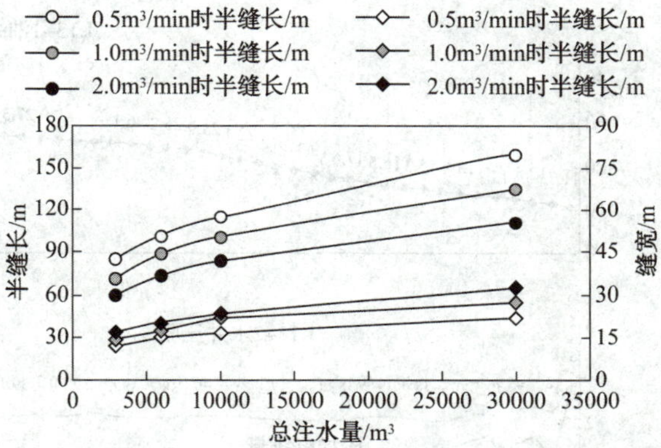

图18 不同排量、注入量下裂缝参数曲线

表2　不同注水量、排量下裂缝参数模拟结果

总注入量/m³	排量/(m³/min)	缝长/m	缝高/m	带宽/m
3000	0.5	60.1	17	11.8
	1	70.5	17.1	14.6
	2	84.2	17.2	16.9
6000	0.5	67.6	11.6	41
	1	78.5	12	46.6
	2	93.3	12.2	56.1
10000	0.5	75.7	11.6	45
	1	89.2	12	53.8
	2	107.1	12.2	64.4
30000	0.5	100.4	11.7	55.3
	1	118.9	12	64.5
	2	141.8	12.3	82.4

以 3000m^3注入量为例，模拟排量 0.5、1.0、2.0m^3/min 时井底压力变化，排量越大，井底流压越高，岩石破裂越明显。分别模拟阶梯升排量和阶梯降排量注入后裂缝参数(表 3)。结果表明，阶梯降排量利于形成宽短缝，造缝体积小，驱替更均衡。

表 3　阶梯变排量裂缝参数对比表

注入方式	排量/(m^3/min)	液量/m^3	合计液量/m^3	缝长/m	缝高/m	带宽/m	造缝体积/10^4m^3	井底压力/MPa
升排量	0.5	3500	10000	119.7	17	23.5	19.8	66.78
	1	3500						
	2	3000						
降排量	2	3000	10000	59.9	17	12.1	3.8	69.34
	1	3500						
	0.5	3500						

根据模拟结果，实施变排量注入，渗透率大于 16mD 或历史压裂水井，阶梯降排量注入，造短缝，避免水线突进造成水淹；渗透率小于 16mD 水井，阶梯升排量注入，拓展缝长缝宽，扩大水驱波及范围。例如 L13 区块 2 口水井，L13-2 水井历史曾压裂，采用阶梯降排量注入，L13-3 水井未压裂，阶梯升排量注入，压驱后地层压力均匀回升，油井普遍见效，水驱前缘测试显示水驱波及较为均衡。

3.4　见效差异因素分析

现河低渗浊积砂岩油藏普遍采用“核注翼采”开发方式，为明确储层物性参数对压驱见效差异的影响，建立 200＊200 非均质储层模型，满足核注翼采原则一注四采，水井渗透率为 15mD，各油井及平面渗透率分布如图 20，水井模拟压驱注水 10000m^3后停注油井开井生产，结果如图 21。

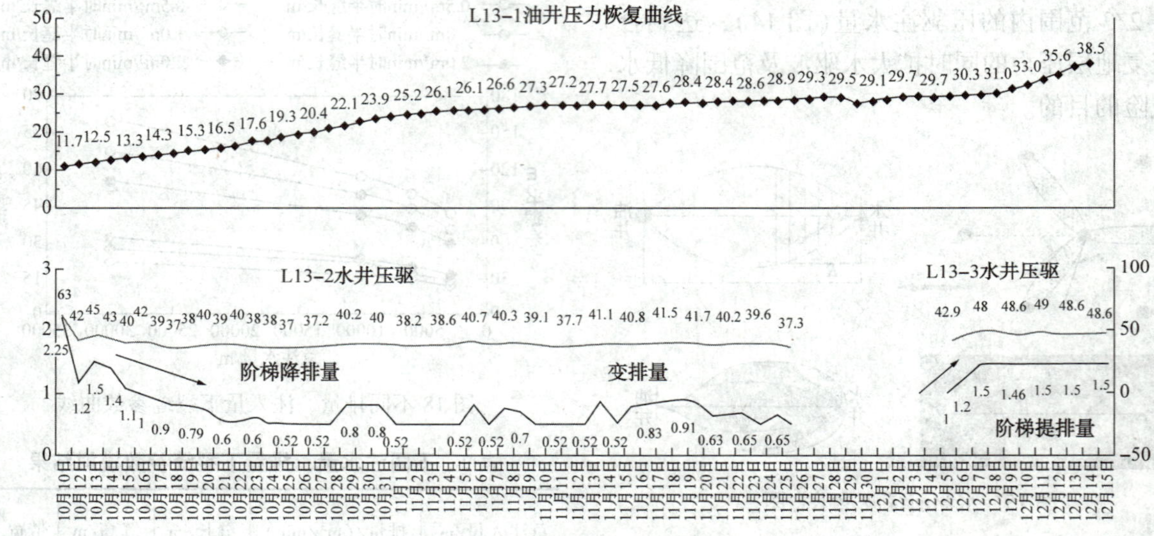

图 19　L13 区块压驱排量与地层压力恢复曲线

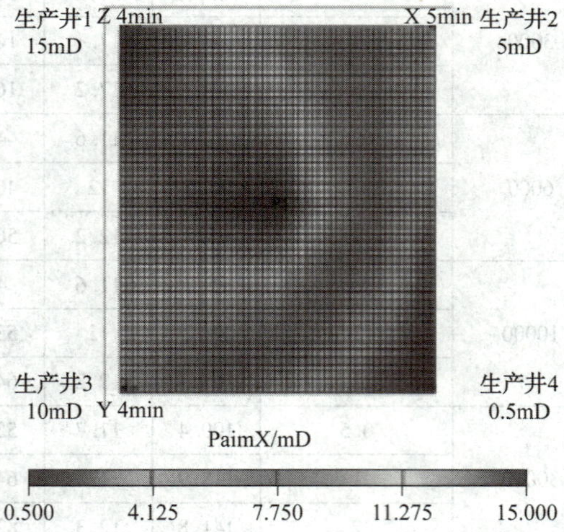

图 20　非均质储层井组模型

不同渗透率油井产液能力差异较大，渗透率越大产液能力越高、见水越早，含水上升越快。放大注采压差、不同排距油井见效时间结果如图 22，注采压差大、排距小、渗透率高的油井见效早，放大注采压差对排距大于 300 米、渗透率大于 10mD 的单井注水见效提升效果更显著。模拟渗透率、井距、储层厚度、黏度、注采压差对压驱见效和见水时间的影响如图 23、图 24 所示，其中，注采井距、注采压差和渗透率显著度较高，因此是影响压驱见效差异和水窜的主控因素。

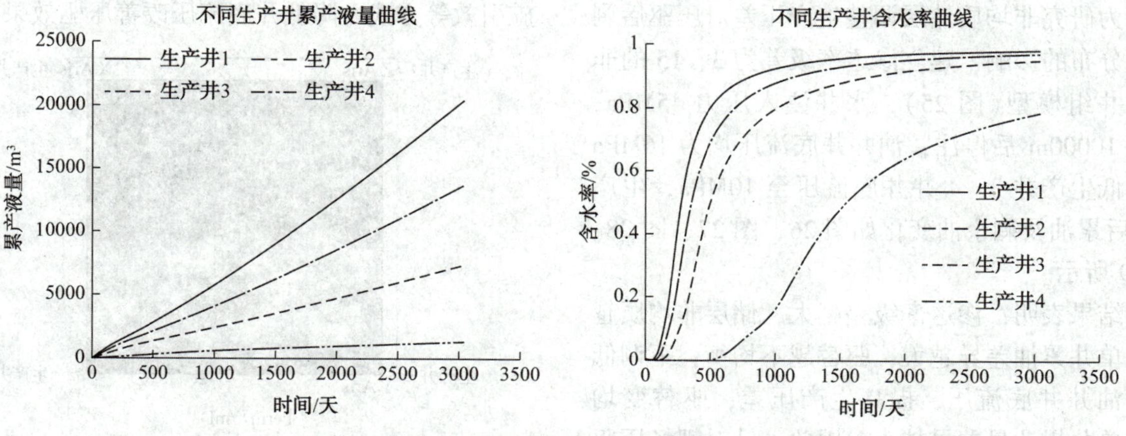

图 21　“核注翼采”非均质井组压驱后单井生产数据对比

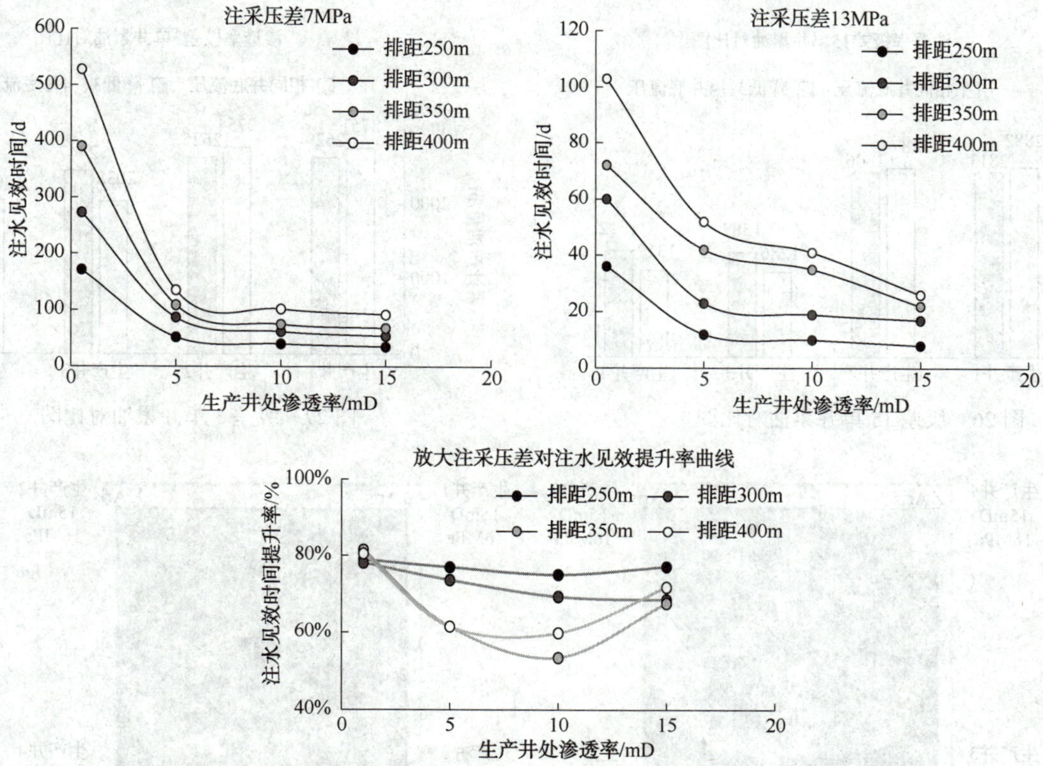

图 22　不同注采压差下注水见效时间与排距、渗透率关系图

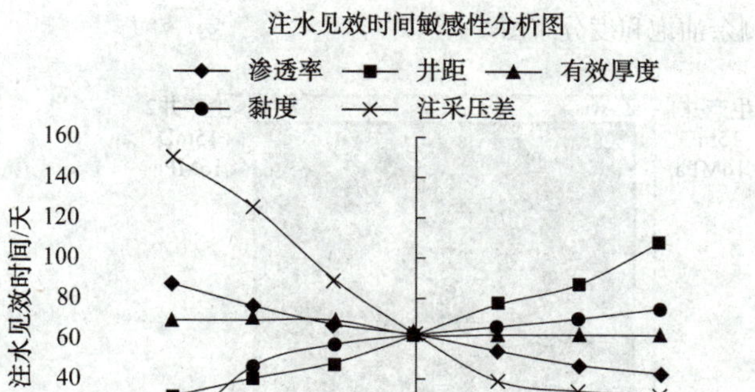

图 23　影响注水见效时间敏感性分析图

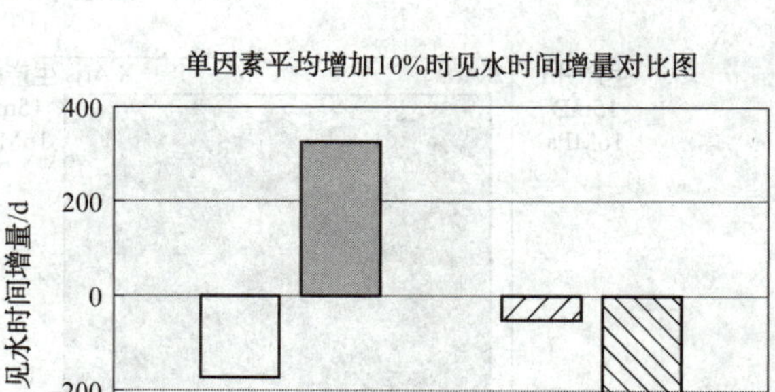

图 24　各因素影响注水见效时间增量对比

为研究非均质储层调整生产压差对压驱后剩余油分布的影响，建立渗透率级差为3、15的非均质井组模型（图25），水井注入压力45MPa，累注10000m^{3}后停注，油井井底流压均为16MPa和降低生产井3、4井井底流压至10MPa，生产2年后累油及剩余油变化如图26、图27、图28、图29所示。

结果表明，渗透率级差越大，储层非均质越强，单井累油差异越大，驱替越不均衡；下调低渗区油井井底流压，提高生产压差，驱替变均衡，单井累油量差异越小。因此，针对现场压驱见效差的油井建议上调工作制度，采用深抽、措施引效等方式，降低井底流压改善压驱效果。

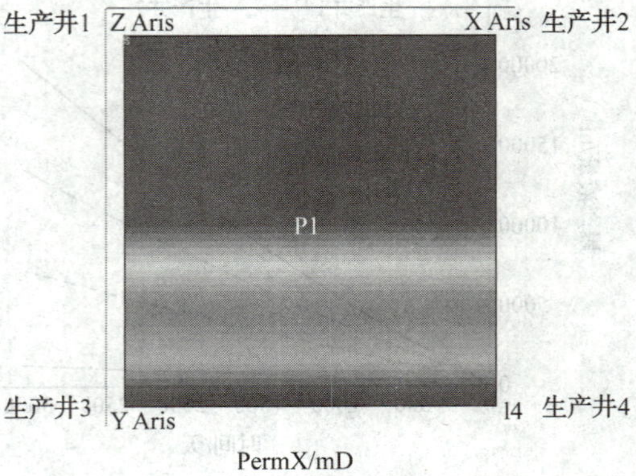

图25　渗透率分布图

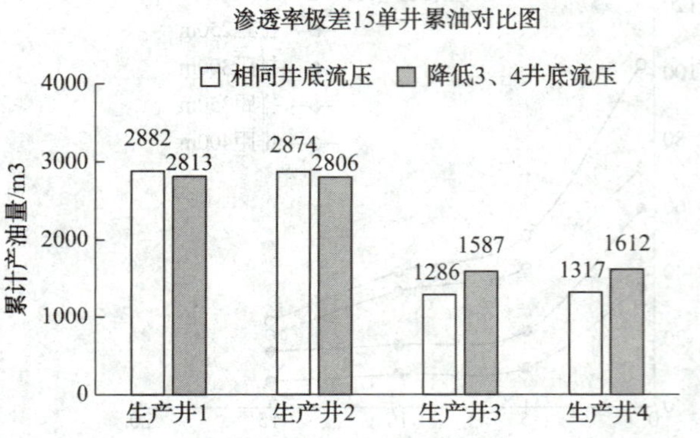

图26　级差15单井累油对比图

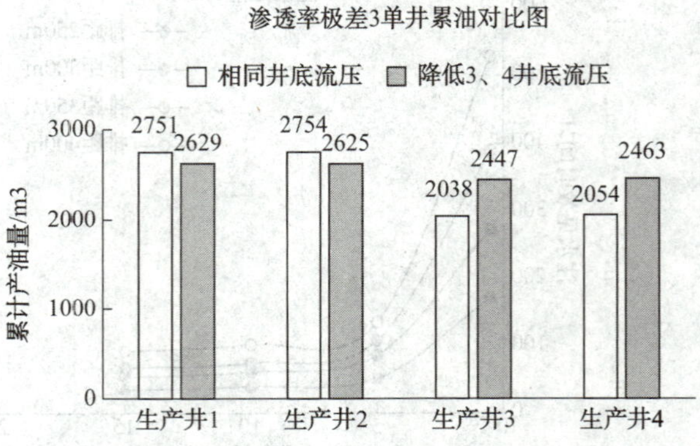

图27　级差3单井累油对比图

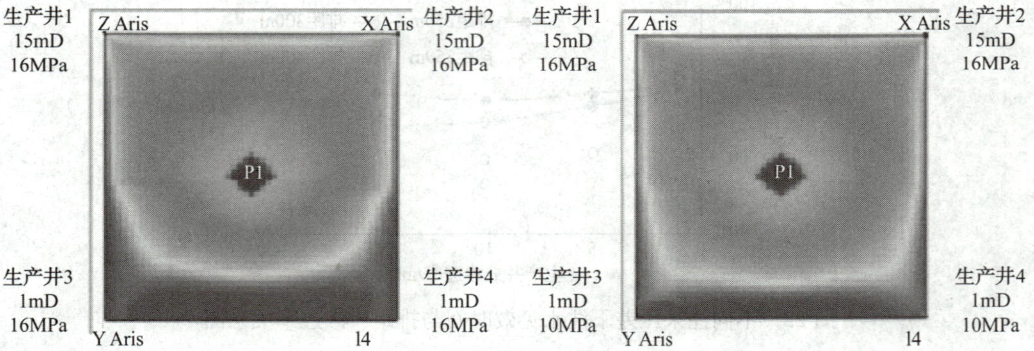

图28　渗透率级差15剩余油饱和度分布图

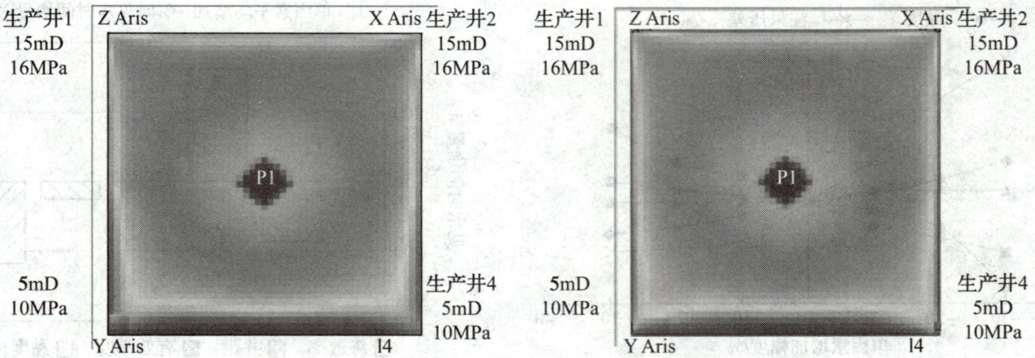

图29　渗透率级差3剩余油饱和度分布图

4　压驱后均衡驱替做法及效果

受沉积方向、井网井距、压裂裂缝、储层非均质性等因素影响，不同浊积岩油藏类型，不同区块、井组、单井压驱后见效差异大，并且压驱注水产生微裂缝加剧了储层非均质性。根据压驱后井组生产指标变化，分为三种见效类型、七种见效特点，见表4。结合数模研究成果制定了“优势控流，弱势引效”调整思路，对不同类型典型井组实施变压差调流场，实现均衡驱替，并取得较好效果。

表4　现河采油厂压驱见效类型模式图

分类	见效特点	主要表现	油藏类型及特点	井间压力特点	典型井组	压力传导模式图
高效型	三升一降	液量升 油量升 动液面升 含水降	1. 层厚、砂体展布面积大； 2. 水井注入量大	压力存在微重叠区能够连续传导	A35-2井组	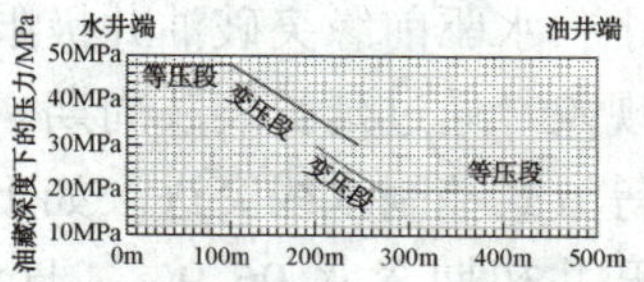
	三升一稳	液量升 油量升 动液面升 含水稳	1. 封闭砂体、全区满含油； 2. 精细测算，水量足而不溢； 3. 短周期焖井，次流线开井引流	压力存在微重叠区能够连续传导	H14-48井组	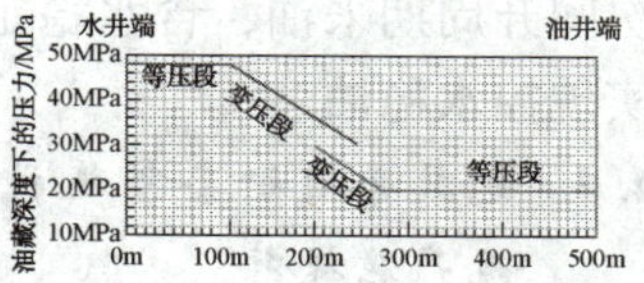
	四升含水小幅升	液量升 油量升 动液面升 含水小幅升	1. 特低渗、半封闭砂体； 2. 层多层薄、井距大； 3. 次流线已建立驱替关系	压力存在微重叠区能够连续传导	S12-X4井组	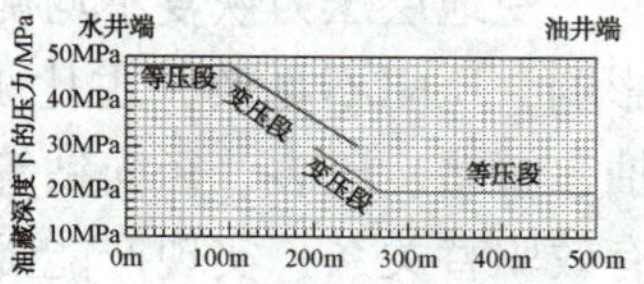
	四升含水大幅升	液量升 油量升 动液面升 含水大幅升	1. 裂缝及主应力方向； 2. 主流线历史注水见效； 3. 压驱敏感、升压快。	水井变压段延伸进油井的等压段范围	L13-X1井组	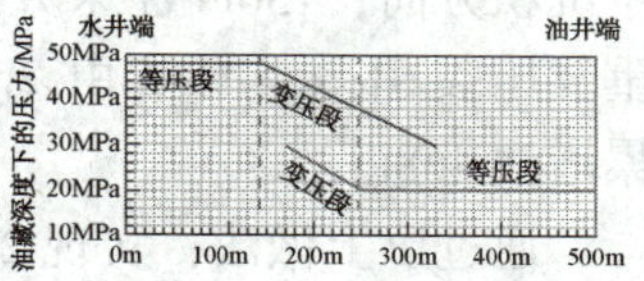
有效型	两微升两稳定	液量略升 油量略升 动液面稳 含水稳	1. 不封闭、特低渗砂体； 2. 压驱水量不足，压力恢复不理想。	压力相接滞留段为零	S2-3-X6井组	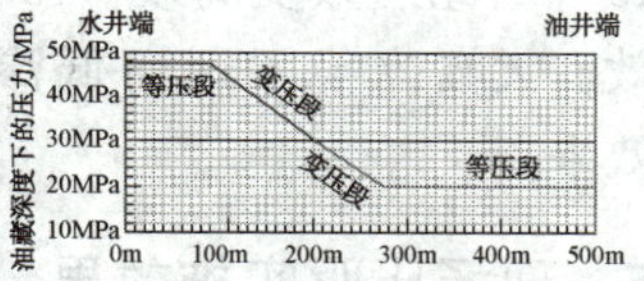
	瞬猛见效	液量升 水量升 动液面升或稳 油量降	1. 砂体核部，特性好； 2. 油水井井距近； 3. 双向水驱	油井变压段也延伸进入水井的等压段范围	S12-X32井组	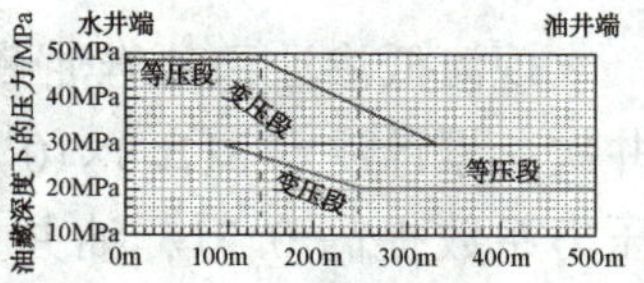
无效型	四不变	液量不变 含水不变 动液面不变 日油不变	1. 井组平面非均质性强； 2. 有效厚度小，特性性差； 3. 压驱注入量不足，地层压力恢复差。	压力曲线不相接井间存在滞留段	S10-8井组	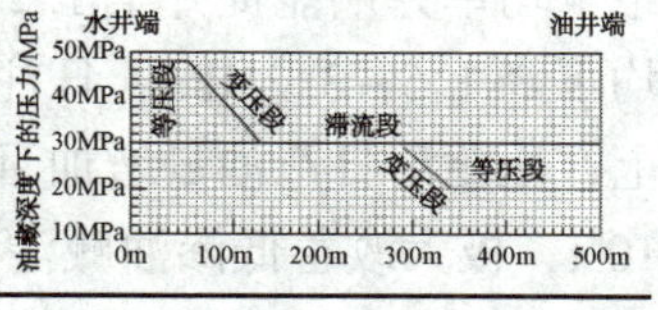

4.1　不均衡井组优化开井顺序配套流线调整，实现均衡驱替

压驱见效不均衡井组，合理优化开井时机和顺序配套及时到位的流线调整能有效改善剩余油分布，扩大波及面积。如A3-42井组压驱见效差异大，按见效程度由弱到强的顺序开井，配套“关、控、引”的流线调整方法，实现主流线含水稳定，次流线井逐步见效产能提升，井组日增油15.1t/d，累增油2763t，实现均衡驱替。

4.2　高效井组压驱后及时恢复注水延长有效期，实现长效开发

压驱后高效型井组占比68.4%，多为有主

力层多层透镜体浊积砂岩，井间压力剖面呈现微重叠区压力能够持续传导。压驱后水井及时恢复注水持续增能可以延长有效期，如L13-X3井组压驱后水井吸水能力增强，及时开井放大注水，井组3口油井持续受效，有效期9个月以上，累增油1976t。

4.3 水淹水窜井组延长焖井周期、间开、异步注采，实现控水稳油

水窜型井组受历史压裂裂缝影响，基质井距小，水驱前缘突破油井极限泄油半径，呈现水窜现象。通过延长焖井周期、异步注采、周期采油等方式控制水线突进。如L13-5井压驱后水窜，开井初期含水96.9%，日油0.3t/d，通过多轮次间开周期采油，含水稳定在75%，日油4t/d，实现控水稳油。

4.4 无效井组配套措施引效，建立有效驱替实现产能提升

受地层压力恢复不均衡、储层物性差等因素影响，压驱不见效井占比10.53%，通过配套深抽、解堵、压裂、径向钻等措施引效，逐步建立有效驱替关系，实现产能提升。如N3-4井垂直于沉积方向，130m注采井距压驱不见效，实施重复压裂引效，日液由2.0t/d上升至9.1t/d，累增油468t。

通过以上做法，实现26口油井无效变有效，23个井组有效变高效，18个见效井组高效变长效，大幅改善了现河低渗浊积砂岩水驱开发效果。

5 现场压驱实施效果

现河低渗浊积砂岩油藏近3年实施压驱116井次，累计注水312.8×$10^4$$m^3$，平均压驱后地层压力系数提高0.21，油井见效率72%，见效井组平均单井产能提升至1.2倍，水井启动压力平均下降1.5~3.2MPa、日注水量增加18m^3/d以上，压驱后日产油量增加百余吨，累增油11.2×10^4t，极大改善低渗油藏注采两难现状，实现低渗产量持续稳升，单元自然递减平均下降6.2%，水驱动用程度提高25.4%，采收率提高3.2%，有效期内投入产出比1∶2.1，具有较好经济效益和较大推广应用前景。

6 结论与建议

（1）压驱技术有效改善储层渗透性，降低表皮系数，具有降压增注解堵的功效，同时可以快速增能、提高产注能力、降低自然递减、提高油藏采收率。

（2）结合数模研究和现场压驱实践，认为沉积方向和储层非均质性对压驱见效差异的影响大于注采井距，并且压驱注水产生微裂缝加剧了储层非均质性影响。数模研究和实践证明通过“优势控流、弱势引效”调整油井生产压差，能有效改善压驱后剩余油分布状况。

（3）建议加大压驱与多种技术相融合（如CO_2驱、径向钻、堵调等）组合开发实施力度，改善压驱效果，大幅提高油藏采收率。

（4）压驱技术在无主力层透镜砂体和薄互层浊积砂岩油藏中实施效果较差，建议开展不同类型浊积砂岩油藏精细油描和储层微观孔喉结构特征研究，对十四五期间大幅提高低渗浊积砂岩油藏采收率具有重要指导意义。

参考文献

[1] 马铨峥，杨胜来，王君如，黄宇. 基于启动压力梯度的致密油藏非线性渗流模型[J]. 石油化工高等学校学报，2020，33(01)：36-41.
[2] 苏海波. 反映动态启动压力梯度的低渗透油藏渗流模型[J]. 西南石油大学学报：自然科学版，2015，37(6)：105-111.
[3] 王俊杰，吴胜和，肖淑明等. 东营凹陷沙三中亚段浊积砂岩储层微观孔喉尺寸分布特征[J]. 中国石油大学学报(自然科学版)，2021，45(4)：1-10.
[4] 肖淑明. 现河油区低渗透油藏开发技术与实践[M]. 中国石油大学出版社，2013.
[5] 朱维耀，刘今子等. 低/特低渗透油藏非达西渗流有效动用计算方法[J]. 石油学报，2010，31(3)：452-457.
[6] 姜汉桥，姚军，姜瑞忠等. 油藏工程原理与方法[M]. 中国石油大学出版社，2013.

海上首次表层定向分离单筒三井钻完井技术先导应用

赵宝祥　王　巍　余　意　郭　浩　刘贤玉　陈　磊　陈　力

（中海石油（中国）有限公司湛江分公司）

摘　要　占位钻具形式的单筒双井技术解决了常规技术表层无法分离的问题，但井槽利用效率更高的常规单筒三井技术无法实现表层的井眼分离，限制了井眼的最大延伸位移，不利于海上边际油田的开发。为此，对常规井身结构进行了优化；研发了分体式单筒三井井口及采油树系统；设计了隔水导管内占位钻具管串，解决单筒三井眼的有效占位问题，在满足钻头顺利通过的同时，能够保证剩余独立双井眼的有效占位；根据井位来合理设计井眼轨迹，使井眼表层快速分离。在W油田首次开展海上表层定向分离单筒三井钻完井技术先导应用，首次实现了在ϕ914.40mm常规隔水导管内单筒三井眼独立建井、表层阶段完成井眼的定向分离钻井工艺技术应用。W油田应用实践表明，表层定向分离单筒三井技术可实现边际油田的经济高效开发，具有广阔的推广意义。

关键词　单筒三井；定向分离；占位钻具；隔水导管；分体式井口

井槽是海洋钻井的最重要的资源，如南海西部北部湾盆地某油田群的单井槽建设成本高达2000万元，提高井槽利用效率是海洋钻完井降本增效的重要手段之一。经过近20年的发展单筒多井技术在国内外得到了广泛应用。国内首例单筒双井技术应用在渤海油田，在此基础上发展了非对称单筒双井技术，以适应更加灵活的井身结构和隔水管尺寸，通过扩眼预斜技术实现了单筒双井大尺寸表层井眼的造斜，一定程度上解决了浅层的防碰绕障问题，为了彻底实现单筒双井的独立建井，完成单筒双井表层的分离，发展出了占位钻具形式的单筒双井技术，并成功在南海、渤海推广应用。相比单筒双井技术的发展，国外首次报道利用效率更高的单筒三井技术是在马来西亚巴拉姆三角洲的博科油田上，该油田位于沙捞月近海45km处，水深69m。国内主要在南海西部得到应用，采用ϕ1066.8mm隔水导管内下入3串ϕ339.7mm套管的常规技术。常规单筒三井工艺技术表层采用大直径井眼，一般为ϕ965.2mm，难以实现定向钻进；其次由于大直径井眼清洁困难、井壁失稳风险高等不利因素，表层井眼深度受限，在南海西部最深不超过500m，地层承压能力不足，需要增加套管层次；第三，常规单筒三井工艺中的3串套管并列下入同一井眼中，无法实现井眼的表层分离，减小了各井眼的水平延伸距离，增加了井眼分离的难度；第四，常规单筒三井一般采用整体式井口，虽然结构简单，但无法实现独立建井；综上所述常规单筒三井工艺技术只能应用于井深较浅、水平位移较小的井，无法很好的满足目前油田开发的需求。

随着南海西部进入中后期，老油田调整挖潜、边际油田开发等导致现有生产设施上的井槽数量不足，无法满足现有生产需求。为了进一步提高井槽利用效率，通过对占位钻具技术进行优化，在常规单筒双井的ϕ914.40mm隔水导管内实现单筒三井眼独立建井，在表层阶段完成了井眼定向分离，在涠洲某海上油田调整井成功进行了先导应用，填补了国内外钻井领域的在该项技术上的空白。

1　主要技术难点

常规单筒三井技术的技术特点为在ϕ1066.8mm隔水导管，钻ϕ965.2mm井眼，下入3串ϕ339.7mm套管并固井的方法来实现在1个井槽完成三口井；占位钻具形式的单筒双井主要通过事先在隔水导管内下入占位钻具来实现单筒双井的表层分离，因此ϕ914.40mm隔水导管内完成表层定向分离单筒三井主要存在以下难点。

1）井身结构设计难度大。ϕ914.40mm 隔水导管一般作为单筒双井井槽，采用占位钻具的技术形式在 ϕ914.40mm 隔水导管内完成单筒三井技术除了需要考虑套管尺寸及间隙外，还需考虑占位钻具、表层钻具、表层套管三者之间在不同工况下的状态及通过性；

2）井口系统设计难。常规单筒三井采用整体式井口，结构简单，但无法实现独立建井，可实现独立建井的分体式井口系统由于需要考虑1口或2口井井口完全安装时的钻井作业，干涉状态多，设计难度大。

3）难以实现有效占位。由于采用钻杆连接的占位钻具管串有效部分长度有限，因此双占位钻具如何避免两串占位钻具的有效部分错开位置，导致所占位的空间难以实现后续钻井作业；

4）轨迹设计及控制要求高。表层定向分离单筒多井技术要求定向井轨迹在下入套管后能够提供一定的侧向力来维持套管的位置，为其余井留出空间，同时不同井的方位应尽可能的不同，相近的方位可能会导致后续的井套管下入困难；为实现表层的尽快分离同时考虑钻具组合的通过性，需要针对钻具组合的造斜能力及结构参数进行优化。

2　关键技术研究

针对表层定向分离单筒三井技术难点，以北部湾 W 油田为例开展了井身结构优化、分体式单筒三井井口设计、占位钻具优化设计等关键技术研究。

2.1　*井身结构优化*

井身结构优化研究主要依据 API 标准系列井眼、套管尺寸的组合，采用由下至上的设计方法优选满足完井工艺需求的最经济井身结构，主要控制因素考虑：完井管柱尺寸、井眼与套管间隙、隔水管强度等。表层井眼尺寸由单筒多井技术常用的 ϕ406.4mm 优化为 ϕ368.3mm，主要优化过程如下：

1）优化管柱最大尺寸。满足油田生产需求的分层生产管柱结构（图1）分析表明，最大尺寸为Y接头处；采用 WellCat 软件进行电泵选型及油管校核后，选用 375 系列电泵（98mm）及 ϕ60.3mm 薄接箍支管（70mm），可以控制生产管柱最大外径 169mm，Y接头、电泵及支管位置关系及尺寸见图2。

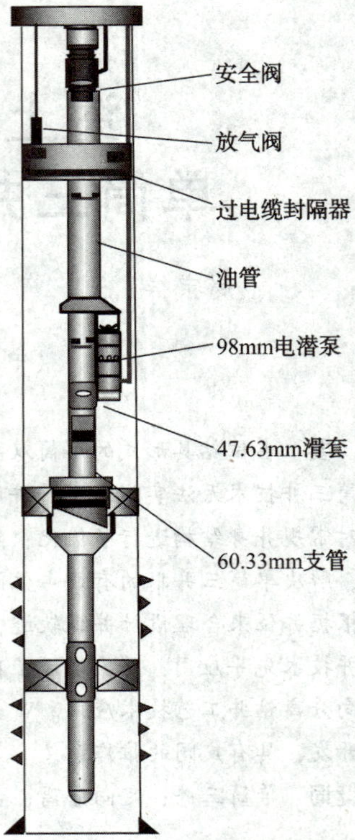

图1　分层电泵采油井生产管柱图

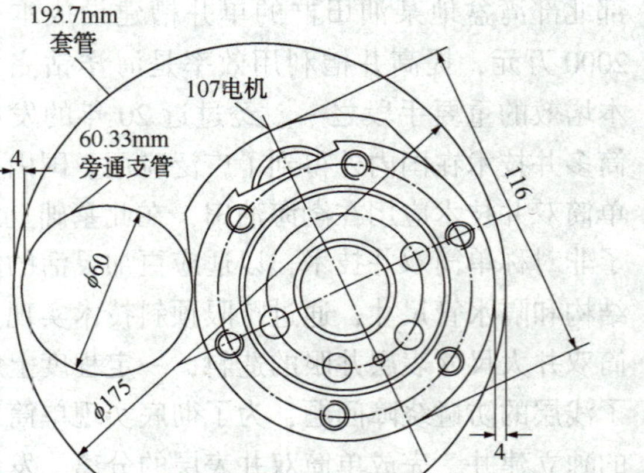

图2　Y接头处支管及电泵尺寸图

2）确定套管层次及尺寸。根据油田已作业井经验结合上部地层承压能力，采用2层井身结构，依据 API 标准系列及钻头与套管间隙要求，井身结构优化为 ϕ355.6mm 井眼×ϕ273mm 套管+ϕ241.3mm 井眼×ϕ193.7mm 套管。

3）确定隔水导管规格。表层井眼底部钻具组合为：ϕ355.6mm 牙轮钻头+ϕ244.5mm 螺杆钻具（1.5°）+ϕ343mm 钻柱扶正器，占位钻具尺寸为 ϕ368.30m，考虑 10mm 的安全间隙，采用内径 ϕ863.6mm 的隔水导管，可满足占位钻具之间 43mm，钻具组合与占位钻具之间 11mm 的安全间隙（图3）；通过隔水管稳定性校核，确定隔水导管的壁厚 25.4mm，钢级 X56，图 4 为隔水管稳定性校核中有限元分析模型。

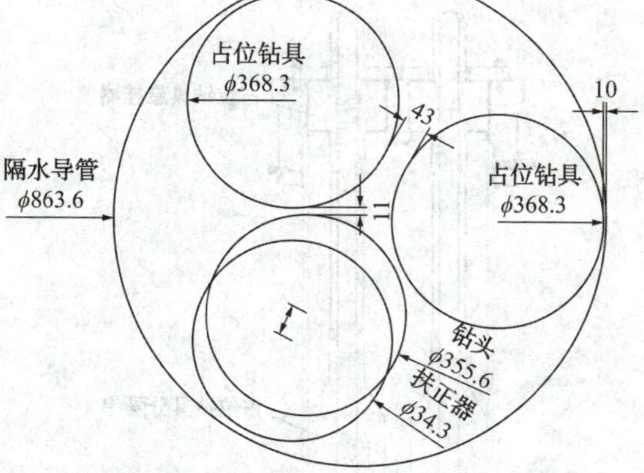

图 3　隔水导管及钻具组合俯视示意图

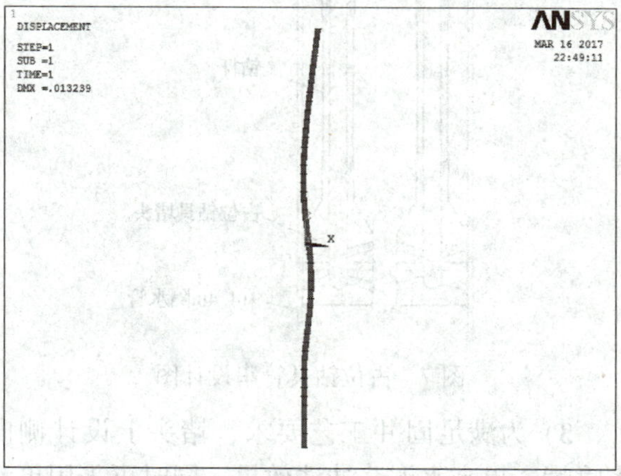

图 4　隔水导管有限元分析模型

2.2　单筒三井井口设计

单筒多井井口，主要有整体式和分体式 2 种形式，整体式井口安装简单，占用空间相对较小，但后续作业过程中工艺复杂，难以实现独立建井；分体式井口由于设计空间上限制，需采用非标的切边法兰连接机构，井口安装工序繁琐，但扩展性较好，适应性强，能够实现独立建井，因此占位钻具形式的单筒三井井口系统采用分体式设计。

考虑设计难度和适用性，采用对称布局设计。结合油田需求主要设计要点为：

1）考虑表层井控需求，基盘与隔水管连接及密封有效性(3.45MPa)；

2）基盘及附件尺寸，满足表层套管悬挂密封及固井工艺要求，同时对隔水管圆度具有一定的适应性；

3）各部件内部台阶倒角，满足起下钻具、井下工具等；

4）为降低后续维护难度，分体部件之间连接形式：以 API 为基础，配件尽量通用，操作空间及专用工具需求；

5）升高管高度、外形尺寸需实现独立建井，即在单筒三井中的 1 口或 2 口井口在完全安装状态下，可实现其他井所有钻完井的工序要求；

6）考虑安装空间狭小，需要专门设计吊装位置及专用吊装工具，并配套试压工具。

单筒三井井口系统由是导管基板、套管四通、油管四通即采油树组成，可满足 3 层井身结构的需求，采用对称布局设计，双翼阀设计，结构见图 5~6。具有以下特点：

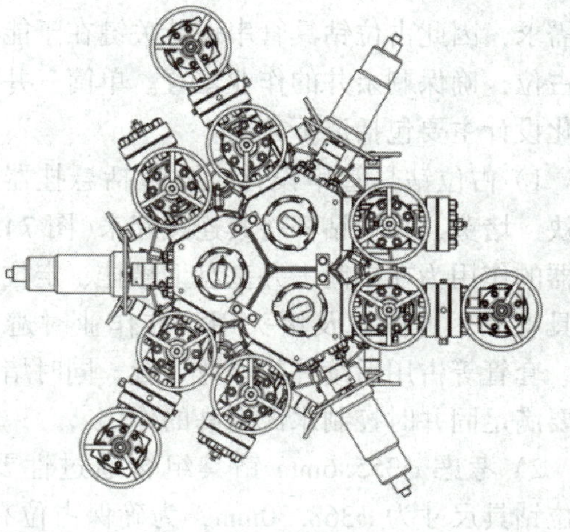

图 5　单筒三井井口系统俯视图

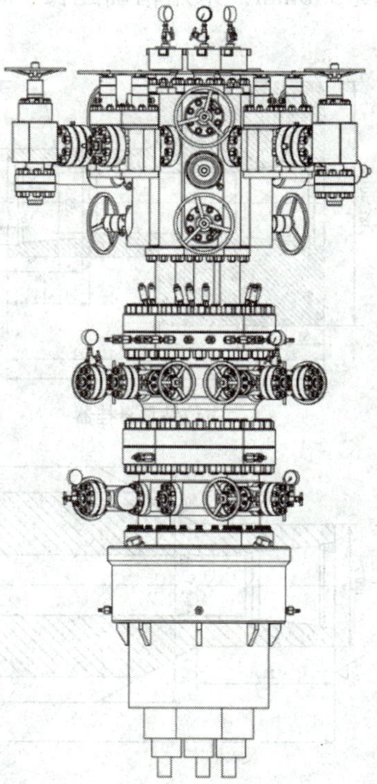

图 6　单筒三井井口系统侧视图

1）结构紧凑，有效降低占用空间，为缩小井槽间距提供优化空间；

2）采用占位钻具单筒多井工艺，表层可以安装防喷器，为井身结构优化建立井控能力基础；

3）以 API 法兰为基础优化连接机构，实现配件通用，减少后期维护问题；

4）独立分体式设计，一方面拓展能力强，可实现多层井身结构的需求，另一方面配合专用升高管，可实现单筒多井独立建井。

2.3　占位钻具优化设计

表层定向分离单筒三井钻井技术的关键在于占位钻具管串能够在有效的分隔隔水导管的空间，满足 3 口井钻进、下套管、固井等钻井工艺的需求，因此占位钻具管串设计关键在于能够有效占位，确保剩余井的作业位置。单筒三井钻具优化设计主要包括以下方面：

1）占位钻具管串设计主要包括悬挂器、占位块、堵头，采用钻杆将其连接起来（图 7），悬挂器的作用为在单筒三井基盘上悬挂、定位占位钻具管串，占位块及堵头用于在作业时避免钻具、套管等占用后续井的作业位置，同时堵头还需要满足固井时控制水泥返高的作用。

2）考虑 ϕ355. 6mm 钻具组合通过性要求，占位钻具尺寸为 ϕ368. 30mm，为确保占位有效，避免 2 串占位钻具的占位块错开位置，占位块设计有效长度 350mm，采用精确配长，确保每个 2 串占位钻具的占位块深度重合，占位块采用 30mm 矩形过流漕设计，在满足流体通道基础上避免占位块相互嵌入，图 8 为占位块尺寸。

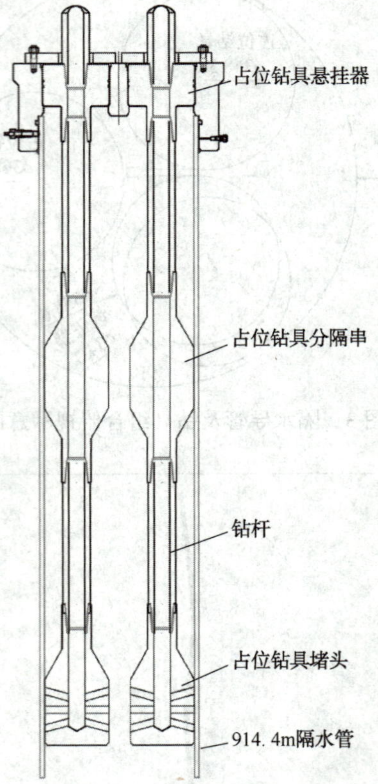

图 7　占位钻具管串设计图

3）为满足固井工艺要求，堵头上设计侧向多喷嘴，提高水泥浆冲洗效果，同时可采用单流阀设计，避免水泥浆倒灌。

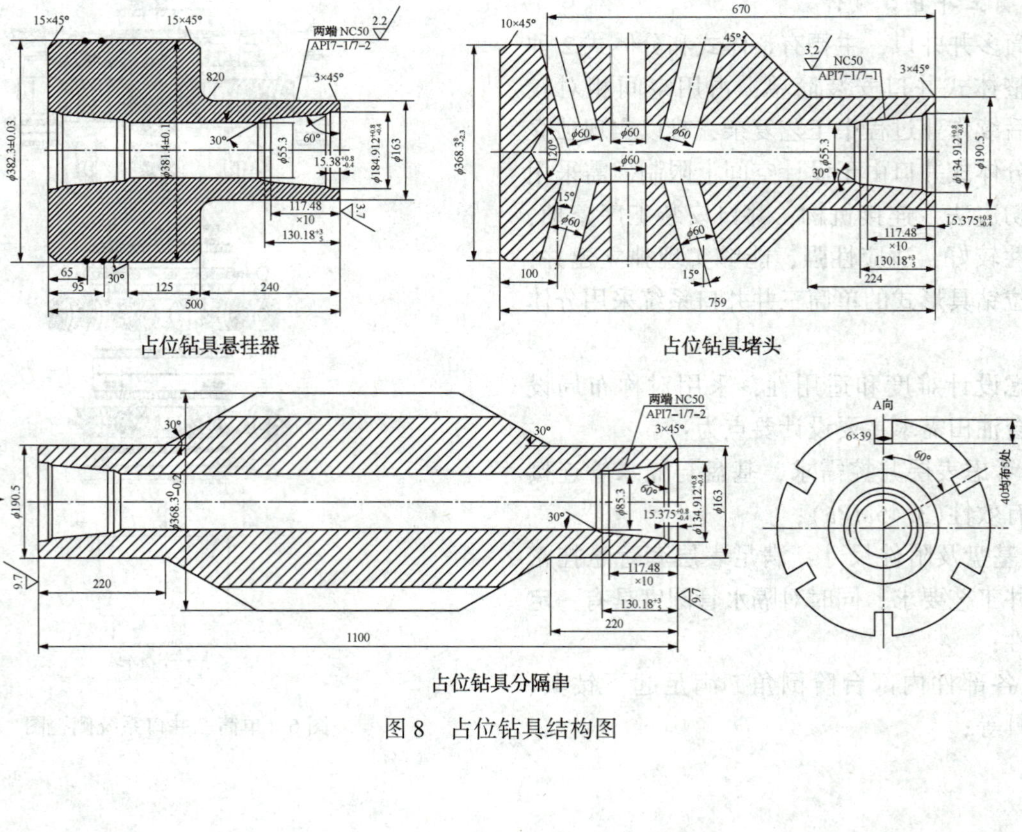

图 8　占位钻具结构图

3 现场应用

表层定向分离单筒三井技术首次在北部湾盆地W油田调整井进行了先导应用，利用 ϕ914.40mm 常规尺寸隔水导管完成3口井的钻完井作业。应用效果表明，表层定向分离单筒三井技术可行，优化后的占位钻具能够实现有效占位，通过优化轨迹等实现了单筒三井的表层定向分离。

3.1 定向井轨迹优化

根据靶点方位，分配槽口 A8 井 Slot7－1，A10 井 Slot7-2，A9 井 Slot7-3，优化基盘方位使井眼方向平面上尽量与其余井槽连线垂直，井槽分布及浅层井眼轨迹见图9；根据稳斜角分配造斜点，大井斜井采用较浅造斜点及较高的造斜率，造斜点 128～140m，全角变化率 3～4°/30m；确定浅层防碰最为复杂的 A8 井初始方位 265°，A9、A10 井按照 120°间距，实现最大程度的分离；采用 WellPlan 软件计算套管下入后侧向力，以第一稳斜角最小的 A8 井(14°)为例计算，桩管鞋处表层套管侧向力约 1.3T(图10)，可实现桩管鞋附近的较好的贴边效果。

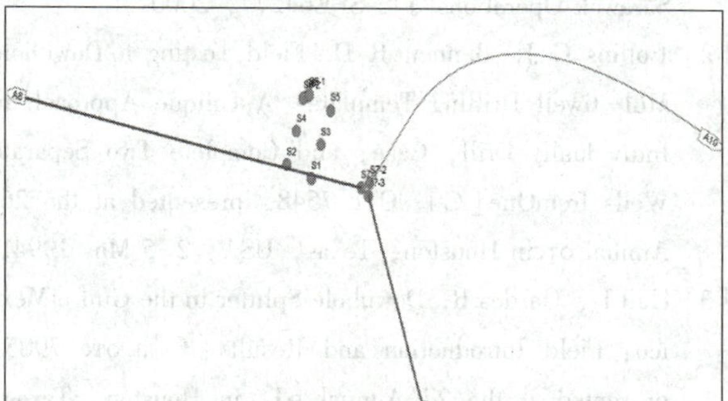

图9　涠洲某油田调整井井槽分配图

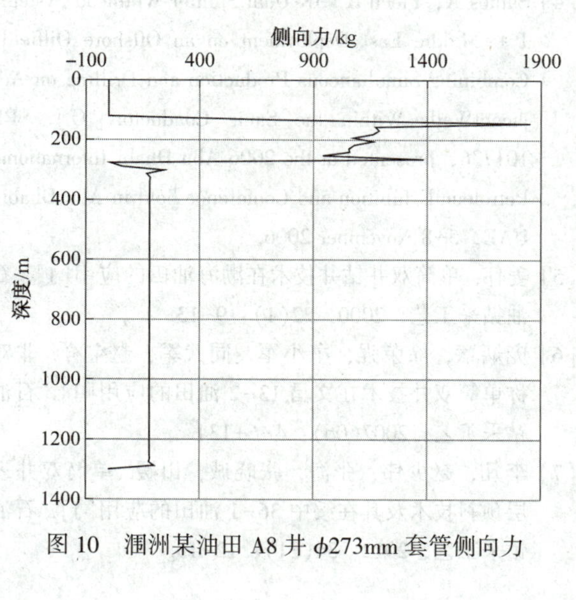

图10　涠洲某油田 A8 井 ϕ273mm 套管侧向力

3.2 井身结构及套管程序

本次作业 ϕ914.40mm 隔水导管利用打桩方式锤入；采用2层井身结构，ϕ355.60mm 井眼钻至下洋组底部，下入 ϕ273.0mm 套管，满足下开次 ϕ241.30mm 井眼完钻要求，下入 ϕ298.45mm 生产套管，各井井身结构如下表。

表1　涠洲某油田调整井井身结构及套管程序

井名	A8	A9	A10
槽孔号	S7-1	S7-3	S7-2
ϕ914.40mm 隔水导管深	138.8m		
ϕ355.6mm 井眼深度	1261.0m	1430.0m	1429.5m
ϕ273.0mm 套管下深	1261.0m	1430.0m	1428.4m
ϕ241.30mm 井眼深度	2399.0m	2714.5m	3239.0m
ϕ298.45mm 套管下深	2399.0m	2714.5m	3236.8m

3.3 表层作业情况

1）根据造斜点及浅层防碰情况，表层作业顺序为 A8、A10、A9，主要作业程序如下：①采用 ϕ812.8mm 钻具组合清理 ϕ914.40mm 隔水导管至136.8m；②安装 ϕ914.40mm 井口基盘，调整基盘方位至设计方位；③分布移井架至 A9、A10 井井槽，下入占位钻具组合：ϕ368.3mm 占位堵头+浮阀接头+ϕ127mm 短钻杆+ϕ368.3mm 占位块+ϕ127mm 钻杆1根+ϕ368.3mm 占位块+ϕ127mm 钻杆4根+ϕ368.3mm 占位块+ϕ127mm 钻杆5根+ϕ368.3mm 悬挂器，通过精确配长确保各深度占位块重合；④移井架至 A8 井井槽，采用螺杆钻具组合钻 ϕ355.6mm 井眼至设计井深；⑤起钻，下入 ϕ273.0mm 套管；⑥A8 井 ϕ273.0mm 套管固井，期间 A9 井、A10 井占位钻具通过管线连接至泥浆泵保持循环；⑦固井结束，坐挂切割 A8 井 ϕ273.0mm 套管；⑧移井架至 A10 井，起出占位钻具，钻进，下套管，固井作业，固井期间 A9 井占位钻具保持循环；⑨移井架至 A9 井，起出占位钻具，钻进，下套管，固井作业。

2）综合考虑通过性及螺杆钻具造斜能力，表层钻具组合优化为：ϕ355.6mm 镶齿牙轮钻头+ϕ244.5mm 马达(1.35°)+ϕ349.3mm 扶正器+ϕ203.2mm 短无磁钻铤+MWD+ϕ279.4mm 扶正器+ϕ209.6mm 滤网短节+ϕ209.6mm 浮阀接头+ϕ203.2mm 定向接头+ϕ203.2mm 液压震击器+配合接头+ϕ139.7mm 加重钻杆14根+ϕ139.7mm 钻杆；为降低钻井液对井壁的冲刷，提高携岩能

力，塑性黏度控制在35mPa；根据地层调整钻井参数，泥岩地层采用较高排量，钻压1.5T左右，砂岩地层排量降低0.3m^3/s，维持钻压在1T左右，保证螺杆钻具的受力状态，确保了工具面稳定，浅层实现了4.6°/30m的全角变化率，在30m斜深实现了3.5m的水平位移，成功完成表层作业的分离。

3）表层套管顺利下入到位是实现单筒三井的关键。为确保套管顺利到位，3口井上部300m均采用无接箍套管，下部表层套管接箍台阶均进行18°倒角；前两口井井口悬挂重量35T以上，上部套管处于拉伸状态，配合定向井轨迹优化确保套管贴边。

4）为避免表层套管固井过程中水泥浆固死占位钻具，主要采取以下措施：通过扫稠浆方式测算井眼扩大率，水泥浆附加量20~30%，可有效控制水泥返高在隔水导管鞋附近；固井期间，占位钻具采用1.2m^3/s的排量循环冲洗隔水导管；固井结束后采用3~4m^3/s的排量继续冲洗隔水导管，确保无水泥浆上返至隔水导管内部。

3.4 应用效果

北部湾W油田为边际油田，新增调整井通过采用表层定向分离单筒三井，通过外挂井槽的形式在ϕ914.40mm隔水导管内实现了3口井作业量，现场应用表明：优化后的井身结构能够满足完井工艺要求，同时机械钻速提升30%；采用优化后的占位钻具能够时效良好的占位效果，各井钻进及下套管作业顺利，隔水管内未发生阻挂等复杂情况；通过轨迹优化，表层井段采用弯角螺杆钻具组合可以实现顺利分离；分体式单筒三井井口各部件设计合理，安装过程未发生干涉等异常情况；最终与前期开发井及调整井对比，本次调整井作业2500m当量钻井周期平均为8.75天，较前期调整井提效40%，较前期开发项目提效26%。

本次调整井全部采用2开次井身结构，若采用3层井身结构，需启用ϕ165.1mm井眼，将面临小尺寸井眼钻进效率低、循环压耗高、固井质量保障难问题，因此若采用3层井身结构还需要开展进一步的井身结构优化研究。

4 结论与建议

1）针对表层定向分离单筒三井开展了井身结构优化研究，ϕ914.40mm隔水导管内推荐井身结构为：ϕ355.6mm井眼×ϕ273mm套管+ϕ241.3mm井眼×ϕ193.7mm套管；

2）分体式单筒三井井口，配合占位钻具精确配长，可以实现占位钻具的有效占位，保障钻具组合及套管的顺利下入，实现单筒三井的表层分离，在ϕ914.40mm隔水导管内完成了3口井的独立建井，提高了井槽利用效率；

3）W油田应用情况表明，通过采取定向井轨迹优化、钻具组合优化、配套钻井液及工程措施、套管串优化、提高套管坐挂力等措施能够有效提高浅层造斜率，保证表层套管贴边效果，解决单筒三井套管下入及固井作业安全；

4）在水深较深的海域，由于占位钻具无法实现底部定位，因此占位钻具、套管在隔水管内部可能存在打扭的情况，建议开展动态力学分析研究，优化占位钻具管串设计，以进一步解决较深隔水导管条件下套管下入问题。

参考文献

[1] Joroji B Tuah, M Rujhan B Mat and Low Far Nam, PETRONAS Carigali. Triple Wellhead Technology in Sarawak Operations[J]. SPE64277, 2000.

[2] Collins G J, Bennett R D. Field Testing a Downhole Mul-tiwell Drilling Template: A Unique Approach to Individually Drill, Case, and Complete Two Separate Wells fromOne[C]. OTc 7548, presented at the 26″ Annual oTcin Houston, Texas, USA, 2-5 May 1994.

[3] Hall D, Gardes R. Downhole Splitter in the Gulf ofMexico: Field Introduction and Results[C]. oTc 7905, presented at the 27″ Annual oTc in Houston, Texas, USA, 1-4 May 1995.

[4] Santos A, Floch A. 5K Dual Splitter Wellhead System: 1 * Middle East Deployment on an Offshore Oilfield, Combining Simultaneous Production and Drilling on AdjacentWells Within the Same Conductor[C]. SPE 101736, presented at the 2006 Abu Dhabi International PetroleumExhibition and Conference held in Abu Dhabi, UAE, 5-8 November 2006.

[5] 姜伟. 单筒双井钻井技术在渤海油田的应用[J]. 石油钻采工艺, 2000, 22(1): 9-13.

[6] 庞炳章, 徐荣强, 牟小军, 同武军, 赵宝祥. 非对称单筒双井技术在文昌13-2油田的应用[J]. 石油钻采工艺, 2007(06): 4-6+134.

[7] 李凡, 赵少伟, 张海, 张晓诚, 田媛. 单筒双井表层预斜技术及其在绥中36-1油田的应用[J]. 石油钻采工艺, 2012, 34(S1): 12-15.

[8] 王小勇，李虎成，杨可三，鹿传世，彭巍. 占位钻具形式单筒双井钻井技术研究及应用[J]. 中国海上油气，2015，27(4)，107-111.
[9] 侯冠中，席江军，和鹏飞，边杰，许迪. 单筒双井占位钻具技术研究及在渤海油田的应用[J]. 石油钻探技术，2016，44(02)：70-75.
[10] 陈国宏. 单筒双井占位钻具钻井技术在海上油气田的应用[J]. 钻采工艺，2016. 39(2)：43-46.
[11] Dennis Denney(JPT Technical Editor). Implementation of "Twin Well" Technology Offshore Sarawak. [C] SPE50082, Journal of Petroleum Technology, 1 - 2 February 1999.
[12] 黄熠，萧林，李炎军. 单筒三井技术在涠洲 6-1 油田的应用[J]. 石油钻采工艺，2007. 29(6)：1-3.

非常规储层颠覆式开发技术
——自支撑压裂技术创新与实践

裴宇昕[1]　何岩峰[1]　周华兴[2]　汪士凯[1]　Shamaz Khan[1]　罗志峰[3]

(1. 常州大学石油与天然气工程工程学院；2. 中国石油与天然气股份有限公司大港油田分公司；
3. 西南石油大学石油与天然气工程工程学院 能源学院)

摘　要　非常规油气资源已然成为世界石油工业勘探与开发的重点，中国非常规油气资源储量丰富、前景广阔。然而因技术与经济原因，目前非常规储层勘探开发程度仍然较低。由于非常规油气资源渗透率极低、不利用水力压裂技术无法实现有效经济开采，因此同时具备质量与经济效益的压裂改造技术是非常规油气储层得以投产与增产的关键。本文针对目前水力压裂技术，特别是非常规压裂技术存在的技术难点，创造性地提出了仅注入液体即可形成可供油气渗流的高导流支撑裂缝的自支撑压裂技术。并详细传输介绍了液体自支撑压裂技术的原理、自支撑压裂液体系的性能与自支撑压裂技术现场试验情况。经过多井次成果的现场试验，验证出该技术可实现全裂缝的支撑，解决加砂压裂支撑剂运移距离短、潜在砂堵风险的技术难题。

关键词　非常规储层；自支撑压裂；自支撑压裂液；储层改造；体积压裂；缝控储量

1　引言

1934 年 McColough 提出的"圈闭学说"是常规圈闭油气成藏理论形成的重要标志，推动了常规油气探勘的发展；1995 年 Schmoker 等提出"连续型油气聚集"理论，树立了非常规油气地质理论的里程碑，为非常规油气勘探提供指导。1956 年美国学者 Hubbert 预测美国油气产量在 1970 年前后达到高峰，然后石油工业将进入衰竭阶段。然而，新技术、新材料的开发与应用诱发的非常规油气资革命使得油气产量不断创新高。

国家崛起取决于"战略、创新、能源"3 个驱动力。中国推动"能源革命"战略，保障"立足国内、加强国外、多元供给"能源安全。油气勘探研究的资源类型从常规向非常规转变。中国非常规油气资源丰富，已成为常规油气资源的重要补充，在能源供应比例中日渐增加。由于非常规油气资源渗透率极低、不利用水力压裂技术无法实现有效经济开采，因此同时具备质量与经济效益的压裂改造技术是非常规油气储层得以投产与增产的关键。

总结目前加砂压裂普遍存在以下技术痛点：①支撑剂的携带问题：通过降低支撑剂密度、增大施工排量等方法提高携砂效果，但砂堤分布形态仍然不是很理想。②压裂液的伤害问题：为了更好地携带支撑剂、应对高温下压裂液黏度的损失，而增加交联剂浓度，使破胶后的伤害显著增加。③支撑剂铺置问题：支撑剂的铺置效果经常不理想，压裂液携带支撑剂很难进入裂缝尖端，同时对于裂缝张开度小的微裂缝支撑剂很难进入，导致压开的裂缝的利用率低。④导流能力有限：在分支裂缝与微裂缝加砂时往往选择粉砂与粉陶，形成的支撑裂缝导流能力不足。⑤导流能力难以保持：支撑剂易发生嵌入、回流、破碎等问题，造成施工有效期大幅缩短。⑥存在砂堵风险：扰乱正常施工流程、破坏地层渗流情况、严重浪费压裂材料，导致失败。⑦降低施工效率：注入固体支撑剂对井筒与生产与作业管线存在明显的冲蚀作用，导致设备的提前破坏与引发井下事故，不但提高作业成本，并且降低了施工效率。对于页岩气等非常规油气压裂时普遍采用体积压裂的改造方式，为了尽可能增加改造体积，大规模采用低黏度滑溜水携带粉砂与粉陶对缝网进行加砂的方式，以上技术难题会更加突出。

因此，需要突破现有加砂压裂的技术瓶颈，必须寻求新的压裂技术与材料，进一步提高非常规油气藏的开发效果，加快油气开采速度，提高经济效益。本文创新性地提出了自支撑压裂技术(SPFL)，可根本性地改变加砂压裂技术的诸多问题，为非常规油气资源的高效开发带来重要突破。

2 自支撑压裂液技术原理及关键技术

2.1 自支撑压裂技术理论的提出

以通道压裂液(Channelized fracturing fluid，CFL)压开储层，待地层被压开后，迅速注入SPFL，其中CFL为水相液体(连续相状态)，SPFL为油相液体(非连续相状态)，如图1(a)所示；SPFL在注入过程中控制两相的界面张力、两相密度、两相的注液排量、两相注入比例等参数即可控制SPFL在形成裂缝内的分布形态。图1(b)中形成的自支撑固相为颗粒状，通过施工参数与液体性质可以形成块状自支撑固相。同时，SPFL的注入比例可灵活调整，注入比例越高越高，自支撑固相的铺置浓度越高；受到地层传递给裂缝壁面的热量，SPFL温度逐渐升高，裂缝远端的SPFL先升温至相变温度，逐渐形成自支撑固相，如图1(c)所示；在地层裂缝持续的加热作用下，裂缝内的自支撑固相逐渐形成，近井地带SPFL的相变时间更短(改变配方浓度可改变相变时间)，如图1(d)所示；开井，使CFL迅速返排。CFL流出后将让出油气渗透的通道，进而形成具有高导流能力的自支撑裂缝，如图1(e)所示；待CFL彻底返排后，油气将从自支撑裂缝内的油气渗流通道中高速采出，如图1(f)所示。

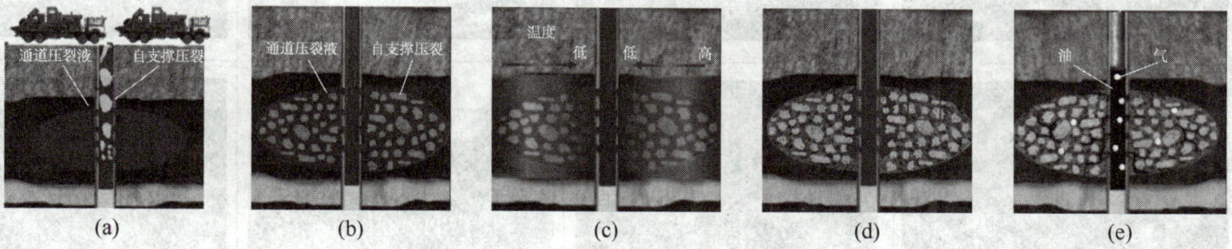

图1　自支撑压裂工艺示意图

2.2 自支撑压裂技术优势

(1) 增产效果优异：地下生成的自支撑固相的形状、尺寸可控，强度大，同时分布可控，易于返排，形成导流能力要显著高于填砂裂缝。

(2) 彻底解决支撑剂铺置的问题：液体自支撑压裂技术是在裂缝内才形成自支撑固相，可进入裂缝远端，可避免传统的支撑剂铺置不理想的问题。

(3) 杜绝了砂堵风险：极大地降低施工风险，提高成功率，同时避免固体支撑剂对井筒的冲蚀与破坏，降低作业成本，提高施工效率。

3 自支撑压裂技术性能指标

自支撑压裂液体系(SPFLS)的典型相变过程如下，①将油浴锅中放入插入冷凝管与温度计的四口烧瓶，将各构筑单元、功能单元等材料按照之前探索出的配方组成加入四口烧瓶；将配置好的通道压裂液按照一定的比例加入自支撑压裂液中；②开启搅拌开关并设置合适的搅拌速度，使压裂液被良好地分散；③以2℃为梯度提高油浴锅温度，观察烧瓶内自支撑压裂液是否有颜色、形状变化，并时刻观察是否有固相生成；④烧瓶内外温度稳定后，如果样品仍无明显变化，则保持同样搅拌速度并再次提高油浴锅温度继续观察；⑤如实验现象出现明显变化，则记下样品出现明显变化的时刻。保持该温度下持续观察自支撑压裂液(SPFL)的变化，不断将自支撑压裂液取出，观察是否有液相向固相转变的趋势，记录初始发生相变的时间。⑥对生成的自支撑固相(SPS)强度进行测试，待取出样品具有足够的强度时，记下对应的时刻，得出相变的总时间。⑦关闭集热式磁力搅拌器上的加热与搅拌开关，将之前取出的自支撑固相抽滤并洗涤得珠状或块状物，实验过程中的现象如图2所示。

3.1 自支撑压裂液体系的相变温度与时间

由于不同深度的地层温度各异，且压裂过程中近井地带裂缝温度与远端裂缝的温度具有较大差距，因此自支撑压裂液的相变时间与温度必须具有可调控的性质，相变调节剂对自支撑压裂液相变温度的影响变化如表1所示。

自支撑压裂液体系在60℃的温度下即可发生相变，最高相变温度可达180℃。开始相变的时间范围为2~17min，总相变时间为5~52min，见表1。自支撑压裂液宽泛的相变温度范围显示出自支撑压裂技术适应于多种温度区间的待压裂储层，具备替代加砂压裂的可行性。

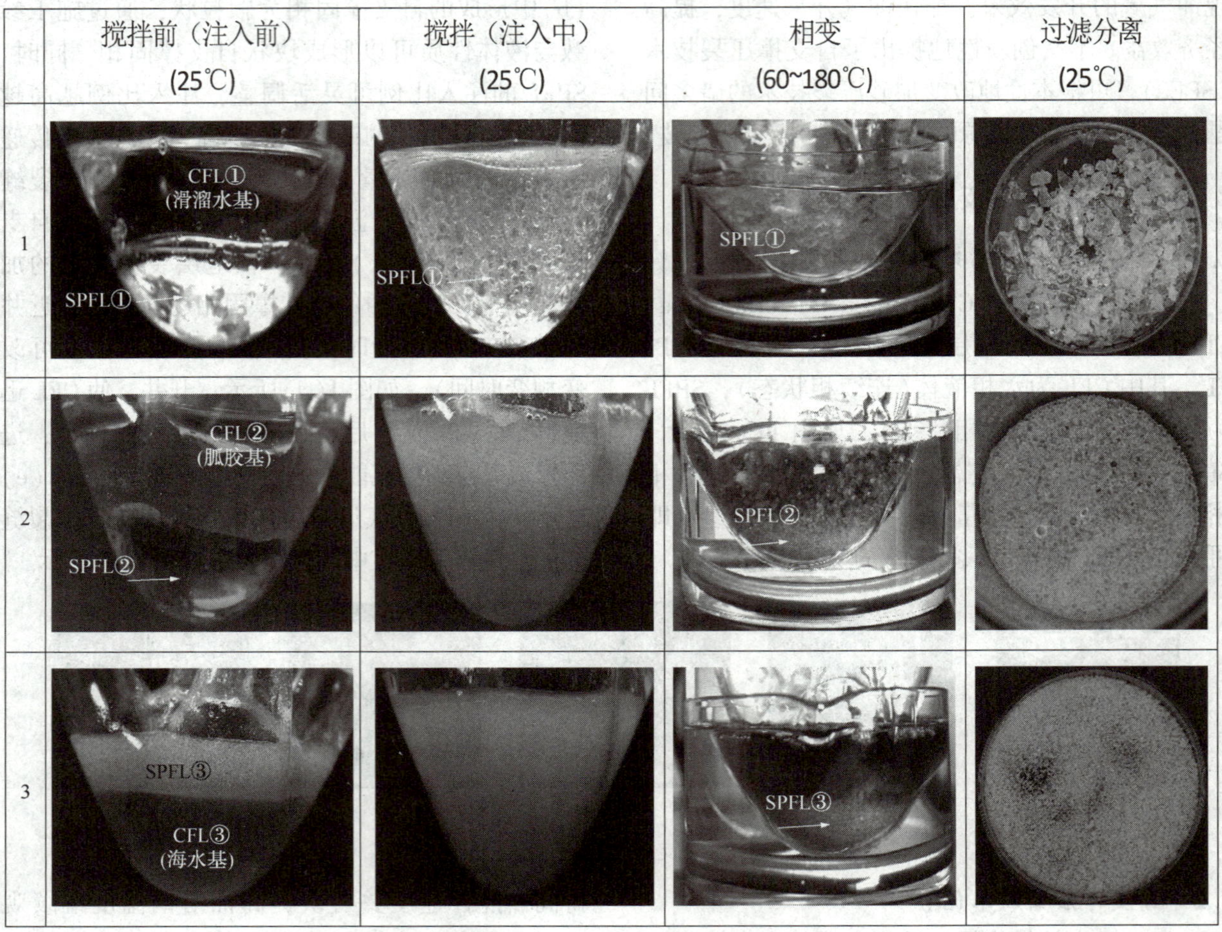

图 2　自支撑压裂液体系典型相变过程

表 1　自支撑压裂的相变时间与相变温度

相变调节剂浓度/%	时间/℃	开始相变时间/min	形成耐压自支撑固相所需时间/min
0	80	17	35
0.05	60	9	24
	80	7	18
	90	6	18
0.1	60	7	17
	80	5	13
	90	4	12
	120	3	6
	150	2	4
	180	2	3
0.2	60	5	14
	80	4.5	12
	90	3.5	11

3.2　自支撑压裂固相性能指标

3.2.1　自支撑固相的体、视密度

采用支撑剂测试行业标准，对相变后的自支撑固相进行筛析，分别测试不同粒尺寸的自支撑固相的体、视密度，实验结果表 2 所示。

表 2　自支撑固相的体密度与视密度

自支撑固相密度（目数）	体积密度/（g/cm^3）	Apparent density/（g/cm^3）
6/20	0.55~0.67	1.05~1.07
20/40	0.59~0.73	1.06~1.08

自支撑固相的体密度与视密度均远远低于石英砂与陶粒，其视密度与压裂液相近，在相变过程中产生的自支撑固相更加容易均匀分散于裂缝中，改善传统压裂中砂堤分布效果不理想而引起的裂缝利用率低的情况，提高整体压裂液效果。自支撑固相在不同浓度的盐水中悬浮现象如图 3 所示。

3.2.2　自支撑固相的破碎率

为了方便与常规支撑剂中的陶粒进行对比，将相变后的自支撑固相进行筛析，采取支撑剂破碎率测试标准对自支撑固相开展详细测试，测试结果如图 4 所示。

图 3　自支撑固相在不同浓度 KCL 水溶液中的悬浮现象

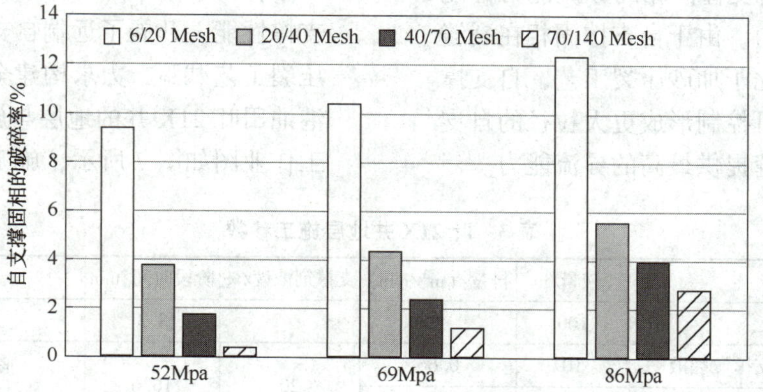

图 4　不同目数的自支撑固相自支撑固相

如图 4 所示，所有目数的自支撑的破碎率均优于行标对陶粒破碎率的测试要求。特别是两种大粒径（6/20 目与 20/40 目）的自支撑固相的破碎率非常低。由于自支撑压裂液是在地层裂缝内才可发生相变作用，形成自支撑固相，因此可以根据裂缝张开的几何尺寸，尽可能控制形成大粒径的自支撑固相，以提供最大的导流能力。同时，由于自支撑固相极低的破碎率，将极大程度上避免破碎的固体发生的运移后在裂缝内的堆积，而引起裂缝导流能力降低。从自支撑固相的抗破碎性能显示出自支撑固相更加有助于保持长期的裂缝导流能力，提高施工有效期。

3.2.3　自支撑固相的导流能力

为了对比自支撑固相与传统支撑剂的性能，依照行业标准在 10kg/m^{2}的铺置浓度下测试 20/40 目的自支撑固相、陶粒和石英砂的导流能力，实验结果如图 5 所示。

如图 5 所示，自支撑固相的导流能力远高于石英砂的导流能力，并稍高于陶粒的导流能力。实验结果证明自支撑固相在高闭合压力的储层内仍能提供足够的支撑能力与流动通道，形成高导流能力自支撑裂缝，显著提高增产效果。

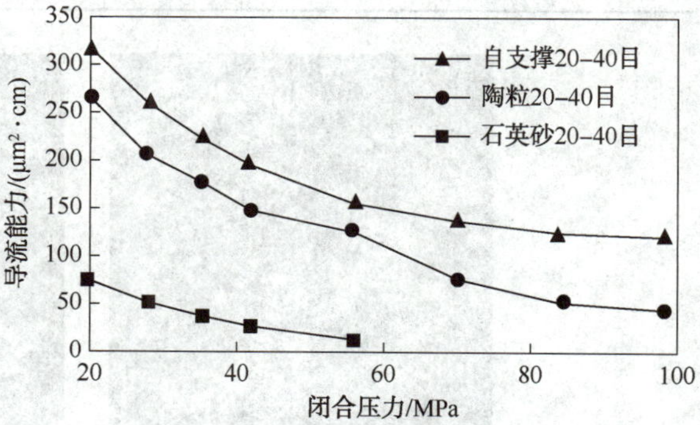

图 5　自支撑固相与常规支撑剂导流能力对比结果

将筛析后的自支撑固相采取 10kg/m^{2}的铺砂浓度，依照行业标准测试不同粒径尺寸的自支撑固相的导流能力，实验结果如图 6 所示。

如图 6 所示，4 种粒径尺寸的自支撑固相的导流能力均高于 20/40 目的石英砂，且自支撑固相的粒径与导流能力呈正比。70/140 目

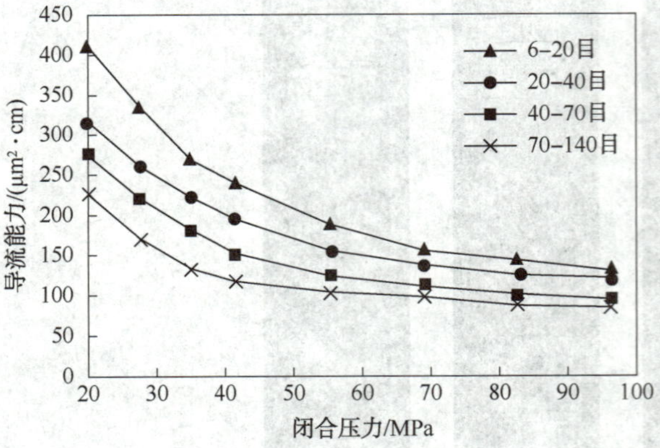

图 6　自支撑固相不同粒径的导流能力实验结果

自支撑固相在 55MPa 下的的导流能力可达 $23\mu m^2\cdot cm$。因此自支撑固相的导流能力都能提供较高的导流能力。由于自支撑固相在裂缝内形成的特点，相比于加砂压裂工艺，自支撑压裂施工设计时中可控制形成更大粒径的自支撑固相，为地层裂缝提供最高的导流能力。

4　典型现场应用情况

截至 2023 年 10 月，自支撑压裂技术已在华北油田、大港油田、长庆油田、渤海油田试验 7 井次，储层类型包括致密油、致密气、低渗透、碳酸盐岩等类型，本文列举了致密油与低渗透储层的两口典型井的实验情况。

4.1　致密油储层现场试验

叶三拨油田叶 21-22 断块层位位于孔店组，覆盖储量：824×10^4t，井型设计为大斜度井采油、常规井注，含油面积 237.69km²，可采储量 35.66×10^4t，平均厚度 9.8m、渗透率 $0.07\times10^{-3}\mu m^2$、孔隙度 11.52%。该区块设计井距：350~600m。为试验 SPFLS 的远端裂缝支撑性能，开展了远端自支撑压裂、近端加砂压裂工艺试验，力求构建全缝长导流能力。大港油田叶 21X 井的地层与施工参数如表 3、施工作业图如图 7 所示，施工曲线如图 8 所示。

表 3　叶 21X 井地层施工参数

序号	阶段		净液量/m³	排量/(m³/min)	支撑剂浓度/%	阶段时间/min	备　注
1	前置液		100	12	/	8.3	造缝、降温
2	自支撑压裂液体系	自支撑压裂液	10	0.66	20	16.6	形成 20m³70 目 SPS，支撑远端裂缝提高缝控储量
		滑溜水基通道压裂液	100	6.6			
3	携砂液(石英砂)		540	12	6~16	45	石英砂 48m³，支撑中部裂缝
4	携砂液(陶粒砂)		500	12	16~28	41.6	撑近井底裂缝
5	顶替液		43.6	12	—	3.63	将井筒内携砂液全部顶替进入裂缝
6	关井不泄压		0	0	—	300	确保裂缝内自支撑压裂液全部固化
合计	—		1293.6	—		115.1	—

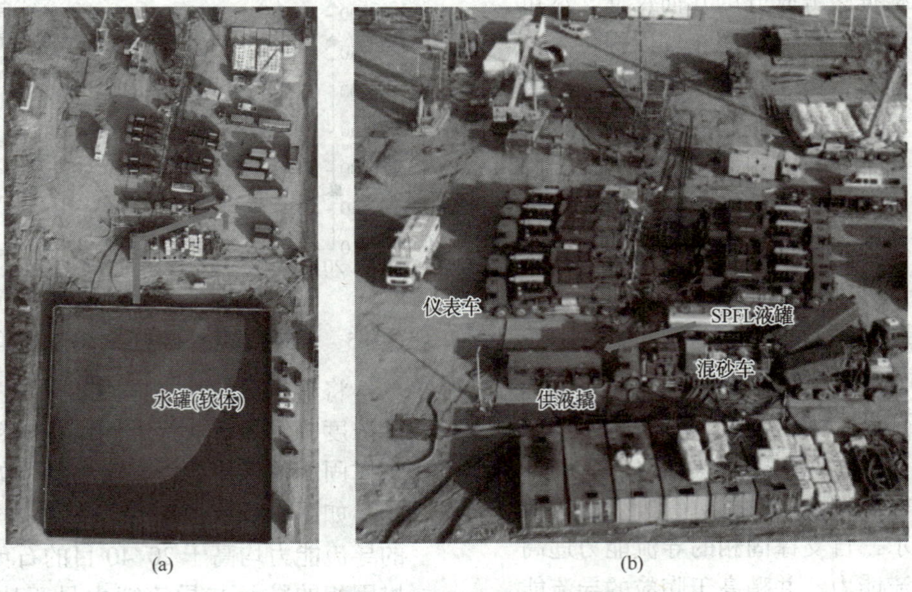

(a)　(b)

图 7　叶 21X 井自支撑压裂工艺现场试验

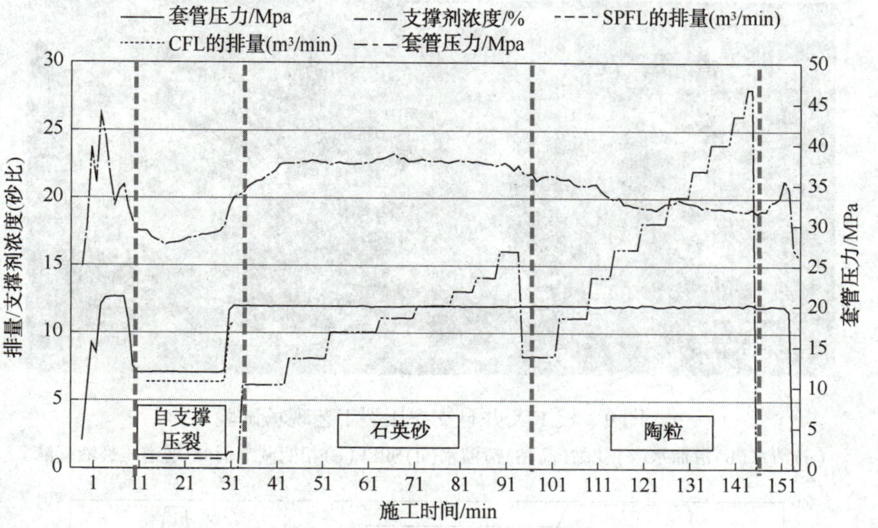

图8　叶24井自支撑压裂施工曲线

防喷后初期日产液 9.4m³/油 4.8m³，初期日产比同规模常规压裂改造的临井高 2.3 倍，开井 300d，累产油 1973.9t，且日产油连续稳定，累产油是相比同规模压裂临井的 2.7 倍，验证了 SPFLS 体系可有效增加缝控储量，增加原油稳产时间。

在现有体积压裂施工设备及供液模式下，无需额外增加作业车辆，施工工艺简便高效。将 SPFLS 应用于体积压裂，具备如下优势：无需加砂，不用运砂车、输砂车、混砂车可变为供液撬；可低排量、高比例注入，可滑溜水携带连续泵送、摩阻低、减少压裂车数量。

4.2　低渗透储层现场试验

随后为验证 SPFLS 独立施工的有效性，在低渗透储层的板 17X 井，进行只注入了 SPFL 来支撑裂缝的现场试验。。储层性质见表 4，关键处理参数见表 5，处理示意图如图 9 所示。

表4　板 17X 井地层施工参数表

压裂目的层深度	3337.8~3339.8m
层数	1
压裂层段平均渗透率	9.3mD
CFL 类型	滑溜水基
井斜角度	7.7°
压裂层段原油饱和度	47.9%
压裂层渗透率	9.3%
原油黏度(20℃)	52.54mPa·s

措施后开井生产天 60 天，累计产液 2217.5m³，产油 1595m³，放喷后产量一直稳定在产液 39m³/d、产油 29m³/d 左右，高于同区块临井 40%以上，证明了无需加入固体石英砂(陶粒)，仅依靠 SPFLS 就可以形成高导流自支撑裂缝。

表5　板 17X 井关键泵注参数表

施工阶段	CFL 流量/Q_{CFL}/(m³/min)	SPFL 流量/Q_{SPFL}/(m³/min)	相变调节剂流量 L/min	Q_{CFL}/Q_{SPFL}
前置	5.95	0	0	—
SPFL 体系①	5.60	0.28	11.20	20 : 1
SPFL 体系②	5.40	0.54	21.60	10 : 1
SPFL 体系③	5.05	1.01	30.30	5 : 1
SPFL 体系④	4.00	2.00	32.00	2 : 1
顶替	5.90	0	0	—
总液量(m³)	332.05	20.13	0.61(m³)	—

试验结果证明无需单独为自支撑压裂液的泵注增添混砂车，便于排量控制，可减少压裂车数量，因无需地面固体加砂，压裂车泵头与胶套等易损件无磨损，可降低施工费用 60%以上。

5　结论与建议

(1) 自支撑压裂液相变温度范围广且时间可控，适合于多种井身结构与储层条件，自支撑压裂技术在储层改造上具有广泛的推广性。

(2) 自支撑固相的体密度与视密度低、抗破碎强度高、导流能力能力高，形成的自支撑裂缝可为地下油气的渗流提供高速稳定的流动通道，大幅提高增产效果。

(3) 非常规油气藏压裂时由于滑溜水携砂的诸多难题，将缝网裂缝的加砂工艺改用自支撑压裂技术，将大幅度提高缝网的利用率，在自支撑压裂技术现场试验初期，具备极高的可行性。

(4) 成功应用此技术将从根本上提高非常规油气储层的增产改造效果，为非常规油气资源的

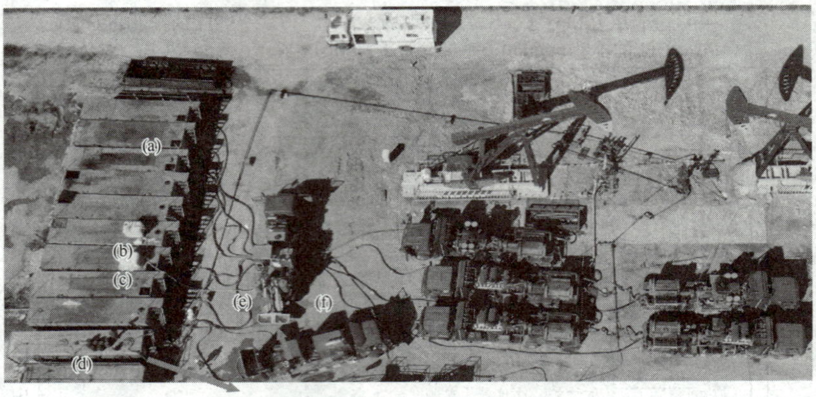

图 9　板 17X 井自支撑压裂工艺现场试验

(a)清水(b)滑溜水(c)变黏(高黏)滑溜水(d)SPFL(e)相变调节剂(f)通道压裂液基液

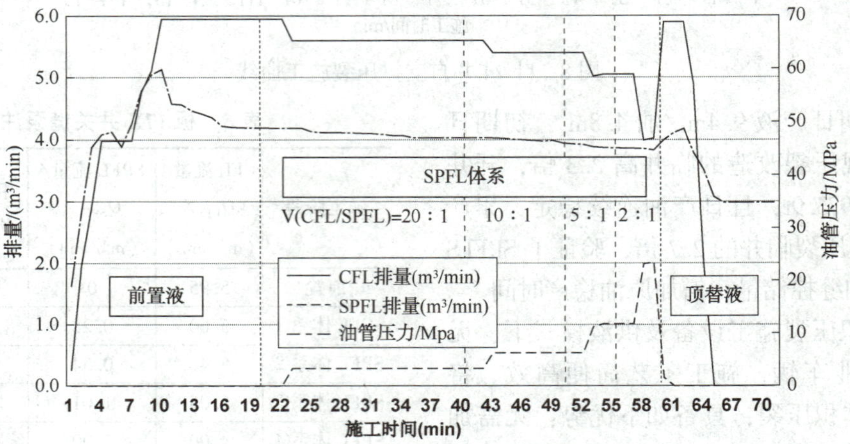

图 10　板 17X 井自支撑压裂施工曲线

高效开发做出突出贡献。

(5) 自支撑压裂技术为首创的压裂技术，在国际上处于前沿地位，实验结果表明此技术具有极高的理论与现实价值。

(6) 自支撑压裂液具备可多水源(海水、淡水)配制、可在线混配、易于施工的技术优势。该体系的成功研发与试验，为常规低渗储层与非常规储层压裂带来了全新的压裂液体系与技术方向。

参 考 文 献

[1] Hughes JD. Energy: A reality check on the shale revolution. NATURE. 2013; 494: 307.

[2] Wang Q, Chen X, Jha AN, Rogers H. Natural gas from shale formation-the evolution, evidences and challenges of shale gas revolution in United States. Renewable and Sustainable Energy Reviews. 2014; 30: 1-28.

[3] Stevens P. The Shale Gas Revolution: Hype and Reality.: Chatham House London; 2010. p.

[4] Zou C, Dong D, Wang S, Li J, Li X, Wang Y, et al. Geological characteristics and resource potential of shale gas in China. PETROL EXPLOR DEV+. 2010; 37: 641-653.

[5] Gandossi L. An overview of hydraulic fracturing and other formation stimulation technologies for shale gas production. Eur. Commisison Jt. Res. Cent. Tech. Reports. 2013; 26347.

[6] Shaffer DL, Arias Chavez LH, Ben-Sasson M, Romero-Vargas Castrillo N S, Yip NY, Elimelech M. Desalination and reuse of high-salinity shale gas produced water: drivers, technologies, and future directions. ENVIRON SCI TECHNOL. 2013; 47: 9569-9583.

[7] Wang Z, Krupnick A. A retrospective review of shale gas development in the United States: What led to the boom? ECON ENERGY ENV POL. 2015; 4: 5-18.

[8] González Á. Issue: Global Oil and Gas Industry Global Oil and Gas Industry. 2019.

[9] Van Eyden R, Difeto M, Gupta R, Wohar ME. Oil price volatility and economic growth: Evidence from advanced economies using more than a century's data. APPL ENERG. 2019; 233: 612-621.

[10] Melek NC, Plante M, Yucel MK. Resource Booms and the Macroeconomy: The Case of US Shale Oil. 2018.

[11] Chengzao J, Zheng M, Zhang Y. Unconventional hydrocarbon resources in China and the prospect of exploration and development. PETROL EXPLOR DEV+.

2012; 39: 139-146.

[12] Davies RJ, Almond S, Ward RS, Jackson RB, Adams C, Worrall F, et al. Oil and gas wells and their integrity: Implications for shale and unconventional resource exploitation. MAR PETROL GEOL. 2014; 56: 239-254.

[13] Passey QR, Bohacs K, Esch WL, Klimentidis R, Sinha S, "From oil-prone source rock to gas-producing shale reservoir-geologic and petrophysical characterization of unconventional shale gas reservoirs," in International oil and gas conference and exhibition in China, (Society of Petroleum Engineers, 2010).

[14] Orangi A, Nagarajan NR, Honarpour MM, Rosenzweig JJ, "Unconventional shale oil and gas-condensate reservoir production, impact of rock, fluid, and hydraulic fractures," in SPE hydraulic fracturing technology conference, (Society of Petroleum Engineers, 2011).

[15] Qi W, Yun X, Xiaoquan W, Tengfei W, Zhang S. Volume fracturing technology of unconventional reservoirs: Connotation, design optimization and implementation. PETROL EXPLOR DEV+. 2012; 39: 377-384.

[16] Warpinski NR, Mayerhofer MJ, Vincent MC, Cipolla CL, Lolon EP. Stimulating unconventional reservoirs: maximizing network growth while optimizing fracture conductivity. Journal of Canadian Petroleum Technology. 2009; 48: 39-51.

[17] Li Q, Xing H, Liu J, Liu X. A review on hydraulic fracturing of unconventional reservoir. Petroleum. 2015; 1: 8-15.

[18] Gupta S, "Unconventional fracturing fluids: what, where and why," in Technical workshops for the hydraulic fracturing study, US EPA, presented at Arlington, VA(February 2011), (2011).

[19] Cramer DD, "Stimulating unconventional reservoirs: lessons learned, successful practices, areas for improvement," in SPE Unconventional Reservoirs Conference, (Society of Petroleum Engineers, 2008).

[20] Romanson R, Pongratz R, East L, Stanojcic M, "Novel, multistage stimulation processes can help achieve and control branch fracturing and increase stimulated reservoir volume for unconventional reservoirs," in SPE EUROPEC/EAGE Annual Conference and Exhibition, (Society of Petroleum Engineers, 2011).

[21] Alotaibi MA, Miskimins JL. Slickwater Proppant Transport in Hydraulic Fractures: New Experimental Findings and Scalable Correlation. SPE PROD OPER. 2018; 33: 164-178.

[22] Dayan A, Stracener SM, Clark PE. Proppant Transport in Slickwater Fracturing of Shale Gas Formations. SPE Annual Technical Conference and Exhibition. New Orleans, Louisiana: Society of Petroleum Engineers; 2009. p. 9.

[23] Li N, Li J, Zhao L, Luo Z, Liu P, Guo Y. Laboratory Testing on Proppant Transport in Complex-Fracture Systems. SPE PROD OPER. 2017; 32: 382-391.

[24] Woodworth TR, Miskimins JL. Extrapolation of Laboratory Proppant Placement Behavior to the Field in Slickwater Fracturing Applications. SPE Hydraulic Fracturing Technology Conference. College Station, Texas, U. S. A.: Society of Petroleum Engineers; 2007. p. 12.

[25] Kostenuk NH, Browne DJ, "Improved proppant transport system for slickwater shale fracturing," in Canadian unconventional resources and international petroleum conference, (Society of Petroleum Engineers, 2010).

[26] Zou Y, Ma X, Zhang S, Zhou T, Ehlig Economides C, Li H. The Origins of Low - Fracture Conductivity in Soft Shale Formations: An Experimental Study. ENERGY TECHNOL-GER. 2015; 3: 1233-1242.

[27] Guo J, Wang J, Liu Y, Chen Z, Zhu H. Analytical analysis of fracture conductivity for sparse distribution of proppant packs. J GEOPHYS ENG. 2017; 14: 599.

[28] Jackson K, Orekha O. Low Density Proppant in Slickwater Applications Improves Reservoir Contact and Fracture Complexity - A Permian Basin Case History. SPE Liquids-Rich Basins Conference-North America. Midland, Texas, USA: Society of Petroleum Engineers; 2017. p. 20.

[29] Liqiang Z, Yong Y, Zhifeng L, Donghe YU, DU Juan, Guohua L, et al. PHASE - CHANGE HYDRAULIC FRACTURING PROCESS. 2019. p.

[30] Zhao L, Chen Y, Du J, Liu P, Li N, Luo Z, et al. Experimental Study on a new type of self - propping fracturing technology. ENERGY. 2019.

[31] Liqiang Z, Yang Y, Du G, Donghe YU, Du J, Hang C, et al. Phase change fracturing fluid system for phase change fracturing.: Google Patents; 2019. p.

[32] Luo Z, Zhang N, Zhao L, Pei Y, Liu P, Li N. Thermoresponsive in Situ Generated Proppant Based on Liquid-Solid Transition of a Supramolecular Self-Propping Fracturing Fluid. ENERG FUEL. 2019; 33: 10659-10666.

[33] Pei Y, Zhang N, Zhou H, Zhang S, Zhang W, Zhang J. Simulation of multiphase flow pattern, effective distance and filling ratio in hydraulic fracture. Journal of Petroleum Exploration and Production Technology. 2019: 1-10.

[34] Zhang C, Zhao L, Yu D, Liu G, Pei Y, Huang F, et al. The evaluation on physical property and fracture conductivity of a new self-generating solid proppant. J PETROL SCI ENG. 2019.

多孔介质中 CO_2 埋存机理物理模拟实验评价

阮洪江　张乔良　鲁瑞彬　吴　畅　张捷方

（中海石油(中国)有限公司湛江分公司）

摘　要　针对地下高温高压条件下多孔介质中 CO_2 埋存机理认识不清的问题，采用室内物理模型实验的方法，对多孔介质中 CO_2 溶解埋存，矿化埋存，游离埋存机理进行物理模拟实验评价。研究结果表明 CO_2 溶解埋存主要受温度、压力和地层水矿化度的影响；CO_2 溶于地层水后将与岩石中的矿物发生矿化反应，反应前后岩石矿物含量发生显著变化；长岩心驱替实验表征了 CO_2 游离埋存的埋存量和驱油效果。物理模拟实验揭示了多孔介质中 CO_2 驱油具有埋存和提高采收率的双重作用。

关键词　多孔介质；CO_2 埋存；室内实验；物理模拟；提高采收率

CO_2 是目前导致全球温室效应的主要影响因素，CO_2 减排是目前应对全球气候变化的有效手段，在即将废弃的油藏中实施 CO_2 地质埋存是目前最为有效的减排方式，同时，还能大幅提高原油采收率。CO_2 驱油技术是上世纪 80 年代在美国首先应用的一项工程技术，目前在工业上已得到广泛应用。CO_2 相比地层原油流体介质，属于活性气体，在高温高压多孔介质储层中易与地层水，储层岩石发生物理和化学反应作用，从而造成体系中的物理和化学状态失衡，导致储层的物性发生改变。因此，急需对 CO_2 在高温高压环境的多孔介质中埋存的机理进一步研究。CO_2 在高温高压多孔介质环境中以超临界状态存在，以前的实验大多以地面条件进行，系统性在多孔介质中研究 CO_2 埋存机理实验较为少见。因此，在储层高温高压条件下进行 CO_2 埋存机理实验的研究尤为必要。针对该问题，系统性地设计了三组模拟地下 CO_2 的埋存机理实验，研究了多孔介质中 CO_2 溶解、矿化反应和游离滞留过程，从而为 CO_2 大规模地质封存工业化提供技术支撑。

1　多孔介质中 CO_2 溶解埋存实验

1.1　实验装置及步骤

配置过饱和的 CO_2 地层水溶液，在高温高压反应釜中填满石英砂，在设定的地层温度和压力条件下对其进行单次脱气测试。实验设备主要包括：高压驱替泵、高温高压反应釜、气液分离装置、气量计、水离子分析仪等(图 1)。

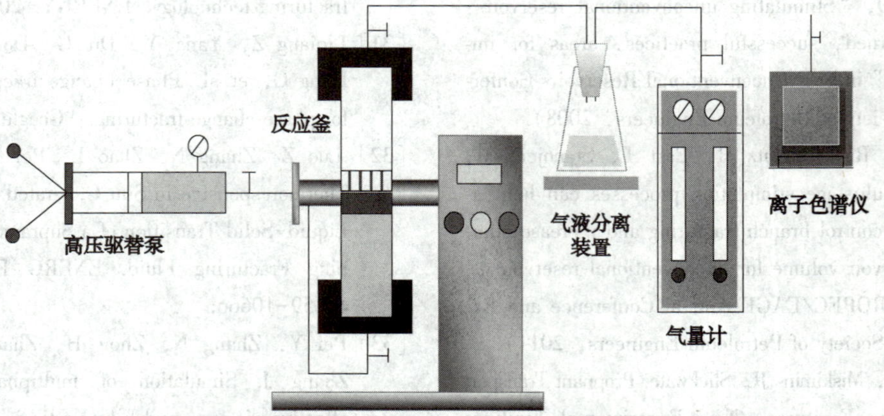

图 1　CO_2-地层水相互作用溶解度实验设备及测试流程图

具体实验步骤具体如下：

(1) 设备准备：清洗和调试设备；

(2) 反应釜中填满石英砂，代替多孔介质；

(3) 转水样：将地层水样品转入样品端，做好密封处理；

(4) 同过离子色谱仪测量地层水中离子含量；

(5) 转气样：用高压管线连接 CO_2 中间容器

与高温高压反应釜，将过量的CO_2转入反应釜样品端；

(6) 升温恒压：升温恒压至实验温度、压力；

(7) 搅拌：开启反应釜内搅拌器，使CO_2快速溶解在地层水样品中；

(8) 测试地层水样品中CO_2溶解量和离子含量。

(9) 重复(4)～(8)测试CO_2溶解量和离子含量。

1.2 实验结果及分析

实验结果表明：地层水中注入CO_2后阴、阳离子含量均有所增加，尤其是HCO_3^-含量增加明显，总矿化度增加，PH 值降低。造成矿化度增加的原因主要是受高温环境的影响，地层水存在蒸发现象导致整体矿化度增加；CO_2的抽提作用导致高温条件下部分水以蒸汽形式被抽提到过量的CO_2中；CO_2与H_2O的化学反应形成酸性离子。

表1 多孔介质中CO_2–地层水相互作用测试结果 mg/L

项目	PH	Na^++K^+	Ca^{2+}	Mg^{2+}	CL^-	SO_4^{2-}	HCO_3^-	CO_3^{2-}	总矿化度
实验前	7	352	34.8	3.0	6250	484.6	0	0	7124.4
实验后	6	945.4	51.7	9.4	6250	601	3757.3	0	11614.8

通过实验测试多孔介质中不同温度、压力条件下CO_2在地层水中的溶解度(图2～图3)。从实验结果可知：受压力的影响，CO_2在地层水中的溶解度随压力的增加而增加，且低压下CO_2在水中的溶解度高，溶解度随压力变化增加幅度较大，随着压力进一步增加，溶解度不断降低，当压力达到一定值后溶解度的增加幅度趋于一条直线；溶解度曲线在 10MPa 附近出现变平缓的拐点。受温度的影响，CO_2在水中溶解度随温度变化的主要趋势为随温度的增加而降低，温度越低CO_2在地层水中溶解度越高；当温度大于 100℃，压力在 22MPa 左右时，CO_2在水中溶解度将发生异常，出现在低压时随温度的增加而降低，但在高压时CO_2在水中溶解度将会超过低于 100℃时的溶解度。说明高温(超过 100℃)高压条件下多孔介质中CO_2在水中的溶解能力随温的升高而增强，这为进行CO_2在水中溶解埋存提供了更大的埋存空间。

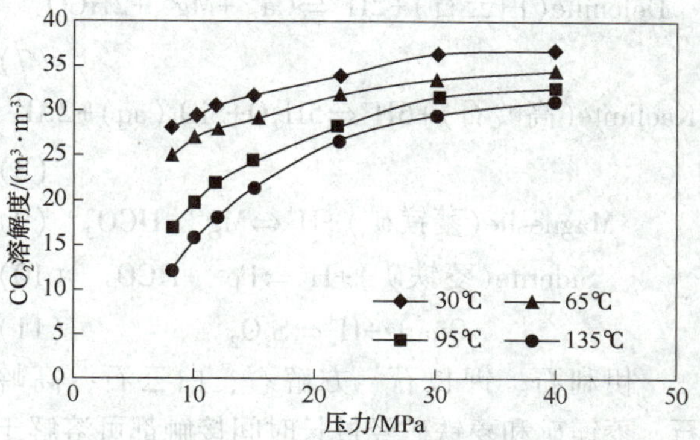

图2 溶解度–压力变化关系

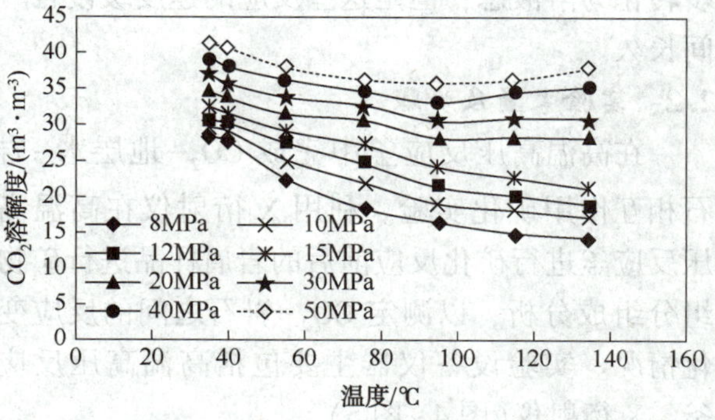

图3 溶解度–温度变化关系

2 多孔介质中CO_2矿化埋存实验

2.1 CO_2–岩石矿化反应机理

CO_2与岩石发生矿化反应机理是CO_2溶于地层水后再与多孔介质岩石矿物接触，生成各种矿物离子，溶于地层水中首先是形成HCO_3^-，其反应如式(1)所示：

$$CO_2+H_2O \Leftrightarrow H^+ +HCO_3^- \Leftrightarrow 2H^+ +CO_3^{2-} \quad (1)$$

通常认为，溶于地层水中的CO_2大约有 1% 的量以H_2CO_3的形式存在。然后地层水中CO_3^{2-}与阳离子发生矿化反应，生成碳酸盐矿物沉淀埋存，如式(2)和式(3)所示。

$$CO_3^{2-}+Ca^{2+} \Rightarrow CaCO_3 \downarrow \quad (2)$$

$$CO_3^{2-}+Mg^{2+} \Rightarrow MgCO_3 \downarrow \quad (3)$$

常见的碳酸盐矿物长期与酸性溶液中的H^+接触时将会再次发生一系列的矿化反应，常见的岩石矿物与H^+的反应方程式如式(4)～式(11)所示。

$$Illite(伊利石)+8H^+ \Leftrightarrow 5H^2O+0.6K^+ +0.25Mg^{2+}+2.3Al^{3+}+3.5SiO_2(aq) \quad (4)$$

$$K\text{-}Feldspar(钾长石)+4H^+ \Leftrightarrow 2H_2O+K^+ +Al^{3+} \quad (5)$$

$$Calcite(方解石)+H^+ \Leftrightarrow Ca^{2+}+HCO_3^- \quad (6)$$

$$\text{Dolomite(白云石)}+2H^+ \Leftrightarrow Ca^{2+}+Mg^{2+}+2HCO_3^- \quad (7)$$

$$\text{Kaolinite(高岭石)}+6H^+ \Leftrightarrow 5H_2O+SiO_2(aq)+2Al^{3+} \quad (8)$$

$$\text{Magnesite(菱镁矿)}+H^+ \Leftrightarrow Mg^{2+}+HCO_3^- \quad (9)$$

$$\text{Siderite(菱铁矿)}+H^+ \Leftrightarrow Fe^{2+}+HCO_3^- \quad (10)$$

$$\text{Quartz}+H^+ \Leftrightarrow S_iO_2 \quad (11)$$

伊利石、钾长石、方解石、白云石、高岭石、菱镁矿和菱铁矿经过长时间接触都可溶解于酸性溶液中并生成 HCO_3^-。岩石中石英矿物将逐步转化为溶液态，但是这些反应的速度缓慢且时间长久。

2.2 实验装置及步骤

在高温高压反应釜中完成 CO_2-地层水-岩石相互作用矿化实验。利用 X 衍射仪在高温高压反应釜进行矿化反应前后的岩屑样品进行矿物组分组成分析，以测定 CO_2-岩石之间的反应变化情况。实验设备仪器主要包括高温高压反应釜、X 衍射仪(图 4~图 5)。

图 4　高温高压反应釜

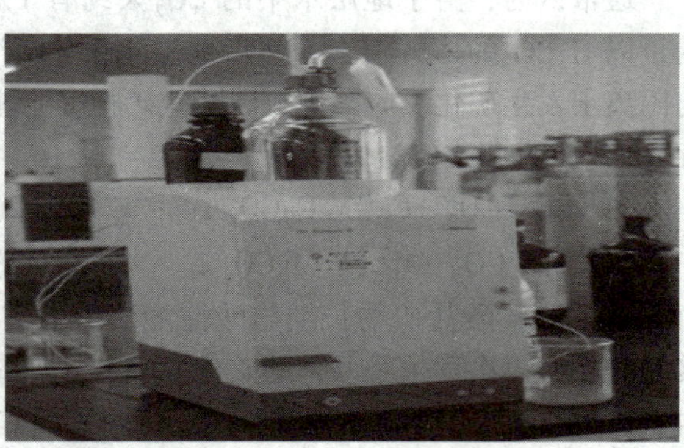

图 5　X 衍射仪

实验具体步骤如下：

(1) 将岩样粉碎成岩屑，并进行 X 衍射分析，测试岩石的矿物组成；

(2) 清洗高温高压反应釜，将岩屑样品放进反应釜内，抽空并饱和地层水并将高温高压反应釜内充满地层水，再用注入 CO_2 溶于地层水后将压力保持在地层压力 20MPa 左右，恒温至地层温度 94.7℃，关闭阀门密封 60 天以上，在此过程中要时刻保持反应釜内的压力恒定；

(3) 降温降压后从反应釜中取出岩屑烘干再次进行 X 衍射分析，测试反应后的岩石矿物组成含量，同时对比分析岩石与地层水反应前后的变化情况。

2.3 实验结果及分析

CO_2-岩石矿化实验结果中可以看出：从整体上看，CO_2 与岩石发生反应前后岩石中的矿物含量变化相对较小，主要原因是 CO_2 与岩石的相互作用时间太短。

反应前后矿物成分对比分析，反应后增加的矿物成分主要为粘土矿物、斜长石和白云石，反应后新生成了极少量的黄铁矿。其中，粘土总量增加相对较小，仅为 0.83%；斜长石增加较大，增加了 7.97%；白云石增加了 3.56%。分析认为反应后矿物含量的增加有两种可能：第一种是 CO_2-地层水-岩石直接反应生成的矿物含量增加；第二种为岩样在烘干过程中地层水中的矿物含量析出引起。反应后减少的矿物成分主要为石英和方解石，分别减少了 4.58% 和 5.09%，正长石的含量基本没变。说明方解石被 CO_2 与地层水生成的碳酸发生溶解反应被溶解。同时也说明该区块的岩石矿物的主要反应式为：

$$CaCO_3+CO_2+H_2O = Ca(HCO_3)_2$$

$$MgCO_3+CO_2+H_2O = Mg(HCO_3)_2$$

$$Ca(HCO_3)_2+Mg(HCO_3)_2 = Ca\cdot Mg\cdot(CO_3)_2+2H_2O$$

矿化反应消耗了部分溶于地层水中的 CO_2，实现了稳定持久的埋存机制，是 CO_2 埋存的主要方式之一。

3　多孔介质中 CO_2 游离气埋存实验

3.1 实验装置与步骤

多孔介质中注入 CO_2 进行地质埋存的过程中，CO_2 地质埋存潜力主要体现为 CO_2 排驱孔隙中流体所占的体积，即 CO_2 游离气埋存，它是继溶解埋存之后的又一重要埋存机理。长岩心多孔介质中注入 CO_2 埋存物理模拟实验装置主要设备包括：长岩心夹持器、地层流体复配器、恒温空气浴、高压驱替泵、回压控制器、气量计等核心设备，实验流程如图 7 所示。

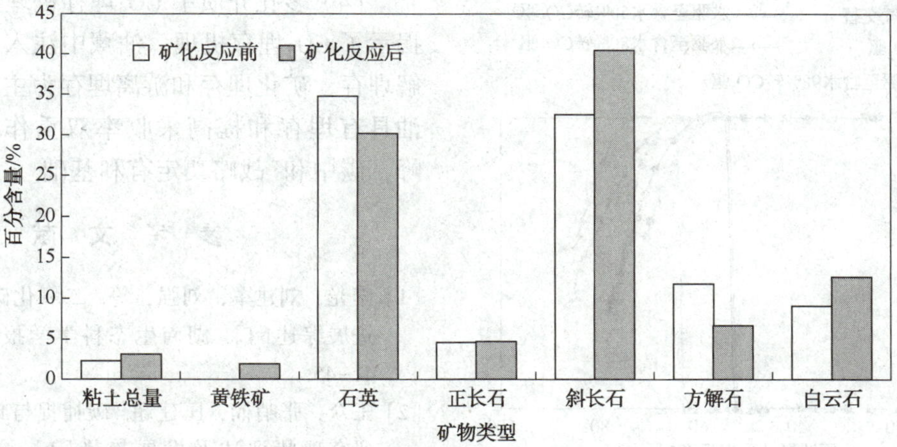

图6 矿化反应前后矿物成分百分含量对比柱状图

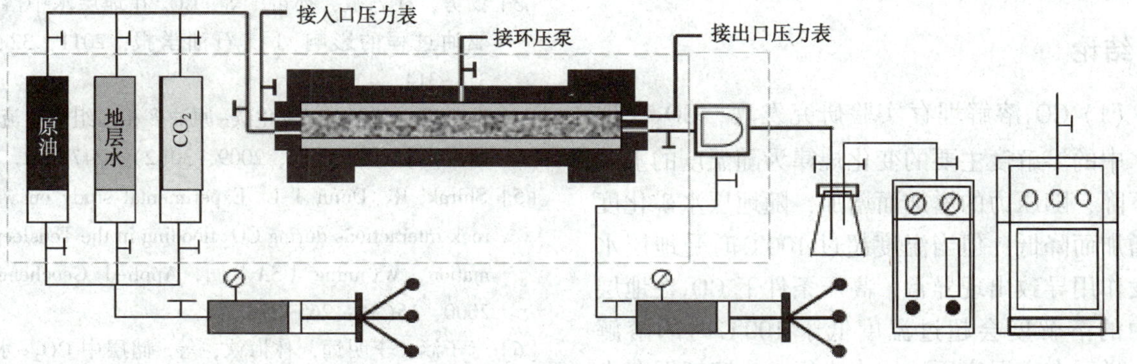

图7 CO_2埋存潜力物理模拟长岩心实验流程图

具体实验步骤如下：

（1）通过短岩心拼接，建立长岩心物理模型，测试其物性参数，连接好实验仪器设备。

（2）烘箱升温至实验温度94.7℃，用石油醚/酒精/石油醚交替清洗长岩心。

（3）长岩心中的清溶剂用N_2吹干后进行抽真空。

（4）测定地层水的压缩系数和长岩心的孔隙体积。

（5）建立长岩心束缚水饱和度和原始含油饱和度。

（6）恒压稳定地层压力22.5MPa条件下以不同驱替方式分别进行驱替，每次驱替前重复(2)~(5)重新饱和活油建立岩心原始含油饱和度。包括水驱转CO_2驱、纯CO_2驱、气水交替驱转CO_2驱，对比研究不同驱替方式条件下CO_2在多孔介质中的埋存率。

3.2 实验结果分析

实验结果表明：不同驱替方式下转注CO_2的时机不同，其CO_2滞留率变化差异较大。水驱转CO_2驱时机越早，CO_2突破越早，说明CO_2驱水效果较差，CO_2排驱水而占据的空间小，造成CO_2滞留率降低；水驱后转CO_2驱时机越早，CO_2滞留率下降幅度越缓，CO_2的利用率越高，越有助于CO_2埋存在油藏孔隙中；气水交替方式注CO_2的CO_2滞留率下降最缓，说明气水交替方式可有效延缓CO_2产出速度，CO_2利用率更高，有利于CO_2以游离气方式埋存于多孔介质中。

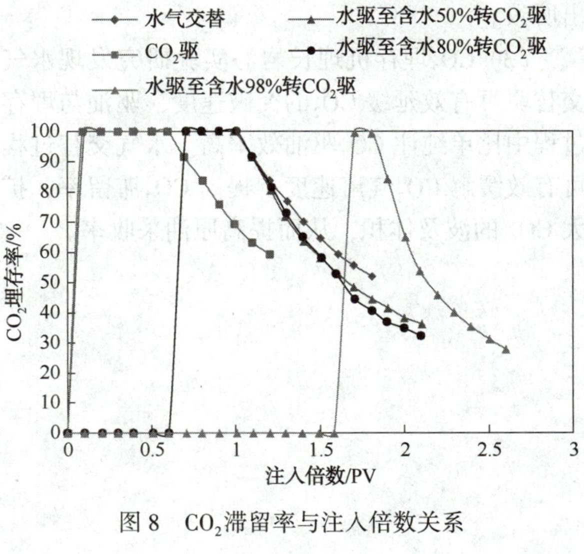

图8 CO_2滞留率与注入倍数关系

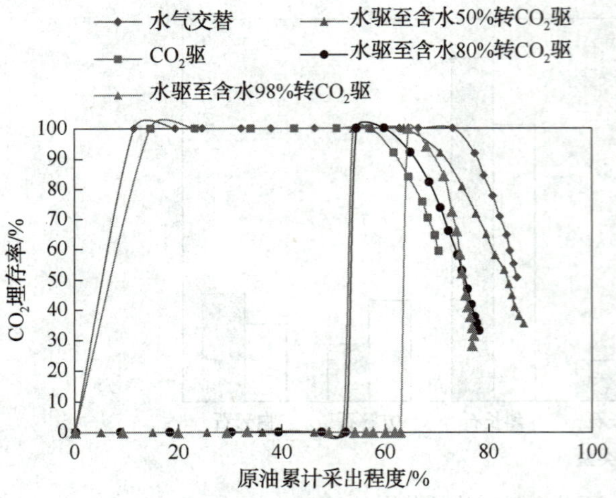

图 9　CO_2滞留率与原油采出程度关系

4　结论

（1）CO_2溶解埋存实验研究发现，CO_2在地层水中的溶解度主要的变化规律为随温度的上升而下降，随压力的增加而增加，随地层水矿化度的增加而降低；但当温度超过 100℃时受地层水蒸发作用导致出现异常，高压条件下 CO_2在地层水中的溶解度会超过温度低于 100℃时的溶解度，说明在高温高压地层中进行 CO_2溶解埋存十分有利。

（2）CO_2矿化埋存实验研究发现 CO_2溶于地层水后将与岩石中的矿物发生矿化反应，主要体现在反应前后方解石含量的减少和斜长石含量的增加，主要是因为 CO_2与地层水发生溶解反应后生成的弱酸性溶液对碳酸盐矿物具有一定的溶解作用，从而导致岩石中的以 $CaCO_3$为主要成分的方解石含量减少；斜长石含量增加的原因主要是进行岩样烘干过程中地层水中的矿物由于高温析出所致。

（3）CO_2埋存机理长岩心实验研究发现水气交替驱可有效延缓 CO_2的突破速度，驱油与埋存过程中比单纯注 CO_2驱油效率高。水气交替过程可有效缓解 CO_2气窜速度，提高 CO_2滞留率，扩大 CO_2 的波及体积，从而提高原油采收率。

（4）多孔介质中 CO_2埋存机理物理模拟实验揭示了 CO_2埋存机理，油藏中注入 CO_2主要以溶解埋存、矿化埋存和游离埋存为主，油藏 CO_2驱油具有埋存和提高采收率双重作用，为"碳达峰，碳中和"战略奠定有利基础。

参　考　文　献

[1] 李光，刘建军，刘强，等. 二氧化碳地质封存研究进展综述[J]. 湖南生态科学学报，2016，3(4)：41-45.

[2] 王众，张哨楠，匡建超. 碳捕捉与封存技术国内外研究现状评述及发展趋势[J]. 能源技术经济，2011，23(5)：42-47.

[3] 汤勇，杜志敏，孙雷，等. CO_2 在地层水中溶解对驱油过程的影响[J]. 石油学报，2011，32(2)：311-314.

[4] 沈平平，黄磊. 二氧化碳-原油多相多组分渗流机理研究[J]. 石油学报，2009，30(2)：247-251.

[5] Shiraki R，Dunn T L. Experimental study on water-rock interactions during CO_2 flooding in the Tensleep formation，Wyoming USA [J]. Applied Geochemistry，2000，15(3)：265-279.

[6] 米子涵，李明远，林梅钦，等. 储层中 CO_2-水-岩石相互作用研究进展[J]. 矿物岩石地球化学通报，2011，30(1)：104-112.

[7] 沈平平，廖维新. CO_2地质埋存与提高采收率技术[M]. 石油工业出版社，2009.

[8] 于志超，杨思玉，刘立，等. 饱和 CO_2地层水驱过程中的水-岩相互作用实验[J]. 石油油报，2012，33(6)：1032-1040.

[9] 王长权，杜志敏，汤勇，等. 气藏中 CO_2封存过程气水互溶特性实验研究[J]. 特种油气藏，2013.

[10] 杨芳. 盐水层二氧化碳封存机理与地质模拟[D]. 中国地质大学，2010.

[11] Pruess K and Garcia J. Multiple flow dynamics during CO_2 injection into saline aquifers[J]. Environmental Geology. 2002. 42：282-295.

[12] Shaw J. C.，Bachu S. Screening，Evaluation，and Ranking of Oil Reservoirs Suitable for CO_2-flood EOR and Carbon Dioxide Sequestration[J]. Journal of Canadian Petroleum Technology，2002，41(9)：51-61.

CO_2驱油与封存动态调控机理实验研究

郑文宽[1,2]　李宗阳[1,2]　张　东[1,2]　王传飞[1,2]

（1. 中国石化胜利油田分公司勘探开发研究院；2. 山东省碳捕集利用与封存重点实验室）

摘　要　非均质、粘性指进是决定CO_2驱开发效果的关键因素，调整注采方式是控抑气窜、扩大波及的有效手段，而CO_2驱不同注采方式在开发实践中仍存在提高采收率效果未知且适应性不明确等问题。本文通过CO_2驱相似物理模拟实验，对比了CO_2连续气驱、轮换开采和注采耦合的开发特征差异，并分析了CO_2驱不同注采模式的适用性。实验结果表明：连续气驱模式下不同渗透率区域开发效果差异大，低渗部位见气后的增油潜力很低，适合相对均质油藏开发；轮换开采通过采油井交替开启，改变注采井间主流线方向，有效改善非均质储层中低渗区开发效果，适合强非均质油藏或见气后的开发调整阶段；注采耦合利用注采交替引起的压力场交替变化，可以较均衡的提高全区波及范围，提高难动用边角区储量动用率，适合弱非均质油藏或初期开发阶段。

关键词　CO_2驱；相似物理模拟；注采耦合；适用性分析

国内外CO_2驱提高采收率实践表明，非均质、粘性指进是决定CO_2驱开发效果的关键因素。非均质严重、粘性指进强时气体波及系数明显降低，从而导致水气无效-低效循环，驱油效率降低。近年来胜利油田水驱及CO_2驱矿场实践表明，轮换开采、注采耦合等方式是控抑驱替相窜进、扩大波及、提高驱油效率的一种有效手段。

目前国内外对轮换开采、注采耦合技术的研究主要集中在水驱油藏，在气驱领域研究较少。2018年，崔传智等应用数值模拟方法分析了注采调控开发效果影响因素，给出了水驱条件下注采调控技术的适用条件。2018年，王瑞等借助数值模拟方法研究了注采耦合方式下注水和采油过程中各特征区液流方向的变化，研究结果表明，注采耦合技术可以扩大波及10%左右，有效提高断角滞留区剩余油的动用程度。2020年，杨勇等应用物理模拟与数值模拟相结合的方法，明确了CO_2驱轮换开采和注采耦合在气驱中的作用机理。

调整注采方式是控抑气窜、扩大波及的有效手段，但现阶段仍然存在一些突出的难题需要解决，例如：不同注采方式下的提高采收率效果、适应性等尚不明确。目前针对CO_2驱轮换开采、注采耦合的研究多以数值模拟为主，然而数值模拟尚不能很好的表征不同注采方式的扩大波及机理，研究成果的可靠性受到限制，因此需要开展物理模拟研究解决上述问题。本文开展了CO_2驱相似物理模拟实验，对比了连续气驱、轮换开采、注采耦合的开发效果差异，分析不同注采方式的提高采收率机制，并明确了连续气驱、轮换开采、注采耦合的适用油藏，以期为胜利油田低渗油藏CO_2驱开发技术研究及示范应用提供技术支撑。

1　CO_2驱物理模拟相似准则体系

根据CO_2驱油、气、水三相渗流特点，采用以下基本假设：

（1）考虑油、气组分的相间传质，水组分不参与传质；

（2）考虑流体压缩性，忽略岩石压缩性；

（3）不考虑吸附作用；

（4）不考虑注入流体与油藏、岩石的化学反应；

（5）油藏为恒温环境，且能瞬时达到热力学平衡状态。

基于CO_2混相驱组分模型，考虑几何、运动及动力相似，采用方程分析法推导了CO_2驱物理模拟相似准则体系，如表1所示。

表1　CO_2驱物理模拟相似准数体系

相似准数	表达式	定义	作用目的
π1～π3	x/L、y/L、z/L	无量纲化空间位置	空间的几何相似性

续表

相似准数	表达式	定义	作用目的
π4	r_w/L	井筒半径与特征尺度之比	井筒与油藏尺度关系的相似性
π5~π7	$K_x/\bar{K}$、$K_y/\bar{K}$、$K_z/\bar{K}$	无量纲化渗透率分布	渗透率各向异性及非均质分布相似性
π8	$\varphi/\bar{\varphi}$	无量纲化孔隙度分布	孔隙度分布相似性
π9~π10	K_{ro}/K_{rg}、K_{ro}/K_{rw}	油、气、水相对渗透率之比	不同相流体渗流能力相似性
π11	μ_o/μ_g、μ_o/μ_w	油、气、水相黏度之比	不同相流体黏性阻力相似性
π12	$\Delta\gamma \cdot L/\Delta p$	重力压差与注采压差之比	超覆作用相似性
π13~π14	$\frac{D_{ig}}{D_{(i+1)g}}$, $\frac{D_{io}}{D_{(i+1)o}}$	不同组分扩散系数之比	扩散作用相似性
π15	$\frac{K\Delta P}{\mu_o D_{ig}\varphi}$	对流速率与扩散速率之比	运移传质过程相似性
π16	$t/\left[L\varphi/\left(\frac{K}{\mu_o}\varphi\frac{\Delta P}{L}\right)\right]$	无量纲化时间	时间过程相似性

其中x、y、z为对应方向空间位置坐标，m；L为特征长度，m；r_w为井筒半径，m；K_x、K_y、K_z为对应方向渗透率，μm²；$\bar{K}$为特征渗透率，μm²；φ为孔隙度，无量纲；$\bar{\varphi}$为特征孔隙度，无量纲；K_{ro}、K_{rg}、K_{rw}分别为油、气、水相相对渗透率，无量纲；μ_o、μ_g、μ_w分别为油、气、水相黏度，mPa·s；$\Delta\gamma$为重度差，N；Δp为注采压差，MPa；D_{ij}为i组分在j相中的扩散系数，m²/s；t为模拟时间，s。

2 实验方案

2.1 实验参数设计

根据CO_2驱物理模拟相似准则体系，可将实际油藏按比例缩小至实验室物理模型，并实现油藏开发与物理实验主要注采参数之间的相互换算，换算原则是使得实际油藏开发和物理模拟实验中的π1~π16这16个相似准数取值相同。本实验以史深100油藏为目标区块，根据实际油藏的物性及注采参数，利用相似准则计算得到物理模拟实验的模型参数和注采参数，如表2所示。

2.2 实验装置

本实验采用高温高压三维物理模拟装置，主要包括：恒温箱、大模型夹持器、高压恒速恒压泵、压力传感器、三相流体流量计量器等，其中大模型夹持器尺寸Φ400mm×60mm。实验流程如图1所示。

表2 实际油藏开发与物理模拟实验参数对应表

	实际油藏	物理模拟
注采井距	300m	20cm
特征渗透率/10^{-3}μm²	20	40
开发时间	30年	3600min
井筒半径	0.1m	0.6cm
地层油密度/(g/cm³)	0.791	0.747
地层油黏度/mpa·s	1.98	1.17
最小混相压力/MPa	31.8	18.9
单井注入速度	20t/d	0.56mL/min
注采压差/MPa	20	1.25

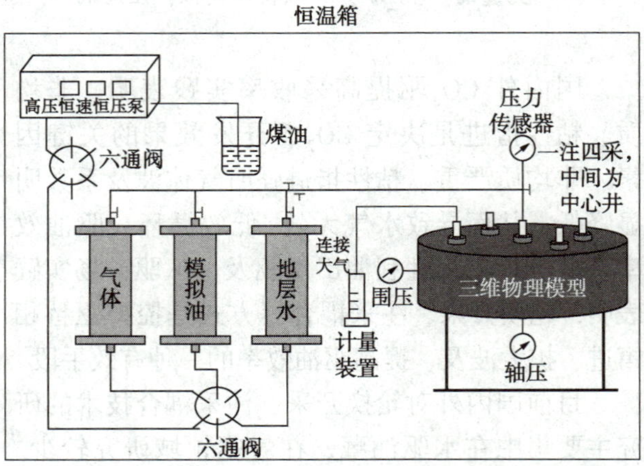

图1 三维物理模拟实验流程图

2.3 非均质物理模型

设计非均质模型分为四个区域，渗透率分别为5×10^{-3}μm²、10×10^{-3}μm²、20×10^{-3}μm²、40×10^{-3}μm²。将70~140目的砂子、石英砂、环氧树脂、固化剂、酒精等按照不同的比例混合放置平铺在四个区域，然后放入岩心制备装置，最大压实压力60MPa，加压12个小时以上压制而成，并在物理模型内设置1注4采的五点法井网。布井完成的非均质物理模型实物图如图2所示。

2.4 对比方案设计

设计相同压力、温度下的连续气驱、轮换开采、注采耦合进行对比实验。实验压力保持水平为20MPa，高于最小混相压力，确保全程全域混相驱替；实验温度为80℃。

连续气驱实验为中心井连续注气，生产井P1井、P2井、P3井、P4井全部开井生产；

轮换开采实验为中心井连续注气，生产井按

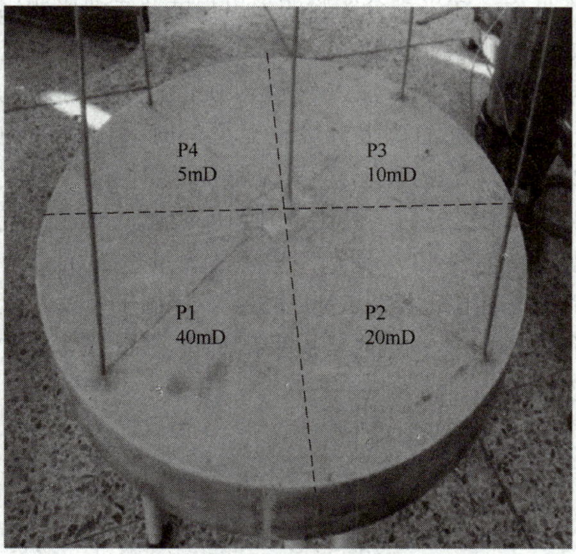

图2　三维砂岩岩心

照P1井、P2井、P3井、P4井的顺序轮换生产，循环2轮，其中第1轮采出井见气时转下一口井，第2轮采出井不出油时转下一口井；

注采耦合实验为注采井轮换开启，注采不见面：注入阶段中心井注气，生产井P1井、P2井、P3井、P4井全部关闭，直至模型达到1.3倍最小混相压力；采出阶段中心井关闭，生产井P1井、P2井、P3井、P4井全部开井生产，直至模型达到0.7倍最小混相压力；依次循环至不出油为止。

3　实验结果与分析

3.1　连续气驱

CO_2连续气驱实验的产油速度及气油比随注入倍数的变化如图3所示。从图3中可以看出，CO_2连续气驱见气前，产油速度不断升高，峰值达到17.57mL/min，对应的累积注入气量为0.44HCPV，此时的生产气油比为297.58cm^3/mL；继续注入，当注入气量约0.5CPV时开始见气，对应产油速度快速降低，见气时累积采出程度约43.2%。至驱替实验结束，产油速度降到2.64mL/min，累积采出程度51.9%。驱替压差由见气前的峰值1.25MPa，下降到驱替结束时的0.24MPa；单位注气量所能获得的采出程度，由采油速度峰值对应的43.26%/HCPV，下降到驱替结束时对应的25.55%/HCPV，气驱效率降低约40%。

对不同渗透率区域的单井进行分析，各生产井见气时间及见气、气窜时的累产油量如表3所示。可以看出：对于非均质油藏，低渗部位的井见气较晚，见气时累产油较高，但见气以后的增油潜力很低，这主要是因为高渗井气窜后，在高渗区形成快速通道，CO_2形成无效循环，抑制了低渗区的流动。四口井(渗透率由高到低)对总产量的最终贡献占比分别为28.1%、26.7%、23.7%和21.5%。因此，若要提高采收率，就需要延缓高渗层位的见气时间。

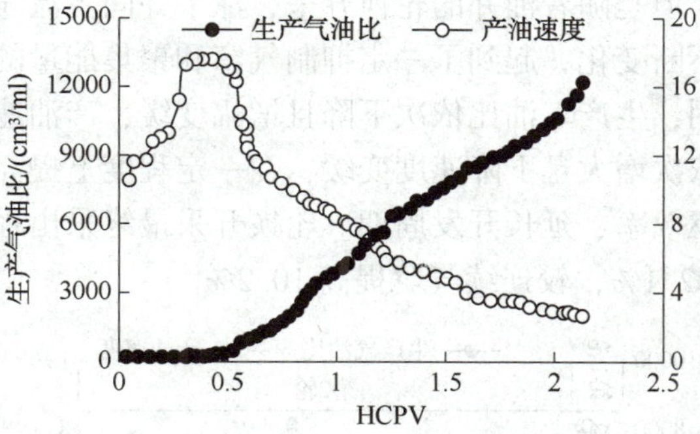

图3　连续气驱产油速度及气油比随注入PV变化曲线

表3　连续气驱实验生产井见气时间及见气时的累产油量

井号	见气时间/HCPV	见气时累产油量/mL	气窜时累产油量/mL
P1(40mD)	0.40	7.0	21.6
P2(20mD)	0.48	12.7	20.5
P3(10mD)	0.58	13.9	18.2
P4(5mD)	0.70	14.9	16.5

3.2　轮换开采

轮换开采的特征是注入井保持高压注入，采油井轮换开采。轮换开采实验的产油速度及气油比变化如图4所示。从图4中可以看出：第1轮轮换开采期间注入气量少，产油速度高，生产气油比很低，在注入气量为0.30HCPV的情况下采出程度达到了27.7%，单位注气量所能获得的采出程度达到了92.3%/HCPV，气驱效率很高；第2轮轮换开采期间注入气量多，采出程度增幅变缓，在注入气量为2.84HCPV的情况下采出程度提高了34.4%，单位注气量所能获得的采出程度为12.1%/HCPV，气驱效率明显降低，表明该阶段有明显气窜现象发生，采油效果变差。由此可见，CO_2驱轮换开采有助于提高气体利用率，但首轮效果要明显好于后轮效果。相较于CO_2连续气驱，轮换开采在见气后虽然也出现了生产气油比大幅增高、产油速度大幅降低的现象；但是随着油井的轮换开采，注采井间主流线的不断变化，起到了一定抑制气窜和聚集能量的作用，生产气油比依次下降且增幅变缓，产油速度依次增大且下降速度变缓，在一定程度上提高气驱效率、延长开发周期。轮换开采最终采出程度 62.1%，较连续气驱提高 10.2%。

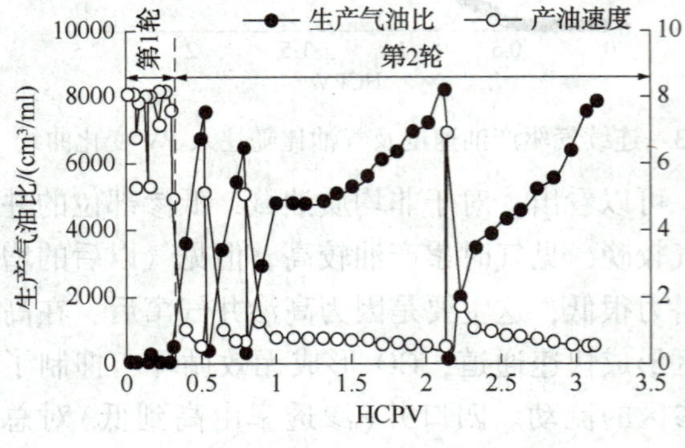

图 4　轮换开采产油速度及气油比随注入 PV 变化曲线

对不同渗透率区域的单井进行分析，各生产井第一轮及第二轮末累产油量如表 4 所示。可以看出，相较于连续气驱，四口井(渗透率由高到低)的累产油量均有了不同幅度的提高，提高幅度分别为 1.0%、1.4%、24.2%、30.3%，对总产量的贡献占比分别为 25.1%、24.0%、26.0% 和 24.7%。这说明相较于连续气驱，轮换开采增加的产量主要为难动用的低渗区贡献。这主要是因为连续气驱形成的渗流场在注采井之间，一旦有高渗通道就极易发生严重气窜，但在轮换开采模式下，关井区域内的积聚能量会逐渐增大，从而使得注气驱动力的作用方向发生变化，即由在注采井连线间的渗流区内部作用，转变为在渗流区和滞流区之间作用，从而使液流方向随之发生改变。因此，轮换开采可以调整气驱方向，改善难动用的低渗区开发效果，从而提高注采井网的整体开发效果。

表 4　轮换开采各生产井累积产油量

井号	第一轮末累产油量/mL	第二轮末累产油量/mL	较连续气驱增油量/mL
P1(40mD)	15.7	21.8	0.2
P2(20mD)	15.1	20.8	0.3
P3(10mD)	13.4	22.6	4.4
P4(5mD)	13.0	21.5	5.0

3.3　注采耦合

注采耦合的特征是注采井交替开启，注采井不见面。注采耦合实验的采出程度及气油比变化如图 6 所示。从图 5 中可以看出：注采耦合见气早于连续气驱，注入气量约 0.24HCPV 时即见气，初期气油比上升较快，见气时采出程度约 29.1%，大幅低于连续气驱见气时采出程度 43.2%；见气后气油比上升速度明显低于连续气驱，待耦合 43 个周期，累积注入量达 2.0HCPV 时，气油比也仅为 5311m³/m³，远低于连续气驱和轮换开采，此时累积采出程度约 60.2%，较连续气驱提高 8.3%。

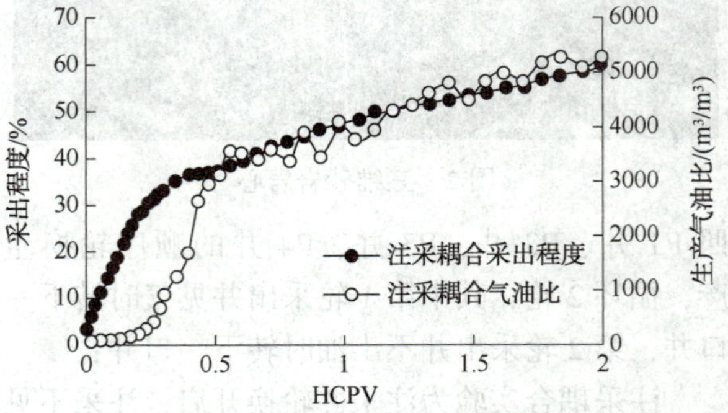

图 5　注采耦合采出程度及气油比随注入 PV 变化曲线

对不同渗透率区域的单井进行分析，各生产井见气时及气窜时累产油量如表 4 所示。可以看出，相较于连续气驱，注采耦合四口井的增产幅度较为平均，累产油提高幅度分别为 15.3%、15.1%、15.4%、17.0%，四口井对总产量的贡献占比分别为 28.0%、26.5%、23.6%和 21.7%。这主要是因为注采耦合并没有改变非均质储层中的流线强弱分布，而是利用注采交替引起的压力场变化，通过高压扩容、传质降粘等作用，均匀的扩大波及。

表 5　注采耦合各生产井累积产油量

井号	见气时累产油量/mL	气窜时累产油量/mL	较连续气驱增油量/mL
P1(40mD)	12.1	24.9	3.3
P2(20mD)	11.6	23.6	3.1
P3(10mD)	10.2	21	2.8
P4(5mD)	9.2	19.3	2.8

使用核磁共振技术测试了主流线上连续气驱与注采耦合模式开发后的剩余油饱和度分布，测试结果如图 6 所示。对于大中孔隙，注采耦合与连续气驱的采出程度接近，都在 90%左右；对于小孔隙，注采耦合的采出程度约 85%，要明

显高于连续气驱的 75%。这主要是因为注采耦合通过反复的憋压–泄压引起压力场交替变化，强化了弹性能释放过程，使得 CO_2可以通过溶解扩散进入这些常规气驱难以进入的微小孔喉中并挤出或带出其中的原油，从而提高了微观驱油效率。

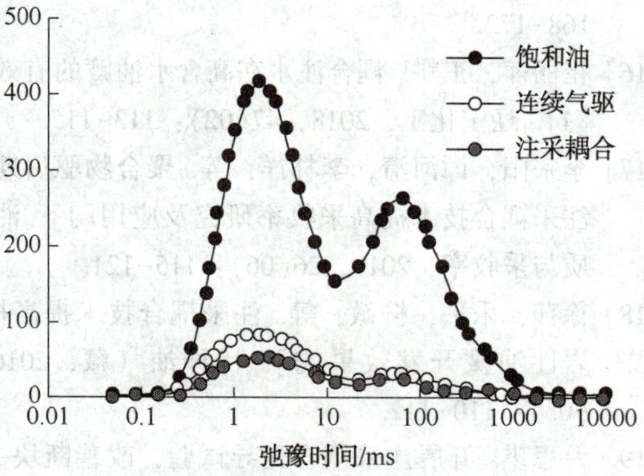

图 6　主流线上不同开发模式下的 T_2谱图

注采耦合模式下不同耦合周期的单次采出程度变化如图 7 所示。由图 7 可以看出，注采耦合的单周期采油量是先增大后减小，这主要是因为注采耦合是注采不见面的，能量从注入井到采出井的积聚及传递需要一定时间。注采耦合在第 10 个耦合周期的单次产量达到峰值，此时累积产油量为 29.5mL，采出程度为 20.0%。单次耦合产量峰值过后两个周期开始见气，此后单次耦合产量缓慢下滑但仍相对稳定，产量下降阶段累积产油量 58.9mL，最终采出程度 60.2%，说明注采耦合开发有较长的稳产期，产量下降阶段也可提供较大的增产潜力。

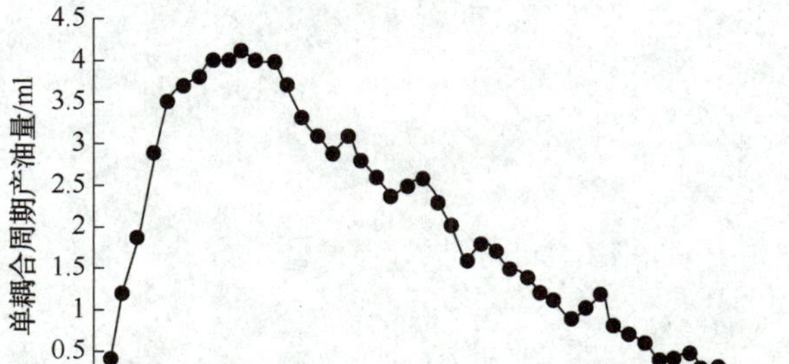

图 7　单耦合周期产油量变化曲线

3.4　适用性分析

针对本次实验取得的结果和认识，对连续气驱、轮换开采、注采耦合三种不同的气驱开发方式的适用性进行了分析和总结。

（1）由于连续气驱开发周期短、工作制度简单，对于均质油藏来说各区域注采情况较为均衡，因此适用于相对均质油藏；

（2）由于注采耦合开发可以较均衡的提高全区波及范围，动用难动用边角区储量，因此适用于弱非均质油藏或初期开发阶段；

（3）由于轮换开采可以调整气驱方向，使液流方向发生改变，动用难动用低渗区的储量，从而实现扩大波及、控抑气窜，因此适用于强非均质油藏或见气后的开发调整阶段。

4　结论

（1）非均质油藏在连续气驱开发模式下，不同渗透率区域开发效果差异大；当高渗部位井气窜后，CO_2在高渗区形成无效/低效循环，抑制低渗区的流动，使得低渗部位井见气以后的增油潜力很低；

（2）CO_2驱轮换开采通过采油井的转换改变注采井间主流线方向，使得注气驱动力的作用由在注采井连线间的渗流区内部作用转变为在渗流区和滞流区之间作用，增加的产量主要为难动用的低渗区贡献；

（3）CO_2驱注采耦合利用注采交替引起的压力场变化，高压扩容、传质降粘，可以较均衡的提高全区波及范围，提高难动用边角区储量动用率；

（4）对于相对均质油藏，推荐采用连续气驱；对于弱非均质油藏或初期开发阶段，推荐采用注采耦合方式开发；对于强非均质油藏或见气后的开发调整阶段，推荐采用轮换开采方式开发。

参 考 文 献

[1] 王建. 注采耦合技术提高复杂断块油藏水驱采收率——以临盘油田小断块油藏为例[J]. 油气地质与采收率，2013，20(03)：89-91.

[2] 曹绪龙，吕广忠，王杰，等. 胜利油田 CO_2驱油技术现状及下步研究方向[J]. 油气藏评价与开发，2020，10(03)：51-59.

[3] 杨勇，吕广忠，张东，等. 胜利油田特低渗透油藏 CO_2驱技术研究与实践[J]. 油气地质与采收率，2020，27(01)：1-9.

[4] 崔传智，高敏，张戈，等. 注采耦合挖潜断层夹角区剩余油效果与优化[J]. 中国科技论文，2018，13(23)：2648-2653.

[5] 宋志超. 极复杂断块油藏层间注采耦合技术优化研

究[J]. 石油技术，2018，25(01)：145-146.
[6] 宋志超. 极复杂断块油藏平面注采调整技术政策优化研究[J]. 化工管理，2017，(36)：18.
[7] 邹桂丽，袁成武，李祥珠，等. 高含水油藏整体注采耦合参数优化方法[J]. 石油化工应用，2017，36(06)：28-33.
[8] 刘文涛，陈旭，孙致学，等. 砾岩油藏聚合物驱注采耦合调控方法及参数优化[J]. 石油钻采工艺，2020，42(03)：356-362.
[9] 王瑞，袁士宝，王建，等. 复杂断块油藏注采耦合技术提高采收率机理[J]. 大庆石油地质与开发，2018，37(06)：38-42.
[10] 宋力. 注采耦合技术提高采收率机理研究[J]. 石化技术，2019，26(05)：91-92.
[11] 王瑞. 复杂断块油藏注采耦合技术提高原油采收率的力学机制研究[J]. 中国科技论文，2020，15(01)：60-66.
[12] 刘婉如，施安峰，王晓宏，等. 压力控制注采交替方法效率的数值研究[J]. 工业控制计算机，2019，32(10)：91-93.
[13] 郑文宽，杨勇，吕广忠，等. CO_2驱注采耦合技术提高采收率[J]. 西安石油大学学报(自然科学版)，2021，36(05)：77-82.
[14] 孙志刚，杨海博，张红欣，等. 断块油藏注采耦合物理模拟实验[J]. 石油地质与工程，2019，33(03)：68-70.
[15] 杨勇，姜汉桥，马康. 断块油藏平面动用均衡程度实验研究[J]. 科学技术与工程，2016，16(16)：168-172.
[16] 崔丽萍，王耕. 耦合注水在高含水油藏的有效应用[J]. 辽宁化工，2018，47(02)：113-115.
[17] 李宗阳，谭河清，李林祥，等. 聚合物驱后期油藏注采耦合技术提高采收率研究及应用[J]. 油气地质与采收率，2019，26(06)：115-121.
[18] 徐莎，乐平，柳敏，等. 注采耦合技术提高构造-岩性油藏开发效果[J]. 特种油气藏，2016，23(03)：110-112.
[19] 尹思琪. 开展注采耦合先导试验，改善断块-岩性油藏开发效果[J]. 石油和化工设备，2016，19(01)：76-77.
[20] 赵北辰. 断块油藏水驱油注采耦合机理及参数优化[D]. 北京：中国地质大学，2020.

地热井同轴高效取换热双层保温管柱工具的研究

郝　楠　蒋海涛　宋剑鸣　蒋立坤　杨　旭

（中国石油集团渤海钻探工程有限公司）

摘　要　同轴取换热双层保温管柱是一种能100%实现地热井闭环“取热不取水”效果的地热井开发工具，由外管、保温内管和底部密封开关器组成。与BLD系列地热井用高效保温钢管、耐高温高压复合保温管、钢套钢直埋保温管、高温蒸汽真空保温管等工具相比，具有低导热系数、高取热效率、密封性能好、可重复利用的特点，实现经济效益、社会效益和环境效益的统一，可有效助力京津冀地区地热资源开发，为我国实现碳中和、碳达峰战略目标做出贡献。

关键词　双层保温；同轴换热；地热井；取热不取水

地热能作为清洁、无污染的新兴能源，是国家实现碳中和、碳达峰战略发展目标的新型开发能源之一，已纳入我国能源开发战略的重点。直接采水取热是目前最高效的一种地热开发方式，但是地下水的大量采出会引发地下水位下降和地面沉降等问题，必须将尾水通过注入井回灌到地热储层。为解决上述问题，国内外自20世纪以来，一直在研究“取热不取水”的地热开发模式，来取代常规使用的直接采水取热的开发方式。先后提出了BLD系列地热井用高效保温钢管、耐高温高压复合保温管、钢套钢直埋保温管、高温蒸汽真空保温管等多种结构，但都因各自的优缺点未能形成主流开发方式。研究人员设计并加工实现了一种同轴取换热双层保温管柱结构，通过室内试验的数据分析，证明了该工具有低导热系数、高取热效率、密封性能好、可重复利用等突出特点，可有效助力我国地热资源开发，为实现碳中和、碳达峰的整体战略目标做出贡献。最大限度的降低热损失，提高其经济效益，实现经济效益、社会效益和环境效益的统一。

1　同轴取换热双层保温管柱结构设计和原理

同轴取换热双层保温管柱的主要结构由外管(1)、保温内管(2)和底部密封开关器(3)组成，其结构原理为通过外管和保温内管的嵌套式组合，并与安装在管串底部的密封开关器形成整体密封，其中外管材质为导热系数低的调质钢结构管材，作为双层保温结构的第一道保温层，可与保温内管形成有效的中空夹层管套管结构，当地表循环水从井口流入地热井筒过程中，充当隔热介质，将地热能从地层采集到循环水中，实现地热资源的高效传导作用；保温内管为外包气凝胶等高隔热系数特殊材料的隔热管材，是实现同轴取换热双层保温管柱的低导热系数作用的关键部件，其作用是作为低导热系数的循环通道，将采集好地热能的循环水从地热井底循环到地表热交换装置中；底部密封开关器是同轴取换热双层保温管柱实现全工具整体密封和重复开启/关闭动作的关键部件，其结构由：3-1主体、3-2端面封闭装置、3-3开启装置、3-4辅助密封装置、3-5扶正装置等组成。

同轴取换热双层保温管柱的结构原理是：入井前，首先在外管内装入密封开关器的端面密封装置，开启装置通过主体管的螺纹实现与外管的密封连接，在外管入井的全过程中，始终保证外管内部处于无液体侵入的空气填充状态，当同轴取换热双层保温管柱的外管下入到预定井深后，在地面上确定保温内管的总体调长，并通过密封开关器的扶正装置连接辅助密封装置，下入到外管中形成管柱整体的双层保温，到达预定位置后，辅助密封装置和端面密封装置形成管柱整体的二次密封，并打开密封开关器的开启装置。此时外管与保温内管的环空之间保持了空气填充状态，并且管柱“取热不取水”的循环工作通道全部打开，同轴取换热双层保温管柱的工作状态见图1，“取热不取水”工作原理见图2。

2　传热模型公式推导

研究人员从理论计算入手，考虑地层水流

速、水层厚度、排量、入口温度、水泥导热系数、保温材料导热系数等影响因素，设立了①地层水流动方式为一维单向流动；②不计井内流体的粘性摩擦生热；③不考虑井内流体的相变；④井内流体以对流换热为主，忽略轴向热传导；⑤导热介质的热力学参数为常数，不随温度发生改变；共计5个初始边界条件，根据各换热介质间的能量平衡关系，建立了同轴取换热双层保温管柱的等效圆管流动传热数学模型公式如下公式(1)、公式(2)、公式(3)：

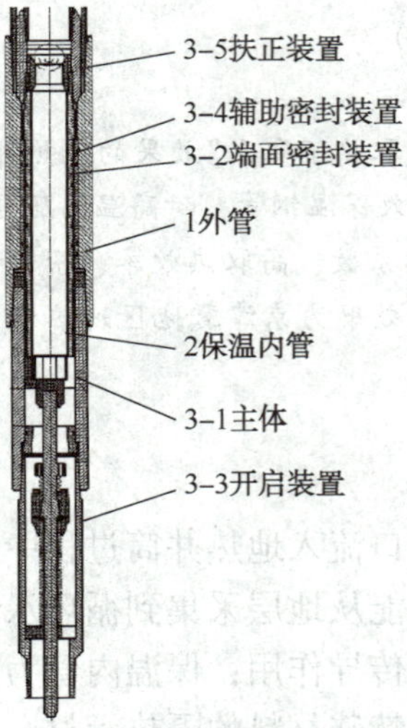

图1　同轴取换热双层保温管柱工作状态示意图

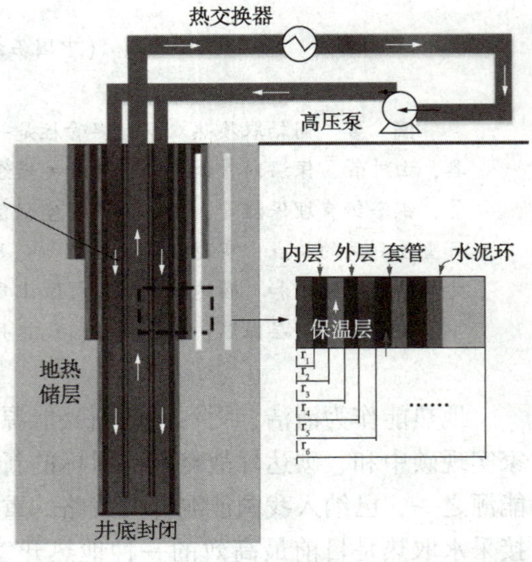

图2　“取热不取水”工作原理示意图

$$\rho_m C_m q\frac{\partial T}{\partial t}+2\pi R_1\Delta T=\rho_m C_m \pi r_1^2\frac{\partial T}{\partial t}\quad \text{(中心管中流体传热模型)} \tag{1}$$

$$-\rho_m C_m q\frac{\partial T}{\partial t}+2\pi R_1\Delta T+2\pi r_2 h_3\Delta T=\rho_m C_m \pi (r_2^2-r_{13}^2)\frac{\partial T}{\partial t}\quad \text{(环空中流体传热模型)} \tag{2}$$

$$\lambda_{ca}\pi(r_3^2-r_2^2)\frac{\partial^2 T}{\partial^2 t}+2\pi r_2 h_3\Delta T+\frac{2\pi\lambda_{34}\Delta T}{\ln\frac{r_3+r_4}{r2+r_3}}=\rho_{ca}C_{ca}\pi(r_3^2-r_2^2)\frac{\partial T}{\partial t}\quad \text{(地热井套管流体传热模型)} \tag{3}$$

式中，T为中心管内介质的温度，℃；q为井内介质的排量，m³/h；ρ_m为介质的密度，kg/m³；t为换热时间，h；C_m为介质的热容，J/(kg·℃)；r_1为保温中心管内半径，m；R_1为管内流体与环空内流体的换热热阻，(m·℃)/W；h_3为环空中的介质与套管的对流换热系数，W/(m·℃)；r_2为套管内半径，m；r_{13}为环空内径，m；λ_{cd}为套管的导热系数，W/(m·℃)；r_3为套管外半径，m；r_4为固井水泥环外径，m；ρ_{ca}为套管的密度，kg/m³；C_{cd}为套管的热容，J/(kg·℃)；λ_{34}为套管与水泥交界处调和导热系数，W/(m·℃)。

管内流体与环空内流体的换热热阻R_1的数学表达式为公式(4)：

$$R_1=\frac{1}{\frac{1}{r_1h_1}+\frac{\ln\frac{r_{11}+r_{12}}{r_1+r_{11}}}{\lambda_{12}}+\frac{\ln\frac{r_{12}+r_{13}}{r_{11}+r_{12}}}{\lambda_{23}}+\frac{1}{r_{13}h_2}} \tag{4}$$

式中，λ_{12}为第一层中心管和第二层中心管交界处的调和导热系数，其由公式(5)确定：

$$\lambda_{12}=\frac{r_{12}^2-r_1^2}{\frac{r_{11}^2-r_1^2}{\lambda_{dp}}+\frac{r_{12}^2-r_{11}^2}{\lambda_{air}}} \tag{5}$$

式中，λ_{23}为第二层中心管和第三二层中心管交界处的调和导热系数，其由公式(6)确定：

$$\lambda_{23}=\frac{r_{13}^2-r_{11}^2}{\frac{r_{12}^2-r_{11}^2}{\lambda_{air}}+\frac{r_{13}^2-r_{12}^2}{\lambda_{dp}}} \tag{6}$$

式中，h_1为保温管内流体和保温管的换热系数，W/(m²·℃)；r_{11}为第一层中心管外径，m；λ_{12}为第一层中心管和第二层中心管的调和导热系数，W/(m²·℃)；r_{12}为第二层中心管外径，m；λ_{23}为第二层中心管和第三层中心管的调和导热系数，W/(m·℃)；r_{13}为第三层中心管外径，m；λ_{dp}为第一层和第三层中心管的导热系数，W/(m·℃)；λ_{air}为第二层中心管的导热系数，W/(m·℃)。

3 室内试验及数据分析

研究人员搭建了液氮模拟试验台来测试研发工具的传热系数、导热性能等关键性能指标，其室内试验的工作原理是通过观察在(单层管、双层水介质保温管、同轴取换热双层空气介质保温管)三种不同类型的管柱中液氮温度随时间的变化情况，与单层管和其他类型的双层保温管柱进行性能对比，并对试验数据进行整理分析。

室内试验的流程分为三个阶段：温度快速降低阶段(A)、温度稳定阶段(B)和温度逐渐回复阶段(C)(见图3)，在三个阶段过程中，不同类型的管柱体现出了不同的温度-时间变化关系曲线。

3.1 保温管柱传热特性评价试验：

在不同类型的油管中注入液氮并保持相同的时间，通过分析油管外管壁与内管壁温差，来对各种类型的保温管柱传热特性进行评价，试验数据分析如图4所示

3.2 保温管柱导热性能(温度散失)评价试验：

在不同类型的油管中注入液氮，通过分析不同类型的油管注入液氮后的温度恢复时间，来对各种类型的保温管柱的导热性能特性进行评价，试验数据分析如图5所示。

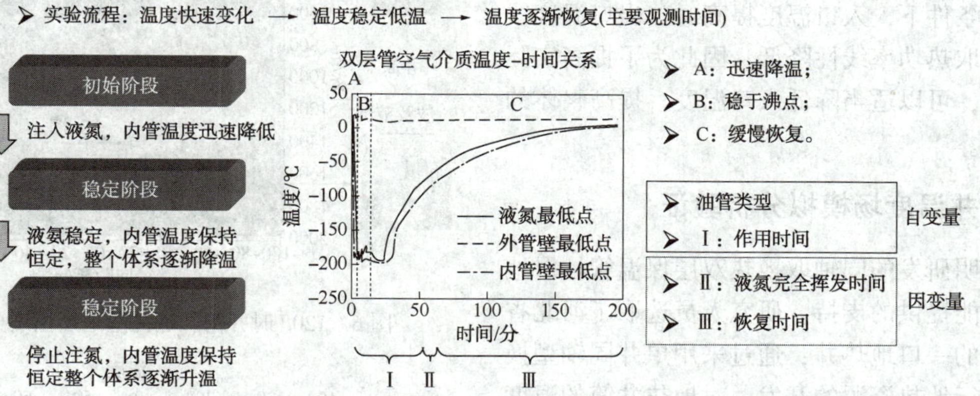

图3 同轴取换热双层保温管柱室内试验流程示意图

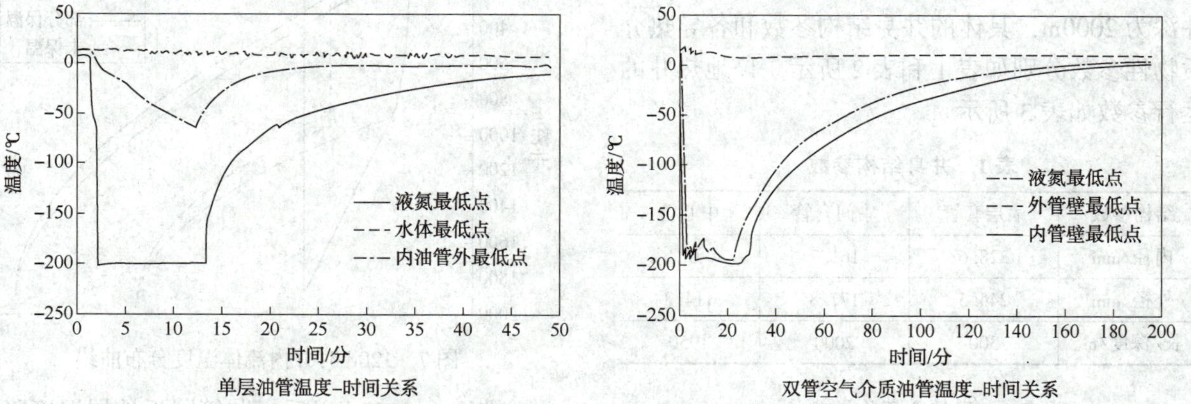

图4 不同类型保温管温度-时间变化关系曲线图

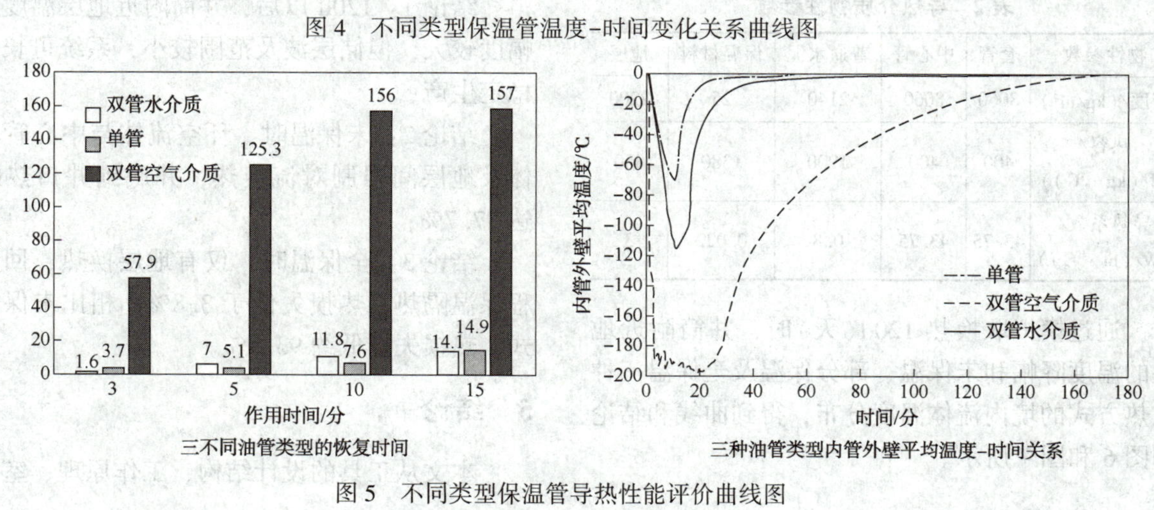

图5 不同类型保温管导热性能评价曲线图

对以上室内试验进行数据整理和分析后，可得出如下试验结论：

结论 1：同轴取换热双层保温管柱的综合传热系数低，温度恢复时间效果好。是普通单层保温管柱和水介质双层保温管柱的 36 倍以上，综合传热系数低于 0.03K/(W·m)，隔热效果极强；

结论 2：同轴取换热双层保温管柱在相同作用时间下，温度散失时间变化规律比其他类型更长，具有更好的保温效果。

结论 3：地层水流速、水层厚度、排量、入口温度、水泥导热系数、保温材料导热系数等外部条件会对地热井的热能开采效率产生复杂影响，同等条件下，入口温度提高时，出口温度线性增加，取热功率线性降低。因此为了提高实际开发效益，可以适当降低入口温度，提高整体的取热功率。

4　地热井温度场模拟分析验证

为证明研发的同轴取换热双层保温管柱对地热能采集能提供的支持，研究人员选取了河北省雄安新区的一口地热井，通过采用单井同轴型换热系统进行地热资源的开发，对地热井筒的温度场进行了模拟分析。该地热井设计为二开结构，井深为 2000m，具体的井身结构参数和各导热介质物性参数分别如表 1 和表 2 所示。该地热井的运行参数如表 3 所示。

表 1　井身结构参数

结构参数	表层套管	中间套管	中心管
内径/mm	228.6	161.7	62
外径/mm	244.5	177.8	114.3
长/深度/m	300	2000	1950

表 2　导热介质物性参数

物性参数	套管	中心管	普通水泥	保温材料	地层
密度/(kg/m³)	8060	8060	2140	25	2200
热容/(J/(kg·℃))	400	400	1900	1380	850
导热系数/(W/(m·℃))	43.75	43.75	0.8	0.022	3

通过模拟取换热 120d(天)时，井筒附近地层的温度降幅和未保温、部分保温及全保温三种取热方式的境内流体温度分布，得到曲线和结论如图 6 和图 7 所示。

表 3　运行参数

运行参数	值
地温梯度	3℃/100m
地表温度	20℃
入口温度	20℃
排量	20m³
地层水流速	1.27×10⁻⁶m/s
地层水见深	1000m
孔隙度	0.2

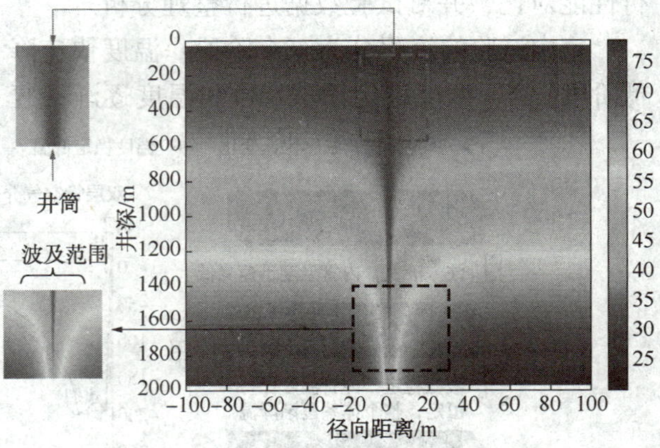

图 6　120d 时井筒及近井壁地层温度分布云图

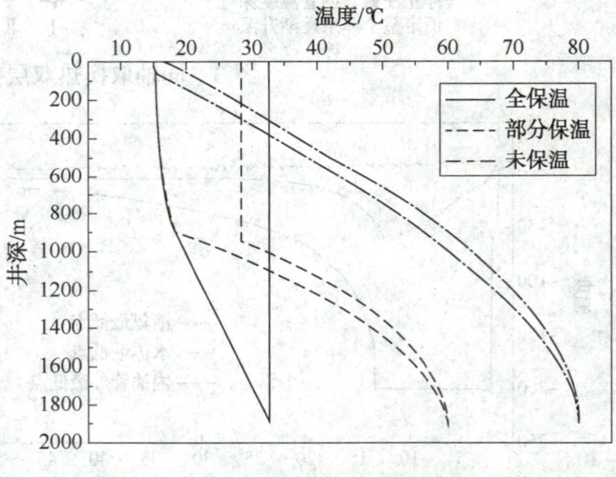

图 7　120d 时井内流体温度分布曲线

结论 1：120d 以后，井筒附近地层温度降低幅度较大，但储层波及范围较小，系统可长时间稳定生产；

结论 2：未保温时，环空流体与中心管中流体及地层间强制对流换热，井底到井口热损失达 97.7%；

结论 3：全保温时，仅有地层换热，回水过程保温隔热，热损失低于 3.8%；相比未保温方式，热损失降低约 93.9%。

5　结论

本文从工具的设计结构、工作原理、室内试

验和现场模拟四方面，对同轴取换热双层保温管柱的研究进行了分析，并与国内常用的地热井用保温管柱性能进行了对比，最终可得出如下结论：

1）与单层油管，水介质双层油管相比，同轴取换热空气介质双层保温管柱综合导热系数低于0.03K/(W·m)，隔热效果极强。

2）相较于未保温时，使用空气介质双层保温管柱，可使井底到井口热量损失降低93.9%，可高效提高地热井的采热效率。

3）使用同轴取换热空气介质双层保温管柱，可100%真正实现"取热不取水"的清洁取热模式，解决目前常规开发模式中的尾水排放难题。

4）使用同轴取换热空气介质双层保温管柱，既满足了工程开发的能源采收率需求，又兼顾了工程开发的投资降本增效要求，一旦投入现场应用并持续推广，可助力我国中深层地热资源经济高效开采。

参考文献

[1] 张科明，王智作，孙建华，周正新，钱山红. BLD系列地热井用高效保温钢管的研制与应用[J]. 钻探工程，2021，48(11)：56-64.

[2] 张怡然. 地热井完井管柱设计研究[D]. 西南石油大学，2019. DOI:10.27420/d.cnki.gxsyc.2019.001049.

[3] 李寿臣. 2000m地热井用套管的研制[J]. 探矿工程(岩土钻掘工程)，2014，41(06)：59-62.

[4] 王东岩. 稠油冷采井筒保温结构研究[D]. 东北石油大学，2021. DOI：10. 26995/d. cnki. gdqsc. 2021.000078.

[5] 宋玉良，赵海超，丁鹏飞，郭彪. 气凝胶隔热油管在热采井中的应用与研究[J]. 中国石油和化工标准与质量，2021，41(14)：148-149+153.

[6] 张兴华. 稠油油藏地层测试保温管技术[J]. 中国海上油气，2007(04)：269-271.

[7] 郭茜. 复合隔热内衬油管技术研究与应用[D]. 西南石油大学，2017.

[8] 孙成利. 稠油深度开发配套隔热油管研制及应用[D]. 东北石油大学，2014.

[9] 王淮，吕国良. 预制保温管行业现状及前景分析[J]. 区域供热，2011(06)：22-34+57. DOI：10.16641/j.cnki.cn11-3241/tk.2011.06.006.

[10] 严志强，余江林. 煤矿井下用保温管的研制[J]. 煤矿机械，2007(06)：133-135. DOI：10.13436/j.mkjx.2007.06.059.

[11] 孟凡东. 钢套钢直埋保温管的应用[J]. 区域供热，2006(06)：27-30+41. DOI:10.16641/j.cnki.cn11-3241/tk.2006.06.007.

[12] 罗光强，周策，刘一民，韩锐. 耐高温高压复合保温管研究[J]. 探矿工程(岩土钻掘工程)，2018，45(08)：15-18.

[13] 王育伟. 煤矿大口径保温井保温套管结构设计及下套管技术[J]. 内蒙古煤炭经济，2013(08)：116-117.

[14] 郑其俊. 经济型高温直埋保温管的设计研究[C]//. 2005年绝热隔音材料轻质建筑板材新技术新产品论文集. [出版者不详]，2005：53-58.

[15] 刘明鑫. 高温地热井套管失效分析研究[D]. 中国石油大学(北京)，2018. DOI：10.27643/d.cnki.gsybu.2018.001092.

[16] 张俊兵. 镀锌螺旋钢板外护保温管分析研究[J]. 山西建筑，2018，44(07)：118-119. DOI：10.13719/j.cnki.cn14-1279/tu.2018.07.065.

[17] 冯国会，刘博智，夏成文，刘光磊. PP-R热水直埋保温管道保温性能检测与评价[J]. 沈阳建筑大学学报(自然科学版)，2010，26(04)：749-755.

[18] 那威，邹平华，胡宝娣. 钢外护管高温蒸汽真空保温管道热力计算分析[J]. 哈尔滨工业大学学报，2007(04)：604-608.

[19] 王波. 高温高压完井管柱力学分析及安全评价[D]. 西南石油大学，2014.

[20] 朱明，段友智，姚凯，岳慧，姚志良. 基于温度场模型的地热井完井管柱结构优化[J]. 科学技术与工程，2015，15(22)：29-32+52.

[21] 张伟，刘志龙，万芬，辛野，于晓涛，吴婷. 渤海稠油热采隔热管优选和注氮工艺优化[J]. 海洋石油，2020，40(04)：25-30.

[22] 王忠华. 隔热油管传热及影响因素研究[D]. 大庆石油学院，2009.

速度径向变化在煤层可压性及压裂效果评价中的应用

钱玉萍[1]　王文文[2]

（1. 中海油田服务股份有限公司；2. 中联煤层气有限责任公司）

摘　要　煤层的开发均需要进行压裂，所以对煤层可压性和压裂效果的评价就变得很重要。本文在单极子波形正演模拟及波速径向变化计算的基础上，针对煤层，应用弹性波速径向变化来评价煤储层的可压性及压裂改造效果。煤层应用实例显示：速度剖面在评价煤层压裂效果方面与传统的各向异性方法相比较体现了独有的优势，当传统的各向异性方法评价压裂效果失效时，应用速度剖面仍然可以很好地评价煤层的压裂效果；煤层压裂效果的好坏与压前速度剖面反映的可压性有较好的一致性。

关键词　可压性；压裂效果；弹性波速径向变化；煤层

对于岩石脆性的评价，主要有3中方法。一种是利用岩石中脆性矿物含量占总矿物含量的百分比来表示岩石的脆性（Perez et al.，2014；刘绪纲等，2005）。一种是是采用杨氏模量和泊松比计算得到，是测井上最常用的计算脆性的方法（Rickman et al.，2008；Hu et al.，2015）。还有一种是采用应力应变曲线，它反映的是岩石变形破坏过程的特征，是室内脆性评价的重要方法。对于岩石可压性的评价，许多学者也作了一些工作，主要从岩石的脆性指数、断裂韧性、岩石力学特性3个方面开展研究（袁俊亮等，2013；孙建孟等，2015）。唐晓明提出利用钻井过程导致的井壁附近岩石波速变化来综合评估岩石脆裂性的方法（唐晓明等，2016）。

对于压裂效果的评价，主要的测井方法包括井温测量方法、同位素测井方法和注硼中子寿命检测方法，但这些评价地层压裂效果的方法总体上可靠性和实用性较差（丁小磊，2016；张国栋等，2016）。声波各向异性在套管井中的应用已证实是一种评价压裂效果和确定压裂裂缝特征的有效方法，该方法直观准确（丁小磊，2016），但是该方法有其适用性，也存在很多局限性，会受压裂缝网形态（Su et al.，2017）、地层相对于井眼的角度等影响，且手段单一，无法精细刻画压裂对井壁附近地层的改造作用，已经不能满足非常规储层压裂效果评价的需求。鉴于这种现状，需寻求新的评价压裂的方法。

煤储层具有致密、低压、非均质性强等特征，因此压裂增产成为了有效开发煤层气的关键环节。压裂检测效果评价对于优化压裂至关重要。然而，现有煤层气压裂检测面临手段单一、检测精度低等问题，造成煤层压裂认识不清，所以，研究新型煤层压裂检测技术有着重要的意义。同时，相对于其他岩石来说，煤层具有其特殊性，煤岩质地较软，且煤岩是具有双重孔隙介质的岩石，既有微孔隙，又发育大量微裂隙，煤岩质地软增加了压裂的难度，而微裂隙的发育又使得裂缝起裂及扩展更加容易。所以对于煤层可压性的评价需要综合考虑煤岩基质、微裂隙的发育等多种因素。所以，对于煤储层可压性的评价也至关重要。

在钻井过程中，钻井会造成井壁岩石破碎，产生微裂缝，从而引起声速径向变化。工程压裂使井壁周围岩石破碎，也会产生大量的裂缝，引起岩石弹性波速下降，造成声速径向变化。本文就是基于纵波速度的径向变化分析钻井造成的井壁附近煤储层的机械破损情况，从而分析煤储层的可压性，通过对比压裂改造前、后的纵波速度径向变化情况评价煤储层的压裂改造效果。

1　速度径向变化成像的理论基础

由于井壁钻井破损、井孔应力集中等因素造成井孔附近的径向速度发生变化，为模拟这种变化，假设地层参数变化是单调的，即从井壁向地层内单调增加。如图1为径向速度变化地层模型，径向模型设置了浅部、中部和深部三种不同地层弹性性质的变化带，距离井筒最远处为原状地层，参数设置如表1所示。

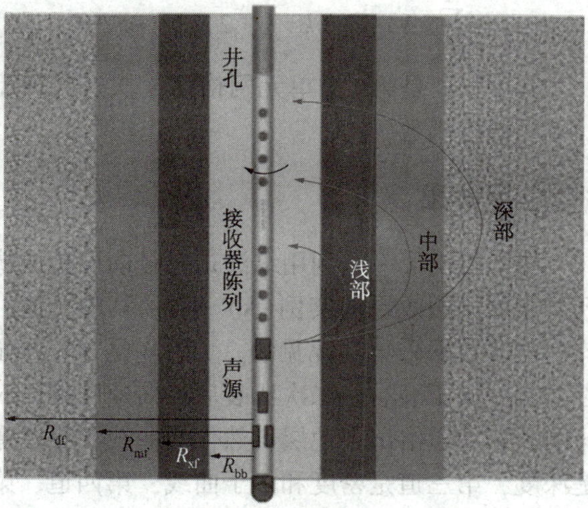

图1　径向速度变化地层模型及声波射线路径示意图

表1　相关弹性参数设置

	纵波速度/(m/s)	横波速度/(m/s)	密度/(g/cm³)	外径/m
井眼流体	1500	——	1.00	0.20
浅部	2400	1200	1.80	0.40
中部	2700	1400	2.00	0.80
深部	3000	1800	2.20	1.60
外部	3500	2100	2.40	∞

图2给出了对应上述模型下井孔中不同源距处接收到的全波波形，黑线是均匀介质条件下井孔全波波形，绿色直线标出了对应的均匀介质首波到时。红线为速度变化模型条件下，井孔中所接收到的全波波形，源距范围为1.0~5.05m。可以看出：整个源距范围内存在三个不同斜率的首波到时，随着源距增加，斜率逐渐增加，即速度逐渐增大；均匀地层的波形到时滞后径向速度变化地层的到时。据此，可以初步认识到：全波中包含了地层径向速度变化的信息，径向速度变化会影响接收阵列的走时。

为了进一步认识径向变化地层条件下，不同源距时对应的地层速度变化情况。绘制了不同源距下的纵波速度变化关系图，如图3所示。图中绿色线条为均匀地层条件下的地层纵波速度为2400m/s，绿色点线为计算模型预设的地层纵波速度值(表1)，红点蓝线为通过波形计算得到的地层纵波速度，可以看出，从全波波形中得到的纵波速度和正演计算中设置的纵波速度基本一致，提取的纵波速度很好地反应出地层的径向变化，进一步证明全波中记录了地层径向速度扰动变化的信息。

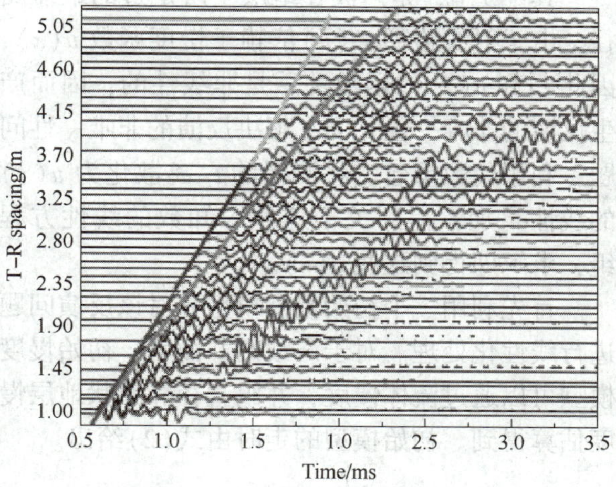

图2　井孔接收到波形图

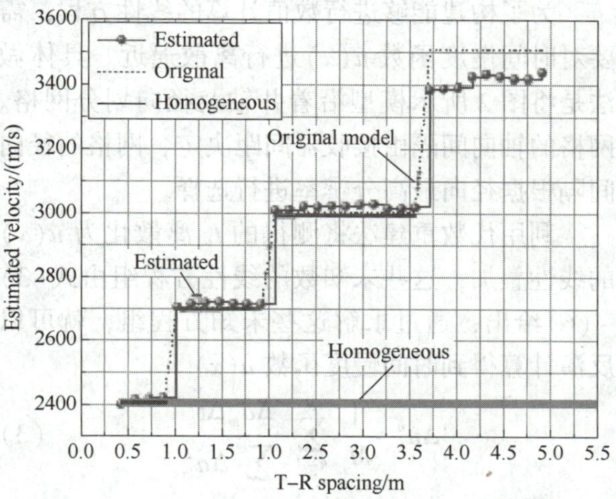

图3　不同源距下的源距–速度关系图

根据上述分析可知，声波在径向速度变化的地层中传播，地层径向速度变化使得不同接收器接收的声波的径向穿透深度有所不同，见图1中初至波的射线路径。这种情况下，由接收器阵列测到的声波速度具有不确定性，这与速度的径向变化程度以及源到接收器的距离有关。既然不同射线可以感受到地层不同径向深度上的速度，那么波的走时就含有地层速度变化的信息，从而可以用来确定地层速度的径向变化。

2　纵波径向速度剖面计算方法

采用B. E. Hornby提出的射线追踪法建立纵波径向速度剖面(Hornby，1993)。Hornby假设井壁附近地层的慢度在井的轴向和径向都有变化，用$x=(x_r, x_z)$来表征图1中模型中任一点的径向和轴向位置，$u(x)$表示未知的慢度函数，声波沿任一射线路径的走时t_k由下式(1)的慢度积分表示

$$t_k=\int_{T_k(u)} u(x)ds \tag{1}$$

其中 $T_k(u)$ 是声波在地层中所走过的最短路径。由于射线路径 $T_k(u)$ 依赖于慢度函数 $u(x)$，因此 t_k 和 $u(x)$ 的函数关系是非线性的，因而产生反演的非唯一性。为了解决反演的非唯一性问题，利用代数重建法将测得的 t_k 离散化为 $u(x)$ 的线性叠加，得到关于这些未知数的线性方程组，求解即得到这些 $u(x)$。

首先利用一个初始慢度模型 $\bar{u}$ 对该反演问题进行线性化处理。对于声波测井而言，初始慢度模型可以通过流体慢度，井眼直径和原状地层慢度估算得到。初始模型的走时由式(2)给出。

$$\bar{t_k}\approx\int_{T_k(\bar{u})} \bar{u}(x)ds \tag{2}$$

为了构建能够进行数值计算的线性方程，需要对时间慢度函数 $u(x)$ 进行离散逼近。具体做法是将图 2 所示模型沿着井轴及径向划分网格。网格的轴向间隔由接收器间距决定，网格的径向间隔根据径向最高分辨率进行选择。

利用代数重建法将测得的 t_k 离散化为 $u(x)$ 的线性叠加，这些未知数的线性方程组由式(3)~(6)给出，通过求解这些未知方程组，就可以反演计算得到时间慢度函数 $u(x)$。

$$\Delta u_j^n=\frac{1}{M_j}\sum_{k=1}^{K}\frac{\Delta a_{kj}\Delta t_k^n}{\sum_j \Delta a_{kj}^2} \tag{3}$$

$$u_j^{n+1}=u_j^n+\Delta u_j^n \tag{4}$$

其中，n 是迭代次数；j 是第 j 个单元网格；K 是所有的射线条数；u_j^n 是第 j 个单元网格第 n 次迭代的慢度函数；Δu_j^n 是单元网格慢度函数 u_j^n 的修正；M_j 是通过第 j 个单元网格的射线条数；Δa_{kj} 是射线 k 穿透第 j 个单元网格的深度；残差值 Δt_k^n 是实测走时与计算走时之差，见公式(5)。

$$\Delta t_k^n=t_k-\bar{t}_k^n=\sum_{j=1}^{J}\Delta a_{kj}\Delta u_j^n \quad k=1,2,\cdots,K \tag{5}$$

其中，J 是射线 k 穿过的所有单元网格的个数；t_k 是实测走时；$\bar{t}_k^n$ 是第 n 次迭代模型的计算走时，具体计算见公式(6)。

$$\bar{t}_k^n=\sum_{j=1}^{J}\Delta a_{kj}\bar{u}_j^n \quad k=1,2,3,\cdots,K \tag{6}$$

其中，$\bar{u}_j^n$ 是第 j 个单元网格第 n 次迭代模型的平均慢度函数。

3　应用效果

图 4 给出了一个利用纵波走时径向层析成像评价煤层压裂效果的实例(XY 井)，其中，该井阵列声波数据采集情况见表 2。图 4 是 XY 井压裂前、一次压裂后、二次压裂后径向速度剖面对比图，第一道给出了地层自然伽马曲线，第二道是深度，第三道是密度和中子曲线，第四道、第五道、第六道分别给出了压裂前、一次压后(压裂 15#)、二次压后(压裂 3#、9#煤层)的径向速度变化剖面，其中径向速度剖面图中，色标变化从 0 到 15，表示相对速度变化量从 0% 到 15%，图中-2 到 2 表示距离井壁 2 米范围内进行速度成像。图中还标注了 3#、9#、15#煤层的深度位置。

从图 4 中，首先可以看出，对于非压裂段，第四道、第五道、第六道中均体现了很好的重复性；对于压裂段：3#、15#煤层压前、压后径向速度剖面变化明显，压裂效果较好，压裂方向往煤层径向深处延伸；9#煤层压前、压后径向速度剖面基本不发生变化，认为 9#煤层压裂效果较差，分析可能是由于煤层厚度较薄导致；从第四道，即压前速度剖面，相较于 9#煤层的径向速度变化量，可以看出 3#、15#煤层的径向速度变化量更加明显，由于压前速度剖面反映了地层岩石受钻井的破坏程度，破坏程度的强弱(即相对速度变化的大小)间接反映了岩石的脆性大小，所以从压前速度剖面可以看出，与 9#煤层对比，3#、15#煤层的脆性更好，更易于压裂，这一点与压裂前、后速度剖面显示的压裂效果也是相符的。

表 2　XY 井阵列声波测井情况

测井日期	测井井段/米	井眼状况	压裂煤层及射孔段	测井仪器	处理井段/米
201X. 12. 9	887~1237	套管井，压裂前	—	EXDT71	900~1236
201X. 12. 18	1046~1238	套管井，压裂后	15#煤层：1180. 4~1183. 8m	EXDT61	1047~1238
201X. 12. 28	869~1180	套管井、压裂后	15#煤层：1180. 4~1183. 8m 9#煤层：1089. 3~1090. 5m 3#煤层：1054. 5~1057. 5m	EXDT71	873~1175

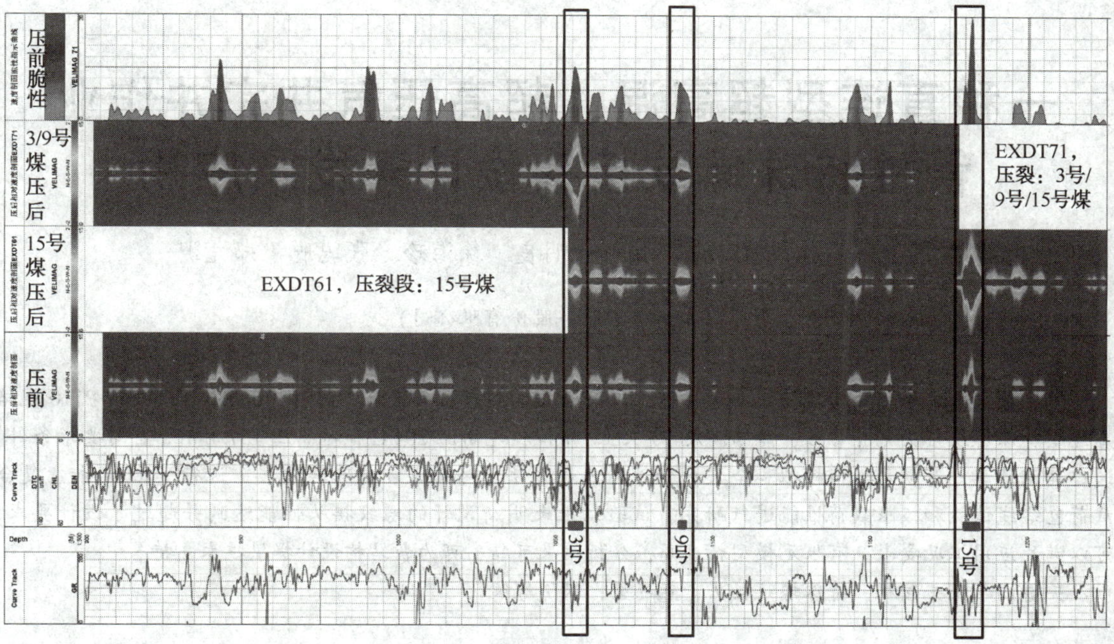

图4　XY井压裂前、一次压裂后、二次压裂后径向速度剖面对比图

4　结论

（1）受钻井、工程压裂等影响，井壁附近的地层弹性波速度与远离井壁处的原状地层的速度相比有较大的变化，应用纵波走时可以对井壁附近的径向速度变化进行层析成像，从而可以用来确定钻井及工程压裂在地层中造成的破损范围的大小进而预测岩石脆性以及评价压裂效果等。

（2）通过对比SY-C1井煤层压裂前、后的径向速度剖面，证实了利用纵波走时层析成像技术评价煤层压裂效果的可能性。

（3）通过观察SY-C1井煤层的压前速度剖面，与9#煤层对比，3#、15#煤层的径向速度变化量更加明显，3#、15#煤层的脆性更好，更易于压裂。脆裂性好的岩石在钻井时易产生微裂缝，造成声速径向变化，可以用纵波走时层析成像技术来确定这种变化，从而反映岩石在钻井过程中所体现的脆性，可以为致密储层的压裂、射孔施工设计提供指导意见。

参　考　文　献

[1] PEREZ A R, MARFURT K. 2014. Mineralogy-based brittleness predictionfrom surface seismic data: Application to the Barnett Shale[J]. Interpretation, 2(4): T255-T271.

[2] 刘绪纲，孙建孟，郭云峰. 2005. 元素俘获谱测井在储层综合评价中的应用[J]. 测井技术，29(3): 236-239.

[3] RICKMAN R, MULLEN M, PETER E, et al. 2008. A practical use of shale petrophysics for stimulation design optimization: All shale plays are not clones of the Barnett Shale[R]. SPE 115258-MS.

[4] HU Y, WU K L, CHEN ZH X, et al. 2015. New models of brittleness index for shale gas reservoirs: Weights of brittle minerals and rock mechanics parameters [R]. SPE 177010.

[5] 袁俊亮，邓金根，张定宇，等. 2013. 页岩气储层可裂性评价技术[J]. 石油学报，34(3): 523-527.

[6] 孙建孟，韩志磊，秦瑞宝，等. 2015. 致密气储集层可压裂性测井评价方法[J]. 石油学报，36(1): 74-80.

[7] 唐晓明，许松，庄春喜，等. 2016. 基于弹性波速径向变化的岩石脆裂性定量评价[J]. 石油勘探与开发，43(3): 417-424.

[8] 丁小磊. 2016. 地层各向异性分析与压裂效果评价[D]，长江大学.

[9] 张国栋，庄春喜，黑创. 2016. 东海西湖凹陷探井储层压后缝高评价新方法[J]，石油钻探技术，44(5): 122-126.

[10] YuanDa Su, Zhen Li, Song Xu, ChunXi Zhuang, XiaoMing Tang. 2017. Elastic Wave Evaluation of Downhole Hydraulic Fracturing: Modeling and Field Applications[J]. Geophysics, 58(12): 1256-1270.

[11] Hornby B E. 1993. Tomographic reconstruction of near-borehole slowness using refracted borehole sonic arrivals [J]. Geophysics, 58(12): 1726-1738.

一种直连型超高温、超高压气井完井作业管柱特殊螺纹接头设计开发及应用

杨立军　徐凤祥　张　伦　古明良　徐海珍　张聪聪　郑九洲

（中海油田服务股份有限公司）

摘　要　本文根据油田现场完井管柱作业工况的技术要求，新设计一种Φ146.05×16.68mm P110规格直连型特殊螺纹接头完井管柱，能够满足10次上/卸扣和超高温204℃和超高压137.8MPa密封要求条件。通过理论计算、有限元数值模拟和全尺评价试验三种方法，对新设计特殊螺纹接头进行了上/卸扣、复合载荷包络线试验和极限载荷性能进行研究，试验结果表明新设计的螺纹接头性能达到并超过了设计要求，可以满足应用工况要求。有限元模型精度高，分析结果可靠，可为新结构设计提供技术支持。

关键词　完井管柱；特殊螺纹接头；直连型；双阶螺纹

1　引言

直连型特殊螺纹接头是一种不带接箍油井管螺纹接头连接形式，通常在管体一端加工外螺纹而另一端加工内螺纹，作业管柱串通过内、外螺纹接头拧接配合后形成几千米的高压密封管柱。同下井深度的直连型螺纹接头管柱比接箍式螺纹接头能减少一半螺纹拧接配合数量，因此能大大降低管柱螺纹接头处的泄漏概率。直连型螺纹接头管柱与API SPEC 5B标准中接箍式油井管螺纹接头相比，在较小的环空空间特殊工况应用中具有很多优势，例如在修井或者完井作业中作业管柱需要在特定的技术套管中进行特殊工况作业，因此作业管柱或者完井工具的外径尺寸受到技术套管内径限制，而完井管柱的内径又要满足后续作业工具尺寸要求，同时需要满足作业管柱的高抗拉伸和高压气密封性能要求。因此不带接箍的直连型作业管柱具有外径尺寸小、下放摩阻小易通过的优势，在小井眼或小环空中应用具有明显优势。

2　螺纹接头结构设计

2.1　整体结构设计

直连型螺纹接头的种类很多，但根据螺纹接头和管体尺寸分类可以分为管端加厚型（外加厚、内加厚或者内外加厚）和完全齐平、半齐平（内螺纹端扩径）结构。根据完井作业管柱下入技术套管尺寸限制和下井摩阻小要求，选择双阶直连型螺纹结构形式，螺纹接头上扣后内径和外径完全齐平，螺纹采用双阶同时上扣/卸扣速度快，密封结构采用双级密封双扭矩台肩结构，结构示意图见图1所示。完全齐平结构是内、外螺纹接头直接在平端管体上加工螺纹，上扣配合后管柱的外壁和内部完全齐平无台肩，管柱的螺纹接头和管体的内、外径尺寸完全相同，下井和作业时，流体摩阻较小，适用于小井眼环空尺寸的井况中。

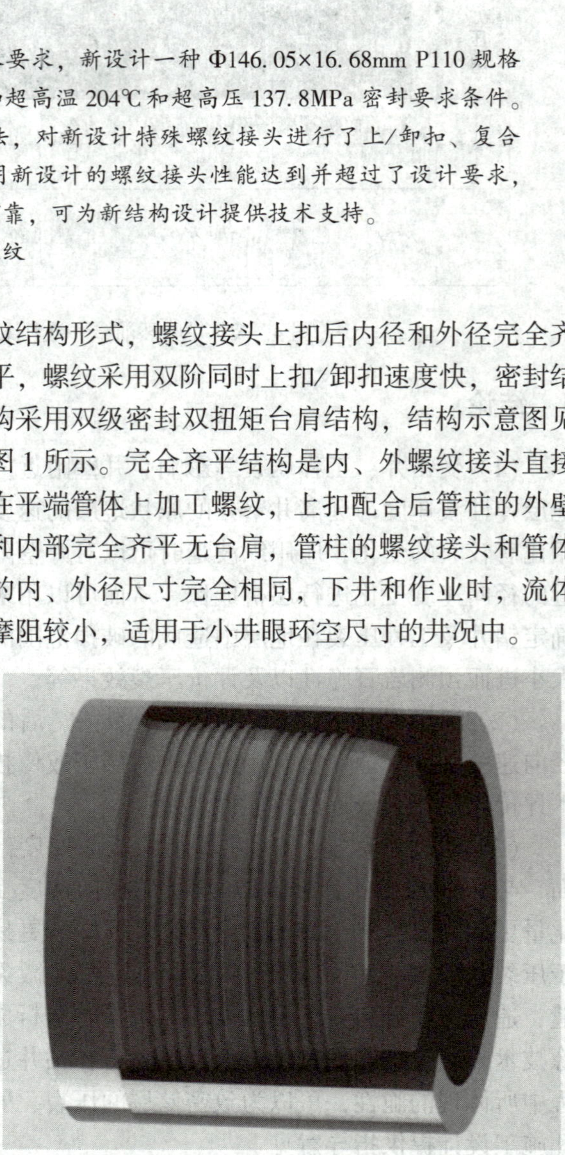

图1　螺纹接头结构示意图

2.1.1　螺纹牙型设计

螺纹牙型采用偏梯形螺纹设计，螺纹螺距为4.233mm（6牙/in），齿高为1.3mm，螺纹的齿顶和齿底平行于轴线，螺纹导向面角度+20°，承载面角度+8°，螺纹配合图如图1所示。

2.1.2　密封结构设计

为了满足完井管柱的超高压气密性能要求，

采用多重金属-金属密封结构设计，螺纹接头的端部、尾端都采用双重的金属-金属密封结构，具有密封性能更高、密封可靠性更高等优点。端部的内密封结构采用锥面-锥面金属密封结构，锥面与螺纹轴向夹角为14°~15°，能够主要封堵管柱内部气体介质。螺纹接头尾部也采用锥面-锥面金属密封结构，能有效封堵管柱外部流体介质，同时能够有效提高管柱内密封的可靠性。根据螺纹接头结构尺寸，优化后尾部的锥面与螺纹轴向夹角为25°~30°。采用双重的密封结构，对于管柱内部和外部的流体介质的封堵密封性能大大提高。

2.1.3　扭矩台肩结构设计

螺纹接头采用双扭矩台肩结构设计，端部的外台肩采用90°直角台肩，尾部采用-15°副台肩。端部直角台肩主要分担大部分上扣扭矩，尾部副扭矩台肩能够承担过载扭矩和抗压缩性能。螺纹接头尾部采用负15°角度台肩设计，抗弯曲性能更好，弯曲后内、外密封面不易分离。螺纹接头端部和尾部双扭矩台肩设计，能够提高螺纹接头抗扭和抗压缩性能，同时保护密封面过扭或过压破坏。螺纹接头的结构剖面图示意图见图2。

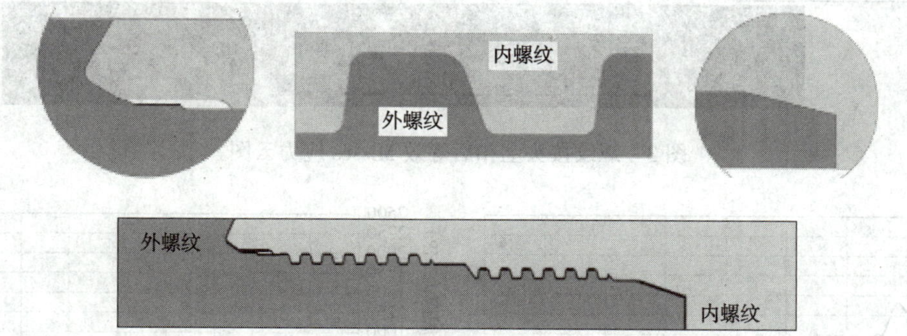

图2　螺纹接头剖面示意图

3　螺纹接头性能研究

3.1　有限元数值模拟计算

为了更准确分析螺纹接头在复杂工况服役条件下的应力分布及密封性，本文采用有限元数值模拟的方法对上/卸扣、复合载荷包络线工况和极限载荷工况应力进行分析，为螺纹接头设计提供依据。

3.1.1　计算模型

根据螺纹接头的尺寸建立模型，对模型进行了网格划分，全局网格密度1mm，螺纹齿形网格密度0.3mm，密封面网格密度0.1mm。管体材料选用P110材质，参考真实P110材料性能曲线，输入有限元计算软件进行计算。P110性能参数如下：弹性模量206GPa，泊松比0.3，热膨胀系数1.2e-5/℃。

3.1.2　分析工况

按照双阶气密封螺纹接头应用工况，分别对上/卸扣和复合载荷包络线工况（按照ISO 13679标准中A系、B系、C系）、极限载荷拉伸至失效情况工况载荷点分析。螺纹接头连接效率按照52.25%计算，内压/外压效率按照管体100%，弯曲狗腿度20°/30m

3.1.3　分析结果

（1）上/卸扣工况模拟分析

螺纹接头最大上扣扭矩8000N·m的等效应力云图如图3所示，螺纹接头两端密封部位等效应力较大，螺纹部位应力很低。外螺纹接头前端主密封面部位最大等效Misses应力为768MPa，螺纹接头尾部副密封面最大等效应力内螺纹密封部位为682MPa，与材料屈服强度值接近，在材料弹性范围能抗粘扣性能好。螺纹接头前端部的主密封面最大接触应力为1950MPa，尾部的最大接触应力为1400MPa，最大接触压力用来衡量密封面抵御最大泄漏压力的能力，也表征密封接触的最大压力，密封面接触压力分布曲线如图4所示。

（2）复合载荷包络线工况模拟分析：

（a）拉伸/压缩+内压/外压工况（A系）试验

载荷包络线A系试验工况是常温条件下，对螺纹接头在拉伸/压缩+内压/外压复合工况下95%VME载荷工况10a95~27a95的28个工况载荷点进行分析，典型工况下等效应力云图如图5所示。其中13a95为载荷包络线的第1象限拉伸加内压的95%VME复合载荷工况点，17a95为载荷包络线的第2象限压缩加内压95%VME复合载荷工况点，22a95 为载荷包络线的第 3 象限压缩加外压 95% VME 复合载荷工况点，26a95 为载荷包络线的第 4 象限拉伸加外压 95% VME 复合载荷工况点。在 A 系载荷包络线的 4 个象限的 95% VME 等效复合载荷下，螺纹接头的前端主密封和后端副密封都具有较高的 Misses 应力但均低于材料的塑性应力，因此具有较好的密封性能。

图 3　螺纹接头上扣后等效 Misses 应力云图

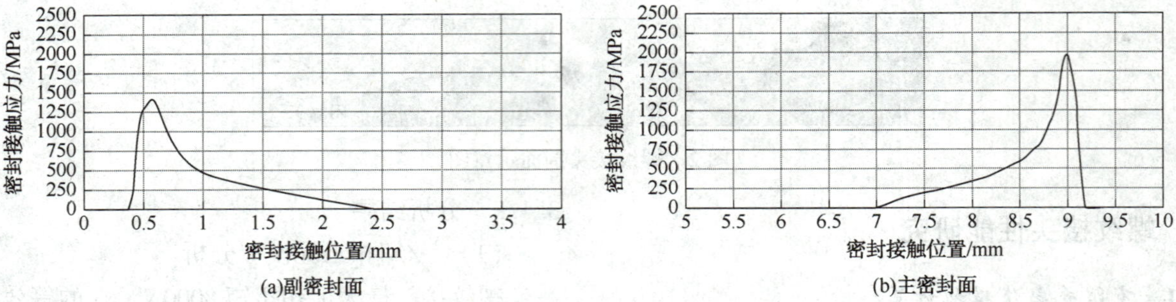

图 4　螺纹接头上扣后密封面接触压力分布曲线

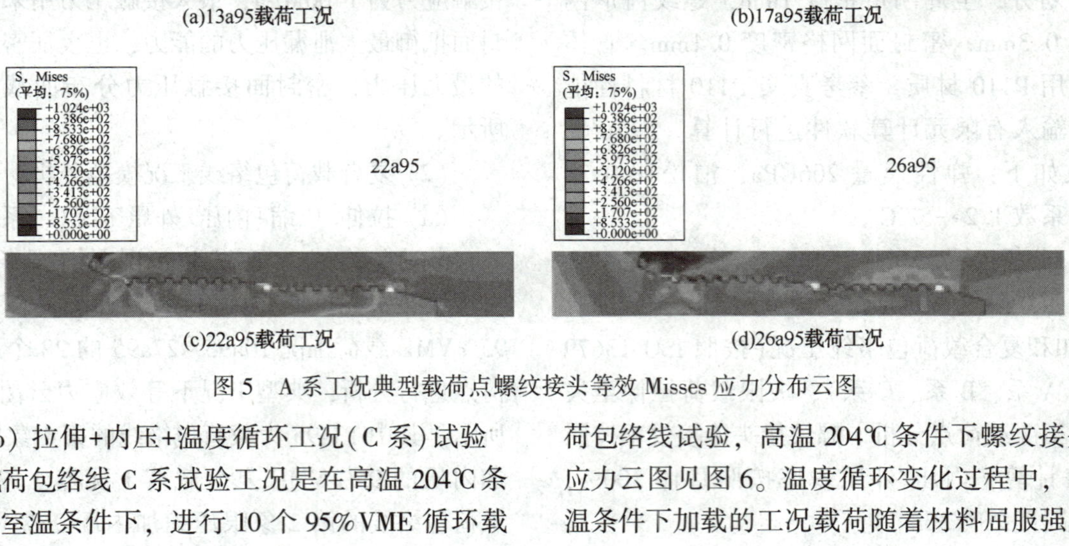

图 5　A 系工况典型载荷点螺纹接头等效 Misses 应力分布云图

（b）拉伸+内压+温度循环工况（C 系）试验

载荷包络线 C 系试验工况是在高温 204℃条件下和室温条件下，进行 10 个 95% VME 循环载荷包络线试验，高温 204℃条件下螺纹接头等效应力云图见图 6。温度循环变化过程中，由于高温条件下加载的工况载荷随着材料屈服强度下降而降低，因此螺纹接头应力变化不大。外螺纹第二阶螺纹部位的应力和尾部副密封面部位最大等效Misses应力为733MPa，接近材料屈服强度758MPa。

室温条件拉伸+内压条件下循环工况应力：C系室温条件下进行10个循环的95%VME载荷包络线试验，螺纹接头等效应力云图见图7。载荷点14a95MC1～14a95MC10在室温条件下进行的拉伸+内压复合载荷，保持内压和温度载荷不变进行拉伸和无拉伸载荷动载变化10个循环试验。每个机械循环变化过程中，螺纹接下头应力变化基本维持不变。

(c) 极限载荷工况模拟分析：

为了验证本文中螺纹接头抗拉伸极限承载能力，对接头整体施加了极限拉伸载荷，经过分析计算接头最大极限拉伸失效为载荷3525kN，失效部位为外螺纹管体收尾部位。管体名义屈服拉伸载荷为5137kN，螺纹接头设计名义连接载荷2684kN，极限失效载荷满足设计开发要求，极限拉伸至失效时螺纹接头的Misses等效应力云图如下图8所示。

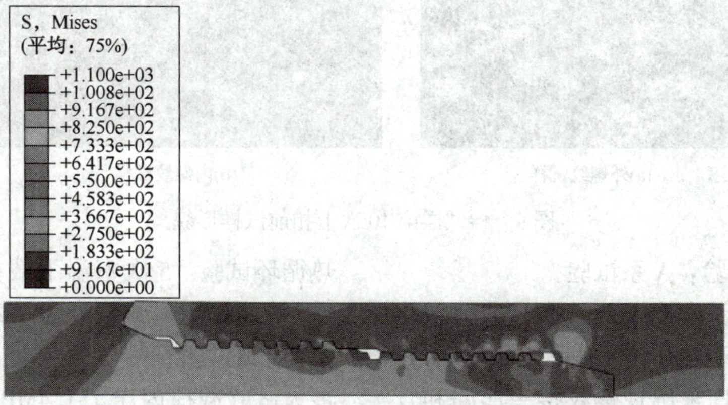

图6　C系高温工况典型载荷点螺纹接头等效Misses应力分布云图

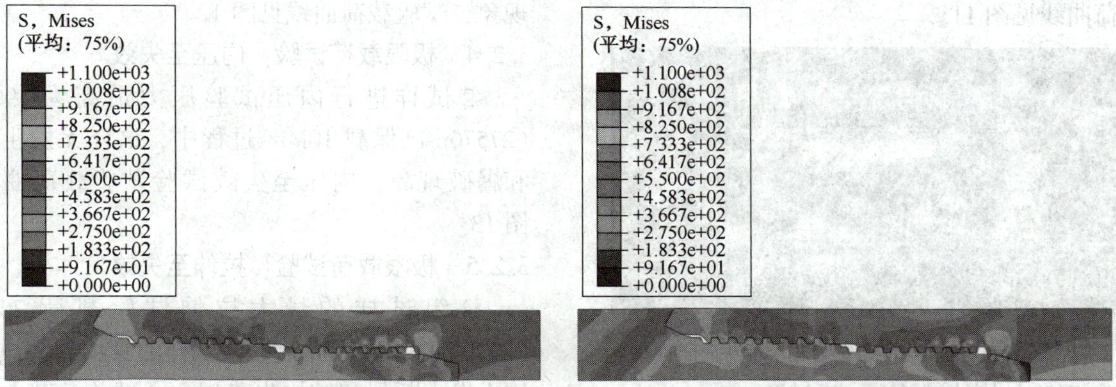

(a)常温条件14e95载荷工况　(b)高温30a95载荷工况

图7　C系工况典型载荷点螺纹接头等效Misses应力分布云图

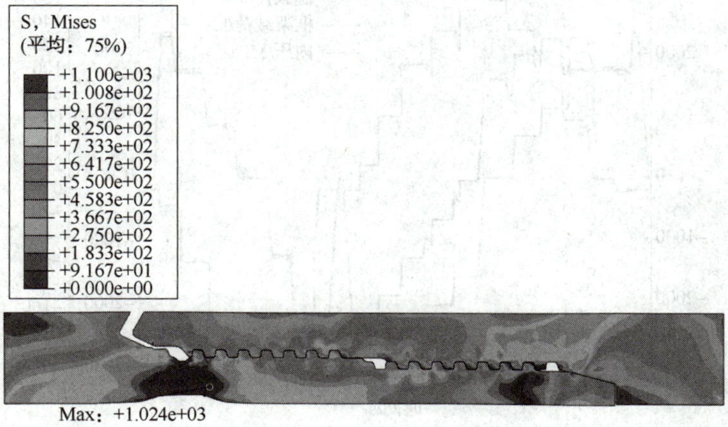

图8　螺纹接头极限拉伸失效等效应力云图

3.2　全尺寸评价试验

3.2.1　上/卸扣试验

2组评价试样按照最大上扣扭矩分别进行了10次抗粘扣上/卸扣试验，最大上扣扭矩8000N·m，试验过程中螺纹和密封面部位均未发生任何粘扣现象，第10次上扣前试样形貌如图9所示。

图9　1#试样第10次上扣前试样形貌

3.2.2　载荷包络线试验：A系试验

2组试样分别进行了常温95%VME载荷包络线试验，试验最大内压压力160.8MPa(23337psi)，试验加载过程中均未均未出现螺纹接头泄漏和管体结构失稳现象，试验过程照片如图10所示，试验载荷曲线见图11。

图10　常温下A系载荷包络线试验过程照片

3.2.3　载荷包络线试验：C系试验

2组试样分别进行C系拉伸和内压条件下的热循环试验：5次室温下载荷循环、5次压力/拉伸下的热循环、5次高温下载荷循环、5次压力/拉伸下的热循环、5次室温下载荷循环；室温下最大试验载荷内压151.4MPa(21975psi)，试验过程中螺纹接头均未出现泄漏现象和管体结构失稳现象，试验载荷曲线见图12。

3.2.4　极限载荷试验：内压至失效

2试样进行内压试验压力最高为190MPa(27576psi)保载10Min过程中，试样无发生泄漏和爆破现象。内压至失效试验试验载荷曲线见图13。

3.2.5　极限载荷试验：拉伸至失效

2组试样的最大拉伸试验载荷2672kN(601kip)保载5Min过程，试样的管体和螺纹接头均无发生断裂和结构失稳现象，试验载荷曲线见图14。

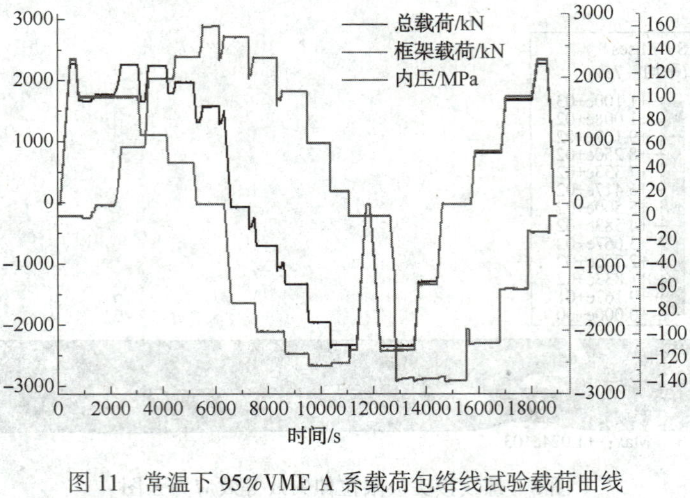

图11　常温下95%VME A系载荷包络线试验载荷曲线

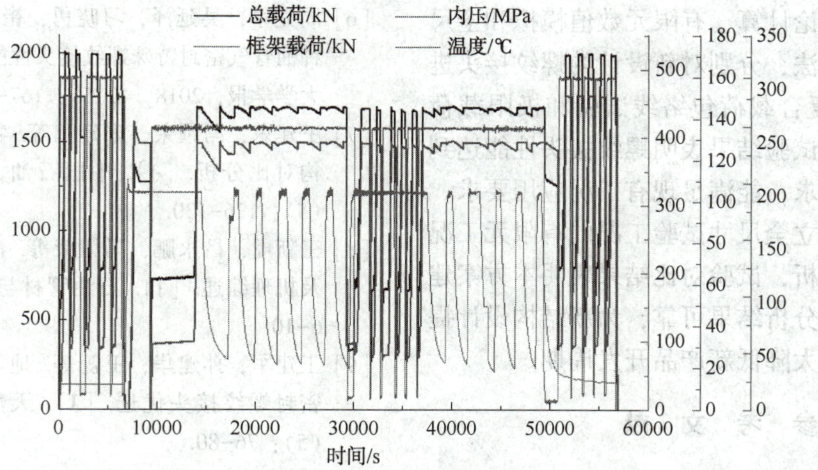

图 12　载荷包络线 C 系试验载荷曲线

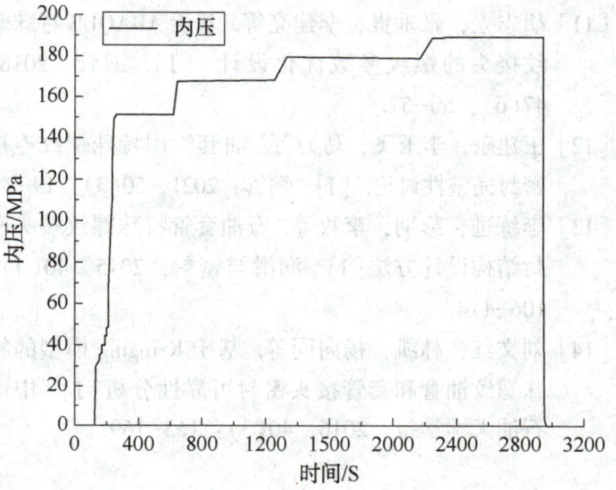

图 13　内压至失效试验载荷曲线

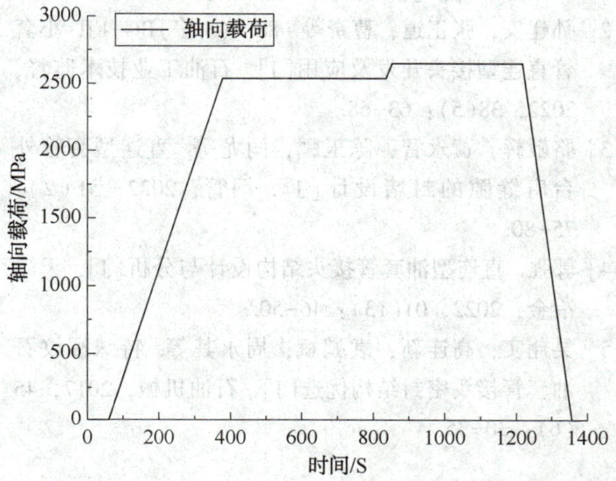

图 14　拉伸至失效试验载荷曲线

3.3　结果讨论

为了验证新设计 Φ146.05×16.68mm P110 特殊螺纹接头性能，本文采用了理论计算、有限元数值模拟计算和全尺寸实物评价试验方法进行研究，对比结果见表 1。有限元计算螺纹接头失效载荷为断裂失效值，而理论计算和全尺寸评价试验为接头名义屈服值(未失效)，试验验证理论螺纹接头设计的内屈服抗拉强度满足要求。螺纹接头的抗内压强度与管体相同为 151.6MPa，有限元模拟计算内压复合载荷下管体内壁屈服压力为 168MPa，全尺寸试验中内压最大试验值为 190MPa，螺纹接头密封压力大于理论设计值。螺纹接头的抗外压强度与管体相同为 153.3MPa，有限元模拟计算外压复合载荷下管体内壁屈服压力最大压力为 153.3MPa，全尺寸试验中最大试验值为压缩 2300kN 和外压 139.2MPa 复合载荷下无发生失效。

表 1　Φ146.05×16.68mm P110 理论计算性能与全尺寸试验结果对比

序号	名称	接头最小屈服强度/kN	抗内压强度/MPa	抗外压强度/MPa
1	理论计算值	2684	151.6	-153.3
2	有限元计算值	3525(断裂失效载荷)	168	-153.3
3	全尺寸试验	1653kN 拉伸+160.8MPa 内压		2300kN 压缩+139.2MPa 外压
		2684(最大试验载荷，无拉伸失效)	190(最大试验压力，无失效)	—

4　结论

(1) 根据现场应用工况技术要求新设计一种 Φ146.05×16.68mm P110 规格双阶圆柱螺纹金属-金属密封特殊螺纹接头完井管柱，能够满足超高温 204℃和超高压 137.8MPa(20000psi)工况条件。

（2）通过理论计算、有限元数值模拟和全尺试验评价试验方法，分别对新设计的螺纹接头进行了上/卸扣、复合载荷包络线试验和极限载荷性能进行研究，试验结果表明螺纹接头性能达到并超过了设计要求，能满足现有工况应用要求。

（3）通过建立全尺寸试验工况的有限元工况模型进行对比分析，试验对比结果表明本方案建立的有限元模型分析结果可靠，为新结构设计提供了支持，能大大降低新产品开发周期。

参 考 文 献

[1] 高建昌，高连新，邱吉等. CBFJ 直连型特殊螺纹接头设计分析[J]. 钢管，2018，47(1)：75-79.

[2] 孙建安，张正道，曹奇等. 88.9(3½″)BG-FJU 小套管直连型接头开发及应用[J]. 石油工业技术监督，2022，38(5)：63-68.

[3] 骆敬辉，黄永智，陈玉鹏，闫龙等. 直连型套管外台肩缝隙的封堵设计[J]. 钢管，2022，51(2)：75-80.

[4] 郭强. 直连型油套管接头结构设计与分析[J]. 天津冶金，2022，01(13)：46-50.

[5] 吴翔实，高连新，袁鹏斌，周永其等. 特殊螺纹石油套管接头密封结构优选[J]. 石油机械，2017，45(6)：30-35.

[6] 周先军，吴延泽，刁晓勇，崔光宇，尚庆军等. 两种油管气密封特殊螺纹接头性能仿真[J]. 中国石油大学学报，2018，42(5)：167-173.

[7] 王建东，冯耀荣，宋延鹏等. 特殊螺纹接头密封结构对比分析. [J]. 中国石油大学学报，2010，34(5)：126-130.

[8] 王新虎，吕永鹏，冯耀荣等. 油井管接头密封方式及机理综述. [J]. 石油管材与仪器，2020，6(1)：6-10.

[9] 王建军，孙建华，王蕊等. 地下储气库注采管柱气密封螺纹接头优选. [J]. 天然气工业，2017，37(5)：76-80.

[10] 周晓君，魏波等. 基于 ANSYS 的套管特殊螺纹接头密封结构设计. [J]. 焊管，2012，35(11)：25-29.

[11] 胡志立，张垂贵，李建亮等. 基于 ABAQUS 特殊螺纹接头的螺纹参数优化设计. [J]. 钢管，2018，47(6)：50-57.

[12] 王建东，李玉飞，马力等. 油套管用特殊螺纹连接密封完整性讨论. [J]. 钢管，2021，50(3)：19-24.

[13] 李练进，彭羽，李牧等. 石油套管特殊螺纹接头密封结构设计方法[J]. 润滑与密封，2015，40(4)：106-114.

[14] 刘文红，林凯，杨向同等. 基于 Kringing 模型的特殊螺纹油管和套管接头密封可靠性分析[J]. 中国石油大学学报，2016，40(3)：163-169.

封隔式分级注水泥器在塔里木盆地的应用研究

梁晓阳　王信鹏　秦金立　陈宇豪

（中石化石油工程技术研究院有限公司）

摘　要　为解决塔里木盆地由二叠系严重漏失导致的固井过程中长空段套管未封固技术难题，本文提出封隔式分级固井技术方案，研发了基于联作控制的封隔式分级注水泥器，针对封隔器与井眼适应性关键技术，分别进行了数值分析与试验验证，提出了一套不同井径扩大率下封隔能力的预测方法，为现场施工提供理论指导。封隔式分级注水泥器技术现场应用46井次，固井质量合格率提高40%，优良率提高25%，为塔里木盆地二叠系长裸眼固井漏失难题提供了技术解决方案，有效保障了井筒完整性。

为解决塔里木盆地二叠系漏失、固井质量难以保证的问题，开发了封隔式分级注水泥器。针对封隔器与井眼适应性问题，通过数值分析与试验验证，提出不同井径下封隔能力的预测方法，为现场施工提供指导。该技术应用170余井次，固井合格率提高约40%，优良率提高约25%，为漏失井长裸眼封固提供了技术解决方案，有效保障了井筒完整性。

关键词　二叠系漏失；分级注水泥器；封隔器；数值模拟；井眼扩大率

塔里木油田油气产量当量达到3080万吨，标志着我国在西部边陲建成一个年产3000万吨级的大油气田，成为我国第三大油气田。但是该油田勘探开发过程中，二叠系漏失严重，技术套管固井质量较差，严重影响井筒寿命。为提高技术套管封固质量，目前常采用分级固井或采用低密度水泥浆体系固井，但对于漏失严重的油井，漏层以上封固质量仍然无法保证。因此，本文进行了封隔式分级固井工艺研究，旨在彻底解决漏层以上环空封固质量问题。

1　塔里木盆地漏失井固井难点

塔里木盆地海相油气勘探潜力巨大，随着顺北44X井、顺北801X井等勘探开发，已成为增储上产、提速提效的主战场，但二叠系火山岩的漏失，成为钻井开发中主要技术难题。

二叠系裂缝发育、地层胶结差、承压能力低，地层孔隙压力为1.21~1.23g/cm^{3}左右，坍塌压力不好掌握，地层极易坍塌、掉块、漏失，稳定性差，平均埋藏深度4600~5600m左右，井段深度较深，易垮塌和漏失。目前，该区块技术套管固井作业中采用的是分级注水泥工艺，缩短一次注水泥施工时间，但对于漏失严重的井，因地层压力低，导致分级固井过程中也会出现大量漏失，甚至出现失返性漏失，二级固井过程中的水泥会继续向漏失层漏失。如顺北1-4H井分级固井施工过程累计漏失达905m^3，顺北5井漏失767.73m^3。因漏失量较大，距井口上千米套管无水泥封固，固井的质量难以保证，采取环空挤注水泥的方式进行补救，中间段仍会有很长的套管外无水泥，井筒完整性难以保证，费效比低，难以实现勘探开发提速提效。以西北油田分公司为例，近三年分级固井工艺共计26井次，其中二级失返及漏失的井是17口，占比达62%。

2　封隔式分级固井工艺

针对上述漏失井及产层需要保护的顶部注水泥工艺，可采用封隔漏失地层后二级固井工艺。管外封隔器和分级注水泥器是两种比较成熟的产品，结合使用会出现压差分级注水泥器提前打开、封隔器胀封不完全等问题，导致顶部注水泥固井失败，且会污染产层。

本文设计基于联作控制技术，开发了集封隔与分级注水泥功能于一体的固井工具，如图1所示。在一级固井后，通过打开塞，激发封隔器胀封及二级循环孔打开，实现即时的环空封隔。该工艺封隔器胀封隔离后，可降低一级水泥浆的液柱压力，瞬间减少一级漏失，避免二级固井过程中水泥浆向一级漏失层继续漏失，避免固井后再次挤注水泥的工序，大大降低了施工成本，可实现连续固井，节省作业时间。

图1　封隔式分级注水泥器结构示意图

该项新工艺成功实施的关键为封隔器组件的结构设计与封隔器对井下复杂井眼的适应性研究。

3　封隔式分级注水泥器关键技术

3.1　封隔器组件结构研究

封隔式分级注水泥器工具关键技术为封隔器的环空密封能力，为提高稳压期间压力的稳定性，分析胶筒的密封机理，对现有管外封隔器胶筒结构进行了优化设计升级。

如图2所示，封隔器胶筒由胶筒接头、内胶筒，外胶筒、支撑骨架等组成。胶筒工作时，充填介质在压力的作用下扩张胶筒，贴合井壁分隔下部漏失层或储层，承受上部水泥液柱压力。为此，设计胶筒要点：一是要保证胶筒的密封可靠性；二是要保证胶筒的高承压性。

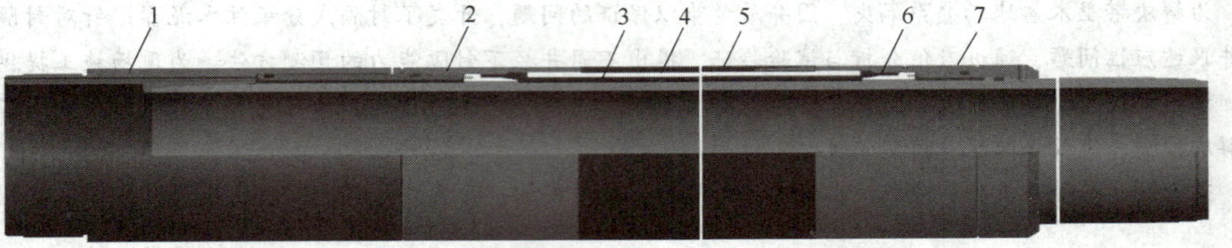

图2　封隔器单元结构示意图

1—注液接头；2—胶筒接头；3—内胶筒；4—钢带；5—外胶筒；6—护肩；7—胶筒接头

胶筒密封可靠性采取的解决方案为设计“三明治式”胶筒尺寸，设计内胶筒与胶筒接头内锁紧密封，优化外胶筒与骨架及胶筒接头粘结密封。

胶筒高承压性采取的解决方案为设置胶筒防护装置，防止骨架支撑过度折弯，密封失效；优化护肩结构，优选强度高，延展性好的材料，再通过有限元分析验证其安全可靠性。

封隔器胶筒经过优化后，在10%井眼扩大率模拟井筒内，环空封隔能力由21MPa提高为35MPa，可满足水泥浆与钻井液密度差0.6g/cm^3，下达深度5000m的施工条件。

3.2　封隔器环空适应性研究

封隔式分级注水泥器在井下工作环境复杂，井径大小受地层因素、现场钻井工艺等影响，会出现不同的井眼扩大率，而在地面测试不同井径下的极限封隔能力成本较高，且不易操作，为了解封隔器在不同井径下的密封能力，有效指导现场应用，本文通过数值模拟结合试验验证方式，探究胶筒坐封后的变形特点、胶筒与外层套管间的接触应力，对封隔器在0%～50%任意井眼扩大率下的封隔效果进行分析讨论，指导现场封隔式分级固井施工。

(1) 封隔器环空数值模拟研究

封隔器胶筒主要由内层胶筒、中间层钢带骨架(高弹性、高强度不锈钢带)、外层胶筒组成。考虑到钢带对封隔器胶筒起支撑作用，对胶筒膨胀变形行为影响较小，本文主要针对胶筒的膨胀变形进行分析，为简化计算，忽略钢带作用将内外胶筒合并建模，以Φ245mm规格封隔器胶筒为例，采用轴对称模型进行计算分析，其中外层井眼视为刚体不参与计算，胶筒下接头为固定约束，2MPa胀封压力均匀作用在胶筒内壁，如图3所示。

图3　胶筒受力示意图

封隔器胶筒主要材质为丁腈橡胶，其材质特性属于超弹性材料，通过连续介质力学的应变能函数(如式1)可描述超弹性材料的应力-应变关系。

$$W = \sum_{i,j=1}^{N} C_{ij}(I_1-3)^i(I_2-3)^i + \sum_{i=1}^{N} \frac{1}{D_i}(I_3{}^2-1)^{2i} \quad (1)$$

式中，N，C_{ij}，D_i 为材料常数；C_{ij} 为 Rivlin 因数；D_i 定义材料的压缩性；W 为应变能函数，单位 J；I_1 为第一张量不变量，$I_1=\lambda_1{}^2+\lambda_2{}^2+\lambda_3{}^2$，$\lambda_1$、$\lambda_2$、$\lambda_3$ 为主伸长率；I_2 为第二张量不变量，$I_2=(\lambda_1\lambda_2)^2+(\lambda_2\lambda_3)^2+(\lambda_1\lambda_3)^2$；$I_3$ 为第三张量不变量，$I_3=\lambda_1\lambda_2\lambda_3$。

根据封隔器地面胀封变形实验和现场应用经验，封隔器胶筒胀封的变形量属于中小变形，本文选用 Mooney-Rivilin 模型（式 2）作为本构模型，该模型可很好的描述橡胶在 150% 内的变形特性。

$$W=C_{10}(I_1-3)+C_{01}(I_2-3) \quad (2)$$

Mooney-Rivilin 模型中的材料常数 C_{10} 和 C_{01} 可根据经验公式（式 3～式 5）计算得出。本文橡胶材料硬度为 90A，计算得出模型中 $C_{10}=1.87432$，$C_{01}=0.95687$。

$$\lg E=0.0198H_r-0.5432 \quad (3)$$

$$E=6(C_{10}+C_{01}) \quad (4)$$

$$C_{10}=0.5C_{01} \quad (5)$$

模型中，上、下接头采用 35CrMo 作为原材料，护肩选用 316L 不锈钢为原材料，计算时 35CrMo、316L 的弹性模量和泊松比按照原材料本身特性设置。

本文对井眼扩大率 0%、10%、20%、30%、40%、50%六种情况展开了仿真分析，通过计算得到如图 4 所示不同井眼尺寸下胶筒胀封变形情况和胶筒等效应力分布。随着井眼尺寸的扩大，胶筒变形随着变大，胶筒的轴向密封距离随之变短。同时，胶筒等效应力随着井眼尺寸的增加而增大。此外，通过对胶筒中的等效应力分布分析可得，同一井眼扩大率下胶筒两端的等效应力最大，因此，若胶筒发生破坏，首先从胶筒两端开始，这与实际试验结果相吻合。

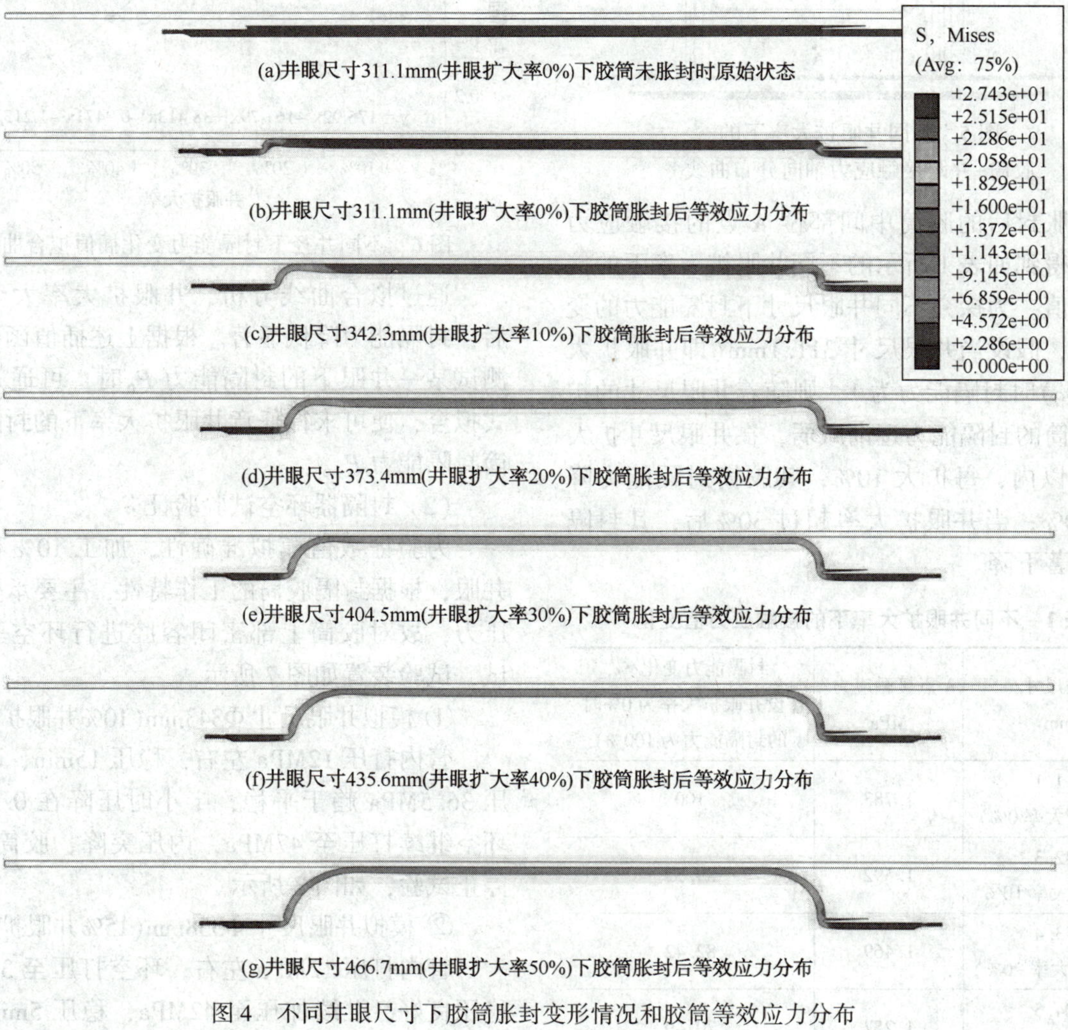

图 4　不同井眼尺寸下胶筒胀封变形情况和胶筒等效应力分布

提取不同井眼扩大率下的接触应力轴向分布，绘制得到如图5所示的接触应力轴向分布曲线。根据接触应力曲线表明，胶筒-井眼接触应力沿轴向呈“马鞍形”分布，接触应力最大值出现在胶筒下方护肩位置附近，在胶筒中间部位其分布应力基本呈直线型均匀分布。对比胶筒变形特征，接触应力“马鞍形”分布的原因为，胶筒两端在胶筒变形后，其垂直于外层井眼的作用力分量增大，进而导致胶筒中间部位的接触应力小于胶筒两端。

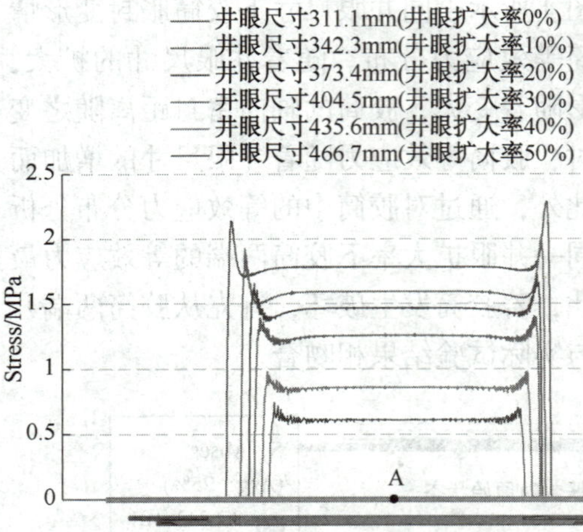

图5　不同井眼扩大率下的胶筒-井眼接触应力轴向分布曲线

对胀封后的胶筒中间部位A点的接触应力取值，得到如表1所示的不同井眼扩大率下的接触应力值。为探究不同井眼尺寸下封隔能力的变化规律，假设当井眼尺寸311.1mm(即井眼扩大率为0%)时封隔能力为1，则随着井眼尺寸的扩大，胶筒的封隔能力逐渐减弱，在井眼尺寸扩大率30%以内，每扩大10%，其胶筒封隔能力降低约10%；当井眼扩大率超过30%后，其封隔能力显著下降。

表1　不同井眼扩大率下的接触应力值变化

井眼尺寸/mm	A点接触应力/MPa	封隔能力变化/%(设井眼扩大率为0%时的封隔能力为100%)
311.1(井眼扩大率0%)	1.783	100
342.3(井眼扩大率10%)	1.592	89.32
373.4(井眼扩大率20%)	1.469	82.42
404.5(井眼扩大率30%)	1.257	70.49
435.6(井眼扩大率40%)	0.858	48.11
466.7(井眼扩大率50%)	0.613	34.36

根据牛顿插值公式，假设封隔能力变化的牛顿均差插值多项式为$N_n(x)$，取表1中井眼扩大率0%、10%、20%、30%、40%、50%五个点的封隔能力变化值进行插值(如式6所示)，得到如图6所示的插值曲线。

$$N_n(x)=f(x_0)+f[x_0,\ x_1](x-x_0)+f[x_0,\ x_1,\ x_2](x-x_0)(x-x_1)+\cdots+R_n(x) \quad (6)$$

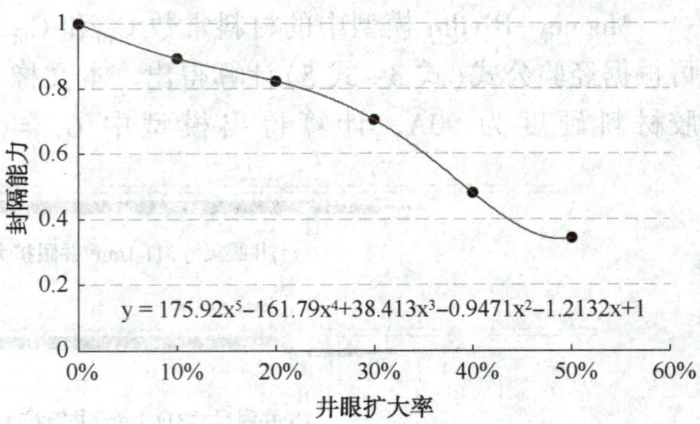

图6　不同井径下封隔能力变化插值拟合曲线

通过拟合曲线分析，井眼扩大率大于20%后，封隔能力降低显著。根据上述插值函数，当测试某一井眼下的封隔能力P_0时，可通过多项式拟合，便可求得任意井眼扩大率下的封隔器胶筒封隔能力P_x。

(2) 封隔器环空试验验证

为验证数值模拟准确性，加工10%和15%井眼，根据封隔胶筒的工作特性，主要承受上部压力，故对胶筒上部密闭容腔进行环空验封测试，试验装置如图7所示。

① 模拟井眼尺寸Φ343mm(10%井眼扩大率)

管内打压12MPa左右，稳压15min，环空打压36.5MPa趋于平稳，半小时压降在0.4MPa。环空继续打压至47MPa，内压突降，胶筒失效，停止试验，如图8所示。

② 模拟井眼尺寸Φ358mm(15%井眼扩大率)

管内打压12MPa左右，环空打压至35MPa，稳压良好，继续加压至42MPa，稳压5min左右压力突降，压力曲线如图9所示。

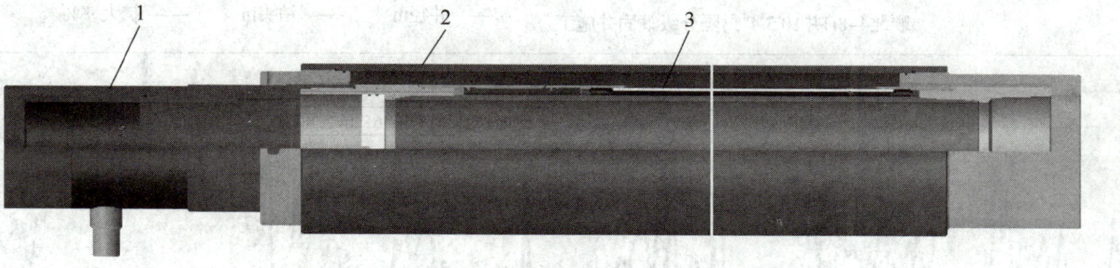

图 7 封隔器环空密封试验装置

1—打压封头；2—模拟井眼(10%和 15%)；3—封隔器

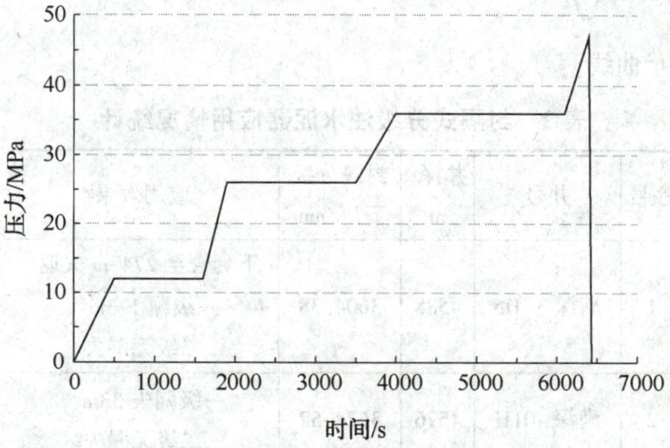

图 8 10%井眼扩大率下环空极限封隔能力曲线

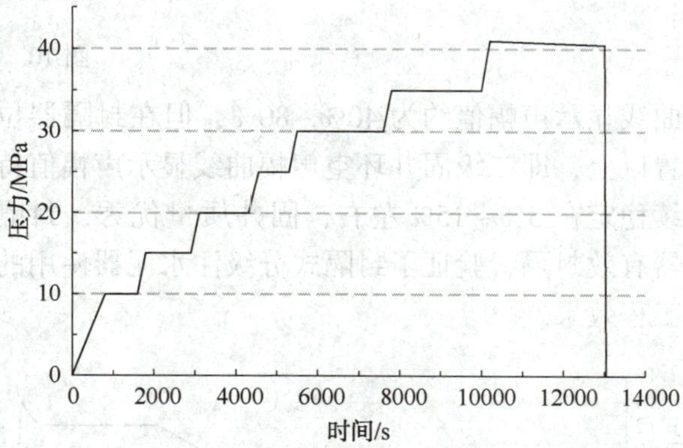

图 9 15%井眼扩大率下环空极限封隔能力曲线

③ 试验结果分析

试验结果表明，Φ245mm 规格封隔器，在 10%井眼扩大率下极限封隔能力为 $P_{10\%}=47\mathrm{MPa}$；在 15%井眼扩大率下极限封隔能力为 $P_{15\%}=42\mathrm{MPa}$。

根据式 6 的插值多项式换算，得出 15%井眼扩大率下极限封隔能力 $P_{15\%}=45.54\mathrm{MPa}$；则，数值计算的准确率 $\omega=1-(45.54-42)/42=91.6\%$。

数值模拟准确率较高，对分析封隔器在不同井径下的极限封隔能力有一定的指导意义。

4 现场应用

新型封隔式分级注水泥器在塔里木盆地漏失井固井应用中效果显著，在顺北 4-8H 井应用中，一级固井全程失返，二级固井全程无漏失，封隔漏失地层，有效提高了井筒封固质量。下面以顺北 4-8H 井为例，介绍现场施工工艺的研究。

(1) 典型井分析

顺北 4-8H 井钻头尺寸 Φ333.38mm，井深 6280m，钻井液密度 1.34g/cm^3，二叠系漏失层 3702m~4212m，钻井至 5186m 发生失返性漏失，通过注入堵漏浆完成堵漏，之后全程失返，本次固井设计为二开技套双级固井，具有井深、裸眼及水泥封固段长、套管悬重大、二叠系层厚(3702m~4212m，共 510m)，易发生漏失、井眼尺寸大、环空容积大、注水泥浆及替浆量大、固井施工作业时间长等特点。

下套管前用牙轮钻头+扶正器的钻具组合模拟封隔式分级注水泥器刚性通井；考虑到二叠系漏失地层位于 3675m~4212m，结合测井数据(如图 10 所示)选择封隔式分级注水泥器下深 3648m 左右，该段井径规则，井眼扩大率为 2.34%左右，通过封隔器在不同井径扩大率适应性分析，该位置封隔能力在 50.4MPa 左右，满足施工需求。

下套管至 2800m 后全程失返，一级固井施工过程井口全程失返；严格按操作工艺流程胀封封隔器、循环孔开启，井口返浆，但无水泥返出，压力曲线如图 11 所示。开孔后排量 0.5m^3/min 建立循环，循环 1 小时，无漏失；逐步提高排量至 2.2m^3/min 循环一个迟到时间，无漏失。二级固井全程无漏失，替浆后期返出混浆 5m^3。

固井后声幅曲线如图 12 所示，分级注水泥器设计位置为 3644.85m~3648.93m，封隔器胶筒位置为 3647.13m~3648.23m，在封隔式分级注水泥器位置(3648m)上下，声幅曲线产生明显分界，在封隔器位置以下，即一级固井环空声幅

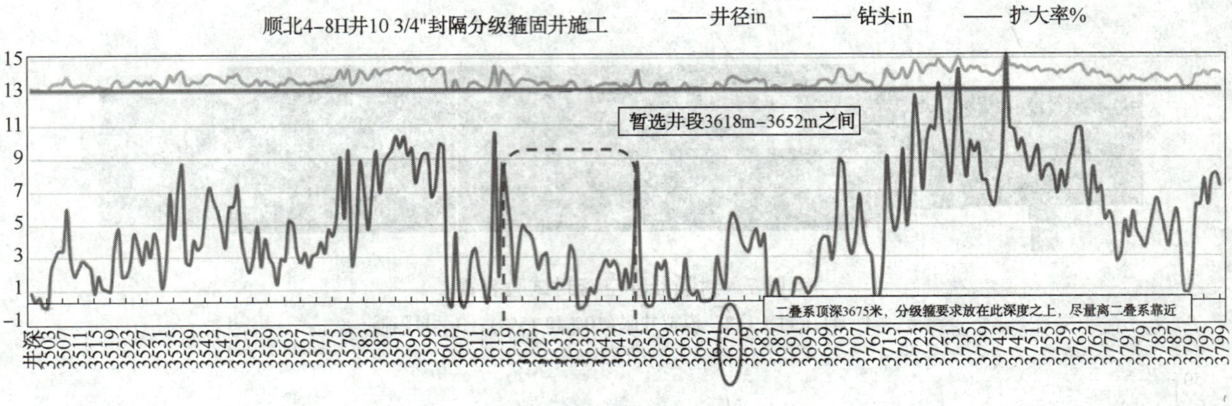

图 10　井径测量曲线

曲线显示声幅值约为 40%～80%，但在封隔器位置以上，即二级固井环空声幅曲线显示声幅值持续稳定在 5%～15%左右，固井质量优秀，封隔器有效封隔，验证了封隔式分级注水泥器使用的工程效果。

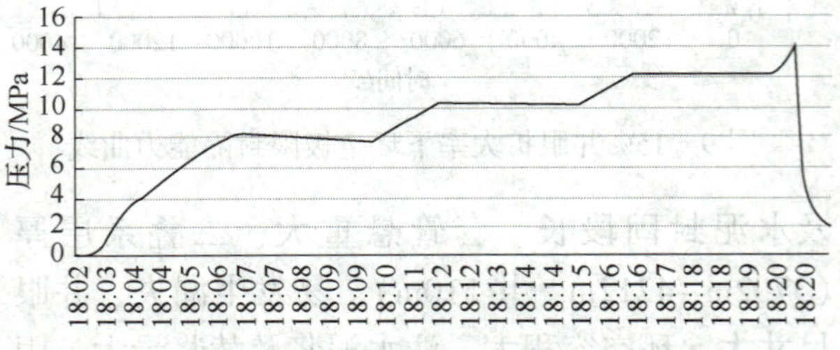

图 11　封隔器胀封及循环孔开启压力曲线

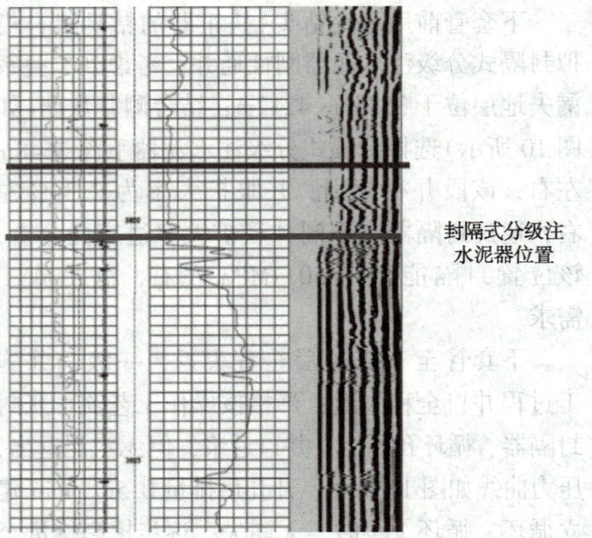

图 12　顺北 4-8H 固井质量声幅曲线

（2）应用情况统计

ϕ273mm、ϕ244.5mm 新型封隔式分级注水泥器在塔里木盆地应用 170 余井次，应用情况见表 2 所示，固井质量合格率提高 40%，优良率提高 25%，使塔里木盆地二叠系长裸眼固井漏失难题迎刃而解，有效保障了井筒完整性。

表 2　封隔式分级注水泥器应用情况统计

序号	井号	井深/m	封隔分级下深/mm	应用效果
1	满深 3-H5	4588	3604.38	下套管至 2747m 失返，一级漏 173m^3、二级无漏失
2	满深 401H	4576	3674.52	一级漏失 33m^3，二级无漏失
⋮	⋮	⋮	⋮	⋮
169	顺北 44X	4426	3654.53	一级漏 5m^3、二级无漏失
170	顺北 5-19	5210	3685.69	一级漏失 14m^3，二级无漏失

5　结论

（1）为解决塔里木盆地二叠系严重漏失难题，提出封隔式分级固井工艺，并研发了基于联作控制的封隔式分级注水泥器。

（2）为指导封隔式分级注水泥器在现场不同井径扩大率下的现场应用，提出了一套井眼尺寸适应性评价方法，可计算 0%～50%任意井径扩大率下封隔器环空封隔能力，为现场封隔器下入位置的优选提供理论指导，保障现场施工的可靠性和封隔器长效密封能力。

（3）封隔式分级注水泥器技术在塔里木盆地现场应用 46 井次，应用效果良好，有效提升了井筒完整性，建议在中石化普光气田、杭锦旗气田等区块进一步推广进行封隔式分级固井技术研究。

参考文献

[1] 天工. 塔里木盆地富满区块满深 3 井超深层喜获高产油气流[J]. 天然气工业，2021，41(02)：46.

[2] 化学工程师编辑部. 单井日产近千吨油气！中石化顺北油气田取得新突破[J]. 化学工程师，2021，35(03)：88.

[3] 武魏楠. 塔里木油田：3000万吨的背后[J]. 能源，2016，(06)：68-72.

[4] 董小虎，李银婷. 塔里木盆地顺北区块二叠系井漏复杂的分析及对策[J]. 探矿工程(岩土钻掘工程)，2020，47(02)：59-62.

[5] 康玉柱. 塔里木盆地油气资源潜力及勘探方向[J]. 石油科学通报，2018，3(04)：369-375.

[6] 罗剑波，王伟志，刘茂林，王颖慧. 顺北1-1H井二叠系火成岩堵漏新工艺技术探讨[J]. 西部探矿工程，2017，29(11)：52-55.

[7] 周代，何德清，蒲世东，徐吉义，王开勇，肖建英. 分级注水泥器与管外封隔器的选用[J]. 油气田地面工程，2009，28(02)：42-43.

[8] 刘明，李振，白园园，段风海. 封隔式分级注水泥器关键技术分析[J]. 石油矿场机械，2019，48(05)：5-9.

[9] 窦益华，杨浩，李明飞等. 水力扩张式封隔器胶筒力学性能有限元分析[J]. 油气井测试，2016，25(02)：6-9+75.

[10] 郑明军，谢基龙. 压缩状态下橡胶件大变形有限元分析[J]. 北方交通大学学报，2001，01)：76-79.

[11] 彭冲，欧阳传湘，谭钲扬等. 扩张式封隔器接触力学行为及坐封效果评价[J]. 西安石油大学学报(自然科学版)，2021，36(03)：90-96+104.

标准化中型无人值守井口平台结构设计与应用研究

庞　洪　林梁鹏　吴景健　蒋　烜　郝　铭

（中海石油(中国)有限公司天津分公司）

摘　要　无人值守平台在海洋油气开发中普遍应用，采用无人值守平台能够大幅降低海洋油气田开发成本，提高经济效益。随着渤海油田开发的逐步深入和无人值守平台的推广使用，如今中型无人井口平台在渤海油田开发中的应用需求越来越广。本文利用标准化平台设计成果，以渤海辽东湾某油田开发项目为例，选取适用的标准化组块、导管架型号，开展中型四腿无人值守井口平台结构设计。对该类型平台进行静力校核和地震校核，校核结果显示该类型平台杆件强度、节点冲剪强度、桩基强度以及承载力安全系数均满足规范要求。该类型无人值守平台可在渤海油气田开发项目中推广使用。

关键词　无人值守；标准化；结构设计；结构校核

无人值守井口平台是指正常生产时无人值守，通过远程监控实现无人操作，在巡检检修、钻修井、应急处置、访问调查等情况下允许人员登临的海上油气生产井口平台。无人值守平台主要优势为可减少生活区模块设计制造，降低平台整体建造成本投资；无须人员长期驻守，降低运营维护成本，提高人身安全。采用无人平台设计方案，能够大幅降低油田开发成本，提高经济效益。无人值守平台在世界海洋油气开发中普遍应用，据统计，全世界有超过7000座在产海上平台，其中约1600座是无人值守平台，占比约23%。国内从1993年开始建造第一座无人值守井口平台。随着自动化和智能化的飞速发展，无人值守井口平台的设计日趋成熟。

随着渤海油田开发的逐步深入，已建成50余个在生产油气田、190余座生产设施，其中新建平台中无人值守平台的占比越来越大。与此同时，为缩短平台设计、采办、建造周期，加快油田建设速度，提高油田开发效率，渤海油田正全力推进工程建设标准化工作。目前，已形成系列标准化平台设计成果，包括5大类共计9个系列的标准化组块、6个系列的标准化导管架。基于标准化成果，本文对中型无人值守井口平台进行标准化结构设计，并以渤海某油田开发项目为例，开展应用研究。

1　平台标准化设计概述

当前渤海固定式平台标准化设计策略为，基于“装配式设计、产品化制造、集成式安装”的理念，采用“系列化、简化、模块化、组合化”综合标准化工作方法，研究渤海油气田共性和差异性，共性配置形成相对固定的基准部分，特异性配置作为扩展部分，通过“基准+扩展”组合满足不同项目的实际需求，最终实现渤海油气田开发由定制化向标准化转变。

基于油藏、钻采、工程的交互协同，确定5大类共计9个系列的标准化组块、6个系列的标准化导管架，详见表1和表2。

表1　标准化组块分类

序号	平台类型	组块定型(编号)	工作点间距(m×m)	井槽排列	钻修井方案	备注
1	小型无人井口平台	①小型无人井口平台组块(BH20-TS-OU12)	12×12	4×3	钻井船	
2	中型无人井口平台	②中型无人井口平台组块(BH30-TS-OU20)	16×16	4×6	钻井船	
3	中型有人井口平台	③气田无人井口平台组块(BH50-TS-GU24)	20×20	4×7	钻井船	

续表

序号	平台类型	组块定型（编号）	工作点间距（m×m）	井槽排列	钻修井方案	备注
3	中型有人井口平台	④中型有人井口平台组块（BH70-TS-OW28）	20×20	4×7	模块化修井机+钻井船	
4	大型有人井口平台	⑤大型有人井口平台组块（BH150-TS-OW50）	（14+16+14）×40	5×9	模块化钻机	
5	中心平台	⑥Ⅰ型中心平台组块（BH220-TS-OC40-1）	（16+16+12）×20	4×5+4×5	模块化修井机+钻井船	适应水处理 12000 方油田
		⑦Ⅱ型中心平台组块（BH220-TS-OC40-2）	（16+16+12）×20	4×5+4×5	模块化修井机+钻井船	适应水处理 24000 方油田
		⑧Ⅲ型中心平台组块（BH220-TS-OC40-3）	（16+16+12）×20	4×5+4×5	模块化修井机+钻井船	适应水处理 48000 方油田
		⑨Ⅳ型中心平台组块（BH220-TS-GC40）	（16+16+12）×20	4×5+4×5	模块化修井机+钻井船	潜山气田

表 2　标准化导管架分类

序号	平台类型	组块定型（编号）	工作点间距（m×m）	井槽数/井槽排列	腿数	桩径/mm
1	小型无人井口平台	①小型无人井口平台导管架（BH20-JK）	12×12	12　4×3	4	1829
2	中型无人井口平台	②中型无人井口平台导管架（BH30-JK）	16×16	24　4×6	4	1829
3	中型有人井口平台	③中型有人井口平台导管架（BH50-JK）	20×20	28　4×7	4	1829
		④中型有人井口平台导管架（BH80-JK）	20×20	28　4×7	4	2438
4	大型有人井口平台	⑤大型有人井口平台导管架（BH160-JK）	（14+16+14）×40	45　5×9	8	2438
5	中心平台	⑥带井口中心平台导管架（BH250-JK）	（16+16+12）×20	40　4×5+4×5	8	2438

为提高标准化率，并便于建造和安装，导管架设计采用统一节点设计思路，分为 T 型节点、Y 型节点、K 型节点。标准化节点如图 1 所示，节点尺寸和样式如表 3 所示。

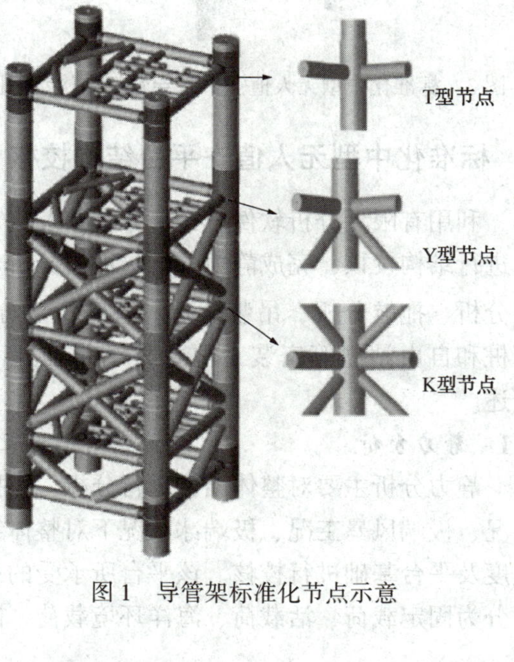

图 1　导管架标准化节点示意

表 3　标准化节点尺寸和样式

节点类型	T 型节点	Y 型节点	K 型节点
标定尺寸（mm）	弦杆：2025×65 撑杆 1：914×25	弦杆：2025×65 撑杆（水平）：914×25 撑杆（斜）：1067×22	弦杆：2025×65 撑杆（水平）：914×25 撑杆（斜）：1067×22
样式	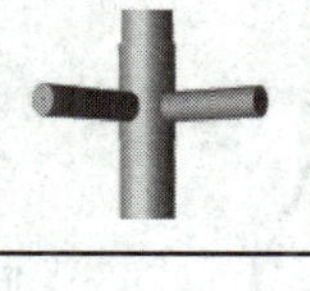	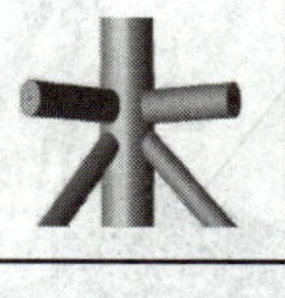	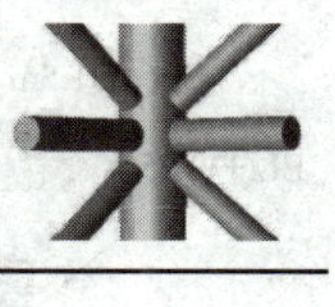

2　标准化中型无人值守平台结构设计

随着无人值守井口平台推广使用，根据项目开发需求，无人平台的规模越来越大，如今中型无人井口平台在渤海油田开发中的应用需求越来越大。在平台标准化成果中，中型无人井口平台适用于 28 口井以内，钻井船打井、简易流程的油田开发。

本文以渤海辽东湾某油田开发项目为例，基

于标准化现有成果，开展中型无人值守平台结构设计。辽东湾某油田开发项目共24口生产井，水深32m，需新建1座4腿中型无人值守井口平台，设置4×5井槽(含4单筒双井)。

2.1 组块结构设计

应用标准化成果，选用BH30-TS-OU20型号标准化组块，组块结构主要设计参数如表4所示，组块所用型材和管材主要规格如表5所示。结构模型如图2所示。

表4 标准化中型无人值守平台组块主要设计参数

工作点间距	16m×16m
工作点标高	EL.(+)9.0m
甲板标高	上层甲板：EL.(+)23.5m 中层甲板：EL.(+)17.5m 下层甲板：EL.(+)11.5m
结构用钢量	1520t
操作重量	3825t
吊装重量	3128t
安装方式	吊装
运输驳船	15000吨级驳船
施工船舶	5000吨级或同等级别

表5 组块所用钢材规格

项\位置	上层甲板	中层甲板	下层甲板
主梁	PG1200/900/H700	PG900/H700	PG900/H700
次梁	H440	H440	H440
小梁	H300	H300	H300
主立柱	Φ1829×60/Φ1219×38/Φ1219×28mm		
立柱	Φ508×16/Φ406×13mm		
斜撑	Φ762×25/Φ610×19mm		

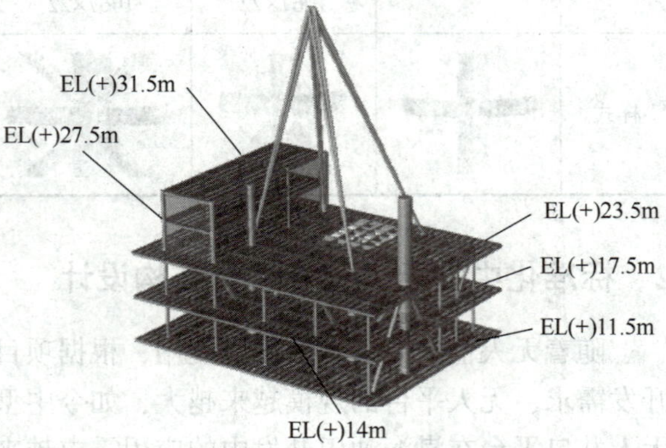

图2 标准化中型无人值守平台组块结构示意图

2.2 导管架结构设计

应用标准化成果，选用BH30-JK型号标准化导管架，结构主要设计参数如表6所示，结构模型如图3所示。主腿采用Φ1955×25mm/Φ2025×60mm管材，水平层主撑杆采用Φ762×19/32mm管材，水平层次撑杆采用Φ610×19/28mm管材，底水平层加强段采用Φ1067×38mm管材，X撑/V撑采用Φ762×18/38mm管材。

表6 标准化中型无人值守平台导管架主要设计参数

工作点间距	16m×16m
桩径	1829mm
各水平层标高	第一水平层：EL.(+)6.5m 第二水平层：EL.(-)5.0m 第三水平层：EL.(-)21.013m 底水平层：EL.(-)28.976m 底标高：EL.(-)-32m
立面形式	1个V型+1个X型
节点	标准化节点(T/Y/K型节点)
导管架用钢量	1025t
安装方式	吊装
运输驳船	HYSY222或同等级别
施工船舶	1700吨级(德瀛)或同等级别

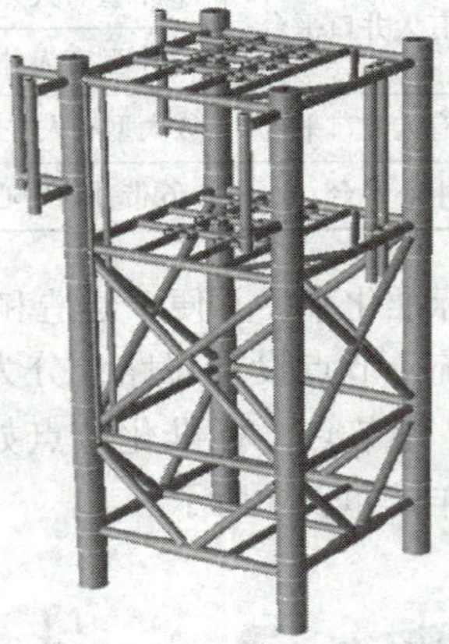

图3 标准化中型无人值守平台导管架结构示意图

3 标准化中型无人值守平台结构校核

利用有限元分析软件SACS对该无人值守平台进行结构校核，完成静力分析、地震分析。装船分析、拖航分析、吊装分析、座底稳性分析、打桩和自由站立等安装工况校核结果在此不再赘述。

3.1 静力分析

静力分析主要对整体结构进行分析，在操作工况、极端风暴工况、极端冰工况下对整体结构强度及平台基础进行校核。该平台所承受的载荷可分为固定载荷、活载荷、海洋环境载荷。固定载荷中的结构自重、浮力等由 SACS 软件自动计算得出，固定载荷中的设备载荷与平台活载荷载以节点力或单元力的形式施加在有限元模型上。环境载荷主要包括风、波浪、流、海冰等作用在平台上的载荷。风、波浪、流载荷的计算采用 API RP 2A 的推荐算法，通过 seainp 文件输入，由 SACS 软件自动完成计算。冰载荷的计算采用《中国海海冰条件及应用规定》推荐算法。环境载荷考虑了 8 个作用方向：0°、45°、90°、135°、180°、225°、270°、315°。通过 PSI 文件模拟桩-土非线性相互作用，主要由 T-Z，Q-Z，P-Y 曲线组成。组块操作重为 5053t，重心为(-2.58m，-2.59m，21.75m)，组块极端重为 4693t，重心为(-2.60m，-2.61m，21.76m)，

静力分析结果为：

(1) 杆件 UC：主腿最大 UC 为 0.52，水平撑杆最大 UC 为 0.88，立面斜撑最大 UC 为 0.82，平台所有杆件 UC 值均小于 1.0，满足规范要求，见图 4。

(2) 节点最大 Load UC 为 0.61，最大 Strength UC 为 0.93，平台所有节点 UC 值均小于 1.0，满足规范要求。

(3) 钢桩最大 UC 为 0.73，出现在泥面下 10.3m 位置处，UC 值均小于 1.0。操作工况下桩基承载力安全系数最小为 2.33，大于 2.0；极端工况下桩基承载力安全系数最小为 1.81，大于 1.5，满足规范要求。

通过静力分析发现，该平台杆件强度、节点冲剪强度、桩基强度以及承载力安全系数均满足规范要求。

3.2 地震分析

地震分析采用响应谱法进行设计，强度水平地震和韧性水平地震分别取 200 年和 1000 年的地震水平加速度和地震谱参数进行设计。

地震分析结果为：

(1) 强度水平地震下，杆件最大 UC 为 0.23，韧性水平地震下，门型框架内杆件最大 UC 为 0.92，均小于 1.0，见图 5。

(2) 节点冲剪强度分析分别进行了强度分析和韧性分析，分析结果显示节点最大 Load UC 为 0.51，最大 Strength UC 为 0.98，均小于 1.0。对于地震中的节点，除按照 API 规范进行管节点冲剪校核外，还要进行 100%极限强度校核，即 EQK 校核，分析结果显示平台腿部节点最大 EQK UC 为 0.51，小于 1.0，满足规范要求。

(3) 韧性水平地震下，钢桩最大 UC 为 0.61，UC 值均小于 1.0。韧性水平地震下桩基承载力安全系数最小为 1.7，大于 1.0。

通过地震分析发现，该平台杆件强度、节点冲剪强度、桩基强度以及承载力安全系数均满足规范要求。

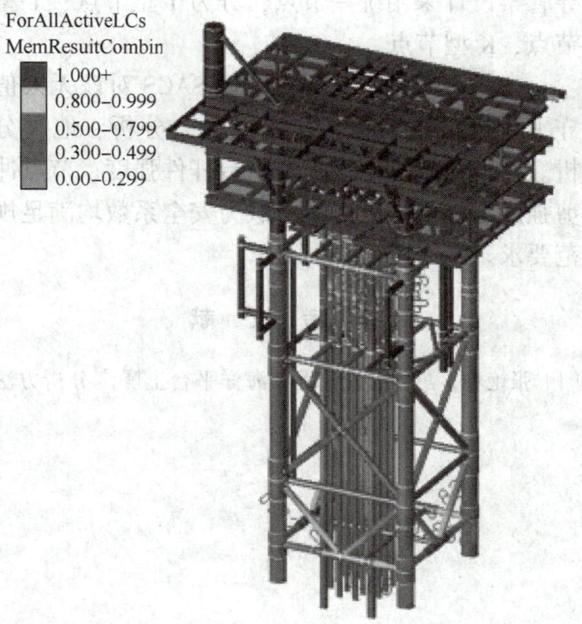

图 4　静力分析

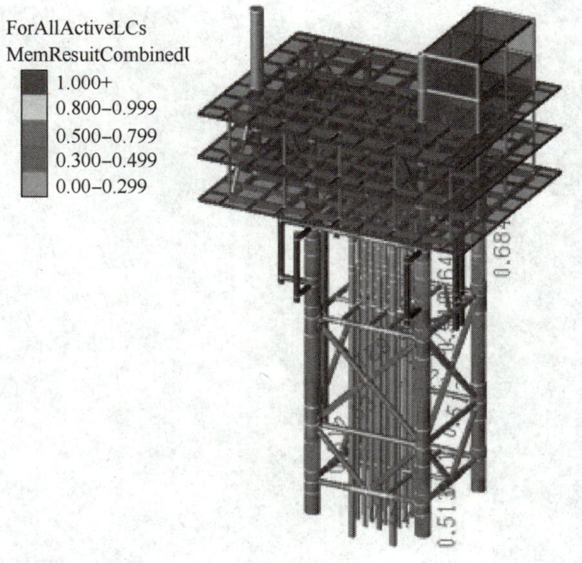

图 5　地震分析

4 结论

本文利用标准化平台设计成果，以渤海辽东湾某油田开发项目为例，开展标准化中型四腿无人值守井口平台的结构设计，主要结论如下：

（1）根据标准化平台分类，中型井口平台组块选用 BH30-TS-OU20 型号标准化组块，三层甲板，工作点间距 16m×16m，井槽采用 4X5 排布，采用钻井船钻修井。导管架选用 BH30-JK 型号标准化导管架，采用 1829mm 钢桩，设置 4 个水平层，立面采用 V 型+X 型型式。

（2）为提高标准化率，并便于建造和安装，导管架设计采用统一节点，分为 T 型节点、Y 型节点、K 型节点。

（3）利用有限元分析软件 SACS 对该无人值守平台进行结构校核，完成静力分析、地震分析。校核结果显示该类型平台杆件强度、节点冲剪强度、桩基强度以及承载力安全系数均满足规范要求。

参 考 文 献

[1] 张艳春，惠宁，沈志恒. 海洋平台上噪声分析方法[J]. 噪声与振动控制，2012，32(2)：4. DOI：10.3969/j.issn.1006-1355-2012.02.042.

[2] 夏如君. 5G 赋能海上无人值守平台[J]. 电信科学，2021(007)：037.

[3] 张磊. 基于船舶应急抛锚的海底管道埋深及保护研究[D]. 武汉理工大学，2013.

[4] 罗彭. 海上无人井口平台工艺系统设计方案研究[J]. 石油和化工设备，2020，23(03)：11-13+16.

[5] API RP 2A，Recommended Practice for Planning，Designing and Constructing Fixed Offshore Platform - Working Stress Design[S].

[6] Q/HS 3003—2013 渤海海域钢质固定平台结构设计规则.

隔水导管与表层套管复合管柱极限承载力研究

庞洪林 梁 鹏 吴景健 曾 欢 张梦玥

(中海石油(中国)有限公司天津分公司)

摘 要 以隔水导管与表层套管组合而成的复合管柱结构为研究对象，开展竖向极限承载力研究。分别建立隔水导管部分的竖向承载力和灌浆固井后表层套管部分的竖向承载力，综合形成复合管柱的竖向承载力计算模型。开展现场模拟试验，将理论计算结果与现场试验结果对比，结果表明：提出的复合管柱承载力计算方法可以很好的反应现场实际情况，验证了计算方法的准确性。隔水导管与表层套管复合管柱结构相对于单桩隔水导管，极限承载力有明显的提升。在边际油田开发中可充分利用隔水导管与表层套管复合管柱富裕承载力，优化平台结构，降低平台投资。隔水导管与表层套管复合管柱极限承载力研究为降低边际油田开发成本提供了新的思路。

关键词 隔水导管；表层套管；竖向承载力；模拟试验

随着渤海湾油田开发深入，需要动用越来越多边际油田。出于经济性的考虑，边际油气田开发一般采用无人值守的简易平台型式，渤海现有单腿三桩、三腿三桩、筒形基础等多种类型的简易平台型式，其中大部分需打入传统的钢管桩基础提供其所需的承载力。隔水导管的结构和尺寸与钢管桩相似且通常成阵列布置，数量较多，若充分利用隔水导管富裕承载力，取代传统钢桩，可优化平台结构，降低平台投资，推动更多边际油田开发。

隔水导管在海洋石油开采中的作用主要为：①隔离海水而形成钻井液的循环通道；②作为井口设备的持力结构。隔水导管内部设置有表层套管、技术套管、生产套管，井身结构如图 1 所示。隔水导管与表层套管通过固井水泥连接为整体，该部分的直径和入泥深度与普通钢管桩基础相当。若将隔水导管与内部表层套管考虑成一个复合管柱结构，它会有非常富裕的承载力储备。

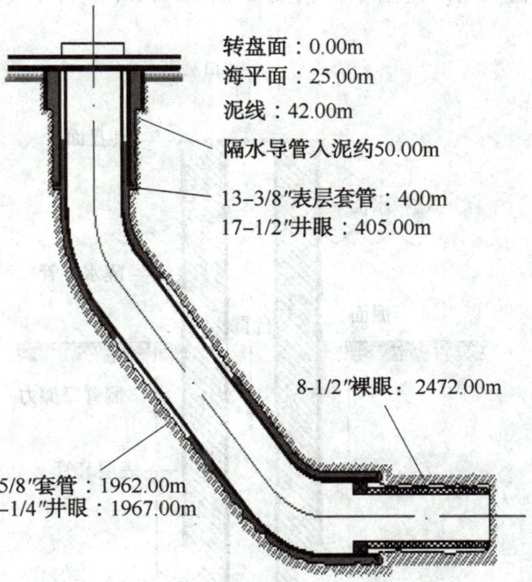

图 1 井身结构示意图

1 隔水导管与表层套管复合管柱结构

隔水导管和内部表层套管通过高强度固井水泥连接，钢管-水泥环间的胶结强度大于水泥环-土间的胶结强度，基于上述特点可将隔水导管、表层套管考虑为一个整体复合管柱结构。复合管柱结构示意图如图 2 所示，D1 为隔水导管外径；D2 为表层套管及外部水泥环外径；L1 为隔水导管入泥深度；L2 为部分表层套管长度。

目前渤海油田常用隔水导管尺寸为 ϕ508. 0mm、ϕ762. 0mm、ϕ914mm，壁厚为 25mm，入泥深度约 50m。表层套管的尺寸多直径为 13～3/8 英寸，根据钢材而不同，对应的壁厚是 8. 38mm、9. 65mm、10. 92mm、12. 19mm、13. 06mm。

2 隔水导管与表层套管复合管柱竖向极限承载力理论计算

隔水导管与表层套管复合管柱由隔水导管和表层套管两部分组成。隔水导管常采用锤入法打入地层，因此隔水导管通过地应力、地层挤压导管侧壁产生的侧向摩擦力以及桩端阻力形成竖向承载力。表层套管常采用钻入发安装，因此表层套管通过水泥浆固井将套管与地层之间孔隙填满以形成上部载荷。

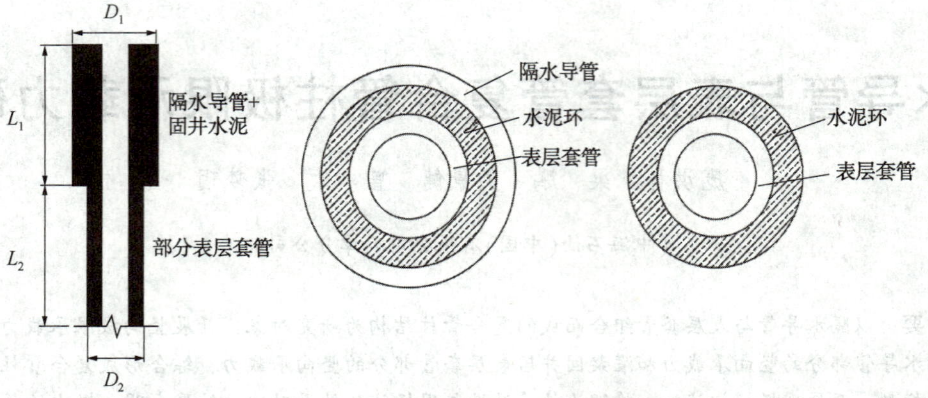

图 2　复合管柱结构示意图和桩身截面图

首先建立与地层直接接触的隔水导管部分的竖向承载力，而后建立灌浆固井后的表层套管部分的竖向承载力，最后综合两段管柱的竖向承载力计算形成复合管柱的竖向承载力计算模型。复合管柱结构竖向承载力示意图如图 3 所示。

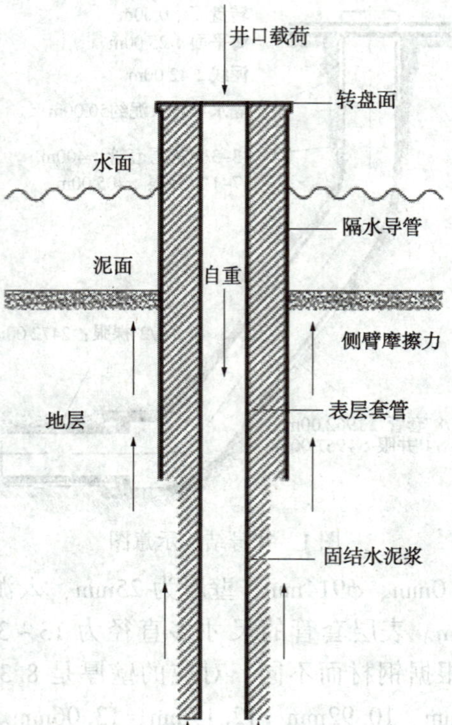

图 3　隔水导管与表层套管复合管柱结构竖向承载力示意图

2.1　隔水导管极限承载力计算模型

隔水导管承载力为隔水导管受到的地层承载力减去自身以及内部表层套管的自重。根据 API 给出的锤入法下入单桩竖向承载力计算公式，计算隔水导管的极限承载力：

$$
\begin{aligned}
Q_{\text{d-shallow}} &= Q_{\text{s-shallow}} + Q_{\text{t-shallow}} - (W_{\text{conductor}} + W_{\text{D-surface casing}} + W_{\text{D-cement ring}}) \\
&= b \cdot f \cdot A_s + q_u \cdot A_p - (W_{\text{conductor}} + W_{\text{D-surface casing}} + W_{\text{D-cement ring}})
\end{aligned} \tag{1}
$$

式中，$Q_{\text{d-shallow}}$ 为地层提供给隔水导管的竖向总承载力，kN；$Q_{\text{s-shallow}}$ 为导管侧壁与地层摩擦产生的承载力，kN；$Q_{\text{t-shallow}}$ 为隔水导管桩端承载力，kN；$W_{\text{conductor}}$ 为隔水导管自重，kN；$W_{\text{D-sureface casing}}$ 为隔水导管内的表层套管自重，kN；$W_{\text{D-cement ring}}$ 为隔水导管内表层套管的水泥环自重，kN。

隔水导管内部存在表层套管，隔水导管的桩端与土壤接触的横截面很小，受到的地层支撑承载力很小，可忽略不计，隔水导管竖向承载力主要来自侧壁与地层摩擦产生的承载力，因此式 1 可简化为：

$$
\begin{aligned}
Q_{\text{d-shallow}} &= Q_{\text{s-shallow}} - (W_{\text{conductor}} + W_{\text{D-surfacecasing}} + W_{\text{D-cement ring}}) \\
&= bfA_s - (W_{\text{conductor}} + W_{\text{D-surfacecasing}} + W_{\text{D-cement ring}}) \\
&= b\left(\sum_{i=0}^{n-1} f_i \pi d l_i + f_n \pi d l_{n(x)}\right) A_s - (W_{\text{conductor}} + W_{\text{D-surfacecasing}} + W_{\text{D-cement ring}})
\end{aligned} \tag{2}
$$

式中，b 为侧向摩擦力修正系数，对浅水隔水导管一般取 0.25；n 为隔水导管打入穿透不同性质土层数量；f 为地层产生的侧向摩擦力之和，kN；f_i 为第 i 层土的单位表面摩擦力，KPa；f_n 为最底层土的表面摩擦力，kN；A_s 为泥线以下隔水导管与地层的接触面积，m^2；d 为隔水导管外径，m；l_i 为第 i 层土的厚度，m；$l_{n(x)}$ 为桩端所处土层中的相对于该土层的深度，m。

隔水导管，表层套管及水泥环的自重：

$$W_{conductor}=\frac{\pi}{4}[d_{隔水导管}^2-(d_{隔水导管}-2b_{隔水导管})^2]\times[H_{水深}(\rho_{隔水导管}-\rho_{海水})+H_{气隙}\rho_{隔水导管}+H_{泥线以下}\rho_{隔水导管}] \quad (3)$$

$$W_{D-surfacecasing}=\frac{\pi}{4}[d_{表层套管}^2-(d_{表层套管}-2b_{表层套管})^2]\times H_{泥线以下}\times\rho_{表层套管} \quad (4)$$

$$W_{D-cement\ ring}=\frac{\pi}{4}\rho_{水泥环}H_{泥线以下}[(d_{钻头})^2-d_{表层套管}^2] \quad (5)$$

式中，$d_{隔水导管}$为隔水导管外径，m；$b_{隔水导管}$为隔水导管壁厚，m；$H_{水深}$为当地水深，m；$H_{泥线以下}$为隔水导管泥线以下部分长度，m；$d_{表层套管}$为表层套管外径，m；$b_{表层套管}$为表层套管壁厚，m；$d_{钻头}$为一开钻头直径，m。

2.2　表层套管极限承载力计算模型

表层套管的作业程序为隔水导管锤入完成后先通过钻井钻出井眼，而后下放表层套管。最后将水泥浆注满套管与地层之间的空隙。当水泥浆固结完成后，水泥与地层，水泥与套管之间形成胶结界面。套管的承载力主要依靠水泥与地层，套管之间的胶结实现的，因此需要对套管与水泥，地层与水泥之间的胶结强度进行分析。表层套管的受力分析如图4所示。

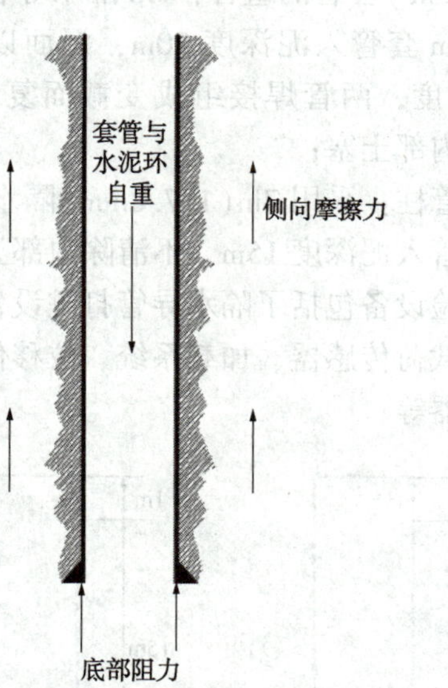

图4　表层套管受力分析

表层套管的侧向摩擦力即为表层套管最外层水泥环与地层间的侧向摩擦力，即为表层套管受到的地层对其产生的承载力。由此分析可得下面的表层导管竖向承载力计算公式：

$$Q_{s-casing}=F_{地层总承载力}+F_{底部阻力}-(W_{h-surefacecasing}+W_{h-cement\ ring}) \quad (6)$$

由于表层套管底部套管鞋处产生的底部阻力过小，通常在计算时可以忽略不计，因此式6可简化为：

$$Q_{s-casing}=F_{地层总承载力}-(W_{h-surefacecasing}+W_{h-cement\ ring}) \quad (7)$$

式中，$W_{h-surface\ casing}$为隔水导管桩端以下表层套管部分重量，kN；$W_{h-cement\ ring}$为隔水导管桩端以下表层套管表面水泥环部分重量，kN。

由于表层套管下入深度比隔水导管更长，会穿越更多的不同土层。而不同土层产生的侧向摩擦力，因此需要针对不同土层计算侧向摩擦力，经过累加后得到某一深度范围内表层套管的地层总承载力F。单层土对水泥环产生的侧向摩擦力为：

$$F_{单层土侧向摩擦力}=\pi d\Delta hf \quad (8)$$

式中，d为表层套管和水泥环整体外径，m；Δh为单层土厚度，m。

上式中d的取值为水泥环外径与地层胶结处形成的圆的外径，即钻井井眼直径。如遇到井下复杂情况时会出现井眼缩颈或井眼扩大等复杂情况，此时不能简单使用钻头直径进行计算。当出现井眼扩大现象时，可根据线性孔隙弹性理论进行计算。假设井壁不可渗透，计算井壁坍塌处的有效应力：

$$\sigma_r=\frac{\sigma_{h1}+\sigma_{h2}}{2}\left(1-\frac{r_i^2}{r^2}\right)+\frac{\sigma_{h1}-\sigma_{h2}}{2}\left(1-4\frac{r_i^2}{r^2}+3\frac{r_i^4}{r^4}\right)\cos2\theta+\frac{r_i^2}{r^2}p_i-\alpha p_p$$

$$\sigma_\theta=\frac{\sigma_{h1}+\sigma_{h2}}{2}\left(1+\frac{r_i^2}{r^2}\right)-\frac{\sigma_{h1}-\sigma_{h2}}{2}\left(1+3\frac{r_i^4}{r^4}\right)\cos2\theta-\frac{r_i^2}{r^2}p_i-\alpha p_p \quad (9)$$

式中，r_i为钻头半径，m；r为井壁坍塌处的半径，m。

根据摩尔—库伦准则，$(\sigma_1-\alpha p_p)=(\sigma_3-\alpha p_p)\cot^2\left(45°-\frac{\varphi}{2}\right)+2C(45°-\frac{\varphi}{2})$，则可定义井眼扩大系数$\beta$，并推导出预测模型：

$$\beta=\frac{r_i}{r}=\sqrt{\frac{\eta p-2CK+\alpha p_p(K^2-1)-QK^2}{\rho_m(K^2+\eta)H}}\times100\% \quad (10)$$

式中，$p=\frac{\sigma_{h1}+\sigma_{h2}}{2}(1+\beta^2)+\frac{\sigma_{h1}-\sigma_{h2}}{2}(1+3\beta^4)$；$Q=\frac{\sigma_{h1}+\sigma_{h2}}{2}(1-\beta^2)-\frac{\sigma_{h1}-\sigma_{h2}}{2}(1-4\beta^2+3\beta^4)$；$K=\cot\left(45°-\frac{\varphi}{2}\right)$；$\sigma_{h1}$为水平最大地应力，MPa；$\sigma_{h2}$为水平最小地应力，MPa；$\alpha$为有效应力系数；$C$为粘聚力；$\varphi$为内摩擦角；$p_p$为地层孔隙压力；$\eta$为应力非线性修正系数。

如果出现井径扩大现象，首先通过公式10计算处扩大后的井眼直径。当未出现井下复杂情况时，可认为井眼直径为钻头直径d钻头，即$\beta=1$。表层套管承载力的计算从隔水导管桩端末截面以下的土层开始计算，即图5中的1，2，3…直到表层套管套管鞋所处第n层土。计算表层套管承载力的长度为h，为表层套管总长H与隔水导管入泥深度D的差值。

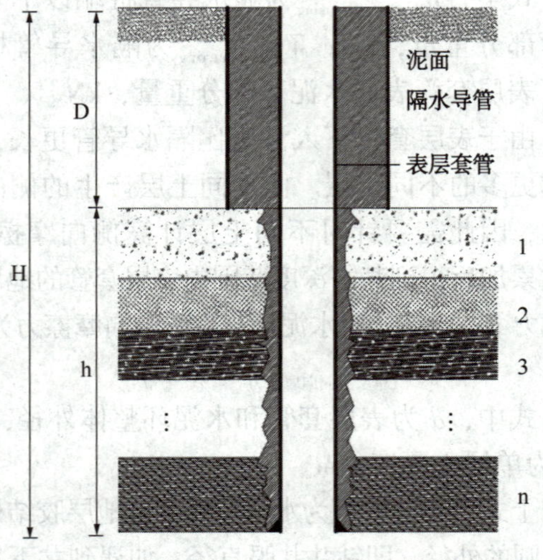

图5　表层套管水泥环与地层接触情况示意图

单层土厚Δh，表层套管总的地层承载力为：

$$F_{地层总承载力}=\sum_{i=1}^{n}\pi\beta d_{钻头}\Delta h f_i \tag{11}$$

将式11带入式7，得到表层套管的竖向承载力计算公式：

$$Q_{s-casing}=\sum_{i=1}^{n}\pi\beta d_{钻头}\Delta h f_i-(W_{h-surefacecasing}+W_{h-cement\ ring}) \tag{12}$$

隔水导管桩端以下表层套管及表面水泥环部分重量为：

$$W_{h-surfacecasing}=\frac{\pi}{4}[d^2_{表层套管}-(d_{表层套管}-2b_{表层套管})^2]\times h\times\rho_{表层套管} \tag{13}$$

$$W_{h-cement\ ring}=\frac{\pi}{4}\rho_{水泥环}h[(\beta d_{钻头})^2-d^2_{表层套管}] \tag{14}$$

式中，b为表层套管壁厚，m。

2.3　隔水导管与表层套管复合管柱极限承载力计算模型

2.1与2.2节已得出隔水导管与表层套管独自的极限承载力，则复合管柱结构极限承载力为两者之和，即：

$$Q_{composite\ conductor}=Q_{d-shallow}+Q_{s-casing} \tag{15}$$

3　隔水导管与表层套管复合管柱极限承载力模拟试验

为更好的研究隔水导管与表层套管复合管柱的承载性能，准确计算复合管柱结构富裕承载力，开展了现场模拟验。

3.1　试验模型与设备

综合考虑试验的可行性与现场试验条件，试验复合管柱结构选取情况如下：

1#管柱：采用7in(177.8mm)隔水导管与5in(127mm)套管的组合，7in隔水导管入泥深度15m，5in套管入泥深度20m，泥面以上均保留1m的高度，两管焊接组成变截面复合变径桩，不清除内部土塞；

2#管柱：采用7in(177.8mm)隔水导管，7in隔水导管入泥深度15m，不清除内部土塞；

试验设备包括了隔水导管打桩设备、数据采集仪、载荷传感器、加载系统、位移传感器、应变传感器等。

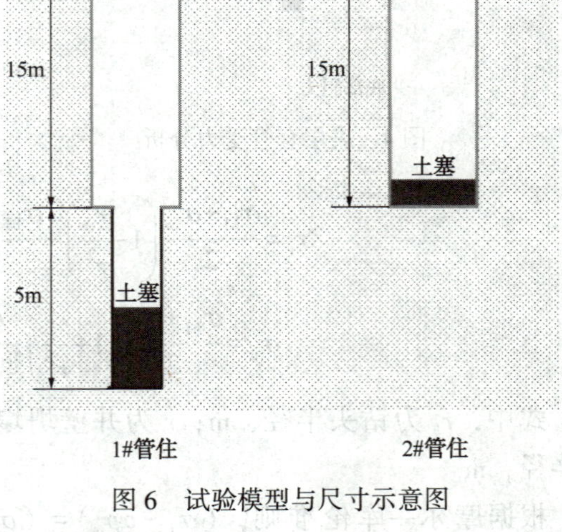

图6　试验模型与尺寸示意图

3.2　传感器布置

为测量复合桩在水平向和竖向加载过程中的

内力，在复合桩外侧粘贴胶基箔式应变片，接线完成后做防水防潮密封防护措施。应变传感器布置不同测试断面，每个断面按轴心对称布设一对应变片，应变片每隔 0.5m 布置一对。为了防止打桩破坏，应变片贴制在桩身两侧焊制的保护槽内，并填充环氧树脂胶水，起到保护防水作用，应变片分布如图 7 所示。

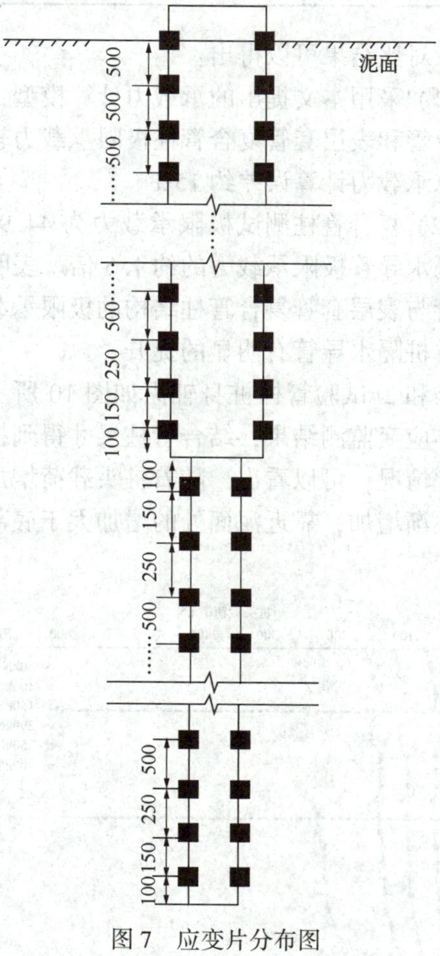

图 7　应变片分布图

3.3　极限承载力测试

完成试验模型打桩后静置 15 天，等待周围土体恢复后进行极限承载力测试。采用重力块堆载组成的堆载平台提供反力的方式进行隔水导管轴向压载极限承载力测试试验。

加载按照分级进行，且采用逐级等量加载，分级荷载为预估荷载值的 1/10，其中第一级加载量可取分级荷载的 2 倍。每级加载维持时间最小 1 小时，在施加荷载后的 5min、15min、30min 测读桩头沉降量与水泥环沉降量，以后每隔 15min 测读一次。测读时间累积为 1 小时，若最后 15min 与前一级荷载相比沉降未明显收敛，应延长荷载维持时间，直到最后 15min 的沉降量小于相邻 15min 的沉降量为止。

轴向压载前的准备工作就绪后，开始逐级压载。隔水导管复合管柱结构极限承载力的条件为：①某级荷载作用下，桩顶沉降量大于前一级荷载作用下沉降量的 4 倍；②Q-S 曲线没有明显陡降段，桩顶总沉降量达 40mm 或达到设计要求的最大允许沉降量（根据《建筑基桩检测技术规范》（JGJ 106—2014）取 0.05D）。当 Q-S 曲线出现明显陡降段，桩顶总沉降量达 40mm 或达到设计要求的最大允许沉降量轴向压载测试结束，在保证安全的前提下进行卸载。

利用油压千斤顶配合静载荷测试仪控制加载量，通过控制油压表进行定荷加载。反力装置采用堆载反力梁，由混凝土块提供反力，测试桩旁架设两个基准梁，两个百分表沿桩基轴线对称分别布置在基准梁上，测试过程中取两表测量的平均值，如图 8 所示。

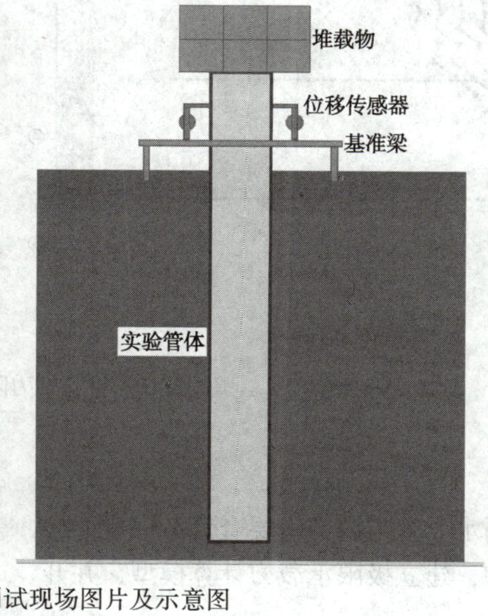

图 8　竖向承载力测试现场图片及示意图

3.4　试验结果分析

1#管柱极限承载力测试过程中载荷与沉降量的曲线(Q–S 曲线)如下图所示。

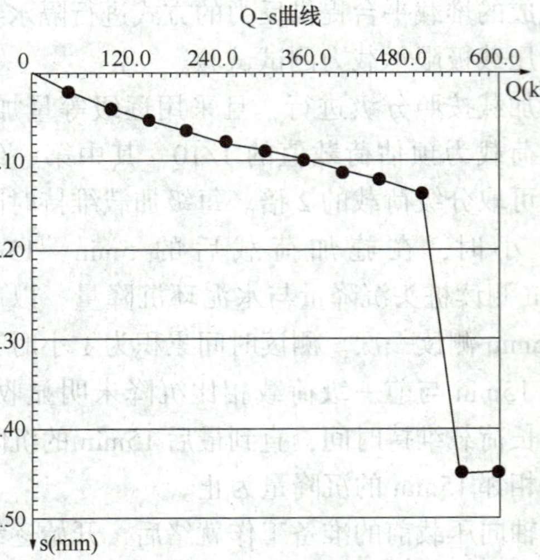

图 9　1#试验模型 Q–S 曲线

根据极限承载力理论计算模型分别计算得出 2 根试验管柱竖向承载力。为与理论计算模型中的假设条件保持一致，根据试验管柱载荷与沉降量的曲线(Q–S 曲线)，并去除隔水导管变截面端阻和表层套管端阻，得出 2 根试验管柱竖向承载力试验值。统计结果如下表所示。

表 1　试验管柱极限承载力结果统计

桩号	类型	模型计算值	试验测量值	相对误差
01#管柱	复合管柱	374kN (38.16t)	440.74kN (44.97t)	15.14%
02#管柱	单桩	260kN (38.6t)	290.74kN (29.67t)	10.57%

从对比结果可以得出：

(1) 采用本文提出的承载力计算模型，计算隔水导管和表层套管复合管柱极限承载力较为准确，总承载力计算误差约 15%。

(2) 复合管柱测试极限承载力为 44.97，为单桩隔水导管极限承载力的约 1.5 倍。表明了隔水导管与表层套管复合管柱结构的极限承载力相对于单桩隔水导管有明显的提升。

1#和 2#试验管柱桩身轴力如图 10 所示。根据桩体应变监测结果，结合管柱尺寸得到桩轴力的变化情况，可以看出，随着桩头载荷增加，桩轴力逐渐增加，靠近泥面处的增加大于底部的增加量。

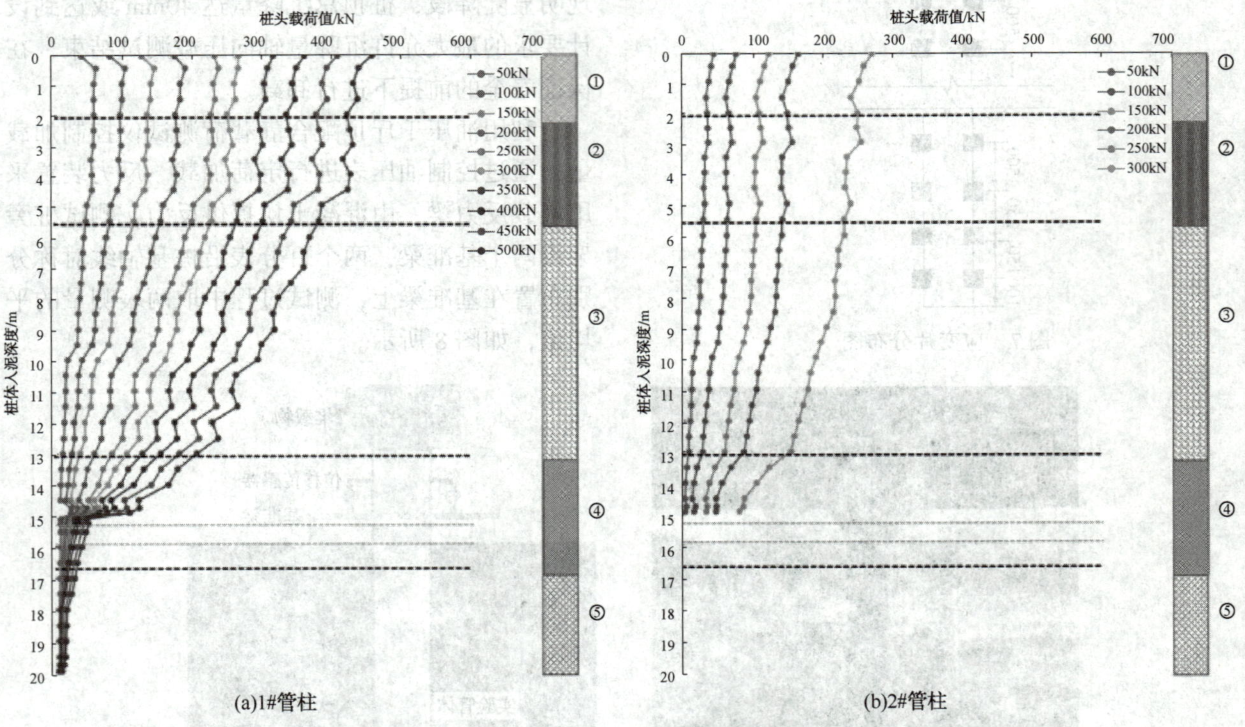

图 10　桩身轴力随时间变化关系

4　结论

本文将隔水导管与内部表层套管考虑成一个复合管柱结构，建立极限承载力计算模型，并开展现场模拟试验。将理论计算结果与现场试验结果对比，验证隔水导管与表层套管复合管柱极限承载力计算准确性。主要结论如下：

(1) 隔水导管和内部表层套管通过高强度固

井水泥连接，将隔水导管、表层套管考虑为一个整体复合管柱结构，将有非常富裕的承载力储备。

(2) 分别建立隔水导管部分的竖向承载力和灌浆固井后表层套管部分的竖向承载力，综合形成复合管柱的竖向承载力计算模型。

(3) 提出的复合管柱承载力计算方法可以很好的反应现场实际情况，总承载力计算误差约15%，验证了计算方法的准确性。

(4) 通过现场试验验证了隔水导管与表层套管复合管柱相对于单桩隔水导管，极限承载力有明显的提升。

参 考 文 献

[1] 金秋，戴国华，王万旭等. 边际油田开发用集束海缆关键技术问题探究[J]. 电气工程学报，2021，16(01)：141-148.

[2] 史永晋，刘旭. 边际油气田油井简易井口架结构应力分析[J]. 中国海洋平台，2011，26(02)：27-31.

[3] 刘润，于健东，梁超等. 隔水导管复合群桩竖向承载特性[J]. 中国海洋平台，2021，36(05)：8-17+27.

[4] 沈建波. 隔水套管对中装置设计[D]. 哈尔滨工程大学，2012.

[5] 翟慧颖，杨进，周建良等. 隔水导管与土壤胶结强度试验分析研究[J]. 石油钻采工艺，2008(02)：36-37+41.

[6] API RP 2A，Recommended Practice for Planning，Designing and Constructing Fixed Offshore Platform－Working Stress Design[S].

内置式液动冲击器仿真分析及试验

江定川　李昱垚　睢　圣　王汉卿

（中石化西南石油工程有限公司）

摘　要　为解决深部硬地层钻井提速工具稳定性差、造斜率低、提速效果有限的问题，通过调研分析国内外钻井提速工具研究现状及性能参数，研制了一种内置于钻头的液动冲击器，可以实现在不降低造斜率的情况下，配合螺杆或旋导等应用，从而辅助提高机械钻速。通过数值仿真模拟工作环境下内置式液动冲击器的流道和相关参数对其性能的影响，结果显示该工具的平均压降为 2.00MPa，频率为 14.47Hz，轴向冲击载荷为 26.2kN，结构参数优化后为内部流道角度 30°，流道高度 23mm，钻井液排量为 40L/s。室内清水介质试验结果显示工具振动频率为 14.08Hz，压降为 1.97MPa，轴向冲击载荷为 21.2kN，与仿真模拟结果基本一致，达到市面上一般冲击钻井工具性能指标。该内置式液动冲击器在 XS206 井配合 PDC 钻头入井试验，在钻井液排量 35~40L/s，密度约 2.0g/cm^3 条件下，单趟进尺 560m，平均机械钻速 6.61m/h，机械钻速较邻井提速 16.2%。

关键词　钻井提速；深部硬地层；液动冲击器；流道仿真

1　引言

四川盆地天然气资源丰富，总资源量达 66 万亿立方米，十四五期间为加快建设天然气千亿产能基地，打造中国“气大庆”，中石化西南油气分公司针对已落实的评价建产潜力区部署了百余井以新建产能。然而随着勘探开发由浅、中部地层向深部地层发展，油气开采难度和开采成本也将随着地层深度的加深而不断提高，深井、超深井钻井过程长期面临深部地层地质条件复杂、地可钻性差、钻井效率低、成本高等难题，因此开发新的钻井提速工具来提高钻井效率和降低钻井成本将具有重要意义。目前，国内外已经出现了一批成熟的冲击钻井提速工具，例如水力振荡器、轴冲、扭冲及复合冲击器等，但依然存在增加了钻头到钻铤之间的距离，降低了造斜率，使用成本高，无法配套旋导使用等不足。

本文通过对国内外现有提速工具的调研，针对当前深部硬地层钻井造斜效率低，提速工具稳定性差，提速效果有限的问题，研制了一种内置于钻头，在不降低造斜率情况下提高破岩效率，可配套于常规和旋转导向工具使用的内置式液动冲击器，并开展了仿真优化分析和现场试验验证了设计的合理性，为提高深部硬地层机械钻速，缩短钻井周期，降低钻井成本提供有力的技术支撑。

2　内置式液动冲击器结构及工作原理

2.1　结构组成

内置式液动冲击器结构组成主要包括旋转动力机构，轴承，外壳，密封圈。其中旋转动力机构由连接体和旋转体组成，为自旋转内置钻头冲击器的核心部件，起到能量转换和产生脉冲压力的作用（图 1）。

2.2　工作原理

内置式液动冲击器使用时置于钻头内腔，工作过程中利用钻井液的动能带动旋转动力机构运动产生轴向冲击力。连接体内部设有流道，工作时钻井液通过钻杆流入连接体，由于内部流道尺寸的变化，可在内径狭小出产生较大的压降和较快的流速。高速流体冲击内置式液动冲击器外壳，由于流道与外壳之间呈一定的角度，从而高速流体冲击外壳产生的射流反作用力作用在旋转动力机构上，使旋转体产生旋转。外壳上有能充分挡住旋转体流道的挡块，在旋转体的旋转运动下，流道与挡体间歇性的接触，因此改变了钻井液的流通面积，在面积的周期性变化作用下，产生周期性的脉冲压力波动，该脉冲压力波动直接作用于钻头上，是钻头产生轴向冲击。同时，高压流体具有脉冲空化射流作用于井底，可辅助破岩。

如图 2a）所示，箭头方向为钻井液的流动方向，绿色为外壳壁面，红色为流道。在钻井液的射流反作用力下，旋转体的流道发生旋转，从而导致旋转体的流道与外壳壁面之间产生周期性的面积变化，通过流通面积的改变从而引起脉冲压力的变化。面积周期性变化如图 2b) 所示。

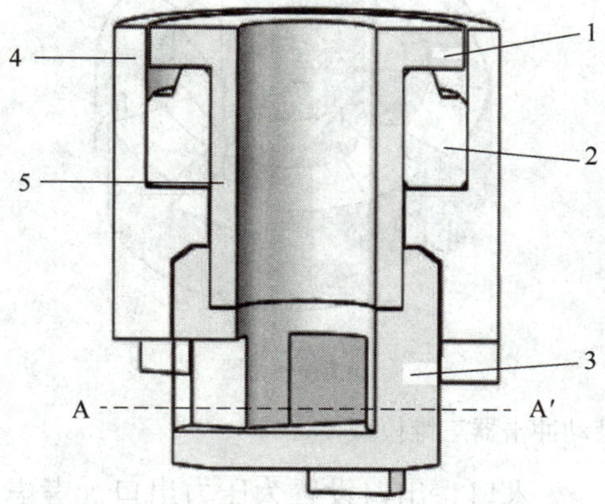

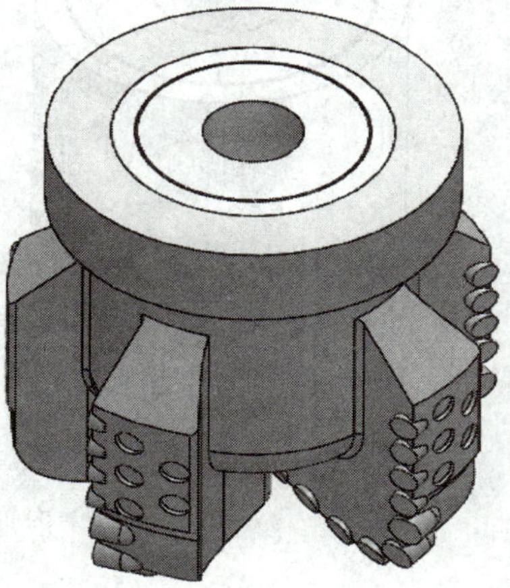

图 1　内置式液动冲击器结构及与钻头装配图

1—连接体；2—轴承；3—旋转体；4—外壳；5—密封圈

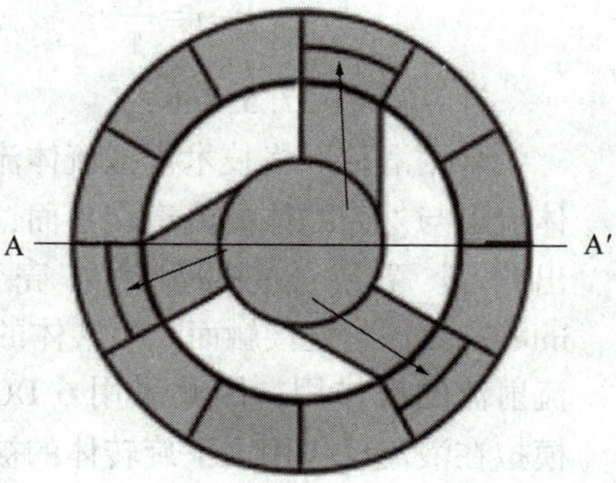

(a)流道截面图

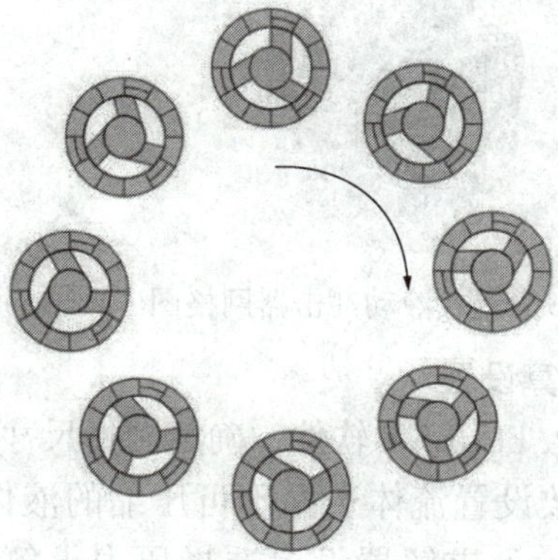

(b)流通面积变化图

图 2　内置式液动冲击器结构

3　内置式液动冲击器仿真分析

3.1　湍流模型

高速流体在内置式液动冲击器内部的运动状态，在不同的领域使用不同的湍流模型。本文考虑使用 Yakhot 和 Orzag 应用重整化群理论提出的选择 RNG$^{\kappa\text{-}\varepsilon}$ 湍流模型。该模型通过在大尺度运动和修正后的黏度项体现小尺度的影响，而使这些小尺度运动有系统地从控制方程中去除，其控制方程如下：

$$\frac{\partial(\rho k)}{\partial t}+\frac{\partial(\rho k u_i)}{\partial x_i}=\frac{\partial}{\partial x_j}\left[\left(\mu+\frac{\mu_t}{\sigma_k}\right)\frac{\partial k}{\partial x_j}\right]+P_k-\rho\varepsilon \tag{1}$$

$$\frac{\partial(\rho\varepsilon)}{\partial t}+\frac{\partial(\rho\varepsilon u_i)}{\partial x_i}=\frac{\partial}{\partial x_j}\left[\left(\mu+\frac{\mu_t}{\sigma_\varepsilon}\right)\frac{\partial\varepsilon}{\partial x_j}\right]+C_{1\varepsilon}\frac{\varepsilon}{k}P_k-C_{2\varepsilon}^{*}\rho\frac{\varepsilon^2}{k} \tag{2}$$

其中，

$$\begin{cases}C_{2\varepsilon}^{*}=C_{2\varepsilon}+\dfrac{C_\mu\eta^3(1-\eta/\eta_0)}{1+\beta\eta^3}\\ \eta=Sk/\varepsilon\\ S=(2S_{ij}S_{ij})^{1/2}\end{cases} \tag{3}$$

式中，$C_\mu=0.0845$，$\alpha_k=\alpha_\varepsilon=0.7194$，$C_{\varepsilon1}=1.42$，$C_{\varepsilon2}=1.68$，$\eta_0=4.38$，$\beta=0.012$。

3.2　数值仿真计算

3.2.1　流道模型建立

利用 solidworks 建立内置式液动冲击器三维模型(图 3)，将流道模型导入到网格划分软件中，对进口、出口、边界条件进行设置采用非结构化网格划分，分别对全局网格尺寸、全局体网格尺寸、全局棱柱网格参数进行设置，流道壁面采用三层壁面网格参数，具体划分后的网格如图 4 所示。

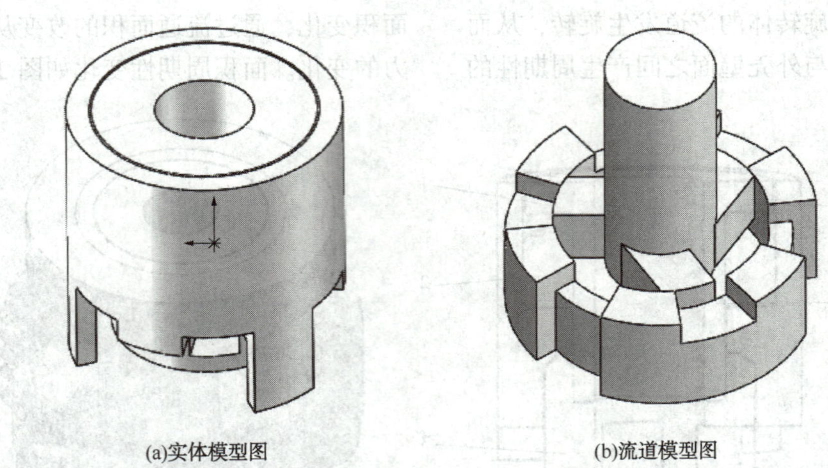

(a)实体模型图　　(b)流道模型图

图3　内置式液动冲击器三维模型

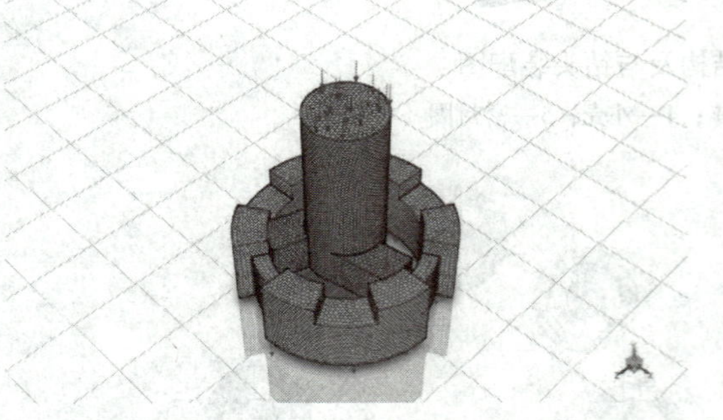

图4　内置式液动冲击器网格图

3.2.2　仿真计算设置

将文件导入 FLUENT 软件，确定网格尺寸无误后，模拟参数设置流体选择不可压缩的液体，密度为 $1.7g/cm^3$，求解器设置选择压力求解器(Pressure Based)和瞬态(Transient)求解器，并设置沿 Y 轴向下的重力加速度，其余均为软件的默认选择。

流体模型选择 $RNG^{k-\varepsilon}$ 模型，入口选择速度入口，出口设置为压力出口。考虑内置式液动冲击器实际工作环境，排量选择 40L/s，入口直径为 43mm，计算的入口速度根据公式：

$$v=\frac{Q}{A} \tag{4}$$

计算得 $v=27.558m/s$。

采用滑移网格技术模拟流体流动，建立旋转体流道与外壳挡体的流道交界面，将旋转体流道出口设置为 interface1，外壳流道设置为 interface2，建立接触面。旋转体的动力来源为液流射流的反作用，因此采用 6 DOF 动网格技术模拟在液流反作用力下旋转体的被动旋转。网格方法设置采用光顺与网格重构方法，进行局部网格重构，并建立 6 DOF 动网格属性。

根据残差曲线趋于稳定，判断内置式液动冲击器的流道仿真已达到收敛，对结果下一步进行数据提取和分析工作(图5)。

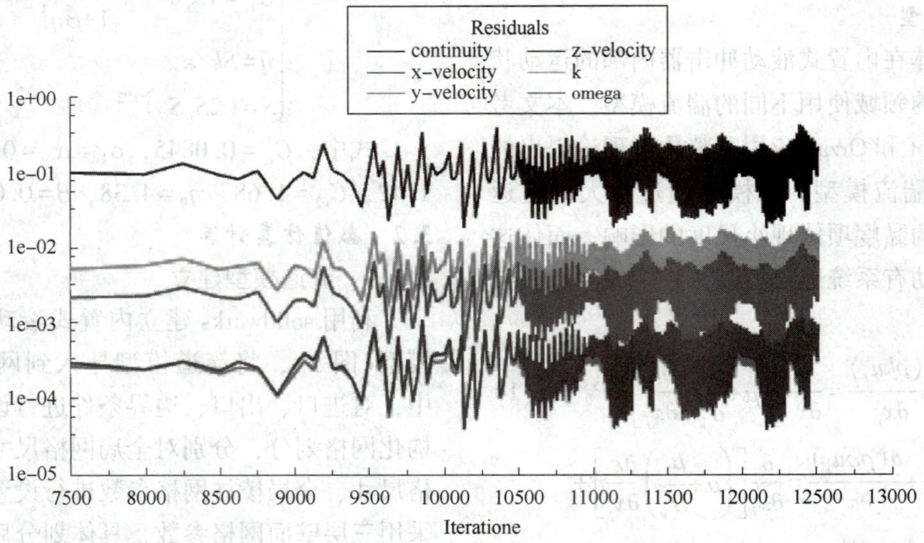

图5　残差曲线

3.2.3　仿真结果分析

提取不同时刻下内置式液动冲击器的压力和速度云图(图 6，图 7)，从图中可知在水力冲击的作用下，旋转体呈现顺时针旋转。随着旋转体的旋转，流道的连通面积也相应发生变化，因此导致在工具的进入与出口之间出现压力差，即工具压降。

如图 a)初始时刻，压力主要集中在旋转体的入口处，此时流体还没有完全进入工具内部，因此工具底端的压力为 0Pa。随着流体的不断进入，工具内部压力逐渐增大。由图 b)可以看出，工具内部的流体压力主要集中在旋转流域与静止流域的连接位置，最大压力可以达到 3.54MPa。随着旋转体的旋转，流道的连通面积增大．如 c)所示，此时旋转流域与静止流域连接位置的最大压力为 2.18MPa。当连通面积最小时，如 d)所示，此时旋转流域与静止流域连接位置的最大压力达到 3.89MPa。

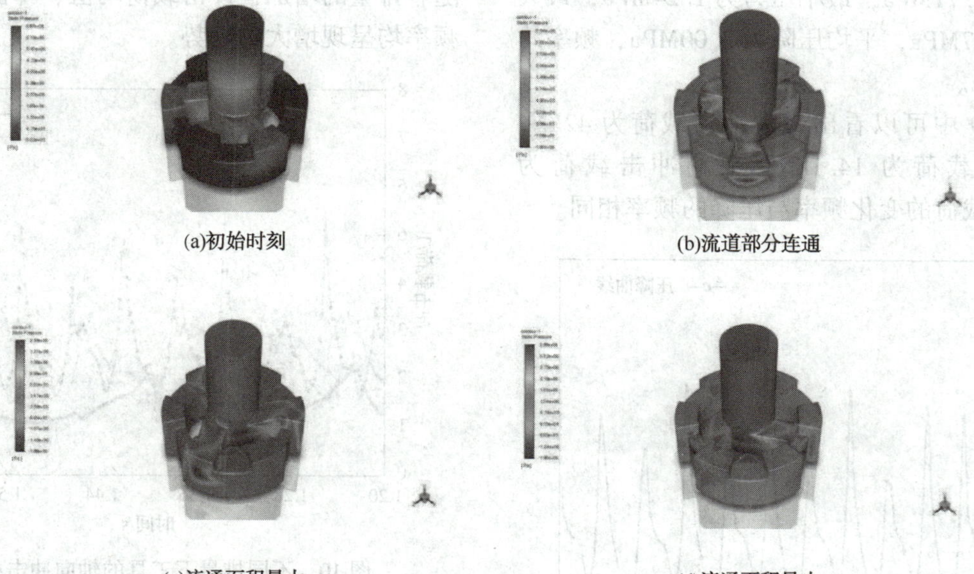
(a)初始时刻　(b)流道部分连通　(c)流通面积最大　(d)流通面积最小

图 6　任意时刻流道压力图

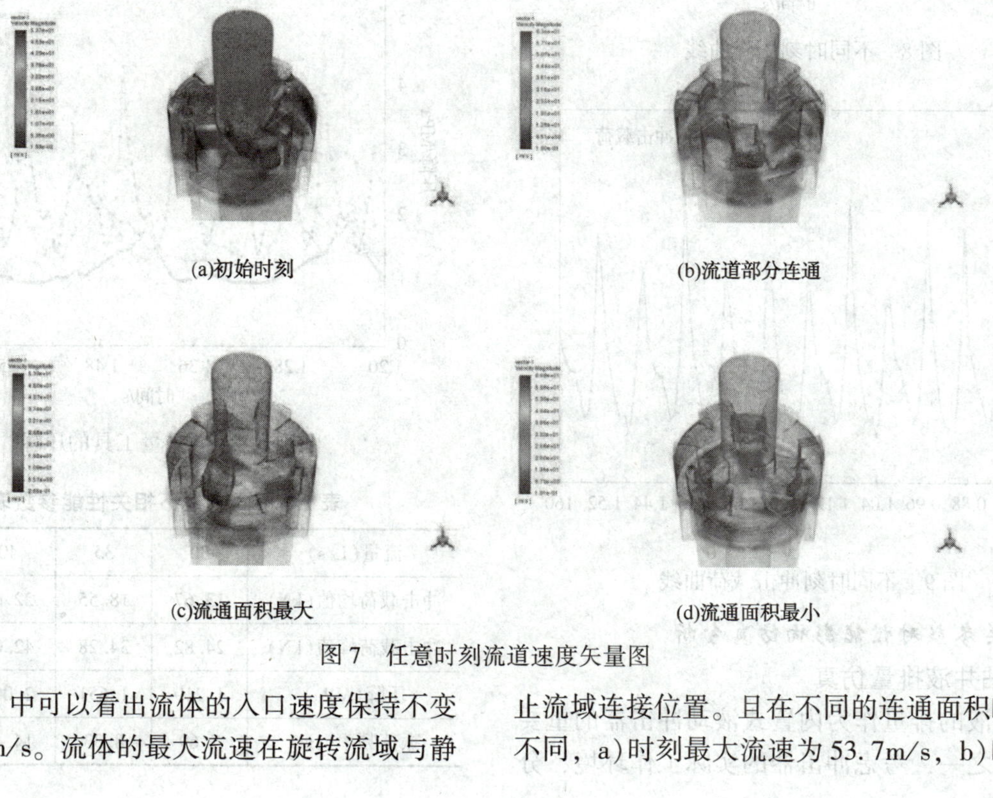
(a)初始时刻　(b)流道部分连通　(c)流通面积最大　(d)流通面积最小

图 7　任意时刻流道速度矢量图

从图 7 中可以看出流体的入口速度保持不变为 27.558m/s。流体的最大流速在旋转流域与静止流域连接位置。且在不同的连通面积时的流速不同，a)时刻最大流速为 53.7m/s，b)时刻最大流速为 63.4m/s，c）时刻最大流速为 53.3m/s，d）时刻最大流速为 66.2m/s，可以看出流速随着连通面积的增大而减小。

根据压力和速度模型，提取模型进口和出口之间的压力，计算出工具压降和相应产生的轴向冲击载荷，得到压降变化曲线和冲击载荷曲线（图 7，图 8）。

从图 8 中可以看出内置脉冲冲击器所产生的压力波动即压降曲线类似正弦波动，其产生的最大压力为 3.71MPa，最小压力为 1.24MPa，最大压降为 2.47MPa，平均压降为 2.00MPa，频率约为 14.47Hz。

从图 9 中可以看出最大冲击载荷为 42kN，最小冲击载荷为 14.1kN，平均冲击载荷为 26.2kN，载荷的变化频率与压降的频率相同。

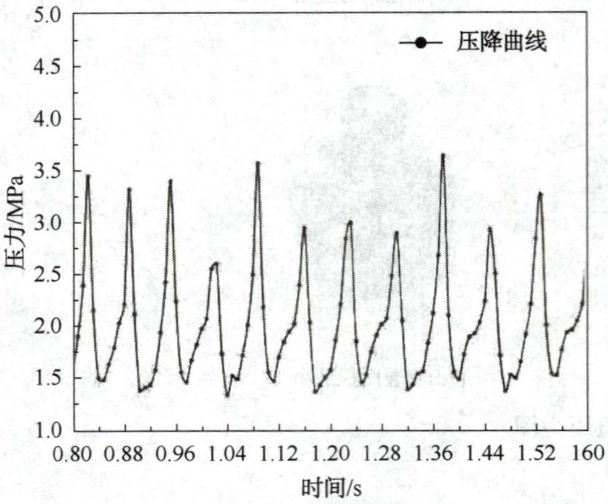

图 8　不同时刻压降曲线

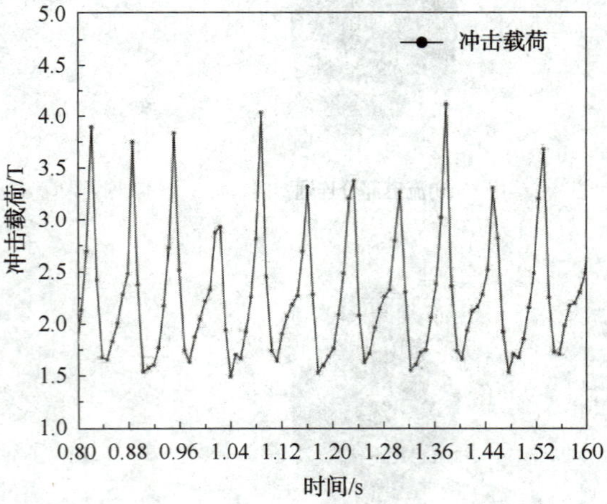

图 9　不同时刻冲击载荷曲线

3.3 相关参数对性能影响仿真分析

3.3.1 钻井液排量仿真

钻井液的排量作为内置式液动冲击器的重要工作参数之一，考虑冲击器的实际工作环境，分析不同钻井液排量下工具的性能参数变化。结构参数保持入口直径为 43mm，旋转体流道角度为 30°，流道高度为 23mm 不变，钻井液密度为 1.7g/cm³。分别研究排量为 30L/s，35L/s，40L/s，45L/s 下工具的轴向冲击载荷和压降。如图 10、图 11，从峰值角度分析，轴向冲击载荷与压降的峰值均随着流量的增加而变大。从图 10、图 11 中提取数据并整理冲击载荷均值、峰值、压降和频率与流量之间的关系，如表 1 所示，显示随着排量的增加，冲击载荷均值、峰值、压降和频率均呈现增大的趋势。

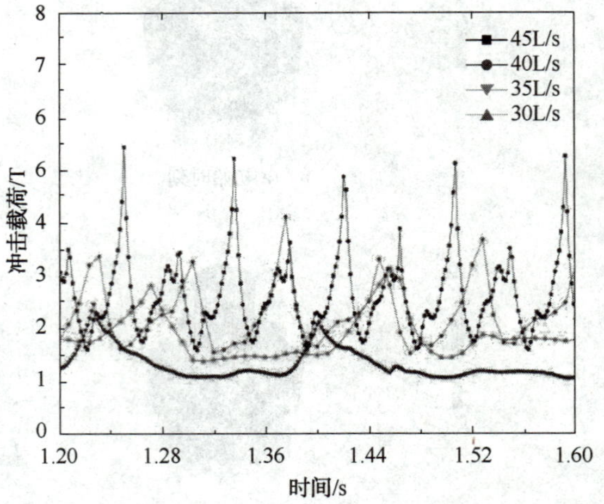

图 10　不同排量下工具的轴向冲击载荷

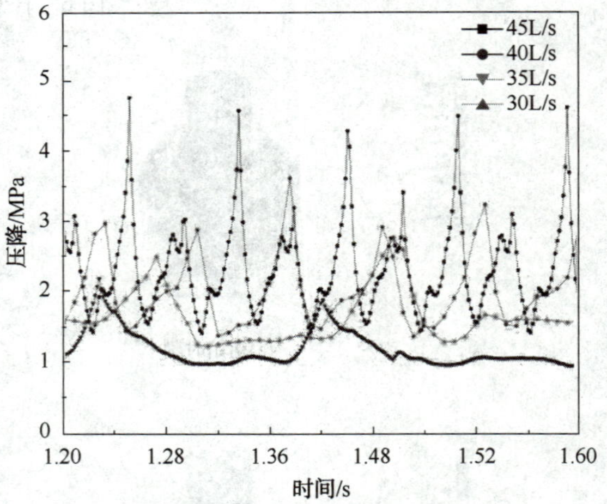

图 11　不同排量工具的压降

表 1　不同排量下相关性能参数表

流量（L/s）	30	35	40	45
冲击载荷均值（kN）	13.67	18.55	22.62	25.92
冲击载荷峰值（kN）	24.82	34.28	42.00	54.26
压降（MPa）	1.219	1.651	2.008	2.303
振荡频率（Hz）	7.69	8.33	14.47	25.67

3.3.2　流道高度仿真

在保持流量 40L/s，钻井液密度 1.7g/cm³，入口直径 43mm，流道角度 30° 不变的情况下，分别研究流道高度为 23mm，20mm，17mm，14mm 下工具所产生的冲击载荷和压降，结果如图。当流道高度为 23mm 时，最大冲击载荷为 42kN，均值为 22.62kN；流道高度为 20mm 时，最大冲击载荷为 76.71kN，均值为 32.51kN；流道高度为 17mm 时，最大冲击载荷为 151.36kN，均值为 54.22kN；流道高度为 14mm 时，最大冲击载荷为 423.18kN，均值为 112.59kN。当流道高度为 23mm 时，压降为 2.008MPa；流道高度为 20mm 时，压降为 2.876MPa；流道高度为 17mm 时，压降为 4.797MPa；流道高度为 14mm 时，压降为 9.960MPa。因此，流道高度越高，内置式液动冲击器产生的轴向载荷和压降越小。

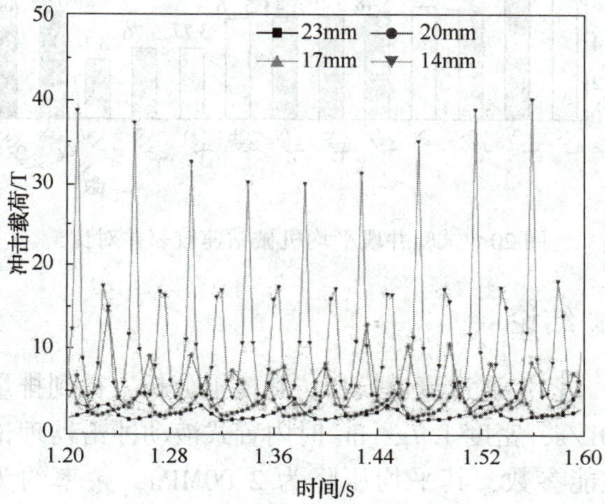

图 12　不同内部流道高度下的工具轴向载荷

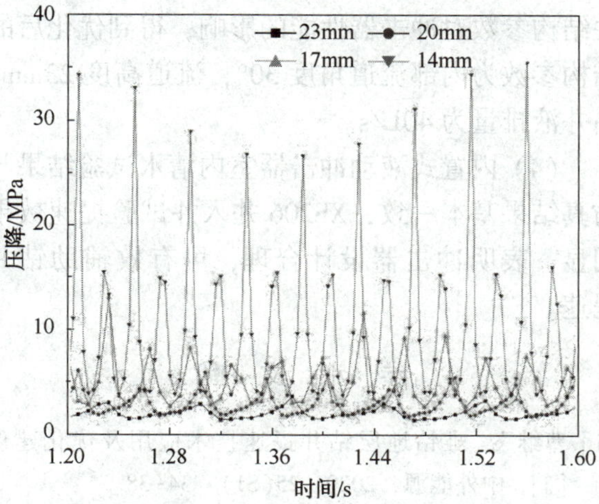

图 13　不同内部流道高度下的工具压降

3.3.3　流道角度仿真

在保持流量 40L/s，钻井液密度 1.7g/cm³，入口直径 43mm，流道高度 23mm 不变的情况下，分别研究流道角度为 30°，25°，20°，15° 下工具所产生的冲击载荷和压降，结果显示，内置式液动冲击器所产生冲击载荷峰值、均值和压降变化不大，而频率随着流道角度的增加而减小（图 14，图 15）。当流道高度为 30° 时，频率为 14.47Hz；流道高度为 25° 时，频率为 11.11Hz；流道高度为 20° 时，频率为 10.29Hz；流道高度为 15° 时，频率为 6.25Hz。

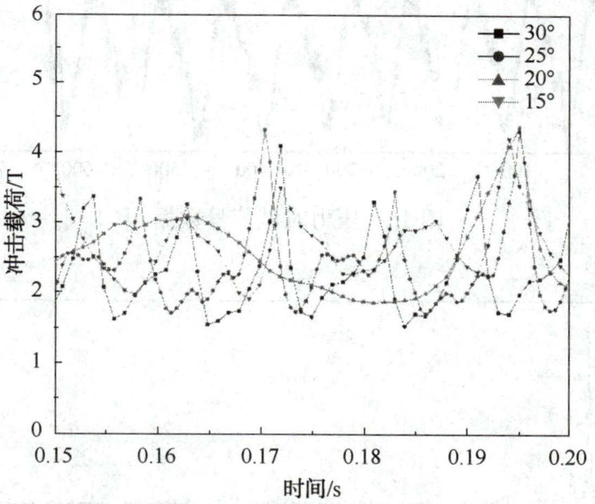

图 14　不同内部流道角度下的工具轴向载荷

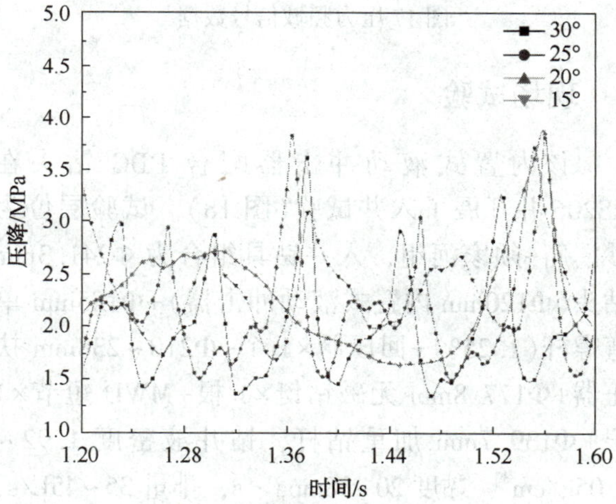

图 15　不同内部流道角度下的工具压降

通过钻井液排量和结构参数仿真优化分析，得到内置式液动冲击器优化后的结构参数为内部流道角度 30°，流道高度 23mm，钻井液排量为 40L/s。

4　室内试验

根据仿真分析结果优化了内置式液动冲击器的结构参数，并开展了室内试验，试验所用泵的排量为 35L/s，介质为清水，试验结果见表 2。

测试结果显示排量为35L/s时，工具振动频率为14.08Hz，压降为1.97MPa，轴向冲击载荷为21.2kN，与市面上冲击钻井工具性能指标相近。

表2　室内试验性能参数表

参数/条件	频率/Hz	最大压力/MPa	最小压力/MPa	平均压降/MPa
35L/s(清水)	14.08	3.59	0.06	1.97

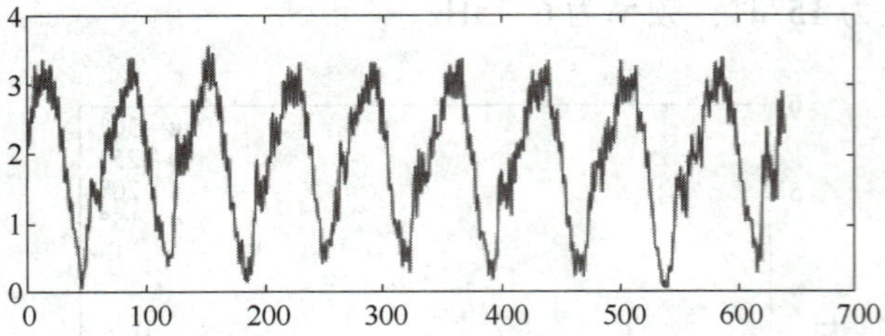

图16　压力时域信号数据

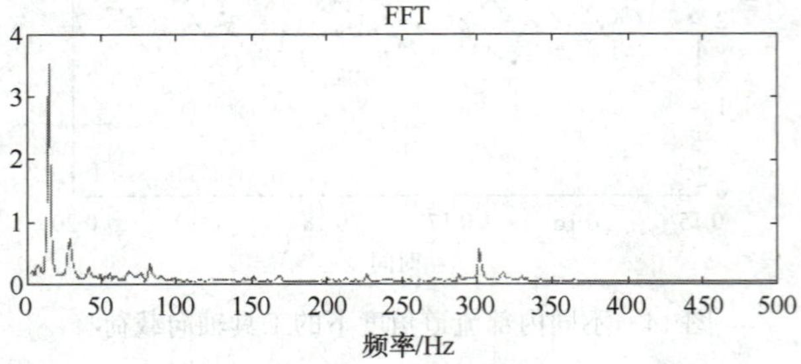

图17 压力频域信号数据

5　现场试验

该内置式液动冲击器配合PDC钻头在XS206井开展了入井试验(图18)。试验层位为沙溪庙-须家河组，入井钻具组合为Φ241.3mm钻头(Φ120mm内置式液动冲击器)+Φ185mm单弯螺杆(1.25°)+回压阀×1个+Φ210~238mm扶正器+Φ177.8mm无磁钻铤×1根+MWD短节×1根+Φ139.7mm加重钻杆，钻井液密度1.92~2.05g/cm^3，黏度20~38mpa·s，排量35~45L/s，钻压8~14t，转速50~80r/min。

图18　内置式液动冲击器入井照片

井口测试内置式液动冲击器压降在2~3.1MPa，钻进过程中MWD信号正常且连续传输，表明冲击器脉冲不影响定向工具使用，安全可靠(图19)。

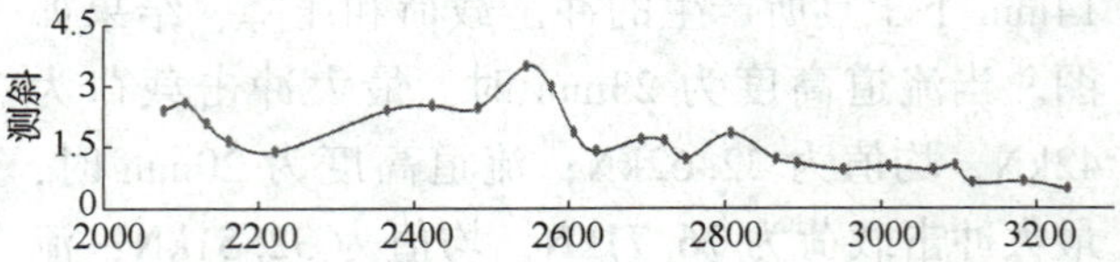

图19　信号传输测试

内置液动冲击器钻头试验井段为2569m~3129m，单趟进尺560m，平均机械钻速6.61m/h，累计单井使用寿命167.53h，XS206井试验井段平均机械钻速较前期邻井同井段同层位提高16.2%，提速效果明显(图20)。

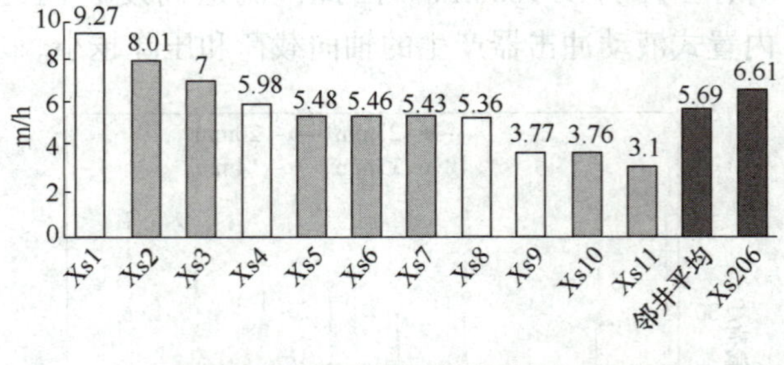

图20　试验井段平均机械钻速较邻井对比

6　结论

(1)通过流道模型仿真模拟分析，得到排量40L/s，密度1.7g/cm^3时内置式液动冲击器理论性能参数，其平均压降为2.00MPa，频率约为14.47Hz，平均轴向冲击载荷为26.2kN。

(2)通过验证不同钻井液排量和内部流道相关结构参数对冲击器性能的影响，得到优化后的结构参数为内部流道角度30°，流道高度23mm，钻井液排量为40L/s。

(4)内置式液动冲击器室内清水试验结果与仿真结果基本一致，XS206井入井试验提速效果明显，表明冲击器设计合理，可有效辅助钻井提速。

参　考　文　献

[1] 曹继飞. 难钻地层钻井提速技术应用及优化建议[J]. 中外能源，2020，25(S1)：34-38.

[2] 刘伟. 川西气田须家河组致密坚硬地层钻井提速关键技术[J]. 天然气技术与经济，2020，14(05)：44-51.

[3] 刘清友. 若干智能钻井装备发展现状及应用前景分

析——以四川盆地页岩气开发为例[J]. 钻采工艺, 2022, 45(01): 1-10.

[4] 贾涛, 徐丙贵, 李梅. 钻井用液动冲击器技术研究进展及应用对比[J]. 石油矿场机械, 2012, 41(12): 83-87.

[5] 甘心. 钻井提速用振动冲击工具研究进展[J]. 钻探工程, 2021, 48(02): 85-93

[6] 付加胜, 李根生, 田守嶒, 等. 液动冲击钻井技术发展与应用现状[J]. 石油机械, 2014, 42(6): 16.

[7] 查春青, 柳贡慧, 李军, 等. 复合冲击钻具的研制及现场试验[J]. 石油钻探技术, 2017, 45(1): 57-61.

[8] 查春青, 柳贡慧, 李军, 等. 复合冲击破岩新技术提速机理研究[J]. 石油钻探技术, 2017, 45(2): 20-24.

[9] 穆总结, 李根生, 黄中伟等. 轴扭耦合冲击钻井技术研究[J]. 石油机械, 2018, 46(10): 12-17.

[10] 周祥林, 张金成, 张东清. TorkBuster 扭力冲击器在元坝地区的试验应用[J]. 钻采工艺, 2012, 35(2): 15-17.

[11] 李玮, 纪照生, 陈柳, 邱光泽, 闫玉良. 轴向冲击器设计计算及有限元分析[J]. 中州煤炭, 2016, (06): 76-80.

[12] 田家林, 胡志超, 张昕等. 纵扭复合冲击工具动力学特性研究[J]. 机械工程学报, 2022, 58(07): 141-151.

[13] 李玮, 高海舰. 射吸式冲击器在塔里木地区的现场应用[J]. 辽宁石油化工大学学报, 2017, 37(06): 36-39.

[14] Yakhot V, Orszag SA. Renormalised group analysis of turbulence: 1. Basic theory[J]. Sci Comput, 1986, 1: 3-51.

[15] 鲍泽富, 刘江. FLUENT 在液动冲击器使用配置研究中的应用[J]. 石油机械, 2019, 47(06): 50-54. DOI: 10.16082/j.cnki.issn.1001-4578.2019.06.010.

[16] 张元志. 射吸式液动冲击器的优化设计[D]. 西安石油大学, 2015.

[17] 樊亚明, 翁国华, 岳坚等. 基于 Fluent 的流场分析在稳压罐设计中的应用[J]. 电子科技, 2015, 28(11): 100-103.

高密度钻井液用抗高温两性离子降滤失剂研制及应用

蔡　静　伏松柏　奉庆莹　曾　成

（中石化西南石油工程有限公司）

摘　要　针对常用的抗高温聚合物降滤失剂分子量大、黏度效应高，高密度钻井液中加量受限，高温解吸附严重，滤失造壁性难以控制等问题，本文基于 Gibbs 吸附理论和电性作用机理，创新设计研发了具有抗温、耐盐和强吸附基团结构的两性离子降滤失剂产品。该降滤失剂在 RT1 井海相深层进行了成功应用，191℃高温高压滤失量降低率高达 86%，实现了低黏度效应条件下的高降滤失能力，并显著提升了钻井液体系抗污染能力。

关键词　超深井；抗高温；降滤失剂；RT1 井

1　引言

随着川渝工区天然气气藏勘探开发向超深层海相地层钻进，面临井深超 8000 米，井底温度达 190℃，在高温高压下钻井液主要存在以下难点：①常用聚合物降滤失剂高温易降解失效；②钻井液在 190℃以上高温稳定性差，高密度条件下流变性维护与滤失性难以控制，易发生高温增稠，滤失量增大等现象；③长裸眼段井壁稳定难以控制；④海相地层易受到酸性气体污染，性能难以调控。针对上述难题，本文研制出了适用于高温高密度钻井液中使用的聚合物降滤失剂。

2　抗高温两性离子降滤失剂合成

2.1　合成工艺

采用水聚合方法，以对苯乙烯磺酸钠（SSS），丙烯酸（AA），2-丙烯酰胺-2-甲基丙磺酸（AMPS），丙烯酰胺（AM），及二甲基二烯丙基氯化铵（DMDAAC）五种单体为原料，氧化还原体系用过硫酸铵-亚硫酸氢钠为引发剂不同投料比进行合成，得到两性离子降滤失剂 XNPFL-1。

2.2　结构表征及生物毒性实验

（1）降滤失剂 1HNMR 核磁谱图分析

根据图 1 所得降滤失剂的核磁谱图结果解析如下：1.40ppm、1.55ppm 和 1.67ppm 处的特征峰归属 AMPS 单元，AM 单元及 DMDAAC 单元的—CH_2的 H 质子，2.14ppm 处特征峰归属 AM 单元及 AA 单元的与—C ═O 相连的—CH_2—及—CH—的 H 质子，3.15ppm、3.5ppm 附近的多峰分别来自 DMDAAC 单元里五元环中与—N^+连接的—CH_2—及—CH—的 H 质子。7.6ppm 处的特征吸收峰对应苯乙烯磺酸钠结构单元上苯环间位上的 H 质子，该峰是识别聚合物中苯乙烯磺酸钠结构单元的重要标志。2.2ppm 处特征峰归属苯乙烯磺酸钠结构单元上与苯环相连的—CH—的 H 质子，4.70ppm 对应溶剂 D_2O 的吸收峰。

（2）降滤失剂红外光谱分析

采用德国 Brucher 公司 EQUINX55 型红外光谱仪，用溴化钾压片法测定红外光谱。

表 1　不同官能团对应的红外特征吸收峰

官能团	$-NH_2$	C-H	$-CONH_2$	-COO-	$-CH_3-N^+$
波数/cm^{-1}	3430	2930	1671	1563	1453

从图 2 中可以知道，在 3430cm^{-1}和 1671cm^{-1}处有两个较大的特征吸收峰，分别对应于 AM 中的 N—H 和 C ═O 的伸缩振动吸收峰，位于 2933cm^{-1}的信号来自 AM 单元和 DMDAAC 单元含有的亚甲基－次甲基中的碳氢振动峰。1563cm^{-1}处出现的羧基的特征吸收峰，为 AA 中的丙烯酸基团。1453cm^{-1}处的信号峰归属于 DMDAAC 单元的五元环中与-N+连接的双甲基振动吸收峰，位于 1041.72cm^{-1}处的吸收峰峰形较窄且强度较大，符合 AMPS 结构单元中的 C-S 伸缩振动吸收峰特征，结合 1186.8cm^{-1}处磺酸基

伸缩振动吸收峰，1453cm^{-1}处的对应于芳环骨架结构中两个 C-C 伸缩振动吸收峰，结合 770cm^{-1}处出现了单取代苯环骨架振动特征吸收峰。表明 AM 单元，AA 单元，AMPS 单元，DMDAAC 单元和 SSS 单元参与了反映并成功出现在了目标产物中。

（3）GPC 分子量结构表征

通过测试，重均分子量为 125157，数均分子量为 87570，多分散性为 1.48。

（4）TSC 热失重分析

根据热分解数据分析，降滤失剂的热分解温度为 388℃（图 3）。

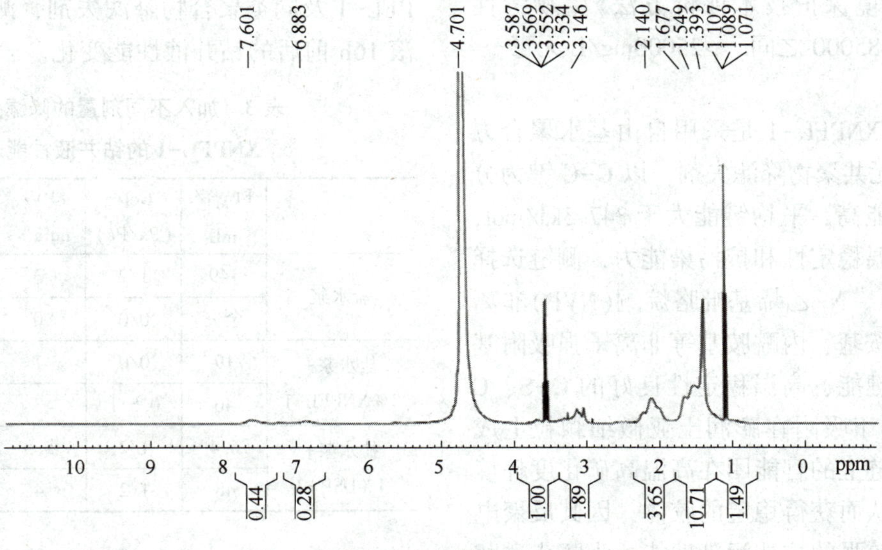

图 1　所得降滤失剂样品的 1HNMR 谱

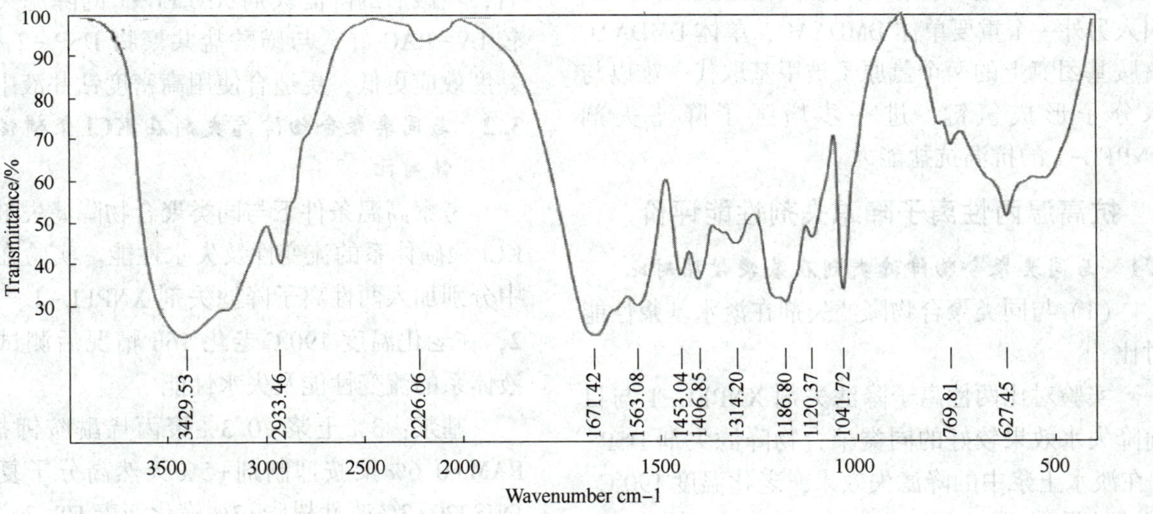

图 2　所得降滤失剂的红外光谱 FT-IR 图

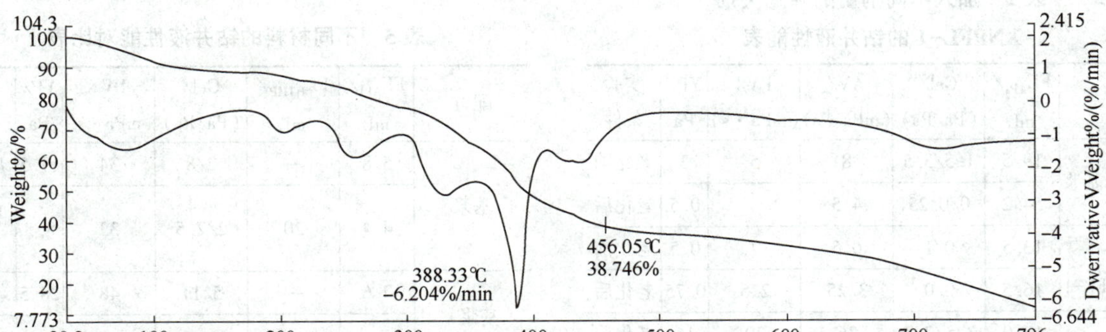

图 3　TSC 热失重分析图

(5) 生物毒性实验

经生物实验室检测，使用 HJ776 水质 32 种元素的测定电感耦合等离子体发射光谱法及 Q/SY 111 油田化学剂、钻井液生物毒性分级及检测方法、发光细菌法测试镉、铅、汞低于检测限，铬低于标准要求。根据 SY/T 6788《水溶性油田化学剂环境保护技术评价方法》生物毒性 EC_{50}在 56000~85000 之间，>25000mg/L 无毒。

2.3 作用机理

降滤失剂 XNPFL-1 是采用自由基水聚合方法，是一种多元共聚物降滤失剂，以 C-C 键为分子主链，其键能高，平均键能大于 347.3kJ/mol，具有良好的高温稳定性和抗污染能力，侧链选择丙烯酰胺(AM)、N-乙烯基吡咯烷酮(NVP)非离子单体，有酰胺基、内酰胺基等非离子强吸附基团，具有较高键能、高温稳定性良好的 C-S、C-N 等结构，易于吸附在膨润土亚微细颗粒上成膜，以提高侧链上的官能团在高温高矿化度环境中的稳定性，从而获得稳定的胶体，因其反聚电解质效应具有较强的抗盐污染性能。为防止酰胺基团在高温不饱和盐水钻井液中发生水解反应。引入另外一个重要单体 DMDAAC，单体 DMDAAC 酰胺基团氮上的两个氢原子被甲基取代，难以与水分子形成氢键，进一步增强了降滤失剂 XNPFL-1 的抗温抗盐能力。

3 抗高温两性离子降滤失剂性能评价

3.1 与同类聚合物降滤失剂在基浆性能对比

(1) 与同类聚合物降滤失剂在淡水基浆性能对比

实验对比两性离子降滤失剂 XNPFL-1 与目前降失水效果较好的同类聚合物降滤失剂 DSP-2 在淡水土浆中的降滤失效果，老化温度 190℃。实验结果如下：

表 2 加入不同剂量的降滤失剂 XNPFL-1 的钻井液性能表

	FL_{API}/mL	Gel/(Pa/Pa)	AV/(mPa·s)	PV/(mPa·s)	YP/Pa	实验条件
4%淡水基浆	19.5	1.5/3.5	8	5	3	老化前
	54.2	0/0.25	4.5	4	0.5	老化后
1#+1%XNPFL-1	13.5	0/1	6.5	7	0.5	老化前
	16.5	0/0	3.25	2.5	0.75	老化后
1#+1%DSP-2	12.0	3.5/7.5	36	20	16	老化前
	16.8	0.25/0.5	15.5	13.5	2	老化后

由表可知，淡水中，两性离子降滤失剂与磺酸盐共聚物 DSP-2 中压失水量基本相当。

(2) 与同类聚合物降滤失剂在盐水基浆中的性能对比

4%土浆中加入 5%KCl 记为盐水基浆，然后分别在盐水基浆中添加不同剂量的降滤失剂 XNPFL-1 及同类聚合物降滤失剂，测试其 190℃热滚 16h 前后的钻井液性能变化。

表 3 加入不同剂量的降滤失剂 XNPFL-1 的钻井液性能表

	FL_{API}/mL	Gel/(Pa/Pa)	PV/mPa·s	YP/Pa	实验条件
盐水浆	149	1/2	3	3	老化前
	全失	0/0	0	1.5	老化后
盐水浆+1%XNPFL-1	19	0/0	1	0.5	老化前
	46	0.5/1	3	0.5	老化后
盐水浆+1%DSP-2	6.4	1/2	5.5	0.5	老化前
	48	1/2	4	1.5	老化后

由表 3 可知，在加入了相同剂量的盐水基浆后，热滚后的降滤失剂 XNPFL-1 的降滤失作用较 LV-PAC 好，与磺酸盐共聚物 DSP-2 相比，黏度效应更低，更适合使用高密度钻井液中。

3.2 与同类聚合物降滤失剂在 KCl 聚磺体系性能对比

考察高温条件下与同类聚合物降滤失剂的在 KCl 聚磺体系的流变性及失水性能。实验在基浆中分别加入两性离子降滤失剂 XNPFL-1、DSP-2，在老化温度 190℃老化 16h 情况后测试钻井液体系的流变性能及失水性能

基浆：3%土浆+0.3%聚丙烯酰胺钾盐 K-PAM+0.6%聚胺抑制剂+5%天然高分子复配物 JNJS220+3%改性树脂+3%磺化沥青 FT-3+3%超细碳酸钙+7%KCl(加重至 2.0g/cm^3)

表 5 不同材料的钻井液性能对比表

配方	FL_{API}/mL	FL_{HTHP}/mL	Gel/(Pa/Pa)	PV/mPa·s	YP/Pa	实验条件
基浆	5.8	—	2/8	34	17.5	老化前
	4.4	20	2/2.5	33	8.5	190℃老化
基浆+1%DSP-2	3.6	—	5/11	48	28.5	老化前
	3.2	15.6	2.5/3	46	21.5	190℃老化

续表

配方	FL_{API}/mL	FL_{HTHP}/mL	Gel/(Pa/Pa)	PV/mPa·s	YP/Pa	实验条件
基浆+1%XNPFL-1	6.6	—	5/12	30	22.5	老化前
	2.8	9.2	1.5/2.5	30	12.5	190℃老化

表5表明，相同剂量下，加入了降滤失剂XNPFL-1老化后的中压失水、高温高压失水最低，黏度影响更小，说明降滤失剂XNPFL-1适用于高密度2.0g/cm³、190℃高温不饱和盐水的钻井液体系，性能略高于同类型抗高温抗盐聚合物降滤失剂。

4　现场应用情况

4.1　RT1井基本情况

RT1井是中国石化勘探分公司在四川盆地川北低缓构造带通南巴背斜南段仁和场高点一口预探超深直井，主探下寒武统龙王庙组，兼探中-上寒武统洗象池群，设计完钻井深7595m，实钻井深8445m，井身结构见表6。该井五开Φ165.1mm井眼段长1493m，完钻实测井底温度191℃，超深小井眼钻井液抗高温、防塌、润滑、抑制、抗污染、油层保护等问题。

表6　RT1井井身结构表

开次层次	钻头尺寸×井深(mm×m)	套管尺寸×井深(mm×m)	水泥返深/m
一开	Φ609.6×1601	Φ476.25×1599.09	返地面
二开	Φ444.5×3259	(Φ346.1+339.7)×3227,05	返地面
三开	Φ311.2×4766	(Φ282.6+273.1)×4766	返地面
四开	Φ241.3×6952	Φ206.4×6952	
五开	Φ165.1×8445	—	—

4.2　RT1井五开钻井液技术难点

五开钻遇湄潭组、洗象池群、陡坡寺组、龙王庙组、沧浪铺组，岩性主要是白云岩夹砂岩。主要高温钻井液技术难点：

(1) 井底温度高、钻井液性能控制困难

预测井底温度187℃，实测达191℃，钻井液处理剂在高温条件下易降解，体系性能难以控制。

(2) 同一裸眼段钻穿多个压力系统，钻井液易受盐水层污染。

设计湄潭组-筇竹寺地层压力系数1.66~1.30，而目的层灯影组压力系数为1.10，上部含水层，目的层易漏，安全密度窗口窄。为了防漏降低钻井液密度，钻井液易受盐水污染。

(3) 地层高含酸性气体，钻井液易受污染

气测显示CO_2含量达3.76%，实测钻井液中CO_3^{2-}达11536，HCO_3^-达30790，酸性气污染严重。

4.3　钻井液处理措施

(1) 五开钻井液配方

针对以上技术难点，五开使用了超高温防塌钻井液体系，最主要配方如下：

上部井浆+0.2~0.3%聚丙烯酸钾+2~3%抗高温聚合物降滤失剂+2~3%抗高温抗盐降滤失剂+3~4%磺化酚醛树脂-2+3~4%磺化褐煤树脂+2~3%双保型纳米乳液+2~3%多软化点封堵防塌剂+2~3%聚合醇防塌剂+0.5~1%非渗透处理剂+2~3%无荧光液体润滑剂+3~5%KCl

(2) 存在的问题

五开于6952m开钻，钻进至7398m，各项钻井液性能较为稳定，见表7但开始调整高温高压失水测试温度至170℃，高温高压失水快速提高至38mL。随着继续钻进，钻进至在7431m处，地层为龙王庙组，钻井液密度1.92g/cm³，测定井浆高温高压失水达到150mL，期间增加了抗高温处理剂用量，均无效果。

表7　6952m~7398m钻井液各项性能

井深/m	ρ/(g/cm³)	FV/s	PV/mPa·s	YP/Pa	初切/Pa	终切/Pa	FL/mL	FL_{HTHP}/K mL/mm/℃	MBT/(g/L)	Cl-(mg/L)
6952	1.91	53	26	11.5	7.5	12	2	12/165	15	20010
7021	1.92	51	28	9	6	10	2.4	11/165	13	20330
7101	1.92	52	25	7	6	8	2.2	11.6/165	13	20630
7202	1.92	52	27	6	5	8	2	11/165	13	20392
7305	1.92	54	31	9	5	8.5	2	12/165	14	19840
7398	1.92	53	34	12	8	12	2	38/170	15	17364

续表

井深/m	ρ/(g/cm³)	FV/s	PV/mPa·s	YP/Pa	初切/Pa	终切/Pa	FL/mL	FL_{HTHP}/K mL/mm/℃	MBT/(g/L)	Cl-(mg/L)
7405	1.92	50	30	13	8.5	11.5	1.8	46/170	15	17884
7423	1.92	51	28	13.5	8	13	2	78/170	15	20200
7431	1.92	52	26	13	8	13.5	2	150/170	15	19176

(3) 两性离子降滤失剂室内调整实验

分别按照以下方配方在井浆中加入不同质量比的 XNPFL-1、天然沥青，测试 170℃高温下热滚 16h 前后的钻井液性能。具体结果见 8。

井浆：取样井深 7437，滤液分析 HCO_3^- 28984mg/L、CO_3^{2-} 3421mg/L。

配方 1：井浆+2%褐煤树脂+2%磺化酚醛树脂Ⅱ型

配方 2：井浆+2% XNPFL-1+2%天然沥青粉

配方 3：井浆+4%天然沥青粉

表 8 两性离子与其他处理剂钻井液性能调整(井浆)

配方	FL_{API}/mL	FL_{HTHP}/mL	Gel/(Pa/Pa)	PV/mPa·s	YP/Pa	实验条件
井浆	1.2	—	7/11	48	4	老化前
	2.2	150	10/14.5	28	19.5	老化后
配方 1	2.6	—	2/9	75	8	老化前
	—	84	5.5/10	30	10	老化后
配方 2	1.1	—	4.5/12.5	40	11	老化前
	1.6	10	3.5/7	30	5	老化后
配方 3	1.6	—	3/10	63	7	老化前
	1.8	56	7/12	62	8	老化后

由表 8 实验可以得出，配方 1 井浆中加入磺化材料后，性能无明显改善；配方 2 两性离子降滤失剂与天然沥青复合使用是降滤失效果显著，其他各项性能均有改善；配方 3 单独使用天然沥青时，钻井液高温高压失水有一定降低。

综上，使用配方 2 处理井浆，井浆中补充 2% XNPFL-1、2%天然沥青粉。

4.4 入井效果分析

(1) 处理后至完钻钻井液性能

根据室内实验，全井使用高密度胶液处理钻井液，处理后至完钻，总体钻井液性能稳定，高温高压滤失量均稳定在 11~12mL，其他性能均较为优异，性能如表 9。

(2) 盐水侵处理效果

井深 7600m 降密度 1.78g/cm³ 出盐水，CL^- 达 30136↑68241mg/L。针对地层出水，主要处理思路为：1)一排，如果起下钻后出现大量盐水。2)二压，适当提高密度压稳盐水导层；3)三调，调整钻井液抗盐水污染能力，适当提高钻井液 pH 值，同时添加充足的抗盐护胶剂，如两性离子降滤失剂，提高钻井液抗盐水污染能力；4)四封，使用变形沥青、刚性材料等复配，对水层进行封堵。

表 9 处理后至完钻钻井液性能表

井深 m	ρ/(g/cm³)	FV/s	PV/mPa·s	YP/Pa	初切/Pa	终切/Pa	FL/mL	FL_{HTHP}/mL/℃	MBT g/L	Cl- mg/L
7462	1.92	50	26	14	8	11.5	2	11/170	15	19146
7508	1.85	48	23	10	5	9	2.2	12/170	15	18785
7600	1.81	46	16	6	3	6	2	12/170	15	15580
7857	1.85	44	19	6	3	6	1.8	12./180	20	27460
7962	1.85	43	20	6	4	7	2.2	12/180	20	32953
8072	1.84	45	21	7	5	7	2.2	12/180	20	32753
8109	1.78	46	22	9	6.5	10	2.2	12/190	20	31552
8309	1.76	44	22	7	5	7	4	12/190	18	28836
8414	1.76	45	18	12	6	9.5	3	12/190	18	31816
8445	1.76	45	19	12	7	10	3.4	12/190	18	30450

处理效果：通过使用两性离子降滤失剂、磺化酚醛树脂等提高钻井液高温护胶性，及时将盐水及污染钻井液排放，降低处理污染的难度共出水 21.7m^3，循环排混浆 45.8m^3，钻井液性能总体稳定。

(3) 应用效果

五开处理钻井液后共计长起下钻 40 趟、取芯 10 回次，共计取芯 66.5m，整个施工过程顺利。钻井液受住高温、盐水污染的考验，钻井液高温稳定性，防塌能力好，钻遇泥页岩、破碎地层，井眼稳定。

创造了四川盆地使用 Φ165.1mm 钻头钻进进尺最长，取芯进尺最深，钻进尺最深纪录；创造四川盆地最深直井记录。

5　结论与建议

(1) 针对常用的抗高温聚合物降滤失剂分子量大、黏度效应高，高密度钻井液中加量受限，高温解吸附严重，滤失造壁性难以控制等问题，基于 Gibbs 吸附理论和电性作用机理，创新设计研发了具有抗温、耐盐和强吸附基团结构的两性离子降滤失剂产品。实现了低黏度效应条件下的高降滤失能力，并显著提升了钻井液体系抗污染能力。

(2) 抗高温两性离子降滤失剂在 RT1 井海相深层进行了成功应用，现场最高使用温度 191℃，高温高压滤失量降低率高达 86%，解决了该井钻井液高温降滤失效果差、高温稳定性差及抗污染能力不足等超深井钻井液技术瓶颈问题，创四川盆地最深直井纪录。

参 考 文 献

[1] 刘静. 环境型钻井液研究[D]. 东北石油大学, 2015.

[2] 田惠，王野，赵雷，刘德庆，李义强，杨冀平. 无土相高密度不饱和盐水钻井液用降滤失剂的研究[J]. 钻井液与完井液，2018，35(06)：22-26.

[3] 王中华. 钻井液降滤失剂 PAMS_(601)的合成与性能[J]. 石油与天然气化工，1999(02)：126-127.

[4] 吴鑫磊，闫丽丽，王立辉，王发云. 环保型钻井液用降滤失剂研究进展[J]. 钻井液与完井液，2018，35(03)：8-16.

[5] 张金辉，李浩然，杨双春，陈浩宇，张芷豪，ABEUZAR MADI. 新型耐高温降滤失剂的研究和应用现状[J]. 应用化工，2020，49(10)：2625-2629.

[6] 苏俊霖，蒲晓林，任茂，贺明敏，陈勇. 高温无机/有机复合纳米降滤失剂 NFL-1 研究[J]. 钻采工艺，2012，35(03)：75-77+12.

[7] 韩长武，王晓辉，艾贝贝，霍锦华. 新型有机-无机复合型钻井液降滤失剂的制备及性能[J]. 合成化学，2018，26(12)：883-887.

[8] 张金辉，李浩然，杨双春，陈浩宇，张芷豪，ABEUZAR MADI. 新型耐高温降滤失剂的研究和应用现状.

超高密度水基泥浆的研究及应用

任生军　黄　霞

（中石化西南石油工程有限公司）

摘　要　超高密度水基泥浆固相含量高，流变性难以控制，流变性与失水造壁性之间矛盾较大，尤其是在使用常规加重剂重晶石的情况下，泥浆密度达到 2.50g/cm^3 以后，固相含量超过 50%，流变性与失水造壁性之间的矛盾显得尤其难以调和。本文根据泥浆中引入高浓度复合电解质提高体系的固相容量限的机理，通过大量的室内试验研究形成了 1 套成熟的采用常规重晶石作为唯一加重材料的超高密度水基泥浆成果配方（密度达到 2.55~2.74g/cm^3，抗温能力达到 150℃），其固相含量大于 50%，各项性能参数优良，并成功应用于 LG62 井的钻井施工，该成果配方的成功研究为川渝地区超高压井的钻探开发工程提供了一定的指导意义。

关键词　超高密度；泥浆；流变性；失水造壁性；复合电解质

超高密度水基泥浆由于加重剂种类的限制，一般只能用重晶石加重，当泥浆密度超过 2.50g/cm^{3}时，泥浆的各项性能极易发生恶化，尤其是流变性难以控制，极易发生各类井下复杂，严重制约了异常高压油气井的钻探开发工作。国内外虽然提出并采用了“提高液相密度、合理控制坂含、释放自由水、活化加重剂、高效稀释剂、减少处理剂种类及降低处理剂加量”等理论或观点，但仍存在以下技术难题：①抗盐抗钙污染能力差，高温稳定性要求高。②固相含量高，流变性难以控制，流变性与失水造壁之间的矛盾难以协调，若超高密度水基泥浆中含有较多的自由水，则其流变性较好，但失水量增大，井壁失稳，泥饼变厚；若在其中增加少量护胶剂，则失水量减小，井壁稳定，泥饼变薄，但流变性变差甚至不能流动。这是高密度水基泥浆未能解决的核心技术问题，亟待解决。

1　研究机理

本项目研究拟通过向超高密度水基泥浆中引入高浓度复合电解质提高体系的固相容量限解决上述技术难题，复合电解质主要是由一二价电解质组合而成，深井高温的磺化体系泥浆中常规使用的电解质为 K^+ 和 Ca^{2+}，为了满足抗高温的稳定性要求，本项目采用甲酸钾和甲酸钙按一定比例组合成的复合电解质，其主要作用机理如下。

① 根据宾汉模式的定义，水基泥浆的流变性包括塑性黏度和切力，塑性黏度对给定条件的超高密度水基泥浆而言，不可单方面改变固相含量，但是可以通过加入大量高浓度复合电解质提高泥浆基液密度，减少重晶石的加量，降低固相含量，使流变性易于控制。

② Ca^{2+}配合特种稀释剂使用，由于分散剂中含有大量的水化基团，当吸附在粘土颗粒表面后，会引起水化膜增厚，ζ 电位增大，阻止粘土晶片之间的聚结和分散度降低，使体系中的固相颗粒处于适度絮凝的粗分散状态，大幅度提高体系的固相容量限，能够有效的保持流变性的稳定，使流变性与失水造壁性达到了一定的协调统一。

③ K^+ 的水化能均低于 Li^+、Na^+、Ca^{2+}、Mg^{2+}、Ba^{2+}等阳离子，由于粘土对阳离子吸附具有选择性，它往往优先吸附水化能较低的阳离子，因而 K^+往往比 Na^+或 Ca^{2+}优先被粘土吸附，当其被粘土吸附后，由于水化能低，会促使晶层间脱水，使晶层遭受压缩，从而形成紧密的构造，有效地抑制粘土水化；并且 Ca^{2+}水化半径较大，可以阻止水分子地渗入层间，因为 $CaCl_2$溶液在饱和时的活度低于 NaCl 饱和溶液，所以 $CaCl_2$抑制页岩分散的能力优于 NaCl，所以 K^+和 Ca^{2+}有超强的抑制性，能很好的抑制钻屑分散和抗盐抗钙污染能力。

2　复合电解质比例及定量研究

实验数据表明，当比例小于 10：1，随着一二价电解质比例增大泥浆黏度缓慢降低，当比例大于 12：1，泥浆黏度又缓慢上升。同时，由实验数据看出，伴随着其电解质比例增大，失水量总体呈降低趋势，且比例大于8：1，失水量增长趋势居于缓慢。因此优化密度2.70g/cm³的泥浆选择一二价电解质比例范围为10：1。

表1　一二价电解质的比例研究

一二价电解质比例	4：1	6：1	8：1	10：1	12：1	14：1	16：1	18：1	20：1
黏度/s	116	104	94	90	92	108	140		
API失水量/mL	5.2	2.8	1.7	1.6	1.6	1.6	1.5		

注：泥浆密度为2.70g/cm³。

表2　复合电解质的定量研究

复合电解质加量/%	4	6	8	10	12	14	16
黏度/s	141	114	90	88	98	116	138
API失水量/mL	1.1	1.1	1.2	1.4	2.1	3.8	8.2

注：泥浆密度为2.70g/cm³。

通过上表中的数据可知，复合电解质加量在8%~10%时，黏度较低，超出这一范围后，黏度急剧增大，同时，随着其加量的增加，失水量也增加，大于12%后，失水量大于2mL，因此优化密度2.70g/cm³的泥浆电解质加量范围为8~10%。

3　成果配方及性能评价

3.1　成果配方

根据加入复合电解质与特种稀释剂改善泥浆流变性的技术思路，结合目前四川地区广泛使用的处理剂现状，在室内通过大量的处理剂配伍和定量实验进行筛选，确定了成果基础配方（换算为以清水为基础的质量体积百分比）为：

清水+0.8~1.2%RSTF+7.5~8.5%DHD+1~1.5%SMP－1+1.25~1.75%特种稀释剂+1%NaOH+8~10%电解质（10：1）+重晶石（泥浆密度加重至2.70g/cm³）

通过实验发现，采用六速旋转黏度计测试密度为2.70g/cm³的超高密度泥浆流变性时，其六百转读数大于300，故不能测出该密度泥浆的黏度和动切力，因此，本项目中引入了水泥浆性能测试中的流动环概念，以此反映泥浆在井筒内流动的难易程度。

根据成果配方配制密度2.70g/cm³的泥浆，将该泥浆升温至60℃进行性能测试，其各项性能见表3。

将该泥浆置于150℃条件下，恒温滚动16小时，然后搅拌降温至60℃进行性能测试，其各项性能见表4。

表3　成果配方基本性能

FV/s	流动环/cm	AV/mPa·s	YP/Pa	G″/G′/(Pa/Pa)	API失水/(mL/mm)	HTHP失水/(mL/mm)	Cl^-/(mg/l)	Ca^{2+}/(mg/l)	固含/%	油含/%	含砂/%	K_f	PH
127	23	—	—	5/17	0.4/0.5	7/3	63746	326	58	4	0.1	0.0699	10.5

表4　成果配方高温性能

FV/s	流动环/cm	AV/mPa·s	YP/Pa	G″/G′/(Pa/Pa)	API失水/(mL/mm)	HTHP失水/(mL/mm)	Cl^-/(mg/l)	Ca^{2+}/(mg/l)	固含/%	油含/%	砂/%	K_f	PH
98	24	—	—	4/16	0.6/0.5	5/3	63746	326	58	4	0.1	0.0437	10.5

通过表4中的数据可知，该成果配方虽然固相含量高达52~58%，但是在复合电解质和特种稀释剂的共同作用下，使得该泥浆体系具有很好的流变性和抗温性，完全满足钻井、完井施工的作业要求。

3.2　抗污染能力评价

1）抗盐污染能力评价

在配制好的超高密度水基泥浆中，按比例加入一定质量体积百分数的氯化钠，充分搅拌1小时后，在150℃条件下恒温滚动16小时，搅拌降温至60℃进行性能测试，其性能变化分别见表5。

通过表5中的数据可知，随含量的增加，泥浆的粘切和失水量变化幅度较小，综合性能较好，因此，该泥浆体系具有较强的抗盐污染能力。

2）抗石膏污染能力的评价

在配制好的泥浆中，按比例加入一定质量体积百分数的石膏，充分搅拌1小时后，在150℃

条件下恒温滚动 16 小时，搅拌冷却至 60℃进行性能测试，其性能变化分别见表 6。

通过表 6 中的数据可知，泥浆的粘切和失水量随着石膏污染程度的增加而增大，就整体性能变化而言，粘切和失水量的变化幅度较小，该泥浆体系具有较强的抗石膏污染能力。

表 5　2.70g/cm³泥浆盐污染性能

NaCl/%	ρ/(g/cm³)	FV/s	流动环/(cm)	G″/G′/(Pa/Pa)	Cl^-/(mg/l)	API 失水/(mL/mm)	HTHP 失水/(mL/mm)
0	2.70	98	24	4/16	63746	0.6/0.5	5/3
1.0	2.70	101	23	4/16	65498	0.6/0.5	5/3
3.0	2.70	101	23	3.5/17	68229	0.8/0.5	6/3.5
5.0	2.70	92	26	3.5/16	74516	1.2/0.5	8/3.5

表 6　2.70g/cm³泥浆石膏污染性能

石膏/%	ρ/(g/cm³)	FV/s	流动环/cm	G″/G′/(Pa/Pa)	Ca^{2+}/(mg/l)	API 失水/(mL/mm)	HTHP 失水/(mL/mm)
0	2.70	98	24	4/16	326	0.6/0.5	5/3
0.5	2.70	101	24	4.5/16	463	0.6/0.5	5.5/3
1.0	2.70	107	22	5/17	622	0.8/0.5	5.5/3.5
2.0	2.70	111	21	5.5/19	659	1.0/0.5	6.5/3.5

4　现场应用

4.1　磨 005-H4 井

磨 005-H4 井位于川中磨溪气田，完钻井深 4025m，最大井斜 92.93°，完钻层位嘉二²，水平段长 792m，四开开钻全部采用成果配方新配钻井液，泥浆密度高达 2.35~2.40g/cm³，顺利的完成了该井的水平段钻井施工，施工过程中无因钻井液问题引起的卡钻或划眼等复杂情况出现，其性能见表 7。

表 7　磨 005-H4 井泥浆 120℃恒温 16 小时前后性能

ρ/(g/cm³)	恒温状态	FV/s	AV/Pa	YP/Pa	G″/G′/(Pa/Pa)	API 失水/(mL/mm)	HTHP 失水/(mL/mm)	K_f	Cl^-/(mg/l)	Ca^{2+}/(mg/l)
2.35	恒温前	65	80	12	2/7	1.2/0.5	6/3	0.0699	59232	343
	恒温后	60	75	10	1.5/6	1.4/0.5	6.5/3.5	0.0699	59232	343

4.2　LG62 井

LG62 井是一口非常规标准井身结构设计的六开超深井，该井四开钻进中遭遇异常高压，采用本项目成果配方处理，泥浆密度高达 2.55g/cm³，创川渝地区历史纪录新高，取现场泥浆进行测试其性能见表 8；取现场泥浆进行污染试验，在 150℃条件下恒温滚动 16 小时，搅拌冷却至 60℃进行性能测试，表 9 和表 10。

表 8　LG62 井泥浆 150℃恒温 16 小时前后性能

ρ/(g/cm³)	恒温状态	FV/s	AV/Pa	YP/Pa	G″/G′/(Pa/Pa)	API 失水/(mL/mm)	HTHP 失水/(mL/mm)	K_f	Cl^-/(mg/l)	Ca^{2+}/(mg/l)
2.55	恒温前	70	86	15	2/8	1.4/0.5	7/3	0.0699	54268	229
	恒温后	65	80	12	1.5/7	1.6/0.5	7.5/3.5	0.0699	53684	229

表 9　LG62 井泥浆盐污染试验

NaCl/%	ρ/(g/cm³)	FV/s	AV/Pa	YP/Pa	G″/G′/(Pa/Pa)	API 失水/(mL/mm)	HTHP 失水/(mL/mm)	K_f	Cl^-/(mg/l)	Ca^{2+}/(mg/l)
0	2.55	70	86	15	2/8	1.4/0.5	7/3	0.0699	54268	229
0.5	2.55	68	88	14	2/8	1.4/0.5	7/3	0.0699	57328	229

续表

NaCl/%	ρ/(g/cm³)	FV/s	AV/Pa	YP/Pa	G″/G′/(Pa/Pa)	API 失水/(mL/mm)	HTHP 失水/(mL/mm)	K_f	Cl^-/(mg/l)	Ca^{2+}/(mg/l)
1.0	2.55	72	89.5	16.5	2/8	1.4/0.5	7/3	0.0742	60147	229
2.0	2.55	74	91	18	2/8	1.4/0.5	7/3	0.0787	66032	229

表 10　LG62 井泥浆石膏污染试验

石膏/%	ρ/(g/cm³)	FV/s	AV/Pa	YP/Pa	G″/G′/(Pa/Pa)	API 失水/(mL/mm)	HTHP 失水/(mL/mm)	K_f	Cl^-/(mg/l)	Ca^{2+}/(mg/l)
0	2.55	70	86	15	2/8	1.4/0.5	7/3	0.0699	54268	229
0.5	2.55	69	87.5	13.5	2/7.5	1.4/0.5	7/3	0.0699	54268	378
1.0	2.55	73	88	17	2.5/8	1.2/0.5	8/3.5	0.0699	54268	524
2.0	2.55	75	90	19	2.5/9	1.4/0.5	9/4	0.0699	54268	687

通过上表中的数据可知，LG62 井按照成果配方所配制的超高密度泥浆具有较好的抗温、抗盐、抗石膏污染的能力，在采用该泥浆进行钻井作业过程中，泥浆性能优良，完全能够满足井下安全钻进的需要，无因泥浆问题引起的卡钻或划眼等复杂情况出现。

由于井控需要，该井储备泥浆的密度高达 2.74g/cm³，超过了使用普通重晶石作为加重材料所能达到的泥浆理论极限 2.64g/cm³，其性能见表 11。

表 11　LG62 井储备泥浆 150℃恒温 16 小时前后性能

ρ/(g/cm³)	恒温状态	FV/s	流动环/cm	G″/G′/(Pa/Pa)	API 失水/(mL/mm)	HTHP 失水/(mL/mm)	K_f	Cl^-/(mg/l)	Ca^{2+}/(mg/l)
2.74	恒温前	165	22	4/16	1.2/0.5	7/3	0.0875	63780	325
	恒温后	98	23	3.5/14	1.4/0.5	7.5/4	0.0787	61426	325

通过上表中的数据可知，该储备泥浆具有良好的流动度，API 失水量和高温高压失水量均较低，在经过 150℃恒温滚动 16 小时后，各项性能仍然较好，且有一定高温减稠的趋势，在每次起钻前用储备泥浆“压水眼”，累计使用密度 2.74g/cm³的超高密度储备泥浆 57m³，未对井内泥浆性能造成影响，充分说明了该井储备泥浆性能的优良。

5　结论

1）采用复合电解质与特种稀释剂配合使用，提高泥浆固相容量限的同时使泥浆中的颗粒适度絮凝，成功攻克超高密度水基泥浆流变性差，流变性与失水造壁性之间的矛盾难题。

2）将室内实验研制得的成果配方成功应用于磨 005-H4 井、LG62 井的钻井施工，两口井泥浆性能优良，完全满足了井下安全钻井施工的需要，未发生任何因泥浆问题引起的卡钻或划眼等复杂情况。

3）研究形成了 1 套成熟的采用常规重晶石作为唯一加重材料的超高密度水基泥浆成果配方（密度达到 2.55～2.74g/cm³，抗温能力达到 150℃），其固相含量大于 50%，各项性能参数优良，满足异常高压井的钻井、完井施工。

参 考 文 献

[1] 罗平亚. 抗高温水基泥浆作用原理[J]. 西南石油学院学报. 1979，2：305~307.
[2] 周华安. 川东地区深井高密度聚合物钻井液技术问题的研究[J]. 钻井液与完井液，1995，12(1)：81~84.
[3] 肖德胜. 深井高密度钻井液使用技术[J]. 钻井液与完井液，1992，9(2)：49~53.
[4] 赵雄虎，等. 钻井液体系分类方法研究进展[J]. 石油钻采工艺，2004，26(3)：27~29.
[5] 徐同台，等. 21 世纪初国外钻井液和完井液技术[M]. 石油工业出版社，2004，22.

泵送式液压底封拖动分段压裂工具研制与应用

王伟鹏[1,2]　隆世明[1,2]　苏敏文[1,2]　马雨昕[1]　高　森[1]　李　铭[1]

（1. 中国石油集团川庆钻探工程有限公司；2. 低渗透油气田勘探开发国家工程实验室）

摘　要　连续油管底封拖动分段压裂工具作为长庆油田陇东页岩油藏储层改造主要工具利器，目前正处于规模推广阶段，为陇东页岩油高效开发提供了有利的工具支撑。然而，在大水垂直比、超长水平段水平施工过程中，存在工具自然下深受限、底封隔器坐封困难等施工难题，严重影响施工效率和质量。针对上述问题，本文开展了泵送式连续油管液压底封拖动分层压裂工具研制，以泵送皮碗增深、液压坐封底封隔器为技术思路，设计研制了液压坐封型底部封隔器、可溶皮碗泵送短节及配套工具，采用环空泵注、油管伴注的方式，利用尾端皮碗泵送短节产生节流和较大的皮碗外径，形成较大液压牵引力，牵引工具管柱突破下深极限；无需施加钻压，通过油注提排量坐封底部封隔器，压裂施工结束后上提解除坐封状态，为解决上述工程难题提供了可靠工具方案。室内评价结果表明，皮碗泵送短节清水小排量条件下牵引效果良好，底封隔器在120℃条件下坐解封动作顺利、承压70MPa封隔可靠，工具管柱整体测试可实现多次无钻压介入坐解封动作。现场开展了6井次试验，清水泵注740L/min排量条件下泵送增深430m、油注提排量至550L/min液压坐封快速可靠，有效提高连续油管压裂工具在超长水平井的施工能力，大幅缩短层间转换耗时，提速提效效果显著。

关键词　页岩油；长水平井；连续油管压裂；液压型底封；泵送皮碗增深

连续油管带底封拖动分段压裂工艺技术具有无限级细分割分段压裂、全通径完井和层段调整灵活的技术优点。常规连续油管底封拖动压裂工具采用连续油管传输，通过机械节箍定位器精准确定射孔段位置，采用上提下放管柱切换底封隔器状态，施加一定钻压坐封底封隔器，随后进行射孔、压裂流程，结束后，上提连续油管解封封隔器，带压拖动至下一施工层段，从而实现一趟钻自下而上多段逐层压裂施工。随着工艺及工具的逐渐成熟，连续油管底封拖动压裂工艺已成为长庆油田页岩油开发分段精细压裂的主要方式之一，在该区块累计完成3000余段压裂施工，应用效果显著。

然而，该工具在长水平段、井眼轨迹复杂的水平井施工存在两大施工技术难题。超长水平段工具下入过程中，受连续油管自身刚度、油管挠曲与井壁摩擦、井眼轨迹等因素导致连续油管自锁，无法下入至设计施工层位；超长水平段趾端部位，下压连续油管施加坐封载荷困难，钻压施加不到位，无法保证封隔器能有效坐封。常规工具施工采用注金属减阻剂润滑增深、底封隔器机械坐封的方式，存在增深效果不佳且成本较高，底封隔器坐封困难、层间转换耗时等问题。本文针对存在技术问题，开展泵送式连续油管液压底封拖动分段压裂工艺研究与工具研制应用工作，旨在提高连续油管底封压裂工具在长水平段、大水垂比、井眼轨迹复杂水平压裂施工能力，更好满足长庆油田陇东页岩油精细分割高效压裂作业需求。

1　工艺原理与技术特点

1.1　技术思路

为解决陇东页岩油长水平井连续油管底封拖动压裂施工存在的自然下深受限、底封隔器坐封困难、封隔不可靠的技术难题，改变连续油管压裂工具注金属减阻剂润滑增深、底封隔器机械坐封的传统工作模式，采用泵送皮碗增深、液压坐封底封隔器的技术思路，研制泵送皮碗短节、液压坐封型底封隔器等工具，形成泵送式液压底封拖动分段压裂工具，实现页岩油超长水平井趾端层位快速、高效压裂施工。

1.2　工艺流程

（1）首层采用趾端滑套压裂或油管传输射孔光套管压裂；

（2）采用套管泵注、油管伴注方式泵送管柱尾端的皮碗短节，牵引工具管柱突破自然下深极限，下至设计位置；

（3）油管泵注提排量坐封底封隔器，验封合格后实施水力喷砂射孔、环空加砂压裂施工；

（4）压裂施工结束后，上提解封底封隔器，于此同时，上部高压瞬时释放，使皮碗短节丢手至井内溶解；

（5）拖动至下一层设计位置，实施压裂施工；

（6）压裂施工结束后，起出工具管柱，丢手至井内的皮碗短节全部溶解后，井筒恢复全通径，投产。

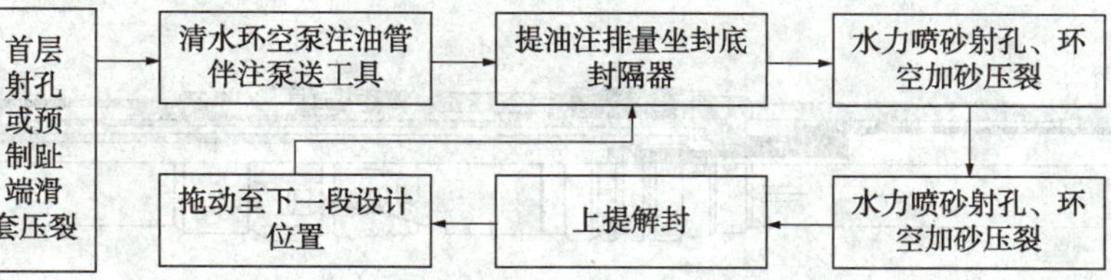

图1　泵送式液压底封拖动分段压裂工艺流程

1.3　工具管柱结构原理及技术特点

1.3.1　结构原理

泵送式连续油管液压底封拖动分段压裂工具由皮碗泵送短节、机械式接箍定位器、液压坐封型底封隔器、导压水力喷射器、扶正器、安全接头组成，管柱结构如图2所示。其工作原理为，通过连续油管下入工具管柱，下至自然下深极限后，采用环空泵注、油管伴注方式在尾端的皮碗泵送短节处产生节流，且利用皮碗形成较大的活塞面积，进而产生较大液压牵引力，牵引管柱突破下深极限继续下入。下至设计位置后，利用导压水力喷射器喷嘴处产生的节流作用，提高油管注入排量产生节流压力，驱动底封隔器中的液压驱动启动坐封机构，实现底封隔器可靠坐封，进而实施压裂施工，结束后，上提管柱切断底封隔器液压坐封导压通道，解除底封隔器坐封状态，拖动至一层进行后续施工。

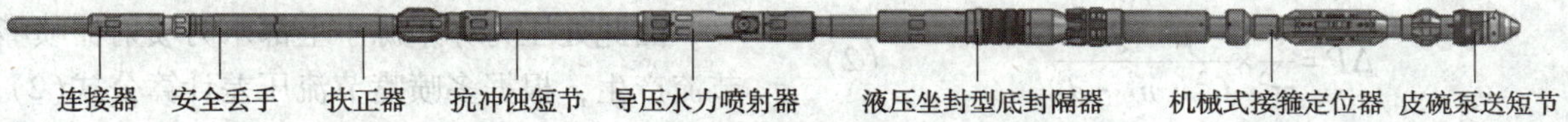

图2　泵送式液压拖动分段压裂工具管柱结构示意图

1.3.2　技术特点

（1）创新设计引入皮碗泵送短节工具，同等泵注排量条件下大幅提升泵送增深效果。

（2）创新设计液压坐封型底封隔器，能够实现液压坐封、上提解封，无需导轨和施加钻压，解决底封隔器在超长水平段机械坐封困难、封隔不可靠的工程难题。

1.3.3　技术指标

表1　泵送式液压底封拖动分层压裂工具技术指标

项目	外径/mm	长度/mm	承压/MPa	耐温/℃	坐封排量/(L/min)	泵注增深能力	适用套管规格
指标参数	116	3200	70	150	550~650	排量600L/min，可增加下深500m以上	5-1/2″

2　结构原理与关键工具研制

2.1　液压坐封型底封隔器

2.1.1　结构原理

如图3、图4所示，液压坐封型底封隔器核心机构为定压启动总成和液压锚定卡瓦总成，具体由C形控制环、控制弹簧、芯轴、压力传输通道、压缩式胶筒、锚定卡瓦、驱动活塞等结构组成。其坐封原理为，导压水力喷射器喷嘴处产生的节流压力作用于芯轴上，促使C形控制环释放，芯轴下移插入孔内，导压通道连通，高压驱动卡瓦驱动活塞上行，卡瓦总成上移撑开锚定，同时压缩胶筒封隔油套环空，卡瓦完全锚定后，连接套带动上胶筒座下移进一步压缩胶筒，保证封隔可靠性。解封原理为，上提连续油管，打开平衡阀，平衡上、下环空压力，同时切断导压通道，释放卡瓦活塞内的高压，实现封隔器解封。

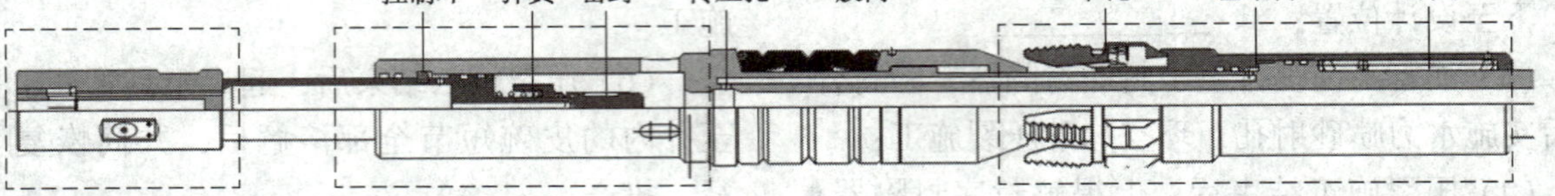

图 3　液压坐封型底封隔器结构示意图(解封状态)

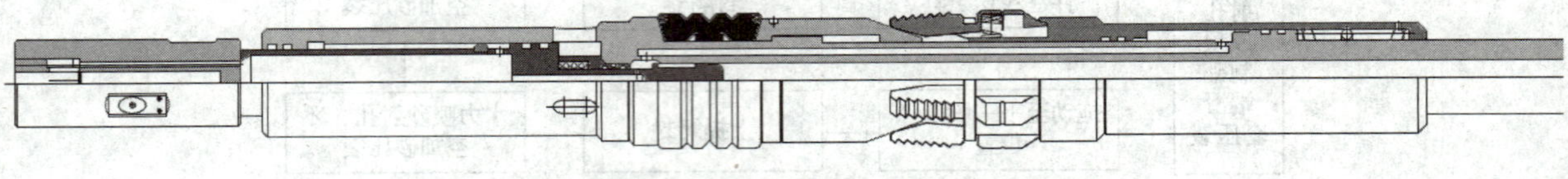

图 4　液压坐封型底封隔器结构示意图(坐封状态)

2.2.2　关键参数设计计算

(1) 坐封启动压力与排量计算

选用的控制环释放载荷为 $F_1=2.5$kN，驱动芯轴下移的活塞腔大径 $D_1=70$mm，小径 $d_1=67$mm，根据液压力计算公式(1)：

$$F_1=P_1\times\pi\times\frac{{D_1}^2-{d_1}^2}{4} \tag{1}$$

反推得到：$P_1=7.7$MPa

因，此处压力来源于上部水力喷射器喷嘴处节流产生，根据多喷嘴节流压差计算公式(2)：

$$\Delta P=\frac{8}{\pi^2}\times\frac{\rho\cdot Q^2}{C_d^2\cdot n^2\cdot d^4} \tag{2}$$

其中，ΔP 为 P_1，MPa；ρ 为液体密度，kg/m³；Q 为油注排量，m³/min；C_d 为流量参数；d 为喷嘴直径，mm；n 为喷嘴个数。

经计算得到，$Q_1=0.42\text{m}^3/\text{min}$，即底封隔器坐封启动油管注入排量为 420L/min。

(2) 坐封到位压力与排量计算：

经测试，底封隔器选用的胶筒卡瓦总成坐封封隔到位所需载荷为 45kN，驱动卡瓦锚定、胶筒压缩封隔的活塞腔大径 $D_2=90$mm，小径 $d_2=68$mm，根据液压力计算公式(3)：

$$F_2=P_2\times\pi\times\frac{{D_2}^2-{d_2}^2}{4} \tag{3}$$

反推计算得到：$P_2=16.5$MPa。

因此处压力亦来源于上部水力喷射器喷嘴处节流产生，根据多喷嘴节流压差计算公式(2)：

经计算得到，$Q_2=0.62\text{m}^3/\text{min}$，即底封隔器完成锚定坐封的油管注入排量为 620L/min。

2.1.3　技术指标

表 2　液压型底封隔器技术指标

项目	外径/mm	长度/mm	承压/MPa	耐温/℃	坐封启动排量/(min/L)	坐封完成排量/(min/L)
指标参数	116	1600	70	150	400~450	600~650

2.2　*皮碗泵送短节*

2.2.1　结构原理

皮碗泵送短节主要由扶正本体、可溶橡胶皮碗、可溶挡环、剪切销钉和固定螺钉组成，如图5所示。其工作原理为，环空泵注液体在扶正本体内孔处形成节流，产生一定的节流压力，由于皮碗外径较大，会产生较大的牵引力，带动工具管串突破下深极限继续下入，下入到位后，可利用上部高压将可溶皮碗与可溶挡环与主体分离丢手至井内溶解消除，降低上提遇卡风险。

图 5　皮碗式泵送短节结构示意图

2.2.2　关键参数设计

(1) 牵引增深效果模拟

以一口完钻井深 4977.9m、水平段长度

2666.3m的水平井为例，在摩擦系数为0.25，连续油管为2″连续管，井筒为5-1/2″套管的工况下，模拟尾端牵引力及尾端牵引力分别为5kN、8kN、10kN时的模拟下深增加值，如表4和图6所示。

表3 不同牵引力条件下模拟下深结果

连续管	套管	摩擦系数	自然下深	尾端牵引力5kN下深	尾端牵引力8kN模拟下深	尾端牵引力10kN模拟下深
2″	5-½″	0.25	4141m	4618m	4904m	4977m

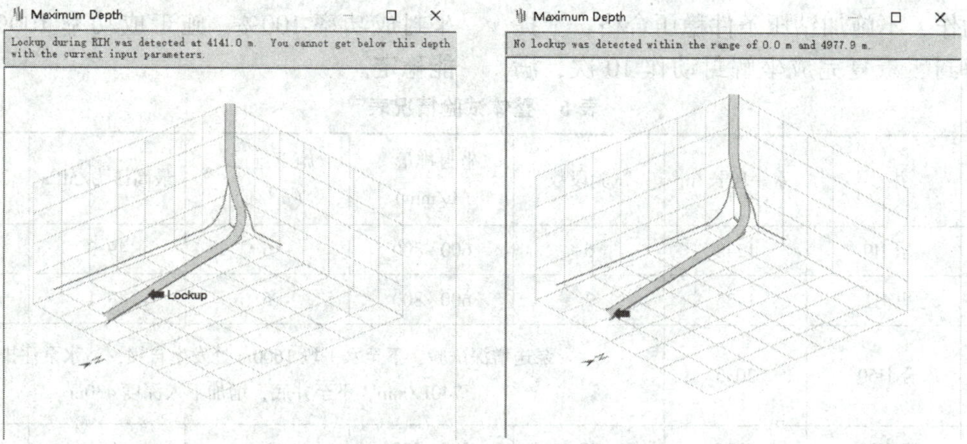

图6 模拟下深三维图示

模拟结果表明：以该井为例，尾端牵引力别为5kN、8kN、10kN，可实现连续油管下深增加467m、763m、836m，尾端增加牵引力增深效果明显。

（2）泵注排量计算：

根据节流压差计算公式、液压力计算公式，以皮碗短节内通径 $d_3 = 20$mm，皮碗外径 $D_4 = 120$mm，计算产生相应牵引力所需泵注排量如表4所示：

表4 产生不同牵引力所需泵注排量计算结果

牵引力/kN	5	6	7	8	9	10
泵注排量/(m^3/min)	0.5	0.56	0.6	0.64	0.68	0.72

计算结果显示，泵注排量500L/min条件下，即可产生5kN牵引力，能够增加连续油管下入深度400m以上。

2.2.3 技术指标

表5 皮碗式泵送短节技术指标

项目	皮碗外径/mm	钢体外径/mm	耐温/℃	泵注增深能力	适用套管规格
指标参数	120	116	150	排量500L/min，可增加下深400m以上	5-1/2″

3 室内测试与评价

3.1 液压型底封隔器耐温耐压与动作测试

由于室内条件受限，采用测试液压型底封隔器启动油压的方式，评价其启动坐封性能，坐封启动油压6-8MPa，坐封动作完成油压15~16MPa，重复坐解封10次，并在120℃条件下，测试70MPa承压性能合格，满足设计要求。

3.2 泵送皮碗短节牵引力测试

因排量受限，将皮碗短节节流孔缩小为10mm进行测试，130L/min排量条件下产生0.5kN牵引力，经推算，符合现场应用需求。

3.3 全管柱整体模拟测试

在5-1/2″全尺寸水平模拟试验井筒中，利用2″连续油管下入，模拟水平段泵送式液压底封压裂管柱通过性及坐解封可靠性，经测试，管柱整体通过性良好，油管压力17MPa，底封隔器完成坐封动作，不施加钻压条件稳压合格，上提25-30kN解封，重复完成坐解封动作10次，满足现场使用需求。

4 现场试验

4.1 现场施工情况

共计开展2批次，共计6井次的现场试验。第1批次选择3口井进行先导试验，验证工具管柱功能原理可行性，寻找问题并改进；第2批次开展改进后的扩大试验，压裂施工最长水平段1535m，单套工具一趟钻施工最高30段，一次坐封成功率100%，施工成功率100%，工具性能稳定。

表6 整体试验情况表

批次	井号	水平段长/m	试验段数	坐封排量/(L/min)	施工排量/(m^3/L)	最高压力/MPa	单套工具施工段数
1	乐H9	1248	6	600~800	6	49.3	6
	里H1	1435	2	600~800	6	43.1	4
	合H60	2035	泵送增深试验，下至水平段1600m处发生自锁，清水泵注排量740L/min，下至井底，增加下入深度430m				
2	庆H30	1535	40	500~550	6	58.5	30
	庆H32-X	1440	25	500~550	6	47.6	25
	庆H32-X	1331	19	500~550	6	53.9	19

4.2 存在问题及改进措施

在先导试验阶段，存在底封隔器坐封排量较大且不稳定、底封隔器插管密封易失效的问题，原因分析及改进措施如表所示。

表5 存在问题及改进措施

存在问题	原因分析	改进措施
坐封排量较大	液压锚定卡瓦总成中的控制弹簧预紧力较大	调整降低控制弹簧预紧力，第二批次现场试验坐封排量稳定在550~600L/min
底封隔器插管密封易失效	插管密封轴向压缩空间大，在重复插拔过程中易受轴向挤压扩张损伤	优化插管密封结构，采用钢体结构硫化方式，避免密封结构受挤压产生过量扩张挤压受损，底封隔器使用寿命大幅提升

4.3 应用效果

实施的1井次泵送增深专项现场试验，成功解除连续油管自锁，泵注排量740L/min增加下深430m。在第二批次试验过程中，累计压裂施工84段，使用工具4套，单套工具平均施工21段，一趟钻最高施工30段，能够通过提高油管注入排量500~550L/min坐封封隔器，一次坐封成功率100%，施工过程中未发生意外解封或封隔不严现象，上提解封无异常，层间转换平均耗时15min，实现了控制连续管注入排量实现底封隔器液压坐封、利用皮碗短节工具实现泵送增深的新思路，有效解决了长水平段、大水垂比、井眼轨迹复杂水平井连续油管压裂施工中工具管柱无法下至设计位置、底封隔器坐封难度大、转层耗时长、封隔不可靠的工程难题，拓展提升了连续油管压裂工具施工能力，拓宽了该工具的应用工况与范围。

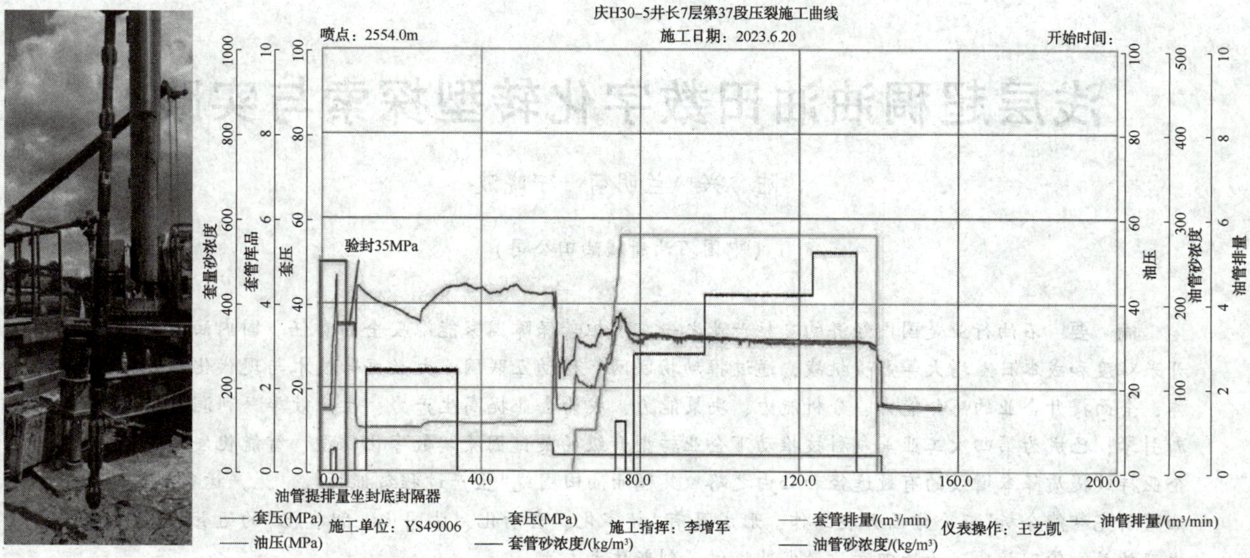

图 7　泵送式液压底封分段压裂工具实物及压裂施工曲线

5　结论与建议

（1）泵送式连续油管液压底封拖动分段压裂工具能够实现泵送皮碗增深、液压坐封底封隔器，解决了常规连续油管底封压裂工具在长水平段、大水垂比、井眼轨迹复杂水平压裂施工中存在的下入受限、坐封困难的工程难题，更好地满足了长庆油田陇东页岩油长水平井精细分割高效压裂作业需求。

（2）与常规连续油管压裂工具相比，无需上提下放导轨施加钻压坐封底封隔器，层间转换上提到位后直接提排量坐封，层间转换耗时由40min 降低至 15min，提速效果明显。

（3）建议大水垂比、长水平段水平井首层预制趾端滑套，配合泵送式连续油管液压底封拖动分段压裂工具施工，可进一步提高施工效率，降低作业成本。

参 考 文 献

[1] 王金友，许国文，李琳等．连续油管拖动底封水力喷射环空加砂分段压裂技术[J]．石油矿场机械，2016，45(5)：69-72.

[2] 李景彬，张文，隆世明等．CQ-TDY 致密油水平井水力喷射体积压裂工具[J]．石油科技论坛，2017，36(S1)：116-119.

[3] 邹长虹，李同桂，何鹏等．浅煤层气不固井水平井连续油管拖动压裂工艺应用及评价[J]．钻采工艺，2022，45(04)：170-174.

[4] 杜承强，王方祥，徐飞等．连续油管拖动压裂在小井眼中的应用[J]．石油管材与仪器，2021，7(04)：69-71.

[5] 刘巨保，黄茜，杨明等．水平井分段压裂工具技术现状与展望[J]．石油机械，2021，49(02)：110-119.

[6] 尹玮凡．连续油管底封拖动压裂技术在大庆油田的应用[J]．化学工程与装备，2020(05)：86-87.

浅层超稠油油田数字化转型探索与实践

陆　兴　兰明菊　宁晓波

（中国石油新疆油田公司）

摘　要　石油行业是国民经济的支柱产业之一，承担着保障国家能源安全的责任。国内油田正面临着开采难度和成本日益增大等严峻挑战，通过推动物联网、移动互联网、大数据等技术与现代化工业融为一体，全面提升企业的感知能力、分析能力、决策能力，成为企业提高生产力、生产效率、利润与安全性的新引擎，已成为第四次工业革命科技推动下企业转型升级的关键因素。数字化转型、智能化发展是油气田企业持续提质降本增效的有效途径和必由之路。某稠油油田围绕“生产过程智能操控、生产运行预警决策、油藏研究智能分析”三个方面开展工作，形成具有“数字化、自动化、协同化、智能化”的运营模式，提高生产效益和管理效率，为油田高质量发展提供了创新技术支撑。

关键词　数字化；转型升级；物联网；分析应用；油藏研究

信息技术指数级增长、数字化网络化普及应用和集成式智能化创新是当今世界新一轮工业革命的三大驱动力，全球能源企业都面临更高运营效率，更高安全性，和更高生产率的挑战，随着物联网、大数据、云计算和人工智能的快速发展，智能化生产已成为世界油气工业发展的大趋势，是国际石油公司科技和信息化发展的重点战略和主要方向。

新疆稠油为优质环烷基原油，是炼制长征火箭煤油、耐极寒机油、特种级沥青、高端白油等国家重大工程和国防尖端装备急需产品的战略资源，其经济、高效开发对保障国家能源安全意义重大。

1　数字化转型发展概况

数字化转型、智能化创新是当今世界新一轮工业革命的驱动力。通过推动物联网、移动互联网、大数据等技术与现代化工业融为一体，全面提升企业的感知能力、分析能力、决策能力，成为企业提高生产力、生产效率、利润与安全性的新引擎，已成为第四次工业革命科技推动下企业转型升级的关键因素。“中国制造 2025”明确提出要以创新驱动发展为主要动力，以信息化与工业化深度融合为主线，以推进智能化生产为主攻方向。

2　稠油油田数字化转型探索

针对稠油开发技术复杂、能耗高、安全清洁生产风险高、提质增效难度大等问题，围绕“生产过程智能操控、生产运行预警决策、油藏研究智能分析”开展研究工作，形成“自动化、数字化、协同化、智能化”的生产管理新模式，构建了稠油油田智能化示范样板，推进企业生产和劳动组织模式变革，提升油田信息化、智能化水平。

2.1　油田生产过程操控

从稠油油田注汽、采油、集输三大工艺流程出发，开展生产过程智能操控研究，以达到降低现场用工数量及操作安全风险的目标。

2.1.1　分区分类注入蒸汽品质控制

注汽是稠油开发的“生命线”，通过创新注汽锅炉蒸汽质量控制技术，建立蒸汽品质控制模型，采用预测函数算法，实现注汽锅炉生产周期内的品质连续监测与动态预警，确保蒸汽品质在合理区间的过程控制，蒸汽品质达标率由 75% 提高到 90% 以上，建立以锅炉蒸汽出口压力、温度为关键参数的连锁控制模型，确保锅炉蒸汽压力、温度与单井注汽需求相匹配。

注汽锅炉安全稳定运行受到火量、水量、天然气流量等 30 余项参数影响，保证锅炉蒸汽质量与降低能耗成本之间的矛盾较为突出。为此，建立三种“多变量耦合自调节”控制模型，一是“水量+火量”调节模型，保障了蒸汽注入量和干部，实现天然气单耗在 50～70 时间波动；二是“水量+火量+天然气流量”调节模型，保障蒸汽注入量和干度，降低天然气能耗，天然气单耗稳定在 55~60 之间；三是“水量+火量+天然气流量+给水温度”，保障蒸汽注入量和干度，进一步降低天然气能耗，经过现场应用验证，第三种调控模型效果最佳。

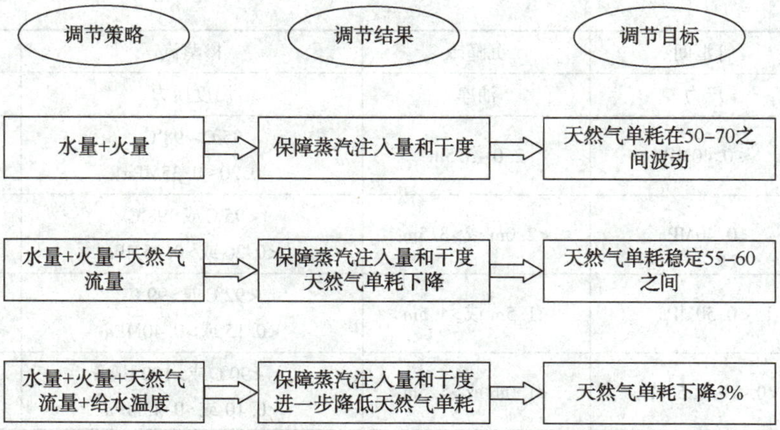

图 1　蒸汽品质多变量耦合自调节控制模型

地下蒸汽腔的形成及扩展是稠油采出的前提条件，与油藏压力、注汽速度、注汽质量等密切相关，需精确控制注汽流量与注汽强度，研发以蒸汽质量与注汽强度协调控制为核心的蒸汽分配计量撬，实现蒸汽流量实时感知、动态调节、精确控制。

图 2　蒸汽分配计量注入撬

2.1.2　稠油采出液相态智能控制

稠油生产高温高压，采出液为气汽液混合，相态难以控制，研发井下温度场、压力场连续动态监测技术，建立井下参数与采出液相态耦合模型，实现汽液界面可视化监测分析，相对于传统监测手段取得了较大技术突破，可有效避免单点突破或段汽窜。同时，在现场控制器中研究建立稠油注采平衡调控模型，实现数据自动采集、蒸汽电动阀与油嘴开度自动调节，精确控制注汽量与产液量。

应用多通阀自动选井技术，研究并开发稠油远程计量功能，实现指令批量下发、自动执行，300 余座管汇的远程计量指令下发工作 1 人即可完成，大幅提高执行效率；在执行计量结果采集入库是，自动获取单井温度数据，结合出液情况，根据温度波动情况自动分析油井异常。

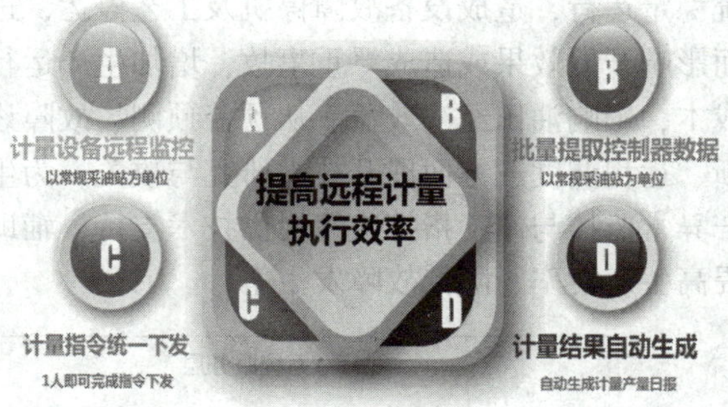

图 3　采出液远程自动计量示意图

2.1.3　密闭集输节点控制与动态平衡调控

建立了吞吐开发密闭集输联动调节控制模型。通过构建集稠油采出、密闭接转、联合处理全过程温度调控模型，改进 PID 调节参数，实现参数及指标的精确调控；根据前期实验分析结果，建立了动态数据优化、稳态控制输出的调节方法，密闭接转站进口温度控制在 116±2℃，出口温度控制在 105±2℃，稠油处理站进口温度 94±1℃，提升热能综合利用率。

建立了 SAGD 开发超高温密闭集输联动调节控制模型。以管道压力为关键参数，建立稳态多相流运行模型，预测分离器进出口压力控制对井口回压影响，将蒸汽分离器出口压力由 0.8MPa 优化至 0.6MPa，减少对井口回压的影响。

建立了稠油处理站“油、水、汽、泥”动态平衡调控模型。以单节点稳定为基础、多节点平衡为目标的自动连锁控制回路 56 条，实现处理站原油处理、污水处理、汽液分离、加药排泥各节点自动运行与调节，形成生产流程一体化自动调控，实现处理站高效管理，保障系统安全、平稳运行。

节点名称	管汇间	沉降罐	掺蒸汽	净化罐
控制参数	压力	油厚	温度压力	温度液位
运行范围	≤0.40MPa	2.0~3.5m	95℃~98℃ 0.20~0.35MPa	95℃~98℃ 3.5~12.5m
岗位控制措施	<0.40MPa	<2.0m 或>3.5m	<95℃或>98℃ <0.20 或>0.35MPa	<95℃或>98℃ <3.5m 或>12.5m
站级控制措施	<0.50MPa	<1.5m 或>4.5m	<92℃或>99℃ <0.15 或>0.40MPa	<92℃或>99℃ <3m 或>12.55m
厂级控制措施	<0.40~0.50MPa	<1.0m 或>5.5m	<90℃或>100℃ <0.10 或>0.45MPa	<90℃或>100℃ <2.5m 或>12.6m

图 4　原油处理节点控制图

2.2　油田生产运行预警决策

稠油生产工艺流程复杂、井站设备多、上下游关联度大，任意环节异常波动会影响上下游系统稳定运行，造成设备故障停机及工艺停运，进而影响开发效果或造成严重事故，增加生产运行成本，影响油田经济效益。从预警预测、故障诊断、远程调度三方面展开技术研究与攻关，为生产异常监控与调度指挥决策提供技术支持，辅助提高生产时率、降低故障发生率。

2.2.1　稠油生产参数智能预警

集中监控报警限值主要根据生产经验确定，稠油生产工况变化频繁，人工设置限值无法快速匹配生产变化，存在一定滞后性，难以保证监控分析工作的准确性。研究并建立平均值、取点值、三倍标准差三种自适应阈值自动推荐方法，通过对周期内的关键指标进行计算，自动生成报警阈值，提高自适应阈值有效性，经验证，推荐阈值有效率达 97.28%。

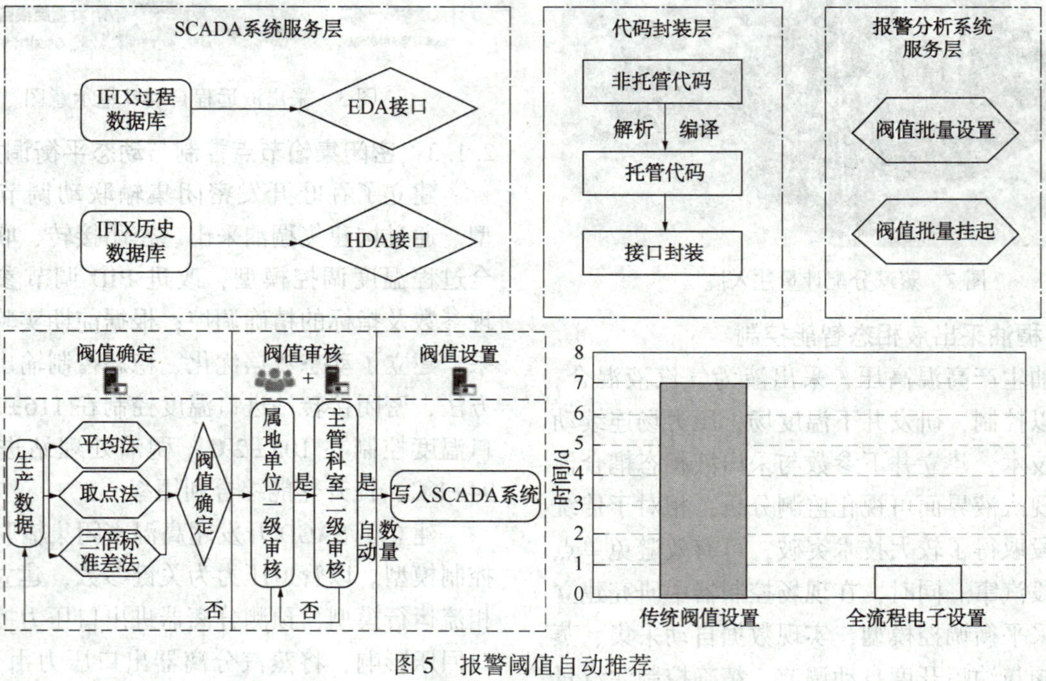

图 5　报警阈值自动推荐

现场无人值守模式下，单参数高低限报警对生产异常变化的反应较为滞后，时效性低，无法满足生产过程管控的需求。调用直线拟合函数，对数据进行拟合，计算直线斜率；结合历史数据，反演推算极限斜率，与实时拟合斜率比较，实现异常及时预警，提醒生产运行人员采取措施，解决以往异常分析、预测滞后的问题，趋势预警平均提前 15-30 分钟。

2.2.2　设备工况诊断

将轴温与转速指定为泵的故障建模主元，建立适用于稠油集输机泵的指定主元分析方法，提取泵故障特征，刻画故障现象，建立故障征兆集26个，实现多故障识别及诊断，螺杆泵、柱塞泵、离心泵等运转泵诊断平均正确率89%。

针对抽油机设备，建立可动态更新故障识别库，涵盖故障种类23大项101小项，为抽油机故障自诊断奠定基础；融合支持向量机、规则关联多种算法，创新形成多算法融合诊断技术，实现3000余台抽油机的智能诊断。

2.3　油藏研究智能分析

2.3.1　数据池建设

数据采集存储，实现PLC、RTU数据实时并发采集；数据分级压缩技术，弹性动态分配数据存储空间，数据压缩比90%；

数据预处理，采用流计算技术，将原始数据抽取清洗转换，数据良好率达到95.8%；

数据调用，开发Python等多种API接口，满足“多线程、高频次、大数量”数据调用需求，上万条数据查询响应时间由48秒降低至1秒。

2.3.2　油藏一体化研究及共享

通过模型和生产动静态数据自动计算与迭代更新，提高准确性和效率，形成以地质研究为核心的油藏工程模拟、生产动态调整的动、静一体化数据分析体系，基于油藏滚动开发数据(新钻井、化验监测、动态跟踪)自动完善、迭代已有成果，确保开发决策准确性。

基于主流建模、数模、动态开发软件研究成果，研发成果解析工具，实现成果共享集成和一体化研究。油藏动静态一体化分析成果管理，分析结果自动推送，实时掌控生产，提高运行效率，油藏研究工作时间节约50%。

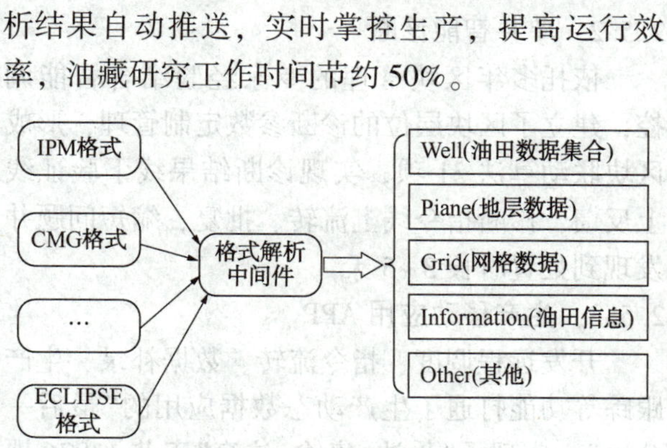

图6　研究结果解析示意图

2.3.3　油井智能调产配汽

根据常规稠油井配汽流程复杂、基础数据量

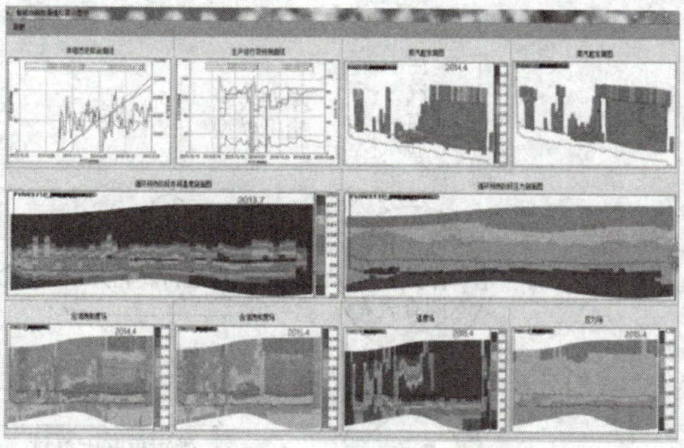

图7　成果共享展示

大、转注井关联性大的特点，结合人工配汽计划的经验做法，建立了具有自主知识产权的稠油单井配汽优化管理系统，模拟并验证“转轮选井优化、配汽计划生成、注汽质量跟踪”稠油配汽全流程，实现电子化管理。

2.4　生产远程指挥

2.4.1　生产指挥系统

对各个生产环节进行实时数据采集和处理，并通过数据挖掘和分析等方法，提取关键指标，建立油田生产运行领域KPI体系，对主要生产指标进行实时跟踪、动态分析和评价优化，为专业化管理提供在线、实时的系统分析手段，为生产调度决策提供支持。

2.4.2　单井智能诊断

单井智能诊断系统集成了单井全生命周期数据，针对稠油自喷井、机抽井，通过油压、温度、液量进行周期波动对比，注汽井通过压力周期波动对比，建立稠油异常井诊断算法7项。波动对比周期根据日、周、月、季自主选择，降低生产环境差异性影响，实现异常井区块联动分析，为油井生产精细化管理提供技术支持。

2.4.3　生产移动应用

应用“互联网+”技术，开发生产数据移动应用APP，打造油田信息与生产数据的集成查询、协同共享提供便捷式移动应用，大幅提高生产数据查询效率；建立商业导航软件API接口，开发基于GIS地图的巡检路线定制推送技术，实现油区地图查看，坐标定位，快速规划导航路线，大幅提高现场巡检及故障处理效率。

2.4.4　互联网+安全管理

通过对采油厂安全生产管理技术开展研究工作，建成油田上下游生产过程“在线监测、实时报警、异常预警”的集中监控系统，提高油田生

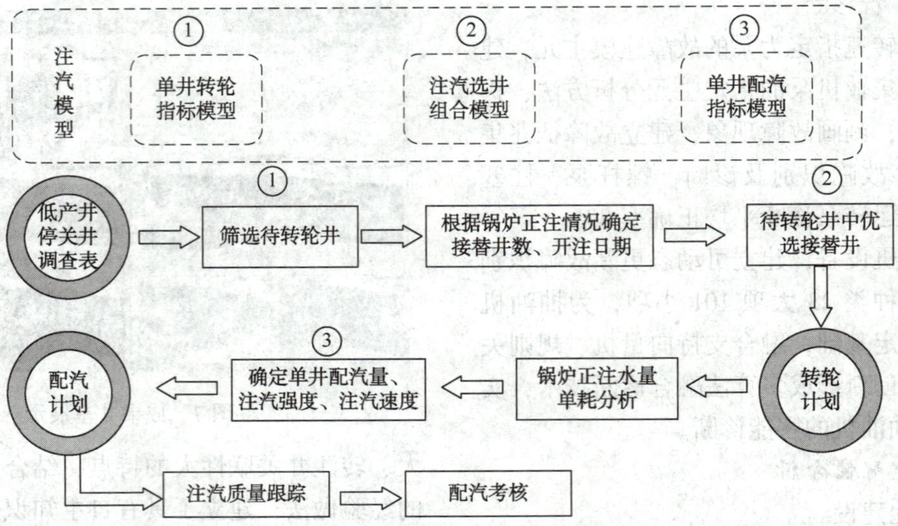

图 8 稠油吞吐配汽全流程管理

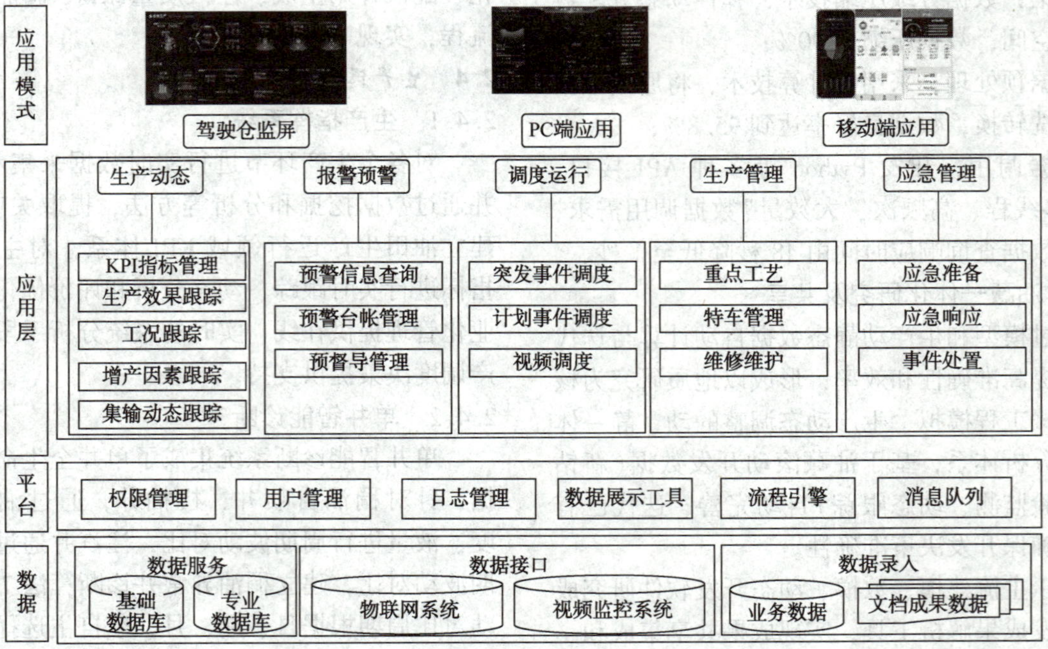

图 9 生产指挥示意图

产过程本质安全；建立“PC+APP”实时同步的安全监管平台，实现作业环节全流程精准管控、统计分析智能高效，提升油田生产本质安全水平。

2.5 数字化转型场景应用

2.5.1 现场智能操控

以某集输站库高效模式建设及应用为例，站库实现“少人值守+集中监控+故障检修”新模式转变，通过视频“电子巡检”系统，传统的人工“按时巡检”转变为“故障巡检”，设备故障停运、管线跑冒滴漏等异常生产事件发现时长由1~2h缩短至10分钟以内，有效提升了联合站安全生产管控能力。

2.5.2 单井智能诊断

依托多年区块管理的专家经验结合智能调控，建立了区块层位的诊断参数定制管理，形成区块联动算法31项，实现诊断结果线下验证线上反馈，诊断指令线上流转、批复，缩短问题井发现到处置时长3~5天。

2.5.3 生产移动应用 APP

开发远程调度、指令流转、数据补录、生产跟踪等功能打通了生产动态数据应用的“最后一公里”，实现了“采油-集输-注汽”工艺13976项数据的便捷移动查询，月访问量28万余人次，为生产数据查询、问题远程上报、调度指令推送提供辅助工具。

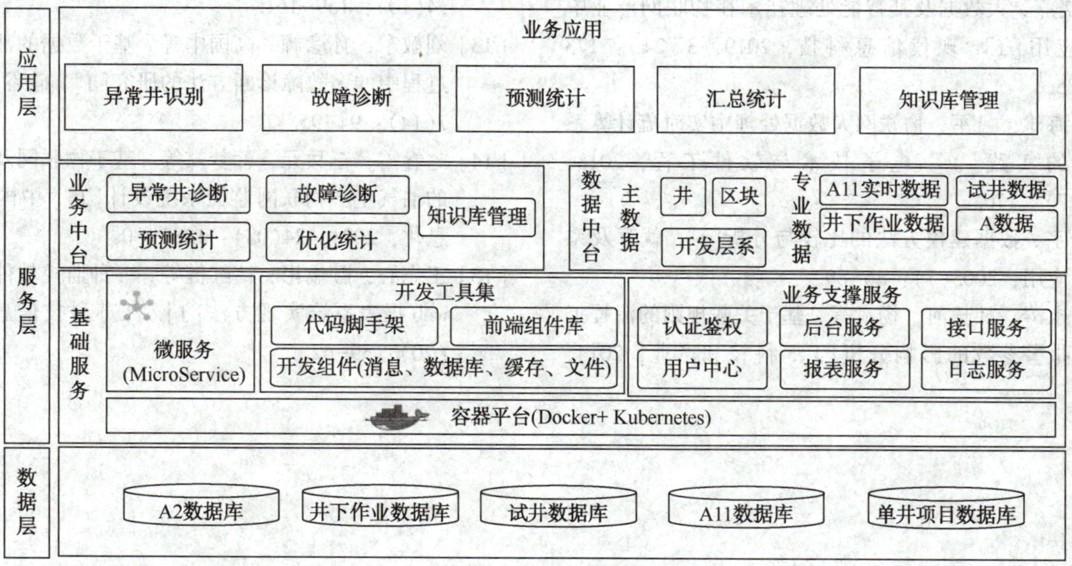

图 10　单井智能诊断示意图

2.5.4　安全监管平台

安全监管平台的建成投用，为风险防控清单、隐患排查治理机制、作业许可闭环管理的电子化管理提供技术手段，实现承包商作业全过程在线监管，为许可作业的在线申请、审核、校验等，为安全工作赋予了“管理透明可视、流程闭环可控”的数字化能力，许可作业历史溯源100%。

3　实践效果

（1）构建了油田生产现场“注—采—输”全流程关键工艺自动控制体系，基本实现生产现场智能监控、自动控制，减少简单的、重复性的人工劳动，缓解稠油开发用工多、成本高的问题，降低生产安全风险。

（2）创建以预测分析为核心、移动指挥为载体的生产运行管理新模式，实现全流程和关键设备的实时分析、异常预警，减少非计划停机、保障生产时率；创新提出了生产移动指挥思路，实现随时随地数据交互，生产指令远程下发，提高油田生产管理效率及故障处置效率。

（3）创建了以地质研究、数值模拟、生产优化为核心的生产科研协同分析平台，形成数据一体化、业务协同化、油藏桌面化、成果共享化的稠油油田智能化开发工作环境，大幅度提高研究工作效率。

4　结论

浅层超稠油油田数字化转型探索与实践，提高了油田现场生产过程的自动化与智能化应用水平，建立了稠油生产过程“感知-分析-决策-执行与反馈”的完整闭环；将生产运行管理各环节人工经验、工艺参数和运行指标的模型数字化，实现关键参数、节点工况、突变信息的报警、预警，提高生产运行效果，管理方式由“人工判断+经验分析”向“自动预警+智能分析”转变；建立数据互联互通、模型自主优化、成果迭代共享的智能化研究新模式，形成了可复制、可推广的思路和模板，可供其他油田参考和借鉴。

参　考　文　献

[1] 赵贤正，王洪雨，刘计超，等．老油田实施数智油田建设研究与思考：以大港油田为例[J]．石油科技论坛，2021，40(5)：1-8.

[2] 姜茂盛．中石油公司与壳牌石油公司战略比较研究[D]．北京：华北电力大学，2014.

[3] 李剑峰．企业数字化转型认知与实践：工业元宇宙前传[M]．北京：中国经济出版社，2022.

[4] 李剑峰．企业数字化转型的本质内涵和实践路径[J]．石油科技论坛，2020，39(5)：1-8.

[5] 计秉玉．对油气藏工程研究方法发展趋势的几点认识[J]．石油学报，2020，41(12)：1774-1778.

[6] 刘志勇，何忠江，刘敬龙，等．统一数据湖技术研究和建设方案[J]．电信科学，2021，37(1)：121-128.

[7] 聂晓炜．智能油田关键技术研究现状与发展趋势[J]．油气地质与采收率，2022，29(3)：68-79.

[8] 付锁堂，石玉江，丑世龙，等．长庆油田数字化转型智能化发展成效与认识[J]．石油科技论坛，2020，39(5)：9-15.

[9] 秦晓燕．大数据及其智能处理技术在物联网产业中的应用[J]．现代信息科技，2019，3(24)：173-175.

[10] 吴海建，吕军．物联网大数据处理中实时流计算系统的实践[J]．电子技术与软件工程，2018，(17)：170.

[11] 朱宇．数据建模方法的比较与分析[J]．就算及系统应用，2005(7)：86-89.

[12] 尚永涛，杜长河，杨斌等．基于关联规则的流程工业报警参数的影响分析[J]．科技和产业，2014，14(10)：159-161.

[13] 刘敬东，孙彦辉，高国中等．基于数据的油田生产过程中的多故障诊断方法的研究[J]．硅谷，2014，7(14)：94-95.

[14] 赵春雪，李兵元，韩梦蝶等．基于物联网及云平台的油气生产物联网监控系统设计[J]．中国管理信息化，2021，24(08)：128-130.

[15] 王志心，颜儒彬，褚红健等．一种监控软件平台中web报表系统实现方法[J]．江苏科技信息，2018(20)：59-62.

油田物联网 LoRa 通讯系统在干扰环境下性能分析及研究

陈亚颐　程新忠　彭荣峰　赵　昱　再开日亚·安尼娃儿　周秋实　付　波

（中国石油新疆油田公司）

摘　要　LoRa 等长距离无线通讯技术作为无线通信的一个重要组成部分，凭借着成本低廉、覆盖范围广、低功耗等优点已在油田等领域大规模使用。但有限的频率带宽会导致系统间存在相互干扰，严重影响 LoRa 的网络性能。本文以准噶尔盆地东部某油田为例，研究在干扰环境下油田 LoRa 无线通讯技术的性能及优化策略，为油田类似干扰通讯场景提供解决方案，以确保油田无线通讯网络的稳定性。

关键词　油田；LoRa；抗干扰技术；优化策略；解决方案

1　研究背景

近年来，随着信息技术的快速发展，油田建设也进入了智能化时代。在智能化油田建设中，通信技术是其中一个重要的组成部分。通信技术可以实现远程监控、远程控制、数据传输等功能，为智能化油田建设提供了强有力的支持。LoRa 无线通讯技术凭借其远距离通讯、长电池寿命、大系统容量、低硬件成本等优点在油田应用范围越来越广。当前，LoRa 在中国使用频段以 470～510MHz 为主。同时广播业务、固定、移动、无线电传输等业务也工作在该频段。因此，研究在该频段范围内工作的无线通讯抗干扰技术有着广泛的应用价值。

2023 年 2 月 27 日开始，A 作业区处于干扰频段的 26、36 号站 LoRa 网关覆盖的 400 余块仪表通讯被干扰，近 200 块仪表频繁掉线，压力、温度、电参等数据大量丢失。随后通过频谱分析仪对该地区进行扫频测试，发现该地区 486MHz～494MHz 频段存在很强的干扰信号源，与 A 作业区 26、36 号站 LoRa 网关频点 486.3MHz～487.7MHz 段的频段重叠。

确定干扰频段在 486.0MHz～493.9MHz 后，通过将这 400 块仪表的工作频段调整到 484.3MHz～485.7MHz，避开了干扰频段，仪表全部恢复上线。随后，该油田对 A、B、C 三个作业区进行了油区范围内无线电频率干扰详细测试，各作业区都存在不同程度的无线电干扰，见图 1-3、表 2。

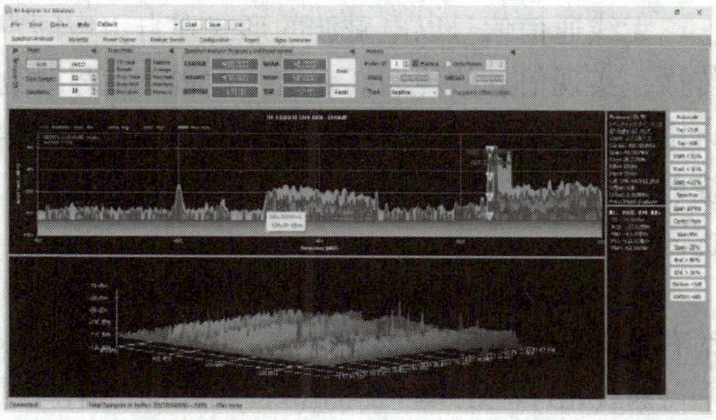

图 1　A 作业区扫频图

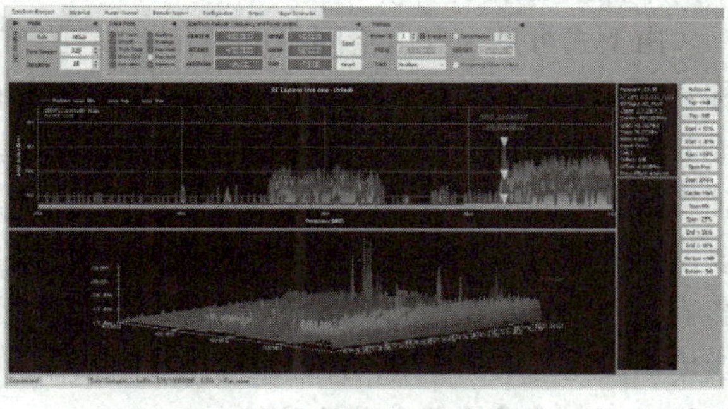

图 2　B 作业区扫频图

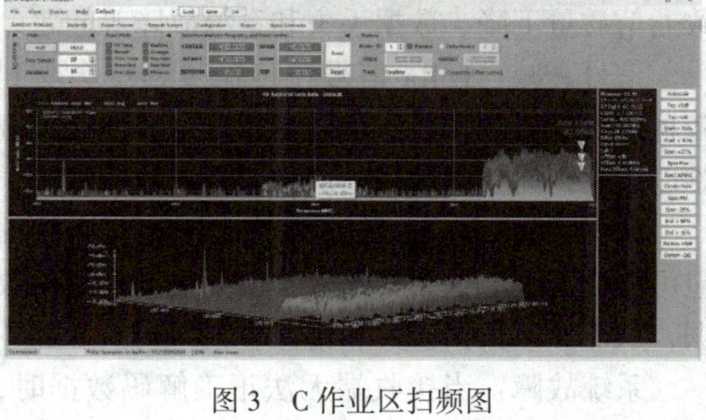

图 3　C 作业区扫频图

表 2　各作业区各频段干扰强度表

频段	A 作业区	B 作业区	C 作业区
470~478MHz		弱	弱
478~486MHz			
486~494MHz	弱-中(东南侧中)	弱-中	中
494~502MHz			弱-中(东南侧中)
502~510MHz	中	强	强

为了最大程度利用有限的频率资源，必须研究在干扰频段下提升通讯能力的解决方案。本文以 A 作业区 26 号站为试点，全站 LoRa 无线仪表工作在干扰频段，通过多项实验测试效果对比研究，寻求提升通讯能力的各种办法，为油田类似干扰通讯场景提供解决方案，以确保油田无线通讯网络的稳定性。

2　无线通信环境

2.1　通信距离衰减

无线通信信号以电磁波的形式在自由空间中传播，实现信息的传递。在这个过程中信号收到自由空间终端调整频率各种因素的影响，会产生绕射、反射或散射；同时，信号还会收到各种干扰影响。

通信距离与发射功率、接收灵敏度和工作频率有关。

[Lfs](dB)= 32.44+20lgd(km)+20lgf(MHz)

式中，Lfs 为传输损耗，d 为传输距离，频率的单位以 MHz 计算。

由上式可见，自由空间中电波传播损耗(亦称衰减)与工作频率 f 和传播距离 d 有关，当 f 或 d 增大一倍时，[Lfs]将分别增加 6dB。这是理想状况下的传输距离，实际的应用中是会低于该值，这是因为无线通信要受到各种外界因素的影响，如大气、阻挡物、多径等造成的损耗，无线传输损耗每增加 6dB，传送距离减小一倍。

2.2　LoRa 存在干扰导致的问题

当 LoRa 无线仪表工作在干扰频段可能会导致通信质量下降、数据丢失和系统故障等问题。

信号衰减：LoRa 信号在传输过程中会受到各种干扰的影响，导致信号衰减。这会使接收端难以接收到完整的信号，从而影响通信质量。

数据丢失：当 LoRa 信号受到干扰时，数据包可能会丢失。这会导致接收端无法正确解码数据，从而导致数据丢失和错误。

系统故障：当接收端无法正确解码数据时，它可能会尝试多次解码，从而导致系统崩溃或重启。

延迟增加：当信号受到干扰时，发送端数据发送失败会导致重发，接收端需要更长的时间来接收完整的信号，从而导致数据传输延迟。

3　LoRa 无线通讯技术在干扰环境下的优化策略

在干扰环境下，增加信噪比是最有用的办法。信噪比是指系统中信号与噪声的比例。这里面的信号指的是来自设备外部需要通过这台设备进行处理的电子信号，噪声是指经过该设备后产生的原信号中并不存在的无规则的额外信号(或信息)，并且该种信号并不随原信号的变化而变化。因此，信噪比越高通讯效果越好。

$$db = 10\lg\left(\frac{Ps}{Pn}\right)$$

上式为信噪比计算公式，Ps 表示信号的功率，Pn 表示噪声(或干扰)的功率。在干扰无法改变的情况下，只有提高信号功率，才能提高信噪比。

3.1　提高仪表天线增益

3.1.1　优化实验

2023 年 7 月 17 日，分别对在用的 LoRa 普通螺旋天线、厂家 1 的铜棒天线、自购的铜棒天线、厂家 2 的普通螺旋天线进行接收扫频测试，使用 DSA815 扫频仪，扫频 410~570MHz 共 160MHz 带宽，发射功率-5dB，在室外开阔地收发距离约 5~6 米，发射天线均为厂家 1 的铜棒天线，基本参数如表 3、表 4 所示，测试结果如图 4~7 所示。

表 3　LoRa 仪表高增益铜棒吸盘天线基本参数

增益	8~10dBi
驻波比	≤1.5
输入阻抗	50Ω
功率容量	50W
底盘	62mm
天线高度	100mm
馈线长度	3m
接头类型	SMA 公头(内螺纹内针)

表 4　几种仪表天线对比表

序号	天线类型	接收场强/dB	提升场强/dB	直流电阻/Ω
1	普通螺旋天线(在用)	-72 至-80	—	0.45
2	铜棒天线(厂家 1)	-48 至-54	24 至 26	0.05
3	铜棒天线(自购)	-49 至-53	23 至 27	0.05
4	普通螺旋天线(厂家 2)	-62 至-69	10 至 11	1.15

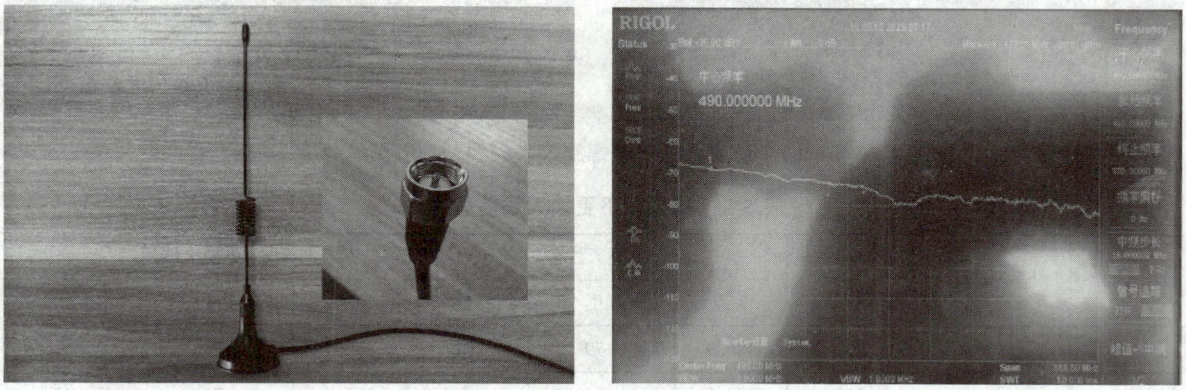

图 4　在用的 LoRa 普通螺旋仪表天线和扫频图

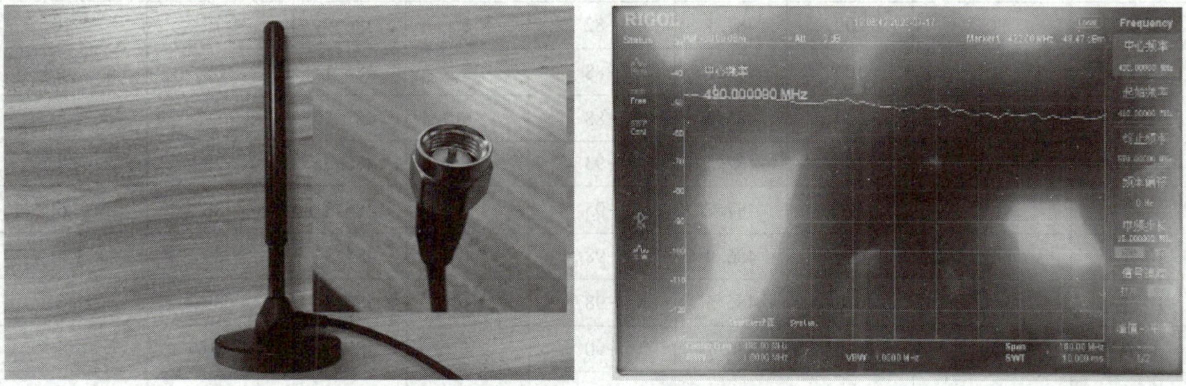

图 5　厂家 1 的铜棒仪表天线和扫频图

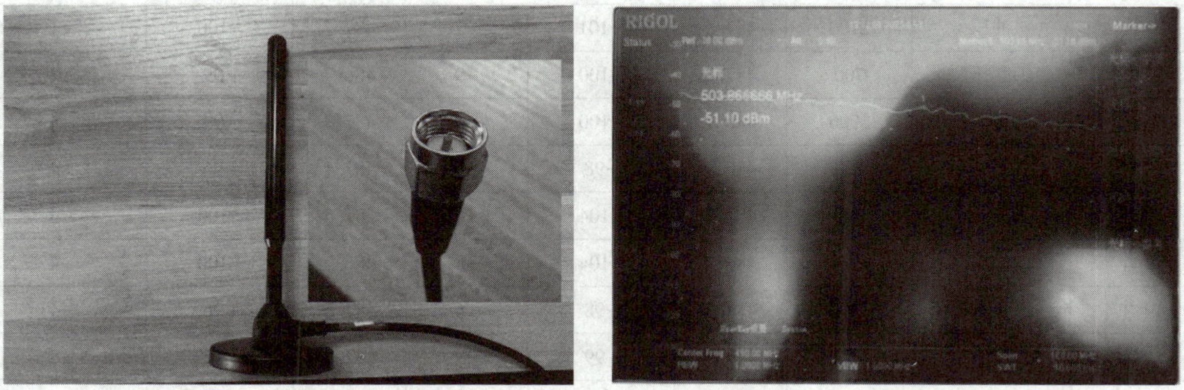

图 6　自购的铜棒仪表天线和扫频图

实验结果表明，使用高增益铜棒天线后比原普通螺旋天线接收场强增强预计约 15 至 27dB，增益效果明显。

3.1.2　现场测试

2023 年 7 月，集中更换了 A 作业区 26 号站网关所覆盖的 36 块仪表高增益天线，随后利用采油厂 LoRa 仪表状态监测软件对更换后的仪表进行检测，结果如表5。

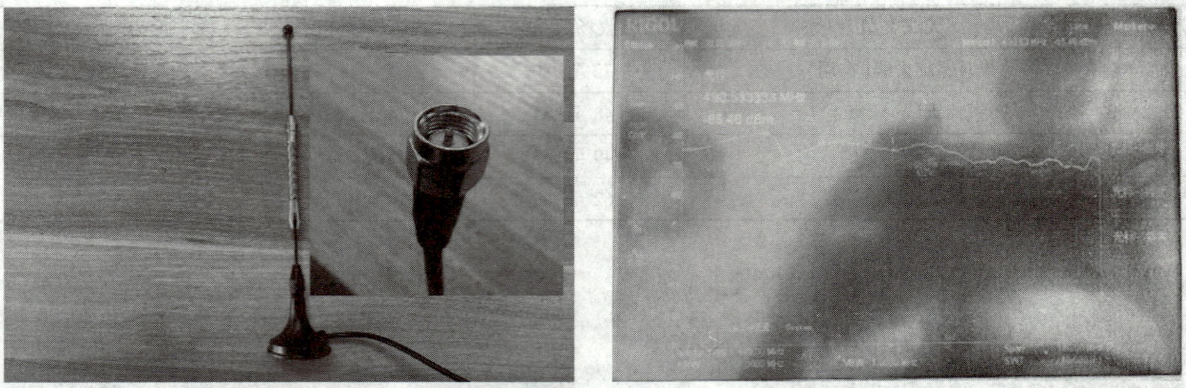

图7 厂家2的普通螺旋仪表天线和扫频图

表5 干扰频段下更换天线前后对比

井号	设备种类	距26号站网关距离/m	更换天线前			更换天线后		
			频点	信号强度/dBm	信噪比/dB	频点	信号强度/dBm	信噪比/dB
21井	套压	200	486.9	−79	10	486.7	−78	11
20井	油压	100	487.7	−81	9	486.5	−70	11
2井	油压	205	487.7	−82	9	486.7	−76	10
21井	油压	200	487.1	−82	8	486.5	−75	10
20井	套压	100	487.7	−88	8	486.7	−82	9
11井	套压	490	486.5	−88	6	487.5	−88	8
2井	套压	205	487.5	−93	5	486.3	−79	7
9井	套压	270	487.7	−95	3	486.3	−86	6
10井	油压	600	486.9	−98	1	487.3	−88	6
10井	套压	600	486.5	−98	−2	486.7	−89	6
1井	套压	410	486.7	−90	4	487.5	−90	4
13井	油压	900	486.7	−96	−2	486.7	−95	3
5井	套压	2000	487.1	−99	−6	486.3	−99	−1
22井	油压	2100	487.5	−101	−7	487.7	−100	−1
12井	套压	700	487.7	−100	−9	486.7	−99	−2
7井	套压	2000	486.7	−100	−6	487.7	−99	−4
18井	套压	700	486.7	−98	−6	487.1	−96	−4
18井	油压	700	487.7	−104	−6	487.5	−100	−4
19井	油压	1300	487.7	−104	−6	486.7	−100	−4
19井	套压	1300	487.3	−98	−6	487.5	−96	−4
9井	油压	270	486.7	−99	−9	487.5	−96	−5
16井	油压	2100	486.3	−99	−7	487.1	−97	−5
22井	套压	2100	487.3	−99	−6	487.7	−99	−6
7井	油压	2000	487.7	−101	−7	487.7	−98	−6
8井	套压	1400	487.5	−98	−7	486.7	−99	−6
8井	油压	1400	487.7	−100	−8	486.9	−100	−6

续表

井号	设备种类	距 26 号站网关距离/m	更换天线前			更换天线后		
			频点	信号强度/dBm	信噪比/dB	频点	信号强度/dBm	信噪比/dB
15 井	套压	2100	487.3	-99	-10	487.1	-95	-6
14 井	油压	2000	487.1	-97	-10	487.7	-95	-7
4 井	油压	1900	486.9	-101	-13	486.3	-99	-7
14 井	套压	2000	487.7	-105	-13	486.9	-100	-7
3 井	套压	2000	487.7	-103	-15	486.9	-100	-7
17 井	套压	2000	487.5	-103	-9	486.9	-98	-8
3 井	油压	2000	#N/A	#N/A	-15	487.5	-101	-8
15 井	油压	2100	486.9	-97	-16	487.3	-94	-9
4 井	套压	1900	486.3	-99	-14	487.5	-95	-10
6 井	油压	1600	486.7	-100	-13	486.7	-100	-11
平均				-96.4	-4.6		-93.1	-1.3

说明：1、选择 40 块仪表更换高增益天线，其中 4 块表在线且有信号，但现场没有找到仪表(可能拆除后放在井场附近，还在发射信号)，故此表共有 36 块仪表统计。

2、3 井距离 26 号站 2.0 公里，更换天线前油压未上线，因此此表中显示为#N/A。

结论：更换高增益仪表天线后，通讯效果明显改善。油田 LoRa 无线仪表发射功率为 50mW (17dBm)，当提高仪表天线增益后可以有效增加仪表发射功率，进而提高信噪比。

根据测试结果，距离 26 号站网关天线越近，信噪比越高，通讯效果越好。抗干扰优化后，平均正常通讯半径，大约可增加 50%。高增益仪表天线在干扰环境且无遮挡情况下，最大通讯距离约为 2.0km。

从表 6 干扰频段下更换天线前后对比可知，更换高增益天线后仪表信号信噪比有所提升，改善了整体信号质量。由于干扰信号和仪表信号存在波动，在不同时间测得的信噪比也有所不同，总体上看，36 块仪表平均提升信噪比 3.3dB，其中 3 井的油压更换高增益天线前无法上线，更换天线后上线。

3.2 扩频因子参数优化

调整 LoRa 设备的参数可以改善在干扰环境中的性能。2023 年 7 月，集中更改了 A 作业区 26 号站网关所覆盖的 42 块仪表扩频因子参数，随后利用采油厂 LoRa 仪表状态监测软件对更换后的仪表进行检测，结果如表 6。

表 6　干扰频段下更改扩频因子前后对比

井号	设备种类	更改前		更改后		
		扩频因子	频点	信噪比	扩频因子	频点
1 号井	油压	SF7	486.3	-1	SF12	486.3
1 号井	套压	SF7	486.7	4	SF12	486.7
2 号井	油压	SF7	487.7	9	SF10	487.7
2 号井	套压	SF7	487.5	5	SF10	487.5
3 号井	油压	SF7	#N/A	-15	SF11	487.6
3 号井	套压	SF7	#N/A	-15	SF11	487.7
4 号井	套压	SF7	#N/A	-14	SF12	486.3
4 号井	油压	SF7	#N/A	-13	SF12	486.9
5 号井	油压	SF7	#N/A	-5	SF12	486.7
5 号井	套压	SF7	#N/A	-6	SF12	487.1

续表

井号	设备种类	更改前		更改后		
		扩频因子	频点	信噪比	扩频因子	频点
6号井	油压	SF7	#N/A	−13	SF10	486.7
7号井	油压	SF7	#N/A	−7	SF12	487.7
7号井	套压	SF7	486.7	−6	SF12	486.7
8号井	套压	SF7	#N/A	−7	SF11	487.5
8号井	油压	SF7	#N/A	−8	SF11	487.7
9号井	油压	SF7	#N/A	−9	SF12	486.7
9号井	套压	SF7	487.7	3	SF12	487.7
10号井	油压	SF7	486.9	1	SF10	486.9
10号井	套压	SF7	486.5	−2	SF10	486.5
11号井	油压	SF7	486.5	2	SF11	486.5
11号井	套压	SF7	486.5	6	SF11	486.5
12号井	油压	SF7	486.9	−5	SF10	486.9
12号井	套压	SF7	#N/A	−9	SF10	487.7
13号井	油压	SF7	486.7	−2	SF12	486.7
14号井	油压	SF7	#N/A	−10	SF12	487.1
14号井	套压	SF7	#N/A	−13	SF12	487.7
15号井	套压	SF7	#N/A	−10	SF12	487.3
15号井	油压	SF7	#N/A	−16	SF12	486.9
16号井	套压	SF7	#N/A	−8	SF11	486.7
16号井	油压	SF7	#N/A	−7	SF11	486.3
17号井	油压	SF7	#N/A	−7	SF12	487.1
17号井	套压	SF7	#N/A	−9	SF12	487.5
18号井	套压	SF7	486.7	−6	SF10	486.7
18号井	油压	SF7	487.7	−6	SF10	487.7
19号井	油压	SF7	487.7	−6	SF11	487.7
19号井	套压	SF7	487.3	−6	SF11	487.3
20号井	套压	SF7	487.7	8	SF12	487.7
20号井	油压	SF7	487.7	9	SF12	487.7
21号井	套压	SF7	486.9	10	SF10	486.9
21号井	油压	SF7	487.1	8	SF10	487.1
22号井	套压	SF7	487.3	−6	SF12	487.3
22号井	油压	SF7	#N/A	−7	SF12	487.5

说明：表中显示为#N/A 表示未上线。

结论：增加扩频因子可以提高抗干扰能力，从表6干扰频段下更改扩频因子前后对比发现，共测试43块仪表，在扩频因子为SF7时，21块仪表未上线。更改扩频因子为SF10-SF12后，全部上线。根据实际需求进行参数的调整，平衡抗干扰能力和数据传输速率之间的关系。表7为扩频因子与解调信噪比关系表。

表 7　扩频因子与解调信噪比关系表

扩频因子	物理层比特率/bps	LoRa 解调信噪比/dB
SF12/125kHz	250	-20
SF11/125kHz	440	-17.5
SF10/125kHz	498	-15
SF9/125kHz	1760	-12.5
SF8/125kHz	3125	-10
SF7/125kHz	5470	-7.5

3.3　增加网关数量

无线电视广播信号抬升了采油厂工作频段的底噪超过 20~40dBm，严重影响了网关的覆盖范围和数据采集业务。在当前部署下，网关的有效覆盖半径明显低于规划的 2.5 公里，部分干扰较严重的地区下降到 0.5 公里。

因此，可在干扰较强、井口密度较高的地区增加网关数量，使网关间距小于 2km。增加网关数量可以降低仪表到网关的通讯距离，提高将干扰性，提高信噪比，同时当某个网关发生故障或处于维护状态时，其他网关可以接管其功能，提高系统的容错性和可靠性。

3.4　将部分终端的工作频点调整到其他频段

LoRa 网络是一种低功耗宽区域网络，通常在一个 2MHz 的频段中工作，共有 8 个信道可用。然而，LoRa 网关有能力设置 4 个频段和 32 个信道，因此可以通过将一部分终端调整到其他频段来避免干扰。

在对终端进行测试时，发现电参只支持 8 个信道，而功图、压力和温度终端则支持 32 个信道。由于功图终端每 5 分钟会自动复位一次，所以它无法固定在特定的频段上。因此，将压力和温度终端与两个网关配对，将网关的工作频段更改到其他频段。

在这种调整后的设置中，有 200 个压力和温度终端与两个网关进行通信。为了确保终端能够在新的频点上工作，通过复位的方式将终端重启，并使其与网关重新建立连接。

通过这种方式，成功地将一部分终端的工作频点调整到其他频段，从而改善了通信状况。这是因为通过将终端分散到不同的频段中，可以减少干扰和碰撞，并提高整体的网络性能。

3.5　引入重传机制

引入重传机制是一种提高 LoRa 数据传输可靠性的方法。LoRa 技术在干扰环境中可能会发生数据传输错误，例如丢包或数据损坏。重传机制允许设备在出现错误时重新发送数据，以确保数据的正确传输，其步骤如下：

发送方发送数据：首先，发送方将数据包传输到接收方。在发送时，发送方将数据包的副本保存在本地缓冲区中。

接收方接收数据：接收方收到数据包，并验证数据包的完整性。如果数据包完好无损，则接收方给发送方发送一个确认信号(ACK)，表示数据包已经正确接收。

ACK 丢失或错误：在某些情况下，ACK 信号可能会丢失或出错。这可能是由于干扰或其他传输问题引起的。

发送方接收 ACK 失败：发送方在一段时间内等待 ACK 信号。如果在等待期间未收到 ACK 信号，发送方将认为数据包未被正确接收，并触发重传机制。

重传数据包：发送方从本地缓冲区中获取数据包的副本，并重新发送数据包。这可以通过使用相同的传输参数和通道来实现。

重试次数和超时：为了避免无限重试，可以设定一个重传的最大次数。如果重传次数超过阈值，发送方将放弃重传并将错误报告给应用程序。此外，可以设置一个重传超时时间，超过该时间后，发送方将触发重传。

接收方接收重传数据：接收方收到重传的数据包，并验证其完整性。如果数据包是正确的，接收方将再次发送确认信号(ACK)给发送方。

循环直到成功：如果 ACK 信号正常到达发送方，那么通信成功。如果 ACK 信号仍然丢失或出错，那么发送方将继续重传，直到达到最大重试次数。

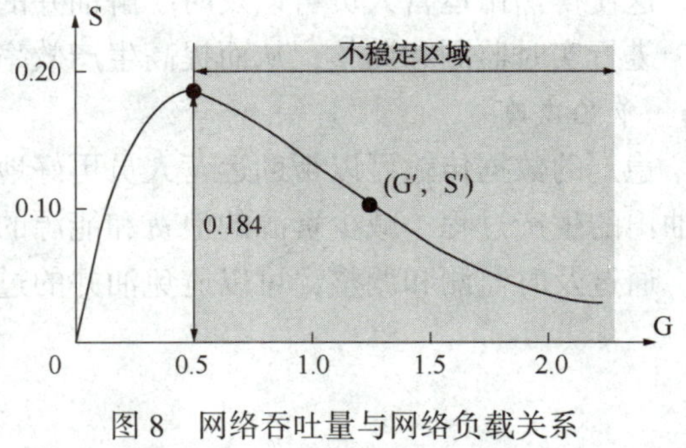

图 8　网络吞吐量与网络负载关系

在重传机制下网络的吞吐量与网络负载会呈现图 8 的关系，当网络负载 G 值小于 0.5 时，随着负载的增高网络吞吐量会增大，当网络负载 G 值继续增大，大于 0.5 时，网络吞吐量会急剧减小，因此可以引入重传机制，当数据传输发生错误时，重传机制允许设备重新发送数据，确保数据的可靠传输。

4 优化效果

4.1 增加信号覆盖范围

通过优化通信设备的布局和配置，可以扩大无线信号的覆盖范围(可靠通讯半径增加 50%~100%)，以便在广阔的油田区域内实现全面的通信覆盖。

4.2 提高信号质量

通过优化信号传输参数，可以减少信号衰减和干扰，从而提高信号的质量和稳定性。这将导致更少的信号丢失、更少的通话中断以及更快的数据传输速度。

4.3 延长无线仪表电池使用寿命

通过合理配置通信设备，使用高增益仪表天线后可以将无线仪表发射功率由 50mW 降低至 10~25mW，降低无线通信系统的能耗，延长无线仪表的电池寿命，使用时间从更换前的 1.5 年延长至 3 年。

4.4 增加频谱资源利用率

频谱资源是有限的，通过有效地利用频谱，可以提高通信系统的容量。当频谱资源利用率较低时，可能会导致通信系统的拥塞和信道阻塞。而通过增加频谱资源利用率，可以支持更多的设备同时使用同一频段，提高通信系统的容量和覆盖范围。

4.5 提升生产效率

稳定的油田数据传输可以实时、准确地传输油田的各种关键数据，如油井产量、温度、压力等。这使得油田运营人员可以及时了解油井的状况，进行实时监测和调整，从而提高生产效率。

4.6 节约成本

稳定的数据传输可以帮助运营人员更好地管理油田的生产过程，减少资源的浪费和能源的消耗。通过及时监测和调整，可以避免油井的过度开采或低效开采，从而提高资源利用效率和降低生产成本。

5 结语

通过合理规划和布置 LoRa 基站和终端设备，提高仪表发射天线增益、增加网关数量、将部分终端的工作频点调整到其他频段、扩频因子参数优化、引入重传机制等策略对于油田数据传输稳定性有显著的提升效果，可推广至采油厂各作业区以及油田类似应用场景，可以极大地提高在干扰环境下生产数据的及时和准确传输。这将帮助技术人员更好地监测和监控油田生产过程，及时发现问题并采取措施，进一步提高生产效率和产量；使系统更稳定，减少意外停产，让油田运营更加高效和可靠；减少维修停机时间和维修成本，从而提升油田的经济效益。

优化策略实施后，可以实现广域的通信覆盖，有效抵御多种类型的干扰信号，提供可靠的数据传输，增加数据通信的可靠性和频谱资源的利用率，对于能源行业和整个社会来说具有理论和实践的重要意义。

参 考 文 献

[1] 尹林佳. WLAN 无线局域网在干扰环境下性能分析及研究[J]. 北京邮电大学，2010. 10

[2] 张飞龙. 环境噪声干扰对无线通信接收灵敏度的影响分析[J]. 现代信息科技. 37-41，2021，5(13)

[3] 王养廷，王长利. 在强电磁干扰环境中实现可靠的无线数据传输[J]，计算机测量与控制. 1862-1864，2010，18(08)

[4] 张英帅. 油气生产物联网在数字化油气田构建应用研究[J]. 西南石油大学，2016. 11

[5] Binbin Wu，Bangning Zhang，Daoxing Guo，Hongbin Wang，Hao Jiang，Anti-Jamming Trajectory Design for UAV-Enabled Wireless Sensor Networks Using Communication Flight Corridor[J] China Communications37-52，2022，19(07)

[6] Hou Deting，Qi Zongfeng，Jiang Teng，Zhu Minpeng，Effectiveness Evaluation Method for Warning Radar in Jamming Environment[J]，第 30 届中国控制与决策会议论文集(2)，2018. 06

柔性绳结在直井多簇压裂中的工艺研究及现场应用

李昌恒[1,2]　贾煦亮[1,2]　张彦军[1,2]　范理尧[3]　王广涛[1,2]　彭长江[1,2]

（1. 中国石油长庆油田分公司油气工艺研究院；2. 低渗透油气田勘探开发国家工程实验室；3. 中国石油长庆油田公司工程技术管理部）

摘　要　以镇北-合水、姬塬等长6~长8为代表的致密多薄储层在鄂尔多斯盆地广泛分布，以提高储层纵向改造程度为目的，开展了多簇射孔暂堵压裂试验，取得了明显的增产效果。受簇间强非均质性及过砂后炮眼不规则等影响，现有多粒径可降解暂堵压裂工艺由于架桥稳定性差，暂堵强度低，存在暂堵升压值偏低、有效时间短、多簇起裂效果不明显等问题。以进一步提高暂堵升压幅度为目标，研发了一种延展性能好、承压能力高、低温可溶解的柔性绳结堵剂，开展了综合性能评价、暂堵工艺优化，研发配套了可远程控制、多级加注的绳结投加专用设备。新型柔性绳结在长庆油田现场试验41口井，平均暂堵升压幅度10.3MPa、暂堵后工作压力提高4.1MPa，较常规颗粒暂堵剂升压幅度提高80%以上，为长庆油田致密多薄层油藏高效开发提供了有力支持。

关键词　致密多薄层；多簇射孔；暂堵压裂；柔性绳结；现场试验

长庆油田镇北、合水、姬塬等区块的直井压裂改造过程中，由于小层多、非均质性强，常规笼统压裂存在纵向改造不充分的问题。暂堵压裂可以实现砂液二次分流，避免优势簇过度改造及弱势簇欠改造。目前暂堵方式多样，有暂堵剂暂堵，有暂堵球暂堵，还有球剂组合的复合暂堵。目标区储层早期采用颗粒暂堵剂的方式进行段间暂堵，整体效果不理想。为此评价暂堵材料性能、明确封堵规律，对制定匹配的暂堵方案非常重要。

近年来，压裂暂堵材料一直在更新迭代，由蜡球、塑料球、合成树脂类暂堵球、可溶金属暂堵球到聚乳酸（PLA）等材料，整体朝着高承压、可降解、对储层低伤害、暂堵时间可控等特点发展。因为其形态主要为球形、颗粒、纤维和粉末，暂堵类型分为暂堵球封堵、暂堵剂封堵或二者组合的复合暂堵。暂堵剂有效封堵历经运移、挂壁、缠绕和架桥四个过程，射孔参数、暂堵剂粒径和暂堵剂浓度直接影响封堵效果；暂堵球坐封后由于流体冲刷作用，坐封稳定性不高；复合类暂堵材料能够提高封堵效果，但材料直径需要与过砂后不规则形状的孔眼匹配，且需要优化球剂材料比例。为此，对具有高封堵强度、完全降解、可变形特点的新型暂堵转向材料需求强烈。

与常规刚性暂堵球不同，绳结暂堵塞是一种具有一定韧性的新型暂堵转向材料，其特殊的绳结+尾翼结构具有可变形的特点，能够封堵不同形状的孔眼，提高暂堵转向的效果。本文针对目标层位的地质特征，考虑射孔孔眼的磨蚀程度，评价暂堵产品的形状、规格、溶解性、承压性，对暂堵工艺的产品组合、数量优化和现场操作进行系统化研究，现场应用取得了显著的效果，为致密多薄储层的高效压裂开发提供一种新思路。

1　技术原理

柔性绳结由两部分组成，包括主体的绳结和两翼的尾绳。绳结一般呈“八”字结，尾绳长度一般2~6cm，在流体中有较好悬浮作用，带来较高的拖拽力，使绳结球易于进入炮眼。绳结材料优选改性聚乙烯醇纤维复配，室内测试表明，可满足50~100℃、24h~100h条件下溶解，承压可达60MPa以上。由于目标储层的非均质性、施工排量等条件限制，在多簇射孔压裂改造的过程中，压裂液难以实现均衡分流，通过投入柔性绳结球对原先已压开储层进行封堵，迫使压裂液流向欠改造区，从而使得储层能够得到更为均衡和充分的改造，压后柔性绳结完全溶解，不影响储层正常生产。

2 实验研究

2.1 柔性绳结合成

近年来暂堵产品呈现多样性发展，有纤维状、粉末状、颗粒状及球状等，但整体都围绕水溶性产品在进行改变。目标区储层温度范围为50~80℃，针对性对改性聚乙烯醇纤维进行复配，编制成满足要求的绳结。编制主要有3中类型材料，分别为A型号——聚乙烯醇纤维、B型号——中温改性聚乙烯醇纤维和C型号——高温改性聚乙烯醇纤维。对A、B、C三种材料按照一定配比进行混合，加引发剂制成树脂化纤维，再纺丝，最后制成不同规格的绳结。

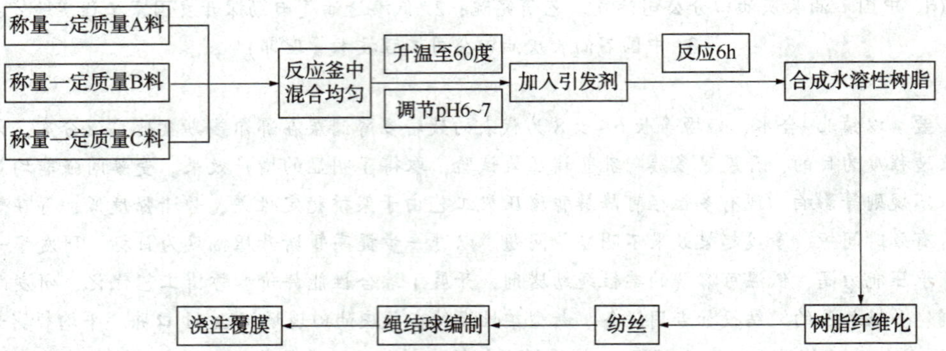

图1 绳结制备流程图

绳结尺寸可依据需要进行编制，常用绳结规格有16~18mm、18~20mm、20~22mm、25~27mm、28~30mm、33~35mm等，绳尾头宽度一般2~6cm，绳结密度1.04~1.08g/cm³，成品绳结球如图2所示。

图2 绳结成品图

表1 不同规格绳结密度测定表

柔性绳结直径/mm	质量/g	体积/mL	密度/(g/cm³)
18~20	17.234	16	1.08
20~22	18.268	17	1.07
25~27	37.524	36	1.04
28~30	64.943	61.5	1.04
33~35	96.956	93	1.04

2.2 柔性绳结性能评价

2.2.1 密度

向100mL空量筒中加入煤油至50mL刻度线，再加入直径18~20mm的3颗柔性绳结，质量记为m_a，轻微震荡使柔性绳结充分润湿，确保其与煤油之间没有气泡，静止30分钟，读取量筒此时的体积为V_a。

柔性绳结的密度计算如下：

$$\rho=\frac{m_a}{V_a-50} \quad (1)$$

式中，ρ为柔性绳结的密度，g/m³；m_a为柔性绳结的质量，g；V_a为柔性绳结放入量筒后煤油的体积，mL。

依此测出定20~22mm、25~27mm、28~30mm、33~35mm柔性绳结的密度。

2.2.2 降解性

根据现场需要，分别进行以下5组降解液的降解实验：

1）胍胶压裂液破胶液：表观粘度1.2mPa·s；

2）滑溜水溶液：表观粘度4.5mPa·s；

3）0.25%胍胶溶液：表观粘度18mPa·s；

4）破胶液与原油混合液：1：1；

5）模拟地层水：2%KCl+5.5%NaCl+0.45%$MgCl_2$+0.55%$CaCl_2$。

将不同规格的柔性绳结分别放入已装好100mL不同降解液的高压瓶中，然后再分别放入50℃、80℃水浴锅中，观察并记录不同时间柔性绳结的质量，直到柔性绳结降解完全，实验结束。

降解率计算按照式(2)计算：

$$\beta=\frac{m-m_1}{m}\times100\% \quad (2)$$

式中，β 为柔性绳结的降解率，%；m 为柔性绳结降解前质量，g；m_1 为柔性绳结在不同时间降解后剩余球的质量，g。

表 2　50℃下柔性绳结在不同溶液中的降解性能

绳结规格	不同类型降解液中的降解时间/h				
	胍胶压裂液破胶液	滑溜水	胍胶基液	模拟地层水	破胶液与原油混合液
18~20mm	96	96	96	96	120
20~22mm	96	96	96	96	120
25~27mm	96	96	96	96	120
28~30mm	120	120	120	120	120
33~35mm	120	120	120	120	120

表 3　80℃下柔性绳结在不同溶液中的降解性能

绳结规格	不同类型降解液中的降解时间/h				
	胍胶压裂液破胶液	滑溜水	胍胶基液	模拟地层水	破胶液与原油混合液
18~20mm	24	24	24	24	24
20~22mm	24	24	24	24	24
25~27mm	24	24	24	24	24
28~30mm	24	24	24	24	48
33~35mm	24	24	48	24	48

实验表明：柔性绳结在不同溶液中均具有不同的降解性能，在胍胶液压裂液破胶液、滑溜水溶液、0.25%胍胶溶液、模拟地层水、破胶液与原油混合液中均可在120h内完全降解。

2.2.3　承压性

将绳结放在承压托上，安装好模拟耐压装置，设置耐压初始压力60MPa，测定柔性绳结的耐压性能。承压装置如图4所示，包括加压管线、上下堵头、加热装置、传感器、承球托、带孔铁块等，可以依据实际地层的温度和压力测试绳结的承压性。

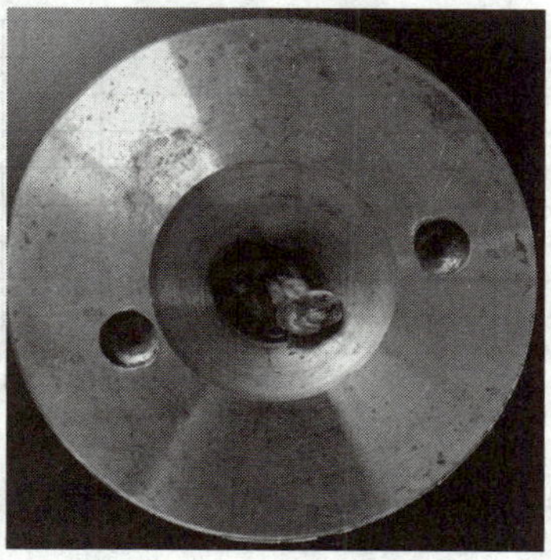

图3　承球托

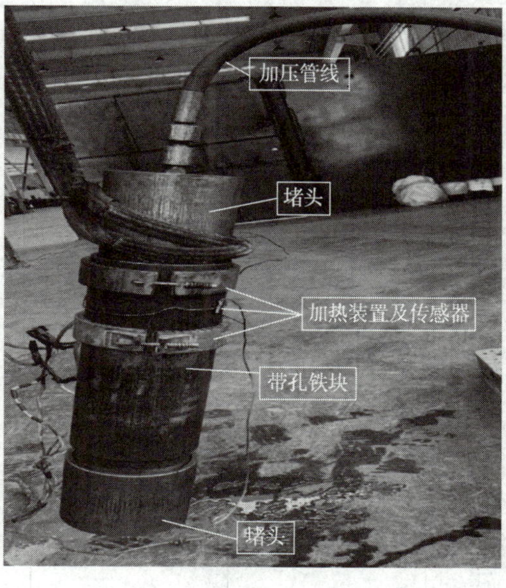

图4　承压装置

用不同尺寸柔性绳结测定其对10mm、15mm、20mm尺寸孔眼的承压性能，整体承压级别高、承压稳。

表 4 不同尺寸绳结承压性实验表

柔性绳结规格/mm	孔眼尺寸/mm	初始压力/MPa	稳压时间/h	终止压力/MPa	压降/MPa
20~22	10	62.54	1.5	60.62	1.92
25~27	10	62.3	1.5	61.2	1.1
28~30	15	62.8	1.5	60.5	2.3
33~35	20	63.2	1.5	60.1	3.1

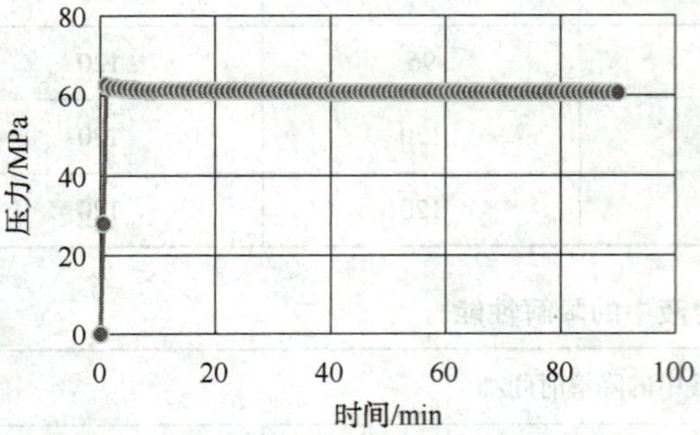

图 5 20mm 柔性绳结堵 10mm 稳压性能

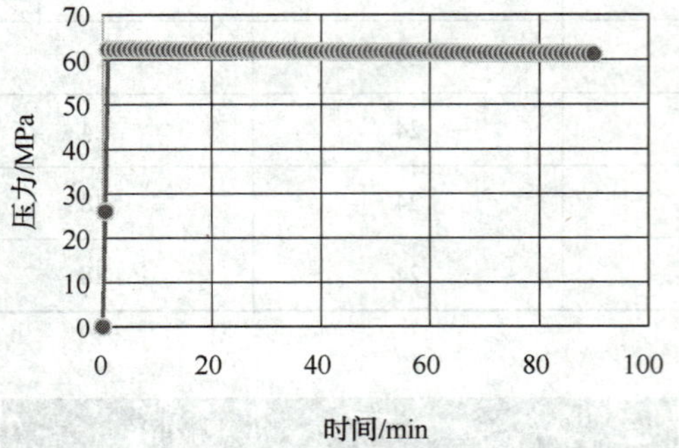

图 6 25mm 柔性绳结堵 10mm 稳压性能

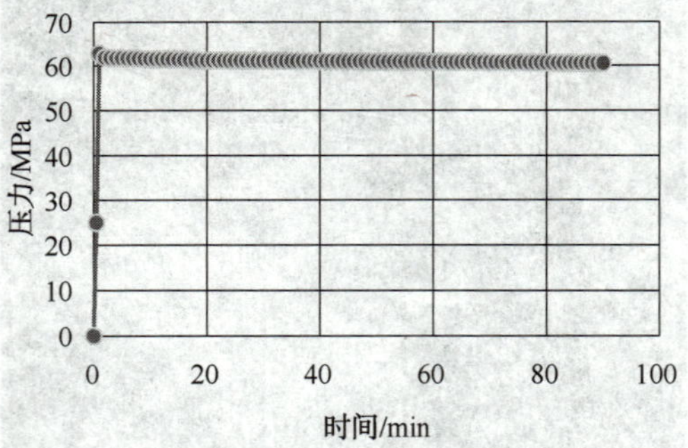

图 7 30mm 柔性绳结堵 15mm 稳压性能

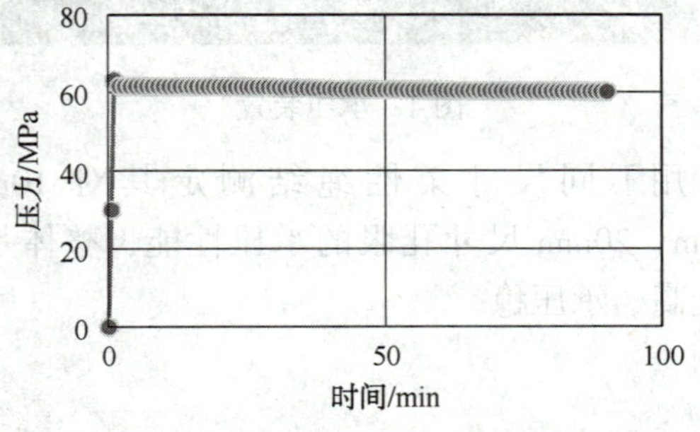

图 8 35mm 柔性绳结堵 20mm 稳压性能

2.2.4 封堵能力

选择 18~35mm 规格的的柔性绳结堵 10~20mm 的孔眼，测定不同规格对不同孔眼的突破压力，从而评价绳结球的封堵能力，整体实验方法采用承压装置测定。

表 5 柔性绳结承压性能

柔性绳结尺寸/mm	孔眼尺寸/mm	承压能力/MPa
18~20	10	35.54
20~22	10	78.60
	15	17.50
25~27	10	80.70
	15	43.40
28~30	15	78.23
33~35	20	75.45
	25	32.60

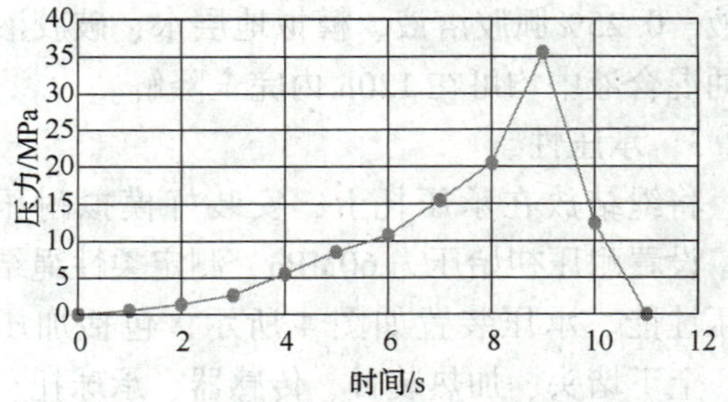

图 9 18~20mm 柔性绳结堵 10mm 孔眼的封堵能力

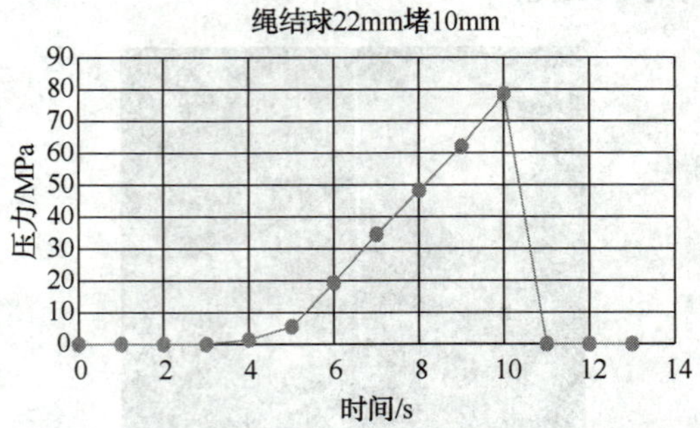

图 10 20~22mm 柔性绳结堵 10mm 孔眼的封堵能力

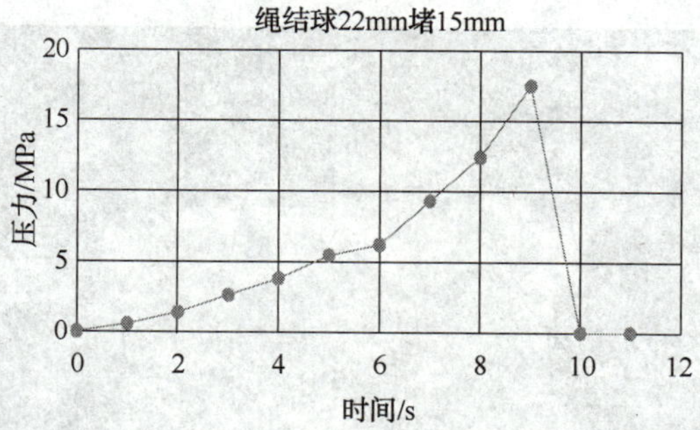

图 11　20～22mm 柔性绳结堵 15mm 孔眼的封堵能力

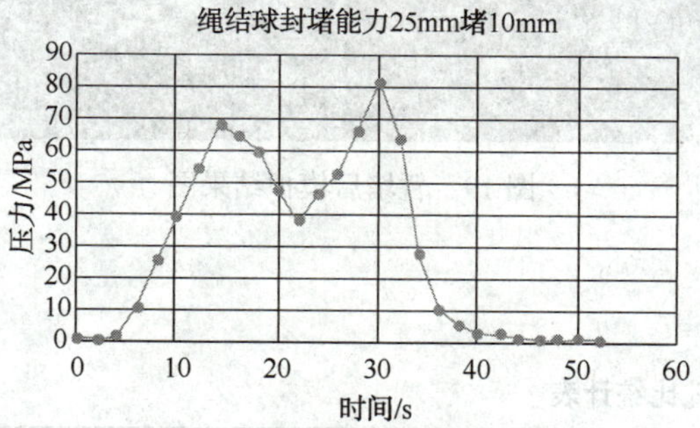

图 12　25～27mm 柔性绳结堵 10mm 孔眼的封堵能力

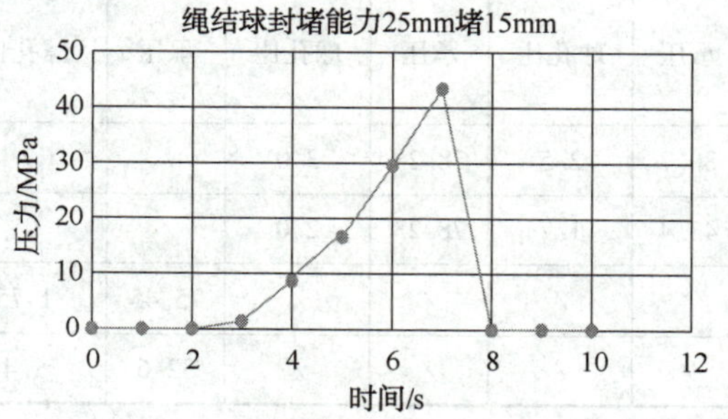

图 13　25～27mm 柔性绳结堵 15mm 孔眼的封堵能力

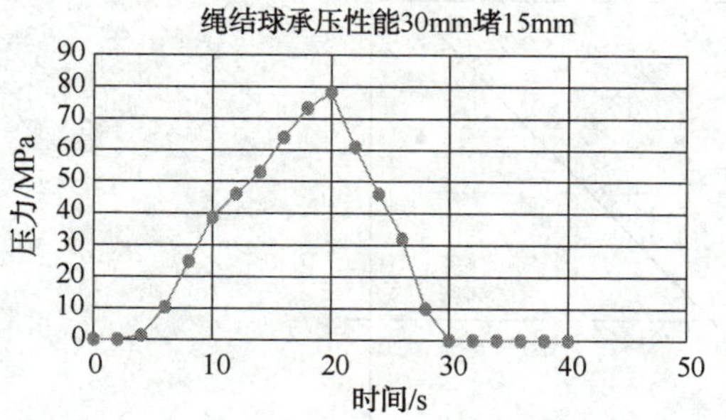

图 14　28～30mm 柔性绳结堵 15mm 孔眼的封堵能力

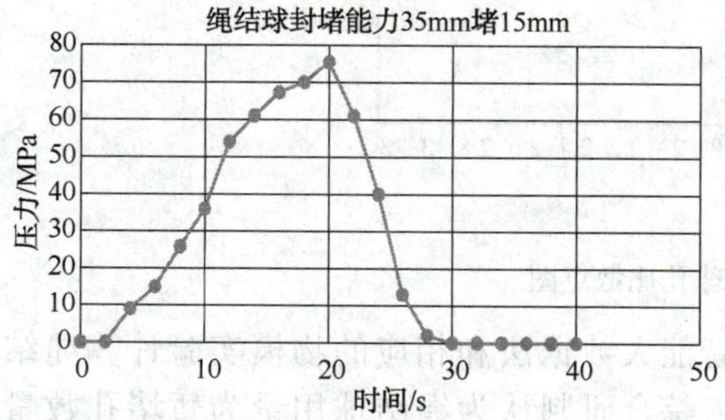

图 15　33～35mm 柔性绳结堵 20mm 孔眼的封堵能力

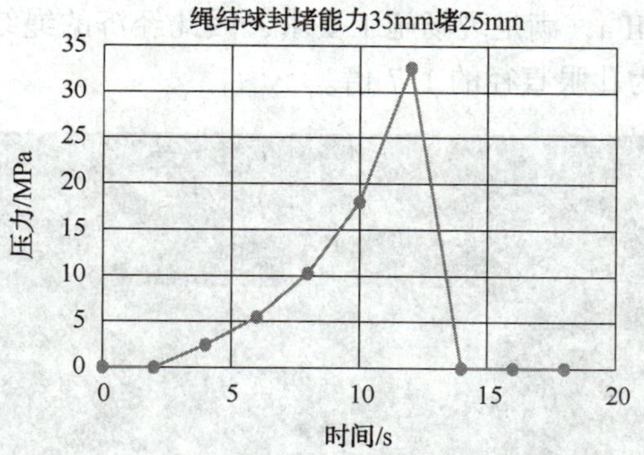

图 16　33～35mm 柔性绳结堵 25mm 孔眼的封堵能力

3　工艺参数优化

对于直井多簇射孔绳结暂堵压裂工艺的参数优化，主要是将柔性绳结的性能、目标区储层的地质特征及储层改造的工程特征相结合，对绳结加入时机、规格优选、数量优化、组合搭配、加入方式、投送排量等工艺参数进行优化。

3.1　加入时机

加入时机主要考虑两个问题，一是加砂到什么程度后进行绳结暂堵，二是在暂堵操作是在什么阶段进行，前置阶段、加砂阶段、顶替阶段？

针对第一个问题，借助软件模拟，根据模拟的应力差异，认为加砂到 50～60% 暂堵效果最佳。针对第二个问题，考虑在第一级加砂结束、顶替到位后开始降排量加入绳结进行暂堵。

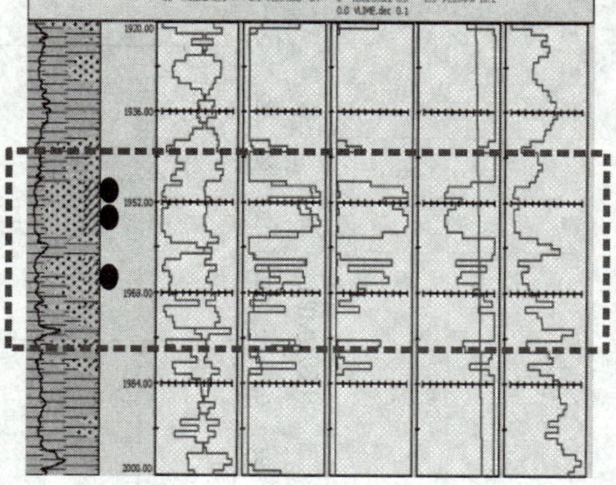

图 17　地应力测算图

3.2　规格优选

绳结尺寸的优选主要考虑到承压性，在承压满足的条件下越小越易入孔。目标区的射孔孔眼为 10mm 左右，软件模拟经过加砂的打磨孔眼直径冲蚀到 11～20mm，针对不同的孔眼直径，分别开展了承压突破实验，通过实验得到：突破压力随着绳结直径和孔眼直径比值（球孔比）增加而增大，球孔比超过 1.7 时，突破压力基本超过

50MPa，满足现场施工要求，因此经济的绳结尺寸为孔眼直径的 1.7 倍。

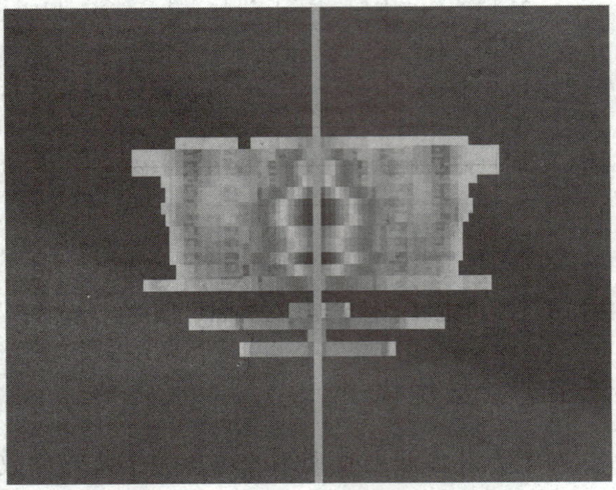

图 18　暂堵前模拟结果图

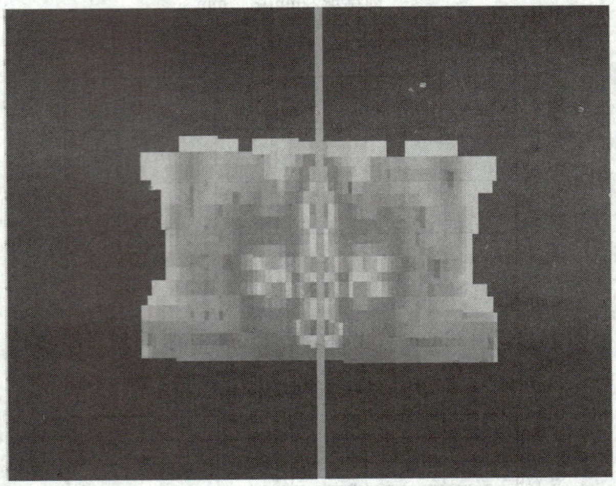

图 19　暂堵后模拟结果图

表 6　不同承压下的球孔比统计表

绳结尺寸/mm	18~20		20~22		25~27		28~30		33~35	
突破压力/MPa 射孔孔径/mm	承压	球孔比	承压	球孔比	承压	球孔比	承压	球孔比	承压	球孔比
10	35.54	1.8	78.6	2.0	80.7	2.5	78.23	3.0	/	/
15	突破	1.2	17.5	1.33	43.4	1.7	78.23	2.0	/	/
20	/	/	/	/	/	/	/	/	75.45	1.75
25	/	/	/	/	/	/	/	/	32.6	1.4

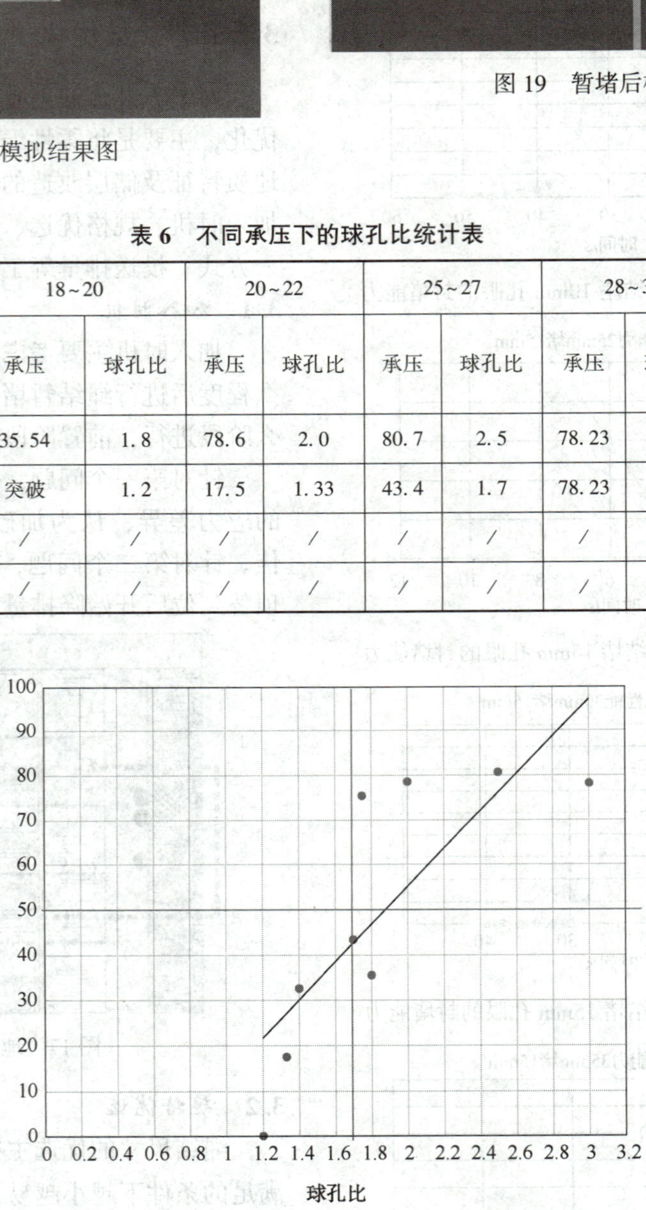

图 20　满足承压需求下的球孔比散点图

3.3　数量优化

对于投加数量的测算分 2 步进行，首先根据施工压力、孔眼摩计算开启的孔眼数，第二步依据智能大数据法和相应的物模实验计算绳结用量，综合研判认为绳结球用量为暂堵孔数量的 1.5~2.0 倍。

表 7 孔眼摩阻测算开启孔数

孔眼开启计算	名称	参数
$p_{perf}=p_w-ISIP-p_{pipe}$	施工压力/MPa	26
	静水压力/MPa	25.5
	停泵压力/MPa	16.6
	管流摩阻/MPa	9
	孔眼摩阻/MPa	0.4
$N_p=\left[\dfrac{22.45\times Q_2\times\rho}{p_{perf}\times d_f^4\times C_d^2}\right]0.5$	排量/(m^3/min)	6
	液体密度/(g/cm^3)	1
	流量系数	0.8
	孔径/cm	1.05
	孔眼开启数	51

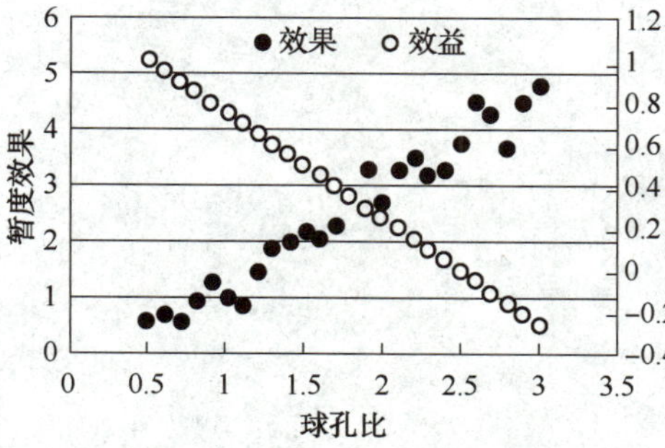

图 21 球孔比、暂堵效果、收益率统计

3.4 组合配比

绳结的配比，需考虑射孔孔眼扩径情况，分析占比 30%左右，结合磨蚀孔径、承压下的球孔比，优选 18mm、20mm、25mm 绳结，考虑射孔方式及模拟实验优选 18mm：20mm：25mm＝2：2：1 的配比。

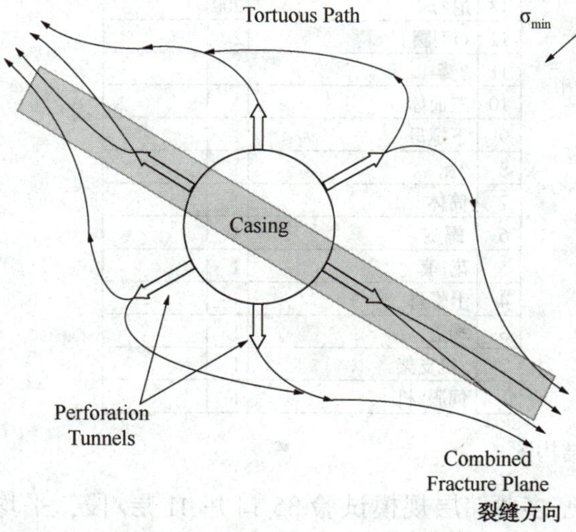

图 22 裂缝延对角孔平行展开

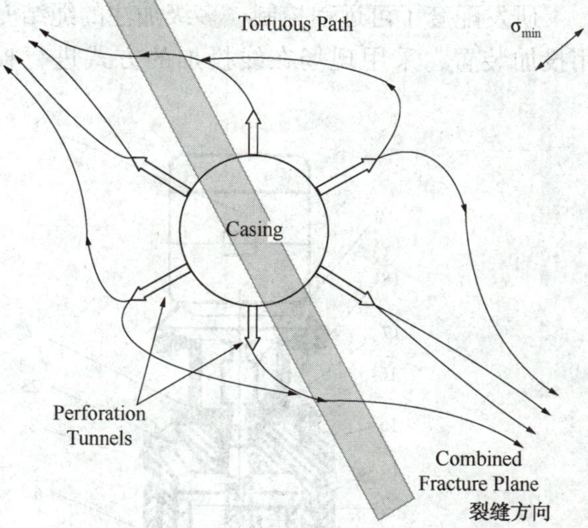

图 23 裂缝延展与射孔存在夹角

3.5 投送排量

球状暂堵剂在井筒中的受力分析表明：排量越大，持球力与惯性力差异越大，柔性绳结更易坐封，在油套同注的条件下，采用油管加入的方式加入，优化投送排量在 1.5~2.5m^3/min。

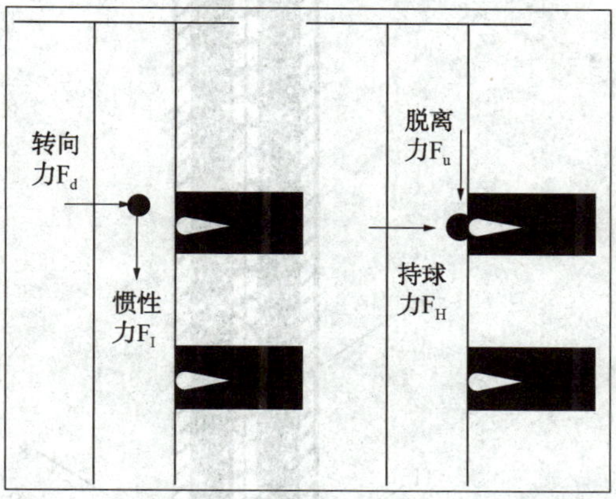

图 24 柔性绳结受力图

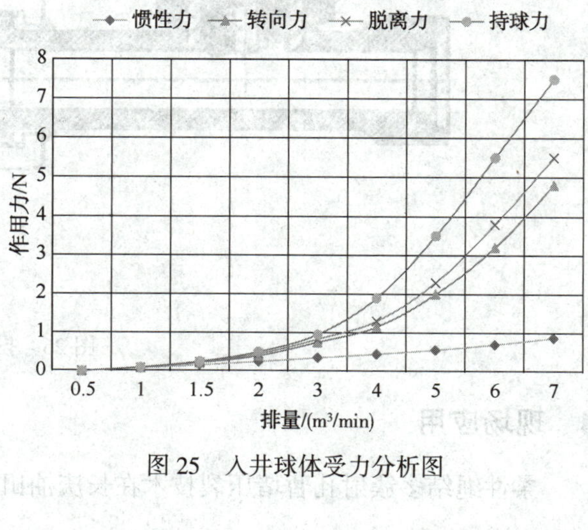

图 25 入井球体受力分析图

3.6 加入方式

研发配套了可远程控制、多级加注的绳结专用投加装置，采用现场在线投加的方式进行投加，施工前需提前在设备中预置绳结，可根据升压情况及时调整暂堵方案。

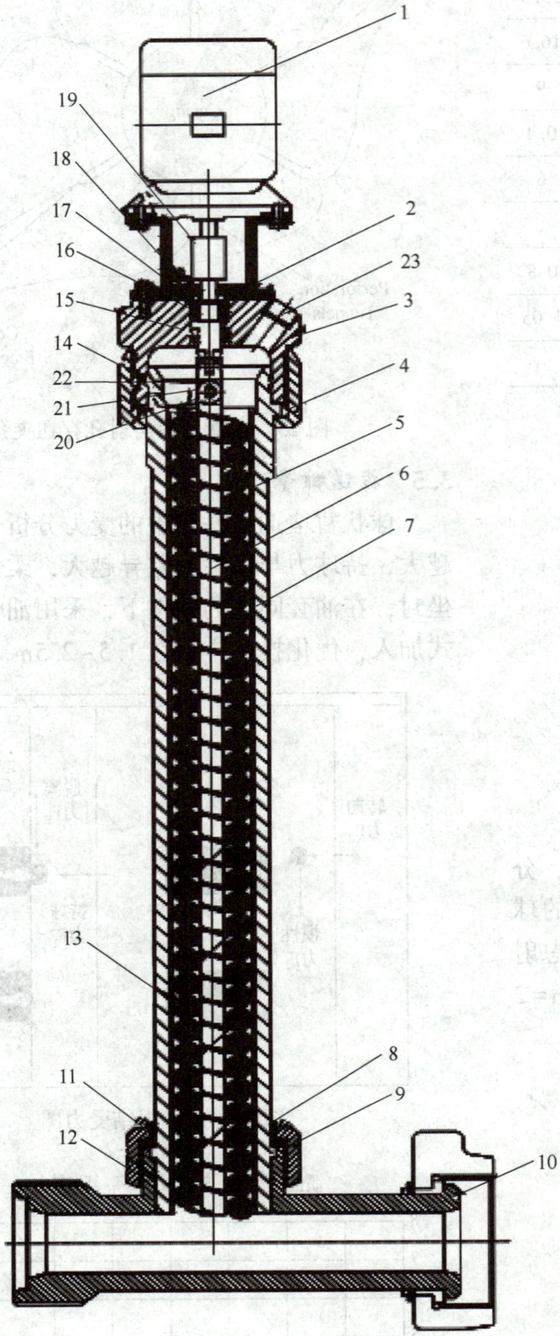

23	堵?	1
22	?接?	1
21	?簧	2
20	??	2
19	?接器	1
18	油封	1
17	螺帽	1
16	?承	2
15	V型密封	2
14	O型圈	2
13	尼?球	200
12	O型圈	2
11	?簧	1
10	三通体	1
9	下螺母	1
8	?瓦	1
7	筒体	1
6	螺旋?	1
5	花?套	1
4	上螺母	1
3	端盖	1
2	?机支架	1
1	伺服?机	1

图 26　投加装置结构图

4　现场应用

柔性绳结多簇射孔暂堵压裂技术在长庆油田致密多薄储层规模试验 35 口井 41 层/段，平均绳结到位后工作压力上升 10.3MPa，暂堵后同排裂缝延伸压力上升 4.1MPa，试油产量较笼统体积压裂提高 40%以上。

典型井谷 X 长 7 和长 8 两层均进行了绳结暂堵压裂试验，绳结到位后升压 12.3/17.8MPa，同排延伸压力上升 5.1/4.6MPa，试油产量较邻井提高 8.3t 以上。

表 8　谷 X 井施工参数统计表

序号	层位	暂堵孔数	暂堵绳结总数	规格配比	送入排量/(m^3/min)	绳结到位升压/MPa	延伸压力升压/MPa	试油产量/(t/d)
1	长 7	64	128	18mm：20mm：25mm=2：2：1	2.0	12.3	5.1	19.56
2	长 8	64	128	18mm：20mm：25mm=2：2：1	2.0	17.8	4.6	18.69

5　结论

（1）由改性聚乙烯醇纤维复配编制的柔性绳结承压达 60MPa 以上，降解性能良好，可满足长庆储层的暂堵施工需求。

（2）通过优化形成了致密储层多簇射孔暂堵压裂工艺参数，对同类储层提高暂堵施工效果具有积极的指导意义。

（3）在线绳结专用投加装置可远程控制、多级投加，降低了施工风险，提高了施工效率和暂堵效果。

参 考 文 献

[1] 蔡华，张光波，杨阳，等．投球暂堵压裂工艺在煤层气井的应用[J]．中国煤层气，2020，17(6)：17-20.

[2] 肖晖，李洁，曾俊．投球压裂堵塞球运动方程研究[J]．西南石油大学学报(自然科学版)，2011，33(5)：162-167.

[3] 韩慧芬，孔祥伟．页岩气储层暂堵转向压裂直井段暂堵球运移特性研究[J]．应用力学学报，2021，38(1)：249-254.

[4] 郭建春，赵志红，赵金洲，等．水平井投球分段压裂技术及现场应用[J]．石油钻采工艺，2009，31(6)：86-88.

[5] 王博．暂堵压裂裂缝封堵与转向规律研究[D]．北京：中国石油大学(北京)，2019.

[6] 姜必武，慕立俊．低渗透油田重复压裂蜡球暂堵剂性能研究[J]．钻采工艺，2006，29(6)：114-116.

[7] 魏书宝，陈毅，王强，等．堵塞球分段酸压技术在水平井的应用[J]．天然气技术，2010，4(1)：27-29.

[8] 金智荣，包敏新，李升芳，等．暂堵转向分层压裂工艺在薄互层油藏中的应用研究[J]．复杂油气藏，2019，12(4)：76-78.

[9] 雷炜．新型可溶金属孔眼暂堵球的研究及应用[J]．钻采工艺，2020，43(3)：73-75，93.

[10] YANG Chen，ZHOU Fujian，FENG Wei，et al. Plugging mechanism of fibers and particulates in hydraulic fracture [J]．Journal of Petroleum Science and Engineering，2019，176：396-402.

[11] SHAHRI M P，HUANG Jian，SMITH C S，et al，An en-gineered approach to design biddegradables solid particu. Late diverters：jamming and plugging [C]//SPE Annual Technical Conference and Exhibition，October 9 - 11，2017，San Antonio，Texas，USA，Richardson，Texas，USA，One Petro，2017.

[12] 廖仕孟，桑宇，宋毅，等．页岩气水平井套管变形影响段分段压裂工艺研究及现场试验[J]．天然气工业，2017，37(7)：40-45.

[13] 邵俊杰，牟建业，程相征，等．缝洞型储层酸压改造纤维暂堵规律研究[J]．科学技术与工程，2016，16(10)：126-130.

[14] 赖南君，陈科，马宏伟，等．水溶性压裂暂堵剂的性能评价[J]．油田化学，2014，31(2)：215-218.

[15] 严锦根，汤志强，王兆水．新型水溶性暂堵剂 JYDII 的研制与应用[J]．油田化学，2000，17(1)：24-27.

[16] 李克华，王仁芳，郑延成，等．新型水溶性暂堵剂 SZD 的研究与应用[J]．石油天然气学报(江汉石油学院学报)，2008，30(3)：147-149.

[17] 刘明明，马收，刘立之，等．页岩气水平井压裂施工中暂堵球封堵效果研究[J]．钻采工艺，2020，43(06)：44-48+8.

[18] 吕瑞华，刘奔，安琳．水平井转向压裂用暂堵球运移封堵规律研究[J]．石油机械，2020，48(07)：117-122.

[19] 郭建春，赵志红，赵金洲，等．水平井投球分段压裂技术及现场应用[J]．石油钻采工艺，2009，31(06)：86-88+95.

[20] 王彦玲，原琳，任金恒．转向压裂暂堵剂的研究及应用[J]．科学技术与工程，2017，17(32)：196-203.

[21] 吴宝成，周福建，王明星，等．绳结式暂堵剂运移及封堵规律实验研究[J]．钻采工艺，2022，45(4)：61-66.
[22] 邓永刚，李进，林家昱，等．套管井射孔优化设计新方法及应用[J]．化工管理，2021(10)：111-112，159.
[23] 张宏峰，张高峰，张康卫，等．页岩油分簇射孔体积压裂快速投产工艺的开发与应用[J]．化学工程与装备，2020(10)：83-85.
[24] 唐汝众，王同涛，闫相祯等．射孔参数对套管强度影响的有限元分析[J]．石油机械，2010，38(1)：32-34.
[25] 张少程，张锋，周罂，等．定射角定方位射孔新技术[J]．测井技术，2012，36(1)：68-72.
[26] 周晓君．投球调剖及调剖球的运动规律[J]．油气采收率技术，2000，7(3)：22-25.
[27] BROWN ROBERT WADE and LOPER RAYMOND G. Stimulation treatment selectivity through perforation ball sealer technology [R]. Pet. Eng. (June, 1959).
[28] ROBERT W. BROWN, GEORGE H. NELL, RAYMOND GLOPER. Factors influencing optimum ball sealer performance [R]. SPE553, 1963.

自行走多场景弧焊机器人在海洋平台结构预制中的应用

杨大虎　龙　岩　刘　涛　王　宇　于泽群

[中国石油集团海洋工程(青岛)有限公司]

摘　要　概述了自行走多场景弧焊机器人系统在海洋平台结构预制过程中的应用现状，针对结构板角焊缝和全熔透焊缝，经选择合适的焊接工艺，调试恰当的条件参数，能够完成焊接作业，焊缝成型良好、质量合格；弧焊机器人焊接能够提升生产效率，降低工人劳动强度；对于结构管对接全熔透焊缝进行了模拟施焊，找出了焊接时不足之处，提出了弧焊机器人路径及参数控制的改进方向。

关键词　海洋平台；结构预制；自行走多场景弧焊机器人；角焊缝；全熔透焊缝

伴随着海洋石油工业的发展，海洋工程制造技术取得了长足进步。焊接是海工结构制造中的重要工作环节，海洋平台、导管架、海上风电等制造作为劳动密集型工作，焊接质量和效率对铆焊工人的技能水平依赖程度较高。

随着自动化智能化技术的发展，机器人焊接得到了广泛应用。在海洋平台结构预制方面，随着铆焊技能操作人员的数量及规模的减少，以机器人焊接替代人工焊接将成为趋势。弧焊机器人作为自动化焊接设备，可以提高生产效率、降低工人的劳动强度，逐步实现低碳环保的海洋工程生产作业环境。

本文基于海洋平台结构类杆件的预制，介绍了利用全位置多场景弧焊机器人进行焊接作业，经实践检验和分析，论证弧焊机器人在海洋工程结构预制领域具有较好的应用价值和应用前景。

1　海洋平台结构预制概况

1.1　结构预制的焊接特点

海洋平台结构专业主要包含梁、管、板，具体分为主梁、次梁、组合梁、节点管、支撑管、筋板、铺板等。平台结构因服役于海上，常年被含盐的大气包围，要经受风暴、波浪、潮流、流冰等侵蚀，处于非常严酷的腐蚀环境中。由于结构服役的特殊环境，对其焊接接头的综合机械性能要求较高，结构在设计、制造过程中必须严格按照相应规范和标准执行，对于关键结构部件的钢材要求其具有特殊性能，如 Z 向性能、塑性疲劳及低温韧性。

1.2　结构焊接常用的技术标准及工艺

目前，国内海洋平台结构焊接执行的标准多为国际通用标准，常用的有：中国船级社 CCS 浅海固定平台建造规范、材料与焊接规范，美国 ANSI/AWS D1.1 钢结构焊接规范、API SPEC 2B 结构钢管制造规范，挪威船级社 DNV-OS-C401 海洋结构建造与试验规范等。

常用的焊接工艺，主要包括：手工电弧焊(SMAW)，CO_2气体保护药芯工艺(FCAW-G)，STT 表面张力过渡焊接工艺(广泛用于制管作业中的封地焊接)，单丝单电源或双丝单电源埋弧自动焊(SAW)等。

1.3　弧焊机器人在结构预制中的应用现状

弧焊机器人系统可分为三代：第一代机器人，即目前广泛使用的示教再现型工业机器人，这类机器人对多变的外部环境无适应性；第二代机器人具有传感器，即在示教再现机器人上加感知系统，如视觉、力觉、触觉等，但大多数复杂的操作仍然需要人来决策；第三代机器人，即智能机器人，不仅有传感器，而且有大脑，能够思考和决策。通过应用各种算法，机器人可以通过独立的决策来识别和推理周围变化、自行规划以完成赋予的任务，目前尚处实验室研究阶段。

由于海洋平台结构较复杂，构件类别繁多，可视为单件小批量生产模式，而且焊接工件的尺寸变化较大，难以实现固定的流水线作业，这使得弧焊机器人在海洋工程制造领域的推广应用较为缓慢。

近年来，国内外对于弧焊机器人在海洋平台结构预制中的应用研究日益全面。上海交通大学、清华大学、挪威科技大学、美国西北大学等在智能追踪方面取得了重要的进展。国内外一些海洋工程公司，如中海油、中集来福士、上海振华等也在全位置焊接方面进行了探索和研究，综合来看仍处于小批量试生产阶段。

2 自行走多场景弧焊机器人系统组成及特点

为研究弧焊机器人对结构焊接批量化生产的可行性，引进了自行走多场景弧焊机器人系统。该机器人系统为轮履复合结构，对工作面具有较好的适应性。主机采用 FANUC M-10iD/8L 机器人，操作方式为示教盒示教+离线编程远控二合一方式。机械臂具有6轴自由度，可以保证焊枪在任意空间的轨迹和姿态。因焊枪端部没有添加感知系统，故其仍归属第一代弧焊机器人系统。

自行走多场景弧焊机器人系统包括：机械臂、机械手、控制系统、焊接电源、送丝系统、送气系统，行走机构等，如图 2.1。

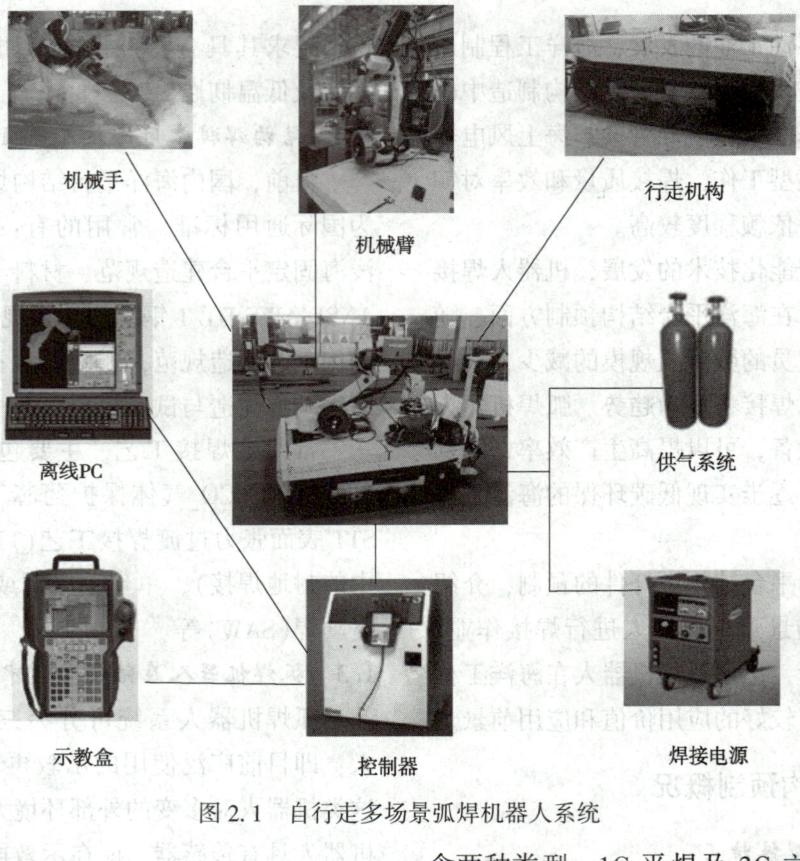

图 2.1　自行走多场景弧焊机器人系统

3 角焊缝的焊接应用

角焊缝是海洋平台结构中常见的焊缝组合形式。由于结构预制时角焊缝形式大多为直角焊缝，适合机器人焊接；且无损检测要求大多为磁粉检测(MT)，因此弧焊机器人在角焊缝的焊接应用方面已基本成熟。

实践中弧焊机器人进行角焊缝焊接，主要包含两种类型：1G 平焊及 3G 立焊。对于机器人焊接而言，两种角焊缝的主要区别在于控制参数的调整，其他因素具有一致性。现以焊接箱体框架角焊缝举例介绍。

3.1 施工母材

钢板材质为 DH36 船用钢板，厚度 20mm，化学成分见表 3.1.1，力学性能见表 3.1.2。

表 3.1.1　角焊缝主材化学成分

正火 NORMALIZED					产品名称：热轧钢板 PRODUCT HDT ROLLED STEEL PLATE															牌号：DH36
尺寸及重量 SIZE AND WEIGHT						化学成分 CHEMICAL COMPOSITION %														
厚度 THICK	宽度 WIDTH	长度 LENGTH	数量 PCS	重量 MASS (t)		C	Si	Mn	P	S	Alt	Cr	Ni	Cu	Mo	Nb	V	Ti	A08	
					＊1	2	2	2	3	4	3	3	3	3	3	3	3	3	3	
mm						1=＊10 2=＊100 3=＊1000 4=＊1000 5=＊100000														
20	2300	10000	1	3.611	0	11	30	160	11	17	28	40	20	30	6	21	22	2	45	
20	2300	10000	1	3.611	0	11	30	160	11	17	28	40	20	30	6	21	22	2	45	

表 3.1.2　角焊缝主材力学性能

正火 NORMALIZED					产品名称：热轧钢板 PRODUCT HDT ROLLED STEEL PLATE											牌号：DH36							
尺寸及重量 SIZE AND WEIGHT					化学	试样 TEST PIECE					拉伸试验 TENSILE					弯曲试验 BEND				冲击试验 IMPACT			
																α°	d	U/V		J			
厚度 THICK	宽度 WIDTH	长度 LENGTH	数量 PCS	重量 MASS (t)	＊1	＊2	＊3	＊4	＊6	＊5	屈服 Y.S	抗拉 T.S	Z	屈强比 Y.S/T.S	A			KV2		1	2	3	avg
																b	＊6	℃	＊6	试样尺寸 SAMPLE SIZE			
mm											MPa		%		%					10＊10＊55mm			
20	2300	10000	1	3.611	0	T2	0	C	0	4	458	548			34.5								
20	2300	10000	1	3.611	0	T2	0	C	0	4	458	548			34.5								
						T2	0	L	2									−20	2	243	233	217	231
						T2	0	L	2									−20	2	243	233	217	231

3.2　*工艺方案*

按照现行适用的焊接工艺规程，结合弧焊机器人的焊接特性、摆动方式，针对结构板材的角焊缝，选用 CO_2 气体保护焊（FCAW-G）方式，焊接位置为 1G 平焊+3G 立焊，组对间隙 0~4mm，形式如图 3.2.1。

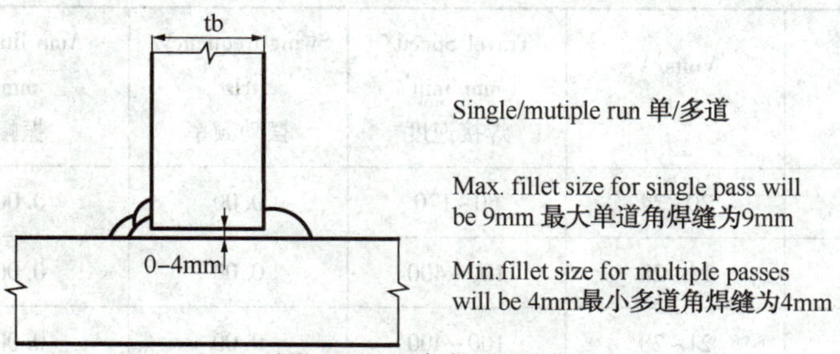

图 3.2.1　角焊缝形式

焊接时，机器人完成填充焊和盖面焊，保护气体为纯 CO_2，焊丝选用昆山京雷 GFR-81K2 低合金钢药芯焊丝，直径 D1.2mm；焊前预热温度为≥25℃，焊后自然冷却。焊接工艺参数见表 3.2.1。

表 3.2.1　角焊缝焊接工艺参数

Weld layer 焊层	Welding process 焊接方法	Filler Metal 填充金属		Current 电流		Volts/V 电压	Gas Type 气体类型	Gas Flow Rate/(L/min) 气体流速	Travel Speed/(mm/min) 焊接速度	Heat Input/(KJ/mm)[1] 热输入
		Trade name 焊材牌号	Dia.(mm) 直径	Type&Polarity 类型&极性	Amps/A 安培					
Root 打底	FCAW-G	GFR-81K2	1.2	DC(+)	130~175	19~25	CO_2	15~25	60~170	0.9~3.0
Fill, Cap 填充/盖面	FCAW-G	GFR-81K2	1.2	DC(+)	170~255	21~28	CO_2	15~25	100~500	0.7~3.0

[1] Heat input = 0.06 * Voltage(V) * Current(A)/Speed(mm/min). 热输入可根据如下公式核算：热输入 = 0.06×电压(V)×电流(A)÷焊接速度(mm/min)

3.3 施焊要点

机器人施焊，需1~2名操作手，用于程序编辑、示教设置和焊接过程辅助控制。主要操作流程为：

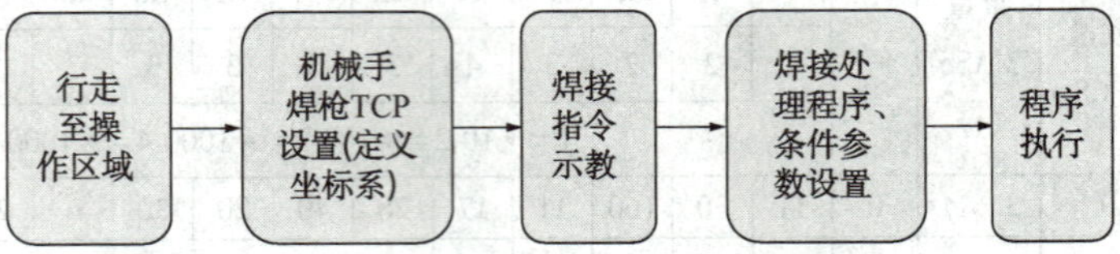

其中，机械手焊枪 TCP 设置采用六点法[3]，示例见图 3.3.1。

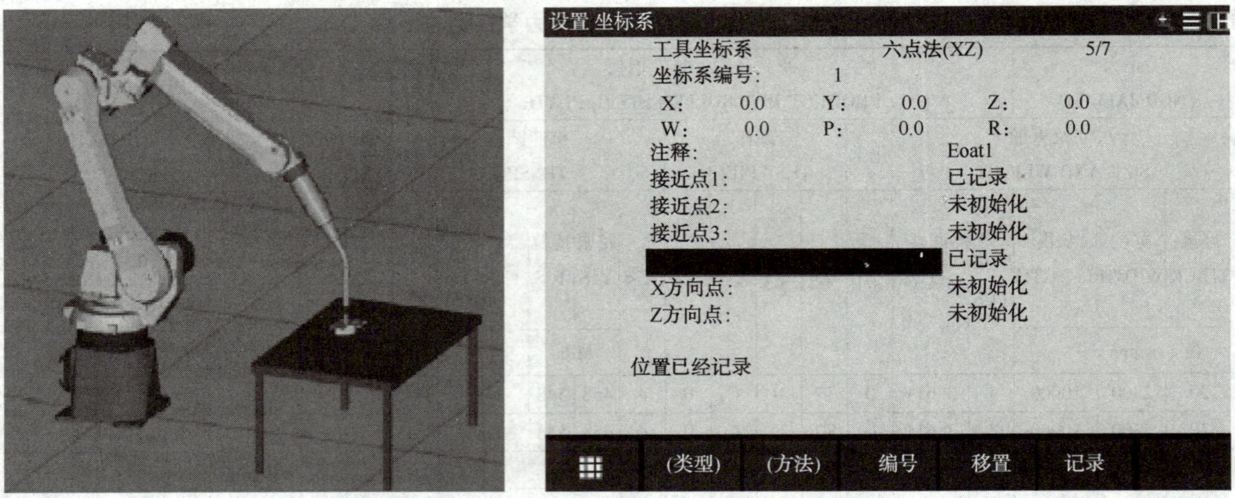

图 3.3.1　六点法 TCP 设置

机器人条件参数设置对施焊质量的影响较大。实际操作中，机械手摆动参数设置(1G、3G区分)见表 3.3.1 和表 3.3.2。

表 3.3.1　角焊缝-1G 平焊机械手摆动参数

Weld layer 焊层	Current 电流 Amps/A 安培	Volts/V 电压	Travel Speed/(mm/min) 焊接速度	Swing frequency/Hz 摆动频率	Amp litude/mm 振幅	Dwell time/s 左右停留
Root 打底	140~165	20~24	60~170	0.00	0.00	0.00
Fill 填充	170~255	21~28	100~400	0.00	0.00	0.00
Cap 盖面	170~255	21~28	100~400	0.00	0.00	0.00

表 3.3.2　角焊缝-3G 立焊机械手摆动参数

Weld layer 焊层	Current 电流 Amps/A 安培	Volts/V 电压	Travel Speed/(mm/min) 焊接速度	Swing frequency/Hz 摆动频率	Amp litude/mm 振幅	Dwell time/s 左右停留
Root 打底	140~165	20~24	60~170	1.50	2.00	0.20~0.50
Fill 填充	170~255	21~28	100~400	1.50	3.00	0.20~0.50
Cap 盖面	170~255	21~28	100~400	1.40	5.00	0.20~0.50

3.4 施焊效果

经选用合适的参数，弧焊机器人焊接角焊缝的施工效率可大步提升，在包含示教模拟耗时后的综合对比分析，机器人施焊效率较人工焊接提升1.6倍以上；焊后外观均匀美观、焊道成型良好，如图3.3.2a~f。经外观检验及磁粉检测，未发现表面裂纹、咬边或其他缺陷，质量合格。

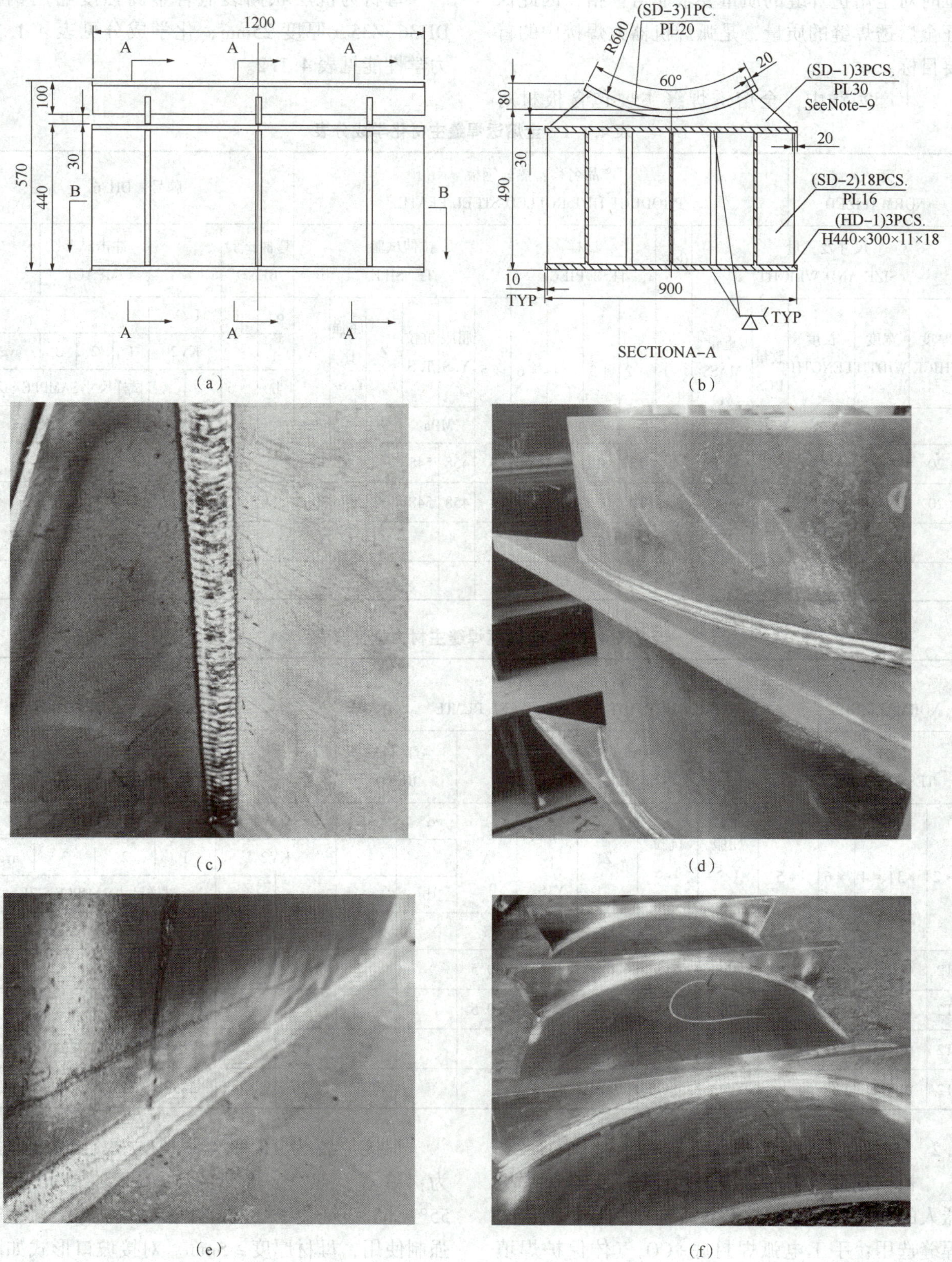

图3.3.2 角焊缝1G/3G位置焊接

4　板材全熔透焊缝的应用

全熔透焊缝是海洋平台结构中最为重要、最为典型的焊道形式，约占结构焊缝总量的55%~75%。海洋平台承受载荷高，服役环境恶劣，施工时对全熔透焊缝的质量要求非常严格，因此保证全熔透焊缝的质量，是弧焊机器人焊接中的首要目标。

生产实践中，全熔透焊缝主要包含板材对接、管材对接/相交、板管对接等形式。现以弧焊机器人焊接箱体结构板材全熔透焊缝进行说明。板材全熔透焊缝包含1G平焊及3G立焊。

4.1　施工母材

母材为抗层状撕裂低合金高强度船用钢板DH36-Z35，厚度25mm，化学成分见表4.1.1，力学性能见表4.1.2。

表4.1.1　全熔透焊缝主材化学成分表

正火 NORMALIZED					产品名称：热轧钢板 PRODUCT HDT ROLLED STEEL PLATE											牌号：DH36							
尺寸及重量 SIZE AND WEIGHT					化学	试样 TEST PIECE					拉伸试验 TENSILE					弯曲试验 BEND				冲击试验 IMPACT			
厚度 THICK	宽度 WIDTH	长度 LENGTH	数量 PCS	重量 MASS (t)	*1	*2	*3	*4	*6	*5	屈服 Y.S	抗拉 T.S	Z	屈强比 Y.S/T.S	A	α°	d	U/V KV2		J 1	2	3	avg
																b	*6	℃	*6	试样尺寸 SAMPLE SIZE			
mm											MPa		%		%					10 * 10 * 55mm			
20	2500	10000	1	4.906	0	T2	0	C	0	4	458	548			30.5								
20	2500	10000	1	4.906	0	T2	0	C	0	4	458	548			30.5								
						T2	0	L	2									-20	2	213	212	204	209.7
						T2	0	L	2									-20	2	243	233	217	209.7

表4.1.2　全熔透焊缝主材力学性能表

正火 NORMALIZED					产品名称：热轧钢板 PRODUCT HDT ROLLED STEEL PLATE							牌号：DH36					
试样 TEST PIECE					拉伸试验 TENSILE					弯曲试验 BEND				冲击试验 IMPACT			
*2	*3	*4	*6	*5	屈服 Y.S	抗拉 T.S	Z	屈强比 Y.S/T.S	A	α°	d	U/V KV2		J 1	2	3	avg
										b	*6	℃	*6	试样尺寸 SAMPLE SIZE			
					MPa		%		%					10 * 10 * 55mm			
T2	0	C	0	4	458	548			30.5								
T2	0	C	0	4	458	548			30.5								
T2	0	L	2									-20	2	213	212	204	209.7
T2	0	L	2									-20	2	243	233	217	209.7

4.2　工艺方案

根据现行适用的焊接工艺规程，结合弧焊机器人的摆动方式、焊接特性，对结构板材全熔透焊缝选用：手工电弧焊封底+CO_2气体保护焊填充/盖面（SMAW+FCAW-G）工艺。

焊接位置为1G平焊+3G立焊，坡口形式为：单V、双V、X型、K型，坡口角度为55°~65°，钝边1~3mm，间隙2~6mm，衬垫非强制使用，母材厚度≥5mm。对接坡口形式如图4.2.1所示。

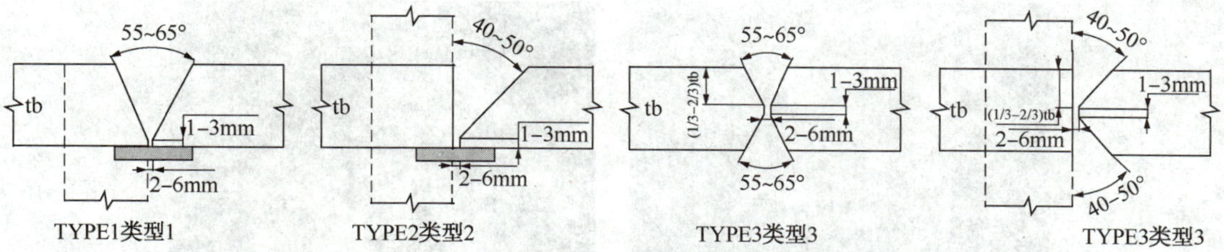

图 4.2.1　全熔透焊缝对接坡口形式

焊接时，采用手工电弧焊封底，弧焊机器人进行填充焊和盖面焊（保护气体为 100% 比例 CO_2）。封底焊条选用 LB－52U，直径 3.2mm；焊丝选用天津大桥 THY－51AH 药芯焊丝，直径 D1.2mm；焊前预热温度为 30℃，焊后自然冷却。对于全熔透坡口焊缝如果采用双面焊，可用碳弧气刨+打磨或仅打磨进行清根。清根的最小深度为 3mm。焊接参数的设置见表 4.2.1。

表 4.2.1　全熔透焊缝焊接工艺参数

Weld layer 焊层	Welding process 焊接方法	Filler Metal 填充金属		Current 电流		Volts/V 电压	Gas Type 气体类型	Gas Flow Rate/(L/min) 气体流速	Travel Speed/(mm/min) 焊接速度	Heat Input/(KJ/mm) 热输入
		Trade name 焊材牌号	Dia.(mm) 直径	Type&Polarity 类型 & 极性	Amps/A 安培					
Root 打底	SMAW	LB－52U	3.2	DC(+)	80~100	20~23	N/A	N/A	30~75	1.5~3.1
Fill，Cap 填充/盖面	FCAW－G	THY－51AH	1.2	DC(+)	150~264	21~25	CO_2	15~25	115~440	0.9~2.7

4.3　施焊要点

施焊前的程序编辑、示教设置与前述角焊缝焊接时的流程基本一致，实际操作时，根据全熔透焊缝的具体形式、坡口、位置，调整机械手摆动参数设置是保证焊后质量的关键。机器人机械手摆动参数设置（1G、3G 区分）见表 4.3.1 和表 4.3.2。

表 4.3.1　全熔透焊缝-1G 平焊机械手摆动参数

Weld layer 焊层	Current 电流 Amps/A 安培	Volts/V 电压	Travel Speed/(mm/min) 焊接速度	Swing frequency/Hz 摆动频率	Amp litude/mm 振幅	Dwell time/s 左右停留
Root 打底	—	—	—	—	—	—
Fill 填充（多层多道）	180~275	24~32	100~400	1.00	3.00	0.30~0.50
Cap 盖面	180~275	24~32	100~400	1.50	5.00	0.30~0.60

表 4.3.2　全熔透焊缝-3G 立焊机械手摆动参数

Weld layer 焊层	Current 电流 Amps/A 安培	Volts/V 电压	Travel Speed/(mm/min) 焊接速度	Swing frequency/Hz 摆动频率	Amp litude/mm 振幅	Dwell time/s 左右停留
Root 打底	—	—	—	—	—	—
Fill 填充（多层多道）	150~264	21~25	100~400	1.30	3.00	0.30~0.60
Cap 盖面	150~264	21~25	100~400	1.40	5.00	0.30~0.80

4.4　施焊效果

箱体结构板材对接全熔透焊缝，因焊缝的空间位置不同，机器人施焊时分别开展了 1G 平焊、3G 立焊的作业。

1G 平焊时，板材已完成了焊条封底，在调整控制参数、示教焊接路径时，与角焊缝焊接相比，适当加大了电流电压，提高了摆动频率，增设了左右停留时间，进而顺利完成了施焊作业（图 4.4.1a~b）。

(a)全熔透1G位置填充焊

(b)全熔透1G位置盖面焊

图 4.4.1　板材对接全熔透焊缝 1G 平焊

3G 立焊时，由于焊道自下而上，焊接难度较平焊增大。电流电压直接影响焊接熔池形态，机械手姿态、焊枪摆动方式、摆动路径、摆动频率、左右停留时间均需相应调整(图 4.4.2a～b)。在施焊过程中，根据焊缝熔敷的实际情况，进行分段参数设置，分段填充、盖面焊接，从而保证了焊道质量。经无损检测，焊接质量合格，外观成型良好(图 4.4.2c～d)，但焊接效率受到一定影响。

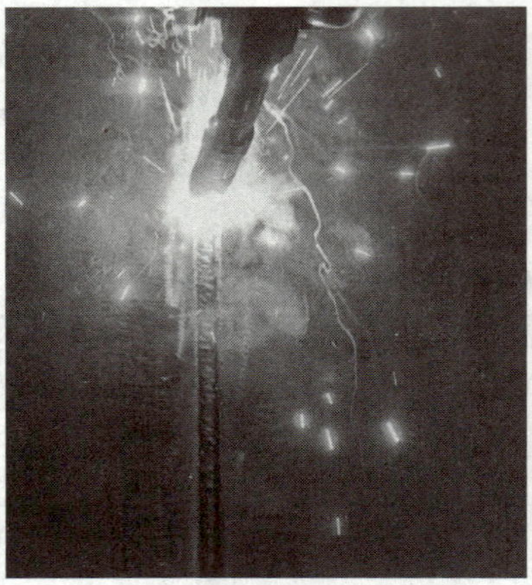
(a)3G填充焊

(b)3G熔池形态

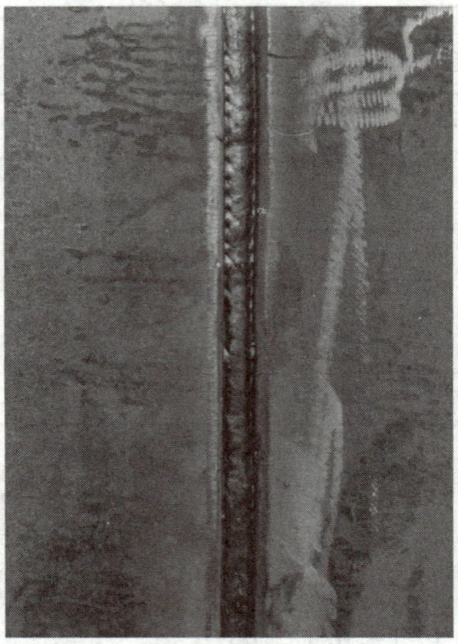
(c)3G填充焊后

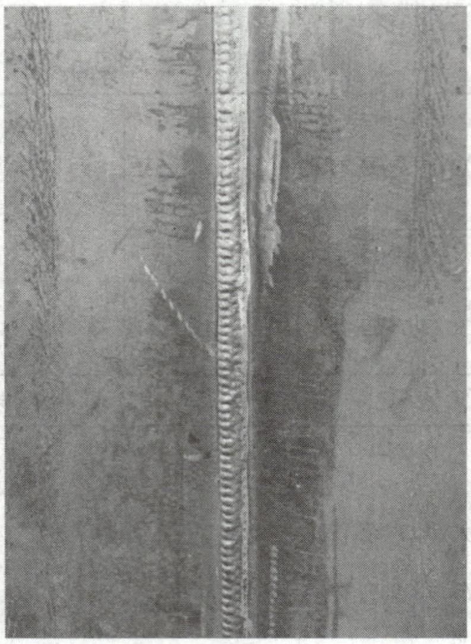
()3G盖面焊后

图 4.4.2　板材对接全熔透焊缝 3G 立焊

5　结构管全熔透焊缝的初步研究

结构管全熔透焊缝按管径不同，主要采取的焊接方式也有区别。海洋工程行业内，外径 Φ610 以下的结构管对接全熔透焊缝，一般采用双 V 型坡口，单面焊双面成型封底焊+CO_2气体保护焊填充/盖面（SMAW+FCAW-G）或 STT 表面张力过渡焊封底+CO_2气体保护焊填充/盖面（STT+FCAW-G）；外径 Φ762 以上的结构管对接全熔透焊缝，一般采用 X 型坡口，CO_2气体保护焊封底焊+埋弧焊填充/盖面（FCAW-G+SAW）。

外径 Φ762 以上大管径结构管的对接焊缝，其焊接工艺已非常成熟，利用埋弧焊自动焊接设备，在效率和质量方面均达到良好的指标。因此，弧焊机器人焊接结构管的全熔透焊，主要研究方向应围绕：Φ610 以下的结构管对接焊缝和结构管 T/Y/K 节点焊缝。

5.1　模拟施焊

为验证弧焊机器人焊接机构管对接焊缝的可行性，选取了外径 Φ330mm、内径 Φ258mm、壁厚 35mm 的结构管对接焊缝，双 V 型坡口。封底焊采用手工电弧焊，弧焊机器人进行填充盖面。

试验时结构管段固定不动，操控机器人机械手进行 1G/3G/4G 位置焊接。沿焊缝圆周，施焊次序分 3 段进行：逆时针焊接 5 点至 2 点处；调整机器人站位，打磨引弧点之后，顺时针焊接 5 点处至 9 点处；打磨息弧点之后，顺时针焊接 10 点处至 1 点处（见图 5.1.1）。

图 5.1.1　结构管对接焊试验

5.2　存在的问题

通过模拟试验，有如下总结：

（1）结构管对接接头的焊缝是平面曲线焊缝，结构管焊接位置包含了上坡焊、平焊、下坡焊 3 种情况，全位置焊接时，焊枪的位置及可达性，机器人条件参数控制是难点。

（2）结构管壁较厚，由于焊接期间焊接电流和电弧电压不具备实时调控的能力，下坡焊和上坡焊时熔敷金属的厚度会在焊道产生变化，多层多道焊后，采用同一参数进行焊接时影响焊接质量，需要采用参数分段设置的方式完成焊接。

（3）结构管对接接头装配精度有限，而且焊接过程中存在的热变形会对焊缝轨迹、多层多道焊焊道排布产生影响，进而影响执行参数的应用。

6　结语

经实践检验，自行走多场景弧焊机器人系统能够适应海洋平台结构件焊接环境，能够满足 1G 平焊、3G 立焊焊接要求，可实现平台结构件焊接的自动化、智能化。

（1）焊接结构件角焊缝时，焊接效率大幅高于人工焊接，焊缝外观成型美观、质量可靠。

（2）焊接板材全熔透对接焊缝时，焊接效率与人工焊接相当，在不断完善条件参数设置的情况下，能够完成多层多道填充，焊缝外观成型良好，无损检测质量合格。对于同结构类型的产品，可实现一次示教，批量重复性生产作业。

（3）焊接管材全熔透对接焊缝时，在管材固定方式下，因弧焊机器人实时调控的能力具有局限性，下坡焊和上坡焊时焊缝成型不佳，影响焊接质量。

通过实践验证，对弧焊机器人今后的改进方向提出建议：

（1）增设焊接电流和电弧电压实时调控、分段调控和参数接续变更的能力；

（2）根据不同焊接位置的具体情况设置相应的焊接工艺参数库；

（3）现有的示教再现工作模式，在全熔透焊接过程中会极大增加焊接辅助时间，从而影响焊接效率，需增设可靠的焊接跟踪系统，进而保证焊接效率和质量。

综上所述，自行走多场景弧焊机器人系统的应用提升了海洋工程领域焊接自动化水平，伴随智能化技术的发展，弧焊机器人的施焊能力将得到进一步提升，在海洋平台结构建造领域具有广阔的应用前景。

参 考 文 献

[1] 杨尚玉，韦宝成，徐玉强，等．弧焊机器人单丝MIG焊接工艺在海洋工程领域的应用[J]．材料研究与应用，2013(7)：130-135.

[2] 中国机械工程学会焊接学会．焊接手册第3版修订版：机械工业出版社，2016.

[3] Yanling Xu，Ziheng Wang，Visual sensing technologies in robotic welding：Recent research developments and future interests [J]. Sensors and Actuators A：Physical，2021：1-33.

[4] 李连波，王洪亮，冯冲，等．海洋工程大厚板钢结构机器人自动焊工艺开发及应用[J]．焊接技术，2022(51)：76-79.

[5] 冯冲，虞明星．海洋平台TYK节点自动焊接技术可行性研究[J]．焊接技术，2012(41)：19-22.

北斗 PPP-B2b 定位方法在海上物探测量中的适用性研究

刘金萍　王洪强　杜清怀　宋建平

(中石化石油工程地球物理有限公司胜利分公司)

摘　要　海上物探测量依赖海洋实时高精度定位，目前，主要采用商用精密单点定位(PPP)技术，一般称星站差分，设备与服务成本高。我国北斗三号提供免费的实时精密单点定位(PPP-B2b)服务。本文基于北斗三号 PPP-B2b 服务在海上环境中开展了实时精密单点定位方法研究，分析了北斗 PPP-B2b 导航电文信息格式，给出了北斗 PPP-B2b 精密轨道、钟差计算及伪距偏差改正方法，建立了基于北斗 PPP-B2b 服务的海上实时精密单点定位模型。采用海上实测数据评估了基于北斗 PPP-B2b 服务的实时精密单点定位精度，并与 NavCom 公司的 Starfire 星站差分 PPP 定位精度进行对比。结果表明：北斗 PPP-B2b 定位精度在水平方向优于 15cm，在垂直方向优于 30cm，可满足海上物探测量的要求。

关键词　北斗三号；实时精密单点定位；海上物探；适用性

1　引言

海上物探传统测量方法主要采用差分定位技术，在远海等环境恶劣地区，离岸较远，通信困难，采用电台通信也因距离较远而作业范围有限。为了满足通信困难地区高效率的作业要求，需要探索其他高精度的定位技术。

在 GNSS 定位领域，除了差分定位技术以外，精密单点定位(precise point positioning, PPP)技术也是实现高精度定位的关键技术之一。它利用单台接收机 GNSS 观测值及精密星历进行数据处理，定位精度可达到分米级乃至厘米级。

随着实时高精度定位需求的日益增长，文献[6]提出了实时精密单点定位(real-time precise point positioning, RT-PPP)技术，即利用实时精密卫星钟差和轨道产品进行实时定位。此外，国际 GNSS 服务(international GNSS service, IGS)通过国际互联网提供实时服务(real-time service, RTS)数据，公开播发实时卫星钟差、轨道等改正数。RTS 实时轨道精度优于 5cm，钟差精度在 0.3ns 以内，水平方向定位精度约为 10cm，垂直方向定位精度在 20cm 以内。基于 RTS 数据的实时精密单点定位依赖于稳定的网络通信服务，一旦网络通信服务中断，用户将无法接收 RTS 改正数，这制约了基于 RTS 服务的 RT-PPP 技术在海上等网络通信困难环境下的应用和发展。国际上一些商业公司开发了商用 PPP 服务，为用户提供实时高精度的单点定位结果。目前商用 PPP 服务主要包括 OmniStar 系统[12]、NavCom 公司的 Starfire 系统、Trimble 公司的 RTX 系统、Fugro 公司的 StarFix 系统等。商用 PPP 服务依赖于卫星通信，设备成本高、服务价格昂贵。

北斗三号全球卫星导航系统(Beidouglobal navigation satellite system, BDS-3)于 2020 年 7 月正式开通，为我国及周边地区用户提供公开、免费、高精度的精密单点定位(PPP-B2b)服务。目前北斗三号 PPP-B2b 服务通过北斗三号地球静止轨道(geostationary orbit, GEO)卫星播发 BDS-3 和全球定位系统(global positioning system, GPS)精密轨道、钟差等改正数，且不受网络通信的影响。北斗 PPP-B2b 精密轨道、钟差改正数结合广播星历可实时计算出北斗 PPP-B2b 精密轨道与钟差，基于精密轨道与钟差可进行实时精密单点定位。目前基于北斗 PPP-B2b 服务的研究大多是基于陆地等常规环境，海上环境中的定位方法研究较少，海上对 GNSS 实时高精度定位的需求却非常广泛，因此研究基于北斗 PPP-B2b 服务的海上物探测量具有重要意义。

本文通过分析北斗 PPP-B2b 导航电文信息格式，给出了北斗 PPP-B2b 精密轨道、钟差计算及伪距偏差改正方法，建立了基于北斗 PPP-B2b 服务的海上物探测量实时精密单点定位模型，采用海上实测数据，评估并分析了海上环境中的北斗 PPP-B2b 服务定位性能，并与商用 PPP 服务的定位精度进行对比。

2　北斗三号 PPP-B2b 导航电文内容与精密星历计算

在使用北斗 PPP-B2b 服务进行精密定位时，实时精密卫星轨道、钟差的计算是必不可少的。本节首先介绍北斗 PPP-B2b 导航电文内容，在此基础上，给出了北斗 PPP-B2b 精密卫星轨道、钟差计算及伪距偏差改正方法。

2.1　北斗三号 PPP-B2b 导航电文内容

根据北斗 PPP-B2b 导航电文信息格式，每条电文加载数据大小为 486 bit，包括 6 bit 信息类型、456 bit 信息数据和 24 bit 循环冗余校验位。采用数据版本号(issue of data，IOD)来保证不同信息类型所播发信息内容的关联性，IOD 包括状态空间描述数据的版本号(issue of data of space state representation，IOD SSR)、卫星掩码的数据版本号(issue of data of pseudo-random noise mask，IODP)、GNSS 下行信号播发的星钟与星历的数据版本号(issue of the navigation data，IODN)、轨道改正数和钟差改正数的版本号(issue of data of orbit and clock correction，IOD Corr)。表 1 总结了北斗 PPP-B2b 导航电文信息类型与信息内容，目前实际播发的信息类型为 1、2、3、4 及 63，且仅播发 BDS-3 和 GPS 卫星的改正数信息。

表 1　信息类型定义

信息类型（十进制）	信息内容
1	卫星掩码
2	卫星轨道改正数和用户测距精度(user range accuracy，URA)指数
3	GNSS 卫星码间偏差改正数
4	GNSS 卫星钟差改正数
5	用户测距精度指数
6	钟差改正数与轨道改正数-组合 1
7	钟差改正数与轨道改正数-组合 2
8-62	预留
63	空信息

2.2　北斗三号 PPP-B2b 精密星历计算

由北斗 PPP-B2b 服务的空间信息接口控制文件可知，北斗 PPP-B2b 服务所播发的 BDS-3、GPS 轨道改正数 $\delta O_{B2b}=[\delta O_{radial}\quad \delta O_{along}\quad \delta O_{cross}]^T$ 为轨道坐标系下的径向、切向、法向三个方向上的轨道改正分量，而根据 CNAV1 或 LNAV 广播星历计算出的卫星位置 $X_{brdc}=[X\quad Y\quad Z]^T_{brdc}$ 位于地心地固系(earth-center earth-fixed，ECEF)下。因此，北斗 PPP-B2b 所播发的轨道改正数必须要转换到 ECEF，转换公式如下

$$\delta X^{sat}=[e_{radial}\quad e_{along}\quad e_{cross}]\cdot\delta O_{B2b} \tag{1}$$

其中

$$\begin{cases} e_{radial}=\dfrac{r}{|r|} \\ e_{cross}=\dfrac{r\times \dot{r}}{|r\times \dot{r}|} \\ e_{along}=e_{cross}\times e_{radial} \end{cases} \tag{2}$$

式中，δX^{sat} 表示 ECEF 系下的卫星轨道改正数矢量；r 和 $\dot{r}$ 分别为由广播星历计算出的卫星位置矢量和卫星速度矢量；e_i 为方向单位矢量，$i=\{radial\quad along\quad cross\}$ 分别对应径向、切向、法向。进而，北斗 PPP-B2b 精密卫星轨道可如下计算

$$X_{perc,B2b}=X_{brdc}-\delta X^{sat} \tag{3}$$

北斗 PPP-B2b 所播发的钟差改正数是相对于广播星历钟差的改正参数，北斗 PPP-B2b 精密卫星钟差的计算方法如下：

$$dt^{sat}_{prec}=dt^{sat}_{brdc}-\frac{C_0}{c} \tag{4}$$

式中，dt^{sat}_{prec} 为经过改正得到的北斗 PPP-B2b 精密卫星钟差；dt^{sat}_{brdc} 为采用 GNSS 卫星广播星历计算得到的卫星钟差改正数；C_0 表示北斗 PPP-B2b 电文中的卫星钟差改正数；c 为真空中的光速。

2.3　GNSS 卫星码间偏差改正

在处理卫星观测数据时，会用到多种频率的信号，各观测值中包含着一个与卫星信号跟踪模式有关的偏差，因此在进行各类信号同步处理时，需要消除卫星码间偏差。GNSS 卫星码间偏差改正公示可以表示为

$$\tilde{l}_{sig}=l_{sig}-D_{sig} \tag{5}$$

式中，$\tilde{l}_{sig}$ 为修正后的观测值；l_{sig} 为原始观测值；D_{sig} 为对应该信号的码间偏差。

3 北斗三号 PPP-B2b 精密定位模型

GNSS 原始伪距和载波相位观测值可以表示为

$$P_i=\rho+c\cdot dt_r-c\cdot dt^s+T+\frac{f_1^2}{f_i^2}\cdot I_1+B_{r,i}-B_i^s+\varepsilon_{P(i)} \tag{6}$$

$$L_i=\rho+c\cdot dt_r-c\cdot dt^s+T-\frac{f_1^2}{f_i^2}\cdot I_1+\lambda_i N_i+b_{r,i}-b_i^s+\varepsilon_{L(i)} \tag{7}$$

式中，i 为 GNSS 信号的频点；P_i 代表伪距观测值；L_i 表示相位观测值；ρ 表示卫星与接收机之间的距离；dt^s 和 dt_r 分别表示卫星钟差和接收机钟差；T 代表对流层延迟；I_1 和 f_i 表示 L_1 上的电离层延迟和 GNSS 第 i 个信号的频率；$B_{r,i}$ 和 B_i^s 分别代表接收机和卫星伪距硬件偏差；$b_{r,i}$ 为接收机相位硬件偏差；bs_i 表示卫星相位硬件偏差；λ_i 和 N_i 分别表示载波相位的波长和模糊度；$\varepsilon_{P(i)}$ 为伪距观测误差；$\varepsilon_{L(i)}$ 代表相位观测误差。需要说明的是，地球潮汐、相对论效应和相位缠绕等可以用模型进行精确改正的误差项没有列出，假定均已通过现有模型进行了改正。

为消弱电离层延迟的影响，采用双频伪距和载波相位的消电离层(Ionospheric-Free, IF)组合观测值。双频消电离层组合观测值可以表示为

$$P_{IF}=\alpha P_1+(1-\alpha)P_2=\rho+c\cdot dt_r-c\cdot dt^s+B_{r,IF}-B_{IF}^s+T+\varepsilon_{P(IF)} \tag{8}$$

$$L_{IF}=\alpha L_1+(1-\alpha)L_2=\rho+c\cdot dt_r-c\cdot dt^s+T+\lambda_{IF}\cdot N_{IF}+b_{r,IF}-b_{IF}^s+\varepsilon_{L(IF)} \tag{9}$$

其中，$\alpha=f_1^2/(f_1^2-f_2^2)$；$B_{r,IF}=\alpha B_{r,1}+(1-\alpha)B_{r,2}$；$B_{IF}^s=\alpha B_1^s+(1-\alpha)B_2^s$；$\lambda_{IF}\cdot N_{IF}=\alpha\lambda_1 N_1+(1-\alpha)\lambda_2 N_2$；$b_{r,IF}=\alpha b_{r,1}+(1-\alpha)b_{r,2}$；$b_{IF}^s=\alpha b_1^s+(1-\alpha)b_2^s$；$\varepsilon_{P(IF)}=\alpha\varepsilon_{P(1)}+(1-\alpha)\varepsilon_{P(2)}$；$\varepsilon_{L(IF)}=\alpha\varepsilon_{L(1)}+(1-\alpha)\varepsilon_{L(2)}$；$\alpha$ 表示组合观测值系数；$B_{r,IF}$ 和 Bs_{IF} 分别表示接收机和卫星伪距硬件偏差组合值；λ_{IF} 和 N_{IF} 分别表示载波相位的波长和模糊度的组合观测值；$b_{r,IF}$ 为接收机相位硬件偏差组合观测值；bs_{IF} 为卫星相位硬件偏差组合观测值；$\varepsilon_{P(IF)}$ 和 $\varepsilon_{L(IF)}$ 分别表示伪距观测误差组合观测值和相位观测误差组合观测值。

由于采用了北斗 PPP-B2b 精密轨道与精密卫星钟差，卫星的轨道误差和钟误差可认为已被消除，卫星伪距硬件偏差采用 PPP-B2b 服务播发的 GNSS 卫星码间偏差进行改正。此外，对流层延迟可分为干延迟和湿延迟，其中天顶对流层干延迟一般用萨斯塔莫宁(Saastamonien)模型进行修正，而天顶对流层湿延迟分量则需要进行估计。因此，式(8)、(9)可线性化为

$$p_{IF}=-e\cdot x+c\cdot d\bar{t}_r+M_W\cdot zwd+\varepsilon_{P(IF)} \tag{10}$$

$$l_{IF}=-e\cdot x+c\cdot d\bar{t}_r+M_W\cdot zwd+\lambda_{IF}\cdot \bar{N}_{IF}+\varepsilon_{L(IF)} \tag{11}$$

式中，$c\cdot d\bar{t}_r=c\cdot dt_r+B_{r,IF}$；$\lambda_{IF}\cdot\bar{N}_{IF}=\alpha\lambda_1 N_1+(1-\alpha)\lambda_2 N_2+b_{r,IF}-b_{IF}^s-B_{r,IF}$；$x$ 和 e 分别代表测站位置增量及其相应的系数矩阵；$d\bar{t}_r$ 为吸收了接收机和卫星伪距硬件偏差后的接收机钟差；$\bar{N}_{IF}$ 为吸收了卫星、接收机相位硬件偏差和接收机伪距硬件偏差后的模糊度；zwd 为天顶湿延迟；M_W 表示对流层湿分量的投影函数。从上式可以看出，待估参数为 x、$d\bar{t}_r$、zwd 以及 $\bar{N}_{IF}$。采用卡尔曼滤波方法，可对未知参数进行估计。

4 实验与结果

为了评估北斗 PPP-B2b 在海上环境中的定位性能，本文分别在胶州湾海域开展了两次实验。第一次海上实验时间为 2023 年 3 月 6 日 00：40-6：00(GPST)，时长为 5 h 20min，采样率为 1 Hz。第二次海上实验时间为 2023 年 3 月 24 日 04：54-10：00(GPST)，时长为 5 h 06min，采样率为 1 Hz。实验过程中在岸边开阔环境架设 GNSS 天线，GNSS 天线连接到司南 M300 Pro 接收机，司南 M300 Pro 接收机作为基准站。船上安置 GNSS 天线，并通过功分器分两路连接到北斗 PPP-B2b 接收机与 NavCom SF-3050 接收机，NavCom SF-3050 接收机用来获取 Starfire 星站差分定位结果作对比。

基准站坐标采用 NovAtel 的 Inertial Explore 8.90 软件进行事后 PPP 静态解算获取，流动站

参考坐标同样采用 Inertial Explore 8. 90 进行动态后处理(post－processing kinematic，PPK) 处理得到，以 PPK 处理结果作为参考，评估并对比北斗 PPP－B2b 定位与 Starfire 星站差分定位的精度差异。两次实验的轨迹图分别如图 1、图 2 所示。

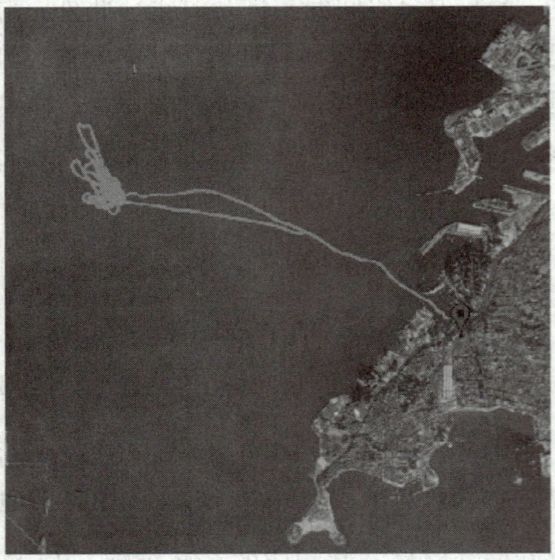
图 1　实验一轨迹图

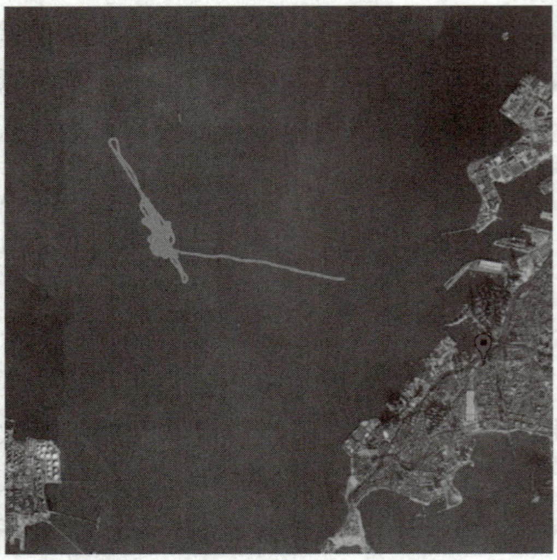
图 2　实验二轨迹图

目前，北斗 PPP－B2b 服务仅播发 BDS－3 和 GPS 卫星改正参数，NavCom SF－3050 接收机支持 GPS、GLONASS 和 Galileo 的卫星信号。两次实验的北斗 PPP－B2b 定位与 Starfire 星站差分定位的可用卫星数如图 3、图 4 所示，可用卫星数均可满足定位要求，其中，北斗 PPP－B2b 定位可用卫星数平均为 13 颗，而 Starfire 星站差分定位可用卫星数平均为 15 颗，稍多于前者的可用卫星数。

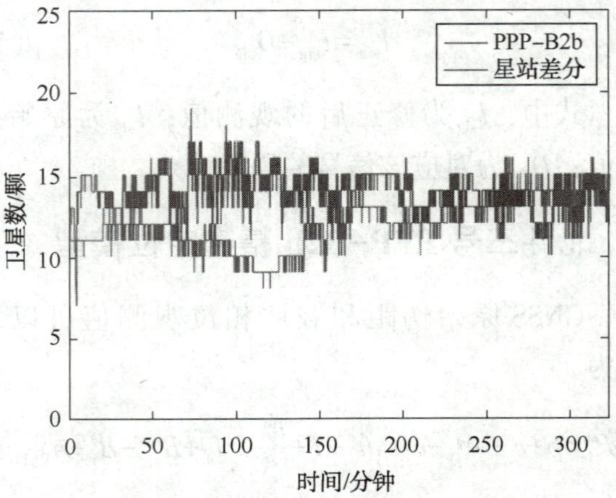

图 3　实验一北斗 PPP－B2b/ Starfire 星站差分定位可用卫星数

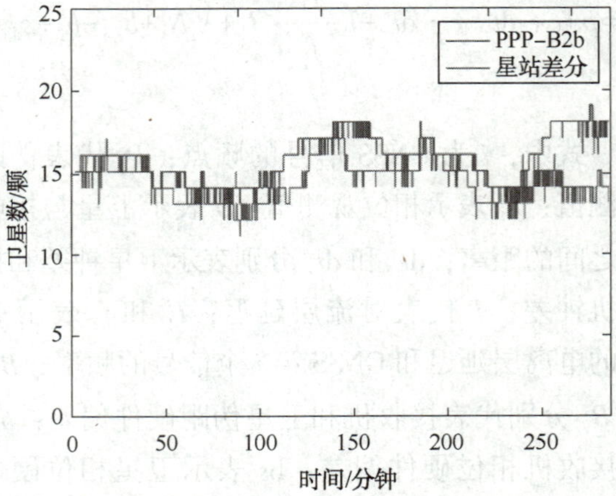

图 4　实验二北斗 PPP－B2b/ Starfire 星站差分定位可用卫星数

两次实验的北斗 PPP－B2b 定位误差曲线如图 5、图 6 所示，Starfire 星站差分定位误差曲线如图 7、图 8 所示，两种定位方案收敛后水平方向定位误差在 15 cm 以内，垂直方向定位误差在 30 cm 以内。表 2 给出了北斗 PPP－B2b 定位收敛后各方向的定位精度，实验一中东(East)、北(North)、天(Up) 三个方向的偏差分别为－13. 08 cm、－5. 27 cm 与－17. 3 cm，三个方向的均方根误差分别为 13. 4 cm、5. 93 cm 与 18. 28 cm。实验二东、北、天三个方向的偏差分别为－2. 53 cm、－1. 18 cm 与－5. 27 cm，三个方向的均方根误差分别为 5. 16 cm、2. 68 cm 与 9. 23 cm。表 3 给出了 Starfire 星站差分收敛后各方向的定位精度，实验一东、北、天三个方向的偏差分别为 0. 09 cm、－10. 01 cm 与－3. 73 cm，三个方向的均方根误差分别为 5. 54 cm、11. 01 cm 与 8. 29 cm。实验二东、北、天三个方向的偏差分别为－3. 66 cm、0. 56 cm 与－9. 64 cm，三个方向的均方根误差分别为 4. 2 cm、1. 25 cm 与 11. 07 cm。实验结果表明，海上环境中，北斗三号 PPP－B2b 水平定位精度优于 15 cm，垂直定位精度优于 30 cm，与 Starfire 星站差分定位精度没有显著的差距。

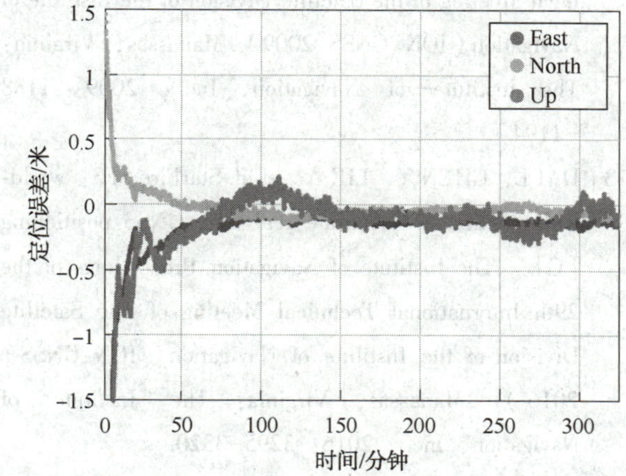

图 5　实验一北斗 PPP-B2b 定位误差

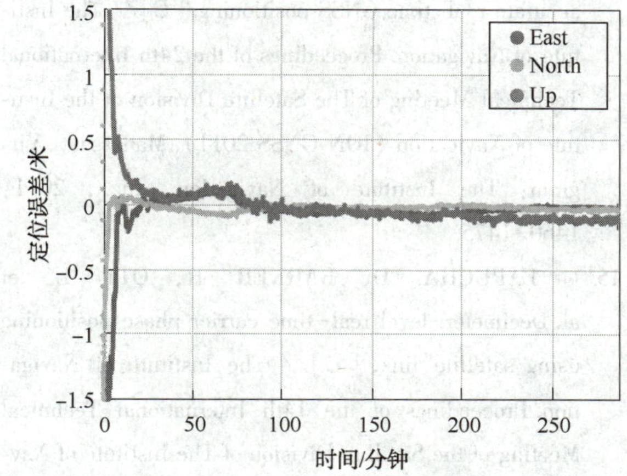

图 6　实验二北斗 PPP-B2b 定位误差

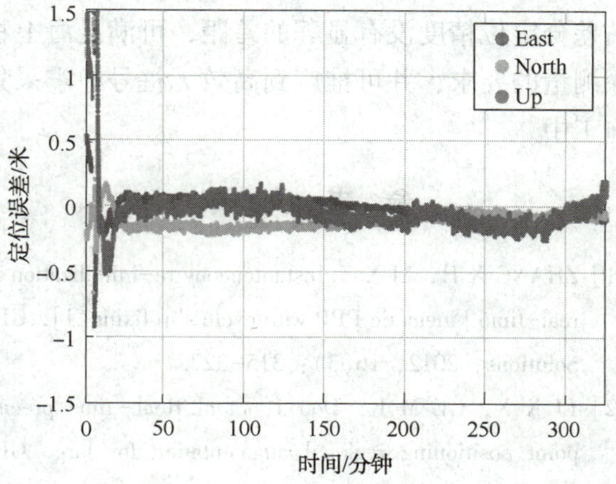

图 7　实验一 Starfire 星站差分定位误差

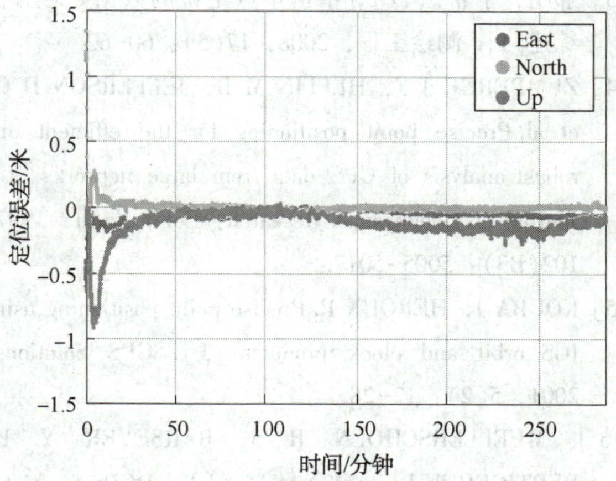

图 8　实验二 Starfire 星站差分定位误差

表 2　北斗 PPP-B2b 定位精度统计

实验	Bias/cm			RMS/cm		
	East	North	Up	East	North	Up
实验一	-13.08	-5.27	-17.3	13.4	5.93	18.28
实验二	-2.53	-1.18	-5.27	5.16	2.68	9.23

表 3　Starfire 星站差分定位精度统计

实验	Bias/cm			RMS/cm		
	East	North	Up	East	North	Up
实验一	0.09	-10.01	-3.73	5.54	11.01	8.29
实验二	-3.66	0.56	-9.64	4.2	1.25	11.07

5　总结

北斗三号为中国及周边地区用户提供公开、免费、高精度的 PPP-B2b 服务，可在网络通信困难环境下实现实时高精度定位。本文开展了北斗 PPP-B2b 定位在海上物探测量中的适用性研究，用海上实测数据评估了基于北斗 PPP-B2b 服务的实时精密单点定位精度，并与 NavCom 公司的 Starfire 星站差分定位精度进行了对比。结果表明，北斗三号 PPP-B2b 水平定位精度优于

15 cm，垂直定位精度优于 30 cm，与 Starfire 星站差分定位精度没有显著的差距，可满足海上物探测量的要求，并可推广到高效无桩号地震采集施工中。

参 考 文 献

[1] ZHANG X H，LI X X. Instantaneous re-initialization in real-time kinematic PPP with cycle slip fixing[J]. GPS Solutions，2012，16(3)：315-327.

[2] LI X X，GE M R，Dou J，et al. Real-time precise point positioning regional augmentation for large GPS reference networks[J]. GPS Solutions，2014，18(1)：61-71.

[3] 郝明，丁希杰 . GPS 精密单点定位的数据处理方法综述[J]. 测绘工程，2008，17(5)：60-62.

[4] ZUMBERGE J F，HEFLIN M B，JEFFERSON D C，et al. Precise point positioning for the efficient and robust analysis of GPS data from large networks[J]. Journal of Geophysical Research：Solid Earth，1997，102(B3)：5005-5017.

[5] KOUBA J，HEROUX P. Precise point positioning using IGS orbit and clock products[J]. GPS Solutions，2001，5(2)：12-28.

[6] MUELLERSCHOEN R J，BARSEVER Y E，BERTIGER W I，et al. NASA's global DGPS for high-precision users[J]. GPS World，2001，12(1)：14-20.

[7] CHEN J P，LI H J，WU B，et al. Performance of real-time precise point positioning[J]. Marine Geodesy，2013，36(1)：98-108.

[8] 孙山，丁克良，李德元 . RTS 产品和精密产品在精密单点定位中的比较和分析[C]//中国卫星导航系统管理办公室学术交流中心 . 第九届中国卫星导航学术年会论文集 . 北京：中国卫星导航系统管理办公室，2018：150-154.

[9] 刘志强，王解先 . 广播星历 SSR 改正的实时精密单点定位及精度分析[J]. 测绘科学，2014，39(01)：15-19.

[10] 尹倩倩，楼益栋，易文婷 . IGS 实时产品比较与分析[J]. 大地测量与地球动力学，2012，32(06)：123-128.

[11] MOHAMED E，SALIM A H. Performance of real-time precise point positioning using IGS real-time service[J]. GPS Solutions，2016，20(3)：565-571.

[12] BOOTH J S，SNOW R N. An evaluation of omniStar XP and PPP as a replacement for DGPS in airborne applications[C]//The Institute of Navigation. Proceedings of the 22nd International Technical Meeting of the Satellite Division of the Institute of Navigation (ION GNSS 2009). Manassas，Virginia：The Institute of Navigation，Inc.，2009：1188-1194.

[13] DAI L，CHEN Y，LIE A，et al. StarFire SF3：worldwide centimeter-accurate real time GNSS positioning[C]// The Institute of Navigation. Proceedings of the 29th International Technical Meeting of The Satellite Division of the Institute of Navigation (ION GNSS+2016). Manassas，Virginia：The Institute of Navigation，Inc.，2016：3295-3320.

[14] LEANDRO R，LANDAU H，NITSCHKE M，et al. RTX positioning：the next generation of cm-accurate real-time GNSS positioning.[C]// The Institute of Navigation. Proceedings of the 24th International Technical Meeting of The Satellite Division of the Institute of Navigation (ION GNSS 2011). Manassas，Virginia：The Institute of Navigation，Inc.，2011：1460-1475.

[15] LAPUCHA D，BARKER R，OTT L，et al. Decimeter-level real-time carrier phase positioning using satellite link.[C]// The Institute of Navigation. Proceedings of the 14th International Technical Meeting of the Satellite Division of The Institute of Navigation (ION GPS 2001). Manassas，Virginia：The Institute of Navigation，Inc.，2001：1624-1630.

[16] TAO J，LIU J N，HU Z G，et al. Initial assessment of the BDS-3 PPP-B2b RTS compared with the CNES RTS[J]. GPS Solutions，2021，25(4)：1-16.

[17] XU Y Y，YANG Y X，LI J L. Performance evaluation of BDS-3 PPP-B2b precise point positioning service[J]. GPS Solutions，2021，25(4)：1-14.

[18] 黄伦文，孟宪伟 . 基于北斗 3 号 PPP-B2b 信号的精密单点定位精度分析[J]. 大地测量与地球动力学，2021，41(05)：516-519.

[19] NIE Z X，XU X F，WANG Z J，et al. Initial assessment of BDS PPP-B2b service：precision of orbit and clock correction，and PPP performance[J]. Remote Sensing，2021，13(11)：2050-2050.

[20] 郭斐，周超，吴子恒 . 北斗三号 PPP-B2b 信号精度及精密单点定位性能评估[J]. 南京信息工程大学学报(自然科学版)，2022，14(06)：658-666.

[21] 肖浩威，王江林，郭海荣，等 . PPP-B2b 服务的实时精密单点定位精度分析[J]. 测绘通报，2022

(04)：117-121.

[22] 朱恩慧，郭海荣，李金龙，等．基于 BDS-3 PPP-B2b 服务的实时 PPP 性能分析[J]．大地测量与地球动力学，2022，42(06)：616-621.

[23] 刘宏，万立健，陆亚英．基于北斗卫星导航系统的远距离海洋工程高精度定位技术[J]．测绘通报，2017，05(5)：62-66.

[24] "中国工程科技 2035 发展战略研究"海洋领域课题组．中国海洋工程科技 2035 发展战略研究[J]．中国工程科学，2017，19(01)：108-117.

[25] 中国卫星导航系统管理办公室．北斗卫星导航系统空间信号接口控制文件精密单点定位服务信号 PPP-B2b（1.0 版）[DB/OL]．[2020-08-03]．http：//www.beidou.gov.cn/xt/gfxz/202008/P020200803362060731204.pdf

[26] 李征航，黄劲松．GPS 测量与数据处理[M]．武汉：武汉大学出版社，2010：139-146.

[27] PETIT G，LUZUM B. International earth rotation and reference systems service[J]. IERS Technical Note，2010(36)：1-95.

[28] ASHBY N. Relativity in the global positioning system [J]. Living Reviews in Relativity，2003(6)：1-42.

[29] Wu J T，Wu S C，HAJJ G A，et al. Effects of antenna orientation on GPS carrier phase[J]. Manuscripta Geodaetica，1993，18(2)：91-98.

苏里格气田钻试投全业务链数字产能建设闭环管理平台研发

杨　富　杨志伦　罗　亮　李浩玉　王　刚　徐　军

（中国石油长庆油田公司苏里格气田开发分公司）

摘　要　苏里格气田是我国首个年产突破300亿立方米的整装大气田，具有低渗致密、开发递减快、年弥补递减工作量大的特点。作为长庆油田区域产建大项目制的试点，苏里格气田开发分公司面对项目管理点多面广人员少和工程数据采集难度大、各专业业务衔接时效紧密等问题，运用数字化、信息化手段，研发创建产建项目钻试投全业务链数字产能建设闭环管理平台，构建了单井全过程多维度可视化管控机制，实现了钻试投全业务链产建项目运行一本账的数字化管理；依托运营商资源快速低成本拓展基础网络，实现多平台钻试现场视频实时监控、施工数据实施采集、在线跟踪；建立工况分析预警大数据模型，创新形成“数字+安全双预防机制”联动联管和动静态风险的预警推送；研发配套坐标、井场交接等16项APP功能，实现产建业务线上流转管理，更高效指导生产组织及工序紧密衔接，大幅提高产建施工组织效率；打造出产能建设专属的数智化环境，实现了数智化与油气田产建业务深度融合，进一步提升了项目管理和各专业协同作战能力。苏里格气田创新形成的数字产能闭环管理平台实现井筒工程全生命周期、多学科一体化管控，其高效的数智化生产组织模式可为勘探开发上游同类项目组织和管理提供一定的参考借鉴。

关键词　苏里格气田；项目管理；钻试投全业务链；数智化；产能建设

2022年，苏里格气田成为我国首个年产天然气突破300亿立方米的大气田，创造了中国天然气开发史上新的突破。该气田位于内蒙古鄂尔多斯市境内的苏里格庙地区，勘探面积6万平方公里，总资源量5.5万亿立方米，具有低渗致密、开发递减快、年弥补递减工作量大的特点。作为长庆油田区域大项目制产能建设的试点单位，苏里格气田开发分公司负责内蒙古鄂尔多斯市伊金霍洛旗、乌审旗、鄂托克旗、鄂托克前旗及榆林市定边县等5个旗(县)9个生产区块的产能建设项目。产能建设业务横向涉及投资、地质、井筒工程、地面工程、经济评价等多个专业，纵向贯通生产、科研、管理、决策等不同用户层级，具有学科多、业务链长、范围广、管理维度多、管控过程复杂、管理难度大的特点，苏里格气田开发分公司面临项目管理点多面广人员少和工程数据采集难度大、各专业业务衔接时效紧密等实际问题，亟需运用数字化、信息化手段，创建产建项目钻试投全业务链数字产能建设闭环管理平台，实现项目管理提速、提效、提质。

1　数字产能闭环管理平台建设思路

以油田公司“方案设计、招标选商、建设监管、竣工验收、后评价”大五环项目管理理念为宗旨，以产建项目全业务链管控为主线，建立项目闭环管理流程，确保业务紧密衔接、工作环环相扣。长庆油田“大五环”项目管理理念图见图1。

通过数字化大平台，开发形成产建部署-准入核查-过程监管-完井交接-项目自评“小五环”闭环管理流程，以数据统采、报表生成为基础底座，推行地质、钻前、钻井、试气等十大专业“数字化五环管理”，实现数据互联互通、业务全生命周期闭环管理，利用大数据、云平台等智能化技术，构建全流程、多学科协同作战模式，形成“四个一体化”管控机制，实现产建项目“提速、提效、提质、提产”。产建数字产能闭环管理平台建设思路见图2。

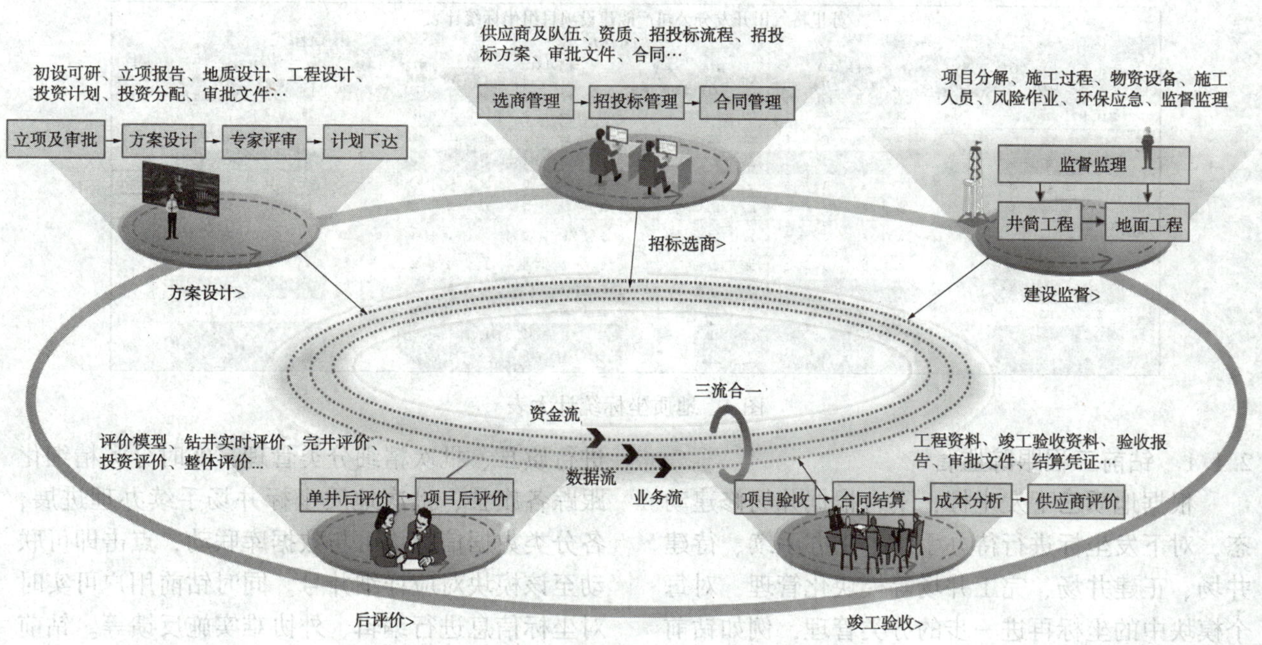

图 1　长庆油田“大五环”项目管理理念图

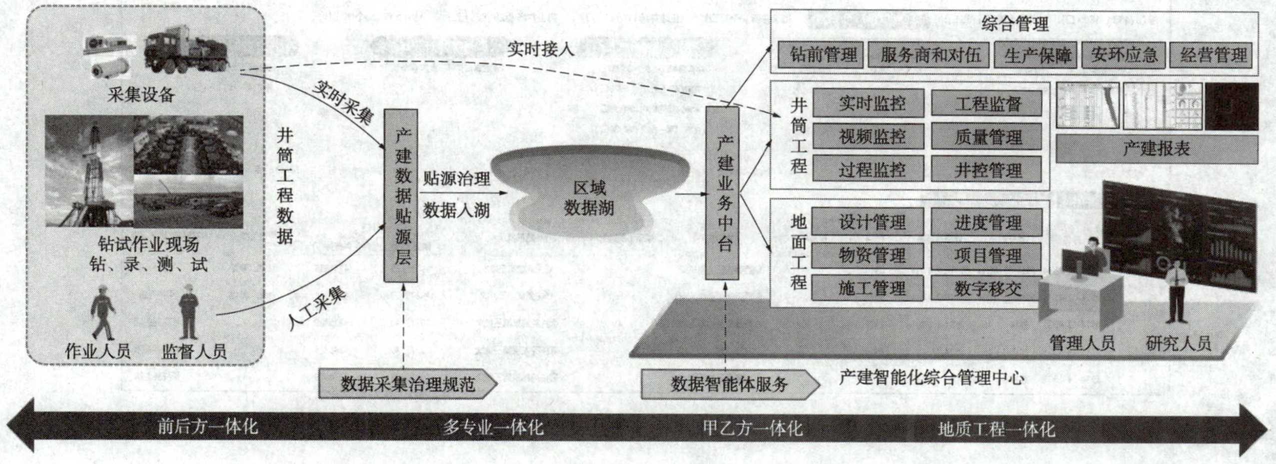

图 2　产建数字产能闭环管理平台建设思路

2　数字产建“小五环”

2.1　产建全流程进度跟踪

贯穿井筒工程全过程，建设产建过程中坐标下发、钻前、钻井、试气、地面、投产等过程实时动态跟踪功能，以层层钻取的方式，实现总体-井组-单井的三级动态跟踪。产建单井全流程动态进度跟踪见图 3。

图 3　产建单井全流程动态进度跟踪

2.1.1　井位坐标管理

地质作为油气田产能建设的“龙头”，按照苏里格气田产能建设部署，系统平台按区块、井型、坐标状态分类精细化管理已有坐标，根据产建实施动态进展，实时对坐标进行信息编辑调整、暂缓和缓钻。对照气田分区块、分井型产建部署，系统自动形成坐标分类坐标统计大表，自动计算当前坐标下发正负裕量，系统中统计坐标分类数据均可与数据库联动，点击即可联动至该模块对应详细井号。地质坐标统计大表见图 4。

苏里格气田开发分公司产能建设项目组坐标统计表

区块		2023年部署								下发有效坐标										剩余有效坐标								备注
		建井数（口）	直/定向井（口）	其中：大斜度	其中：侧钻	水平井（口）小计	常规水平井	二开水平井	侧钻水平井	合计	直/定向井（口）	其中：大斜度	其中：侧钻	水平井（口）小计	常规水平井	二开水平井	侧钻水平井	合计	直/定向井（口）	其中：大斜度	其中：侧钻	水平井（口）小计	常规水平井	二开水平井	侧钻水平井	
采气三厂	苏14、桃2	228	205			23	22	0	1	423	384			39	35	1	3	195	179			16	13	1	2	
	苏47、苏48	119	112			7	7	0	0	233	223			10	10	0	0	114	111			3	3	0	0	
	小计	347	317			30	29	0	1	656	607			49	45	1	3	309	290			19	16	1	2	
采气四厂	苏54	48	45			3	3	0	0	112	98			14	14	0	0	64	53			11	11	0	0	含8口评价井
	苏6、苏36-11	68	54			14	9	2	3	159	129			30	20	3	7	91	75			16	11	1	4	
	苏6、苏36-11（风险自营）	36	30	25	14	6	6	0	0	26	21	33	28	5	5	0	0	-10	-9	8	14	-1	-1	0	0	
	苏东41-33	53	49			4	3	0	1	95	87			8	7	0	1	42	38			4	4	0	0	
	小计	205	178			27	21	2	4	392	335			57	46	3	8	187	157			30	25	1	4	
采气五厂	东区	138	117			21	19	2	0	252	210			42	40	1	1	115	93			22	21	0	1	
	小计	138	117			21	19	2	0	252	210			42	40	1	1	116	93			23	21	1	1	
合计		690	612			78	69	4	5	1300	1152			148	131	5	12	612	540			69	62	0	7	

图4　地质坐标统计大表

2.1.1　钻前工程跟踪监管

根据地质已下发坐标，平台根据井场修建动态，对下发坐标进行待办手续、正办手续、待建井场、正建井场、完工井场等模块化管理，对每个模块中的坐标再进一步的分类管理，例如钻前正办手续坐标，平台根据地理位置、时间等信息进行旗县、批次精细分类管理，实时分类精细化跟踪各旗县、批次地质坐标井场手续办理进展，各分类数据信息均可与数据库联动，点击即可联动至该模块对应详细井号。同时钻前用户可实时对坐标信息进行编辑、外协难实施反馈等。钻前井场手续模块化管理见图5。

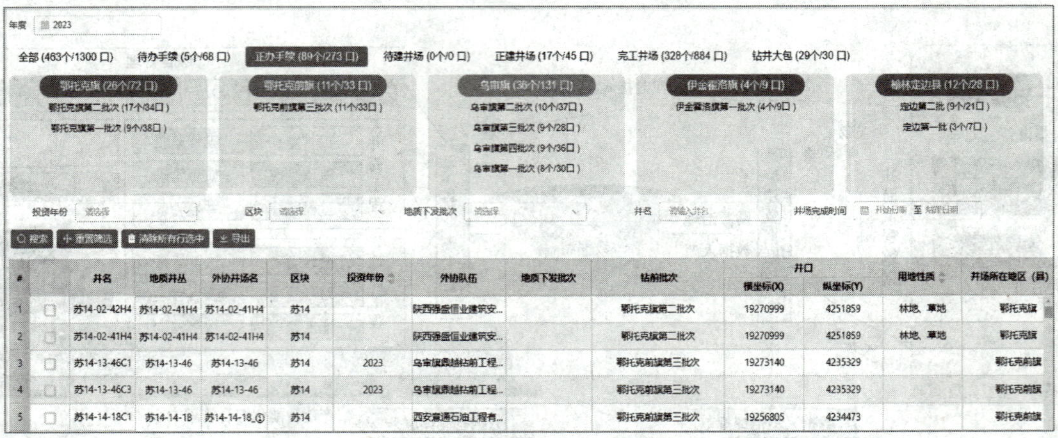

图5　钻前井场手续模块化管理

钻前外协作为产建的“第一生产力”，贯穿井场手续办理全过程，建设钻前井场政府集中审批、永久性林地、临时性用地、政府国土批复、修建井场重点工序实时动态跟踪功能，实现对井组-单井的钻前井场手续办理进度动态跟踪。

2.1.2　钻井工程跟踪监管

贯穿钻井工程全过程，根据现场承包商施工队伍填报的钻井开钻、完钻、完井日报信息，可视化、模块化展示当前开钻、正钻、完钻、完井、累计进尺等施工进程，以层层钻取的方式，实现对地质详细坐标钻完井进程的动态展示。产建钻井工程动态进度跟踪见图6。

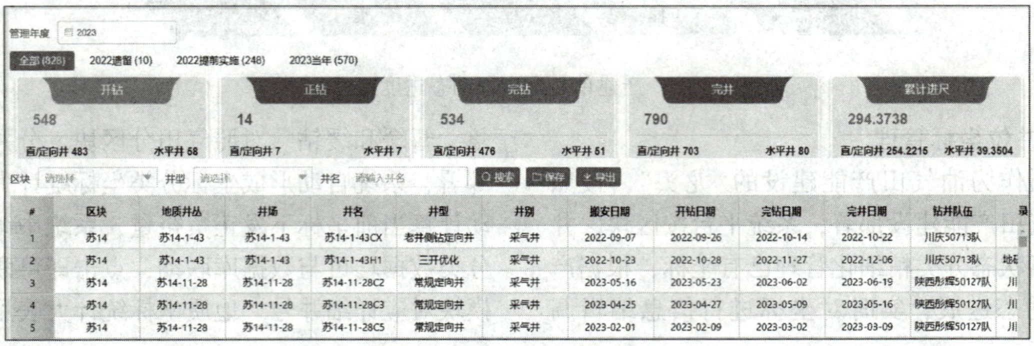

图6　产建钻井工程动态进度跟踪

钻井作业录井数据实时采集，实时浏览、精准回传各类参数(钻压、负荷、密度、H_2S浓度、气测值等)，实现井筒钻、录、测、固等重点工序实时动态信息跟踪，为远程数字监管提供“第一手”数据支撑，实时掌握钻井施工参数。钻井工程录井、固井数据实时采集见图7。

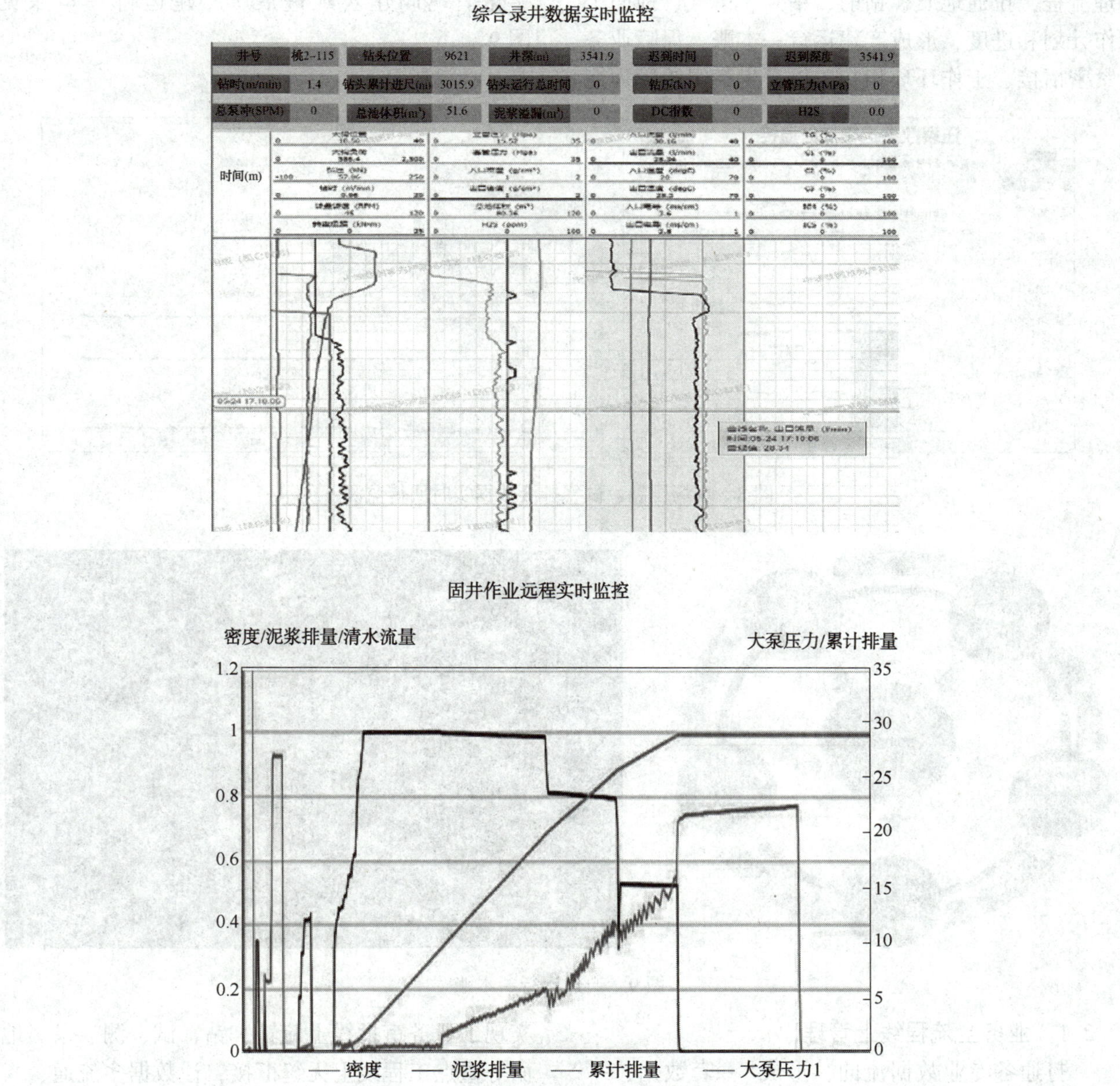

图7 钻井工程录井、固井数据实时采集

2.1.3 试气工程跟踪监管

贯穿试气工程全过程，按照待试气、正试、待压裂、压裂、完试等归类试气工作量，建设试气工程生产组织实时动态跟踪功能，同时集成“压裂数据远程实施监控系统”，实时回传压裂参数曲线(压力、排量、加砂量等)，压裂后根据试气排液油套压、排出液量等实时动态参数绘制展示试气排液动态，实现压裂试气施工实时监控预警等功能。现场压裂、试气排液数据实时回传监测见图8。

2.1.4 地面工程跟踪监管

贯穿地面工程全过程，统筹长庆油田公司采气三、四、五厂地面工程管理工序模式，统一建立大项目制产建单井投产、场站工程、站外管线、道路工程进度管理流程，分模块可视化展示地面工程各业务进展，进一步细化实时跟踪单井场站等开工、动火、投产等重点工序，以层层钻取的方式，通过远程数据可视化实现对地面工程作业进度的实时动态跟踪。

2.2 数字产建“小五环”闭环

生产组织数字化闭环管理，实现生产组织管

理提速。产建闭环管理平台以长庆油田公司“五环”管理理念为宗旨，以产建项目全业务链管控为主线，坚持以问题为导向，建立项目组闭环管理流程，拉通地质、钻前、钻井、试气、地面工作计划和进度，形成产建运行一本账，保障业务紧密衔接、工作环环相扣，提升生产组织管理能力，将数字化建设渗透到安全管理、质量控制、应急响应等各个领域。遵循分类、分项原则，在平台内建立智能算法，全流程跟进单井工况，数字化呈现产建宏观进展。产建运行一本账见图9。

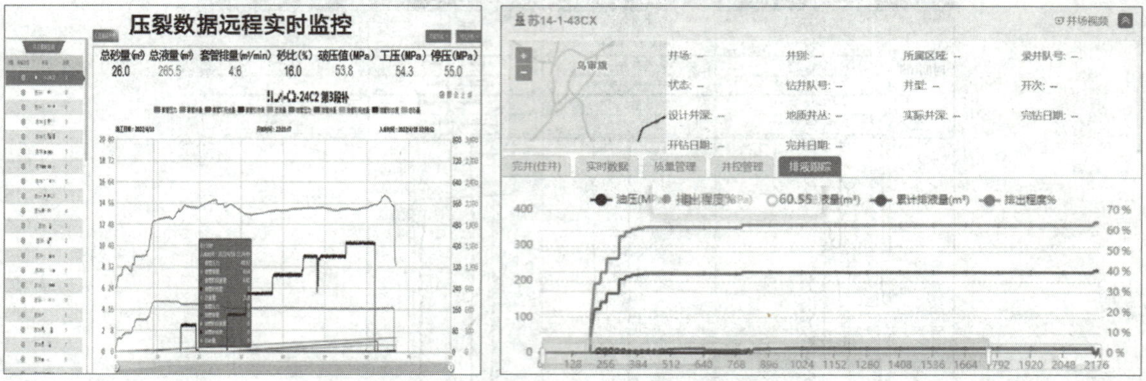

图8　现场压裂、试气排液数据实时回传监测

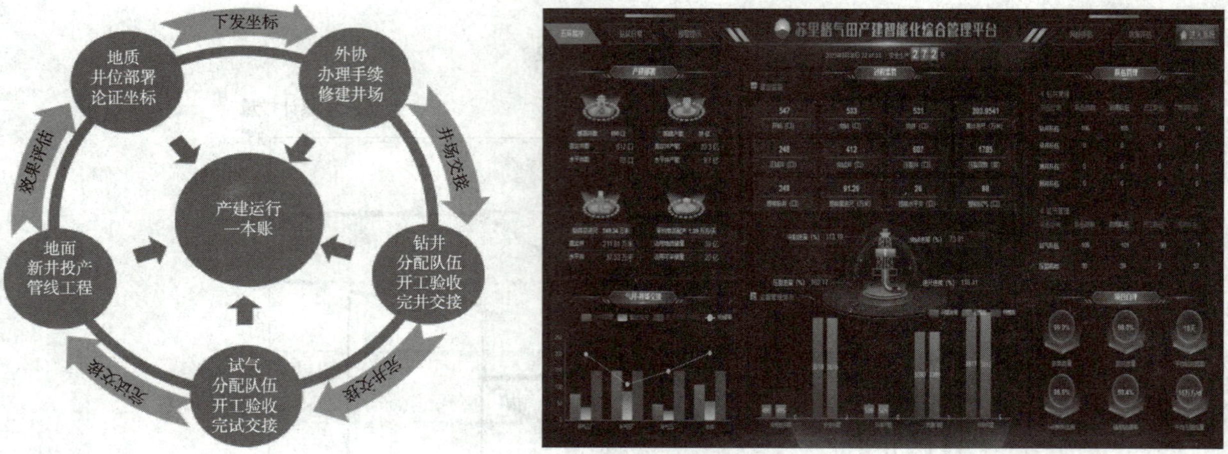

图9　产建运行一本账

2.2.1　业务全流程线上管理

打通各专业数据流向，形成“一套数据、一套流程”全线贯通新模式，提高各项工作衔接效率，建立地质交钻前、钻前交钻井、钻井交试气、试气交地面等线上交接流程，实现工作无缝衔接。产建井场数字化交接线上审批见图10。

2.2.2　配套移动APP功能提效率

研发配套各业务流程移动APP，覆盖3项业务16个工作流程，实现业务审批线上流转，全面实现业务流程线上管理，研发配套各业务流程移动端APP(产建项目组各专业、钻井队、试气队、套管申请、领料申请、交接管理等)，通过移动端套管通知单、领料申请、交接管理模块，形成前端作业现场和后端的“端到端”业务闭环，实现了业务审批线上流转，钻、试、测、录、地面等重点工程线上无缝衔接，让数据多流通、人员少跑路，极大缩短了产能建设周期。部分业务流程移动端APP见图11。

2.2.3　产建全过程数字监控

突破系统和网络壁垒，融合9套工程领域专业系统，跨局级整合川庆钻井、川庆井下、民营队伍3类视频数据，实现了数据共建、共享、共用。通过采集单井每日施工参数，开发大屏可视化展示界面，实时监控工程质量，实时跟踪工作进展，产建驾驶舱实现数据实时汇总、可视化展示，实时监控及时发现安全操作隐患，及时提醒，避免安全事故的发生。产建流动作业现场视频全覆盖，实现线上监督检查，监督监管实现“日巡百井”，实时掌握动态风险，实现了流动作业现场的视频实时监控，让作业现场违章行为无所遁形，使得钻、试等高风险作业安全管理更加高效，切实提高了产能建设风险管控能力。

每5分钟采集一次视频监控实时在线情况，自动计算每日在线/离线时长，自动形成队伍每日视频在线统计表，为后续的各施工队伍考核提供依据。同时通过视频“轮播”功能，实现施工队伍现场监控视频以一定时间间隔(30秒、1分钟、5分钟、10分钟、20分钟)进行轮播，实现远程自动视频巡检，避免了人为逐个点击查看的巨大工作量。产建全过程视频可视化监控见图12。

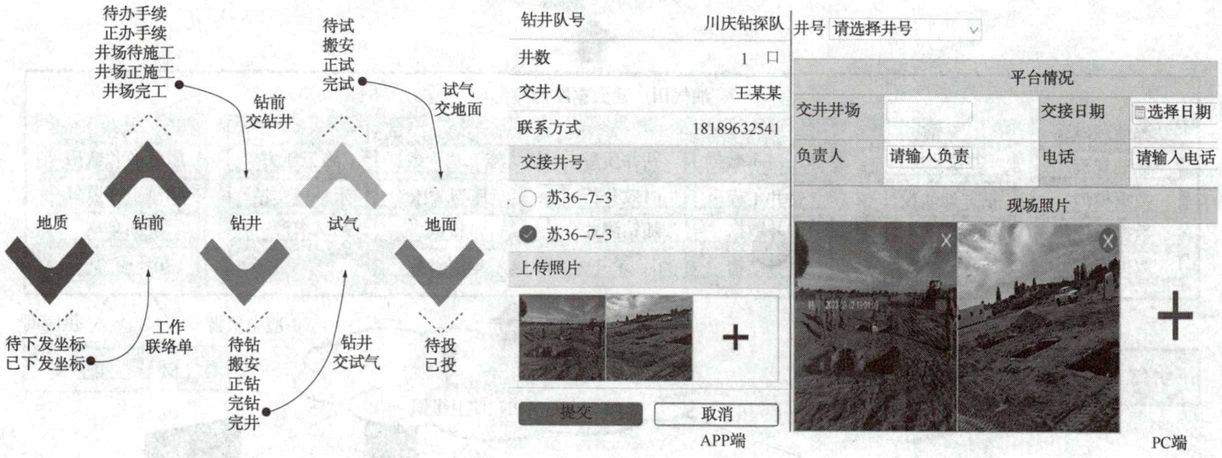

图10 产建井场数字化交接线上审批

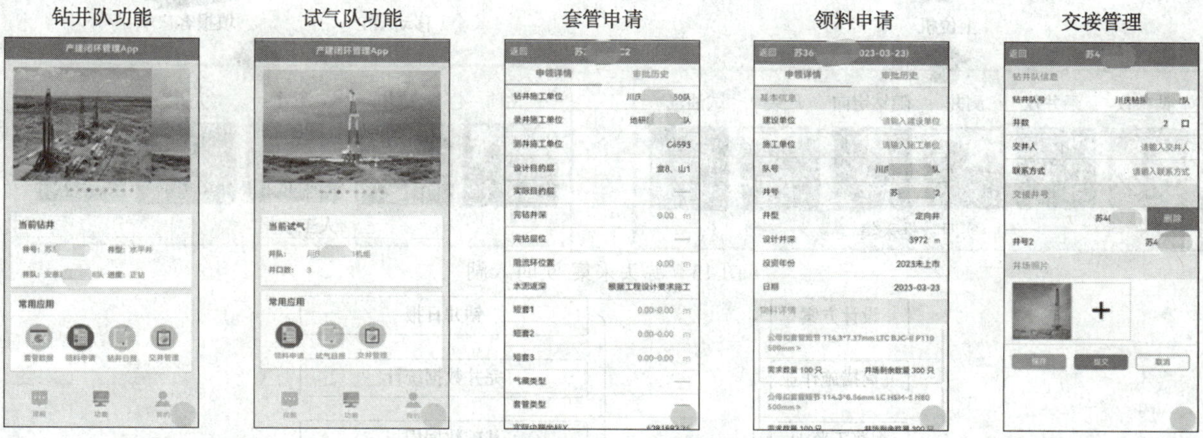

图11 部分业务流程移动APP

图12 产建全过程视频可视化监控

2.2.4　产建综合日报自动生成

依托数据统采平台，实现报表自动生成，通过线上实时采集和人工标准化填报方式，实现数据一方录入、多方共享，报表自动生成、数据一键推送，减少数据重录频次，实现工效大幅提升。全面推进作业队伍专业数据标准化填报，系统自动纠错，项目管理人员线上审核，取全取准生产数据，实现报表自动生成，夯实数据基座。源头采集 实时入湖见图 13，数据自动提取分类生产日报见图 14。

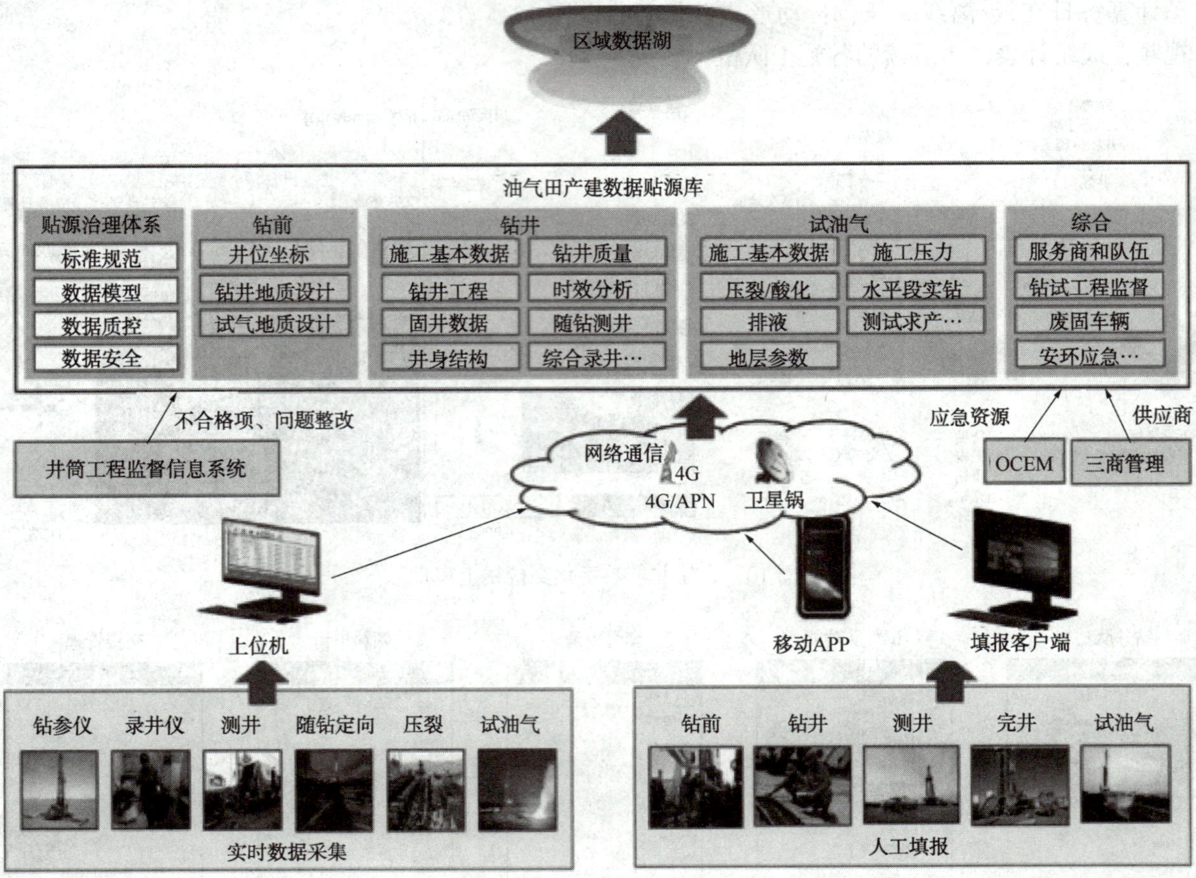

图 13　源头采集 实时入湖

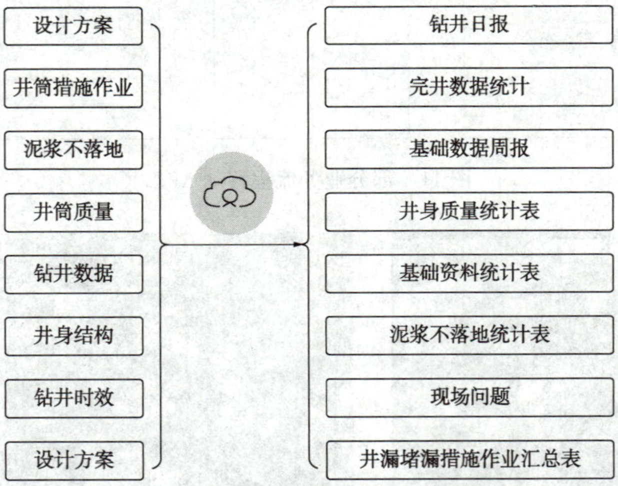

图 14　数据自动提取分类生产日报

3　基于大数据分析的钻试投全流程数字产建

3.1　实时跟踪分析协调生产组织

完善并筑牢平台的基础数据库，分类、分工序、分流程理清项目施工进展，工程进度、交接管理数字化展示，将地质坐标下发、钻前施工进展、钻、试交接流程、钻试施工队伍安排、钻试施工进度等重点数据数字化分类呈现，为工序无缝衔接，生产组织协调增添了数智动能。工序衔接数字预警呈现见图 15。

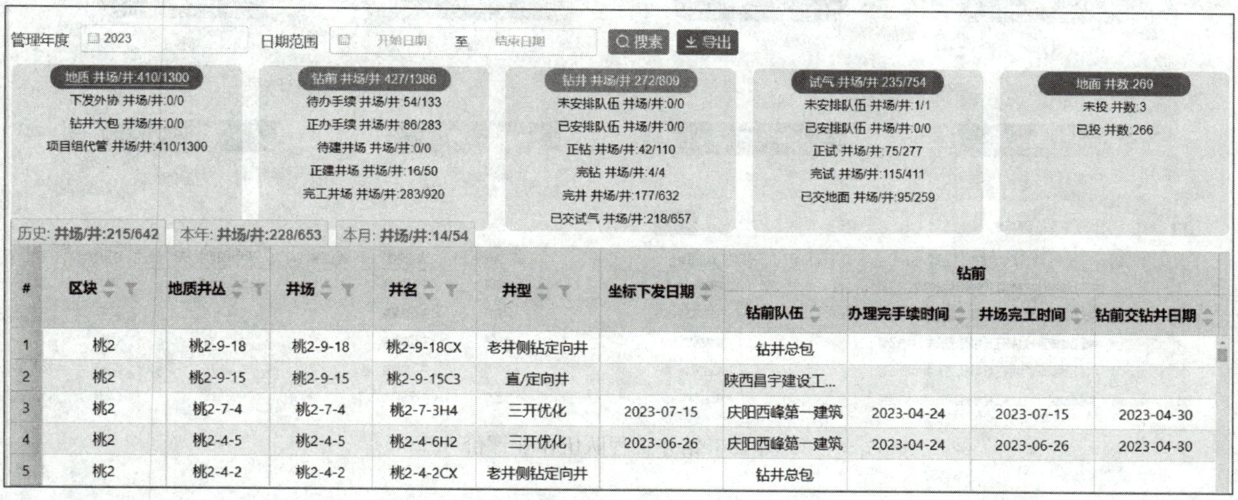

图 15　工序衔接数字预警呈现

3.2　数据分析

3.2.1　产建数据分析

遵循分类、分项原则，在平台内建立智能算法，分采气厂、区块等进行各类数据分析，数字化呈现产建宏观进展，对地质坐标部署目标与实际下发数量、钻前手续办理和井场修建进度、钻井拆搬安和建完井周期、试气拆搬安和压裂、完井周期等进行模块分类统计分析对比，采用图表等直观化表示，实现坐标下发、井场手续办理及钻试投全工序数据可视化跟踪。产建总体进度统计见图 16，各采气厂完钻井数统计见图 17。

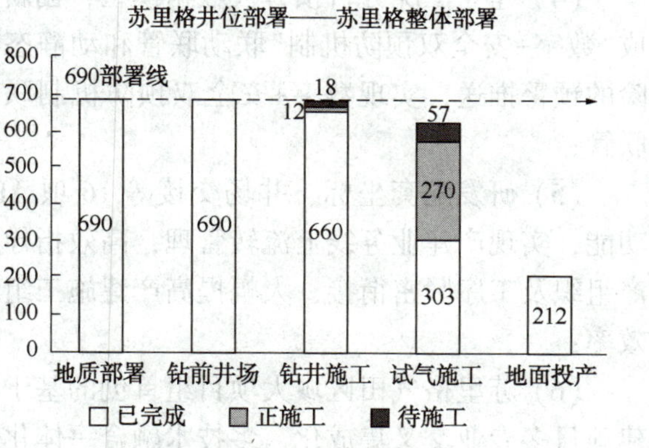

图 16　产建总体进度统计

3.2.2　队伍作业评价

贯穿产建井筒工程、地面工程钻试投全流程，统计分析钻前、钻井、试气、地面各工序各承包商队伍作业所需时间，建立各专业工序承包商队伍业务能力水平评价对比分析，形成对各队伍考核评估，为后续各承包商队伍评估、工作量分配等提供依据。钻井工程队伍作业评价见

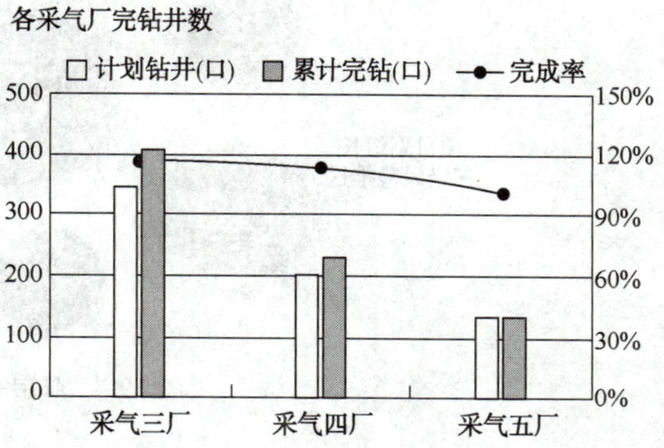

图 17　各采气厂完钻井数统计

图 18。

3.2.3　作业风险预警

建立重复隐患统计、预警机制，对现场检查发现的同类隐患进行归类，统计发生的频次，将高频次发生的隐患通过手机 APP 端，对施工现场进行风险提示，实现隐患问题共享共用、举一反三自查自改。同时整合监督管理系统，系统智能化识别钻井、试气不同工序阶段，自动向手持终端推送风险预警与问题整改提示，进一步落实防护措施，强化安全风险闭环管控。

系统自动识别、生成静态、动态风险与许可作业信息清单，按照“双层+四级”预警原则，通过手机 APP 分别向项目组和承包商四级管理人员推送风险预警信息，实现数字+安全双预防机制联动联管。“双层+四级”信息推送预警机制见图 19。

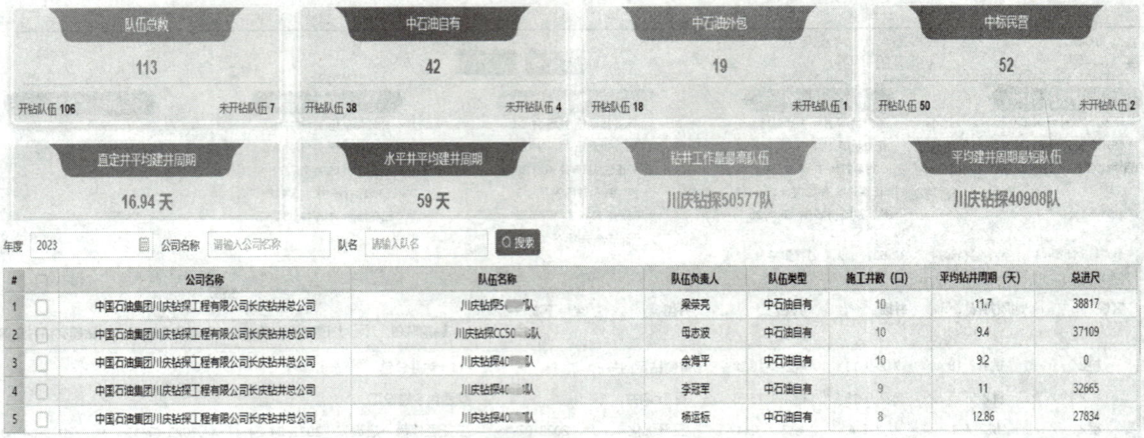

#	公司名称	队伍名称	队伍负责人	队伍类型	施工井数（口）	平均钻井周期（天）	总进尺
1	中国石油集团川庆钻探工程有限公司长庆钻井总公司	川庆钻探5 队	梁荣亮	中石油自有	10	11.7	38817
2	中国石油集团川庆钻探工程有限公司长庆钻井总公司	川庆钻探CC50 队	母志波	中石油自有	10	9.4	37109
3	中国石油集团川庆钻探工程有限公司长庆钻井总公司	川庆钻探40 队	余海平	中石油自有	10	9.2	0
4	中国石油集团川庆钻探工程有限公司长庆钻井总公司	川庆钻探40 队	李冠军	中石油自有	9	11	32665
5	中国石油集团川庆钻探工程有限公司长庆钻井总公司	川庆钻探40 队	杨运标	中石油自有	8	12.86	27834

图 18　钻井工程队伍作业评价

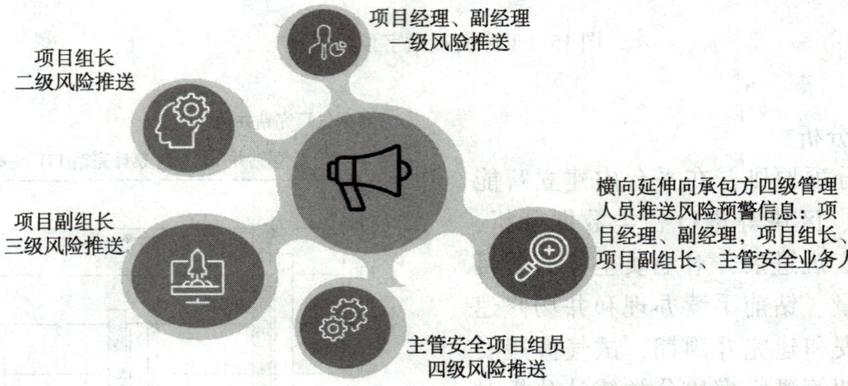

图 19　“双层+四级”信息推送预警机制

4　结论

按照长庆油田“大五环”项目管理宗旨，以产建项目全业务链管控为主线，建立项目闭环管理平台，形成产建运行一本账，保障了业务紧密衔接，进一步压减了管理层级和管理链条，探索出一条项目管理新路径，平台主要实现了以下功能：

（1）运用数字化、信息化手段，研发创建产建项目钻试投全业务链数字产能建设闭环管理平台，构建了单井全过程多维度可视化管控机制，实现了钻试投全业务链产建项目运行一本账的数字化管理，实时跟踪分析协调生产组织，促进产建工序无缝衔接；

（2）依托运营商资源快速低成本拓展基础网络，突破系统和网络壁垒，实时采集、在线跟踪钻试现场视频、施工数据，实现了数据共建、共享、共用，单井施工参数实时采集回传、施工现场画面可视化展示；

（3）通过线上实时采集和人工标准化填报方式，实现数据一方录入、多方共享，夯实数据基座，数据实现一键推送，减少数据重录频次，基于产建运行数据基座，实现了对单井建井周期、作业风险统计预测及推送、队伍考核等分析。

（4）建立工况分析预警大数据模型，创新形成“数字+安全双预防机制”联动联管和动静态风险的预警推送，实现数字+安全双预防机制联动联管；

（5）研发配套坐标、井场交接等 16 项 APP 功能，实现产建业务线上流转管理，高效指导生产组织及工序紧密衔接，大幅提高产建施工组织效率；

（6）苏里格气田区域大项目组首创的基于产建项目多专业交叉集成化、多技术融合一体化的数字产建闭环管理平台，打造出产能建设专属的数智化环境，实现了数智化与油气田产建业务深度融合，进一步提升了项目管理和各专业协同作战能力，实现井筒工程全生命周期、多学科一体化管控，其高效的数智化生产组织模式可为勘探开发上游同类项目组织和管理提供一定的参考借鉴。

参考文献

[1] 徐佳，肖丹．大气苏里格[N]．中国石油报，2023-04-24(001).

[2] 章海英．苏里格气田日产天然气双双超 1 亿方[N]．中国石油报，2022-12-12(001).

[3] 李峰，辛盛，陈彦利等．浅谈数字化生产指挥系统在油田生产领域的升级完善[C]//宁夏回族自治区科学技术协会．第十六届宁夏青年科学家论坛石化专题论坛论文集．宁夏石油化工应用杂志社有限公司，2020：4.

[4] 吕凤军，苏兴华，李宝宝．数字转型背景下钻井企业数字文化构建与实践[J]．中国石油企业，2023，No.453，No.454(Z1)：114-117.

[5] 王雷．基于数据中心的数字化钻井施工模式的构建[J]．中国管理信息化，2022，25(14)：107-109.

[6] 邹光皓．钻井生产指挥数字化系统设计[J]．内蒙古石油化工，2009，35(09)：69-71.

[7] 杨传书，孙正义，黎若鹏．利用数据中心构建数字化钻井施工模式[J]．石油钻采工艺，2007，No.169(01)：4-6+11+117.

[8] 陶俊亦，袁海平，彭陶钧等．压裂数字化现场建设可行性研究[J]．中国科技信息，2023，No.691(02)：108-110.

[9] 赵忠军，李进步，王宪文等．油气田开发的技术支撑体系创新——以苏里格气田为例[J]．中外企业家，2014，No.482(36)：153-155.

[10] 李美玉，闫志强，闫娟等．压裂数据远程传输一体机的设计研究[J]．石油规划设计，2015，26(01)：47-50.

[11] 陈璟，李沛轩．压裂酸化施工远程指挥系统应用[J]．物联网技术，2018，8(10)：84-86.

[12] 韩沂洋．油田地面工程中数字化技术的应用发展[J]．中国石油和化工标准与质量，2023，43(07)：193-195.

[13] 白洪斌．数字化建设在油田地面工程中的应用研究[J]．中国石油和化工标准与质量，2022，42(07)：72-74.

[14] 宋吉全．油田地面工程数字化建设的实践[J]．中国石油和化工标准与质量，2022，42(04)：76-78.

[15] 郝婳婕．新疆油田地面工程质量数字化管理研究与应用[J]．信息系统工程，2021，No.333(09)：19-21.

[16] 曹万岩．大庆油田地面工程数字化建设方案优化探索[J]．石油规划设计，2021，32(01)：62-65.

鄂西渝东红星地区地质导向关键技术研究与应用

冯亦江[1]　赵红燕[1]　石文睿[2]　程国良[1]　曾小林[1]

(1. 中石化经纬有限公司江汉测录井分公司；2. 香港浸会大学)

摘　要　鄂西渝东红星地区勘探程度较低，存在优质页岩储层厚度薄、横向地层产状变化快且对比性差等不利条件，对地质导向技术提出了挑战。为了保证该区块的页岩气水平井能有效穿越优质气层段，本研究从红星地区二叠统吴家坪组目的层地质特征入手，分析地质导向面临挑战的主要问题，提出了运用三维地质建模随钻跟踪、确定导向标志层(点)、优选导向工具、随钻导向轨迹控制与优化等一系列有针对性的技术手段，首次建立的平均角法轨迹控制计算模型和不同造斜率约束条件下标志层(点)与井斜分段控制图版，解决了单纯利用等厚法预测靶点误差大和轨迹控制效果不理想的难题，显著提高了靶点的预测和轨迹控制精度。应用试验8口井，取得了平均优质页岩储层钻遇率93.0%和钻井提速29.7%的目标，实现了有效提高储层钻遇率、优快钻井的目的。

关键词　红星地区；地质导向；轨迹调控；方法验证

鄂西渝东红星地区是湖北省页岩气开发的重点区域，其吴家坪组、茅口组页岩是继四川盆地龙马溪组—五峰组实现规模化商业开发后最具勘探潜力的页岩气储层，也是中石化增储上产的主要阵地之一。地质导向技术作为非常规油气水平井高效勘探开发关键技术，前人做了大量的研究和探索：国内外主要页岩油气区块通常根据储层非均质特性、水平段轨迹方向上地层产状变化、设计水平段长等情况制定导向技术优选的标准，以期在满足地质甜点钻遇率的同时，实现钻井提速降本。由于红星地区面临勘探程度整体较低，微幅构造、断裂发育，给井眼轨迹的精确控制和地层界面的准确预测带来巨大挑战，因此其技术在红星复杂构造区域的适应性和创新方法研究存在着迫切需求。

针对上述问题，本文以吴家坪组吴二段有利页岩储层段为研究对象，分析红星地区吴家坪组页岩气开发在地质导向工作中面临的主要问题，研究区块地质导向参考标志层(点)确定方法、地质建模优化和动态调整方法、地质导向工具优选原则和依据、随钻轨迹调控与优化方法等地质导向关键技术，对今后红星地区页岩气高效开发具有重要的指导意义。

1　研究区地质概况

红星地区位于湖北省利川市、重庆市万州区和石柱县境内，构造隶属于四川盆地川东高陡褶皱带石柱复向斜，南东、北翼分别被齐岳山复背斜和方斗山背斜所夹持，包括建南构造、龙驹坝构造和三星区块(图1)，勘探面积约3000.0km^2，其中建南构造为箱状长轴背斜，两翼相对较陡，发育挤压构造逆断层，是红星地区页岩气勘探开发的重点区域。该区二叠系沉积环境以早滨岸、晚陆棚相为主，吴家坪组吴二段、茅口组茅四段发育褐色含硅质页岩，区内两套页岩平面分布较稳定、埋深和成熟度适中、气测显示良好，是较为有利的页岩气勘探新层系。目前，已投入开发的红页1HF井日稳产页岩气6.0×10^{4}m^3。该区块新增页岩气控制储量6.21×10^{10}m^3，实现了国内二叠系页岩气勘探重大突破，使本研究团队针对该页岩气层的十年追踪终于落地。

为了达到最佳开发效果，红星地区水平井部署要求与主应力方向近垂直和大角度相交，设计水平段长1500.0~2700.0m，有效靶窗垂厚约5.0m，并严格控制优质储层钻遇率。区块内已钻探HYA、HYB、HYC、HYD四口导眼井揭示：目的层吴家坪组吴二段发育灰黑色硅质页岩、含灰硅质页岩，局部夹薄层泥质灰岩，厚度约20.0m，属深水陆棚沉积环境；录井气测显示介于4.08%~12.96%，测井解释TOC介于7.26%~9.00%，测井解释孔隙度介于5.23%~6.15%，实测含气量3.81m^3/t~4.84m^3/t。矿物成份粘土矿物含量10.92%~18.13%，长英质含量48.81%~51.82%，碳酸盐含量29.52%~

33.13%，具有硅质和碳酸盐岩含量高、粘土含量低的特征，整体脆性指数在60.0%~70.0%之间，处于缝网与多缝过渡区。

根据岩性、电性、物性、含气性等特征，吴家坪组吴二段自上而下细分为⑤~①段（图2）。其中③小层又可以细分为a、b、c、d四段，岩性为灰黑色泥页岩局部夹薄层灰岩条带、厚度一般在5.5~8.0m之间，地层可钻性较好、钻时比值大于1.5，全烃见明显异常、曲线呈块状高值，伽马曲线呈齿状中高值，其值一般在140.0~280.0API之间；基于优中选甜的原则，HYA井优选③小层井段3300.0~3306.7m为“地质+工程”最佳甜点段，厚6.7m，适宜作为水平段优选目标靶窗。

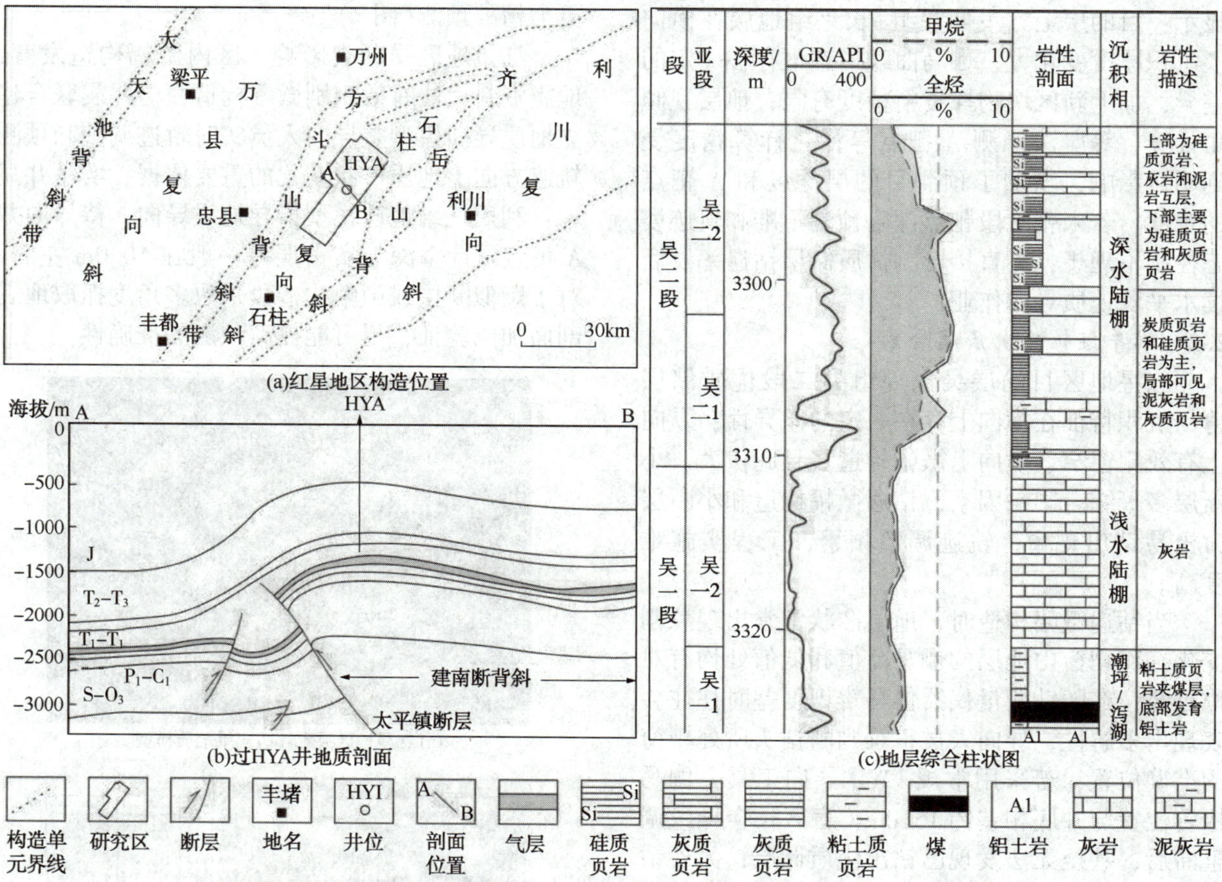

图1　鄂西渝东红星地区构造位置及吴家坪组地层综合柱状图（据文献[2]修改）

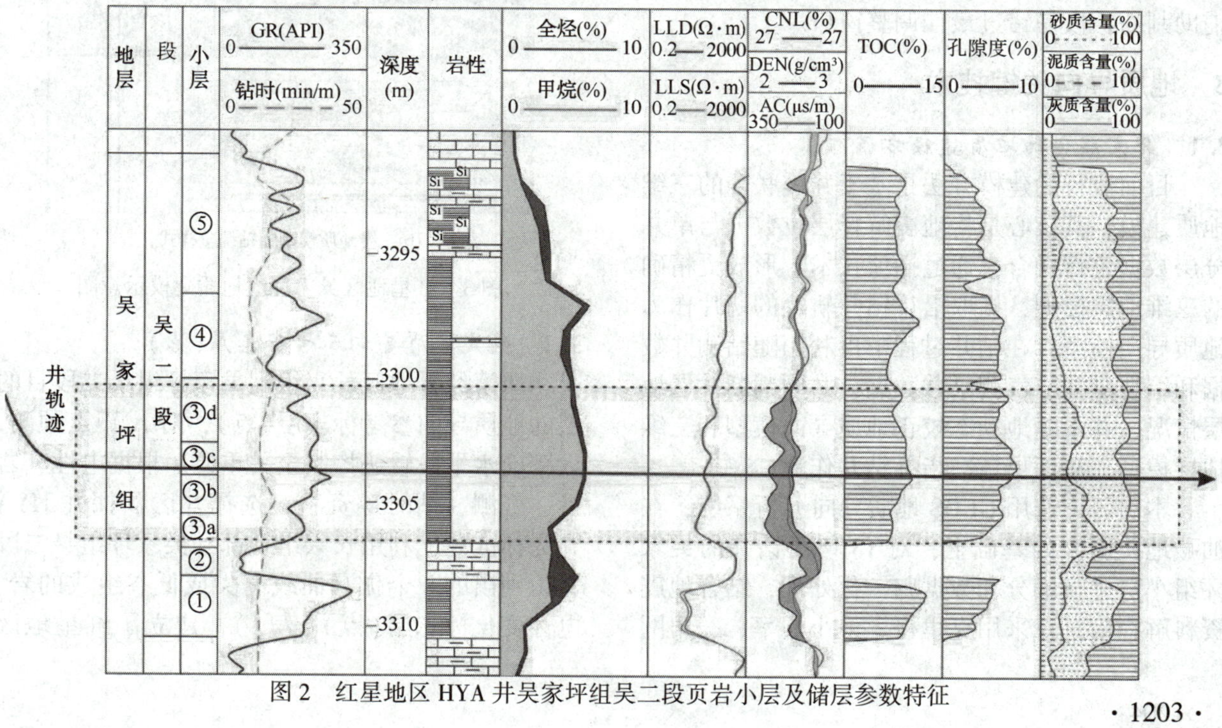

图2　红星地区HYA井吴家坪组吴二段页岩小层及储层参数特征

2　研究区地质导向面临的主要问题

2.1　入靶段轨迹控制难度大

因受地理条件限制，目前红星地区水平井采用直井段—造斜段—稳斜段—增斜扭方位段—水平段的轨迹剖面类型，这种剖面设计方法一般在入靶前方位才能摆正；同时，多井实钻对比分析显示：目的层上方飞仙关组+长兴组地层在横向上沉积厚度变化大，伽马曲线形态也存在一定的差异，加上新区块物探资料精度有限，地层视倾角计算、等厚法预测 A 靶点等量化计算精度受到明显影响，增加了预测目的层深度和 A 靶点的难度。若入靶阶段靶点深度预测不准和轨迹姿态控制不理想，会直接影响优质储层钻遇率及后续水平段地质导向作业。

2.2　水平段轨迹出层风险高

红星地区目的层吴家坪组吴二段优质储层薄，沉积特征在横向上存在一定的差异性；纵向上有效靶窗窄、横向上微幅构造多且起伏大、小断层多等综合影响因素，钻遇微幅构造和小断层时极易钻出靶窗，轨迹调整频繁，工程实施难度高。

当钻遇微幅构造时，地层产状常常出现急剧变化，而靶窗内地层的伽马高值和低值处均有对称趋势，在随钻测量仪器伽马辨识度差时往往会表现出多解性，导向人员很难判断钻头所处靶窗的准确位置，若采用常规 LWD 导向工具，伽马探管位置与井底相差约 15.0m，盲区长会导致调整滞后，甚至无法发现已钻出优质储层；另外钻遇断层时地层可识别性变弱，如果没有方位伽马辅助判断，极易错过最佳调整窗口。

3　地质导向关键技术

3.1　井震联合的地质建模方法

目前流行的建模方法是基于井震联合的三维地质建模，其核心是将地震解释层位数据与单井分层数据进行融合，通过插值技术，形成更精确的三维地层模型，提取沿待钻井轨迹的切片作为地质导向模型，在钻井过程中再利用随钻测井数据和综合录井、气测录井数据，共同判断钻遇地层情况，并不断地动态校正地质导向模型和三维地层模型，从而更精准指导钻井作业。

本次研究选用 GEOS 地质导向分析系统，在油藏地质研究的基础上，对 13 口已钻井的吴家坪组小层进行细分和数据归一化处理，结合地震资料解释信息，采用克里格、最小曲率、三角网等空间插值算法，建立由已知点到未知点的三维地质模型，建模面积约 625.0km^2。沿设计井轨迹切制地层剖面，生成二维地质模型，基于动态拟合对比，在待导向井通过增加控制点，结合属性曲线对比随钻调整二维模型后，及时更新区域内三维地质地层模型；实现动态三维模型反复迭代校正，对新钻井目的层轨迹方向地层倾角进行更为精准预测(图 3)。

红星地区受断裂影响，区内微幅构造发育，地震资料无法有效识别微幅构造，但井震联合建立地质导向模型是导向人员实时轨迹调整和预测轨迹方向上地层产状变化的重要依据；实钻井显示：利用三维地质模型指导地质导向，待导向井 A 靶点设计垂深与实钻误差一般在 10.0m 左右，对于疑似断层或微幅构造段采取多角度抓取地震剖面加以验证，尽可能提高预测的准确性。

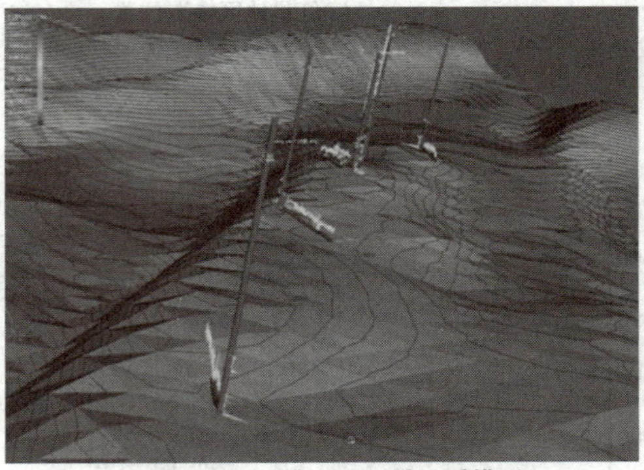

(a) 红星地区吴家坪组三维地质模型

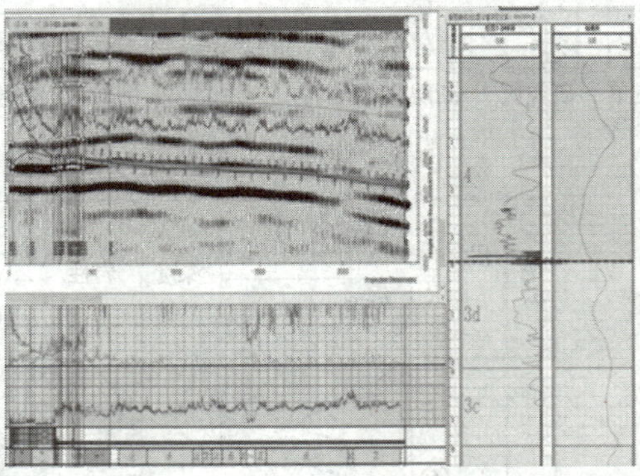

(b)二维地质模型随钻调整样式

图 3　红星地区吴家坪组地质建模示意图

3.2　确定地质导向参考标志层(点)

厘清红星地区长兴组到吴家坪组吴二段目的层的地质导向参考标志层(点)，对 A 靶点预测、入靶前水平段轨迹控制至关重要。根据电性、岩性、气测、钻时等资料，选择井区预探井 HYA 井为标准井，利用长兴组顶部到吴家坪组吴二段共识别出的 8 个伽马曲线高尖或低谷组成的岩、电性变化标志层(点)(表 1)，建立了红星地区吴家坪组地质导向参考标志层(点)图版(图4)，明确4号、5号、7号标志层(点)为控制靶窗的关键标志层(点)。实际导向中依据地层对比结果，为靶点预测和轨迹调整提供依据。

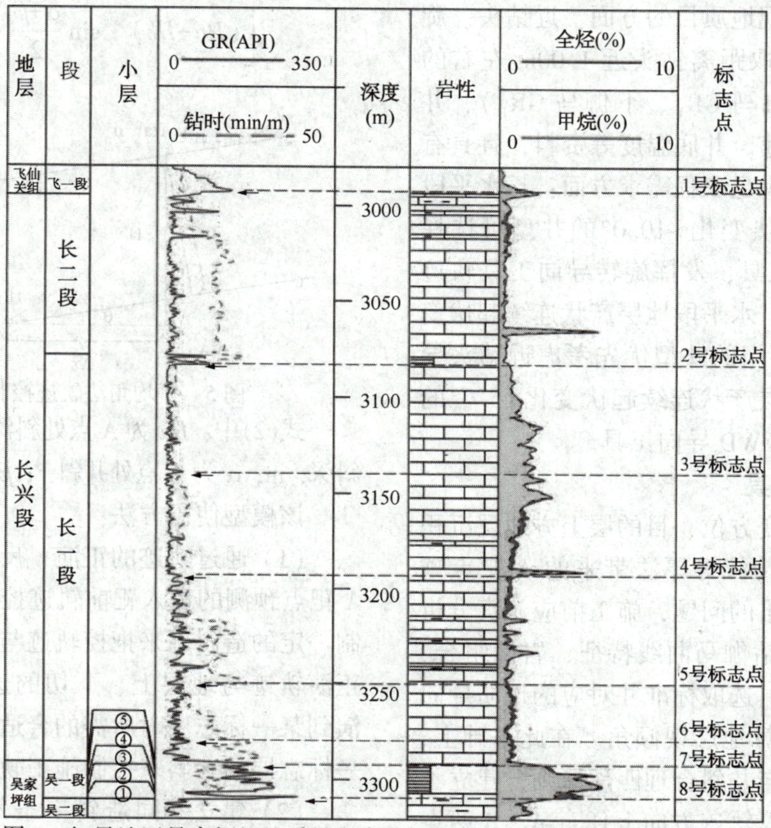

图4　红星地区吴家坪组地质导向参考标志层(点)图版(标准井 HYA 井)

表1　地质导向参考标志层(点)岩电特征判断标准(标准井 HYA 井)

标志点序号	标志点名称	距靶窗垂厚/m	GR 曲线特征	岩性	气测特征
1号	飞一段部底	306.0	伽马由块状低值明显升高，值由46 API↑145API。	灰色灰岩与灰褐色页岩分界	
2号	长一段顶部	221.5	伽马呈锯齿状中高值升高，值由25 API↑133 API。	灰黑色灰岩与灰褐色页岩区分	气测全烃基值
3号	长一段中上部	161.5	伽马呈锯齿状中高值升高，值由21 API↑98API。	灰黑色灰岩与深灰色泥岩区分	
4号	长一段中下部	106.5	伽马由谷状中低值略有抬升，值由21 API↑47 API。	灰色灰岩，泥质含量增加	
5号	长一段下部	59.0	伽马呈锯齿状高值升高，值由25 API↑170 API。	灰色灰岩与泥岩区分	气测全烃基值
6号	长一段底部	20.0	伽马值略有升高，值由30 API↑67 API。	灰色灰岩	气测全烃基值
7号	⑤小层顶	9.0	伽马值明显升高，值由20 API↑190 API。	灰色灰岩与灰黑色页岩分界	气测全烃明显升高，值2.0%左右
目的层	③小层	0	伽马微齿状中高值，值在112 API~259 API之间。	灰黑色页岩	气测全烃明显升高，值5.0%左右
8号	①小层底	-4.5	伽马值明显降低，由310 API↓25 API。	灰黑色页岩与灰色含泥灰岩分界	气测全烃基值

3.3　随钻导向工具优选与轨迹调控技术

3.3.1　优选导向工具

导向工具选择的依据是在满足地质需求的条件下，促进钻井提速降本。由于常规 LWD 盲区过长，系统获取的随钻数据滞后，仅有平均伽马曲线，没有随钻方位伽马，无法及时判断钻遇地层的上下界面和地层倾角，降低了随钻决策和调整的及时性，在微幅构造和小断层发育的红星地区并不适用。在实现地质目的方面：近钻头、旋转导向工具均能获取距离钻头近 1.00m 左右的地层方位伽马（上伽马 GR_U、下伽马 GR_D）、井斜、方位、钻头转速、井底温度等资料，且具有伽马成像功能。在满足工程需求方面：长水平段且地层产状连续起伏变化>10.0°的井型可选择近钻头+旋转导向工具，发挥旋转导向工具轨迹控制能力强的优势；水平段地层产状连续起伏变化在 5.0°～10.0°之间的井型优先考虑近钻头导向工具；水平段地层产状连续起伏变化<5.0°的井型则可采用常规 LWD 导向工具。

3.3.2　优选导向工具

针对入靶阶段变方位、目的层上方地层沉积厚度变化大情况，传统等厚法带来的 A 靶点预测和入靶轨迹控制难的问题，施工前应认真分析邻井资料，运用随钻伽马曲线特征、岩性组合、钻时、气测等资料，选取标准井对应的地质导向参考标志层（点）计算地层视倾角。在此基础上，遵循地层厚度消耗与井斜合理匹配原则，建立了利用平均角法来计算轨迹方向上任意 A、B 两点消耗地层厚度计算模型（图 5）。

其计算公式为：

$$h=(H-\Delta x\cdot\tan\theta)\cdot\cos\theta \tag{1}$$

式(1)中：h 为 A 至 B 点正向下切厚度，m；H 为 A、B 两点垂深差，m；Δx 为 A、B 两点位移差，m；θ 为当前地层视倾角，°。

进一步推导得出：

$$h=\left[\begin{array}{l}(Ha-Hb)\cdot\cos\dfrac{\alpha+\beta}{2}-\\(Ha-Hb)\cdot\sin\dfrac{\alpha+\beta}{2}\cdot\tan\theta\end{array}\right]\cdot\cos\theta \tag{2}$$

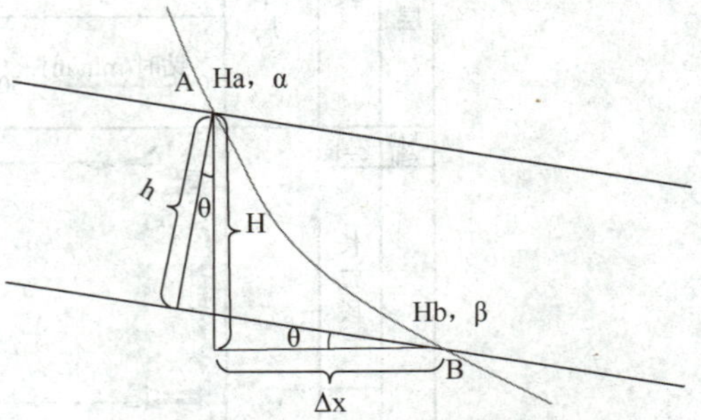

图 5　平均角法轨迹控制计算模型

式(2)中：Ha 为 A 点处斜深，m；Hb 为 b 点处斜深，m；α 为 A 点处井斜,°；β 为 B 点处井斜,°。

该模型使用方法：

(1) 通过轨迹的正演、反演模拟，从而提高 A 靶点预测的和入靶前轨迹控制的精度。通过控制一定的造斜率来把控轨迹与地层的夹角，模拟正演轨迹与地层上、下切的速度；从 A 靶点反演到某一标志层时所需的合适井斜，利用到达某一标志层的井斜来控制施工轨迹。

(2) 建立不同造斜率条件约束下的标志层（点）与井斜分段控制图版（图 6），图版按 4.5°/30m、5.1°/30m、5.7°/30m、6.3°/30m 等施工常用的造斜率来模拟轨迹，并指示出对应造斜率到达某一标志点时的井斜。

(3) 在轨迹进入 4 号、5 号、7 号关键地质导向参考标志层（点）时，视剩余靶前位移情况，控制合适的下切角，进入目的层后适时增斜确保轨迹以较理想的姿态进入靶心。

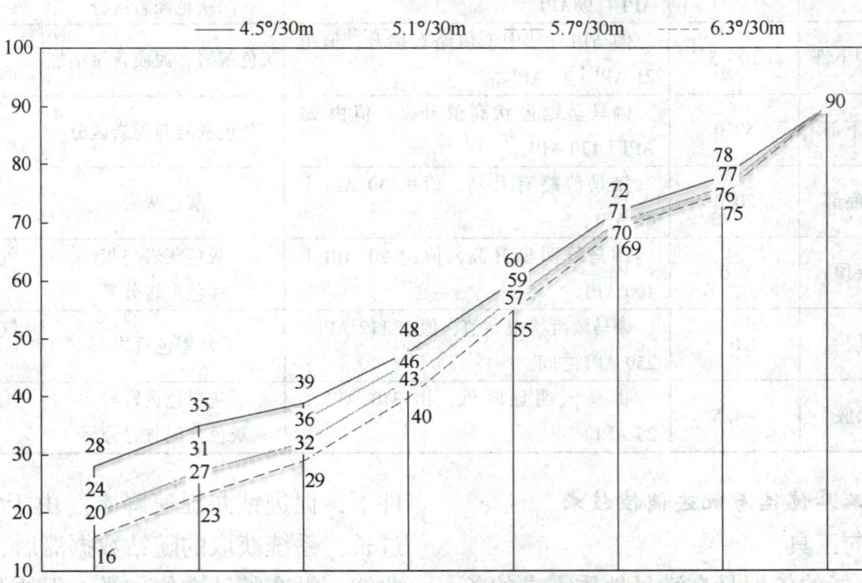

图 6　红星地区不同造斜率约束条件下标志层与井斜分段控制图版

3.3.3　水平段轨迹精准控制

针对水平段靶窗窄、微幅构造发育、小断层多等复杂地质条件导致极易钻出靶窗的难题，在加强地震预测地层产状变化、井震联合及时修正地质导向模型的同时，利用近钻头或旋转导向方位伽马、伽马成像和目的层靶窗上、下地层的随钻伽马曲线特征点，来判断水平段中轨迹在目的层中的位置和穿行情况，实施主动轨迹优化调整技术，将轨迹提前调整到靶窗合适的位置，避免调整频繁、调整过度和调整不及时，甚至反向操作钻出目的层。

具体控制方法：水平段穿行以吴二段③小层中下部为主，利用③小层上部伽马曲线特征点来判断轨迹的走向，通过调整合适的井斜角，将轨迹控制在中下部穿行，为获得最优的目的层穿行率提供保障。

近钻头或旋转导向工具获取的方位伽马曲线不仅能确定钻遇地层的岩性，判断轨迹是否处于目的层里面，还可准确判断井眼轨迹在目的层的位置、交切关系、以何种姿态钻出目的层，即同一测量点上伽马 GR_U、下伽马 GR_D 值变化情况，可判断井斜角与地层视倾角相对关系及钻头在地层中的相对位置：如在地层伽马形态为波峰时，当上伽马 GR_U < 下伽马 GR_D，轨迹相对地层上行，即轨迹上切；当上伽马 GR_U > 下伽马 GR_D 时，井轨迹相对地层下行，即轨迹下切（图 7）；该区块目的层段使用方位伽马、伽马成像判断轨迹与地层交切关系示意（图 8）。

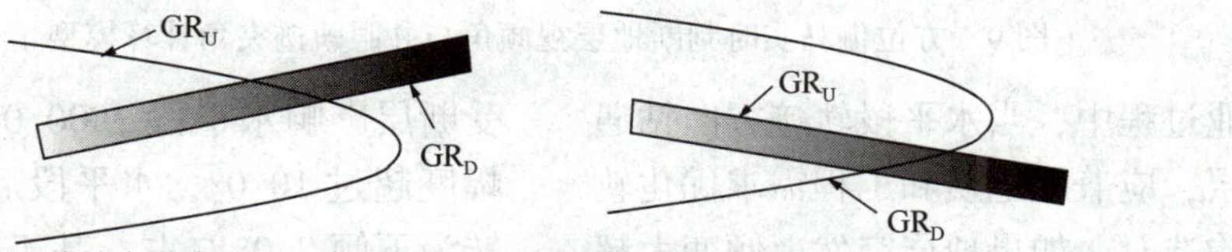

图 7　利用随钻方位加马（上伽马 GR_U、下伽马 GR_D）判断钻头在地层中的相对位置

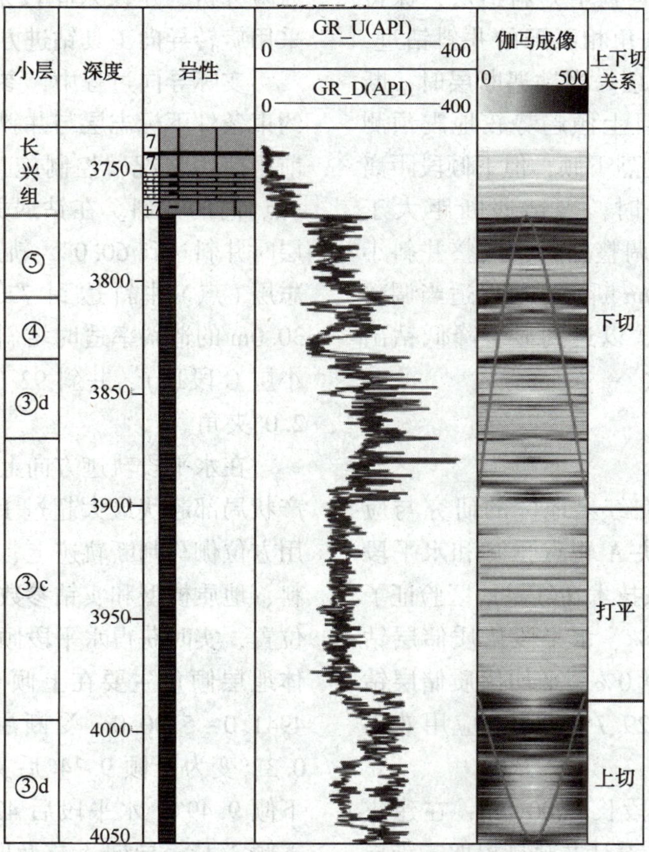

图 8　随钻方位伽马、伽马成像判断轨迹与地层交切关系

利用方位伽马（上伽马 GR_U、下伽马 GR_D）曲线计算井眼轨迹与地层不同接触关系时夹角，及早发现地层变化、调整钻头的钻进方向，使轨迹最大限度地保持在油气藏的有利位置，为下步轨迹调整提供依据，大大降低了薄层和微幅构造易钻出目的层的风险。方位伽马实时判断地层与

井眼轨迹之间夹角计算模型可用三角关系来表示（图9），邻边为成像上正弦曲线沿井眼轨迹方向的幅度，对边为井眼直径加上两倍的工具探测深度，其计算公式：

$$\gamma = \arctan\frac{D+2DOI}{\Delta d} \tag{3}$$

式(3)中：γ 为井眼轨迹与地层的相对夹角，°；D 为井径，m；DOI 为伽马仪器的探测深度，m；Δd 为伽马成像上正弦曲线沿井眼轨迹方向的幅度，即同一地层 GR_U、GR_D 探测边界与地层交点沿仪器轴线的距离，m。

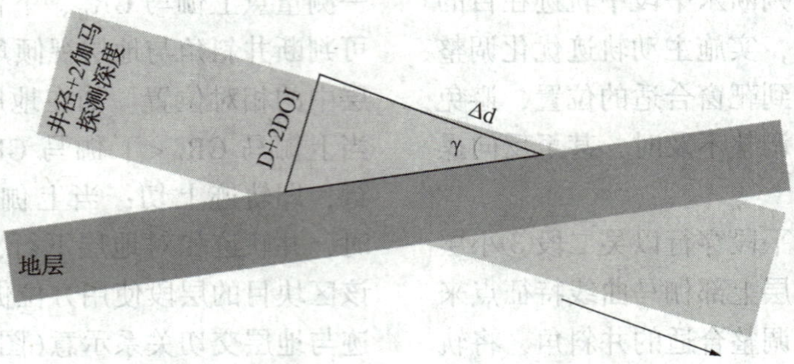

图9　方位伽马实时判断地层视倾角与井眼轨迹夹角计算模型

在具体作业过程中，当水平段轨迹方向钻遇微幅构造和断层，应兼顾地质和工程需求优化轨迹。钻遇微幅构造时，如果地层突然上倾变大超过3°以上，导向作业不宜猛增井斜追层，保持与地震+模型预测地层倾角相匹配的井斜钻进，一般可在150.0m以内回层。当钻遇断层时，断层上盘地层整体上倾，且上倾趋势较地震预测大，断层下盘造成地层剧烈下倾，但下倾段距离并不长，因此钻遇断层时，当钻遇断距大于5.0m的断层，可以适当调整井斜，调整井斜小于5°；钻遇断距小于5.0m断层，可以适当调整井斜，调整井斜小于3°，以达到显著降低钻出层的段长及轨迹调整频次。

4　方法验证

地质导向关键技术在红星地区的研究与应用，较好地解决了该区块A靶点预测和水平段轨迹极易出层的难题。该技术在红星地区验证了8口井，地质中靶率100%、水平段优质储层钻遇率从77.8%提升至100.0%、平均优质储层钻遇率93.0%、钻井提速29.7%，技术应用效果良好。

HYCHF井设计水平段长2000.0m，在建成的红星地区三维模型上沿设计井轨迹提取二维导向剖面。通过物探资料、地质模型综合分析，明确水平段平均视倾角为整体上倾2.63°，局部地层产状变化幅度较大，易钻出层。A靶点前地层视倾角上倾4.0°，过A靶点逐渐增至上倾6.0°；受断层影响水平段1000.0m左右地层产状波动幅度超过10.0°，水平段后405.0m地层由上倾转为下倾2.0°左右。基于钻前地质导向条件和风险分析，建议入靶段采用常规LWD、水平段采用旋转导向工具钻进方式。

实际导向过程中，参照红星地区不同造斜率约束条件下标志层与井斜分段控制图版，结合靶前距使用情况，控制施工轨迹到达某一标志层（点）时的井斜。在钻遇关键控制入靶5号标志层时井斜达到60.0°，轨迹进入吴二段顶7号标志层（点）井斜达到77.0°，采用平均4.91°/30.0m的造斜率适时增斜，控制轨迹在靶心（③小层C段顶）、井斜92.0°入靶，轨迹与地层呈2.0°夹角。

在水平段轨迹方向上微幅构造发育，且地层产状局部起伏最大超过18.0°的不利条件下，利用方位伽马判断轨迹上、下切情况，通过物探资料、地质模型和实钻参数综合判断钻头所处靶窗位置，实时获得水平段倾角变化。实钻水平段整体地层倾角主要在上倾0.2~4.41°之间，井段4941.0~5180.0m受断层影响有隆起，由上倾0.32°变为上倾9.34°后又逐步转为下倾，最大下倾9.49°；水平段后420.0m地层由上倾转为下倾3.1°，导向人员及时调整井斜保证轨迹在地质+工程最佳甜点段③小层中穿行。

通过各项技术综合运用，精细调控轨迹，本井于井深6155.0m顺利钻至B靶点，完钻层位③小层C段中部，实钻水平段长2097.0m，考核靶窗钻遇率达到 96.7%(图 10)，助力该井刷新三开机械钻速最快、钻井周期最短、水平段趟钻数最少等 6 项施工纪录。

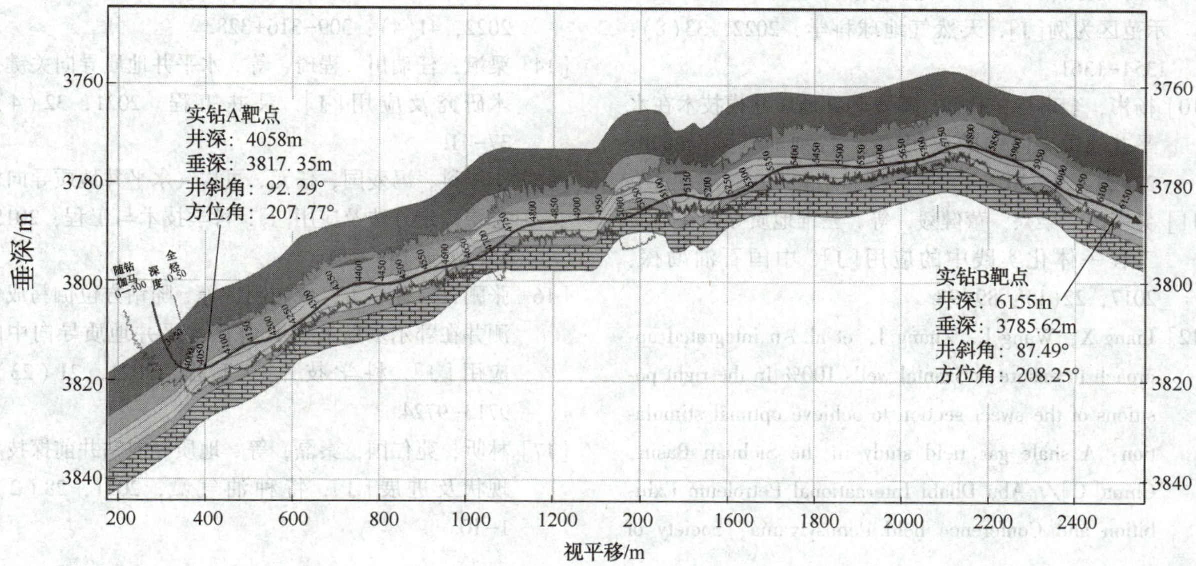

图 10　HYCHF 井水平段轨迹穿行示意图

5　结论

(1) 红星地区吴家坪组吴二段目的层上方地质导向参考标志层(点)的确定和目的层靶窗岩性、电性、含气性等特征的综合分析，为靶点预测和轨迹调整提供了重要依据，是水平井能否顺利入靶和保障水平段在储层穿越的基础。

(2) 针对储层薄、地层产状变化大的水平井，导向工具应优先选择性能稳定的旋转导向工具，发挥旋转导向工具零长较短和轨迹控制能力强的优势，方位伽马、伽马成像能及早发现地层变化、准确判断轨迹在目的层的位置，降低了薄层和微幅构造易钻出目的层的风险，在提高储层钻遇率前提下确保轨迹控制圆滑，为后续施工创造良好的井筒条件。

(3) 针对入靶阶段变方位、目的层上方地层沉积厚度变化带来的 A 靶点预测和入靶轨迹控制难的问题，建立的平均角法轨迹控制计算模型和不同造斜率约束条件下标志层与井斜分段控制图版，解决了单纯等厚法预测靶点误差大和轨迹控制效果不理想的难题，显著提高了靶点的预测和轨迹控制精度。

(4) 通过红星地区地质导向关键技术研究与应用，有效解决了该区块 A 靶点预测不准、入靶阶段轨迹控制不佳和水平段轨迹易出层等难题，既保障了优质储层钻遇率又促进了钻井提速提效，展示了良好的推广应用前景。

参 考 文 献

[1] 胡德高，周林，包汉勇，等．川东红星地区 HY1 井二叠系页岩气勘探突破及意义[J/OL]．石油学报：1-12.

[2] 王鹏威，刘忠宝，李雄，等．川东红星地区上二叠统吴家坪组页岩发育特征及其页岩气富集意义[J]．石油与天然气地质，2022，43(5)：1102-1114.

[3] 赵红燕，周涛，叶应贵，等．涪陵中深层页岩气水平井快速地质导向方法[J]．录井工程，2017，28(2)：29-32.

[4] 夏勇．页岩气水平井地质导向入靶控制方法研究[J]．江汉石油职工大学学报，2018，31(5)：32-34.

[5] 廖勇，赵红燕，杨国圣，等．页岩气水平井连续起伏型储层水平段地质导向轨迹控制方法：202110256979.9[P]．2021-06-18.

[6] 梁兴，徐进宾，刘成，等．昭通国家级页岩气示范区水平井地质工程一体化导向技术应用[J]．中国石油勘探，2019，24(2)：226-232.

[7] Liang X，Wang L，Zhang J，et al. 100% in the sweet section：An effective geosteering approach for Silurian Longmaxi shale play in Sichuan Basin[C]//SPE Asia Pacific Unconventional Resources Conference and Exhibition. Pennsylvania：Society of Petroleum Engineers，2015：1-8.

[8] 肖雄，何柳，黄明立．红星地区建南区块吴家坪组优质页岩特征及水平井靶窗优选[J]．资源环境与工

程，2022，36(4)：412-419.
[9] 张东涛，呼赞同，何叶，等．水平井地质导向难点及对策分析——以四川盆地南缘昭通页岩气国家级示范区为例[J]．天然气地球科学，2022，33(8)：1354-1361.
[10] 杨彬，李琳艳，孔健，等．随钻地质建模技术在水平井地质导向中的应用[J]．特种油气藏，2020，27(2)：30-36.
[11] 吴宗国，梁兴，董健毅，等．三维地质导向在地质工程一体化实践中的应用[J]．中国石油勘探，2017，22(1)：89-98.
[12] Liang X，Wang L，Zhang J，et al. An integrated approach to ensure horizontal wells 100% in the right positions of the sweet section to achieve optimal stimulation：A shale gas field study in the Sichuan Basin，China[C]// Abu Dhabi International Petroleum Exhibition and Conference held. Pennsylvania：Society of Petroleum Engineers，2015：1-8.
[13] 吴松，于继良，徐尚，等．黔北地区窄陡型向斜页岩气水平井地质导向技术对策[J]．地质科技通报，2022，41(4)：309-316+328.
[14] 梁斌，任瑞川，程琦，等．水平井地质导向关键技术研究及应用[J]．录井工程，2021，32(4)：37-41.
[15] 李增科，冯爱国，任元．页岩气水平井地质导向标志层确定方法及应用[J]．科学技术与工程，2015，15(14)：148-151.
[16] 张鹏云，孙建孟，成志刚，等．随钻方位伽马成像测井在鄂尔多斯盆地H井区水平井地质导向中的应用[J]．科学技术与工程，2021，21(23)：9713-9724.
[17] 林昕，苑仁国，秦磊，等．地质导向钻井前探技术现状及进展[J]．特种油气藏，2021，28(2)：1-10.

川东中深层东岳庙段陆相页岩油气层压裂试验与探索
——以 FB 区块探井 F10 井为例

黄 华[1] 石元会[2] 蒋 恕[3] 叶 鑫[1] 石文睿[4,5] 李艳群[2] 姜诚琳[2] 焦恩翠[6] 李 昂[2]

(1. 中石化经纬有限公司江汉测录井分公司；2. 江汉油田油气产能建设管理中心；
3. 中国地质大学(武汉)资源学院；4. 香港浸会大学；
5. 香港亚洲能源研究中心(AESC)；6. 湖北紫东页岩气科技有限公司)

摘 要 为了实现川东地区中深层东岳庙段陆相页岩油气藏勘探突破和有效开发，首选 FB 区块探井 F10 井进行了陆相页岩压裂试验与探索。试验结果表明：试验区东岳庙段页岩油气藏为高压凝析油气藏，具有中深层、富含有机质、高泥质含量特征，压力恢复均较快，具有较好产能和开发潜力；压裂试验选用的可钻桥塞、可溶桥塞、射孔弹、压裂液、支撑剂、桥塞—射孔联作、水力加砂压裂、连续油管钻塞、放喷求产工艺技术能够适用于试验区东岳庙段页岩油气藏开发需要；目的层东岳庙段垂深 2770.0～2778.0m，平均 2774.0m，页岩地层破裂压力平均 63.5MPa、地层破裂压力梯度为 2.29MPa/100m；压裂改造试气水平段长度 1450m，分 32 段压裂，平均段长 45.3m，平均单段泵入液量为 1695.4m^3、加砂量为 90.5m^3；采用 6mm 工作制度放喷求产，稳定气产量 5.6×$10^4 m^3/d$、油产量 17.8m^3/d，将油产量按热值折算成气产量后，无阻流量为 9.3×$10^4 m^3/d$，实现区域性陆相页岩油气勘探突破。压裂试验获得的地质、工程参数及工艺方法、求产工作制度与勘探成果为后续页岩凝析油气藏开发提供了良好的技术迭代依据。

关键词 四川盆地；川东地区；东岳庙段；陆相页岩；压裂试验；多级射孔；凝析油气藏

中国陆相非常规储层油气资源潜力较大。作为常规油气资源的有效补充，近年来逐渐受到重视。“地质—工程—经济”多指标耦合甜点评价、高效压裂试验与探索逐步成为业内研究的热点。

中国陆相地层主要发育在断陷湖盆，在湖盆形成的过程中，快速的沉降导致了大量富有机质页岩的发育。位于川东地区的 FB 区块作为典型的陆相断陷湖盆，非常规气研究已经进行了十多年，取得了大量的丰硕的成果。前期勘探研究中往往把页岩当成烃源岩进行对待，认为页岩不具备油气储集特征，近年来已有部分探井在泥页岩层试油见到良好的工业油气流产能，甚至获得稳定的高产工业气流。

总体来看，国内现有的陆相页岩油气富集区域，与成功突破的龙马溪——五峰组海相页岩气地质条件相差甚大，整体勘探突破受制于有机质富集层段泥质重、地质甜点与工程甜点非耦合、非均质性强、工程复杂等因素。作为一个全新的地质、地球物理陆相页岩油气评价及储层压裂改造技术，不但需要深入实践，更需要在相关理论和实践方面实现快速突破，形成有指导价值和普适性推广的探索经验，为开发工程提速提效提供重要技术支持。

本文基于川东地区 FB 区块重点探井 F10 井东岳庙段陆相页岩凝析油气层压裂试验，探究具有中深层、富含有机质、高泥质含量特点的陆相页岩油气层有效压裂改造方法，为后续该类页岩油气储层水力压裂改造提供技术借鉴和关键作业参数。

1 试验井及井区地质概况

1.1 试验井

试验井 F10 井是针对下侏罗统自流井组东岳庙段页岩气层部署的一口页岩气预探水平井(图 1)。该井采用 Φ660.4mm 三牙轮钻头空气钻导眼，钻至 39.0m 蓬莱镇组下入 ϕ508mm 导管至 39.0m，固井水泥浆返至地面；随后采用 Φ444.5mm 钻头一开钻进，钻至 483.0m 下入 Φ339.7mm 表层套管至 481.5m，固井水泥浆返至地面；继续采用 Φ311.2mm 钻头二开钻进至井深 2402.0m 沙溪庙组，下入 Φ244.5mm 技术套管至井深 2397.5m，固井水泥浆返至地面。

F10 井三开采用 Φ215.9mm 钻头钻至井深 2861.0m，于珍珠冲段完成导眼钻进。随后，在井深 2475.0m 沙溪庙组侧钻，水平钻至井深 4464.0m 自流井组东岳庙段，下入 Φ139.7mm 生产套管至井深 4455.0m，固井水泥浆返至地面。A 靶点井深 2933.0m，井斜 87.0°，闭合方位 346.0°，垂深 2778.0m，闭合距 266.0m。B 靶点井深 4464.0m，井斜 91.5°，闭合方位 320.0°，垂深 2770.0m，闭合距 1764.0m。

F10 井 AB 靶点水平段长 1500.0m，主要穿行于东岳庙段③、④、⑤小层，其中④小层穿行 1165.0m、穿行率为 76.1%。

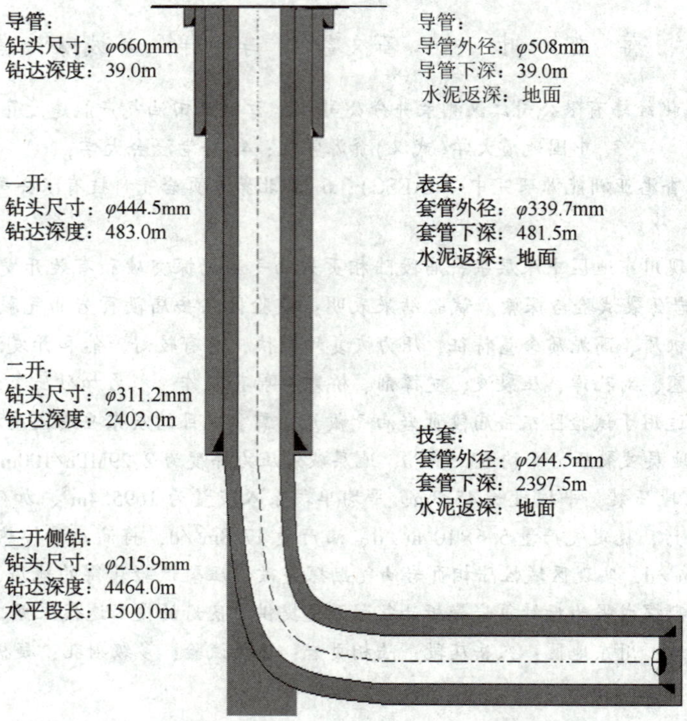

图 1　F10 井井身结构示意图

1.2　地层与岩性

试验区自上至下钻遇地层依序为侏罗系上统蓬莱镇组、遂宁组，侏罗系中统沙溪庙组、凉高山组，侏罗系下统自流井组。自流井组至上而下分为大安寨段、马鞍山段、东岳庙段、珍珠冲段。蓬莱镇组厚约 65m，遂宁组(J_3x)厚约 545m，代表性岩性为厚层状棕红色泥岩、粉砂质泥岩，夹灰色细砂岩、粉砂岩、泥质粉砂岩，与下伏沙溪庙组呈整合接触关系。沙溪庙组(J_2sh)厚约 1860m，凉高山组(J_2l)厚约 155m，代表性岩性为厚层状暗色泥岩，底部泥岩含少量灰质成分，与下伏自流井组呈整合接触关系。自流井组厚约 185m，其中东岳庙段厚约 65m，上部以灰色—灰黑色泥岩为主，下部以灰黑色页岩为主夹灰色灰质泥岩。

根据试验区早期探井和试验井 F10 井导眼揭示的地层电性、岩性、物性等测井曲线响应特征，地质专家们将东岳庙段划分为 3 个亚段 7 个小层(图 2a)。东一亚段为页岩沉积，东二亚段为泥质灰岩，东三亚段以块状泥岩。东一亚段页岩介壳灰岩夹层发育，非均质性较海相强，页理发育程度较海相低。从现有地质评价与可压性评价看，东岳庙段东一亚段的页岩平面分布稳定，厚 26~28m，纵向上东一亚段④小层为有利的水平井开发层段。

试验井 F10 井导眼资料揭示(图 2b)，东岳庙段可分为三亚段，自下而上，东一亚段包含①-④小层，为厚层页岩段，页理发育，夹纹层、薄层和中层 3 种尺度灰质介壳层；东二亚段包含⑤小层，为块状泥质灰岩段；东三亚段包含⑥-⑦小层，为块状泥岩段。

1.3　东岳庙段页岩地球化学特征

F10 井岩心 TOC 样品测试结果表明：东岳庙段东三亚段泥页岩 TOC 以小于 1.0% 为主；东二亚段泥页岩 TOC 为 0.8%~1.5%、平均 1.2%；

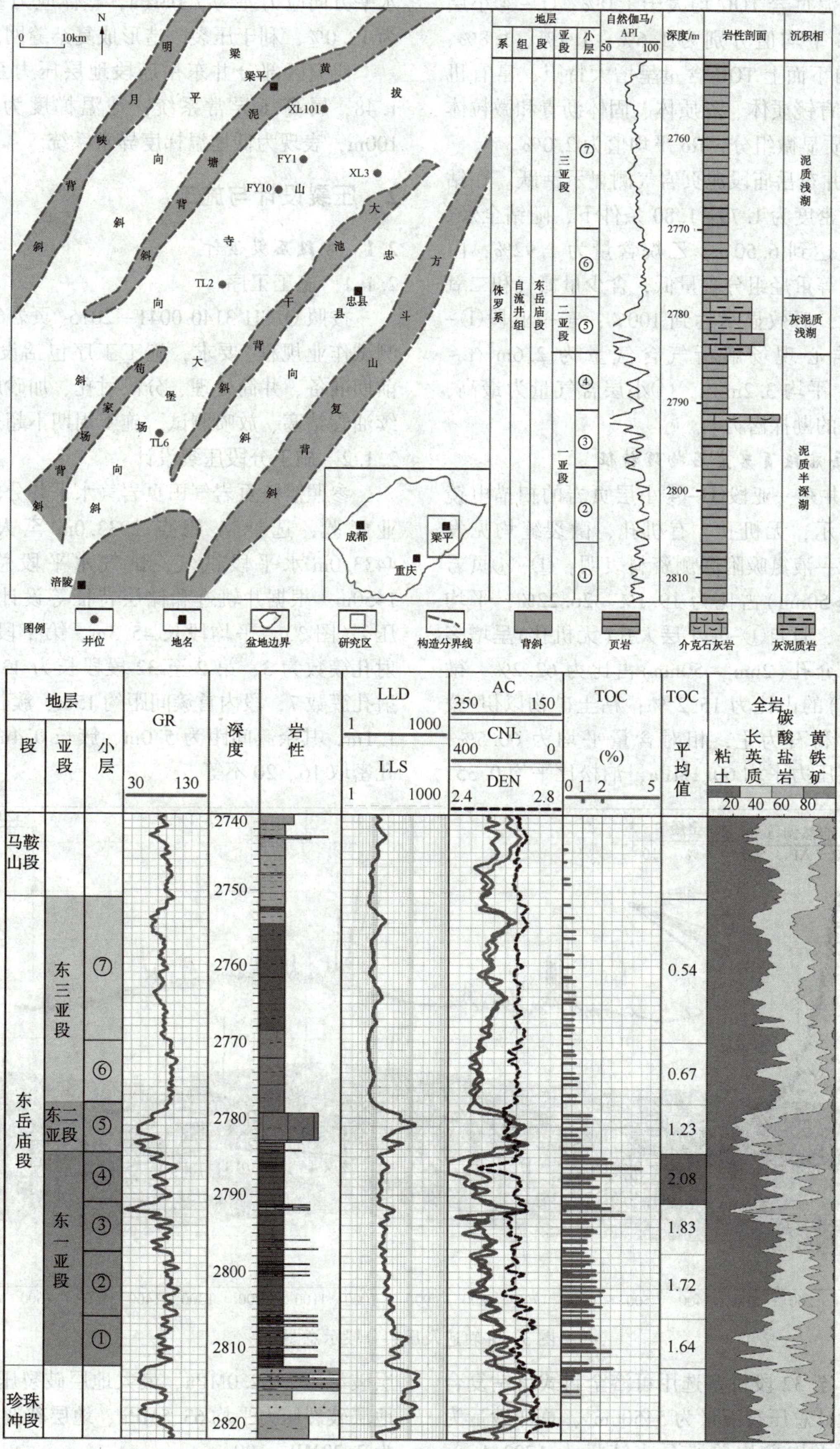

图 2a 川东地区构造单元划分及试验区东岳庙段地层柱状图(据刘忠宝等，2022 年)

东一亚段泥页岩 TOC 均大于 1.0%，①-④小层对应 TOC 平均值分别为 1.6%、1.7%、1.8%、2.1%；自下而上 TOC 含量呈增大特点，富有机质页岩发育镜质体、丝质体、固体沥青和微粒体 4 种有机质显微组分，Ro 平均值为 2.0%。

F10 井东岳庙段泥页岩气测显示活跃。在钻井液相对密度为 1.79~1.80 条件下，随钻全烃、甲烷含量达到 6.50%，乙烷含量为 1.92%，丙烷和丁烷等重烃组分含量低，含少量氮气和二氧化碳含量，后效显示达到 100%；东一亚段①-④小层岩心现场解析气含气量为 $2.6m^3/t$ ~ $3.8m^3/t$，平均 $3.2m^3/t$，④小层含气量为最高，具有较好的勘探潜力。

1.4　东岳庙段页岩岩石物理特征

F10 井东一亚段①-④小层页岩的扫描电镜等资料显示，无机孔、有机孔、微裂缝均见发育；压汞—液氮吸附联测资料表明：①-④页岩中大孔(>50nm)占比为 19.1%~26.22%，平均为 22.6%，且自①-④小层大孔(无机孔)呈增多的趋势，介孔(2nm ~50nm)占比为 62.2%，微孔(<2nm)的占比为 15.2 %；粘土矿物以伊/蒙间层、伊利石为主，相对含量平均为 60.5%，地层破裂压力平均 60.1MPa，泊松比平均 0.35，水平方向应力差为 7.0MPa，整体应力差异系数为 12.0%，利于压裂改造形成复杂缝网。

研究区部分井东岳庙段地层压力系数大于 1.48，属高压异常系统；地温梯度为 2.11℃/100m，表现为低地温梯度异常系统。

2　压裂设计与施工

2.1　分段压裂设计

2.1.1　施工工序

按照 Q/SH 3140 0041—2015《页岩气井试气测试作业规程》要求，施工工序包括设备搬迁、前期准备、井筒处理、分段射孔、加砂压裂、连续油管钻塞、放喷测试，施工周期不超过 200d。

2.1.2　施工分段压裂设计

参照涪陵页岩气田页岩气水平井分段压裂作业经验，选择 A 靶点 2933.0m 至人工井底 4433.0m 水平段试气，试气水平段总长度为 1450m。根据井轨迹和储层特征等设计分 32 段压裂(图 3)，平均段长 45.3m。第 1 段长 38m、射孔簇数为 3，第 2 至 32 段段长为 43m~53m、射孔簇数 7，段内首簇间距约 15m、簇长 0.9m~1.1m，其余簇间距为 5.0m、簇长 0.4m~0.5m，孔密取 16、20 不等。

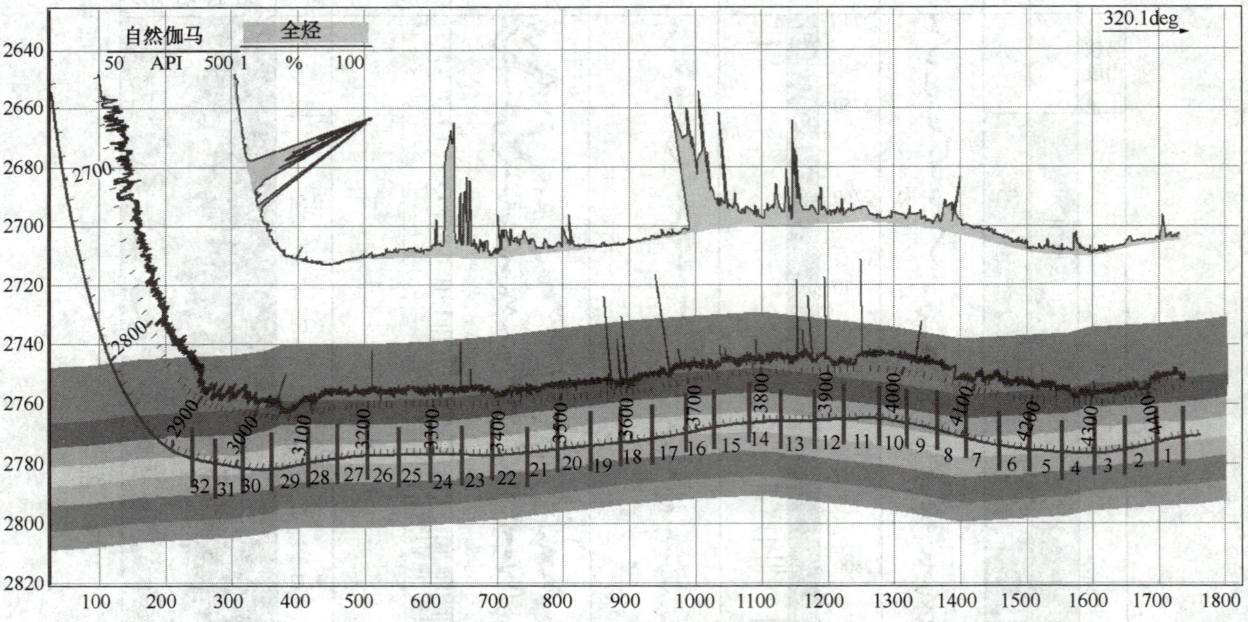

图 3　井轨迹及压裂分段示意图

第 2 至 32 段桥塞选用可溶全封式可钻复合桥塞，设计总压裂液量为 $54500m^3$、总加砂量为 $3000m^3$，平均平均单段泵入液量为 $1703.1m^3$、加砂量为 $93.75m^3$；根据测录井资料预测最小地层破裂压力 62.0MPa、最大地层破裂压力 65.0，地层破裂压力平均 63.5MPa、地层破裂压力梯度为 2.29MPa/100m。

在第 20 段压裂完成后焖井 7d，然后连续油管连接通井组合工具钻塞、打捞，实施第1~20段放喷排液，观察井口压力、天然气离器点火焰高。随后，再继续进行第21~32段压裂施工。

2.1.3　施工前准备

准备项目包括搬迁上井、安装设备。首先是对井口进行泄压后安装井口大四通与一号阀，其次是对油管头与套管头之间环空进行试压，加压95.0MPa，稳压30min，压降不超过0.3MPa，试压合格，对BT与金属密封之间试压95.0MPa，稳压30min压降不超过0.4MPa，试压合格。

连接井口高压法兰管线，连接地面流程并试压。连续油管到场安装、调试设备，接头做拉力测试50kN↗100kN↗150kN，无位移，试拉为合格；用压裂车对连续油管连接器试压50.0MPa，30min压降不超过0.1MPa，试压合格。连续油管连接模拟射孔枪工具(自下而上)，用压裂车对连续油管整体清水试压50.0MPa，30min压降不超过0.1MPa，试压合格。连续油管模拟工具串下探至人工井底，加压测试，连续油管上提至井口检查模拟枪串无异常，合格。

2.2　第1段多簇射孔与压裂

2.2.1　第1段多簇射孔

实施首段3簇射孔(表1)，打通井筒与地层连通通道成功，射孔发射率100%。

表1　第1段连续油管射孔数据

序号	射孔井段/m	实射孔	相位	枪型	弹型	液体性质及井深
1	4415.0~4416.1	16	60°	YD-89	SDP35HMX25-4XF	减阻水压至井口
2	4408.0~4408.9	16				
3	4402.0~4402.6	16				

2.2.2　第1段压裂

在甲方开工验收通过后，实施第一段压裂施工(图4)。

总入井液量1362m^3，其中酸20.0m^3、胶液100.0m^3，减阻水1242m^3。施工泵压76.0MPa~84.0MPa、停泵压力46.0MPa，排量8.9m^3/min~14.8m^3/min。本段加砂量50.0m^3，其中70/140目石英砂45.0m^3、40/70目覆膜砂5.0m^3。该层压裂加砂量、平均砂比相比设计完成率100%。

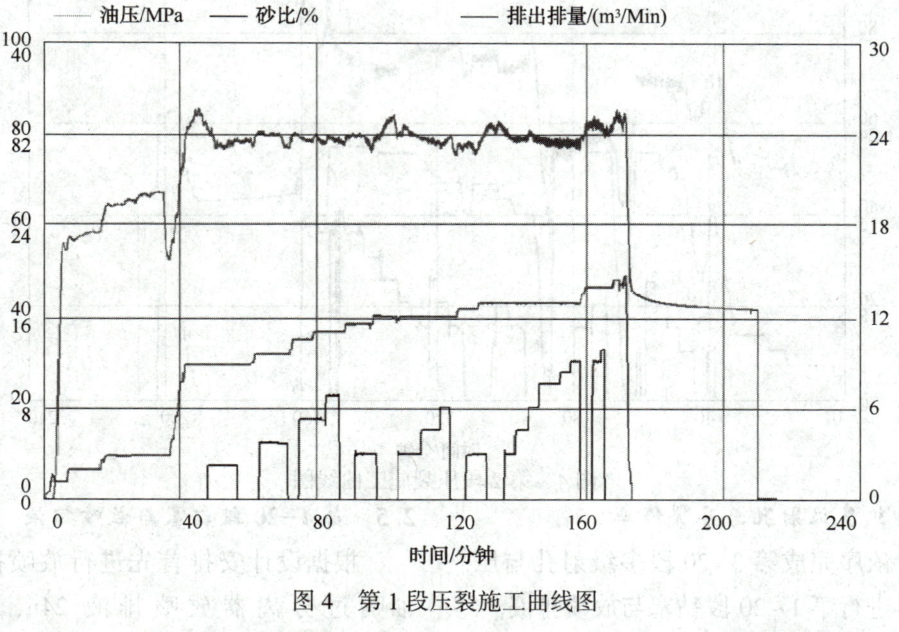

图4　第1段压裂施工曲线图

第1段压裂完成后，下入第2段模拟射孔枪及桥塞验证泵送射孔工具，压裂车泵送滑溜水的排量为0.4m^3/min~2.1m^3/min、泵送压力为38.00MPa~64.03MPa，总泵入液量71.06m^3，随后模拟枪起出井口，验证结果表明可以按预定方案实施第2段多级射孔。

2.3 后续多级射孔与压裂

2.3.1 第2段多级射孔

采用压裂车滑溜水泵送模式送射孔枪及桥塞入井，泵送压力40.0MPa～65.0MPa，排量$1.0m^3$/min～$2.0m^3$/min，泵入液量为$75m^3$，完成第2段本井首支桥塞井深4395.0处做封任务。桥塞试压50.0MPa，5min无压降，试压合格。多级射孔队完成4386.5～4386.88m，4381.0～4381.38m，4375.5～4375.88m，4370.0～4370.31m，4364.5～4364.81m，4359～4359.25m，4353.5～4353.75m井段7簇射孔任务(表2)，实射36孔，发射率100%。

表2 第2段泵送桥塞-射孔数据

序号	射孔井段/m	实射孔	相位	枪型	弹型	液体性质及井深
1	4386.5～4386.9	6	60°	YD-89	SDP35HMX25-4XF	减阻水压至井口
2	4381.0～4381.4	6				
3	4375.5～4375.9	6				
4	4370.0～4370.3	5				
5	4364.5～4364.8	5				
6	4359.0～4359.3	4				
7	4353.5～4353.8	4				

2.3.2 第2段压裂

入井液量$1845.5m^3$，其中酸$20.0m^3$、胶液$52.5m^3$，减阻水$1770.0m^3$；地层破裂压力64.0MPa、施工泵压63.0MPa～68.0MPa、停泵压力45.0MPa，排量$12.0m^3$/min～$16.5m^3$/min；加砂量$89.4m^3$，其中70/140目石英砂$37.3m^3$、40/70目覆膜砂$48.2m^3$、30/50目覆膜砂$3.9m^3$，相比设计加砂量、平均砂比完成率100%；期间投Φ13.5mm暂堵球22颗，测压降，井口压力45.0MPa↘42.8MPa。

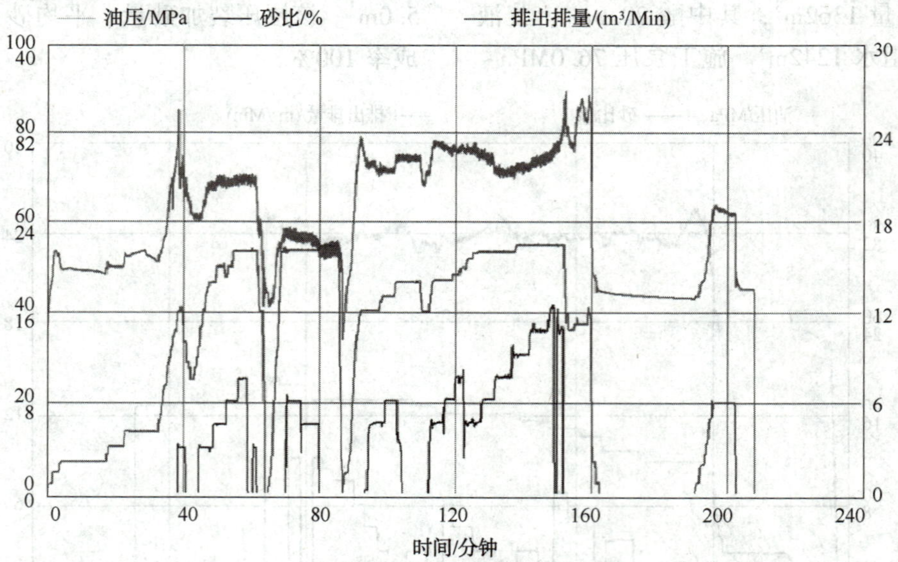

图4 第2段压裂施工曲线图

2.4 第3-20段多级射孔与压裂作业

按照设计依序完成第3-20段多级射孔与压裂作业，随后进行第1～20段钻塞与放喷排液。

第1～20段压裂泵入总液量合计$32775.8m^3$、总砂量$1786.0m^3$，平均单段泵入液量为$1638.8m^3$、加砂量为$89.3m^3$。

2.5 第1-20段钻塞与放喷排液

根据设计安排首先进行放喷排液，用6mm油嘴过分离器放喷排液24h，井口压力由8.6MPa降至0.5MPa，分离得到的天然气点火可燃，焰高1m～2m，平均产气量$5000m^3$/d，累计返液$504m^3$，随即实施焖井。

焖井 7d 后，采用由平底磨鞋、螺杆马达、震击器、液压丢手、双活瓣单流阀、铆钉式连接器组成的连续油管通井组合工具钻塞 19 支。配套井口结构(图 5)，自下而上是井口+4FZ-130-105MPa 四闸板防喷器+FPG7-105MPa 防喷管+防喷盒转换由壬+防喷盒+连续油管注入头。8mm 油嘴放喷排液，井口初始压力为 25.5MPa，返排过程中压力波动±2.0MPa；分离获得的天然气点火可燃，焰高 1.5m～3.0m，平均产气量 $5000m^3/d$，返液 $150.0m^3$，累计返液 $654.0m^3$。

2.5 后续多级射孔、压裂作业与试气

按照设计依序完成第 21-32 段多级射孔与压裂作业，破裂压力为 63.2MPa～92.03MPa，停泵压力为 47.0MPa～55.1MPa。

第 1-32 段压裂泵入总液量合计 $54254.2m^3$、总砂量 $2894.9m^3$，平均单段泵入液量为 $1695.4m^3$、加砂量为 $90.5m^3$，较设计执行率分别为 99.5%、96.5%。

随后，对第 21-32 段进行钻塞和试气，并进行试采作业。试采初期，采用 6mm 油嘴过分离器放喷排液，针阀控产，随产油量和产气量的增加，井口压力缓慢降低。试采 10d 后，换 3mm 油嘴生产，油气水产量稳定。试采 2 个月，加注聚合脂润滑剂洗井后，处于稳定生产阶段，除生产压力下降外，日产油、日产气等 6 项指标基本不变(图 6)，期间进行了多次刮蜡。

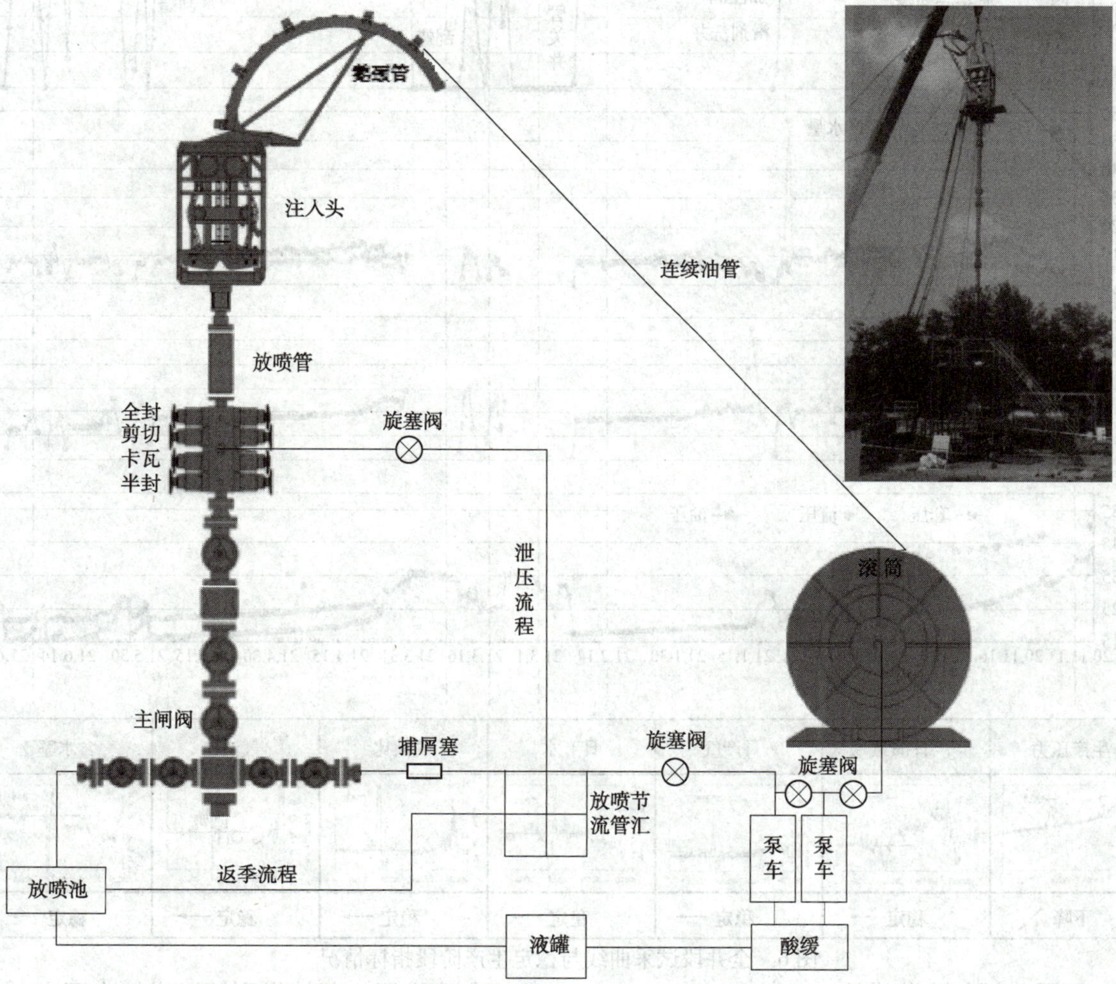

图 5　连续管钻塞井口示意图

从整体生产动态来看，随着生产压力持续下降，日产气量和日产油量同步下降，气油比略有上升，日产水量基本不变，反映地层产生一定程度的反凝析，油气两相相对渗透率降低。

2.6 复杂情况及原因分析

2.6.1 压裂砂堵

1）砂堵现象与处理方法

第 22 段压裂施工，按设计替酸 $20m^3$，前置

胶液 112.2m^3，由胶液倒为减阻水逐渐提排量至 16.1m^3/min，开始按泵注程序加 70/140 目石英砂正常加砂。本段压裂施工 52min 后开始转减阻水加 40/70 目覆膜砂阶梯砂比 6%、8%、10%、12%、14%，阶段砂量 31.33m^3。

施工 71min 后投 Φ13.5mm 暂堵球 20 颗，排量由 16.1m^3/min 降至 11.0m^3/min，压力由 74.0 上涨至 85.0MPa；顶替减阻水 64.0m^3后，加入 6%砂比的 70/140 目石英砂，压力激增至安全阀异常自动打开；施工 81min 后，顶替减阻水 31.2m^3后停泵整改。停泵时，本段压裂总液量达到 880.2m^3，加砂量 45.9m^3。

至作业 98min 后恢复压裂施工，逐渐排量提至 16.0m^3/min，按泵注程序加 70/140 目石英砂。于作业 93min 后加 40/70 目覆膜砂阶梯砂比 8%、10%、12%、14%，阶段砂量 20.95m^3，顶替减阻水 47.54m^3，压力激增压裂车组超压停泵（图 7），于作业 128min 后关井放喷。停泵时本段压裂总液量 1307.6m^3，累计加砂量 77.3m^3。

开泵试挤顶替液量 9.5m^3，再通过试气流程放喷；以 2.0m^3/min 批量挤注盐酸 20m^3，再倒减阻水排量提至 10.2m^3/min 顶替液量 611.2m^3，停泵时总注入量达到液量 2016.3m^3。试挤成功，砂堵问题解决。

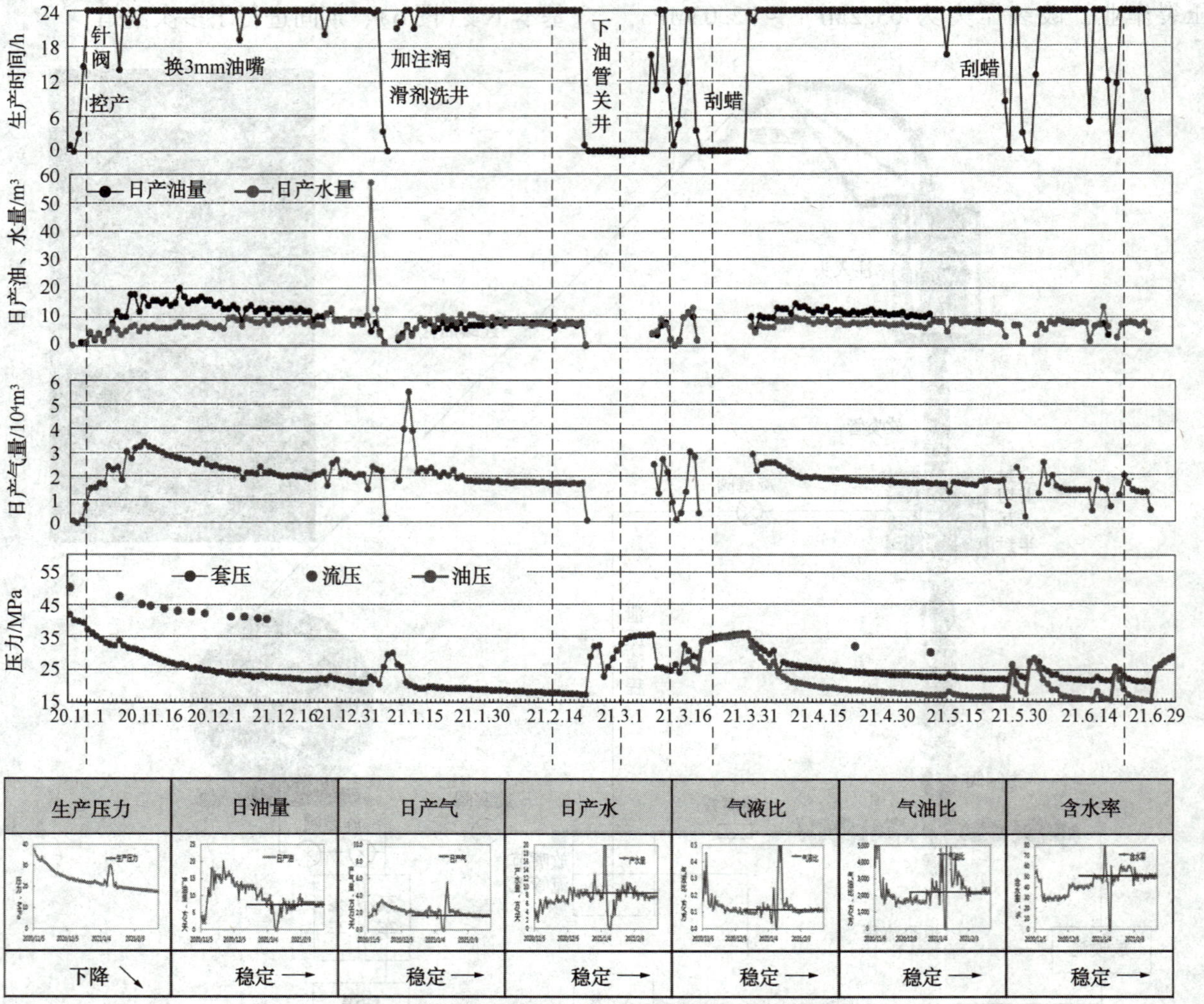

图 6　全井段试采曲线与稳定生产阶段指标情况

2）原因分析与防范措施

主裂缝宽度及延伸有限，支撑剂较难通过，砂子进入地层后，压力迅速爬升，对进入地层的压裂砂很敏感，该反应也说明地层主缝缝深不足，缝宽较窄，导致砂堵。

采取增加前置液和粉陶用量，减小液体滤失、打磨孔眼、封堵微裂缝、增加净压力，为主裂缝的形成和正常延伸创造条件；增加隔离液用量和减少携砂液量，将支撑剂推送至裂缝远端，压力下降后再打入下一级支撑剂段塞。

2.6.2　泵送遇阻

1）遇阻现象与处理方法

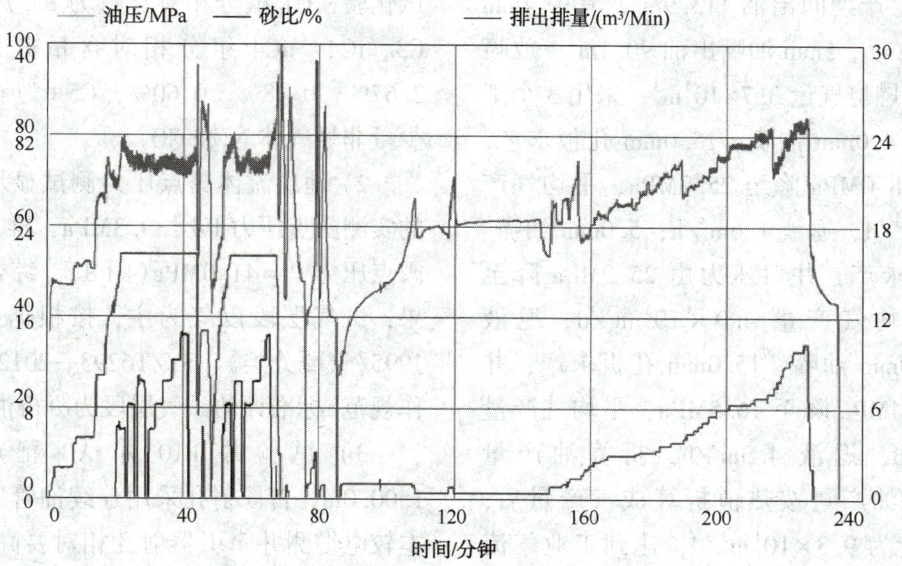

图7　第22段压裂施工曲线图

在进行25段3250.0~3295.0m泵送桥塞—射孔联作施工中，发现CCL无接箍信号显示，初步判断工具串遇阻，停止泵送施工。上提枪串至井深3000m开始第二次泵送，依然发现CCL无接箍信号出现，判断为工具串遇阻。

起出桥塞—射孔联作工具串后发现桥塞胶皮有明显破损划痕。更换外径较小的投球式可溶桥塞入井施工正常，完成本段泵送桥塞—射孔联作任务。

2）原因分析与预防措施

遇阻的SPECTRE可溶桥塞起出井口后，发现桥塞本体上有明显划痕，可能在桥塞遇阻点处套管有异物导致桥塞泵送遇阻，换外径较小的ThunderCloud桥塞后顺利通过。

处理措施：泵送前大排量冲洗井筒，减少井筒内异物及沉砂的可能，增大泵送成功率；现场配备外径较小的桥塞以应对异常情况。

3　试验结果与讨论

3.1　结果

1）采用的桥塞—射孔联作、水力加砂压裂、连续油管钻塞、放喷求产工艺技术，实现本井压裂后获得工业气流的试气目的，充分验证了地质解释结论。

2）全井共坐封Φ100.00mmSJS球笼式可钻复合桥塞12支、Φ104.00mmY257DS/RQS104×40桥塞19支。最大泵送排量0.4m^3/min，最高泵送压力42.0MPa，泵送桥塞——射孔联作一次成功率100%，桥塞全部一次试压合格，压裂中未发生位移，为分段压裂改造提供保障。

3）全井采用SDP35HMX25-4XF深穿透射孔弹；第一段采用连油传输射孔，其它段采用泵送桥塞联作射孔工艺；第2~4段采用向上定向射孔，第8~11段采用向下定向射孔，相位角为60°，射孔孔密为16孔/m，其余井段采用螺旋射孔，每段3~7簇射孔，0.25~1.1m/簇，孔径9.5mm。全井共射孔214簇，使用射孔弹1164发，射孔发射率100%。

4）全井共下入可溶桥塞19支（Φ104.0mm Y257DS/RQS104×40）、可钻复合桥塞12支（Φ100.0mmSJS桥塞）。其中Φ104.0mm可溶桥塞单支重7.21kg，金属卡瓦重1.33kg，Φ100.0mmSJS桥塞单支重6.75kg，金属卡瓦重0.96kg，复合材料重5.79kg，金属卡瓦碎屑返出率40.8%，复合材料碎屑返出率12.2%，桥塞碎屑返出率7.0%。

5）压裂施工主要包含前期井筒处理、分段泵送桥塞、水力加砂压裂；第1-32段压裂泵送入井总液量54254.2m^3，其中压裂用盐酸670.00m^3、滑溜水48533.24m^3、胶液4016.85m^3，放喷排液、测试求产累计返排液量3795.7m^3，返排率6.7%；压裂施工过程总总加砂量2894.9m^3，其中70/140目石英砂868.0m^3、40/70目覆膜砂1849.5m^3、30/50目覆膜砂177.4m^3。

6）放喷求产期间出油 113.9m^3，其中 4mm 油嘴出油 23.8m^3、5mm 油嘴出油 90.1m^3，放喷求产期间估算燃烧气量 3.7×10^4m^3；采用 3 个工作制度求产：4.0mm 油嘴、15.0mm 孔板求产，井口压力由 28.0MPa 降至 25.0MPa，平均气产量 3.00×10^4m^3/d，返液 1.6m^3/h；5.0mm 油嘴、15.0mm 孔板求产，井口压力由 25.0MPa 降至 20.4MPa，平均气产量 4.0×10^4 m^3/d，返液 5.3m^3/h；6.0mm 油嘴、15.0mm 孔板求产，井口压力由 20.4MPa 降至 16.5MPa，平均气产量 5.6×10^4 m^3/d，返液 4.3m^3/h，折算油产量 17.8m^3/d，将油产量按热值折算成气产量后，计算无阻流量为 9.3×10^4 m^3/d，达到工业气流标准。

3.2 讨论

1）气样测试化验，从分离器出口处取样测试化验，C1 组分相对含量为 85.7%，重烃 C2、C3、iC4、nC4 组分相对含量分别为 9.24%、2.67%、0.48%、0.60%，C5+为 0.59%，含有少量非烃气体 N_2和 CO_2。

2）地层流体露点压力测试显示，所取样品的实测露点压力 Pd=39.3MPa，推算地层条件下露点压力 Pf=41.0MPa(图 8)。综合分析试气结果，试气层段以气为主，按根据 SY/T 6168—1995《气藏分类》、SY/T6293—2012《勘探试油工作规范》标准评估试气层段为凝析油气层。

3）试验井 F10 井 AB 靶点水平段长 1500.0m，首段射孔采用连续油管射孔，作业成本较电缆测井牵引器射孔相对要高、时效要低，推广牵引器射孔技术是未来的重要发展方向。

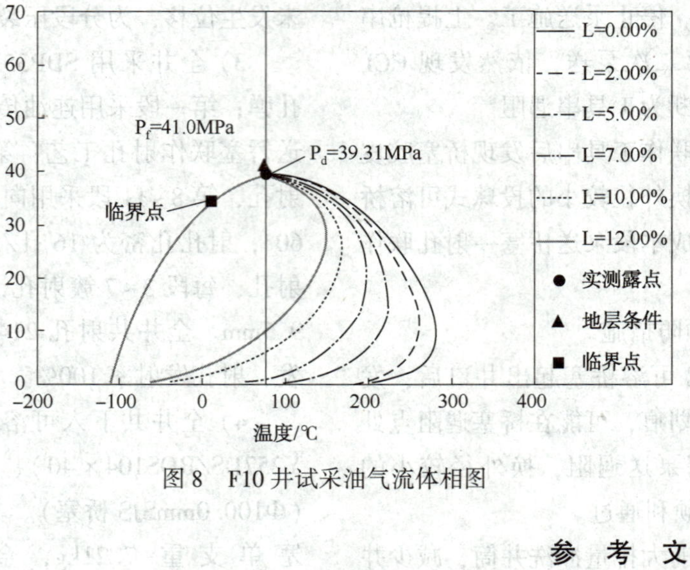

图 8 F10 井试采油气流体相图

4 主要认识

1）F10 井选用的可溶桥塞及可钻复合桥塞及泵送桥塞—射孔联作、压裂施工工艺技术适用于本地区东岳庙段陆相页岩气储层压裂改造。

2）F10 井水平段穿行东岳庙段④小层 1165.0m，实施压裂施工，试气显示储层压裂改造充分。

3）F10 井东岳庙段页岩油气藏为高压凝析油气藏，压力恢复均较快，试采具有较好产能表现，采用 6.0mm 油嘴工作制度放喷求产平均日产气 5.6×10^4m^3、日产油 17.8m^3。

参 考 文 献

[1] 刘忠宝，胡宗全，刘光祥等．高成熟陆相页岩油气源——储特征及富集层段评价方法——以川东复兴地区侏罗系东岳庙段为例[J]．天然气工业，2022，42(10)：11-24.

[2] 舒志国，周林，李雄等．四川盆地东部复兴地区侏罗系自流井组东岳庙段陆相页岩凝析气藏地质特征及勘探开发前景[J]．石油与天然气地质，2021，42(01)：212-223.

[3] 何江林，陈正辉，董大忠等．川东地区东岳庙段沉积环境演化及其页岩油气富集主控因素分析[J]．沉积与特提斯地质，2022，42(03)：385-397.

[4] 刘皓天，李雄，万云强等．陆相页岩气形成条件及勘探开发潜力——以川东涪陵北地区侏罗系东岳庙段为例［J］．海相油气地质，2020，25（02）：

148-154.
[5] 高健，林良彪，任天龙等．川北地区下侏罗统东岳庙段页岩气富集主控因素研究[J]．岩性油气藏，2016，28(05)：67-75.
[6] 梁榜，何生，陈学辉等．鄂西渝东地区东岳庙段页岩气勘探潜力研究[J]．断块油气田，2015，22(01)：36-41.
[7] 舒志国，舒逸，陈绵琨等．陆相页岩岩相非均质性及储层孔隙发育特征：以四川盆地自流井组东岳庙段页岩为例[J/OL]．地质科技通报：1-14.
[8] 胡德高，郭肖，郑爱维等．页岩气藏压裂井产能评价及分析[J]．西南石油大学学报(自然科学版)，2019，41(06)：132-138.
[9] 蒋廷学，肖博，沈子齐等．陆相页岩油气水平井穿层体积压裂技术研究与现场试验[J/OL]．石油钻探技术：1-13.
[10] 汤继周，张卓，张丰收等．陆相页岩储层水平井无限级压裂工艺优化[J]．岩石力学与工程学报，2023，42(09)：2096-2108.
[11] 胡德高，刘超．四川盆地涪陵页岩气田单井可压性地质因素研究[J]．石油实验地质，2018，40(01)：20-24.
[12] 宁文祥，何柏，李凤霞等．陆相页岩油储层水力压裂裂缝形态的试验[J]．科学技术与工程，2021，21(18)：7505-7512.
[13] 胡德高，舒志国，郭战峰等．川东复兴地区侏罗系(涪页10HF井)发现国内首个页岩凝析气藏[J]．中国地质，2021，48(06)：1980-1981.
[14] 石文睿，张占松，张建平等．建南东岳庙段页岩气常规测井解释模型研究——以JYHF-1井为例[J]．天然气勘探与开发，2014，37(02)：29-34+8.
[15] 熊健，吴俊，刘向君等．陆相页岩储层地质力学特性及对压裂效果的影响[J/OL]．西南石油大学学报(自然科学版)：1-12.
[16] 丁青．复兴地区侏罗系东岳庙段页岩地化特征[J]．江汉石油职工大学学报，2022，35(03)：1-3.
[17] 王迎港．海相与陆相页岩储层特征及压裂特性对比实验研究[D]．重庆大学，2022.
[18] 王中一．陆相页岩储层可压裂性模型与评价方法研究[D]．中国石油大学(北京)，2023.
[19] 黄棋棽．川北地区下侏罗统东岳庙段页岩气富集规律研究[D]．成都理工大学，2016.

不同混相程度下低渗透砂岩油藏 CO_2 前缘动态运移特征

王智林　赵红妍　葛政俊　孙东升

（中国石化江苏油田分公司勘探开发研究院）

摘　要　CO_2驱是一项重要的采油技术，为了揭示CO_2驱的微观机理，进行了CO_2细管实验、长岩心CO_2驱油实验、气相色谱分析实验和数值模拟。结果表明，增加混相可以改善CO_2-原油体系的溶解和扩散效果，缓解了CO_2指进现象，并延缓气侵时间。此外，通过增大注采井之间的压差，增强了CO_2-原油的相互作用，提高了CO_2驱的采收率。此外，CO_2携带轻、中组分($C_{4\sim25}$)向前穿过第一混相带，使CO_2-原油体系形成双混相带。本研究从微观角度揭示了CO_2驱不同混相程度下CO_2前缘和轻组分前缘的规律，深化了低渗透砂岩油藏CO_2驱理论。

关键词　CO_2驱；界面张力；最小混相压力；前缘运移；混相带

1　引言

目前，中、高渗油藏已普遍进入高含水期，低渗透油藏已成为能源供应的战略性替代资源。低渗透油藏约占中国石油总储量50%，其中已探明储量高达160×10^8t。但低渗透油藏的孔渗条件差、非均质性、能量补充难度大，难以建立有效的替代体系，实现低渗透储层的有效开发，对保障国家能源安全至关重要。

注气对提高采收率的贡献已经成为采油技术日益显著的影响，其中CO_2对原油的溶解度和原油组分的提取能力比其他注气介质更强，具有混相压力更低、扩散能力更强的独特优势。此外，CO_2驱也是实现国家碳排放峰值和碳中和目标的热门方式。

Song通过二维物理模型实验和数值模拟研究，分析了低渗透油藏中置换介质前缘的运移规律，推导了低渗透油藏中CO_2前缘位置随置换介质注入的经验方程。然而由于实验结果和数值结果之间的误差高达31%，结果并不可信。Zhao等人利用核磁共振扫描技术监测了CO_2混相驱驱替期间CO_2位移前缘的运移，结果表明位移前缘的稳定推进可以抑制指进，但相关研究基于玻璃砂充填模型，不能反映油藏实际情况。Booth等采用仅基于油气接触界面的数值方法来表征CO_2置换前缘，并以此模拟混相带差异的特征，但未考虑CO_2置换前缘界面张力和油气饱和度等参数。此外，也没有研究不同混相程度下的生产特征。Wu等采用数值方法研究了低渗透油藏CO_2-原油体系界面张力特征及注采参数对混相驱的影响程度，但并未分析CO_2驱前缘的动态运移及混相带在深部的分布特征。

文章系统研究不同混相程度下的生产特征，验证了近混相度下CO_2注入速率对生产特性的影响，分析了三种混相程度下主要油组分的差异，认识到混相程度下CO_2前缘运移的动态特征和组分过逸导致双混相带的形成，从微观角度揭示了CO_2驱不同混相程度下CO_2前缘和轻组分前缘的规律，深化了低渗砂岩油藏CO_2驱理论。

2　实验部分

2.1　材料

本次研究的10个低渗透岩心样品取自江苏油田，具体参数如表1所示。实验前，先用甲苯对岩心进行清洗，然后在200℃的真空烘箱中进行干燥，去除岩心中的水分。

表1　实验岩心数据

岩心编号	直径/cm	长度/cm	渗透率/mD	孔隙度/%
1	2.52	6.46	29.6	23.7
2	2.50	6.93	11.8	14.5
3	2.51	6.89	19.4	21.2
4	2.50	6.82	9.16	8.6
5	2.51	6.86	20.0	19.8
6	2.51	6.86	20.3	21.3
7	2.51	6.79	7.52	7.2
8	2.51	6.93	22.9	18.3
9	2.51	6.93	25.2	22.1
10	2.50	4.68	29.3	23.8

采用高压物性实验对江苏油田的原油进行了测量，如表2所示，实验中，根据实际储层条件对地层活油样品进行了配制，以实现CO_2与原油的充分相互作用。

按原油气体馏分配制气样，从气瓶中取溶解气500mL导入中间容器，保持泵压6.7MPa，恒温至102℃。将死油引入分配器。向分配器中加入气体，将温度升高至102℃的地层温度，并控制压力高于气体饱和压力18.52MPa。然后，打开分配器搅拌，在出气口端测量气油比，当气油比稳定在94.09m^3/m^3时，气体已完全溶解，活油配制完成。然后，将原油样品从搅拌器转移到中间容器中，并在此期间保持中间容器的温度以防止脱气。

表2　原油成分

气油比/(m^3/m^3)	原油体积系数	原油密度/(g/cm^3)	死油密度/(g/cm^3)	死油的相对分子量
94.09	1.3063	0.7008	0.8256	212.6

2.2　实验步骤

2.2.1　细管实验

实验装置中填充100目纯石英砂来模拟多孔介质，并使用20m细管来确保CO_2与原油体系有充分的混相。细管驱替试验的具体参数见表3，实验装置见图1。此外，注入纯CO_2气体模拟多孔介质中的CO_2驱过程。实验前后分别对细管进行清洗、抽真空和称重。

在不同的压力程度下，共进行了7组细管实验。根据实验的具体情况调整压力水平的选择，以保证7个实验组各自获得不同的采收率。7个压力水平分别为27.2、28、29.5、30.3、31.4、33、34MPa。此外，在目标压力水平下，以恒定速率注入原油，然后以0.2mL/min的速率注入实验压力水平的CO_2。在萃取端每隔60分钟收集一次产液，记录输出气量，并测量产液质量。实验分为三个阶段：第1阶段GOR不变，只生产原油；第2阶段，产气不仅包括原油中的溶解气，还包括CO_2突破气，此时GOR开始升高；第3阶段，注入气突破，此时生产气中含有大量的CO_2，GOR迅速增加。置换气量达到1.2PV时停止，在每次测试中重复上述实验步骤。收集排放的气体，并称重记录。根据地层原油饱和压力和当前地层压力值，选择驱替压力点，得到MMP，确定非混相带、近混相带和混相带。

表3　细管参数

长度/m	内径/mm	孔隙度/%	孔隙体积/cm^3	上游死体积/cm^3	下游死体积/cm^3	整体/cm^3
12.51	4.58	37.17	76.6	2.72	1.01	80.33

2.2.2　不同混相类型和注入速度下的长岩心实验

按照Brach规则，对岩心进行干燥并根据长度和渗透率进行分类。

$$\frac{L}{K}=\frac{L_1}{K_1}+\frac{L_2}{K_2}+\cdots+\frac{L_i}{K_i}+\cdots+\frac{L_n}{K_n}=\sum_{i=1}^{n}\frac{L_i}{K_i}$$

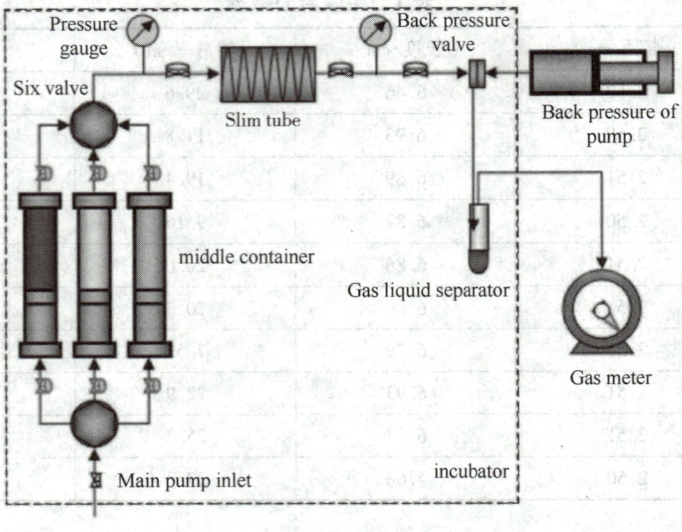

图1 细管实验示意图

式中，L 为岩心总长度，cm；K 为岩心平均渗透率，$10^{-3}\mu m^2$；L_i 为岩心长度，cm；K_i 为岩心渗透率，$10^{-3}\mu m^2$。

将滤纸置于两个岩心之间，并在开始和结束位置放置较大渗透率的岩心以减弱末端效应，并按排列顺序加载岩心，完成设备连接并增加周围压力后开始 CO_2 驱实验，实验设置如图2所示。

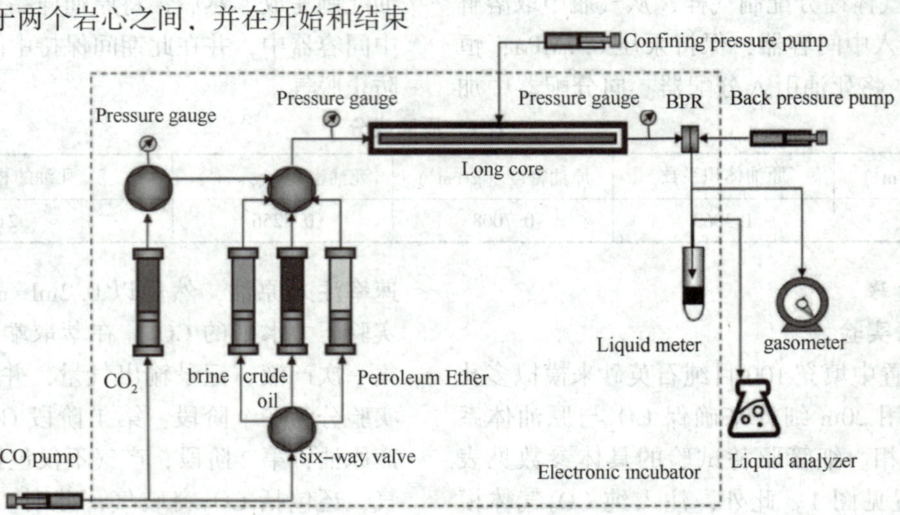

图2 长岩心实验示意图

实验温度由培养箱控制，设置成107℃。长岩心 CO_2 驱实验过程为：注入石油醚清洗岩心；对清洗后的长岩心注入氮气进行干燥；注入地层水使岩心孔隙饱和；注入原油活水驱水；确定含油饱和度和束缚水饱和度；记录进样量，计算含油饱和度；关闭进、出口端阀门；并保持堆芯72h；每组实验结束后，按设定的驱替压力(27MPa、32MPa、35MPa)进行 CO_2 驱，将岩心清洗干燥后，按上述步骤再次进行下一组实验。在27MPa下，以0.05、0.10、0.15mL/min的注入速率注入 CO_2。

2.2.3 不同混相特性数值模拟分析

基于原油成分、井流物资料和PVT数据，基于CMG软件的Winprop模块，建立了网格尺寸为2.5cm×66cm的单孔单渗模型。该储层初始地层压力为30.26MPa，初始含油饱和度为99%。将拟合的组分模型导入构建器模块，基于CMG模型对一注一采布局进行了长岩心模拟，模型如图3所示。

图3 数值模拟长岩心示意图

3　结果与讨论

3.1　储层条件下混相程度的测定

采用 MMP 法(近混相压力范围)对江苏油田 CO_2与原油的混相程度进行了测定。基于细管实验，通过采收率与压力曲线确定了 CO_2与原油的混相。如图 4 所示，可以看出，随着混相程度的增加，原油采收率不断提高。但非混相段的采收率随注入压力的增加呈非线性变化。当压力大于 28.3MPa 时，采收率与压力曲线继续线性增长，当压力大于 32.4MPa 时，采收率与压力曲线达到混相。

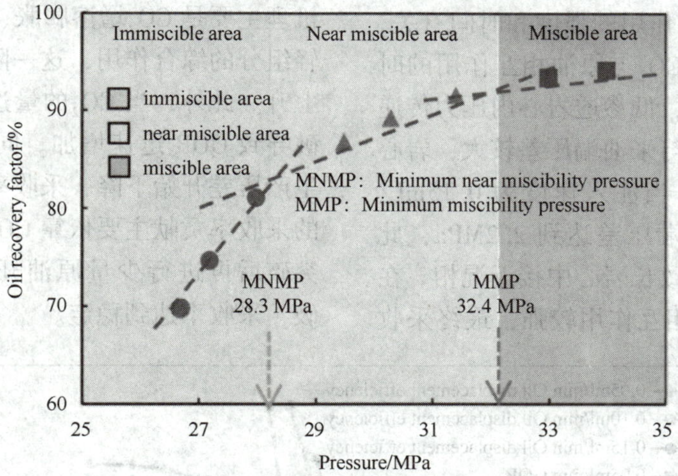

图 4　细管实验测得的不同混相程度的压力区

为了确定近混相区域，本文进行了更多测试点的细管试验。如图 4 所示，对于目标油样的细管试验，对于非混相段，采收率随注入压力增加的变化不是线性的。在 28MPa 后偏离线性拟合曲线，然后逐渐增大到混相段。有一个显著区域既不属于非混相段，也不属于混相段。该区域的数据可以单独拟合得到一个新的剖面，称为近混相区(28.3~32.4MPa)。压力区间的下限称为最小近混相压力(MNMP)。还应注意的是，新的 MMP 是区域的上边界，略高于常规方法获得的 MMP。

3.2　不同混相下 CO_2驱特性

3.2.1　不同压力水平下 CO_2驱的宏观特征

选取剪接长度为 66.4cm 的长岩心进行 CO_2驱实验，研究驱油特性的差异。注 PV 后的采收率和 GOR 变化如图 5 所示。CO_2和原油在 35MPa 下达到混相状态，具有溶解、降粘、萃取、组分交换的机理。混相状态的最终原油采收率高于非混相态和近混相态，为 79.5%。不同混相条件下采收率的差异主要体现在 CO_2突破后；随着压力的升高，采收率增加幅度增大。在非混相和近混相条件下，CO_2突破过程中 GOR 上升缓慢。在混相条件下，GOR 上升最快，但气侵时间最晚。可以推断，随着混相程度的加深，CO_2突破时间延迟，这是由于达到混相后，气相和油相的密度差和流量比减小，气体指进缓解，从而提高了最终采收率，延迟了气体突破时间。

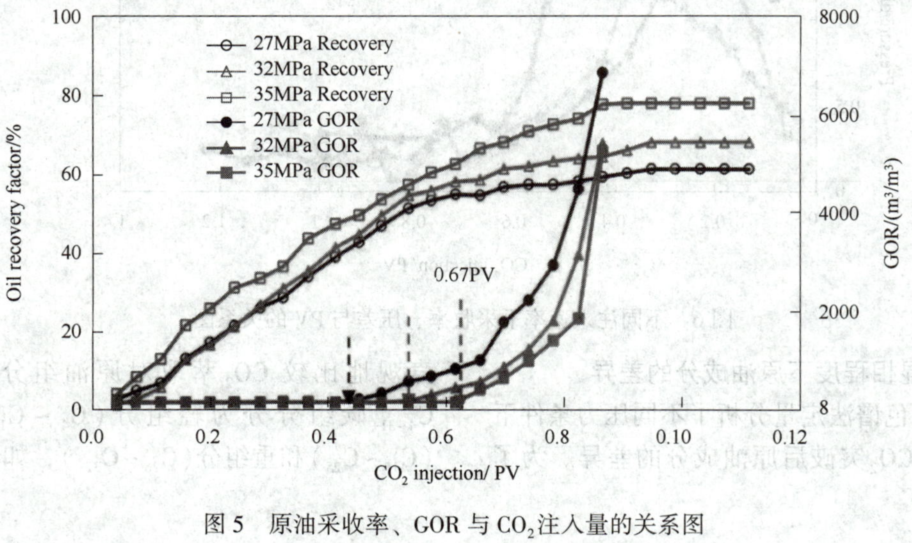

图 5　原油采收率、GOR 与 CO_2注入量的关系图

3.2.2　生产压差下的 CO_2驱特性

如图 6 所示，27MPa 条件下的长岩心 CO_2驱实验表明，采收率随着注入速度和压差的增加而增加，在 0.05、0.10 和 0.15mL/min 下的采收率分别为 67.79%、71.07%和 75.22%。这种差异主要与 CO_2-原油相互作用的强度和时间有关，随着注入速度的增加，CO_2与原油相互作用的时间缩短。需要注意的是，低渗透岩心内压力传递非常缓慢，导致注入端与采油端压差较大，岩心整体处于非混相状态。当注入速度为 0.15mL/min 时，注入端与生产端压差达到 2.2MPa，此时压力为 29.2MPa，导致长岩心中接近混相。在此条件下，CO_2与原油相互作用较强，最终采收率达到 75.22%。由此可以推测，增加 CO_2的注入量可以提高低渗透砂岩油藏的采收率。

当注入 0.5PV CO_2时，GOR 基本保持平稳，生产端不产气。GOR 处于平稳期，该阶段 的驱油机制主要是原油的 CO_2驱。当 CO_2前缘到达输出端时，输出端的 GOR 开始上升；此时的驱油机理主要是 CO_2增溶膨胀、溶解降粘、萃取原油轻组分的综合作用，这一阶段的产油量开始快速上升。此外，当 CO_2的量达到 0.6PV 时，CO_2突破导致 GOR 迅速增加。同时，投入端和产出端生产压差开始下降，采收率增速减缓。这一阶段的采收率贡献主要依靠 CO_2的萃取作用，在气体突破后再进行少量原油开采，直至 CO_2完全突破，采收率达到稳定。

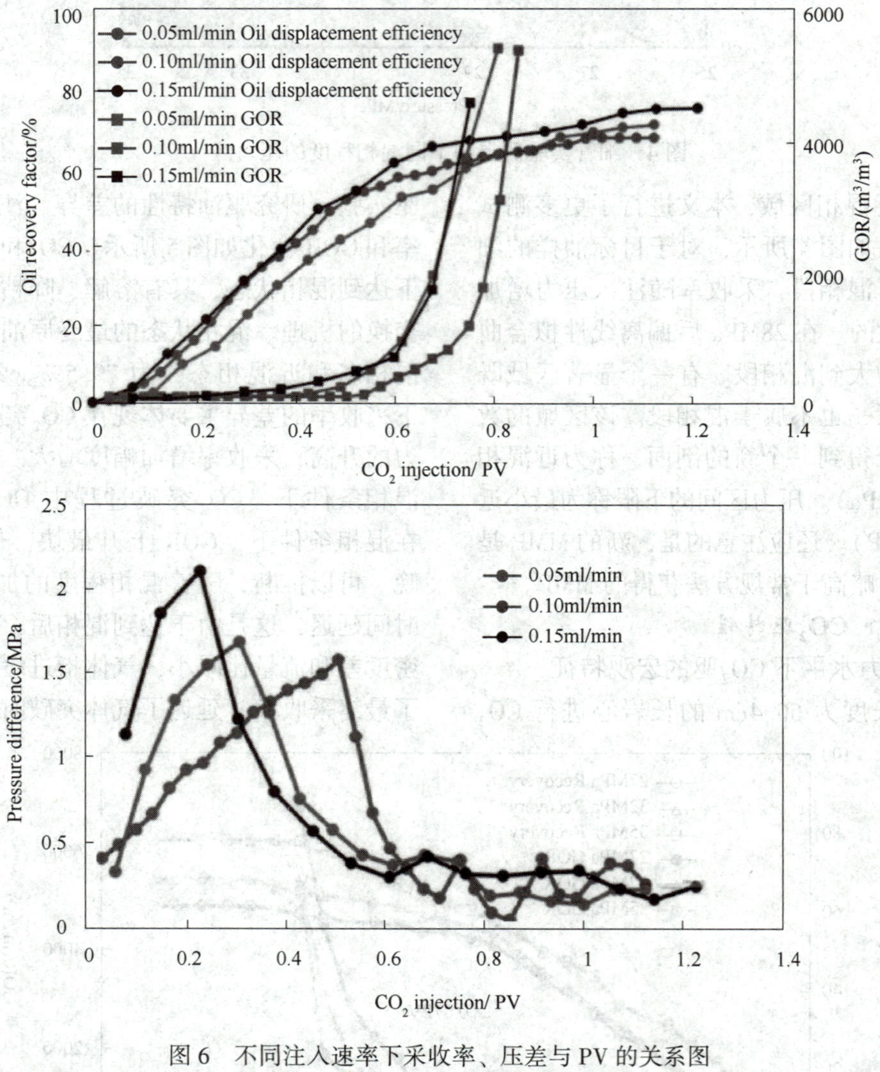

图 6　不同注入速率下采收率、压差与 PV 的关系图

3.2.3　不同混相程度下原油成分的差异

采用气相色谱法定量分析了不同压力条件下 CO_2突破前和 CO_2突破后原油成分的差异。为了直观地比较 CO_2萃取对原油组分的影响，将 $C_{4\sim31+}$碳组分分为轻组分（C_4 ~ C_{15}）、中组分（C_{16}~C_{25}）和重组分（C_{26}~C_{31+}），如图 7 所示。

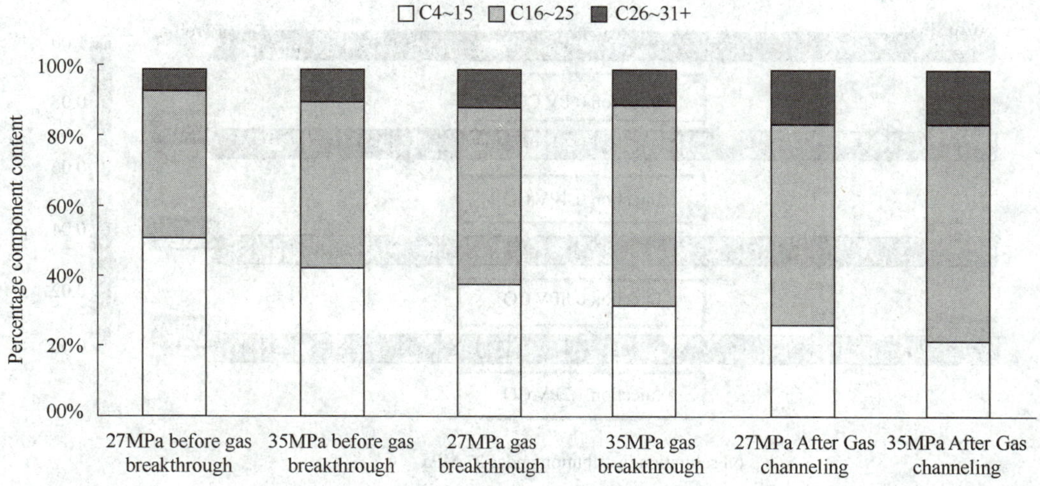

图 7　气体突破前后不同碳组分的变化

不同压力下的原油组分产量存在显著差异。随着更换过程的进行，C_{15}以下轻组分所占比例逐渐降低，中组分含量显著增加，中组分所占比例从 27MPa 时 44%增加到 35MPa 时 62%。油组分的变化主要集中在轻组分，轻组分随压力和 CO_2驱过程的增加而逐渐降低，而介质组分则相反。此外，随着压力的增加，CO_2萃取的效果随着混相程度的增加而增强，导致采出液中油成分差异更加明显。

可以推测，在不同混相度下影响采收率的重要成分主要在轻、中组分中。从不同压力下产出组分百分含量的变化可以看出，在 CO_2驱过程中，所有组分均可被萃取，且 CO_2萃取过程中原油组分有一定的先后顺序，CO_2驱优先萃取低碳组分，这为分析 CO_2前缘规律提供了依据。

3.3　混相阶段 CO_2前缘特征

采用 CMG 模拟软件，将模型原油粘度设为 2mPa·s，储层渗透率设为 $20\times10^{-3}\mu m^2$，注入压力分别设为 27、32、35MPa，分析不同混相程度下 CO_2前缘运移规律。为了验证实验测试结果与模拟测试结果的准确性，对比了不同压力范围下的原油采收率。如图 8 所示，软件模拟与实验结果的误差小于 2%，说明了实验和模拟方法在本研究中的适用性。

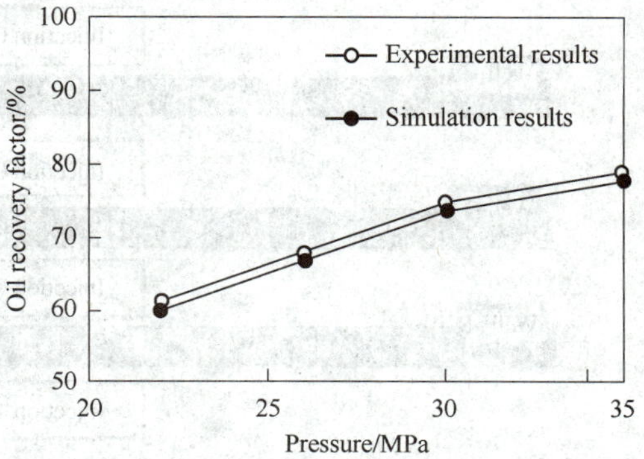

图 8　气体突破前后不同碳组分的变化图

此外，当 CO_2 注入 1.2PV 时，模拟结束。本文根据含油饱和度和界面张力确定了 CO_2 前缘。由图 9(a)可以看出，不同混相程度下，CO_2与原油混合物的渗流能力不同。可以推测，含油饱和度越高，意味着原位 CO_2前端运移速度越慢。相同 CO_2注入量下，CO_2前缘移动缓慢，混相程度较高。

如图 10 所示，蓝色区域表示原始界面张力为零。CO_2注入阶段前，注采井之间为纯原油，整个范围内界面张力为零。当 CO_2 注入量较低时，出现绿色区域，说明 CO_2与原油的界面张力不为零。可以推测，CO_2与原油的不混相程度是由于相互作用效果不足引起的。随着 CO_2注入量的增大和相互作用效应的增强，首先在注采井之间形成一个混相区，本文将其称为 I 混相区。随着 CO_2注入的进行，界面张力分布图显示 CO_2置换过程中形成了两个混相区。如上所述，超临界 CO_2可以优先在 CO_2驱早期萃取轻质组分，形成单一混相带。可以推测，随着 CO_2前缘的连续运移，在第一混相带的背面发生了多次接触效应。此外，CO_2对轻质组分的萃取作用使轻质组分不断累积，形成轻质组分区。轻组分和重组分的密度和渗流能力的差异导致轻组分穿过第一混相区。CO_2萃取轻组分向前移动穿过第一个混相带时，原油与轻组分带发生多次接触，形成另一个混相带，在较高的 CO_2注入速率下形成两个混相带。

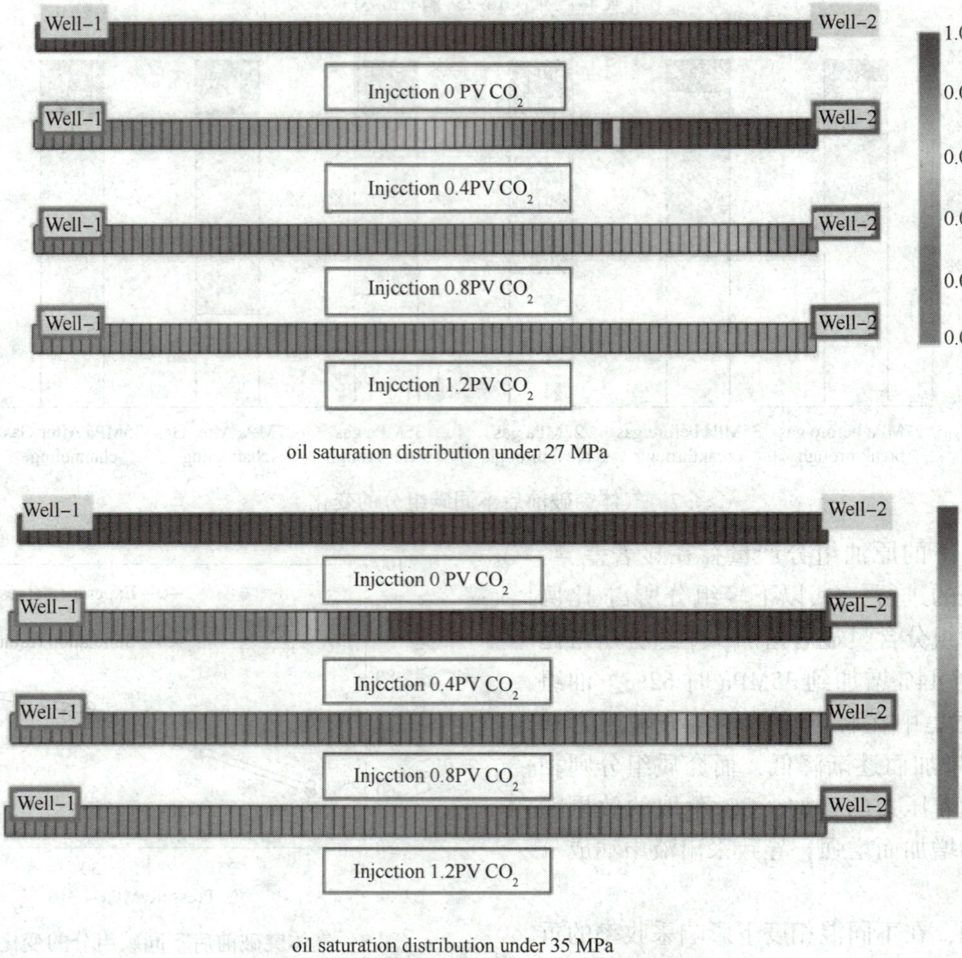

图 9　不同混相程度下含油饱和度分布图(27MPa 下含油饱和度分布、35MPa 下含油饱和度分布)

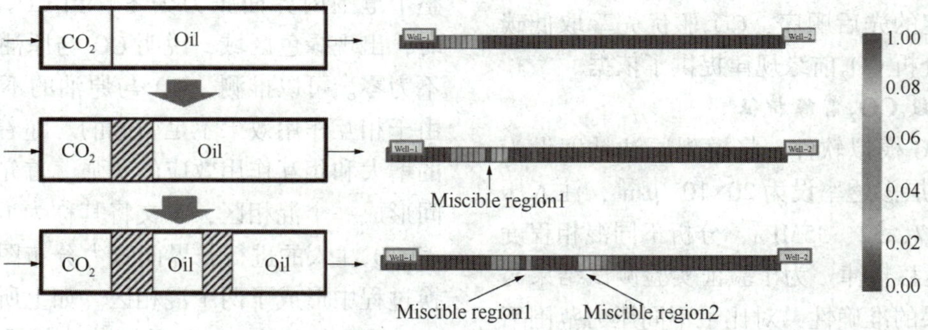

图 10　不同 CO_2 注入量下原油与 CO_2 界面张力分布图

4　结论

本文通过细管实验、长岩心驱替实验、油组分测试实验和数值模拟研究，系统研究了不同混相程度下低渗透砂岩油藏 CO_2 驱的 CO_2 前缘规律和生产特征，研究结果如下：

(1) 提高混相程度可以改善 CO_2-原油体系中溶解扩散效果，降低油气相流动比，缓解 CO_2 指进现象，延缓气侵时间。具体而言，与近混相和非混相相比，CO_2 突破时间分别推迟了 15%和 34%，采收率分别提高了 9. 8%和 16. 8 %。

(2) 注入速率影响 CO_2-原油相互作用强度。增加注入速度缩短了 CO_2 与原油的相互作用时间，但低渗透油藏中缓慢的压力传导导致局部区域压力升高，从而提高了 CO_2 与原油的混相程度。当注入速度为 0. 15mL/min 时，CO_2-原油体系由非混相变为近混相，采收率为 75.22%。

(3) 不同混相水平下影响采收率的重要油组分主要是 $C_{4\sim25}$ 等轻、中组分，随着 CO_2 驱过程的进行，轻组分占产量的比例逐渐降低，中组分含量显著增加，从 27MPa 时的 44% 增加到 35MPa 时的 62%。此外，混相程度的增加增强了 CO_2 萃取的效果，CO_2 突破后，混相的采收率比非混相的采收率提高了 3.1%。

(4) 在 CO_2 置换初期，CO_2 优先提取轻质组分，形成单一混相区，随着 CO_2 前缘的不 断运移，逐渐形成轻质组分。轻、重组分在密度和渗流能力上的差异，导致轻组分穿过第一混相带，与原油相多次接触，形成另一个混相带。

参 考 文 献

[1] Wang, C. J., Hong, L., & Gao, R. M., et al. (2018). Status-quo and challenges of enhanced oil recovery in low permeability reservoirs. Unconventional Oil & Gas, 5(3), 102-108.

[2] Song, J. H. (2020). Study on the front edge of water drive based on flat plate experiment[d]. Northeast Petroleum University.

[3] Zhao, Y. C., Song, Y. C., & Min, H. E., et al. (2012). Application of MRI to CO_2 displacement oil experiment. Journal of Dalian University of Technology, 52(01), 23-28.

[4] Booth, R. J. S. (2010). On the growth of the mixing zone in miscible viscous fingering. Journal of Fluid Mechanics, 16 (15), 527-539.

[5] Wu, Z. B., Gan, J. Q., & Qian, Z. E. N. G. (2012). Numerical simulation of CO_2 miscible flooding in low-permeability iol reservoir. Petroleum Geology and Recovery Efficiency, 19 (03), 67-70.

[6] 刘炳官，朱平，雍志强等．江苏油田 CO_2 混相驱现场试验研究[J]．石油学报，2002(04)：56-60+3.

[7] 杨红，余华贵，黄春霞等．低渗油藏水驱后 CO_2 驱潜力评价及注入参数优化[J]．断块油气田，2015，22(02)：240-244.

[8] 李士伦．低渗透油藏注气提高采收率理论及应用[M]．北京：石油工业出版社，2007：32-35.

[9] 邹积瑞，岳湘安，孔艳军等．裂缝性低渗油藏二氧化碳驱注入方式实验[J]．断块油气田，2016，23(06)：800-802+811.

[10] Wang Z, Yang S, Lei H, et al. Oil recovery performance and permeability reduction mechanisms in miscible CO_2 water-alternative-gas (WAG) injection after continuous CO_2 injection: An experimental investigation and modeling approach [J]. Journal of Petroleum Science and Engineering, 2017, 150.

[11] Wang X, Gu Y. Oil Recovery and Permeability Reduction of a Tight Sandstone Reservoir in Immiscible and Miscible CO_2 Flooding Processes[J]. Industrial & Engineering Chemistry Research, 2011, 50(4).

[12] 胡文瑞，魏漪，鲍敬伟．中国低渗透油气藏开发理论与技术进展[J]．石油勘探与开发，2018，45(04)：646-656.

采油化学剂井下组合控释技术

冯珂婷[1,2]　李琼玮[1,2]　谷成义[1,2]　李　楷[1,2]　李　慧[1,2]
苑慧莹[1,2]　刘广胜[1,2]　郭　钢[1,2]　孙雨来[1,2]

（1. 低渗透油气田勘探开发国家工程实验室；2. 中国石油长庆油田分公司油气工艺研究院）

摘　要　低渗透油田“三低”油井具有低液量、生产周期长的特点，也存在井数多、分散以及井筒腐蚀、结垢和结蜡对油井连续生产影响较大等难点。采油工艺中采油化学剂(防蜡、缓蚀剂和防垢剂)等的日常加注管理难度大、人员劳动强度高。通过对国内外化学剂加注技术的优缺点剖析，提出了可溶金属材料+机械控制+缓释化学剂的组合控释新思路。在2年长周期经济可行性论证的基础上，开展了以可溶金属隔板、固体缓蚀剂体系为主的井下控释工具技术研究，现场10口井试验表明随井液产出，化学剂组合控释可实现井下的分段和连续有效浓度的经济释放。该技术探索对于低渗透油田油井化学剂传统加注模式的改进提升有积极意义。

关键词　采油化学剂；井下释放；控释工具；防腐；效果评价

1　技术背景与需求

油田开发过程中，油井机采系统的管杆泵受油/气/水三相、$H_2S/CO_2/Cl^-$及溶解盐类等井下介质影响，在井筒压力、温度变化等因素的耦合作用下，腐蚀、结垢和结蜡等问题导致的检泵作业等给油井正常生产和井筒完整性管理带来较大影响，一直是生产关注的难点问题。国内外常用的采油化学剂加注技术有毛细管连续加注，井口液体间歇加注和压裂过程伴注高强度防垢/蜡支撑剂等。针对陆上低产油井，为了延长有效期并降低人工作业和管理成本，也有采用颗粒化药剂、固体缓蚀棒等技术(见表1)。以上技术的本质是根据产液量、结垢腐蚀介质含量及程度等，以地层或地面储药系统、井下储药管等为药剂容器，通过各类控制手段实现经济有效加注。

国内低渗透油藏开发中，“三低”油井的产液量相对低，相同产量下的油井建井数量往往是中高渗透率油藏的数倍至十倍以上。特别是长庆油田所处的鄂尔多斯盆地内，黄土塬、沙漠地貌并存，油水井分散，采油化学剂的加注管理难度更大、综合成本高。为适应采油单位扁平化集约管理和降本增效要求，亟需探索与之匹配的经济高效井下长效控释新技术。

表1　常用加注技术要点对比表

	液体化学剂加注方法			固体化学剂成型加注方法		
技术	连续加注	井口泵间歇加注	井下电控加药	压裂伴注防垢/蜡颗粒	颗粒化药剂	固体块药剂
优点	1、药剂浓度控制准确；2、与井寿命同步	1、可随井动态及时调整；2、无需井下特殊附件	井下油管储药；电控系统定期打开释放	与支撑剂同步注入，无需后期管理；地层、井筒同时防护	灵活，与井生产动态可及时调整；约3个月有效期	随管柱一次下入，无需管理；约200天有效期
缺点	井下毛细管等配件复杂；毛细管易堵塞	环空坐封井无法加注；设备维护和安全管理要求高	电池寿命、开关可靠性受井下环境影响；液体药剂有限；无法随工况及时调整。	1－2%比例，单井一次加入量较多；潜在的储层伤害	足够的井底口袋容纳药剂；水平井无法采用	有效量受固体载体量限制；消耗后需起管柱更换
成本	高	中等	中等	高	中等	低

2 井下控释技术研究

(1) 技术思路与关键环节

借鉴医药行业长效缓释药剂的有效浓度保持和控制方法，结合低渗透油井产液量相对低的生产特点，设计具有机械+化学法联合控释特点的井下控释工具，见图 1 和 2。工具由多节油管储药筒组成，筒间采用高强度可溶金属隔板纵向分隔。工具随油井投产或修井过程，尾管悬挂下井，精准靶向于井下积液段。

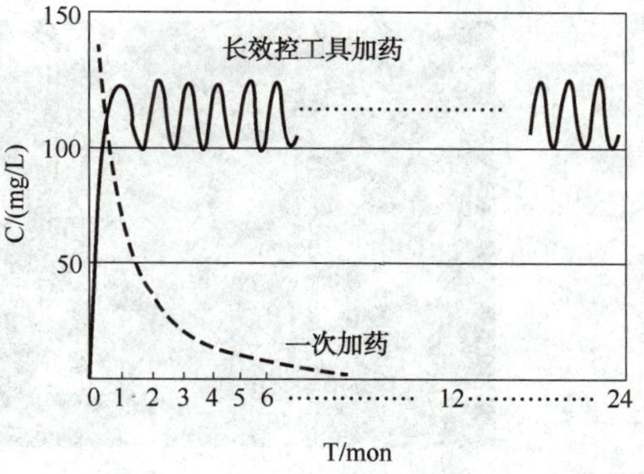

图 1 技术思路原理图

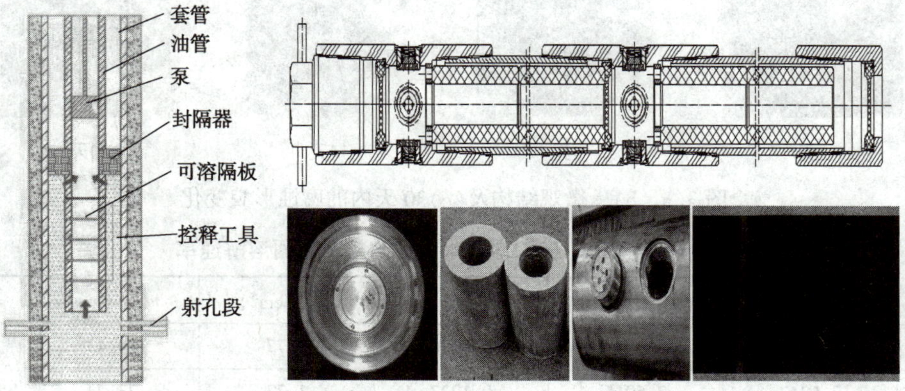

图 2 井下控释工具原理及工具组合设计图

在井下环境接触油井产出液后，工具的金属隔板反应溶解，长效固体化药剂以均匀浓度缓慢释放；后续连续生产中，储药筒可实现分段打开和药剂逐级释放，实现一次下井 2-3 年有效期的长期控制目标。当油井产出液含水率不同时，可溶金属隔板还可随之延长或缩短溶解时间，实现不同工况下的自适应释放。

缓蚀剂迭代思路为：以常用缓蚀剂体系为主体，通过添加骨架、加重和包覆、分散组分，经过捏合-造粒/注塑/乳液聚合等成型工艺，形成高密度的颗粒或分散胶囊体形态，这样既可保证井口快速加注便利，又可使缓蚀剂沉降到井底后，油水产出液中的有效成分缓慢释放，保持持续高于最低有效浓度的水平。

(2) 经济有效性理论计算

以典型井平均产液量 $3m^3$/d、含水 50%为基数。采油化学剂临界有效浓度 100ppm(液体化学剂加注的有效浓度一般为 50ppm 左右)时，1 个月的药剂量 9kg，配套油管储药筒长 2m、隔板溶解 1 段。累计 2 年需化学剂量 216kg，配套 24 节储药筒，储药筒总长 48m，总体成本可以控制在 3.5 万元。该技术具有比较好的经济效果。

(3) 井下控释工具的研究与评价

如图 2 所示，井下控释工具主要由连接器、可溶隔板、排气阀、中心管、储药筒等部件组成，筒间用 Mg-Al-Zn-Mn 可溶合金隔板分割。在井下进行作业时，随采油管柱和封隔器等下入油井内。可溶隔板在一定矿化度溶液和温度的工况下会发生逐级溶解，储药筒内的药剂溶入井液中，替代传统井筒加药模式。

依据 GB/T 13298—2015 侵蚀方法，采用 MRIE-F2573 金相显微镜对可溶材料进行了金相分析，如图 3a 和 b 所示。通过少量碳的加入，碳元素与镁合金中的 Al 可形成 Al_4C_3，它与 Mg 同为六方晶系，二者晶格常数相近，故 Al_4C_3是 Mg 良好的非均质晶核。大量弥散的 Al_4C_3晶核使镁合金晶粒细化，使得组织变成圆整均匀的连续网状分布，从而提高镁合金的力学强度。由于碳的存在，在镁合金中可形成阴极相，与更活泼的 Mg 等金属元素形成腐蚀电偶，加快镁合金的溶解速率。

在 6.0MPa、60℃条件下进一步对上述合金可溶材料单面长期溶解性能进行评价，结果如表 2 所示，腐蚀形貌见图 3c。

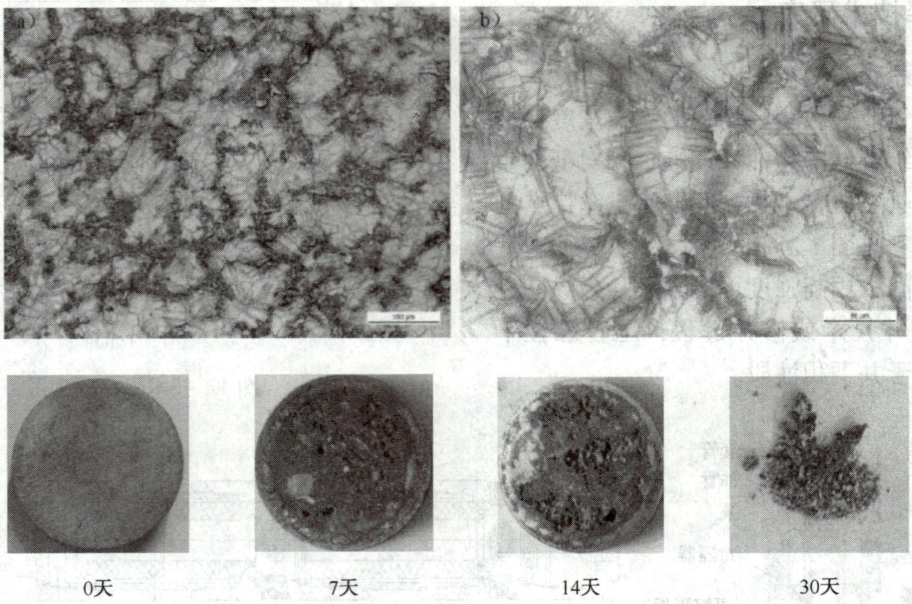

图 3（a，b） 微观结构及（c）30 天内的腐蚀形貌变化

表 2 6.0MPa、60℃地层水中可溶材料单面溶解速率

材质编号	W_0/g	W_1/g	ΔW/g	ρ/（g/cm³）	v/（mm/a）	v 均值/（mm/a）
1	2.6074	2.5048	0.1026	1.77	19.43	
2	2.6242	2.5015	0.1227	1.77	23.24	
3	2.6086	2.4996	0.109	1.77	20.65	22.58
4	2.5774	2.4536	0.1238	1.77	23.45	
5	2.5432	2.4052	0.138	1.77	26.14	

图 3c 可见腐蚀面具有较深的局部腐蚀坑，且分布不均匀，表面部分光亮说明可能存在气阻效应，导致均匀腐蚀速率波动大。采用 3D 显微镜测量了试样表面最深的腐蚀坑深度，按最大腐蚀深度计算出试样的局部腐蚀速率 141.56mm/a，根据失重计算得到的均匀腐蚀速率为 22.58mm/a，因此腐蚀速率介于 22.58mm/a 与 141.56mm/a 之间，各试样间腐蚀速率相近，且 30 天后可溶金属隔板几乎完全溶解，达到可溶材料腐蚀速率的要求。

此外，把可溶材料加工成 Φ60×10mm 的圆形试片，将试片放入模拟加药筒装置中，在室内高压釜中进行试压。可溶材料测试后完好无损，完全可承受 10.0MPa 压力。进一步将可溶材料放入加药筒进行水压耐压测试，耐压达到 26.0MPa。可溶材料满足现场应用要求。

（4）长效缓蚀剂室内释放研究

固体缓蚀剂的释放评价对其实际推广具有重要意义，如表 3 所示。以固体缓蚀剂胶囊为代表进行研究，组成为：EVA 含量 15%，咪唑啉缓蚀剂及其他含量达 85%；制备工艺为双螺杆混合造粒法工艺。

表 3 采油化学剂 90 天内室内评价试验

型号	缓蚀剂	防垢剂
外观	浅黄色环状	浅黄色环状
密度 g/cm³	1.4～1.6	1.5～1.8
药剂溶解后介质溶液 pH	6.9	6.5
缓蚀率或防垢率	89%	82%
释放速度	45～60 天/块	45～60 天/块

评价 90 内固体缓蚀剂在水中的释放过程，一方面检查固体缓蚀剂在所配制的井底液中的长期稳定性，另一方面检测咪唑啉固体缓蚀剂在所配制的井底液中的长期释放过程。图 4 为不同 EVA 含量的咪唑啉固体缓蚀剂在腐蚀液中释放过程，EVA 含量 0%和 5%的缓蚀剂释放过程明显较快，30 天后可达 50%，且结块较严重。而含量为 10%和 15%的切粒在 90 天后还有大约

30%未释放，挂片保护的较好，即 90 天后，咪唑啉缓蚀剂对挂片还有较强的保护作用。测试过程中固体缓蚀剂颗粒也始终没有彼此结块、上浮。

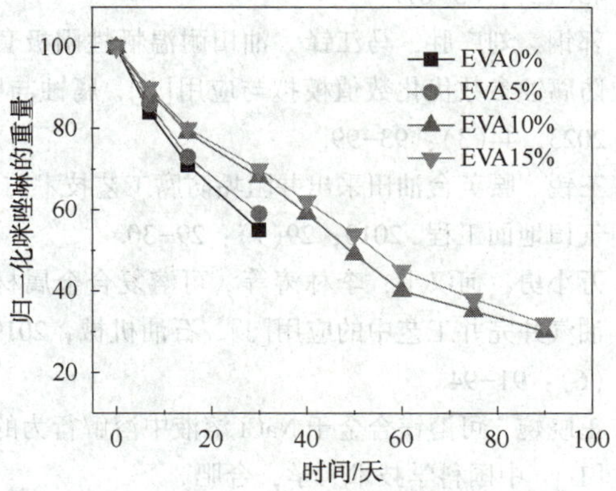

图 4　不同 EVA 含量的咪唑啉固体缓蚀剂在腐蚀液中释放过程

3　现场试验与效果

（1）下井工艺与示踪评价

在侏罗系高腐蚀区选定试验井配套缓蚀剂进行井下控释工具的状态监测。截止 2021 年 4 月，该区套损油井 220 口，平均套损周期 5.5 年，套损率 24.7%，以内腐蚀为主，穿孔点集中在动液面以下、射孔段以上 1400~1800m 之间。

监测用示踪剂是一种由丙氨基、羟基组成的长链有机化合物，与可溶金属、缓蚀剂在油水环境下配伍性良好，使用方便，对土壤和地层环境的影响较小，且能在采出液的水相中被精确检出。将填入示踪剂的工具放入地层后，示踪剂会随可溶金属的溶解而释放，有效浓度可在油水样品中被检测；措施油井每天在井口间歇取样（3 天/次），在预计示踪剂溶解时间段加密取样，取样周期 90 天。现场使用便携式浓度测定仪进行检测，油水样品采集后妥存于现场，每 1~2 天运送至实验室进行分光光度法检测验证。

（2）试验效果

图 5 为 2021—2022 年开展的井下控释工具现场试验图，同步配套缓蚀剂示踪剂浓度监测。示踪剂浓度连续监测曲线如图 6 所示，2 口典型井的实际试验数据表明可溶隔板溶解情况与理论时间基本一致。在高含水、盐时可溶隔板溶解速度加快，缓蚀剂会减缓可溶隔板溶解，因此在不同井况下可溶隔板的溶解速度不同，隔板溶解预测时间与实际时间略有差异。

图 5　工具内投加示踪剂　　　　工具下井

（1）本工具总共 5 个可溶隔板，从下往上数第一、二、四、五可溶隔板能完全溶解，无可见残渣，溶解情况良好。

（2）从下往上数第一、三、四节接箍排气阀完全打开，第二节上接箍排气阀未打开。

（3）从下往上第一节、第四节储药筒棒状药剂已完全溶解为糊状粘稠残渣。

表明该工具可溶隔板在含水油井井液中可完

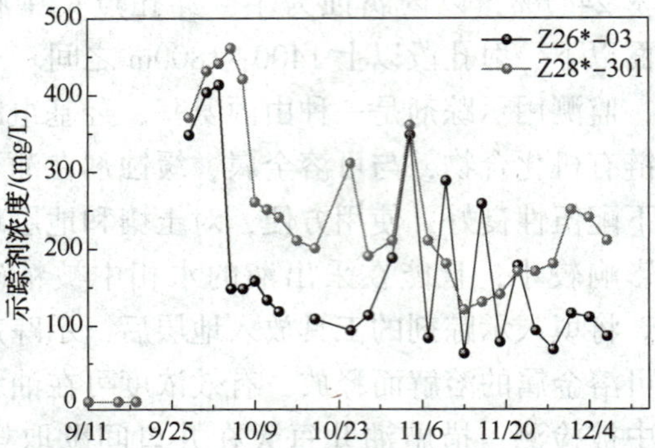

图 6　Z28＊-301、Z26＊-03 井的控释工具试验中，示踪剂浓度连续监测曲线

全溶解，排气阀基本能够顺利打开，形成循环通道。环状缓蚀剂能够完全溶解，通道未堵塞。

4　认识与下步建议

1、井下控释工具下入后，机械和化学法相结合的井下组合控释技术可实现井下分段和连续有效浓度的经济释放，该技术探索对于低渗透油田油井化学剂传统加注模式的改进提升有积极的意义。

2、示踪剂监测数据表明可溶隔板溶解情况与理论时间基本一致；根据起出油管确定可溶隔板、缓蚀剂在含水油井井液中可完全溶解；排气阀能够顺利打开，下井后缓蚀剂持续有效。后期可将该技术由常规井推广至页岩油井和套损隔采井，以期同时实现防腐、防垢、防蜡的作用，具有广阔的应用前景。

参　考　文　献

[1] 郭钢，刘广胜，王小鹏等．长庆油田低合金耐蚀管材耐蚀性评价及现场应用[J]．腐蚀与防护，2022，43(12)：83-87.

[2] 郭钢，刘广胜，马江锋．油田耐温牺牲阳极套管内防腐蚀参数优化数值模拟与应用[J]．腐蚀与防护，2023，44(3)：93-99.

[3] 王锐．腰英台油田采出井阻垢防腐工艺技术[J]．油气田地面工程．2010，29(7)：29-30.

[4] 万小勇，何汉平，李林涛等．可溶复合金属材料在油气井完井工艺中的应用[J]．石油机械，2019，47(6)：91-94.

[5] 王晓婉．可溶镁合金于 NaCl 溶液中溶解行为的研究[D]．中国科学技术大学，合肥．

[6] Li，Qiongwei，Sun，Yulai，Gu，Chengyi，Li，Hui，Guo，Gang，Zhou，Zhiping，and Lihua Yang．" A Long-Term Inhibitor Released Technology for Low Permeability Oilfield．" Paper presented at the CORROSION 2021，Virtual，April 2021.

[7] 王静．长效缓释型缓蚀阻垢剂的合成及其性能研究[D]．陕西科技大学，西安．

[8] 艾俊哲，段立东，王欢．咪唑啉固体缓蚀剂的溶解性能及缓蚀性能[J]．腐蚀与防护，2019，40(10)：740-746.

[9] 石鑫，曾文广，刘冬梅等．固体缓蚀剂的耐温性及释放速率实验[J]．油田化学，2019，36(2)：348-352.

[10] 李华洋，邓金根，冯永存等．油田示踪剂技术的研究现状及发展趋势[J]．应用化工，2023.

中压磨料水射流切割井筒多层套管技术的研究与应用

郝大卫　杜卫刚

（中国石油集团海洋工程有限公司）

摘　要　油气井生产任务完成后进入弃置阶段，海上油气井弃置技术难度大、作业费用高，为解决海上油气井弃置面临的技术难题，开展海上油气井井口多层套管高效弃置研究。通过磨料射流切割技术优选，形成中压磨料射流切割技术。根据现有装备情况开展了中压磨料射流切割水下多层套管技术攻关及喷枪结构优化，开展喷枪样机性能实验及陆地多层套管模拟切割实验，验证磨料射流切割技术的可靠性，获取中压磨料射流优化施工参数。研制成的中压磨料射流切割工具在月探1井泥线下多层套管一体化井筒弃置中成功应用，证明中压磨料射流切割多层套管技术可靠性及经济性，具有很大的推广应用价值。

关键词　中压磨料射流；多层套管；切割；实验；井筒

随着海上油田开发进入中后期，油气井产能枯竭，面临废弃处置。由于泥线上井筒会影响到海上通航，国家海事局规定海洋平台及油气井弃置需按照弃置标准从泥线以下4m切割并回收井口和导管架等生产设施。目前海上油气井井口单层套管切割主要采用水力割刀切割。但对于多层套管特别是生产套管水泥返到泥线以上，采用水力割刀技术切割多层带水泥环套管不仅施工难度较大而且时效性差；外切割方式需要创造干式环境并进行清淤，费用高、时间久。因此以磨料射流为主的内切割技术迅速发展，通过多次应用并逐渐向着超高压方向发展，但由于超高压现场作业风险较大，需要购置特种设备，短期内费用较高。为了充分利用现有高压泵注，开展了中压磨料射流技术研究。

1　磨料射流切割技术

磨料射流是将磨料与高压水混合后形成的高速液固两相流，是上世纪80年代快速发展起来的一种射流技术。磨料射流分为磨料浆体射流和磨料水射流，目前使用最多的是磨料水射流。在磨料浆体射流中，由于固体颗粒的存在，极大的提高了磨料射流作用效果。射流对金属材料切割，实际上就是材料在在磨料的磨削作用下的破坏，磨料颗粒在水射流的挟持下，以数百米每秒的速度冲击材料，由于磨料与材料表面的接触面积很小，因而在接触区域产生的接触应力很大，当磨料颗粒与材料接触产生的接触剪切应力超过材料的剪切强度时，微粒从材料的本体上剥落下来，从而使得金属在磨料水射流作用下形成切割割缝。

近几十年以来，应用磨料射流技术对海洋石油开发中的废弃井口及平台桩腿进行切割技术发展迅速，磨料射流工具向着更大尺寸、更高压力的方向发展，如图1–图4所示。

图1　挪威NCA公司26″–42″磨料装置

图 2 英国 Proserv 公司 7″-16″磨料装置

图 3 英国 Proserv 公司 66″-120″磨料装置

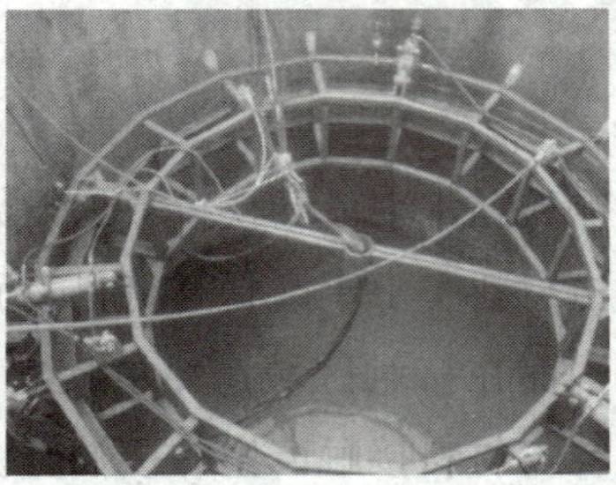

图 4 英国 Proserv 公司 180″以上磨料装置

2 中压磨料射流切割多层套管切割模拟实验

超高压磨料射流在切割泥线下多层套管的切割能力已多次应用，但以 50~70MPa 的中压磨料射流应用较少。为了证明中压磨料射流切割多层套管的可行，进行多层套管切割工具模拟实验，主要分两个阶段：室内整体性能检验实验与陆地切割模拟实验。其中室内整体性能检验实验的主要是测试中压磨料射流的切割稳定性，更重要的是获取切割参数与切割规律，为陆地切割模拟实验奠定基础。

2.1 室内模拟实验

2.1.1 喷嘴选型

喷嘴是重要的能量转换器，也是实现多层套管高效切割的关键部件，根据行业内近几十年的经验总结，喷嘴性能优劣的四大判断标准：即：调制形成的射流密集性好;、等速核长度大;、喷嘴材质耐磨性好;、易于加工制造。目前喷嘴主要分为：等变速型、流线型、锥型、圆柱型、圆弧形、双圆弧型、双锥型、圆弧锥型。

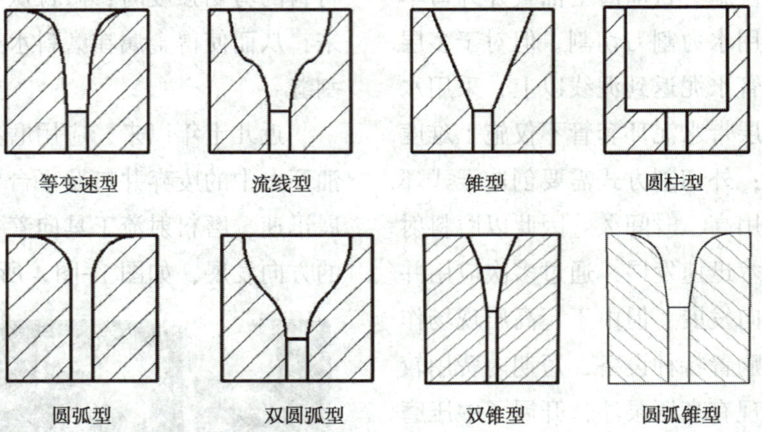

图 5 喷嘴分型

表 1 喷嘴扩散角及等速核长度

喷嘴名称	扩散角	等速核长度
双圆弧喷嘴	17.1°	5.6d
圆弧喷嘴	17.3°	5d
锥型喷嘴	17.5°	4.4d
流线型喷嘴	15.7°	6 d
双锥型喷嘴	16.0°	5.9d
等变速型喷嘴	16.6°	5.4d
圆柱型喷嘴	18.6°	1.2d
圆弧锥型喷嘴	16.2°	9.3d

流线型喷嘴调制形成的射流密集性最好，但内流道加工非常困难，圆弧锥型喷嘴形成的射流密集性与流线型差别很小，同时，等速核长度在所有喷嘴中最大，因此，本实验喷嘴为圆弧入口带锥形收缩段内流道结构，出口直径分别为 2.4mm 与 3.0mm。

2.1.2 切割头及保护套

切割头为喷嘴提供了安装场所，采用 42CrMo 材料加工，调质布氏硬度 280~320；直径 290mm，比 13-3/8”套管内径小 25mm(单侧 12.5mm)；安装有 6 个喷嘴，且在喷嘴安装区域加装特种合金保护套(另加工 1 件硬质合金保护套备用)，以防止切割过程中的高速返回流冲蚀损坏切割头，保护套外径 280mm。

图 6　切割头及喷嘴

图 7　保护套

2.1.3　液压旋转速度控制

液压旋转速度控制装置的主要部件包括液压马达、中心轴、特种高压旋转密封组件、特种高压旋转防砂组件、中心筒等，其作用如下：

- 提供与高压磨料浆体输送管线的接口；
- 将高压磨料浆体通过其中心轴以及液压锚定装置的中心轴输送至切割头；
- 实现高压、高含砂量下的旋转动密封；
- 通过液压马达驱动切割头按照预设转速旋转。

2.1.4　液压锚定装置

液压锚定装置的作用是通过液压控制的方式，将 6 个锚爪推出后紧紧的固定在套管内壁上，且锚定装置的中心轴与切割头同步旋转，从而防止震动导致切割“波浪线”现象的发生，切割完成后，锚爪收回，解除锚定状态。

表 2　液压油压力与锚爪推力关系

序号	油液压力/MPa	单个锚爪对套管内壁的推力/N	6 个锚爪对套管内壁的理论推力
1	2	4356 (≈0.44 吨)	≈2.64 吨
2	5	10890 (≈1.1 吨)	≈6.6 吨
3	7	15245 (≈1.52 吨)	≈9.12 吨
4	10	21779 (≈2.18 吨)	≈13.1 吨
5	15	32669 (≈3.27 吨)	≈19.6 吨
6	21	45736 (≈4.57 吨)	≈27.4 吨
7	25	54447 (≈5.44 吨)	≈32.3 吨

2.1.5　室内实验装置

室内整体性能实验装置主要由压裂泵撬、混砂撬、实验架、液压控制系统、水箱、井下监测系统、切割井下配套工具管串及相关配件组成，其流程如图 5 所示。室内整体性能检验实验使用出口直径为 2.4mm 的喷嘴。使用 2 台液压控制系统，额定压力均为 25MPa，分别控制切割头的旋转速度、实验平台升降与锚定装置。其中，控制液压锚定装置的液压站具有保压功能，锚爪伸出，液压站停机后，锚定压力可保持不变。为更真实的获数据，创造淹没环境，并在实验靶件的周围放置石子夹层(夹层宽度 300mm)与防护钢板(钢板厚度 10mm，并与水箱保持一定距离)，以防止割透靶件后的射流对周围的人与设备造成损害。

实验采用 850mm+339.7mm 双层偏置套管结构，在靶件的一侧设置观察窗，为方便测量切割深度。同时在切割头附近放置声波监测装置，定性判断套管割断时机。

2.2　实验流程

按图 5 实验装置流程图所示连接各实验设备，检查设备和管线正常后开始进行实验。

1）连接实验设备；

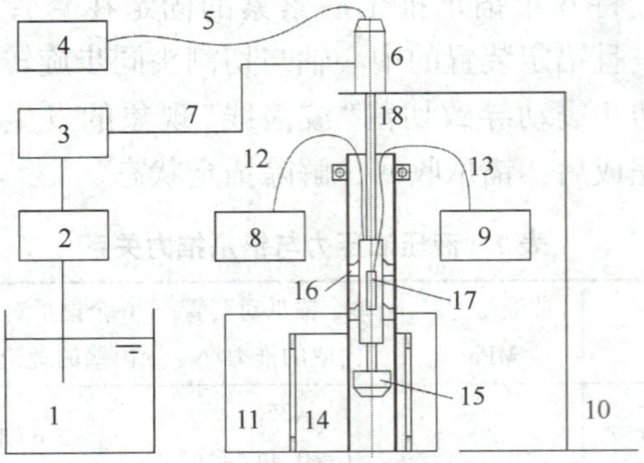

图 8　实验装置流程图

1—水池；2—混砂撬；3—压裂泵撬；4—液压站(a)；5—液压管线(3 根)；6—切割头旋转驱动装置；7—高压磨料浆体管线；8—液压站(b)；9—井下监测系统；10—大型实验架；11—水箱；12—液压管线(2 根)；13—信号传输电缆；14—多层套管；15—切割头与保护套；16—井下锚定装置；17—井下传感器；18—油管

2）启动压裂泵撬，试压；

3）开启锚定装置，将切割头与保护套锚定在套管内壁上；

4）开启旋转驱动装置，带动切割头与保护套按照预设转速 3~4rpm 旋转；

5）启动混砂车供液，将压力调节至实验设定压力，稳压 3~5min 后加砂，同时开启井下监测系统，开始切割实验；

6）实验进行一定时间后，停止加砂，并将管线内的残留磨料冲洗干净，停泵卸压，关闭切割头旋转驱动装置；

7）测量切割深度，记录数据；

8）重复第 4 步~第 6 步，直至实验完成。

图 9　实验靶件制作

图 10　室内整体性能检测实验图

2.3　室内实验结论

室内实验切割内层 339.7mm 套管，套管割断之前，大量切割液自套管顶部喷出，经过 7min，内层套管完全切断后，339.7mm 套管顶部不再有切割液喷出，而从 850mm 隔水管侧壁处的预留宽槽涌出。见表 3。

表 3　室内整体性能检验实验结果统计

序号	起止时间	压力/MPa	排量/（L/min）	切割深度/mm		备注
				近端	远端	
1	11：10~11：30(20min)	51~52	530~550	82	306 尚未触及隔水管	7min 将 339.7mm 套管完全割断，并将外层 850mm 隔水管的近端割出深 12mm 的沟槽
2	14：20~14：30(10min)	51~53	530~550	/	/	停机加水，未测量深度
3	15：20~15：50(30min)	51~53	530~550	穿透，覆盖范围约 600mm	380	远端已触及 850mm 隔水管内壁

表 3 室内检验实验表明，采用 6 个 ϕ2.4mm 喷嘴，在泵压 51~52MPa、砂比 9~12%、排量 530~550L/min、切割头旋转速度 3rpm 工况下，经过 7min 可将内层 339.7mm 套管完全割断，60min 可将 850mm 隔水管近端割透，同时射流能够触及隔水管远端的内壁。从室内实验结果发现，中压磨料射流在切割多层套管具有可行性，因此继续开展了室外试验彻底切开套管。

3.4 室外模拟试验

根据室内模拟实验的结果，采用了与现场一样的施工设备进行了海试模拟试验，实验结果统计见表 4。

表 4　陆地海试模拟实验结果统计

实验时间	压裂车型号	压力/MPa	排量/（$L \cdot min^{-1}$）	砂比/%	喷嘴直径/mm	射流速度/（$m \cdot s^{-1}$）	切割时间/min	切割效果
10 月 15 日	1400 型 2 台	52~59	560~570	10~11%	2.4	≈350	261	割缝长度（弧长）≈1.68m，外层隔水管周长 2.67m，切割完成度约 63%。从未切开口以及预留测量槽观测，壁厚方向最厚 20~25mm 左右未切开。
10 月 16 日	1400 型 2 台	66~72	630~670	10~11%	2.4	≈400	27	割缝长度（弧长）≈1.73m，切割完成度约 64.8%。从未切开口以及预留测量槽观测，壁厚方向最厚 19~22mm 左右未切开。
10 月 17 日	2000 型 1 台	58~67	580~610	10~11%	2.4	≈365	111	割缝长度（弧长）≈1.78m，切割完成度约 66.7%。从未切开口以及预留测量槽观测，壁厚方向最厚大约有 17~18mm 左右未切开。
10 月 19 日	2000 型 2500 型 各 1 台	65~70	900~910	11.7~12.2%	3.0	≈356	62	完全割断，切割完成度 100%。

从表 4 室外模拟海试试验结果表明，使用 6 个 ϕ2.4mm 喷嘴，在泵压 52~72MPa、砂比 10~12%、排量 560~670L/min、切割头旋转速度 3~4rpm 工况下，经过 6 小时 39 分钟的切割，隔水管近端已经完全割断，而远端区域还有弧长 92cm 左右、大约 17~18mm 厚度未切开；由于喷嘴损坏，更换 6 个 3.0mm 喷嘴后，提排量至 900~910L/min，经过 1 小时 2 分钟，试件被完全割断，证明中压磨料射流切割多层套管可行，且通过实验进一步优化了排量、砂比、喷嘴选型等重要参数。

3　现场应用

月探 1 井属于风险探井，在完成勘探任务后整体进行了弃置。月探 1 井井口平台按等腰三角形布置，桩中心间距尺寸如下图 11-图 12 所示，月探 1 井井筒隔水管外径 850mm，材质 DH32，壁厚 30mm，既是井口平台桩腿又是生产井的隔水管，采用钻入法下人，内插管固井，桩内实际水泥返高位置，其井身结构如图 13 所示，井身结构为：隔水管 850mm × 50mm，表层套管 339. 7mm×12. 19mm，水泥返至泥线，技术套管 244. 48mm × 11. 99mm，油层套管 177. 8mm × 10. 36mm。

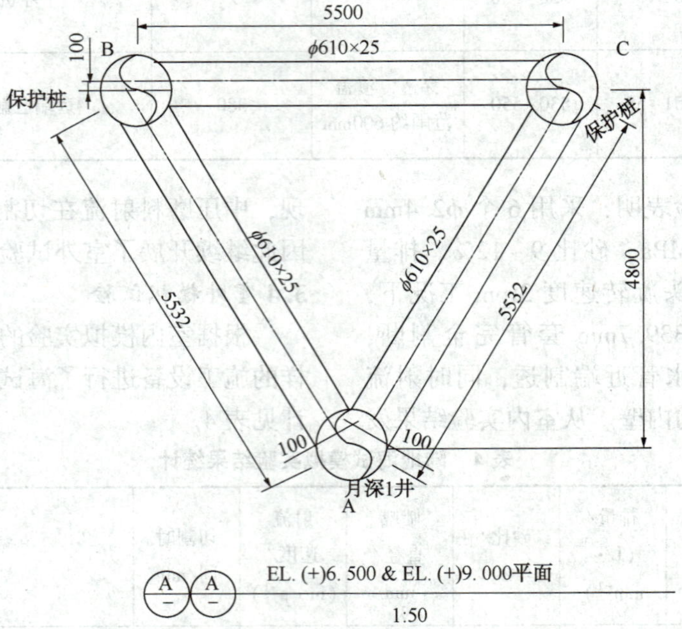

图 11　桩管位置间距

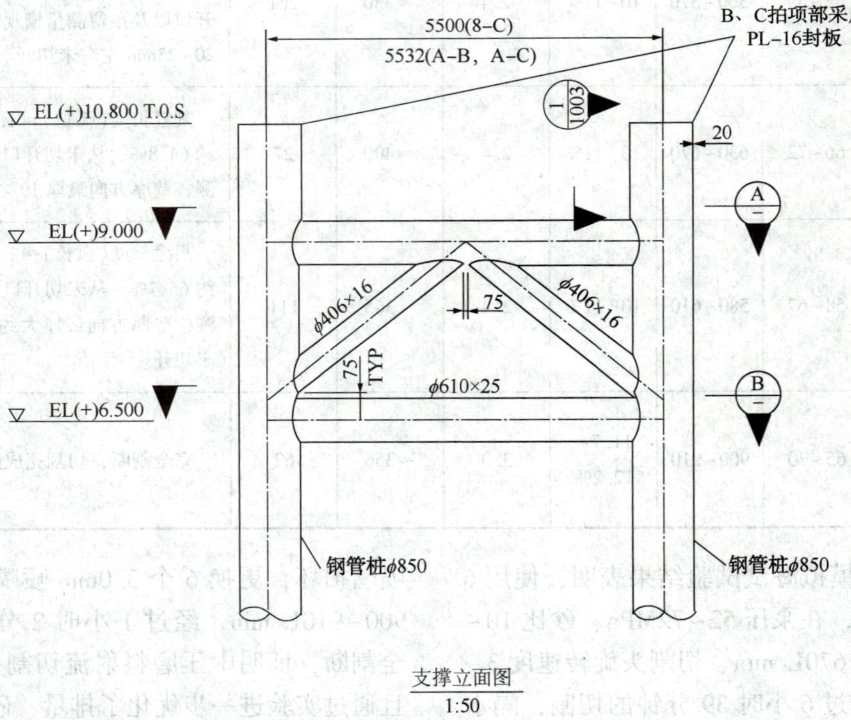

图 12　支撑立面图

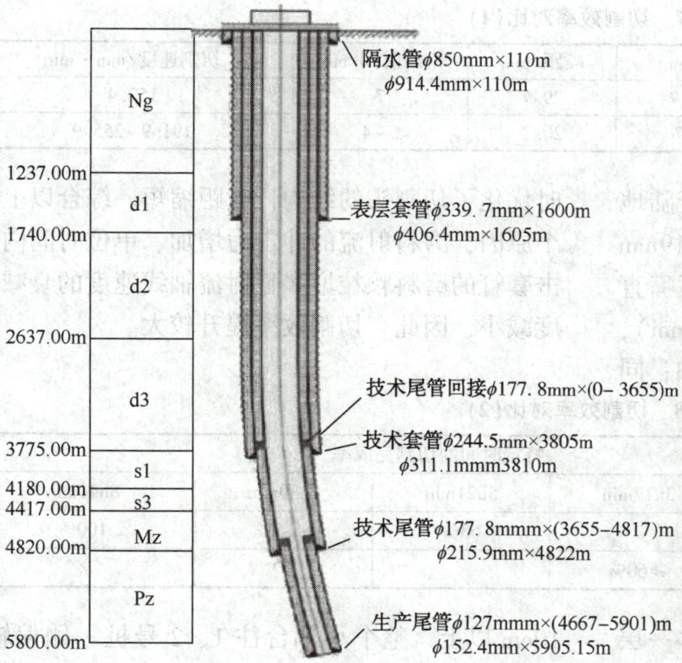

图 13　月探 1 井井身结构示意图

图 14　月探 1 井井口图

按照施工方案，首先对井口的两个桩腿用水力割刀进行了内切割，最后对月探 1 井多层套管采用中压磨料水射流进行切割。切割的工具串自下而上：切割头+井下锚定装置(补液喷管)+补液管(油管内)双层管+井口液压锚定装置+井口支撑+井口旋转装置。月探 1 井的施工参数见表 5 所示。

表 5　月探 1 井磨料射流切割施工参数

序号	泵压/MPa	排量/(L/min)	砂比/%	累计切割时间	现象	分析
1	58~64	800~810	10	3~4min	244.8mm 技术套管井口不返液	244.8mm 技术套管割透
2	68~70	850~880	10	28~29min	244.8mm 技术套管井口返液明显减小，同时 339.7mm 表层套管与 850mm 隔水管之间的环空大量返液	339.7mm 表层套管割透
3	68~70	850~880	13	2h20min	339.7mm 表层套管与 850mm 隔水管之间的环空不再返液，且技术套管井口的返液量进一步减少	850mm 隔水管割透
4	68~70	850~880	13	3h17min	液压马达无法旋转	内层套管错位，卡住旋转切割头

4　施工过程分析

4.1　施工参数分析

表 6　施工参数对比

场所	泵压/MPa	排量/(L·min^{-1})	砂比/%	转速/rpm	井下锚定压力/MPa	井口锚定压力/MPa	补液排量/L·min^{-1}
陆地试验	65~70(3.0mm 喷嘴)	900~910(3.0mm 喷嘴)	10~12.2	4	6	无	无
海上施工	64~70	810~880	10~13	5	10	7	200m^3/h

由表 6 可知，均使用 3.0mm 喷嘴时，陆地实验与海上施工无论是泵压、排量、砂比还是转速区别不大；而海上施工时，将井下锚定压力增大的主要原因是由于入井管柱较长，需要考虑管柱打压后的伸长量，同时需要消除管柱震动对切割头的影响。

表 7　切割效率对比(1)

场所	第一层套管	周长/mm	喷距/mm	割断时间/min	切割速度/mm · min
陆地实验	339. 7mm(壁厚 12. 19)	1066. 7	29. 7	7	152. 4
海上施工	244. 8mm(壁厚 11. 99)	767. 7	20. 2	3~4	191. 9~255. 9

由表 7 可知，海上施工的切割速度明显高于陆地实验时的切割速度(忽略 11. 99mm 与 12. 19mm 的细微差别)，主要是由于海上施工时，喷嘴直径大于陆地实验使用的喷嘴(3. 0mm>2. 4mm)，在泵压与砂比基本相同的前提下，排量增加；同时优化了切割头的结构，喷距缩短。综合以上两个原因，磨料射流的冲击力增加、单位时间内撞击套管的磨料颗粒增多且射流轴线速度的衰减程度减小，因此，切割效率提升较大。

表 8　切割效率对比(2)

场所	850mm 隔水管壁厚	特定时间的切割完成率				
		2h20min	3h17min	5h21min	7h39min	8h41min
陆地实验	40mm	/	/	63%	66. 7%	100%
海上施工	50mm	≥50%	≥60%	/	/	/

另外，由表 8 可知，海上施工时，在多一层套管的前提下，经过 3 小时 17 分钟，850 保护桩的切割完成率与陆地实验 5 小时 21 分钟时的切割完成率相当，分析主要原因：

当射流切割最外层的隔水管时，喷距均较大，此时，围压(井筒内液柱压力)的作用开始凸显出来。射流的切割效率随着围压的增大首先增加，当围压超过一定数值后，切割效率又进一步下降，实验表明，当围压 0. 5~1. 0MPa 时，同等工况下的切割效率最高；本次海上施工时的切割深度距离技术套管头 21. 2m，认为围压 0. 2MPa；同时，井口支撑装置上的返液口当量直径为 76mm 左右，而补液泵的排量为 $200m^3/h$(3333L/min)，又会导致约 0.1MPa 的憋压，因此，综合围压为 0. 3MPa，切割效率高于地面实验。

4. 2　异常情况分析

由于在实施磨料射流切割井筒前，已用机械割刀将 1#、2#的保护桩割断，且切口高度均在 10cm 以上，整个小平台往 1、2 号桩一侧偏转，从而对井口施加一个弯矩，同时组成井口的技术套管、表层套管与隔水管之间没有水泥固结，因此，井口会产生一个大的弯曲应力，当内部的两层套管未割断之前，可认为两层套管与隔水管“同步弯曲”；

当磨料射流将技术套管与表层套管割断后，由于没有水泥固结，两层套管的弯曲应力会突然释放，其中技术套管下沉了 0. 8m(机械割刀入井时探出)，而表层套管在割缝上、下两端错位，对切割头造成一个很大的横向压力，压住切割头无法旋转；将整套工具解除锚定后提升 20cm，然后重新下放 3 次，每次的遇阻点距离喷嘴出口的位置均为 10cm，该位置正好是喷嘴出口与切割头底部的距离，该现象进一步验证了割缝上、下两端的表层套管错位，另外，切割头底部有长度 50mm 的导向锥，依然无法下放到原位置，说明表层套管错位较大。

图 15　850 隔水管切割

后续将割断的244.8mm技术套管与339.7mm表层套管从850mm隔水管内拔出，起拔力9吨(正好是切割工具与两层套管的重量，进一步验证了没有水泥固结)，观察切割断面的情况，发现切割位置恰好位于339.7mm表层套管接箍位置，且远离1、2号保护桩一侧的切口较为平整，但靠近1、2号保护桩一侧的切口断面存在明显的茬口，分析认为是套管割断后，应力释放后错位，射流重复切割该位置导致的。

5 结论

(1) 地面试验与现场应用表明，中压磨料射流切割井口多层套管技术可行，在海上泥线下多层套管弃井井筒切割中可以进一步推广应用。

(2) 中压磨料射流切割辅助装置满足转速0~10rpm(油压0~25MPa)、井口与井下锚定压力0~14MPa(具备保压功能)的要求，且井口与井下锚定装置收放自如；补液强制排砂、井口支撑均满足要求；

(3) 多层套管之间有水泥时更有利于切割，水泥的存在，套管不会产生错位，压住切割头的情况不会发生，因此，建议以后施工之前，首先需要探明真实的水泥返高，然后根据实际情况制定施工方案；

(4) 进一步提升判断套管切断进展的监测系统，用于监测套管切断时机，提高施工效率；

(5) 继续优化磨料射流施工过程中的各项水力参数，优化施工压力、排量，用以节约现场工时从而间接控制船舶、平台等各项费用成本，从而达到以最优的设备配置完成既定的工程目的。

参 考 文 献

[1] 贾宗文，耿亚楠，幸雪松等．泥线下多层套管切割技术研究及适用性优选[J]．石油矿场机械，2020, 49(02)：71-75.

[2] 杨行，孙巧雷，冯定等．用于深水套管切割的水力式内切割装置设计[J]．科学技术与工程，2018，18(25)：45-50.

[3] 袁涛，党博，陈龙等．海上废弃井套管磨料射流切割监测系统[J]．仪表技术与传感器，2018，No.431(12)：83-86+90.

[4] 田家林等．磨料水射流仿真分析与实验研究．流体机械，2021年2月第49卷第2期：9.

[5] 祝传增．磨料射流切割石油管柱技术研究，中国石油大学硕士学位论文：5-6.

水力泵送校深技术在水平井复合管柱中的研究与应用

李　宁　姜立民　刘若愚

（中国石油集团海洋工程有限公司天津分公司）

摘　要　随着渤海油田油气勘探开发力度的加大，海上油气井逐渐向大斜度定向井、水平井发展，在水平井精细开发的同时，一些技术难题也日益凸显。传统的射孔校深技术，受井斜角影响，即使配合电缆爬行器，校深工具也难以下至目标位置，一般采用多次校深累加的方式完成施工。水力泵送校深技术是近年来发展起来的一种新的技术，因其具有不受井斜角和井眼轨迹影响的优点，而被广泛应用于水平井中。本文以大港油田埕海1-1区块X井为例，模拟分析计算了水力泵送技术在复合油管中应用的可行性，并在现场得以成功实施，对后续海上其他同类水平井校深作业提供了一定的借鉴和参考。

关键词　水平井；复合管柱；水力泵送校深工艺

1　水平井射孔校深工艺现状

海上射孔校深技术一般采用自然伽玛 GR 和磁定位 CCL 组合，根据校定校深短节的实际深度，调整射孔管柱，完成校深施工。

随着渤海油田油气勘探开发力度的加大，海上油气井逐渐向大斜度定向井、水平井发展，在油气井射孔工艺方面，水平井校深技术与传统的校深技术也有着很大的区别。目前，水平井常用的校深技术主要有以下几种：

1.1　分段校深技术

分段校深工艺即在射孔管柱上设置多个定位标识，在直井段对射孔管柱长度进行分段校深，每段累加作为射孔零长，见图1，即射孔总零长 $L=L_1+L_2$，取得射孔管柱校深标识深度。

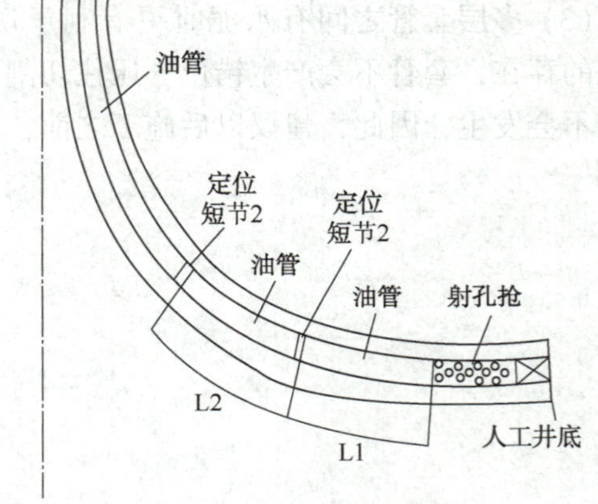

图1　分段校深工艺

但此类方法仍存在问题，由于直井段管柱和水平段受到的重力方向不同，管柱在直井段重力拉伸与水平段不同，这势必导致“射孔零长”与最终到位后射孔零长存在误差；而且当遇到钻具组合为复合管柱时，势必将导致校深设备下入难度大大提升。

1.2　连续油管输送校深技术

连续油管输送工艺，在工具上可以选择普通连续管或挠性硬电缆管。普通连续管内部没有电缆，可以与存储式动态监测或固井监测测井仪器硬连接后下至目的层，通过上提或下放带动仪器完成测井。挠性硬电缆管内插有多芯电缆，作业时预先将插入管内的电缆与地面测井仪器连接，后将盘卷在滚筒车上的连续管被“拉直"送入井中，由挠性硬电缆管上提或下放带动仪器完成测井。

连续油管输送法施工工艺相对简单，适用于不同尺寸的测井仪器，尤其在小直径井筒内更具优势，它起下速度快，可以大大提高作业时效，降低海上作业成本。

但连续油管设备一般采用机械滚轮计深器计量深度，该方法计量误差较大，而且由于连续油管具有较强的弹性，在井内的连续油管并不是一根很直的管柱，而是一条正弦弯曲的管柱，所以地面计数器读取的下入深度与连续油管实际下深具有比较大的差值。同时，由于连续油管强度有限，水平井的水平段测量长度一般也不建议超过1000m。

1.3 爬行器辅助校深技术

井下爬行器主要由旋转节PSJ、张力短节HTC、电控短节、牵引短节及弹性扶正器构成，如图2所示。旋转节PSJ是可自由旋转的连接器，用以防止爬行器下放或行进过程中电缆打扭。电控短节则是集电源、控制电路、参数采集为一体的多功能短节，是爬行器的控制核心。爬行器的牵引短节是井下实现爬行或牵引动作的执行机构。

图2　井下爬行器示意图

爬行器初始状态，自重下入至井下井斜的位置。当地面识别爬行器在井下无法靠自重继续下入，则通过地面控制系统，启动调节电机运转，支撑臂与驱动臂联动撑开，驱动轮压紧于套管内壁。进而控制驱动电机运转，输出的转矩通过传动机构驱使驱动轮旋转，爬行器相应进入正常爬行工作状态，当爬行器在井下遇阻或作业完成时，可通过调节电机反转或解锁电磁离合器及制动器，收回驱动臂，将爬行器提升至地面。

采用爬行器测井井口测井电缆密封能够得到有效控制，井下仪器在井眼中居中测量的问题得到妥善解决，减小了施工难度，降低了劳动强度，扩展了水平井测井项目使用范围。

但其对井眼、井况条件要求较高，测井前需要彻底清洗井筒，对于水平井复合管柱，变径处必须有导向角，井下管柱条件复杂多变，采用爬行器工艺复杂程度高、技术要求高，技术风险也相对较高。而且每节驱动的动力有限，在井斜较大的井型中，爬行器容易打滑空转，它结构比较精细，在井下大功率工作条件下极易变形，同时由于大部分机械部件裸露在高温高压的油水介质中导致其使用寿命较短，维护保养要求严格，备用件更换频繁，而爬行器配件存在价格高、供货周期长的不利因素，更是大大限制了爬行器输送工艺的大量推广应用。

1.4 水力泵送校深技术

水力泵送技术，通常是在井口使用一个注水三通短节上部接双级液压紧凑防喷器见图3。

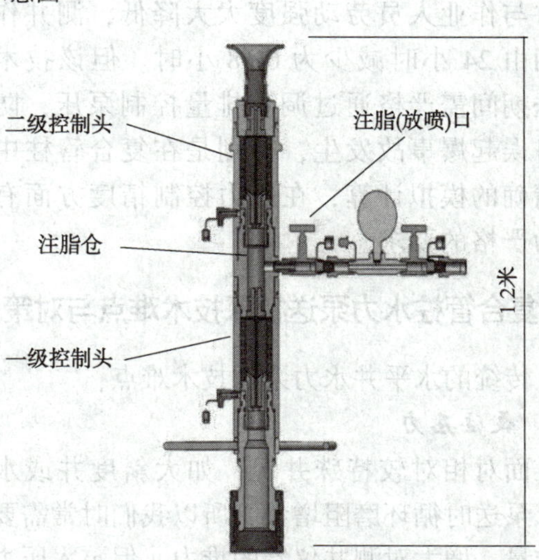

图3　双级液压紧凑防喷器

该工具采用双控制头结构，可有效密封电缆，可密封压力大于20MPa，作为泵送仪器时井口电缆密封装置，操作时，先将电缆由防喷装置上部穿入注水三通短节上部，再从三通短节下端穿出，然后在穿出的电缆前端制作电缆头，连接测井仪器及滚轮、尾堵，见图5，连接完毕后从三通短节旁通处连接管线，从管线泵入液体，液体通过射孔管柱下部的打孔筛管形成油套间的循环通道，由于三通短节上部组装了双级液压紧凑防喷器，因此可以在管柱内形成一个压力，在该压力的加持下液体通过循环，推动测井仪器不断前进，同时在水力泵送过程中，减少磨阻也是保证泵送效果的关键因素，故在测井工具串中大都加入低磨阻滚轮输送工具，将泵送过程中的滑动摩擦变为点接触滚动摩擦，大大减少了摩擦阻力，延长了重力驱动作用时间。

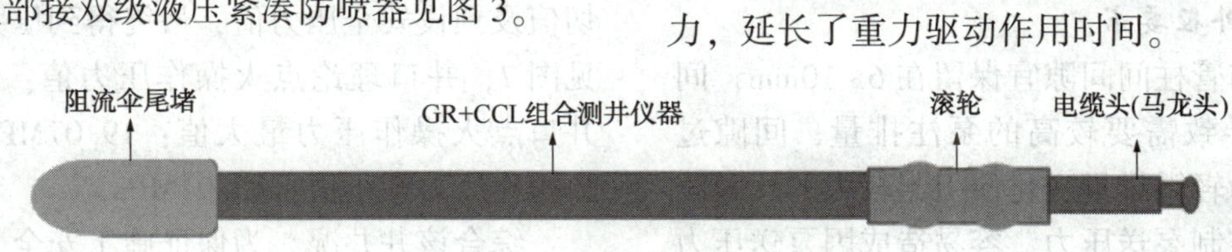

图5　水力泵送测井仪器串

对于一般井的泵送施工，只需要依靠正常循环的液体推力就能将测井设备输送到目的深度，但对于造斜点早、斜井段距离长、油管(钻杆)内不干净的井，就需要加大泵入的压力，使井下测井仪器向前行进。

该技术突破了原有测井工艺在电缆下井过程中无法正常座封井口实施密闭注水加压的技术瓶颈。座封井口后，仪器在密闭状况下进行测井，井筒环境保持稳定，测井资料品质有了较大的改善，测井过程中不再动用管具作业，测井与作业人员劳动强度大大降低，测井作业时间由 24 小时减少为 6-8 小时。但该技术在泵送期间需严格通过调节排量控制泵压，防止枪身误起爆事故发生，特别是在复合管柱中需要精确的模拟计算，在压力控制精度方面有着更为严格的要求。

2 复合管柱水力泵送校深技术难点与对策

传统的水平井水力泵送技术难点：

2.1 泵注压力

面对相对较特殊井况，如大斜度井或水平井，泵送时循环磨阻增大，所以我们时常需要加大排量，增大对测井仪器的推力，但泵入压力也会随着加大。由于在油管输送射孔施工中，枪身已经下至井内，起爆器为加压方式起爆，这就需要控制泵入压力来避免枪身误起爆事故的发生。针对该问题，一是现场根据井深、压井液密度等信息，严格控制泵压，且做好实时监控，确定可以保证电缆平稳运行的泵入压力即可，二是提高起爆器的安全压力值。

2.2 循环通道要求

射孔管柱底部预留循环通道是水力泵送工艺可行的必要条件之一，而且循环通道面积应大于阻流伞与油管(钻杆)的内环空面积，这样才能保证仪器顶端可以产生足够的推力，如果底部预留通道较窄，现场将无法提高排量，面对复杂井况也就无法提供足够的推力，最终导致水力泵送失败。

2.3 阻流伞外径要求

阻流伞与管柱间间隙宜保留在 6~10mm，间隙过大，会导致需要较高的泵注排量，间隙过小，则会因为轻微排量变化便引起较大的压力波动，不利于控制泵送压力，容易造成因泵送压力过大将仪器从电缆马龙头泵脱风险。

此外，针对水平井复合管柱的井来说：

由于泵送通道的内径变化，对于排量、泵压的控制难度便会大大增加，针对该问题，作业前需对不同管柱内的泵送进行数据模拟，得到最优参数，为现场施工提供数据支持，现场泵送过程中，绞车工也需掌控好电缆运行速度，井径变化或出现异常情况，泵送速度也要与泵压进行适应性调整，工程师在泵送过程中也需时刻注意曲线光标、张力和泵压的变化。在复合管柱中阻流伞外径的选取也与常规井不同，需同时考虑该直径在大直径井筒中能否在控制泵压的前提下通过调整排量产生足够的推力，以保证正常泵送，而在小直径井筒中，该直径会不会由于间隙太小导致泵压太高无法提高排量，导致泵送失败。

上述参数的选取直接决定了施工的成败，是水力泵送施工成功的关键因素，因此，泵注相关参数的优选就变得尤为重要。

3 埕海 X 井校深技术方案设计

3.1 埕海 1-1 区块 X 井基本情况

X 井位于埕海油田埕海 1-1 区块，于 2022 年 8 月 28 日钻井施工结束，该井井深 4574.43m，设计造斜点 179m，水平位移 3768.95m，最大井斜 88.51°/3499.69m，最大全角变化率 4.49°/2897.90m，采用 9-5/8″套管悬挂 5-1/2″尾管完井，井身结构见图 6。

3.2 模拟泵送施工方案

该井井斜在 988.85m 处达到 67.26°，在 3873.56m 处井斜达到 88.51°。因此，先采用滚轮自由下放的方式进行油管校深，至 988.85m(井斜 67.26°)处采用水力泵送仪器方式下入测井仪器，用筛管作为循环通道，从井口管柱三通泵注清水，将仪器送至目的深度，下过校深短节后，上提测井，根据固井放磁曲线校正油管深度。

3.3 泵压参数优选

向模拟软件输入井的基本参数、单支销钉剪切值及预设安全压力值，最终得到压力模拟结果见图 7，井口理论点火操作压力值：17.49MPa，井口点火操作压力最大值：19.07MPa，井口点火操作压力最小值：15.91MPa。

综合该井井况，为保证施工安全，决定在最小井口操作压力值的基础上，再附加一个 5MPa

(或 60%)的安全系数，在泵送过程中泵压需始终保持在 10MPa 以内，该参数后续仍需通过泵送数值模拟进行可行性分析。

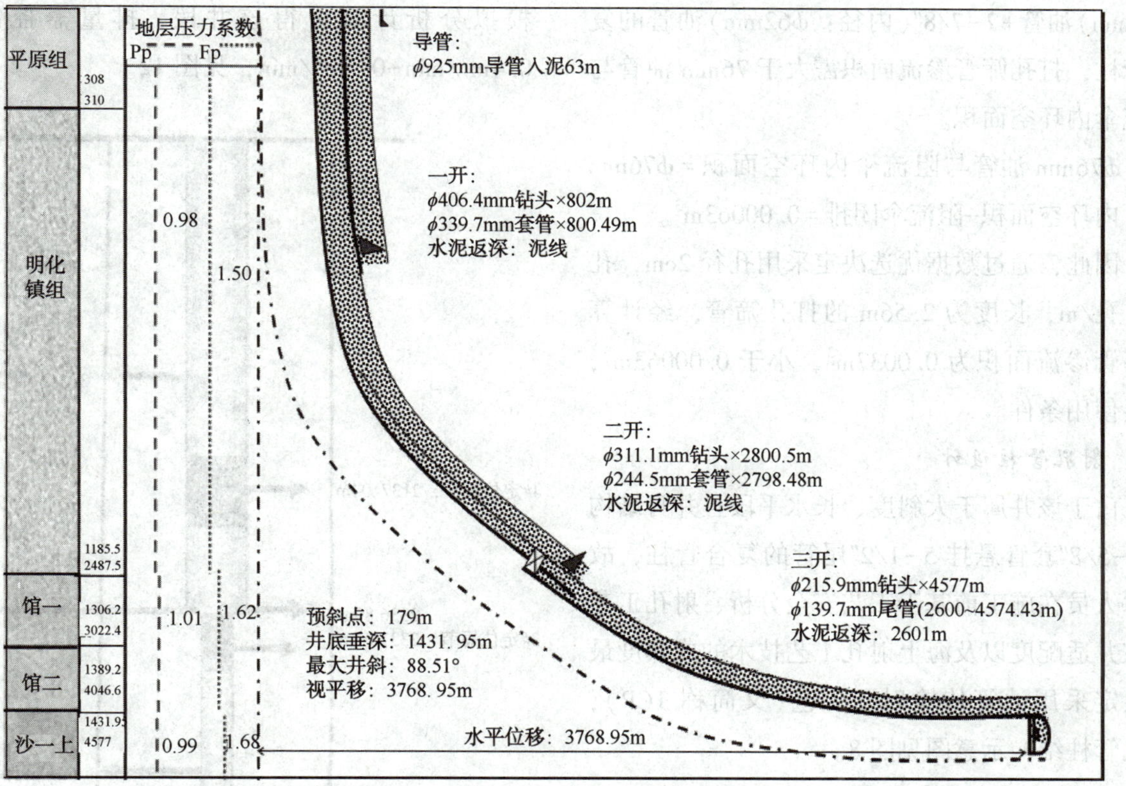

图 6　埕海 1-1 区块 X 井井身结构

基本参数					
起爆装置位置深度(米)：	4337.2	**垂深(米)：**	1400	**环空密度(g/cm^3)**	1.03
环空静液柱压力(MPa)：	14.13	公式：垂深*井液密度*0.0098			
射孔井段温度(℃)：	55.7	温度影响系数：	4.000%	剪切材料强度随温度降低百分数	
销钉个数计算					
单支销钉剪切值(MPa)：	**3.66**	(手动填写)厂家提供的实测剪切值			
单支销钉实际剪切值：	3.514	公式：单支销钉剪切值*(1-温度影响系数)			
预设安全压力值(MPa)：	15	(手动填写)附加的安全压力值			
预设最大起爆压力(Mpa)：	29.132	公式：环空静液柱压力+预设安全压力值			
销钉个数：	8.291	公式：预设最大起爆压力÷单支销钉实际剪切值			
销钉个数取整数：	**9**	进位取整			
点火操作压力计算					
理论起爆压力(MPa)：	31.62	公式：单支销钉实际剪切值*销钉个数取整数			
井口理论操作压力值(MPa)：	**17.49**	**2537**	PSI	公式：	最大起爆压力－井筒静液柱压力
正误差系数：	5%	负误差系数：	-5%		
井口操作压力最大值：	19.07	2766	PSI	公式：理论点火压力*(1+正误差系数)－井筒静液柱压力	
井口操作压力最小值：	15.91	2307	PSI	公式：理论点火压力*(1+负误差系数)－井筒静液柱压力	

图 7　井口操作压力参数模拟

3.4　打孔筛管参数优选

由于射孔管柱结构为 3-1/2″(内径：ϕ76mm)油管+2-7/8″(内径：ϕ62mm)油管的复合管柱，打孔筛管渗流面积需大于 76mm 油管与阻流伞内环空面积。

ϕ76mm 油管与阻流伞内环空面积 = ϕ76mm 油管内环空面积-阻流伞闭排 = 0.00063m^3。

因此，通过数据优选决定采用孔径 2cm，孔密 5 孔/m，长度为 2.56m 的打孔筛管，经计算该筛管渗流面积为 0.0037m^3，小于 0.00063m^3，满足使用条件。

3.5　射孔管柱设计

由于该井属于大斜度、长水平段且井身结构为 9-5/8″套管悬挂 5-1/2″尾管的复合管柱，故技术人员在施工前基于工艺安全分析、射孔工艺与该井适配度以及海上射孔工艺技术的成熟度最终决定采用油管传输射孔工艺(又简称 TCP)，射孔管柱结构示意图见图 8。

3.6　阻流伞等工具参数优选

由于射孔管柱结构为 3-1/2″(内径：ϕ76mm)油管+2-7/8″(内径：ϕ62mm)油管的复合管柱，因此阻流伞外径参数优先根据 ϕ62mm 内径进行优选，经分析，决定将阻流伞外径与 ϕ62mm 内径间隙控制在 6-10mm，在 ϕ76mm 内径中考虑需通过保持泵压 10MPa 以内的前提下提高排量泵送，此参数后续仍需通过泵送数值模拟进行参数可行性验证，优选结果见表 1。

3.7　泵送参数数据模拟

复合油管中内径 ϕ76mm 变 ϕ62mm，泵压控制在 10MPa 以内，采用 ϕ55.54mm 外径阻流伞，在数值模拟软件中将上述参数以及井的基本信息输入，见图 9、图 10。

1）ϕ76mm 油管内泵送数据模拟

在 ϕ76mm 油管(0m-2336.89m)内，我们对模拟结果进行三次数据分析。

0m-988.85m：采用滚轮自由下放，排量：0，最大井斜 67.26°，数据模拟成功，见图 11。

988.85m~1100m：在 988.85m 处启泵，泵压控制在 10MPa 以内，排量(最大值)：0↗0.5m^3/min，排量(最小值)：0↗0.4m^3/min，由模拟分析计算可得该井段，排量需控制在 0.4m^3/min-0.5m^3/min，见图 12。

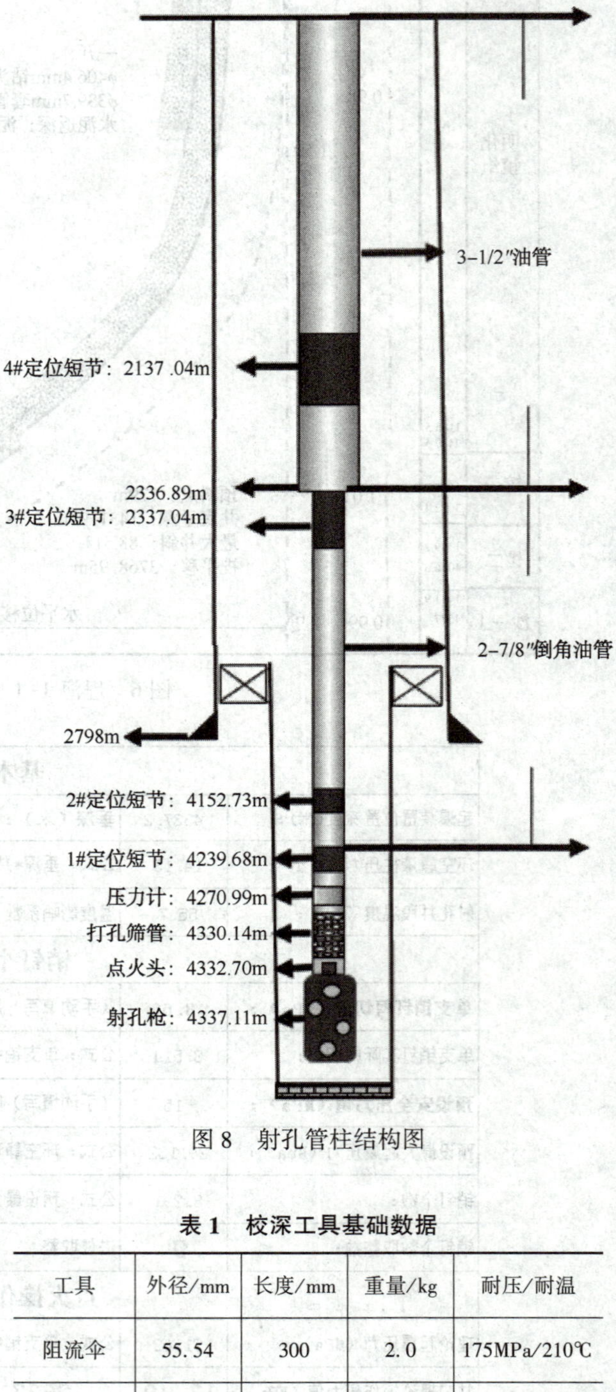

图 8　射孔管柱结构图

表 1　校深工具基础数据

工具	外径/mm	长度/mm	重量/kg	耐压/耐温
阻流伞	55.54	300	2.0	175MPa/210℃
GR 仪	35	1724	15	175MPa/210℃
滚轮扶正器	50.86	395	2.5	175MPa/210℃
电缆头	37	310	1.68	175MPa/210℃

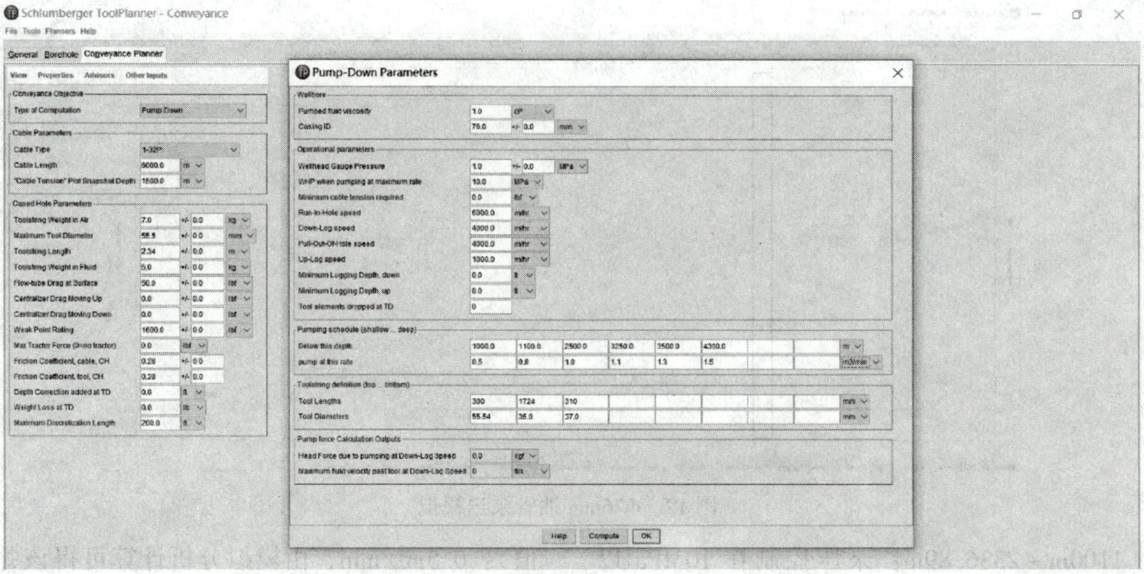

图 9　ϕ76mm 油管泵送模拟参数

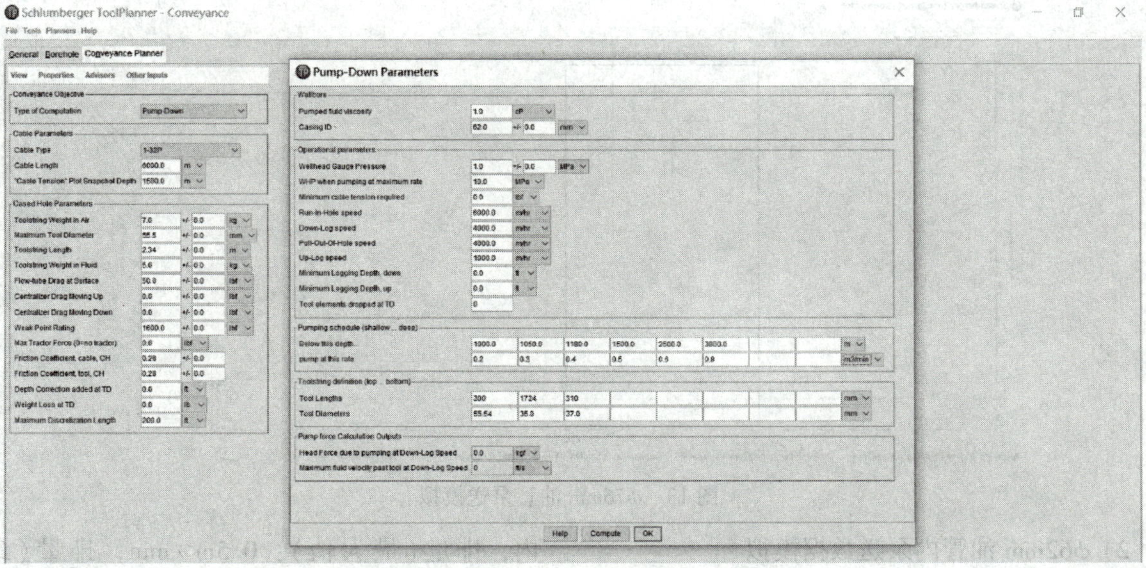

图 10　ϕ62mm 油管泵送模拟参数

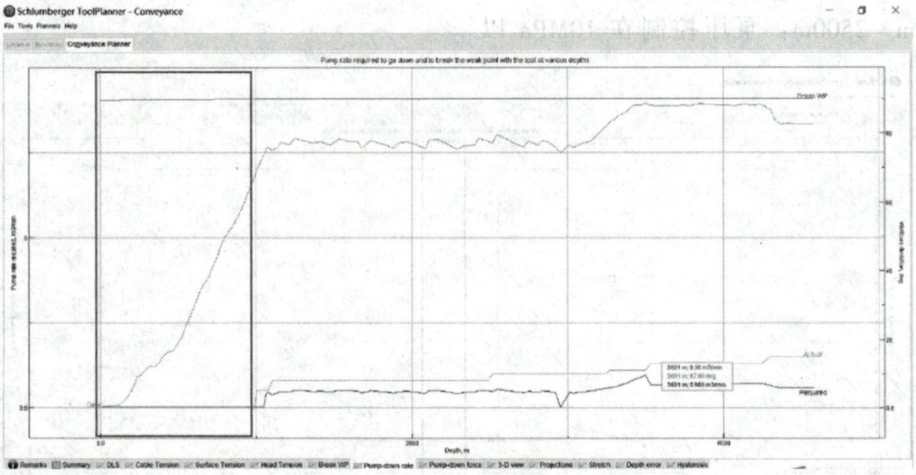

图 11　ϕ76mm 油管泵送模拟

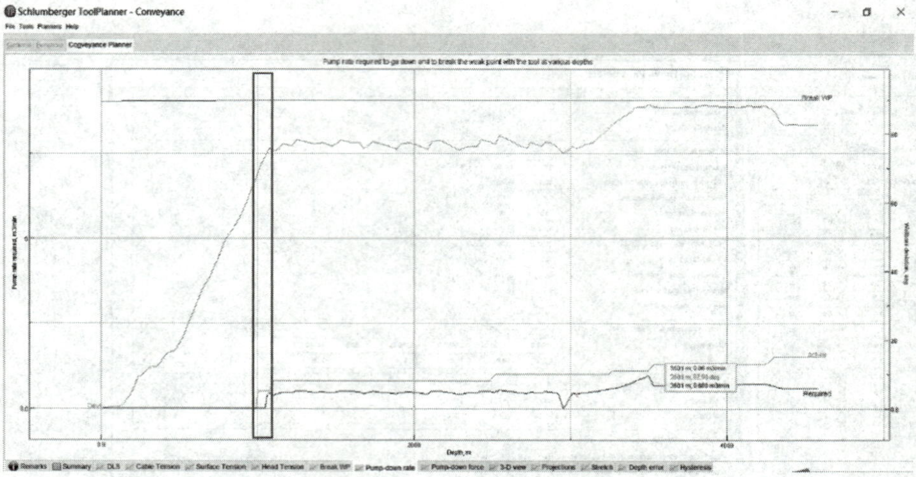

图 12　ϕ76mm 油管泵送模拟

1100m～2336.89m：泵压控制在 10MPa 以内，排量(最大值)：0.8m^3/min，排量(最小值)：0.5m^3/min，由模拟分析计算可得该井段，排量需控制在 0.5m^3/min～0.8m^3/min，见图 13。

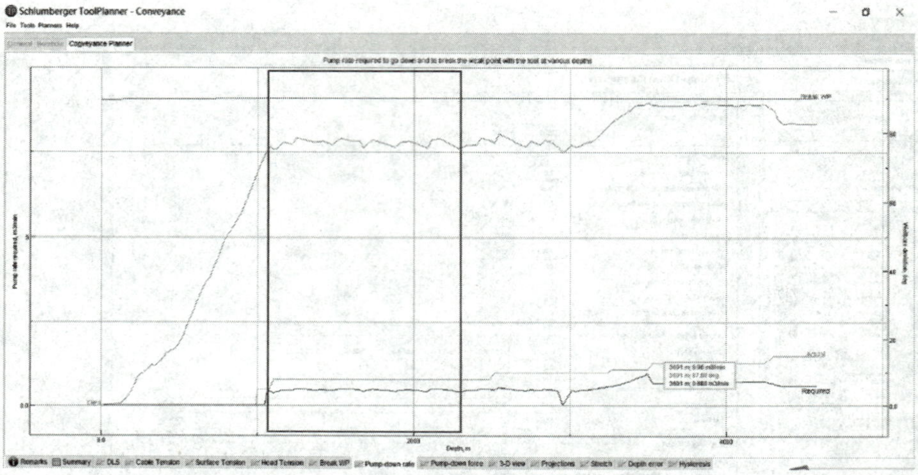

图 13　ϕ76mm 油管泵送模拟

2) ϕ62mm 油管内泵送数据模拟

在 ϕ62mm 油管(2336.89m～4239.68m)内，我们对模拟结果进行三次数据分析。

2336.89m～2500m：泵压控制在 10MPa 以内，排量(最大值)：0.5m^3/min，排量(最小值)：0.3m^3/min，由模拟分析计算可得该井段，排量需控制在 0.5m^3/min～0.3m^3/min，见图 14。

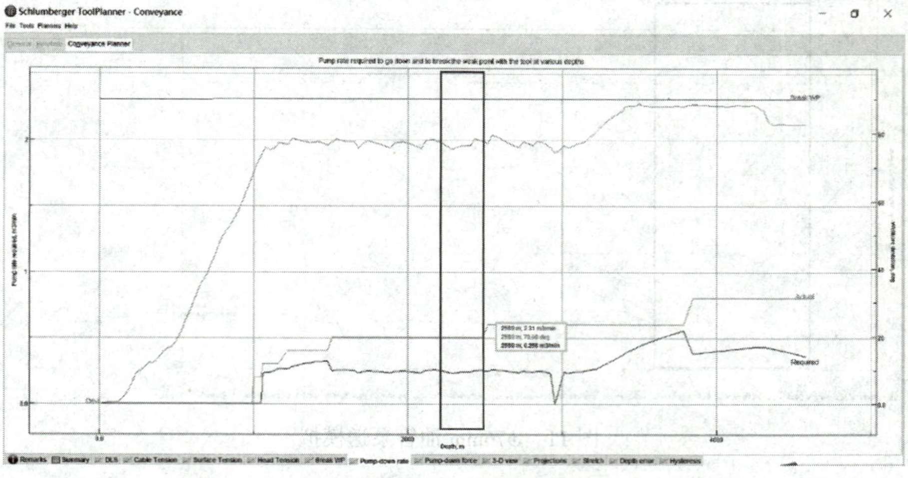

图 14　ϕ62mm 油管泵送模拟

2500m～3800m：泵压控制在 10MPa 以内，排量（最大值）：0.6m^3/min，排量（最小值）：0.55m^3/min，由模拟分析计算可得该井段，排量需控制在 0.55m^3/min～0.6m^3/min，见图 15。

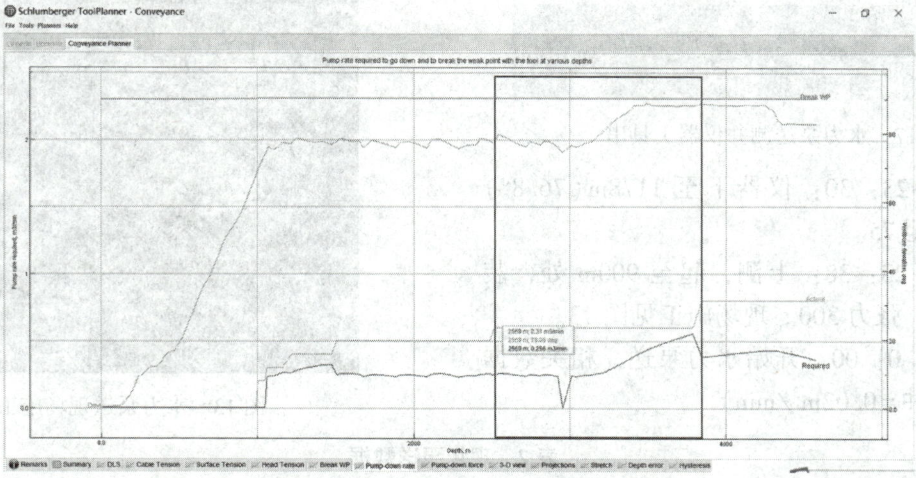

图 15　ϕ76mm 油管泵送模拟

3800m～4239.68m：泵压控制在 10MPa 以内，排量（最大值）：0.8m^3/min，排量（最小值）：0.45m^3/min，由模拟分析计算可得该井段，排量需控制在 0.8m^3/min～0.45m^3/min，见图 16。

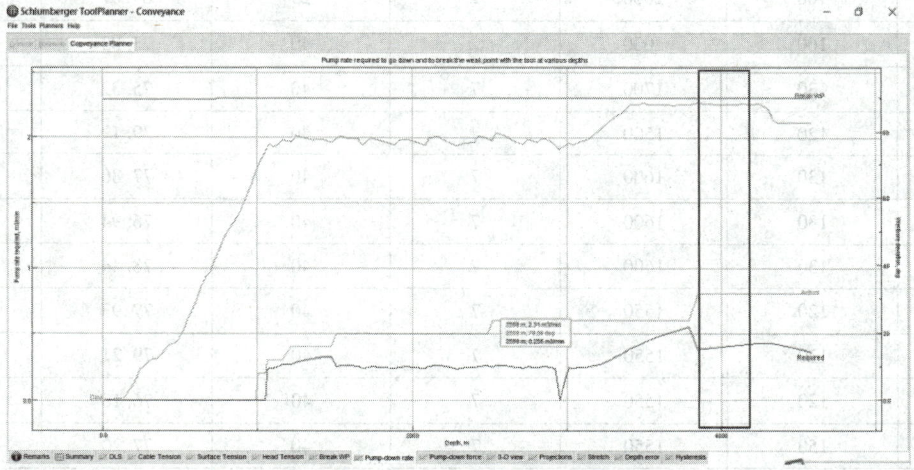

图 16　ϕ76mm 油管泵送模拟

模拟数据汇总见表 2。

表 2　模拟数据汇总表

井段/m	0～988.85	988.85-1100	1100-2336.89	2336.89-2500	2500-3800	3800-4239.68
对应排量/(m^3/min)	0	0.5	0.8	0.5	0.6	0.8
设计泵压/MPa	<10					

4　现场应用

泵送方案：采用滚轮自由下放的方式进行油管校深，下放到预定深度 988.85m 处采用水力泵送仪器方式下入测井仪器，用筛管作为循环通道，从井口管柱三通泵注清水，泵送至预定位置，在水力泵送作业过程中控制泵压不超过 10MPa。

9 月 6 日 0：00-22：00：进行下枪作业，短节入井，完成管柱尾深：4367.76m；进行校深前准备，制作电缆头，保养双极防喷控制头；仪器串按照射孔施工设计连接，仪器串见图 17。

图 17　水力泵送测井仪器工具串

22：00-23：30：仪器下至 1178m(76.8°)处，张力降至 75。

23：30-23：38：上测，起至 900m 处，装控制头内芯，张力 300。现场施工见图 13。

9 月 7 日 0：00：开始水力泵送，相关数据见表 2。(1 冲 = $0.02m^3/min$)

图 13　水力泵送现场施工

表 2　现场泵送数据

深度/m	张力/kg	速度/(m/h)	泵压/MPa	排量(泵冲)	井斜/°	备注
900	300	0	0	0	57.11	ϕ76mm
910	180	1500	1	10	58	
988.85	160	1500	1	25	67.26	
1000	160	2000	2	25	69.07	$0.5m^3/min$
1100	160	2000	7	40	75.03	
1200	130	1700	7	40	75.32	
1250	120	1500	7	40	79.12	
1400	130	1600	7	40	77.86	
1500	130	1600	7	40	76.94	
1530	130	1600	7	40	78.44	
1600	120	1550	7	40	77.93	
1720	120	1550	7	40	79.21	
1830	120	1550	7	40	76.10	
2000	150	1550	7	40	77.20	
2100	110	1500	7	40	78.91	2160m 短节
2336.89	150	1550	5	25	74.74	ϕ62mm
2360	165	1680	5	25	75.78	
2500	160	1950	6	30	77.55	
2800	160	1850	6	30	76.98	
3000	180	1760	6	30	75.60	
3200	180	1760	6	30	79.90	
3450	180	1640	6	30	88.09	
3800	180	1500	6	30	88.01	$0.6m^3/min$
4180	190	1500	7	40	88.03	$0.8m^3/min$
4268	200	1400	0	0	88	停泵
4265	735	600	0	0	88	上测

10：10：校深结束，进行数据比对，定位深度4268.00m，比设计深26.69m，起出3-1/2″加厚油管3根×28.83m，下入3-1/2″加厚油管短节1根×2.05m，调整管柱深度，坐油管挂，使射孔枪对正油层，完成射孔枪深度：4337.11-4367.11m。

12：38：油管正打压，12：48升压至20MPa，12：58射孔枪响，地面监测明显，施工结束。

本次施工，水力泵送一次成功，总体用时610min。

5　总结与建议

此次射孔校深作业施工圆满完成了既定工作安排，与施工前模拟数据参数基本吻合，水力泵送校深距离长达3278m，且在复合管柱中一次泵送校深成功，与该井模拟分段校深施工相对比整体工作时效提高48%，创国内海上水力泵送校深射孔新纪录，为海上大位移射孔校深施工积累了宝贵经验。

当然，施工中还有一些注意事项和建议：

（1）水力泵送作业前应模拟泵注排量、压力等试验数据，为现场施工作业提供技术支撑。

（2）射孔枪起爆的压力与水力泵送压力之间必须留有一定的安全余量，施工中严格控制泵注压力，避免水力泵送泵压过高，引发枪身误起爆事故的发生。

（3）电缆起放作业应控制速度，并适当调节电缆速度和排量。

参 考 文 献

[1] 董拥军等．水平井、大斜度井油管输送薄层精准射孔[J]．2022国际石油石化技术会议暨新能源及节能技术国际会议论文集，2022，184-190

[2] 姜勇等．直井连续油管井下校深方法及机械式套管接箍定位器的应用[J]．内蒙古石油化工，2022，48(02)：13-17

[3] 陈金宏等．爬行器在煤层气水平井分簇射孔中的应用[J]．中国煤层气2022，(01)，45-47+26

[4] 谢元德．相对深度法进行校深在现场的应用[J]．中国石油和化工标准与质量，2012，32(07)：163

[5] 李帆．水平井生产测井新工艺在海上油田的应用[J]．中国石油和化工标准与质量2021，(07)，163-164

海洋平台两相流安全阀计算方法研究

邵海龙

（海洋石油工程股份有限公司）

摘　要　两相流安全阀泄放面积计算影响因素多、计算复杂，计算结果能否真实、准确地反馈实际泄放情况，关系到现场安全性。因此，两相流安全阀泄放面积计算的准确性是两相流安全阀选型的重中之重。常规的两相流安全阀泄放面积是通过单相计算再叠加的方式，不被热力学理论所支持，得出的泄放面积往往偏小，存在一定安全隐患。提出一种更被热力学理论所支持的基于均相平衡模型的 ω 算法，从可能导致两相流泄放发生的四种工况，系统地、全面地研究了两相流安全阀泄放面积计算方法，可以实现快速、准确、合理地选择安全阀尺寸。经过对比分析，证明 ω 算法计算得出的泄放面积略大于单相计算再叠加得出的泄放面积，结果更为安全、合理。该方法可以更加有效地保护海洋平台压力设备和管道，对于确保海洋平台正常安全生产具有极其重要的意义。目前，该方法广泛应用在海洋平台两相流安全阀计算领域，可以广泛推广到其他领域两相流安全阀计算。

关键词　海洋平台；安全阀；两相流；泄放面积；计算；均相平衡；ω 算法；闪蒸

安全泄放是限制超压对压力设备影响的有效安全措施。国内外对有关压力容器标准、规范明确规定，对有超压危险的压力容器，必须采用安全泄放措施。安全阀是防止设备或系统因超压而引起爆炸事故发生的最重要的安全泄压设施。

在实际生产中，经常会遇到气液两相介质泄压排放的问题。由于气体会降低阀门的有效泄放能力，所以在计算气液两相流安全阀泄放面积时，必须考虑闪蒸气体的影响。

美国石油学会（American petroleum institute，API）早期的推荐方法是假设两相流体为非均相流体模型：气液两相流体分别流经安全阀，二者互不干扰，要么是层流要么是分离流，气液比恒定。该方法是通过分别计算气液两相泄放面积，再将两者相加得出总的泄放面积。但这种假设并不被热力学理论所支持，因为液体在安全阀喷嘴内的流动过程为等熵过程，安全阀喷嘴处有部分液相介质在等熵膨胀过程中汽化了。如果忽略这部分汽化的气体，计算出的泄放面积往往偏小，甚至出现严重偏差，存在安全隐患。

本文研究的 ω 算法是基于均相平衡模型 HEM 的一个简化方法。该方法认为气液两相作为混合物流经安全阀，且通过安全阀时处于气液平衡状态，并且气液两相处于均匀的完全分散状态，具有相同流速，可以通过物性表述为一个单相流体，气液两相在力学和热力学上都是平衡的。由于流体通过安全阀时处于高度湍流状态，不可能是层流状态，在泄放过程中发生的相态变化是瞬时的，并且气液两相之间不存在速度差异。该模型能较好地反映出气液两相在安全阀喷嘴内复杂的流动性，因此可以使用等熵过程热力学模型进行计算，这种假设更加真实。

1　两相流安全阀计算工况分析

在 API 520 附录 C 中，将液体/蒸气可能发生的两相流泄放工况归纳为以下四种类型。不同类型适用于不同的计算公式计算所需的泄放面积。

① 饱和液体+饱和蒸气进入安全阀并闪蒸，不存在可冷凝气体，也包括在冷凝两相流中位于热力平衡点之上和之下的流体。

② 高过冷液体+不可冷凝气体或可冷凝蒸气或两者都存在，进入安全阀且不闪蒸。

③ 过冷液体（包括饱和液体）进入安全阀并闪蒸，不存在可冷凝蒸气或不可冷凝气体。④不可冷凝气体或可冷凝蒸气+不可冷凝气体两者，加上过冷液体或饱和液体进入安全阀并闪蒸，有不可冷凝气体存在。

2 两相流计算方法

2.1 等熵喷嘴流的直接积分计算

本节所介绍的计算方法同时适用于上述可能出现两相流泄放的四种工况。

假设喷嘴为绝热和可逆过程。这是等熵假设两个必要的约束条件。通过会聚喷嘴的最大质量流率由式(1)计算，考虑了流体潜在阻塞工况。

$$G^2=\left[\frac{-2\int_{P_0}^{P}v\mathrm{d}P}{v_t^2}\right]_{\max}=\left[\rho_t^2\times\left(-2\int_{P_0}^{P}\frac{\mathrm{d}P}{\rho}\right)\right]_{\max} \tag{1}$$

式中：G 为质量流率；v 为流体比容；ρ 为流体质量密度；P 为流体停滞压力；o 为喷嘴进口处流体状态；t 为喷嘴喉径处流体状态，此处横截面积最小。

已知喉部压力 P_t，则能量平衡方程为：

$$G^2=\rho_t^2\times\left(-2\int_{P_0}^{P_t}\frac{\mathrm{d}P}{\rho}\right) \tag{2}$$

任何流体的积分都可以通过小压力间隔的直接求和进行计算：

$$\int_{P_0}^{P_t}\frac{\mathrm{d}P}{\rho}\approx\sum_{i=0}^{t}2\left(\frac{P_{i+1}-P_i}{\rho_{i+1}+\rho_i}\right) \tag{3}$$

式中，ρ_i 为流体在停滞压力 P_i 下的总质量密度。

混合物在热平衡和机械平衡时的总质量密度可以根据混合物中各相密度和气相体积分数计算：

$$\rho=\alpha\rho_v+(1-\alpha)\rho_l \tag{4}$$

式中，ρ 为两相混合物密度；ρ_v 为蒸汽密度；ρ_l 为液体密度；α 为气相体积分数。

混合物中气相体积分数与混合物的质量(气相质量分数)关系如下：

$$\frac{\alpha}{1-\alpha}=\frac{x}{1-x}\times\frac{\rho_l}{\rho_v} \tag{5}$$

计算所需安全阀泄放面积如下：

$$A=\frac{277.8W}{K_dK_bK_cK_vG} \tag{6}$$

式中，A 为所需有效泄放面积；W 为质量流量；K_d 为流量系数，初步估算时可取 0.85；K_b 为蒸汽背压修正系数，从阀门制造商获得，仅适用于平衡波纹管安全阀；K_c 为综合修正系数，安全阀单独使用时，$K_c=1.0$，安全阀与爆破片一起使用时，$K_c=0.9$；K_v 为粘度修正系数。

2.2 闪蒸和非闪蒸工况下两相流 ω 计算

本节所介绍的计算方法同时适用于第 1 节中①②③三种可能出现两相流泄放的工况。

在所有情况下，ω 参数都是通过流体在停滞条件和一个附加压力下混合物的特性数据或闪蒸计算(两点法)的比容来确定，可以使用以下步骤。

① 计算 ω 参数，使用两点比容计算 ω 参数如下：

$$\omega=9\left(\frac{v_9}{v_0}-1\right) \tag{7}$$

式中，v_9 为 90%安全阀入口压力时的比容；v_0 为安全阀入口两相系统的比容。

②确定流体是临界流还是亚临界流。

当 $P_c\geqslant P_a$ 时，为临界流。

当 $P_c<P_a$ 时，为亚临界流。

P_a 为下游背压；P_c 为临界压力，$P_c=\eta_cP_o$；P_o 为安全阀入口压力；η_c 为图 2.1 中的临界压力比。

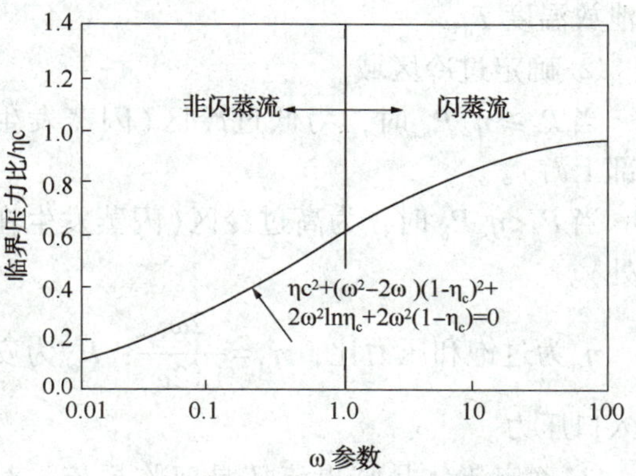

图 2.1 闪蒸和非闪蒸系统喷嘴临界流量关系

η_c 也可以由式(8)得到：

$$\eta_c^2+(\omega^2-2\omega)(1-\eta_c)^2+2\omega^2\ln\eta_c+2\omega^2(1-\eta_c)=0 \tag{8}$$

η_c 也可以从以下近似值得到：

$$\eta_c=[1+(1.0446-0.0093431\omega^{0.5})\times\omega^{-0.56261}]^{(-0.70356+0.014685\ln\omega)} \tag{9}$$

③ 计算质量流率。临界流使用式(10)计算，亚临界流使用式(11)计算：

$$G=\eta_c\times\sqrt{\frac{P_0}{v_0\omega}} \tag{10}$$

$$G=\frac{\{-2[\omega\ln\eta_a+(\omega-1)(1-\eta_a)]\}^{1/2}}{\omega\left(\frac{1}{\eta_a}-1\right)+1}\times\sqrt{\frac{P_0}{v_0}} \tag{11}$$

式中，G 为质量流率；P_0 为安全阀入口压力；v_0 为安全阀入口两相系统比容；η_a 为背压比，$\eta_a=\dfrac{P_a}{P_o}$。

④ 按式(6)计算所需的安全阀泄放面积。

2.3　使用 ω 算法确定过冷液体安全阀入口尺寸

本节介绍的方法适用于入口是过冷液体或饱和液体安全阀尺寸的确定，入口不应存在可冷凝蒸汽或不可冷凝气体，即上述第四种可能出现两相流泄放的工况。过冷液体在安全阀喉部上游闪蒸或是下游闪蒸取决于流体进入的过冷区域。本节中的方程式也适用于所有液体情况，可以使用以下步骤。

① 计算饱和 ω 参数 ω_s，使用两点比容计算 ω 参数如下：

$$\omega_s=9\left(\frac{\rho_{lo}}{\rho_9}-1\right) \tag{12}$$

式中，ρ_{lo} 为安全阀入口液体密度；ρ_9 为 90%饱和(蒸汽)压力下的密度，对应安全阀入口泄放温度 T_o。

② 确定过冷区域。

当 $P_s\geqslant\eta_{st}P_o$ 时，为低过冷区(闪蒸发生在喉部上游)。

当 $P_s<\eta_{st}P_o$ 时，为高过冷区(闪蒸发生在喉部处)。

η_{st} 为过饱和压力比，$\eta_{st}=\dfrac{2\omega_s}{1+2\omega_s}$；$P_o$ 为安全阀入口压力。

③ 确定流体是临界流还是亚临界流。对于低过冷区域，使用以下方法确定。

当 $P_c\geqslant P_a$ 时，为临界流。

当 $P_c<P_a$ 时，为亚临界流。

对于高过冷区域，使用以下方法确定。

当 $P_s\geqslant P_a$ 时，为临界流。

当 $P_s<P_a$ 时，为亚临界流。

P_c 为临界压力，$P_c=\eta_cP_o$；η_c 为由图 2.2 得到的临界压力比。

当 $\eta_s\leqslant\eta_{st}$ 时，$\eta_c=\eta_s$。

当 $\eta_s>\eta_{st}$ 时，临界压力比 η_c 由式(13)或式(14)得到：

$$\frac{\omega_s+\frac{1}{\omega_s}-2}{2\eta_s}\times\eta_c^2-2(\omega_s-1)\eta_c+\omega_s\eta_s\ln\frac{\eta_c}{\eta_s}+\frac{3}{2}\omega_s\eta_s-1=0 \tag{13}$$

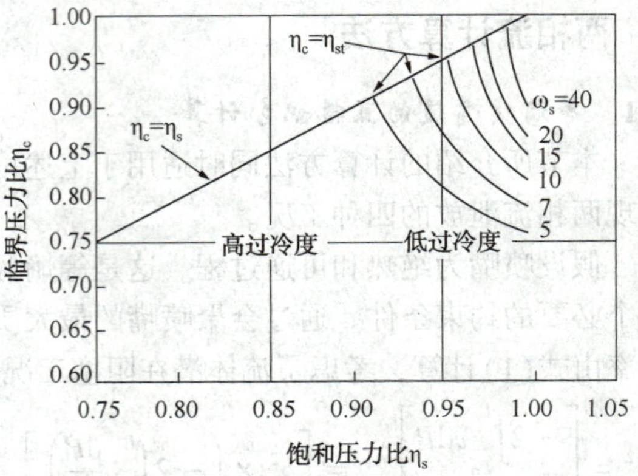

图 2.2　入口为过冷液体时喷嘴临界流量关系

$$\eta_c=\eta_s\times\frac{2\omega}{2\omega-1}\times\left[1-\sqrt{1-\frac{1}{\eta_s}\times\frac{2\omega-1}{2\omega}}\right] \tag{14}$$

式中，η_s 为饱和压力比，$\eta_s=\dfrac{P_s}{P_o}$；P_a 为下游背压；η_a 为亚临界压力比，$\eta_a=\dfrac{P_a}{P_o}$。

第 4 步：计算质量流率。

在低过冷区，使用式(15)计算，如果是临界流，η 取 η_c，如果是亚临界流，η 取 η_a。在高过冷区，使用式(16)计算，如果是临界流，P 取 P_s，如果是亚临界流，P 取 P_a。

$$G=\frac{\left\{2(1-\eta_s)+2\left[\omega_s\eta_s\ln\frac{\eta_s}{\eta}-(\omega_s-1)(\eta_s-\eta)\right]\right\}^{1/2}}{\omega_s\left(\frac{\eta_s}{\eta}-1\right)+1}\times\sqrt{P_o\rho_{lo}} \tag{15}$$

$$G=1.414\left[\rho_{lo}(P_o-P)\right]^{1/2} \tag{16}$$

式中，G 为质量流率，η 为背压系数。

第 5 步：计算所需的安全阀泄放面积。式(17)仅适用于湍流系统，大多数两相泄压均处于湍流状态。

$$A=16.67\frac{Q\rho_{lo}}{K_dK_bK_cK_vG} \tag{17}$$

式中，A 为所需有效泄放面积；G 为质量流率；Q 为体积流量；K_d 为流量系数，初步估算时，对于过冷流体该系数可取 0.65(保守的安全阀尺寸)；对于饱和流体该系数可取 0.85；K_b 为流体背压修正系数，从阀门制造商获得，仅适用于平衡波纹管安全阀；K_c 为综合修正系数，安全阀单独使用时，$K_c=1.0$，安全阀与爆破片一起使用时，$K_c=0.9$；K_v 为粘度修正系数。

如果安全阀未在液体环境中认证，使用式

(18)计算安全阀泄放面积：

$$A = 16.67\frac{Q\rho_{lo}}{K_d K_b K_v G} \times \frac{\sqrt{P_1 - P_2}}{K_p\sqrt{1.25P_s - P_2}} \quad (18)$$

式中，K_p 为超压修正系数；P_s 为整定压力；P_1 为安全阀上游泄压压力，为设定压力加上允许超压；P_2 为总背压。

步骤6：选择泄放孔尺寸。

3 实际应用效果

本文中的 ω 算法已在多个海洋平台项目的两相流工况中被广泛使用。经过多次对比计算，在相同参数条件下，利用 ω 算法进行计算得出的泄放面积略大于利用常规叠加法进行计算得出的泄放面积。以一渤海项目中的两台安全阀为例进行对比计算，其中一台安全阀利用传统叠加法计算结果为 1 1/2"150# * 2"150# F 喉径，利用 ω 算法进行计算结果为 1 1/2"150# * 3"150# H 喉径；另一台利用传统叠加法计算结果为 3"150 # * 4"150# L 喉径，利用 ω 算法进行计算结果为 4"150# * 6"150# P 喉径。海洋平台为高风险、高投入行业，对安全性要求极高，所以采用更安全的 ω 算法可以更有效地保护海洋平台压力设备和管道，确保海洋平台的安全生产。

4 结论

安全阀计算工况的合理分析对安全阀尺寸计算和紧急情况下容器的保护至关重要，如果安全阀计算工况分析不合理，则会导致安全阀尺寸选择不合理。尺寸过大则动作不稳定，会造成设备或系统压力产生较大波动，导致阀瓣与阀座频繁撞击，缩短使用寿命；尺寸过小，会导致系统超压时无法及时有效泄压，失去保护作用。本文研究的两相流安全阀计算方法，能够真实地反映出气液两相流在安全阀喷嘴内复杂的流动特性，计算出来的安全阀泄放面积更加真实、准确、安全。

参 考 文 献

[1] 刘鸿雁，邵海龙，王强，等．海洋平台爆破片选型与计算方法研究[J]．仪器仪表用户，2020，10(27)：1-2.

[2] 蔡维婷．气-液两相流安全阀泄放面积的计算[J]．石油化工安全环保技术，2015，31(4)：18-19.

[3] 周保国．安全阀两相流计算方法探讨[J]．石油化工设计，2011，28(2)：39-40.

[4] 王建强．关于安全阀计算探讨[J]．辽宁化工，2014，43(5)：606-607.

[5] 王江峰．两相流安全阀泄放面积的计算[J]．化肥设计，2009，47(4)：10-11.

[6] American Petroleum Institute. API Std 520 Sizing, Selection and Installation of Pressure-Relieving Devices in Refineries. Part 1 Sizing and Selection - 2014 [S]. Washington, DC: American Petroleum Institute. Dec 25, 2014, 109-112.

[7] R. DARBY. On two-phase frozen and flashing flows in safety relief valves - Recommended calculation method and the proper use of the discharge coefficient[J]. Journal of Loss Prevention in the Process Industries, 2004, 17, 255-259.

[8] R. DIENER, J. SCHMIDT. Sizing of throttling device for gas/liquid two-phase flow-Part 1: Safety valves[J]. Process Safety Progress, 2004, 4, 335-336.

[9] AUBRY E. SHACKELFORD. Using the Ideal Gas Specific Heat Ratio for Relief Valve Sizing [J]. Chemical Engineering, 2003, 110, 54-55.

[10] J. C. LEUNG. A theory on the discharge coefficient for safety relief valve[J]. Journal of Loss Prevention in the Process Industries, 2004, 17, 301-302.

偶极声波时差相关矩阵评价地层压裂效果的方法与应用

朱　凌[1]　季运景[1]　汪成芳[1]　文耀华[1]　石文睿[2]

（1. 中石化经纬有限公司江汉测录井分公司；2. 香港浸会大学）

摘　要　非常规储集层提高产能和采收率往往采用水力压裂技术，偶极声波作为一种适用于套管井的声波测井方法，可用于勘探开发时期下入套管后的压裂效果评价，不同于其它检测方法存在着误差较大、工艺复杂、放射性污染等缺点，偶极声波时差相关矩阵评价压裂效果的方法简单且不受外因干扰。通过在不同区域不同岩性地层应用说明该方法准确率高、可靠性高，具有较高的适用性。

关键词　偶极声波；压裂；矩阵；压裂效果；地层评价

1　引言

随着国内外油田勘探开发的多样性，低孔低渗、页岩油气储层等非常规油藏的开发占比越来越重。非常规油气藏的勘探开发、提高采收率都离不开压裂技术。压裂改造技术与储层保护相结合，在非常规油气藏开发进程中地位非常重要。储层经过压裂措施后，对压裂效果的评价具有重大意义，压裂效果评价可针对同一区域相同储层提供压裂参数的参考，还可以通过合理配置参数提高压裂施工成功率，并且为压裂设计和有效开发油气藏提供可靠依据。

目前一般采用微地震法、井温测井和放射性同位素示踪法来检测压裂效果，但都存在着误差较大、工艺复杂、放射性污染等缺点，而且由于地层情况复杂多变，压裂具有多样性、变化性、繁复性等特点，很难对具体层位和深度精准分析解释。因此针对压裂效果的评价是急需解决的难题。

利用偶极声波检测压裂效果主要是评价压裂裂缝的分布特征。偶极声波评价裂缝的传统方法主要是静态分析法，包括各向异性、声波幅度衰减等方法，但此种方法无法评价压裂前后裂缝的动态变化特征。利用压裂前后偶极声波时差相关矩阵差异来评价地层压裂效果不仅简单且不受外因干扰，经过多井次试验验证，该方法准确率高、可靠性高，具有较高的适用性。

2　技术背景

专利 CN106019375B 公开了一种利用偶极声波时差相关矩阵评价地层压裂效果的方法，包括如下步骤：①获取待解释井压裂前偶极声波单极波形数据 MPB 和压裂后偶极声波单极波形数据 MPA，计量单位为 dB；②利用偶极声波处理软件中计算压裂前单极波形时差相关矩阵 CMB 和压裂后单极波形时差相关矩阵 CMA；③计算压裂前、后单极波形时差相关矩阵差异矩阵 CMD，其中，CMD = CMB - CMA；④绘制待解释井压裂前、后单极波形时差相关矩阵差异矩阵成像图。

利用偶极声波检测压裂效果主要是评价压裂裂缝的分布特征，以往偶极声波评价裂缝主要采用静态分析法，包括各向异性、声波幅度衰减等方法，但此种方法无法评价压裂前后裂缝的动态变化特征。CN110529087 公开了一种评价地层水力压裂效果的方法及装置，采用计算深度区间一个深度点处压裂前后散射波能量包络的差异和压裂前后弹性波慢度的差异确定压裂效果。该方法的局限性在于采集的四分量数据及仪器方位时仅在实验室条件下可以保障压裂前后装置是固定不旋转的，而在实际测井环境中仪器的方位是随机的，因此压裂前后四分量获得的散射波能量包络理论上无法直接相减。假设压裂前后仪器方位相同，该方法仍存在不准确性，比如该方法在第 3 步计算归一化后处理结果 $g(z, t) = w(z, t)/w0$ 时，选取直达波幅度 w0 时，由于不同处理人员之间存在个体差异性，会导致归一化后处理结果的准确性难以保障；在第5步(?)中计算深度z0处压裂前后弹性波能量包络的差异ΔE＝B(z0，t)-A(z0，t)时，由于压裂前后偶极声波数据是在不同时间不同测量环境下获得的，因此前后测量的直达波幅度w0可能不同，在前后两次选取w0时，由于不同处理人员的个体差异性导致△E准确性更加难以保障。因此上述方法仍然存在准确性、可靠性较差的问题。

3 方法理论

一种利用偶极声波时差相关矩阵评价地层压裂效果的方法，其特征在于，采用以下步骤：

1）获取待解释井压裂前偶极声波单极波形数据*MPB*和压裂后偶极声波单极波形数据*MPA*，计量单位为*dB*；

2）将步骤1)得到的压裂前偶极声波单极波形数据*MPB*和压裂后偶极声波单极波形数据*MPA*带入偶极声波处理软件中，计算压裂前单极波形时差相关矩阵*CMB*和压裂后单极波形时差相关矩阵*CMA*；

3）计算压裂前、后单极波形时差相关矩阵差异矩阵*CMD*，其中，$CMD=CMB-CMA$；

4）绘制待解释井压裂前、后单极波形时差相关矩阵差异矩阵成像图。

待解释井压裂前单极波形时差相关矩阵*CMB*和压裂后单极波形时差相关矩阵*CMA*均为$m\times n$阶矩阵，其中

$$CMB=\begin{bmatrix} CB_{i_1j_1} & \cdots & CB_{i_1j_m} \\ \vdots & \ddots & \vdots \\ CB_{i_nj_1} & \cdots & CB_{i_nj_m} \end{bmatrix}$$

$$CMA=\begin{bmatrix} CA_{i_1j_1} & \cdots & CA_{i_1j_m} \\ \vdots & \ddots & \vdots \\ CA_{i_nj_1} & \cdots & CA_{i_nj_m} \end{bmatrix}$$

$$i_n=i_1+n\ d_1$$

$$j_m=j_1+m\ d_2$$

式中，i_n为数据深度，计量单位是m；d_1为深度采样间隔，计量单位是m；n为1，2，…，计量单位无量纲；j_m为数据时差，计量单位是μs/ft；d_2为时差采样间隔，计量单位是μs/ft；m为1，2，…，计量单位无量纲。

待解释井压裂前、后单极波形时差相关矩阵差异矩阵CMD为m×n阶差值矩阵，

$$CMD=\begin{bmatrix} CB_{i1j1}-CA_{i1j1} & \cdots & CB_{i1jm}-CA_{i1jm} \\ \vdots & \ddots & \vdots \\ CB_{inj1}-CA_{inj1} & \cdots & CB_{injm}-CA_{injm} \end{bmatrix}=\begin{bmatrix} CD_{i1j1} & \cdots & CD_{i1jm} \\ \vdots & \ddots & \vdots \\ CD_{inj1} & \cdots & CD_{injm} \end{bmatrix}$$

利用偶极声波时差相关矩阵评价地层压裂效果的方法，还包括以下步骤：

5）基于待解释井压裂前、后单极波形时差相关矩阵差异矩阵成像图，划分差异矩阵成像图中的异常区域及其对应深度的井段；

6）根据差异矩阵成像图中异常区域中的显色部分在所述异常区域总面积中的占比大小进行压裂效果评价，显色部分面积占比越大则压裂效果越好。

利用偶极声波时差相关矩阵评价地层压裂效果的方法，异常区域的划分方法为：将差异矩阵成像图中随井深连续分布的、显色部分面积占比相近的区域做为一个异常区域，依据此方法将差异矩阵成像图划分为若干个异常区域，确定每个异常区域顶界深度HK1、底界深度HK2，所述HK1、HK2分别代表第K个异常区域的顶界深度和底界深度，单位为m，其中，K为自然数，并根据HK1和HK2找出该异常区域所对应深度的井段。

异常区域显色部分面积占比是指显色部分面积占对应的异常区域总面积的占比，计算方法为：将每个异常区域的差异矩阵成像图保存为图片，利用图片分析软件计算异常区域显色部分面积占比。

通过计算异常区域中显色部分面积占比以评价压裂效果，具体为：显色部分面积占比＞10%，表示压裂效果好；显色部分面积占比在5%～10%之间，表示压裂效果中等；显色部分面积占比<5%，表示压裂效果差。

4 方法验证

参照图1，在Q油田采用本发明分析P井压裂效果

1）获取P井压裂前偶极声波单极波形数据(MPB1)和压裂后偶极声波单极波形数据

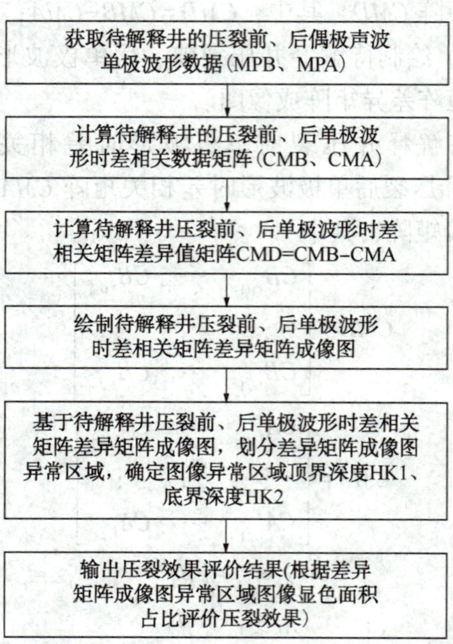

图1　评价方法步骤和流程图

(MPA1)，计量单位为 dB；

2）利用 SonicView 软件计算出压裂前单极波形时差相关矩阵(CMB1)和压裂后单极波形时差相关矩阵(CMA1)

$$CMB1=\begin{bmatrix} CB_{i_1j_1} & \cdots & CB_{i_1j_m} \\ \vdots & \ddots & \vdots \\ CB_{i_nj_1} & \cdots & CB_{i_nj_m} \end{bmatrix}$$

$$=\begin{bmatrix} 0.1799 & \cdots & 0.2909 \\ \vdots & \ddots & \vdots \\ 0.3005 & \cdots & 0.1955 \end{bmatrix}$$

$$CMA1=\begin{bmatrix} CA_{i_1j_1} & \cdots & CA_{i_1j_{1m}} \\ \vdots & \ddots & \vdots \\ CA_{i_nj_1} & \cdots & CA_{i_nj_m} \end{bmatrix}$$

$$=\begin{bmatrix} 0.0866 & \cdots & 0.2760 \\ \vdots & \ddots & \vdots \\ 0.2520 & \cdots & 0.1904 \end{bmatrix}$$

其中，i_1 = 1400.0m，i_n = 1500.0m，j_1 = 50μs/ft，j_n = 150μs/ft

d_1 为 0.1m，d_2 为 2μs/ft；

3）计算压裂前、后单极波形时差相关矩阵差异矩阵 CMD1，

$$CMD1=\begin{bmatrix} CB_{i1j1}-CA_{i1j1} & \cdots & CB_{i1jm}-CA_{i1jm} \\ \vdots & \ddots & \vdots \\ CB_{inj1}-CA_{inj1} & \cdots & CB_{injm}-CA_{injm} \end{bmatrix}$$

$$=\begin{bmatrix} 0.0933 & \cdots & 0.0149 \\ \vdots & \ddots & \vdots \\ 0.0485 & \cdots & 0.0051 \end{bmatrix}$$

4）如图 2 绘制出 P 井压裂前、后单极波形时差相关矩阵差异矩阵成像图，将压裂前、后单极波形时差相关矩阵及压裂前、后单极波形时差相关矩阵差异矩阵利用 SonicView 绘图软件绘制为成像图；

5）基于 P 井压裂前、后单极波形时差相关矩阵差异矩阵成像图，划分差异矩阵成像图异常区域为 3 段，分别确定 3 段图像异常区域的显色部分的顶界深度 H11 = 1400m、H21 = 1438m、H31 = 1468m，底界深度 H12 = 1438m、H22 = 1468m、H32 = 1500m；分别对应井段为井段 1400.0～1438.0m、井段 1438.0～1468.0m、井段 1468.0～1500.0m；

6）分别计算差异矩阵成像图中 3 段异常区域的总面积，以及对应的显色部分的面积，换算得到显色部分的面积在对应的异常区域面积中的占比；

以井段 1400.0～1438.0m 为例，通过 Photoshop 图像处理软件，利用直方图功能统计该井段差异矩阵成像图中色阶范围 200～255 的像素占总像素的百分比约为 1%，即异常区域显色部分面积占比约为 1%，根据差异矩阵成像图异常区域成像图显色部分面积的占比评价 P 井压裂效果：

井段 1400.0～1438.0m 成像图中差异矩阵显色部分面积占比约 1%，评价为压裂效果差；井段 1438.0～1468.0m 成像图中差异矩阵显色部分面积占比约 13%，评价为压裂效果好；井段 1468.0～1500.0m 成像图中差异矩阵显色部分面积占比约 6.5%，评价为压裂效果中等。按照图 2 将压裂效果评价结果利用 SonicView 软件绘制成像图，提交压裂效果评价结果。

一般而言，加砂量越高压裂效果越好，故可用加砂量数据验证本方法的可靠性。图 2 为 P 井差异矩阵成像图中差异矩阵显色面积占比与压裂施工加砂量的交会图，图中三段差异矩阵成像图显色面积占比与加砂量呈正相关关系，即显色面

积占比越大加砂量越高，压裂效果越好，与本井所评价的结果一致。从而也证明本发明可以快速、直观、准确的评价压裂效果。

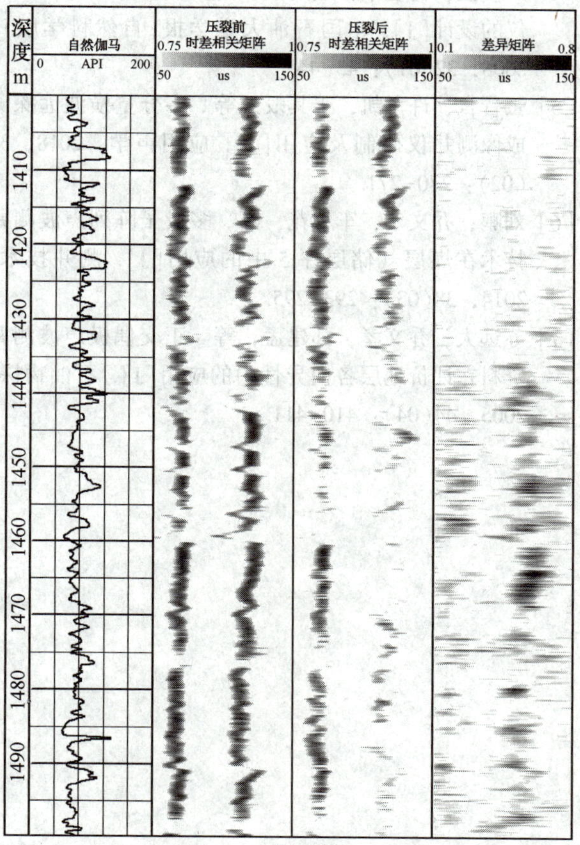

(a)压裂前

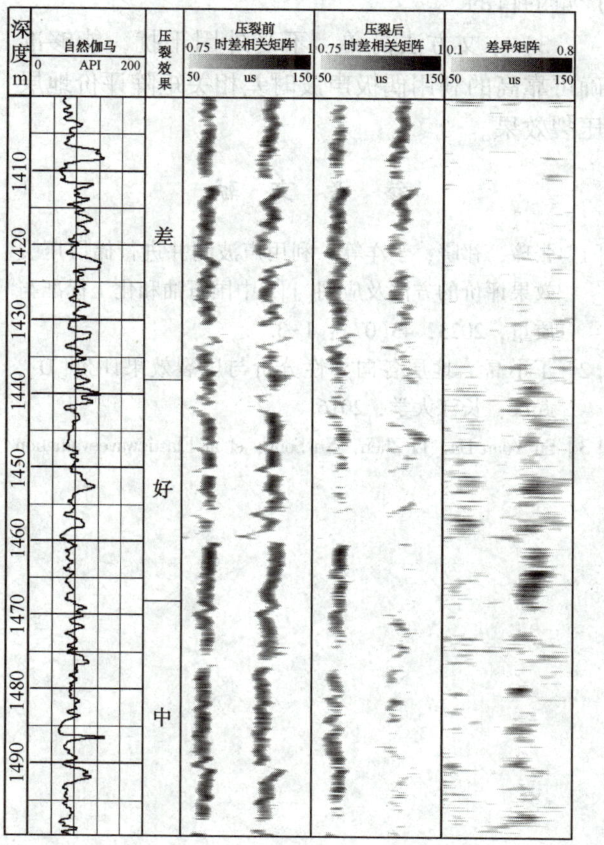

(b)压裂后

图 2　P 井压裂前、后单极波形时差相关矩阵差异矩阵成像图

5　结果分析与讨论

验证：一般而言，加砂量越高压裂效果越好，故可用加砂量数据验证本方法的可靠性。图 3 为 P 井差异矩阵成像图中差异矩阵显色面积占比与压裂施工加砂量的交会图。图中 P 井三段差异矩阵成像图显色面积占比与加砂量呈正相关关系，即显色面积占比越大加砂量越高，压裂效果越好，与本井所评价的结果一致。

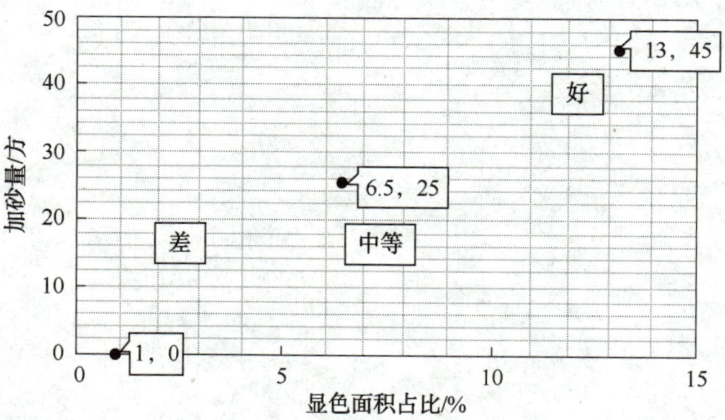

图 3　P 井差异矩阵成像交会图

6　结论

1）利用本文方法评价地层压裂效果的方法，可以用于优化压裂分段方案，提高页岩气开发效益。

2）本文方法计算结果识别出的压裂效果差

的井段，可通过调整压裂方法，提高加砂量，实现有效沟通孔缝，提升储层渗透能力，提高单井产量的目的。

3）本文方法简单、不受外因干扰，能够准确可靠高的利用偶极声波时差相关矩阵评价地层压裂效果。

参 考 文 献

[1] 张璋，祁晓，于洋等．利用声波测井进行储层压裂效果评价的方法及应用[J]．中国石油和化工标准与质量，2023，43(07)：1-3.

[2] 丁小磊．地层各向异性分析与压裂效果评价[D]．武汉：长江大学，2016.

[3] Su Yuan Da，Li Zhen，Xu Song，et al. Elasticwaveevaluation of downhole hydraulic fracturing：modelingand field applications[J]．Geophysics，2017，83(01)：1-34.

[4] 卢俊强，鞠晓东，成向阳．正交偶极阵列声波测井仪的设计[J]．中国石油大学学报(自然科学版)，2008，32(01)：43-44.

[5] 张晋言，许孝凯，于其蛟，等．多分量横波远探测成像测井仪研制及应用[J]．应用声学，2018，37(02)：270-271.

[6] 刘鹏，乔文孝，车小花，等．多极子阵列声波测井技术在煤层气储层评 5 中的应用[J]．测井技术，2014，38(03)：293-295.

[7] 苏远大，乔文孝，孙建孟，等．正交偶极声波测井资料在评价地层各向异性中的应用[J]．石油物探，2005，44(04)：410-411.

"牵引器+"平台在油气水平井中的应用

廖　勇　郭瑞生　饶海涛　冯亦江　顾培文

（中石化经纬有限公司）

摘　要　牵引器作为一种井筒动力输送工具，在非常规油气勘探开发中的应用越来越广泛。经纬刚毅系列牵引器立足产研一体化发展，通过解决超长水平井输送、抗震型牵引器研制、牵引器光纤测井等多项工程难题，形成牵引器+测井、牵引器+射孔、牵引器+光纤三大技术，成功打造"牵引器+"平台。目前"牵引器+"平台已成功拓展到二十四项应用，作业井筒覆盖27/8″-97/8″管柱尺寸。具备非常规油气水平井牵引器测井、射孔、光纤测井等多领域服务能力，在涪陵页岩气田等区块实现规模化应用近两千井次，获得了良好的社会经济效益。

关键词　牵引器；水平井；测井；射孔；光纤测井

1　引言

油气水平井完井下入套管后，需要进行固井质量测井、首段射孔等作业，传统的套管水平井输送作业方式主要有钻具传输、连续油管输送两种方式，钻具传输需要依托钻机井架，成本高、作业条件受限；连续油管受限于自身油管的屈曲，在水平段推进过程中，当阻力达到一定程度就会发生自锁，作业深度受限。

石油测井牵引器技术作为一种新兴的套管水平井输送技术，用于解决长距离水平井水平井工具串输送难题。随着非常规油气的开发，笔者所在公司——中石化经纬有限公司江汉测录井分公司自主研发了经纬刚毅 JHQY 系列大功率牵引器，在水平井作业中得到广泛应用，解决了超长、超深及上翘水平井带来的测井、射孔作业难题，在经济性、时效性、安全性和便捷等方面拥有无可比拟的优势。

随着国内页岩气勘探开发力度的加大，超长水平井、"套中固套，重复压裂"、光纤测井等技术的应用，套管井呈现出井筒尺寸多样化、测井项目多元化的趋势，对牵引器适应多种井筒尺寸、挂接多样作业工具的能力提出挑战，迫切需要发展适应多种套管内径和管柱结构、井筒环境适应性强、匹配各类测井项目的牵引器输送平台。

2　打造"牵引器+"平台

为满足套管水平井多种井筒结构、输送项目多样化的作业需求，中石化经纬有限公司江汉测录井分公司近年来加大技术创新攻关，通过持续的自主创新和迭代升级，相继研发成功具有完全知识产权的 JHQY－80B/C/D、JHQY－70D、JHQY－50D 型模块化大功率牵引器，发展出 $\phi50/\phi70/\phi80$ 等多种规格尺寸的 4 代 6 型牵引器，作业范围覆盖 2 7/8″—9 7/8″油管、套管尺寸，形成"经纬刚毅"系列牵引器产品。

表 1　经纬刚毅系列牵引器技术参数

型号	JHQY-A	JHQY-B	JHQY-C	JHQY-D	JHQY-70	JHQY-50
外径/mm	54	80	80	80	70	50
耐温/℃	150	150	150	175	175	150
耐压/MPa	105	105	105	140	140	105
驱动数量	2	3	4	4	4	4
推靠方式	机械	液压	液压	液压	液压	液压
总牵引力/N	2700	8000	10000	12000	10000	6000
电缆	单芯	单、多芯	单、多芯	单、多芯	单、多芯	单、多芯

续表

型号	JHQY-A	JHQY-B	JHQY-C	JHQY-D	JHQY-70	JHQY-50
抗拉力/吨	≥10	≥10	≥15	≥20	≥20	≥10
速度/(m/min)	≤9	≤10	≤10	≤12	≤12	≤9
适用套管规格/″	4.5-9	5-9.875	5-9.875	5-9.875	4-9.875	2.875-7
壳体	不锈钢	钛合金	钛合金	钛合金	钛合金	不锈钢
适应环境	弱	较强	强	强	强	强

在“经纬刚毅”系列牵引器的基础上，将“水平井动力输送平台”理念，融入到开发应用中，以牵引器作为输送平台，研发安全短节、减震短节、5700系列接头等配套功能短节，统一电路与机械接口，破解页岩气套管水平井牵引器输送各项工艺难题，成功打造“牵引器+”技术服务平台，将早期主要应用于固井质量测井的牵引器业务，拓展到非常规水平井套后完井测井、分簇射孔、光纤压裂监测、产剖测试等多领域服务能力，搭建了石化特色的“牵引器+”作业平台，并且实现从工程服务到装备制造的产研一体化发展。

3 “牵引器+”平台关键技术

3.1 “牵引器+”测井技术

该技术通过开发多种配套转接功能短节、统一电气接口和通讯模式，实现了多种测井仪器的挂接与电气通讯传输；开展水平井输送工艺攻关，解决了超长水平井输送、重载输送、复杂井筒输送等多项工程难题，形成牵引器+测井技术。相较传统的钻具输送等施工工艺，可大幅降低施工风险，缩短施工时间，在安全性便捷性方面具有显著的优势，在工艺上实现了替代。

3.1.1 超长水平井输送测井技术

随着钻井技术的不断进步和油气高效勘探开发的需要，油气水平井向着深层、超长水平井方向发展。牵引器输送测井在超长水平井(水平段3000m以上)中需要解决的问题包括高效动力输出、大功率驱动组合、牵引轮抓壁能力等。

独立高效的动能传动机构。牵引器的动力模块由电机、减速器、传动齿轮及驱动轮组构成(见图1)。采用无刷直流电机提供动力源，经减速器和齿轮组进行多级减速和改变旋转方向，将动力传递给牵引轮，牵引轮的旋转带动牵引器向前或向后运动。优化设计的齿轮传动系统，缩短了转换的级数及距离，降低机械损耗30%以上，确保持续稳定的动力输出。为了得到不同的输出扭矩和牵引速度，可以根据不同的测井项目和井筒状况，选择不同的减速器，实现了牵引动力与施工效率的完美平衡。

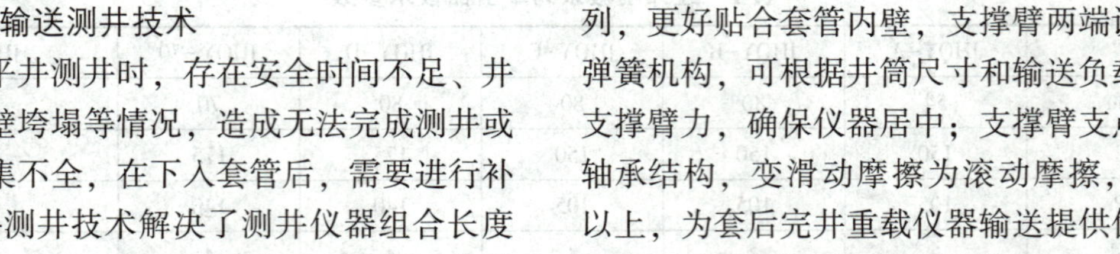

图1 动能传动机构

3.1.2 重载输送测井技术

裸眼水平井测井时，存在安全时间不足、井眼缩径、岩壁垮塌等情况，造成无法完成测井或地层资料采集不全，在下入套管后，需要进行补测。牵引器+测井技术解决了测井仪器组合长度长、重量大、多心电缆通讯等难题，为套后完井测井提供了一个重要手段。

牵引器输送减阻技术。设计适用于套管井筒的减阻扶正器，采用六臂结构支撑，轮组交错排列，更好贴合套管内壁，支撑臂两端设计可压缩弹簧机构，可根据井筒尺寸和输送负载动态调整支撑臂力，确保仪器居中；支撑臂支点采用偏心轴承结构，变滑动摩擦为滚动摩擦，减阻75%以上，为套后完井重载仪器输送提供保障。

3.1.3 复杂井筒输送测井技术

在牵引器输送生产测井、工程测井等应用场景下，面临着套管损伤变形、井下异物、井筒出砂，过射孔段炮眼等复杂井筒环境。

经纬刚毅系列牵引器采用液压推靠的自适应设计，具有优异的越障碍能力，当井径变化或遇到障碍物时，将自动控制液压平衡活塞运动，动态调整驱动轮组开臂大小，以适应井径变化。同时自动调节牵引轮的速率和扭矩，使动力系统保持最佳的工作状态。另外，牵引轮组采用防砂结构设计，阻止井内杂物或压裂砂进入驱动本体内，造成齿轮轴承卡死。

3.2 牵引器+射孔技术

牵引器射孔技术是国内首创将牵引器输送工艺与多级射孔工艺相融合的一种水平井射孔新技术，解决了牵引器抗震、安全隔离等技术难题，满足超长水平井、大角度上翘井等首段射孔难题，相较于连续油管输送和钻具传输射孔具有成本低、时效性强、安全风险低等优势。自2016年开展应用以来，已完成施工600余井次，保持多项施工记录，是国内唯一一家可以规模化进行牵引器射孔施工的产品。

3.2.1 抗震型牵引器研制

射孔瞬间的爆炸冲击对井下工具串产生的震动超过300g，无保护措施的情况下对牵引器及井下工具破坏严重。经纬刚毅系列牵引器采用抗震设计，主要包括采用移动滑轨式缓冲、结构缓冲及倒角消磨等多种抗震设计。

设计射孔专用减震短节，采用双向碟簧组合式消能减震技术，通过消能装置产生非线性形变来耗散或吸收井筒轴向上的震动能量，利用六臂扶正器良好的自适应支撑结构对径向上的震动进行缓冲吸收，此外柔性等短节也可起到抗震效果，多种减震功能短节的应用，有效降低射孔冲击力50%以上。

3.2.2 射孔安全隔离技术

牵引器输送射孔作业过程中，牵引器工作的高压直流电可能引起相连的射孔枪串发生误点火，在非目的层误射孔，造成严重工程复杂和经济损失。为解决牵引器输送射孔的电气安全问题，在牵引器与射孔枪串之间设计了三重安全隔离措施：牵引器唤醒电路安全隔离、射孔专用安全短节安全隔离、隔离转接头安全隔离(见图2)。

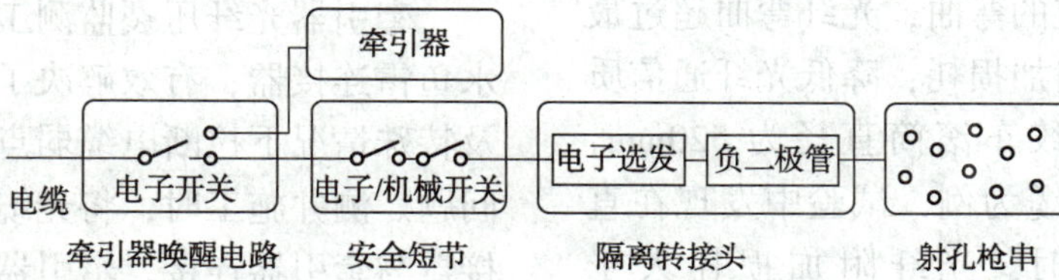

图2　牵引器射孔安全隔离原理示意图

3.2.3 大角度上翘井牵引器射孔技术

设计牵引器用井下锚定短节，通过液压系统控制支撑臂的开合与臂力大小，具有断电自动收回支撑臂的安全设计。在射孔井段撑开锚定短节支撑臂固定射孔工具串，射孔完成后，通过控制锚定力的大小，使锚定摩擦力约等于射孔工具串的下滑力，进行起电缆作业。起电缆过程中，实时通过磁定位接箍信号观察工具串是否发生下滑，以便采取相应控制措施。

3.3 牵引器+光纤测井技术

光纤测井技术是石油领域的一项新技术，凭借抗电磁干扰、温度/压力/震动灵敏度高、空间分辨率高、传感分布阵列化等显著技术优势在油气行业的应用进入快速增涨阶段。近年来，江汉测录井分公司加快光纤测井领域的装备研制和工艺研究布局，依托经纬刚毅系列牵引器技术优势，与水平井光纤测井技术相融合，创新开发了牵引器光纤测井技术。目前已完牵引器光纤压裂监测、产剖测试等各项应用11井次。

3.3.1 光纤传感装备研制

牵引器光纤测井技术是使用牵引器拖拽光纤电缆进行测井的一种水平井测井新技术，在光纤测井装备研制方面，江汉测录井分公司完成光纤测井滚筒、光电复合缆、光纤鱼雷连接器等配套设备研制，形成了从测井绞车、光纤电缆到井下工具串的全套牵引器光纤测井配套装备。

光电复合缆研制。结合牵引器和光纤电缆测井工艺特点，牵引器拖拽光纤电缆进行水平井布放过程中，需要给牵引器供电，因此需要将光导体(光纤)和电导体(铜丝)进行整合。完成了光纤测井采集影响因素分析、光纤耐高温抗氢损工艺研究、光电复合缆一体化设计等研究内容，采用铠装钢丝双层反向绕制的成缆方式，最终完成光电复合缆研制。

光电复合缆由内至外主要由光纤、钢带、铜缆芯、绝缘层、铠装层组成(见图3)。经过多井次的试验应用，目前可以根据不同的作业需求优选光电复合缆类型。按光纤组合方式可选择不同数量的单模/多模光纤；按铜缆芯数量需求可选用单铜缆芯、多铜缆芯等多种规格的光电复合缆，满足多种井下仪器的挂接。

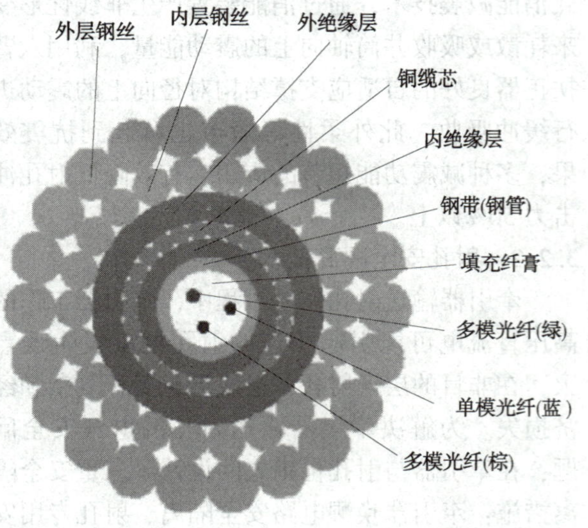

图 3　一种光电同轴复合缆结构示意图

光纤专用测井绞车研制。光纤电缆安装到绞车滚筒上时会产生一定的弯曲，光纤弯曲超过最小弯曲直径就会产生附加损耗，降低光纤通信质量。常规使用的测井绞车滚筒直径为 520mm，以 ϕ9.58mm 光电复合缆为例，试验中发现在直径 520mm 的滚筒上时，光纤附加损耗大于 0.4dB/km，超过标准值。经研究对比发现，光缆弯曲直径大于光缆外径的 65 倍时，通信损耗小，结合实际测量和论证，优选滚筒直径为 800mm（见图 4）。光电复合缆盘整在直径为 800mm 滚筒前、后的损耗检测结果见图 12，对比结果显示几乎没有产生附加损耗，红色曲线为上滚筒前检测，绿色曲线为上滚筒后检测。

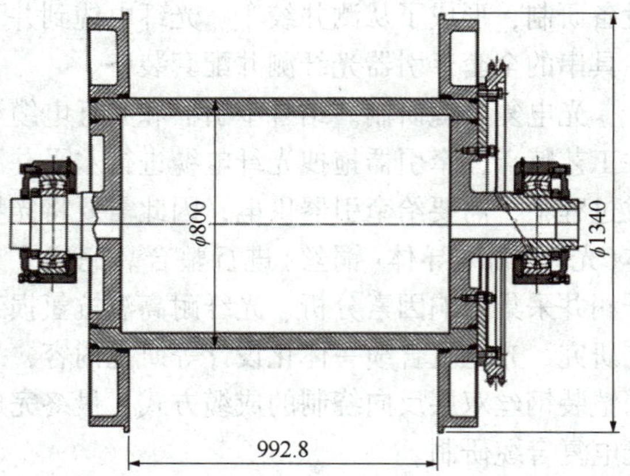

图 4　一种光纤专用绞车滚筒结构图

3.3.2　牵引器光纤测井应用工艺研究

水平井管内光纤电缆的入井方式过去主要采用连续油管输送方式，油管管壁对光纤接收地层信号形成阻碍作用，造成了信号的衰减；连续油管自身体积相对较大，改变了井筒流体的原始状态，不利于原始数据的采集。针对目前套管内连续油管光纤布放方式存在的局限性，开展了水平井牵引器输送光纤测井工艺研究，将牵引器输送技术和光纤测井技术相结合，探索研究牵引器在各种环境、工况下的光纤布设工艺，有效解决了复杂井眼轨迹、长水平段等光纤输送难题，形成了牵引器光纤测井工艺。

图 5　牵引器光纤测井工艺原理

牵引器光纤压裂监测工艺。研制光纤电缆防水鱼雷连接器，有效解决了井下高温高压环境以及特殊情况下拉断电缆弱点导致的光纤电缆进水问题。测井施工时，将光缆尾端通过光纤鱼雷连接器与牵引器连接，牵引器将光缆输送到目的深度。到达目的层位后，停在预定深度无需上提仪器，地面光端机发射信号进行邻井压裂监测，测井完毕后回收光缆。该工艺解决了压裂改造过程中“盲压”的情况，精确实时显示射孔簇开启的簇数及开启时间、压裂液和支撑剂是否压窜层、裂缝的实时宽度，为充分改造地层提供实时、可靠的数据决策依据。

牵引器光纤产剖测井工艺。油井、气井等生产井，其生产管柱多种多样，包括 2 7/8″—9 7/8″管柱、油管转套管等。牵引器在进行输送光纤产剖测井时，针对不同的生产管柱对牵引器的尺寸、其他井下工具提出了不同的要求。首先是牵引器的外形尺寸需要适应井筒尺寸要求，目前经纬刚毅牵引器已形成 ϕ50mm、ϕ70mm、ϕ80mm 全系列牵引器的研发制造，满足 2 7/8″—9 7/8″油管、套管等全尺寸管柱水平井输送需求。其次是过油管转套管井筒环境下，对牵引器扶正器提出了高要求，需要具有宽尺寸范围的支撑力，能同时保证井下工具在油管及套管内的居中，还要解决套管进入油管时扶正器遇卡问题。此外研究了油井、气井等不同井筒条件及工况下的牵引器光纤产剖测井方法，图 14 为牵引器光纤产剖测试一般流程图。

4　应用实例

“牵引器+”作业平台系列技术共申请专利 55 件，获得美国、加拿大发明专利授权各 1 件，在全国十三个省十五个油气田实现规模化应用 1700 余井次，累计牵引距离超过 280 万米，创造了多项具有国内外影响力的优质工程。在中石化率先开展了牵引器光纤测井、桥塞坐封、套后特殊项目测井等新技术应用，持续扩展“牵引器+”产业链。保持牵引器最大牵引距离、最大牵引井斜、一次入井输送最多枪簇等多项国内施工纪录，有效支撑了非常规页岩油气高效勘探开发。

4.1　超长水平井牵引器测井应用

JY-S12HF 井是涪陵页岩气田的一口重点页岩气水平井，设计水平段长 4054m，实钻水平段长 4286m，完钻井深 7161m，开展超长水平井钻井及压裂工艺试验是一项重要的钻探目的。该井生产套管固井质量测井采用牵引器输送 RIB 仪器测井工艺，施工难点在于水平段超长，对牵引器在井下高温高压长时间持续工作、水平段拖拽电缆长、负荷大等要求提出了挑战。采用超长水平井牵引器测井工艺，优选牵引器 4 驱组合，选用 75：1 减速比，优化仪器串结构，制定了科学的施工方案。施工中，仪器串自然遇阻于 2716m，启动牵引器开始牵引，经过 10 个小时的连续牵引，成功牵引至目的井深 7040m，牵引距离 4324m，顺利完成测井任务，刷新了全国牵引器牵引最长记录。

4.2 大角度上翘井牵引器射孔应用

N209H9-1 井是四川某区块的一口页岩气水平井，完钻井深 6470m，最大井斜 116.29°，水平段井眼轨迹大角度上翘。设计射孔层位 6393.3-6394.3m，井斜 95.8°。该井存在井斜大、井况差等因素，给牵引器输送射孔带来很大的施工难度。针对该井的疑难复杂井况，采用大角度上翘井牵引器射孔工艺。施工中，牵引器从 3660m 启动牵引，经历 14 小时牵引至 6395m，牵引距离 2735m。锚定短节将射孔工具串锚定后成功进行点火，大斜度井段起电缆过程中，控制锚定短节刹车压力与起电缆速度，最终安全优质完成施工，成功解决了大角度上翘井连续油管输送自锁难题，再次刷新国内牵引器最大牵引井斜纪录。

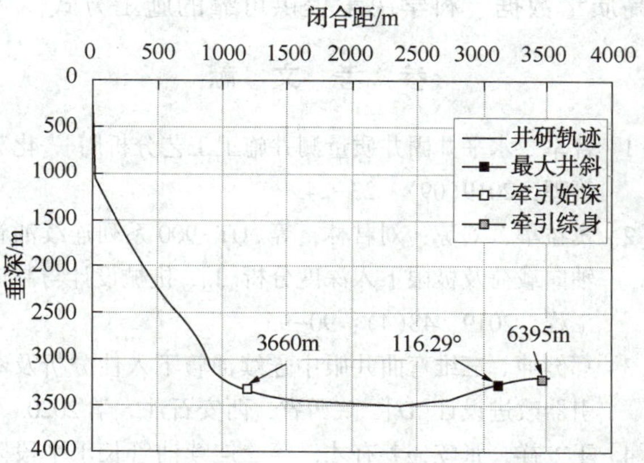

图 16　N209H9-1 井眼轨迹图

4.3　牵引器光纤压裂监测应用

JY-Z1HF 井是涪陵页岩气田的一口评价水平井，完钻井深 4860m，水平段长 2400m。为评价该井压裂效果、储层产量贡献等数据，对该井进行光纤压裂监测。监测井为同平台的 JY-S10HF 井，采用牵引器输送光电复合缆入井方式，对压裂井 JY-Z1HF 井进行压裂监测。

本井施工用时 12 天，共计压裂 32 段，完整监测到所有压裂段的开启情况(见表 2)，其中第 7、9、10-13、16、18、20、23、25、26、28、29 段被多次串层(见图 17)。该井施工过程中，实时监测裂缝开启情况，评价压裂效果，多次指导甲方调整优化压裂方案，获得了良好效果，开创了牵引器光纤压裂监测先河。

5　结论

(1) 依托经纬刚毅系列牵引器打造的“牵引器+”平台，作业井筒覆盖 2 7/8″-9 7/8″管柱尺寸，具备非常规油气水平井牵引器测井、射孔、光纤测井等多领域服务能力，在涪陵页岩气田等区块实现规模化应用，获得了良好的社会经济效益。

(2) 牵引器测井技术解决了超长水平井输送、重载输送、复杂井筒输送等多项工程难题，相较于传统的连续油管输送方式，在安全性、经济性、效率和曲线质量上具有很大的优势。

(3) 牵引器射孔技术在非常规油气水平井射孔作业中，凭借良好的通过性、经济性、可靠性，已经与连续油管输送一起，成为页岩油气开发不可或缺的工程施工手段。

(4) 牵引器光纤测井技术在充分发挥水平井光纤布设与回收的便捷特性的同时、为光纤测取高质量数据、科学决策提供可靠的施工方式。

参 考 文 献

[1] 曾军．水平井固井质量测井施工工艺分析[J]．化工管理，2019(09)：23-24.

[2] 窦益华，刘琼，刘君林，等．QT-900 系列连续油管轴向载荷及极限下入深度分析[J]．机械设计与制造工程，2019，48(4)：90-95.

[3] 郝健坤．三维弯曲井眼中连续油管下入性分析及牵引器改进设计[D]．陕西省，西安石油大学 2020.

[4] 王方祥，张乾，姜有才，等．连续油管长水平段防自锁技术[J]．试油试采技术，2021，30(2)：25-29.

[5] 陈烈，杭洪燕，邵皓枫，等．牵引器工艺在西北油田测井施工中的应用[J]．西部探矿工程，2022，34(09)：100-103.

[6] 郭瑞生．页岩气水平井牵引器输送技术的应用拓展[J]．江汉石油职工大学学报，2021，34(2)：36-39.

[7] 陈立新，王恒，吴海欧，等．页岩气水平井固井质量测井工艺及应用[J]．江汉石油职工大学学报，2021，34(1)：16-19.

[8] 石元会，陈四平，肖世匡，等．水平井测井牵引机器人输送技术及其应用[J]．中国化工设备，2014，S1：396-400.

[9] 张志华，廖勇，饶海涛，等．页岩气上翘型水平井牵引器射孔难点分析及解决措施[J]．测井技术，2021，45(1)：102-106.

[10] 廖勇，张志华，张新华，等．电缆牵引器射孔衔接水力输送射孔的水平井射孔工艺[P]．中国：CN111622728A.

深层致密油藏压-驱一体化关键技术研究

金智荣　方立勤　李　兴　王进涛

（中国石化江苏油田分公司）

摘　要　针对江苏油田深层致密砂岩油藏常规压裂后产量低、稳产时间短，难以实现效益开发的问题，以区块整体开发为目标，开展了提高裂缝复杂度、扩大有效缝控体积和补充地层能量等关键技术攻关，形成了对本井大体积改造同时，实现对邻井驱替受效的"压-驱一体化"技术。在A断块应用，压裂新井投产均实现自喷，最长自喷时间达98天，A3井持续150天日产油稳定在10t以上，相邻老井A4井日增油持续半年稳定在1t以上，展现出较好整体开发效果。随后，将该技术在B、C断块推广，也都取得较好成效。现场实践表明，"压-驱一体化技术"可同时实现本井压裂增油和邻井压驱增油，提高区块整体开发效果，为深层致密油效益开发提供了新思路。

关键词　深层致密砂岩；压-驱一体化；蓄能；复杂缝；改造体积

1　引言

随着低渗、致密油藏逐渐成为勘探开发的主阵地，压裂、注水等措施也成为这类油藏开发必不可少的手段。但是，对于渗透率极低的致密油藏，通过常规压裂对储层进行改造，初期有一定增产效果，随着地层压力的下降，裂缝逐渐闭合，产能下降很快，无法实现长时间增产稳产。同样，由于渗透性极差，注水在此类油藏也存在注不进的情况。

为解决这类致密油藏有效开发的问题，已陆续有油田开展蓄能压裂、体积压裂、压驱注水等技术研究，并取得不错应用效果。长庆油田在安83区页岩油水平井应用大规模蓄能体积压裂技术，压后平均单井产油量由1.2t/d提高至10.2t/d。胜利油田在低渗透区块应用压驱注水技术，通过高压、高速注水，实现短时间内快速补充油藏能量、提高油藏压力，进而提高油井生产压差及产液量、产油量，油井见效率为58%。

截止2022年底，江苏油田探明未动用储量超4000万吨，其中深层致密储量占80%以上。近年来针对高邮凹陷加大了深层致密油藏勘探评价，在Y、F、X等地区发现多个深层致密含油断块。如何通过压裂方式最大程度变"未动储量"为"效益产量"，成为实现深层致密油储量效益开发的核心目标。为了提高深层致密油藏压裂单井产量、延长稳产期，开展了"压-驱一体化"技术研究，实现本井压裂增油、邻井压驱增油，达到区块整体开发效果最大化。

2　增加裂缝复杂度配套技术

对深层致密砂岩油藏改造，由"双翼单缝"向"多级分支复杂缝"转变，实现打碎储层，改善渗流能力，增大原油流动面积，是提高压后效果和稳产的关键。

2.1　大排量造缝

结合物模实验表明：压裂排量增加，可以提升井筒升压速率，有助于近井多缝起裂，如图1。通过数值模拟进一步验证，高的施工排量，增加了压裂液在地层内的驱替压力，可以促进地层内原有闭合的天然裂缝更容易开启扩展，从而提高裂缝的复杂度，如图2所示。

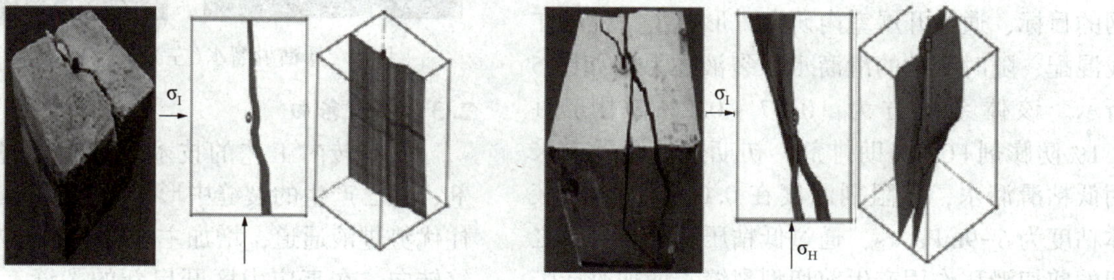

(a)50mL/min　　(b)200mL/min

图1　不同排量下水泥块破裂裂缝形态及裂缝三维重构图

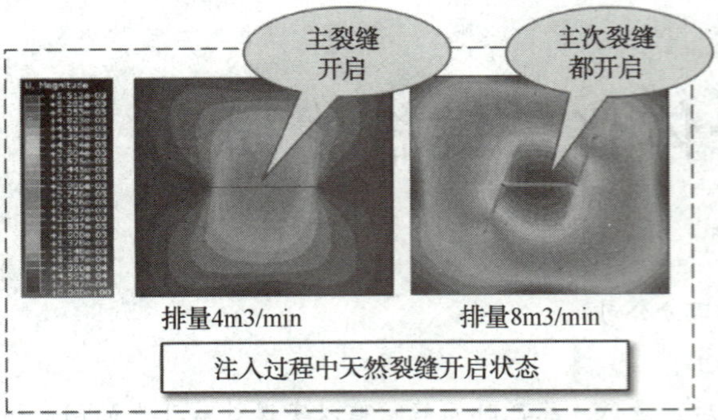

图2　不同排量下主次裂缝开启模拟

为了实现大排量改造将原有油管注入方式改为套管注入，并建立满足套管注入的压裂逆向设计流程，在进行井网井距优化、完井管柱选择时提前考虑套管大体积改造需求。考虑X17块三口井压裂改造层纵向应力剖面特征，如图3所示，为了提高支撑剂在裂缝内的有效支撑，避免缝高失控，结合Gohfer三维压裂软件模拟，确定施工排量8～12m^3/min。根据图4施工排量与裂缝缝内净压力关系，施工排量8～12m^3/min时，预计产生的裂缝净压力8～10MPa，有利于克服水平两向应力差，提升裂缝延伸的复杂程度。

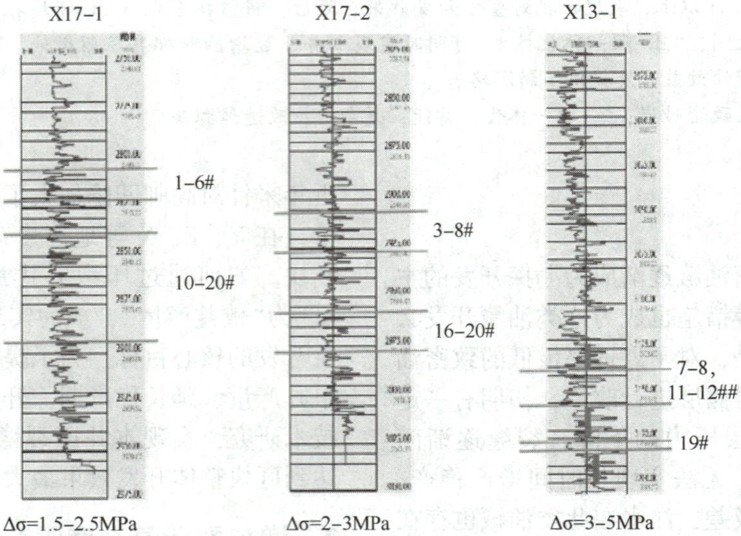

图3　X17块储层纵向应力剖面

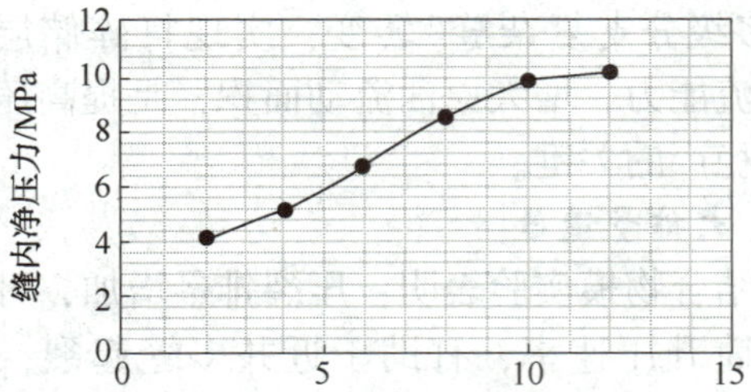

图4　施工排量与裂缝净压力关系

2.2　变粘滑溜水

为满足大规模压裂施工需求，达到造复杂缝网的目标，通过开展室内研究，形成了一种可在线混配、随时变粘的滑溜水压裂液体系，如图5所示。该体系配方为：0.07～0.2%减阻剂+0.1%防膨剂+0.1%助排剂。初期造缝阶段，采用低粘滑溜水，减阻剂浓度在0.07～0.1%，液体粘度为6-9mPa·s，通过低粘压裂液与岩石之间的剪切滑移作用产生剪切型裂缝，增加改造带长，扩大改造体积。在中后期携砂阶段，采用中高粘滑溜水，减阻剂浓度在0.15～0.2%，液体粘度为12～18mPa·s，提升压裂液的携砂性，延伸支撑剂充填距离，扩大有效缝控体积。

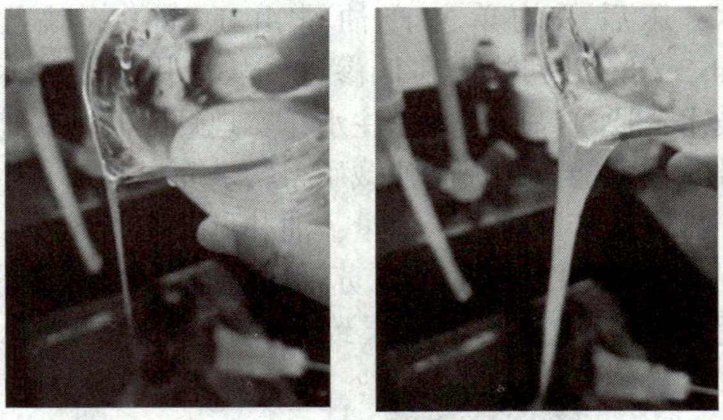

图5　低粘滑溜水(左)和中粘滑溜水(右)

2.3　暂堵转向

暂堵转向工艺的技术原理是通过投放暂堵剂，在已产生的裂缝中形成高强度滤饼桥堵，堵住优势进液通道，增加主裂缝内净压力，迫使裂缝转向，在高应力区开启新的裂缝 。其关键点在于暂堵剂封堵强度和暂堵时机的选择，为此开展室内试验和模拟研究。对不同复配比例的暂堵剂进行封堵率试验，结果如图 6 所示。优选出 0.2~0.9mm：2~3nm 直径复配比例为 2：1 的暂堵剂，封堵率达 91.3%，可承压 8.65MPa。根据数值模拟，当分支缝长度比主缝长度超过 4/5 后，累产油量增长逐渐变缓。综合经济考虑，选择分支缝长度比主缝长度为 4/5，即在主加砂 55%左右时开始实施暂堵。

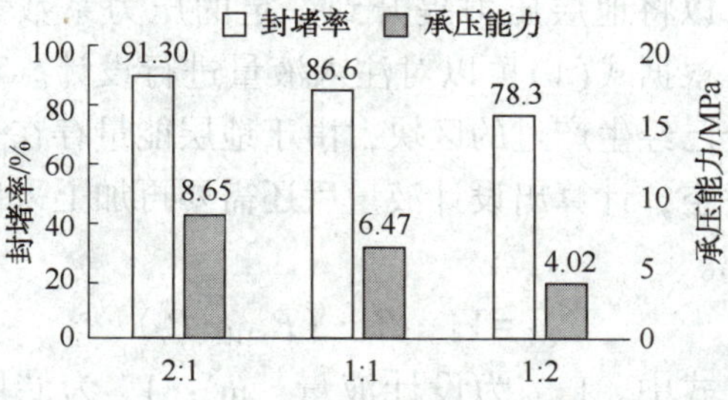

图 6　不同复配比例暂堵剂实验结果

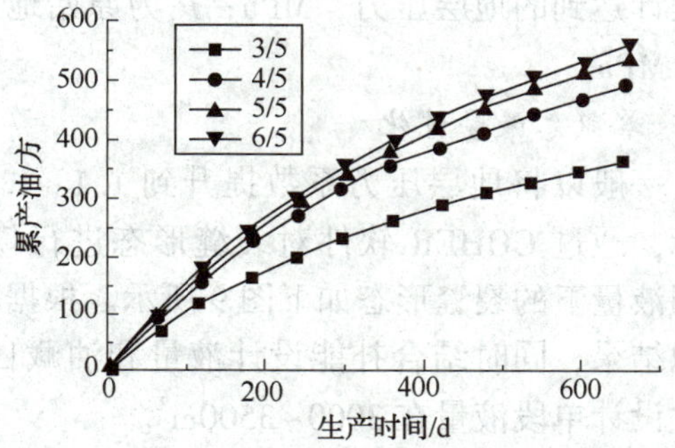

图 7　不同分支缝主缝比累产油模拟结果

3　扩大有效缝控体积配套技术

对深层致密砂岩储层改造，在提高裂缝复杂度，实现主裂缝、分支裂缝以及开启地层微裂缝的情况下，需要实现这些不同尺度裂缝的全充填，确保裂缝不闭合，才能实现有效缝控体积的提升。

3.1　多个压裂层选择性簇式布孔

江苏油田深层致密油藏，纵向上油层呈现薄互多层特点，为了避免大排量下裂缝缝高失控，提高支撑剂在油层内的有效支撑，改变布缝方式，由原先所有压裂层连续射孔优化为压裂层选择性簇式射孔，减少射孔数量，有利于支撑剂运移，如图 6 所示。

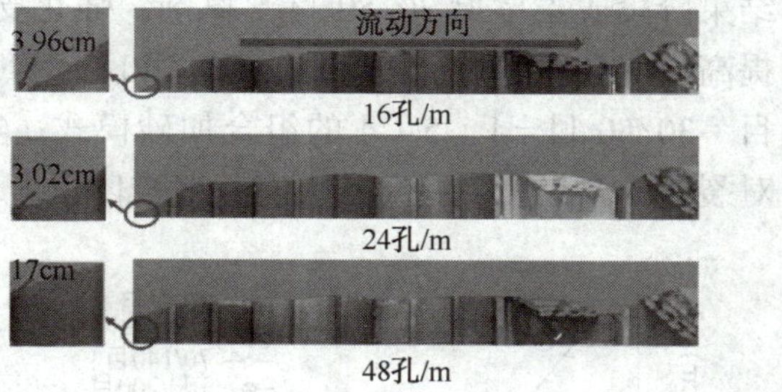

图 6　不同射孔密度对支撑剂运移速度和铺置剖面影响

3.2　高强度连续加砂

以往，对于深层致密储层，受压裂工艺及施工设备能力限制，采取常规加砂，设计加砂强度 <2.5m^3/m，单段加砂量 20~40m^3。结合国外相关油田统计，提升加砂强度，有利于提高压后效果。为了确保致密油井压后效果，设计加砂强度 >5m^3/m，单段加砂量>80m^3。在大幅增加加砂量基础上，通过提高压裂液粘度增强支撑剂远端运移能力，确保大规模体积压裂裂缝远端有效充填支撑，并实现连续加砂，携砂阶段采取 0.15~0.2%浓度减阻剂，压裂液粘度 12~18mPa·s，最高砂比达到 20%。

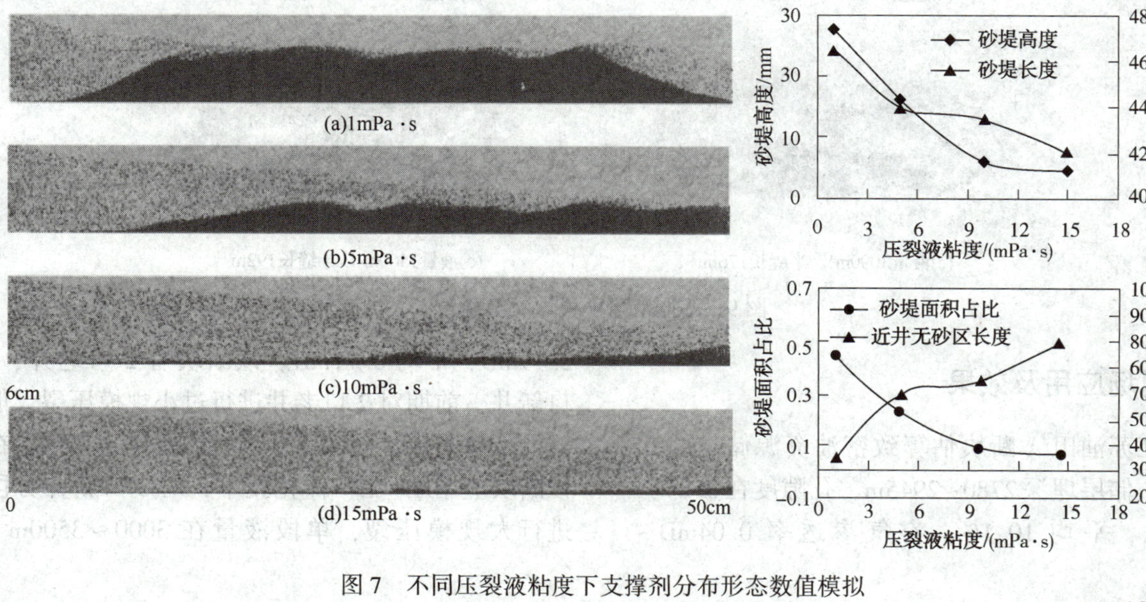

图 7　不同压裂液粘度下支撑剂分布形态数值模拟

3.3 多粒径组合支撑

对于致密油藏压裂，支撑剂粒径与压裂缝宽的匹配非常重要。支撑剂粒径既会影响施工压力，也直接影响着最终支撑裂缝的导流能力。为此开展不同粒径支撑剂导流能力试验，实验结果图8所示。根据试验结果，综合地质特征考虑，优选40/70目作为主体支撑剂，同时考虑在压裂初始阶段带入70/140目小粒径支撑剂用于近井筒打磨降滤、支撑微裂缝和分支缝，在最后施工结束阶段适当尾追30/50目支撑剂，强化支撑，提高长期导流能力。最终形成70/140目：40/70目：30/50目=1：5：4的组合加砂模式，实现对裂缝的全尺度支撑，扩大有效缝控体积。

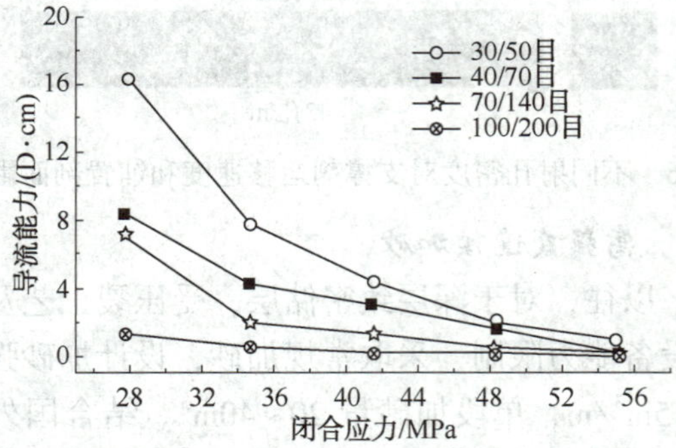

图8　不同粒径支撑剂导流能力

4 补充地层能量配套技术

4.1 前置蓄能量优化

压-驱一体液量设计主要考虑两个方面，一是对于整个区块的补能，二是对于压裂造缝携砂。

根据物质平衡原理，压裂液通过高压设备泵入地层后，会转化为岩石、流体的弹性能储存起来。以将地层压力提升到一定的压力系数为目标，根据式(1)可以对注入液量进行设计。对于一个已经生产过的区块，由于地层能量存在一定的亏空，计算出设计液量后还需要再加上采出液体积。

$$V_{设计}=V_{\phi}\cdot C_{t}\cdot(P_{设计}-P_{i})\qquad(1)$$

式中，$V_{设计}$为设计液量，m^3；V_{ϕ}为储层孔隙体积，m^3；C_t为综合压缩系数，MPa^{-1}；$P_{设计}$为设计达到的地层压力，MPa；P_i为原始地层压力，MPa。

4.2 单段总液量优化

一般以将地层压力系数提升到1.1~1.3为目标，通过GOHER软件对裂缝形态进行模拟，不同液量下的裂缝形态如下图9所示。根据软件模拟结果，同时结合补能设计液量和油藏目标，优化设计单段液量在3000~3500m^3。

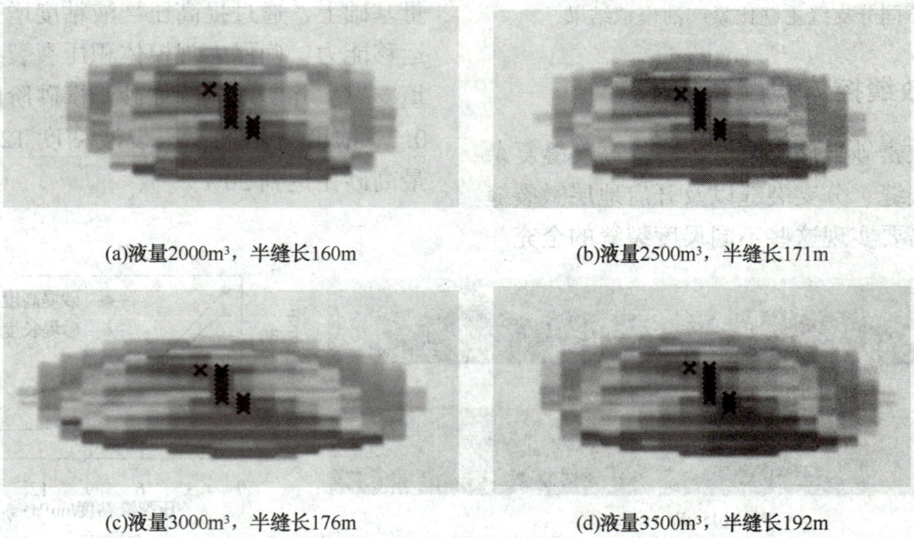
(a)液量2000m³，半缝长160m　(b)液量2500m³，半缝长171m

(c)液量3000m³，半缝长176m　(d)液量3500m³，半缝长192m

图9　不同液量下模拟裂缝缝长

5 现场应用及效果

江苏油田A断块估算致密油资源储量约65万吨，储层埋深2780~2945m，孔隙度在3.2%~12.5%，平均10.1%，空气渗透率0.04mD~2.19mD，平均0.71mD。该断块有2口老井、3口新井，前期对2口老井进行过小规模压裂，但增油效果不佳。此次以井组整体效果为目标，在该断块应用压-驱一体化技术，对3口新井分段进行大规模压裂，单段液量在3000~3500m^3，单段砂量 100~150m³，施工排量 10~12m³/min，施工过程中进行 1~2 次缝内暂堵。

压后先焖井再投产，3 口新井均实现自喷，其中 A2 井自喷时间最长，达 98d，A3 井持续 150d 日产油稳定在 10t 以上，3 口新井一年累产油 5217t。同时，相邻老井 A4 井也表现出明显增油效果，产液量由压前的 3t/d 上升到 4. 1t/d，产油量由压前的 2. 4t/d 上升到 3. 3t/d，且效果持续超半年。压-驱一体化技术在 A 断块取得成功后，陆续在 B、C 断块推广，也都取得较好整体开发效果。

6　结论及建议

（1）深层致密油藏压裂裂缝复杂度、有效缝控体积和地层能量是保障压裂效果和稳产期的关键。

（2）优选蓄能量 1300~1800 方，单段液量 3000~3500 方用液规模能够满足江苏油田小断块油藏新井压裂补能和邻井驱替受效要求。

（3）微地震监测表明，大排量造缝、高强度加砂、低粘滑溜水起裂、组合粒径支撑配套缝内暂堵工艺，能够提升裂缝复杂程度和有效缝控体积。

（4）通过压-驱一体化工艺，在 X17 等区块实现了高产、稳产，为深层致密油效益开发探索了新路。

（5）在 X17 同区块同工艺，X13-1 压后效果明显好于 X17-1、X17-2，还需要进一步完善地质、工程主控因素和工艺适应性条件研究。

参　考　文　献

[1] 李凯凯，安然，岳潘东等．安 83 区页岩油水平井大规模蓄能体积压裂技术[J]．石油钻探技术，2021，49(04)：125-129.

[2] 杨勇，王建，卜亚辉等．胜利油田压驱开发技术实践与认识[J/OL]．油气地质与采收率：1-7[2023-09-22]．http：//kns. cnki. net/kcms/detail/37. 1359. TE. 20230424. 1050. 002. html.

[3] 蔡卓林，赵续荣，南荣丽等．暂堵转向结合高排量体积重复压裂技术[J]．断块油气田，2020，27(05)：661-665.

[4] 韩超．苏北低渗油藏压驱工艺技术研究[C]//中国石油新疆油田分公司(新疆砾岩油藏实验室)，西安石油大学，陕西省石油学会．2022 油气田勘探与开发国际会议论文集Ⅳ．[出版者不详]，2022：8. DOI：10. 26914/c. cnkihy. 2022. 066236.

[5] 郭建春，马莅，卢聪．中国致密油藏压裂驱油技术进展及发展方向[J]．石油学报，2022，43(12)：1788-1797.

深水钢悬链线立管清管试压工艺研究

蒋兵兵　陈　娟　于远方　唐　豫　龙小品　宋建堂

（深圳海油工程水下技术有限公司）

摘　要　钢悬链线立管(SCR)因其制作工艺简单、成本优势显著、能承受高温高压工作环境等优点成为深水油气开发的首选立管。在陵水17-2气田开发中国内首次使用了SCR，SCR安装完成后需对其进行清管、测径、试压、排水、干燥、惰化等作业，使其达到新建管道投产前的验收标准要求，论文对SCR的清管试压工艺进行了详细分析，介绍了SCR清管试压施工方案、关键设备、施工流程等内容，填补了国内对于SCR清管试压工艺研究的空白，有助于促进我国深水油气工程技术的发展。

关键词　钢悬链线立管；注水；清管；试压

在深水油气田开发中，常采用半潜式平台加水下生产系统的模式进行开发，立管起到连接平台与水下生产系统的作用，是传输石油天然气的基础。深水油气生产的立管系统按其结构形式可分为钢悬链线立管(SCR)、顶端张力式立管、柔性立管和混合式立管，其中SCR因其制作工艺简单、成本优势显著、能承受高温高压工作环境，成为深水油气田开采的首选立管。随着我国油气田开发从浅水走向深水，在陵水17-2气田开发中国内首次使用了SCR，SCR安装完成后需对其进行预调试(清管、测径、试压、排水、干燥、惰化等)作业，使其达到新建管道投产前的验收标准，然而国内目前关于SCR的研究主要集中于力学研究、疲劳破坏研究、立管与海床的管土模型研究这几个方面，对于深水SCR的预调试工艺研究还处于空白阶段，迫切需要相关理论指导。论文从陵水17-2实际工程出发，针对SCR安装完成后的清管试压工艺进行分析。

1　海管清管试压基本方法

对于两边管端均在水下的浅水海管的清管试压常规方案是潜水员在两边管端安装水下收发球筒和水下试压盲板等，将清管试压设备布置在施工作业船上，通过高压注水软管将清管试压设备连接至水下传输清管试压介质，进行水下收发清管球、试压等作业。对于两边管端均在水下的深水海管的清管试压，受潜水员最大作业水深的限制，以及高压注水软管过长会导致拉伸失效的影响，浅水海管的清管试压方案不适用于深水，目前国内深水海管清管试压主要采用水下清管试压模块进行全水下作业，水下清管试压模块由清管泵、试压泵、水下药剂储存袋、水下药剂吸附单元等组成，最大作业水深可达3000m。深水海管清管试压方案是遥控无人潜水器(ROV)在两边管端安装水下收发球筒，将水下清管试压模块下放到深水海管附近的海床上，ROV将水下清管试压模块连接至水下发球筒，先利用深水海管内外巨大的压强差进行自由注水发球，当清管球运行一定距离后，海管内外压平衡，ROV再用自身液压油对清管泵、试压泵进行液压驱动，完成全水下清管试压作业。而对于陵水17-2项目SCR来说，由于SCR两边管端都在水下，而顶端水深较浅，约30m，终端水深约1500m，若采用深水海管清管试压方案，在PLET上安装发球筒，自由注水发球至海管内外压差平衡后驱动清管泵推球，由于SCR的高度差，清管泵向上推球阻力太大，因此深水SCR的清管试压工艺相比普通深水海管清管试压有一些改变。

2　陵水17-2项目SCR概况

陵水17-2气田是我国首个自营开发的深水气田，位于我国南海海域，气田水深范围1220~1560m。该气田由一座深水半潜平台(SEMI)和水下生产系统组成，SCR连接平台和水下生产系统，该工程共有6根SCR，论文以其中一根乙二醇(MEG)注入SCR为例进行清管试压工艺分析。

陵水17-2项目MEG注入SCR长4437.5m，内径131.7mm，容积60.45m^3。分为顶部柔性接头、悬挂段、触底段、终端PLET四部分。顶部柔性接头位于海平面以下约 30 米，与垂直方向成 20°以内的角度，将通过软管与平台工艺管线连接；悬挂段在重力作用下自然下垂；触底段水平，与海床相互接触；PLET 端将通过跨接管与水下分配单元相连，水深约 1500 米，PLET 上的接口可连接收发球筒、注水帽等水下结构物，陵水 17-2 项目 MEG 注入 SCR 的 PLET 上已预先连接有注水帽。

3　SCR 清管试压总体方案

SCR 清管试压结合浅水和深水海管清管试压工艺，制定从水下进行自由注水、从平台甲板进行清管试压的技术方案。SCR 在铺设完成时，管内充满 1 个大气压的空气，而深水的水压远大于管内的气压，在清管前首先对 SCR 进行预注水作业以平衡 SCR 管内外压差，项目通过在 PLET 接口上连接的注水帽上的注水口进行水下自由注水的方式，使其内外压力达到平衡。SCR 清管作业方案是在 SCR 顶部安装水下发球筒发射清管球，拆除 PLET 上的注水帽，安装收球筒执行收球作业，清管泵等设备布置在平台甲板上，通过注水软管连接至水下发球筒，传输清管推球介质。SCR 试压作业方案是回装 PLET 上的注水帽，在其注水口插入试压用的盲插头，在 SCR 顶部安装试压盲板，试压泵等设备布置在平台甲板上，通过高压注水软管连接至试压盲板，传输试压介质。受水深的影响，SCR 顶部作业由潜水员完成，终端作业由 ROV 完成。

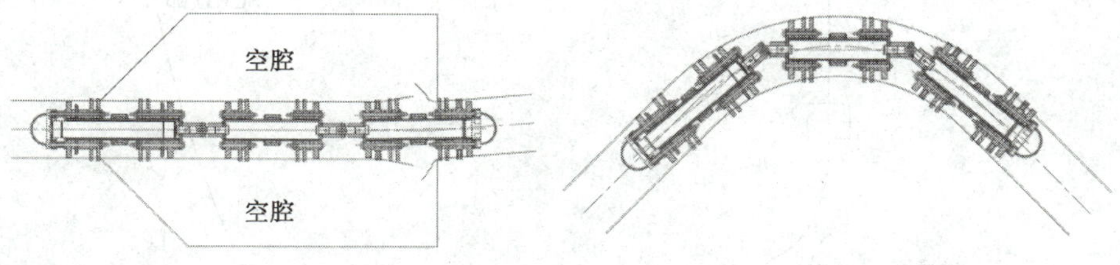

(a)　　　　(b)

图 1　3 球体铰接式清管 & 测径清管球

4　SCR 清管试压关键设备

4.1　预注水

SCR 水下自由注水过程中，需要在注水口安装 50 微米水下过滤器对注入海水进行过滤以防止海水中的杂质进入海管。此外，受深水 SCR 内外压差大的影响，设计过滤器上加装节流孔板以调节海水进入海管内的流速，避免海水注入流量过大导致海管或设备的损坏。

节流孔板设计孔径、压降、厚度根据下式计算：

$$d = \sqrt{\frac{421.6\alpha q_m}{\rho \Delta p}};\ \Delta p = p_1 - p_2;\ p_2 = p_1 - \frac{421.6\alpha q_m}{d^4 \rho};\ S = K'D\sqrt{\frac{p}{[\sigma]\phi'}}$$

式中，d 为节流孔板孔径，mm；α 为收缩系数；q_m为流量，m^3/h；ρ 为流体密度，kg/m^3；p_1、p_2 为进出口压力，bar；S 为孔板的厚度，mm；K'为与孔板结构有关的系数；D 为管道直径，mm；p 为孔口处压力，bar；$[\sigma]$ 为材料的许用应力，MPa；ϕ'为与孔板结构有关的系数。项目设计节流孔板孔径 14mm，板厚 25mm，可控制海水注入速度，保证管道安全。

4.2　清管试压

SCR 清管试压设备分为两部分，一部分布置在平台甲板上，一部分位于水下。平台甲板上主要是清管试压常规设备，包括清管泵/试压泵、化学药剂泵、设备泄露测试泵、过滤器等，以及压力表、流量计、原图记录仪等仪表。清管泵/试压泵提供清管试压的注水动力，设备泄露测试泵用于试压流程管线的压力测试，过滤器可过滤清管试压所用海水中大于 50 微米的杂质，过滤后的海水需经除氧杀菌缓蚀剂和染色剂处理，仪表可进行海水注入温度、压力、流量等数据记录。

水下清管试压设备主要包括用于清管的发球筒、收球筒、清管球，以及用于试压的试压盲板。由于 SCR 顶部柔性接头存在空腔，为了防止清管球在通过 SCR 顶部柔性接头空腔时由于管径变大导致的密封板密封失效，清管球后介质前窜造成卡球风险，清管球长度应大于柔性接头空腔长度，同时由于 PLET 端存在一个 3D 弯管，为了降低清管球过长导致的球体通过 3D 弯管时的卡球风险，项目中创新性设计 3 球体铰接式清管 & 测径球。第一个清管球为双向直板磁力钢刷清管球，第二个为双向直板磁力清管球，第三个为双向直板磁力测径清管球，用以最终判定海管内径是否合格，同时在清管球上安装声波发射器，可以使用 ROV 携带声波定位接收器对清管球的信号进行探测，以确定清管球的位置。由于三个清管球做了一体化形成 3 球体铰接式清管 & 测径球，所以使用的临时收、发球筒设计简单，发球筒无需设计控制清管球发射顺序的阀门。

5 SCR 清管试压施工

5.1 SCR 预注水施工

携带 ROV 的施工支持船(MSV)在 PLET 端就位后，ROV 安装过滤器(带节流孔板)至 PLET 上的注水帽上，安装完成后，ROV 打开注水帽上的注水阀门，海水在水压的作用下通过过滤器和节流孔板进入 SCR，开始 SCR 水下自由注水至 SCR 内外压力平衡，在 14mm 节流孔板孔径下，海管平均注水速度为 1.1m/s，注水时间约 2 个小时。自由注水完成后。ROV 拆除并回收过滤器和节流孔板。

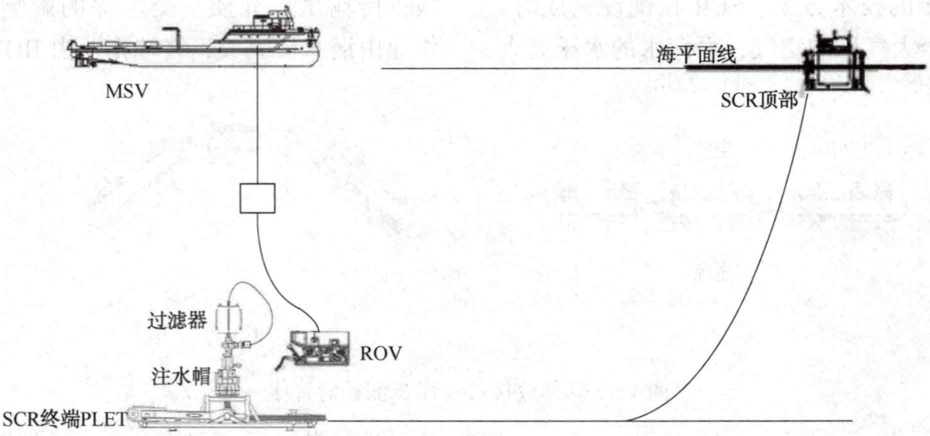

图 2　过滤器安装至注水帽

平台下放吊装锁具至注水帽附近，ROV 连接吊装索具至注水帽后，使用 Class 7 扭矩工具解锁注水帽上的卡箍，回收注水帽，并在 PLET 上安装临时保护帽。

5.2 SCR 清管施工

在平台甲板上将 3 球体铰接式清管 & 测径球装入水下发球筒中，平台潜水员将发球筒安装至 SCR 顶部。下放垂直收球筒至 SCR 终端 PLET 附近，ROV 拆除 PLET 上的临时保护帽，将垂直收球筒安装在 PLET 上，安装完成后对连接点进行背压测试，并将收球筒上阀门以及挡球器全部打开。

平台甲板清管泵、化学药剂泵、仪表等连接完成后进行清管流程管线冲洗和连接点泄露测试，确保清洁度合格、连接点无泄露后，将其通过注水软管连接至水下发球筒注水口，打开发球筒上注水阀门。平台甲板启动清管泵，按照 0.5~1.0m/s 的球速进行注水发球，且同时启动化学药剂泵按照要求比例注入药剂，在 0.5m/s 的球速下，所需清管泵注水流量为 408.5LPM，清管时间约 2.5 小时，在 1.0m/s 的球速下，所需清管泵注水流量为 816.9LPM，清管时间约 1.3 小时。平台注水量为管容的 1.2 倍以确保清管球抵达收球筒。PLET 端由 ROV 携带声波定位接收器确认清管球进入收球筒，一旦确认收到清管球，关闭挡球器，回收收球筒到 MSV 上。收球筒回收到 MSV 上后，将清管球从收球筒取出，进行清管结果的判定和认证工作，在现场认定 SCR 清扫结果达到预期要求且无管线异常变形，完成 SCR 的清管、测径作业。

ROV 回装 PLET 上的注水帽，安装完成后对连接点进行背压测试，并在 PLET 的注水帽上插入试压用的盲插头，关闭注水阀门，以便后续试压。SCR 顶部则由潜水员拆除、回收注水软管及发球筒。

5.3 SCR 试压施工

平台潜水员在 SCR 顶部安装试压盲板，平台甲板试压泵、化学药剂泵、设备泄漏测试泵、仪表等连接完成后进行试压流程管线冲洗以确保清洁度合格，使用设备泄露测试泵对流程管线进行试压，试压压力为 SCR 测试压力的 1.1 倍，完成试压后，将其通过高压注水软管连接至试压盲板。平台甲板启动试压泵进行 SCR 注水升压至测试压力，同时注入化学药剂及染色剂。注水升压体积约 707L，时间约需 5.1 小时，分三个阶段进行升压，第一个阶段以不高于 1bar/min 的速度升压至 35bar，停泵稳压 15min，计算空气含量，根据规范要求，空气含量不超过 1.0%；第二阶段，以不高于 1bar/min 的速度升压至 95%的测试压力；第三阶段，在压力达到 95%的测试压力以后，升压速度降至不高于 0.5bar/min。在达到测试压力后停泵，开始 4 小时稳压，可延长稳压时间，直至稳压成功后进行 24 小时保压测试，保压期间，管线无渗漏，24 小时内压力波动不超过测试压力的±0.2%，且保压结束时的压力不低于测试压力，则试压结果合格。即可进行泄压操作，回收试压设备。

6　结束语

陵水 17-2 气田是国内首次采用 SCR 的深水气田，论文从陵水 17-2 实际工程出发，首次进行 SCR 的清管试压工艺分析，丰富了深水海管清管试压的设计经验，为以后同类项目的实施提供了可靠的借鉴。

参 考 文 献

[1] 曹学文，曹忠正，谢振强等．深水海底管道预调试技术发展现状概述[J]．石油工程建设，2019，45(02)：28-31.

[2] 宋儒鑫．深水开发中的海底管道和海洋立管[J]．中国造船，2002，43(10)：238-251.

[3] 付云雷，朱霄霄，陈帅等．钢悬链线立管清管过程触底段位移变化规律试验研究[J]．海洋工程，2020，38(05)：91-98.

[4] 高磊，叶永彪，曹聚杭等．深水海底管道预调试技术概述[J]．石油工程建设，2020，46(03)：13-18.

[5] 郭雷，黄金涛，高磊等．浅谈深水海管预调试工艺的两种模式[J]．海峡科技与产业，2016，(05)：82-84.

[6] 付雪鹏，黄维平．钢悬链式立管出平面运动刚体模态试验研究[J]．海洋工程，2018，36(05)：114-120.

[7] 侯静，杨伟，任翠青等．陵水 17-2 气田深水钢悬链立管强度敏感性分析研究[J]．海洋工程，2021，39(01)：53-61.

[8] 高磊，叶永彪，胡成李等．海管预调试中多级节流孔板结构优化研究[J]．管道技术与设备，2020，(04)：39-43.

[9] 王长涛，姜瑛，李刚等．深水海管水下清管试压技术[J]．清洗世界，2015，31(09)：14-17.

[10] 谢日彬，石涵，李平等．流花油田深水下清管试压[J]．清洗世界，2014，30(07)：4-7.

模型法自适应层间多次波压制技术在玉北地区中的应用

裴云龙 杨金龙 宋 辉

（中石化石油物探技术研究院有限公司）

摘 要 玉北地区矿权面积较大，三维勘探程度较低，地震地质条件复杂，多次波发育广泛，特别是受古近系膏岩杂乱强反射和二叠系火成岩强反射界面影响，产生的层间多次波对低信噪比的奥陶系内幕地层有较强相互干涉效应，导致奥陶系碳酸盐岩断控缝洞型储层成像不清晰，影响了地层解释。精准对层间多次波预测及压制是地震资料处理的技术瓶颈，制约了玉北地区油气勘探部署。常规的叠前数据驱动的层间多次波预测与压制方法，预测每个反射界面产生的多次波，效果不佳，且运算量非常大。为此，提出模型法自适应层间多次波压制技术，从层间多次波预测理论出发，利用模型正演结果，将产生多次波的主要反射界面作为模型层，采用逐层预测和压制的思路，最后采用自适应匹配相减技术进行压制。实际资料处理结果表明，本文方法能够有效预测和压制有影响的层间多次波，消除假构造，解决了穿层现象及平层产状问题，提高了地层构造、断裂和缝洞型储层成像精度。

关键词 层间多次波；模型法；预测与压制；自适应相减；反射系数；偏移成像

玉北地区位于塔里木盆地西南部麦盖提斜坡，该地区新生界厚、目的层深，地震资料中普遍存在着多次波，会造成目的层反射波的振幅、频率和相位发生畸变，在地震勘探采集记录中非常难以识别和去除，降低了地震成像结果的信噪比和真实可靠性，容易产生构造假象，掩盖中深部的有利构造，给资料解释的精度、断裂的描述和反演的研究带来十分不利的影响，增加了目标层圈定和构造解释的不确定性。目前，偏移成像算法都是假定地震记录中仅存在一次反射波，因此，准确对多次波进行预测和有效压制尤为重要，是地震资料处理的关键环节。

长期以来，多次波压制一直是地震资料处理技术研究的难点，国内外许多专家为多次波预测和压制方法的发展做出了巨大的贡献。虽然多次波预测方法取得了较大发展，比如先进的广义层间多次波预测和逆散射级数法预测多次波方法，在针对海上资料或者目的层比较浅的陆上资料应用效果比较明显。但还是存在某些不适应的情况，如针对西部塔里木盆地超深层断裂缝洞型储层为目标的陆上地震资料，常常会因为计算多次波模型非常耗时及过程复杂，模型相减后容易损害目的层的地震响应特征，导致最终应用效果不理想，从而造成了很多时候对多次波的压制要在叠后成像数据上完成，如常用的叠后多次波压制方法有抛物线 Radon 变换，倾角滤波，逆散射级数法等。但针对火成岩或膏岩等特殊岩体产生的复杂的强能量层间多次波的压制问题，上述叠后多次波压制方法将难以通过压制层间多次波，分离出被层间多次波干涉的一次波，获得高品质的成像结果。

本文从预测层间多次波的方法原理出发，通过测井资料和正演模拟分析识别确定层间多次波的来源，对叠前道集进行层间多次波预测，获得多次波模型，最后采用模型法自适应多次波相减技术来压制多次波，在玉北地区以碳酸盐岩断控缝洞体为地质目标成像处理中取得了较好的应用效果，消除了膏岩引起的假构造影响，解决了穿层现象及平层产状问题，并得到了数值模拟正演记录及 VSP 井资料的验证。

1 方法技术

1.1 模型法预测层间多次波及压制的方法原理

层间多次波预测算法是 JAKUBOWICZ 在扩展 SRME 多次波压制方法的基础上提出的，他认为扩展 SRME 算法利用全波场重建激发点和接收点基准面，结合基准面所需要的两个逆传播算子，可以通过来自于反射界面的一次反射的逆时来重新构建。如图1所示，两个虚线箭头可以构成为一次反射，这样可以逆时推算出产生多次波界面有关的一次反射的地震数据，形成如图2所示的3个一次反射，3个反射同相轴的炮点和检波点都在一个面，其数据体为地震数据，绿线标示的中间反射是逆时数据，为产生多次波的界面，通过联合使用与产生多次波界面有关的一次反射的逆时数据和地震数据，然后该结果再和地震数据进行相关运算就可以预测出层间多次波。

理论上，地震全波场反射 SR（包括一次波和多次波）可以分解为 S^*R 和 SR^* 的褶积求和，在 S^*R 和 SR^* 组合褶积的基础上与 S^*R^* 进行相关运算，压制反射界面 z_n 产生的层间多次波，然后对每一个产生层间多次波的反射界面进行迭代压制，达到压制层间多次波的目的。因此，层间多次波压制实现过程分为两步，第一步将地震数据 P 与经过一次迭代处理后的无多次波的一次波数据 P_0 进行褶积运算，预测新的层间多次波，需要经过 i 次的迭代过程，每次迭代过程中，新估算出的去除层间多次波后的数据 P_n 将被用作预测算子，预测层间多次波方程可表达为：

$$M_n^{(i)}(x_r, z_0, x_s, z_0, f) = \sum_{x_k} \overline{P}(i-1)_n(x_r, z_0, x_k, z_n, f)\, \overline{P}_{n-1}(x_k, z_n, x_s, z_0, f) \quad (1)$$

第二步，通过自适应相减方法使用匹配算子 $A(f)$ 将多次波从数据中减去，从而压制层间多次波，即

$$P_0^{(i)}(x_r, z_0, x_s, z_0, f) = P(x_r, z_0, x_s, z_n, f) - A(f) M_n^{(i)}(x_r, z_0, x_s, z_0, f) \quad (2)$$

式中：x_r，x_s 分别代表检波点和炮点位置；x_k 代表进行求和的横坐标；f 代表在频率域中运算；$M_n^{(i)}$ 代表第 i 次迭代后预测出的深度界面 z_n 所产生的多次波；z_0 代表表面位置深度；z_n 代表界面 n 位置深度；$\overline{P}(i-1)_n$ 和 $\overline{P}_n$ 代表去除了 z_n 及其以上所有界面的所有一次反射波的地表数据；$P_0^{(i)}$ 代表第 i 次迭代后估算的一次波。变量上面的横杠表示切除掉产生多次波的界面及该界面以上的所有同相轴。

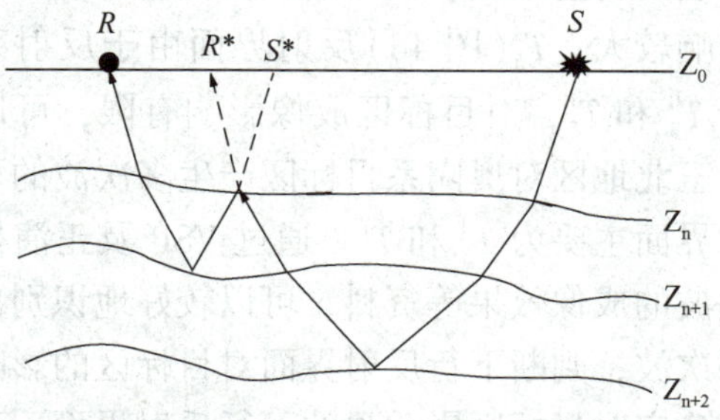

图1　SRME 方法预测层间多次波传播路径示意

1.2　模型法自适应相减多次波方法

将预测的多次波从地震数据中减去，从而得到多次波压制后的数据。由于预测多次波数据与实际地震数据不能做到较好匹配，直接相减后其结果会比较差，有效的方法是将预测的多次波数据与地震数据进行自适应性匹配，然后再从地震数据中减去，通常将这个过程称之为自适应相减。目前，有多种算法来完成自适应相减过程，

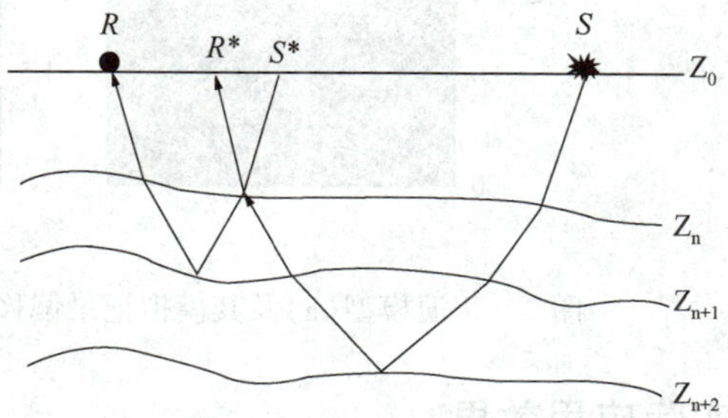

图2　扩展 SRME 方法预测层间多次波传播路径示意

包括基于匹配滤波器的算法、基于模式识别的算法、基于支持向量回归的算法、基于卷积神经网络的算法、基于数据增广编解码卷积网格的算法、基于多窗口联合优化的算法和基于伪地震数据模式学习的算法等。

本文基于匹配滤波器的算法，通过预测多次波模型，将多次波模型与地震资料匹配，在时间和空间上将它们从多维频谱中分离出来，采用逐层保护有效地层的思想，引入一种对指定的有效地层进行保护的模型法自适应匹配相减方法，对指定的有效地层模型设计一个滤波器 f_p，然后与指定的有效地层模型 p 进行褶积，得到去除有效地层后的地震数据；同样，对预测的多次波模型也设计一个滤波器 f_m，将对指定的有效波保护后的地震数据与多次波模型数据相减，使得输入地震数据和所有滤波模型数据之间的差在最小二乘意义上最小化，得出模型法最小二乘自适应相减方法（方程(3)）。

$$\text{minimize} \left\| d - f_{p_1} * p_1 - f_{p_2} * p_2 - f_{m_1} * m_1 - f_{m_2} * m_1 - f_{m_3} * m_3 - \cdots \right\|_2 \quad (3)$$

式中，d 表示地震数据；p_1、p_2 表示指定需要受保护的有效地层模型；f_p 和 f_m 分别表示有效地层模型和多次波模型设计的滤波器；m_1、

m_2、m_3 表示预测的多次波模型。

2　正演模拟数据测试

为了验证本文多次波压制方法的有效性，设计一个上覆地层包含强波阻抗膏岩体的复杂构造正演模型(图 2a)，采用波动方程方法全波场数值正演模拟，然后采用本文方法进行多次波去除，并分别进行偏移成像对比。图 2b 为由图 2a 所示正演模型生成的模拟记录经过处理得到的偏移成像剖面。可以看出，受膏岩顶下行强反射界面的影响，产生的多次波具有很强的干涉效应，1.2~1.3s 反射波的振幅、频率和相位发生畸变，有明显的假构造(图 2b，黑色箭头所指)。图 2c 为采用本文多次波压制后的效果，可以看出，膏岩顶界面产生的多次波引起的假构造得到消除(图 2c，黑色箭头所指)，目的层成像得到恢复。

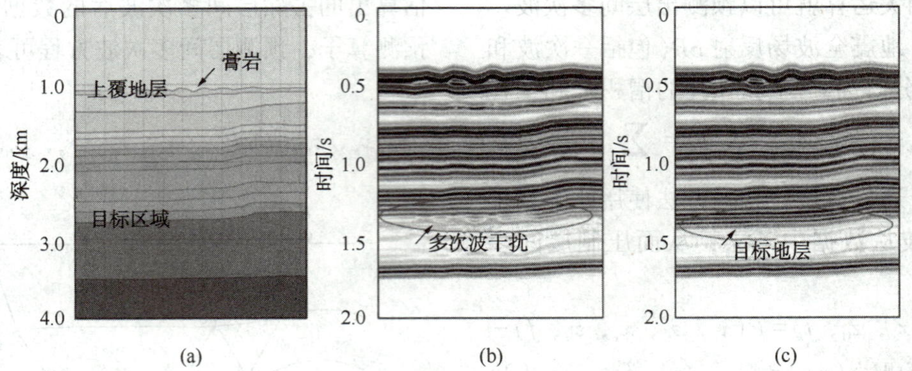

图 2　正演模型(a)及其模拟记录偏移成像剖面(b)和本文多次波压制后偏移成像剖面(c)

3　实际应用效果

实例为玉北地区资料，以奥陶系碳酸盐岩断控缝洞型为储层，其上覆地层古近系和二叠系中发育了膏岩(T_3^0)和火成岩(T_5^1~T_5^3)等强反射高速异常体地层，石炭系地层(T_5^5~T_5^6)具有能量较强，分辨率较高的特征，T_3^0~T_5^6 层位之间地震波多次反射导致奥陶系内发育了多套能量强的层间多次波，特别是受古近系膏岩杂乱强反射的影响(由图 2b 构造模拟正演结果已证实)，产生的层间多次波对奥陶系顶面附近地层 T_7^4 有较强相互干涉效应，导致断裂及缝洞体成像不清晰，T_7^4 地层与 VSP 井震匹配较差，影响了地层解释和储层评价。

3.1　多次波的识别与预测

直接识别原始地震记录的多次波非常困难，需要通过精细的叠前预测处理，先解决静校正、振幅和频率一致性等问题，在此基础上，根据多次波的特点，处理解释一体化的层间多次波识别，借助地震速度谱、成像剖面及道集、VSP 井资料、理论正演模拟和实际地质模型的层间多次波预测等多种资料。对比 VSP 井走廊叠加与实际成像剖面，通过波组位置与强弱关系标定一次波和多次波，反射系数越大，产生的多次波对目的层影响越大，从而可以识别出玉北地区产生层间多次波的主要下行反射界面在 T_3^0 和 T_5^3 之间(图 3)。另外，再通过对实际叠前偏移成像数据进行精细解释标定地层，建立构造模型(图 4a)，再利用本文多次波预测技术逐层对层间多次波进行预测，可以看出 T_3^0(图 4b)反射界面对目标区成像影响较大，产生的多次波干扰容易造成对目的层的穿层及平层产状现象，降低断层成像精度；T_5^1(图 4c)反射界面产生的多次波干扰呈现走滑断裂的构造模式，其构造对目标区的断缝体成像影响较大；T_5^3(图 4d)反射界面由于反射系数小于 T_3^0 和 T_5^1，对目标区成像影响有限，可以认为，玉北地区对奥陶系目标区产生多次波的下行反射界面主要为 T_3^0 和 T_5^1。通过 VSP 及正演模拟多次波的成像效果等资料，可以较好地识别出层间多次波，判断下行反射界面对目标区的影响强弱，确定对目标区影响强的下行反射界面，采用层间多次波预测方法，逐步对其进行多次波模型预测，再利用模型法自适应相减进行层间多次波的压制。

3.2　应用效果分析

经过模型法自适应多次波压制处理后，取得了明显效果，解决了膏岩杂乱强反射产生的多次波对奥陶系目的层的成像影响问题，具体体现在以下 5 方面。

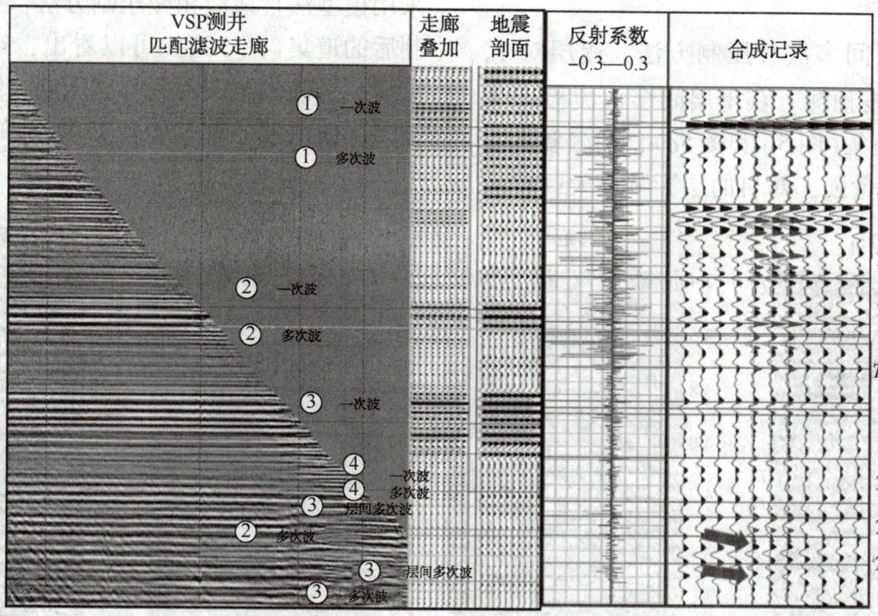

图 3　VSP 测井走廊叠加与成像剖面(a)和井分层标定(b)联合识别层间多次波

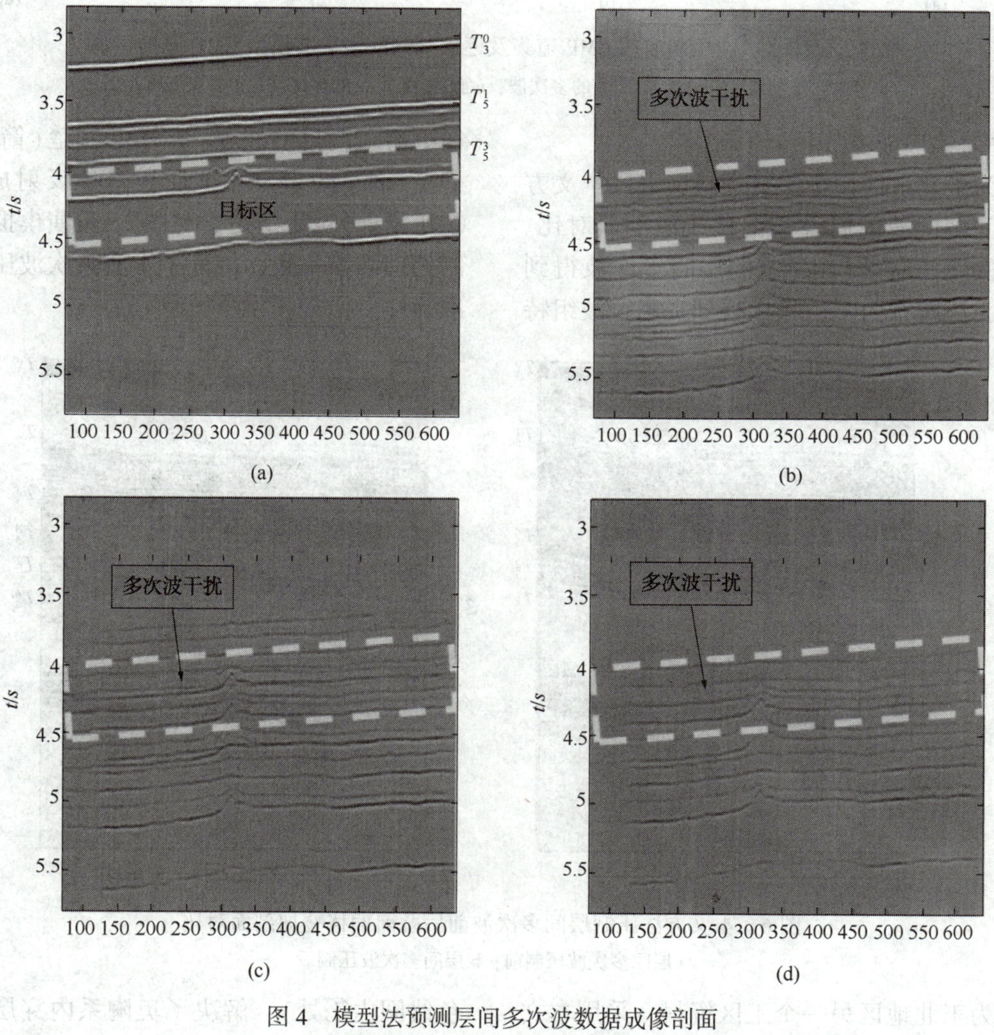

图 4　模型法预测层间多次波数据成像剖面

a　一次波数据；bT_3^0 产生的多次波；c T_5^1 产生的多次波；d T_5^3 产生的多次波

3.2.1　道集效果

采用本文层间多次波压制方法，逐层对 T_3^0 和 T_5^1 进行多次波预测，获得层间多次波模型共中心点(CMP)道集(图 5b 和图 5c)，预测多次波模型 T_3^0 比 T_5^1 能量强，对目的层影响最大，然后采用模型法自适应相减压制方法，得到多次波压制后的道集(图 5d)。可以看出，红框中红色箭头显示层间多次波得到明显压制，绿色箭头显示被多次波干涉的有效地层 T_7^4 得到恢复。

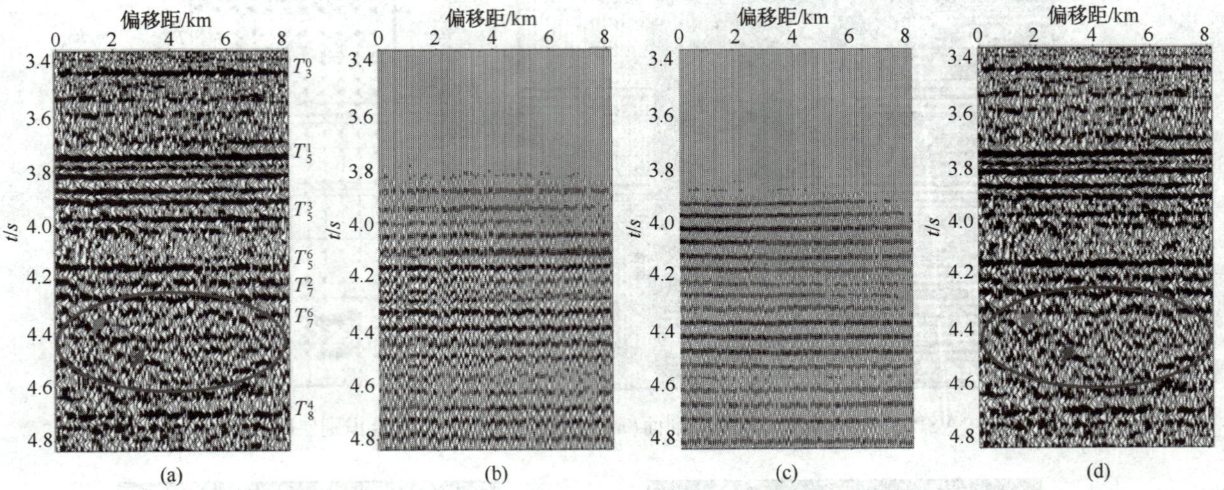

图 5　层间多次波压制前后 CMP 道集及逐层预测的多次波模型 CMP 道集显示

a 多次波压制前；b 预测 T_3^0 产生的多次波；c 预测 T_5^1 产生的多次波；d 多次波压制后

3.2.2　叠前偏移成像效果

图 6 为玉北地区一个工区资料，采用本文方法压制层间多次波前后叠前偏移成像剖面对比。可见，多次波压制后(图 6b)的层间多次波得到明显压制，奥陶系内幕信噪比得到提高，波组特征更清晰，目的层 T_7^6 成像更清楚(箭头①所指处)，弱小断裂及小地质异常体反射成像(箭头②所指处)也更清楚，与图 2c 正演模拟多次波压制处理结果一致，佐证了本文多次波压制方法的准确性。

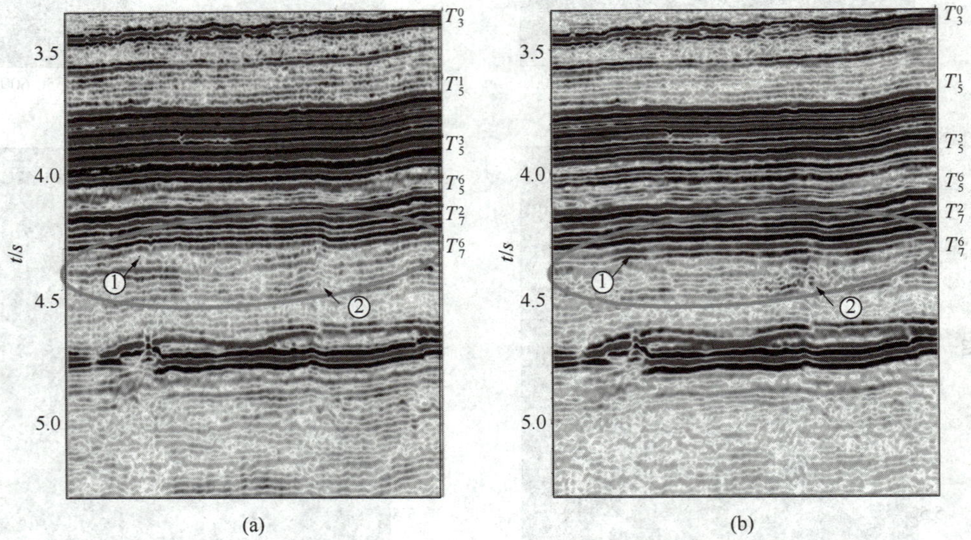

图 6　本文方法压制层间多次波前后叠前偏移叠加剖面对比

a 层间多次波压制前；b 层间多次波压制后

图 7 为玉北地区另一个工区资料，采用本文方法压制层间多次波前后叠前偏移成像剖面对比。可见，多次波压制后(图 7b)的层间多次波得到明显压制，奥陶系内幕波组特征更清晰(蓝色线圈内①处)，解决了奥陶系内穿层现象及平层产状问题，高陡走滑断裂成像清楚(箭头②所指处)，高陡逆冲复合构造成像也变的更清楚(箭头③所指处)。

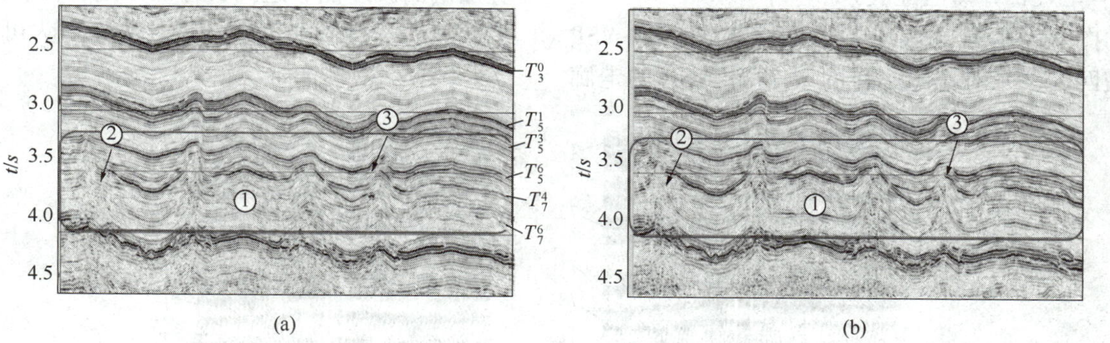

图7　本文方法压制层间多次波前后叠前偏移叠加剖面对比

a 层间多次波压制前；b 层间多次波压制后

3.2.3　AVO 分析

图8为本文方法压制层间多次波前后成像道集（CRP）AVO分析对比图，可以看出，层间多次波压制后，被多次波干涉的目的层 $T_7^2 \sim T_7^6$（虚线黄色框中红色箭头）的AVO特征规律性较好，更能反映I类AVO特征。

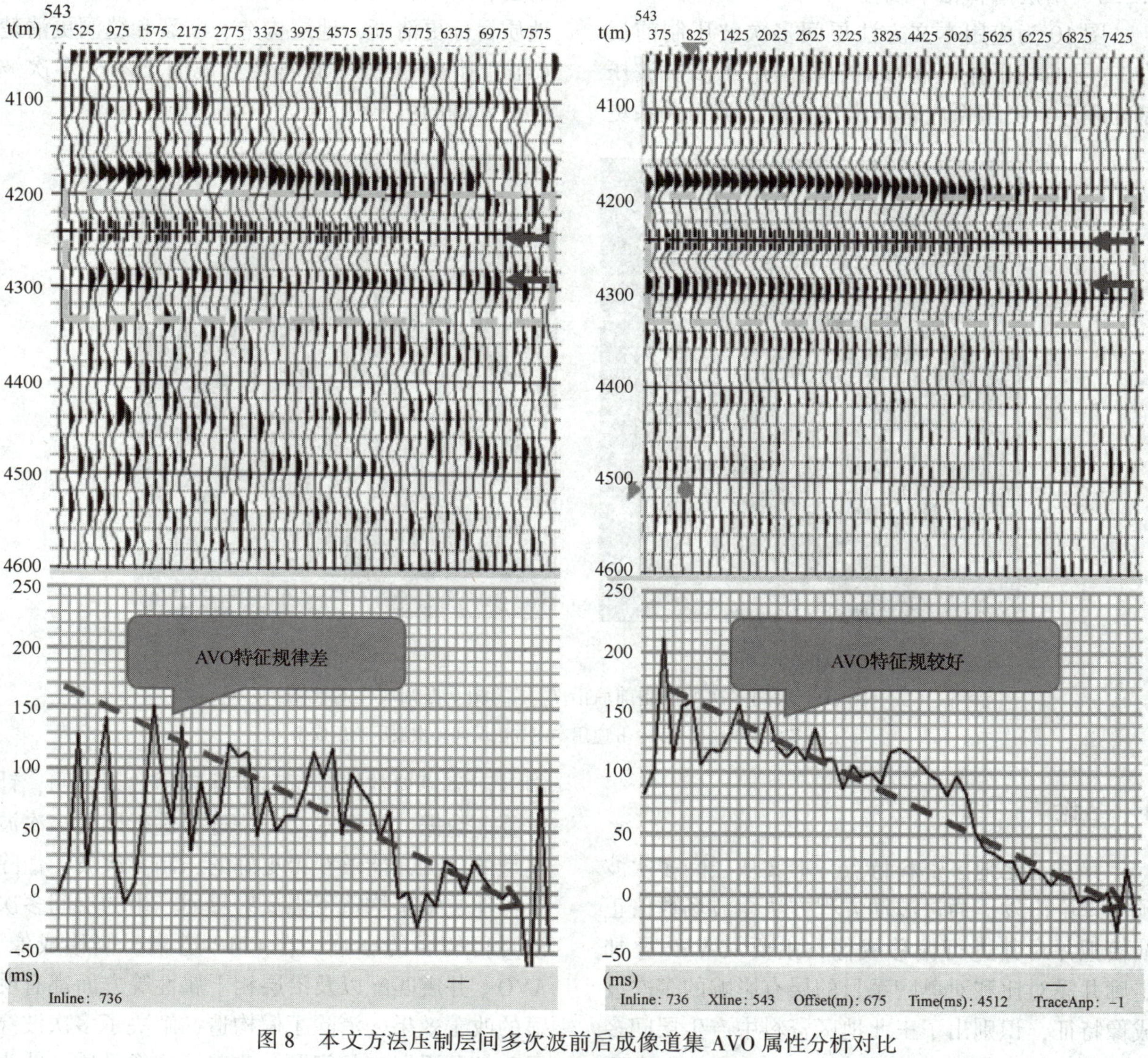

图8　本文方法压制层间多次波前后成像道集AVO属性分析对比

a 层间多次波压制前；b 层间多次波压制后

3.2.4　VSP 井震匹配关系

图 9 为本文方法压制层间多次波前后 VSP 井震匹配关系对比图。目的层 T_7^6 跟 VSP 的走廊叠加剖面波组能够达到良好的匹配，证明了压制多次波后资料的 VSP 井震匹配关系更为可靠。

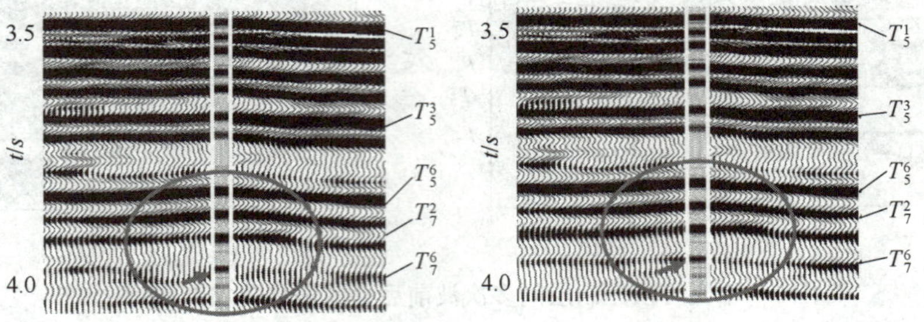

图 9　压制层间多次波前后 VSP 井震匹配关系对比图

a 前期处理的地震剖面与 VSP 走廊叠加；b 本文多次波压制方法处理后的地震剖面与 VSP 走廊叠加

3.2.5　沿层解释相干属性

图 10 为应用本文方法层间多次波压制前后沿 T_7^4 层的相干振幅属性对比图。由于多次波压制处理后，奥陶系内幕信噪比更高，波组关系更清楚，所以目的层 T_7^4 的相干振幅切片上反映的地质目标更清晰，地层构造、断裂和缝洞更清楚（红色箭头），从平面属性上说明了本文多次波压制处理的可靠性。

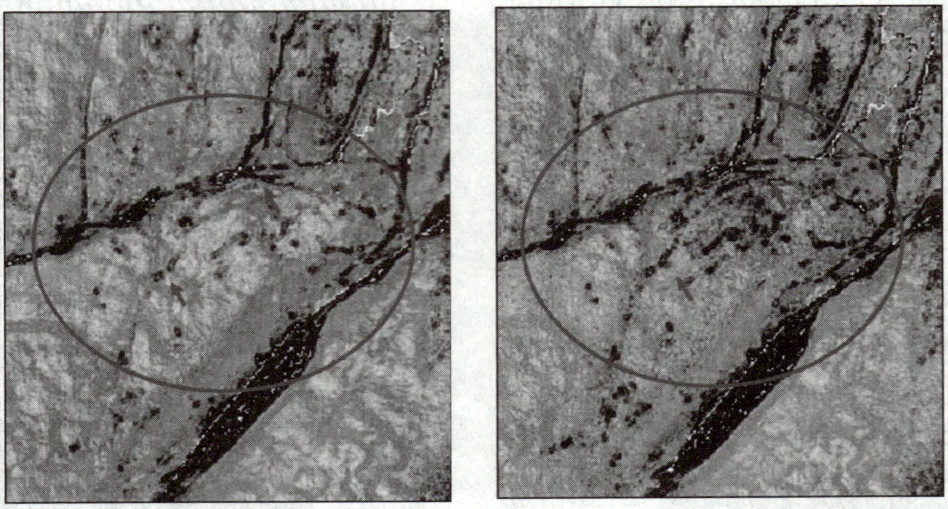

图 10　层间多次波压制前后沿 T_7^4 层的相干振幅属性对比图

a 层间多次波压制前成果；b 应用本文方法层间多次波压制后成果

4　结论

针对玉北地区资料特点，本文从层间多次波预测理论出发，通过波动方程方法全波场数值正演模拟并对其进行偏移成像，主要从 VSP 叠加走廊井震对比和对奥陶系目的层有影响的多次波成像特征，识别出了玉北地区资料中产生层间多次波的下行反射界面主要为 T_3^0 和 T_5^1，并提出逐层预测和压制多次波的技术思路，通过预测层间多次波模型，采用模型法自适应相减技术进行压制。正演模拟数据测试和实际应用效果表明，针对叠前数据，采用本文方法逐层进行层间多次波模型的预测，能够获得更好的压制多次波，消除上覆地层复杂构造下强反射界面产生的层间多次波对目的层的影响，在 CMP 道集、偏移成像、AVO、井震匹配以及沿层相干属性等方面都有明显的改善效果，消除了假构造，解决了多次波穿层现象及平层产状问题，改善了成像品质，能为后期深度域速度建模、RTM 或角度域成像应用提供更可靠的基础数据，在针对玉北地区超深层为地质目标的勘探资料处理成像中有广阔的应用前景。

参考文献

[1] 沈向存，李宗杰，姜忠正．巴麦地区奥陶系低信噪比资料层间多次波叠后压制方法及应用[J]．石油物探，2022，61(3)：483-489

[2] 井洪亮，张少华，方云峰，等．$\lambda-f$ 域三维抛物线 Radon 变换多次波压制方法[J]．石油地球物理勘探，2022，57(5)：1066-1087.

[3] 杨金龙，朱立华．逆散射级数层间多次波压制方法及其应用[J]．石油物探，2018，57(6)：853-861.

[4] 李东庆，袁刚，杨金龙，等．逆散射级数和抛物线 Radon 变换联合的层间多次波压制策略[J]．石油物探，2021，60(2)：295-303.

[5] JAKUBOWICZ H. Wave equation prediction and removal of internal multiples[J]. Expanded Abstracts of 68th Annual Internat SEG Mtg，1998：1527-1530.

[6] VERSCHUUR D J. Seismic multiple removal techniques past，present and future (in Chinese)[M]. CHEN H L，ZHANG B Q，LIU J，et al. Trans. Beijing：Petroleum Industry Press，2010，90-147.

[7] BERKHOUT A J，VERSCHUUR D J. Removal of internal multiples with the common focus point (CFP) approach，Part 1：Explanation of the theory[J]. Geophysics，2005，70(3)：45-60.

[8] VERSCHUUR D J，BERKHOUT A J. Removal of internal multiples with the common focus point (CFP) approach，Part 2：Application strategies and data examples[J]. Geophysics，2005，70(3)：61-72.

[9] 李钟晓，高好天，陈鑫泽，等．基于3D匹配滤波器和伪地震数据算法的多次波自适应相减方法[J]．石油地球物理勘探，2020，55(3)：530-540.

[10] 刘小舟，胡天跃，刘韬，等．数据增广的编解码卷积网格地震层间多次波压制方法[J]．石油地球物理勘探，2022，57(4)：757-767.

[11] 孙宁娜，曾同生，戴晓峰，等．基于多窗口联合优化的多次波自适应相减方法[J]．石油物探，2022，61(3)：463-472.

[12] YU S W，MA J W，WANG W L. Deep learning for denoising[J]. Geophysics，2019，84(6)：333-350.

[13] LI Z X，SUN N N，GAO H T，et al. Adaptive subtraction based on U-net for removing seismic multiples[J]. IEEE Transactions on Geoscience and Remote Sensing，2021，59(11)：9796-9812.

[14] 姜博午，刘金朋，陆文凯．基于伪地震数据模式学习的多次波自适应相减方法[J]．石油物探，2022，61(3)：423-432.

[15] 甘利灯，戴晓峰，徐右平，等．处理解释一体化的层间多次波识别与压制——以四川盆地高石梯—磨溪地区灯影组为例[J]．石油物探，2022，61(3)：408-422.

高邮凹陷 E_2d_{13} 新层系油气富集规律与勘探实践

李书瑜　范立新　熊　烨　何俊卿　张　昊

（中国石化江苏油田物探院）

摘　要　高邮凹陷 E_2d_{13} 下伏地层为 E_1f_4 优质烃源岩，且顶部发育 50-80m 稳定泥岩盖层，成藏条件优越，但整体埋藏较深，储层物性较差，因此以往探索较少、研究程度较低。为进一步明确 E_2d_{13} 新层系油气成藏富集规律，通过层序地层研究、沉积体系分析、油气输导运聚体系、成藏模式等持续攻关研究，明确了 E_2d_{13} 油气富集受到“保存、储层”二元因素控制，探索并提出了高邮凹陷 E_2d_{13}“近源区盖、南扇北洲、孔缝双储、二元控藏”的油气富集模式。综合考虑构造与沉积匹配关系，圈闭类型，控藏关键因素等，进一步将高邮凹陷 E_2d_{13} 划分为 2 区 9 带，明确了下步勘探方向。E_2d_{13} 油气富集规律新认识有效地指导了勘探实践，为高邮凹陷 E_2d_{13} 增储上产提供了有力的理论和技术支持，部署的一批探井均获高产工业油流，同时带动滚动勘探接连取得成功，展示了高邮凹陷 E_2d_{13} 具有很好的勘探开发前景，有望成为油气勘探的重要接替阵地。

关键词　高邮凹陷；戴一三；二元控藏；富集规律；勘探实践

高邮凹陷随着勘探程度的不断提高，主力层系勘探难度越来越大，资源接替矛盾日益突出，因此加快寻找有利勘探接替层系、拓宽新的勘探领域势在必行。由于 E_2d_{13} 埋藏较深，以往高邮凹陷 E_2d_1 勘探主要集中在 E_2d_{11} 和 E_2d_{12}，针对 E_2d_{13} 油藏的钻探投入较少、研究程度较低，油藏探明储量仅发现 87 万吨，占 E_2d_1 总探明的 3%，总体处于“碰的多、找的少、研究难”的现状。但研究表明，E_2d_{13} 紧邻烃源岩，圈闭类型多样，且 E_2d_{13} 顶部发育稳定泥岩，成藏条件优越，是非常有利的接替层系，因此针对 E_2d_{13} 开展系统的研究，对于拓展江苏油田资源接替领域具有重要意义。

1　地质概况

1.1　地层特征

高邮凹陷 E_2d_1 沉积期，湖盆呈北东向展布，存在邵伯、樊川、刘五舍 3 个沉积厚度中心。除真武断裂局部、汉留断裂西段控制地层沉积外，各砂层组向湖盆四周逐层超覆于吴堡运动不整合面上，不同时期的古地貌具有继承性。E_2d_{13} 处于高邮凹陷断陷早期沉积，在 E_2d_1 三个亚段中沉积范围最小。从纵向特征来看，E_2d_{12}、E_2d_{13} 作为一个完整的中期旋回，包含低位域、湖侵域和高位域。其中 E_2d_{13} 层序上表现为低位域至湖侵域，E_2d_{12} 对应高位域。E_2d_{13} 地层底界面为吴堡运动不整合面，对应地震上为 T_{30} 反射面，界面以下地层削截特征明显，以上地层超覆特征明显；其顶界面为一套湖侵域稳定泥岩顶，对应地震 T_{26} 反射面。整个 E_2d_{13} 内部旋回变化规律性较强，下砂上泥，整体由粗到细，全区可对比。E_2d_{13} 主要分为 $E_2d_{13上}$ 和 $E_2d_{13下}$ 2 个砂层组（图 1），并且受到超覆背景控制，$E_2d_{13上}$ 分布要大 $E_2d_{13下}$。

1.2　沉积特征

高邮凹陷 E_2d_{13} 勘探程度低，几乎没有取芯井。因此综合研究区所有钻到 E_2d_{13} 井的岩性、测井分析，结合盆地结构、构造演化、物源分析、地震相等方面的资料，在 E_2d_{13} 识别出了扇三角洲，近岸水下扇、三角洲、湖泊等 4 种沉积相，并进一步识别出了相应的亚相、微相类型。其中扇三角洲主要见于高邮凹陷南部断阶带，如许庄、真武、曹庄、富民、周庄等地区。由于构造活动强烈，水上平原部分除个别地区的个别层段外，大都受到不同程度剥蚀而很少保留下来，大部分地区主要发育扇三角洲前缘亚相。三角洲沉积体系主要发育在北部缓坡带，平面上由北向南依次发育三角洲平原、三角洲前缘和前三角洲亚相，纵向上 E_2d_{13} 主要发育三角洲前缘和前三角洲亚相。微相类型有水下分流河道、分流间湾、河口坝，而在北坡超覆带附近主要发育三角洲平原亚相。近岸水下扇常沿断裂带下降盘分布，冲积扇从陆地沿断层面下切进入湖泊内，堆积在断层下降盘，这种水下扇体往往沿下切水道直接进积到深湖地区，纵向上表现为与深湖暗色泥岩与砂砾岩互层。虽然扇三角洲与近岸水下扇均发育在陡坡带，但两者沉积特征有很大差异，前者具有水上和水下两种沉积类型，后者则完全没于水下。近岸水下扇以扇中为主体，发育的微相类型有水下分流河道、分流间湾。沿凹陷长轴方向主要发育滨浅湖沉积(图 2)。

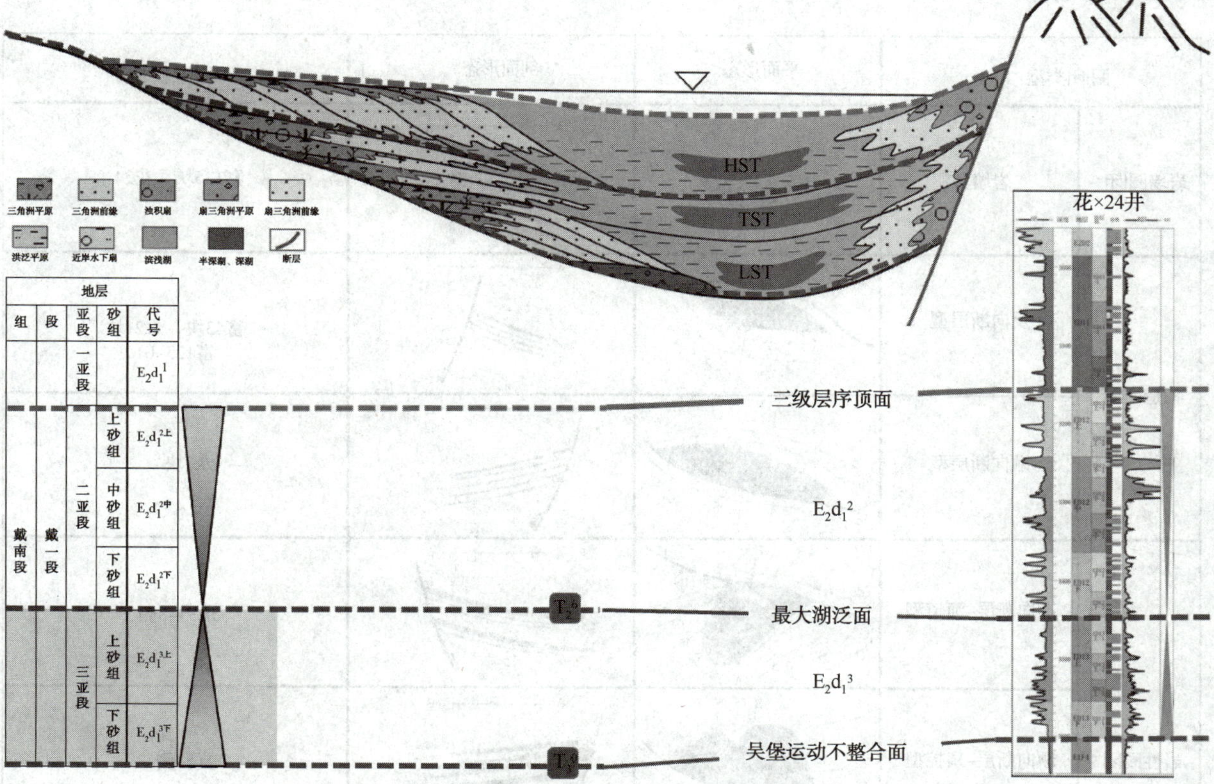

图 1　高邮凹陷 E_2d_1 层序界面模式图

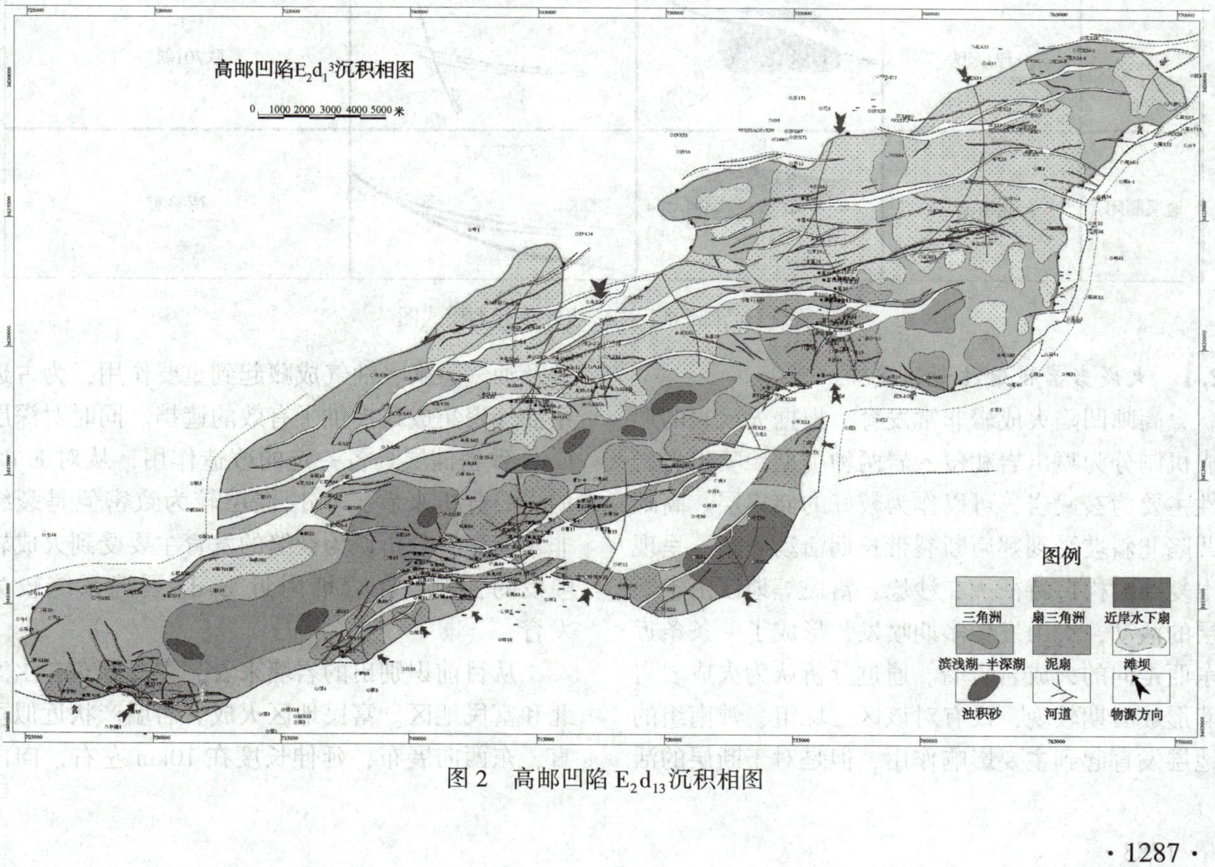

图 2　高邮凹陷 E_2d_{13} 沉积相图

2　油气藏类型及特征

根据高邮凹陷 E_2d_{13} 沉积构造背景、层序发育模式、纵向岩性组合、沉积体系展布、区域性盖层分布及断裂展布特征，结合已发现油藏，总结出高邮凹陷 E_2d_{13} 主要发育火成岩岩墙遮挡型、顺向断层型、反向断层型、顺向断层–河道型、顺向断层–扇控型、滩坝型和地层超覆型 7 种类型油藏（图 3）。

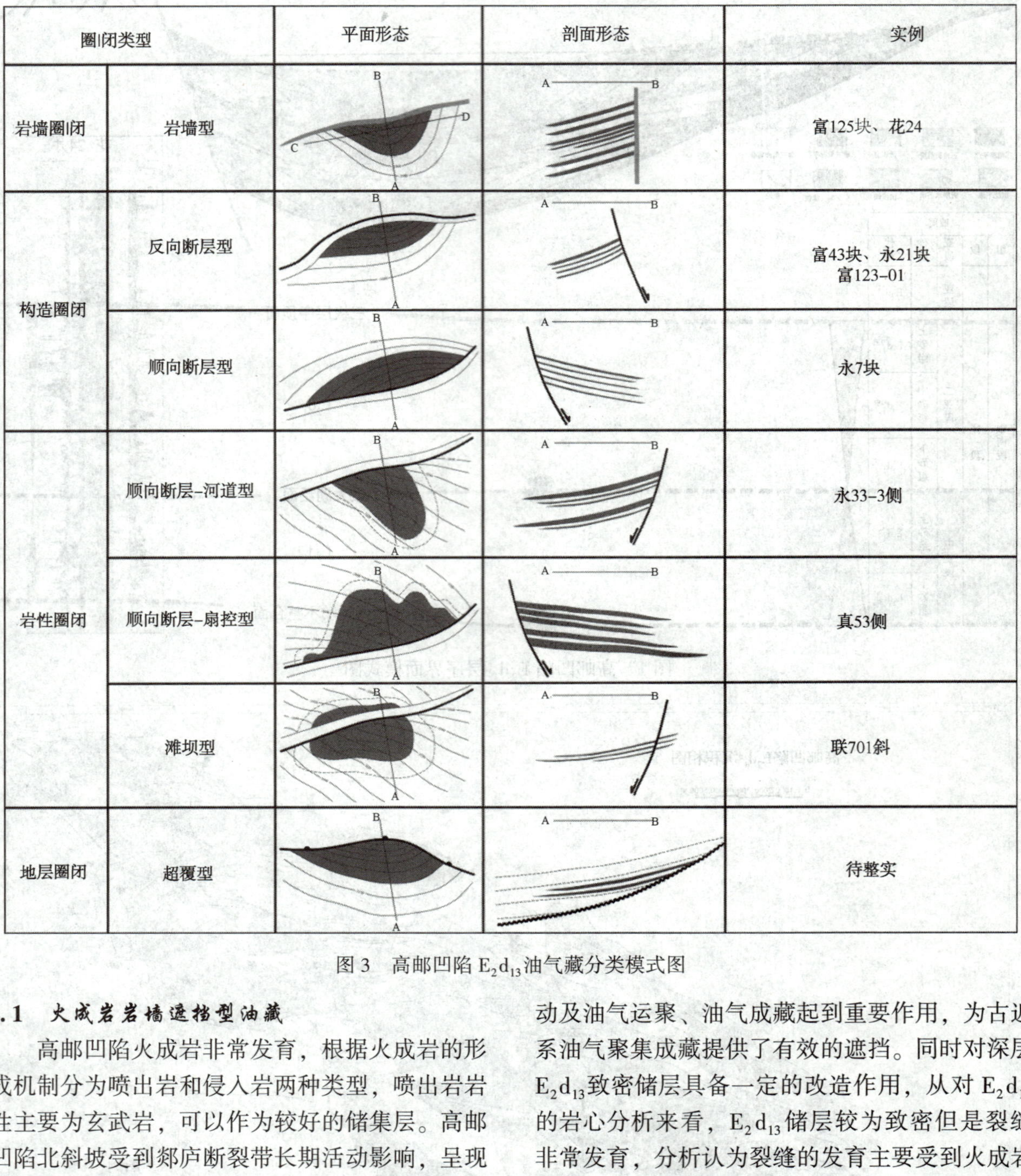

图 3　高邮凹陷 E_2d_{13} 油气藏分类模式图

2.1　火成岩岩墙遮挡型油藏

高邮凹陷火成岩非常发育，根据火成岩的形成机制分为喷出岩和侵入岩两种类型，喷出岩岩性主要为玄武岩，可以作为较好的储集层。高邮凹陷北斜坡受到郯庐断裂带长期活动影响，呈现出复杂的构造特征。在沙埝、富民等地区由于断层的活动，火山发生多期喷发，形成了一条条近东西走向的火成岩岩墙。通过分析认为火成岩岩墙形成时期较晚，没有对该区三垛组、戴南组的地层发育起到主要影响作用，但是对于断层的活动及油气运聚、油气成藏起到重要作用，为古近系油气聚集成藏提供了有效的遮挡。同时对深层 E_2d_{13} 致密储层具备一定的改造作用，从对 E_2d_{13} 的岩心分析来看，E_2d_{13} 储层较为致密但是裂缝非常发育，分析认为裂缝的发育主要受到火成岩喷发的控制，在岩墙附近 E_2d_{13} 裂缝系统较为发育。

从目前识别出的岩墙来看，主要分布在永安北和富民地区。富民地区火成岩岩墙产状近似垂直，东西向展布，延伸长度在 10km 左右，向西至富 125 块西部逐渐消失，向东至花 24 块逐步消失。近东西走向的岩墙与南北向的构造脊组合形成一系列受火成岩岩墙遮挡的油藏(图 4)。在这个模式的指导下，针对火成岩岩墙遮挡型油藏部署的富 125 侧井取得突破，压裂后投产获得日产 11t 的稳定油流，后续部署的富 125-1、富 125-2、富 125-3 井均钻遇厚油层。

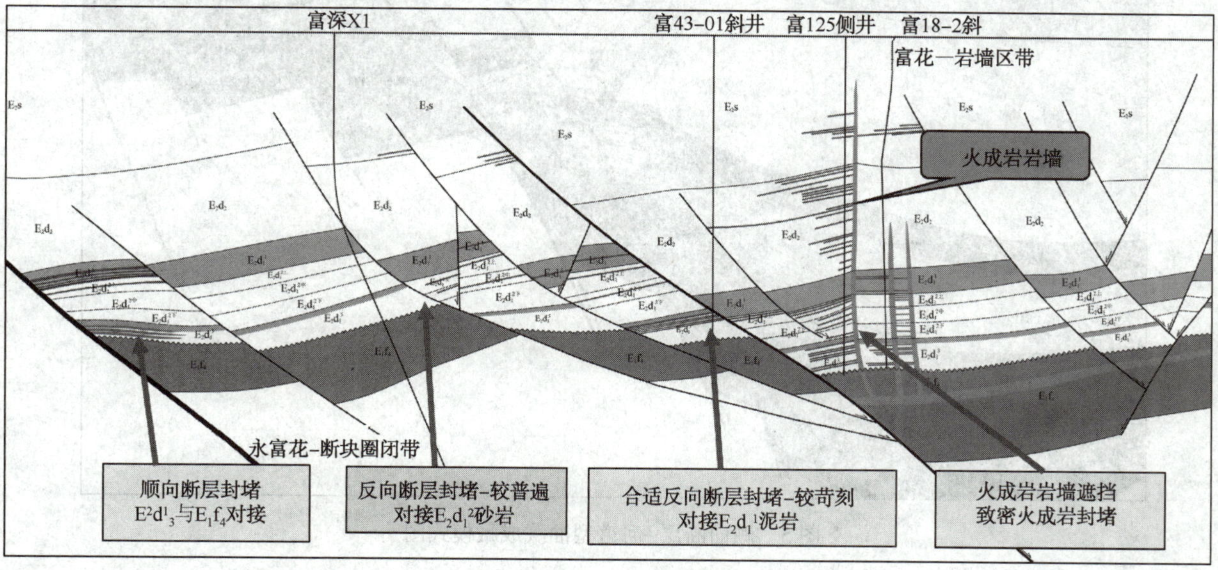

图 4　永富花地区油气藏成藏模式图

2.2　反向断层构造油藏

三角洲前缘主体砂地比高，砂体连通性好，主要发育构造型油藏，根据断层的性质可以分为反向断层和顺向断层两种类型的构造油藏。

其中受反向断层控制的断鼻、断块构造型圈闭主要发育在永安北部和富民主体部位，主要受东西向展布、延伸长、断距大的反向断层控制。反向断层控制的 E_2d_{13} 圈闭成藏的关键在于侧向封堵条件，由于在永安北、富民主体等富砂地区 E_2d 砂地比非常高，只有 E_2d_{11} 砂体比相对较低，因此在断距合适的情况下，当 E_2d_{13} 与 E_2d_{11} 地层对接的时候才有比较好的封堵条件。比如永 21 块、富 43-01 块等都是这种模式(图 4)。

2.3　顺向断层构造油藏

顺向断层油藏主要发育于汉留断层下降盘，富民北部等地区，主要受汉留断层和其分支断层以及延伸较长的三级、四级断层控制。其 E_2d_{13} 与上升盘 E_1f_4 泥岩对接，侧向封堵条件较好，成藏条件有利，可块块含油。比如发现的永 7 块、富 149 块等油藏都是受顺向断层控制的构造油藏(图 4)。

2.4　顺向断层-河道型油藏

永安南、花庄南地区位于北部三角洲前缘末端，水下分流河道分叉频繁，平面上相变快，与断层匹配能够形成顺向断层-河道型复合型圈闭(图 5)。

综合分析认为永安南地区汉留断层与三角洲前缘水下分流河道匹配形成的断层-河道型圈闭成藏条件最为有利，近东西向展布的汉留断层是区内主要的油源断层，阜四段烃源岩生成的油气通过汉留断层输导至呈北东-南西向展布的水下分流河道砂体聚集成藏(图 5)。在这种模式的指导下，部署的永 33-3 侧井取得突破，试油获得日产 11.9t 的工业油流，同时也验证了该类型油藏的勘探潜力。

2.5　顺向断层-扇控型油藏

高邮凹陷南部陡坡带 E_2d_{13} 沉积期主要发育扇三角洲、近岸水下扇等沉积体系，其中扇中物性最好，扇中砂体与断层匹配能够形成受断层和扇体共同控制的复合型圈闭(图 6)。

扇三角洲主要分布在黄珏、邵伯、真武、曹庄、富民、徐家庄等地区。其中真武-曹庄扇三角洲规模相对较大，且在三垛组、戴南组上部已经发现了规模储量。通过加强地质、物探的联合攻关，对真-曹地区的扇体进行了精细的刻画，新发现与落实了一批扇控型隐蔽圈闭，并提交了曹 32 侧、真 53 侧两口井位。其中真 53 侧井于今年 10 月投产，日产油稳定在 10.5t。该井的成功钻探实现了该区扇控型隐蔽油藏的勘探突破。

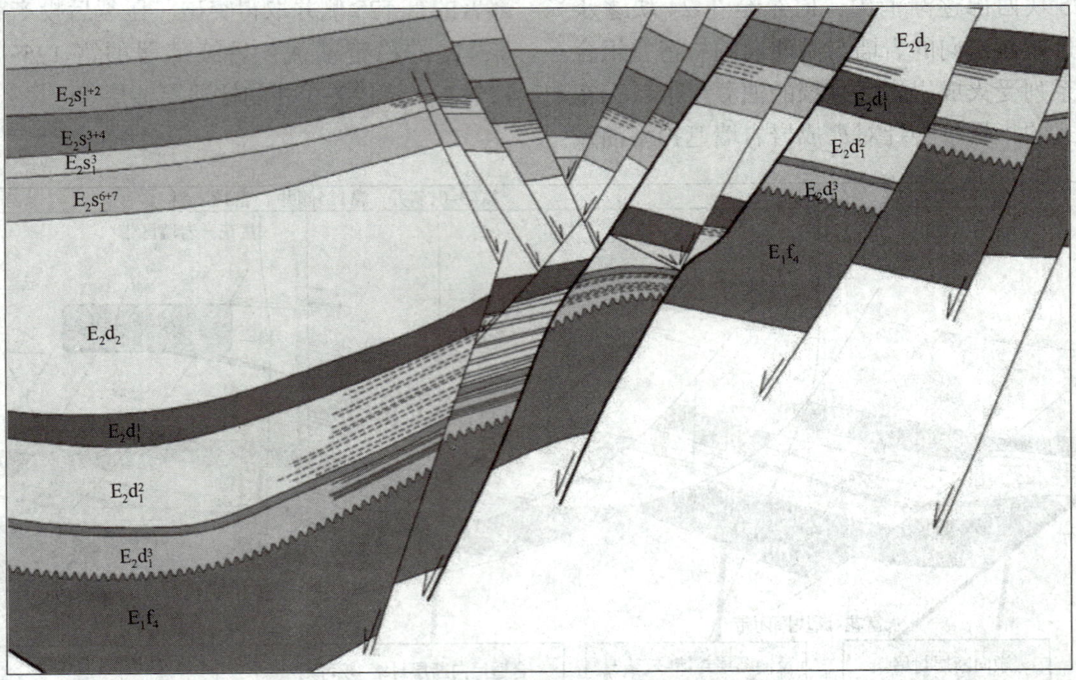

图 5　顺向断层-河道型油藏成藏模式图

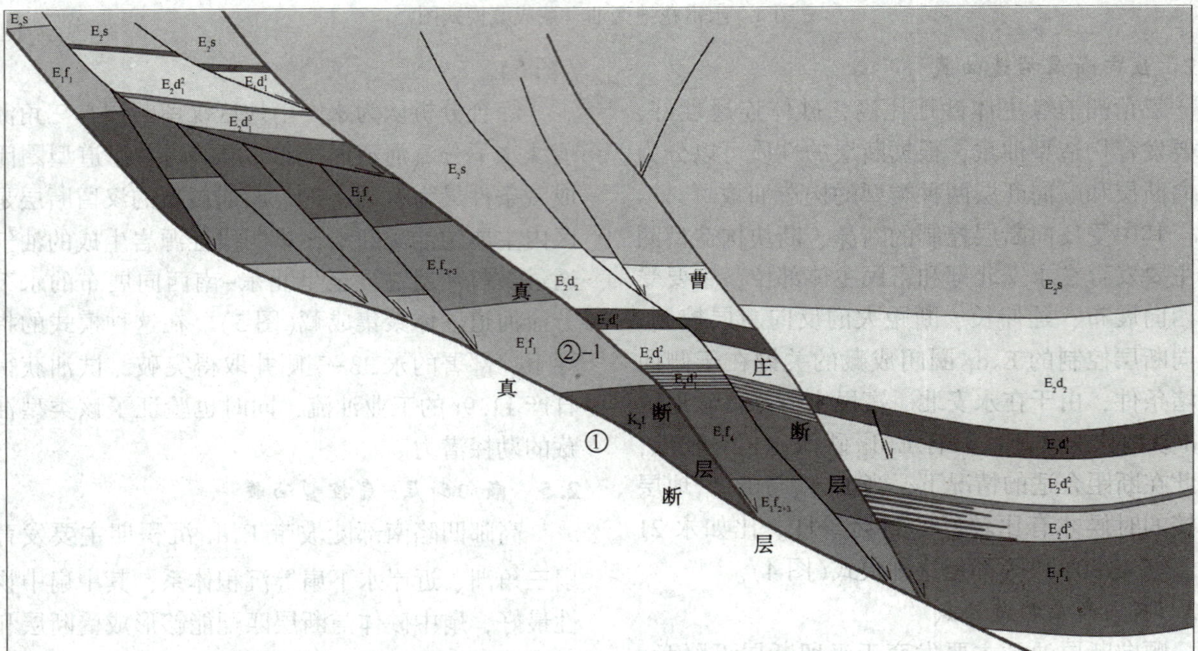

图 6　顺向断层+扇控复合油藏成藏模式图

2.6　滩坝型油藏

在永安和富民结合部主要发育滩坝沉积体系，具备形成滩坝型隐蔽油藏的地质条件。该区位于 E_1f_4 成熟烃源岩范围之内，多口井在 E_2d_{13} 见到良好的油气显示。钻井揭示砂体类型主要为滩坝砂，砂体横向变化较大，有利于形成岩性圈闭（图 7）。该区 E_1f_4 烃源岩生成的油气可直接上排或通过断层输导进入 E_2d_{13} 砂体成藏。目前针对滩坝型油藏油田已经部署了联 701 斜井，进一步深化研究。

2.7　地层超覆型油藏

高邮凹陷北部缓坡带 E_2d_1 地层逐层超覆在 E_1f_4 区域泥岩底板之上，其中沙埝一带存在坡折背景；南部陡坡带周庄地区，E_2d_{13} - E_2d_{12} 时期，吴堡断裂下降盘地势陡，存在明显坡折背景，地层逐层超覆在 E_1f_4 泥岩之上——这两个区域 E_2d_{13} 均具备形成地层超覆圈闭的沉积构造背景条件(图 8)。目前地层超覆型油藏还需加强攻关，实现突破。

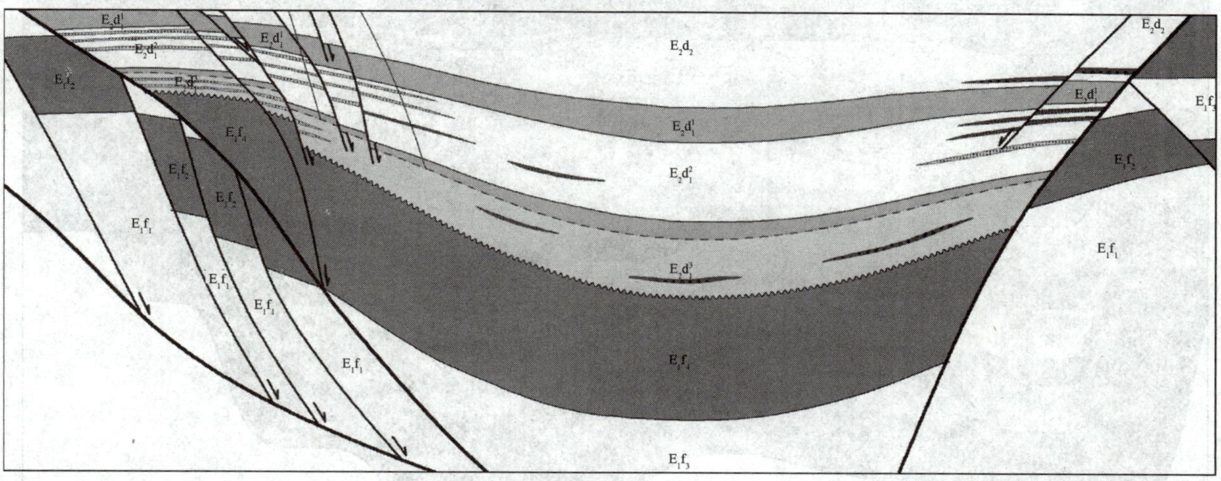

图 7　滩坝型油藏成藏模式图

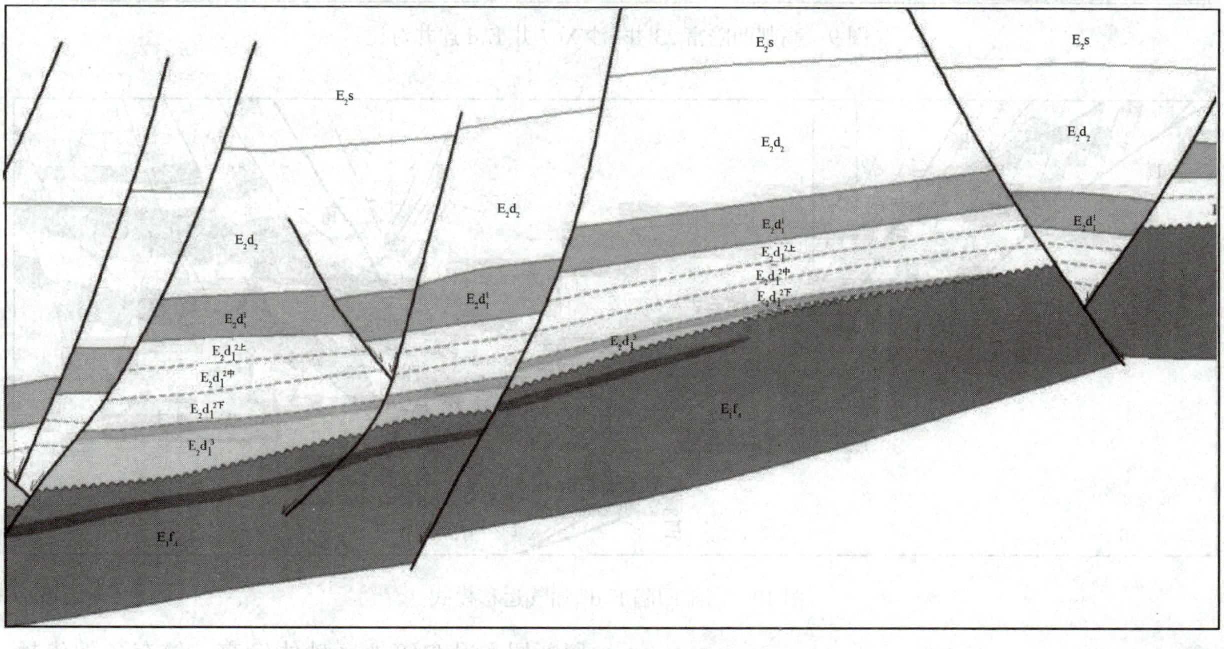

图 8　地层超覆型油藏成藏模式图

3　油气富集规律

3.1　油气富集条件

从油源特征来看，纵向上高邮凹陷 E_2d_{13} 紧邻 E_1f_4 烃源岩，是戴南组供烃最充足的亚段，具备近源优先充注的有利条件；平面上分布局限(位于深凹或环凹)，处于 E_1f_4 成熟烃源岩范围内。且 E_2d_{13} 顶部发育一套 50m～80m 厚的湖侵域稳定泥岩是良好的区域性盖层，与 E_2d_{13} 下部砂岩能形成良好的储盖组合(图 9)。

从沉积类型来看，E_2d_{13} 发育三角洲、扇三角洲、近岸水下扇、滩坝等多种类型的沉积体系。其中北部主要发育大型三角洲，南部主要发育扇三角洲沉积体系，具备形成多种类型油藏的有利地质条件。从储层物性特征来看，虽然 E_2d_{13} 埋深较大，但次生孔隙以及裂缝都很发育。从运移特征来看，边界大断层、沟通油源的早期小断层和微裂隙、T_{30} 不整合面及砂岩储层都是重要的油气疏导体系(图 10)。

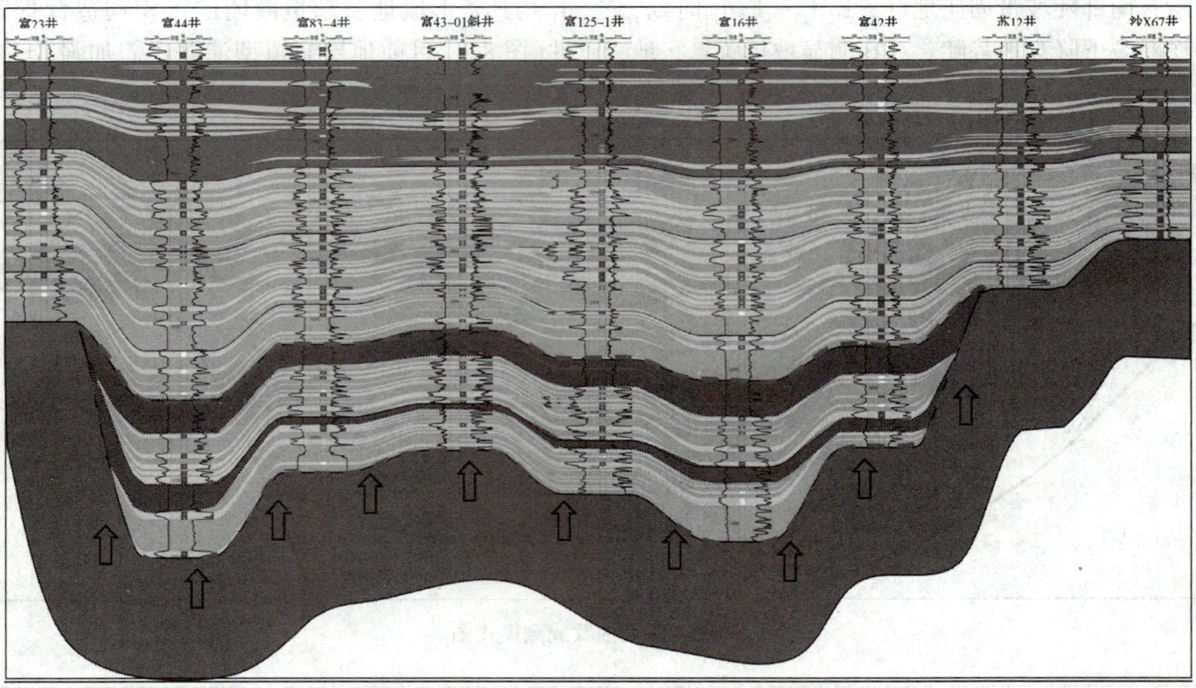

图 9　高邮凹陷富 23 井-沙 X67 井 E_2d 连井对比

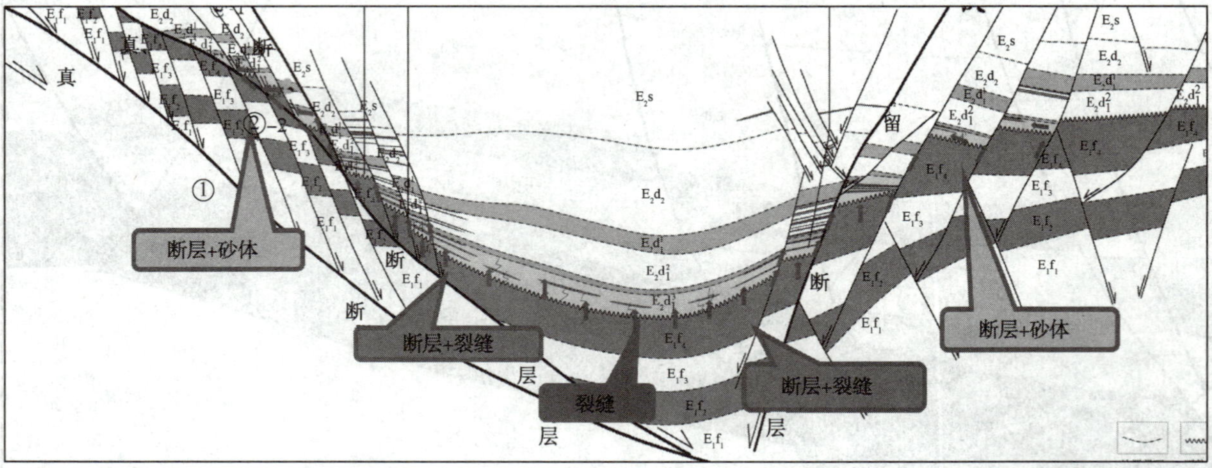

图 10　高邮凹陷 E_2d_{13} 油气运移模式

3.2　“二元控藏”油气富集规律

高邮凹陷 E_2d_{13} 整体具有“近源区盖、北洲南扇、孔缝双储”的油气富集条件。结合地质特征和目前已发现的 E_2d_{13} 油藏来看，往往与 E_2d_1 上部油藏共生，其成藏受到“保存、储层”二元素控制，整体表现出“东部地区封堵控藏、西部+环凹带储层控富”的油气富集规律(图 11)。

3.2.1　保存条件控制圈闭成藏

高邮凹陷受后期构造作用改造，断裂体系发育，与砂体形成的断-砂输导体系既为油气的运移提供了条件，但也造成了 E_2d_{13} 储层油气的逸散。其中富民、花庄、真②-1 断层上升盘、汉留断层上升盘等地区砂体发育，储存条件优越，但其油气的保存是圈闭成藏的关键。对于反向断块，目的盘 E_2d_{13} 极易与封堵盘 E_2d_{12} 对接，形成砂-砂对接的随机封挡，其对油气的封挡能力较差(图 12 左上)。而当断距较大，使得目的盘 E_2d_{13} 与封堵盘 E_2d_{11} 泥岩对接，形成砂-泥对接，则大大提高了油气侧向封挡的有效性(图 12 右上)。对于顺向断块而言，E_2d_{13} 可以与 E_1f_4 泥岩对接，封挡条件有利(图 12 左下)。同时，高邮凹陷发育火成岩岩墙，可以形成火成岩岩墙遮挡型圈闭，其侧向封挡条件最好(图 12 右下)。

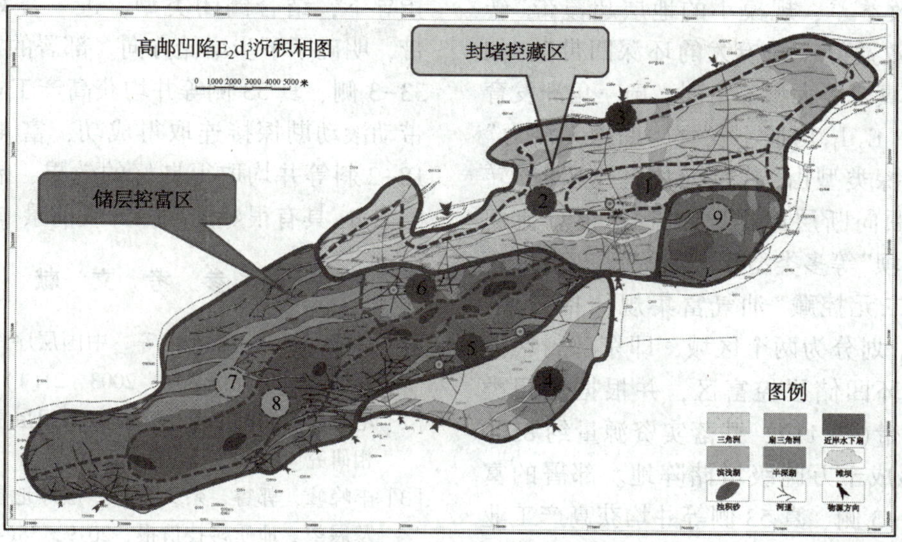

图 11　高邮凹陷 E_2d_{13}成藏主控因素分布图

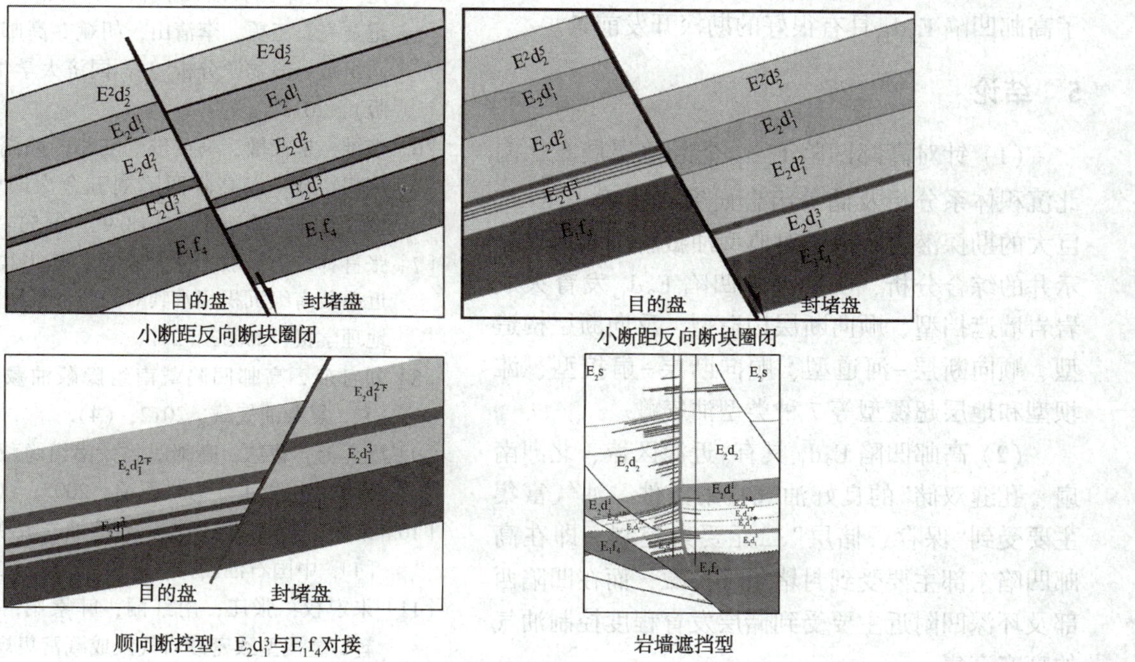

图 12　不同封挡圈闭模式

3.2.2　优质储层控制油气富集

通过多口井的钻探揭示和对成藏机制的研究，认为储层的发育和分布与沉积体系有关。汉留断层以及真武断层下降盘等地区，发育三角洲前缘、前三角洲、扇三角洲前缘和前扇三角洲亚相，砂地比低，平面上呈朵叶状连排分布，砂体被顺向断层切割，形成了顺向断层-河道型圈闭和顺向断层-扇控型圈闭。该类圈闭邻近深凹带，受顺向断层控制，具有近源供烃、侧向封挡能力强的优越成藏条件。但该类圈闭受沉积相带的控制，砂体不发育，以薄砂为主，较少发育厚层的河道砂，且砂体横向变化较快，向深凹带和两侧快速尖灭，物性变化较大。因此其圈闭规模受储层的控制，其中三角洲前缘和扇三角洲前缘亚相储层物性条件相对较好，是油气富集的有利相带。

4　油气勘探实践

“近源区盖、北洲南扇、孔缝双储、二元控藏”的油气富集新模式拓展了勘探思路，有力地指导和支撑了勘探生产，实现了油气勘探新层系的突破。在该认识的指导下，高邮凹陷 E_2d_{13}的勘探实现了两个勘探方向的转变。一是打破“E_2d_{13}储层埋深大，物性差”的传统观念，勘探区带由“砂体薄、效益差、规模小的地层超覆带”转向“砂体厚、效益好、规模大的环深凹带”，如富民、永安、真曹等大型三角洲、扇三角洲发育区。二是打破“E_2d_{13}构造不发育，勘探无潜力”传统观念，勘探类型由“找反向块、找超覆”转向“找岩墙、顺向断层遮挡”及“找水下分流河道、扇体、滩坝”等多类型复合油藏。

并且在“二元控藏”油气富集规律指导下，将高邮凹陷E_2d_{13}划分为两个区域，即东部封堵控藏区和西部+环凹储层控富区，并根据圈闭类型，划分为9带(图11)，共落实资源量约8500万吨，有望形成千万吨级增储阵地。部署的富125侧、永33-3侧、真53侧等井均获高产工业油流。同时带动滚动勘探接连取得成功，富43-01斜、富18-2斜等井均取得良好的效果，展示了高邮凹陷E_2d_{13}具有很好的勘探开发前景。

5　结论

(1) 针对高邮凹陷E_2d_{13}全区地层展布、南北沉积体系分析及储盖组合研究，明确了E_2d_{13}巨大的勘探潜力。通过对典型油藏解剖和重点显示井的综合分析，明确高邮凹陷E_2d_{13}发育火成岩岩墙遮挡型、顺向断层构造型、反向断层构造型、顺向断层-河道型、顺向断层-扇控型、滩坝型和地层超覆型等7种类型油气藏。

(2) 高邮凹陷E_2d_{13}具有“近源区盖、北洲南扇、孔缝双储”的良好油气富集条件，油气富集主要受到“保存、储层”二元要素控制，即在高邮凹陷东部主要受到封堵条件控藏，而在凹陷西部及环深凹附近主要受到储层发育程度控制油气的高产富集。

(3) “二元控藏”新认识有效地指导了高邮凹陷E_2d_{13}勘探实践，为油田增储上产提供了有力的理论和技术支持。在二元控藏油气富集规律指导下，结合圈闭类型，进一步划分了2区9带，明确了下步增储方向。部署的富125侧、永33-3侧、真53侧等井均获高产工业油流。同时带动滚动勘探接连取得成功，富43-01斜、富18-2斜等井均取得良好的效果，展示了高邮凹陷E_2d_{13}具有很好的勘探开发前景。

参　考　文　献

[1] 徐强，姜烨，董伟良等．中国层序地层研究现状和发展方向，沉积学报，2003，21(1)：.156-163.

[2] 纪友亮．高邮凹陷中东部戴南组层序地层与沉积微相研究[R]．内部资料，2010.

[3] 李峰峰，郭睿，余义常等．层序地层划分方法进展及展望．地质科技情报，2019，38(4)：215-224.

[4] 徐爽．断陷湖盆陡坡带砂砾岩体层序地层划分与对比[D]．中国石油大学(华东)，2020

[5] 纪友亮，王勇，李清山，胡斌．高邮凹陷古近系戴南组戴一段物源分析[J]．同济大学学报(自然科学版)，2012，(9).

[6] 李维，朱筱敏，马英俊．陆相断陷湖盆浅水三角洲沉积特征—以高邮凹陷刘五舍次凹戴南组一段为例．石油实验地质，2018.9，40(5)：677-682.

[7] 张喜林，朱筱敏，钟大康等．苏北盆地高邮凹陷古近系戴南组沉积相及其对隐蔽油气藏的控制[J]．古地理学报，2005，(2).

[8] 刘启东．高邮凹陷戴南组隐蔽油藏地质建模研究[J]．复杂油气藏，2012，(4).

[9] 庞金梅，曹冰．高邮凹陷戴南组隐蔽油气藏的成因及勘探实践[J]．海洋石油，2005，(03)：7-13.

[10] 梁兵．高邮凹陷断层—岩性油气藏勘探技术与实践[J]．中国石油勘探，2013，(04)：36-49.

[11] 朱宏权；张庄；南红丽；叶素娟；张世华；王玲辉．叠覆型致密砂岩气区成藏富集规律与勘探实践[J]．天然气工业，2019，(S1)：9-16.

[12] 郭旭升．南方海相页岩气“二元富集”规律——四川盆地及周缘龙马溪组页岩气勘探实践认识[J]．地质学报，2014，(07)：1209-1218.

长庆气田下古碳酸盐岩储层堵塞机理及解堵技术探究

王 鸽[1,2] 王宪文[1,2] 江智强[1,2] 何 淼[1,2]

(1. 中国石油长庆油田分公司油气工艺研究院；2. 低渗透油气田勘探开发国家工程实验室)

摘 要 长庆气田下古气藏经过二十余年的高效勘探与开发，已经进入中后期稳产阶段，气井生产过程中腐蚀结垢、储层堵塞等问题不断频发，不仅影响气井的正常生产，还对气井常规测试作业、修井作业等也产生一定程度的影响，降低气田总体开发效益。为了进一步提升气井产能，保障老气田稳产增产，首先，从气井堵塞机理出发，结合井筒垢物成分分析结果，明确气井堵塞类型；其次，研发了多功能复合解堵药剂；再次，形成了"井筒酸性+碱性药剂交替解堵、近井地带渗透率改造剂+氮气加压+闷井反应"的解堵工艺；最后，在长庆气田下古气藏应用100余口井推广应用。现场应用结果表明，应用效果显著，取得了良好经济效益。表明该技术可解决长庆气田下古碳酸盐岩气井的堵塞难题，为长庆老气田稳产增产提供了有利的技术支撑，对同类储层解堵具备一定程度的参考与借鉴意义，具备十分广阔的应用前景。

关键词 长庆气田；碳酸盐岩；堵塞机理；解堵技术；气田稳产

长庆气区位于我国第二大沉积盆地——鄂尔多斯盆地，勘探面积约37万平方公里，天然气总资源量10.7万亿立方米，主要发育下古生界奥陶系碳酸盐岩储层和上古生界石炭系——二叠系致密砂岩储层。其中下古碳酸盐岩储层蕴含着丰富的天然气资源，主力储集层为马家沟组马五段。现气田经过二十余年的高效勘探与开发，井筒内存在腐蚀结垢、储层堵塞等问题，导致气井井筒压力损耗与油套压差增大，严重影响气井产能发挥及开井时率。经统计长庆气田下古碳酸盐岩储层总井数2828口，目前累计开展通井作业1086口，其中遇阻或遇卡气井655口，占总通井数60.31%，通井遇阻位置主要在2000米以下，尤其是3000米至喇叭口的位置。同时压恢试井解释结果显示部分下古气井随着生产时间延长井筒表皮系数增加，近井地带污染加剧。因此本文以气井的堵塞机理为出发点，开展下古碳酸盐岩储层解堵技术研究，为长庆气区老气田高效开发与稳产增产提供可靠的技术支撑和保障。

1 气井堵塞类型及解堵方法

1.1 气井堵塞原因分析

造成气井堵塞的原因有很多，主要可以分为井下腐蚀及结垢产物堵塞、缓蚀剂堵塞、泡排剂变性物堵塞、井筒脏物等。

① 井下腐蚀及结垢产物堵塞。由于天然气中含有较高的CO_2和H_2S等腐蚀性气体气体，能够地层水中的Fe^{2+}发生反应，生成FeS以及$FeCO_3$等腐蚀产物，随着生产时间的增长，腐蚀产物黏附在油管内壁上，油管内可流动通道变小，造成油管堵塞。同时，如果气井所产出的水具有较高的矿化度，当超过地层流体的饱和度时，水中的一些阳离子如Ca^{2+}、Mg^{2+}、Ba^{2+}以及Sr^{2+}容易析出，在井底形成垢物，堵塞井筒。

② 缓蚀剂堵塞。在气井作业时，合理使用缓蚀剂可以有效降低金属及其合金在腐蚀环境中的腐蚀强度。但在气井生产时，若缓蚀剂稳定性较差，则缓蚀剂溶剂中易蒸发的物质在高温条件下被逐渐蒸发，剩下缓蚀剂中的高馏点组分酰胺化合物是一种流动性极差、黑色的粘性物质，由于具有亲油性不溶于水的特性，不易被地层水带出地面，极易将井下的腐蚀产物、岩屑、砂砾等粘附和包裹，从而在井下形成粘性堵塞物，吸附于油管壁上会使油管通道变窄，降低开采效率。

③ 泡排剂变性物堵塞。为增加气井携液能力，会对部分气井开展泡排措施。长期加注泡排剂的气井，在高温高压的作用下，泡排剂与地层水中的亲水基团钙、镁离子反应生成不溶于水的钙皂、镁皂形成堵塞。

④ 井筒脏物。气井在钻井、完井过程中因

泥浆漏失、产层出砂等因素，不可避免地会出现井筒脏物不能完全排尽的情况，而是残留在井内。一旦气井开井生产，质量较重的物质可能会吸附在管壁内，不断积累后堵塞井筒，而质量较轻的物质就会随气流被带入油管、地面管线，影响气井的正常生产。

1.2　气井堵塞解堵方法

除垢法主要分为机械除垢法、物理除垢法、化学除垢法。

① 机械除垢法。该技术是利用机械钻具(铣刀或其他切削工具)来去除井内垢物，再通过冲洗将井内垢物带出井筒，去除硬质垢物效果较好，但是操作较为复杂、费用较高、效率低下、无法清除近井地带的垢且井下作业具有较高的安全风险。

② 物理除垢法。通过一系列的物理化学变化使垢物分散、粉碎、脱落，不易于附着在管壁造成堵塞的方法成为物理除垢法。其技术包括高压水力射流、超声波、水力振荡、水力压裂、循环脉冲等。优点为操作比较方便，且对环境无污染，还能有效的防止垢物再次产生，但对井内垢物的要求比较高，一般只能清除特定井内的垢物，不具有普遍适用性。

③ 化学除垢法。该方法是利用化学药剂与垢物发生物理化学反应，使垢物分散、软化、溶解，从而去除垢物的目的，包括酸化解堵与非酸化解堵技术。具有操作简单、费用低、安全隐患少，效率高等优点，但对井筒具有一定的腐蚀性，而且存在环境污染问题。

2　下古碳酸盐岩储层堵塞机理研究

2.1　堵塞物成分分析

选取部分井的堵塞物开展油溶性物质萃取含量测定、醇溶性物质含量测定、酸溶/酸不溶物质含量测定、XRD 与红外谱图分析等实验，结果表明堵塞物主要为腐蚀和结垢产物等无机物，其主要成分为 $FeCO_3$、硫铁化物、$CaCO_3$ 等，而有机物则来源于入井残留的缓蚀剂、泡排剂等重组分。并且依据堵塞物中含量的不同，可以将堵塞物分为以下三种类型：① 主要是 $CaCO_3$ 和 CaO，以结垢产物和粘土矿物为主，含量 30%～60%；②无机物主要为 $CaCO_3$ 和少量 $BaSO_4$，含溶于油和醇的有机物含量约 20%，酸不溶物含量小于 10%；③垢样无机成分以 $BaSO_4$ 为主，少量 $CaCO_3$ 和 $MgCO_3$，酸不溶物含量达 20% 以上(图 1，表 1)。

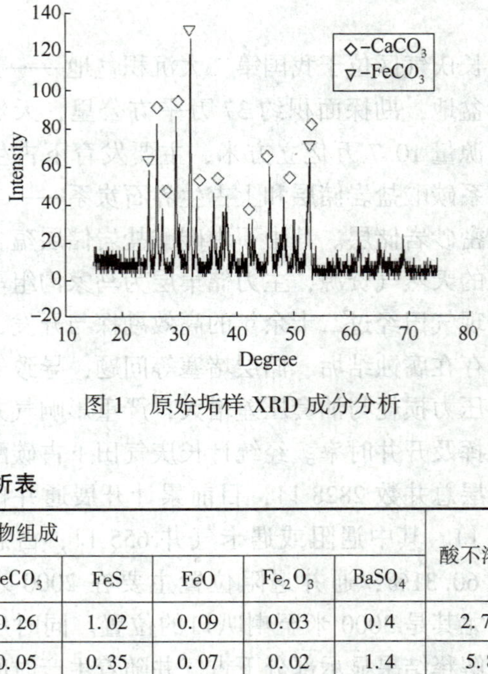

图 1　原始垢样 XRD 成分分析

表 1　垢样成分分析表

编号	油溶物质	醇溶物质	矿物组成									酸不溶物
			$CaSO_4$	$CaCO_3$	$MgCO_3$	CaO	$FeCO_3$	FeS	FeO	Fe_2O_3	$BaSO_4$	
G18-4	13.69	17.04	1.35	17.39	1.49	2.54	0.26	1.02	0.09	0.03	0.4	2.72
G26-19	6.04	0.28	0.86	29	5.34	2.88	0.05	0.35	0.07	0.02	1.4	5.8
G5-4	7.67	18.62	1.39	3.66	3.89	1.89	2.1	0.23	0.07	0.02	21.87	34.93
G43-0	0.58	0.66	1.25	36.96	0.01	0	0	0.53	0	0.01	6.04	24.26
G1-12	12.7	3.04	17.69	20.04	3.19	0	0	1.74	0.01	0.02	3.59	20.54
G3-8	0.35	0.39	0.64	38.35	1.53	21.96	0	0.62	0	0	0.23	1.64
陕 438	0.33	0.29	0.73	33.3	0.26	0.46	5.87	5.56	0	0	0.79	2.87
G22-25	9.6	34.42	1.15	18.01	0.6	2.03	0	0.17	0.03	0.01	0.15	0.79
G13-15	11.84	9.5	0.78	20.31	0.28	0	3.13	0.04	0	0.04	3.83	23.34

对气井不同部位垢样进行分析，认为长庆气田下古储层堵塞具有以下三方面规律：①气井垢型及含量存在差异。以 $CaCO_3$ 和 $BaSr(SO_4)_2$ 为主，部分为腐蚀产物和结垢混合样，单一垢型、两种垢型，以及腐蚀和结垢混合垢型均存在。②不同井深垢物成分基本一致。不同井深结垢程

度、分层形貌和致密性不同，但成分均一致。③结垢程度自下而上逐渐减弱。通井、腐蚀测井、现场取样结果表明结垢主要集中在2000m以下井段，井下工具缩径处结垢更严重(表2，图2)。

表2　井筒堵塞物分析表

垢样成分分析(管柱起出后取样)						
式样编号	取样部位	垢样组分(wt.%)				
		水分及有机物	$CaCO_3$	$FeCO_3$	$BaSr(SO_4)_2$	NaCl
G3-8	内层	0.03	99.97	/	/	/
	中间层	0.02	99.98	/	/	/
	外层	0.05	99.95	/	/	/
G5-10	内层	0.78	17.96	81.26	/	/
	外层	1.22	20.33	78.45	/	/
G43-0	内层	2.23	26.4	11.45	36.96	22.96
	外层	1.8	86.88	/	/	11.32
G54-1	内层	33.92	26.52	29.97	/	9.59
	外层	16.18	21.88	31.49	17.37	13.08
G44-4	内层	4.24	19.19	8.86	67.71	/
	外层	0.16	4.14	/	5.65	90.05
G40-6	内层	0.02	5.33	/	94.65	/
	外层	0.94	1.54	4.7	92.82	/
G27-12	混合	14.93	2.36	/	82.71	/

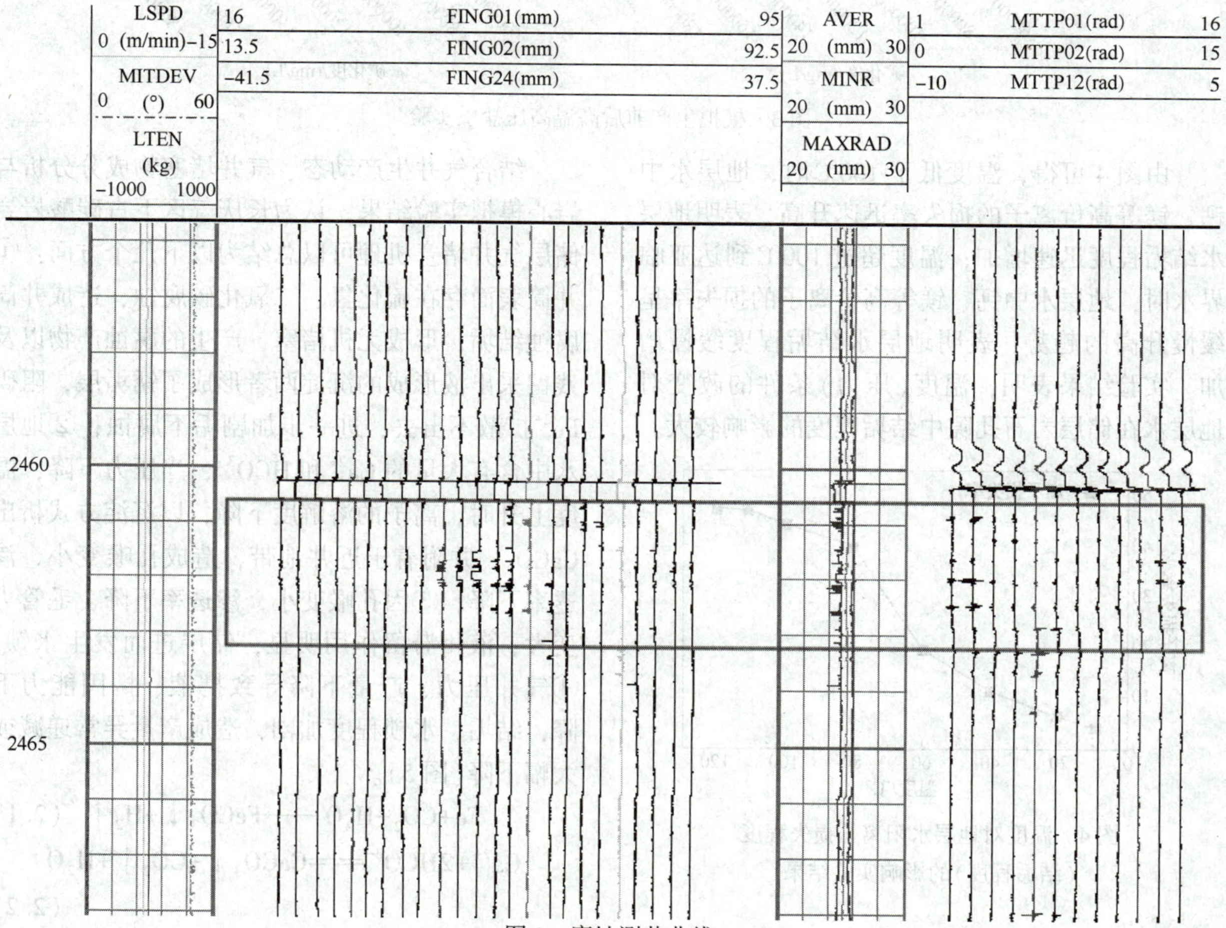

图2　腐蚀测井曲线

2.2 储层堵塞机理

通过开展室内岩心驱替实验，模拟岩心结垢过程，发现当入井流体进入储层，会受到极强的毛细管力作用，极易引起液相滞留，产生液相圈闭损害、造成储层水锁。同时岩心敏感性评价实验结果表明，岩心老化前后盐敏性均为中等偏强，且伴随不同程度水敏伤害，老化后矿化度为70g/L时渗透率下降20%，矿化度为180g/L时渗透率下降超过50%(图3、表3)。

表3 岩心模拟生产过程前后的敏感性评价

评价方法	老化前		老化后	
	损害率/%	损害程度	损害率/%	损害程度
HTHP 速敏性	19.2	弱损害	25.8	弱损害
HTHP 水敏性	54.2	中等偏强	24.1	弱损害
HTHP 盐敏性	59	中等偏强	51.4	中等偏强
HTHP 酸敏性	11.8	弱损害	26.8	弱损害
HTHP 碱敏性	25.4	弱损害	21.7	弱损害

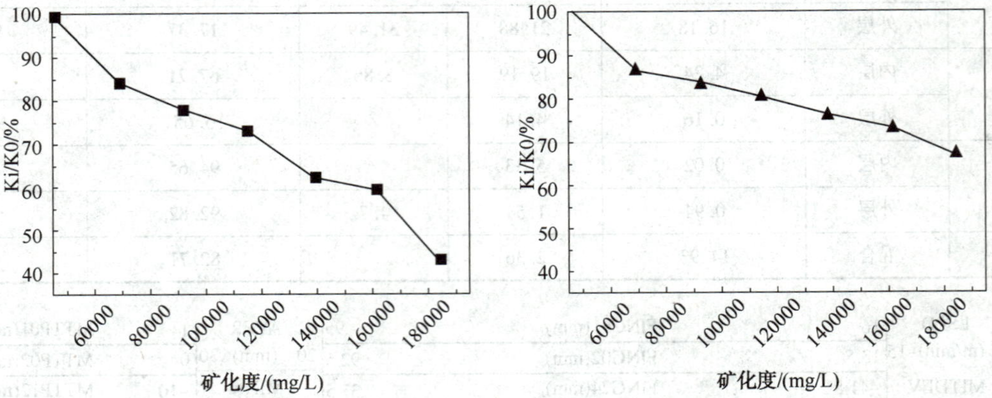

图3 模拟生产前后高温高压盐敏实验

由图4可得，温度低于100℃时，地层水中钙、镁等高价离子的损失率迅速升高，表明地层水结垢程度迅速增加；温度超过100℃到达亚临界水时，地层水中钙、镁等高价离子的损失率呈缓慢升高的趋势，表明地层水结垢程度缓慢增加。实验结果表明，温度(压力)条件的改变对地层水在储层岩石孔隙中结垢程度的影响较大。

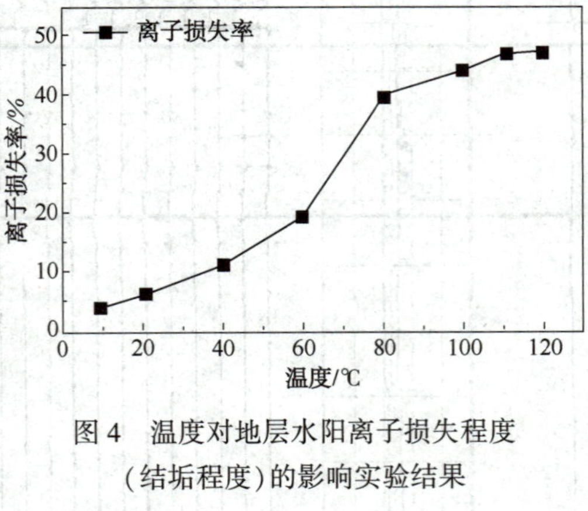

图4 温度对地层水阳离子损失程度(结垢程度)的影响实验结果

结合气井生产动态、气井堵塞物成分分析与岩心模拟实验结果，认为长庆气区下古碳酸岩岩储层气井堵塞机理可以总结为以下几个方面：①井筒表面存在硫化氢、二氧化碳腐蚀，造成井筒腐蚀结垢，形成无机堵塞，产生的腐蚀产物以及残留采出液形成的沉淀两者形成了锈垢层，阻碍Fe^{2+}扩散不出去，进一步加剧垢下腐蚀；②地层水中含有大量的Ca^{2+}和HCO^{3-}，当压力下降，温度上升时，离子的溶解度下降，以沉淀方式析出$CaCO_3$，并附着于近井地带，造成孔喉变小、渗透率下降；③因孔喉变小，渗透率下降，毛管力变大，液相滞留作用明显，储层进而发生水锁；④气井压力、产量下降导致携液、携固能力下降，结垢、水锁程度加剧，造成产量异常递减或大幅下降(图5)。

$$Fe+CO_2+H_2O \longrightarrow FeCO_3\downarrow +H_2\uparrow \quad (2.1)$$

$$Ca^{2+}+2HCO^{3-} = CaCO_3\downarrow +CO_2\uparrow +H_2O \quad (2.2)$$

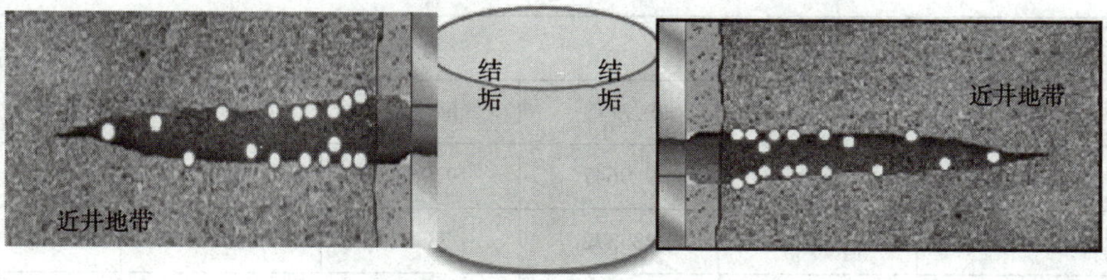

图5　井筒及储层堵塞结垢模式图

3　下古碳酸盐岩储层解堵工艺技术

3.1　化学除垢解堵药剂

（1）药剂体系

结合长庆气田现场实际情况，优选施工流程简单、所需设备较少、效率高且安全隐患少、费用低及易清除井筒和储层垢物等优势的化学除垢技术进行老井措施挖潜治理。化学除垢解堵技术即运用有机和无机酸液使用泵注装置加注到井内，使其与管柱、射孔段或近井地带垢质发生反应。其中有机解堵剂，也可称为酸性解堵剂，是采用混合酸、缓蚀剂和多种阳离子、非离子表面活性剂复合而成，其作用为剥落、溶解无机垢及腐蚀产物。无机解堵剂，也可称为碱性解堵剂，主要以络合碱、分散剂、增溶表面活性剂为主，其作用主要为溶解油气井中胶质以及化学剂等有机物，从而解除因长时间附着、聚集造成的油管堵塞。此外，渗透率改造剂的注入能够有效的解除地层孔喉中的堵塞垢物，使气体可以顺利进入井筒，增加气井产量或恢复停产气井生产（表4）。

表4　各类药剂理化性质

样品名称	pH 值	密度/比重	组成	作用	外观	备注
酸性药剂	0.36	0.99	以混合酸、缓蚀剂、表面活性剂	主要溶解有机、无机垢	橙黄色透明液体	/
碱性药剂	12.35	1.0501	以络合碱、分散剂、增溶表面活性剂	主要溶解有机垢	无色透明液体	/
渗透率改造剂	2	≤1.0	复合表面活性剂、有机溶剂、复合无机物、渗透剂、水	解除地层水锁	浅棕色透明液体	不含强氧化剂

（2）药剂性能评价

对解堵药剂的溶垢能力、腐蚀效果、降低表面张力与毛细管力的能力等进行评价。首先溶垢实验结果分析认为该解堵剂对于无机垢溶解率达86.17%，有机杂质溶解率为76.78%，可有效解除储层中的堵塞物，并且温度对于解堵效果具有一定程度的影响，在实验温度为90℃时解堵效果表现最好。其次开展两种解堵剂与不同管材材质的腐蚀能力评价实验，分析发现酸性解堵剂与碱性解堵剂对两种管材的腐蚀程度均较轻，同时在相同反应时间内，酸性解堵剂中N80抗硫材质抗腐蚀性好于N80材质（图6，表5）。

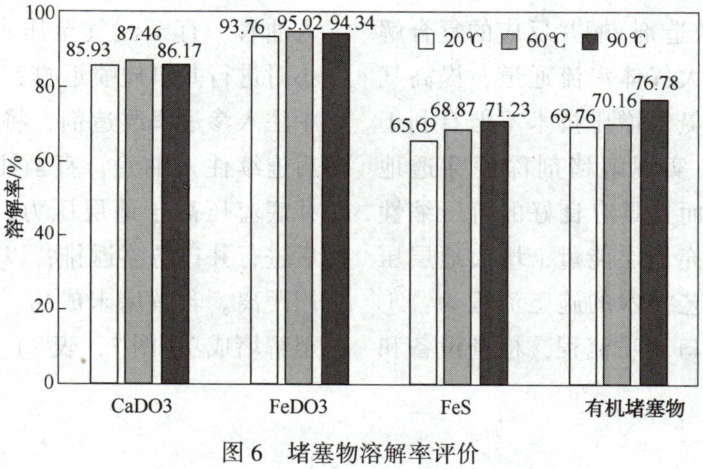

图6　堵塞物溶解率评价

表 5　腐蚀性能评价

实验项目	材质	反应时间/h	重量			腐蚀速率/(mm/a)
			酸洗前	酸洗后	减重	
酸性药剂	N80	110	9.9647	9.9637	0.01	0.0096
	N80S	10	23.372	23.37	0.0121	0.0045
碱性药剂	N80	10	9.9406	9.9396	0.0001	0.0001
	N80S	10	23.15	23.147	0.0004	0.0002

对渗透率改造剂进行性能评价，结果显示随着气井储层解堵液浓度的不断增大，表面张力与界面张力均不断降低，这是由于渗透率改造剂中的复合表面活性剂在发挥作用。此外，毛细管上升高度降低率表现为先升高再逐渐降低的趋势，在浓度为 1%时达到最高 75%(图 7，表 6)。

表 6　毛管高度降低实验结果

浓度/%	毛细管上升高度/cm		毛细管上升高度降低率/%
	蒸馏水中	解堵液浸润毛细管后蒸馏水中	
0.3	1.6	1	37.5
0.5	1.6	0.9	43.8
1	1.5	0.4	75
2	1.6	0.5	68.8
3	1.7	0.6	64.7

3.2　气井深度解堵工艺技术

由于下古碳酸盐岩储层在生产后期会在井底附近出现腐蚀及无机盐结垢等堵塞物，导致储层渗流通道堵塞，从而造成气井产量快速降低。通过开展以“疏通堵塞、改善导流、扩大泄流面积”为目的解堵技术，深度消除储层孔隙堵塞物，打通储层渗流通道，实现老井复产增气。

对下古井筒采用氮气增压+交替加注酸性、碱性解堵剂+渗透率改造剂+焖井反应的复合解堵工艺技术，实现增大气体渗流通道，提高气井产能的目标。其中氮气增压技术不但有利于形成液气伴注状态，实现解堵剂深度穿透地层，恢复气井产能，而且具有良好的可压缩性和膨胀性，可有效补充地层能量，增大地层压力。气井深度解堵工艺技术的施工流程为：①连接注气流程以及井口放喷流程，检查设备和管线连接并进行严密性试压；②将氮气利用压缩机增压后连续注入油套环空，排空井筒积液，油套压差需恢复至积液前水平；③油管内投入暂堵棒，采用井口泵注解堵剂，每次药剂加注后充分反应 4~6 小时后缓慢进行放喷，如此反复，确保入井液返排率 80%以上，后期返排液应清澈、透光可见，压力、产气及产水量基本平稳；④清洗井底及近井地带，向油管中注入解堵剂，将氮气利用压缩机增压后连续注入油管，直至注气至压力基本平稳后关井 24 小时进行井口放喷返排；⑤储层改造：向油管中注入渗透率改造剂，将氮气利用压缩机增压后连续注入油管，直至注气至压力基本平稳、井底流压高于地层压力，再关井注气 24 小时后进行井口防喷返排，以提高渗透率改造剂作用距离。若解堵未成功，则重复上述过程，直至解堵成功(图 7，表 7)。

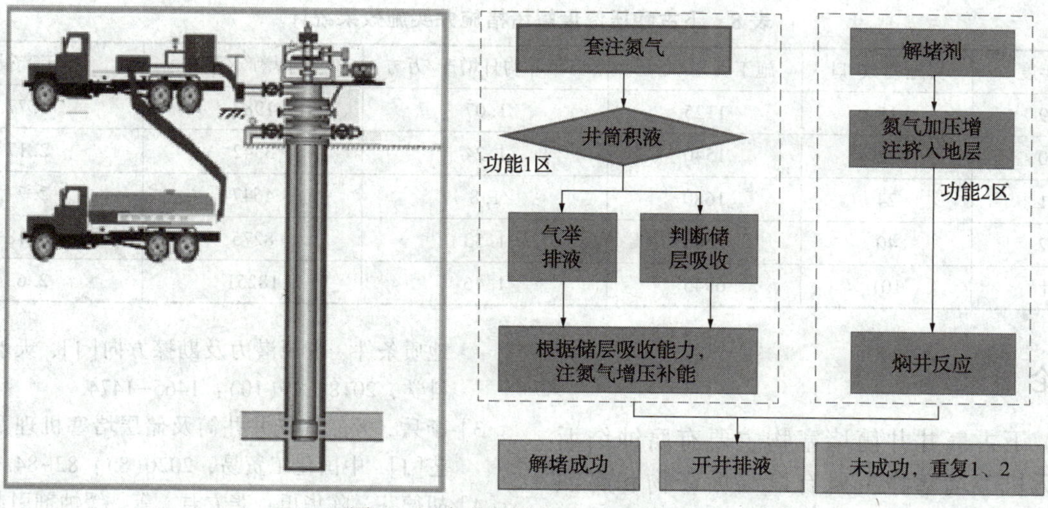

图 7　下古井筒除垢施工工艺流程

表 7　下古储层解堵工艺参数

项目		设计要求
加注制度	加药	以 500~600L/h 排量加注、每次 0.6~0.8m^3，酸、碱解堵剂交替加注
	反应时间	每次药剂加注后充分反应 4~6 小时后进行放喷
过程控制		每次加药后测试返排液 PH 值，初期化验 HCO^{3-}、后期化验 Fe^{3+} 浓度
质量控制		入井液返排率 80%以上，$2^7/_8$"、$2^3/_8$''油管分别至少保证 ϕ50/ϕ45mm 通井规顺利通过，后期返排液应清澈、透光可见，压力、产气及产水量基本平稳

3　现场应用

气井深度解堵技术主要针对下古碳酸盐岩储层气井生产中后期，受高矿化度地层水结垢、缓蚀剂及泡排剂裂解产物堵塞井筒及近井地带问题。自 2019 年以来，开展针对性的气井酸压深度解堵技术，截止至 2022 年底，共计开展措施共 101 口，井均日增产 1.46 万方/天，当年累计增产气量 18251 万方，同时四年内仅投入资金 6945 万元，产出投入比高达 2.63，措施增产效果明显，经济效益显著。从历年实施情况来看，措施效果逐年向好，实施井数从 15 口增至 40 口，井均日增气从 1.07 万方增至 1.53 万方，当年产出投入比由 1.77 增至 3.18，当年增产气量由 1987 万方增长至 8275 万方，增长率高达 316%。

以靖边气田下古某井为例，该井于 2019 年开展气井深度解堵作业后，日均产气量由 0.8 万方/天增长至 2.6 万方/天，截至 2022 年 6 月累计增产 3200 万方，解堵效果好（图 8，表 8）。

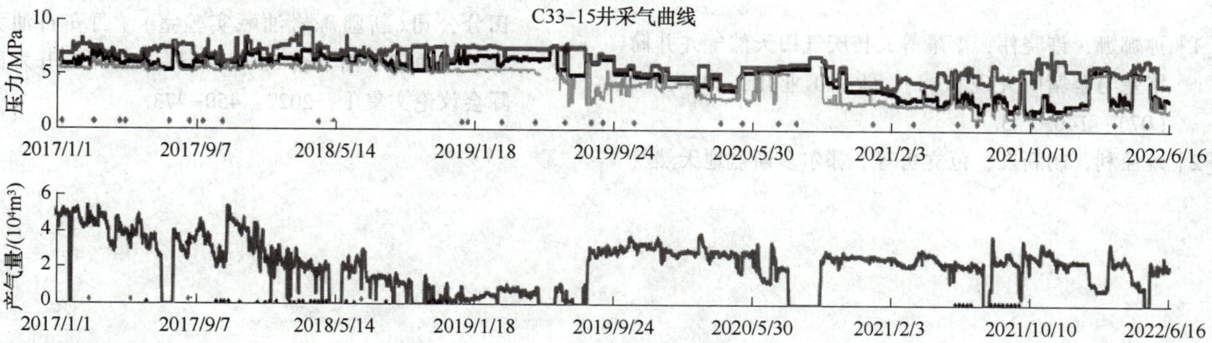

图 8　G33-15 采气曲线

表 8 下古酸压深度解堵措施井实施效果统计

措施年度	实施井数/口	施工费用/万元	当年井均日增产/万方	当年增产/万方	当年产投比
2019	15	1125	1.07	1987	1.77
2020	22	1540	1.24	3342	2.17
2021	24	1680	1.8	4647	2.77
2022	40	2600	1.53	8275	3.18
合计	101	6945	1.46	18251	2.63

4 结论

(1) 下古气井井筒堵塞物主要有腐蚀结垢产物，无机类堵塞物主要有以结垢产物和腐蚀产物，其主要成分为 $FeCO_3$、硫铁化物、$CaCO_3$等。有机类堵塞物则来源于现场加注的缓蚀剂、泡排剂等。

(2) 井筒因金属表面发生 CO_2、H_2S 腐蚀，产生的腐蚀产物以及残留采出液形成的沉淀两者形成了锈垢层，阻碍 Fe^{2+} 扩散不出去，加剧垢下腐蚀。入井泡排剂和缓蚀剂在井筒内发生化学或热解等反应，生成粘稠状固体物，与腐蚀/结垢物一道加剧了井筒堵塞程度。近井地带堵塞是由于高矿化度地层水在低压高温作用下结晶析出，造成孔喉变小、渗透率下降，毛管力变大，液相滞留作用明显，储层进而发生水锁。

(3) 结合堵塞物类型、结垢规律，优选化学除垢法进行解堵，配置解堵剂与渗透率改造剂，优化解堵工艺技术，形成“井筒酸性+碱性药剂交替解堵、近井地带渗透率改造剂+注气加压+闷井反应”的解堵工艺技术体系。

参 考 文 献

[1] 孙娜娜，许晓伟，李耀等．长庆气田天然气井井筒堵塞与解堵研究现状[J]．新型工业化，2020，10(07)：140-143.

[2] 姚泾利，胡新友，范立勇等．鄂尔多斯盆地天然气地质条件、资源潜力及勘探方向[J]．天然气地球科学，2018，29(10)：1465-1474.

[3] 李兵．天然气气井井筒及储层堵塞机理及解堵工艺[J]．中国化工贸易，2020(8)：82-84.

[4] 胡德芬，陈华勇，龚方君，等．缓蚀剂引起气井油管堵塞原因分析及对策[J]．天然气工业，2008(5)：86-88，149.

[5] 叶小闯，张鹏，魏美吉等．长庆气井除垢方法研究及现场试验效果分析[J]．石油化工应用，2019，38(06)：66-71.

[6] 张吉磊．靖边气田气井解堵技术研究[D]．西安石油大学，2015.

[7] 尚万宁，刘建民，李柏鹏，刘洋，吕玉海，高旺斌，张腾．气井井筒结垢机理及除垢技术研究[J]．石油化工应用，2016，35(05)：84-90.

[8] 史瑞雪，王志刚，冯朋鑫，张云，胡维首，蒋瑛，史志鹏，王宏力．苏里格南区气井井筒堵塞原因分析与防治对策[J]．石油化工应用，2020，39(05)：91-96.

[9] 赵建军．大牛地气田气井结垢机理及除垢工艺技术研究[J]．中外能源，2020，25(08)：61-68.

[10] 蒋思思，何小平，李文鹏等．S14 区块气井井筒除垢措施现场应用及效果评价[J]．石油化工应用，2022，41(02)：51-55.

[11] 张鹏，许敏，叶小闯等．长庆气区气井常见堵塞类型及解堵技术应用研究[C]//中国石油新疆油田分公司(新疆砾岩油藏实验室)，西安石油大学，陕西省石油学会．2022 油气田勘探与开发国际会议论文集 Ⅰ，2022：459-473.

基于机器学习的水平井筒内暂堵球坐封规律研究

刘 营 曾治军 曲 海 刘 旭 李哲伦 陆志天

(重庆科技学院石油与天然气工程学院)

摘 要 采用CFD-DEM的耦合方法，模拟暂堵球在水平井内运移及转向封堵过程，探究暂堵球位置、射孔流量比、注入排量对暂堵球封堵规律的影响，明确水平井内暂堵球坐封机理。结果表明：暂堵球位置是控制暂堵球成功坐封的主导因素，距离孔眼越近坐封概率越高。在高流量比下，朝向射孔的拖曳力更大，克服轴向惯性力与重力，暂堵球发生转向趋势会更明显，坐封概率更高。大排量下暂堵球受水平方向拖曳力更强，相较于小排量转向趋势略缓慢。基于SVM和RF两种机器学习模型对封堵结果进行预测，分析预测不同暂堵球位置、排量、射孔流量比下的坐封规律，比较SVM和RF两种模型对封堵结果预测的准确性，结果表明RF模型预测结果较好。机器学习的优势在于能够从数据中学习并自动调整模型，以提高预测准确性和泛化能力。

关键词 暂堵球；坐封规律；CFD-DEM；机器学习

1 引言

页岩、致密砂岩等非常规储层孔隙度与渗透率极低，提高水力裂缝的复杂性对增加储层增产量极为重要。水平井分段多簇压裂作为非常规储层改造的重要手段，受地层非均质性影响，往往导致多裂缝扩展不均衡，多数射孔簇对产量贡献极低。投球暂堵转向技术被广泛用于促进各簇裂缝均匀扩展，但暂堵球坐封规律尚不明确，现场得不到良好应用效果。Yuan等利用室内试验得出暂堵球密度、注入速率等因素对坐封的影响。Brown等、通过构建理论模型，总结了暂堵球坐封的基本规律。Song等、Sami等借助人工智能研究了石油领域的连续油管使用寿命问题、多相流动井底压力问题以及复杂参数的预测问题等，但目前机器学习在暂堵球封堵预测领域尚未应用，因此本文将引入机器学习概念对水平井筒中暂堵球封堵进行预测，基于CFD-DEM的耦合方法，构建水平井螺旋射孔三维模型，模拟现场实际工况，研究并分析暂堵球位置、注入排量、射孔流量比对暂堵球在水平井筒中的封堵转向机制，通过机器学习数值模拟得到的结果来预测不同影响因素下小球的坐封情况，为实际投球暂堵设计提供理论支撑。

2 研究方法

2.1 数值模拟

本文选用的CFD-DEM方法开展模拟，为了准确地模拟暂堵球运移过程，考虑了流体对颗粒施加的各种力及其反作用力，并进行了双向耦合。基于现场实际参数的构建的三维水平井螺旋射孔数值模型，网格在每个孔上进行细化，以捕捉流体流动的细节。左边界设为速度入口，固体相和流体相速度相同，速度方向垂直于左表面。六个孔的顶面设置为压力出口。模拟现场实际尺寸，井筒直径110mm，射孔处为楔形设计，射孔孔眼直径为12mm，暂堵球直径设置为13mm。

制定数值模拟方案，暂堵球位置代表球与射孔孔眼底部的垂直距离，射孔垂直朝上代表射孔角度为0度。基于此模拟现场实际工况，研究暂堵球在低粘度液体(3mPa·s)下的运移转向规律，通过改变暂堵球在井筒中的位置、注入排量、射孔流量比分析各因素对暂堵球运移转向的影响。

2.2 机器学习算法

文中引入了机器学习方法，利用大量的数据和数学模型来分析和预测封堵结果。机器学习的优势在于能够从数据中学习并自动调整模型，以提高预测准确性和泛化能力。通过使用SVM和

RF 两种机器学习模型对封堵结果进行预测，两种算法结构如图 1 所示。

支持向量机(SVM)模型通过将数据映射到高维空间并找到最佳超平面来进行分类，能够捕捉到非线性关系。与其他分类方法相比，SVM 在训练变量或样本较少的高维特征空间中的性能更具优

势。支持向量机通过寻找一个超平面使样本分成 2 类，并且间隔最大。

随机森林(RF)模型是一种集成方法，通过结合多个决策树的预测结果来进行最终预测。对 *N* 个样本中的 *M* 个特征，通过 Bootstrap 方法划分多个训练集，按照这种方法，可以构建大量的决策树，*RF* 从树的所有预测中投票优选以获得最优分类。这种集成方法充分利用了每棵树的优势，降低了过拟合的风险。通过考虑各种因素对封堵效果的影响，通过集成多个决策树的预测结果，*RF* 模型能够捕捉复杂的关系并提供准确的预测结果。

支持向量机与随机森林模型都属于二分类问题，常用的评估指标包括准确率(A)、精确率(P)、召回率(R)和 $F1$ 分数。这些指标可以根据模型的预测结果和真实标签计算得出。这些指标可以用来评估模型的性能，准确率衡量了整体分类的正确性，精确率衡量了模型在预测为正例的样本中的准确性，召回率衡量了模型对于正例样本的查全率，F1 分数综合考虑了精确率和召回率，是一个综合性能指标。

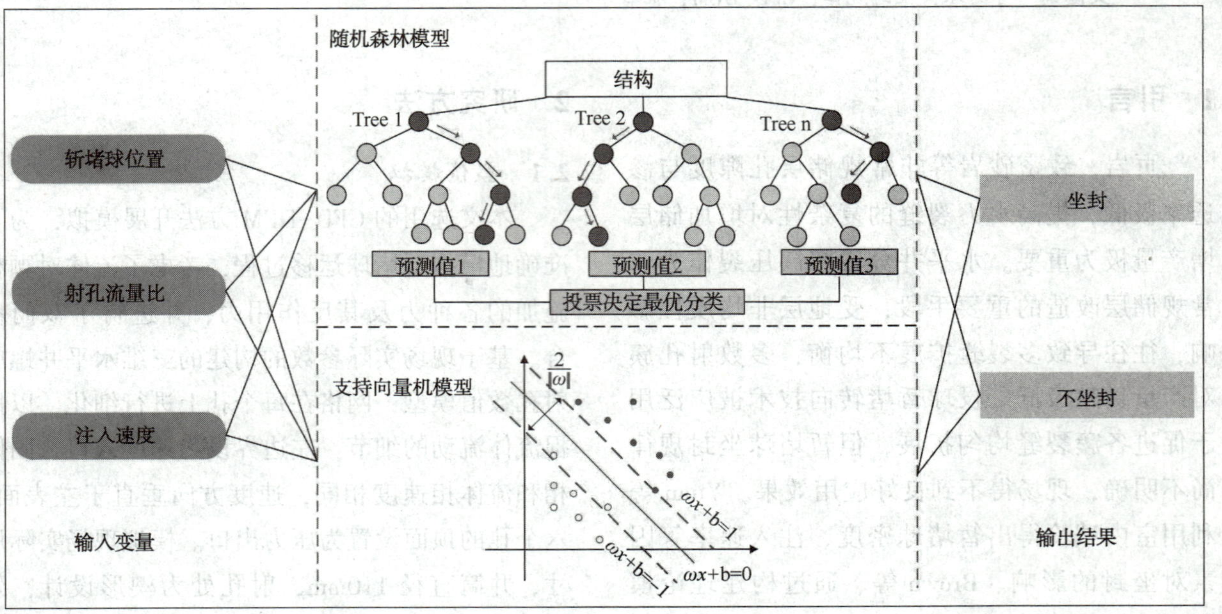

图 1　两种机器学习算法结构

3　结果与分析

3.1　暂堵球位置影响

模拟结果显示暂堵球与射孔孔眼之间的相对位置对球的转向影响显著。图 2 为进入射孔簇后，暂堵球会受到螺旋射孔的干扰，轨迹发生偏移，受惯性力的作用进入井筒尾部的低速区域后，折返至尾端孔眼形成坐封。暂堵球与射孔 1 之间的距离为 33mm 时，小球的运动轨迹受到射孔 1 周围流体影响显著，在射孔 1 孔眼底部发生转折，但是转向不是很剧烈导致小球并没有坐封射孔 1，当距离减小到 30mm，相较于距离 33mm 暂堵球转向趋势更急剧，成功坐封射孔 1。

暂堵球能否坐封由小球所受射孔方向合力与水平方向合力共同作用，基于此我们定义转向系数为暂堵球朝向射孔速度与水平速度的比值。转向系数的累加值 S_R 作为暂堵球坐封的关键条件，S_R 为坐封指标。

$$R=\frac{V_H}{V_x} \tag{1}$$

$$S_R=\int_0^{1.4} R\mathrm{d}x \tag{2}$$

其中 V_H 为小球朝向射孔方向速度(m/s)，

V_x 为暂堵球水平方向速度(m/s)，x 为暂堵球在水平方向运移距离(m)

图3所示为暂堵球运移转向过程的两个速度，包括沿管道的水平方向速度 V_x 和朝向射孔的速度 V_H。射孔1位于轴线方向1.4m处，两个速度在1.35m处开始变化，当距离为30mm时，V_H 从0m/s显著增加到2.58m/s，V_x 从4m/s增加到4.9m/s。然而当距离为33mm时，V_H 由0m/s增加至1.78m/s，V_x 变化不大。对比不同位置下暂堵球的坐封指标 S_R，30mm相较于33mm增加了41.2%。结果证明，随着距离的增加，暂堵球受射孔影响越来越微弱，虽然两球的初始位置仅相差3mm，但坐封情况存在很大差异，可见位置是决定暂堵球能否成功转向的关键因素。

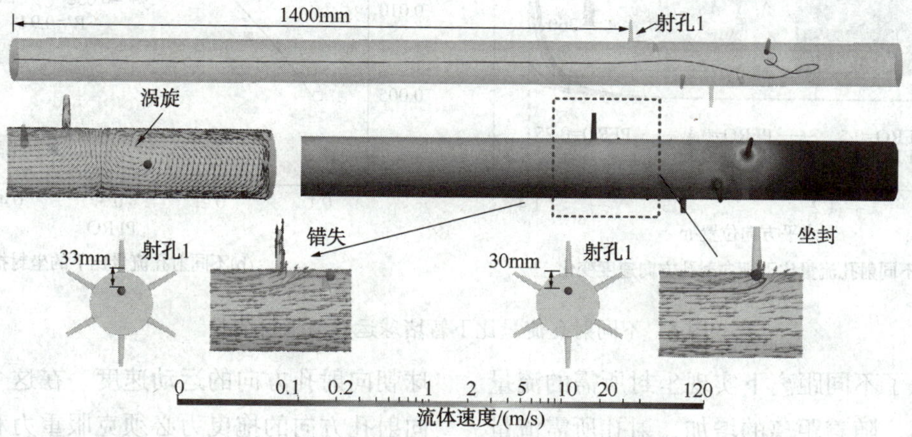

图2　暂堵球不同位置泵入运动轨迹与坐封情况

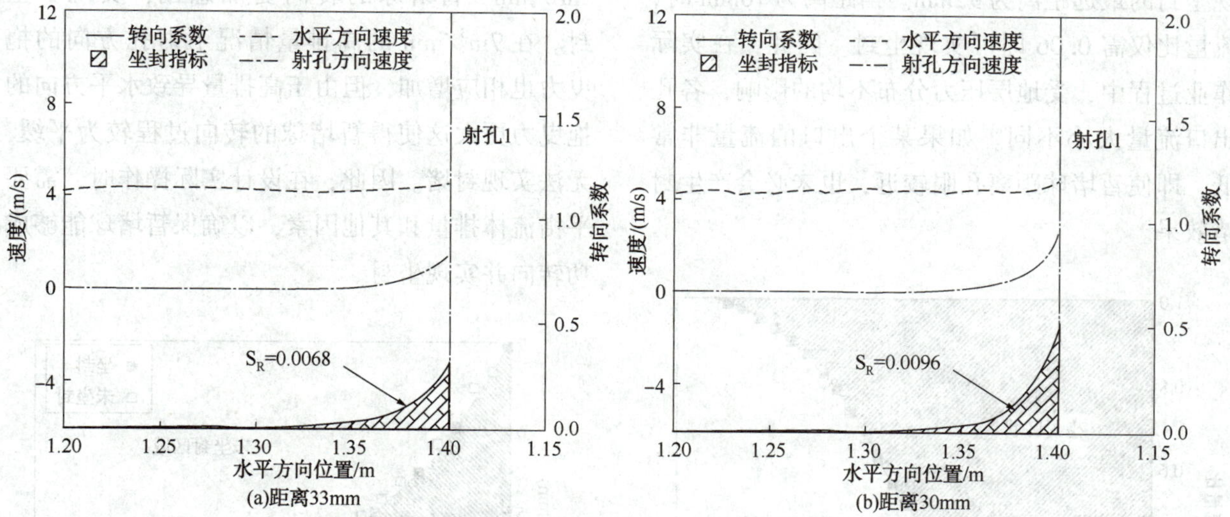

图3　不同位置暂堵球转向过程速度变化曲线

3.2　射孔流量比的影响

以往研究中，每个射孔处的流量均匀分配，每射孔流量为0.167。通过对入射位置的研究我们了解到当暂堵球入射位置距离孔眼底部距离超过30mm后，0.167的射孔流量比并不能使暂堵球坐封孔眼。图4(a)所示为不同流量比下小球的转向情况，PFRO为0.5转向更急剧，发生转向的趋势更早。在低流量比的情况下，射孔孔眼周围高速区域相较于高流量比下较少，高流量比下产生较高的拖曳力朝向射孔孔眼，在高流量比下，F_p 更大，克服轴向惯性力与重力，暂堵球发生转向趋势会更明显，坐封概率更高。图5(b)所示为不同流量比下，暂堵球30mm位置入射转向过程所产生的坐封指标，当流量比为0.1时，坐封指标仅为0.0051，未能实现坐封，流量比为0.5时，坐封指标达到 0.0205，增长约 4 倍。随着射孔流量比增大，坐封指标呈现出非线性递增的关系，拟合优度达到 0.97。

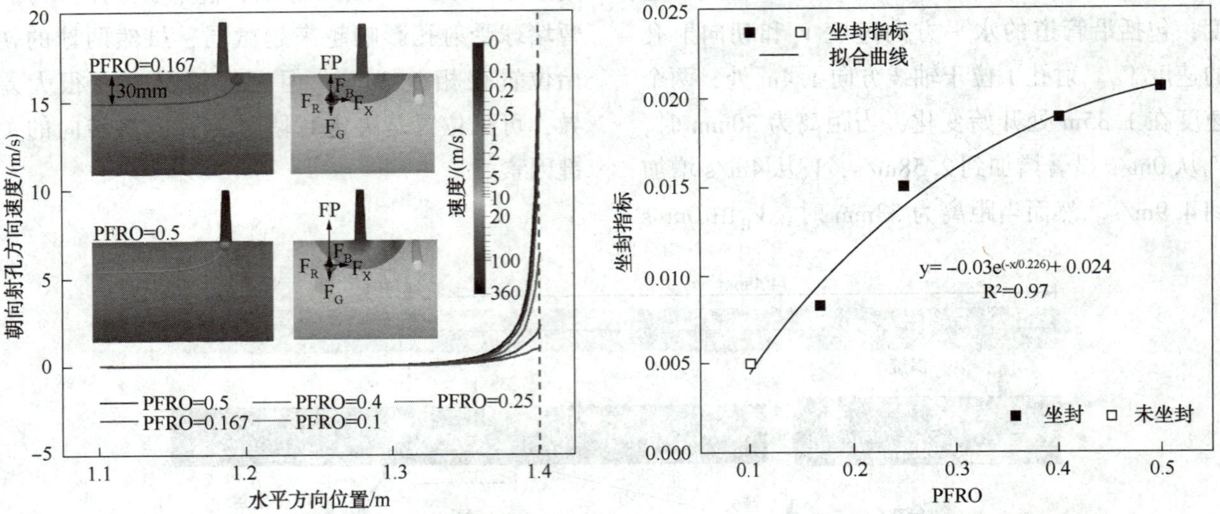

(a)不同射孔流量比下朝向射孔方向速度变化　　(b)不同射孔流量比下的坐封指标

图 4　不同射孔流量比下暂堵球运移与坐封情况

图 5 展示了不同距离下实现坐封所需的流量比。可以看出，随着距离的增加，射孔所需流量比也呈现递增关系。当流量比为 1.0 时，能够实现坐封的最远距离为 92mm。当距离为 10mm 时，流量比仅需 0.06 即可实现坐封。因此，在实际作业过程中，受地层压力分布不均的影响，各孔出口流量大小不同。如果某个出口的流量非常低，即使暂堵球距离孔眼较近，也未必会产生封堵效果。

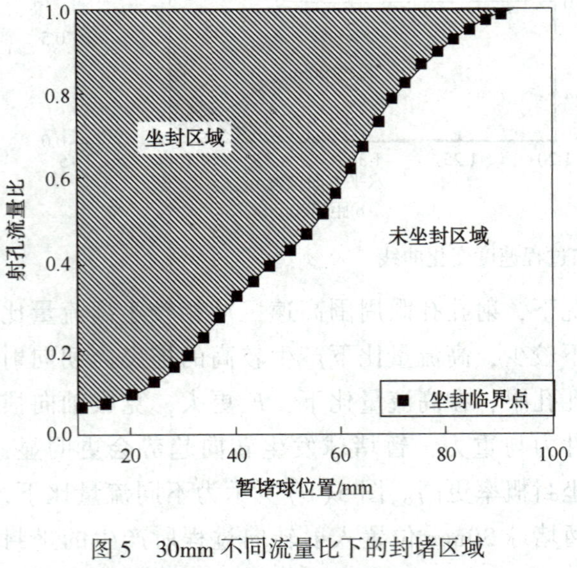

图 5　30mm 不同流量比下的封堵区域

3.3　注入排量的影响

暂堵球是否能够成功转向，主要取决于暂堵球朝向射孔方向的运动速度。在这个过程中，朝向射孔方向的拖曳力必须克服重力和水平方向的拖曳力。在图 6 中所示的情况下，流体排量为 $2m^3/min$，暂堵球的转向更加急剧，实现了坐封。在 $7m^3/min$ 的高排量情况下射孔方向的拖曳力也相应增加，但由于高排量导致水平方向的拖曳力更大这使得暂堵球的转向过程较为平缓，无法实现封堵。因此，在设计实际操作时，需要平衡流体排量和其他因素，以确保暂堵球能够成功转向并实现坐封。

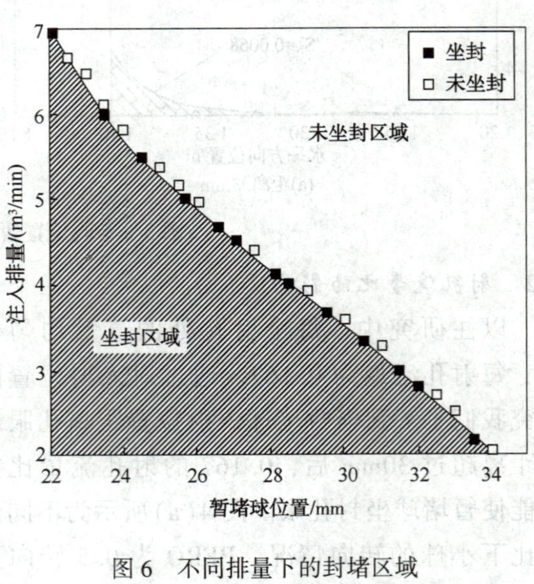

图 6　不同排量下的封堵区域

图 7 为不同排量下封堵所需的距离，随着排量的增加，需要更近的距离才能实现封堵，可以看出即使排量变化很大，但距离受影响范围不大，7m³/min 排量下 22mm 的距离能够实现封堵，而 2m³/min 条件下仅需 34mm，变化范围仅为 12mm。因此，在转向过程中轴向方向的惯性力对封堵起到一定影响，朝向射孔方向的拖曳力是坐封的主导因素，孔眼底部短距离内射孔方向具有极大的速度变化，即使排量变化大，若想实现封堵，仅需小距离的位置改变。

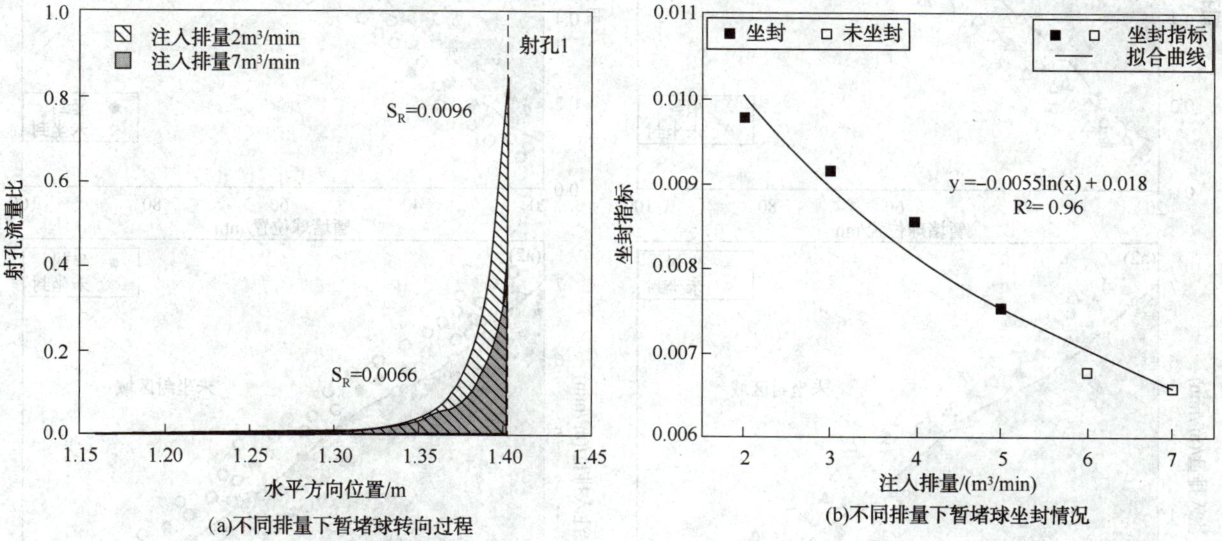

图 7　不同排量下暂堵球转向过程与坐封情况

4　预测分析

在实际施工现场中，封堵情况通常是不确定的，因为存在许多影响因素和复杂的地下条件，传统的经验法则和定性判断可能无法准确预测封堵结果。因此，开发了两种机器学习算法来比较预测不同流量比、暂堵球位置、注入排量下小球的坐封情况。机器学习的数据集其中影响因素三个（暂堵球位置、流量比、注入排量）。训练数据集应该要达到一定的数量，机器学习模型才能获得准确的模型，此外数据集的数据质量和多样性对模型也至关重要。两种算法是通过 400 个训练样本进行学习训练并通过 200 个测试样本进行测试的。训练集经过严格筛选和整理，涵盖了多种条件、变化和情况。每个特征参数都有上百个样本，以确保适当的数据大小。小球的位置大多在通常在 10～90mm 范围内，射孔流量比在 0 到 1 之间覆盖了实际应用领域的范围。

对支持向量机和随机森林模型两种算法的性能进行了比较，结果显示 SVM 预测性能较弱，RF 模型在预测导流性能方面表现良好，四个评价指标的值都明显高于 SVM 模型。图 8 为测试集 1 和测试集 2 的模型预测值和模拟结果，比较了两种机器学习算法的性能，显示了 RF 的预测性能更好。因此，我们建议在实际应用中，可以优先考虑使用 RF 模型进行封堵结果的预测。根据经过训练的 RF 模型，工程师可以评估小球的坐封性能，操作员可以调整现场参数以提高小球的坐封概率，如改变注入流速和流体粘度。

综上所述，基于位置、射孔流量比、注入排量等因素，我们通过 SVM 和 RF 模型对封堵结果进行了预测，并发现 RF 模型表现较好。机器学习方法为我们提供了一种有效的工具来分析和预测封堵结果，有助于指导实际施工现场的决策和操作。操作人员可以通过将相关因素输入训练好的 RF 模型，获得关于封堵操作是否成功的可靠预测。

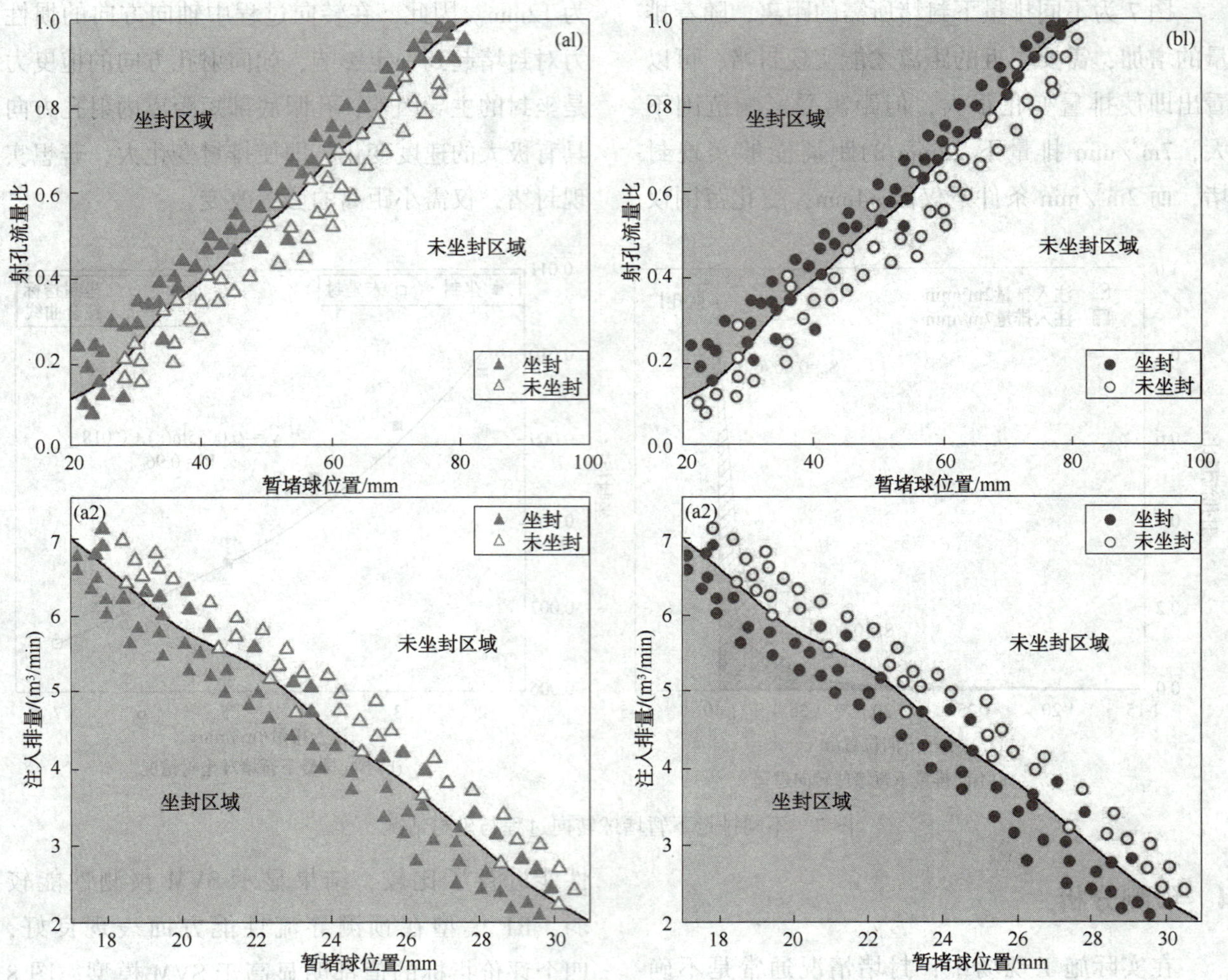

图 8　测试集 1 和测试集 2 的模型预测值和模拟结果

（a 为 SVM 算法，b 为 RF 算法）

5　结论

（1）暂堵球位置是决定暂堵球能否成功转向的关键因素，近距离下受孔眼底部高速区域影响显著，易产生坐封。而远距离下受高速区域影响较小，朝向射孔拖曳力不大，实现封堵则需要更高的坐封指标。

（2）在高流量比下，朝向射孔的拖曳力更大，克服轴向惯性力与重力，暂堵球发生转向趋势会更明显，坐封概率更高。在实际作业过程中，受地层压力分布不均的影响，各孔出口流量大小不同。如果某个出口的流量非常低，即使暂堵球距离孔眼较近，也未必会产生封堵效果。

（3）高排量下轴向方向所产生的惯性力要略大于朝向射孔的拖曳力，致使小球无法实现快速转向，错过封堵时机，无法坐封。随着排量的增加，需要更近的距离才能实现封堵。

（4）对比分析两种不同的机器学习算法（SVM、RF），结果表明 RF 模型预测结果较好准确率超过 87.0%，是预测不同因素下暂堵球坐封情况最适合的方法。

参 考 文 献

[1] Miller C, Waters G, Rylander E. Evaluation of Production Log Data from Horizontal Wells Drilled in Organic Shales[C]. North American Unconventional Gas Conference and Exhibition, 2011: SPE-144326-MS.

[2] Yuan L, Zhou F, Li M, et al. Experimental Study on Diverter Transport Through Perforations in Multicluster Fracturing of Horizontal Well[J]. SPE Journal, 2022, 27(02): 971-985.

[3] Brown R W, Neill G H, Loper R G. Factors Influencing Optimum Ball Sealer Performance[J]. Journal of Petroleum Technology, 1963, 15(04): 450-454.

[4] Peng S, Xiao J-Q, Tian Y, et al. Coiled Tubing

Working Life Prediction Based on BP Algorithm of Artificial Neural Network [C]. IADC/SPE Asia Pacific Drilling Technology Conference and Exhibition, 2012: SPE-155878-MS.

[5] Baki S, Dursun S. Flowing Bottomhole Pressure Prediction with Machine Learning Algorithms for Horizontal Wells[C]. SPE Annual Technical Conference and Exhibition, 2022: D021S038R004.

[6] Wang J, Singh A, Liu X, et al. Efficient Prediction of Proppant Placement along a Horizontal Fracturing Stage for Perforation Design Optimization[J]. SPE Journal, 2022, 27 (02): 1094-1108.

[7] Schnorr Filho E A, Lima N C, Franklin E M. Resolved CFD-DEM simulations of the hydraulic conveying of coarse grains through a very-narrow elbow[J]. Powder Technology, 2022, 395: 811-821.

[8] Shen Z, Wang G, Huang D, et al. A resolved CFD-DEM coupling model for modeling two-phase fluids interaction with irregularly shaped particles[J]. Journal of Computational Physics, 2022, 448: 110695.

[9] Li Y, Zou C, Berecibar M, et al. Random forest regression for online capacity estimation of lithium-ion batteries[J]. Applied Energy, 2018, 232: 197-210.

[10] Lin M, Su R, Chen G, et al. Compressive strength prediction of hydrothermally solidified clay with different machine learning techniques[J]. Journal of Cleaner Production, 2023, 413: 137541.

油田废液深度优化处理技术研究

宾　枚　刘书军　路　峥　陶应兵

（中国石油华北油田公司）

摘　要　通过对干化池废水进行分析，确定了水中悬浮固体、总铁、细菌以及离子等各项指标均严重超标，无法满足油田水处理的要求。为解决干化池废水对油田水处理系统的污染问题，优选了电化学工和石墨烯两种物理处理工艺，针对华北油田某处理站干化池废水，通过对两种处理工艺流程、处理参数的优化调整，确定了经过电化学、石墨烯处理后的采出水能够达到油田三级水质的要求，可以直接进入油田水处理系统。两种处理工艺无需加入化学药剂便可实现干化池废水的高效处理，具有无需化学药剂、处理效果稳定高效的特点，可以实现最大限度避免油区来水水处理系统的二次污染现象，实现油田良性循环发展。

关键词　油田干化池废水；电化学工艺；石墨烯工艺

随着油田注水开发的不断深入，油藏对注入水水质的要求越来越高，“精细注水”已经成为当前提高注水开发效果、提高采收率的关键技术和基本前提。但是，由于油田在压裂、酸化、试油、调驱以及水处理过程中的反冲洗等生产作业过程会生产大量的废液，这些废液经过干化池简单的沉降后会再次进入水处理系统，一方面造成采出水二次污染；另一方面增加水处理系统负担，使回注水无法达标；再一方面不达标水质回注后对油藏产生污染，影响油田开发效果。如何通过工艺及技术的改进和优化，最大限度提高水处理效果，改善回注水水质，成为油田注水开发工作亟待解决的问题。

1　干化池废水产生及特点

华北油田共有30余座废水池，油田在压裂、酸化、试油、调驱等生产作业过程中产生的大量采出水及其废液成分复杂，含油量高，颜色重，水质不稳定。

1.1　干化池废水成分分析

由表1和表2可知，干化池废水各项指标均超标严重，最高超标情况：含油446倍；悬浮固体最高108倍；总铁最高90倍；SRB 108倍；且矿化度高，水样pH为6.0~6.5，呈酸性，易腐蚀，钙离子含量较高，易结垢。因此，若干化池废水直接混入水处理系统，会造成沿水处理流程水质的二次污染。

表1　典型站场干化池废水关键成分分析–含油、悬浮固体、总铁、细菌分析结果

典型站场	水质级别	含油/(mg/L)		悬浮固体/(mg/L)		总 Fe/(mg/L)		SRB/(个/mL)	
		指标值	测试值	指标值	测试值	指标值	测试值	指标值	测试值
A站	五级水	≤50.0	978.6	≤30	129.21	≤0.1	0.45	≤25	2.5×10^4
B站	三级水	≤15.0	1409.9	≤5.0	332.82	≤0.1	9.66	≤25	6×10^4
C站	三级水	≤15.0	895.3	≤5.0	213.50	≤0.1	1.88	≤25	2.5×10^4
D站	三级水	≤15.0	6696.0	≤5.0	104.21	≤0.1	6.34	≤25	2.5×10^4
E站	二级水	≤6.0	1267.5	≤2	112.83	≤0.1	0.57	≤10	6×10^3
F站	二级水	≤6.0	1107.7	≤2	125.96	≤0.1	3.72	≤10	2.5×10^4
G站	二级水	≤15.0	503.7	≤2.0	186.32	≤0.1	3.2	≤25	2.5×10^4
H站	二级水	≤5.0	253.2	≤2.0	217.12	≤0.1	0.9	≤10	13×10^2
I站	三级水	≤15.0	2275.5	≤5.0	132.56	≤0.1	2.14	≤25	2.5×10^9
J站	三级水	≤15.0	679.8	≤5.0	231.2	≤0.1	0.12	≤25	2.5×10^4

表 2　典型站场干化池废水关键成分分析-离子分析结果

序号	检测项目	典型站场干化池废水									
		A 站	B 站	C 站	D 站	E 站	F 站	G 站	H 站	I 站	J 站
1	OH^-含量，mg/L	未检出	未检出	未检出	未检出	未检出	未检出	未检出	未检出	未检出	未检出
2	CO_3^{2-}含量，mg/L	未检出	未检出	未检出	未检出	未检出	未检出	未检出	未检出	未检出	未检出
3	HCO_3^-含量，mg/L	226.6	461.4	163.6	243.5	419.0	193.9	75.3	86.8	116.3	65.3
4	Na^+含量，mg/L	9009.9	4130.9	11738.0	3407.9	4163.2	2649.8	19542.5	22551.5	30731.5	15029.5
5	NH_4^+含量，mg/L	未检出	未检出	132.5	未检出	48.3	21.8	未检出	未检出	未检出	未检出
6	K^+含量，mg/L	86.1	101.2	72.2	45.9	89.3	53.3	136.1	128.3	173.3	102.4
7	Ca^{2+}含量，mg/L	3302.3	1801.0	3615.0	1334.5	1700.6	491.0	6628.0	5829.2	9614.5	3687.4
8	Mg^{2+}含量，mg/L	123.6	147.9	99.9	5.2	146.6	16.7	193.2	480.2	173.9	157.2
9	Sr^{2+}含量，mg/L	71.3	64.0	63.0	40.8	68.1	49.0	83.8	86.3	82.1	71.2
10	矿化度，mg/L	33026.8	16369.9	41407.7	12319.4	16304.0	8325.2	67518.1	75870.8	106888.4	49320.9
11	pH 值	6.5	6.5	6.5	6.5	6.5	6.5	6.5	6.5	6.0	6.0

表 3　废水处理参数、指标要求以及代表站点

处理参数	采出水类型	处理前水平	代表站点	设计指标
含油	干化池废水	最高：7000mg/L 左右　平均：1500mg/L 左右	B、C、I	<200mg/L
悬浮固体	干化池废水	最高：1000mg/L 左右　平均：300mg/L 左右	D、H、I	<100mg/L
细菌	干化池废水	最高：9 次方数量级　平均：4 次方数量级	D、I	$n\times10^2(1<n<10)$
总铁	干化池废水	最高：30mg/L 左右　平均：3mg/L 左右	C、D、I	<1.0mg/L

通过分析各采出水处理站油区来水水质状况，其中含油量平均 222.18mg/L，悬浮固体含量平均 33.6mg/L，总铁含量平均 3.9mg/L，以及细菌含量平均 2 次方数量级，水质状况远优于干化池废水各项指标。

2　采出水及其废液处理工艺现状

对于不同驱油工艺产生的采出水均形成了相对应的处理工艺，目前油田采出水处理技术主要有物理法、化学法、物理化学法以及生物处理法（表 4）。

表 4　采出水及其废液处理工艺现状

项目	类别	优点	缺点
物理处理技术	气浮技术	对于处理油水密度≥0.05mg/L 的含油废水的分离效果最为明显。	去除效率较低。
	膜技术	可用于去除废水中 100um 以下的颗粒物质及油类物质。对油类物质去除效果较为明显，通常对乳化油、分散油和溶解油的去除率大于 90%。	浓差极化现象不稳定、膜污染；运行成本高。
	旋流分离技术	对于大于 10um 颗粒直径的油类及悬浮物质的去除效果为明显；	运行稳定性差、运行过程中易造成设备内磨损等缺点。
化学处理技术	混凝沉淀法	处理效果好	药剂耗量大(多与其它方法联用)
	化学氧化法	将废水中的有机物分解为微毒、无毒或与生物相容的物质	多与其它方法联用、处理能力单一

续表

项目	类别	优点	缺点
物理化学法	混凝法	通过与对其有强化作用的技术联用而形成新型混凝法，	多与其它方法联用、处理能力单一
	吸附法	去除废水中难以被其他方法降解的大量的有机污染物质	多与其它方法联用、处理能力单一
生化处理技术	好氧处理技术和厌氧处理技术	利用微生物的新陈代谢作用，将有机物等有毒物质转化为无毒物质，从而使废水得以净化。生物法与物理、化学方法相比具有效果好，成本低，易控制，无二次污染的特点，已经被广泛应用于生活废水和工业废水的处理中。	仍处于研究实验阶段，在工程实践过程中的应用较少。
电化学技术	/	1、不需要另外添加化学药剂，可减轻后续处理负担，避免二次污染问题。2、在处理废水过程中，集氧化、还原、相分离、杀菌等功能于一身。3、在常温、常压下即可运行，操作比较简单，设备占地面积小，运行费用低。4、既可以作为单独处理，又可以与其他技术相结合。	/
石墨烯技术	/	不需要另外添加化学药剂，吸附原理简单、费用低、处理效果好	/

目前油田采出水处理通常采用单级或多级沉降-(压力)过滤组合工艺，但是应用于废水处理后，往往会出现设备处理效果大大降低、处理时间延长、滤层易堵塞、药剂消耗量增大、污泥产生量增多等新问题。采取模块化、撬装式设计理念，根据不同区块采出水或作业废水的特点，可针对性的调选不同模块，提出可行的处理工艺组合建议。与物理处理技术、化学处理技术、生物处理技术相比，石墨烯和电化学技术均是较为清洁、安全、有效的环境友好型水处理方法。

2.1 电化学工艺

电化学技术在不添加任何化学药剂的条件下，通过脉冲破乳、预氧化、电凝聚、电微压气浮四种电极的共同作用，实现含油废水的除油处理(图1)。

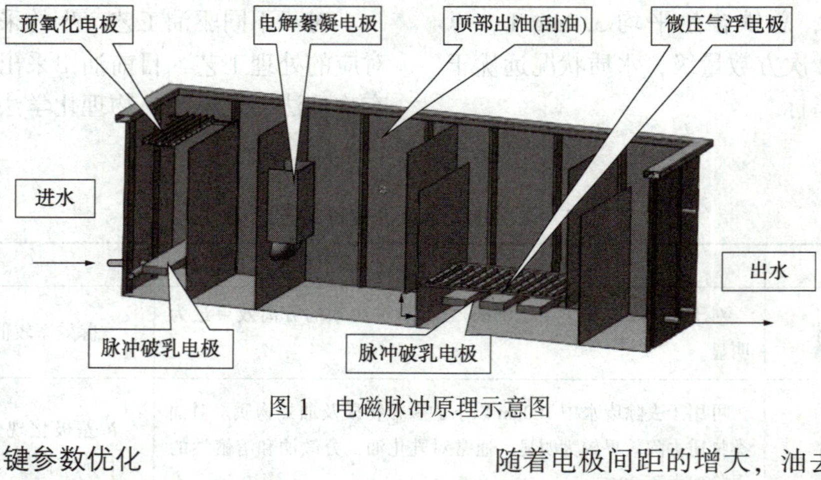

图1 电磁脉冲原理示意图

2.1.1 电化学关键参数优化

随着电流密度的增加，单位时间内通过的电量随之增加，反应提供的电子数就越多，反应速度加快，氧化能力增强，去除率迅速增加，但当电流密度达到一定值后，阳极产生的氯气和其它氧化性物质的利用率会降低，使得去除率变化不大。综合考虑去除率、电流效率、能耗等因素，将电流密度设定在20mA/cm^2(图2)。

随着电极间距的增大，油去除率逐渐降低，这是因为电极间距减小时，浓差极化的影响也减少，超电势随之降低，从而提高电流效率；在相同的电压下，电极间距越小，极间电阻越小，电容越大，电荷量与电场强度也将变大，电极所提供的反应电子数目增加，反应速度也就随之加快。因此，电极间距较小时，处理效果较好(图3)。

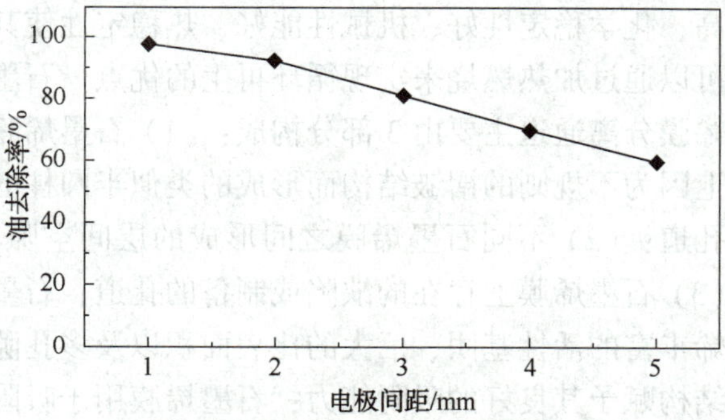

图 2　电流密度对水中油去除率的影响

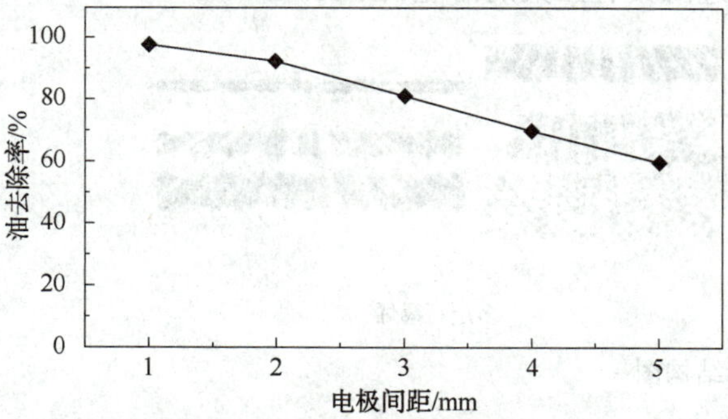

图 3　电极间距对水中油去除率的影响

废水中导电物质较多，含有 $CaCl_2$、NaCl 等可溶性无机盐、导电离子和有机物，因此在同样的电流下，可使槽电压降低，电流效率升高，所以氧化速度比较快。随着时间的延长，阳极的直接或间接的电催化作用，将导电离子氧化还原为一些不能导电的物质，从而使导电物质大幅度减少，氧化速度放缓，使电极的电流效率降低。水中油变化幅度逐渐趋于平缓。综合去除率和能耗等角度考虑，将电解时间确定为 20min(图 4)。

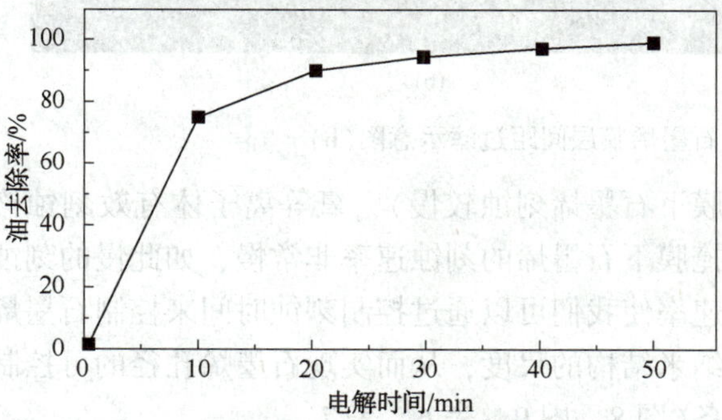

图 4　电解时间对水中油去除率的影响

2.1.2　电化学杀菌条件优化：

利用油田废水中含有较高浓度的 Cl^- 这一天然条件，通过直接催化电解废水，在阳极生成 Cl_2，进而生成 HOCl、ClO^- 等大量的活性氯成分，这些物质有强氧化性，可以有效地起到杀菌作用，通过氧化作用破坏细菌的酶系统，将细菌直接氧化成 CO_2 和 H_2O，从而不会使细菌产生抗药性。

余氯是衡量水质杀菌效果好坏的标准，恰当的余氯含量能有效抑制细菌繁殖。电解杀菌 2min 后，测试的余氯含量在 0.6～1mg/L，说明不但有可靠的杀菌效果，还有持续杀菌作用，当电解时间超过 4min 后，余氯含量迅速增加。为了把腐蚀程度控制在可接受范围内，将电解时间控制在 4min 之内(图 5)。

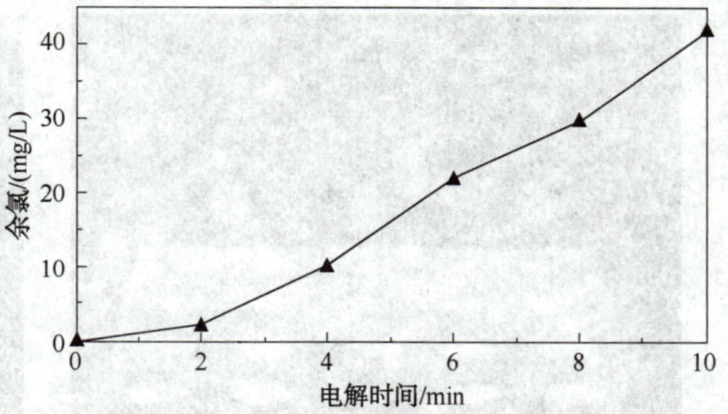

图 5　余氯随电解时间变化

干化池废水含油量处理前最高可达 7000mg/L，平均值为 1500mg/L，经过电化学技术处理后含油量降低到 200mg/L 以下；悬浮固体含量最高可达 1000mg/L，平均值为 300mg/L，经过电化学技术处理后含油量降低到 100mg/L 以下；含油最高去除率达 93.5%；悬浮固体最高去除率达 91.6%；含油量降低到 1.0mg/L 以下。电化学技术处理后细菌量降低到 2 次方以下(表 5)。

表 5　电化学杀菌效果

细菌(SRB) \ 典型站	A 站	B 站	C 站	D 站	E 站	F 站	G 站	H 站	I 站	J 站
处理前	2.5×10^4	6.0×10^4	2.5×10^4	2.5×10^4	6.0×10^3	2.5×10^4	2.5×10^4	13×10^2	2.5×10^9	2.5×10^4
处理后	6.0×10	6.0×10	2.5×10^2	6.0×10	2.5×10	13×10^2	2.5×10^2	6.0	13×10^2	6.0×10^2

综上所述，经过电化学技术处理后的干化池废水可以满足混入油区来水的指标要求。电化学方法处理油田采出水具有工艺简单、无二次污染、运行维护方便的优点，兼具气浮、絮凝、杀菌性能，尤其适用于微生物降解有毒污染物的去除，是目前国内外研究较为活跃的领域。

2.2 石墨烯工艺

膜处理工艺是一种具有广阔应用前景的工艺，科学家们针对膜的制备和材料研发开展了大量的研究工作，当务之急是开发膜通量大、膜性能好、抗污染的优良材料。石墨烯的出现，给水处理材料提供了新选择。石墨烯具有独特的平面结构，是由碳原子层组成的材料，碳原子以 sp^2 杂化形成正六边形芳香结构，具有超轻、亲油疏水、三维开放多孔结构、比表面积大、热传导率高、化学稳定性好、机械性能好、热稳定性使其可以通过加热燃烧来实现循环再生的优点。石墨烯膜分离通道主要由 3 部分构成：(1) 石墨烯膜上因为不规则的褶皱结构而形成的类似半圆柱的孔道；(2) 不同石墨烯膜之间形成的层间空隙；(3) 石墨烯膜上存在的缺陷或制备的孔道；石墨烯丰富的活性基团、巨大的比表面积以及多孔隙结构赋予其良好的吸附能力；石墨烯膜用于吸附过滤具有巨大的潜能(图 6，图 7)。

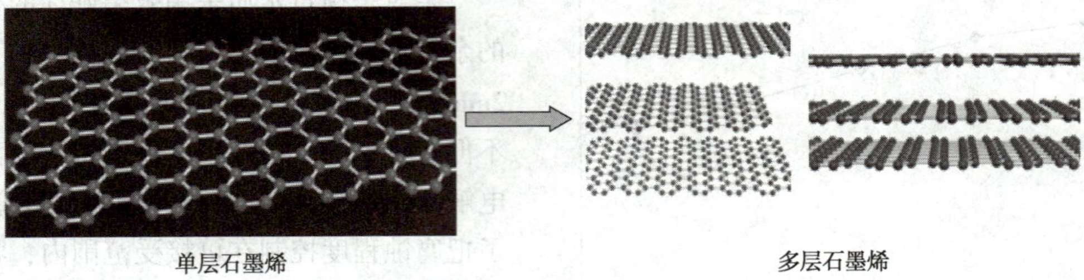

图 6　石墨烯结构图

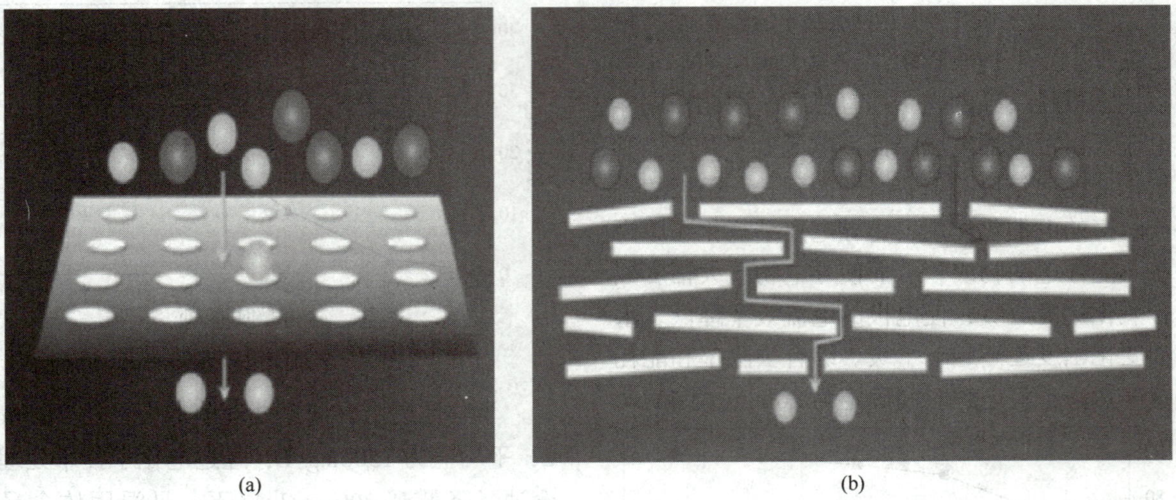

图 7　石墨烯膜孔道过滤示意图(a)；石墨烯膜层间距过滤示意图(b)

采用碳、氧、硅、金、碘、氙、钽、铬等不同质量元素的离子对石墨烯薄片进行轰击，可调节石墨烯薄片表面上纳米微孔的孔径大小。首先利用离子束刻蚀在 Cr 膜上实现大孔结构，然后利用氧等离子体刻蚀各向同性的特点可调节孔径(氧等离子体对 Cr 膜基本无刻蚀作用，且对 Cr 膜下石墨烯刻蚀较慢)，氧等离子体有效刻蚀铬掩膜下石墨烯的刻蚀速率非常慢，如此慢的刻蚀速率使我们可以通过控制刻蚀时间来控制石墨烯纳米结构的尺度，从而实现石墨烯孔径的可控制备(图 8，图 9，表 6，表 7)。

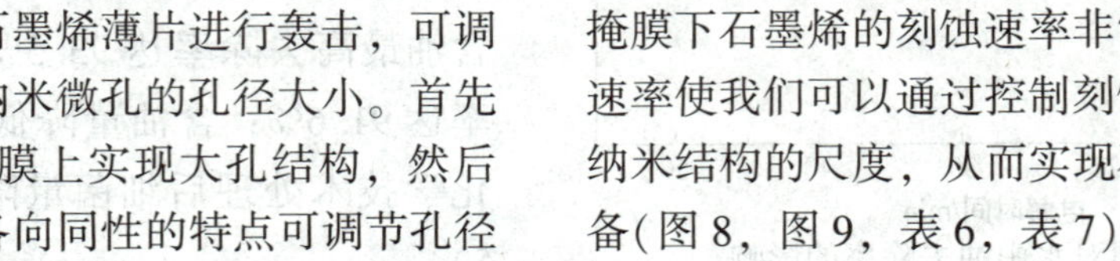

图 8　调节石墨烯孔径原理图

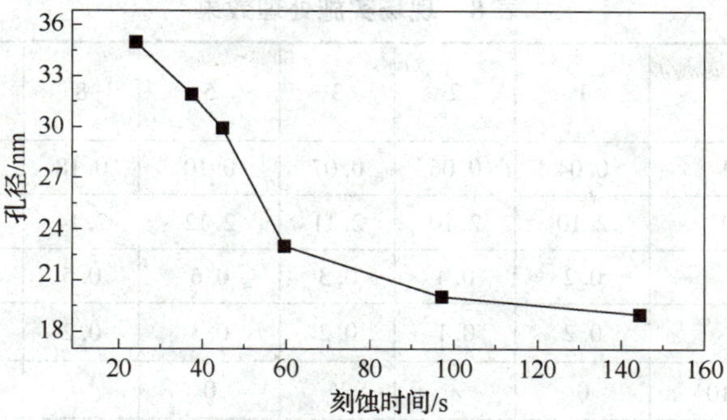

图9　石墨烯孔径随刻蚀时间变化曲线

表6　石墨烯含油悬浮物总铁去除效果、矿化度降低效果

干化池	去除率/%			降低率/%
	含油	悬浮物	总铁	矿化度
1	94	86	69	36
2	97	82	74	33
3	86	90	97	32
4	99	80	63	29
5	100	100	99	49
6	100	91	97	29
7	82	89	82	40

表7　石墨烯杀菌效果

处理参数 / 采出水类型	细菌					
	处理前/(个/mL)			处理后/(个/mL)		
	SRB	TGB	IB	SRB	TGB	IB
采出水	1.3×10^3	2.5×10^2	5×10^1	0.6	6×10^1	0
油区来水	6×10^4	2.5×10^3	7×10^1	0	6×10^1	0
干化池	$>2.5\times10^5$	$>2.5\times10^5$	1.3×10^3	1.3×10^2	2.5×10^2	3

干化池废水经过石墨烯技术处理后含油量可降低到20mg/L以下；悬浮固体含量可降低到20mg/L以下；总铁含量可降低到1.0mg/L以下；三种处理参数最高去除率均高达99%。经过石墨烯技术处理后细菌含量可降低到2次方以下。石墨烯工艺应用于油田采出水的处理，该工艺采用纯物理活化技术，通过在过滤器内设置石墨烯膜，在使用过程中不添加任何化学药剂，达到悬浮物、胶体粒子、油及聚合物过滤去除的目的，可实现采出水的高效处理。

试验结果表明电化学工艺和石墨烯工艺对采出水及其废液的优化处理效果均能达到水质指标要求。

3　现场实施

华北油田某站干化池废水含油量高达653mg/L，悬浮固体含量高达520mg/L，总铁含量高达49mg/L，其各项指标远远高于油区来水水质指标；且该站干化池废水既有站内废水，同时还有站外废水，直接混入油区来水水处理系统，严重造成了沿水处理流程水质的二次污染，使油区来水部分关键指标出现反增现象，水质不达标。针对此问题，选择该站为现场中试代表站，处理流程为：干化池废水首先经过预处理，然后依次经过一级石墨烯和二级石墨烯滤膜，最后直接返回油区来水水处理系统(表8)。

表 8　现场实施处理效果

处理参数 \ 运行天数/d	0	1	2	3	5	8	12	17	三级水质要求
含油量/(mg/L)	653	0.04	0.06	0.07	0.10	0.18	0.19	0.22	≤15.0
固体悬浮物含量/(mg/L)	520	2.10	2.10	2.11	2.12	2.14	2.17	2.24	≤5.0
总铁/(mg/L)	49	0.2	0.4	0.3	0.6	0.5	0.9	0.6	/
Fe^{2+}/(mg/L)	8	0.2	0.1	0.2	0.3	0.2	0.2	0.3	/
SRB/(个/mL)	2.5×10^5	0	/	/	0	/	0	/	≤25
TGB/(个/mL)	$\geqslant2.5\times10^9$	13	/	/	13	/	13	/	$\leqslant n\times10^3$
IB/(个/mL)	2.5×10^5	0	/	/	0	/	0	/	$\leqslant n\times10^3$
平均腐蚀速率/(mm/a)	0.011	0.067	/	/	0.049	/	0.065	/	≤0.076
Cl^-/(mg/L)	6257	462	/	/	458	/	471	/	/
Na^+/(mg/L)	4093	184	/	/	196	/	195	/	/
Ca^{2+}/(mg/L)	500	13	/	/	14	/	18	/	/
Mg^{2+}/(mg/L)	28	0.1	/	/	0.3	/	0.6	/	/
矿化度	11645	1332	/	/	1401	/	1388	/	/

干化池废水经过处理后各项参数达到了油区来水水质要求，且满足三级水质要求，石墨烯工艺应用于油田干化池废水的处理后，稳定了采出水处理站水区的来水水质，确保水处理工艺的平稳运行；满足环保要求，对油田良性发展具有积极的意义。石墨烯工艺采用纯物理活化技术，通过在过滤器内设石墨烯膜，在使用过程中不添加任何化学药剂，达到悬浮物、胶体粒子、油及聚合物过滤去除的目的，且结构简单，占地面积小，便于售后和维修，石墨烯短期处理效果较好，使用寿命和再生周期等还得进一步实验考察。

4　结论

基于全因素分析法分析了干化池废水成分，结果表明：含油量、悬浮固体含量、总铁含量、细菌以及离子等各项指标均严重超标；优选电化学工艺和石墨烯工艺进行实验条件优化，开展了室内效果评估试验，两种方法处理后采出水均可达三级水质要求，无需加入化学药剂便可实现采出水的高效处理，具有无需化学药剂、处理效果稳定高效的特点，建立了干化池废水处理技术，可以实现最大限度避免油区来水水处理系统的二次污染现象，实现油田良性循环发展。

参　考　文　献

[1] 张逢玉，姜安玺，吕阳．油田采出水处理技术与发展趋势研究[J]．环境科学与管理，2007，32(10)：66-68.

[2] 贾剑平，浅谈电化学技术在油田污水处理中应用与发展[J]．工业设计，2011，124.

[3] 王翠，史佩红，杨春林，等．电化学氧化法在废水处理中的应用[J]．河北工业科技，2004，21(1)：49-53.

[4] 陈清，韩庆．石墨烯膜在水处理中的应用[J]．应用化学，2018，35(3)：299-306.

[5] 王学川，魏菲，李季．多孔体形石墨烯的构筑及其在水处理中的应用研究进展[J]．陕西科技大学学报．018，36(5)：14-22.

[6] 张慧珍，李金涛，吕文刚，等. 石墨烯纳米结构的制备及带隙调控研究[J]．物理学报，2017，6(21)：21730.

连续油管长水平井作业下入极限分析技术研究及应用

于志军　汤清源　王文军　徐云喜　杜宇成　梁　杰　郭　伟

（中石油江汉机械研究所有限公司）

摘　要　随着连续油管技术在川渝地区页岩气开发领域大规模应用，水平井/长水平井数量越来越多，作业前下入极限深度的准确分析，对作业方案设计意义重大。本文基于流固耦合与摩擦力学理论，以水平井从井口到井底整个部分为研究对象，将连续油管沿井眼轴向方向划分为直井段、造斜段、水平段与工具串段，充分考虑井眼轨迹、连续油管重力、连续油管与水平井壁面接触力、循环流体黏滞力、流体摩阻力及其各井段受力特点，建立了连续油管在水平井各段下入过程中与流体相互作用的载荷计算模型，基于模型开发算法并验证，结果表明本算法计算结果与实际数据符合性较好，对现场作业指导作用明显。

关键词　连续油管；水平井；下入极限；管体轴向力

随着川渝地区页岩油气资源开发逐步深入，连续油管技术在水平井、大位移井等工程领域应用愈加广泛。在水平井作业过程中，相较于传统油管，连续油管刚度较低，随入井深度增加，连续油管所受管壁接触力与摩擦力相应增加，导致连续油管轴向载荷增大，易发生弯曲变形，产生自锁，难以继续通过连续油管向下传递作用力，无法达到制定位置，无法达到作业目的。因此，现场作业前，常分析计算连续油管水平井作业时的最大下入深度，并将此参数作为方案设计的关键指标。NOV 等国外石油公司已开发了下入深度预测软件，但由于其软件标识语言、计算单位制、工程习惯、使用培训等差异，给国内施工设计人员的使用带来一定困难，而国内相关专业软件较少、操作复杂、功能单一。鉴于上述现状，笔者结合国内油田现场工程习惯，开展连续油管水平井下入深度分析技术研究，并开发了相关算法软件。该软件依据水平井井眼轨迹、作业参数，实现连续油管作业过程中的载荷、下入深度计算。经现场应用数据验证，分析结果准确，对现场作业指导作用明显。

1　连续油管下入性分析

根据水平井结构特点，将连续油管沿井眼轴向方向划分为垂直段、造斜段、水平段和工具串段四段如图 1 所示，由于受到井眼轨迹、黏滞阻力、环空流体摩阻力、流体相互作用机理等因素的影响，不同井段连续油管受力方式与受力情况均不同。利用微元段分析方法分析管体受力，则垂直段、造斜段及水平段连续油管可以离散成 $n-1$ 个微元段。对其进行力学分析前首先做如下假设：(1)工具串段与水平段与井壁连续性接触；(2)忽略井壁变形对连续油管受力的影响；(3)连续油管在各井段微元接触摩擦系数为定值；(4)不考虑下入作业振动对流体产生的影响；(5)计算节点之间温度与压力线性插值。

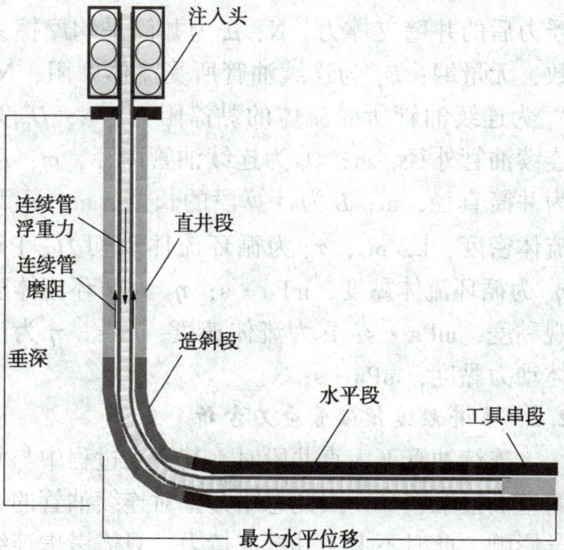

图 1　连续油管下入全井结构图

2　计算模型建立

2.1　流道内流体作用综合摩擦阻力分析

连续油管下入作业时，当其大面积接触壁面时，存在较大摩擦阻力，且井筒内循环流体对连续油管产生流体摩阻，由于流体存在粘性会产生黏滞阻力，同时连续油管还会受其浮力作用，综合考虑上述影响，对连续油管微元段的摩阻进行分析如下(图2)：

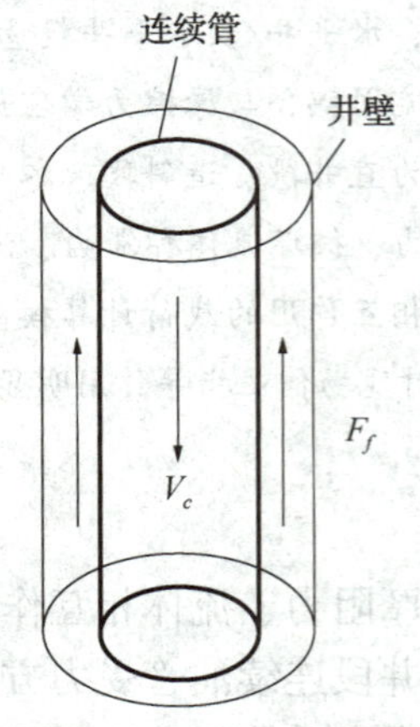

图2　连续油管受环空流体摩阻

$$F_{\rm f}=\mu N+F_{\rm w}+F_{\rm v} \tag{1}$$

其中：

$$F_{\rm w}=\pi D_0 L\left[\tau_0+\left(\eta_{\rm p}\frac{\rho_{\rm L}g}{4\eta_{\rm v}}D_{\rm c}-D_0\right)\right]+\pi D_i L\left(\tau_0+\eta_{\rm p}\frac{\rho_{\rm L}g}{4\eta_{\rm v}}D_i\right) \tag{2}$$

$$F_{\rm v}=8\pi\eta\upsilon L \tag{3}$$

式中，$F_{\rm f}$ 为连续油管的摩阻，N；N 为考虑浮力后的井壁支撑力，N；μ 为井筒平均摩擦系数，无量纲；$F_{\rm w}$ 为连续油管所受流体摩阻，N；$F_{\rm v}$ 为连续油管所受流体的黏滞阻力，N；D_0 为连续油管外径，m；D_i 为连续油管内径，m；$D_{\rm c}$ 为井筒直径，m；L 为计算段的长度，m；$\rho_{\rm L}$ 为流体密度，kg/m^3；τ_0 为循环流体动切力，Pa；$\eta_{\rm p}$ 为循环流体黏度，mPa · s；$\eta_{\rm v}$ 为循环流体表观黏度，mPa · s；υ 为流体速度，m/s；η 为流体动力黏度，mPa · s；

2.2　直井段连续油管受力分析

连续油管下入直井段时，其下入过程中与井筒壁面接触较少，因此忽略井壁对连续油管的力学影响，此时不考虑井壁支持力，只需考虑连续油管自重、环空流体摩阻力及黏滞阻力的作用，取垂直井段内连续油管微元段受力分析，如图3所示。

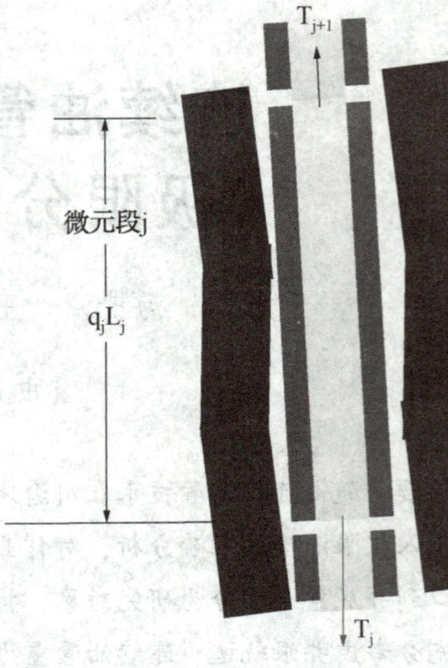

图3　直井段的连续油管受力

$$T_{\rm j+1}=T_{\rm j}+q_{\rm j}L_{\rm j}+F_{\rm f} \tag{4}$$

式中，$T_{\rm j+1}$、$T_{\rm j}$ 分别为连续油管微元段上下面所受到的轴向力，N；$q_{\rm j}$ 为连续油管的线重，N/m；$L_{\rm j}$ 为连续油管微元段长度，m。

2.3　造斜段连续油管受力分析

连续油管到达造斜段时，由于井眼轨迹弯曲，且井筒为刚性，此时连续油管与井壁接触面积增大，导致摩擦阻力增加。连续油管段随着井眼的弯曲，此时与直井段受力相比需考虑井斜角参数影响，基于连续油管与循环流体的相互作用机理，综合分析连续油管与井壁接触的摩阻力和循环流体产生的环空摩阻力与黏滞阻力，取造斜井段的连续油管微元段受力分析，如图4所示。分析连续油管造斜段的力学平衡方程及弯矩平衡方程式：

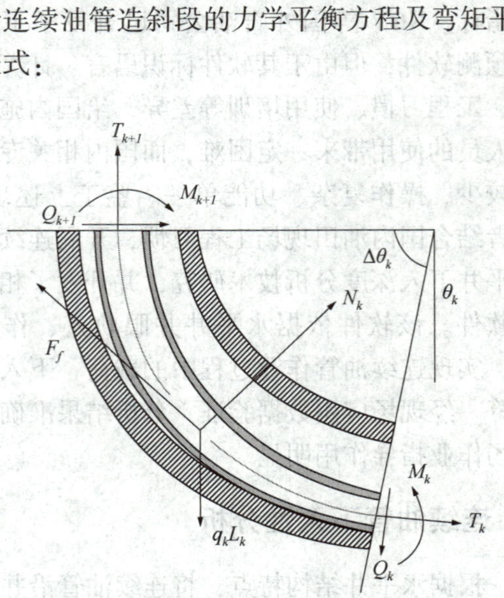

图4　造斜井段的连续油管受力

$$T_{k+1}\cos\left(\frac{\Delta\theta_k}{2}\right)+T_k\cos\left(\frac{\Delta\theta_k}{2}\right)\pm\mu_k N_k+F_f-Q_{k+1}\sin\left(\frac{\Delta\theta_k}{2}\right)$$

$$-Q_k\sin\left(\frac{\Delta\theta_k}{2}\right)-q_k L_k\sin\left(\frac{\Delta\theta_k}{2}+\theta_k\right)=0 \qquad (5)$$

$$T_{k+1}\sin\frac{\Delta\theta_k}{2}+Q_{k+1}\cos\frac{\Delta\theta_k}{2}-q_k L_k\cos\left(\frac{\Delta\theta_k}{2}+\theta_k\right)\rho_k$$

$$-Q_k\cos\frac{\Delta\theta_k}{2}+T_k\sin\frac{\Delta\theta_k}{2}+N_k=0 \qquad (6)$$

$$M_{k+1}-M_k+T_{k+1}\rho_k-q_k L_k\sin\left(\frac{\Delta\theta_i}{2}+\theta_k\right)\rho_k$$

$$-T_k\rho_k+(F_f\pm\mu_k N_k)\rho_k=0 \qquad (7)$$

$$\theta_k=\frac{\pi}{2}-\alpha_k \qquad (8)$$

$$\rho_k=\frac{\Delta\theta}{L_k} \qquad (9)$$

式中，N_k 为井壁对连续油管的支撑力，N；T_{k+1}、T_k 分别为连续油管微元段上下面所受到的轴向力，N；q_k 为连续油管在循环流体中的线重，N/m；L_k 为连续油管微元段长度，m；α_k、α_{k+1}为连续油管微元段截面的井斜角,°；μ_k 为连续油管与井壁的接触摩擦系数，无量纲；Q_k 为连续油管微元段截面的剪切力，N；M_k 为连续油管微元段截面上的弯矩，N·m；ρ_k 为弯曲段的曲率半径，m。

2.4　水平段与工具串段连续油管受力分析

在水平井段，工具串段视作刚体分析，其轴向力边界条件为井底钻压，基于流固耦合理论，取水平井段连续油管微元段进行受力分析，如图 5 所示。

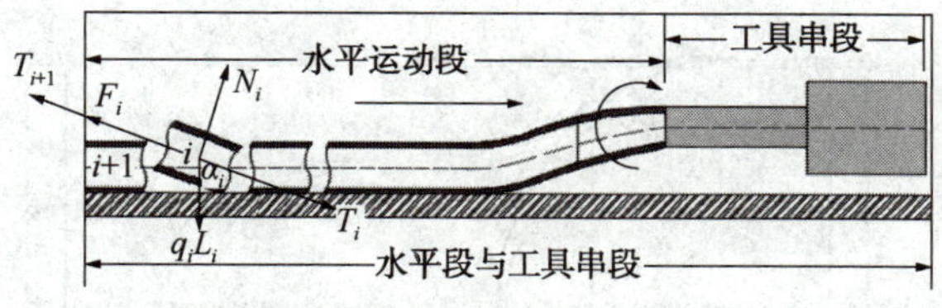

图 5　水平段与工具串段连续油管受力

$$T_{i+1}+F_f-q_iL_i\cos\alpha_i-T_i=0 \qquad (10)$$

$$N_i-q_iL_i\sin\alpha_i=0 \qquad (11)$$

式中，N_i 为井壁对连续油管的支撑力，N；T_{i+1}、T_i 分别为连续油管微元段上下面所受到的轴向力，N；q_i 为连续油管在循环流体中的线重，N/m；L_i 为连续油管微元段长度，m；α_i 为连续油管微元段井斜角,°。

3　模型求解

基于连续油管在水平井各井段的受力模型，综合分析连续油管作业轴向力、屈曲行为、流道压降、井场受力条件，采用差值法和迭代法对各段模型求解计算，其求解流程如图 6 所示。

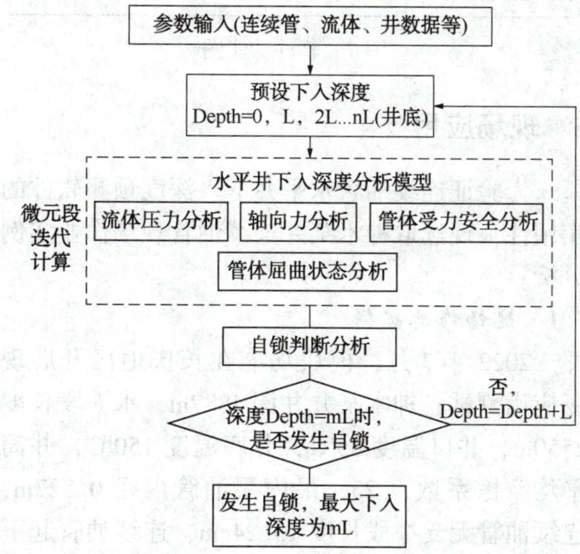

图 6　求解流程图

4　分析模块开发

基于模型及求解过程，开发连续油管水平井下入深度预测软件，采用可视化、向导式软件设计思想指导开发，做到软件界面友好性、良好的用户交互性、操作便捷性。软件主要由作业参数录入、计算结果输出等功能模块组成。作业数据录入模块主要包含连续油管参数录入、井身结构参数录入、工具串参数录入、流体参数录入。连续油管参数录入模块主要实现作业用连续油管的生产厂家、杨氏模量、最小屈服强度、最小抗拉强度、外径、分段数及每段长度、壁厚(若是锥形管，则需分别录入滚筒端及自由端壁厚)等属性数据的输入。井身结构参数录入模块主要实现生产井的深度、完井、测井及井筒摩擦系数等参数的录入。工具串参数录入模块主要实现作业用工具的长度、重量、内外径及特征信息(减租系数、压力降等)等属性数据的输入。流体参数录入模块主要实现生产井内、连续油管内流体属性数据的输入。计算结果输出模块可实现连续油管在水平井中下入深度计算结果的输出及图形化展示。具体软件功能如图 7 所示。

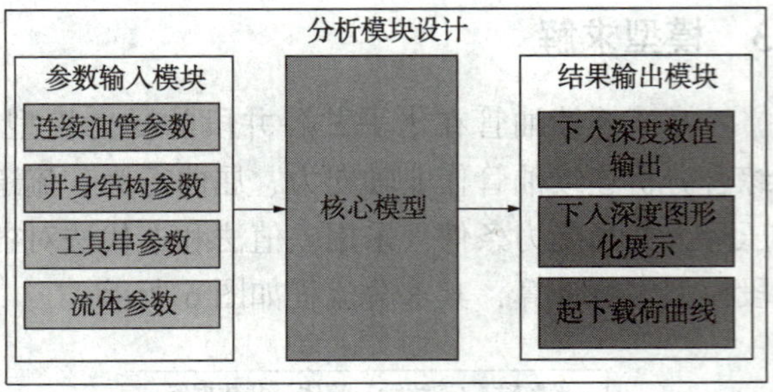

图 7　软件功能图

5　现场应用

为验证连续油管水平井下入深度预测软件的实用性，现选取神木某井连续油管现场作业实例分析。

5.1　现场作业数据

2022 年 7 月，模块功能在长庆地区开展现场应用测试，神木某井井深 4887m，水平段长度 2550m，井口温度 35℃，井底温度 150℃，井筒平均摩擦系数 0.25，最内层油管内径 0.227m，连续油管无支撑段长度 15.24cm，连续油管起下速度均为 12.14m/min，井口压力 0MPa，流体流速 159L/min，井内流体为清水。

5.2　参数录入与分析

作业用连续油管选用 QT90 型号等壁厚连续油管，外径 44.5mm、长度 6000m，其具体信息如表 1 所示：

表 1　作业用连续油管数据

序号	长度/m	自由段壁厚/mm	滚筒端壁厚/mm
1	400	3.175	3.175
2	507	3.175	3.175
3	490	3.175	3.175
4	593	3.175	3.175
5	796	3.175	3.175
6	790	3.175	3.175
7	736	3.175	3.175
8	801	3.175	3.175
9	887	3.175	3.175

完成软件中连续油管、井信息的录入，如图 8、9 所示：

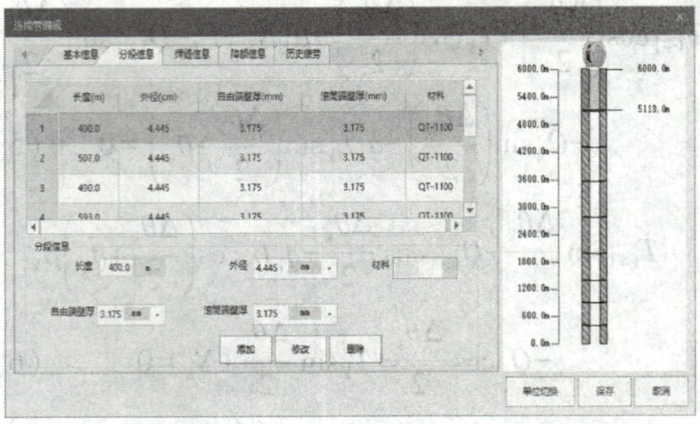

图 8　连续油管信息

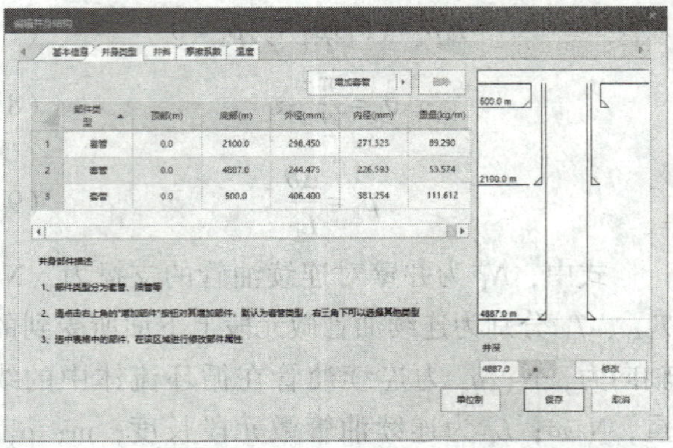

图 9　井信息

作业数据录入完成后，执行下入深度计算，显示在 3281m 发生锁死，如图 10 所示，其地面悬重计算如图 11 所示：

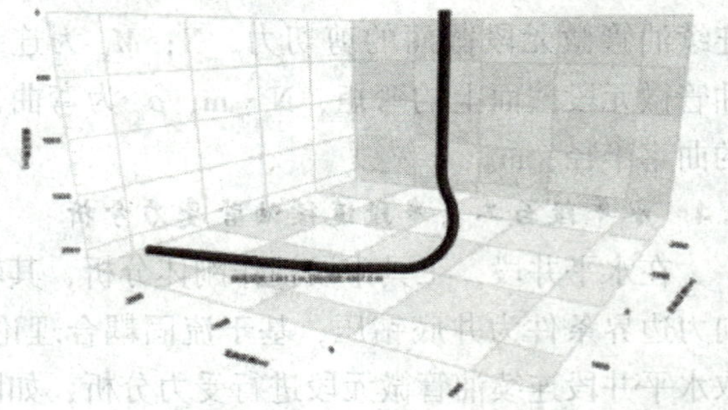

图 10　最大下入深度计算

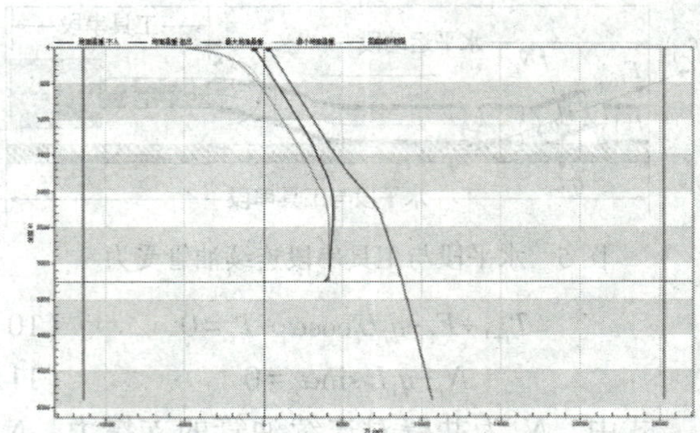

图 11　地面悬重计算

依据现场作业经验，使用减阻剂或水力振荡器可增加连续油管下入深度，使用软件模拟分析上述工况。

5.2.1　使用减阻剂增大下入深度

使用一定剂量的减阻剂后，可降低井筒内摩擦系数。现将软件中的摩擦系数修订为 0.20，达到模拟现场使用减租剂降低井内摩擦系数工况，软件计算得连续油管最大下入深度至 3539.9m 如图 12 所示：

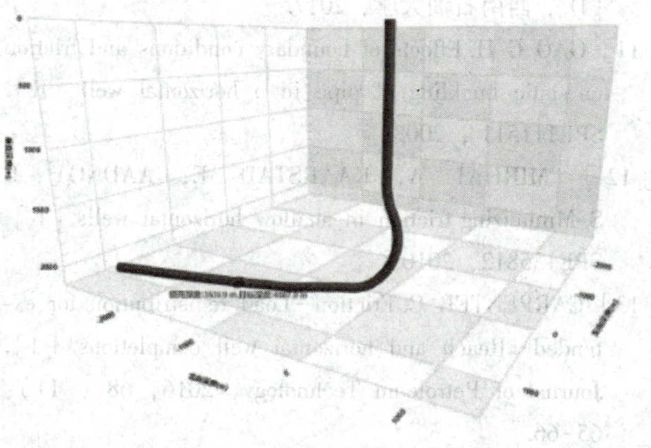

图 12　使用减阻剂后最大下入深度计算

5.2.2　使用水力振荡器增大下入深度

将软件工具串组件中增加水力振荡器，达到模拟现场使用水力振荡器工况。其工具参数为：水力振荡器重量 3kg、长度 1.31m、外径 0.73m、内径 2.54cm，振荡器减租系数 1.6kg/(L/min)，依据上述属性在软件中建模如图 13 所示：

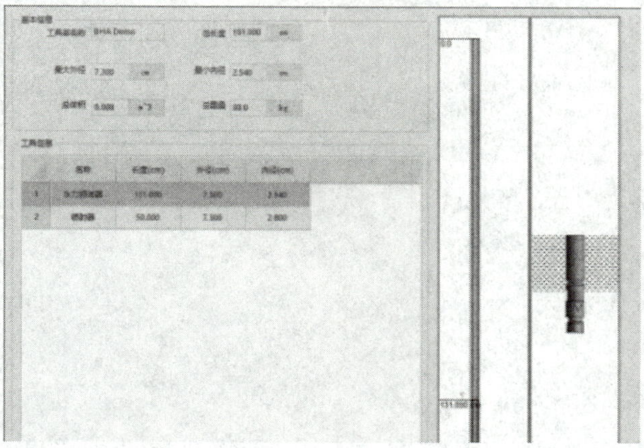

图 13　水力振荡器添加

建模完毕后，修订流体流速为 200L/min，执行下入深度计算，连续油管下至 4024.3m，如图 14 所示，其下入井底地面悬重计算如图 15 所示：

5.3　真实作业深度与对比

神木某井本次作业为冲砂工艺，最大目标深度 3500，工具串采用旋转喷头，作业真实与分析数据对比下表 2：

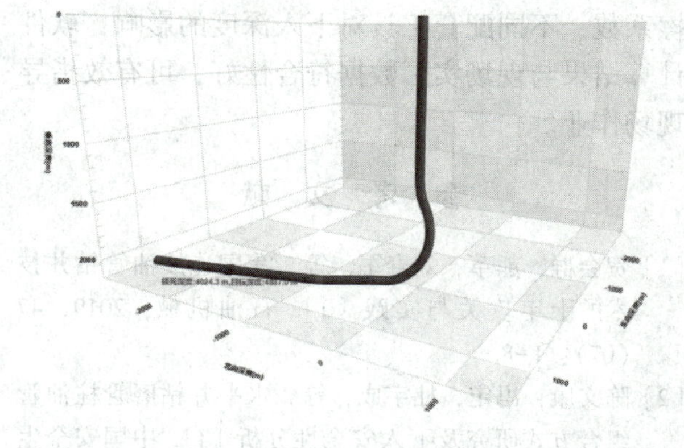

图 14　下入井底深度

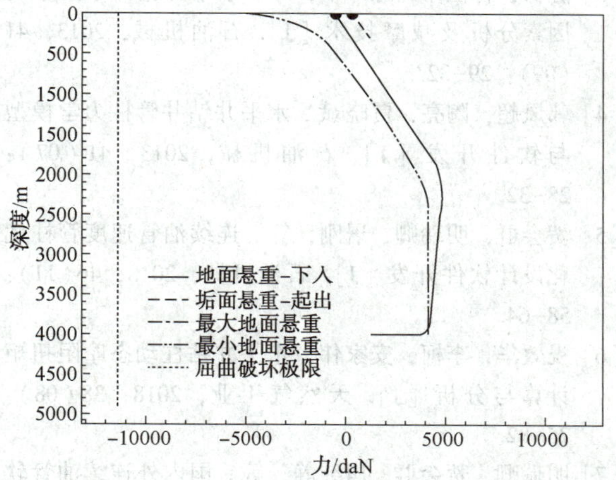

图 15　下入井底地面悬重计算

表 2　作业深度对比

	方案 1	方案 2	方案 3
工具串	旋转喷头	旋转喷头	旋转喷头+振荡器
流体	清水	清水+金属减阻剂	清水+金属减阻剂
分析下入极限深度/m	3281	3539.9	4024.3
真实下入深度/m：	3330.5	3500	—
误差 2	49.5m	39.9	—
	1.2%	1.1%	

6　结论

（1）本文针对连续油管水平井下入作业情况，基于流固耦合理论和微元分析方法，建立了连续油管在水平井直井段、造斜段、水平段及工具串段下入过程中与循环流体相互作用的载荷计算模型。

（2）运用差值法和迭代法求解模型，开发连续油管水平井下入深度分析模块，对比了不同摩擦系数、不同配套工具对下入深度的影响，软件计算结果与现场实际数据符合性好，可有效指导现场作业。

参 考 文 献

[1] 贺会群，熊革，刘寿军，等．我国连续油管钻井技术的十年攻关与实践［J］．石油机械，2019，47(07)：1-8.

[2] 陈文康，冯定，杜宇成，等．水平井钻磨管柱油管组合方式研究及下入安全性分析［J］．中国安全生产科学技术，2019，15(11)：43-49.

[3] 陈勇，蒋祖军，练章华，等．水平井钻井摩阻影响因素分析及减摩技术［J］．石油机械，2013，41(09)：29-32.

[4] 郭凤超，陶亮，贾晓斌．水平井钻井管柱力学模型与软件开发［J］．石油机械，2013，41(07)：28-32.

[5] 贺会群，明瑞卿，屠刚，等．连续油管速度管柱优化设计软件开发［J］．石油机械，2018，46(11)：58-64.

[6] 祝效华，李柯，安家伟．水平井钻柱动态摩阻扭矩计算与分析［J］．天然气工业，2018，38(08)：75-82.

[7] 明瑞卿，贺会群，唐纯静，等．国内外连续油管软件研究分析［J］．石油钻采工艺，2017，39(06)：771-780+794.

[8] 张杨．水平井套管摩阻计算与可下入性分析［D］．西南石油大学，2015.

[9] 秦永和，付胜利，高德利．大位移井摩阻扭矩力学分析新模型［J］．天然气工业，2006，(26)：77-79.

[10] 刘格宏．水平井多级压裂管柱力学分析及软件开发［D］．西南石油大学，2017.

[11] GAO G H. Effects of boundary conditions and friction on static buckling of pipe in a horizontal well［R］. SPE111511，2008.

[12] MIRHAJ A，KAARSTAD E，AADNOY B S. Minimizing friction in shallow horizontal wells［R］. SPE135812，2010.

[13] CARPENTER C. Friction-Load redistribution for extended-Reach and horizontal well completions.［J］. Journal of Petroleum Technology，2016，68(11)：65-66.

[14] 杜宇成，刘旭辉，陈文康，等．水平井钻磨组合管柱载荷计算方法与应用［J］．科学技术与工程，2019，19(30)：128-133.

[15] 陈文康，巨亚锋，杜宇成，等．基于水平井的修井作业组合管柱载荷模型研究［J］．石油机械，2019，47(10)：62-68.

[16] 秦星．页岩气水平井连续油管作业力学行为研究［D］．中国石油大学(北京)，2018.

潜山储层天然裂缝分布计算的损伤力学方法及实例

沈新普

[中国石油大学(北京)]

摘　要　由于潜山面岩石破碎程度较高、对地震波的吸收程度高，常规地震波方法经常难以识别潜山面以下的天然裂缝分布情况。为了解决这一问题，本文提出了结合连续介质损伤力学模型和有限元数值模拟的天然裂缝损伤力学识别技术，给出了目标区块潜山储层的天然裂缝分布损伤力学有限元三维数值求解流程。在计算过程中采用了岩石力学有限元三维区块模型模拟了区块内潜山储层先后经历的多期期造山运动及其产生天然裂缝的过程，从而得到了相应的天然裂缝分布三维数值结果。文中给出了两个工程应用实例，分别是辽河油田大民屯沈289井区的太古混合花岗岩古潜山储层和内蒙某地的断陷盆地大理岩等多种混合岩的潜山储层的裂缝分布情况。数值结果与已钻探及生产现象符合率90%。在数值结果指导下布置的新井已获得优良的原油日产量。

关键词　天然裂缝；潜山储层；造山运动；损伤力学

1　引言

潜山储层在我国华北、东北、环渤海湾及珠江口地区等区域有广泛的赋存，是目前致密油气藏开发的一个热点。对于潜山储层，由于只有在裂缝中才有油气存在，没有裂缝的地方就没有油气，因此准确地确定天然裂缝的分布位置就是开发潜山储层油气成功的关键因素。

利用地震波解释确定天然裂缝分布只能发现断距较大的天然裂缝。地震波解释对于断距小于10米的较小及次级天然裂缝破碎带的识别精度很低。又由于潜山面岩石破碎程度较高、对地震波的吸收程度高，常规地震波方法经常难以识别潜山面以下的天然裂缝分布情况，从而导致潜山储层勘探开发成本居高不下。采用损伤力学方法，通过有限元软件来模拟构造运动产生的天然裂缝分布，则不受天然裂缝断距的限制。因此，损伤力学方法识别潜山储层的天然裂缝是一个准确度较高的新技术方法。

岩石的损伤力学研究是固体力学的研究热点之一。潜山储层岩石属于准脆性材料：储层岩石地层中的裂缝一般以裂缝群的形式出现，而且天然裂缝的尺寸大小不同，既有百米级别的断层类的天然裂缝，也有毫米级别的细微裂缝。在工程中，岩石地层的天然裂缝一般以一定宽度的破碎带形式出现。断裂力学难以准确描述这种情况下材料的破坏行为，而损伤力学则是研究潜山储层岩石破碎现象理想的理论工具。

下面首先给出潜山储层天然裂缝分布预测计算的损伤力学方法计算原理和流程，然后给出两个工程应用实例，分别是辽河油田大民屯沈289井区的太古混合花岗岩古潜山储层和内蒙某地的断陷盆地大理岩等多种混合岩的潜山储层的裂缝分布情况。

2　计算原理和流程

潜山储层天然裂缝计算损伤力学方法技术流程如图1所示。

采用损伤力学有限元数值方法直接模拟造山运动、计算天然裂缝分布数值解的流程包括如下步骤：

（1）地质模型分析。结合资料进行沉积历史–地层形成顺序分析，建立区块内各地层的几何及力学属性。

（2）地层构造运动及应力场特征分析。根据地壳运动历史/造山运动中的主要事件，确定相应的位移量或应力场分布。这是一个迭代过程，需要根据后面的数值结果中损伤变量场分布和观测已知的天然裂缝差别信息来调整参数取值。

(3) 天然裂缝/断层破碎带有限元数值模型。采用地质力学数值计算工具模拟地层变形、采用损伤力学材料模型模拟天然裂缝/断层破碎带的形成与分布。

(4) 重点层位的子模型天然裂缝/断层破碎带计算。在重点层位，结合使用子模型技术来提高计算得到的天然裂缝/断层破碎带分布的数值结果的精度。

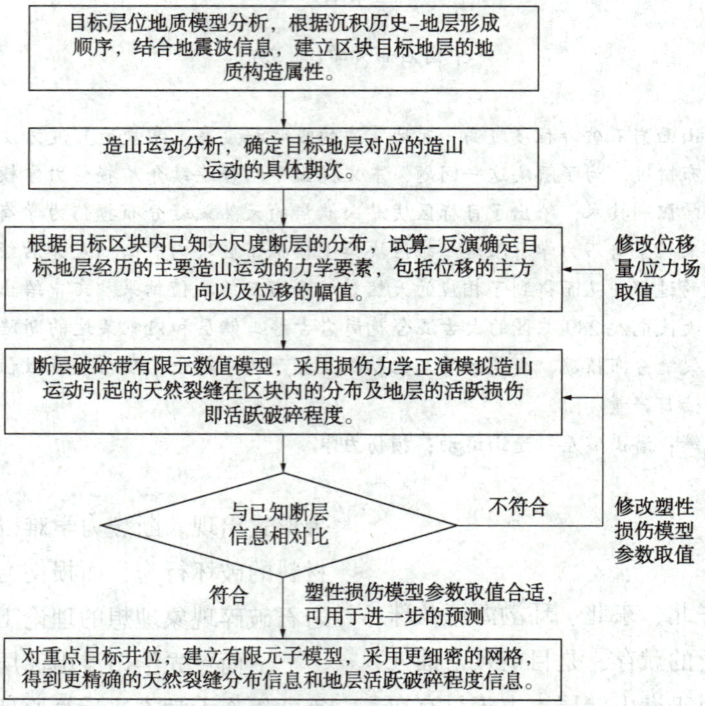

图 1　潜山储层天然裂缝计算损伤力学方法技术流程

(5) 区块有限元模型参数辨识。将得到的主要大尺度的裂缝/断层的位置规模数值结果与已观测发现的断层/裂缝的结果进行对比，根据对比结果来迭代修正模型参数至计算结果相符。这些参数包括载荷/边界条件模型参数和塑性损伤材料模型两大类的参数。

计算工作流程中的前 4 步实际上是建立地质力学损伤力学模型、进行模型参数识别、确定载荷和材料参数取值的过程。最后一步是应用经过标定的模型去预测天然裂缝 3 维分布情况。

本计算采用了文献介绍的损伤力学本构模型。这个模型采用了拉伸损伤 dt 和压缩损伤 dc 两个标量变量来代表材料的损伤演化机理。采用综合损伤变量标量 Sdeg 来综合表达 dt 和 dc 造成的材料破坏程度。相关的损伤力学模型参数包括损伤演化率和损伤起始准则的描述可见文献。模型参数取值是通过"试算-现象匹配"的方法来确定的。经过反复多次试算，潜山储层材料的损伤演化率的参数取值列于表 1 和表 2 中。

表 1　压缩损伤模型参数表

损伤值 dc	非弹性应变 Ei 的值
0	0
0.0034	0.00012
0.05	0.003
0.25	0.01
0.27	0.05
0.45	0.055
0.46	0.1
0.5	0.11
0.75	0.5

表 2　拉伸损伤模型参数表

损伤值 dt	非弹性应变 Ei 的值
0	0
0.1	5.00E-05
0.15	0.00015
0.7	0.0005
0.75	0.0015
0.9	0.002
0.905	0.5

3　太古混合花岗岩古潜山储层的天然裂缝分布损伤力学有限元计算

沈289潜山位于大民屯凹陷西部，南起沈253井，北至沈625井，东起沈166井，西至沈34井，面积约60km^2。由于潜山储层经历的构造运动期次多、构造复杂，其中天然裂缝分布非均匀程度高，导致准确定位潜山天然裂缝位置即油气藏甜点难度很大。潜山油气藏裂缝准确预测是当前潜山储层生产开发技术研究的难点和热点。目前区块内有多口已钻井，对目标区块大断层分布认识比较清楚，但对于断层之间的次级天然裂缝破碎区，由于其断距很小，地震波解释等基于断距的常规方法难以确定目标区块潜山储层内天然裂缝破碎区的平面位置和深度上的分布，所以需要采用损伤力学方法进行天然裂缝潜山储层空间分布预测。

图2给出了大民屯沈289井区地质模型潜山面位置及潜山储层的网格三维视图。为了简化计算，这个区块整体模型中没有包括软夹层。软夹层将在子模型中予以模拟。软夹层模型的深度位置是通过单井分析来确定的。

限于篇幅，这里直接给出得到的损伤变量场即天然裂缝破碎带分布的数值结果。

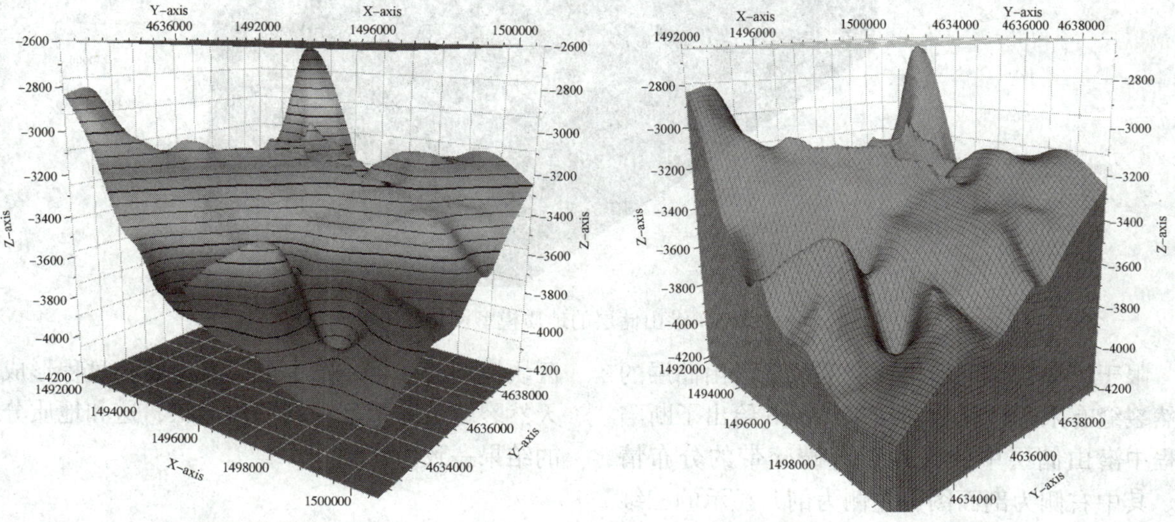

(a)目标区块潜山面三维显示　　(b)目标区块潜山面以下储层三维显示

图2　大民屯沈289井区潜山面位置及潜山储层的网格三维视图

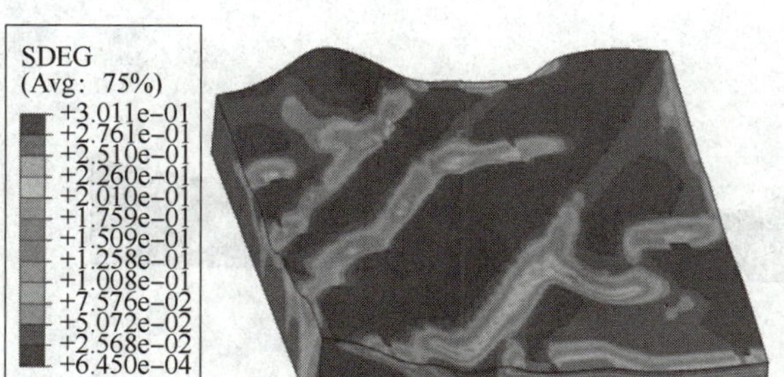

图3　区块模型潜山储层岩石损伤即破碎程度的三维云图

如图3所示为潜山面上的天然裂缝破碎区分布与已知大中断层的地震波解析结果相同。图4给出了潜山储层天然裂缝分布的三维切片显示，给出了在潜山面内部天然裂缝的详细位置分布。该结果不仅被现有井的钻井及生产情况证实，而且被新完成的新井的产量证实，符合率达到90%以上。

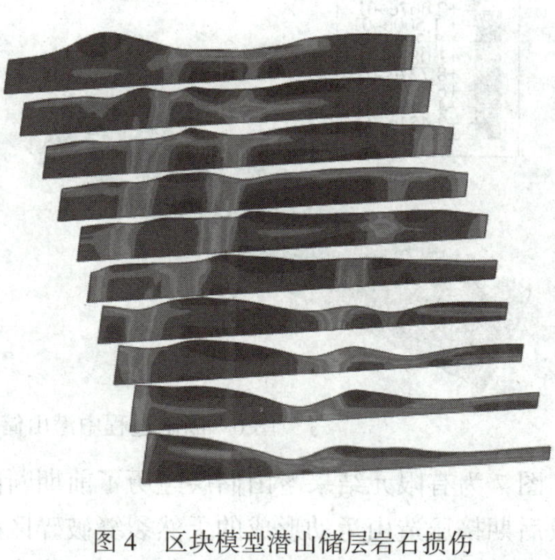

图4　区块模型潜山储层岩石损伤即破碎程度的三维切片云图

4　内蒙某断陷盆地潜山储层的天然裂缝分布损伤力学有限元计算

内蒙某断陷盆地潜山储层在石炭系三叠纪形

成，孤岛。中生界及之后伸展运动拉张断陷，再之后有来自喜马拉雅山的挤压及随后的伸展，形成现在的断陷盆地构造。潜山面上下的有些断层是联通的：断层穿过了潜山面及其上覆地层。潜山面岩石十分破碎，地震波难以穿过潜山面识别潜山储层中的天然裂缝分布。

如图 5 所示为目标区块潜山储层的地质模型网格。

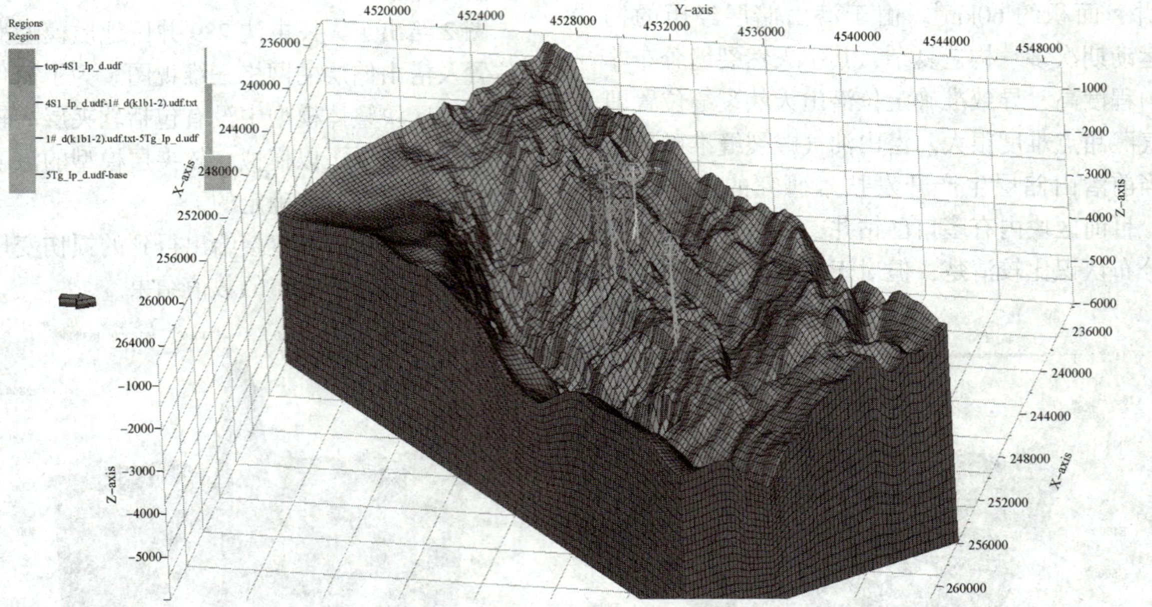

图 5　潜山储层的地质模型网格

限于篇幅，这里给出该断陷盆地潜山储层的天然裂缝有限元计算数值结果。图 6 给出了断陷过程中潜山储层中的天然裂缝破碎带的分布情况。其中右侧为剖面图，左侧为剖开显示的三维区块模型的一半。图中可以看出断陷过程形成的天然裂缝破碎带呈现倒三角形状，这和地质分析的结果一致。

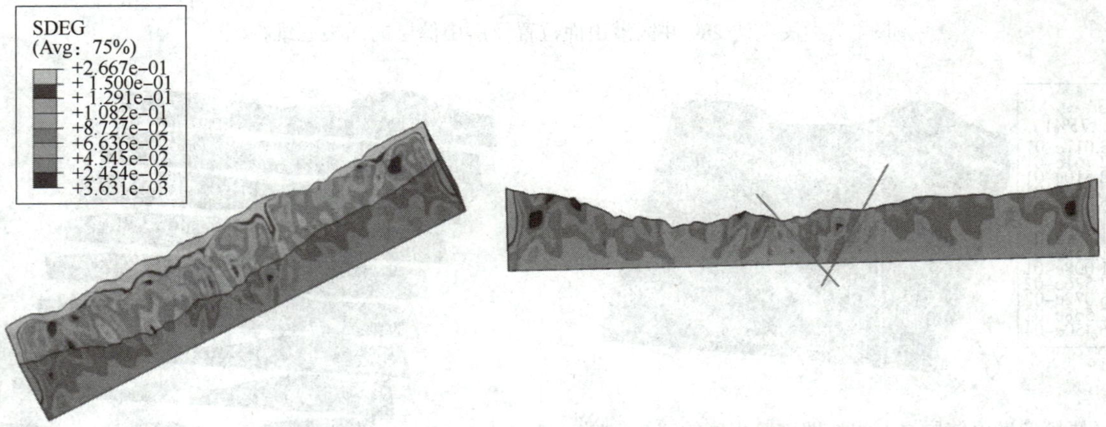

图 6　断陷过程中潜山储层中的天然裂缝破碎带的分布情况

图 7 为有限元结果潜山储层经历了前期断陷以及后期挤压造山运动形成的天然裂缝破碎区的分布。与基于地震波的解析结果相比，损伤力学数值解清晰地给出了储层内天然裂缝破碎带的位置分布。该结果已经被已钻井的原油生产曲线证实。

5　结束语

本文使用连续介质损伤力学模型和有限元数值模拟技术，给出了预测计算潜山储层中天然裂缝位置分布技术的工作流程，并给出了两个工程应用实例。

本文的研究结果表明：三维损伤力学模型和

有限元数值分析技术相结合，能较好地模拟造山运动造成的天然裂缝三维空间分布，包括裂缝分布的方位角、裂缝宽度、断层破碎程度、上下贯通程度等信息。损伤力学正演识别天然裂缝技术对于天然裂缝/断层落差较小、常规地震波等手段难以识别的区块来说尤其有用。

图 7　潜山储层天然裂缝破碎区的分布三维数值结果

参 考 文 献

[1] 张子璟．大民屯荣胜堡洼陷周边太古界潜山勘探潜力分析[J]．中国石油和化工标准与质量，2018，38(13)：121-122.

[2] 张子璟．大民屯凹陷前进潜山断裂输导体系特点分析[J]．中国石油和化工标准与质量，2017，37(15)：90-91.

[3] 陈显举．叠前叠后地震属性在大民屯潜山裂缝预测的综合应用[D]．中国石油大学(北京)，2016.

[4] 陈妍．辽河盆地大民屯凹陷前进构造带储层特征和油气控制因素研究[D]．长江大学，2016.

[5] 孟卫工．断陷盆地复杂斜坡带油气分布与成藏规律研究[D]．西南石油大学，2006.

[6] 孟卫工，陈振岩，李湃．潜山油气藏勘探理论与实践：以辽河坳陷为例[J]．石油勘探与开发，2009，(2).

[7] 侯秋平．基于叠前弹性参数反演的花岗岩储层预测研究[D]．成都理工大学，2017.

[8] 沈新普；杨璐，混凝土损伤理论及试验[M]．科学出版社，2009.4，北京，第一版.

[9] Dassault Systèmes Simulia Corp. Abaqus user’s manual, Vol. 2：Analysis，Version 6. 10[M]．Dassault Systems：Vélizy – Villacoublay，France，2010，10.2.1 – 1 – 10.2.3-10.

注水开发区地层压力模型研究与应用

李　洋[1]　夏　雪[1]　任　莉[1]　杜春琬[2]　赵乃鹏[3]　刘湘龙[4]　徐　洁[1]

（1. 中国石油集团测井有限公司；2. 大庆油田有限责任公司；
3. 大庆油田天宇设计有限责任公司；4. 中国石油集团大庆钻探工程公司）

摘　要　本文针对油田注水开发形成的高压层段，从测井解释理论入手，通过应用测井曲线，分析总结异常孔隙压力形成的原因，得出异常高压层地层、欠压地层、常规压力地层在测井曲线上的响应变化和曲线形态变化特征；优选声波、自然电位、微电极等测井曲线，通过理论与统计技术相结合，建立了多参数计算地层压力模型；模型计算结果和实测地层压力数据对比，绝对误差±0.99MPa。对比验证结果显示，本文建立的地层压力模型精度较高。通过地层压力的准确获取，既可以监测区域地层压力平衡状态，也可以为注采方案及时调整，提供可靠数据依据；同时对控制全生命周期的固井质量，以及套损预测预报也有利。

关键词　注水开发；响应特征；孔隙压力；套损判断

1　引言

某油田是多油层、非均质砂岩油田，各类油层在平面、层内和层间都存在着很大的差异。油田常年注水注聚开发，形成高压层段，而上部地层疏松、承压能力低，井筒内高压和易漏失层共存，在钻进过程中容易发生井控失控的风险。准确的地层孔隙压力(简称地层压力)预测，对钻井安全作业、油气运聚方向判断、勘探开发有利区域选择等至关重要。前期研究还发现，注水区固井质量与地层压力也具有一定相关性，而且区域地层压力升高或不平衡状态，也是导致套损的诱因之一。通过大量的信息及数据收集分析，认为测井曲线能够反映储层孔隙压力的变化，为了提高解释精度，满足油田挖潜的需要，利用多种测井曲线，建立新的地层压力计算模型，具有非常重要的地质意义。

目前国内外求取地层压力的经典模型主要是等效深度法和 Eaton 法，这两种方法均是基于建立正常压实趋势曲线为基础，不太适用于非泥岩的其它地层，以及井况更复杂的注水开发地层。本文从测井解释理论入手，通过应用测井曲线，分析总结异常孔隙压力形成的原因，得出异常高压层地层、欠压地层、常规压力地层，在测井曲线上的响应变化和曲线形态变化特征；优选声波、自然电位、微电极等测井曲线，通过理论与统计技术相结合，建立了多参数计算地层压力模型。

地层压力计算模型的建立，对水淹层解释、油田区块开发生产有着积极的作用。通过分析小层压力数据，可了解油水运动规律，注水效果，寻找低水淹区和剩余油区。地层孔隙压力预测方法的研究，还可用于固井质量控制、套损预测，为防治套损提供数据依据。

2　注水开发区异常地层压力的产生原因

在岩石正常压实情况下，上覆地层压力主要由岩石颗粒支撑，流体不承受额外压力；当沉积物在后来负荷作用下，逐渐下沉、压实，地层流体压力明显大于地层静水压力时，就产生了异常高压带，同时泥岩表现出高孔隙度和欠压实的特点。

2.1　高压异常层形成的原因

目前某油田已处于高含水后期，好油层全部水洗。为合理开发中低渗透、薄差层，实行高压注水。由于地层岩性尖灭、断层遮挡等地质原因，造成一些层不能泄压，或者在侧向岩压低的构造轴部、断层发育区的上部产生裂缝，从而构成高压异常层。

（1）砂岩层注采不平衡的影响

（2）砂岩层平面分布形态的影响

（3）砂岩层平面上岩性变化的影响

（4）砂岩层平面上厚度变化的影响

（5）砂岩层断层遮挡的影响

图1为＊＊1井的压力变化图与测井曲线图。该井深度1147.6~1166.8米，地层压力在15.8~17.1MPa之间变化，该压力高于原始地层压力(静水柱压力12.0MPa左右)，显示地层为高压异常层。

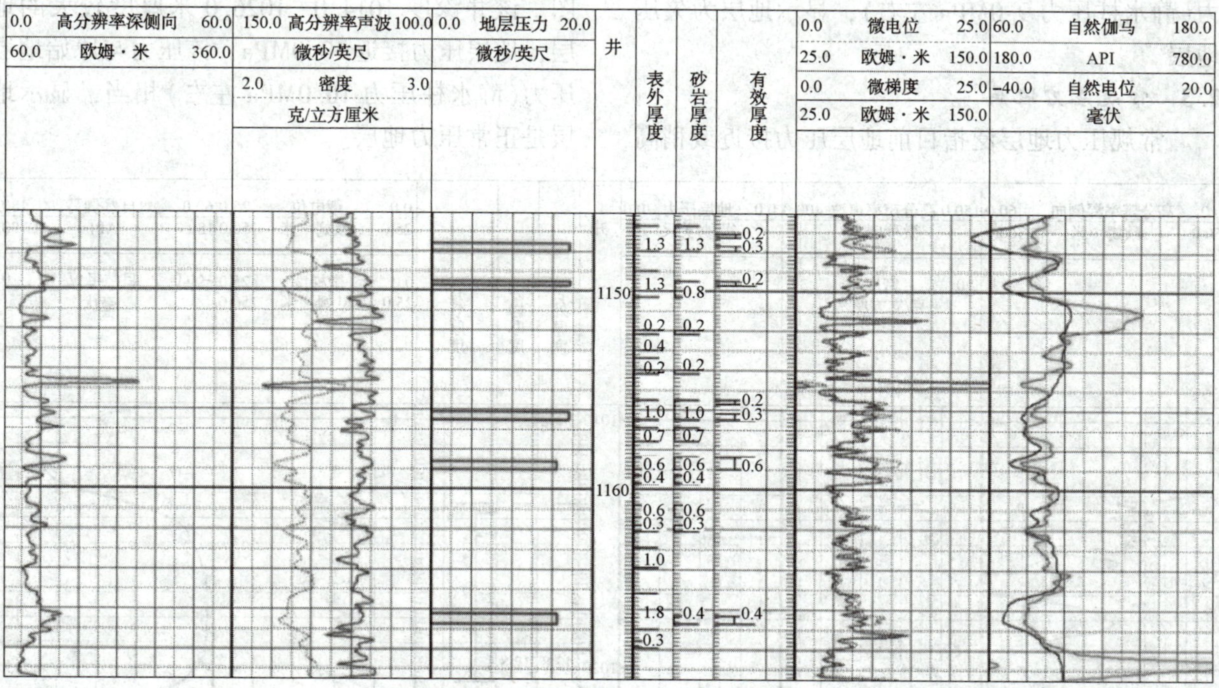

图1　＊＊1井测井曲线图

2.2　欠压层形成的原因

欠压地层通常岩性差，注水未见效且长期处于缺水采油状态，或者注采不完善，注入量少，采出量多，注采压差大，形成欠压地层，见图2。

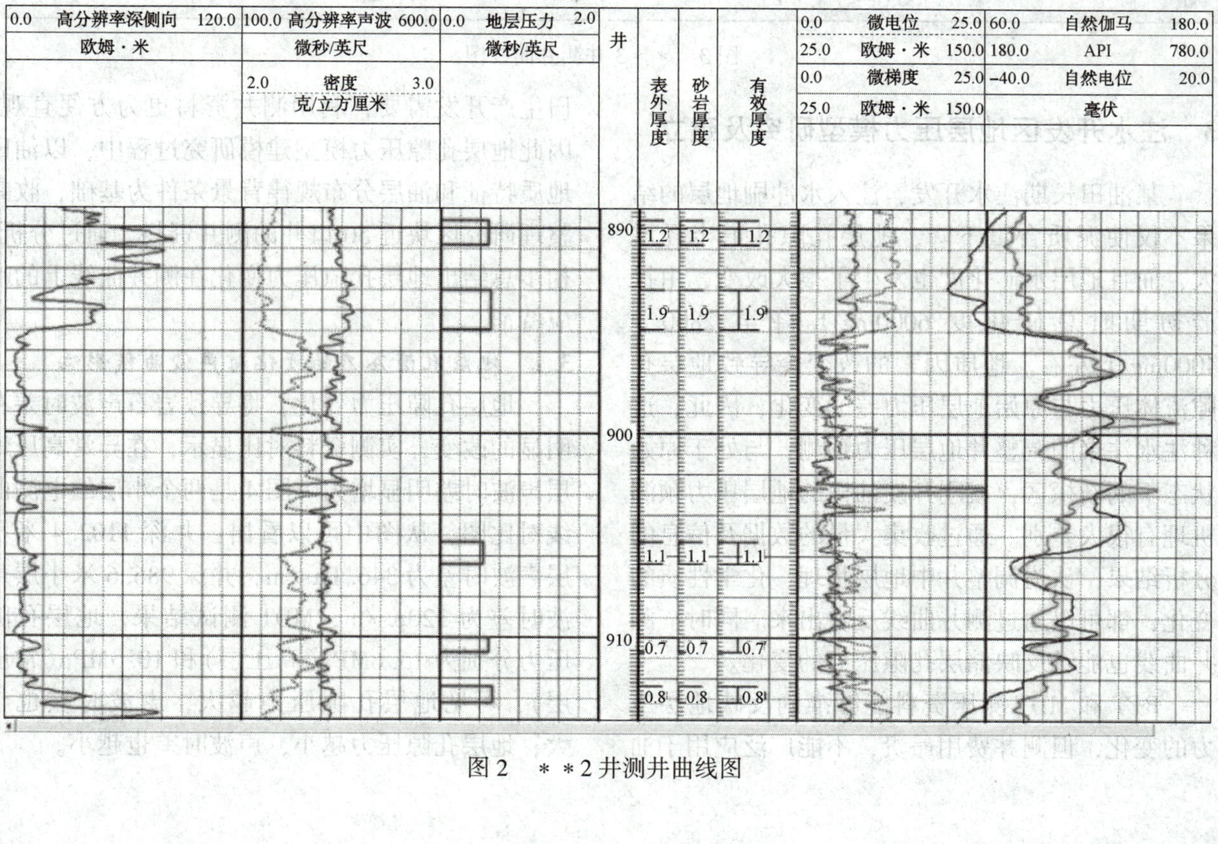

图2　＊＊2井测井曲线图

图2为＊＊2井的压力变化图与测井曲线图。该井深度890.0~913.5m厚层，地层压力在5.2~7.0MPa之间变化，该压力低于原始地层压力(静水柱压力9.0MPa左右)，显示地层为欠压地层。

2.3　常规压力地层

常规压力地层泛指目前地层压力接近或稍高于原始地层压力的地层。此类地层一般注采平衡、注水效果完善。

图3为＊＊3井的压力变化图与测井曲线图。该井深度1014.0~1026.0米厚度较大的地层，地层压力接近10.0MPa，该压力与原始地层压力(静水柱压力10.0MPa左右)相当，显示地层是正常压力地层。

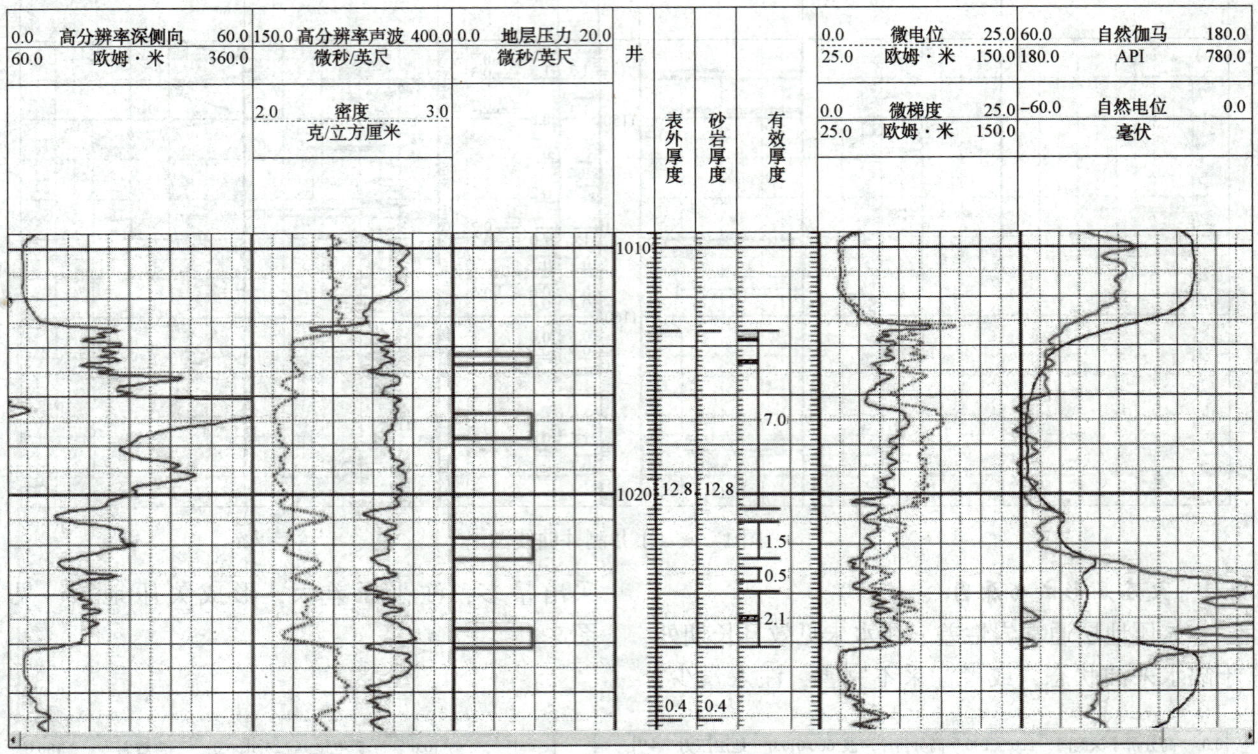

图3　＊＊3井测井曲线图

3　注水开发区地层压力模型研究及建立

某油田长期注水开发，注入水冲刷地层的结果不仅使泥质含量下降、地层孔隙孔道半径增大，而且地层水矿化度也发生了很大改变，由投产初期时总矿化度6000mg/L降至2800~4000mg/L左右。地质因素的改变会导致地层孔隙流体压力与原始地层压力差的变化，因此，这种注水注聚的调整井地层压力预测，与处于原始状态下的新探区，或刚开发油田的地层压力预测机理有很大差别。通过收集大量的数据及信息的分析结果，认为调整井中地层物理、化学性质的变化，都可以通过测井曲线反映出来。同时，测井曲线也能够反映储层孔隙压力的变化。

RFT和MDT测压资料能够准确反映地层压力的变化，但测井费用昂贵，不能广泛应用于油田生产开发需要，利用测井资料更为方便直观。因此地层孔隙压力模型建模研究过程中，以油田地质特征和油层分布规律背景条件为基础，收集整理研究区块近50口井的测井资料，通过分析，初步总结出地层孔隙压力变化在测井曲线上的响应特征。

3.1　地层孔隙压力的变化对声波曲线影响

地层孔隙压力变化，将导致岩石声波时差有明显的改变，实测资料对比显示，在异常高压地层声波时差明显增大。图4是两个小层的电测曲线对比图，从图中可以看出：井深1102.4米小层声波时差为346.1μs/m，井深986.6米小层声波时差为320μs/m，MDT测试结果，地层孔隙压力分别为15.6MPa(高压层)和10.3MPa(常压层)，可见地层孔隙压力越大，声波时差也越大，地层孔隙压力越小，声波时差也越小。

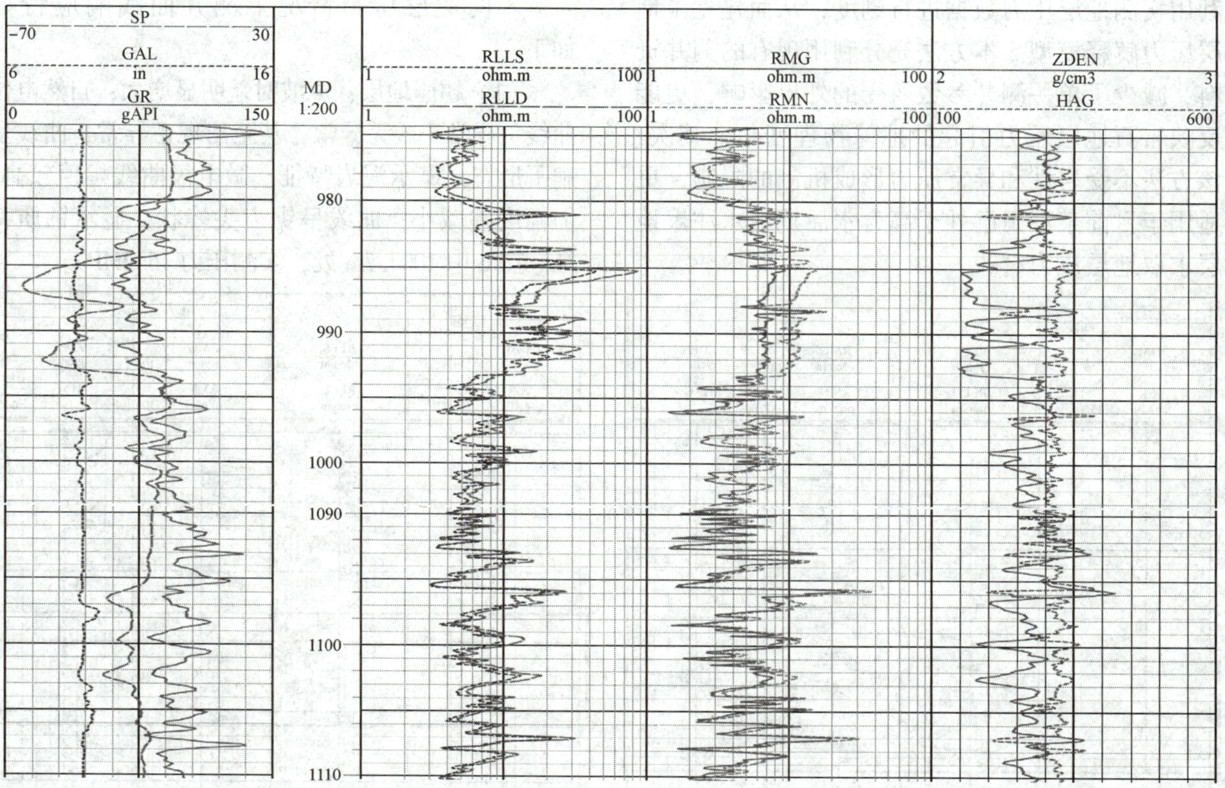

图 4　地层孔隙压力变化对声波曲线影响曲线图

3.2　地层孔隙压力的变化对自然电位曲线影响

岩性相同或相近的高压层和低压层，其自然电位幅度差值明显不同。图 5 是相邻两口井，同层位自然电位曲线对比图。两口井钻井液密度及矿化度相近，但 MDT 测试结果显示，左右两口井地层孔隙压力分别为 13.4MPa（高压层）和 7.2MPa（欠压层）。左边高压层这口井，地层孔隙压力接近钻井液液柱压力，自然电位曲线呈扁平形态；右边低压层这口井，地层孔隙压力低于钻井液液柱压力，环空与地层正向压差大，自然电位曲线负异常明显。地层压力的变化对自然电位的影响在油田开发后期非常明显。

3.3　地层孔隙压力建模

常用预测地层压力的模型，包括等效深度法和 Eaton 法等，均是基于建立正常压实趋势线，从而区分超压、欠压地层。但是基于正常压实趋势线的方法，相对来说有一定的缺陷。首先随着深度增加，压实程度提高，测井曲线变化逐渐减小，达到一定深度后基本不再变化，其次在建立标准压实趋势线的时候，需要选取正常压实的稳定泥岩段，这个方法相对来说，不太实用于非泥岩的其它地层，以及井况更复杂的注水开发地层。

有效应力法也是常用预测地层压力的方法之一，其基本原理为：所有能够测量到的由应力变化产生的效果，如压缩、扭曲变形、剪切阻力等，主要是因为有效应力的变化而导致的。有效应力 σ' 与总应力 σ 以及孔隙压力 P_p 之间的关系为：

$$\sigma' = \sigma - P_p$$

上覆地层压力等于地层孔隙压力与垂直有效应力之和。而上覆地层压力利用密度测井资料即可求取，那么只要得到垂直有效应力就计算出地层压力。通过大量的研究表明，综合考虑影响地层压力异常的因素，结合有效应力、泥质含量、孔隙度等信息，采用线性和指数相结合的形式，可以近似描述声波速度与地层压力的复杂关系：

$$\nu_p = A_0 + A_1\phi + A_2 V_{sh} + A_3(P_P - e^{dP_P})$$

式中，$A_0 \sim A_3$、d 是与区块地层有关的经验系数，可以利用区域地层压力资料及测井资料进行回归刻度得到。

对于有效应力法来说计算过程相对冗繁，并且需要大量的实际资料进行多次的统计回归分析，成本计算量较大。

笔者通过对研究区大量的测井资料进行分析后，总结不同的地层压力情况下测井响应特征的差异，优选出能够反应压力变化的敏感曲线，并利用实测地层压力数据进行刻度，从而建立了地层压力解释模型。本方法充分利用现有的测井资料，减少了单一测井参数所受的外界影响，更能反映岩石地层压力引起的地球物理变化，其次，该方法不受岩性和异常压力形成机制的限制，更适用于目前某油田已处于高含水后期注水注聚地层求取地层压力。

不同地层压力情况下测井曲线响应特征如下：

(1) 超压地层：声波时差明显增大；自然电位曲线负异常小或无异常，甚至出现正异常，曲线呈扁平形态，显示泥岩特征。微电极曲线幅值较高，但幅度差减小，曲线呈锯齿尖峰状，显示钙质特征。图 6 中 1004.7m 处，实测压力 15.2MPa。

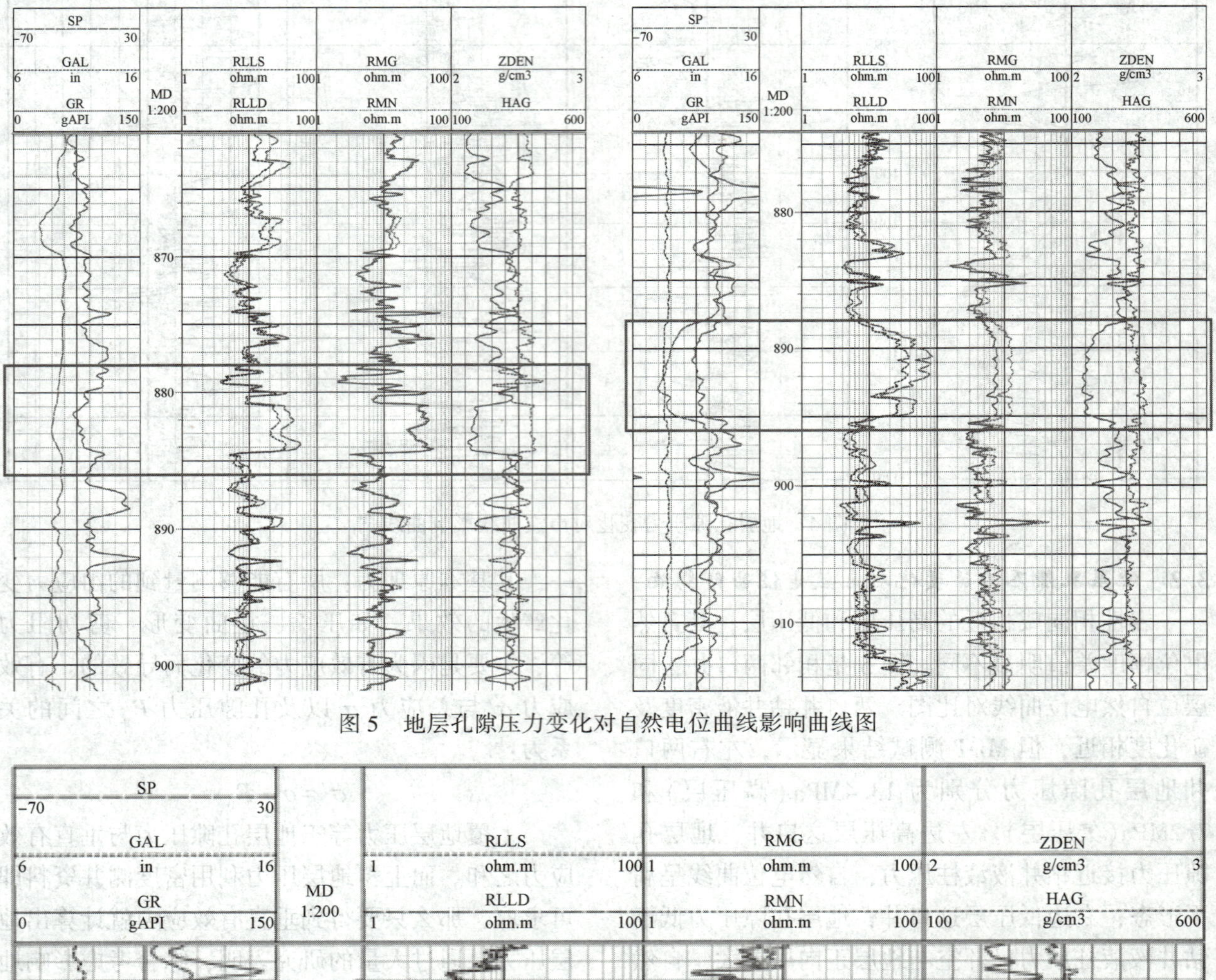

图 5　地层孔隙压力变化对自然电位曲线影响曲线图

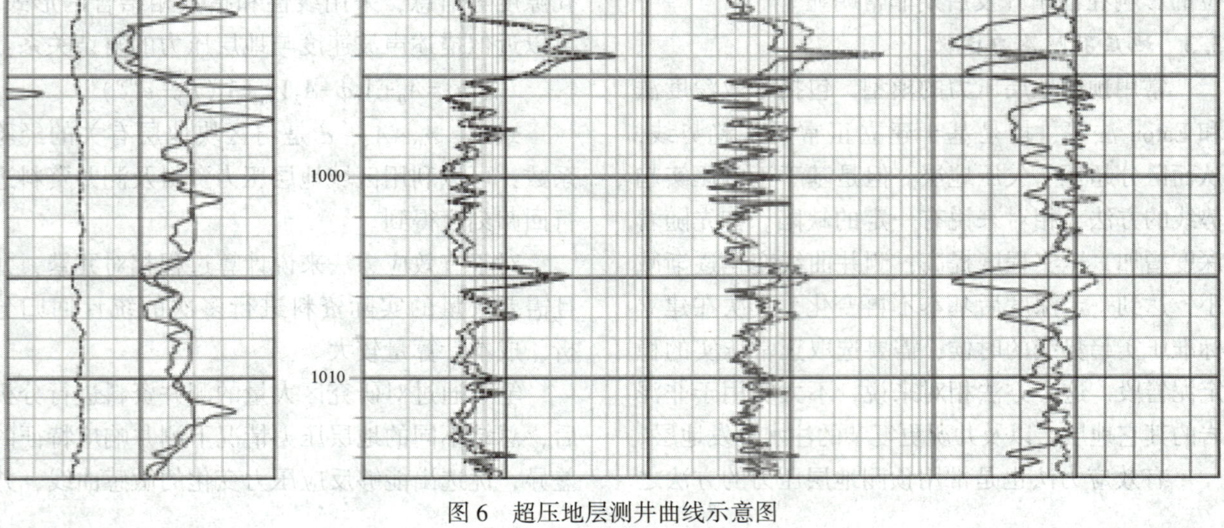

图 6　超压地层测井曲线示意图

（2）欠压地层：声波时差与同岩性砂岩相近；自然电位异常幅度较大；微电极曲线显示较高值且幅度差异大；深侧向电阻率值明显升高。图 7 中 1131.7m 处，实测压力 7.1MPa。

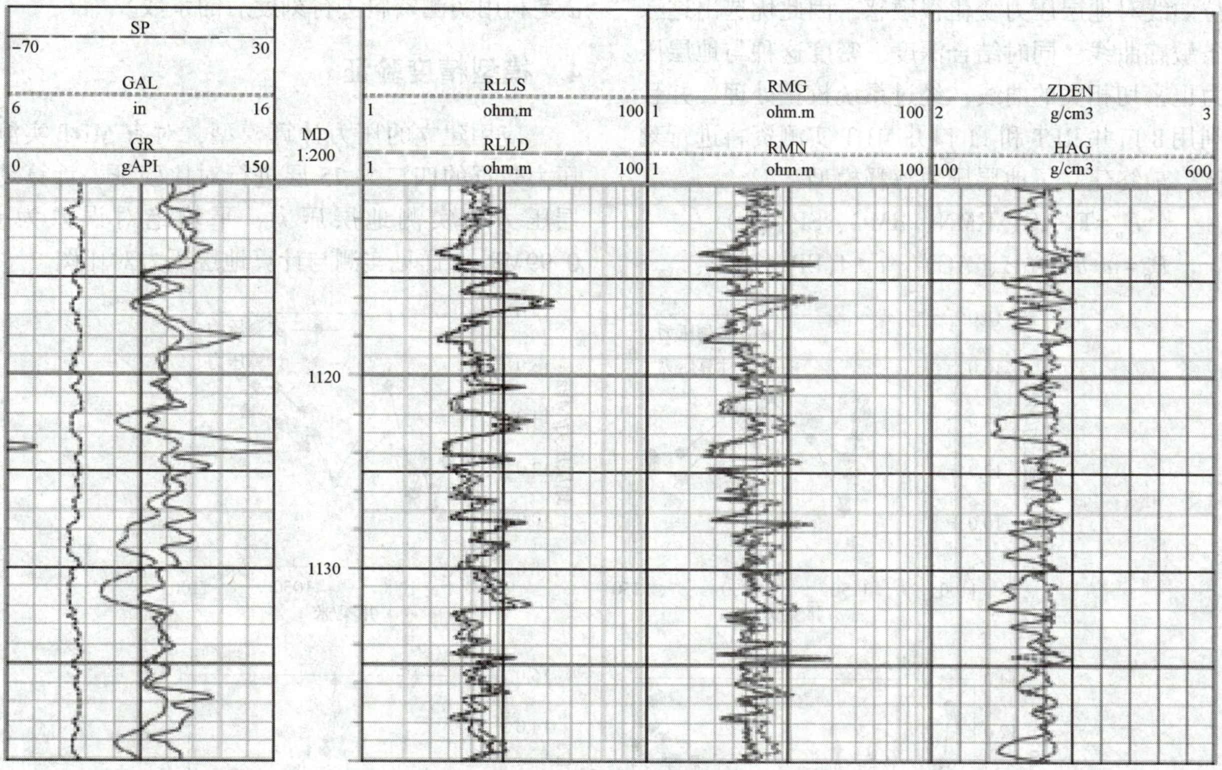

图 7 欠压地层测井曲线示意图

（3）正常压力地层：正常压力地层测井曲线，显示为正常状态下地层岩性的测井响应特征。微电极曲线幅值和幅度差中等，曲线形态光滑，渗透性好；声波时差数值略高；深侧向电阻率数值略高。图 8 中 1186.3m 处，实测压力 11.8MPa。

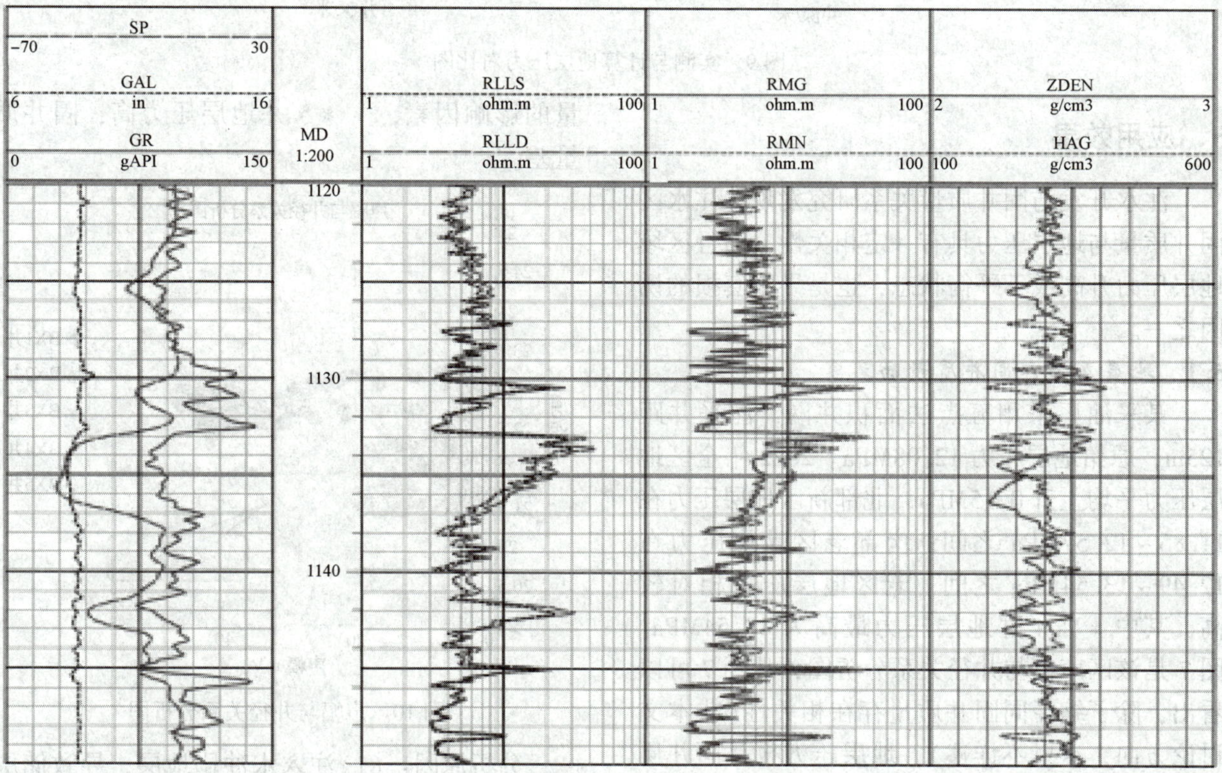

图 8 正常压力地层测井曲线示意图

通过对不同地层压力情况下，测井曲线响应特征进行分析，发现微电极、声波时差、自然电位曲线对地层压力变化很敏感，因此优选出这三条敏感曲线，同时结合深度、密度这种与地层压力也密切相关的曲线，经过系统校正处理，并且利用8口井RFT和11口井MDT实测资料进行刻度，最终建立了地层压力解释模型：

$$P_p = F(AC、RMN、RMG、SP、\rho_\gamma)$$

$$P_p = a + b * f(H、AC) - c * f(SP、DEN、\rho_\gamma) - d * f(RMN - RMG) * \rho_\gamma$$

其中 H 为深度，ρ_γ 为泥浆密度，a、b、c、d 是利用实测资料进行刻度后的系数。

4　模型精度验证

应用建立的压力计算模型，对有MDT实测压力数据的四口井75层进行对比验证，计算地层压力与实测地层压力，平均绝对误差为±0.99MPa。详见实测与计算地层压力对比图。

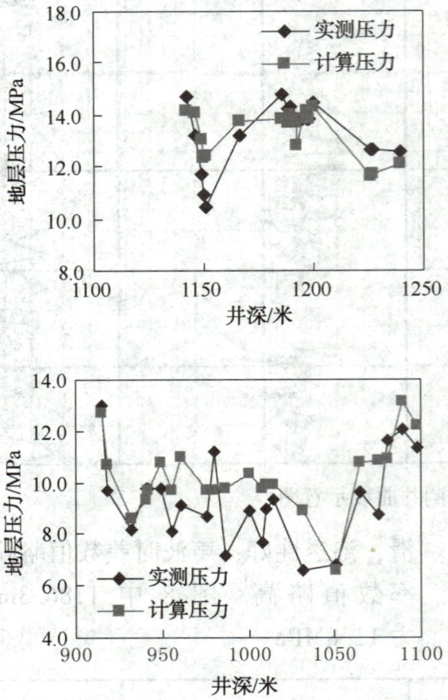

图9　实测与计算地层压力对比图

5　应用效果

注水开发与固井质量关系研究发现，注水区固井质量与地层压力具有一定相关性，而且区域地层压力升高或不平衡状态，也是导致套损的诱因之一。

5.1　地层压力和固井质量的关系

某采油厂采用五点法面积井网，注采井距125m，原始地层压力12.08MPa。2022年全区地层压力平均上升0.15MPa，北部新区地层压力在11.85～12.57MPa之间；南部老区地层压力在12.49～13.54MPa之间，老区地层压力相对较高，其中＊＊4井地层压力最高为13.54MPa。图7是该区声幅与井径关系分析图，从图7可以看出，除了缩径同固井质量存在相关性(非本文讨论方向，这里不详述)，地层压力也是固井质量的影响因素，＊＊5井地层压力高，固井质量差。

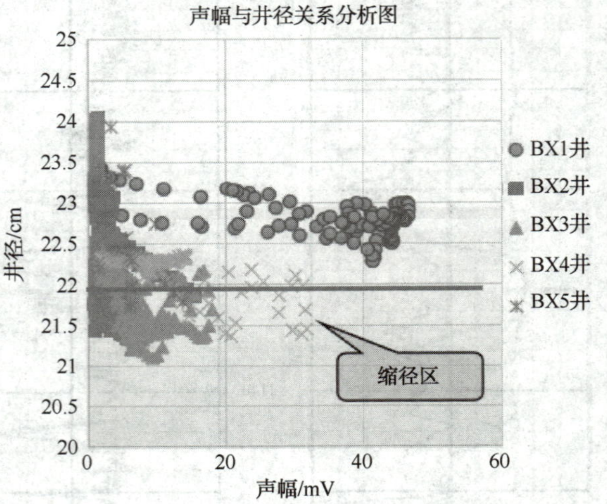

图10　声幅与井径关系分析图

分析原因：(1)注入水冲刷地层，导致储层渗透性更强，容易形成泥饼且多为虚泥饼，固井时不易被顶替，为水泥环的移动提供空间；(2)注水开发导致地层压力变化，层间压差大(参见图8)，流体流动冲刷水泥环或泥饼，导致固井质量变差。

地层压力对固井质量的影响，不仅表现在固井作业期间，在整个生命周期内都会产生影响。注水开发区新钻井固井作业期间，通常要关闭周边的注采井，以此保证地层压力平衡，从而保证固井质量。完成固井作业较短时间内，泥饼对水泥环有一定的支撑作用，但在井生命周期内，经长时间地层水冲刷，泥饼将变软或流失，水泥环与地层间充满流体，层间压差作用下，流体流动冲刷水泥环，导致固井质量变化。因此通过地层压力的准确获取，既可以监测区域地层压力平衡状态，也可以为注采方案及时调整，提供可靠数据依据，同时对控制全生命周期的固井质量也有利。

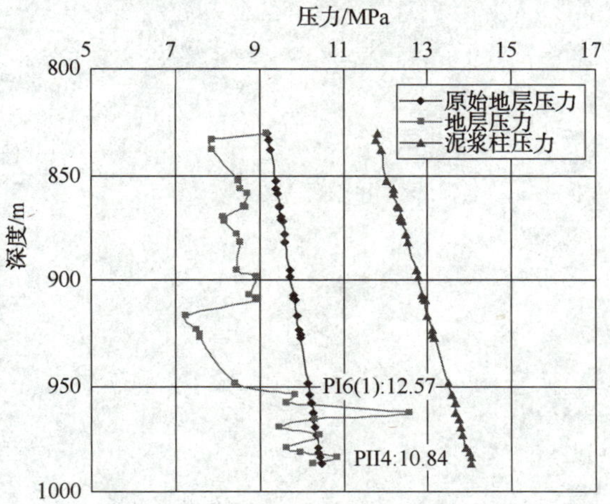

图 11　注水开发导致层间压差大

5.2　地层压力和套损关系

为了切实了解造成套管损坏的原因，选择了某一典型区块作为研究对象。利用该区交叉式多极子阵列声波测井资料，统计了套损区及非套损区的应力差(见表1)。由表1对比数据可见，套损区内水平最大主应力和应力差均较大，且大于非套损区的相应数值。

表 1　套损区应力差统计表

范围	最大水平主应力/MPa	应力差/MPa
套损区	17.0~23.0	2.0~6.0
非套损区	14.0~17.0	1.0~2.0

从单井交叉式多极子阵列声波测井的各向异性分析结果看，参见图9，注水开发区渗透性好的地层，相比于渗透性差的地层，其各向异性通常更强，表明水平方向各向异性特性强，这种强的各向异性，既可以是由水平应力差异大引起的(图9左图，快波方位东西向，与区域最大水平主应力方向一致)，也可能是注采压差使利于单方向水进引起的(图9右图，快波方位北东向45°，与区域最大水平主应力方向不一致)，但引起这种强各向异性的根本原因，主要还是由注水开发引起地层压力的变化引起的。由有效应力原理可以得知，地层压力跟有效应力是密切相关的，注水开发导致地层孔隙压力变化，从而引起地层有效应力的变化，最终会产生应力差的变化。这种区域应力差变化，叠加地层压力动态变化，为水泥环移动提供动力，只要水泥浆有活动空间，就会向支撑力最小的方向移动，在持续不均衡力的作用下，就会发生套管损坏现象。

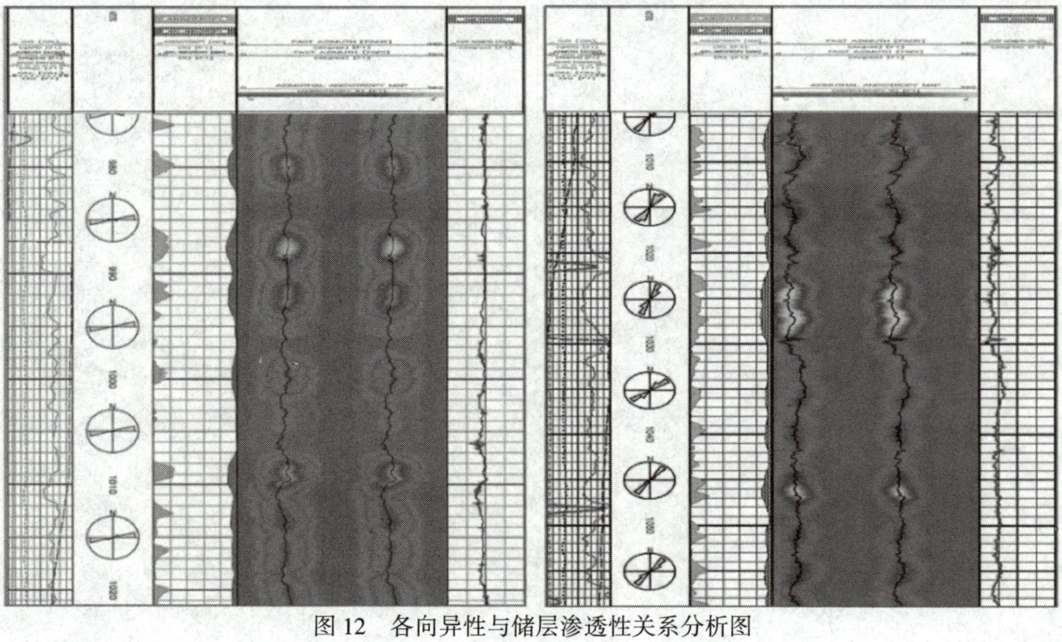

图 12　各向异性与储层渗透性关系分析图

6　结论

（1）不同地层压力情况下，测井曲线响应特征存在差异，优选反应地层压力变化的敏感曲线，利用多测井参数相结合计算方法，建立地层压力计算模型。通过四口井 75 层对比验证，计算地层压力与实测地层压力，平均绝对误差为 ±0.99MPa；该方法适用于注水开发地层地层压力求取。

（2）注水区固井质量与地层压力具有一定相关性，而且区域地层压力升高或不平衡状态，也是导致套损的诱因之一。通过地层压力的准确获取，既可以监测区域地层压力平衡状态，也可以为注采方案及时调整，提供可靠数据依据；同时对控制全生命周期的固井质量，以及套损预测预报也有利。

参 考 文 献

[1] 张卫华．何生．郭全仕．地震资料预测压力方法和展望[J]．地球物理学进展，2005，20(3)：814-817.

[2] 王胜启．董杰．英科 1 井超高压地层压力预测技术研究[J]．石油钻采工艺，1998，20(2)：9-15.

[3] 楚泽涵．声波测井原理，石油工业出版社，1987，4.

[4] Athy L F. Density. porosity. and compaction of sedimentary rocks[J]. AAPG Bulletin，1930，14(1)：1 - 24.

[5] 谭必生．陈科贵．周勇等．利用测井资料评价地层压力方法研究[J]．内蒙古石油化工，2007，12：89-90.

[6] 宁丽凯．应用测井曲线解释地层压力方法研究[C]．西安：油气田勘探与开发国际会议，2019.

[7] 周凡．杏南区地层压力分布与套损关系研究[D]．山东：中国海洋大学，2012：22-27.

[8] 张娟，A 油田注水开发后异常地层压力平面分布研究[J]．内蒙古石油化工，2018，1：115-116.

超短半径侧钻水平井钻完井技术研究与应用

钟　晖　李吉军　王春华　丁明海　刘文鹏

（大庆钻探工程有限公司）

摘　要　超短半径侧钻水平井是利用老井眼目的层上部井段进行开窗侧钻，应用MWD随钻监测、多弯角导向螺杆等仪器工具，实现大曲率造斜和水平钻进的技术，可以实现定向挖潜改造，扩大泄油面积，改善油井生产条件，提高采收率。与常规水平井相比，超短半径水平井靶前距小于30m，具有靶前距短，施工周期短，费用低的特点，并实现了可精确定向的优势。

关键词　超短半径；老井侧钻；精确定向

1　概述

近年来国内外开展了水力喷射式、导向弯管式、定向式等多种超短半径水平井技术，能大幅提高油井产量和采收率，对油田老井剩余油藏的经济合理开发具有积极的意义。

针对油田开发后期老井产量递减，剩余储量开采困难等问题，为满足油田剩余油挖潜的迫切需求，2020年初在大庆油田公司、钻探工程公司成立超短半径攻关项目组，克服疫情影响，加紧技术攻关，开展钻完井工艺、工具和仪器技术攻关研究，研制了高造斜螺杆等15项关键工具仪器，取得了超短半径水平井地质工程一体化技术、超短半径水平井特殊工具及钻井技术、超短半径水平井完井技术、超短半径水平井低固相高性能钻井液技术4项技术创新，成功应用47口井，最小曲率半径15.48m，最长水平段206m，最短钻进周期3.2d，建井周期9d，单井初期日增油3.1吨，累计增油2.25万吨，形成了大庆特色的无线随钻测量式超短半径水平井钻完井技术。

2　超短半径水平井地质工程一体化技术

结合实际生产难题，深入刨析地质影响及工程难点，通过近3年的持续优化升级，形成了超短半径水平井地质工程一体化技术。

2.1　精细解剖油藏，确定选井、选层标准，提高增油效果

开展长垣老区中高渗透萨葡油层，外围低渗透葡萄花油层，外围特低渗透扶杨油层，海塔盆地复杂岩性储层等四类储层油藏精细描述评价，准确分析不同类型油藏剩余油分布规律，进行150余口井评价分析，确定了选井选层标准，并进行地质、储层动用、单井优化等全方位设计优化，提高改造后增油效果。

2.2　优化工程设计提质提效

建立侧钻水平井油藏方案设计技术流程，根据选井选层技术标准，通过精细地质研究、动静结合综合分析、油藏数值模拟，精准量化井间剩余油、精准优化水平段参数及轨道设计、精准产能预测、精准效益评价等多项分析优化，实现了工程地质紧密结合。

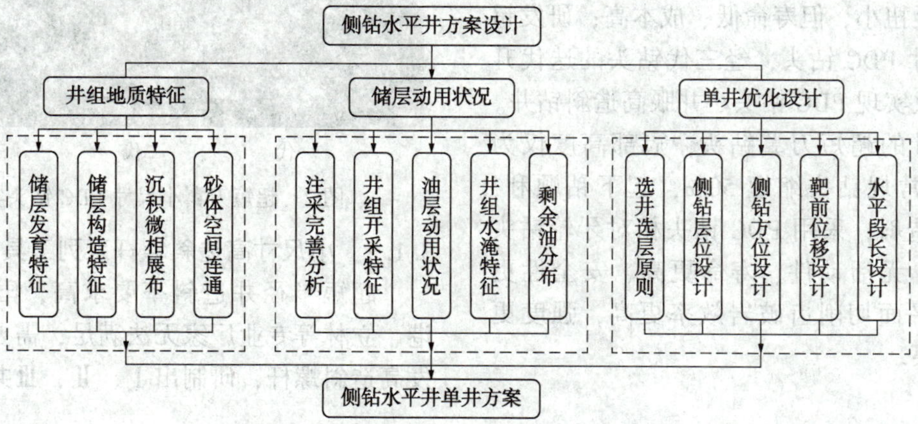

图1　侧钻水平井油藏方案设计技术流程图

2.3 形成地质工程一体化工作流程

以质量和效益为中心，实现了方案设计、地质分析、油藏评价、钻井施工、压裂方案、效果分析等多流程闭环优化，现场依据储层特征、开采特点等地质情况、结合实际施工情况，实时优化调整轨迹，形成了地质工程一体化技术。

3 超短半径水平井特殊工具及钻井技术

首创采用高曲率 MWD 仪器无线实时监测井斜，配合高造斜螺杆钻井方式的无线随钻测量式超短半径钻井技术，可实现高造斜率复合钻进、长水平段定向复合实时切换等能力，大幅提高钻井效率，而国外技术是采用有线电缆对接的仪器，每次复合钻进时需要断开内部电缆，测量时再下电缆连接，操作较为复杂，目前 30m 曲率超短半径井也向无线式发展。

3.1 研制超短半径特殊工具

为满足超短半径钻井的要求，自主研发一批特殊钻井、完井工具，性能指标达到国内领先技术水平。

表 1　超短半径特殊工具参数简表

序号	关键工具	参数指标
1	Φ35mm 随钻测量仪器	外径 35mm、最大狗腿度 104°/30m、仪器国产化、改进提升
2	小尺寸高造斜率螺杆	外径 73mm、造斜率 70°/30m、双弯结构
3	超短刀翼小尺寸 PDC 钻头	外径 114mm、长度 75m、短刀翼、非平面齿
4	高柔性的钛合金钻杆	2 1/2、2 3/8 两种规格、抗扭 18Knm、最大狗腿度 205°/30m
5	T 型限位槽割缝筛管	2 7/8 规格、特殊设计 T 型槽、曲率半径 9m
6	2 7/8 止推锁固式筛管	2 7/8 规格、内径 60mm、特殊设计止推机构，可旋转下完井管串
7	高强度斜面体丢手工具	外径 115mm、悬挂力 56t、特殊设计斜面体活塞悬挂机构
8	遇水膨胀封隔器	外径 115mm、研发可膨胀橡胶、提高居中和密封能力
9	柔性铰链接头	外径 73mm、柔性角度±4°、抗扭 40Knm、抗拉 80t
10	可循环式斜向器	外径 110mm、角度 3°、投球打开式、可循环
11	高效开窗工具	外径 120mm、开窗、修窗一体化设计、寿命高钻速快
12	套管刮壁通径工具	外径 115mm、可伸出刀翼刮削井壁效果好
13	导引式通井钻头	外径 114mm、中间特殊设计导引头，避免划出新井眼
14	2 3/8 打孔钻杆	接头外径 88.9mm、本体打孔、可实现高狗腿度井眼下入
15	完井管串引鞋	外径 110mm、设计刀翼可清理井底和导引管串下入

3.1.1 超短刀翼小尺寸 PDC 钻头

国外超短半径技术采用牙轮钻头造斜，虽然造斜率高、反扭小，但寿命低、成本高；研发超短刀翼小尺寸 PDC 钻头，经三代钻头的迭代升级，国内首次实现 PDC 钻头小井眼高造斜钻井。

优化设计的超短刀翼钻头，冠部高度仅为 75mm，相对常规钻头缩短 50%，起下钻顺利，有利于定向造斜；采用 PDC 钻头相对牙轮钻头机械钻速快、无活动件、寿命更高、安全性更好；选用非平面切削齿破岩效率更高，强度更高，提速效果。

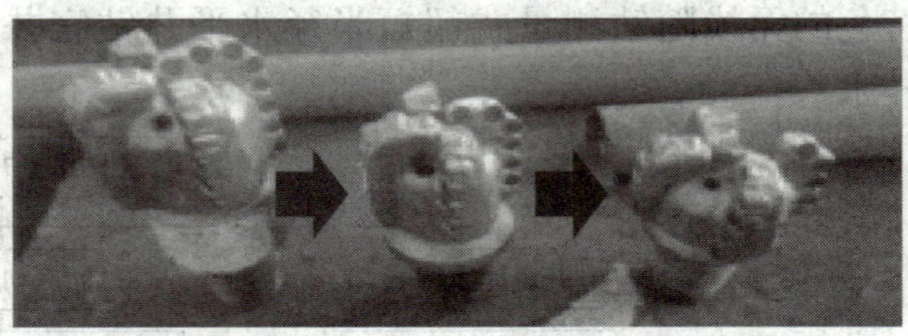

一代　　　　二代　　　　三代

图 2　超短刀翼小尺寸 PDC 钻头实物图

3.1.2 小尺寸高造斜螺杆系列工具

超短半径井造斜率要求高，国内北石、大港、立林等专业厂家无法满足，需要特殊设计研发高造斜螺杆，研制出Ⅰ、Ⅱ、Ⅲ共三型高造斜螺杆，满足不同曲率超短半径井需求。

1）双弯角高造斜螺杆（Ⅰ型）

高造斜需要设计4°以上弯角，常规单弯角螺杆无法在5 1/2套管内下入，为此设计成两节螺杆马达接头，（下弯点3°、上弯点1°），造斜率达到60°/30m。采用多垫片设计，可根据现场需要调成3mm、5mm、7mm、8mm垫片，并可进一步提高造斜率，满足精确控制轨迹要求。

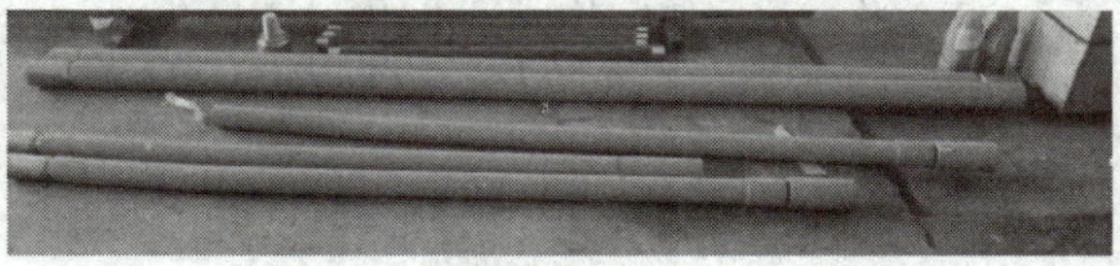

图3　双弯角高造斜螺杆（Ⅰ型）实物图

2）双铰链支撑式高造斜螺杆（Ⅱ型）

创新设计具备井壁推靠机构，可通过钻井液液力使活塞伸出，推靠井壁形成造斜力；创新设计双铰链结构，增加近钻头铰链，进一步提升弯曲能力和通过性，降低下入卡阻力。采用井口可调节角度的结构，井口调节机构实现不同造斜率，提高工作效率；研发钛合金万向轴、球铰万向轴两种机构，提高安全性；设计2级螺杆动力节，输出扭矩达700Nm，提高1倍以上；设计安全防掉机构，采用六方防掉板与螺母配合相结合的方式，增加安全可靠性。

3）可调扶正器高造斜螺杆（Ⅲ型）

创新设计高强度结构，实现了大曲率井段复合，国内最高指标；创新护色剂可调扶正器结构，可根据不同尺寸精细调整造斜性能；设计高扭矩高寿命定转子，优化内摆线，喷涂硬质合金涂层，效率提高10%，压降减小30%；采用钛合金滚柱式全密封万向轴，摆动灵活，承受扭矩更大，寿命更长；设计三级安全防掉机构，上、中、下三套防掉，增加安全可靠性。通过以上5项特殊设计，研制成熟两种规格高造螺杆，理论造斜率193.6°/30m（曲率半径8.9m）实际造斜率达到162.66°/30m、寿命100h、扭矩700Nm、可实现高曲率造斜段复合钻进、造斜+水平一趟钻，各项指标达到国内领先水平。

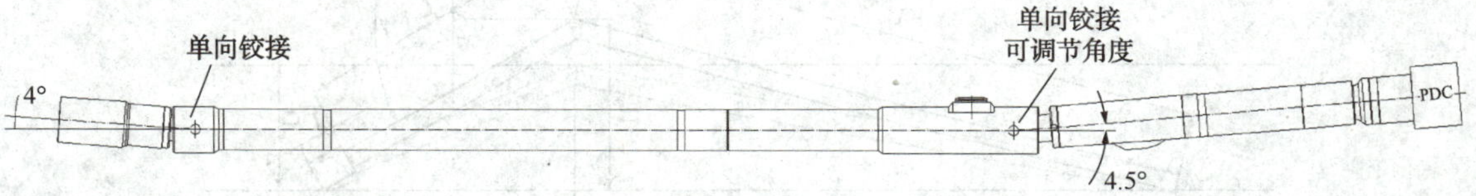

图4　双铰链支撑式高造斜螺杆（Ⅱ型）示意图

3.1.3　高强度万向铰接头

设计研发球头铰接机构，下钻时为活接，保证下入，施加钻压后为固定弯角1°，保证造斜；实现了柔性弯曲，并具备密封和传递钻压、扭矩的功能，抗拉500kN、扭矩20kNm国内最高纪录，性能可靠，有效提高弯螺杆通过性及造斜率。

3.1.4　柔性钛合金钻杆

研选定制了高强度、抗疲劳耐弯曲的无磁钛合金钻杆。优化了加厚过渡带的结构，提高强度，加厚形式为内平外加厚，采用一次加热镦粗成型工艺，减缓了内过渡带的表面突变，降低了应力集中，提高了钻杆性能，创新设计了PH6双梯特种扣钢接头，有效提高使用寿命。

图5　柔性钛合金钻杆实物图

3.2　研选并改进小尺寸高弯曲度MWD仪器

超短半径水平井造斜率高，常规仪器难以满足要求，前期调研了国内外贝克、哈里伯顿、中天、六合等多家仪器都达不到要求，研选到COMPASS超小井眼MWD仪器，曲率可达108°/30m以上，实现了高曲率无线随钻测量钻进。此外，将COMPASS小尺寸MWD进行了仪器改进优化，仪器增加3节柔性短节，能够变形、改变方向，增大过流面积，弯曲能力提高67%。

3.3　高造斜定向施工技术

超短半径水平井存在造斜段短（30m～80m），摩阻大、井径小、造斜率高等技术难题，在研制上述特殊工具基础上，进行大量试验和不断优化改进，研究高造斜定向数学模型、地层特性对造斜率影响、准确预计反扭角和扭摆定向技术等3项关键技术，实现超短半径安全、优质、高效施工。

3.3.1 建立超短半径高造斜定向数学模型

超短半径井螺杆无上稳定器，常规螺杆造斜率计算方法误差较大，为此综合螺杆结构、地层特性、钻进参数、井身几何形状等因素，创新建立了"三点绘图法"造斜率计算数学模型，通过大量现场试验与修正，计算的造斜率与实际造斜率误差较小。

计算模型原理：将螺杆钻具上部1根钻具或接头、螺杆钻具和钻头按实际尺寸(包括长度、外径、弯点距、垫片厚度、钻头外径等)连接，完成后采用三点画圆功能，选取管串下部三个点(钻头、螺杆垫片和螺杆上部)相切画圆，该圆半径即为该螺杆钻进的曲率半径，通过曲率半径可知螺杆造斜率。

建立了修正三点定圆法+偏心垫块造斜率预测模型：

$k=\lambda\dfrac{60}{L_T}\gamma$ 考虑间隙的影响时：$k=k_\delta+k_\gamma=\dfrac{3.44}{L_s}\times\dfrac{\delta_1}{L_1}+\lambda\dfrac{60}{L_T}\gamma$

垫块的造斜率增量

$$\Delta K=\frac{1.754\delta}{a^3}\times\frac{a-\frac{a+b}{2}\left(3\left(\frac{a}{a+b}\right)^2-\left(\frac{a}{a+b}\right)^3\right)}{4-9\left(\frac{a}{a+b}\right)+6\left(\frac{a}{a+b}\right)^2-\left(\frac{a}{a+b}\right)^3}$$

造斜率为：$k=\lambda\dfrac{60}{L_T}\gamma+\Delta k$

3.3.2 建立螺杆通过能力计算模型

套管通过能力和不同钻压下力学分析

弯点偏移度h的计算公式为：

$$h=\frac{L_3(L_1+L_2)\sin\gamma}{a+b}+(\delta-L_0\tan\gamma)-D$$

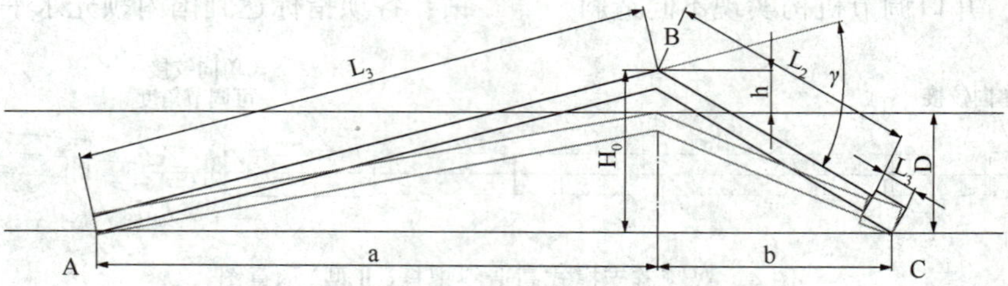

图6 螺杆通过力受力分析图

裸眼通过能力：

强度：按照GB-3077(2015)材料属性，对95mm单弯螺杆弯曲强度校核，安全系数1.36>1.15满足要求。

摩阻：采用数值模拟研究，根据模拟结果，20~30kN的钻压条件下，可顺利通过井眼。

着陆+水平段小弯角螺杆通过能力：着陆+水平段选用1.5°单弯螺杆，更换小角度螺杆后，等效为一段钻柱，强度满足要求，调整螺杆工具面，循环钻井液后可通过井眼。

小结：运用理论分析+数值模拟方法，从强度、摩阻条件下得出，造斜段(1+3°+垫块、1+3.5°、1+3.25°、)，水平段(1.5°)单弯螺杆钻具均能满足通过要求。

3.3.3 结合地层特性准确预计反扭角实现精准定向施工

通过精确的计算和施工经验积累，准确掌握了直井侧钻第一趟钻盲打段施工规律，准确预估了不同地层和螺杆条件下反扭角的设定，确保方位偏差做到最小，保证了井眼轨迹精确控制。

通过精确设计计算和现场施工情况判断，现已掌握了超短半径水平井定向施工规律，能够准确判断井底钻头状况，对于造斜率过高的螺杆，及时采用扭摆定向工艺，避免频繁起下钻，节省钻进时间，缩短施工周期。

3.4 精准地质分析导向技术

实时监测岩屑，进行岩屑分析及气测解释，钻前建模、钻中校正，实现了储层精准预测和井眼轨迹实时调整，平均储层钻遇率达到97%以上。

钻前两建模：应用GeoFacies软件建立三维地质模型；应用导向软件建立原始模型；

钻中两校正：定向段：根据实钻轨迹等现场数据，采用标志层法校对地层构造，确保准确着陆；水平段：应用气测、岩性的对称性校对地层倾角，保证目的层砂岩的有效钻遇。

3.5 超短半径优快钻井技术

不断优化改进工具，提高工具性能指标，优化现场工艺形成了大庆独有的如下5项优快钻井技术：

1）造斜段复合钻进技术

国内外技术多采取左右扭摆控制井斜，但调整有限且风险高，本项目首次实现在台12-斜28井造斜段能够复合钻进可快速降斜，复合9m后再次增斜顺利入靶，大幅提高钻速，节约钻井周期2天，增加了轨迹控制手段

2）水平段复合钻进技术

国外技术受高曲率和有线式仪器限制，水平段极少复合，采用扭摆钻进；本项目首次实现18m曲率半径水平段大段的复合钻进，钻速可达10m/h以上，大幅提高钻速和施工效率；

3）全井钛合金钻杆减阻技术

由于超短半径狗腿度大，尤其是轨迹中出现局部狗腿度大时，摩阻增大，严重影响正常施工，上提下放钻具卡阻，首次实现全井钛合金钻杆钻井，可大幅减少钻具摩阻，提高钻井效率；

4）造斜段+水平段一趟钻技术

常规的为造斜段用高造斜螺杆，水平段换1.5°单弯螺杆，研究高性能螺杆配合钛合金钻杆，并精确的轨迹控制，保证上部井段井身质量降低摩阻，本项目首次实现一趟钻技术，用1只螺杆完成造斜段和水平段钻井；

5）转盘驱动钻井方式

国外采用动力水龙头进行超短半径钻井，需要安装特殊设备，通过攻关试验本项目实现了常规修井机的转盘驱动超短半径钻井，增加滚轮方补芯和加长吊环等，成本更低、效率更高。

4 超短半径水平井完井技术

为进一步满足剩余油开发需求，提高老井寿命，通过技术攻关与升级，形成了超短半径水平井完井技术。

4.1 研制适用于不同曲率半径的特殊筛管

针对不同曲率半径井特点，研发相应的特殊筛管，确保所有完井管串均能下入到底，下入安全高效。

1）止推式筛管

创新设计双级止推机构，管串可旋转，遇阻时能够进行旋转、上提下放等操作，提升下入能力。

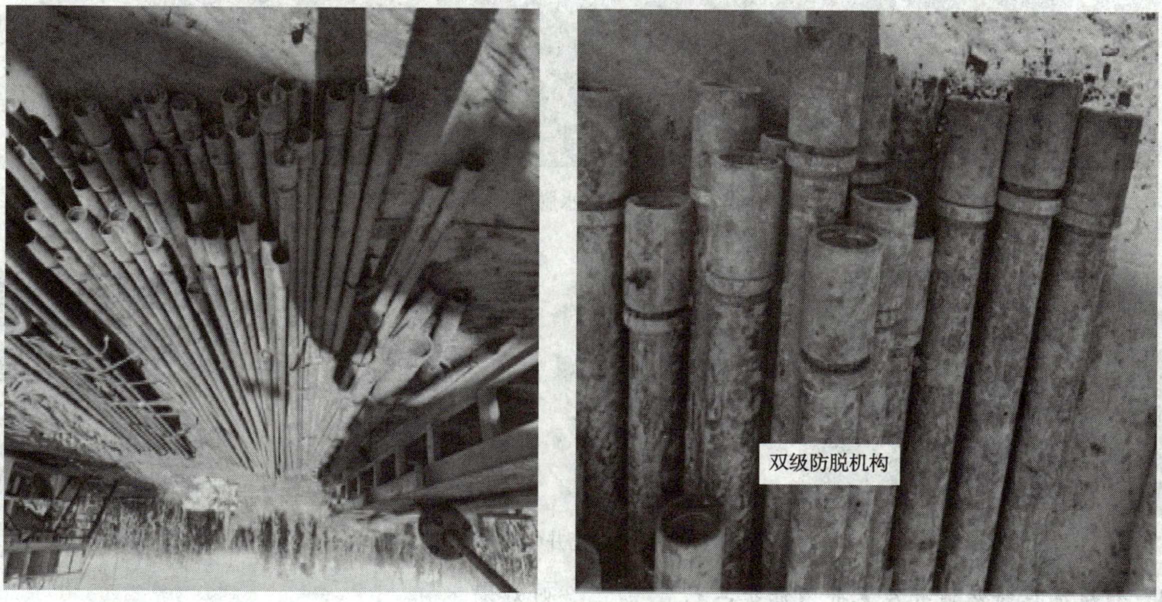

图7　止推式筛管实物图

2）T型限位槽割缝筛管

创新设计“T”型限位结构，具有较高弯曲能力和下入能力。正向时可以弯曲，转弯半径为9m；反向时不可弯曲，管体上的T型筋接触割缝产生拉力，保证处于平直状态。

3）柔性筛管

创新设计柔性短接，可满足7°/m柔性弯曲，创新设计钢球式铰接机构，尺寸小强度高。

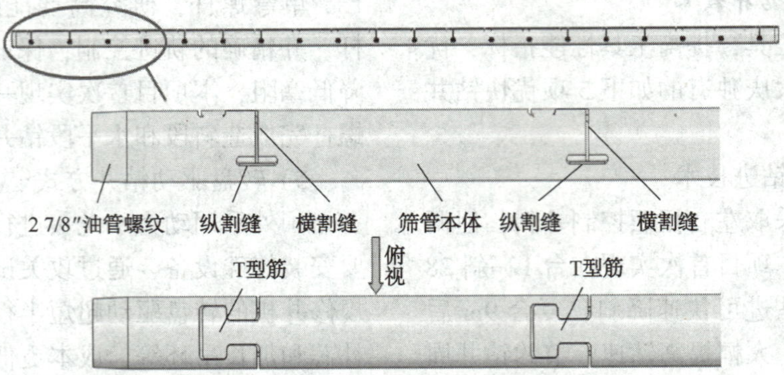

图 8　T 型限位槽割缝筛管结构示意图

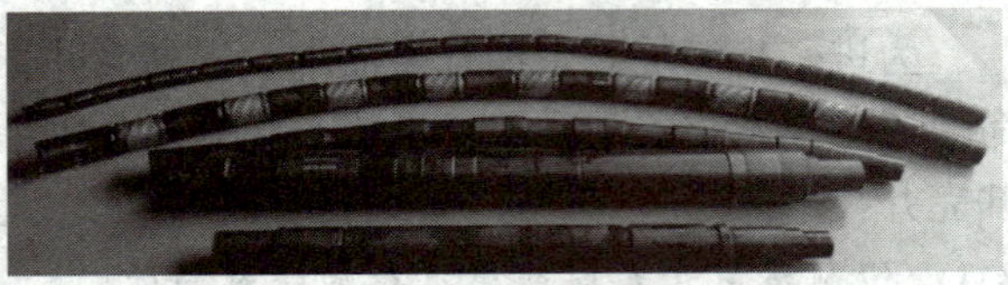
图 9　柔性筛管实物图

4.2　研制配套完井工具

针对超短半径井眼轨迹复杂导致完井管串下入困难等问题，研制相关配套完井工具，进一步提高完井管串安全性、可靠性及适用性，实现全井筛管完井。

1）高强度丢手工具

创新设计活塞式悬挂装置，达到国内强度最高指标；特殊设计传扭牙嵌，实现可旋转功能；采用投球式打开方式，操作简单，安全可靠。

2）小尺寸遇油遇水膨胀封隔器

采用自主研发膨胀橡胶配方，显著提升界面封隔能力；特殊设计膨胀方式，保证最大内通径，保障采收率。

3）系列化完井引鞋

创新设计类钻头外型，兼顾攻击性与保径能力，提升管串下入能力；形成多种型号尺寸，具有极强适用性。

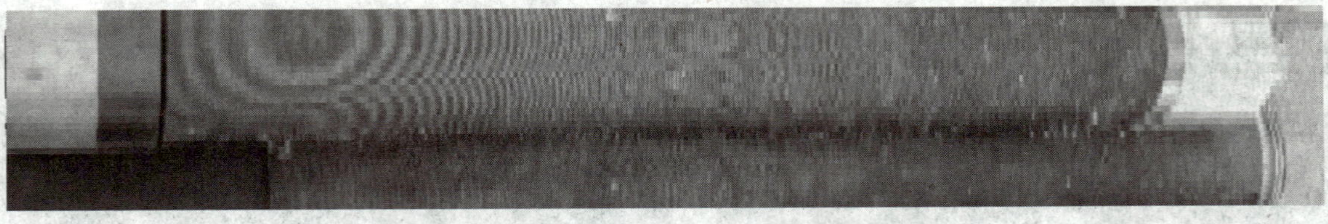
图 10　小尺寸遇油遇水膨胀封隔器实物图

图 11　系列化完井引鞋实物图

4.3　超短半径特殊通井及完井液保护工艺

针对管串下入困难的问题，特殊设计具有导引和清刮井壁功能的通井钻头，增加通井作业工序，将高造斜井段及遇阻点反复清刮至通畅；由于使用有固相钻井液，国内首创了完井后将井内钻井液用高浓度盐水冲洗完全顶替工艺，降低钻井液污染，避免固相沉淀影响后期采油，取得良好效果。

4.4　超短半径水平井尾管固井技术

为满足低渗油层需要分段射孔、压裂的要求，开展了短半径水平井尾管固井技术研究，针对 1) 下入困难，易遇阻卡；2) 油管不居中，影响环空顶替效率；3) 小井眼顶替效率影响大；4) 注替压力高易憋泵、漏失等；5) 水泥环薄，强度低；6)井身复杂压力层系多，固井要求高，6项技术难点，实施了超短半径轨迹平滑控制、正向反向划眼、造斜段扩眼、通井等技术措施，国内首次实现超短半径井的固井、分段压裂，满足不同油藏老井改造增油的要求。

5　超短半径水平井低固相高性能钻井液技术

由于井眼尺寸小、曲率高，并钻遇大段泥岩地层，钻井液性能要求较高，通过攻关分析携岩、摩阻、井壁失稳等3方面问题，开展流变性、润滑性和抑制性的提升，形成了超短半径水平井钻井液技术，经现场试验验证，满足超短半径井施工要求。

表2　超短半径水平井钻井液性能表

常规性能							流变参数					
密度/(g/cm³)	漏斗粘度/s	API失水/mL	泥饼/mm	pH值	含砂/%	摩阻系数	静切力 Pa 初切	静切力 Pa 终切	塑性粘度/(mPa·s)	动切力/Pa	固相含量/%	膨润土含量/%
1.11-1.33	45~65	≤6.0	≤0.5	8.0~10.0	<1.0	<0.08	1.0~4.0	2.0~15.0	10~25	8~15	≤6	≤5.0

5.1　流变性优化

利用聚合物类处理剂提高液相粘度和形成空间网状结构机理，开展聚合物类降滤失剂和增粘剂优选，形成的低固相高性能钻井液体系动切力为8~15Pa，动塑比≥0.40，满足窄间隙环空携岩要求。

5.2　抑制性优化

为有效解决青山口和泉头组泥岩地层，易发生水化膨胀和分散、井眼缩径卡钻等井壁失稳等问题，采用聚胺类有机抑制剂的质子化铵离子插入粘土晶层原理，以及氯化钾无机盐钾离子晶格固定作用，提高抑制性。配制体系泥岩滚动回收率在95%以上，16h线性膨胀<30%。

5.3　润滑性优化

针对高曲率造斜段曲率大，小井眼水平段易形成岩屑床堆积，钻进过程摩阻较高影响机械钻速的问题，优选出具有非离子型表面活性剂特点的聚合醇类润滑剂，利用相分离作用形成憎水似油相附着在固相颗粒与钻具表面，实现润滑性能提升。配制的钻井液体系极压润滑系数<0.08，摩阻系数降低率可达85%以上。

6　现场应用情况

目前，现场试验及推广应用47口井，最小曲率半径15.48m，最长水平段206m，最短钻进周期3.2d，建井周期9d，单井初期日增油3.1吨，累计增油2.25万吨。

其中头台油田茂加44-斜741井实现超短半径井首口固井、压裂，增油效果突出。该井由大庆钻探井下作业分公司C10655队施工，钻达井深1733m，靶前位移(入靶点距原井筒)44.82m，水平段长133m，最大狗腿度44.17°/30m；砂岩钻遇率100%；含油钻遇率100%。本井侧钻措施前日产液0.9t，日产油0.6t，含水38.0%，累计产油740t，采出程度4.5%。2021年5月，对FⅡ1层侧钻，进行固井和压裂(1400m³ 液、150m³ 砂)，措施后日产液12.5t、日产油7.5t，日产液7t，日产油4.4t，含水37.0%，累计增油1964t。

大庆采油七厂台105区块规模应用超短半径技术12口井，措施初期平均单井日增油4.8t，日增液量46.5t、日增油量13.5t，累积增油量为9100t；预计到2025年累积增油量可达20000t，提高采收率1.04个百分点。

7　总结

7.1　攻关取得了超短半径水平井地质工程一体化技术、特殊工具及钻井技术、完井技术、低固相高性能钻井液技术等4项创新成果，突破了多项技术壁垒，创造了定向段复合、造斜定向一趟钻、螺杆造斜率、仪器弯曲度等多项国内领先指标和纪录，形成了无线随钻测量式超短半径钻井技术，达到国内领先技术水平；

7.2 创新研发高造斜螺杆、高弯曲完井管串等15项关键工具和仪器，形成系列化，满足不同曲率超短半径井施工要求，部分工具填补国内空白，为精准钻达目标层位、实现剩余油挖目的奠定基础；

7.3 实现了超短半径完井管串全下入、替入完井保护液、固井、分段压裂工艺，为保护油层、增大泄油面积提供了保障；

7.4 制定了超短半径施工工艺和规范，进行了47口试验应用累计增油2.25万吨，增油效果显著，实现老井剩余油精准定向挖潜改造。

参 考 文 献

[1] 夏凯．超短半径侧钻水平井轨迹控制技术．西部探矿工程，2022(08)

[2] 王经武窦蓬刘海龙岳明林海．超短半径侧钻技术在渤海油田的适用性分析 石化技术，2022(06)

[3] 王继画 耿兆华 王海祥 王荣军 王新全 宋洪涛．5. 5″套管开窗侧钻技术及其推广应用 重庆石油高等专科学校学报，2004.6(4)

大庆深层水平井钻井关键技术

李　博　郑瑞强　齐　悦　张振华　纪　博　李相勇

（中国石油集团大庆钻探工程公司）

摘　要　针对大庆深层水平井地层研磨性高、钻头寿命低、提速手段单一等问题，对深部气藏地质特性、深层水平井的施工难点进行分析，开展了井身结构优化设计、井眼轨迹优化、高效钻头研选、提速配套工具、钻井参数优化的研究，形成大庆深层水平井钻井关键技术。该项技术在现场应用中应用 14 口井，大庆深层水平井机械钻速提高 35.03%，平均缩短钻井周期缩短 66.54d，为大庆深层水平井高效开发提供了技术支撑。

关键词　深层水平井；井身优化；高效钻头；提速工具；机械钻速

大庆深层气藏分布于松辽盆地北部，主要以徐深区块、汪深区块、肇深区块为主，天然气含量丰富、埋藏深，深层水平井是天然气开发的重要手段，在钻井施工中还存在一些问题，深部地层可钻性差，钻头磨损严重，机械钻速低，提速手段单一，水平段摩阻大，携岩能力差等影响深层水平井勘探开发速度，针对以上问题，从钻井顶层优化设计，研选高效钻头，自主研发提速工具集成应用，优化钻井参数，形成大庆深层水平井钻井关键技术，为大庆深层水平井高效开发提供了技术支撑。

1　地层特点及钻井难点

大庆深层气藏目的层位主要位于埋藏深度一般在 2500~5200m 的白垩系下部和侏罗系上部的火石岭组及基底，岩性复杂，多为砂岩、泥岩、火山岩、变质岩及砂砾岩等致密性岩石，地温梯度为 3.75~4.15℃/100m，地层硬度达到 2500~5500MPa，岩石的可钻性极值最高达到 10 级以上。储层结构复杂，部分区块易发生井壁剥落，渗透率和孔隙度低，局部层位存在异常压力。

大庆深层水平井优快钻井主要有以下技术难点：

（1）深层岩石硬度大，钻头磨损严重，单只进尺少，机械钻速低；

（2）提速手段单一，钻井提速工具应用集成度不高，整体综合应用效果不明显；

（3）造斜率低，井眼不平滑，水平段钻进摩阻扭矩大，托压严重，传递钻压困难，造斜段和水平段井眼轨迹控制难度大；

（4）井壁不稳定发生剥落，返砂效率低，在钻柱低边堆积形成岩屑床，容易引起井下卡钻等事故。

2　关键技术

针对深层水平井钻井存在钻头破岩效率低、井眼轨迹控制困难、钻井提速手段单一等问题，开展了井身结构优化设计、井眼轨迹优化、高效钻头研选、提速配套工具、钻井参数优化的研究，形成大庆深层水平井钻井关键技术。达到了提高单趟钻进尺、提高机械钻速的目的。

2.1　井身结构优化

依据钻井安全、提高钻井效率原则，大庆深层水平井采用三层套管井身结构，综合考虑区块岩性及钻头单趟进尺极限应用情况，在满足必封点及采油工艺要求的同时，技术套管下深由泉二段调整至泉一段，实现二开一趟钻施工。一开采用 ϕ444.5mm 钻头，ϕ339.7mm 表层套管下深 300m，封固表层松散地层；二开采用 ϕ311.1mm 钻头，ϕ244.5mm 技术套管，下深至泉一段至登楼库组顶部，封固不稳定、易坍塌泥岩层位；三开采用 ϕ215.9mm 钻头，下入 ϕ139.7mm 油层套管，固井水泥返至地面，封固油层。

2.2　井眼轨道设计优化

在实现地质设计目的前提下，充分考虑地质条件、井眼轨迹控制技术、钻进摩阻扭矩及钻井参数因素，以降低施工难度。通过不同工况下的摩阻对比，采用双增五段制剖面设计，将造斜点上移 10~30m，合理利用设计中的稳斜段，下部造斜率可降低 7%~10%，减少定向进尺，提高机械钻速。针对三维井眼轨迹造斜率低、摩阻大的问题，在保证水平段长度的前提下，将造斜点上移，先在平面上定向施工，提前走偏移距，缩短三维长度，降低方位扭转角度，降低施工难度，井眼轨道更平滑，提高机械钻速(图 1)。

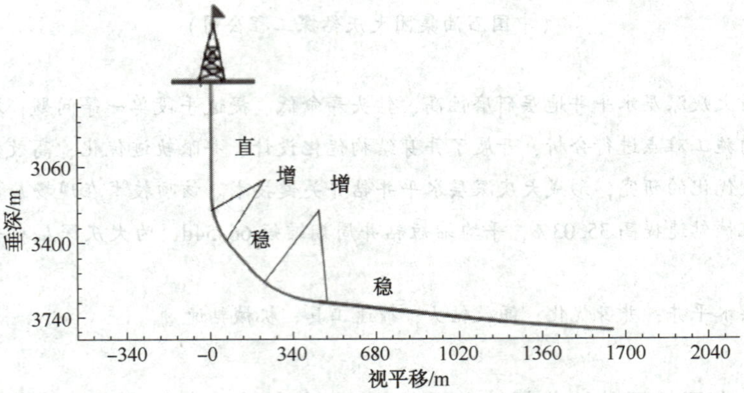

图 1　双增五段制剖面设计

2.3　高效钻头研选

2.3.1　二开钻头研选

大庆深层水平井二开上部地层明水组至泉头组，井深一般从 200m 开始到 2300m，岩性主要是泥岩、泥质粉砂岩为主，可钻性好，主要采用单排 5 刀翼 19mm 主切削齿的 311.2mm 或 315mm 钻头，重点突出钻头在中浅部地层的攻击性；二开下部地层泉头组至登楼库组，由于该层位互层较多，影响机械钻速，针对此情况，研选单排 5 或 6 刀翼 16mm 主切削齿的 311.2mm 钻头，长刀翼心部采用复合片和球状体结合的方式，既增强钻头心部攻击能力，又提高心部齿的抗冲击能力，同时使用 279 型液动旋冲工具辅助破岩，提高该层位的机械钻速。

2.3.2　三开钻头研选

三开直井段为泉头组至登楼库组，该井段互层较多，可钻性较差，为此，分别研选了 WS505HK 型号 5 刀翼和 WS506FK 型号 6 刀翼 215.9mmPDC 钻头，采用高抗冲击抗研磨性能复合片，鼻部设计斧形齿，提高钻头对地层的预破碎能力，增强钻头攻击能力，同时使用液动旋冲工具或复合冲击工具减少 PDC 钻头的粘滑，保护钻头(图 2)。

三开造斜段和水平段层位为登楼库至营层组，主要以砂质砾岩、灰色流纹岩为主，可钻性级值高(均值 6-9)，砾岩研磨性极强，导致钻进时钻头磨损严重，为此研选 MV613TAXU 型号双排非平面 ϕ13mmPDC 复合片高效钻头，脱钴深度超过 1400μm，非平面齿的点接触方式，复合片耐磨性大幅提升，改善受力提高钻头寿命(图 3、图 4)。

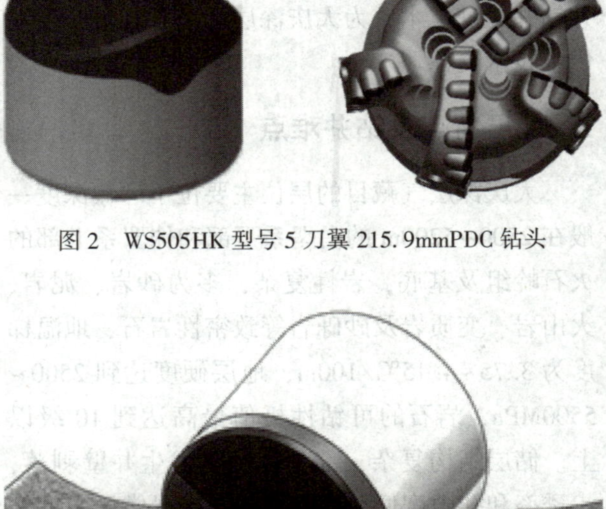

图 2　WS505HK 型号 5 刀翼 215.9mmPDC 钻头

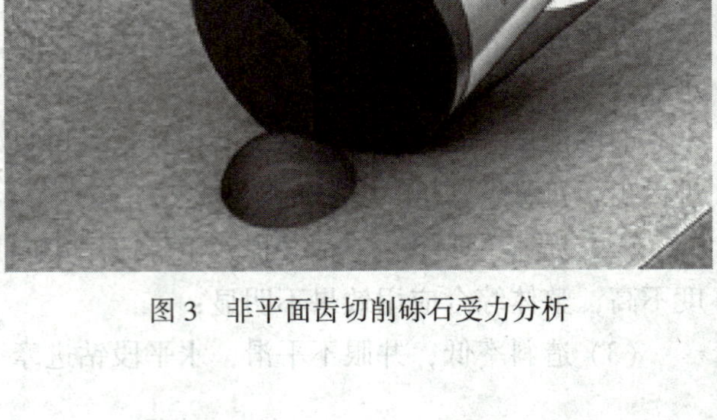

图 3　非平面齿切削砾石受力分析

图 4　MV613TAXU 型号非平面钻头结构

营层组及以下含砾地层研磨性极强，可钻性极值超过 10，PDC 钻头极易造成严重磨损，选用 4PDC 刀翼+2 牙轮复合钻头，结合牙轮钻头和 PDC 钻头的破岩特点，先由牙轮切削齿形成不连续的齿坑，对岩层进行预破碎，再由 PDC 切削齿将不连续的齿坑刮削连通，提高 PDC 钻头的破岩效率和使用寿命(图 6)。

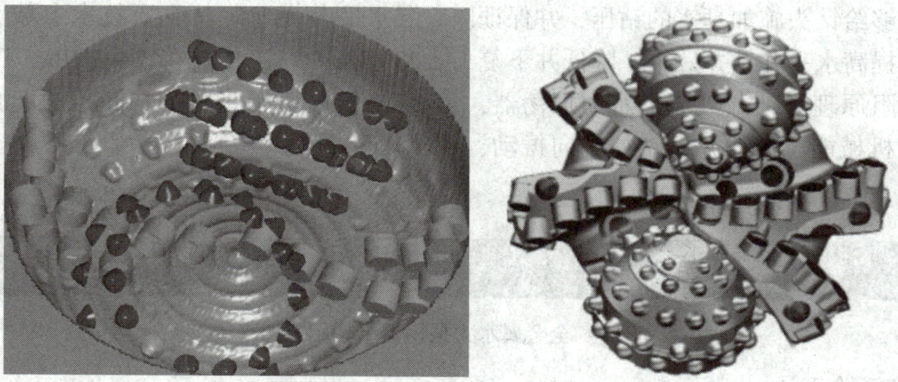

图 5　复合钻头布齿及结构设计

2.4　提速配套工具

2.4.1　液动旋冲工具

通过钻井液驱动冲击机构产生高频周向振动，使 PDC 钻头的破岩方式由普通切削转换成了周向高频冲击切削，消除了“粘滑现象”，保护钻头，提高了破岩效率，同时钻井液流经动力机构形成了高频水力脉冲射流，提高岩屑运移效率，减少井底岩屑重复切削。该工具已研制多种型号尺寸形成系列化，在大庆油田、新疆油田等应用 120 余口井，平均提速 126%，提速效果显著(图 6)。

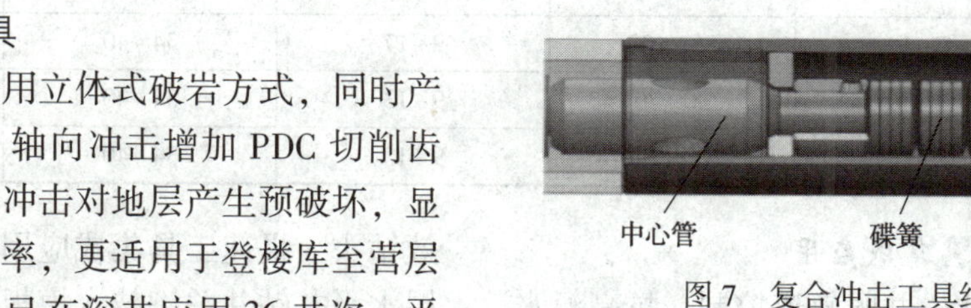

图 6　液动旋冲工具结构示意图

2.4.2　复合冲击工具

复合冲击工具采用立体式破岩方式，同时产生周向和轴向冲击，轴向冲击增加 PDC 切削齿吃入地层深度，周向冲击对地层产生预破坏，显著提高钻头的破岩效率，更适用于登楼库至营层组深部硬脆性地层，已在深井应用 36 井次，平均提速 210%，最高钻速提高 585%，使用寿命超过 300h，是深井提速的重要利器(图 7)。

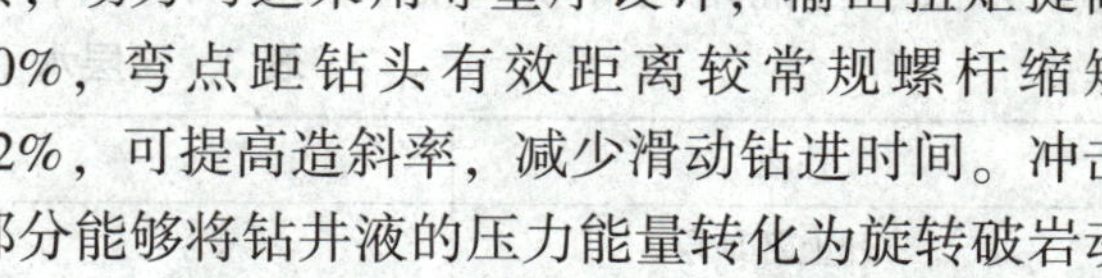

图 7　复合冲击工具结构示意图

2.4.3　旋冲螺杆工具

针对深层水平井造斜段破岩效率低的问题，创新设计了螺杆与冲击工具一体式的旋冲螺杆工具，动力马达采用等壁厚设计，输出扭矩提高 40%，弯点距钻头有效距离较常规螺杆缩短 12%，可提高造斜率，减少滑动钻进时间。冲击部分能够将钻井液的压力能量转化为旋转破岩动力，输出高频冲击辅助钻头破岩，旋冲螺杆钻井工具可有效保护钻头，提高单支钻头进尺和机械钻速(图 8)。

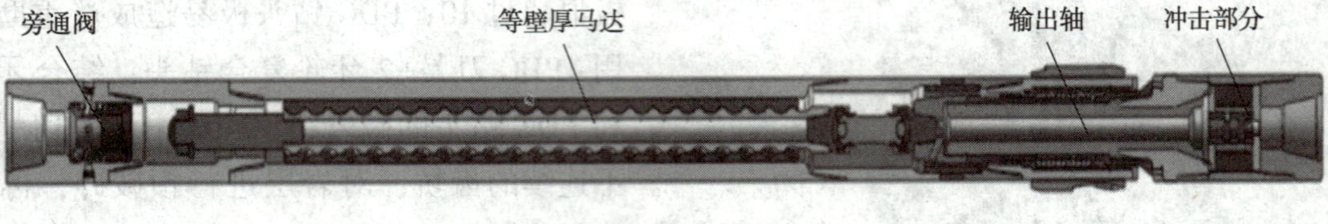

图 8　旋冲螺杆钻井工具结构

2.4.4　水力振荡器

针对水平段托压问题，研制了水力振荡器，钻进过程中能够给钻头施加真实的钻压，并保证工具面稳定，提高水平井钻井效率，降低井下复杂风险。其减阻原理为钻井液流经水力振荡器，将液能转化为机械能，带动井下钻柱轴向振动，降低钻柱与井壁之间的摩阻。该工具采用全金属结构，不受温度和钻井液类型限制，更适用于深层水平井提速。其主要技术参数为：工作排量 28~38L/s，工作压降 2~3MPa，工作频率 16~17Hz，振动幅度 3~15mm，振动冲击力 37~43kN(图 9)。

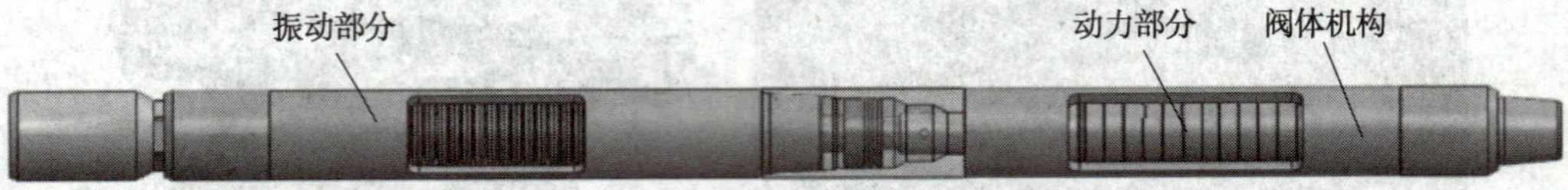

图 9　全金属水力振荡器结构示意图

2.4.5　岩屑床清除工具

水平井井壁易失稳，大斜度段、水平段易形成岩屑床，容易引起井下卡钻、憋泵等复杂情况，为此，研制了岩屑床清除工具(见图 3)，采用水力和机械双作用原理，该工具设计有 V 形螺旋槽式流道和反向螺旋结构，采用漏斗式结构，流道入口尺寸大于出口尺寸，悬浮岩屑进入 V 形槽后流速急剧增大并改变方向，提高岩屑运移速度，上返钻井液流经 V 形螺旋槽后进入反向螺旋结构形成紊流，可将低边岩屑悬浮在井筒中，提高返砂效率(图 10)。

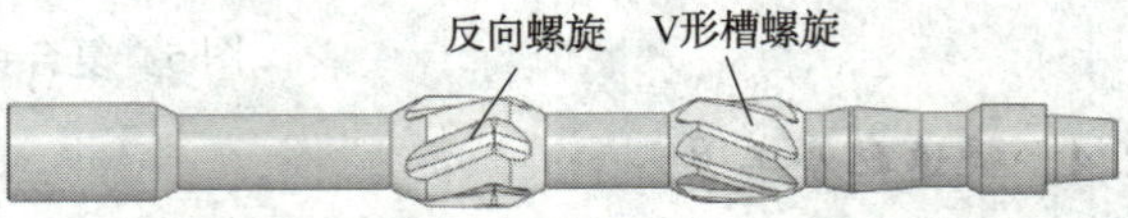

图 10　岩屑床清除工具结构

2.5　钻井参数优化

针对大庆深层地质特性和施工要求，兼顾循环设备压力承受能力，采取三大两高钻井施工参数设计，以满足不同钻速临界携岩为底线，综合考虑井眼清洁剂井壁冲刷，研究排量与转速匹配关系，结合高效钻头及提速工具应用特点，强化了钻压、转速及扭矩，通过数模优化计算，确定各层位施工最佳参数(表 1)。

表 1　深层水平井施工参数

井段	钻压/t	转速/rpm	扭矩/(kN·m)	排量/(L/s)	泵压/MPa
二开直井段	5~12	200~260	15~30	60~65	26~30
三开直井段	7~12	80~100	9~17	34~40	18~20
三开造斜段	7~10	30~70	9~13	34~40	19~25
三开水平段	8~10	100~120	9~13	34~40	19~28

2.6　钻头与提速工具集成应用

以优化钻井设计、井眼轨道控制、抗高温水基钻井液、防漏堵漏等多项技术为基础，结合高效钻头、提速工具集成应用方案，建立了大庆深层水平井钻井关键技术模板，见表 2。

表 2　深层水平井钻头与提速工具集成

井段	钻头与提速工具集成
二开上部地层	5 刀翼 315PDC 钻头

续表

井段	钻头与提速工具集成
二开下部地层	5/6 刀翼 ϕ311. 2mmPDC 钻头+279 型液动旋冲工具
三开直井段	5/6 刀翼 ϕ2115. 9mmPDC 钻头+178 型液动旋冲工具/复合冲击工具
三开造斜段	215. 9mmPDC/非平面齿钻头+旋冲螺杆工具
三开水平段	215. 9mmPDC/非平面齿钻头/复合钻头+旋转导向/LWD+高温螺杆+水力振荡器+岩屑床清除工具

3 现场应用

3.1 总体应用情况

形成的优快钻井技术在大庆深层水平井应用14 口井，平均钻进周期缩短了 66. 54d，全井平均机械钻速由 3. 14m/h 提高到 4. 24m/h，提高35. 03%，技术提速效果显著，各区块试验数据见表 3。

表 3　徐深区块与汪深区块应用数据

区块	钻进周期/d	钻井周期/d	平均机械钻速/(m/h)	钻进周期对比	对比钻速提高/%
徐深区块	124. 72	181. 36	3. 99	缩短 99. 32d	47. 11
汪深区块	33. 75	82. 67	8. 28	缩短 39. 89	29. 98

3.2 XS1-P 井

XS1-P 井是位于徐深气田一口开发井，设计井深 4460m，设计水平段长度 893m，采用三开井身结构，二开上部地层使用 1 只 5 刀翼315mmPDC 钻头，进尺 2118m。二开下部地层使用 279 液动旋冲工具配合 311. 2mmPDC 钻头，施工井段 2369～2669m，层位泉三段至泉一段，暗紫色泥岩与灰色粉砂岩、泥质砂岩呈不等厚互层，平均机械钻速 4. 37m/h，钻速提高 23. 8%，对比邻井节省 2 趟钻施工。三开直井段采用 178液动旋冲工具配合 5 刀翼 16mm 肩部斧型齿 PDC钻头，施工井段 2669～3014m，进尺 345m，层位登楼库组，平均机械钻速 5. 38m/h，钻速提高127. 1%，周期缩短 1. 75d。造斜段使用 178 旋冲螺杆工具(1. 5°)+6 刀翼单排 PDC 钻头，共施工3 趟钻，井段 3014～3565m，平均机械钻速2. 45m/h，对比提速 26. 6%。水平段着陆后使用6 刀翼单/双排 PDC+旋冲螺杆工具(1°)+178 水力振荡器+岩屑床清除工具提速组合，共施工895m，对比邻井同层位钻速提高 65. 3%。该试验井应用优快钻井技术顺利完成施工，钻井周期缩短 33. 4d。

3.3 ZS19-P 井

ZS19-P 井设计井深 4700m，采用三开井身结构。二开使用研选的高效 315mmPDC 钻头，施工井段 163～2716m，单只钻头进尺 2553m，机械钻速达到 40. 2m/h，单只钻头完成二开直井段施工，创大庆深层同层位进尺、钻速等多项记录。三开直井段使用 6 刀翼单排 PDC+复合冲击工具，进尺 139m，起钻更换造斜钻具组合。三开造斜段至水平段使用 MV613TAXU 型号非平面钻头 + 旋冲螺杆/高温高效螺杆，施工井段2855～4700m，总进尺 1754m，层位登楼库至营层组，施工 8 趟钻，使用 6 只钻头，平均单只钻头进尺 292m，平均钻速为 3. 12m/h，在登楼库组石英砂岩地层单只钻头进尺 463m，机械钻速3. 59m/h，较邻井同层位进尺提高 179%，机械钻速提高 158%；在营城组流纹质角砾凝灰熔岩地层单只钻头进尺 240m，机械钻速 2. 85m/h，较邻井同层位进尺提高 124%，钻速提高 118%。

4 结论与建议

(1) 针对大庆深层水平井的地质特点和钻井技术难点，开展了井身结构优化、井眼轨道优化、高效钻头研选、钻井提速工具研究和钻井参数优化等技术攻关，形成了大庆深层水平井钻井关键技术；

(2) 形成了深部地层钻头序列，集成应用了配套提速工具，解决了深部硬地层钻头磨损严重、机械钻速低、水平段摩阻大、岩屑返砂效率低等金丝狐难题；

(3) 钻井关键技术在大庆深层水平井应用14 口井，平均机械钻速提高 35. 03%，平均钻进周期缩短了 66. 54d，提速效果显著，为大庆深层气藏高效开发提供了技术支撑。

参 考 文 献

[1] 汪海阁，黄洪春，毕文欣，等. 深井超深井油气钻井技术进展与展望[J]. 天然气工业，2021，41(8)：163-177.

[2] 文发宝. 长水平段水平井钻井技术难点分析及对策探讨[J]. 中国石油和化工标准与质量，2020，40(2)：231-232.

[3] 孙永兴，贾利春. 国内3000m长水平段水平井钻井实例与认识[J]. 石油钻采工艺，2020，42(4)：393-401.

[4] 杨明清，杨一鹏，卞玮，等. 俄罗斯超深井钻井进展及技术进步[J]. 石油钻采工艺，2021，43(1)：15-20.

[5] 李瑞营，王峰，陈绍云，等. 大庆深层钻井提速技术[J]石油钻探技术，2015，43(1)：38-43.

[6] 王海波. 大庆徐家围子超深井提速技术研究[D]. 大庆：东北石油大学，2013.

[7] 胡群爱，孙连忠，张进双，等. 硬地层稳压稳扭钻井提速技术[J]. 石油钻探技术，2019，47(3)：107-112.

[8] 汪为涛. 非均质地层锥形辅助切削齿PDC钻头设计与试验[J]. 石油钻探技术，2018，46(2)：58-62.

[9] 闫炎，管志川，玄令超，等. 复合冲击条件下PDC钻头破岩效率试验研究[J]. 石油钻探技术，2017，45(6)：24-30.

[10] 余长柏，黎明，刘洋，等. 水力振荡器振动特性的影响因素[J]. 断块油气田，2016，23(6)：842-845，850.

[11] 明瑞卿，张时中，王海涛，等. 国内外水力振荡器的研究现状及展望[J]. 石油钻探技术，2015，43(5)：116-122.

[12] 郑锋，王建龙，吴欣，等. 大斜度井岩屑床分析及新型井眼清洁工具应用[J]. 石油矿场机械，2018，47(1)：80-82.

[13] 路保平，丁士东. 中国石化页岩气工程技术新进展与发展展望[J]. 石油钻探技术，2018，46(1)：1-9.

[14] 杜金虎，胡素云，庞正炼，等. 中国陆相页岩油类型、潜力及前景[J]. 中国石油勘探，2019，24(5)：560-568.

[15] 侯启军，何海清，李建忠，等. 中国石油天然气股份有限公司近期油气勘探进展及前景展望[J]. 中国石油勘探，2018，23(1)：1-13.

[16] 王建龙，齐昌利，陈鹏，等. 长水平段水平井高效钻井关键技术研究[J]. 石油化工应用，2018，37(3)：95-97，102.

大庆油田有限钻关调整井钻完井技术

窦金永[1]　杨智光[2]　于成龙[1]　马晓伟[1]　任文进[1]　杨秀天[1]

(1. 大庆钻探工程有限公司；2. 大庆油田有限责任公司)

摘　要　为了降低钻关对老油田开发带来的不利影响，攻关形成三采区块零散更新井控压钻完井、CY高渗透油田调整井精准钻控钻完井、外围低渗透油田调整井精细钻控钻完井等三项关键技术，通过精准双向控制地层压力及井筒压力，实现了不钻关及有限钻关条件下的调整井钻完井，取得了显著的应用效果，对国内类似油田的效益开发具有借鉴意义。

关键词　钻关；老油田；压力双向控制；调整井钻完井

大庆油田进入双特高后期开发阶段，稳产难度大，斤两必争，但钻井施工就必须大面积长时间关停注液井，严重影响油田稳产、环保压力大。通过多年持续攻关，大庆油田探索形成了有限钻关调整井钻完井技术，实现地层压力和井筒压力的精准调控，确定注采钻平衡点，有效降低钻关对产量影响，该项技术分别针对三采化学驱、高孔高渗水驱和低孔低渗水驱特点，取得了钻前钻中钻后注采井不关停少关停、注液量不减少减、原油产量不降反增的显著效果，带动了调整井钻完井技术迭代升级，为老油田高质量有效益可持续开发提供了支撑。

1　钻关的由来和带来的不利影响

上世纪70年代初期，大庆油田进入一次加密调整阶段，是国内最早钻调整井的油田。最初并没有对附近注水井实施关井，因为地层压力高，在钻井过程中出现了严重的井涌、井漏、卡钻和管外冒等复杂事故。经过钻井和开发部门共同研究，根据当时注采井距和井网状况，确定了600m以内注水井全部关井的钻关方案，后来又经历300~450m优化钻关阶段、细化完善阶段，为保证钻井安全和固井质量，减少油层污染、降低钻井成本发挥了重要作用(图1)。

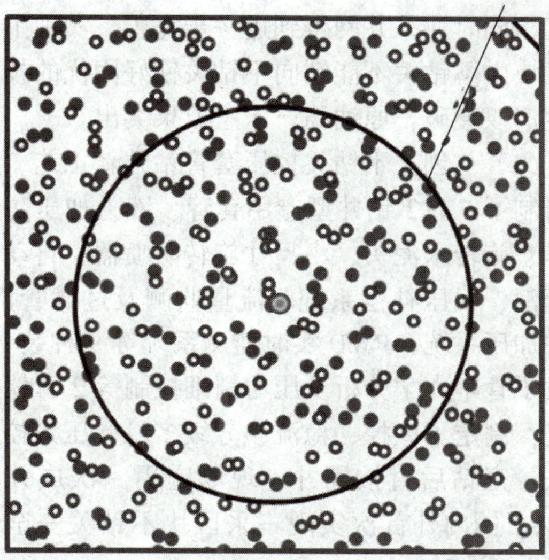

图1　SZ西部钻关影响井位图
图中圆点代表采出井，圆圈代表注入井，450米范围影响90口水井，钻关45天，影响注水量21.1万方，影响产油量2000吨

当前大庆油田已进入双特高开发和3000万吨稳定斤两必争的关键阶段，“十二五”至“十三五”期间，平均年钻调整井4000口左右，调整井钻井是确保原油稳产的重要途径，起到油田稳产压舱石的重要作用。而钻调整井需要关停周围油水井，年关停井数高达7000口，年影响原油产量30余万吨，钻关已成为影响油田稳产的重要因素，存在的主要问题可分为三类：三采区块注采井网无法完善、CY老区需要大面积钻关、CY外围需要长时间钻关。同时关停油水井，易引起井下压力波动大、套损严重、防溢流环保压力大、成本高等问题，不利于油田高质量高效益开发。

2　技术对策

为了降低钻关带来的不利影响，在采油与钻井两条战线的携手合作下，针对三采区块、CY高渗透油田、外围低渗透油田三大领域，攻关形成了三采区块零散更新井控压钻完井技术、CY

高渗透油田调整井精准钻控钻完井技术、外围低渗透油田调整井精细钻控钻完井技术等三大技术系列，通过精准双向控制地层压力及井筒压力，实现了不钻关及少钻关条件下的钻完井，利用工程技术进步，解决了油田开发难题。

2.1　三采区块零散更新井控压钻完井技术

三采区块每年有 200 口以上套损井需要实施更新。若关井，将导致前期形成的聚合物段塞因不能连续注入而被稀释破坏，严重影响驱替效率；若不关井，油层压力系数达到 2.0 以上，层间压差达 10MPa 以上，无钻井液密度窗口，常规钻井无法实施。三采区块零散更新井控压钻完井技术以精准控制井筒压力为核心，实现边注边采边钻，“钻-测-固-完”全过程安全施工及优质固井，确保三采区块注采不停、原注采井网不被干扰、同时注采井网得到进一步完善。实现了三采区块由不钻关不能钻向不钻关钻好固优的技术与生产双突破，原油稳产上产效果突出。

(1) 首创了不钻关控压套管钻井新工艺。成功研制了 5 1/2″钻井型专用套管、液力加压防斜工具、旋转水泥头、小尺寸旋转防喷器、自动节流管汇、回压补偿系统、流量监测及过滤管汇、固井加压系统、PWD 实时监测系统等 9 种装备，开发了管串力学分析及压力精细控制等 2 套软件系统，制定了微控、稳流、分级多目标压力控制方法，完钻后直接固井，现场应用一次成井率 100%，国内外首次实现三采区块不钻关安全钻更新井(图 2)。

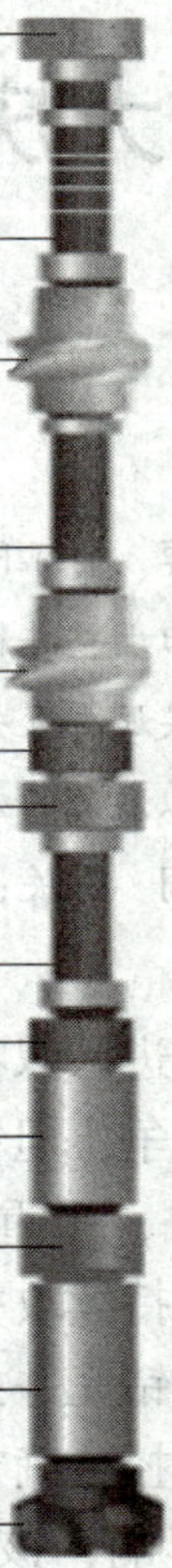

图 2　控压套管钻井管柱示意图

(2) 形成了双通道自适应精细控压钻杆钻井技术。在控压套管钻井技术的基础上，用钻杆替代套管进行控压钻井。建立了钻进、起下钻、测井、下套管、候凝等 5 种工况下的压力控制方法，制定了各项操作规程和技术模板，实现“钻-测-固-完”一体化全过程自适应精细控制，满足地层压力系数 1.7~2.0 安全作业要求，单井成本降低 200~300 万元，控压钻井折合日费 1.30 万元/天，不到国内市场价的五分之一，达到了规模化推广的目的(图 3)。

(3) 形成了多压力层系控压固井技术。建立了水泥浆胶凝失重模型，开发了超缓凝防窜水泥浆、低温防窜水泥浆、湿混型双效前置液、干混型冲洗隔离液、界面增强剂等 5 种固井工作液，制定了“分段梯度凝结+分时压力控制”方法，形成了控压固井技术模板，固井优质井段比例由 37%提升到 82.2%，实现了不钻关、地层压力系数 1.8-2.0 固井优质的重大突破。

1.2　CY 高渗透油田调整井精准钻控钻完井技术

CY 老区采用笼统钻关每年影响产量近 30 万吨。以 SN 开发区和 SZ 开发区为例，年平均钻井达到 550 口，年影响产量 5~9 万吨，加大递减 2~5 个百分点，而且钻关期间地层压力下降幅度大，钻关恢复阶段含水上升速度加快，影响油田开发形势。CY 高渗透油田调整井精准钻控钻完井技术主要以精准减注降压取代笼统关井降压为核心，确保 CY 水驱区块调整井原油生产和注水井运行少等停。与成熟的技术集成，达到了钻完井技术迭代升级，实现由笼统钻关向精准钻关的新跨越，稳油增产效果突出。

(1) 创新提出了精准减注控压钻控新理论。原钻关方式：以待钻井为中心笼统钻关，关闭一定范围内所有注水井，造成水量影响大，钻后压力恢复缓慢等问题，严重影响产能建设。精准钻控新理论：以注水井为中心，分析受效范围，待钻井在压力安全红线外，注水井正常注水，待钻井在压力安全红线内，减注控压，从而发挥钻井

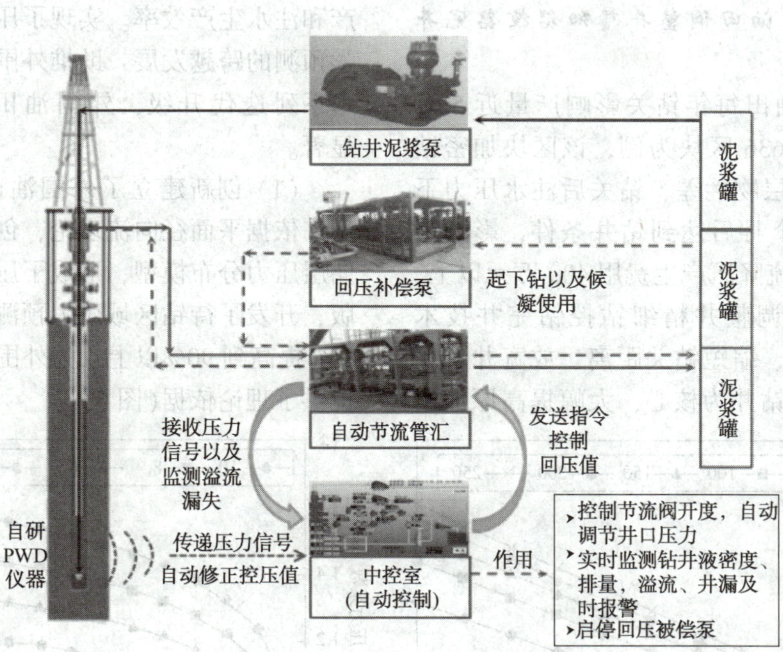

图 3　精细控压钻井流程

期间每口注水井的最大效能。

(2) 创新建立了油田开发后期压力预测新方法。综合分析老区注水压力传导影响因素，依据渗流理论，创新建立了注采井相关系数法压力计算模型，开发了地层压力预测系统，预测压力与 MDT 实测压力相比，符合率由 75% 提高到 90% 以上。

(3) 形成了精准减注控压技术。基于精准减注控压钻控新理论以及油田开发后期压力预测新方法，制定了注水井近井压力等值线图版，确定了待钻井压力安全红线，形成了精准减注控压方案，钻关距离由 450m 减少至 300m 以内，钻关时间由 7~15d 缩短至 3~7d(图 4)。

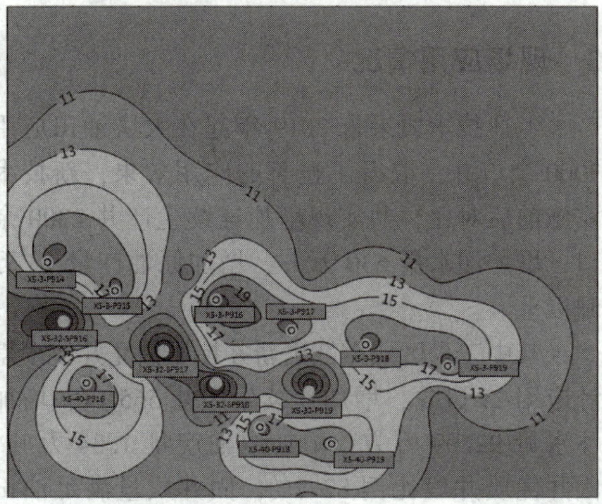

图 4　注水井近井压力等值线图版

(4) 形成了 CY 高渗透油田调整井精准钻控钻完井集成配套技术。形成钻前、钻进、完井三个阶段 20 项集成配套技术，实现了 CY 水驱精准减注控压条件下的调整井钻完井优质高效施工(表 1)。

表 1　CY 高渗透油田调整井精准钻控钻完井集成配套技术

阶段划分	配套技术
钻前(4 项)	地层压力精准预测技术
	高危浅气区预测技术
	调整井储层压力调控技术
	浅层地质风险体识别技术
钻进(8 项)	表层快速钻进工艺技术
	高危浅气区安全钻井工艺技术
	钻井防漏、堵漏工艺技术
	定向井“四合一”钻井技术
	近断层挖潜增油钻井技术
	密井网防碰预警与绕障技术
	平衡压力钻井技术
	复合阳离子钻井液技术
完井(8 项)	界面增强剂
	屏蔽封堵剂
	高效冲洗隔离液
	低温早强水泥浆
	低温防窜水泥浆
	平衡压差式封隔器
	遇水、遇油膨胀封隔器
	控制水泥面工具

1.3 外围低渗透油田调整井精细钻控钻完井技术

外围低渗透油田每年钻关影响产量近5万吨。以XZ油田G636区块为例，该区块加密钻井32口，由于储层物性差，钻关后注水压力下降速度缓慢，31个月后达到钻井条件，影响产油4311吨，放溢流降压产生费用400万元以上。外围低渗透油田调整井精细钻控钻完井技术以“减少钻关时间、缩短钻关距离、放宽井口压力”条件下的安全钻井为核心，大幅提高原油生产和注水生产效率。实现了压力由经验预测向科学预测的跨越发展，助推外围开发井提速提质技术系列迭代升级，外围油田稳产不减产成效显著。

(1) 创新建立了外围油田储层压力分布模型。依据平面径向流理论，创新建立了外围油田储层压力分布模型，形成了压力系数预测理论图版，开发了待钻区域压力预测系统，预测精度由80%提高到90%以上，为外围油田优化钻关标准提供了理论依据(图5)。

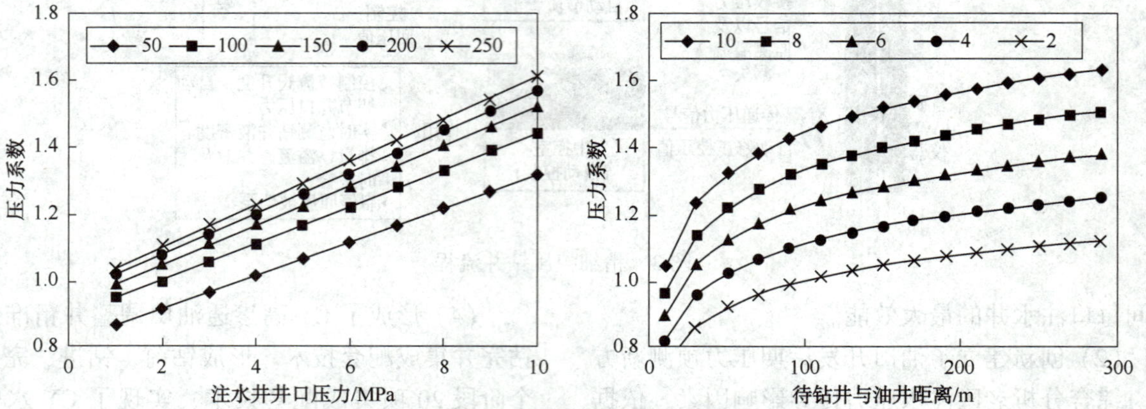

图5　压力系数预测理论图版

(2) 形成了外围低渗透油田优化钻控技术。基于外围油田储层压力分布模型，建立了低渗透油田钻控时间、钻控距离、钻控压力等安全界限图版，对原钻关方案进行优化。相比原方案：钻关距离缩短150m、井口压力放宽7MPa、钻关时间减少5个月。

(3) 形成了外围低渗透油田调整井精细钻控钻完井集成配套技术。形成钻前、钻进、完井三个阶段18项集成配套技术，实现了外围低渗透油田优化钻控条件下的调整井钻完井安全快速作业(表2)。

表2　外围低渗透油田调整井精细钻控钻完井集成配套技术

阶段划分	配套技术
钻前(4项)	低渗透油藏压力预测技术
	黑帝庙高危浅气识别技术
	外围低渗裂缝性储层钻关技术
	浅层地质风险体识别技术
钻进(6项)	大平台定向井钻井技术
	泥页岩井段防塌防漏技术
	微泡沫钻井液体系
	电磁波无线传输测量技术
	低渗透油藏储层保护技术
	随钻地层压力测试技术

续表

阶段划分	配套技术
完井(8项)	界面增强剂
	屏蔽封堵剂
	双效紊流前置液
	低温早强水泥浆
	双密度调凝水泥浆
	平衡压差式封隔器
	井口控压固井技术
	旋流剪切振动固井技术

3 现场应用情况

上述技术成果自2019年起在大庆油田应用3000余口井，取得了显著的应用效果，新技术实施前后对比，共实现增加连续生产井2300余口，增加注水量630万方，增加原油产量13万吨以上。

其中三采区块零散更新井控压钻完井技术累计应用21口井，增加连续生产井565口，增加注水量92.69万方，增加原油产量1.34万吨，固井优质井段比例82.2%，固井质量满足油田开发要求，完善了井网及注采关系，避免了井区压力波动，降低了套损风险。

CY 高渗透油田调整井精准钻控钻完井技术累计应用 2800 余口井，增加原油产量 10 万吨以上。以 XW 区Ⅱ块为例，现场试验 8 口井，无复杂事故，机械钻速、建井周期与常规井持平，固井优质率 83.3%，与原钻关方案相比增加注水量 3.9 万方，增加原油产量约 970 吨，平均单井增加原油产量约 120 吨。

外围低渗透油田调整井精细钻控钻完井技术累计应用 153 口井，增加原油产量 6496 吨。以 XZ 油田 Z13 区块为例，现场试验 14 口井，钻井液密度 1.50~1.65g/cm^3，施工正常，无复杂事故，钻速、钻井周期与常规井持平，固井合格率 100%，固井优质率 87.1%。关井数量由 39 口减少到 26 口，少关井 5 个月，大幅提高了钻建进度，与原钻关方案相比增加注水量 5.46 万方，增加原油产量 960 吨。

4 结论

（1）创新形成了有限钻关调整井钻完井技术，能够有效降低了钻关带来的不利影响，为老油田高质量有效益可持续开发提供了支撑。

（2）针对三采区块、CY 高渗透油田、外围低渗透油田三大领域，攻关形成了三采区块零散更新井控压钻完井技术、CY 高渗透油田调整井精准钻控钻完井技术、外围低渗透油田调整井精细钻控钻完井技术等三大技术系列，实现了不钻关及少钻关条件下的钻完井。

（3）该技术已在大庆油田规模应用，取得了显著的应用效果，建议将该成果应用到国内类似油田，充分发挥其提高老油田开发效果的技术优势。

参 考 文 献

[1] 何金钢. 大庆油田钻关关井技术及影响因素研究[J]. 2019 年油气勘探与开发国际会议论文集，2019.

[2] 刘玉民，杨智光，杨决算，等. 控压套管钻井技术研究与现场试验[J]. 钻采工艺，2020，43(4)：1-3.

[3] 侯力伟. 大庆油田低密度低温防窜水泥浆体系[J]. 钻井液与完井液，2016，33(4)：79-82.

[4] 鹿超，王宁，王连生，等. 大庆 CY 油田精细钻关技术[J]. 西部探矿工程，2022，06：107-108.

[5] 李兵，杨决算，刘玉民，等. 套管钻井技术在大庆油田的研究与应用[J]. 石油地质与工程，2021，35(5)：85-88.

液氮泡沫混合注入技术现状及作业机理

孙仕勋　白晓捷　马晓伟　朱明坤

（中国石油集团大庆钻探工程公司）

摘　要　为了解决现今固井施工中经常出现的水泥浆漏失、低反等固井问题，攻克固井施工中在井底欠平衡条件下实现正常的下套管和注水泥操作，解决了低压易漏地层的固井问题，也能够处理其他相关的复杂固井问题。该技术保证井眼固井质量，为后续的油层改造、增产措施及采油作业提供良好的井筒条件。

关键词　固井施工；复杂固井问题；固井质量

自1903年开始使用水泥浆固井以来，经过一个多世纪的发展，国内外固井技术取得了一定的进步，主要体现在油井水泥及外加剂性能与种类的扩充与完善、计算机技术的广泛应用、复杂地层固井技术的日趋完善、特殊工艺井固井技术的发展以及先进固井工具设备的使用等方面。但是对于现今固井施工中经常出现的水泥浆漏失、低返等固井问题，至今还没有形成相关的成熟技术，其主要原因是在固井施工中不可能在井底欠平衡条件下实现正常的下套管和注水泥操作，往往都是在井底正压条件下进行施工的，所以必然会对油气储层造成一定的伤害，使得油气井失去欠平衡钻井取得的优势。

因此针对使用欠平衡钻井，尤其使用空气钻井技术后井眼的固井问题，在国内外主要提出了近平衡固井施工概念，即是指在满足正常固井施工“压稳不漏”原则下，慎重选择合理的固井压差。其中合理压差是指在水泥浆注替和候凝过程中，环空液柱压力等于或略大于地层孔隙压力，同时且小于地层破裂压力，这样才可保证固井施工中不发生水泥浆漏失和油、气、水窜等固井事故；此时就得选用与环空液柱压力相适宜的水泥浆密度和合理的施工工艺，才能够防止固井漏失和对油气储层的二次污染，保证井眼固井质量，为后续的油层改造、增产措施及采油作业提供良好的井筒条件。实践表明，选用合适的低密度水泥浆，可以较好地解决欠平衡钻井后井眼的相关固井问题。

目前，国内油田使用的低密度水泥种类很多，总体可分为以下四种类型：

（1）加入高比例混合水，并控制游离液。一般加入粘性固态无机物和有机物的高吸水材料和轻质充填物，如膨润土、硅藻土、膨胀珍珠岩、核桃壳、焦炭、硬沥青、油基乳化液等，这种方法配制的低密度水泥浆密度在1.50g/cm^{3}左右；

（2）加入细小而耐压的中空玻璃球或微珠，能使水泥浆密度最低降至0.96g/cm^3；

（3）用钻井液、矿渣、微硅、微珠通过钻井液转化为水泥浆技术，使水泥浆密度可调至1.32~1.6g/cm^3；

（4）通过机械充气或化学发气方法配制的泡沫水泥浆，其密度可调范围为0.8~1.80g/cm^3，有资料表明，现在泡沫水泥最低密度已达0.42g/cm^3。

考虑到前三种低密度水泥浆其密度可调范围为1.08~1.6g/cm^3，对于那些地层压力系数或破裂压力系数小于1.08的地层而言，往往不能满足设计的密度条件，因此必须使用超低密度的泡沫水泥来进行堵漏、固井施工作业。

物理泡沫水泥浆是由水泥、外掺料、外加剂、水和高效发泡液FPL-1组成，基浆可以是纯水泥浆，也可以是加外加剂的任意一种水泥浆。高效发泡液FPL-1为褐色液体，是含有蛋白质的表面活性剂，发泡溶液的表面张力低，表面粘度大，形成的泡沫均匀稳定，且表面弹性大，泡沫在受搅拌、运动和冲击时，只能被剪切成更小的泡沫，而不会破损，因此不需要稳泡剂。主要用以解决低压易漏长封固段的固井问题和深层稠油油藏开采过程中精通保温问题。

目前，制造泡沫水泥浆的方法主要有两种：一种是机械充气法，即指在普通水泥浆内通过机械方法充入任意设计量的气体，并加入表面活性剂来稳定泡沫，通过人工干预在水泥浆内形成均匀细小的泡沫，达到降低水泥浆密度的目的；另一种是化学发气法，即是在干水泥中掺入一定量的发泡剂，当水泥和水混合搅拌后，发泡剂与水泥中的某些化学成分起反应产生气体，分布在水泥浆中从而形成泡沫水泥。分析两种方法各自特点可知，机械充气法可实现任意设计量的气体充入，形成的泡沫均匀细小。化学发气法施工简便，但是发气量较少，尤其是在液柱压力超过10.0MPa的井内，这种泡沫水泥浆在井下很难大幅度降低水泥浆的密度，鉴于此目前在解决低压易漏地层固井施工中，主要采用机械充气法而化学发气法则多用于解决固井施工后水泥的“失重”等问题。

此外在固井施工中作为减轻剂的气体主要有H2、CO_2、N2从及空气，其中由于CO_2在高温条件下与水泥浆中的游离水容易生成碳酸，腐蚀入井套管柱及附件，影响固井质量好坏；另外又由于H2中的氢原子半径最小，在一定条件下H2能够穿透岩石和金属，破坏形成的泡沫水泥，因此一般都不宜采用H2和CO_2作为减轻剂。前苏联专家研究表明，H2在常压下的保持系数为零，而空气的保持系数为65%，N2的保持系数可达90%，故在现场制造泡沫水泥时通常选用N2和空气作为减轻剂。本项目结合现场实际，从成本、技术应用环境等因素考虑，采用液氮为气源，开展项目攻关。

1　机械充气泡沫水泥固井工艺技术

在现场施工中，由于采用N2或空气作为减轻剂来制造的泡沫水泥，其基本性能可较好地满足现场固井施工要求，同时考虑到现场膜制氮设备成本高及工艺复杂等特点，因此通常使用液氮充气方法来制造泡沫水泥。使用液氮充气法制造泡沫水泥具有现场操作简单、适应性强，灵活性大等特点，其中此种制造方法主要涉及施工工艺方法、施工装备和施工工艺流程等三个方面内容。

1.1　施工工艺方法

使用泡沫水泥固井施工需首先考虑到封固井段的地层温度和压力，只有待这两个参数确定之后，才能确定何时充入一定体积的气体才能够得到给定的密度。因此在进行固井施工前，需要根据设计情况来选择适宜的施工工艺方法。其中在使用液氮充气泡沫水泥固井施工时，主要有以下两种施工方法：

（1）变排量注气

在施工过程中，泡沫水泥基浆排量保持不变，N2排量不断变化，在注水泥完毕时，形成的泡沫水泥浆柱从上到下的密度都是几乎相同的，其中在具体施工时，充气速率即N2排量随着施工进程逐渐增大。由于要实现连续变化充气速率在实际操作上是行不通的，但每次可以增加一个很小的值，也可得到非常稳定的泡沫水泥浆柱密度，具体方案设计可由计算机来完成。

其优点是在划分的每一级注水泥中，基本都能得到相同的泡沫水泥浆密度；但其施工操作比较复杂，同时当含N2量很低的泡沫水泥浆到达井底时，有可能压裂地层，因其密度接近正常水泥浆的密度。

（2）定排量注气

在施工过程中，泡沫水泥基浆排量和N2排量基本不变，因此在整个封固井段内从上到下形成的泡沫水泥浆密度是不同的。由于静液柱压力影响，井底泡沫水泥浆密度大于顶部的泡沫水泥浆密度，因此在使用这种施工方法时，必须清楚知道地层破裂压力和循环当量密度，才能够确保在固井过程中地层不被压裂，避免泡沫水泥浆漏失。

其优点是在现场施工中易于操作，设计较简单；同时领浆密度较低，井底泡沫水泥浆密度大，具有较好的抗压强度，候凝时间短等特点；另外其缺点是当返回地表时，上部的泡沫水泥浆密度太低，渗透性太强，不能满足封堵隔离的目的，还有可能造成浆内气泡不稳定，发生聚结或破裂逸出，从而使泡沫水泥强度难以形成。所以，在具体施工中一般都需在环空加一定回压或采取穿鞋戴帽固井方式，使浆内泡沫稳定并将泡沫水泥加压至一定密度，满足封堵隔离的目的。

结合考虑上面两种施工方法的优缺点，在实际施工中形成了兼顾两种方法的施工工艺方法，即指对泡沫水泥封固井段进行分段固井施工，这就是说在整个注泡沫水泥施工过程中，按照设计分2~3个不同的充气速率配制泡沫水泥进行固井施工。

1.2　施工准备

使用机械充气，尤其使用液氮充气方法在制造泡沫水泥时，由于采用在地面向水泥基浆中充气这一工艺方法，使得它的施工工艺与其他常规固井施工方法有很大的差异，且需要很高的技术和相应的专用设备与仪器。除了常用固井装备与设施，如水泥车、装灰车等外，还需要以下一些装备设施：

（1）供气装置：提供机械充气时所需要的气源，目前主要有两种：一种是氮气源，由液氮车提供。另一种是空气源，由空气压缩机和增压机提供；

（2）泡沫发生器：用机械方法搅拌混匀水泥基浆和气体，使气体和水泥基浆在很短时间内充分混合，形成分散均匀细小的独立气泡，得到高质量的泡沫水泥浆；

（3）监测控制系统：用于监测控制水泥基浆排量、气体排量、泡沫水泥浆密度，以使注入井内的泡沫水泥浆满足设计要求；

（4）其它如动态加药装置，井口控制装置等一些满足施工的特种工具及装置。

1.3　施工流程

由于泡沫水泥中含有气体组分，其中气体具有很强压缩性，因此在实际施工中通常需选用不同的施工方式来加压泡沫水泥浆，使其密度达到设计要求，进而满足现场固井施工要求。其中主要有两种方法实现加压：一种是在环空憋回压；另一种是采用泡沫水泥固井，即为穿鞋戴帽方式，在主要封固段使用泡沫水泥浆，其他封固段使用常规水泥浆，由此该两种方法分别对应有不同的施工工艺流程。在这里，本文主要对采用泡沫水泥固井，即为使用穿鞋戴帽固井方式的施工工艺流程说明如下：

（1）按设计要求，连接施工管汇，将所有设备及管线连接好；

（2）待一切施工准备就绪后，按照施工要求泵入一定体积前置液，打开下胶塞挡杆，压胶塞，泵入设计量的上部水泥浆，倒换相关阀门；

（3）上部水泥浆泵完后，配制泡沫水泥，其基本过程为：开启水泥车混配水泥基浆，并泵入批混罐，搅拌均匀；同时将发泡剂和稳泡剂加入批混罐的水泥基浆中，并搅拌均匀；然后由水泥车将混有发泡剂和稳泡剂的水泥基浆注入泡沫发生器；

（4）同时打开气体控制阀，在向泡沫发生器供浆的同时，由液氮车通过管线向泡沫发生器供氮气；

（5）氮气和水泥浆在泡沫发生器内经过机械或水力的充分混合后形成泡沫水泥浆；同时进入施工管汇中，由管汇安装的监测装置传输信号和数据到计算机监测系统；

（6）待具体分析处理完成后，得出具体密度调节方式，帮助和指导施工人员及时调节气体流量和水泥基浆流量，直到满足设计要求；

（7）将满足设计要求的泡沫水泥浆，通过管汇泵入到水泥头，并注入井内；

（8）待达到设计的注入泡沫水泥浆量后，关闭气源、停注，倒换相关阀门；

（9）泵入设计量的下部常规水泥浆，打开水泥头上胶塞档杆；

（10）启动压胶塞水泥车，压上胶塞和替入设计量的顶替液；

（11）待碰压后，关井候凝。

2　液氮泡沫注入机理

根据工程实践可知，在使用机械充气进行泡沫水泥固井施工时，主要有2种注气方式：定排量和变排量。根据机械发泡工艺原理，将深冷液氮经过增压汽化成高压、常温氮气，与泡沫剂、水泥浆在高压泡沫发生器中进行发泡，同时根据实时测量的水泥浆排量与密度值，由泡沫监控系统控制氮气、泡沫剂排量，进行泡沫水泥浆在线密度自动控制，如图1。

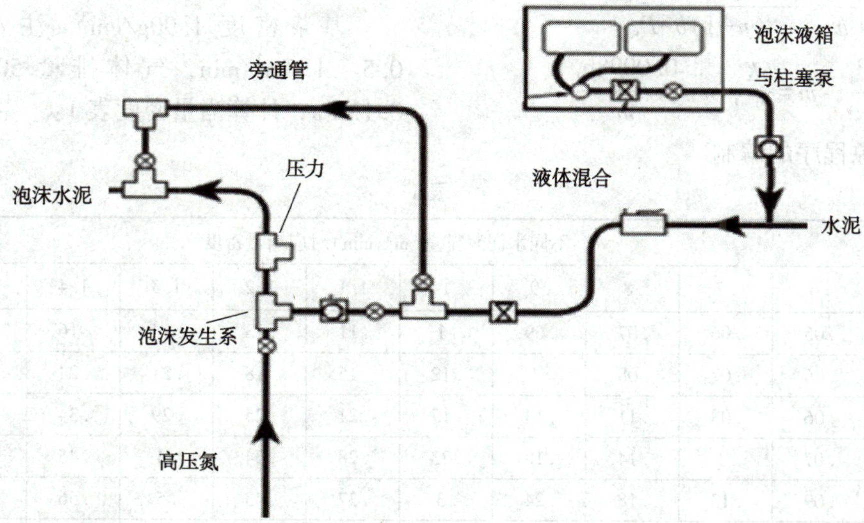

图 1　液氮泡沫水泥制备原理示意图

3　注气压力计算模型研究

（1）完成不同井深静液压力微分方程的推导

液体看作不可压缩，常规水泥浆的液柱压力用水泥浆密度代表，气体可压缩，充气液用地面密度代表液柱压力，假设充气水泥浆的地面密度为 ρ_s，基浆密度为 ρ_L，气体百分比为α，P_s 为地面压力，$P_s = 0.1013\text{MPa}$。通过系列推导计算，得到一个一阶线性非齐次微分方程，它的解为（推导过程略）图 2，图 3：

```
ActiveDocument.Tables.
Add
Range:=Selection.Range,
NumRows:=25,
NumColumns:=13,
DefaultTableBehavior:=1,
AutoFitBehavior:=0
' Macro2 Macro
' 宏由 Administrator
录制，时间：2022/05/31
r2 = 1.8 '
q1 = 50
For q22 = 0.5 To 1.7 Step
0.1
h11 = 4000
q1 = q1 / 60
q2 = q22 / 60
dy = dy / 1000
'top
ps = 0.2
'ps = ps / 1000 + 0.1
ps1 = 0.1
a1 = q1 / (q1 + q2) '气体
百分含量
a = a1 * ps1 / (a1 * ps1 +
(1 - a1) * ps)
k = 0.04 '地温梯度
ts = 273   '地面温度
'Stop
b = a * ps / (1 - a)
tss = 273   '地面温度
ttd = (h11 * 4 / 100 * 0.7
- tts + 273) / h11
For i = 0 To 4000 Step
200
ppp = ps
'Do
ts = tss + i * ttd
m = b * k / ts
n = 0.0098 * r2 / m
'For i = 0 To h11 Step 100
pdd = 0
pdd1 = 200
Do
pdd2 = (pdd + pdd1) / 2
ccc = pdd * ps ^ (1 / n) +
pdd ^ (1 / n) * (n * b - b -
ps) - ps ^ (1 / n) * (n - 1)
* (b + m * i)
ddd1 = pdd1 * ps ^ (1 / n)
+ pdd1 ^ (1 / n) * (n * b -
b - ps) - ps ^ (1 / n) * (n -
1) * (b + m * i)
eee = pdd2 * ps ^ (1 / n)
+ pdd2 ^ (1 / n) * (n * b -
b - ps) - ps ^ (1 / n) * (n -
1) * (b + m * i)
If Sgn(ccc * eee) < 0
Then
pdd1 = pdd2
Else
pdd = pdd2
End If
'qq11 = bbb * pdd
'qq22 = aaa * pdd ^ 0.8
'Stop
Loop Until Abs(pdd -
pdd1) < 0.001
ap = a * ps / (a * ps + (1 -
a) * pdd2) '特定井深的
气体体积含量
r3 = r2 * (1 - a) * pdd2 /
(a * ps + (1 - a) * pdd2) '
实际密度
q3 = ap * q2 / (1 - ap)

If i = 0 Then
r4 = r3
Else
r4 = pdd / i / 0.0098    '
当量密度
'Stop
End If
  With
Selection.Tables(1)
            If .Style <> "网
格型" Then
                    .Style = "
网格型"
            End If
            .ApplyStyleHea
dingRows = True
            .ApplyStyleLas
tRow = True
            .ApplyStyleFirs
tColumn = True
            .ApplyStyleLas
tColumn = True
            .Cell(i / 200 + 2,
1).Range.Text = i
            .Cell(1, q22 /
0.1 - 3).Range.Text = q22

      End With
Next i
'Stop
i = 0
Next q22
```

图 2　计算源程序

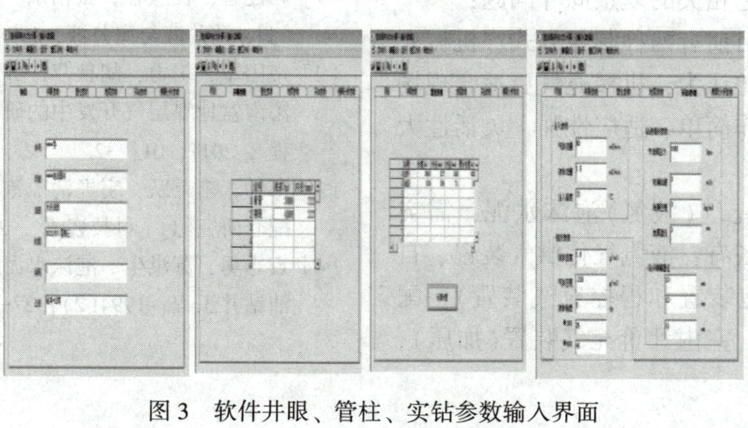

图 3　软件井眼、管柱、实钻参数输入界面

$$\left|\frac{P}{P_S}\right|\frac{1}{n}=\frac{(n-1)(b+mH)-P}{(n-1)b-P_S}$$

其中 $b=\frac{\alpha P_s}{1-\alpha}$，$m=\frac{bK}{T_S}$，$n=\frac{0.0098\rho_L}{m}$

完成计算源程序的编制

(2) 完成结果计算

基浆密度 $1.90g/cm^3$，注入水泥浆排量 $0.5\sim1.6m^3/min$，气体排量 $50m^3/min$，套压 0.1MPa，计算当量密度表 1：

表 1

井深/m	不同水泥浆排量(m^3/min)对应当量密度											
	.5	.6	.7	.8	.9	1	1.1	1.2	1.3	1.4	1.5	1.6
0	.05	.05	.06	.07	.09	.1	.11	.13	.14	.16	.18	.2
200	.04	.06	.07	.08	.1	.12	.15	.18	.21	.24	.27	.31
400	.05	.06	.08	.11	.14	.17	.21	.25	.29	.34	.39	.44
600	.05	.07	.1	.14	.18	.23	.28	.34	.4	.45	.51	.56
800	.06	.09	.13	.18	.24	.3	.37	.43	.5	.56	.62	.68
1000	.07	.11	.16	.23	.3	.37	.45	.53	.6	.66	.72	.78
1200	.09	.14	.2	.28	.37	.45	.54	.61	.69	.75	.81	.87
1400	.1	.17	.25	.34	.44	.53	.61	.69	.77	.83	.89	.94
1600	.12	.2	.3	.4	.5	.6	.69	.77	.84	.9	.96	1.01
1800	.15	.24	.35	.46	.57	.67	.75	.83	.9	.96	1.02	1.07
2000	.17	.28	.4	.52	.63	.73	.81	.89	.96	1.02	1.07	1.12
2200	.2	.32	.45	.58	.69	.78	.87	.94	1.01	1.06	1.11	1.16
2400	.23	.37	.5	.63	.74	.84	.92	.99	1.05	1.11	1.16	1.2
2600	.27	.41	.55	.68	.79	.88	.96	1.03	1.09	1.15	1.19	1.23
2800	.3	.46	.6	.73	.83	.93	1	1.07	1.13	1.18	1.23	1.27
3000	.34	.5	.65	.77	.88	.97	1.04	1.11	1.16	1.21	1.26	1.29
3200	.37	.54	.69	.81	.92	1	1.08	1.14	1.2	1.24	1.28	1.32
3400	.41	.58	.73	.85	.95	1.04	1.11	1.17	1.22	1.27	1.31	1.34
3600	.45	.62	.77	.89	.99	1.07	1.14	1.2	1.25	1.29	1.33	1.37
3800	.48	.66	.8	.92	1.02	1.1	1.17	1.22	1.27	1.32	1.35	1.39
4000	.52	.69	.84	.95	1.05	1.13	1.19	1.25	1.3	1.34	1.37	1.4

4 结论

(1) 泡沫水泥在防漏、防窜、冲洗顶替等方面具有一定优势，可解决低压易漏地层的固井问题，也能够处理其他相关的复杂固井问题；

(2) 泡沫水泥目前有两种制备方式，机械充气和化学发气。对比认为，机械充气更适合现场施工，具有现场操作简单、适应性强，灵活性大等特点；

(3) 研发机械充气(液氮)泡沫水泥，需突破的关键技术及设备有：液氮气化供气装置、自动化充气装置(发泡装置和程控充气装置)、配套发泡剂与稳泡剂、室内评价充气装置(加压)、泡沫水泥固井参数设计(环空密度分布模型、气液两相流动模型等)。

参 考 文 献

[1] 屈建省，杜慧春，黄柏宗．泡沫水泥的研究与应用[J]．钻井液与完井液，1994，11(5)：1~7.

[2] 卢国军，王力，胡秋萍，等．泡沫水泥固井技术在沁南盆地煤层气开发中的研究应用[J]．西部探矿工程，2017，01：32.

[3] 郑钟，李秉跃，窦虎清．泡沫水泥固井装备及技术配套研究[J]．科技咨讯，2009N 0. 19：38.

[4] 袁志勇，苏洪生．泡沫水泥固井研究与应用[J]．石油钻井工程，1994(2)：27-31.

CO_2合成 DMF 高效催化体系的开发与应用*

丁奎岭[1] 侯秋实[2] 张 磊[1] 王 正[1] 侯之希[2] 邱 佳[1] 余溪吟[2] 刘 涛[2]
马琳瑛[2] 倪海微[2] 朱晓宁[2] 李 慧[2] 赵 伟[2] 高文生[2] 胡 娟[2] 张 洁[2] 陈 劼[2] 张 强[2]

(1. 中国科学院上海有机化学研究所；2. 上海寰球工程有限公司)

摘 要 作者设计并合成了一系列含有 OH 侧链的新型 PNP 钳型配体，并将其应用于 CO_2 加氢合成甲酰胺类化合物的反应中。在优化的反应条件下，以吗啉为底物，反应的 TON 最高可达 1999000。同时，该催化体系在包括 DMF 在内的多种甲酰胺衍生物合成中表现出优异的催化效果。在此基础上，通过热力学/动力学计算、反应器设计、逐级放大等多种技术手段，开发了世界首套"CO_2 资源化利用合成 DMF 成套技术、工艺和装备"，并编制完成了 10 万吨级工艺包。

关键词 CO_2资源化利用；二甲基甲酰胺(DMF)；催化氢化；钌络合物；产业化应用

1 背景

自《京都议定书》签订以来，气候变化成为世界范围内的重要议题，减少温室气体的排放以应对气候变暖成为世界范围内的共识，各大经济体均提出"碳减排"、"碳中和"的目标。2020 年 9 月，第七十五届联合国大会一般性辩论上，习近平总书记代表中国做出承诺——力争于 2030 年前达到二氧化碳排放峰值，并努力争取 2060 年前实现碳中和。这一目标提出后，各相关部委、行业协会、地区相继出台"碳达峰、碳中和"政策，相关工作快速推进。目前，我国已建立碳达峰碳中和"1+N"政策体系。"1"由《中共中央国务院关于完整准确全面贯彻新发展理念做好碳达峰碳中和工作的意见》《2030 年前碳达峰行动方案》两个文件共同构成，"N"是重点领域、重点行业实施方案及相关支撑保障方案。同时，各省区市均已制定了本地区碳达峰实施方案。以 CO_2为原料，结合可再生的氢气资源，将 CO_2催化转化为燃料，能源以及化学品，如醇类、烯烃、甲酰胺、羧酸、酯或内酯、以及高分子聚合物等，是"碳达峰，碳中和"的有效手段之一，也是最具吸引力和挑战性的科学问题之一。

2 催化剂技术开发

2.1 已报道 CO_2氢化合成甲酰胺衍生物的代表性均相催化体系

甲酰胺衍生物，特别是 N，N-二甲基甲酰胺(DMF)，因其在工业过程中的重要用途而备受学术界和工业界的关注。在过去的几十年里，多种均相催化剂被成功开发并应用于 CO_2氢化合成甲酰胺衍生物的反应中。我们前期也报道了一种非常高效的钌基催化剂，其在伯胺、仲胺与 CO_2和氢气合成甲酰胺衍生物的反应中具有优异的催化活性和选择性(图 1)。然后目前仍鲜有这一类型反应应用于工业化生产的报道。因此开发更高效、适合于产业化应用的催化体系仍具有重要现实意义。

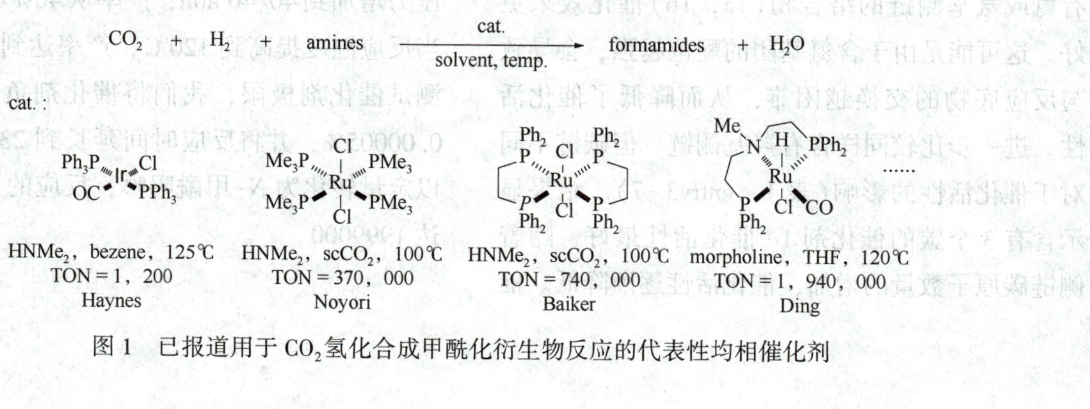

图 1 已报道用于 CO_2氢化合成甲酰化衍生物反应的代表性均相催化剂

2.2 新型侧链修饰的 PNP 钳型钌络合物的设计、合成及结构

作为前期工作的后续，基于已知的 PNP 钌的优势催化结构，我们进一步设计并合成了一系列在侧链上具有氢键供体的改性钳形钌配合物 1a-1j，并通过核磁、质谱、红外以及 X-ray 单晶衍射等手段确认了其结构特征(图 2)。这类络合物的主要特征在于，其 PNP 原子与钌原子处于同一平面，而修饰的侧链则以游离状态存在，其氢键供体中心 O/N 原子通常并不直接与金属参与配位。

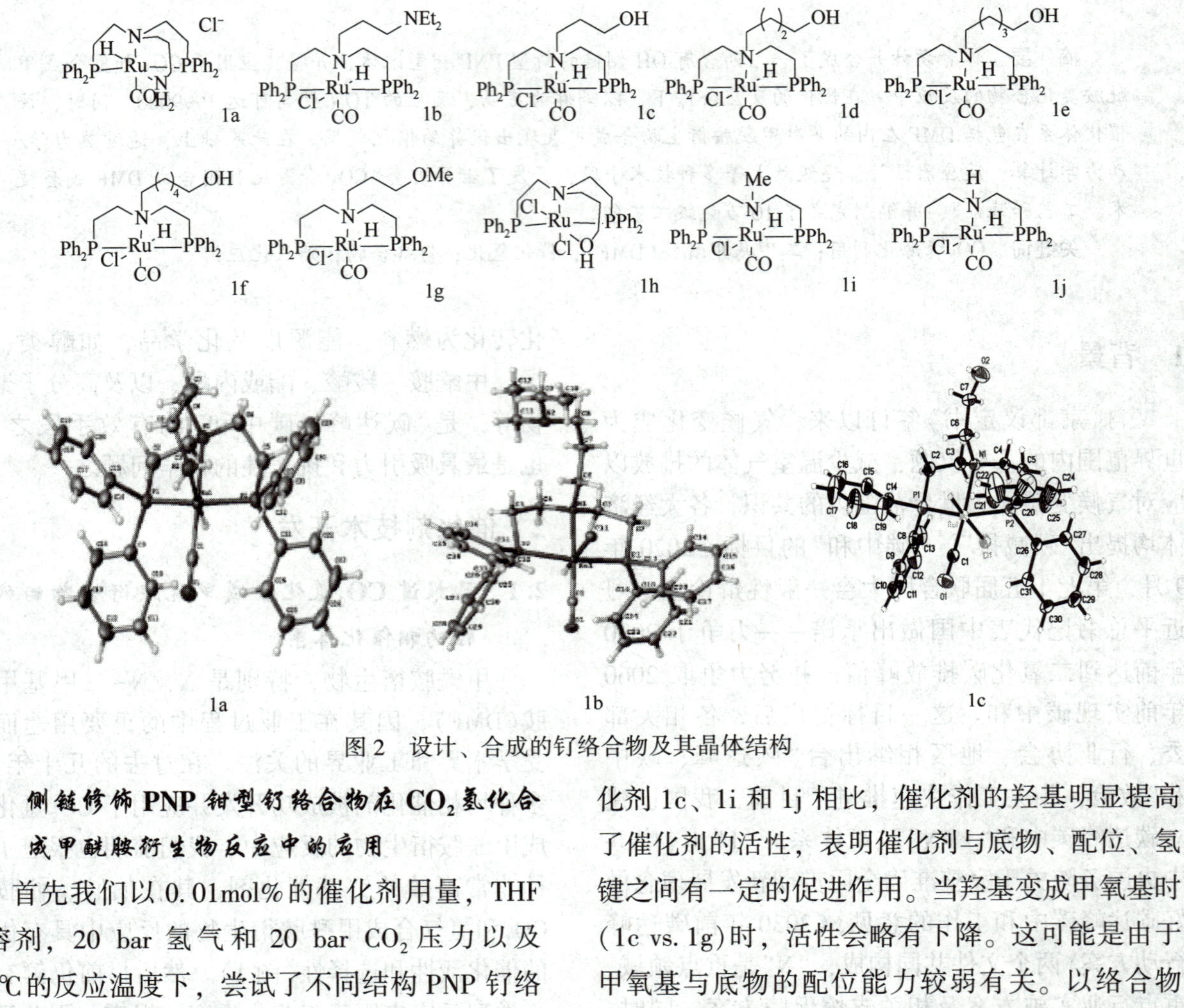

图 2　设计、合成的钌络合物及其晶体结构

2.3 侧链修饰 PNP 钳型钌络合物在 CO_2 氢化合成甲酰胺衍生物反应中的应用

首先我们以 0.01mol% 的催化剂用量，THF 为溶剂，20 bar 氢气和 20 bar CO_2 压力以及 100℃的反应温度下，尝试了不同结构 PNP 钌络合物(1a-1i)的催化活性(表 1，entry1-10)。结果显示含有羟基侧链的的络合物(1c-1g)比与含有氮或氨基侧链的络合物(1a，1b)催化效果更好。这可能是由于含氮基团的配位越强，会导致与反应底物的交换越困难，从而降低了催化活性。进一步比较同样含有羟基侧链，但碳链不同对于催化活性的影响(表 1，entry3-7)。结果显示含有 3 个碳的催化剂 1c 催化活性最好，随着侧链碳原子数量的增加，催化活性逐渐降低。催化剂 1c、1i 和 1j 相比，催化剂的羟基明显提高了催化剂的活性，表明催化剂与底物、配位、氢键之间有一定的促进作用。当羟基变成甲氧基时(1c vs. 1g)时，活性会略有下降。这可能是由于甲氧基与底物的配位能力较弱有关。以络合物 1c 为优选催化剂。我们进一步筛选了反应条件，包括温度、CO_2/H_2压力和溶剂等。当将 CO_2/H_2 压力增加到 40/40 atm，产率从 40%增加到 61%。当反应温度提高到 120℃，产率达到 79%。为了测试催化剂极限，我们将催化剂负载量降低到 0.00005%，并将反应时间延长到 235h，吗啉可以定量转化为 N-甲酰吗啉，反应的 TON 最高可达 1999000。

表 1　催化剂筛选和反应条件优化[a]

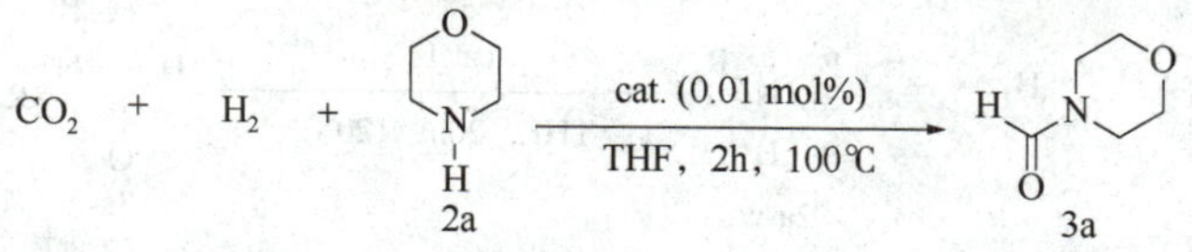

Entry	cat. (mol%)	yield/%[b]	TON
1	1a (0.01)	5	480
2	1b (0.01)	34	3，360
3	1c (0.01)	40	3，940
4	1d(0.01)	36	3，619
5	1e (0.01)	30	2，955
6	1f(0.01)	19	1，905
7	1g (0.01)	33	3，245
8	1h (0.01)	7	675
9	1i (0.01)	27	2，700
10	1j (0.01)	19	1，905
11[c]	1c (0.01)	61	6，051
12[c,d]	1c (0.01)	79	7，902
13[c,d,e]	1c (0.001)	98	98，200
14[c,d,e]	1c (0.0001)	94	944，000
15[c,d,f]	1c (0.00005)	>99[g]	1，999，000

[a] Unless otherwise stated，the reaction was carried out with morpholine (20mmol) and the specified cat. (0.015mmol) in 2mL THF for 2 h under 20 bar of CO_2 and 20 bar of H_2 at 100 ℃. [b] The yield of 2a was determined by GC analysis using tridecane as an internal standard. [c] Reactions were performed under 40 bar of CO_2 and 40 bar of H_2. [d] Reactions were performed at 120 ℃. [e] Reactions were performed with 100mmol morpholine in 10mL THF. [f] Reactions were performed with 200mmol morpholine in 10mL THF. [g] The yield of isolated 3a.

在优化的催化条件下，拓展了一系列包括伯或仲，饱和或不饱和，以及带有不同官能团的胺类合成相应甲酰胺类衍生物的反应活性(Table 2)。在催化剂用量为 0.001%mol 的标准反应条件下，吗啉 2a 和 N-甲基苄胺 2b 以以优异的产率和选择性生成相应的甲酰胺产物。其他胺类则在催化剂用量增加到 0.002mol%时，N-甲酰化反应可以顺利进行。值得注意的是，由于 DMF (3h)和 N，N-二乙基甲酰胺(3i)的沸点相对较低，分离产率与 GC 产率之间存在较大差异。此外，包括甲氧基(3n)、吡啶基(3o)、羟基(3p)，以及链状(3h、3j、3k 等)或环状(3l、3m)的有机胺也能以良好至优异的产率生成相应的甲酰胺衍生物。最后，含有羰基(3q，3w)或 C=C 不饱和键(3r，3s，3t，3u，3v)的不饱和胺类底物也适用于该反应，以良好至优异的产率合成得到相应的甲酰胺衍生物。

综上所述，我们设计并合成了一系列含有氨基或醇基侧链的新型 PNP 配体及其钳型钌络合物，并将其应用于 CO_2加氢与有机胺反应合成甲酰胺衍生物的反应中。在优化条件，反应 TON 最高可达 1999000。这是迄今为止均相催化条件下这类反应的最高 TON。除此之外，该催化体系对含有羰基或 C=C 键等不饱和基团的胺的 N-甲酰基化反应也具有优异的兼容性。

Table 2　不同胺类底物的甲酰化反应[a]

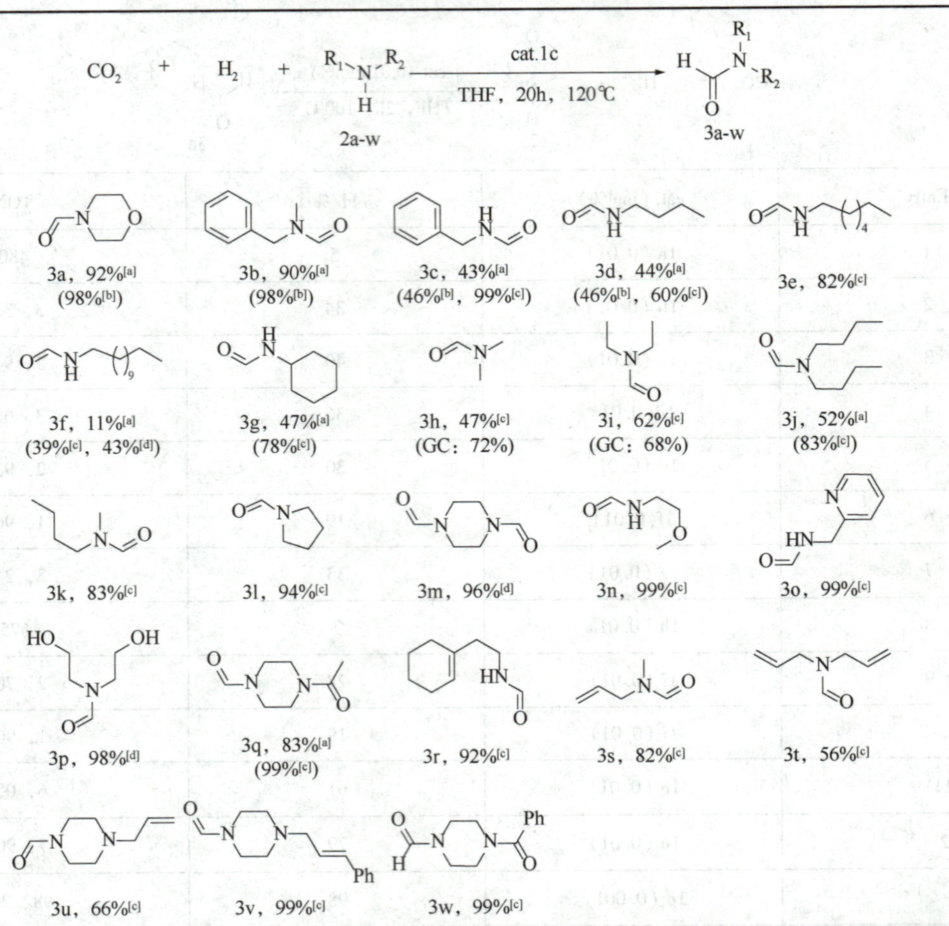

[a] Unless otherwise specified, the reaction was carried out with the amines (100mmol), 1c (0.001mmol) in 10mL THF for 15 h at 120℃ under 40 bar of CO_2 and 40 bar H_2. Yields were of the isolated products. [b] Reactions were performed for 20 h. [c] Reactions were performed with 50mmol amines for 20 h. [d] Reactions were performed in 10mL MeOH with 50mmol amines for 20 h.

3　工程技术开发

DMF 是一种重要的大宗化学品，其市场成熟，在石油化工，高分子，医药和农药得领域有着广泛用途，仅我国产能就超过 66 万吨/年。目前其工业主要生产方法是以二甲胺和一氧化碳为原料，以甲醇钠为催化剂的条件下合成得到。以 CO_2 和 H_2 代替 CO 用于 DMF 的生产，是目前工业界的一个重要研究方向。基于 PNP 钌络合物在催化 CO_2，氢气和二甲胺反应合成包括 DMF 的高活性和高选择性，为了进一步探索其应用价值，我们开展了其产业化应用研究。

3.1　中试装置

2017 年在山东枣庄薛城循环经济化工园区建成了以 CO_2 为原料，年产 1000 吨的 DMF 中试装置(图 3)。工程流程包括：二氧化碳、氢气经过压缩机压缩，二甲胺经过往复泵加压一起进入反应器中，控制温度在 50~120℃，合成 DMF 产物，多级闪蒸，然后通过精馏提纯，得到精 DMF 产品。DMF 工艺流程简图如下图 4。中试装置于 2019 年 5 月 29 日一次性开车成功，产出合格产品，产品纯度超过了 99.98%，高于国标 DMF 一等品指标。

3.2　中试装置工艺条件对反应结果的影响

由中试数据图 5 至图 8 可见，随着温度由 110℃升高到 130℃，DMF 转化率由 0.45 上升到 0.52；随着压力从 3.7MPa 变化到 4.7MPa，DMF 转化率从 0.5 变化到 0.53。在总压不变的情况下，氢气流量从 $26Nm^3/h$ 增加到 $36Nm^3/h$，DMF 转化率基本不变，同样地，当二氧化碳流量从 $24Nm^3/h$ 增加到 $34Nm^3/h$ 时，DMF 转化率也基本不变。另外，根据中试数据还可得得出以下结论：

(1) 氢气作为气相反应物参与反应，从氢气在水、DMA、DMF 中的传质系数看，比一般传质系数低。

图 3　1000 吨/年 DMF 中试装置照片

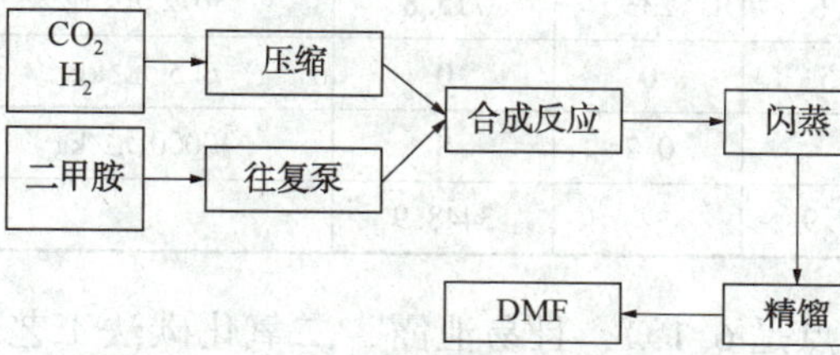

图 4　DMF 工艺流程简图

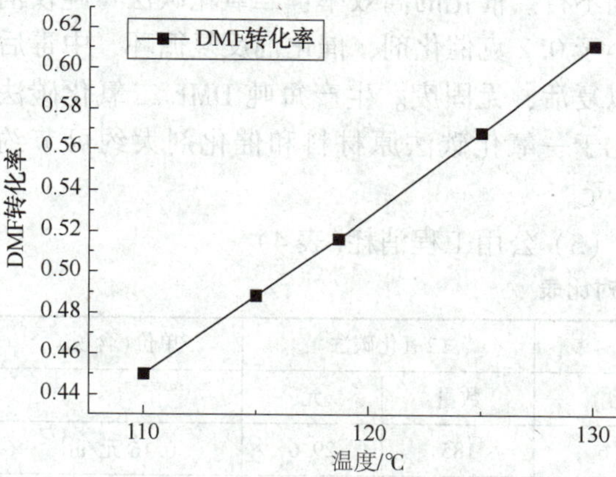

图 5　温度对 DMF 转化率的影响

（2）CO_2在液相主体中的传质非常特殊，从产物液相组成可发现，CO_2 的含量高达 50% 以上，表明二氧化碳在高压条件下有一个液化的过程，因此很难再用传统的传质系数方法描述二氧化碳在液相主体的传质行为。

（3）用中试数据拟合得到的宏观动力学包含了中试反应器的反应-传质部分，是反应和传质过程综合的体现，可靠性较强，能作为工业化放大的依据。

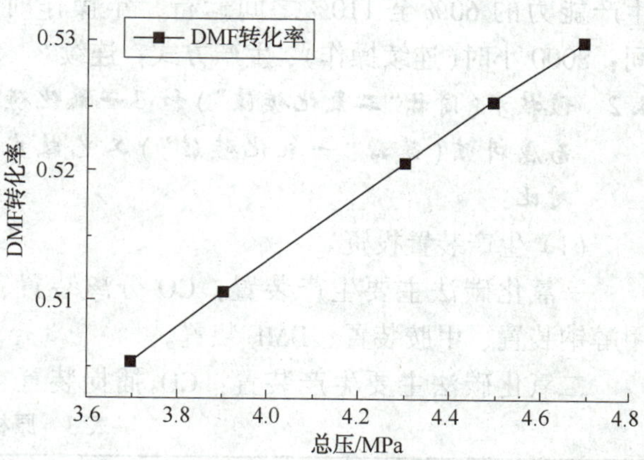

图 6　总压对 DMF 转化率的影响

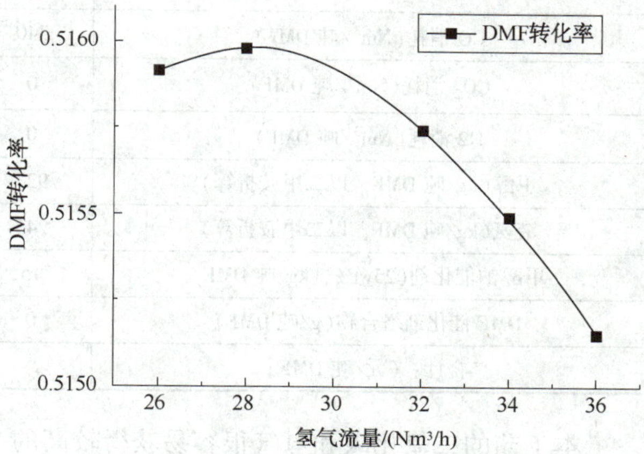

图 7　H_2流量对 DMF 转化率的影响

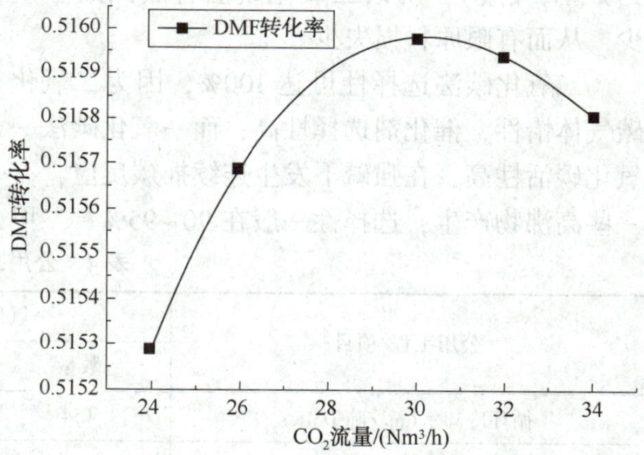

图 8　CO_2 流量对 DMF 转化率的影响

4　10 万吨 DMF/年工艺包及其技术特点

4.1　工艺包范围和规模

本工艺设计包范围为从原料（二甲胺、氢气、二氧化碳）进入装置界区开始到主副产品出工艺主装置界区。工艺装置主要包括压缩单元、合成单元和分离精制单元。年产 10 万吨年 N, N-二甲基甲酰胺（DMF），合成装置能够在设计生产能力的60%至110%之间运行，年操作时间：8000小时(连续操作)；生产方式：连续。

4.2　该技术(简称“二氧化碳法”)和以一氧化碳为原料法(简称“一氧化碳法”)工艺技术对比：

(1) 生产装置投资

一氧化碳法主要生产装置：CO分离装置、甲醇钠装置、甲胺装置、DMF装置。

二氧化碳法主要生产装置：CO_2捕捉装置、甲胺装置、DMF装置。

一氧化碳法年产10万吨DMF装置(加上配套的公用工程装置)投资大约7.5亿元；二氧化碳法年产10万吨DMF装置(加上配套的公用工程装置)投资大约5.8亿元。

在建设相同10万吨DMF装置生产规模下，二氧化碳法的投资大约为一氧化碳法的77%。

(2) 原材料消耗(表3)

表3　原材料消耗对比表

原材料/项目	一氧化碳法		二氧化碳法		单价(含税)
	数量	元	数量	元	
CO消耗(Nm^3/吨DMF)	340	856.8	0	0	2.52元/Nm^3
CO_2消耗(Nm^3/吨DMF)	0	0	326	195.6	0.6元/Nm^3
H2消耗(Nm^3/吨DMF)	0	0	311	528.7	1.7元/Nm^3
甲醇(kg/吨DMF，以二甲胺折算)	923	2100.9	879	2000.78	2276.2元/吨
液氨(kg/吨DMF，以二甲胺折算)	245	752.6	233	715.8	3072元/吨
甲醇钠催化剂(25wt%，kg/吨DMF)	15	97.5	0	0	6.5元/kg
DMF催化剂络合物(g/吨DMF)	0	0	0.2	8	40000元/kg
合计：(元/吨DMF)		3807.9		3448.9	

本工艺的二氧化碳和氢气很容易获得较高的纯度，而一氧化碳法所用一氧化碳纯度一般达到95%(N_2缘故)，所以二氧化碳法合成圈放空量少，从而有限原料损失少。

二氧化碳法选择性可达100%，因为二氧化碳气体惰性，催化剂选择性高；而一氧化碳法一氧化碳活性高，在强碱下发生连续插羰反应，有一些高沸物产生，选择性一般在90~95%。二甲胺沸点是6.1℃，且易泄露，二氧化碳法工艺二氧化碳能和二甲胺形成沸点较络合物，而一氧化碳则不行。催化的高效率：二氧化碳法每吨仅消耗小于0.2克催化剂，催化剂反复循环，中毒后可以复活，无固废。生产每吨DMF二氧化碳法相比于一氧化碳法原材料和催化剂大约可节约359元。

(3) 公用工程消耗(表4)

表4　公用工程消耗对比表

公用工程/项目	一氧化碳法		二氧化碳法		单价(含税)
	数量	元	数量	元	
循环冷却水(m^3/吨DMF)	154	24.6	185	29.6	0.16元/m^3
新鲜水(m^3/吨DMF)	0.5	1.9	0.1	0.4	4元/m^3
电(kWh/吨DMF)	55	27.5	50	25	0.5元/kWh
蒸汽(吨/吨DMF)	1.3	200.0	1.6	240	150元/吨
冷量(MJ/吨DMF)	92	18.4	0	0	0.2元/MJ
合计(元/吨DMF)		272.4		295	

二氧化碳法新鲜水、冷量的消耗比传统CO法低；蒸汽、电消耗和一氧化碳法基本持平，总体上一氧化碳法公用工程成本少22.6元/吨DMF。

(4) 职业卫生和三废排放

一氧化碳法所用气体一氧化碳是高毒物质，对设备、自控和安全环境要求非常高；二氧化碳法采用的二氧化碳和氢气，无毒气体。一氧化碳法工艺用甲醇钠做催化剂，是消耗的，最终变成甲酸钠、碳酸钠固体，在蒸发工段取出，强碱性，是危险废固，按 10 万吨/年 DMF 装置，DMF 单元危险废固排放大于 700 吨/年，危险废液大于 1000 吨/年；二氧化碳法催化剂反复循环使用，中毒后可以在线再生，无废固液产生。一氧化碳法产生的异味分两种：一种是一氧化碳和二甲胺形成的高沸物，一旦沾染上，不愉快的味道很难除去，第二种是二甲胺渗透性强，臭鱼腥味重；而二氧化碳法工艺中二氧化碳能和二甲胺形成不易挥发的络合物，该络合物沸点较高，泄露率小，二氧化碳法工艺催化剂非常高选择性，高沸物很少，异味大幅度减少。

（5）产品质量

一氧化碳法和二氧化碳法都能达到质量符合 HG/T 2028—2009 标准的优等品，但是，通过专业分析机构进行微量杂质分析（ppm 级别及其以下），二氧化碳法生产 DMF 中微量杂质要比一氧化碳法生产的少，这是二氧化碳法工艺高选择性决定的，所以对于 DMF 有特殊用途要求的，特别用来生产提纯电子级别的 DMF，用二氧化碳法生产 DMF 有较大优势。

（6）碳排放

二氧化碳法每吨 DMF 可消耗二氧化碳 0.65 吨，按目前碳交易价格为 60 元/tCO^2，二氧化碳法比一氧化碳法节约 40 元/吨 DMF。

综上所述，作为世界上首套以 CO_2为主要原料合成大宗化合品 DMF 的成套技术、工艺和装备，工程技术可靠成熟，该工艺的推广和产业化应用在产生较大的经济效益和社会效益的同时，对我国 CO_2资源化利用技术的发展和产业化应用也起到重要示范作用，为我国在化工行业落实碳达峰、碳中和目标提供了一条有益的技术选项。

参 考 文 献

[1] For detailed review, see: P. Gao, L. Zhong, B. X. Han, M. Y. He, Y. H. Sun. Angew. Chem. Int. Ed. 2022, e202210095.

[2] Forselected examples on the reduction of CO_2 to form formamides, see: (a) P. Haynes, L. H. Slaugh, J. F. Kohnle, *Tetrahedron Lett.* 1970, 11, 365[J]. (b) P. G. Jessop, Y. Hsiao, T. Ikariya, R. Noyori, *J. Am. Chem. Soc.* 1994, 116, 8851.

高效固定床钴基费托制高熔点蜡成套技术开发

秦绍东[2]　侯秋实[1]　李加波[2]　侯之希[1]　徐　晨[1]　颜丙峰[2]　朱晓宁[1]　余溪吟[1]　何若南[2]　黄　鑫[2]
李　慧[1]　于举镇[1]　盛树荣[1]　辛宇佳[1]　覃建华[1]　胡　娟[1]　张　洁[1]　陈　劼[1]　张　强[a]

（1. 上海寰球工程有限公司；2. 国家能源集团北京低碳清洁能源研究院）

摘　要　国家能源集团北京低碳清洁能源研究院与上海寰球工程有限公司合作开了一种将合成气高效转化制高熔点蜡的固定床钴基费托合成技术。本技术在核心钴基费托合成催化剂方面进行突破性创新，克服了常规催化剂副产品甲烷等气态烃选择性高、产品以油品为主的缺陷，开发出了高熔点蜡选择性高、甲烷选择性低、稳定性优异且抗波动能力强的新型钴基费托合成催化剂。2020 年催化剂在上海寰球工程有限公司设计的 300 吨/年列管式固定床中试装置上通过了验证，结果表明：催化剂 CO 转化率≥89%，甲烷选择性≤5.5%，C_5+烃选择性≥90%，总烃收率≥0.12g 烃/g 催化剂/小时，吨油合成气耗量低于 5700Nm^3，中试粗蜡产品滴熔点高于 110℃，产品中蜡油比大于 5.0。技术指标经石化联合会技术鉴定达到“国际先进水平”。上海寰球工程有限公司在中试基础上针对列管式反应器换热系统及蜡分离系统进行创新，完成了与催化剂配套的 10 万吨/年固定床费托合成、加氢分离和高熔点蜡切割工艺包编制，形成从费托合成气到各气液固费托精制产品成套技术，目前该技术正在进行商业化转化。

关键词　费托合成；钴基催化剂；高熔点蜡；列管式固定床；合成气转化；加氢精制；蜡切割

1　背景

费托合成是将煤、天然气或生物质等非石油基含碳资源经合成气催化转化为高品质燃料（汽油、航空煤油、柴油）和高附加值化学品（烯烃、芳烃、醇、石蜡）的有效途径，是我国保障能源安全，实现化工产品“高端化、多元化、低碳化”发展的重要途径。高熔点蜡是费托合成产品中附加值最高的产品之一，广泛用在热熔胶、PVC 加工、色母粒、航空铸造、军工、化妆品及橡胶等领域。中国高熔点蜡的市场总需求量约为 40～50 万吨/年，且每年以 7～8% 的速度递增。

与其它费托合成技术相比，固定床钴基费托合成技术不仅蜡选择性高，且蜡产品具有高熔点，高纯度的显著特点，产品更适用于食品、化妆品与医药等高端领域。与油品相比，费托蜡不仅价格高，且无需缴纳高额的燃油附加税，此外，产品蜡经过简单分离后既可以作为产品出售，也可以深加工生产碳氢环保溶剂油、食品级白油和 API III+类高端基础油等高附加值油品。固定床钴基费托合成技术的产品与国内石油路线产品及浆态床铁基费托合成的产品相比具有显著的差异化，因此技术工业化具有较强的抗风险能力。

国外固定床钴基费托合成技术已实现工业化，Shell 在马来西亚以天然气为原料 70 万吨/年工业装置上世纪 90 年代投产，二十世纪初已实现稳定运行。但国内该技术依然处于中试与工业示范阶段，最核心的钴基费托合成催化剂性能指标及反应器技术与国外依然存在差距。鉴于此，北京低碳清洁能源研究院基于其在费托合成领域多年的研发经验开发了高性能的钴基费托合成催化剂，上海寰球工程有限公司在费托领域丰富的工程化经验，结合该费托催化剂的特点，合作完成了该成套技术工艺包的开发。

2　催化剂技术开发

2.1　高性能钴基费托合成催化剂实验室开发

针对目前钴基费托合成催化剂副产品甲烷等气态烃选择性高、产品以油品为主的缺陷，研发团队基于在费托领域微观和宏观层面的深层认知，开发新型高性能钴基费托合成催化剂，减少甲烷等副产物的生成，提高目标产物高熔点蜡选择性、提升催化剂稳定性和抗波动能力。

项目组为开发出高性能的钴基费托催化剂，综合考虑费托合成反应机理、内扩散效应、SMSI 效应、水热稳定性和导热性等影响因素经过大量试验开发，确定了钴—复合氧化物催化剂体系，项目组一方面引入抗烧结助剂，提升金属钴的抗烧结能力，同时引入抑制助剂调节钴和载体相互作用，以提高催化剂抗工艺波动能力，从而成功开发出高熔点蜡选择性高、甲烷选择性低、抗烧结和抗工艺波动能力强的新型钴基费托合成催化剂。

以此催化剂为基础，项目组对催化剂的配方进行了优化，催化剂活性与耐热稳定性进一步提升，甲烷选择性进一步降低，并对优化后催化剂进行了长周期稳定性测试(图1)，由图1可知优化后催化剂在1300h的单程长周期性能测试中表现稳定。

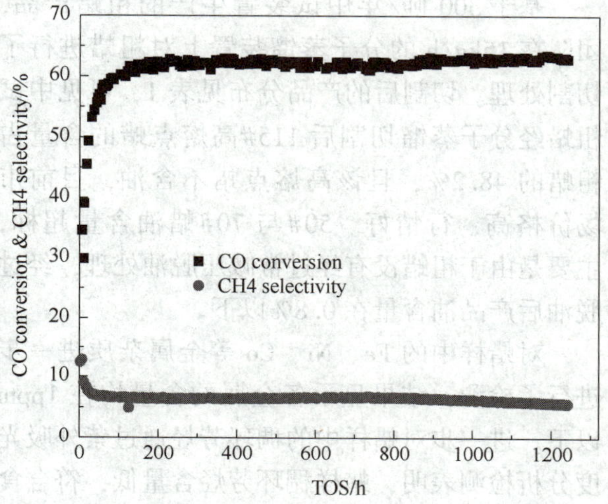

图1　优化催化剂1300h单程寿命试验
(反应条件：固定床反应器，225℃，$H_2/CO=2.0$，$P=2.0MPa$，空速$3000h^{-1}$)

在上述研究基础上，团队开展了催化剂从实验室规模到公斤级、百公斤级工程放大研究，解决了催化剂成型、放大效应等难题，成功打通了催化剂工业放大工艺，在工业装置上制备出和实验室性能一致的工业放大剂(图2)，实现了新型钴基催化剂百公斤级规模化制备。

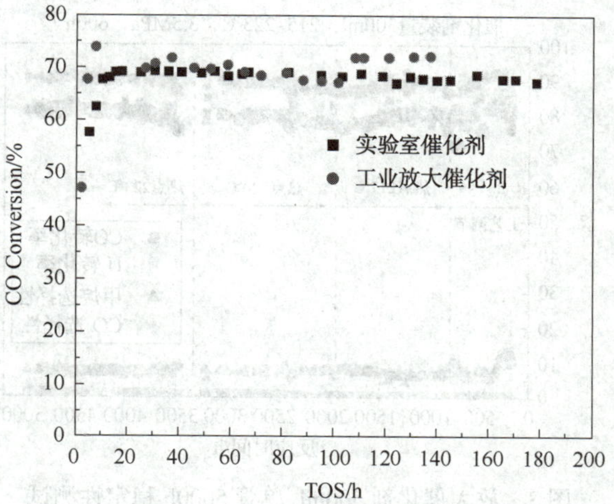

图2　工业放大催化剂性能测试
(反应条件：固定床反应器，225℃，$H_2/CO=2.0$，$P=2.0MPa$，空速$3000h^{-1}$)

在模拟工业反应的条件下，对放大催化剂在500mL单管反应器上进行了长周期稳定性考察，试验结果见图3。由图3可以看出，催化剂累计运行1400h后，CO转化率由80%逐步下降至76%，甲烷选择性由6~7%逐步上升至至7.5%，说明催化剂活性下降，随后催化剂性能保持稳定，稳定运行1800h后，将反应热点温度由217℃提高至220℃，CO转化率由76%提高至79.0%，甲烷选择性由7.5%降至7.2%，催化剂活性保持稳定。累计运行2800h后，装置由于制冷机及汽包损坏导致两次停车，累计停车时长约200h，其中制冷机停车导致反应热点温度迅速升至226℃。待制冷机及汽包修复后重启装置，发现汽包温度维持在200.8℃时(与停车前温度一致)，反应器热点温度为218.7℃，比停车前热点温度220℃低，CO转化率由79.0%降至77.8%，甲烷选择性由7.2%升至7.6%，这主要是由于制冷机停车导致催化剂热点温度发生超温，进而导致催化剂活性发生一定程度的降低所致。随后将汽包温度由200.8℃提高至202.6℃，反应器热点温度上升至222~223℃，在该条件下累计运行1700h(共计约5000h)，CO转化率维持在约为80%，甲烷选择性为7.1%~7.3%，催化剂活性保持稳定。

在累计5000h的运转过程中，催化剂CO转化率始终维持在约80%，反应器热点温度从最初的215℃升高至223℃，累计提温8℃。根据工艺边界参数研究可知，催化剂最高耐热温度为235~240℃，因此催化剂5000h运转后依然有12℃的可以提温的空间。结合催化剂5000h稳定性结果，以及催化剂耐热温度区间，合理推断催化剂单次使用寿命将超过8000h(图3)。

2.2　钴基费托合成催化剂300吨/年中试

2020年团队组委托内蒙古聚实能源有限公司在上海寰球工程有限公司设计的300吨/年的列管式固定床中试装置上开展了催化剂中试评价，300吨/年中试试验装置主要包含导热油单元、甲醇裂解制合成气单元、费托合成单元、分离单元、压缩机单元。费托反应器采用列管式设

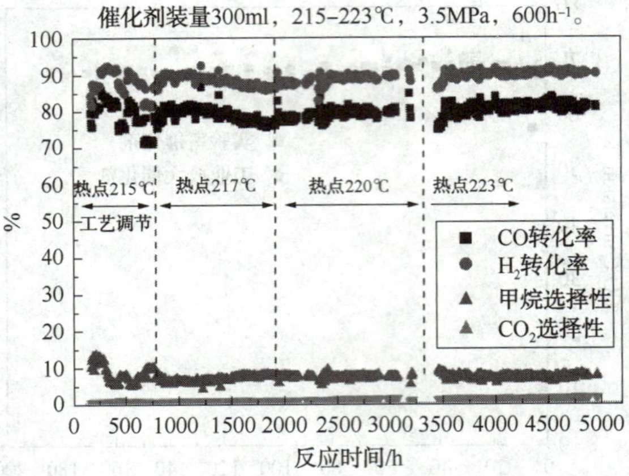

图3　放大催化剂500mL单管5000h稳定性测试
（反应条件：固定床单管反应器，汽包换热，
尾气选环比5/1，热点反应温度215~223℃，
新鲜气 $H_2/CO=1.98$，$P=3.0MPa$，新鲜气空速 $700h^{-1}$）

计，反应管采用汽包换热，反应器设计压力5.0MPa，设计温度520℃，反应器内布置113根列管，催化剂设计装填量300L，每根反应管催化剂装填高度5000mm。费托合成所需合成气由甲醇裂解单元提供，甲醇裂解造气能力为 $200Nm^3/h$，新鲜合成气 $H_2/CO=2.0\sim2.1$。中试评定共装填催化剂255公斤，催化剂床层装填高度4m，中试累计运行600h(图4)。

图4　300吨/年中试试验装置

中试评定结果表明，团队开发的催化剂性能在中试装置上与实验室单管装置上基本一致，由于中试装置上热点温升更小，反应温度更均匀，在较优的反应条件下催化剂中试性能优于实验室单管性能，该结果证实随着规模的增大反应器放大效应较小。中试压力3.0~3.5MPa，热点温度214℃~217℃，整个测试过程中催化剂CO转化率维持在85%~92%，CH_4 选择性在4.1%~6.2%，C_5+烃的选择性89%~93%，烃收率为0.12~0.15g烃/g催化剂/小时。反应过程中反应器床层轴向温差保持在9℃~11℃。中试过程中发生多次循环压缩机停机，中试装置被迫紧急停车的状况，但装置恢复后催化剂性能依然稳定。多次的开停车操作还证实团队开发的钴基费托催化剂可以在较高的升温与降温速率下操作，且催化剂具有易于操作、抗波动能力优的特点。在较优反应条件下催化剂CO转化率≥91%，烃时空收率≥0.15g烃/(g催化剂小时)，甲烷选择性≤5%，C_5+烃选择性≥92%，固体蜡(C_{20}+)选择性≥68%。

2.3　中试蜡产品分析

基于300吨/年中试装置生产的粗蜡产品，团队在15kg/h的分子蒸馏装置上对粗蜡进行了切割处理。切割后的产品分布见表1，可见中试粗蜡经分子蒸馏切割后115#高熔点蜡的含量占粗蜡的48.2%，且该高熔点蜡不含油，目前市场价格高，行情好。50#与70#蜡油含量超标，主要是由于粗蜡没有经过常减压脱油处理，经过脱油后产品油含量在0.8%以下。

对蜡样中的Fe、Ni、Co等金属杂质进一步进行了检测，结果显示各金属的含量均在1ppm以下。进一步对蜡样中的稠环芳烃通过紫外吸光度分析检测表明，蜡样稠环芳烃含量低，符合食品级蜡的标准。

表1　中试蜡分子蒸馏切割后蜡产品分布

蜡产品牌号	产品收率	滴熔点/℃	冻凝点/℃	油含量/m%
粗蜡	—	110	96.5	5.8%
50#	10.0%	49.6	48.0	2.1%
70#	17.1%	72.2	71.0	1.3%
80#	7.8%	84.8	82.2	0.6%
90#	13.9%	93.3	90.1	N.D
115#	48.2%	120.1	115.5	N.D

3　工程技术开发

费托合成是合成气(一氧化碳与氢气的混合物)在催化剂作用下高选择性地生成液态烃的工艺技术，副产物主要是甲烷等燃料气和LPG。一般要求催化剂具有较高的反应活性，和较低的的气态烃选择性。基本的反应如下：

主反应：$n CO+2nH_2 \longrightarrow (—CH_2-)n+nH_2O+$ 170kJ/mol *

副反应：$n CO+2nH_2 \longrightarrow CnH_{2n+1}OH+(n-1)$

H_2O+Q　醇反应

$CO+H_2O \longrightarrow CO_2+H_2+Q$　变换反应

$CO+3H_2 \longrightarrow CH_4+H_2O+Q$　甲烷化反应

$2CO+2H_2 \longrightarrow CH_3COOH+Q$　羰基化反应

$3CO+4H_2 \longrightarrow C_2H_5COOH+H_2O+Q$

$4CO+5H_2 \longrightarrow CH_3CH_2COOH+H_2O+Q$

3.1 费托合成反应动力学

动力学方程选用幂指数型模型：$r_{CO}=k_0\exp\left(\frac{-E_0}{RT}\right)P_{H2}^{a}P_{CO}^{b}$，$r_{H2}=k_1\exp\left(\frac{-E_1}{RT}\right)P_{H2}^{c}P_{CO}^{d}$。以北京低碳院中试新型高性能钴基费托合成催化剂数据进行回归，回归得到的模型参数见表2和表3。

表2　回归得到的 r_{CO} 模型参数值

k_0/mol·kg^{-1}·s^{-1}·MPa^{-2}	E_0/kJ·mol^{-1}	a	b	$Adj-R^2$	ρ^2	F 检验值
6.69×10^5	83.1128	0.60792	−0.27187	0.939	0.9942	125

表3　回归得到的 r_{H2} 模型参数值

k_0/mol·kg^{-1}·s^{-1}·MPa^{-2}	E_0/kJ·mol^{-1}	a	b	$Adj-R^2$	ρ^2	F 检验值
1.00×10^6	83.97842	0.57971	−0.2263	0.951	0.9928	155.5

构建的模型是否合理有意义通常需要进行显著性检验和相关性检验，计算形式如下：

$$\rho^2 = 1 - \sum_1^N (x_{CO,\ exp} - x_{CO,\ cal})^2 / \sum_1^N (x_{CO,\ exp})^2$$

$$F = \frac{\left[\sum_1^N (x_{CO,\ exp})^2 - \sum_1^N (x_{CO,\ exp} - x_{CO,\ cal})^2\right]/N}{\sum_1^N (x_{CO,\ exp} - x_{CO,\ cal})^2/(N-M)}$$

式中，ρ^2为决定系数，N 表示实验组数，M 表示变量数，F 表示模型的计算检验统计量。

CO 消耗速率的模型计算值和实验值的比较见图5，其计算值与实验值的相对偏差基本≤±10%。CO 转化率计算值和实验值的比较见图6，其计算值与实验值的绝对偏差基本≤±2%。H_2消耗速率的模型计算值和实验值的比较见图7，其计算值与实验值的相对偏差基本≤±15%。H_2转化率计算值和实验值的比较见图8，其计算值与实验值的绝对偏差基本≤±4%。

取显著水平5%，查文献可得 CO 消耗速率模型的自由度 $F_{0.05}(3,21)=3.07$。由表2可知，CO 及 H_2消耗速率模型的拟合优度 $Adj-R^2$ 分别为0.939 和0.951，$\rho^2>0.9$，$F>10F_{0.05}=30.7$，可见幂指数型的 CO 和 H_2消耗速率模型对于预测固定床反应器中钴基催化剂上的费托合成 CO 和 H_2消耗速率是适宜的。

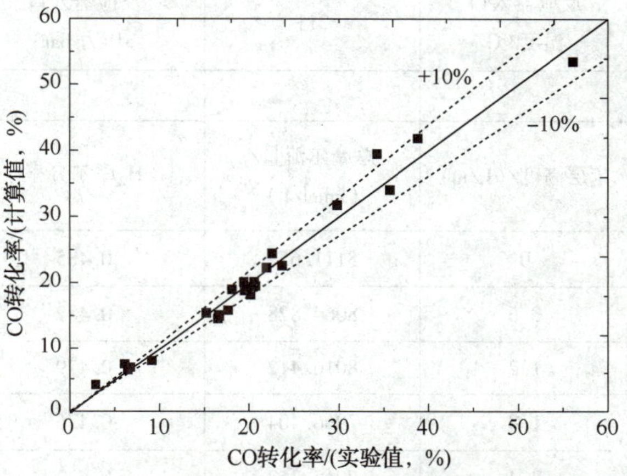

图5　CO 消耗速率的实验值与计算值的相对偏差

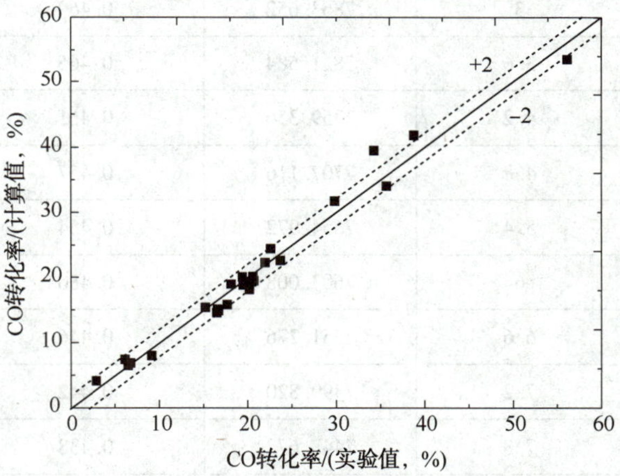

图6　CO 消耗速率的实验值与计算值的绝对偏差

3.2 费托合成反应器

根据中试催化剂回归出的动力学数据，5万吨/年合成蜡反应器反应管数量：6236根，反应管内径为32mm，反应管长度为12m，每台反应器总换热面积为7519m²，每台反应器装填催化剂体积为60m³；反应器列管和壳程温差按11~15℃考虑；新鲜气组成 H_2：CO=2：1，其中惰性气体(N_2+CH_4)含量为0.7%，需要的新鲜气量为1955.55Kmol/h，反应器年产5万吨液体 C_5+烃类产品。反应器各个床层总摩尔流量、H_2摩尔分率、CO 摩尔分率、温度和压力分布的数据见表4。

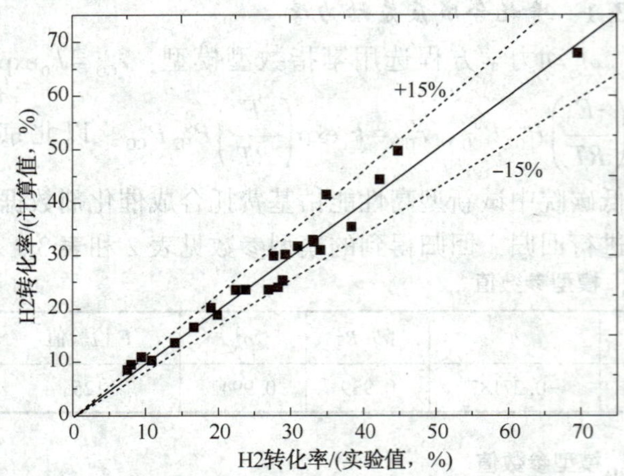

图 7　H_2消耗速率的实验值与计算值的相对偏差

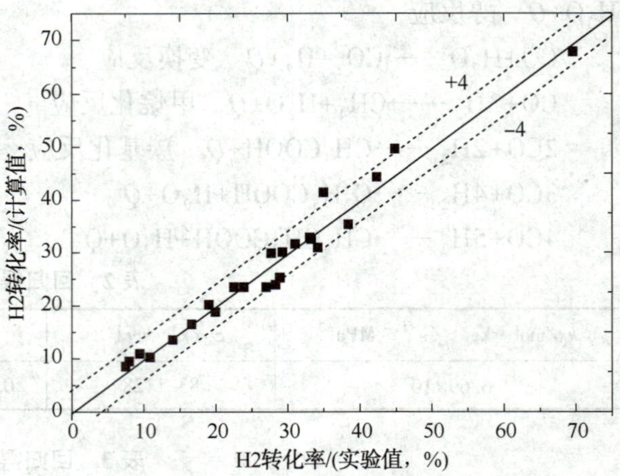

图 8　H_2消耗速率的实验值与计算值的绝对偏差

表 4　反应器各床层总摩尔流量、H_2摩尔分率、CO 摩尔分率、温度和压力分布

反应器入口温度/℃	211	反应器入口压力 bar	36	汽包水温度/℃	197
床层高度/(L/m)	总摩尔流量/(kmol/h)	H_2摩尔分率	CO 摩尔分率	床层温度/℃	压力(bar)
0	8111.652	0.485	0.280	211.000	36.000
0.6	8064.828	0.482	0.279	211.276	35.848
1.2	8016.412	0.479	0.277	212.251	35.695
1.8	7966.404	0.476	0.276	212.919	35.543
2.4	7915.352	0.472	0.275	213.378	35.391
3	7863.652	0.469	0.273	213.692	35.240
3.6	7811.584	0.465	0.272	213.903	35.089
4.2	7759.356	0.461	0.270	214.041	34.939
4.8	7707.116	0.457	0.269	214.126	34.790
5.4	7654.972	0.454	0.267	214.173	34.643
6	7603.008	0.450	0.265	214.192	34.496
6.6	7551.276	0.446	0.264	214.191	34.350
7.2	7499.820	0.442	0.262	214.174	34.205
7.8	7448.672	0.438	0.261	214.146	34.061
8.4	7397.856	0.434	0.259	214.110	33.919
9	7347.388	0.430	0.257	214.067	33.777
9.6	7297.280	0.426	0.256	214.020	33.637
10.2	7247.548	0.422	0.254	213.968	33.497
10.8	7198.192	0.418	0.252	213.913	33.359
11.4	7149.228	0.414	0.250	213.855	33.222

续表

反应器入口温度/℃	211	反应器入口压力 bar	36	汽包水温度/℃	197
11.6	7132.992	0.412	0.250	213.835	33.176
11.8	7116.800	0.411	0.249	213.815	33.131
12	7100.652	0.410	0.249	213.794	33.086

表4中反应器各个床层总摩尔流量、H_2摩尔分率、CO摩尔分率、温度和压力分布的数据是每一台反应器的数据。该计算是基于中试装置数据和催化剂反应数据，该数据均是装置开车初期数据，催化剂活性较好，单程转化率高，合成圈循环气量少，反应热能及时移走，反应器压降低，合成装置在运行在相对“低温高压”操作，运行平稳经济。

4.10 万吨/年工艺包编制

年产10万吨费托合成工艺技术包共涉及三个装置，合成装置、加氢装置和精制装置，分别包括原料气反应合成费托产品，费托产品加氢提质和费托产品切割分离精制三个生产过程。

总装置规模：

- 每小时消耗合成气气量：87608Nm^3/h(41784kg/h)
- 每小时消耗氢气量：240Nm^3/h(21.64kg/h)
- 主产品(费托油+费托蜡)：14909kg/h
- 副产弛放气：5844Nm^3/h(4433kg/h)
- 副产蒸汽：40t/h(1.0MPag饱和蒸汽)

— 操作弹性：合成装置能够在设计生产能力的70%至110%之间运行；

— 年操作时间：8000小时(连续操作)；

4.1 合成装置规模

合成装置共分为2个单元：合成单元，合成压缩单元；

—合成装置总处理量：

—产品产量：

- 费托油：3483kg/h(27869吨/年)；
- 费托蜡：11725kg/h(93805吨/年)；

—副产品产量：

- 合成弛放气产量：5546Nm^3/h/4398kg/h
- 副产蒸汽：40t/h(1.0MPag饱和蒸汽)

4.2 加氢装置规模

加氢装置共分为2个单元：加氢单元，加氢压缩单元；

—加氢装置总处理量：

- 费托油：3483kg/h(27869吨/年)；
- 费托蜡：11725kg/h(93805吨/年)；

—产品产量：

- 加氢费托油：3362kg/h(26896吨/年)；
- 加氢费托蜡：11738kg/h(93904吨/年)；

—副产品产量：

- 加氢弛放气产量：298Nm^3/h/35.2kg/h

4.3 精制装置规模

精制装置共分为3个单元：合成油精制单元，薄膜切割单元，短程切割单元。

—精制装置总处理量：

- 加氢费托油：3362kg/h(26896吨/年)；
- 加氢费托蜡：11738kg/h(93904吨/年)；

—产品产量：

- 稳定轻烃：1076kg/h(8608吨/年)；
- 轻质液蜡：875kg/h(7000吨/年)；
- 重质液蜡1：1000kg/h(8000吨/年)；
- 重质液蜡2：685kg/h(5480吨/年)；
- 50号蜡：1127kg/h(9017吨/年)；
- 70号蜡：1927kg/h(15418吨/年)；
- 80号蜡：879kg/h(7033吨/年)；
- 90号蜡：1566kg/h(12533吨/年)；
- 115号蜡：5770kg/h(46164吨/年)；

5 结论

国家能源集团北京低碳清洁能源研究院与中国石油集团上海寰球工程有限公司基于各自在钴基费托合成催化剂开发及费托装置设计领域的优势，合作开发了固定床钴基费托合成成套技术。核心催化剂技术在300吨/年的中试装置上通过了性能评价，结果证实技术关键指标均达到了国内外报道的最优技术水平，被中国石化联合会鉴定达到“国际先进水平”。该技术可以将煤炭、天然气、焦炉气及生物质等转化得到的合成气高效转化为高熔点蜡产品，具有原料气消耗低、高熔点蜡选择性高、甲烷选择性低、长周期稳定性好及抗波动能力强的显著优势，具备良好的市场前景。

参考文献

[1] 孙予罕，陈建刚，王俊刚．费托合成钴基催化剂的研究进展[J]．催化学报，2010，31(08)：919-927.

[2] 丁邦琴，周杰，朱蓓蓓，王璐，李亚，乔启成．费托合成钴基催化剂载体研究进展[J]．天然气化工(C1化学与化工)，2017，42(04)：108-113.

[3] 秦绍东，李加波，何若南，杨霞，段雪成，孟祥堃．氧化铝负载的钴基费托合成催化剂失活机理[J]．煤炭学报，2020，45(04)：1244-1249.

[4] 吴建民，孙启文．费托合成钴基催化剂颗粒内的传递反应行为分析[J]．低碳化学与化工，2023，48(01)：64-71.

[5] 于遵宏等．化工过程开发．华东理工大学出版社，1996.

[6] 袁渭康，朱开宏．化学反应工程分析．华东理工大学出版社，1995.

[7] 白海波等．FORTRAN 程序设计权威指南．机械工业出版社，2013.

保压候凝对页岩气井固井质量的影响及机理分析

谭元铭　曾夏茂　何　鑫　岳　欣　方仲旗

（中石化西南石油工程有限公司）

摘　要　页岩气井开发过程面临钻压同步的情况，常伴有套变现象发生，影响后期压裂改造。为此，油田采取保压候凝措施预防套变。本文对页岩气井保压候凝后续固井质量情况进行跟踪，发现采取该措施的页岩气井存在质量分界现象，即保压候凝后，在某一井深范围会出现质量反转，固井质量差异明显。通过统计数据与测井曲线图特征分析，总结探索出其影响规律，并结合弹性力学厚壁筒理论对其进行了机理分析。对于抗外挤强度高的套管，在满足抗外挤条件下，不建议候凝期间采取管内保压措施。如果必须采取保压措施，建议采用弹性水泥浆、树脂水泥浆等体系进行浆体设计，并合理控制保压值减小微间隙的产生。另外，还可在重叠段关键位置使用遇烃遇水自膨胀管外封隔器封堵气窜通道，降低后期环空带压机率。

关键词　保压候凝；固井质量；微间隙；预防措施

井筒完整性是贯穿页岩气水平井钻完井和压裂改造的一个核心指标，影响着页岩气井开采全寿命周期。页岩气固井时套管自身内外压差可达50MPa以上，邻井进行体积压裂时所引发的地层压力传导甚至可以致使管内外压差达到100MPa以上。为保障井筒完整性，预防巨大压差诱发的套变，现阶段主要采取保压候凝的方式应对这项难题。此措施虽然对减少套变具有帮助，但经过保压候凝的页岩气井，固井声幅质量在某一垂深附近存在明显分界现象，分界点以上井段声幅值高，固井胶结质量较差，存在微间隙；分界点以下井段声幅值低，固井胶结质量优。

国内外大量研究结果表明，固井界面微间隙是造成环空带压及窜流的主要原因之一。有研究表明，当微间隙超过0.01mm高压气井就可能形成气窜通道，轻则环空带压和层间窜流，增加井口检测与放压成本、产量降低；严重时需要关井，甚至导致井组报废，对油气井完整性造成极大伤害。

因此，本文通过对中石化WY区块页岩气井固井情况调研，分析保压候凝措施对固井质量影响的规律特征，并结合有关理论研究分析其伤害机理。

1　保压候凝对固井质量的影响

WY区块页岩气是中石化重点部署的页岩气产区，该区块开发所使用的井身结构如图1所示。采用三开制井身结构，表层套管使用ϕ339.7mm套管封沙溪庙组中部；技术套管下入ϕ244.5mm套管中完于石牛栏组顶部；油层套管使用ϕ139.7mm套管封固龙马溪组底部优质页岩段。

统计分析WY27平台、WY28平台采取管内保压候凝措施后，最终的固井质量情况，详见表1。其中，WY27平台有6口井采取保压候凝措施，1口井未保压候凝；WY28平台有9口井采取保压候凝措施，1口井未保压候凝。体积压裂改造后，WY27和WY28平台共有5口井出现油层套管环空带压的情况。

WY27平台和WY28平台均采用图1所示井身结构，A靶点在4080±20m附近（最大垂深3800m±20m），水平段段长约1500~1600m。其中，ϕ139.7×10.54mm套管下深约3230~3320m（垂深约3215~3302m），ϕ139.7×12.7mm套管下深约5400~5600m（垂深约为3800m±20m），裸眼平均扩大率约在4%~6%；上层套管ϕ244.5×11.05mm套管下深约2200m，ϕ244.5×10.03mm套管下深约3330~3420m。

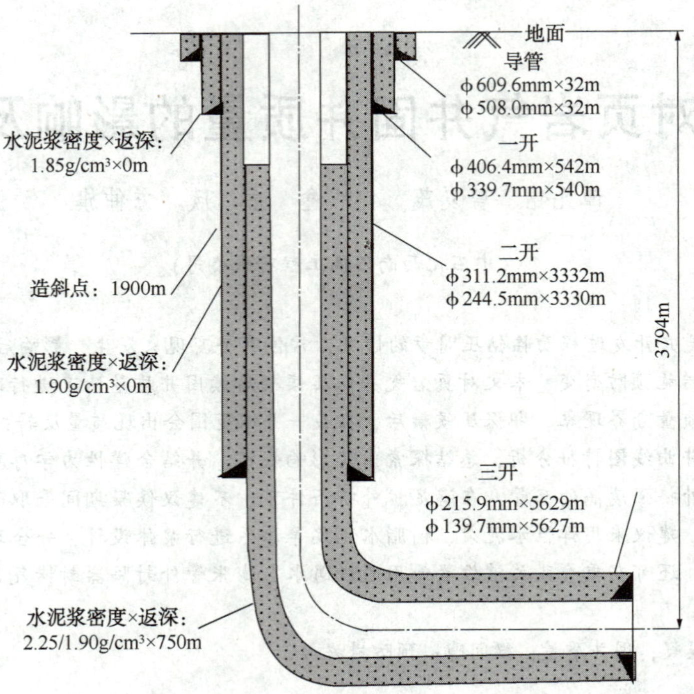

图 1　WY 区块页岩气常见井身结构图

表 1　WY27 平台和 WY28 平台保压候凝后的油层套管固井质量

井号	是否保压/（Y/N）	保压值/MPa	保压时长/d	3800m 以上（直井段、定向段）固井质量/%			3800m 以下（定向段、水平段）固井质量/%			压裂改造后环空是否带压/（Y/N）
				优	中	差	优	中	差	
WY27-1HF	Y	50	63	12.1	36.8	51.1	90.3	8.7	1	N
WY27-2HF	Y	50	69	5.6	26.9	67.5	89.5	10.5	0	Y
WY27-3HF	N	/	/	51.1	29.0	19.9	75.6	20.5	3.9	N
WY27-4HF	Y	20	12	20.4	42.8	36.8	85.6	13.7	0.7	N
WY27-5HF	Y	50	47	6.3	41.9	51.8	82.2	17.8	0	Y
WY27-7HF	Y	20/50	43/54	0	13.2	86.8	72.1	27.9	0	N
WY27-8HF	Y	20/50	43/58	0	8.5	91.5	71.5	28.5	0	Y
WY28-1HF	Y	50	20	0	14.4	85.6	74.4	18.3	7.3	Y
WY28-2HF	Y	50	21	0	15.1	84.9	70.1	21.1	8.8	N
WY28-3HF	Y	50	26	19.8	28.6	51.6	100	0	0	N
WY28-4HF	Y	50	28	1.6	21.9	76.5	92.8	7.2	0	N
WY28-5HF	Y	50	22	25.4	19.0	55.7	97.3	2.7	0	N
WY28-6HF	N	/	/	42.9	40.0	17.1	99.1	0.9	0	N
WY28-7HF	Y	20	6	46.5	28.9	24.6	100	0	0	N
WY28-8HF	Y	50	41	3.2	22.5	80.7	100	0	0	N
WY28-9HF	Y	50	38	0.7	17.4	81.9	96.8	3.2	0	N
WY28-10HF	Y	50	34	0	25.5	74.5	40.7	28.4	30.9	N

选择 3800m 井深附近分界统计的原因：本文共统计 17 口井的油层套管固井质量情况，其中 11 口井的声幅-变密度曲线在 3700-3900m 之间出现明显差异性，固井一、二界面质量分界明显，质量优和差的对比显著；4 口井的声幅曲线在 3700-4000m 之间有起伏，变密度曲线可见较明显地层波；3 口井在 3700m 以上井段固井质量显示差，4070m 以下井段固井质量显示好，3680-4070m 之间间断出现优、中、差的曲线特征，规律较不明显。

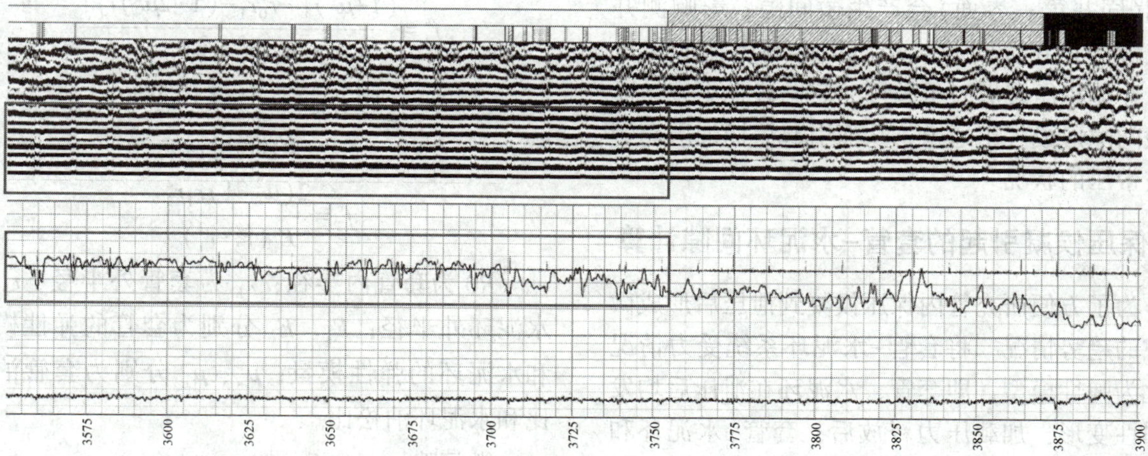

图 2 3800m 以上井段部分声幅-变密度测井曲线

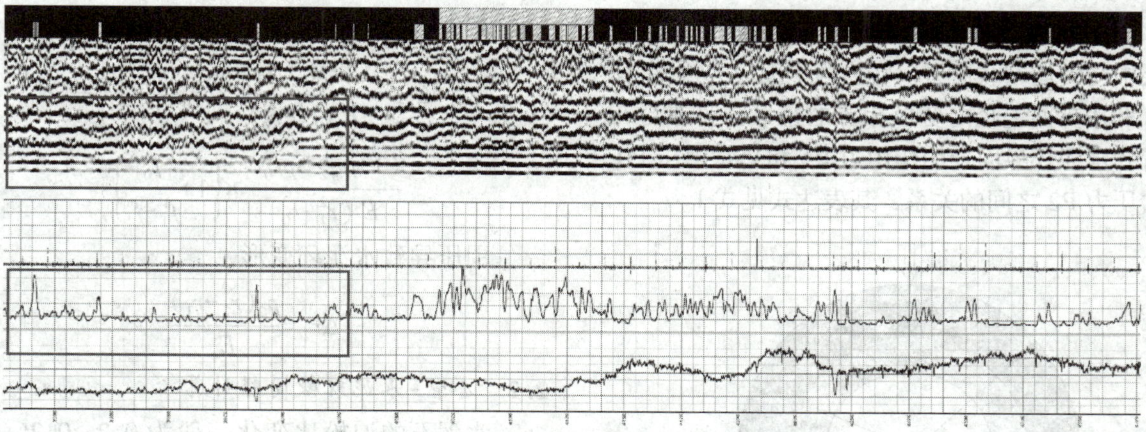
图 3 3800m 以下井段部分声幅-变密度测井曲线

从表 1 中可以看出，采取保压候凝措施的井，固井质量在井深 3800m 附近存在分界，即 3800m 以上直井段、定向段固井质量以中、差为主，除 WY27-3HF/-4HF，WY28-6HF/-7HF 外，剩余井的对应井段固井不合格率全部超过 50%；3800m 以下井段固井质量以优质为主，除 WY28-10HF 井外，其余井的对应井段固井质量优质率均在 70%以上；优中率则更高，均在 90%以上。

WY27-3HF、WY28-6HF 由于没有采取保压候凝，3800m 以上井段的优中率分别为 80.1% 和 82.9%，优质率分别为 51.1%和 42.9%；相比采取保压候凝措施的井，固井质量明显高出许多。同时，WY27-4HF 和 WY28-7HF 保压值只有 20MPa，3800m 以上井段固井质量优中率均超过 73%，相比保压 50MPa 候凝的井，远高于其 28.2%的平均优中率，说明保压值高，会不利于该井段的固井质量。

通过比较还可以发现，保压过程套管内压力反复变化也会加剧固井质量变差。WY27-7HF/-8HF 两口井先是保压 20MPa，持续 43 天，后加压至 50MPa 后再分别保压 54 天和 58 天，3800m 以上井段不合格率分别为 86.8% 和 91.5%。而 WY27-1HF/-2HF 则采取连续保压(50MPa)63 天和 69 天，3800m 以上井段不合格率分别为 51.1%和 67.5%，说明候凝期间，套管内的压力再次变化会破坏原来的套管—水泥环胶结界面的质量。

除此之外，通过比对声幅-变密度测井曲线，发现具有图 2、图 3 中的分界特征。3800m 以上井段声幅曲线位置偏高，幅值主要集中在 30~60%之间；变密度测井曲线可见清晰明暗相间的套管波，不见明显的地层波，说明该井段套管-水泥环的声耦合不佳，影响了第二界面的声波传播，是典型的固井第一界面存在微间隙的声学特征。

综上所述，我们可知采取保压候凝措施的井，管内压力释放后，部分井段在套管-水泥环之间(固井第一界面)会产生微间隙，影响测井声波耦合，导致固井胶结质量出现明显质量分界。在体积压裂后，重叠段、定向段也更容易通过微间隙形成气窜通道，从而引起后期油层套管环空带压的状况。

2 保压候凝引起的套管-水泥环间隙计算

为了方便研究管内保压候凝到泄压后形成微间隙的趋势情况，将套管-水泥环系统受力情况简化为弹性模型，即套管、水泥环在泄压后均发生弹性变形，加载压力释放后，套管-水泥环和水泥环-地层的界面是位移连续的。

2.1 套管-水泥环力学模型

根据弹性力学厚壁筒理论，套管—水泥环在地层中受到均匀载荷可以转换为平面应力模型(图4)，利用界面上径向变形相等的连续条件推导出套管和水泥环界面处的作用力 P1 和套管内压 P0、围岩压力 P2 之间的关系，其表达式见式 1。

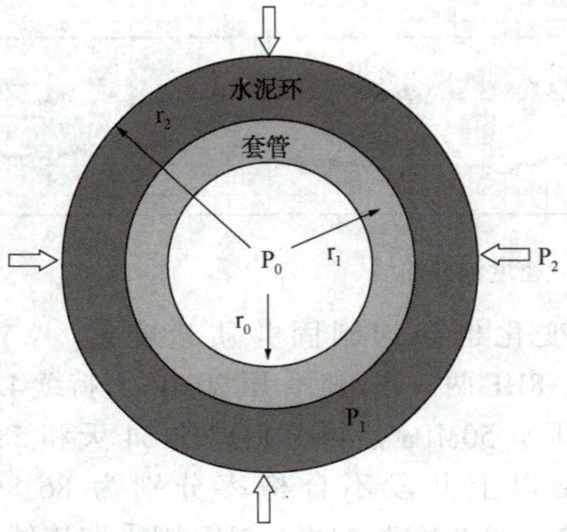

图 4　均匀水泥环受均匀载荷模型

$$p_1=\frac{f_2^{c} * p_2-f_0^{s}p_0}{f_1^{s}-f_1^{c}} \tag{1}$$

其中，

$$f_0^{s}=\frac{2(1-\mu_s^2)r_0^2r_1}{E_s(r_1^2-r_0^2)}$$

$$f_1^{s}=\frac{(1+\mu_s)[-r_0^2r_1-(1-2\mu_s)r_1^3]}{E_s(r_1^2-r_0^2)}$$

$$f_1^{c}=\frac{(1+\mu_c)[r_1r_2^2+(1-2\mu_c)r_1^3]}{E_c(r_2^2-r_1^2)}$$

$$f_2^{c}=\frac{2(\mu_c^2-1)r_1r_2^2}{E_c(r_2^2-r_1^2)}$$

R0 为套管内半径；r_1 为套管外半径；r_2 为水泥环外半径；E_s、E_c 分别为套管的弹性模量和水泥环的弹性模量；μ_s、μ_c 分别为套管泊松比和水泥环泊松比。

微间隙

$$\Delta r=\Delta r_1-\Delta r_2 \tag{2}$$

其中，泄压后套管收缩的径向位移量

$$\Delta r_1=\frac{(1-\mu_s)\Delta pr_1}{E_s(r_1^2-r_0^2)}\times\left\{r_0^2+\frac{r_1^2f_0^{c}}{f_1^{s}-f_1^{c}}\right\}+\frac{(1+\mu_s)\Delta pr_0^2r_1}{E_s(r_1^2-r_0^2)}\times\left\{1+\frac{f_0^{c}}{f_1^{s}-f_1^{c}}\right\}$$

围压导致水泥环变形

$$\Delta r_2=\frac{p_2(r_2-r_1)}{E_c}$$

2.2 套管-水泥环微间隙计算

水泥石的泊松比变化一般为 0.2~0.26，模型中水泥环的泊松比设定为常量，取值 0.23；套管的弹性模量为 210Gpa，泊松比为 0.30。领浆采用膨胀防气窜水泥浆，弹性模量取值 15Gpa，尾浆为加砂弹韧性防气窜水泥浆，弹性模量取值 6Gpa。重叠段由于有上层套管保护，围压较小；裸眼段为岩石，围压随着深度增加。以 WY27 平台、WY28 平台井身结构计算，井眼直径 222.4mm/228.85mm，套管外径 139.7mm，壁厚 10.54mm/12.70mm，重叠段围压设置为 0~10MPa，裸眼段围压设置为 12~18MPa，保压 50MPa 候凝(表 2)。

表 2　保压候凝套管-水泥环间隙模拟计算

井眼直径/mm	套管外径/mm	套管壁厚/mm	水泥环弹性模量/Gpa	垂深/m	围压/MPa	保压值/MPa	微间隙/μm
222.4	139.7	10.54	15	1000	0	50	94.59
222.4	139.7	10.54	15	2000	5	50	96.57
222.4	139.7	10.54	15	3000	10	50	98.56
228.85	139.7	12.70	6	3500	14	50	7.21
228.85	139.7	12.70	6	3600	15	50	1.1
228.85	139.7	12.70	6	3700	16	50	-5.02
228.85	139.7	12.70	6	3800	17	50	-11.14

不难看出，从管内保压候凝至泄压后，随着垂深的加深，由于围压与管内压力共同作用，套管-水泥环之间的间隙先增大后减小。当垂深到达一定深度时，由于围压作用导致的水泥环径向的形变量大于内压变化引起的套管收缩量，微间隙大小表现为负值，这表明水泥环在套管和地层之间被压实。由于套管、水泥环、地层岩石三者的密度差异要比环空中的液体密度差异更小，因此更有利于声波在三者之间的传导，所以也有利于固井质量检测。

3　理论模拟计算与实际现象对比分析

为了更清晰地比对理论计算的微间隙与测井声幅值之间的关系，以 WY28-1HF 和 WY27-2HF 两口井的固井结果为例，统计测井声幅值，并以折线图形式反映其整体变化趋势，与理论计算的微间隙大小进行关系比较，如图 5 所示。

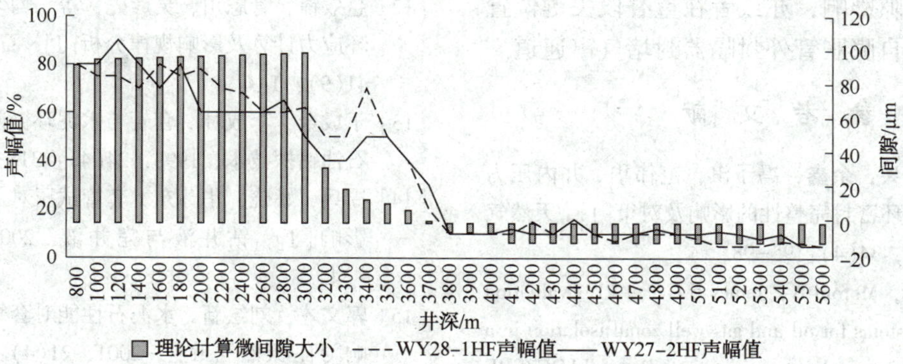

图 5　理论计算微间隙与实际声幅值的关系

可以看到，井深到 3800m 以后声幅值出现明显降低，几乎全部都在 20% 以内，以 10% 左右声幅值为主；微间隙计算值也由正值变为负值。

通过比较两个平台所有测井声幅-变密度曲线，我们发现采取了保压候凝措施的井具有图 2、图 3 和图 5 的趋势特征，即表现出 4100m 以下井段固井质量整体较好，无明显剧烈波动，甚至呈现全段优质（声幅值 10% 以内）的情况。3700m 以上井段，特别是重叠段间隙明显，声幅值很高。3700~4100m 之间声幅值则以由低转高过渡状态或突变状态为主，变密度曲线可见清晰的套管波、地层波，并伴有部分套管波缺失。

原因就是采取保压候凝措施，当管内泄压后套管发生弹性收缩，由于重叠段受上层套管保护，围压较小，水泥浆环的弹性形变量弥补不了套管-水泥环的微间隙大小；并且重叠段所使用水泥浆为非弹性体系，水泥环实际在井下高温、高压条件下发生的是塑性变形而不是假想的弹性变形，因此水泥石与套管之间的间隙只会比模拟计算的更大，对固井质量的影响更显著。水平段则因为受到的围压大，固井界面被压得更紧实，并且尾浆使用的水泥浆体系是弹性水泥浆体系，使得水平段的水泥环具有更好的弹韧性，不易破损，反而起到利于声波传播和防气窜的效果。

在高压气井中，当微间隙小于 0.01mm 时，对油气水等液体而言，不足以形成液体通道造成油气水窜，但能够使声幅波的声耦合率大大降低，使声幅值增高、声幅值失真。WY27 平台和 WY28 平台油气显示井段均在 3600m 以下，对应井段固井质量受保压候凝措施影响小。微间隙井段集中在 3800m 以上井段，即使重叠段存在气窜通道，由于分界点以下形成的微间隙小，且水平段候凝期间固井界面被压实，胶结质量格外好，因此保压结束后未出现气窜的情况。但是在经过同平台和邻井平台体积压裂改造后，水平段的水泥环逐步被破坏，重叠段、裸眼段的环空逐渐连通，间隙逐渐增大，于是出现了油层套管环空带压的现象。

4　结论与建议

通过对中石化 WY 区块两个平台保压候凝后固井质量情况的调研分析和微间隙模型计算，我们发现为了预防套变所采取的保压候凝措施会限制预应力固井技术在促进固井界面胶结方面的作用，不利于重叠段固井质量的提高，给后期井口防窜带来隐患。因此，在套管满足抗外挤条件下，不建议候凝期间采取管内保压措施。

如果必须采取保压候凝措施，建议可采用以下措施减小质量损失：

（1）在固井液方面，可采取低弹性模量的弹性水泥浆体系、自愈合水泥浆体系、强胶结树脂水泥浆体系进行防范或补救。通过改善水泥石与套管界面的胶结质量，减小保压候凝措施产生的微间隙大小。

（2）在固井工艺方面，可通过控制保压值大小(不大于采气时的井口最小压力)，降低保压所产生的微间隙影响，亦或者在重叠段关键位置使用遇烃遇水自膨胀管外封隔器封堵气窜通道。

参 考 文 献

[1] 刘洋，严海兵，余鑫，冯予淇，范伟华．井内压力变化对水泥环密封完整性的影响及对策[J]．天然气工业，2014，34(4)：95-98.

[2] Boukhelifa L，Moroni N，James S G，et a1. Evaluation of cement systems for oil and gas well zonal isolation in a full - scale annular geometry [R]. IADC/SPE 87195，2004.

[3] Bois A P，Garnier A，Rodot F，et a1. How to prevent loss of zonal isolation through a comprehensive analysis of micro annulus formation[R]. SPE 124719，2009.

[4] Axel-pierre B，Andre G，Jean-Benoit L. Use of a mechanistic model to forecast cement-sheath integrity [R]. SPE 139668，2012.

[5] 魏涛．油气井固井质量测井评价[M]．北京：石油工业出版社，2010.

[6] 杨万忠，李锐，石庆．增加套管内外压差提高固井质量[J]．天然气工业，2009，29(8)：54-56.

[7] 郑开华．高压气井固井技术研讨[J]．钻采工艺，2001，24(4)：1-4.

[8] 赵效锋，管志川，廖华林，等．交变压力下固井界面微间隙产生规律研究[J]．石油机械，2015，43(4)：22-26.

[9] 曲路路．高温高压井套管-水泥环-地层组合体应力变化规律研究[D]．长江大学硕士论文，2019.

[10] 李军，陈勉，柳贡慧，等．套管、水泥环及井壁围岩组合体的弹塑性分析[J]．石油学报，2005，26(6)：99-103.

[11] 万曦超．油气井固井水泥环力学研究[D]．西南石油大学硕士论文，2006.

[12] 赵效锋，管志川，吴彦先，等．均匀地应力下水泥环应力计算及影响规律分析[J]．石油机械，2013，41(9)：1-6.

[13] 于成金，李成林．套管与水泥环微间隙的计算[J]．石油钻探技术，1996，24(4)：31-32.

[14] 周兵，姚晓，华苏东．套管试压对水泥环完整性的影响[J]．钻井液与完井液，2009，26(1)：32-34.

[15] 郭文才，刘绘新．水泥石性能对套管外挤载荷的影响[J]．天然气工业，2001，21(4)：53-54.

[16] 张景富，吕英渤，刘硕琼，徐明，等．水泥环力学参数与载荷间的适用性[J]．石油钻采工艺，2016，38(5)：594-600.

[17] 李双贵，曾德智，林元华，等．水泥环对套管外载的影响规律研究[J]．西部探矿工程，2007(11)：73-75.

[18] 徐峰，刘世彬，赵常青，曾凡坤，王纯全．预应力固井技术[C]．中国石油学会2010年固井技术研讨论文集，江西南昌，2010.

[19] 初纬．连续变化内压下套管-水泥环-围岩组合体微间隙计算[J]．石油勘探与开发，2015，42(2)：379-385.

F1 井超高温水基钻井液技术

曾　成　王汉卿　周成华　杜奋飞　蔡　静

（中石化西南石油工程有限公司）

摘　要　针对川南超深井钻井液抗高温、污染、井漏等问题，F1 井通过大量室内实验，以自研产品降滤失剂 XNPFL-1、研选的天然树脂降滤失剂、多软化点高温沥青等关键处理剂为主剂，形成抗高温聚合物钻井液体系。现场应用表明，该钻井液体系，性能稳定，钻进、起下钻等作业顺利，为 F1 井的安全施工提供了有力保障。

关键词　F1 井；抗高温；酸根污染；膏盐污染；抗高温聚合物钻井液

1　前言

F1 井位于川南泸州地区，是中石化勘探分公司部署在四川盆地川南低陡构造带榕右向斜万宝潜伏构造高点的一口预探直井，主探震旦系上统灯影组四段。该井设计井深 7230m，实际钻至井深 7244.66m 完钻，完钻层位为灯影组四段。该井属于超深井，地层复杂，施工难度大，其中，三开作业井段（4285~6985m）钻遇陡坡寺盐岩层，下钻频繁遇阻划眼，四开作业井段（6985~7244.66m）温度极高（电测井深 7244.66m 处井温 209.5℃），对钻井液工艺技术提出了很高的要求，需提前做好各种预案，对钻井液体系的热稳定性、抗污染性进行论证。针对以上问题，经过大量室内实验进行钻井液处理剂优选及相关配方实验，确定采用自研产品降滤失剂 XNPFL-1 组成的抗高温聚合物钻井液体系，并在现场得到成功应用。

2　F1 井钻井液技术难点

2.1　抗高温问题

高温条件下，钻井液的性能随之变化，主要体现在以下几个方面：①造壁性能方表现为泥饼变厚，渗透性增大，滤失量增加；②流变性能会出现高温增稠、高温减稠、高温固化等现象；③pH值下降，矿化度越高，其下降程度越大；④钻井液处理剂失效快，使用量增加。

F1 井四开工程设计预计井底（7244.66m）温度为 195℃，实际完井电测井底温度高达 209.5℃。大多数钻井液处理剂在该温度下会降解失效，因此抗高温钻井液处理剂的研选及配方优化极为重要。

2.2　钻井液污染问题

2.2.1　酸根污染

酸根污染是指 CO_3^{2-}、HCO_3^- 离子污染钻井液，破坏钻井液性能，主要表现为钻井液黏度和切力升高、滤失量增大、pH 值降低，严重时将导致钻井液失去流动性，影响井下安全。钻井液中

CO_3^{2-}、HCO_3^- 来源很多，地层流体、处理剂降解、使用过量 Na_2CO_3 或 $NaHCO_3$、空气中 CO_2 等等，而川东北地区钻井液酸根污染主要受气层中 CO_2 气体影响。

2.2.2　膏盐污染

本井三开雷口坡组、嘉陵江组、桐梓组、洗象池群组、陡坡寺组均含膏盐层，存在膏盐污染的可能。

2.3　井漏问题

灯影组白云岩地层破碎，压力系数仅 1.10，且裂缝、溶洞发育，易发生井漏。前期合川-潼南区块在灯影组钻进中反复发生井漏、井垮等复杂情况，且该井温度较高，堵漏材料选择困难，常规植物纤维类堵漏材料在高温下会不同程度碳化，不能形成有效封堵。

3　F1 井钻井液关键技术

3.1　关键助剂研选

3.1.1　聚合物降滤失剂

高温条件下对比加入不同降滤失剂的钻井液性能，筛选出抗高温聚合物降滤失剂，结果见表

1。所用钻井液基本配方如下。

3%土浆+0.3%聚丙烯酰胺钾盐 K-PAM+0.6%聚胺抑制剂+5%天然高分子复配物 JNJS220+3%磺化酚醛树脂 3 型 SMP-3+3%磺化沥青 FT-3+3%超细碳酸钙(加重至 2.0g/cm^3)。

表 1　不同降滤失剂钻井液性能对比

配方	FL_{API}(mL)	FL_{HTHP}(mL)	Gel	PV/(mPa·s)	YP/Pa	实验条件
基础配方	8.6	/	5.5/9.0	25	7.5	老化前
	/	20	1/2	24	4.5	190℃/16h
基础配方+1%LV-PAC	2.2	/	2.5/3.0	48	4.5	老化前
	/	19	0.5/1.0	16	2.5	190℃/16h
基础配方+1%DSP-2	4.6	/	5.5/14	44	13	老化前
	/	10.8	2.0/5.0	41	14	190℃/16h
基础配方+1% XNPFL-1	2.4	/	4.5/10.5	43	14.5	老化前
	/	10	3/3.5	33	13	190℃/16h

表 1 结果表明，基本配方中加入低粘聚阴离子纤维素 PAC-LV，老化后高温高压失水基本无变化，说明 PAC-LV 不能抗温 190℃，而基本配方中分别加入磺酸盐共聚物 DSP-2、两性离子降滤失剂 XNPFL-1 后，中压失水和高温高压失水均降低明显，加入两性离子降滤失剂 XNPFL-1 后的浆体粘度更低。综上分析，降滤失剂 XNPFL-1 在配方中各项性能指标均优于其它两种材料。

3.1.2　其他关键助剂

F1 井三开井段使用钾基聚磺钻井液体系，主要配方：二开井浆+0.2% PAC-LV +0.5% DSP-1+2%SMP-2+1%SMT+2%SPNH+2%FT-3+3%QS-2+0.5%NaOH+5%KCl+加重剂。四开井浆在三开剩余钻井液的基础上按照优化配方进行改造调整，主要是清除三开井浆中无用固相，补充抗高温处理剂。因次，四开体系配方既要满足抗高温性能，也要满足与三开井浆的配伍性。

首先根据以往经验确定基础配方，然后在此基础上调整钻井液助剂或用量，既研选出关键助剂，也得到满足条件的体系配方。实验配方如表 2 所示。

表 2　实验配方

配方 1	3%NV-1+0.5%NaOH+0.5%DSP-1+5%XNPFL-1+3%JNJS-220+3%FD-2(180℃)+3%QS-2 +0.2%SP-80
配方 2	3%NV-1+0.5%NaOH+0.5%XNPFL-1(粉剂)+5%XNPFL-1+3%JNJS-220+3%FD-2(180°℃)+3%QS-2 +0.2%SP-80
配方 3	3%NV-1+0.5%NaOH+0.5% XNPFL-1(粉剂)+5%XNPFL-1+3%JNJS-220+3% HY-1(200℃)+3%QS-2 +0.2% SP-80
配方 4	三开井浆+0.2%NaOH+0.5% XNPFL-1(粉剂)+5%XNPFL-1+2%JNJS-220+1%HY-1(200℃)+1%QS-2 +0.2%SP-80

由配方实验结果(表 3)可知，体系中降滤失剂 XNPFL-1(粉剂)与 XNPFL-1 的配伍性优于 DSP-1 与 XNPFL-1，搭配使用耐温效果更好，封堵防塌方面，HY-1(200℃)较 FD-2(180℃)更适合该体系，由配方 3、4 结果可知，实验配方也满足三开井浆使用要求。

表 3　体系高温高压流变性能

配方	FL_{API}/mL	FL_{HTHP}/mL	Gel	Φ600/Φ300	Φ200/Φ100	Φ6/Φ3	PV/(mPa·s)	YP/Pa	实验条件
配方 1	2.6	/	2/5	49/28	21/13	4/3	21	3.5	老化前
	/	56	4.5/8.5	60/41	33/26	13/12	19	11	200℃/72h
配方 2	2.0	/	2/5	62/36	26/17	5/4	26	5	老化前
	/	16	6/11.5	75/51	40/31	16/16	24	13.5	200℃/72h

续表

配方	FL_{API}/mL	FL_{HTHP}/mL	Gel	Φ600/Φ300	Φ200/Φ100	Φ6/Φ3	PV/(mPa·s)	YP/Pa	实验条件
配方 3	1.8	/	2/6	65/37	28/17	5/4	28	4.5	老化前
	/	10.6	5/6.5	79/50	40/30	12/11	29	10.5	200℃/72h
配方 4	1.8	/	2.5/6	90/52	39/25	6/5	38	7	老化前
	/	11	3.5/6.5	65/42	33/23	10/9	23	9.5	200℃/72h

注：配方密度均为 $\rho=1.50g/cm^3$。

3.2　抗高温聚合物钻井液体系构建

由关键助剂的研选结果，最终确定了由自主产品降滤失剂 XNPFL-1 和研选的抗高温材料组成的抗高温聚合物钻井液体系，基本配方为：3%NV-1+0.5%NaOH+0.5%两性离子聚合物降滤失剂 XNPFL-1(粉剂)+5%两性离子聚合物降滤失剂 XNPFL-1+3%JNJS220+3%沥青防塌剂 HY-1(抗温 200℃)+3%QS-2+0.2%SP-80+加重剂。该体系使用材料较为简单，有效解决了材料过多，高温分解交联的问题，室内实验老化后性能稳定，基本无增稠或减稠的现象(图 1)。

3.3　钻井液体系综合性能评价

3.3.1　热稳定性评价

分别做优选钻井液体系的 16h、32h、48h、72h 老化实验，老化温度 200℃，测定不同老化时间后的钻井液性能见表 4。

图 1　72h/200℃老化后钻井液

表 4　钻井液体系高温稳定性

老化时间/h	AV/(mPa·s)	PV/(mPa·s)	YP/Pa	FLAPI/mL	$FL_{HTHP200℃}$/mL	上下密度差	沉降稳定性
16	33	28	5	1.2	9.6	0.02	好
32	34	28	6	1.5	9.8	0.03	好
48	37	29	8	1.6	10.2	0.03	好
72	39.5	29	10.5	1.8	10.6	0.04	好

由表 4 可以看出，钻井液在 200℃高温的作用下，随着老化时间的增加，钻井液的粘度、切力以及高温滤失量变化幅度较小，这说明该钻井液体系具有良好的热稳定性。

3.3.2　高温流变性能评价

采用高温高压流变性能测试仪 M8500 对优选的体系测定其高温高压流变性能，模拟测试 F1 井下温度 200℃，压力 25MPa(3625psi)，实验结果见下表 5。

表 5　体系高温高压流变性能

项目 / 温度	读数						Gel Pa/Pa			
	φ600	φ300	φ200	φ100	φ6	φ3				
60℃	65	37	28	17	5	4	2.0/6.0	28	4.5	常规六速旋转粘度计测定
200℃	84	52	46	20	7	6	2.5/7.5	32	10.0	M8500 第一次测试
200℃	78	46	43	18	6	5	2.0/6.5	30	8.0	M8500 第二次测试

由表 5 数据可以看出，优选出的钻井液体系在密度 1.50g/cm^3，温度 200℃，压力 25MPa 条件下流变性能良好。

4　现场应用

4.1　施工井段概况

F1 井是一口四开制预探直井，目的层震旦系上统灯影组四段，三开井段（4285~6985m）井眼尺寸 ϕ241.3mm，钻遇志留系、奥陶系、洗象池群、陡坡寺组、龙王庙组、沧浪铺组、筇竹寺组等地层。三开中完井底 6985m 处井温为 188℃，6260~6400m 井段钻遇陡坡寺盐岩层，出现缩径和大肚子，钻井液抗高温、抗盐、抗酸根污染难度大；四开井段（6985~7244.66m）井眼尺寸 ϕ165.1mm，钻遇筇竹寺组、灯影组四段地层，灯影组地层压力系数仅 1.10，地层破碎，小井眼环空间隙小，井温较高，井底温度高达 209.5℃，且有多趟取心作业，起下钻过程静止时间长，需钻井液在井底超高温度条件下，同时兼具良好的流变性、防塌和携岩能力。

4.2　钻井液处理与维护关键

F1 井三、四开井段钻井液维护重点主要有以下几方面：

① 开钻前和钻进中加强小型实验，钻遇膏盐层井段加强 Cl^- 监测，钻遇 CO_2 气侵，现场提前准备适量生石灰，同时定期检测 CO_3^{2-}、HCO_3^-，确保整个钻进施工中钻井液性能的稳定。

② 根据实钻情况及时调整钻井液性能，补充足量的两性离子聚合物降滤失剂 XNPFL-1、两性离子聚合物降滤失剂 XNPFL-1 粉剂、多种粒度超细碳酸钙、抗高温降滤失剂 JNJS220、抗温抗饱和盐润滑剂、天然沥青粉 HY-1（软化点 200℃）等抗高温处理剂，增强钻井液的抗温性、润滑性、封堵性。

③ 灯影组为海相地层，邻井含 H_2S（0.95%~1.08%），全井段需保持钻井液 PH 不低于 11，现场按照设计要求加入不低于 8%的除硫剂，同时储备碱式碳酸锌 20t，确保含有硫化氢的海相地层施工安全。

④ 膨润土在高温下会不同程度的钝化，逐渐丧失水化能力，故在高温井施工中须常备水化好的膨润土浆，监测钻井液性能变化，需要时可补充入井。

4.3　应用效果评价

4.3.1　钻井液总体性能情况

F1 井三、四开施工过程顺利，共计取芯 5 回次，取芯进尺 30.76m，岩心收获率达 88.65%（部分地层破碎）。研究的抗高温聚合物钻井液体系在四开应用，200℃高温性能稳定，HTHP 滤失量<15mL（表 6）。钻井液材料种类简单，维护难度小，可在超高温深井中推广使用。

表 6　F1 井三开、四开钻井液性能

开次	井深/m	ρ/(g/cm^3)	PV/(mPa·s)	YP/Pa	初切/Pa	终切/Pa	FL_{API}/mL	FL_{HTHP}/mL	pH	备注
三开	4305	1.73	21	4	1	2	2.2	12	12	HTHP 160℃
	4788	1.83	22	10	5.5	10	2.8	16	11	
	5121	1.85	19	12.5	6.5	12	3.0	18	11	
	5620	1.78	24	7	2	14	3.0	14	11	
	5872	1.77	32	13	6	13	2.8	18	11	HTHP 165℃
	5968	1.77	48	17	10.5	21	2	16	11	
	6047	1.77	48	21	13	22	1.6	15	11	
	6323	1.80	27	20	14	17.5	1.2	6	12	HTHP 175℃
	6598	1.78	18	19.5	14	15.5	0.4	7	11	HTHP 180℃
	6635	1.78	22	25.5	14.5	18	0.6	7.6	11	
	6863	1.82	33	19.5	18.5	27	0.8	8.2	11	HTHP 190℃
	6985	1.82	36	14	17	25	1.4	8.6	11	

续表

开次	井深/m	ρ/(g/cm^3)	PV/(mPa·s)	YP/Pa	初切/Pa	终切/Pa	FL_{API}/mL	FL_{HTHP}/mL	pH	备注
四开	7058	1.52	21	2	1.5	2.5	2.2	14	11	HTHP 200℃
	7080	1.48	17	3	1.5	2	2.6	12	11	
	7179	1.48	20	2	2	3.5	2.2	13.6	11	
	7230	1.49	20	4.8	2.5	6.5	1.8	10.2	11	

4.3.2 酸根污染预防与处理

F1 井海相地层含 CO_2，钻进至 6950m 处，录井监测 CO_2基值发生变化，钻井液性能：密度为 1.79g/cm^3，FV 为 88s，G_1/G_2为 23/31Pa/Pa，pH 为 8.5，HCO_3^-浓度持续在 15000~20000mg/L，发现酸根污染。针对 CO_2污染问题，提出了如下具体措施。

钻遇 CO_2气层前，需做好提前预防：①保持钻井液密度在设计上限，以平衡气层压力；②监测 Ca^{2+}、CO_3^{2-}和 HCO_3^-含量变化，根据小型试验提前加入 CaO 或 $CaCl_2$，使 Ca^{2+}保持在 500~800mg/L，并根据消耗不断补充；③尽可能保持 MBT 在最低水平；④保持 $Cl^- \geqslant 50000$mg/L；⑤维持钻井液 pH 在 10~11.5。

对已发生 CO_2污染的钻井液，污染较轻可采取：①护胶剂含量提高至上限，增加钻井液抗污染能力；②根据小型试验，加入适量石灰乳液或 $CaCl_2$水溶液，以尽量降低两种污染离子浓度。污染较为严重，则采取：①加入适量单宁、KCl、硅醇或聚羧酸盐控制钻井液粘切；②使用重浆和与井浆配方相近的低粘切优质钻井液，替换井浆，调整流变性。处理后，使用胶液、低粘切优质浆、石灰乳液或 $CaCl_2$水溶液、NaOH 溶液、重浆 5 种浆液协同维护钻井液性能。处理后钻井液性能：密度为 1.87g/cm^3，FV 为 65s，G_1/G_2为 22/28.5Pa/Pa，pH 为 9.5，HCO_3^-含量为 8115mg/L。

4.3.3 抗膏盐污染

陡坡寺组(泥质白云岩，6260~6400m)多次非正常划眼，发现该井段膏盐层缩径以及盐溶形成的大肚子(图 2)。该井段钻井液 Cl^-含量异常，约 120000~130000mg/L，同时，由于该段温度高达 188℃，高矿化度对钻井液抗温性影响极大，增加了钻井液处理难度。

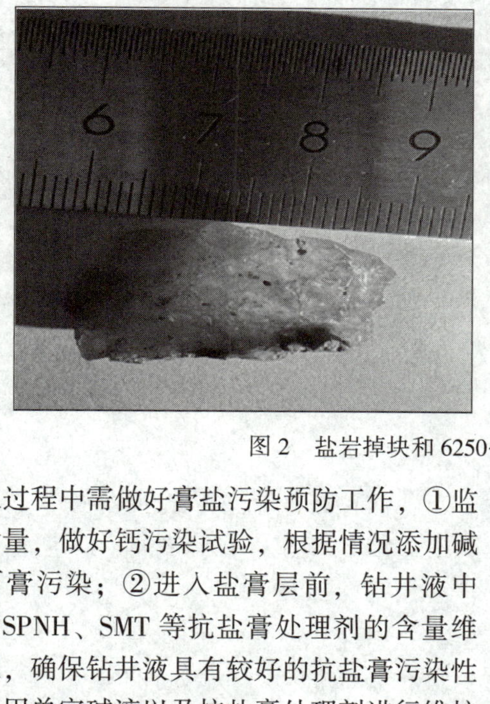

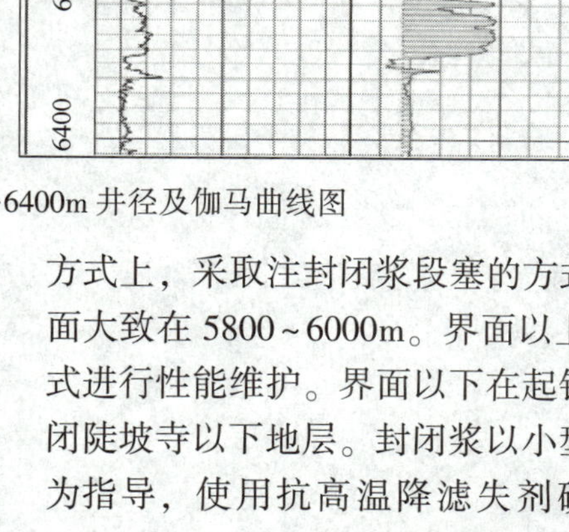

图 2 盐岩掉块和 6250-6400m 井径及伽马曲线图

施工过程中需做好膏盐污染预防工作，①监测 Ca^{2+}含量，做好钙污染试验，根据情况添加碱液预防石膏污染；②进入盐膏层前，钻井液中 SMP-2、SPNH、SMT 等抗盐膏处理剂的含量维护在高限，确保钻井液具有较好的抗盐膏污染性能；③采用单宁碱液以及抗盐膏处理剂进行维护处理，控制良好的流变性和失水造壁性。④处理方式上，采取注封闭浆段塞的方式进行处理，界面大致在 5800~6000m。界面以上井浆按常规方式进行性能维护。界面以下在起钻前注封闭浆封闭陡坡寺以下地层。封闭浆以小型实验老化结果为指导，使用抗高温降滤失剂磺酸盐共聚物、JNJS220、两性离子降滤失剂 XNPFL-1、高温稳定剂 SP80、稀释剂 SMT 等处理剂配制封闭浆。

4.3.4　防漏堵漏技术措施

从F1井取心情况可知，灯影组地层破碎，裂缝、溶洞发育，四开钻进中，分别在7066.30m、7234.54m、7244.66m发生三次井漏，漏速<10m³/h。

防漏方面，做到钻进易漏地层时，不仅加入足量的天然沥青粉（软化点200℃）、超细碳酸钙以强化钻井液封堵能力，为提高地层承压，在进入漏失地层后，也加入小颗粒酸溶性堵漏剂，以强化钻井液防漏能力。

堵漏方面，采用随钻堵漏、堵漏浆挤堵承压等施工工序，①井深7066.30m井漏，循环加随钻刚性堵漏剂，循环无漏失；②井深7234.54m井漏，循环加随钻刚性堵漏材料，漏速减小，带堵漏浆钻进；③井深7244.66m井漏，使用浓度23%堵漏浆挤堵一次，使用浓度25%堵漏浆挤堵一次，划眼通井后井漏消失。两次堵漏配方：①井浆+2%天然沥青粉+5%超细碳酸钙QS-1（400目）+7%酸溶性堵漏剂GSD-4（100~200目，0.075~0.15mm）+7%酸溶性堵漏剂GSD-3（40~100目，0.15~0.38mm）+2%酸溶性堵漏剂GSD-2（10~40目，0.38~1.7mm）；②井浆+3%土粉+4%超细碳酸钙QS-1（400目）+7%酸溶性堵漏剂GSD-4（100~200目，0.075~0.15mm）+7%酸溶性堵漏剂GSD-3（40~100目，0.15~0.38mm）+5%酸溶性堵漏剂GSD-2（10~40目，0.38~1.7mm）+2%酸溶性堵漏剂GSD-1（6~10目，1.7~3.3mm）。

5　结论与认识

1. 抗高温聚合物钻井液体系成功在F1井使用，200℃高温性能稳定，HTHP滤失量均<15mL。钻井液材料种类简单，维护难度小，可在超高温深井中推广使用。

2. 钻进膏盐地层前做好钻井液抗膏盐污染实验，钻遇CO_2侵需警惕酸根污染，做好预防措施，提高钻井液抗污染能力。

3. 高温井的堵漏材料选择困难，亟需开展抗高温堵漏剂的研究或研选，为后续高温井堵漏工作提供更多更好的选择。

参　考　文　献

[1] 董晓强，方俊伟，李雄，张国，张永峰，王从波．顺北4XH井抗高温高密度钻井液技术研究及应用[J]．石油钻采工艺，2022，44(02)：161-167.

[2] 郝少军，安小絮，韦西海，张闯，李保清，雷彪．碱探1井超高温水基钻井液技术[J]．钻井液与完井液，2021，38(03)：292-297.

[3] 肖金裕，周华安，孙俊，刘毅，陈富全，汪凯．玉东7-4-2井钻井液技术优化及应用[J]．钻井液与完井液，2019，36(03)：321-324.

[4] 樊相生，马洪会，冉兴秀．马深1超深井四开钻井液技术[J]．钻井液与完井液，2017，34(02)：57-63.

[5] 林永学，王伟吉，金军斌．顺北油气田鹰1井超深井段钻井液关键技术[J]．石油钻探技术，2019，47(03)：113-120.

装配式模块结构在非常规天然气钻前工程中的应用研究

谭树成　陈小兵　郭小燕　李思薇　王　孔　赵云川　魏　翔

（中国石油集团川庆钻探工程公司）

摘　要　近年来，建筑行业能耗和碳排放量迅速增长，装配式结构是实现建筑行业“碳达峰”和“碳中和”的重要载体。根据节能、节地、节水、节材和环境保护的绿色低碳理念，非常规天然气钻前工程重点针对如何最大限度节约资源与减少对环境负面影响，开展了装配式模块结构的应用研究，装配式模块结构主要包括装配式场面板、装配式方井、装配式清污分流系统等，本文以装配式场面板为例，在非常规天然气的钻前工程进行了详细的研究和阐述。本文论述了装配式场面板的理论计算与设计，通过室内极限承载力试验验证了理论设计的可靠性，并推广应用到实际井场，系统地整理出一套用于钻前工程的装配式场面板施工技术，充分论证了装配式模块结构应用于非常规天然气钻前工程的可行性和必要性，为节能减排和碳中和、碳达峰的双目标提供了有效的解决途径。

关键词　钻前工程；装配式场面板；施工技术应用；复垦；节能减排

1　引言

2016年国务院出台《关于大力发展装配式建筑的指导意见》，意见要求力争用10年左右时间，使装配式建筑占新建建筑面积比例达到30%。2022年，四川省住房和城乡建设厅等4部门发布《推动全省装配式建筑标准化建设工作方案》，加快推动装配式建筑设计标准化、部品部件生产标准化、施工工艺标准化、监督管理标准化。在全国推广装配式建筑的大背景下，装配式模块技术在钻前工程中应用研究是主动顺应国家的发展要求。

在非常规天然气钻前工程中，通常井场面积约8000m^2，最大可达到几万平米。如果采用传统200mm厚的现浇C25混凝土井场，在复垦时将会产生大量破碎建渣，建渣处理将产生大量运费，还会对环境造成二次污染。另外，装配式施工技术对钻前工程质量保证和确保钻前工程在雨季施工提速也有重大研究意义，因此开展钻前工程装配式模块技术研发和推广十分必要。

2　装配式模块结构

本文结合了装配式建筑的技术理念，提出了在非常规天然气钻前工程中应用装配式模块结构的思路和方法，装配式模块主要包括装配式场面板、装配式方井、装配式清污分流系统等，如图1所示。

装配式模块结构能有效加快施工进度，又可拆除重复利用，保护生态环境。针对钻前工程中的方井、清污分流系统、场面等采用传统砌筑、现浇等施工方法导致工期较长难题，提出模块化、标准化、规模化生产技术和标准化拼装工艺技术。同时，对提高钻前工程施工效率，突破多年来钻前工程工期极度紧张这个瓶颈具有里程碑式的重大意义，同时也为钻井提速提供强有力的支撑。

本文以装配式模块中的装配式场面板为例，详细阐述了装配式模块结构的理论设计、室内试验、现场应用、施工技术要求等，从而充分论证装配式模块在非常天然气规钻前工程中应用的可行性、有效性。

(a)装配式场面板

(b)装配式方井

(c)装配式清污分流排水沟

图 1　装配式模块结构

3　装配式场面板设计与理论计算

3.1　配筋计算

综合考虑场面板的寿命及经济可靠性，先以 BZZ-100 轴载为基准进行装配式面板的设计工况(轴载 140kN)，验算时可考虑超重工况(轴载 200kN)和极限工况(轴载 280kN)来适配超载现象。

考虑到较厚的场面板不利于运输和安装，太薄的场面板无法承担较重的荷载工况，因此装配式场面板设计厚度取 150mm。混凝土保护层的厚度 $c=35$mm，从板的受拉边缘至受拉纵向钢筋的距离 $a_s=40$mm，故截面的有效高度 $h_0=110$mm。

荷载设计值中，需考虑汽车活荷载及装配式板自重：1.2 自重+1.4 汽车。

$\gamma_Q=1.4$，$q_k=\dfrac{F}{L}=140\div0.357\div2=196.08$kN/m，

$\gamma_G=1.2$，$q_h=25$kN/m^3，

活荷载：$=274.51$kN/m；板自重：$q_2=\gamma_Q q_h=6.75$kN/m

为简化计算及较为准确的进行配筋，根据现场实际情况，将脱空处装配式场面板看作梁进行配筋计算，脱空跨度可分为 1.0m、1.5m、2.0m。当脱空跨度 $l=1000$mm 时，计算单元的截面尺寸 $b\times h=1000\text{mm}\times150\text{mm}$。

(1) 弯矩设计值

$$M_b=\frac{1}{8}\times6.75\times1^2=0.84\text{kN}\cdot\text{m}$$

$M_c=(140\times0.5-140\times0.357\div4)\div4\times1.4=20.13\text{kN}\cdot\text{m}$　　$M_1=M_b+M_c=20.97\text{kN}\cdot\text{m}$

(2) 配筋面积

混凝土强度等级 C40：混凝土抗压强度设计值 $f_c=19.1\text{N/mm}^2$，钢筋强度设计值 $f_y=360\text{N/mm}^2$，矩形应力图应力值系数 $\alpha_1=1.0$。

$$\xi=1-\sqrt{1-\frac{M_1}{0.5\alpha_1 f_c b h_0^2}} \tag{2-1}$$

$$A_s=\frac{\xi\alpha_1 f_c b h_0}{f_y} \tag{2-2}$$

分别计算，得到各工况长方向受拉钢筋截面面积如表 1 所示。

表 1　跨中正截面抗弯剪极限承载力及配筋结果

工况		内力计算	计算结果	每米受拉钢筋截面面积 As/mm²
工况 1（设计轴载：140kN）	脱空 1.0m	弯矩/(kN·m)	20.97	619
		剪力/kN	52.38	
	脱空 1.5m	弯矩/(kN·m)	34.28	928
		剪力/kN	54.06	
	脱空 2.0m	弯矩/(kN·m)	48.00	1237
		剪力/kN	55.75	
工况 2（超重轴载：200kN）	脱空 1.0m	弯矩/(kN·m)	28.29	858
		剪力/kN	73.38	
	脱空 1.5m	弯矩/(kN·m)	46.94	1286
		剪力/kN	75.06	
	脱空 2.0m	弯矩/(kN·m)	65.92	1715
		剪力/kN	76.75	
工况 3（极限轴载：280kN）	脱空 1.0m	弯矩/(kN·m)	37.47	1170
		剪力/kN	101.38	
	脱空 1.5m	弯矩/(kN·m)	63.03	1755
		剪力/kN	103.06	
	脱空 2.0m	弯矩/(kN·m)	89.00	2340
		剪力/kN	104.75	

由表 1 可知，当脱空跨度过大，装配式场面板钢筋配筋面积越大（>1500mm²），导致板质量增加，不利于减少造价，且为较小概率事件；若选择较小的配筋面积，难以满足工况要求（<1000mm²）。因此选取 As = 1026mm² 满足工况 1 及部分工况 2 的配筋面积，根据《混凝土结构设计规范》(GB 50010—2020)可知，在装配式场面板下部纵向受拉钢筋应选用 C14@150，在装配式井场面板下部横向受拉钢筋应选用 C14@150。

3.2　承载力计算

以下计算将根据场面板实际使用情况，分为中部受压承载力计算及角部受压承载力计算。

$$F_1 \leqslant 1.35\beta_c\beta_l f_c A_{ln} \quad (2-3)$$

(1) 装配市场面板角部受压区承载力计算；由公式 2-3 可计算得到，

$$\beta_1 = \sqrt{\frac{A_b}{A_1}} = 1,\ F_1 \approx 320t > 14t$$

(2) 装配市场面板中部受压区承载力计算由公式 2-3 可计算得到，

$$\beta_1 = \sqrt{\frac{A_b}{A_1}} = 3,\ F_2 \approx 960t > 14t$$

参考《标准混凝土结构设计规范》(GB 50010—2020)，装配式场面最不利局部受压承载力设计值约为 3200kN，远大于基准设计轴载 140kN、超重轴载 200kN 以及极限轴载 280kN，满足实际工程需求。

3.3　装配式场面板最大裂缝宽度验算

在实际工程中，裂缝宽度与装配式场面板结构失效相联系，需要考虑构件在该工况下的最大裂缝宽度。

$$W_{cr} = C_1C_2C_3\frac{\sigma_{ss}}{E_s}\left(\frac{c+d}{0.30+1.4\rho_{te}}\right) \quad (2-4)$$

$$C_2 = 1+0.5\frac{M_l}{M_s} \quad (2-5)$$

$$\sigma_{ss} = \frac{M_S}{0.87A_S h_0} \quad (2-6)$$

由上述公式，可整理得到下表 2，

表 2　最大裂缝宽度验算

工况		最大裂缝宽度/mm	一类环境 ≤0.20mm	二类环境 ≤0.30mm
工况 1（设计轴载：140kN）	脱空 1.0m	0.14	通过	通过
	脱空 1.5m	0.24	未通过	通过
	脱空 2.0m	0.33	未通过	未通过
工况 2（超重轴载：200kN）	脱空 1.0m	0.2	通过	通过
	脱空 1.5m	0.33	未通过	未通过
	脱空 2.0m	0.46	未通过	未通过
工况 3（极限轴载：280kN）	脱空 1.0m	0.26	未通过	通过
	脱空 1.5m	0.44	未通过	未通过
	脱空 2.0m	0.62	未通过	未通过

通过以上分析可知，装配式场面板配筋面积达到 As=1026mm²，可满足工况 1 及部分工况 2、3 的使用要求，因此该配筋面积较为合理。因此，在装配式场面板下部纵向受拉钢筋应选用 C14@150，在装配式井场面板下部横向受拉钢筋应选用 C14@150。根据《混凝土结构设计规范》，当集中荷载较大时，上层钢筋纵向受拉钢筋应配置 C10@200。

3.4　装配式场面板设计

根据理论计算与设计要求，试验生产的装配式场面板结构尺寸为 3000mm × 1495mm，厚 150mm。场面板采用 C40 标号混凝土，同时双层双向配筋，面层钢筋设计为 C10@ 200，底层钢筋设计为 C14@ 150，如图 2 所示。

图 2　装配式场面板实物图

4　装配式场面板极限承载力试验

4.1　承载力试验分析

利用 100T 作动器配合试验室反力架和反力地板进行了加载试验，试验场面板在荷载作用下的位移(包含挠度)用百分表进行了测量。试验分析如下：

4.1.1　挠度分析

在试验中，通过百分表测试，挠度随着荷载的增加而增加，基本呈现出线性变化。

由图 3 可知，当施加荷载达到 100kN 之后，传力板施加荷载处以及场面板中部的挠度增加量明显比前一段曲线较快，增加速率变大，由于此时混凝土依然与钢筋共同作用，因此增长较为平稳，未突然破坏。当荷载增加到 300kN，此时板中挠度达到 23.8mm，板支座附近挠度达到 9.36mm，三个不同测点的处的挠度都产生较大增幅，混凝土退出工作，直到破坏为止。装配式场面板在荷载达到 360kN 之后，板中部挠度超过 6cm，挠度达到跨度的 1/50，钢筋屈服。

4.1.2　裂缝分析

场面板明显裂缝产生为 $F=100$kN 时，此时受拉区混凝土依然工作，在施加荷载两处，场面板产生对称裂缝。但随着荷载的不断增加，板侧处、板中部及板荷载处的裂缝宽度同步增加，板底裂缝呈现由中心向支座扩展的现象，且裂缝数量不断增多。在增加荷载 100~300kN 的过程中，此时试件处于尚弹性阶段，在该过程中这三条裂缝宽度曲线斜率基本相同，如 4 所示。但荷载超过 300kN 之后，细裂缝形成底贯通裂缝，同时裂缝宽度不断增加，并在荷载 $F=360$kN，荷载施加处裂缝以及板侧处裂缝达到 1.5mm 以上，

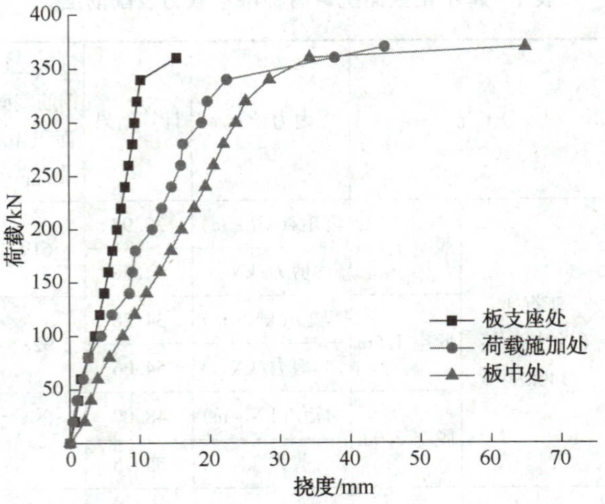

图 3　荷载-挠度曲线图

其中以板中部裂缝开展最大，达到 3.3mm。

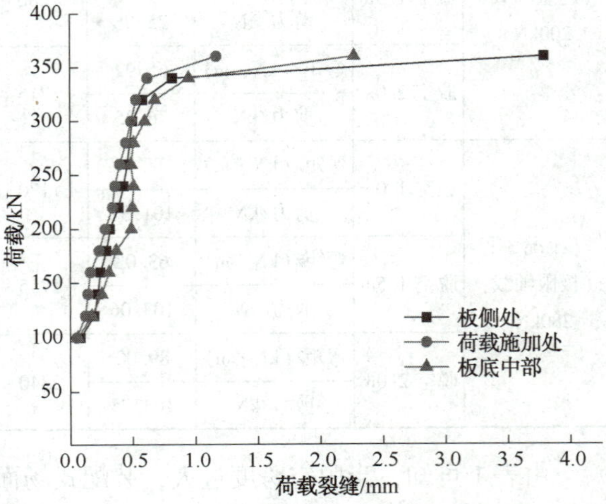

图 4　荷载-裂缝宽度曲线图

4.1.3　钢筋应变分析

针对装配式场面板受拉区钢筋所取的三处应变点，明显可看出在荷载处钢筋应变在 0~100kN 变化时，该段增幅明显小于后期增幅，且荷载处(即距离板中轴线 900mm 处)应力增幅、板中部及中轴线 600mm 增长钢筋应变的斜率基本相同，但在 100~300kN 之间，距离板中轴线 900mm 处钢筋应变增长速率明显大于板中部及 600mm 处的钢筋应变速率，但增长趋势相同。在装配式场面板荷载达到 $F=300$ 时，钢筋进入屈服阶段，混凝土逐步退出工作，受拉区钢筋承担主要应力，最终在 $F=365$kN，构件破坏，钢筋屈服。

4.1.4　混凝土应变分析

装配式场面板受压区混凝土，在荷载 0kN 到 100kN 混凝土应变的增幅明显小于后期混凝

土应变，在荷载达到 100kN 时，可观测到肉眼可见的裂缝，随着荷载增加，受拉区混凝土开裂宽度不断增加。而在 $F=300$kN 时之后，施加荷载处应变增大较快，三条曲线应变增幅进一步增加。试验数据可了解，受压混凝土应变普遍大于受拉钢筋应变(图 5)。

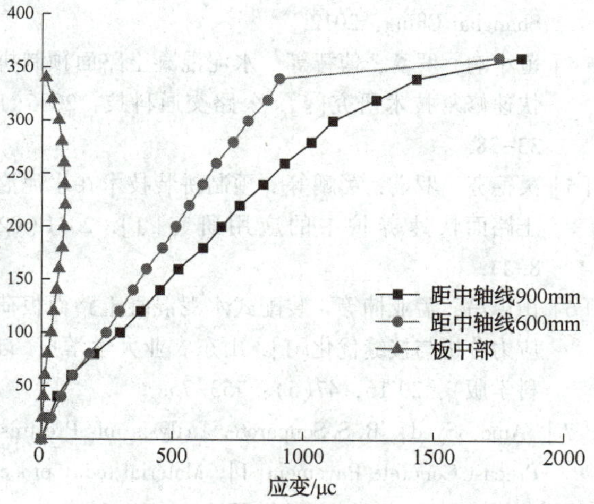

图 5　荷载-受压区混凝土应变图

4.2　试验结果

装配式场面板在承载力试验中，加载到 100kN 之前，未见到明显裂缝，加载到 300kN 之前，装配式场面板进入弹塑性阶段，直到 360kN 裂缝宽度激增，挠度增加加快，直到 365kN 试件钢筋屈服，确定其破坏极限为 365kN，大于超重荷载 280kN，满足工程实际需求。

5　装配式场面板装配施工技术要求

5.1　对场坪基层要求

土基压实度应至少满足四级公路压实度≥94%，弯沉值应≤220mm，在土基碾压之后应按照相关规范对土基进行检验。

5.2　放线要求

现场布置采用错缝拼装方式，在场基完工后，对找平层标高、装配式场坪面层标高进行放线，要求定位准确。

5.3　干拌砂浆找平层

找平层采用水泥：砂比例为 1：3 的干拌砂浆进行铺设，需搅拌均匀，铺设高度为 8cm。

5.4　安装要求

5.4.1　橡胶垫安装

嵌缝胶皮为弹性材料，宽 15cm、厚 8mm 的长条，用于相邻板缝隙之间，安装深度与场面板厚度一致，后期一直保存于板缝内。起到防止后期相邻板互相摩擦造成损伤的作用。

5.4.2　场面板安装

按放线布置缓慢、匀速对场面板至安装位置，清扫板缝，确保板缝无杂质，然后将干拌砂浆扫填充板缝，填充高度控制在离板缝上表面内缘高度 2~3cm 处。用灰刀检测其密实度，以灰刀塞入取出后干拌砂浆不下漏为宜。

6　装配式场面板应用效果

6.1　应用情况

自 2019 年试验研究成功以来，在四川油气田的长宁、威远页岩气及川南深层页岩气、致密气、浙江油田等得到了规模应用，现已推广应用 30 个平台 116 井次，在用 19 个平台 58 口井。已装配面积 6 万多 m^2 的重载 PC 板 14132 块。钻前工期平均提前了 7%。

6.2　技术优势

6.2.1　安全使用方面

① 使用安全。场面板表面设计为花纹钢板饰面，具有防滑效果，使用更加安全可靠。

② 目视化效果良好，简洁、美观，有效改善井队工作环境，尤其是雨期不积水、不翻浆，维保简便等特点，促进使用单位提升工作效率。

③ 施工简单便捷，即装即用，有效节约了场面混凝土模板制安、浇筑及养护 7~14 天等时间。

6.2.2　质量方面

装配式场面板为工厂化预制，不受外部环境影响，出厂即达到混凝土 28 天标养强度。有效避免了现浇混凝土施工模式出现的收缩裂缝、平整度差等质量问题，避免养护期不足提前使用带来的质量隐患。

6.2.3　环保方面

①建筑垃圾减量。按照现有装配面积 $2500m^2$/井测算，每重复使用 1 井次可减少混凝土建渣为 $0.15\times2500=375m^3$，按照年 500 井次计算，年总计可减少建渣破碎、外运、处置固废量 18.75 万 m^3。

②节能减碳。装配式场面技术可有效减少施工噪音、粉尘等污染，以及施工现场用水、施工用电的消耗，同时避免了砂石开采、水泥生产使用，减少能源消耗。根据《水泥单位产品能源消耗限额》GB 16780-2021，水泥单位产品综合能耗不超过 94kgce/t，即生产 1t 水泥排放 CO_2 约

0.234t。每方混凝土使用水泥用量按0.4t计算，每重复使用1井次至少可减少碳排放35.1t。若按照500井次测算，年可减碳17550t。

6.3 经济效益

装配式模块结构技术应用以来累计创造产值2亿多元，直接经济效益3768万元。装配式场面可重复使用，在项目后期可直接减少复垦中混凝土场面的拆除、转运及处置费用，至少可节约4万元/平台复垦费用以及3万元/平台工程建设投资。

7 结论

本文对装配式场面板进行详细的配筋面积计算，同时根据不同配筋面积进行理论计算验证，并最终通过了承载力及最大裂缝验算。结合装配式场面板理论计算与设计，室内试验的结果表明，破坏极限荷载远大于设计极限荷载，充分证明了装配式场面板在钻前工程中应用的可行性和可靠性。

通过本文研究成果以及在非常规天然气井场施工的成功经验，总结出详细系统的装配式场面板施工工艺并推广应用到其他井场。综合分析表明，装配式场面能有效节约资源、减少对环境负面影响。

由此可见，以装配式场面为例的装配式模块结构在节能、节地、节水、节材和环境保护的非常规钻前工程中具有十分显著的优势和广阔的应用前景。

参考文献

[1] 方涛．油基岩屑在沥青混凝土路面中的应用研究[D]．西南科技大学，2019.

[2] 陈炳生．预制块路面设计应用研究[C]．上海：上海市公路学会，1999：36，46.

[3] David K. Hein，Mike Midyett，General Manager. Design and Construction of Pavement For Tracked Military Vehicles [C]. Proceedings of 1 0nd International Conference on Concrete Block Paving，Shanghai China，2012.

[4] 范小响，罗翥，傅智等．水泥混凝土路面预制拼装快速修复技术研究[J]．公路交通科技，2006(1)：33-38.

[5] 吴德芬，罗翥，彭鹏等．预制拼装技术在水泥混凝土路面快速养护中的应用研究[J]．2011(02)：8-11.

[6] 田志昌，孟亚楠等．装配式水泥混凝土路面板荷载应力分析与接缝优化[J]．山东农业大学学报(自然科学版)，20 16，47(5)：753-75.

[7] AmeenSyed，R. S. Sonparote. Analysis of Prestressed Precast Concrete Pavement[J]. Material today proceedings，2017，4(9)：9713-9717.

[8] 中华人民共和国国家标准．《公路桥涵设计通用规范》(JTGD62-2004)[S]．中国建筑工业出版社，2004

[9] 王火明．混凝土预制块路面力学行为及结构设计方法研究[D]．重庆交通大学，2014.

[10] 赵恒博．某国省干线重载交通的轴载调查统计分析[J]．辽宁省交通高等专科学校学报，2019(10)：1-4.

[11] 廖礼平．绿色装配式建筑发展现状及策略[J]．企业经济，2019，38(12)：139-146. DOI：10.13529/j.cnki.enterprise.economy.2019.12.017.

第五篇　石油工程建设与装备篇

近年来，响应国家高水平科技自立自强要求，石油工程建设科技创新步伐加快，石油工程建设技术与装备日新月异，“双碳三新”技术不断涌现，智能化/数字化技术日益成熟、模块化技术广泛应用，大型设备吊装及安装技术不断创新和发展。本篇重点介绍了油气田地面、油气储运、新能源工程工艺、腐蚀防护、数字化/智能化技术以及大量石油石化施工技术最新发展以及应用范例。

油田地面系统能效对标管理系统的研制

赵 捷

（大庆油田有限责任公司）

摘 要 本文通过对油田地面系统能效对标指标体系研究总结出综合绩效评价指标体系建立的总体技术思路和综合绩效评价指标的选取原则，全面系统的分析与油田用能相关的主要地面生产系统各用能单元，建立能够反映系统能耗管理综合评价指标体系。通过评价和比较，找出被评价对象能耗管理存在的薄弱环节和努力方向。依据以上理论研制了油田地面系统能效对标管理系统，从系统设计原则、系统设计标准、功能架构、技术架构、系统主要功能五方面叙述了开发过程和实现的功能。该系统的应用该平台不仅能够实现不同用能单位之间的能效对标评价，还能够实现关键机泵和加热炉能耗的实时诊断，对于偏离高效运行区间的工况给出报警，并制定对应的改进技术措施。

关键词 地面系统；能效对标；节能

1 前言

随着油田的不断开发、油井产油量的持续递减以及含水率不断升高，油气集输系统出现能耗高、设备结垢、系统及设备运行效率低等问题，挖掘潜力很大。本项目针对原油集输系统能耗进行对标研究，为达到“控本增效”的目标，全面系统的分析与油田用能相关的主要地面生产系统各用能单元，建立能够反映系统能耗管理综合评价指标体系。该体系能够实现被评价对象当前和以往绩效的纵向比较，以及被评价对象之间绩效的横向比较，充分反映被评价对象的主观努力程度及能力。通过评价和比较，能够找出被评价对象能耗管理存在的薄弱环节和努力方向。结合油田地面系统泵机组、加热炉的工作原理，分析影响高效运行的关键因素，依据相关能耗评价和节能监测标准，研究能耗诊断及评价方法。在此基础上，探索提高泵机组、加热炉高效运行的技术措施，建立相应的节能技改措施数据库。开发研制基于 B/S 模式的“油田地面生产系统节能绩效评价平台”。该平台不仅能够实现不同用能单位之间的能效对标评价，还能够实现关键机泵和加热炉能耗的实时诊断，对于偏离高效运行区间的工况给出报警，并制定对应的改进技术措施。为进一步全面推广实施集输系统节能优化管理，最大限度的挖潜集输节能潜力打好基础。

2 油田地面系统能效对标指标体系研究

2.1 原油集输系统能耗分析与评价方法

能量平衡通常又称为热平衡，是指流进、流出某一特定研究体系的能量在数量上满足平衡关系。它建立在热力学第一定律上的热力学分析方法，可对系统、装置的能量数量转换、利用、传输以及损失状况的进行分析评价，找出研究体系中能量损耗最大的薄弱环节和部位，可为生产单位进行工艺或设备用能状况改进提供相应的技术依据。根据集输工艺流程，可将集输系统划分为脱水站（主要指站内脱水环节）、转油（放水）站 2 个集输环节。针对每一个集输环节，利用能量平衡方法建立相应的能量平衡模型，进而给出相应的能耗评价与分析指标。

2.2 建立综合绩效评价指标体系

利用多标准多目标数据包络分析方法研究建立能够反映采油厂内各作业区（转油（放水站）、脱水站、注水站、水处理站等）节能管理真实绩效的多目标、多层次、多准则综合评价指标体系。该体系能够实现被评价对象当前和以往绩效的纵向比较，以及被评价对象之间绩效的横向比较，充分反映被评价对象的主观努力程度及能力。通过评价和比较的结果，为找出被评价对象节能管理存在的薄弱环节和努力方向提供依据。

2.2.1 综合绩效评价指标体系建立的总体技术思路

（1）分析原油生产过程节能降耗影响因素对实现节能降耗目标的作用大小，建立原油生产过程整体节能降耗绩效评价指标体系。

（2）对被评对象进行分析，分出具有可比条件的评价小组。

（3）根据被评价对象子系统耗能情况，进行回归分析，综合确定绩效评价指标权重。

（4）建立被评价对象相对绩效综合评价体系，选择组内标杆对象，确定专项指标与标杆指标对比情况的赋分标准。

（5）建立被评价对象纵向绩效综合评价体系。

（6）建立综合绩效指标评价体系。

2.2.2　综合绩效评价指标的选取原则

选取原油生产过程节能降耗绩效的评价指标，关系到所建立的综合评价指标体系的科学性和实用性，在设置具体指标时，应坚持的指标选择原则如下：

（1）目的性原则。评价指标体系应体现国家能源政策导向，激励原油生产单位提高能源综合利用效率。

（2）系统性原则。评价指标体系应能综合、全面地反映油田企业的能源节约效果及各单位的主观有效努力程度，以保证评价的全面性和可信度。

（3）主客观性结合原则。将客观的绩效测评方法与发挥考评主体的主观能动性密切配合，缺一不可。

（4）定性与定量相结合原则。将定量测评与专家经验判断和人为观察结果相结合，考虑量化定性指标。从定性和定量两方面去做综合评价，就可以实现主客观评价的有机结合。

（5）静态测评和动态测评相结合。静态考评方法的优点是适于横向比较，分析原油生产过程绩效的差异或是否达到某种标准，但忽略了被评价对象的过去基础与未来的发展潜力。动态测评考察的是原油生产单位通过主观努力及能力形成的绩效的动态变化及其发展过程。因此，将二者有机地结合，才能使评价结果更为客观。

（6）确定和可操作性原则。评价指标含义明确，避免产生歧义；指标必须可采集，评价指标体系应具有可操作性。

（7）独立性原则。尽可能降低评价指标之间的相互影响和交叉，提高指标的独立性。

2.2.3　节能绩效评价指标体系的建立原则

（1）基于目的性原则设置评价目标

“目的性”指的是围绕综合评价的目的展开，使最后的评价结论准确反映评价意图，激励生产单位提高能源综合利用效率。考虑到原油生产过程节能降耗是一个系统工程，从系统的功能的角度出发，又可分解为相互独立的两个子系统：技术子系统、经济子系统。

（2）基于系统性原则进行影响指标的范围界定

在技术绩效子系统的效率影响因素的选择方面，必须从系统工程的角度出发，分别针对油气集输系统、注水系统、污水处理系统的影响因素进行分析，设计各下一级的影响指标层（也称为子准则层），同时必须考虑指标之间不能重复，且相关性尽可能降低。

（3）将主观与客观相结合

在选择技术效率指标时，采取文献检索、专家访谈和实地调研相结合的方法。通过国内外权威学术期刊上文献的检索情况以及国内外石油与相关的官方网站的浏览和资料整理，首先确定初步的评价指标体系。获得技术效率指标的主观和客观的信息。将这两部分信息加工整理，提炼出相应的评价指标体系。再经过专家论证，最后确定技术效率指标的评价指标体系。

（4）将定性与定量分析相结合

通过以上分析可知，与现场专家访谈的方法可以获取生产单位生产能耗指标的有关主观信息，作为非常重要的第一手资料，以定性信息为主。而从文献和实际调查中得来的数据大多是二手数据，以定量信息为主。因此，必须考虑将这两部分数据结合。

（5）将静态测评和动态测评相互结合

通过被评价对象当前和以往绩效的纵向比较，以及被评价对象之间绩效的横向比较，实现了静态测评和动态测评相结合，能够客观地反映被评价对象的主观努力程度，实现节能降耗的可持续发展。

2.2.4　节能绩效整体评价指标体系的实现方法及策略

由于节能降耗绩效受到多种因素的影响，在进行绩效评价时，采用单一指标显然不够合理；即使综合权衡其它因素，也往往是凭经验定性判断，缺乏科学的运作方法和程序。因此，在建立企业节能降耗的绩效评价指标体系时，重点考虑以下几个因素：第一是能够客观反映生产单位节能降耗的真实绩效；第二是充分考虑资料获取难易程度以及资料的可靠性；第三是要降低各影响因素之间的关联性，最好的想法是要求内部因素相互独立或者具有较弱的相关性。结合节能降耗绩效评价指标选取原则，进行节能降耗绩效评价指标体系的建立及权重设计。

3　油田地面系统泵机组、加热炉节能改造技术措施研究

3.1　机泵设备节能改造技术措施

3.1.1　泵机组效率效偏低的节能措施

（1）检查电动机是否是国家明令淘汰的低效高耗电动机，如果是明令淘汰的电动机则应予以更换；对于不属于淘汰类的电机，应与 GB 18613—2020 电动机能效限定值及能效等级进行效率对照，确定更换电机的合理性；

（2）根据运行数据确定电动机的负载率大小，如果负载率长期低于 40%，则应更换合理容量的电动机；

（3）对因运行负载率偏低而使电机功率因数偏小的情况，应对电动机进行无功补偿，以降低线路损耗；

（4）对因长期使用造成泵内流道和叶轮腐蚀、结垢等问题，采用泵涂膜技术、砂轮打光、水力抛光等办法，以提高泵效；

（5）对离心泵采用三元流节能技术进行改造；

（6）离心泵变角改造；

（7）离心泵泵蜗壳优化；

（8）检查机泵是否是国家明令淘汰的低效高耗机泵，如果是明令淘汰的机泵则应予以更换；对于不属于淘汰类的机泵，应与 GB 19762—2007 清水离心泵能效限定值与节能评价值进行效率对照，确定更换机泵的合理性。

3.1.2　泵管压差偏大对应的节能措施

（1）离心泵减级；

（2）变频调速技术等。

3.1.3　负荷率偏大或偏小对应的节能措施

（1）若是长期严重偏离泵的额定排量，离心泵采用更换叶轮的方式降低额定排量，使泵处在高效运行区间提高泵效；

（2）若是机泵流量变化较大，但又偏离额定排量较大的问题，建议采用变频等调速技术，降低节流损失，回流损失，提高泵机组效率；

（3）对于高压电动机驱动的离心泵，采用泵控泵技术；

（4）采用智能能源管控技术优化泵机组及系统的节能运行方式，提高泵机组及整个系统的运行效率。

3.1.4　回流损失率偏大对应的节能措施

（1）更换合适排量机泵；

（2）安装变频调速装置。

3.2　加热炉节能改造技术措施

3.2.1　过剩空气系数不合格对应的节能措施

（1）在烟道中安装氧化锆等氧含量测试装置，根据排烟处氧含量进行人工合理配风；

（2）采用全自动高效燃烧器，利用空燃比多参数串级反馈联动控制系统提高加热炉热效率；

（3）配备燃烧效率检测仪，定期测试加热炉烟气中的 O2、CO、CO_2 含量，合理调整加热炉的配风。

3.2.2　运行负荷率偏低对应的节能措施

（1）优化加热炉的运行方式；

（2）采用低能耗集输系统工艺，加强加热炉运行管理。

4　油田地面系统能效对标管理系统

4.1　系统设计原则

油田地面系统能效对标管理系统的开发坚持“业务主导、需求驱动、信息支持、协同推进”建设原则，进行总体规划、分步实施，坚持业务主导，统筹推进。

4.2　系统设计标准

本项目建设过程中以及规范形成过程中，完全依据国际标准或者行业标准。所依据的标准和规范如下：

（1）系统设计标准

ISO9001 软件质量管理标准

环境信息网络建设规范

国务院及信息产业部有关文件

（2）基础与管理标准

GB/T 11457—2006 信息处理 软件工程术语

（3）软件开发与维护标准

GB/T 8567—2006 计算机软件文档编制规范

GB/T 20157—2006 信息技术软件维护

（4）软件度量与评价标准

GB/T 16260. 1—2006 软件工程产品质量第 1 部分：质量模型

GB/T 16260. 2—2006 软件工程产品质量第 2 部分：外部度量

GB/T 16260. 3—2006 软件工程产品质量第 3 部分：内部度量

GB/T 16260. 4—2006 产品质量第 4 部分：使用质量的度量

4.3 功能架构

系统功能需要满足管理系统过程管理要求，系统应用架构。

（1）基础层：

这一层主要为系统数据存储区域，同时还实现了与其他系统的通讯连接。

（2）平台层：

这个层面将对数据源层包括的信息系统进行集中的缓存、存储、汇集、分析、关联，并通过信息模型对这些信息进行有机的组织，并根据不同角色的信息需求为其定制信息的组织形式，保证决策的制定和执行的及时性和准确性。

（3）展示层：

实现人机交互界面，以多种形式将应用体系中的相关信息展示给用户，并获得用户的操作指令。

4.4 技术架构

本项目的软件系统采用微服务的架构进行设计开发，开发语言为 JAVA，B/S 结构。本项目的微服务采用阿里的开源微服务架构 Nacos。软件的开发采用 VUE 框架，是一套构建用户界面的渐进式前端框架，Vue 的核心库只关注视图层，与 Nacos 服务进行通信进行数据的交换。

4.5 系统主要功能

油田地面系统能效对标管理系统主要功能如下：

（1）指标体系管理

主要针对作业区、集输系统：脱水站、转油（放水）站、注水系统：注水站、水处理系统：污水站、设备指标体系：机泵、加热炉等建立能效评价指标体系。

（2）基础数据

主要跟地面工程 A5 系统对接，提取集输系统、注水系统、水处理系统的基础数据，包括：脱水站基础信息、转油（放水）站基础信息、联合站基础信息、机泵基础信息、加热炉基础信息、注水站基础信息、水处理站基础信息。

（3）绩效评价

根据建立的评价指标体系还有能效评价公式计算集输系统、注水系统、水处理系统的绩效分值。

（4）泵机组高效运行管理

计算集输系统、注水系统泵机组绩效，通过图表的方式直观展示泵机组的考核得分。

（5）加热炉高效运行管理

计算集输系统加热炉的绩效，通过图表方式直观展示加热炉的考核得分，通过雷达图展示，同时提供建议措施。

（6）绩效综合查询

可以按照不同的方式采用多元统计查询的模式，实现数据的综合查询和统计以及报表输出。包括：集输系统、注水系统和水处理系统。

（7）系统管理

设定系统使用的组织结构，通过权限设置分配权限，同时提供系统安全日志功能。

5 结论

该项研究，采用能量平衡分析方法研究建立了油气集输、注水、水处理等油田生产系统及所辖主要用能单元和用能设备的能量平衡分析模型，给出了相应的能耗评价及分析指标。构建了原油生产过程全部流程对象的相对绩效评价指标体系、纵向绩效评价指标体系、综合绩效评价指标体系。该体系能够实现被评价对象当前和以往绩效的纵向比较，以及被评价对象之间绩效的横向比较，充分反映被评价对象的主观努力程度及能力。根据被评价对象子系统耗能情况，综合设计了每个被评价对象评价指标的权重系数和赋分体系，兼顾了综合评价指标、各单项指标、及被评价单位的管理复杂情况，使评价指标体系更加全面客观。结合油田地面系统泵机组、加热炉的工作原理，分析了影响高效运行的关键因素，依据相关能耗评价和节能监测标准，研究出了泵机组、加热炉的综合评价方法及高效运行判别标准。在此基础上，建立了相应的泵机组、加热炉高效运行节能技改措施数据库。研制了基于 B/S 模式的“油田生产地面系统节能绩效评价平台”，该平台集能耗分析、能效对标、设备能效诊断与预警、节能技改措施建议等功能于一体，通过网络数据库系统管理数据，实现资源共享，大大提高了信息的精确性和可靠性，也便于管理层对数据的查询和统计。并且能够针对各基层单位的耗能数据进行综合分析，实现了节能技术与管理有机结合。

参 考 文 献

[1] 孙少波．油气田勘探开发生产中的数据治理方法与技术研究．长安大学．2020，11：16-18.

[2] 张秋菊，宋新芳．数字化辽河油田建设与效果．中国管理信息化，2015，18(19)：83-85.

[3] 马鑫．胜利“智慧油田”建设研究．中国石油大学(华东)．2019，8：13-15.

[4] 油气田地面工程．油田管道完整性管理系统的设计与实践．油气田地面工程．2021，40(03)：76-80.

[5] 贺松．自动化技术在油田集输站的应用．石化技术．2021，28(02)：70-71.

[6] 何代菊．浅析物联网对计算机通信的影响．南方农机．2021，52(07)：175-176.

[7] 朱克傲．基于智能合约构建可信物联网安全模型．网络安全技术与应用．2021，04：1-2.

[8] 曹万岩．大庆油田地面工程数字化建设方案优化探索．石油规划设计．2021，32(01)：62-65.

[9] 张月，马楠，郭阳．油田企业高性能数据库云平台建设探索．中国管理信息化．2020，23(22)：89-90.

[10] 曹伟．面向海外数据库的一种通用数据录入方法的研究．中国管理信息化．2021，24(04)：195-196.

基于数字化交付的数字工厂建设及应用

郭玲玲[1]　徐心童[1]　毛　骏[1]　劳斌斌[2]

[1. 昆仑数智科技有限责任公司；2. 斯伦贝谢科技服务(北京)有限公司]

摘　要　基于数字化交付平台，管理服务方交付的数据资产，在此基础进行智慧工厂建设已经成为智能化油气田建设主流趋势，本文以海外某气田地面工程数字化交付及数字工厂建设为实例，详细介绍了实施路径和成果。

首先是标准建设，统一数据采集标准，形成数据字典、规范移动和平台接口，还包括数字化交付三维模型和设备的静态数据、设备资产台帐、备品备件、故障库、确保数据完整，其次是数据贯通，将各类业务数据实现数据共享，包括数字化交付、资产管理系统、工控物联网等系统，最后基于云平台，可定制化门户，搭建数字工厂的场景，例如智能巡检、设备设施可视化、综合驾驶舱等，构建物理模型与数字模型完全一致的"数字工厂孪生"，实现生产管理、生产运行、工况诊断与预警、降低设备故障率，提升管理水平和运行效率。

关键词　数字化交付；数字工厂场景；云平台；系统集成

1　引言

土库曼斯坦阿姆河右岸"巴格德雷"合同区域属于中石油海外勘探区块，是中亚管道主供气源地，项目公司重点打造以数字化交付为核心的数据底座，依托B区西部数字化气田建设项目，大力提升生产运行管控能力，以提升"生产运营管控能力"为重点转型方向，实现生产运营数字化智能化。

1.1　目标

以地面工程数字化交付为基础，融合生产工艺动态、视频监控、设备设施、物资库存等数据，构建物理模型与数字模型完全一致的"数字孪生体"，为数据生态与数据资产建设奠定基础；结合大数据分析、虚拟现实技术和人工智能技术，实现生产管理、生产运行、工况诊断与预警、操作培训的智能化、可视化。

数字工厂的企业级数字化交付架构(图1)，以三维数字化技术对数据管理和共享机制为基础，构建EPCC全过程管理与交付的智能应用整体架构，以基于角色的可视化工作空间为界面，通过微服务方式持续上线、集成不同业务时期、多专业领域的智能化增值应用。

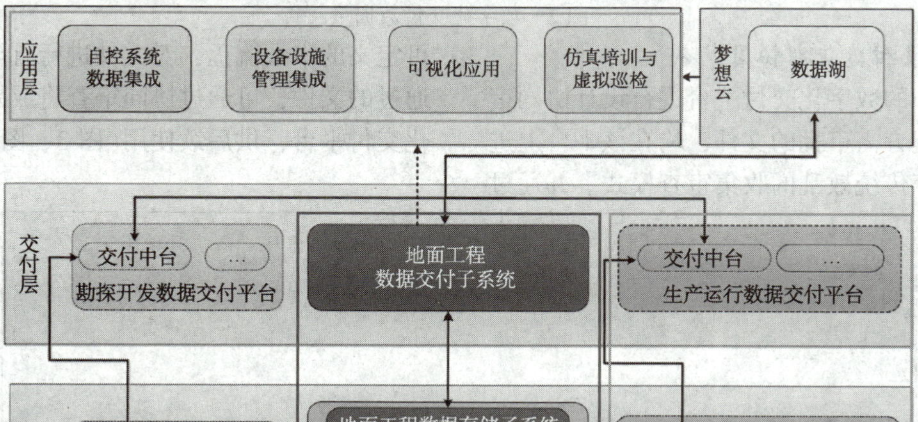

图1　数字工厂建设架构图

2 平台应用

2.1 数字化交付标准

数字化交付首要任务是制定交付标准，标准编码规定数据字典、采集规范、移动规范、接口规范等标准，包括工厂对象分类、属性、量纲、单位、交付级别、文档专业代码等信息及其关联关系。结合项目实际情况编制一套项目级的统一技术规定用于指导参建各方在数字化交付中实施标准。常见标准如下：

《数字化交付编码规定》

《数字化交付数据字典》

《数字化交付分解结构及类库定义》

《设计数字化交付内容规定》

《采购数字化交付内容规定》

《施工数字化交付内容规定》

《监理数字化交付内容规定》

《检测数字化交付内容规定》

《试运行数字化交付内容规定》

《数字化交付数据采集规定》

2.2 数字化交付内容

本次数字化交付工程范围是土库曼斯坦巴格德雷合同区B区包括加迪恩、北加迪恩、伊利吉克、东伊利吉克、基什图凡、西基什图凡6个气田的新建工程的全部建设期静态数据。共计4座集气站、22座单井站、2座中间清管站、19座阀室、122km采气支线、85km凝析油管道、76km集气干线及69km净化气管道。依照数字化交付标准完成了实体类61类，实体数量31663，对应数据需求136万种，涉及参建单位21家(图2)。

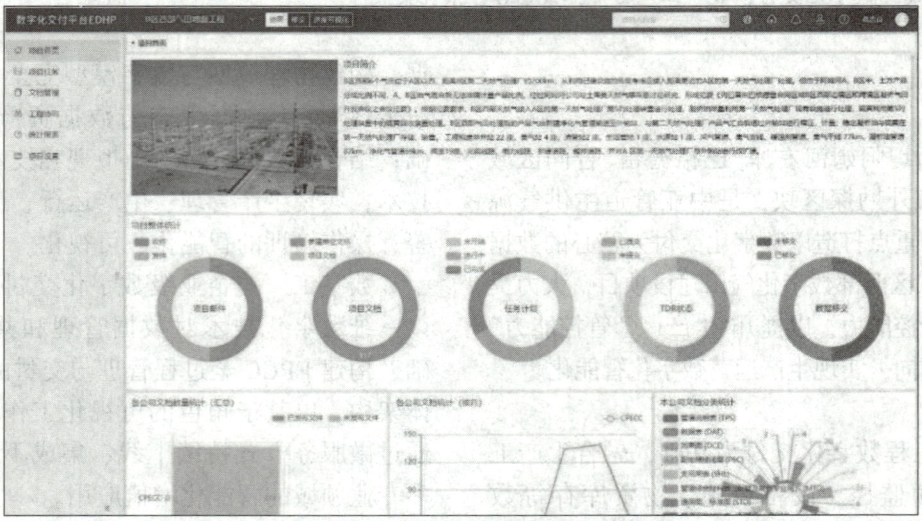

图2 数字化交付数据量

2.3 数字化交付建设期协同审查

基于统一的数字化交付平台进行设计协同审查，使各参建方需审批的文件，均在该平台上进行流转，摒弃传统散乱的收集审查模式。并通过可定义的审批流程，对文件进行有限推送。审批通过的文件，可通过协同审查将成果提交至数字化交付平台，供后续使用(图3、图4)。

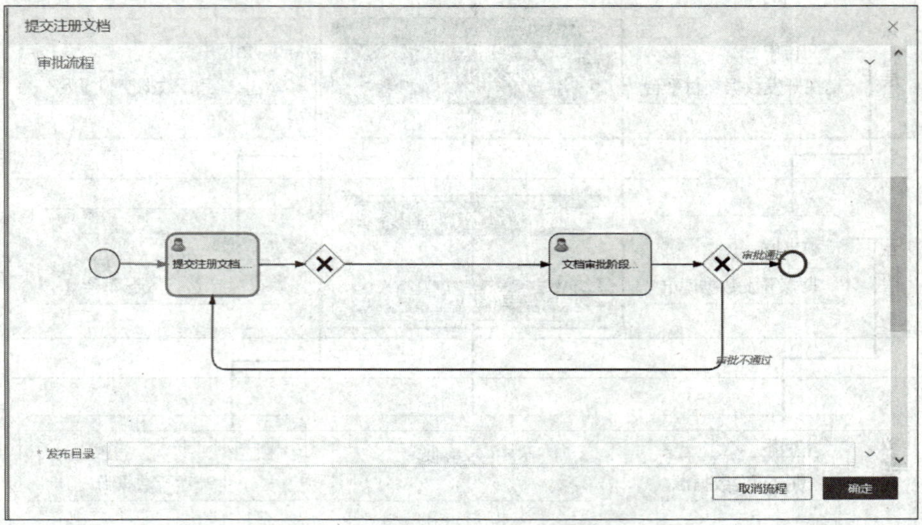

图3 数字化交付协同审查流程图

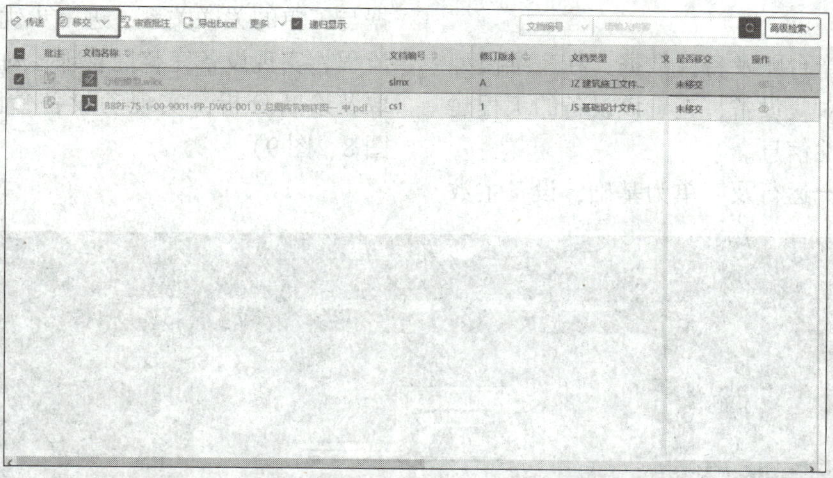

图 4　数字化交付协同审查示意图

2.4　工程建设进度可视化

数字化交付成果为源头，向设备制造、采购、物流、施工等环节延伸，对设计模型加载计划进度值与实际进度值，通过对比算法及色差显示，真实反映现场采购、施工进展情况，并据此开展建设期管理，实现智能建造(图 5)。

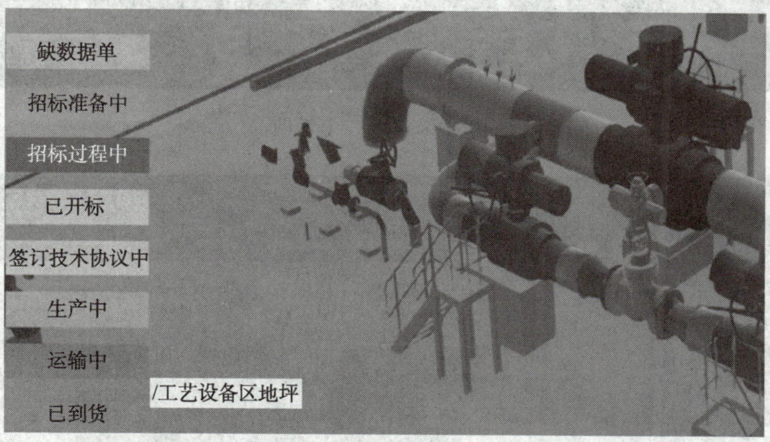

图 5　数字化交付可视化进度展示

3　数字工厂应用场景

基于数字化交付工厂中的静态数据资产和三维模型构建而成，通过将集成的各类业务实时数据进行抽取并以图表、圆柱等组件化进行直观呈现，提高各类业务管理水平。

3.1　实时数据采集

生产网实时数据库从现场 A 区和 B 区 OPC 服务器采集生产数据，通过单向传输将数据发送到办公网，实现生产网到办公网数据的实时、稳定传输。在办公网建立统一生产数据平台，完善数据结构，实现生产数据统一管理和存储。并可通过多样化的接口对外发布数据，为上层应用提供统一的数据接口服务(图 6)。

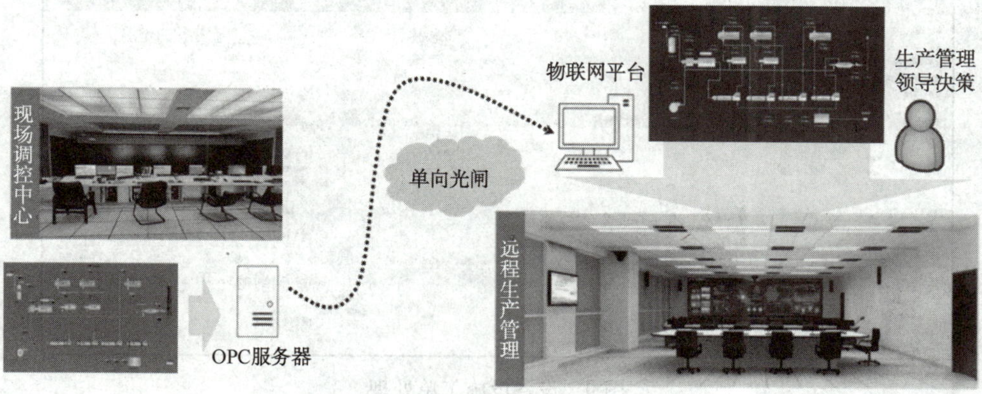

图 6　实时数据采集

3.2　资产可视化

通过集成资产台账及备件数据，在三维模型中，可快速定位对应设备，查看该设备的工程建设信息、静态属性信息。

建立了以资产运行及工单为基础，设备主数据与工单的关联关系，进一步优化检维修等业务流程，实现设备完整性管理，对设备故障特征提取及诊断分析，实现动设备预防性维修（图7、图8、图9）。

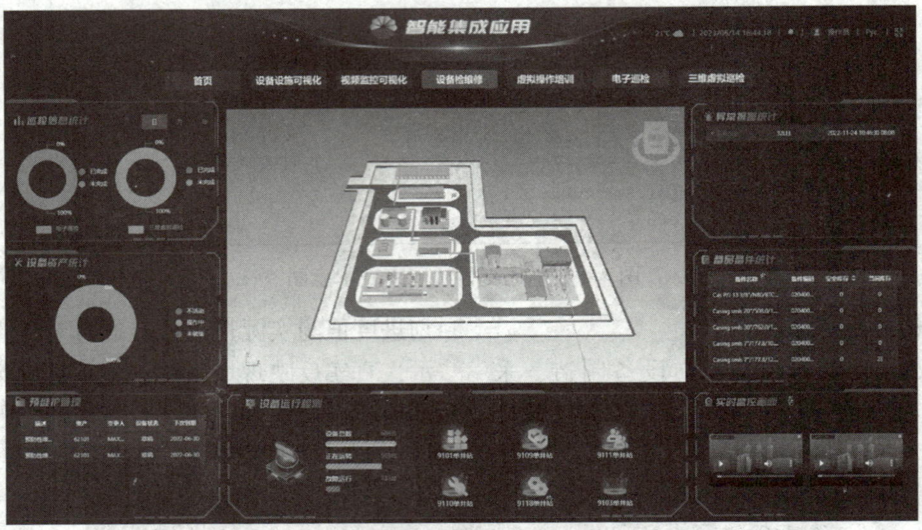

图7　设备资产主界面

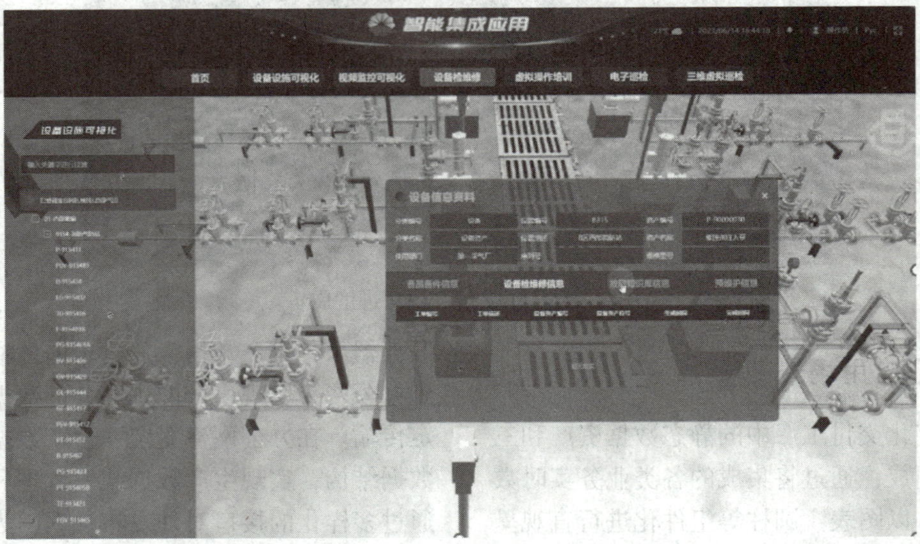

图8　设备设施清单可视化

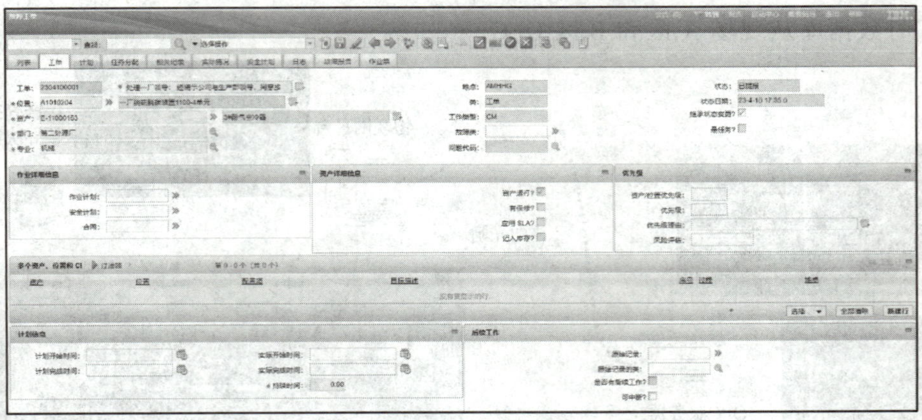

图9　设备设施工单处理

3.3 虚拟巡检

基于数字化交付，通过集成生产实时监控数据和视频监控实时画面，对于一些危险或人员无法到达的区域，在三维场景中模拟人工巡检过程开展自动巡检，并借助视频监控人工识别现场问题，发现问题报警，并进行“一键上报”至资产系统进行报缺工单处理。解决现场人员少，环境恶劣等问题，减轻一线员工巡检压力，确保现场生产安全(图 10)。

图 10　虚拟巡检示意图

3.3 “千人千面”定制化门户

为解决多系统、多入口问题，构建统一门户，实现具备统一入口、任务驱动、岗位推送、灵活定制、多语言等能力。云平台应用商店，可以实现统建应用、自建应用的无障碍跳转、老应用的平稳过渡。根据业务需求接入各应用的待办消息，形成统一任务办理微件，方便用户快速处理待办事项。通过不同微件的灵活组合，可以定制个人工作主门户。针对不同角色，通过在统一门户配置驾驶舱、三维虚拟巡检、电子巡检、视频监控总览、仿真操作与维修培训微件，方便不同角色快速进入功能模块进行业务操作(图 11)。

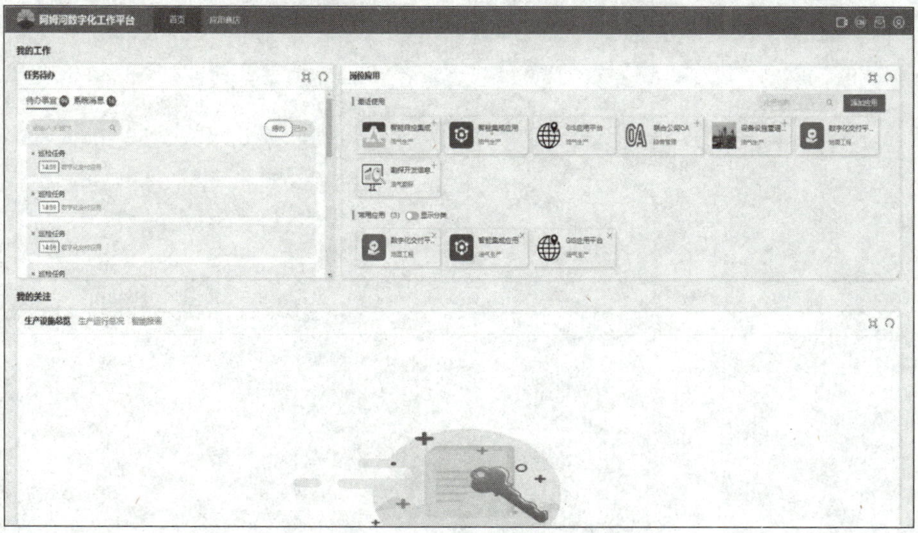

图 11　可定制的平台门户

4 结论

通过实施地面工程数字化交付，推动地面工程项目全过程优化，实现项目管控从线下协同向线上协同转变、资料交付由事后交付向过程交付转变，实现工程项目全过程管控提质、提速。

通过利用虚拟巡检和人工电子巡检相结合，提高巡检效率、巡检质量、及时发现故障，降低生产设备设施故障率，提高运行效率。

实现多区域独立监控向统一集中监控转变、故障事后发现向提前预测转变、依靠人工经验向数据智能工艺调参转变，提高气田生产决策的及时性和准确性，

数据作为资产要素，发挥价值，对数据的质量、完整性、及时性、准确性都有较高要求。数据维护是一个持续更新的过程，需要配套制定数据管理制度，明确数据维护管理的责任与分工。数字化交付及数字工厂建设需要各方的共同努力，转变观念、共同协作，这是数字工厂成功与否关键因素。

参考文献

[1] 王鸿捷．一种创新的工程公司云平台建设理论与实践[J]．天然气与石油，2017，35(4)：120-124.

[2] 工业和信息化部、国家标准化管理委员会，国家智能制造标准体系建设指南(2015 年版).

[3] 贾承造．中国石油工业上游发展面临的挑战与未来科技攻关方向[J]．石油学报，2020，41(12)：1445-1464.

[4] 许增魁，马涛，王铁成，等．数字油田技术发展探讨[J]．中国信息界，2012(9)：28-32. P106.

长庆气田储气库地面工程技术现状和发展方向

蔺海川[1]　徐　帆[2]　吴　柯[1]　冯　波[1]　屈苗苗[1]　邱　鹏[1]　张文超[1]　胡　涛[1]

(1. 长庆工程设计有限公司；2. 中国石油长庆油田公司)

摘　要　随着近年来天然气作为清洁、高效优质能源的消费量迅速增长，储气调峰需求与日俱增。长庆气田作为我国最大天然气生产基地和管网枢纽中心，具有突出的位置优势，承担着西安、北京等40余座大中城市及周边的用气安全，调峰保供责任重大。长庆气田目前已(在)建储气库共4座，各库地质条件和建库模式不同，形成各具特色的地面工艺系统，在分析在役储气库地面工程技术现状的基础上，提出了未来储气库地面工程的发展方向，即智能化储气库建设，储气库地面建设标准设计，大规模、低成本注采气设备的应用，绿色储气库建站技术，，对后续提升储气库建设及运营水平具有借鉴和指导意义。

关键词　长庆气田；储气库；地面工程；智能化；标准化

近年来，天然气工业迅猛发展，天然气消费快速增长。地下储气库是天然气上、中、下游产供储销体系中的关键一环，其保障国家能源安全作用至关重要。全球目前已建地下储气库近700座，总储气能力$4165\times10^8m^3$，占天然气年消费量的11.8%，中国储气库设施建设相对滞后，截止2022年底，国内建成储气库调峰仅占比全国消费总量的5.2%，远低于全球平均调峰水平(图1)。

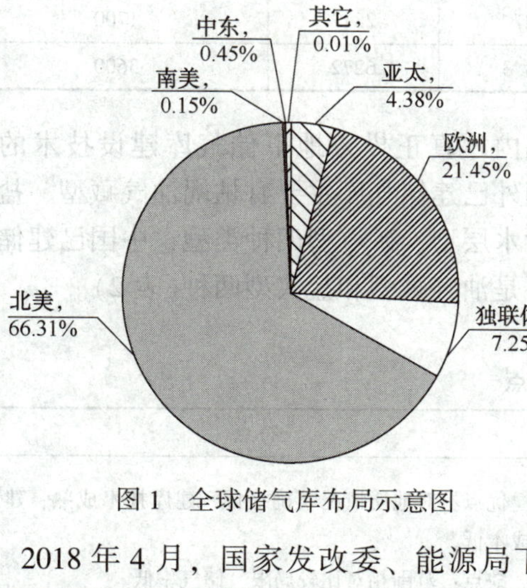

图1　全球储气库布局示意图

2018年4月，国家发改委、能源局下发相关政策文件，要求供气企业要拥有不低于年合同销售量10%的储气能力，各地和主要供气企业要最大限度发挥现有天然气储气调峰能力，加快项目建设，确保冬季天然气供应稳定。

长庆气田作为我国最大天然气生产基地和管网枢纽中心，具有突出的位置优势，承担着西安、北京等40余座大中城市及周边的用气安全，调峰保供责任重大。同时为协调资源与市场供求关系，加快天然气工业发展，长庆气田储气库建设势在必行。

1　储气库建设现状

1.1　国内外储气库建设现状

(1) 国外储气库建设现状

截至目前，根据国际天然气联盟(International Gas Union，IGU)的统计数据，全世界储气库，分布在36个国家和地区。

美国的储气设施发达，发展时间长，规模能力大。截至2020年底，美国现有地下储气库388座，储气能力达到$966\times10^8m^3$，占美国全年天然气消费量的12%。按照类型统计，废弃油气藏储气库储气能力达到$717\times10^8m^3$，盐穴型储气库储气能力达到$136\times10^8m^3$，含水层型储气库储气能力达到$113\times10^8m^3$。

欧洲储气库主要分布在德国、意大利、法国、荷兰、匈牙利、奥地利等国家，这些国家的储气库数量达到108座，储气能力达到$785\times10^8m^3$，占整个欧洲储气能力的58%。

独联体国家储气库主要分布在俄罗斯、乌克兰、阿塞拜疆、哈萨克斯坦、乌兹别克斯坦、白俄罗斯等国家，共有储气库45座，储气能力达到$1190\times10^8m^3$。俄罗斯地下储气库的建设始于20世纪50年代后期，主要以枯竭气藏型和含水层型储气库为主。至今俄罗斯已经拥有23座地下储气库，储气能力达到 $718\times10^8m^3$，占全国天然气消费量的比例约为 18.4%。

(2) 国内储气库建设现状

中国的地下储气库相对起步较晚，上世纪 70 年代曾在大庆油田尝试开展利用枯竭气藏建设两座储气库-1969 年建成投产的萨尔图 1 号地下储气库，主要用于该地区居民在冬夏季用气调峰，后因城市扩建而移除；另一座为喇嘛甸北块地下储气库，该储气库用于存储大庆油田合成氨项目的原料气，建设于喇嘛甸油田气区，近年来经不断的扩库容，总库容达 $25.0\times10^8m^3$。20 世纪末，为保障京津冀地区的平稳供气，2000 年建成大张坨凝析油枯竭气藏型储气库并顺利投产，工作气量为 $6\times10^8m^3/a$，最大调峰能力达 $1000\times10^4m^3/d$。为保证供气安全，随后又建成板 876 和板中北 2 座凝析油枯竭气藏型地下储气库。我国建设西气东输管线后，为保证西气东输管道沿线以及长江三角洲地区用户居民的正常用气，利用江苏省的金坛盐矿和安徽省的定远盐矿建设两座地下储气库，设计总调峰气量为 $8\times10^8m^3$，有效储气量为 $17.4\times10^8m^3$，日注气量为 $1500\times10^4m^3$，日采气量 $4000\times10^4m^3$。2012 年起，中国石化在河南省地区建设了文 96 和文 23 气藏型储气库，有效容量分别为 $5.88\times10^8m^3$、$98\times10^8m^3$，工作气量分别为 $2.95\times10^8m^3$、$39\times10^8m^3$，从 2010 年起，我国依次在中西部、西南地区和渤海湾地区共建设了长庆陕 224、新疆呼图壁、四川相国寺等 6 座气藏型储气库，初期总库容存储气量达 $279\times10^8m^3$，一期有效工作总气量为 $116\times10^8m^3$。

截止 2022 年底，中国已建成地下储气库(群)24 座，形成调峰能力 192 亿方，日调峰能力突破 2.2 亿方。

1.2 长庆气田储气库建设现状

长庆气田目前已(在)建储气库共 4 座，其中已建储气库—陕 224 储气库、苏东 39-61 储气库工作总气量为 $14.5\times10^8m^3$，在“十四五”末前将继续建成雷龙湾储气库、榆 37 储气库(表 1)。

表 1　长期气田储气库建设现状

序号	储气库	有效库容(10^8m^3)	工作气量(10^8m^3)	调峰能力($10^4m^3/d$)	注气能力($10^4m^3/d$)
1	陕 224 储气库	9.6	3.7	400	300
2	苏东 39-61 储气库	22.3	10.8	1256	600
3	雷龙湾储气库	33.7	16.8	1804	1000
4	榆 37 储气库	97.2	27	2812	1700
	合计	162.1	58.3	6272	3600

2 类型及特点

2.1 国内外已建类型和特点

国外地下储气库的建设历经百年历史，我国地下储气库发展起步较晚，直到 20 世纪 90 年代初，国内才真正投入地下储气库建设技术的研究。国外已建储气库主要有枯竭油气藏型、盐穴型、含水层型、矿坑型四种类型，中国已建储气库主要是油气藏型和盐穴型两种(表 2)。

表 2　储气库类型及特点

类型	定义	特点
枯竭油气藏型储气库	以原油气藏区块作为基础，重新布置井眼建立储气库注采井井网，对原油气藏老井评估后，进行封堵或改造作业的油气储存方式。	优点：对地质情况精确把握，建库技术成熟，建库成本低。 缺点：范围相对比较局限，储气率低。
盐穴型储气库	利用地下较厚的盐层或盐丘，通过灌水、抽取等方法将其中的盐提取出来后，在地下留下体积巨大的空洞。	优点：注采转换灵活且注采成本较低，调峰能力及灵活性强。 缺点：施工过程中难免有残留的盐分，高浓度的盐水对于钢铁等材料腐蚀性大，且造价较高，建库周期长。

续表

类型	定义	特点
含水层型储气库	利用高压气体注入地下含水层结构的最高点或其周围，向含水层通入气体将水从孔隙中驱出，并在构造顶部盖层下积蓄而形成储气库气藏。	优点：构造简单，储层物性好，规模大。 缺点：建库成本高。
矿坑型储气库	利用废弃、新建岩洞或地下坑道，经过密封处理后储存天然气	优点：灵活性强，的工作气量比例高，可完全回收垫气。 缺点：稀少，规模小，安全风险高。

2.2 长庆气田储气库特点

陕 224 储气库为长庆首座含硫碳酸盐岩储气库，主要用于气田内部季节调峰。库区盖层、底板、侧向遮挡发育，密封性较好，微地震监测系统运行平稳，酸性气体随周期淘洗整体含量逐年降低(图 2、图 3、图 4)。

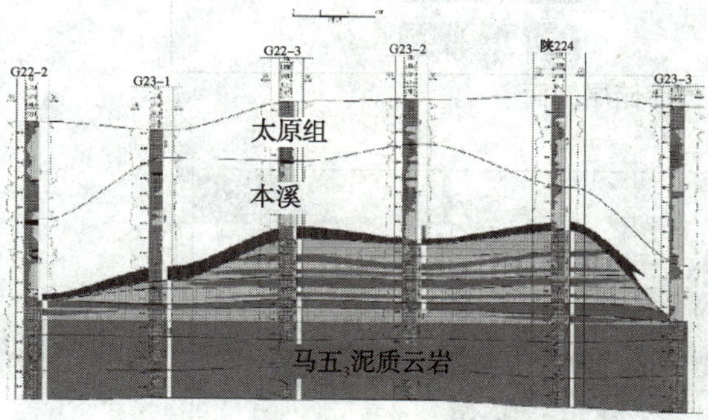

图 2　陕 224 储气库密封性评价剖面

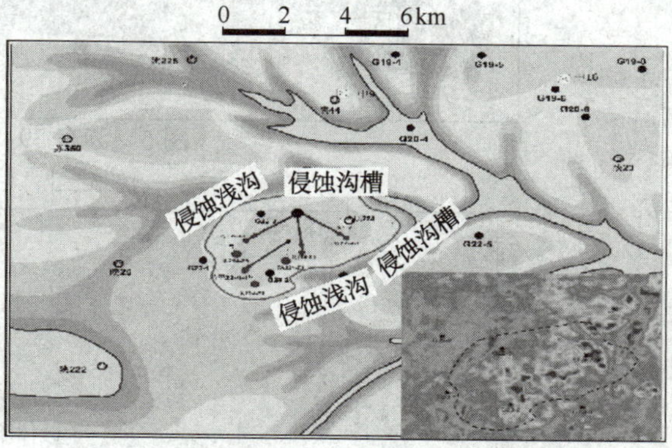

图 3　陕 224 储气库封闭条件分析图

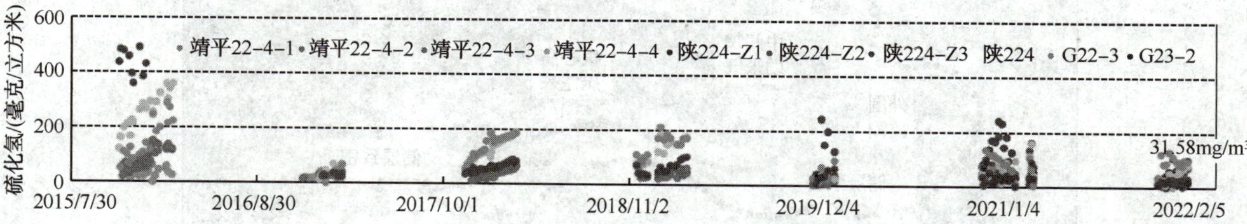

图 4　陕 224 储气库硫化氢含量变化

苏东 39-61 储气库为下古生界中组合马五 5 碳酸盐岩储气库，主要用于目标市场区域季节调峰和应急供气。库区属于靖西台坪环带局部颗粒滩沉积的孤立白云岩体，具有储层裂缝发育、封闭条件好、单井产量高、微含硫等优势(图 5)。

榆 37 储气库为长庆首座砂岩岩性储气库，库区具有厚度大、物性好、单井产能高、不含硫等储层特点(图 6)。

雷龙湾储气库为长庆第二座含硫碳酸盐岩储气库，主要用于区域季节调峰，战略应急供气。库区盖层底板发育，南北两侧被沟槽切割，西侧致密储层发育，东侧支潜沟与致密储层发育，储层密封性良好(图 7)。

2.3 同常规气田开发的差异

地下储气库建设是一个系统工程，涉及地质、钻采及地面工艺技术，且受产气区、储气区及用户的多重影响，建造、运行工况很复杂。储气库的建设完全不同于常规气田的建设、有着自己特殊的特点、要求和建设难点，下面对储气库与气田的开发建设的不同点从对象差异、条件差异、开采方式差异等方面简要说明如下。

对象差异：气田开发面对的只是气藏，储气库面对的是油藏、气藏、含水层、盐穴、矿坑等。

条件差异：气藏开发需要把各种复杂、低渗等条件下的天然气通过各种方式开采出来，气库则需要利用最有利条件最好的气藏建设成为储气库。

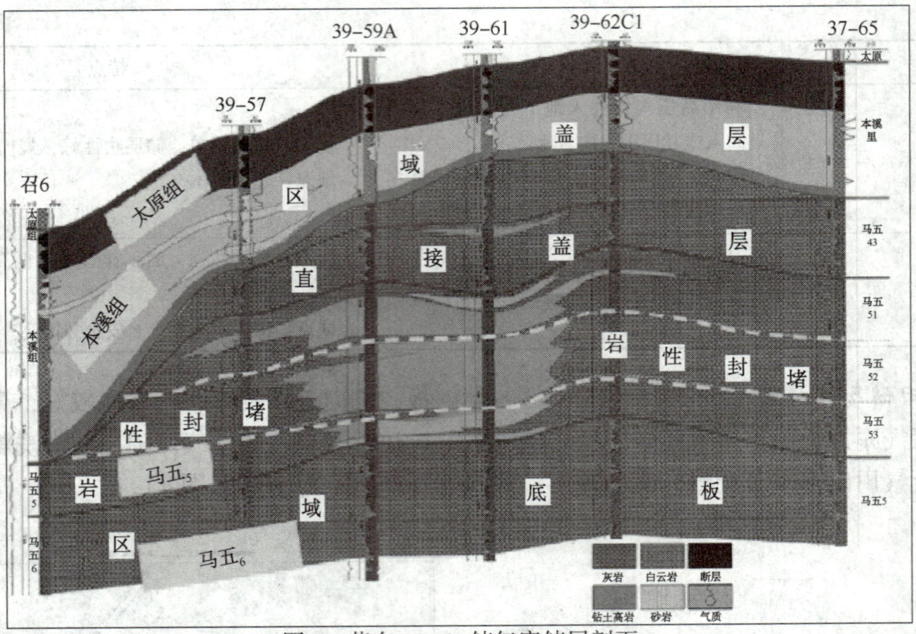

图 5　苏东 39-61 储气库储层剖面

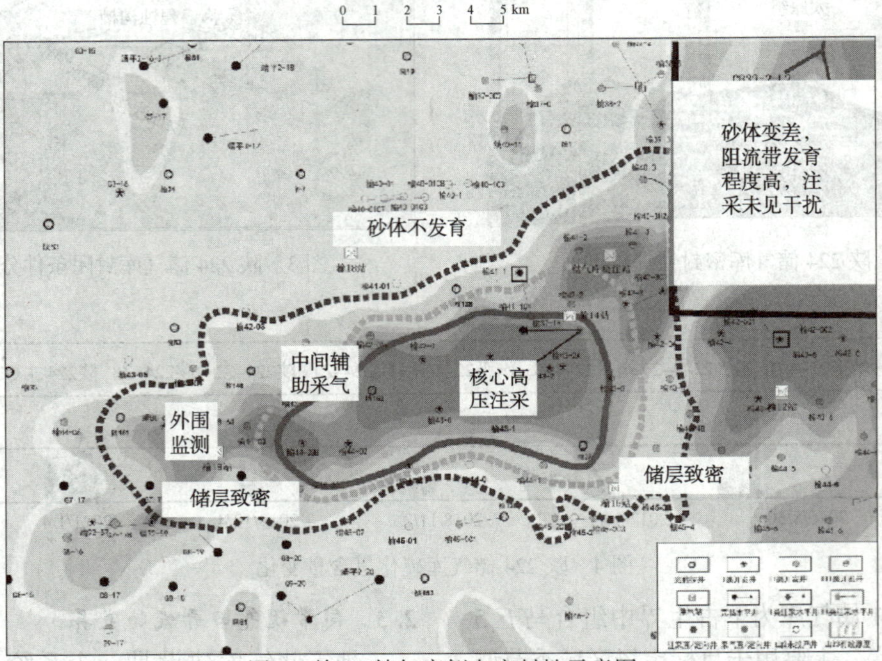

图 6　榆 37 储气库侧向密封性示意图

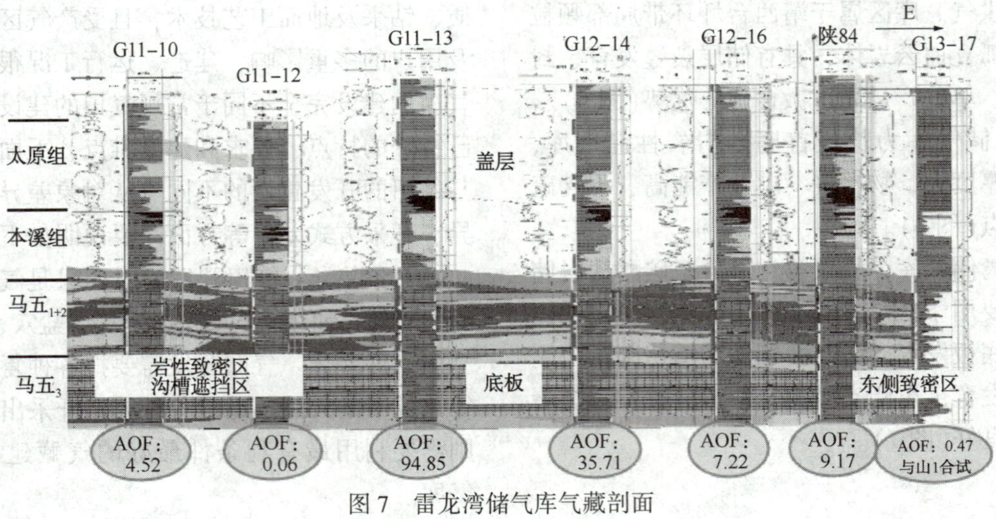

图 7　雷龙湾储气库气藏剖面

开采方式的差异：气藏需要通过最大限度提高采收率，开采周期长达 10 年或更长，气库则需要在很短的时间，一般是一个采气周期(3~4个月)内把气库中的有效工作气全部开采出来，并且还需要在一个周期内将储气库注满达到满库容。

设计准则上的差异：气藏开采尽量保持稳产，气库产能设计则以满足地区月或者日最大调峰需求为原则。

运行过程上的差异：气藏开发一般产量递减，气库建设过程产量逐年递增。

工程要求上的差异：气藏开发采气井寿命 10~20 年，并且单向从高压到低压的过程，气库井寿命要求 30~50 年，并且井筒内压力频繁变化。

对储层改造上差异：气藏开发可以通过大规模压力酸化改造，提高单井产能，而气库生产寿命长，如果对储层改造不具备相当长的有效期(8~10 年或更长)的情况下，一般不采用储层改造措施提高单井生产能力。

监测差异：气藏开发一般不单独钻监测井，气库建设运行过程中有时会大量部署监测井，以控制监测气库的范围和压力等。

3 地面工艺技术

3.1 工艺特点

储气库的地面工艺技术受产气区、储气区及用户的多重影响，建造、运行工况复杂。

具有“周期性反复强采强注”的特点。设备、管线抗疲劳设计的要求高，且部分设备需要满足双向流动的要求。

运行参数变化范围大。气量、压力变化范围大，变化频次多。采气时单井气量变化范围可以从 $20\times10^4 \sim 120\times10^4 m^3/d$，注气时单井气量变化范围可以从 $20\times10 \sim 60\times10^4 m^3/d$；采气时压力变化范围为 6.4~26MPa，注气时压力变化范围为 15~30MPa 。

开停井较多。地下储气库的调峰气量常常通过开停采气井来实现，为适应调峰气量的不断变化，常常需要开停部分注采井。

注气压缩机技术要求高①满足压缩机入口压力、流量的波动，以适应上游，如西气东输等输气管道的参数变化；②满足压缩机出口压力的不断升高要求。注气初期，气藏压力低，随着注气时间的延长，气藏压力逐渐升高；③适应多台压缩机匹配运行的要求，保证各自独立又相互协调；④适应多台、高压、大功率天然气压缩机组的脉冲、振动。

运行压力高。高达 30MPa 以上，对安全的要求高，地面设施的选材、焊接工艺要求较高。

使用寿命长，使用年限 30~50 年。常规气田设备使用寿命一般只有 20 年左右，例如压缩机，需要提出特殊要求。

对注入的天然气气质要求高，以保证注入地下气质不污染地层。

3.2 工艺现状

(1) 陕 224

陕 224 储气库地面工程采用“注采井口双向计量，注采异同、同管，水平井两级降压，直井高压集气，开工注醇，加热节流，三甘醇脱水”主体工艺技术。

注气时气田来气经双向输气管道输送至集注站，在集注站内经过分离计量和增压后通过注气管道输送至注采井口注入地下储气库；采气时，注采水平井经井口一级节流后输送至集注站，直井采用高压集气，在站内先加热后节流，再经分离器分离出游离液后进入三甘醇脱水装置，保证产品气的水露点，然后输送至靖边末站，向陕京线及周边用户外输交接(图 8)。

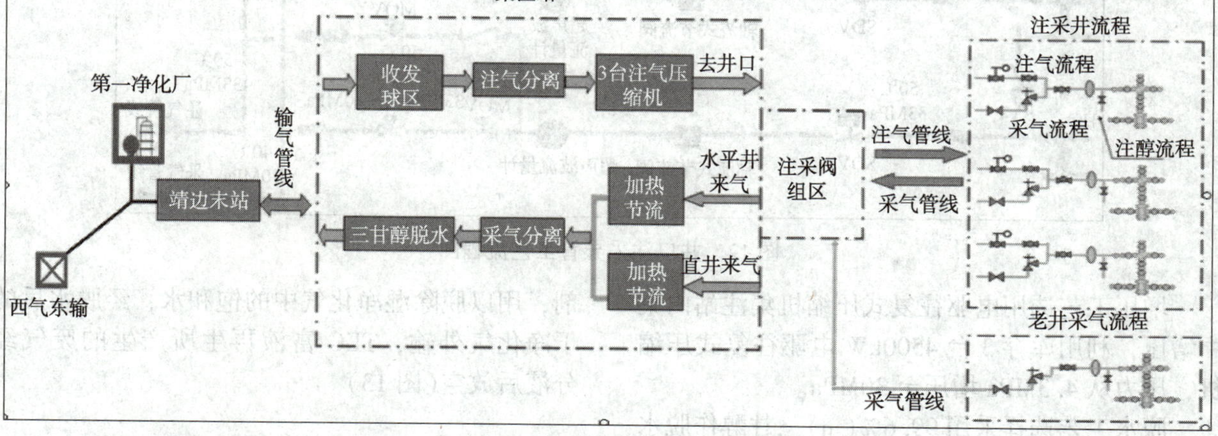

图 8　陕 224 储气库工艺流程图

井口注采调节工艺采用电动双向轴流式调节阀，可双向流动和密封。节流时，通过活塞移动堵塞笼套上的通气孔进行流量调节；反向节流时，通过0.1MPa~0.3MPa压差实现单井流量调节(图9)。

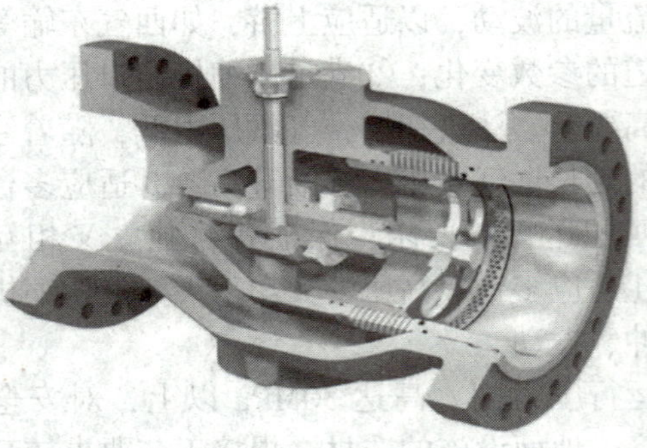

图9 轴流式调节阀

单井计量技术采用外夹式超声波流量计，在满足双向计量的同时可以不受管道介质高压限制及介质腐蚀影响，量程比宽，理论能力测量流速强(图10)。

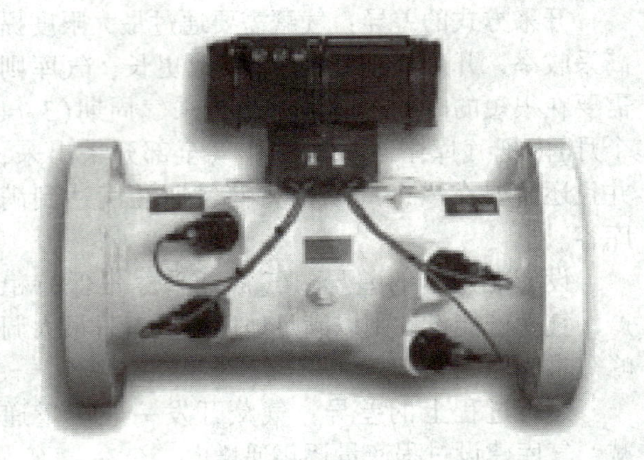

图10 超声波流量计

注采管道水合物抑制工艺和节流工艺选用开工移动注醇和站内集中加热方式，在采气管道温度场未形成前利用注醇车注醇，井口一级节流至10MPa降低采气管线设计压力，站内先加热再节流，保证节流的温度不低于25℃。

针对井流物组成注采集输工艺针对复杂及储气库冬采夏注的运行特点，采用注采异管和同管结合(图11、图12)。

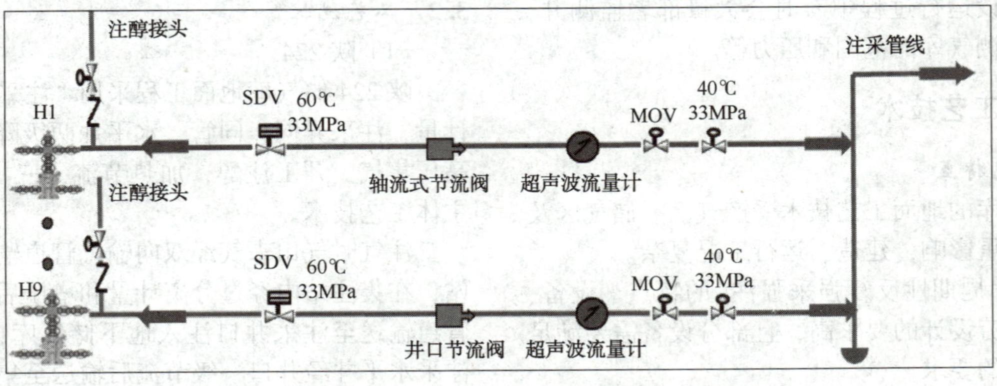

图11 井口注采同管工艺流程图

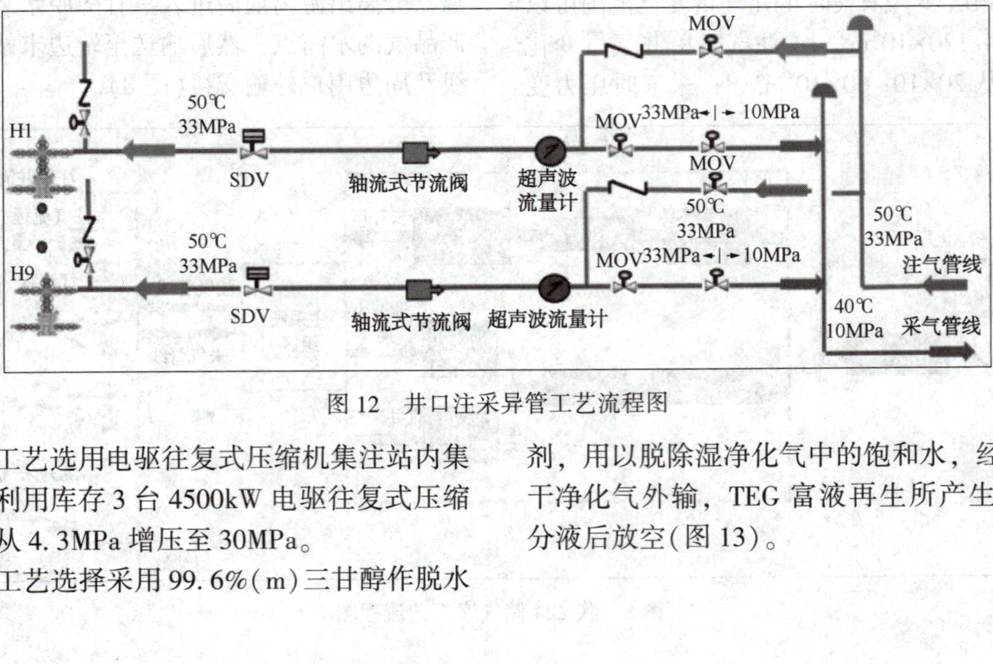

图12 井口注采异管工艺流程图

增压工艺选用电驱往复式压缩机集注站内集中增压，利用库存3台4500kW电驱往复式压缩机，压力从4.3MPa增压至30MPa。

脱水工艺选择采用99.6%(m)三甘醇作脱水剂，用以脱除湿净化气中的饱和水，经脱水后的干净化气外输，TEG富液再生所产生的废气经分液后放空(图13)。

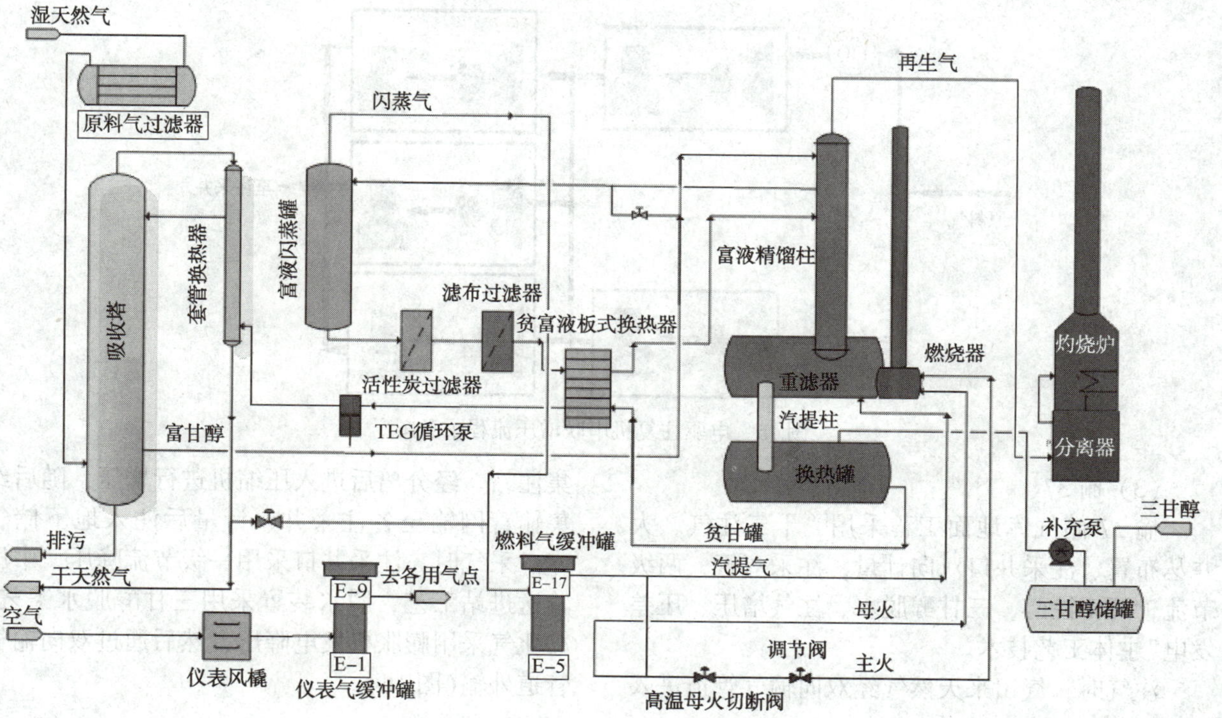

图 13　三甘醇脱水工艺流程图

(2) 苏东 39-61

苏东 39-61 储气库地面工程采用“干气注气，串并联增压、大井丛布置、注采井口双向计量，注采同管、异管，加热节流，开工注醇，三甘醇脱水”主体工艺技术。

注气时，气田来天然气经双向输气管道进入集注站，经分离后进入压缩机进行增压，随后经集输管网输至各注采井、计量后注入地下储气库。采气时，注采井口采用节流降压，中高压输送进站，站内加热节流，脱水装置采用三甘醇脱水工艺，然后通过双向输气管道外输(图 14)。

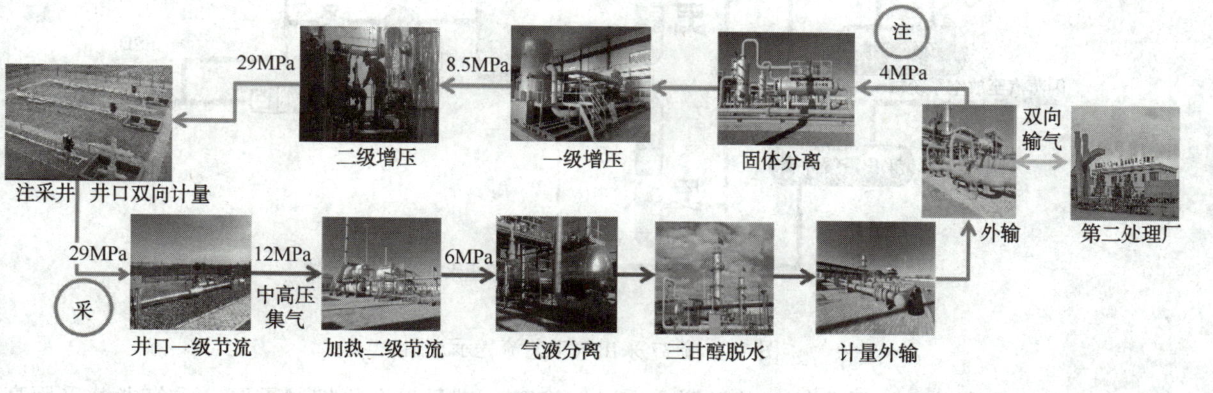

图 14　苏东 39-61 工艺流程图

井口注采调节工艺、单井计量工艺、注采集输工艺及脱水工艺同陕 224 储气库。

注采管道水合物抑制工艺和节流工艺选用开工移动注醇和站内集中加热方式，在采气管道温度场未形成前利用注醇车注醇，注采井及老井采气时井口一级节流至 12MPa，站内加热二级节流，保证节流至 6.1MPa 的温度不低于 25℃满足脱水需求，在投产初期一周内采用移动注醇，满足水合物抑制需要。

增压工艺采用电驱往复式压缩机串联增压工艺，新购 2 台 4000kW 压缩机将压力从 4.2MPa 增压至 8.5MPa，利用已有的 2 台 4000kW 及库存 1 台 4500kW 电驱往复式压缩机二级增压，压力从 8.5MPa 增压至 30MPa(图 15)。

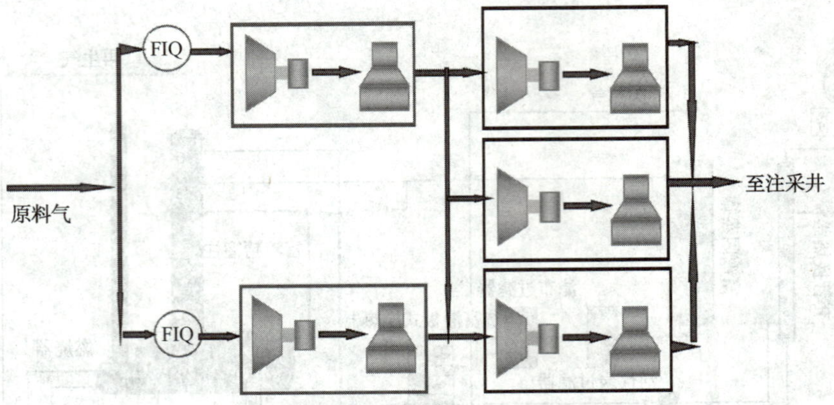

图 15　电驱往复机串联增压流程示意图

（3）榆 37

榆 37 储气库地面工程采用“干气注气、大井丛布置、注采井口双向计量，注采双管，两级节流，开工注醇，三甘醇脱水、注气增压、压差发电”主体工艺技术。

注气时，气田来天然气经双向输气管道进入集注站，经分离后进入压缩机进行增压，随后经集输管网输至各注采井、计量后注入地下储气库。采气时，注采井口采用一级节流降压，中压输送进站工艺，脱水装置采用三甘醇脱水工艺，净化气采用膨胀机发电降压，然后通过双向输气管道外输（图 16）。

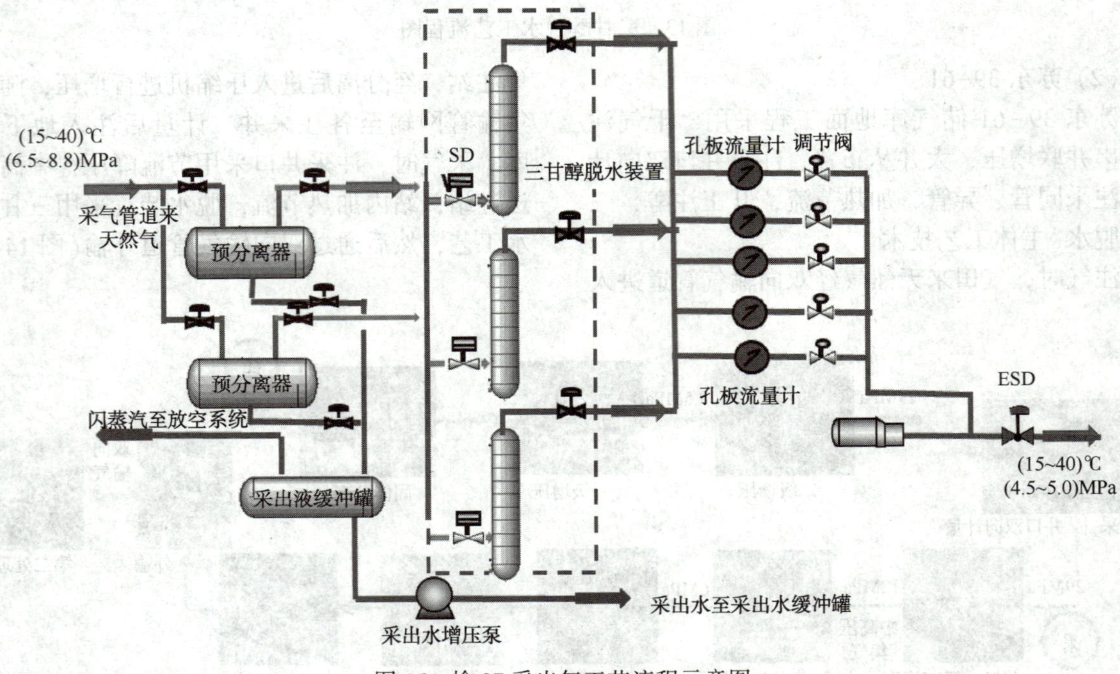

图 16　榆 37 采出气工艺流程示意图

井口注采调节工艺、注采集输工艺及脱水工艺同陕 224 储气库。

单井计量技术采用国产管道式超声波流量计，在满足双向计量的需求。

注采管道水合物抑制工艺和节流工艺选用开工移动注醇和站内集中加热方式，在采气管道温度场未形成前利用注醇车注醇，注采水平井井口一级节流至 9MPa，在投产初期一周内采用移动注醇，满足水合物抑制需要。采气老井采用高压集气工艺，井口不节流，连续注醇工艺。

增压工艺采用电驱离心式压缩机串联增压工艺，新购低压缸 26.5MW、20MW 各 1 台，高压缸 20MW、14MW 各 1 台，低压缸从 3.6MPa 增压至 12.72MPa ~ 13.72MPa，高压缸从 12.72MPa~13.72MPa 增压至 30MPa（图 17）。

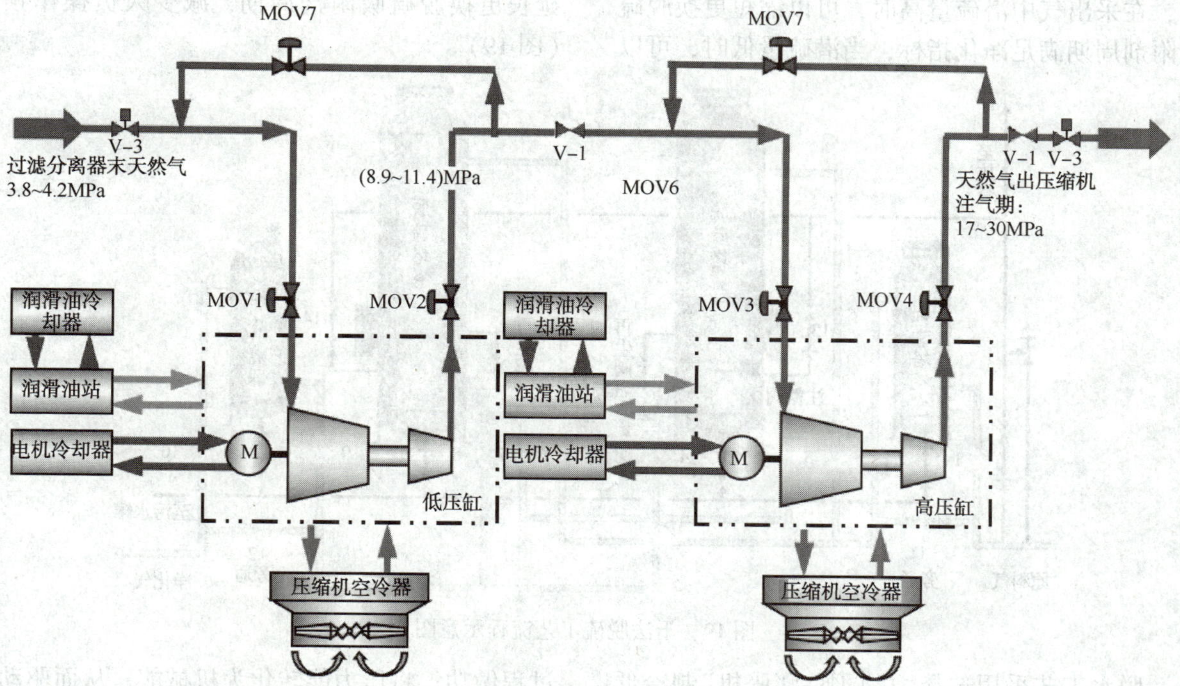

图 17　电驱离心压缩机串联工艺示意图

（4）雷龙湾

雷龙湾储气库拟采用“注气集中增压，干气注气，井口双向计量，高压集气，干法脱硫，低温脱水，膨胀制冷发电，干气输送”主体工艺技术。

注气时，气田商品气通过双向输气管线进入集注站，在站内经过计量和分离后，进入离心压缩机和往复压缩机组增压至（15~30）MPa，增压后的气体经注气管道输送至雷龙湾储气库各个井场，各井场设置压力调节阀，根据地质条件对注气压力进行调节。采气时，井口采出天然气一级节流后经注采气管道进入集注站，在站内经汇集、预分离、脱硫和脱水处理，净化后的天然气经计量后通过双向输气管线外输（图 18）。

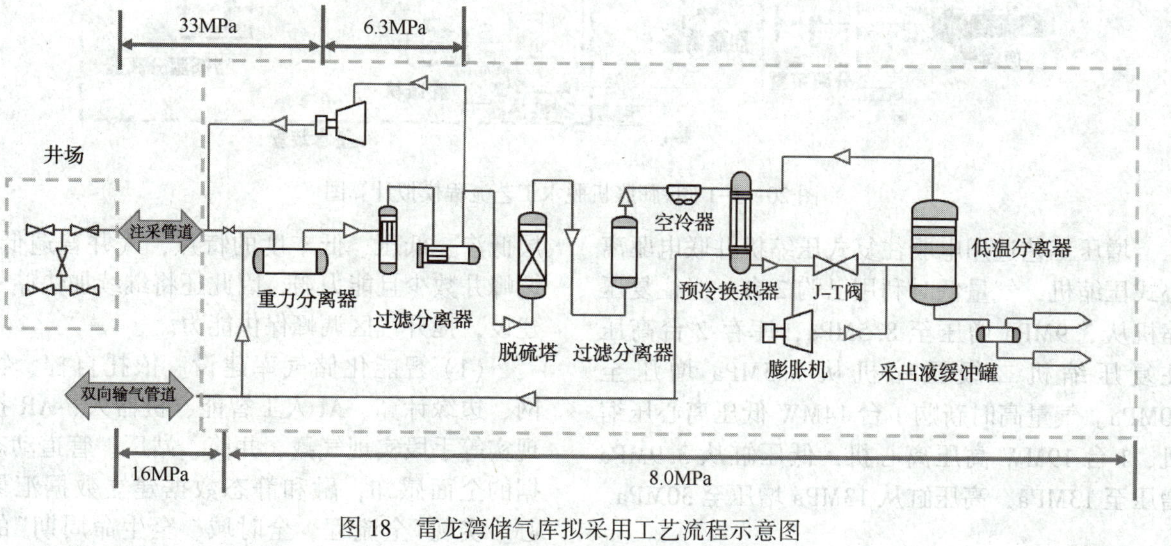

图 18　雷龙湾储气库拟采用工艺流程示意图

井口注采调节工艺、单井计量工艺及注采集输工艺同榆 37 储气库。

注采管道水合物抑制工艺和节流工艺选用开工移动注醇和站内集中注醇节流方式，在采气管道温度场未形成前利用注醇车注醇，初期井口节流至 14MPa 降低管线设计压力，站内注醇二级节流至 6.8MPa。

采气管线防腐蚀工艺采用注缓蚀剂+定期清管+合理确定腐蚀余量组合方式，保障采气期含硫湿气输送管线的安全运行。

脱硫工艺结合储气库气量、压力及硫化氢含量波动范围大的特点，采用氧化铁干法脱硫工艺，在采出气中潜硫量高时，可以缩短更换脱硫吸附剂周期满足净化指标，当潜硫量低时，可以延长更换脱硫吸附剂周期，减少人员操作频次（图 19）。

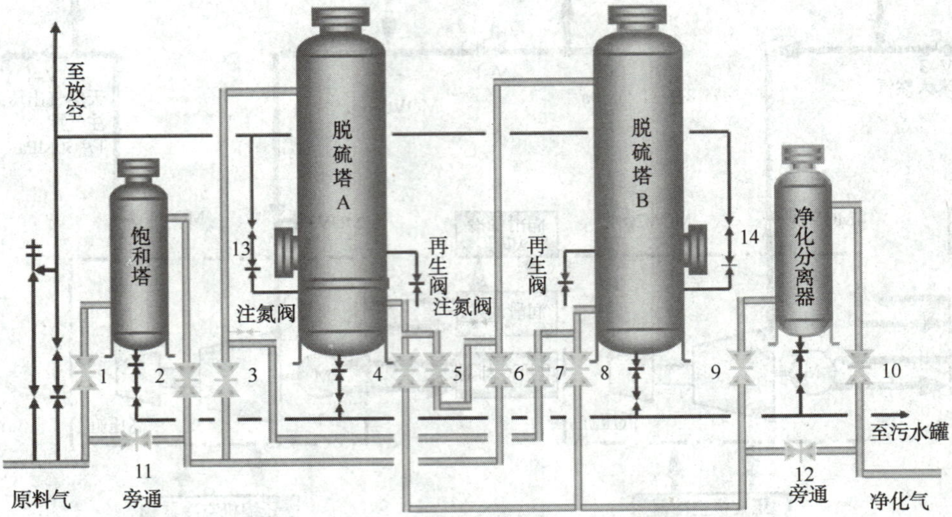

图 19　干法脱硫工艺流程示意图

脱水工艺采用选择“J-T 阀+膨胀机”制冷低温法，满足脱水需求的同时利用高压天然气膨胀过程做功，将压力能转化为机械能，从而驱动发电机发电，提高能量利用率(图 20)。

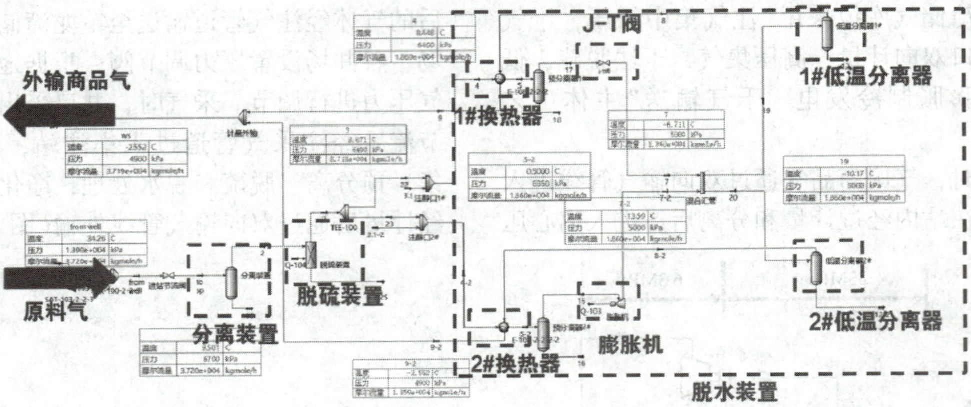

图 20　J-T 阀+膨胀机脱水工艺流程模拟计算图

增压工艺选用电驱往复式压缩机并联电驱离心式压缩机，气量低时利用已购 2 台一级往复压缩机从 3.9MPa 增压至 8.5MPa，库存 2 台高压往复压缩机二级压缩机从 8.5MPa 增压至 30MPa。气量高时新购 1 台 14MW 低压离心压缩机、1 台 19MW 高压离心机，低压缸从 3.9MPa 增压至 13MPa，高压缸从 13MPa 增压至 30MPa。

4　发展方向

随着长庆气区天然气产量逐年攀升—2022 年气量达到 $503\times10^8m^3/a$，2025 年将达到 $550\times10^8m^3/a$，气田季节峰谷差也在逐年增大—2021 年冬夏季日产气量差值 $3571.1\times10^4m^3$，2022 年日产气量差值 $3331.1\times10^4m^3$。由于长庆气区储层低渗、低压、低丰度的特点，气井普遍低产、调峰井数少且能力弱，因此还将继续加快储气库建设，提升气区调峰保供能力。

(1) 智能化储气库建设。依托自控、物联网、边缘计算、AI 人工智能、机器人、AR 扩展现实等手段实现气藏、井筒、站厂、管道动态数据的全面感知，融和静态数据建立数据汇聚中心。实现“全流程、全时域、全生命周期”的数字驱动、智能管理模式，打造六大管控能力，建成以“全面感知、自动操控、趋势预测、智能优化、协同运营”为特征的新生态运营模式下的国内一流智能化储气库，推进数据采集、常规分析、气井配产等工作智能化，进一步释放低端劳动力，推动劳动力向高端转型。

（2）储气库地面建设标准设计。充分利用周边管网、净化厂等已建设施及压缩机、阀门等库存物资；采取“平面布置标准化、工艺组装模块化、常规装置橇装化、核心设备国产化”四化设计，缩短建设周期的同时最大限度实现地面工艺技术、平面布局、视觉形象、建设标准等方面的统一。

（3）大规模、低成本注采气设备的应用。往复式压缩机相比离心压缩机存在单机排量小、投资高、占地面积大、维检修频繁且费用昂贵的缺点，由于国内储气库发展业务起步晚，高压离心机组发展相对缓慢，因此国内在役储气库注气压缩机均采用往复式压缩机组，近年来随着储气库业务的发展，国产 30MPa 双缸离心式压缩机组已实现产业化应用，更高压力等级也正在研发，通过采用国产离心压缩机组实现减少占地面积降低投资的目标。

（4）绿色储气库建站技术。地下储气库在季节调峰时往往为满足外输压力需求需降压处理，因此在利用压力蓄能方面存在先天优势，通过设置膨胀发电装置在满足工艺需求的同时回收地层压力能，打造“清洁电力+网电”绿色供电新模式，助力实现“碳达峰、碳中和”发展目标。

参考文献

[1] 邹才能，潘松圻，赵群．论中国“能源独立”战略的内涵，挑战及意义[J]．石油勘探与开发，2020，47(2)：11.

[2] 李剑，佘源琦，高阳，等．中国陆上深层—超深层天然气勘探领域及潜力[J]．中国石油勘探，2019，24(4)：15.

[3] 李国欣，雷征东，董伟宏，等．中国石油非常规油气开发进展，挑战与展望[J]．中国石油勘探，2022，27(1)：1-11.

[4] 刘烨，巴玺立，王念榕，等．中国储气库地面工程技术现状及优化建议[J]．油气与新能源，2021，33(6)：8.

[5] International Gas Union. Triennium work reports[R]. 2020 2004(3)：1.

[6] 康燕．国外储气设施运营模式经验及启示[J]．煤气与热力，2022(001)：42.

[7] 黄宽，张万益，王丰翔等．地下空间储能国内外发展现状及调查建议[J/OL]．中国地质：1-14[2023-09-26].

[8] 乔敏，王鸣华．俄罗斯天然气工业股份公司介绍[J]．天然气工业，2000，20(3)：106-108.

[9] 许运新．中国大庆的地下储气库[J]．天然气工业，1992(06)：110.

[10] 张冶．喇嘛甸油田北块储气库扩容技术研究[D]．东北石油大学，2014.

[11] 周学深，孟凡彬．大张坨地下储气库地面工程设计[J]．天然气工业，2003(z1)：4.

[12] 谢俊，潘芝平，王亚洲，等．板 876 地下储气库水砂体评价与扩容利用[J]．中国海洋大学学报(自然科学版). 2020，50(2). 100-106.

[13] 马小明，李东林，余贝贝，李辉，杨树合，李秋媛．停产凝析气藏复活增效新途径——板中北气藏改建储气库实例[J]．录井工程，2019，30(3)：32-38.

[14] 丁国生．盐穴地下储气库建库技术[J]．天然气工业，2003，23(2)：106-108.

[15] 李银平，杨春和，施锡林．盐穴储气库造腔控制与安全评估[M]．科学出版社，2012.

[16] 张光华．中石化地下储气库建设现状及发展建议[J]．天然气工业，2018，38(8)：7.

[17] 李东升，牛智民，郑欣，等．长庆气田陕 224 储气库地面工艺技术探讨[C]．第三届全国油气储运科技、信息与标准技术交流大会，2023-09-25.

[18] 霍进，冉蜀勇，东静波．呼图壁储气库建设与运行管理实践[M]．石油工业出版社，2020.

[19] 熊建嘉，文明，毛川勤．相国寺储气库建设与运行管理实践[M]．石油工业出版社，2020.

[20] 陈思源，张奇，王歌，等．基于博弈分析的我国天然气储气库开发策略及运营模式研究[J]．石油科学通报，2016，1(1)：175-182.

“多机抬吊递送法”巧装双立面火炬塔架轨道

吕　达　董　博　张平化　董利波　姬　莉

（中国石油天然气第一建设有限公司）

摘　要　本文以某炼化装置高架火炬系统双立面塔架式轨道安装为例，采用“工厂化预制、模块化安装”技术，使用“多机抬吊递送法”代替传统“单机提升正装法”进行火炬轨道安装。重点阐述其安装方法及要点，解决该类结构在吊装过程中随着吊装角度变化、重心偏移等因素，引发结构形变、影响安装精度等，并论证“多机抬吊递送法”在该类细长杆件及大跨度结构安装施工中的优越性。

关键词　多机抬吊递送法；火炬塔架；轨道安装

1　概述

某炼化装置高架火炬塔架为“四管主钢柱加外围 8 辅助钢柱”双立面结构，其中火炬塔架底部钢柱根开为 26.5×24.0m，顶部为 16.5×13.0m。分别在火炬北、西侧立面各设有 H 型轨道，火炬塔架北侧、西侧各设置 6 排导轨，每排轨道由 12 段组成，总长 143.5m，双立面塔架式火炬轨道安装具有“高、精、险、难“等特点。

2　吊装工艺原理及要点

双立面塔架式火炬轨道采用“多机抬吊递送法”改变了传统的火炬轨道“单机提升正装法”施工工艺，高架火炬轨道设计初期利用 Solidworks 软件，采用“导轨结构设计及优化技术”，根据塔架结构型式进行二次设计，并结合塔架结构型式从轨道安装方式、螺栓连接节点等方面进行优化。通过火炬“导轨吊耳设计、核算及有限元分析技术”，根据双立面塔架结构设计、制作吊耳，将火炬轨道地面分段组装，高强螺栓定力矩紧固完成后，采用“多机抬吊递送法”进行吊装，使用 400t 履带吊主吊，150t 履带吊和 50t 吊车辅助吊装。

2.1　吊装工艺

双立面塔架式火炬轨道采用“多机抬吊递送法”，主吊吊点设置在轨道 2.5m 处，辅助吊车分别设置滑轮组，吊点设置在 28.5m、52.5m 处（轨道 1/3、2/3 位置），保证轨道吊装过程中受力分布。轨道吊装时，三台吊车同时起钩，提升轨道至距离地面 10m 标高位置后停止，主吊车继续起钩，第一滑轮组辅助吊车保持吊重不变缓慢起钩，第二滑轮组辅助吊车保持不动，直至轨道处于竖直状态。摘除溜尾索具，辅助吊车退出吊装作业，主吊车继续提升轨道至指定安装位置（图 1）。

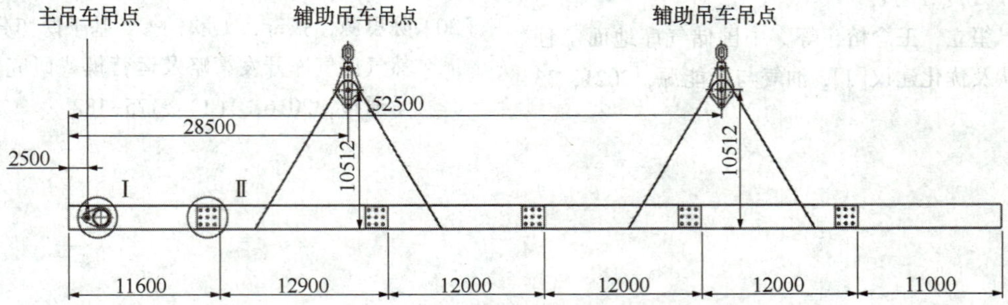

图 1　火炬轨道吊点分布图

2.2　吊装应力分析

轨道吊装过程中根据提升角度变化，吊点受力及轨道应力会随之发生变化。根据轨道吊装过程受力分析，当轨道多机抬吊水平提升时，轨道形变量最大，因此在轨道水平提升至轨道递送阶段（即 0°~45°角度区间）要进行轨道变形量监控，当超过轨道型钢抗弯截面模量及弯曲应力时，应立即停止吊装作业，调整轨道吊装递送速度及角度。火炬轨道吊点分布及吊装水平提升过程有限元分析如下图所示(图 2，图 3)。

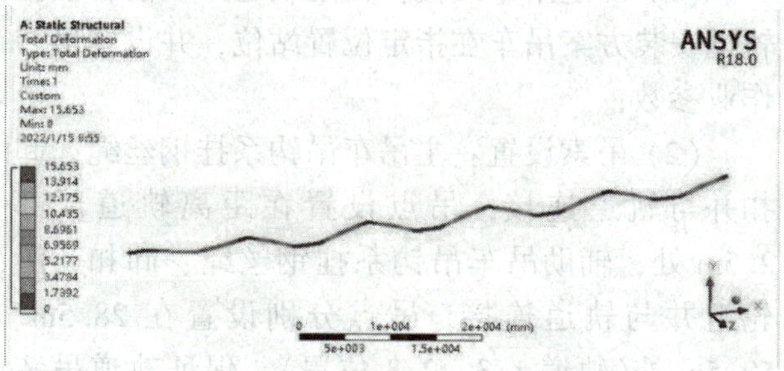

图 2　轨道水平提升过程轨道应力图

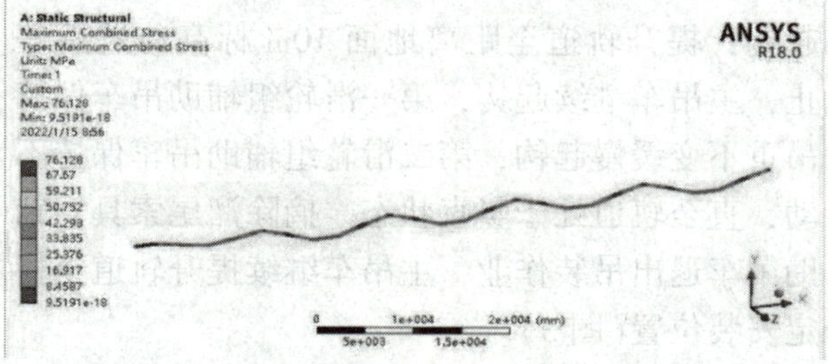

图 3　轨道水平提升过程轨道应变图

综上可知，HM400×300×10×16 型钢最大弯曲应力为 76.128MPa，小于材料的许用应力 147MPa，强度满足要求，吊点设置合理。

2.3　轨道吊耳设计及核算

双立面塔架式火炬轨道采用 HM400×300×10×16 结构设计，火炬轨道采用 10.9 级摩擦型高强螺栓连接。

2.3.1　导轨吊耳受力分析

吊耳板材质为 Q235－B，许用应力 $[\sigma]=147\text{MPa}$。

吊耳尺寸及厚度根据火炬导轨尺寸及导轨重量进行设计(图 4)。

吊耳轴孔水平中心线所在的水平截面(A-A 截面)所受拉应力校核：

$$\sigma_1=\frac{F\times k}{n\times(2R-d)\times\delta}=$$

$$\frac{87.22\text{kN}\times1.1}{0.8\times(2\times6\text{cm}-4\text{cm})\times1.8\text{cm}}=83.28\text{MPa}\leqslant[\sigma]$$

式中，F 为吊耳所受拉力；σ 为吊耳板 A-A 截面所受拉应力；R 为吊耳板外径；d 为吊耳孔直径；δ 为吊耳板厚度；n 为不均匀系数，取 $n=0.8$；k 为动载系数，$k=1.1$。

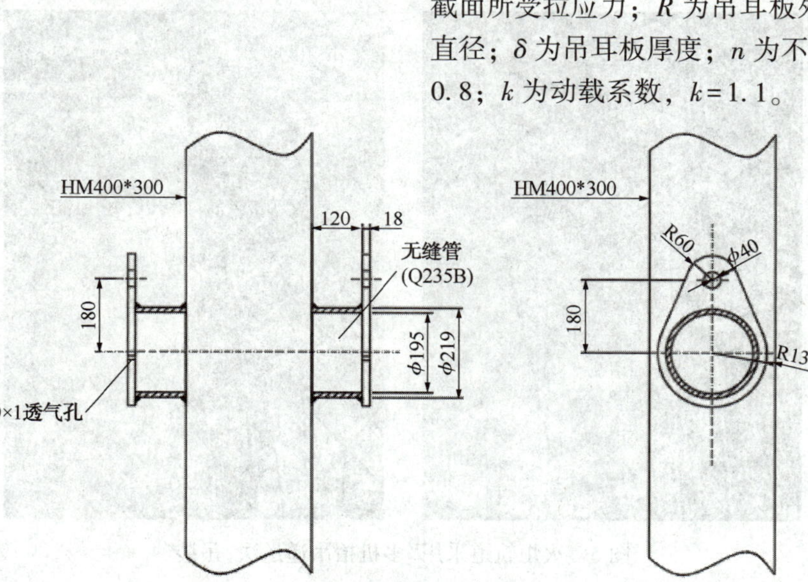

图 4　导轨吊点装配结构

吊耳孔壁拉应力校核：

根据拉曼公式：

$$\sigma=\sigma_1\times\frac{R^2+r^2}{R^2-r^2}=83.28\text{MPa}\times$$

$$\frac{6^2\text{cm}+2^2\text{cm}}{6^2\text{cm}-2^2\text{cm}}=104.1\text{MPa}\leqslant[\sigma]$$

经过计算，吊耳满足安全要求。

2.3.2　导轨吊耳焊缝强度校核

焊缝的计算按照《钢结构设计标准》(GB 50017—2017)第 7.1.3 条公式(7.1.3-1)计算。焊缝的抗拉、抗压和抗剪强度设计值 $f_t^w=160\text{MPa}$。

$$\tau_f=\frac{N}{h_e\cdot l_w}\leqslant\beta_f f_t^w$$

式中，N 为吊耳受力，$N=87.22\text{KN}$；h_e 为角焊缝的有效高度；$h_e=0.7\times h_f=0.7\times11=7.7\text{mm}$；$h_f$ 为焊脚尺寸；$h_f=11\text{mm}$；l_w 为角焊缝的计算长度，对每条焊缝取其实际长度减去 2 倍焊角尺寸；β_f 为正面角焊缝的强度设计值增

大系数，对直接承受动力荷载的结构，$\beta_f=1.0$。

代入数值得：

$$\tau_f=\frac{N}{h_e\cdot l_w}=\frac{87.22\text{kN}}{0.77\text{cm}\times(3.14\times21.9\text{cm}-2.2\text{cm})}$$

$=17.02\text{MPa}<\beta_f\cdot f_f^W=1.0\times160=160\text{MPa}$　经核算，焊缝满足安全要求。

3　轨道安装方法及要点

3.1　轨道地面组对

火炬塔架轨道共分 12 段，第 1 段~第 6 段地面组装完成后整体吊装，长度 72m，安装高度 EL+81.5m，第 7 段~第 12 段地面组装完成后整体吊装，长度 71.5m，安装高度 EL+153m 总高度 EL+153mm。

火炬轨道组对前铺设组装平台，每段轨道两侧设置定位块，利用定位块进行轨道定位，防止轨道组对变形，并在轨道顶端位置架设红外水平仪，进行轨道垂直度及变形测量控制，每段轨道连接后使用力矩扳手进行定力矩紧固；轨道组装完成后，对轨道变形量对角线尺寸进行测量。

3.2　轨道吊装

（1）确定吊车站位：火炬轨道吊装前，根据轨道安装方案吊车在指定位置站位，并设置吊装作业参数；

（2）吊索设置：主吊车吊钩系挂钢丝绳、卸扣并与轨道连接，吊点设置在距离轨道顶部 2.5m 处，辅助吊车吊钩系挂钢丝绳、卸扣、滑轮组并与轨道连接，吊点分别设置在 28.5m、52.5m 处(轨道 1/3、2/3 位置)，保证轨道吊装过程中受力分布；

（3）轨道吊装：轨道吊装时，三台吊车同时起钩，提升轨道至距离地面 10m 标高位置后停止，主吊车继续起钩，第一滑轮组辅助吊车保持吊重不变缓慢起钩，第二滑轮组辅助吊车保持不动，直至轨道处于竖直状态。摘除溜尾索具，辅助吊车退出吊装作业，主吊车继续提升轨道至指定安装位置(图 5)。

图 5　火炬轨道采用“多机抬吊递送法”吊装

3.3　轨道安装

火炬轨道对接处采用 1188 套 M30×90 8.8 级高强螺栓进行连接，火炬轨道与塔架连接处采用 768 套 M30×80 10.9 摩擦型高强螺栓进行连接，火炬轨道螺栓连接节点如下所示图 6。

3.3.1　炬轨道安装要点

（1）高强螺栓连接要点

按照设计要求，轨道连接螺栓逐条进行定力矩紧固，具体要求如下所示。

① 高强度螺栓连接板的摩擦面的加工及摩擦系数值应符合设计要求，安装时，构件的摩擦面应保持干燥。

② 高强度螺栓连接安装时，在每个节点上应穿入必要的临时螺栓和冲钉，其数量由安装时可能承担的荷载计算确定，一般不得少于安装总数的 1/3，并不得少于两个临时螺栓，冲钉穿入数量不超过临时螺栓的 30%。不得用高强度螺栓兼做临时螺栓，以防损伤螺纹引起扭矩系数的变化。

③ 安装高强度螺栓时，严禁强行穿入螺栓。如不能自由穿入，该孔应用铰刀进行修整，禁止气割扩孔。修孔时，为了防止铁屑落入板叠缝

中，铰孔前应将四周螺栓全部拧紧，使板叠密贴后再进行。修整后孔的最大直径应小于 1.2 倍螺栓直径。

④ 高强度螺栓的施工扭矩值经计算确定，并应符合设计与建设单位的要求。

⑤ 高强度螺栓的拧紧分初拧、复拧、终拧。初拧扭矩为终拧扭矩（施工扭矩）的 50%左右。连接处的螺栓应按一定顺序施拧，一般由螺栓群中央顺序向外拧紧。高强度螺栓的初拧和终拧都必须做明显标记。

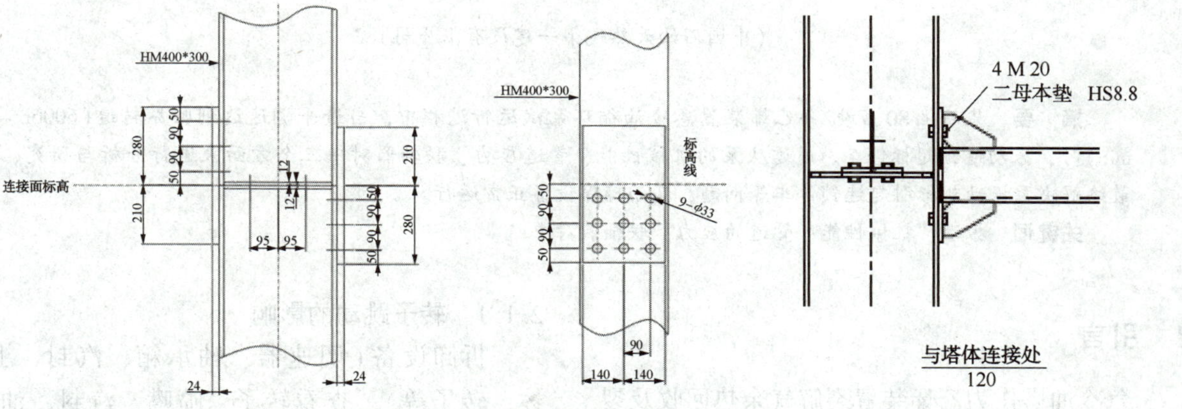

图 6　火炬轨道螺栓连接节点

（2）轨道安装要点

轨道安装前对构件连接处的截面几何尺寸、螺栓孔距、表面平整度等参数进行检查，应符合 GB 50205—2020 规范相关要求，轨道安装过程中对垂直度、标高、顶面水平度、中心位置等参数进行控制，安装允许偏差符合 GB 50129—2014 规范相关要求，安装允许偏差如下所示（表 1）。

表 1　火炬轨道安装允许偏差

项目	检查项目	允许偏差
1	轨道垂直度：H≤60m 时	≤H/1500，且不大于 25mm
	H>60m 时	≤H/2500，且不大于 40mm
	总高度允许偏差	≤± 50.0mm
2	轨道顶面水平度	≤± 2.00mm
	顶面相应点水平高差	≤± 1.5mm
3	轨道与翻转底座中心位置	≤± 2.00mm

4　结论

采用"多机抬吊递送法"解决了轨道安装过程中因受力不均导致局部形变，影响轨道安装垂直度，本论文主要结合轨道到货结构型式、外型尺寸及安装高度等因素设计和核算吊耳，并根据轨道吊装过程应力变化情况，进行有限元分析，设置吊点位置，通过吊点设置滑轮组解决火炬轨道吊装过程中局部受力或受力不均，造成轨道吊装过程中发生形变，对类似构件、设备安装具有参考意义。

参　考　文　献

[1] 张来民 唐文勇等 . GB 51029—2014，火炬工程施工及验收规范[S].

[2] 侯兆新 岳清瑞等 . GB 50205—2020，钢结构工程施工质量验收标准[S].

[3] 张克峰 张俊等 . SH/T 3029—2014，石油化工排气筒和火炬塔架设计规范[S].

乙烯装置急冷油循环泵振动分析与研究

张　凯　彭振亚　刘振兴　卫祎平　武高祥

（中国石油天然气第一建设有限公司）

摘　要　某石化80万吨/年乙烯装置急冷油循环泵试运行过程中，当透平调速达到临界转速(6006r/min)时，振动连锁超标停车。通过从泵的机械性能、管道应力、联轴器对中三个方面来进行分析与研究，最终解决泵振动超标引起连锁停车等问题，从而确保设备正常运行。

关键词　振动；机械性能；管道的应力；联轴器对中

1　引言

急冷油塔作为乙烯装置裂解气余热回收及裂解气所含重质燃料油和轻质燃料油进行分离的重要设备，急冷油循环泵则是整个急冷系统的动力源，乙烯装置急冷油循环泵为透平驱动，通过变速箱将动力传递给泵，进行工艺介质传输。急冷油循环泵的正常运转决定了整个急冷系统的正常运行。某石化80万吨/年乙烯装置急冷油循环泵试运行过程中，当透平调速达到临界转速(6006r/min)时，振动连锁超标停车，针对此问题展开分析。

2　原因分析

2.1　机械性能分析

机械性能往往是影响机泵正常运转的主要因素，检查透平转子的跳动、薄壁轴瓦、滑动轴承装配间隙等，是否满足厂家及规范《石油化工机器设备安装工程施工及验收通用规范》SH/T 3538规定要求(图1)。

图1　转子动平衡及跳动测量

2.1.1　转子跳动的影响

拆卸设备(调速器、轴承箱、汽封、上缸体、转子等)，查看转子、喷嘴、汽封、油封、轴承等组件是否损坏，如果发现损坏，进行修复或者更换新的配件。检查过程中没有发现任何损坏，接着对转子的跳动值进行测量，如图1所示，转子跳动为0.02mm，规范《石油化工机器设备安装工程施工及验收通用规范》SH/T 3538中要求转速大于3000r/min小于6000r/min的跳动值小于等于0.04mm，因此转子动平衡符合标准，排除转子的影响后，汽轮机转子、气封进行回装，中开面要进行涂抹密封胶。

2.1.2　装配间隙的影响

装配间隙又可以分为薄壁轴瓦的装配间隙和滑动轴承的装配间隙。剖分式轴承又称对开轴承，具有结构简单，调整和拆卸方便的特点，调整方法是在轴瓦上镶上两块轴瓦，在接合处用垫片来调整出合理的间隙。轴瓦一般成套配对使用。

装配轴瓦时上下两轴瓦与轴承体内孔的接触必须良好，薄壁瓦只要使轴瓦的中分面比轴承体的中分面高出0.1mm左右即可，不必修刮。轴瓦安装在轴承体中，无论径向或轴向都不允许有位移，用轴瓦两端的台阶来止动定位或定位销定位。先刮下轴瓦，然后再刮上轴瓦，为了提高效率在刮下轴瓦时不装上轴承瓦及盖，当下轴瓦的接触点基本符合要求时，再将上轴瓦及上盖压紧，并在刮研上轴瓦时，进一步修正下轴瓦的接触点。配刮时轴的松紧程度随刮削次数的增加，通过改变垫片厚度调整。当轴承盖紧固后，轴能轻松地转动而无明显间隙，接触点符合要求即配刮完成(表1、表2)。

表1　滑动轴承的顶间隙

轴颈 d/mm	间隙/mm	实测值
	转速≥1000r/min	5200r/min
100	(0.13~0.21)mm	0.15mm

表2　薄壁轴瓦顶间隙

转速/(r/min)	>3000	实测值
顶间隙/mm	0.15~0.20	0.16

薄壁轴瓦和滑动轴承的装配间隙根据《石油化工机器设备安装工程施工及验收通用规范》SH/T 3538 规定，应符合表1和表2的间隙要求，间隙大小可通过中分面处的垫片调整，也可通过直接修刮轴瓦获得。测量轴承间隙通常采用压铅法，取几段直径大于轴承间隙的铅丝，放在轴颈和中分面上，然后拧紧螺母使中分面压紧，再拧下螺母，取下轴承盖，细心取出被压扁铅丝，每取一段使千分尺测出厚度，根据铅丝的平均厚度就可以知道轴承间隙。

安装完毕用着色法检查发现瓦背与轴承座紧密均匀贴合，其接触面积不少于85%，装配后，在中分面处用0.02mm的塞尺检查，不得塞入。测得薄壁轴瓦的顶间隙为0.16mm，滑动轴承的顶间隙0.15mm，滑动轴承的侧间隙为0.08mm，综合随机资料额定转速为5200r/min，轴颈为100mm，符合表1和表2规定的要求，滑动轴承的侧间隙为顶间隙的1/2~1/3。所以机械性能的影响可以排除。

2.2　管道应力分析

管道在连接过程中采用的是无应力连接工艺，透平无应力配管不允许从透平端口开始，与透平端口相连的管段留作工艺配管的最后一节管段，将所有的临时支撑替换成正式支撑，在透平端进出口管线连接之前，可以通过调整图3弹簧支架来调整管线和设备法兰之间的间隙、平行偏差以及径向位移，根据《石油化工机器设备安装工程施工及验收通用规范》SH/T 3538 的规定，法兰平行度、同轴度的允许偏差应满足表3的要求(表2)。

在连接过程中，必须派专人在透平两侧及泵出入口位置上打表进行监控如图2所示，当示值超过0.03mm，必须停止紧固，分析应力方向，待应力消除后再继续紧固，直到紧固完成。配对

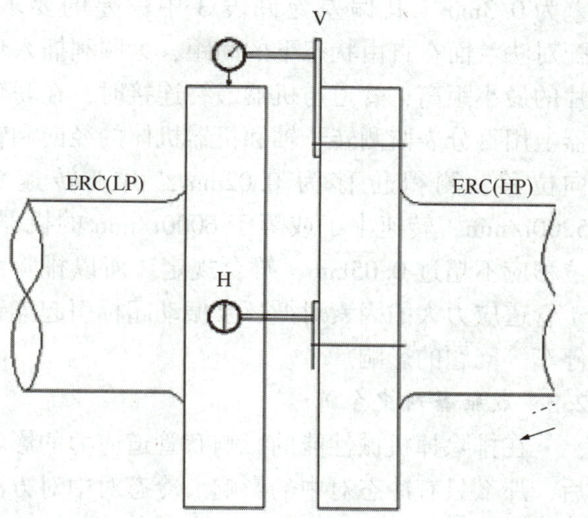

图2　无应力监控

法兰的平行度和同轴度也需要进行打表监控，把紧螺栓时要对称把紧，超出允许偏差就需要松开螺栓分析后重新把紧(表3)。

表3　法兰平行度、同轴度允许偏差

机器转速 V_t/(r/min)	平行度/mm	同轴度/mm
$3000<V_t\leqslant6000$	≤0.15	≤0.50

透平所有进出口管线连接完之后，开始调整透平进出口工艺管线的弹簧支撑及刚性拉杆(拔除弹簧支架的固定销子，拔完之后确保弹簧支撑在设计位置；刚性拉杆调整完成之后，拉杆调整端的锁紧螺母必须锁死)。在调整过程中，必须派专人打表进行监控，每调整完一条管线的支架后，必须记录百分表读数(图3)。

图3　弹簧支架

经过检查与透平连接的管道，安装前已经内部吹扫干净，其固定焊口也远离机器，管道与机器设备连接前在自由状态下，连接后用百分表测得配对法兰的平行度偏差为0.10mm，同轴度偏

差为0.3mm，其偏差允许表3中偏差的要求。配对法兰面在自由状态下的间距，为顺利插入垫片的最小距离，管道与机器最终连接时，在联轴器上用百分表监测转子轴和机器机体的径向和轴向位移，测得位移为0.02mm，由于转速为5200r/min，转速小于或等于6000r/min的机器，位移应不超过0.05mm，符合规定。所以排除由于管道应力大的因素对循环泵振动超标引起连锁停车等问题的影响。

2.3　联轴器对中分析

在排除掉机械性能的影响和管道应力的影响后，那么只有冷态对中的影响。冷态对中对方法和对中结果要求十分严格，若找正方法不正确或者找正结果不精确，都会引起转动设备的振动值超标，严重威胁着转动设备的正常运转，容易引起转动设备的振动以及机器内部零件的损坏，所以联轴器对中在设备安装过程中尤为重要，对中数据要求极为严格。

在这里由两个因素的影响，一是变速箱正常运转时两齿轮产生偏移量的影响，二是透平受热膨胀的影响，前后支撑点有可能升高。在冷态情况下，假定经过精确调整找正，达到完全同心的程度，那么进入正常工况后，由于上述原因就会产生相对位移。这就要在冷态情况下安装，要按正常运行工况下调整找正。

2.3.1　泵和变速箱的对中

由图4可以看出，变速箱泵端齿轮向上偏移0.178mm，向东偏移0.178mm，为了平衡变速器正常工况下产生的偏移量，所以安装时变速箱要向下和要向西偏移，偏移量为0.178mm(图4)。

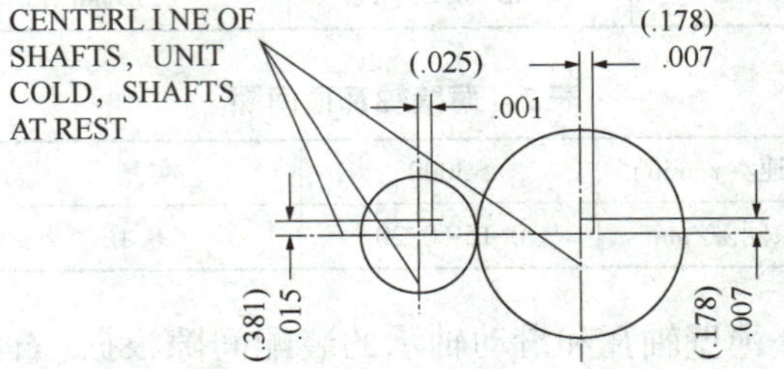

DE TAIL-MECHANICAL & THE RMAL MOVEMENT
(ALIGNMENT VALUES BASED ON 40°F(22℃)
TEMPERATURE RISE ABOVE AMBIENT)

图4　变速箱正常工况下的偏移量

但是这些数值不能直接用来指导工人对联轴器的调整工作。所以要把这些数值变化为百分表读数，用双表法测量，如图5所示把百分表架装在变速箱上。求出图6中a_1、a_2、a_3、a_4和b_1、b_2、b_3、b_4的准确数值

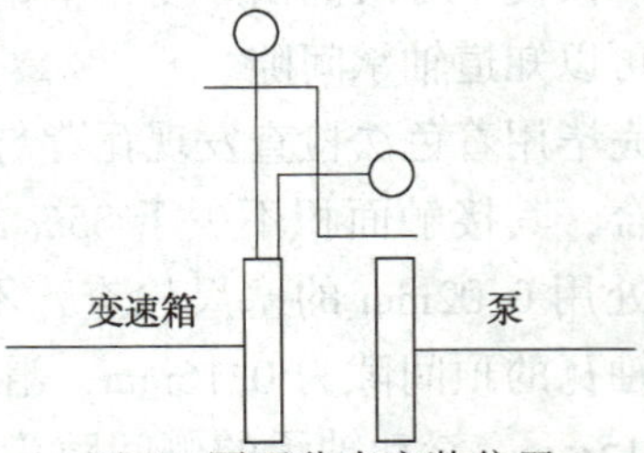

图5　图百分表安装位置

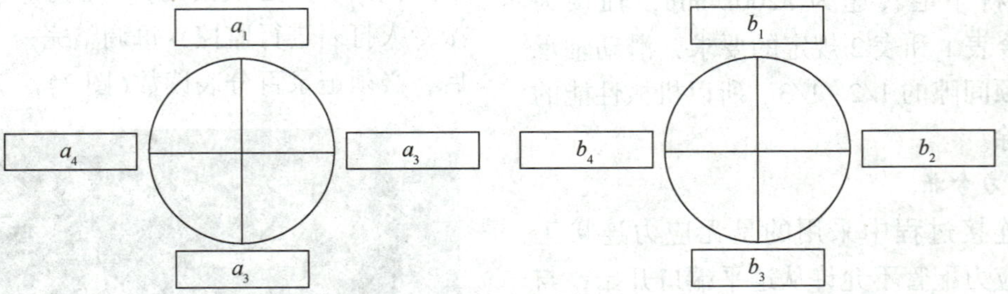

图6　对中记录示意

在联轴器互成90°的四个位置测得两轴的径向测量值a，应按下列方法计算出对中偏差数值：

$$a=\sqrt{a_x^2+a_y^2}$$

$$a_x=\sqrt{a_2-a_4}$$

$$a_y=\frac{a_1-a_3}{2}$$

a为两轴线的实际径向位移，mm；a_x为两轴线沿X轴径向位移，mm；a_y为两轴线沿Y轴径向位移，mm；

代入数据得

$$a_1=a_2=0,\ a_3=a_4=-0.356\text{mm}$$

根据随即资料综合规范的要求，取轴向允许偏差为+0.05mm，所以泵和变速箱的对中情况如下图7所示。

2.3.2　透平和变速箱的对中

透平和变速箱的对中不同于泵和变速箱的对中，透平和变速箱的对中出了受变速箱偏移的影响外还受热膨胀的影响，通过随即资料确定热膨胀量为0.05mm，由图4可知，变速箱透平端齿

轮向上偏移 0. 381mm，向东偏移 0. 025mm，通过转换，把偏移量全部转换到变速箱上，即：变速箱透平端齿轮向上偏移 0. 331mm，向东偏移 0. 025mm，为了平衡这些偏移量，透平要向上偏移 0. 331mm，向东偏移 0. 025mm。

用双表法测量，如图 8 所示把百分表架装在变速箱上。求出图 6 中 a_1、a_2。a_3、a_4 的准确数值。取 $a_1=0$。

同理把这些数据代入上面公式得：

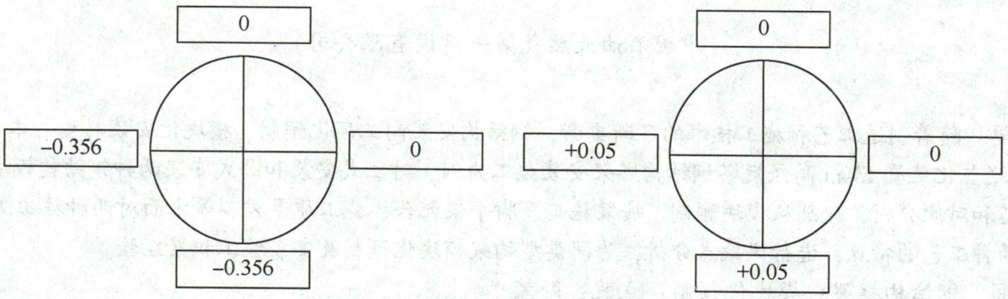

图 7　泵端联轴器对中情况

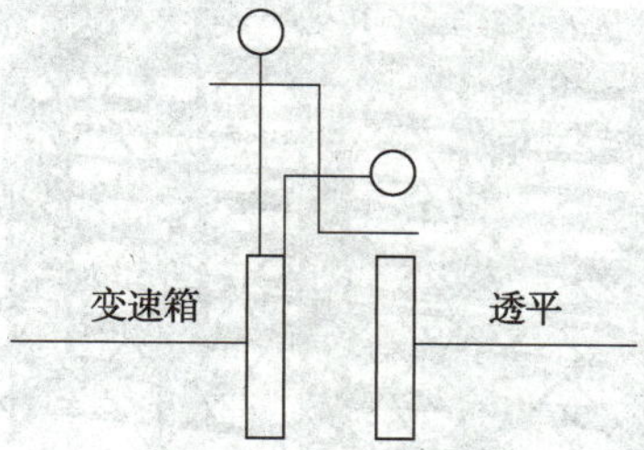

图 8　百分表安装位置

$a_1=0$，$a_2=-0.306$，$a_3=-0.662$，$a_4=-0.356$

根据随即资料综合规范的要求，取轴向允许偏差为+0. 05mm，所以透平和变速箱得对中情况如下图 9 所示

按照此组数据进行对中，试车后发现急冷油循环泵噪声大，振动强的问题没有发生，所以问题的透平正常工况下膨胀量的影响和变速箱偏移量的影响是主要原因。

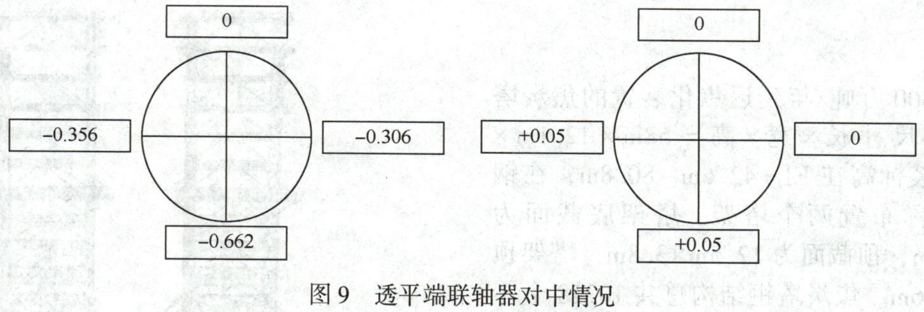

图 9　透平端联轴器对中情况

3　实施效果

通过逐项排除，最终找出主要原因，急冷油循环泵噪声大，振动超标的问题最终得到解决，急冷油循环泵得以正常工作。80 万吨/年乙烯装置急冷油循环泵试运行正常进行，为装置的联合试运行做好准备，为装置的投产奠定基础。

4　总结

通过排除法排除掉机械性能的影响和管道应力的影响，找出急冷油循环泵噪声大，振动强的情况产生的原因，通过联轴器对中来消除由于温度和流量引起的膨胀量和变速箱正常运转时产生的偏移量，通过计算重新得出一组对中数据，按照此数据进行对中，解决泵振动超标引起连锁停车等问题，从而使设备正常运行，确保工业正常产出。

参　考　文　献

[1] SH/T 3538，石油化工机器设备安装工程施工及验收通用规范.

[2] SH/T 3501，石油化工有毒、可燃介质钢制管道工程施工及验收规范.

焦炭塔钢结构模块化预制立装与卧装施工技术

张　铭　李志波　郭　杰　任锋锋　昝晓松

（中国石油天然气第一建设有限公司）

摘　要　随着制造工艺和施工技术的不断更新，钢结构安装向工厂化预制、模块化安装转变。本文以某300万吨/年延迟焦化装置134m高焦炭塔钢结构塔架安装施工为例，对立式安装和卧式安装两种钢结构模块化预制工艺进行介绍和对比分析，分别从模块预制、安装施工、脚手架配合、施工质量控制等方面对两种施工工艺进行比较，总结两种工艺的特点，进行优缺点分析，为同类型构架模块化预制及安装施工积累经验。

关键词　钢结构框架；模块化预制；立装；卧装

焦炭塔构架是焦化装置的核心建筑，一般由下部的混凝土框架和上方的钢结构组成，总高度通常超过100m。焦炭塔钢结构又可以细分为钢框架和塔架两部分，具有吨位大、构件多、焊接量大、安装难度大的特点。焦炭塔钢结构往往布局规律，构件具有重复性，适合进行模块化预制。通过在地面进行模块化预制分段吊装的方法，可以有效的缩短工期，减少高空作业，降低施工成本。

1　概述

某炼厂300万吨/年延迟焦化装置的焦炭塔钢框架外形尺寸长×宽×高＝58m×12.1m×38.25m，安装标高在EL+42.6m～80.8m，在钢框架上方对称布置两个塔架，塔架底截面为14.5m×12.1m，顶截面为12.5m×3.8m，塔架顶标高EL+42.6m。焦炭塔钢结构总共10718个零部件，全部通过焊接的方式进行连接，总重1684.3t。钢框架立柱为ϕ820×24的钢管，共10根两轴5榀布置，横梁共9层，见图1。塔架立柱下部采用ϕ450×16的钢管，在EL+112.16m处变径，往上采用ϕ377×16的钢管作为立柱，横梁11层，见图2。鉴于焦炭塔钢结构吨位大、构件多、安装高度高的特点，实际施工时采取了构件工厂化预制+现场模块化预制+模块吊装的方式进行安装。

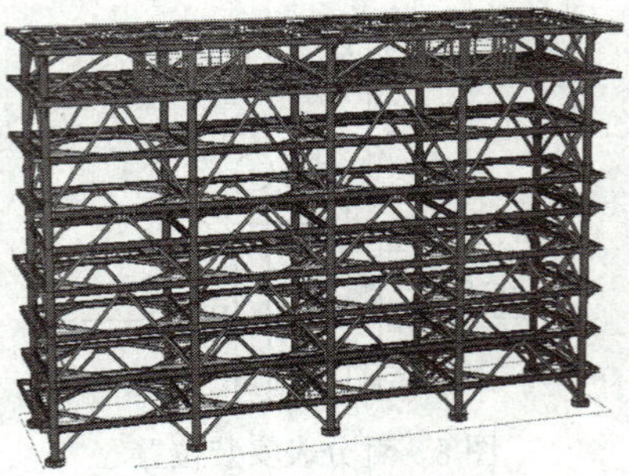

图1　焦炭塔钢框架模型

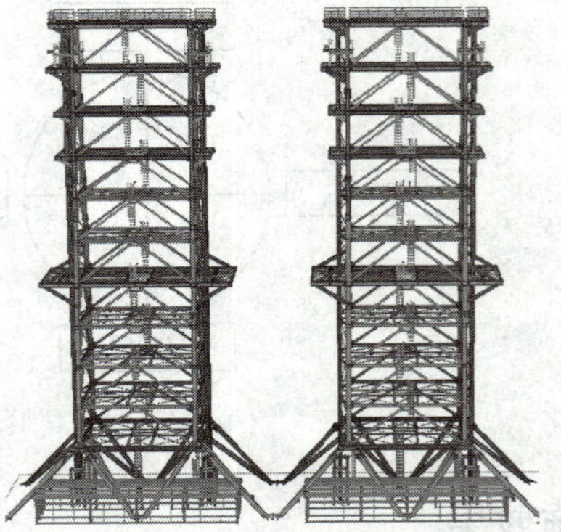

图2　焦炭塔塔架模型

2　模块划分

结合预制场地布置、吊车站位规划以及焊接难易程度，将钢框架分为6个框架模块和3个立片模块，将塔架分为6个框架模块，各模块情况详见表1、图3。

表1　钢框架模块明细表

序号	分段名称	主要组成部件	长×宽×高/m	备注
1	钢框架模块1	1-2/A-B轴线：1-3层柱、梁、斜撑、平台	14.5×12.1×13.11	
2	钢框架模块2	4-5/A-B轴线：1-3层柱、梁、斜撑、平台	14.5×12.1×13.11	
3	钢框架模块3	1-2/A-B轴线：4-6层柱、梁、斜撑、平台	14.5×12.1×11.44	
4	钢框架模块4	4-5/A-B轴线：4-6层柱、梁、斜撑、平台	14.5×12.1×11.44	
5	钢框架模块5	1-2/A-B轴线：7-9层柱、梁、斜撑、平台	14.5×12.1×13.67	

续表

序号	分段名称	主要组成部件	长×宽×高/m	备注
6	钢框架模块 6	4-5/A-B 轴线：7-9 层柱、梁、斜撑、平台	14.5×12.1×13.67	
7	钢框架模块 7	3/A-B 轴线：1-3 层柱、梁、斜撑	12.1×13.11	
8	钢框架模块 8	3/A-B 轴线：4-6 层柱、梁、斜撑	12.1×11.44	
9	钢框架模块 9	3/A-B 轴线：7-9 层柱、梁、斜撑	12.1×13.67	
10	塔架模块 1	1-3/A-B 轴线：80.8m~88.8m 塔架、平台	12.5×12.1×8	转换架
11	塔架模块 2	3-5/A-B 轴线：80.8m~88.8m 塔架、平台	12.5×12.1×8	转换架
12	塔架模块 3	1-3/A-B 轴线：88.8m~117m 塔架、平台	12.5×10.8×28.2	
13	塔架模块 4	3-5/A-B 轴线：88.8m~117m 塔架、平台	12.5×10.8×28.2	
14	塔架模块 5	1-3/A-B 轴线：117m~134m 塔架、平台	12.5×8×17	
15	塔架模块 6	3-5/A-B 轴线：117m~134m 塔架、平台	12.5×8×17	

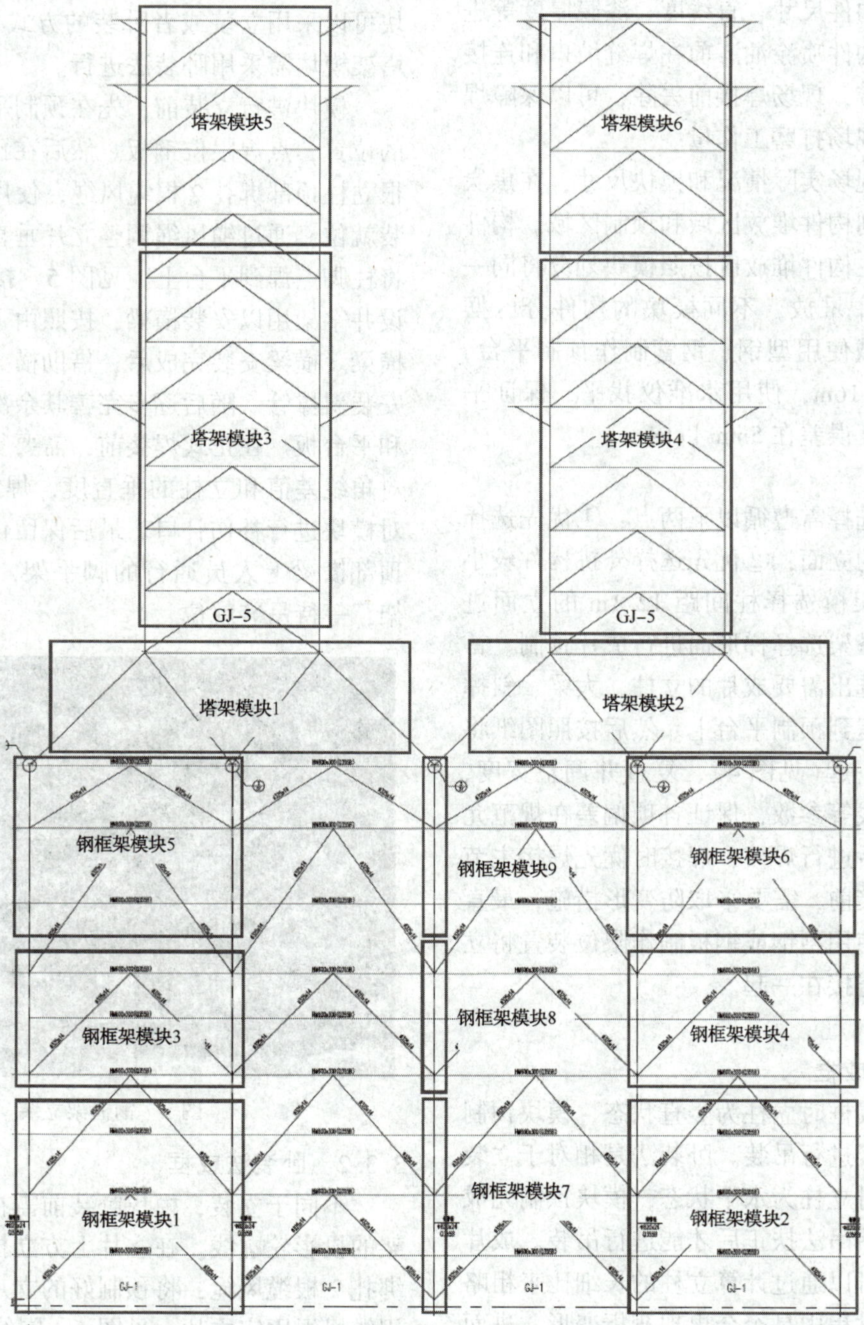

图 3　焦炭塔钢结构模块划分示意图

3　模块预制

3.1　准备工作

(1) 根据设计图纸和模块划分方案使用Tekla Structures 软件进行焦炭塔钢结构的二次深化设计。深化设计需要注意以下两点：①节点部位的深化必须响应原设计要求；②梁柱拼接焊缝位置不得出现在同平面内，且需要符合规范要求。

(2) 按照二次设计图在钢结构制造厂完成构件的下料、坡口加工、连接板焊接、构件防腐等工作，重点对构件尺寸、直线度、漆膜厚度等进行质量控制。构件喷涂油漆前在焊缝坡口和连接板位置粘贴胶带，现场焊接前去除，可以保障焊接质量，减少现场打磨工作量。

(3) 根据现场实际情况和模块尺寸，在焦炭塔旁边空地规划构件堆放区域和预制区域。构件到达现场后，在构件堆放区按照模块划分将同一模块的构件集中堆放，不同模块的构件分区摆放。在预制区域使用型钢、钢管制作预制平台，平台尺寸 35m×16m，使用水准仪找平，保证平台上表面水平度误差在 5mm 以内。

3.2　成片预制

成片面的选择需遵循以下两点：①优先选择尺寸相对较小的立面；②优先选择外挑构件较小的立面。钢框架模选择柱间距 12.1m 的立面进行成片预制，塔架选择梯形面进行成片预制。首先在堆料区挑选出需要成片的立柱、大梁、斜撑等主要构件倒运到预制平台上。然后按照图纸将构件预拼装在一起(见图 4)，复查并调整宽度、梁间距、对角线等参数，保证各项偏差在规范允许范围内。最后进行焊接，焊接时优先焊接主节点，各节点焊接前，需要采取防变形措施，最直接的方法就是使用型钢或钢板制作限位装置将立柱和预制平台连接在一起。

图 4　成片预制

3.3　成框预制

3.3.1　立装法成框

立装法指成框时立柱为竖直状态，模块预制完成后可以直接进行吊装。卧装法是相对于立装而言，指成框时立柱为水平状态，模块预制完成后需要用双机抬吊法扶正后才能进行吊装。成片工作完成后，可以通过计算立柱的长细比来粗略判定立片提升过程中是否会出现弯折变形，进而确定模块预制的方法。通过计算单根钢框架立柱长细比 $\lambda=144$，塔架立柱长细比 $\lambda=547$，规范中轴心受压柱容许长细比为 150。因此钢框架模块可以采用立装或者卧装的方式进行成框预制，塔架模块需采用卧装法进行。

模块进行立装前，先在预制平台上画出立柱的位置，点焊限位钢板。然后在预制好的立片每根立柱顶部绑扎 2 根缆风绳，使用吊车将立片吊装就位，通过缆风绳调整立片垂直度，粗找正后将柱脚点焊到平台上，见图 5。接着围绕立柱搭设井字架用以安装横梁，按照由下到上顺次安装横梁。横梁安装完成后，借助横梁搭设吊架用以安装斜撑管。随后逐步完善其余次梁、劳动保护和平台板。在正式焊接前，需要复核各个立面的对角线差值和立柱的垂直度，焊接工作完成后，对模块进行补伤补口。最后保留供人员上下以及顶部横梁上人员通行的脚手架，拆除其余脚手架，等待吊装就位。

图 5　钢框架立装

3.3.2　卧装法成框

不同于立装，模块卧装前需在平台上画出框架的投影轮廓线。在立片上方立柱的头尾两端各绑扎 2 根缆风绳，将预制好的立片吊装就位，使用缆风绳固定立片，见图 6。围绕立片横梁搭设井字架用以安装其余横梁。安装横梁前预先在地面将主梁和八卦梁组装，整体吊装就位，减少高空作业。横梁安装完成后，借助脚手架安装其余次梁。同立装一样，卧装时焊前同样需要对模块的各个平面复核对角线差值，由于立柱为水平状态，无法进行垂直度的复核。相比于立装法，卧装时不便于安装平台板和劳动保护。现场需要在安装前完成平台板和劳动保护安装时，可以将脚手架完全拆除扶正模块后安装，见图7。

图6　钢框架卧装

图7　塔架卧装扶正后安装劳动保护

此次焦炭塔模块预制施工，除去3个立片模块外的12个框架模块中7个采用立装法进行预制，剩余5个框架模块采用卧装法进行预制。整个预制过程投入人员60人，持续36天，预制钢结构总重986.32t，极大的节约了工期，节省了大量脚手架材料。

4　模块安装

模块制作完成后，使用吊车将模块吊装就位，用缆风绳进行牵引，使用经纬仪进行找正。找正合格且模块固定后逐步然后完善模块间的横梁、斜撑等结构。下层钢结构主体安装完成后方可进行上层的模块安装工作。为方便现场安装和提高模块组对效率，可以在结构厂制作立柱时在分段位置布置刀型耳板，耳板见图8。上下模块间的组对时先将刀型耳板安装完成，调整焊缝间隙和整体垂直度，合格后每根立柱安排两名焊工同步对称焊接，焊道完成50%后方可取吊钩，见图9。

图8　刀型耳板

图9　钢框架上下模块组对

5　质量控制措施

焦炭塔钢结构构件多，施工周期长，施工过程中要严格把控以下几个方面，确保施工质量。

5.1　严把材料进场质量

钢框架所使用的型材、钢管品种、规格、性能必须符合现行国家标准规定并满足设计文件要求。材料进入制造厂时，需要按照规范要求抽取试件并进行屈服强度、抗拉强度、伸长率和厚度偏差检验。

5.2　制造厂驻厂监造

在制造厂构件生产过程中，安排专人入驻制造厂进行监造工作。主要控制切割、矫正成型、边缘加工、焊接、防腐等，具体检查内容及要求见表2。

表2　工厂质量控制点

序号	质量控制点	检查内容	允许偏差
1	切割	钢材切割面有无裂纹、夹渣、毛刺和分层	
		零件宽度、长度	±3mm
		切割面平面度	0.05t，且不大于2mm
2	矫正与成型	矫正后的钢材表面不得有明显的凹痕或损伤，划痕深度	不大于0.5mm
		型钢的弯曲矢高	l/1000，且不大于5mm
		工字钢、H型钢翼缘对腹板的垂直度	b/100且不大于2mm
		钢管截面椭圆度	小于等于d/200，且≤3mm
		钢管曲率	≤3mm
3	边缘加工	刨削余量	≥2mm
		零件长度、宽度	±1mm
		加工边直线度	l/3000，且不大于2mm
		坡口角度	±5°
4	焊接	焊材是否正确，是否烘干	
		拼接或对接错边量	3mm
		焊缝外观质量	无裂纹、未满焊、根部收缩、咬边、气孔、夹渣等缺陷
		全熔透的焊缝进行超声检测	100%超声检测，合格级别I级
5	防腐	除锈	Sa2.5级
		漆膜厚度	280μm

5.3　现场模块预制及安装质量控制

现场进行模块预制和安装工作时，必须严格控制各项几何尺寸偏差，这直接关系到最终施工质量。主要控制轴间距、垂直度以及各截面的几何对角线差值，具体控制点见表3。

表3　模块预制质量控制点

序号	项目	允许偏差
1	柱间距	±4mm
2	相邻横梁间距	±3mm
3	各层间两对角线之差	$H/2000$，切不大于5mm
4	任意两对角线之差	$\sum H/2000$，切不大于5mm
5	框架整体垂直度	$H/1000$

6 立装与卧装的对比分析

通过此次焦炭塔钢结构模块预制施工，对立装法和卧装法做出以下比较，具体见表4。

表4 立装法与卧装法比较

项目	立装法	卧装法
适用范围	适用范围小，模块竖向尺寸不能太大	适用范围广，对模块竖向尺寸要求低
稳定性	与预制平台四点接触，立片时稳定性较差	可根据需要设置固定点数，立片稳定性较好
几何尺寸控制	测量方便，各个立面都可以进行尺寸复合，可以观测垂直度	测量不便，容易受脚手架的影响，无法观测垂直度
脚手架	用量较少，部分可重复利用	用量较多，吊装前需全部拆除
焊接	更容易，主要节点焊缝位置多为横焊、立焊	较难，主要节点焊缝仰焊位置多
预制深度	可以将平台板在内的构件全部预制完成	较差，不便于平台板、劳动保护的预制
吊装	需要的吊装台班较少；不需要扶正，预制完成可直接吊装	需要的吊装台班较多；需要双机抬吊扶正后吊装

7 结束语

立装法和卧装法都能起到缩短工期，减少高空作业，降低施工成本的作用。在立装和卧装都能进行的情况下，鉴于立装法更强的经济性和操作性，宜优先选择立装法。行业内同类型的钢结构施工可以参照本文对立装和卧装的介绍，结合自身情况和现场实际进行方案策划。

参 考 文 献

[1] GB/T 50205—2020. 钢结构工程施工质量验收标准[S].

[2] GB 50017—2017. 钢结构设计标准[S].

大口径火炬放空管道气压试验方法及安全分析

张平化　董　博　穆帅欢　董利波　马　彬

（中国石油天然气第一建设有限公司）

摘　要　本文以某炼化装置大口径火炬放空管道气压试验为例，对大口径火炬放空管道气压试验盲板设计与核算、气压试验过程及要点、质量控制措施、储能分析及安全距离核算等方面进行论述，对大口径放空管道气压试验具有一定的参考、借鉴意义。

关键词　大口径管道；气压试验；方法；安全分析

近年来，随着炼化行业的飞速发展，炼油、化工等衍生装置更加呈现出生产规模扩大、联建联产和公用工程集中供应等特点。因此，火炬放空系统呈现出大型化、规模化、集中化的发展趋势，火炬放空系统的平稳运行兼顾炼化装置的稳定生产、安全和环保三大作用。

某炼化装置高架火炬系统共设置 9 套火炬放空系统，最大管径 $\Phi 2540\times 18$mm，管廊为混凝土框架式结构，考虑该火炬放空管道水压试验时，增重 4~6 倍，管廊结构及管支架无法承受其重量；同时，为避免管道水压试验产生积水，形成管道内部两相流动冲击，危及整个系统安全，因此，大口径火炬放空管道采用气压试验。

以某炼化装置化工高压火炬系统为例，该火炬放空系统自乙烯装置至火炬装置，其中自乙烯装置至火炬分液罐，管道规格 DN2500，设计压力 0.35MPa，试验压力 0.4MPa；分液罐至水封罐，管道规格 DN2300，设计压力 0.53MPa，试验压力 0.6MPa；水封罐至火炬筒体，管道规格 DN2300，设计压力 0.7MPa，试验压力 0.8MPa。

1　盲板设计及核算

1.1　盲板设计

根据管道试验压力和法兰结构型式，法兰设计按照 GB 150.3—2011 中平盖法兰型式及厚度计算方式进行盲板设计。

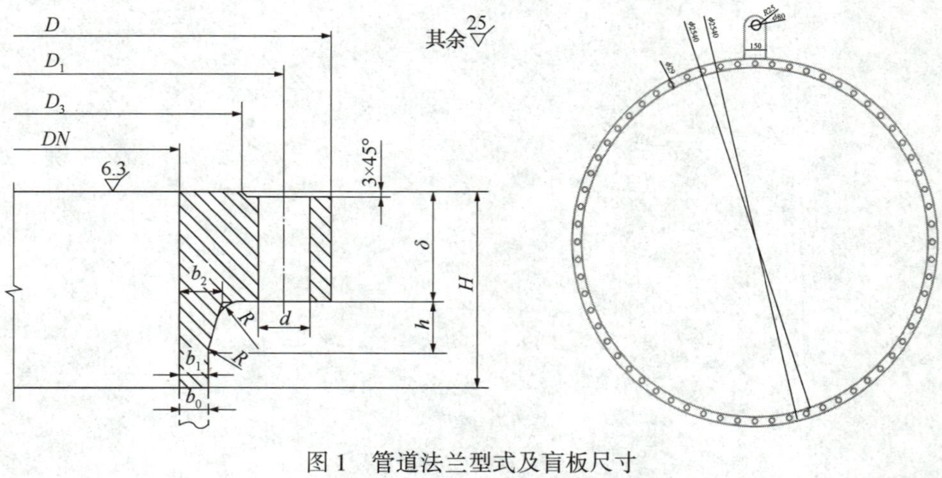

图 1　管道法兰型式及盲板尺寸

1.2　盲板计算

盲板厚度计算按照《工业金属管道设计规范》GB 50316—2000（2008 年版）中 6.7.2-1、6.7.2-2 公式计算。

$$t_m = 0.433\times d_G[P/([\sigma]^t\cdot E_j)]^{0.5},$$
$$t_{pd} = t_m + 2C_2 + C_1$$

其中：t_m为盲板计算厚度（mm）；d_G为凹面或平面法兰垫片的内径或环槽式垫片的平均直径（mm）；P为设计压力（MPa）；$[\sigma]^t$为在设计温度下材料的许用应力（MPa）；E_j为焊接接头系数；t_{pd}为盲板的设计厚度；C_2为腐蚀或磨蚀附加量（mm）；C_1为厚度减薄附加量（mm）。

注：对于整体钢板制作盲板，焊接接头系数 $E_j=1$。

按照化工高压火炬系统试验压力及盲板规格，当盲板材质选用 Q235B 时，设计温度下的许用应力 $[\sigma]^t=113$MPa，则盲板计算厚度为 85mm。当盲板材质选用 Q345B 时，设计温度下的许用应力 $[\sigma]^t=181$MPa，则盲板计算厚度为 68mm，综合考虑，该系统气压试验盲板选用 Q345B 材质，盲板厚度 68mm。

2 气压试验过程及要点

2.1 盲板安装

(1) 气压试验时，不得采用阀门进行系统的隔离，应全部采用盲板或盲法兰进行隔离。

(2) 盲板安装时盲板位置和编号要严格按试压包临时盲板信息跟踪表、流程图中所示要求进行安装。

(3) 盲板安装前要对法兰密封面进行检查，应采用正式垫片。

(4) 盲板安装后，法兰螺栓紧固应按照多步、对称紧固的原则进行紧固，M27 及以上螺栓应进行定力矩紧固。

(5) 盲板安装的位置均需挂牌作好标识并填写试压临时盲板信息跟踪表。

2.2 临时连通线预制

2.2.1 临时连通线规划

试验介质采用空压机或者工厂风提供的干燥、清洁的空气，空压机出口临时管线规格及接连接形式根据空压机出口而定，气压试验临时联通线需设置处紧急放空点，系统紧急放空点设置安全阀，安全阀标定至试压时试验压力的 1.1 倍，临时连通的规划示意如图 2 所示。

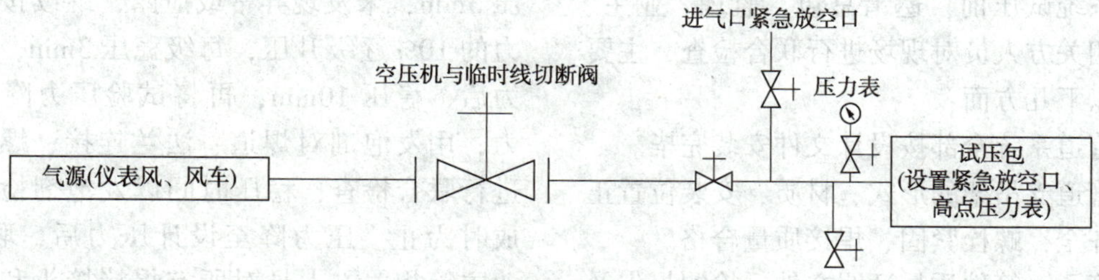

图 2 试验临时管线示意图

2.2.2 临时连通线预制技术要求

(1) 试压包的临时连通线按试压流程进行连接，优先利用管线上已有的开口(如排凝、放空、仪表管嘴或敞开的法兰口)进行连接。

(2) 临时连通线的坡口采用机械方法或火焰切割方法进行切割，坡口形式采用 V 型坡口，坡口加工尺寸见表 1。

表 1 临时连通线坡口尺寸表

坡口名称	坡口形式	坡口尺寸/mm
对接接头坡口 (V 形坡口)	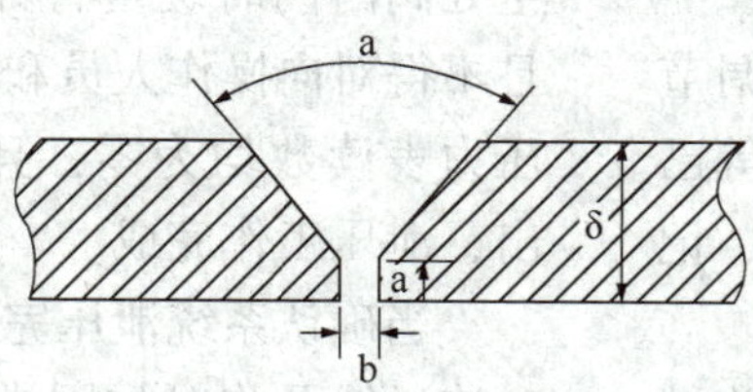	1) $\delta\leq8$ $\alpha=60\sim65°$ $b=2.0\pm0.5$ $p=0\sim2$ 2) $\delta>8$ $\alpha=60\sim65°$ $b=2.5\pm0.5$ $p=0\sim2$

(3) 坡口加工后应进行外观检查，切口表面应平整，尺寸应正确，并应无裂纹、重皮、毛刺、凸凹、缩口、熔渣、氧化物、铁屑等现象。

(4) 试压用的临时管线焊接施工工艺与正式管道施工工艺相同。

(5) 临时管线壁厚按照试验系统正式管道同规格壁厚选取，并对焊缝按照工艺管道检测比例及要求进行检测，待检测合格后方可进行气压试验。

2.2.3 临时连通线安装

临时连通线安装位置应按照试压流程中标注的临时连通线位置进行安装。

(1) 管道在组对前应对照现场实际确定下料尺寸，检查坡口几何形状及尺寸是否正确，用手工或机械方法清理其内外表面，坡口附近内外表面20mm范围内的铁锈、油污、漆、毛刺、水分等清理干净，不得存在对焊接有害的物质，坡口表面不得有裂纹、夹层等缺陷。

(2) 法兰连接应与钢制管道同心，螺栓应能自由穿入。法兰螺栓孔应跨中布置。法兰平面之间应保持平行，其偏差不得大于法兰外径的0.15%，且不得大于2mm。法兰接头的歪斜不得用强紧螺栓的方法消除。

(3) 焊口组对不能强制进行，以免应力集中。端面的间隙、偏差、错口或不同心等缺陷不得采用加热管子、加偏垫等方法消除。

(4) 临时线焊接必须严格按照焊接工艺施焊，严禁在管道坡口外引弧，避免电弧擦伤母材。

2.3 现场条件联合审查

管道系统试压前，邀请总包、监理、业主、特检院等相关方人员对现场进行联合检查，主要检查确认以下几方面：

(1) 管道系统全部按设计文件安装完毕。

(2) 管道支吊架的形式、材质、安装位置正确，数量齐全，螺栓紧固、焊接质量合格。

(3) 管子、管件质量证明文件、检测报告及其他理化实验报告齐全，各项检测数据符合规范要求。

(4) 焊接及热处理工作已全部完成。

(5) 管道的材质标识明显清楚。

(6) 焊缝及其他需进行检查的部位不得进行隐蔽。

(7) 临时用的加固措施符合要求，安全可靠。

(8) 不参与试压的设备、仪表阀门，调节阀，仪表元件，限流孔板、爆破片、流量计等已拆除或隔离，临时盲板加置正确，标志明显，记录完整，阀门开关状态正确。

(9) 试压用的压力表不少于2块，量程为试验压力的1.5~2.0倍、精度等级不得低于1.5级、并在检有效期内。

(10) 检查试压告知牌及警戒线是否布置完毕。

(11) 试压方案已对所有参与人员进行了技术交底。

2.4 系统充气及预试验

(1) 试验介质采用净化压缩空气或者空压机提供的清洁空气。

(2) 试验的环境温度应在15℃以上，且需高于金属材料的脆性转变温度。

(3) 系统准备完成后，打开空压机出口阀门，启动空压机进行充气。空压机需专人操作，且应在空压机旁设置醒目的操作流程介绍牌。

(4) 注气过程中，对管道试压流程再次进行检查，并打开高点的放空阀看系统是否有空气排出。

(5) 当系统升压至0.2MPa时停止升压，保压5min，对所有焊接接头和连接部位进行初次检查，确认系统有无异常。

2.5 升压和稳压

系统压力达到0.2MPa预试验压力，检查无异常后继续缓慢升压，压力升至50%时，稳压3min，未发现异常或泄露，继续按照试验压力的10%逐级升压，每级稳压3min，至试验压力后，稳压10min，再将试验压力降至设计压力，用发泡剂对焊道、法兰连接、螺纹连接处进行联合检查，稳压时间以发泡剂检查工作完成时为止。压力降至设计压力后，联合监理、业主等相关方人员对所有焊接接头和连接部位(包括法兰连接面、阀门静密封泄漏点等部位)进行全面检查，通过涂刷中性发泡剂对试压系统进行检查，无泄漏为合格，并在试压记录上签字确认。

2.6 泄压

气压试验结束后，缓慢打开试压系统进风口旁路放空阀门，并引出到安全地带放空，顶部放空处阀门同时缓慢打开泄压，出口45°斜向上，且不得对向操作人员和其他设备设施，待上、下压力表读数均为零，且无明显气流从泄压阀流出，泄压工作完成。

当确认系统泄压完成后，拆除临时盲板、临时连通线及临时加固措施，做好盲板拆除记录，并按照设计图纸进行流程恢复。

3 质量控制措施

3.1 质量风险分析及控制措施

根据气压试验程序及作业步骤，主要存在质量风险及控制措施如表2所示。

表2　质量风险分析表

序号	工作步骤	设备/工具	质量风险	控制措施
1	盲板预制	火焊把 磨光机	1. 临时盲板板材有分层等缺陷。 2. 盲板切割未打磨，有毛刺等现象，易造成泄露。 3. 盲板规格不符合要求。	1. 加强对原材料的检查、检验。 2. 切割后用磨光机将盲板周围进行打磨。 3. 按试压方案盲板表进行盲板的准备。
2	盲板安装	扳手 撬棍 盲板	1. 螺栓紧固不符合规范要求，导致水压试验无法稳压。 2. 盲板安装时，使用撬棍损坏设备法兰密封面。 3. 盲板安装位置不正确，导致其他系统进水。 4. 盲板厚度选择错误，导致试压时盲板破裂。	1. 试压前对螺栓的紧固进行全面检查。 2. 盲板安装使用撬棍时，在法兰密封面处使用木板或橡胶进行隔离，并仔细检查密封面。 3. 按试压方案盲板位置进行安装。 4. 盲板安装时必须有专人跟踪，并认真填写盲板跟踪表，并确认安装盲板厚度与盲板表中厚度一致。
3	临时线预制	火焊把 磨光机	1. 临时管线材料有裂纹等缺陷。 2. 坡口切割未打磨，有毛刺等现象，易造成泄露。 3. 临时管线未按照试压方案中管道规格选取，试压时存在试验压力过高，导致临时管道开裂。	1. 加强对管子原材料的检查、检验。 2. 切割后用磨光机将坡口周围熔渣、氧化皮打磨干净。 3. 钢管的规格型号要按照试验方案的要求选择。
4	临时线安装	磨光机 电焊机	1. 临时管线焊接未按照焊接工艺卡执行，导致试压过程中临时管线焊口开裂。 2. 临时管线焊缝存在缺陷，试验过程中出现渗漏。	1. 严格按照焊接工艺卡组对、施焊。 2. 提高焊接人员的能力，并加强施焊过程的监督检查。
5	系统充气及预试压	空压机/ 工厂风 压力表	1. 环境温度低于15℃，不能满足设备材料试验要求。 2. 空压机未按操作规程操作，导致空压机损害，试压暂停。 3. 压力表未检定或不准确，造成管道或盲板破裂。 4. 未停止升压进行初步检查所有焊缝及连接部位，导致未能及时发现处理泄漏。	1. 试压前要提前对试压期间环境温度进行评估。 2. 空压机由专人负责操作。 3. 压力表安装前认真用指示准确的压力表进行安装前校核。 4. 系统升压至0.2MPa时稳压5min，初步检查所有焊缝及连接部位有无异常。
6	升压及稳压	空压机/工厂风	1. 试压系统中盲板处渗漏，导致无法稳压。 2. 系统升压超压，导致压力表损坏。	1. 检查螺栓紧固情况，对称均匀紧固。 2. 试压过程中有专人观察压力表，专人操作试压泵。
7	系统泄压	阀门 扳手	1. 泄压时，阀门手柄断裂，导致阀门无法开启。	1. 试压阀门使用前经过试验并进行外观检查，试压过程中阀门操作符合要求，严禁野蛮作业。
8	盲板、临时连通线的拆除	扳手 撬棍	1. 临时盲板未全部拆除，导致后期系统管路不通。	1. 按照试压盲板表对临时盲板全部拆除，并安排专人对管口盲板进行确认。

4　储能分析及安全距离核算

4.1　气压试验爆炸能量

气压试验爆炸能量的计算，按 ASME PCC-2—2018 强制性附录 501-Ⅱ 给出的公式：

$$E=[1/(k-1)]\times P_{at}\times V[1-(P_a/P_{at})^{[(k-1)/k]}]$$

其中：E=爆炸能量，J；k=介质绝热指数；P_a=绝对大气压力(爆炸后)，取 101000Pa；P_{at}=绝对试验压力(爆炸前)，Pa；V=试验压力下的总容积(爆炸前)，m^3。

当使用空气或氮气作为测试介质时(k=1.4)，这个公式变成

$$E=2.5\times P_{at}\times V[1-(P_a/P_{at})^{0.286}]$$

4.2　最小冲击波距离

4.2.1　最小冲击波距离 R

ASME PCC-2—2018 强制性附录 501-Ⅲ给出了最小冲击波距离 R 的计算方法

$$R=R_{scaled}(2TNT)^{1/3}$$

其中：R_{scaled} 为防护距离比例因子，应为 $20m/kg^{1/3}$ 或更大（这里取 $20m/kg^{1/3}$）；

TNT 为爆炸能量的等效 TNT 当量，kg.

4.2.2　等效 TNT 当量

ASME PCC-2—2018 强制性附录 501-Ⅱ给出了爆炸能量转换为等效 TNT 当量的计算方法

$$TNT=\frac{E}{4266920}$$

其中：E 为爆炸能量，MJ；

4.2.3　最小冲击波距离 R 的判定

按 ASME PCC-2—2018 强制性附录 501-Ⅲ，最小冲击波距离判定方法主要分以下三种情况：

（1）当 $E\leqslant 135.5$MJ 时，R 取 30m 和 20$(2TNT)^{1/3}$m 的较大值；

（2）当 $135.5\text{MJ}<E\leqslant 271$MJ 时，$R$ 取 60m 和 20$(2TNT)^{1/3}$m 的较大值；

（3）当 $E>271$MJ，$R=20(2TNT)^{1/3}$m。

4.3　最小抛掷距离

根据爆炸能量的等效 TNT 当量，查 ASME PCC-2—2018 强制性附录 501-Ⅲ表 501-Ⅲ-2-1，得到碎片的最小抛掷距离。

4.4　最小安全距离的判定

最小安全距离取最小冲击波距离和最小抛掷距离，两者中的较大值。

本次气压试验按照试压流程，从界区位置至高压火炬气火炬（一）、高压火炬气火炬（二）、筒体出口、水封罐出口系统，容积共 $11220m^3$（不考虑化工区管廊至火炬区界区管容），试压压力 0.6MPa，大气压 0.101MPa，气压试验介质为空气。

4.4.1　计算爆炸能量

$$E=2.5\times P_{at}\times V[1-(P_a/P_{at})^{0.286}]=2.5\times 0.701\times 11220\times[1-(0.101/0.701)^{0.286}]\approx 8365\text{MJ}$$

4.4.2　计算爆炸能量等效 TNT 当量

$$TNT=\frac{E}{4266920}=\frac{8365\times 1000000}{4266920}\approx 1960\text{kg}$$

4.4.3　最小冲击波距离

当 E >271MJ 时，$R=20(2TNT)^{1/3}=20(2\times 1960)^{1/3}\approx 315$m

4.4.4　最小碎片抛掷距离

查 ASME PCC-2—2018 强制性附录 501-Ⅲ表 501-Ⅲ-2-1，当等效 TNT 当量在 1900kg~2300kg 区间时，最小碎片抛掷距离 420m。

综上：气压试验最小安全距离取两者较大者，最小安全距离 $R=420$m。

5　结论

该火炬放空系统为了确保试压盲板顺利安装，在火炬筒体入口法兰与管道法兰之间预留 25mm 间隙，试压完成拆除盲板，恢复管口法兰。采用“空间预留法”，可能造成管道及设备局部应力集中，如无预留间隙则盲板无法顺利加入，需重新割口处理。因此，在类似大口径火炬放空管道气压试验时，应在设计初期建议在火炬筒体入口处增加插板、插环，不仅解决大口径火炬放空管道气压试验问题，同时也减少管道及设备应力。

某炼化装置共 9 套火炬放空系统，均采用气压试验。通过设计气压试验盲板、计算爆炸当量和最小安全距离，为施工提供可靠的理论；通过过程节点控制、制定质量控制措施，确保安全生产，降低安全风险。

参 考 文 献

［1］寿比南，杨国义等 . GB/T 150.3—2011，压力容器第 3 部分：设计［S］.

［2］郑茂鼎，翁燕珠等 . GB 50316—2000，工业金属管道设计规范［S］.

［3］ASME PCC-2—2018，Repair of Pressure Equipment and Piping［S］.

NM550 高强度耐磨钢施工热处理技术

郭　杰　彭新凯　苟明跃　肖广红　韩廷檀

（中国石油天然气第一建设有限公司）

摘　要　高强耐磨钢板广泛应用于工程机械构件和矿用设备，钢板具有高强、高韧、可焊、耐磨等优良的综合性能。某炼厂延迟焦化装置溜焦槽采用外部钢筋混凝土槽体，内侧敷设 NM550 高强度耐磨钢衬板的结构形式。本文以此溜焦槽内衬钢板施工为例，详细介绍 NM550 高强度耐磨钢板二次制作、安装、焊接等施工过程，分析热处理技术在 NM550 高强度耐磨钢板安装过程中的应用，总结热处理对提高钢板施工质量的技术要点，为同类材质施工积累经验。

关键词　NM550 耐磨钢板；裂纹；热态滚轧；整体消应力；焊缝热处理

焦炭塔属于炼油行业中延迟焦化装置的核心设备，按照装置工艺需要，溜焦槽平均每 24 小时要经历一个生产周期，受到焦炭的冲刷和腐蚀，极易损坏；为确保溜焦槽长周期正常运行，鉴于 NM550 高强度耐磨钢板高强、高韧、耐磨等优良性能，设计选用其作为槽体内衬板（见图 1）。

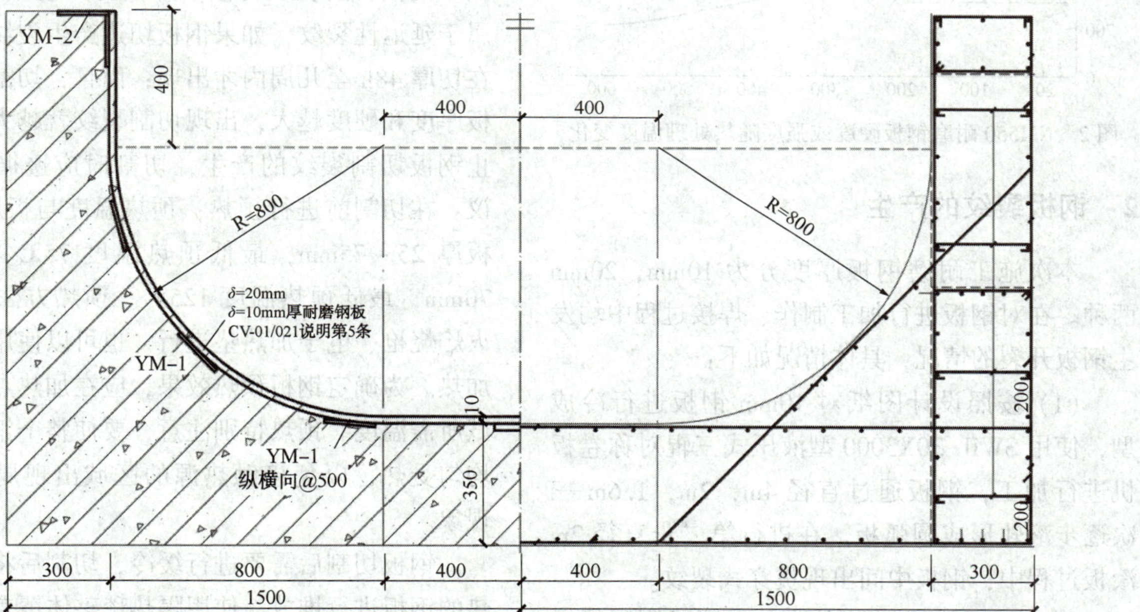

图 1　溜焦槽内衬版布置示意图

此装置共 4 台焦炭塔，每台焦炭塔底部各有一座溜焦槽独立工作。溜焦槽耐磨钢板的施工主要包含以下几个工序：钢板按需求尺寸切割→滚轧钢板成 90°圆弧形板→钢板在溜槽内安装、组对拼接→钢板焊接。本文，我将重点讲解 NM550 高强度耐磨钢板在切割、二次加工制作、焊接过程中如何产生裂纹，又如何应用热处理工艺来减少钢板裂纹的产生，提高耐磨钢板施工的质量。

1　高强度耐磨钢板性能

NM550 是高强度耐磨钢板，具有较高的抗磨损能力，主要应用在需要耐磨的场合或部位提供保护，使设备寿命更长，减少维修带来的检修和停机，节约相应的资金投入。钢板具有以下特性：一是属于热处理调质钢板(淬火+回火)，自身强度高，硬度高、脆性大，布氏硬度值≥530(HBW)；二是钢板在热成型后，只有重新淬火才可能恢复硬度，钢板加热至200℃左右硬度不会显著下降；三是钢板热切割需要进行预热，火焰切割应遵循以下最低预热温度：板厚25~75mm，75℃；板厚>70mm，125℃。在结构刚性较高时为防止焊缝开裂，一般建议对15mm以上厚钢板采取140~1900的预热温度；为避免钢板硬度降低，预热温度应小于200℃。

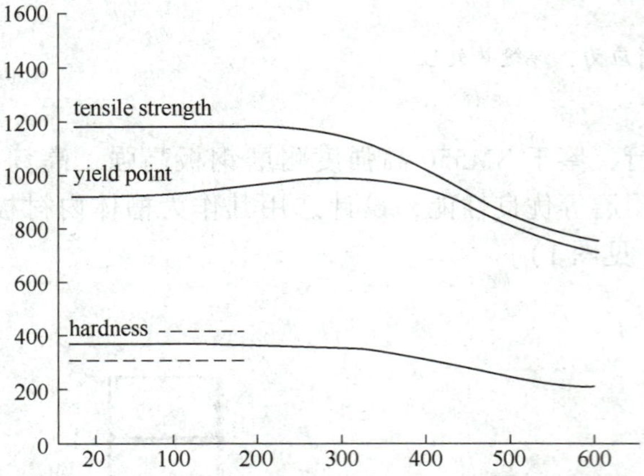

图2　NM550耐磨钢板硬度或强度随热处理温度变化

2　钢板裂纹的产生

本次施工耐磨钢板厚度分为10mm，20mm两种。在对钢板进行加工制作、焊接过程中均发生钢板开裂的情况，具体情况如下：

(1)按照设计图纸对10mm钢板进行冷成型，使用SWII-30X3000型液压式三辊对称卷板机进行加工，钢板通过直径4m，2m，1.6m三次逐步滚轧形成圆弧板。在进行第二步直径2m滚板过程中，钢板中间出现贯穿式裂纹。

(2)20mm钢板通过热态加工形成圆弧板后未发现裂纹，静置一月左右，钢板圆弧段发现裂纹。

(3)钢板焊接完成后2~3日，在焊缝、焊缝旁母材上发现有裂纹产生。

对以上钢板产生裂纹的情况进行研究，发现引起钢板产生裂纹的主要原因是在钢板二次加工、焊接过程中产生的内应力积蓄在钢板内，未得到有效消除。若加工过程中钢板形变超出极限，立即产生脆性裂纹，如上述情形(1)；若制作、焊接过程产生的应力不足以产生裂纹，就会形成类似于焊接时产生的氢致裂纹，将会在施工后48h至几周内才出现，属于延迟性裂纹。

因此，现场施工应通过热成型、成型后消应力处理、焊接预热+后热的方式来解决裂纹的产生。

3　钢板切割预热与缓冷

高强度耐磨钢板切割方法可选择冷切割或热切割。冷切割包括有水射流切割、剪切、锯切或磨料切割；热切割包括有氧气燃料火焰切割(以下简称“火焰切割”)、等离子切割和激光切割。

根据施工现场条件，若采用冷切割方式，通常使用剪板机剪切，效率较高；若采用热切割方式，通常使用等离子切割机，注意：普通氧气-乙炔火焰无法对耐磨钢板的切割。

在热切割耐磨钢板时，需要注意。随着钢板厚度和硬度的增加，切割边部出现裂纹倾向加大。钢板切割裂纹类似于焊接时产生氢致裂纹，属于延迟性裂纹，如果钢板切边产生裂纹，将会在切厚48h至几周内才出现；而且，切割裂纹钢板厚度和硬度越大，出现切割裂纹就越大。为防止钢板切割裂纹的产生，切割时应遵循以下建议：在切割前进行预热；预热温度与板厚相关，板厚25~75mm，最低预热温度75℃；板厚>70mm，最低预热温度125℃。预热方法可采用火焰烧枪、电子加热垫进行，也可以使用加热炉加热。为确定钢板预热效果，应在加热点背面测试所需温度。预热特别注意，要使整个钢板界面均匀受热，以免接触热源的区域出现局部过热现象。

钢板切割后需要进行缓冷，切割后将带有温热的钢板进行堆放，使用隔热毯整体覆盖，即可实现缓冷，缓冷要求冷却至室温。

钢板的表面状况也对火焰切割状况和切割面的质量有明显的影响。如果对切割面质量要求很高，则需要清理掉工件切割区域上面的氧化皮、锈渍、油漆以及其他杂质。

为避免切割裂纹后续对钢板质量产生影响，切割后的钢板边缘区域要及进行打磨，以防开裂。

4　钢板热弯与消应力热处理

切割成型的耐磨钢板如果需要进行弯曲制作，为避免制作过程中发生脆性裂纹，应该钢板进行预热后再开始弯曲。图 3 可以通过加热炉将钢板整体均匀加热至 200℃，在恒温热态下使用液压滚板机进行滚轧成型。后使用隔热毯将钢板整体覆盖进行保温缓冷，自然冷却至常温。

图 3　热态下滚制成型的钢板

为避免弯曲后的钢板出现延迟裂纹，应对钢板进行整体消应力热处理。根据 NM550 耐热钢板硬度或强度随热处理温度变化曲线(图 2)，钢板加热至 200℃左右硬度不会显著下降，否则，只有重新淬火才可能恢复硬度，因此需要控制钢板热处理的温度。

NM550 钢板热处理工艺：钢板在炉膛内加热至 200℃，升温时间不小于 1.5h，200℃恒温 4h，后在炉膛内保温缓冷至常温后取出(图 4)。

图 4　钢板放入加热炉进行消应力热处理

5　焊接过程热处理应用

钢板焊接时产生裂纹的原因有两种。一是钢板在经过变形后，变形量最大位置存在较大内应力，当进行较大热输入量的焊接时，钢板的变形应力与焊接应力综合作用导致裂纹产生；二是钢板焊接过程类似于对钢板进行热切割，钢板焊缝周边出现局部过热现象，焊接完成后焊缝直接暴露在空气中冷却，未进行保温缓冷，进一步增加了出现裂纹的几率。

通过在焊接前对钢板焊缝周边进行较长时间预热，消除其内应力，并优化焊接工艺，降低焊接热输入量，可以有效降低中厚耐磨钢板焊接裂纹缺陷的发生几率。

现场通过焊前预热，恒温焊接、保温缓冷工艺配合焊接，避免焊接过程裂纹的产生。预热、热处理使用电加热带进行，上面覆盖厚度 50mm 保温棉隔热，如图 5。

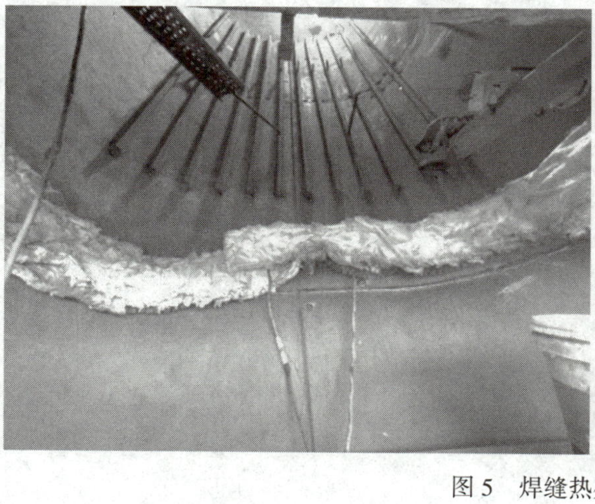

图 5　焊缝热处理及焊后质量

(1) 焊前预热：预热范围，焊缝两侧各 150mm，预热温度 200℃，预热时间≥1h；

(2) 恒温焊接：焊接过程全程使用加热带对焊缝两侧钢板进行恒温保温，温度 200℃；

（3）焊后缓冷：焊接完成后对焊缝及其周边钢板进行消恒温消应力热处理，200℃恒温 4h；后断电保温缓冷至常温。

经过热处理配合焊接的焊缝，未出现延迟裂纹。

6 耐磨钢板施工技术要点

（1）耐磨钢板切割后及时对切割边缘进行打磨清理，消除切割裂纹，防止延迟裂纹产生并沿钢板延伸。

（2）耐磨钢板弯曲加工过程采用热弯进行，为保证加工后钢板硬度不降低，加工前对钢板整体进行预热，耐磨钢板加工后需要进行整体消应力热处理，预热温度不能超过 200℃，恒温时间要足够 4h。

（3）耐磨钢板焊接前对焊缝两侧母材进行预热，焊接过程中，焊接完成后均要进行恒温热处理，避免延迟裂纹产生，温度 200℃。

（4）耐磨钢板在进行预热、热处理后均要进行保温缓冷，不能直接暴露在空气中进行冷却。

7 结束语

高强度耐磨钢板广泛应用于工程机械构件和矿用设备，延迟焦化装置因其产品和工艺的特殊性，在溜焦槽的结构中使用了 NM550 高强度耐磨钢板。经过研究 NM550 高强度耐磨钢板在切割、弯曲加工、焊接过程中产生裂纹的原因，针对不同工序制定了不同的热处理方案来消除和避免钢板切割、加工、焊接过程中产生裂纹。此延迟焦化装置共弯曲加工 88 块耐磨钢板，焊接 124 条焊缝；通过热处理工艺在施工过程中的应用后，最终仅发现 3 处延迟裂纹，充分证明热处理对 NM550 高强度耐磨钢板施工质量的重要性。此次将此施工方法进行总结，整理成文，分享学习，希望对行业同类型施工有借鉴意义。

参 考 文 献

[1] GB/T 24186—2009，工程机械用高强度耐磨钢板[S].

[2] 胡日荣．热处理工艺对 NM550 耐磨钢组织和性能的影响[D]．2014.

[3] 董现春，张楠，韩妮丹，等．NM450 耐磨钢板焊接接头的显微组织和力学性能[J]．机械工程材料．2018.

喷杯内混合防腐材料管道内防腐施工技术

彭新凯 赵晓岩 马存厚 王连巍 任锋锋

（中国石油天然气第一建设有限公司）

摘 要 本文以某乙烯装置的地下管道工程为例，对含油污水管道及污染雨水地下管道的内防腐施工，从原材料、管材内防腐、半成品在线检测、现场安装后内补口补伤等方面进行了全流程论述，对同类内防腐管道的内防腐施工具有一定的参考、借鉴意义。

关键词 喷杯；旋喷；内防腐；内补口

1 引言

在石油化工生产过程中，管线内含腐蚀性介质的金属管道内壁普遍发生腐蚀，多相流恶劣工况下还会发生覆盖层及缓蚀剂失效，还会导致钢管内壁表面粗糙，流体流通率降低，工厂产能下降甚至发生泄漏、爆炸等严重事故。目前，大型炼化项目的工程建设中，普遍应用了管道内防腐管道，内防腐补口技术使的内防腐管道焊缝可以现场进行内补口作业，保证了内防腐管线施工的进度及质量要求，从而降低了内防腐管道在使用过程中的安全风险。

2 概述

某乙烯装置，地下的含油污水管道及污染雨水管道，采用内防腐管道(20#碳钢)，总长度约 6.7km，管径为 DN150~DN500mm，内防腐补口累计 1869 道。管道内防腐，延长了管道的使用寿命，尤其适用于地下管道隐蔽工程，具有较高的性价比。

3 内防腐工艺原理

采用特制的喷涂设备，将无溶剂环氧煤沥青漆 A/B 组分按照 1：1 的比例分别装进喷涂车的 A、B 储料仓，通过空气压缩机将 A/B 组分采取相同的速度压入输料管内，使其在喷杯中充分混合，通过喷杯旋转及轨道推动喷杯，在管道内部进行喷涂，完成管道内防腐。

4 内防腐施工工艺

4.1 前期准备

4.1.1 工厂化防腐设备

工厂化内防腐生产的主要设备：内抛丸机，内喷涂泵，内喷涂油漆箱，空压机，压力罐，轨道，门式起重机等图 1，图 2。

图 1 内抛丸轨道

图 2 操作平台、喷涂泵及油漆箱

4.1.2 防腐前原材料检查

防腐材料：无溶剂环氧煤沥青在使用前应由通过国家计量认证的检验机构，按标准和用户要求进行检测；性能达不到规定要求的，不能使用。

包装检查：重点检查原材料的包装外观完整

性及包装信息(生产厂家、原材料型号、批号、生产日期、有效期、储存要求等)。

随机资料：出厂质量证明书及检验报告、使用说明书、安全数据单表、出厂合格证、生产日期及有效期等。

原材料送检：对原材料在总包、监理的见证下进行取样送检。

对入厂的钢管应严格检验把关，防止有缺陷的钢管进入生产线防腐，避免带来不可弥补的损失。

①、钢管外观检查，不能有表面油污、油脂、脏物、划伤、压坑等。

②、钢管弯度检查，小于等于钢管长度的0.2%且≤3mm/m。

③、钢管椭圆度、焊缝形状和高度检查，按管材执行标准进行。

4.2　管道内壁除锈

抛丸除锈磨料选择：抛丸除锈时所用磨料的选取对最终除锈效果具有决定性的作用。磨料的选取主要考虑粒径、硬度、磨料的电导率，常见的磨料组合为钢砂 G25/钢丸 S390。磨料硬度越高，除锈效果越好。在确定磨料前，应对磨料的电导率进行检验，以免磨料污染管体，造成钢管盐分污染度超标。ISO21809-1 标准一般要求磨料电导率不超过 60ms/cm。

管道内表面有两种除锈方法：内抛丸机除锈和喷砂除锈。

内抛丸机除锈：将钢管吊装至工作台上，钢管在工作台(滚管机)上开始旋转，将管道内抛丸机抛头伸入管道，开始抛丸。由于对锚纹深度的要求，抛头抛丸角度控制在45°。钢丸配比为球形钢丸：圆柱钢丸=3：2)抛丸机一边抛丸一边匀速前进，抛头到达钢管尽头后，抛丸机一边抛丸一边匀速后退做第二遍除锈，直到抛头出钢管，停止抛丸。

另一种是喷砂除锈：空压机连接喷砂罐，砂采用石英砂或石榴石，喷砂罐连接喷砂管，喷砂管安装上内喷砂专用枪头，将喷砂枪从钢管的一头推到另一头，然后启动空压机，开始喷砂，喷砂枪匀速从钢管内拉出，然后吹扫检查，反复进行，直到检查合格后再进行喷涂。

除锈试抛丸：在抛丸除锈前取 5~8 根钢管吊装至工作台上进行试抛丸，钢管在工作台(滚管机)上开始旋转，后将管道内抛丸机抛头伸入管道，开始抛丸。抛头抛丸角度控制在45°左右，若角度过大，会导致锚纹深度过深，表面过于粗糙；若角度过小，则导致锚纹深度不足。高压空气吹扫钢管内壁，用锚纹深度仪检测锚纹深度，合格后吊装至喷涂生产线，不合格重新抛丸除锈。

另外一种是喷砂除锈，同抛丸除锈一样，取5~8 根钢管进行试喷砂，根据喷砂后吹扫检测锚纹深度和观察表面清洁度，选择最合适的空压机压力进行批量喷砂除锈。

4.3　高压空气吹扫

管道内壁喷砂或抛丸除锈后，管道内壁残留杂物使用高压空气进行吹扫，吹扫后管内部不得有锈蚀、铁屑、石英砂等杂物。

4.4　锚纹深度检测

在高压空气吹扫后，对管两端各取 4 个点进行锚纹深度检测以保证施工质量，合格后进行内防腐施工。若未能立即进行内防腐施工，则每隔8h 进行一次锚纹深度检测及表面清洁度检查(图3)。

若不合格或时间间隔过长导致返锈时，则重新进行抛丸除锈。

图3　内抛丸质量验收

4.5　管内壁旋喷

利用管道内喷涂车对钢管内壁进行喷涂防腐。

喷涂前，根据管径大小选择合适的喷枪头，当前内防腐喷涂钢管的管径为 DN150~DN600。

将涂料预热，A/B 组分按照 1：1 的比例分别装进喷涂车的 AB 储料仓(涂料必须严格根据厂家的配比要求进行调配)，同时按照需要生产管径调整生产线的高度。预热完成后，按照管径及喷涂厚度计算每平方所需要涂料量，开始启动喷涂机打料称重(涂料必须严格根据厂家的配比要求进行调配)，调试完成后，安装好喷杯(喷枪头)，进行试喷涂检查喷涂厚度及效果。若成型良好，无挂溜、裂痕等外观质量问题，厚度满足设计要求，则按照此参数进行正式喷涂作业，若不然，则微调单项工艺参数(旋喷速度、行走速度和泵料速度)，进行二次试喷。

把内喷涂车放到钢管内，启动内喷涂车控制箱上行走调速开关，使其行进到钢管的另一端，进入管道前对喷杯做套袋处理，防止防腐涂料滴落行程挂溜。

在管端安装锥形预留段保护套或粘贴一次性专用纸胶带，在管端留出可直接进行焊接的预留段。按照规定的工艺参数调整设定好旋喷速度、行走速度和泵料速度，开启内喷涂车的料泵与旋杯旋转机构，待涂料充分雾化后，再开启行走开关使内喷涂车倒退喷涂，完成钢管内壁喷涂作业(图4)。

图4　套袋处理、焊口预留

4.6　检查与检测

成型后对防腐层的质量进行检验，一是保证出厂的产品100%达到标准和用户要求；二是通过对最终产品的检测，给工序控制提供信息，以便更好地控制产品质量，减少返工管，提高生产效率。

(1) 外观检查：使用内窥镜逐根检查防腐层外观。逐根检查防腐管内表面应平滑、无暗泡、无麻点、无褶皱、无裂纹、色泽均匀；首根及以后每10根(3处、共12点/根)使用涂层测厚仪检测防腐层厚度，对于不合格品进行标识倒运至待返区后进行二次喷涂。

(2) 厚度检测：喷涂结束后，对防腐层进行湿膜测厚。待管道实干后，用测厚仪测量管体及焊道处防腐层的厚度。为保证涂层厚度不低于标准要求，一般每班开始生产的前5根管都要检测，之后每隔5根管测定一次，来检测工艺参数是否稳定(图5、图6)。

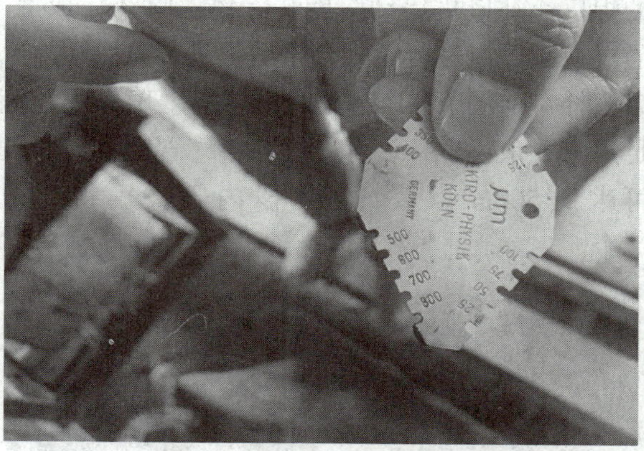

图5　喷涂结束后湿膜测厚

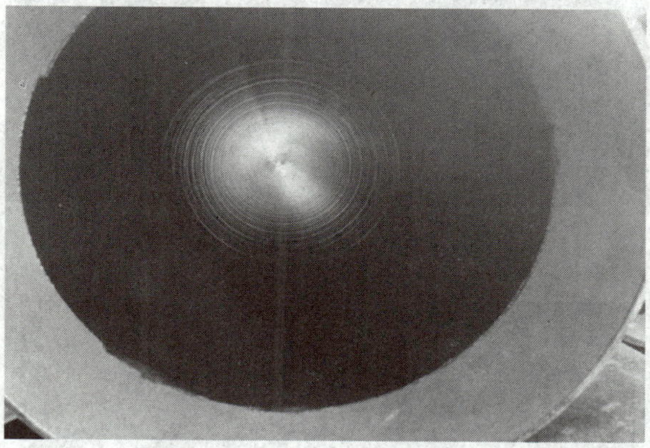

图6　实干后外观质量检查

(3) 漏点检测：待内防腐管完全实干后，用电火花检漏仪对冷却后的涂敷钢管进行100%的检测，检测电压为5V/μm(以设计文件要求为准)。

若发现漏点即为不合格，及时做好标记，并及时使用补口机器人进行重新喷涂补漏。

测头的有效宽度要大于螺距，以保证100%的检测。

4.7　内防腐管道成品保护

将防腐完成的钢管逐根倒运防腐管至成品管堆放区，每处堆放场设置两条平行管墩、上方设置沙袋或软织物，最下层两侧的防腐管应用木楔或沙袋固定以防止滑管，防腐管的允许堆放层数为应符合《埋地钢制管道聚乙烯防腐层》的要求，不同壁厚、不同防腐等级的防腐管，热煨弯头、冷弯弯管等应分开堆放，并设置标识牌。防腐管出厂前，逐根在管端安装坡口保护钢圈，对管端坡口做硬防护。

4.8　现场焊后补口补伤

现场用的补口机器人进入管道除浮锈，先装上除锈机头进入管道，通过视频监控找到需要补的焊口，补口机启动，旋转除锈，除锈完成后，通过视频监控进行验收合格后再进行防腐喷涂补口，补口前调节AB组分的出料速度确保配比满足厂家要求(图8)。可连续补口，管道补口长度可达到500m以上。但管段内管件不得超过一个。

图8　除锈完成后视频监控验收

图9　操作移动小车进行内防腐补口

关于内防腐管道施工收尾及现场补口，重点做好如下方面：

内防腐管道施工收尾：要把每条管线的最后封闭的焊口，留置在阀门或检查井的位置，以便内防腐机器进出管道，杜绝出现最后的封闭口因进出口不合适而无法进行内防腐的问题(图9)。

内防腐管道现场补口：当遇阀井、三通时，土建施工人员或安装作业人员一定要提前与内防腐作业人员沟通，避免出现内防机器进不去、无法拐弯等问题。

内防腐补口见证：内防腐补口质量直接关系到内防腐管道的长周期运行，是内防腐管道施工的关键质量控制点。现场补口时，需按隐蔽工程报检报验程序，请总包、监理现场见证并当场办理书面的隐蔽工程施工记录。

4.9　检查验收

现场补口完成后，由施工单位请监理、业主及质量监督站，使用机器人视频传输工具(可电动行走的内窥镜及远传器)，对内防腐管道补口施工质量进行检查(图10)。

图10　使用内窥镜进行内防腐质量检查验收

5　内防腐施工特点

5.1　施工质量好

(1) 无溶剂环氧煤沥青漆AB组分在喷杯中在离心力的作用下充分混合，通过喷杯旋转及轨道推动喷杯在管道内部进行喷涂，完成管道内防腐，保证了施工质量。

(2) 对旋喷速度、行走速度和泵料速度、管道及喷涂小车同轴度调整进行微调达到内防腐厚度均匀，一般设定喷涂小车行走速度为2min/m，提高了施工精度，使施工质量更好控制。

(3) 采用实时视频传输系统，并配置旋转和照明设备，保证整个管道内部影像的清晰度和明暗度，避免出现因无法看清内部情况引发的漏涂情况。

5.2　施工操作简便

(1) 外购成品遥控移动小车作为管道内爬行的工具，该移动小车具有自重小、移动顺畅、所需牵引力小、使用电动遥控操作等优点。爬行时可根据管径调节喷杯高度，使喷杯处于管中心，确保喷涂均匀。移动小车动力系统采用锂电池设计，满电状态可以使用 8h。并设置有备用动力系统，主动力系统失效时，自动切换备用动力系统，避免了小车在管道内部无法移动的情况。

（2）内防腐补口除锈分别采用两套机头，共用一套电源，更换时只需更换连接线即可，采取机头分离的方法，方便携带及更换。

5.3 施工风险低

工厂化预制喷涂法进行管道内防腐采用管道静止、喷涂小车水平行进方式进行防腐施工，相较于人工浇涂方式施工减少了吊装次数，风险更低。

5.4 施工成本低

工厂化喷涂吊装只需要一台 10 吨行车即可，相较于人工浇涂施工极大地减少了吊车台班。采用使 AB 组分在喷杯内混合的喷涂方式，即可实现“喷涂多少用多少”的状态，减少了原材料的浪费。

6 内防腐质量控制要点

（1）内抛丸及喷砂除锈要严格控制锚纹深度及表面清洁度，除锈效果应达到 Sa2.5 级。

（2）AB 组分涂料配比严格按照厂家说明书进行，并尽量减少稀释剂的使用，已混合的涂料要在 4h 内使用完毕，已固化的涂料严禁加入稀释剂后再次使用。

（3）调整生产线高度，调整钢管与喷杯同心，使成型后的内防腐层厚度均匀。

（4）调整喷涂小车的行走速度控制在 2m/min 为宜。

（5）在开始喷涂前，对 AB 出料泵在单位时间内出料量进行称重（一般单位时间取 5min），使其达到要求配比。合理调整出料量即可对防腐层厚度进行调整。

（6）被涂管道表面温度应≥露点 3 度。冬季施工时要对管壁进行预热，管壁温度≥10℃。

（7）冬季管道喷涂后，静置固化要采取冬防措施（摆放油酊取暖器）保证室内温度≥10℃。

（8）用电火花检漏仪对冷却后的涂敷钢管进行 100% 的检测，检漏电压为 6kV。发现漏点，及时标记并处理；测头的有效宽度要大于螺距，以保证 100% 的检测。

7 结论

管道内防腐，采用喷杯内混合内防腐施工技术，通过控制抛丸角度保证抛丸质量、合理搭配抛丸材料的比例，提高了抛丸施工的效率，采用组分自动混合的方式，在提高了涂料融合效率的同时保证了施工质量，对喷杯行进速度进行测试，最终调整好稳定的行进速度，减少了内防腐返工率，节约了施工成本，提高了施工效率，缩短了施工周期。

通过工程实践，总结出了一套成熟的内防腐管道喷杯内混合内防腐施工技术，为后续的内防腐管道施工具有一定的借鉴意义。

参考文献

[1] SH/T 3022—2019，石油化工设备和管道涂料防腐蚀设计规范[S].

[2] SY/T 0457—2019，钢制管道液体环氧涂料内防腐层技术标准[S].

[3] AWWA C210—2007，钢质水管道液体环氧内外防腐层[S].

常减压装置超大直径裤型转油线施工技术

徐伟红　郭　杰　苟明跃　肖志勇　李志波

（中国石油天然气第一建设有限公司）

摘　要　本文以某炼厂1000万吨/年常减压装置减压转油线复合材料管道冷紧及特殊支架安装为例，对裤型大直径转油线管道的冷紧、防振措施施工关键技术进行介绍。阐述裤型转油线对称设计布置型式，对转油线低速段冷紧焊缝预留、减摩支座偏装定位、焊缝冷紧长度预留、冷拉伸受力计算与加固的施工技术进行剖析和论证，介绍利用弹簧减振组合支架、特殊导向支架减小管道振动的施工技术。重点分析转油低速段鞍式组合支座与导向支架安装要点，大直径转油线工厂化深度预制、分段到货、模块化安装施工工艺，为同类型转油线施工积累经验。

关键词　裤型转油线；冷紧；防振；施工技术

1　引言

转油线是常减压装置中的最重要的管道之一，运行工况比较苛刻，介质为经加热炉加热后的高温原油，操作温度可达380℃～420℃。转油线多为大直径复合材质，焊接难度大，安装精度和质量要求高。在安装过程中采用冷拉施工的方法平衡转油线在运行过程中所产生的热应力。因此，常减压转油线施工质量直接影响整个装置运行和最终产品质量。某炼厂1000万吨/年常减压装置转油线分为常压转油线和减压转油线，常压转油线最大直径为DN1600mm，壁厚为(14+3)mm，材质为Q245R+317L，冷紧间距为89mm。减压转油线最大直径为DN3900mm，壁厚为(18+3)mm，材质为15CrMoR+317L，设计要求冷紧间距为150mm。两套转油线均采用了套鞍座式组合支架和隔而固型阻尼器。

2　裤型转油线的结构与设计

以减压转油线介绍为例，减压转油线低速段是从加热炉出口至减压塔进料入口段，由分支集合管、裤型三通、直管段三部分组成。

“裤型三通”其外形近似裤子状，用于连接转油线分支集合管与直管段，属于转油线最重要的组成部件。管道介质通过裤型三通后压力降低，介质变为气液两相；两相流介质因压降，以及气相和液相流动速度不同，极易产生振动，引起管道振动。所以蒸馏装置将减压塔、减压炉和转油线设置于同一轴线上，转油线的低速段成直线布置，炉管在低速段两侧对称布置，形成一种裤型分布，用于减少管道的振动。常见裤型转油线结构设计有两种，二合一同轴对称布置，和四合二、二合一同轴对称布置，详见图1、图2。

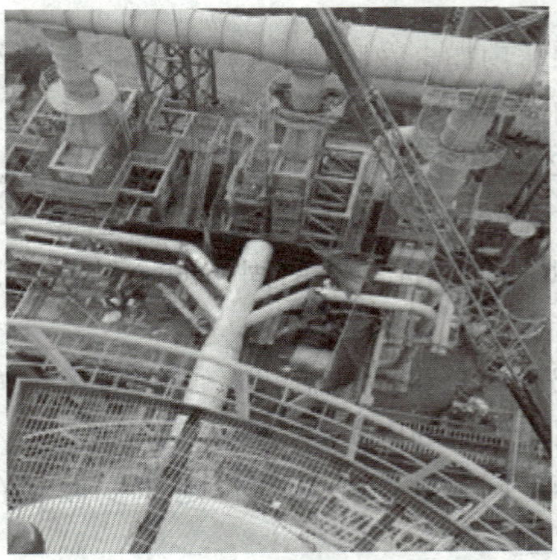

图1　常压塔二合一同轴对称布置实景图

图2　减压塔四合二、二合一同轴对称布置实景图

此次施工的常减压装置常压塔转油线设计型式为二合一同轴对称布置，减压塔转油线设计型式为四合二、二合一同轴对称布置。转油线的低速段长度需要保证管道内部介质有足够的时间进行气液相分离，同时为防止管内残存液体，低速段还应有一定坡度，保证液体流向塔内。

转油线采用工厂化深度预制、分段到货、模块化安装的施工工艺进行，不仅缩短了现场施工时间，降低成本，同时质量、安全也得到有效控制。

3　大直径裤型低速段冷紧施工关键技术

常减压装置减压转油线低速段结构为最大管径 DN3900，过渡段分为 DN800，与 DN1500 两级，采用复合材质 15CrMoR+317L，最大管道壁厚 18+3mm。

DN800 过渡段共 4 段，模块化制造到货，与 DN1500 段连接处预留焊口 4 道；DN1500 过渡段分两段模块化制造到货，与裤型三通连接处预留焊口 2 道，DN3900 直管段接减压塔入口处预留 1#焊接口为本次冷紧焊缝；低速段转油线分段如图 3 所示。

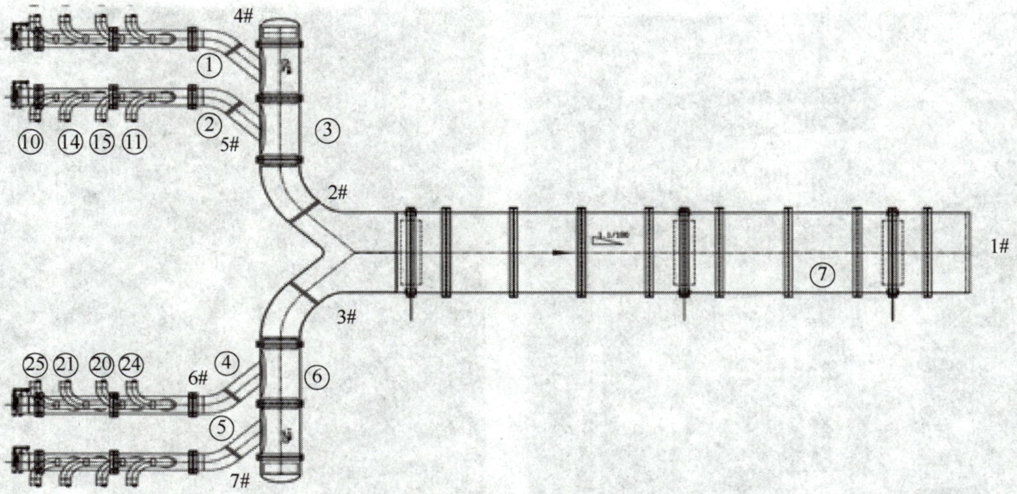

图 3　转油低速段分段及预留焊缝布置示意图

低速段转油线冷紧施工重点从以下三个方面进行。

3.1　直管段三个减摩支座的定位

低速转油线冷紧量主要依靠直管段的形变来补偿，形变的产生会导致管道支架的位移。因此在管道支架的安装定位时需要提前计算形变后的管道及支架位移量，根据转油低速段冷紧设计长度与支座图纸间距来逆向计算冷紧后管支架的安装位置。

低速段管道支架安装定位重点是三个减摩支座定位安装；施工过程中需要通过支座定位准确反馈来定位管道位置，而不直接采取管道长度进行定位，原因：(1)低速段管道加工时为应对现场施工，一般会预留少量余料用以调整；且裤装三通与直管段整体到货，容易产生较大测量误差。(2)整体施工步骤从低速段到高速段，管道未安装前利用支座优先定位最直接有效，安装后管道中心距测量作为复核。

3.2　设备冷紧焊口组对前下料时预留冷紧长度

低速段安装吊装就位后可实际测量出低速段制造毛料，随后对比设计冷紧量，计算出实际需切割长度，如若无一次性完成把握下料准确，可预留 10~20mm 余量待冷紧前二次切割修坡口。

3.3　冷拉点设置及加固措施

本次安装转油线总重 82T，摩擦因素最大取 0.1，水平拉力 F 计算 $F=\mu mg=0.1*82000Kg*9.8N/Kg=80360N$，拉伸点的选择要确保直管段受力均匀且距离塔口不宜过长。拉伸位置最终选在距离冷紧焊缝 2m 的地方，在转油线水平方向两侧对称焊接 2 个吊耳用于固定拉紧设备。

现场施工时首先在低速段减摩支座下安装 2 个 50T 液压千斤顶向上，用以减小管段摩擦阻力，冷拉位置采用 2 个 20T 电动葫芦对称分布(如图 4 所示)，卡扣挂于管口加筋板(& =

20mm)，钢丝绳套在管道导向套管（325 * 16mm)，同时大管道底部外加 1 个 10T 手动葫芦保证辅助平稳拉伸，拉紧过程的中两台电动葫芦匀速保证同步进行，且两侧须有测量人员保持间隙均匀。手动在冷拉对口完毕前复合调整 1.1/100 的坡度，大管道鞍座与护板分体到货预留给管道坡度调整。

冷紧工作进行前优先对转油线的标高、尺寸、预留冷拉间隙、坡度等进行调整，报验合格后再开始冷拉。冷紧完成时，转油线与减压塔接口的局部错边量可能较大，利用千斤顶或手动葫芦来调整错边十分困难，并且对接焊缝因拉伸不均匀可能会产生较大应力。因此冷拉前在管道内部焊接管式十字架进行加固，防止热切割以及安装过程中局部变形，同时在管道内部设置千斤顶进行局部调整，最大限度减小组对偏差。

冷紧口的施工为整个管道安装工程的重点，它的施工程序复杂，且难度比较大 ，直接影响工程的进度和质量，控制好这一步骤就是工程顺利进展的关键。从优先定位支座位置反方向再核对管道、拉伸过程的水平对称不间断测量两个关键施工方法有效提高了工作效率。本次施工 DN3900 低速段大管道冷紧与组对仅用了不到 2 个工日，同时这种施工方法也保证了施工质量，该工程中所有的冷紧口焊道射线检测均 100% 合格。

图 4　拉伸冷紧过程实景

4　大直径裤型低速段防振施工关键技术

转油线因其管径大，内部存在气液两相，介质流动速度不一致，会引起管道的振动，需要通过支架来进行减振。

4.1　弹簧减振组合支架

通过在高速段立管及水平管和低速段设置弹簧支架，用来吸收上下位移，使设备管口的受力始终保持在允许的范围内。通常设计图上管架的结构形式选用柔性管架居多，与之匹配的管架顶面会设弹簧支座，见图 5，钢套筒、可变弹簧、阻尼器组合支座。当选用刚性管架结构，在管架顶面除设弹簧支座外还应在弹簧支座下设滚动支座或采用摩擦系数<0.1 的垫板。

在主管管道吊装前，需先将弹簧支架安装就位。在安装支架时核对支架的型号、载荷值、位移值等参数，按照管道的坡度，核算出每一支架的安装标高，对支架进行调整、找正。待主管就位后、投运前后再次复核。弹簧支吊架的定位销在转油线进油前把定位销拆除，确保在油运中位移值满足要求。

4.2　特殊导向支架形式

减压转油线管道低速段以操作温度高，管道直径大等特点，成为减压装置的设计关键。因减压塔本身进料温度较高，塔体受热膨胀后会有向上的热位移；同时转油线低速段本身温度也较高，管道要产生很大的轴向热胀；此外转油线低速段直径大，承受较大的风荷载。基于以上受力原因，减压转油线低速段在确保承重支架的同时，还要考虑管道的水平稳定性，即需要增加合适的导向支架来稳固管道。转油线低速段支架设置不当，可能会导致管道振动，致使管道系统失稳，严重时还会出现安全生产事故。因此做好转油线管道的导向支架设计与安装，使低速段转油线运行更平稳，是十分关键的问题。

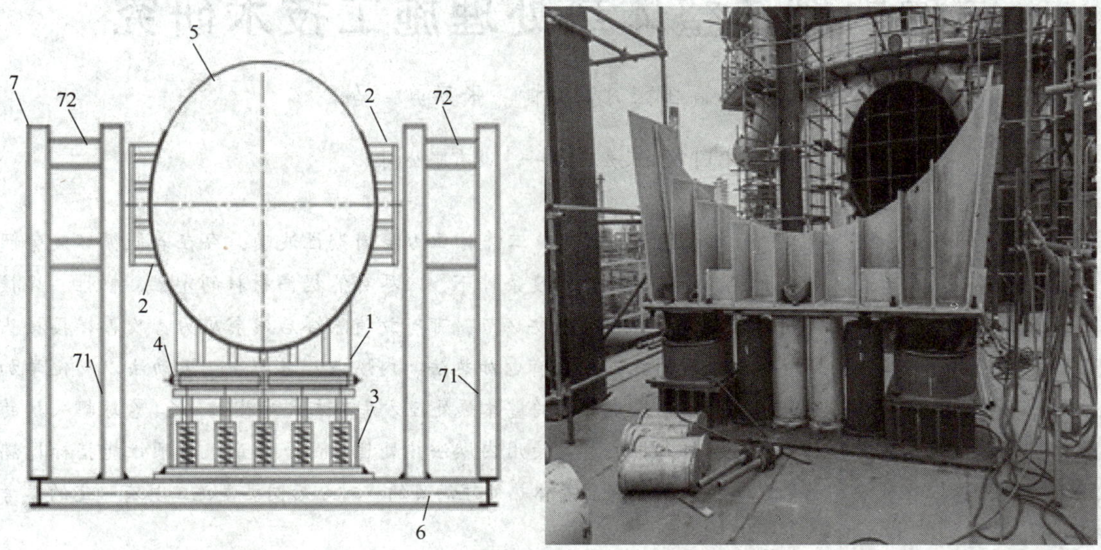

图5　刚性套筒结合可变弹簧支座图

4.3　支架防振施工关键

根据转油线管道应力分析计算结果，在减压转油线管道上选取合适的导向支架位置，本文所介绍的减压塔低速转油线共设计3套DN3900鞍式组合支座，5套DN1500鞍式组合支座，12套DN800鞍式组合支架，以及6套隔而固型阻尼器安装。

转油线管道导向支架，包括承重鞍式支座、侧鞍式支座、弹簧支座以及滚轮组件。承重鞍式支座固定安装在转油线管道的底部，转油线管道的两侧对称设有侧鞍式支座，侧鞍式支座中心与转油线管道的中心轴线一致；弹簧支座固定在管架梁上，滚轮组件安装在弹簧支座的顶板上，承重鞍式支座设置在滚轮组件上；每个侧鞍式支座的外侧均设有导向挡板，侧鞍式支座与导向挡板之间具有间隙；安装时，承重鞍式支座向转油线管道轴向热胀的反方向严格按尺偏装设置。可使减压转油线管道运行更平稳，有效防止转油线管道在工作时因热胀和风荷载造成的管道偏离，同时可防止或减轻转油线管道振动。

转油低速段鞍式组合支座与导向支架安装要注意以下三个关键点。

(1) 完善钢结构构架。测量复核支架底座所在位置是否存在钢结构与之匹配，若钢结构无法满足支架安装要求，需联系设计确定方案；对鞍式组合支座优先安装件3，将阻尼部分固定、套筒进行临时安装

(2) 可变弹簧、底板组合件、减摩支座的安装。严格按照图纸，根据管道坡度计算管道支架的标高，根据需要调整套筒标高，至满足弹簧在可变范围内调节时能满足设计使用要求。安装后再将所有支架进行统一复核。

(3) 根据设计冷紧距离和支座位置，计算支架在冷拉下的位移量，沿冷拉方向向前移动相应的距离作为支架安装位置。注意支架保持轴线和水平标高不能改变。

5　结论

本文通过总结大直径裤型转油线的施工经验，从施工安装角度重点介绍了转油线低速段冷紧工序、难点、要领，详细描述了低速段鞍式组合支座与导向支架安装要求与注意事项。有效缩短施工进度，降低施工成本，安装质量可控，保障装置的长周期安全运行。

参　考　文　献

[1] 40B229—1998 常压和减压转油线管道设计技术规定.

球罐内燃法整体热处理施工技术研究

雷　威　高田阳　董　博　张万勇　马　彬

（中国石油天然气第一建设有限公司）

摘　要　球罐是一种焊接受约束较大的压力容器，工作时压力呈周期性波动，存在着低循环疲劳问题。疲劳破坏是其失效形式的一种，在保证一定的强度条件下，应尽可能提高材料的塑性、韧性、焊接性能，而球罐焊后整体热处理是球罐建造过程中的重要环节，可有效消除焊后残余应力，改善焊接接头力学性能。国内外对球罐焊后整体热处理的施工方法有电加热法、内燃法、爆炸法、振动法以及化学加热法等，目前国内现场施工常采用内部喷射燃烧加热的整体热处理方法。本文对某石化24台球罐采用的内燃法整体热处理工艺及操作要点进行详细描述。其使用内燃法热处理后的产品试板各项性能指标均满足设计要求，球罐各项检测结果合格，达到了焊后整体热处理的目的，对今后同类型施工具有一定的参考意义。

关键词　内燃法；球罐；整体热处理

1　引言

球罐整体热处理是改善球罐性能的方法，通过整体热处理既可以消除焊接残余应力、稳定球罐的形状尺寸、改善焊缝的显微组织、提高焊缝的塑性、降低热影响区的硬度、提高焊缝抗应力腐蚀能力，又能使焊缝中的氢得到充分释放，对减少氢脆引起的延迟裂纹起到重要作用。目前，国内外对球罐焊后整体热处理的施工方法有电加热法、内燃法、爆炸法、振动法以及化学加热法等，目前在我国电加热法及内燃法的技术工艺较为成熟。由于电加热法只适用于400m^{3}以下的小型球罐，而内燃法以热处理时间短、现场施工方便、成本低及适应性强等优点而被施工单位所普遍采用。

某石化22台3000m^{3}球罐，2台1000m^{3}球罐均采用了内燃法进行球罐焊后整体热处理，使用0#柴油作为燃料，其热处理后的产品试板各项性能指标均满足设计要求，热处理后的各项检测、试验结果合格，其热处理效果良好，本文以其为例作简要介绍。

2　热处理前的准备

（1）热处理前应按照GB 50094—2010《球形储罐施工规范》第8.1.2节的要求，具备相关条件。

（2）承担CF系列钢制球罐焊后热处理的单位，须取得容标委颁发的CF钢制球形储罐焊后热处理资质。

（3）现场保温材料、燃料油准备充足，热处理设专用电路，热处理所用热电偶、温度记录仪等经过校准并在有效周期内，仪表精度应达到1%的要求。

（4）松开支柱地脚螺栓、支柱间拉杆，并检查确认支柱与地脚螺栓的位移间隙、支柱与基础预埋板之间润滑。

（5）拆除球罐内部一切临时设施，并清扫干净，进行热处理的球罐区域内不得有杂物、障碍物等不安全因素存在，热处理危险区域设置明显的警示标志和安全区域隔离标志。

（6）热处理前24h内，应准确掌握天气预报情况，大风、降雨天气不得强行进行热处理作业。

3　热处理工艺

内燃法采用球罐腔体作为炉膛，球罐外侧用保温材料进行绝热保温作为炉体，选用全自动比例燃烧器进行加热，随着燃料油不断燃烧，产生的高温气流在球罐内进行对流传导和辐射传热，使球罐升温到热处理所需的温度。

热处理的设施主要由保温系统、加热与控制系统、检测温系统和柱脚移动装置组成(图1)。

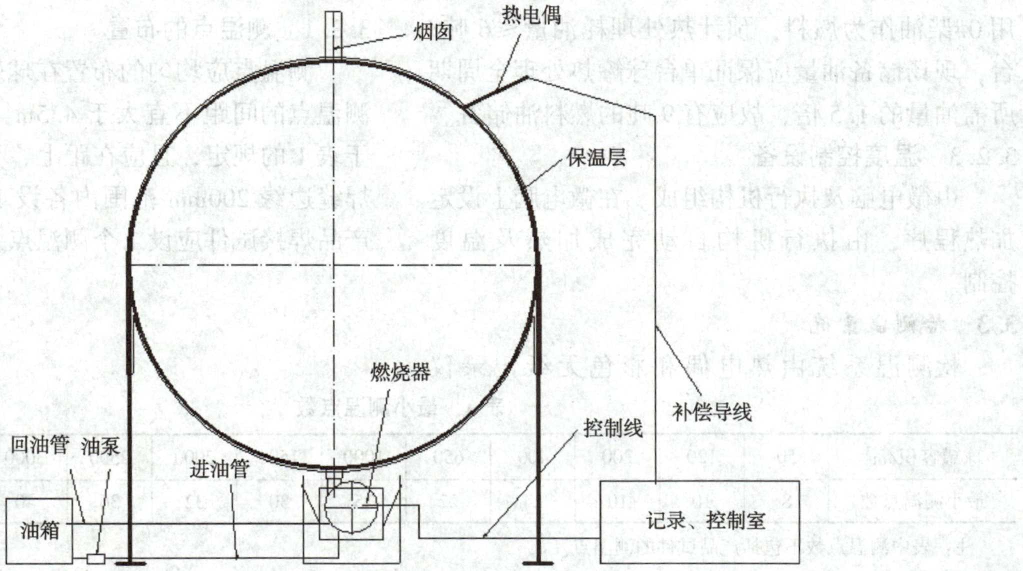

图1　热处理系统示意图

3.1　保温系统

球罐热处理过程中，保温材料的选用、保温施工质量的好坏，直接影响着热处理质量。

3.1.1　保温材料选用

保温材料应选取能耐热处理最高温度、容重低、导热系数小和施工方便的保温材料，同时也要考虑经济效益和环保要求。保温材料一般选择硅酸铝纤维、超细玻璃棉和岩棉三类材料，其中硅酸铝纤维保温效果最好，超细玻璃棉次之。本工程根据现场实际情况，选用了硅酸铝纤维毯(7000×800×50mm)作为球罐保温材料。

3.1.2　保温材料施工

(1) 保温材料安装采用14号铁丝将保温材料穿扎牢固，固定在钢带保温钉上，再用8号铁丝沿球罐一周扎紧。保温层铺设保温材料2层，各层之间的接缝应错开300mm以上，同层保温材料搭接宽度应大于200mm。

(2) 保温施工应自上而下逐层进行。铺设时，均用铁丝在球壳板上固定牢靠。保温材料与壁板之间局部间隙不得大于20mm。保温层在整个热处理过程中应贴紧球壳板表面，防止在热处理过程中松动和脱落。

(3) 球罐上的人孔、法兰、接管、连接板及烟囱均应进行保温，支柱与球壳板连接处向下1000mm范围内也应进行保温。

(4) 重点关注下极板部分的保温施工情况，保温材料收束时注意与球壳板之间的间隙，避免出现保温棉层下坠从而与球壳板严重脱离的现象。

(5) 在热处理过程中，保温层外侧温度不超过60℃。

3.2　加热与控制系统

加热与控制系统由燃烧器和温度控制设备组成。

3.2.1　燃烧器

燃烧器选用全自动比例燃烧器，可在热处理过程中辅助人工操作贫油燃烧法，即通过减少油量提高风量用短焰燃烧，如上部温度出现下限时，可短时加大油量拉长火焰，缩小温差。本工程球罐热处理选用了EK 9.850 L-R型燃烧器。

燃烧器用四个倒链固定在临时搭设的脚手架上，并与球罐底部的下人孔法兰连接，下人孔法兰与燃烧器之间用保温材料隔热、密封。加热过程中温度每升高200℃需放松固定燃烧器的倒链，调整燃烧器位置。(图2)

图2　燃烧器安装现场图

3.2.2　燃料油储备

燃料油的用量可根据SH/T 3512—2011的附

录D进行热工计算确定。本工程球罐热处理使用0#柴油作为燃料，预计热处理耗油量≤6吨/台，现场储备油量应保证单台球罐热处理全周期所需油量的1.5倍，故应有9吨的燃料油储备。

3.2.3 温度控制设备

由微电脑及执行机构组成。在微电脑上设定加热程序，由执行机构自动完成加热及温度控制。

3.3 检测温系统

检测温系统由热电偶和彩色无纸记录仪组成。

3.3.1 测温点的布置

测温点应均匀的布置在球壳表面上，相邻两测温点的间距不宜大于4.5m，测温点数不应少于表1的规定，且应在距上、下人孔与球壳板环焊缝边缘200mm范围内各设1个测温点，每个产品焊接试件应设1个测温点。

表1 最小测温点数

球罐容积/m^3	50	120	200	400	650	1000	1500	2000	2500	3000	4000	≥5000
最小测温点数	8	10	10	14	22	25	30	32	36	40	45	50

注：表中测温点数不包括产品试件的测温点。

表1中规定为最低要求，实际施工过程中可根据热处理设备工况和测温点布置要求增加热电偶数量。以本工程3000m³球罐为例，单台罐共布置54个测温点，详见图3。

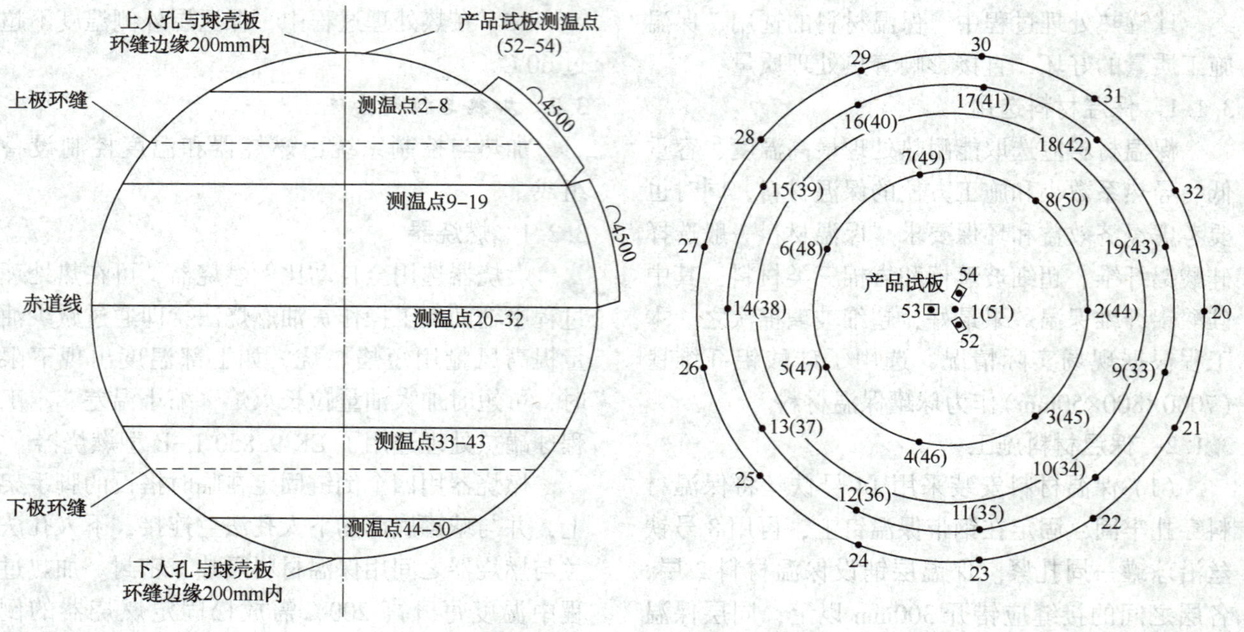

图3 3000m³球罐测温点布置图

3.3.2 测温热电偶安装

(1) 测温热电偶安装使用单开槽螺母和配套的压紧螺栓，使用前应仔细检查，螺栓在开槽螺母中拧至端头。

(2) 保温材料安装之前，将单开槽螺母按照测温点布置定位焊于球壳板指定位置上，并拧紧压紧螺栓。待保温材料安装完成后再安装热电偶。

(3) 热电偶安装时，用电工刀将压紧螺栓周围的绝热材料切开一块，松开压紧螺栓，待热电偶安装后再拧紧，使热电偶的热端紧贴球壳外壁。安装时需按照热电偶编号与测温点布置图一一对应。

(4) 热电偶补偿导线由铜–康铜导线制成。每条补偿导线选用整条导线，中间应无断头或接头。补偿导线与热电偶连接后，固定于离壳体保温层外围500mm以外的位置上，不得与保温层外的保温铁丝相接触。补偿导线两端的编号应一致，便于及时、迅速地确定测温部位。

3.3.3 温度监测

温度记录使用彩色无纸记录仪。配置40通道彩色无纸记录仪2台，共可记录80个测温点，用于记录球罐的温度。

3.4 柱脚移动装置的布置

1)柱脚移动装置由千斤顶、移动杠杆、移动杠杆支架及柱脚弧形护板等构成，详见图4。

图4 柱脚移动装置示意图

(2)热处理过程中需及时调整支柱使其处于垂直状态，球壳板平均温度每升(降)100℃，柱脚移动一次，升温向外移，移动柱脚时应平稳缓慢。

(3)支柱位移量可根据下列公式进行计算，以计算量为参考进行柱脚调整。

支柱位移量计算公式：$\Delta S=L\times\Delta t\times Z$

式中，L 为球罐中心至支柱中心的距离(mm)；Δt 为温度变化区间；Z 为球壳板的线膨胀系数。

通过查询对应材质的线膨胀系数，可以计算出球罐柱腿各个升温区间的位移量，作为现场测量位移量的参考。普通碳钢的线膨胀系数详见表2。

表2 普通碳钢的线膨胀系数

温度/℃	100	200	300	400	500	600
线膨胀系数(10^{-6})	8.31	10.99	12.31	13.22	13.71	13.94

4 热处理操作要点

4.1 试烧

(1)燃烧器点火前开启鼓风机，用空气对球罐内部吹扫。

(2)加热系统在投用前检查油路有无泄漏，油泵、风机转向是否符合要求，检查合格后试烧。试烧时间为10min，试烧过程中若发现设备缺陷，需待火焰熄灭后进行彻底检查消除。

4.2 风油比调节

(1)点火时，向燃烧器内先送风后给油，稳定燃烧约10min，管路压力不应小于0.05MPa。

(2)升温过程中，应先加风后加油，温度达到400℃以上时，升温速度控制在50~80℃/h的范围内。

(3)调小火焰时应先减油后减风，降温时先关闭燃料油阀、再关鼓风机，最后关点火器。降温速度从热处理温度到400℃时控制在30~50℃/h的范围内。

4.3 温度监控

(1)热处理过程中，设专人定岗操作和监视测温系统。升、降温期间每间隔30min记录各测温点温度一次，发现测温部位失灵，及时修复；对热处理过程中出现的偏差可采取增或减喷油量的方式及时调整。

(2)400℃以上的升温和降温阶段中，球壳表面上任意两测温点的温差不得大于120℃。

(3)在热处理过程作好书面记录。记录曲线、数据和图表，应清晰、整洁，不得随意涂改，最终提交的热处理温度记录、图表，应注明设备位号、规格及热处理的日期，并经热处理工程师确认。

5 案例分析

某石化22台3000m³球罐，2台1000m³球罐使用内燃法进行焊后整体热处理，热处理效果良好：

(1)焊后整体热处理工艺与作业指导书一致。实际操作的热处理曲线符合热处理工艺要求；

(2)热处理后，球罐几何尺寸无异常变化，复测支柱周向和径向的垂直度均满足要求，拉杆对称均匀拧紧，中部的挠度符合验收规范的计算值；

(3)热处理试板的力学性能试验结果满足设计和标准要求；球罐焊缝进行硬度检测，检测结果均符合设计要求。

该24台球罐焊后热处理质量均符合设计要求，各项技术指标达到验收规范要求，现已通过业主组织的竣工及行业验收，得到了业主和监理的一致好评。(图5)

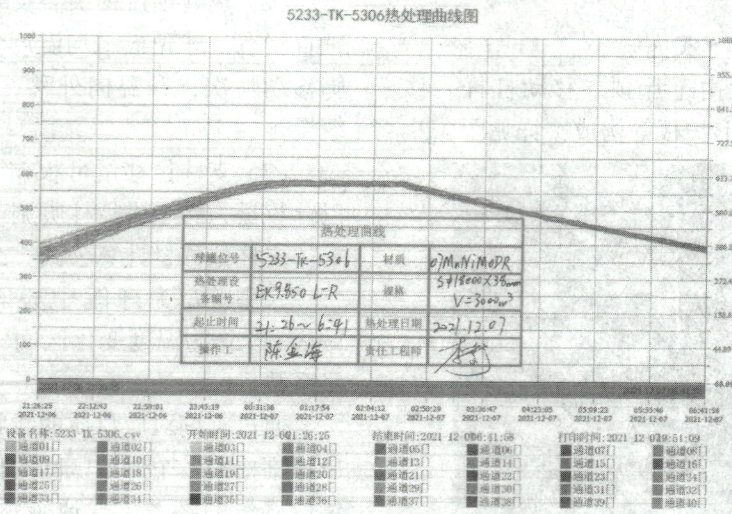

图5　现场热处理曲线图

6　结论

使用内燃法进行球罐焊后整体热处理，能使球罐焊缝和热影响区的塑性及韧性得到了有效改善，很好地消除焊接残余应力，达到了焊后整体热处理的目的。该方法所需设备简单，操作方便，作业人员少，热处理效率高，施工作业受环境因素影响较小，降低了建设成本，提高了生产效率。

参　考　文　献

[1] 邢云鹏．球罐整体热处理控制措施[J]．中国石油和化工标准与质量，2011，31(08)：100-108.

[2] 莫乾赐，鞠成伟，黄健等．浅谈球罐焊后整体热处理[J]．装备制造技术，2007(07)：51-54.

[3] 黄炽东．球罐内燃法整体热处理工艺的应用[J]．广东化工，2006(10)：81-83.

[4] GB 50094—2010，球形储罐施工规范[S].

[5] GB 12337—2014，钢制球形储罐[S].

[6] SH/T 3512—2011，石油化工球形储罐施工技术规程[S].

竣工资料数字化移交技术在石油化工系统的应用

李培雄　刘清涛　夏明新　韩廷檀　陈志浩

（中国石油天然气第一建设有限公司）

摘　要　中石油集团公司在广东石化炼化一体化项目进行竣工资料数字化移交系统的试点工作，以此推动竣工资料从纸版、不规范的低效方式转型为建立科学、规范的竣工资料全数字化交付项目管理模式，提高竣工资料的信息化管理水平，为其他项目推广应用积累经验。竣工资料由传统的纸质资料移交过渡为线上数字化交付是今后资料归档的总趋势。本文以广东石化炼化一体化项目110万吨/年气分装置仪表专业在广东石化EPM信息系统进行的数字化交付试点为例，介绍了竣工资料数字化移交的全过程、重难点及优化建议。

关键词　竣工资料；数字化；移交；归档；石油化工

竣工资料移交工作是工程建设项目中的重要内容，在现有资料体量巨大、资料种类繁多，施工队人员繁杂整体素质参差不齐、各方组卷困难的前提下，只有保证竣工资料的准确、及时、规范的移交才能顺利保障整个装置的运行和结算工作开展。国外大规模炼厂已经逐步应用相关智能化、数字化交付，竣工资料数字化移交也是大趋势，竣工资料归档达到完工即可归档的同步性，实现高效节约型管理模式。目前国内没有专门针对石油化工竣工资料数字化移交系统，为此，本次中石油集团公司在广东石化炼化一体化项目试点工作，为同行业积累经验，一建公司积极参与和实践广东石化的数字化交付系统的拓展使用和推广工作。

1　数字化交付的流程

通过广东石化EPM信息系统对气分装置仪表专业进行了数字化交付试点工作，此过程中施工、总包、监理及业主各单位对数字化交付平台的使用经历了摸着石头过河的探索过程，通过不断的尝试、纠正、总结，最终形成了气分装置仪表专业数字化交付成果。

EPM信息系统登陆后，菜单栏包括“施工电子化管理”、“文控管理”、“预归档(移交)管理”三部分，其中“施工电子化管理”、“文控管理”用于上传资料，“预归档(移交)管理”用于资料分册组卷；菜单栏右侧是单项-单位-分部分项工程的选择区域，如图1所示。

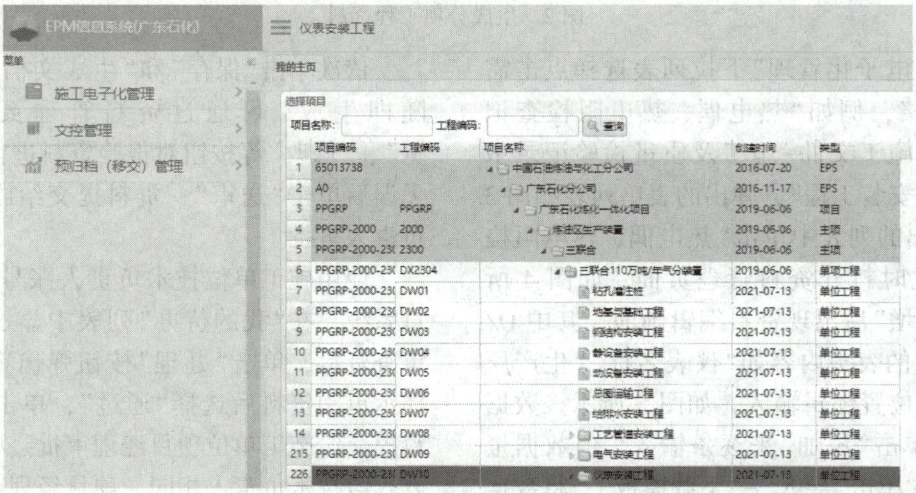

图1　选择分项工程

数字化交付过程可分为审批流程人员的确立、报验资料生成及审批、生成组卷文件及审批三部分。其中审批流程人员的确立需要在开工前完成，数据导入及审批需要与现场施工同步进行，生成组卷文件及审批在施工结束，所有报验资料已审核完即上一步完成后进行。

1.1　审批流程人员的确立

施工单位需要向业主资料管理部门提交上传人、技术负责人、项目经理流程参与人员名单；总包单位需要向业主资料管理部门提交专业工程师、项目经理流程参与人员名单，提交后业主资料管理部门给对应人员建立账号。需要注意的是，技术负责人、项目经理、专业工程师是项目管理人员，上传人根据 Q/SY 1476 表格右下角第一个签字人身份，可能是质量检查员、制表人、校验人、测试人，用谁的账号上传资料，系统生成的资料右下角第一个签字人即会显示谁的名字，上传人名单需要包括项目和施工队需要签字的全部人员。

1.2　报验资料生成及审批

以需要报验的资料第一个签字人作为上传人，用其账号登录广东石化 EPM 信息系统，单击“请选择项目”，在下拉列表中依次选择中国石油炼油与化工分公司-广东石化分公司-广东石化炼化一体化项目-炼油区生产装置-三联合-三联合 110 万吨/年气分装置-仪表安装工程。若报验资料是开工报告、材料进场报验等这类单位工程资料，在下拉列表中双击单位工程的“仪表安装工程”，此时生成的是单位工程资料；若报验资料是能具体到分项工程的资料，例如温度仪表安装检查记录，则应在下拉列表中继续点击分部工程名称，双击分项工程中的“温度仪表安装”，生成分项工程资料。选择画面如图 2 所示。

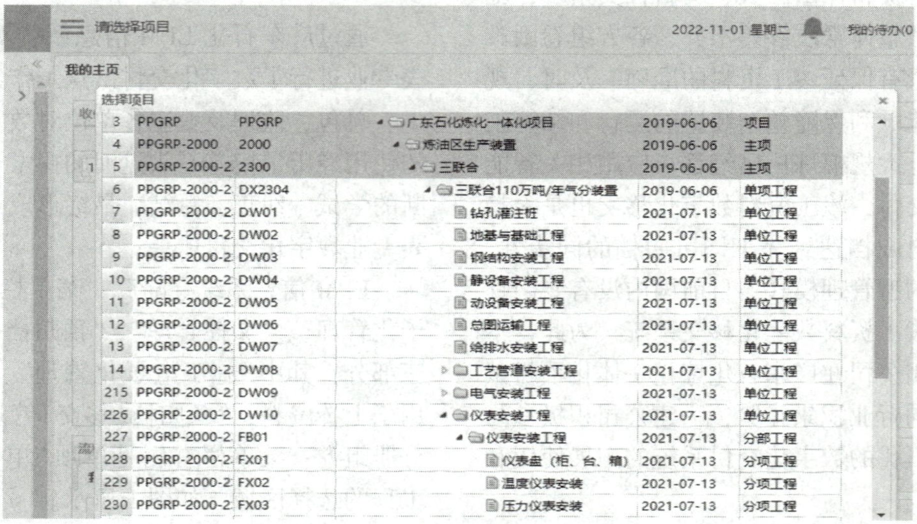

图 2　生成分项工程资料

在“施工电子化管理”下拉列表选择点击需要上传的表格，例如“热电偶、热电阻检查记录”，应单击施工文件-施工及质量检验记录中的“自控仪表安装工程”，弹出的表单列表如图 3 所示。在弹出的列表中单击“热电偶、热电阻检查记录”，此时打开资料管理页面，如图 4 所示。单击“新增”后出现资料编辑画面，其中 Q/SY 1476 表格的表头内容如“仪表名称”“生产厂家”等在对应位置编辑输入，如图 5 所示。数据内容可通过单击“添加”来逐条输入，但数据量较大时应依次单击“导入”-“下载模板”，将数据粘贴在系统提供的模板表格里，再单击“选择文件”将其传入系统，如图 6 所示。

依次单击“保存”和“生成文档”，报验资料随即生成。可通过资料管理页面上的“浏览”、“修改”等按钮对报验资料进行操作，确认无误后单击“送审”，资料提交给施工单位技术负责人审批。

使用施工单位技术负责人账号登录 EPM 信息系统，在“我的待办”列表中显示的内容是待审查资料，单击“办理”按钮弹出审批页面，按提示审阅资料后选择“通过”，单击“提交”，资料提交给施工单位项目经理审批。项目经理审批方式与技术负责人相同，项目经理审批后依次由总包专业工程师、总包单位项目经理审批，并由总包单位项目经理提交给监理单位。监理单位审核通过后资料报验过程结束，资料中需要的签字、盖章皆由系统按录入的图像直接显示在签字、盖章部位。

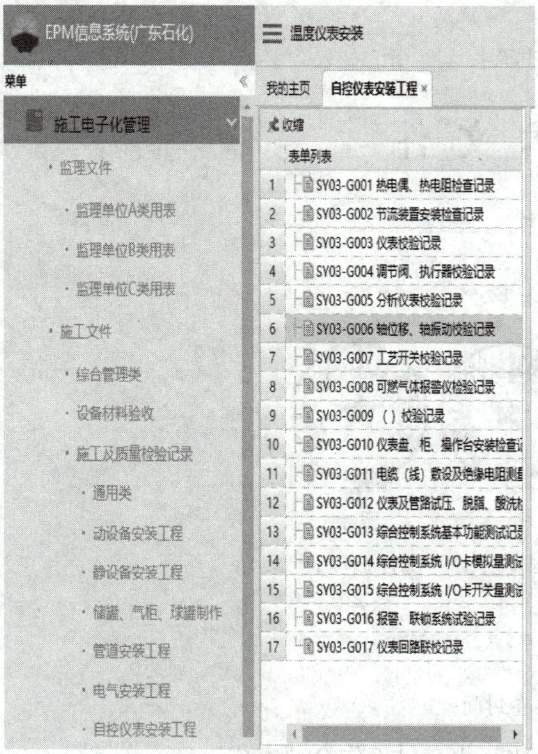

图 3　选择施工记录

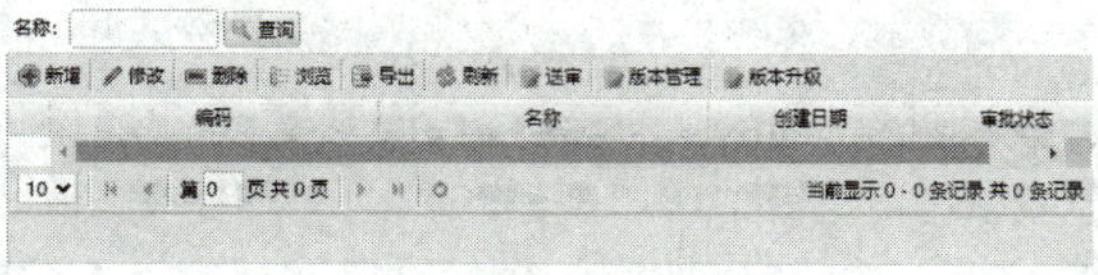

图 4　打开资料管理页面

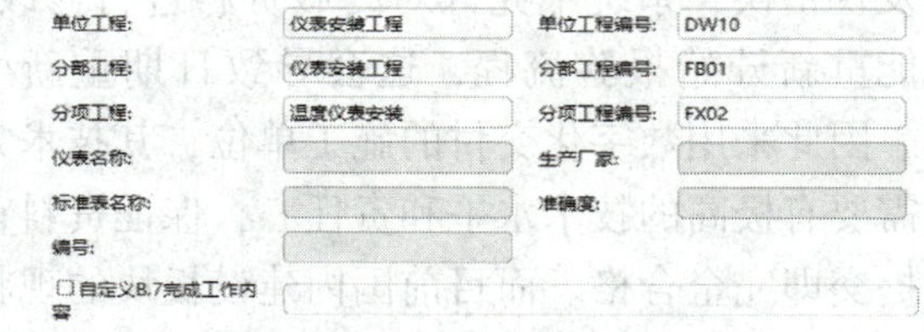

图 5　编辑资料信息

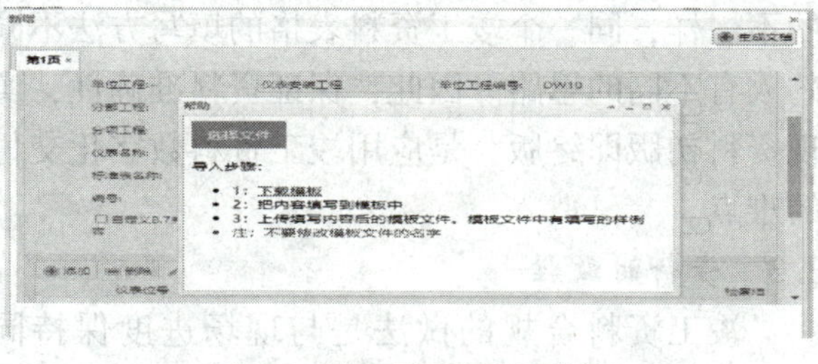

图 6　下载及使用数据模版

1.3　生成组卷文件及审批

在 EPM 系统上按业主规定的组卷顺序和每册厚度进行排序和分册，用组卷编制人账号登录 EPM 信息系统，单击“请选择项目”，在下拉列表中双击单位工程的“仪表安装工程”，此时左侧出现“预归档(移交)管理”选项，单击此选项下拉菜单中的“预归档案卷管理”，在弹窗中选择组卷文件。如第一册第一份文件为工程说明，在弹窗中选择施工文件-单位工程-综合管理类中的“工程说明”选择画面如下图 7 所示。

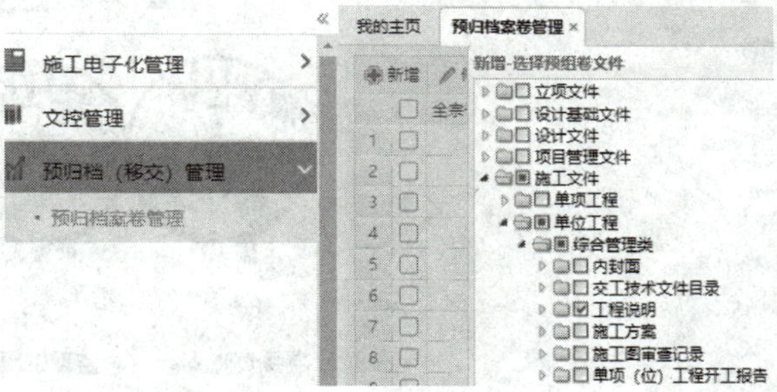

图 7　选择组卷文件

继续勾选施工方案、施工图审查记录等同册中的全部资料，点击“保存”，此时弹出“维护元数据”画面，完善该册资料的题名、保管期限等数据，如图 8 所示。

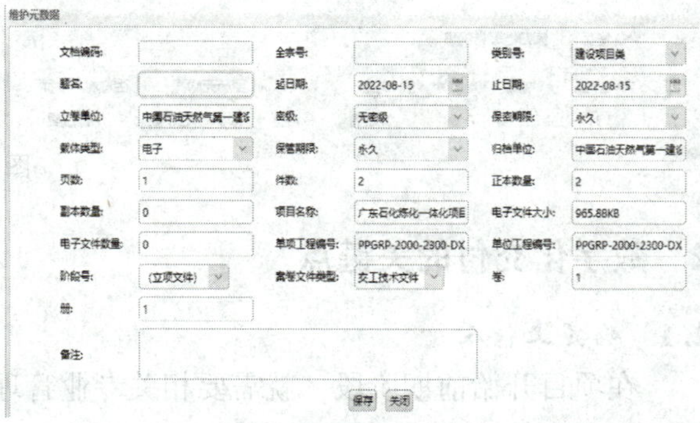

图 8　录入案卷数据

保存后系统对该册资料打包完成，在“预归档(移交)管理”画面上双击该册资料，出现“案卷内文件”列表，列表显示该册资料的目录，可选中目录中的文件并通过“上移”、“下移”按钮调整文件顺序，也可点击“新增”添加其它文件加入该册，点击“删除”删掉已添加文件。文件内容、顺序确认无误后，点击“生成卷内封面”，成功后点击“送审卷内封面”，施工单位项目负责人、总包单位审查人、总包单位项目负责人、监理单位、业主单位逐级审批。卷内封面审批完成后依次点击“生成卷内目录”、“生成卷内备考表”、“送审卷内备考表”，卷内备考表审批完成后点击“生成案卷封面”，至此本册资料全部生成。系统生成封面如图9所示。

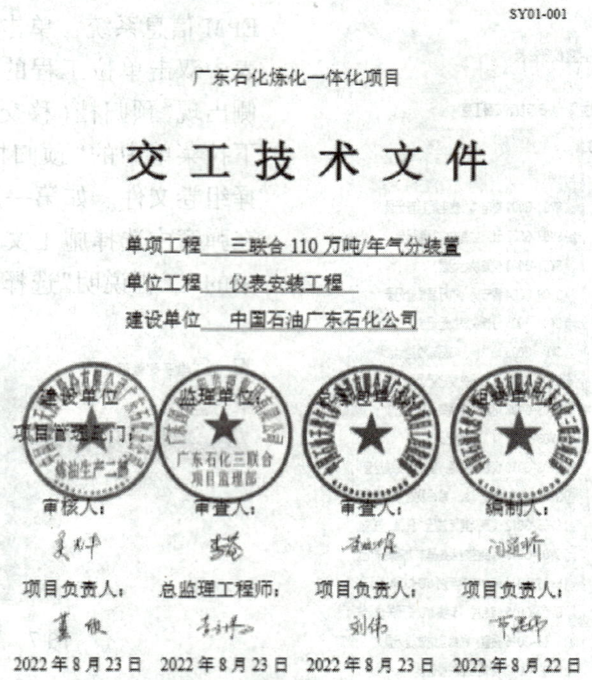

图9　自动生成案卷封面

点击功能栏最右侧的“推送”按钮，本册资料被推送到E6系统，如图10所示，至此本册资料数字化交付工作全部完成。

图10　推送

2　数字化交付的关键点

2.1　确定上传人

在项目开始前期阶段，就需要相关专业管理人员全部到位，需要给所有参与人员开通EPM信息系统账号，第一个资料上传人就是资料中需要第一位签字人员，比如“质检员”、“校验人”、“测试人”、“技术负责人”、“编制人”等，这些上传人员必须和建立质保体系吻合，如果管理人员不及时到位，一方面会导致生成资料中施工单位首个签字人需要签的位置与质保体系不一致，或者错过上传时间，这是一个易错点。

2.2　资料准确性

对于传统的纸质资料，如在报验结束后发现资料有错误，技术人员可以只对错误的内容进行返工修改，不需要重新报验，也不需要把整个资料报验日期推翻。但应用数字化交付系统时，如果审核过程中各审核人未发现错误，在审核完成后发现错误，系统不允许对终版资料进行修改，只能重新开始报验流程，这会导致日期重新生成。因此采用数字化交付的施工单位，其技术人员需要有极高的技术水平和责任心，保证资料首次提交即完全合格。而目前国内建设板块的现状是，资料报验后施工单位内部、业主、特检院等单位均会进行检查，且由于工作经验、规范理解的不一样，同一个竣工资料表格的填写方法不同的人有不同的思路。因此，保证资料准确性，实现资料初版即终版，是应用竣工资料数字化交付的难点。

2.3　资料时效性

竣工资料合规的做法是与现场进度保持同步。但目前国内较大建设项目，往往有着工期紧张，厂家随机资料不及时等现状，在工程实践中，保持资料完全同步有一定难度。对于纸质资料由于日期是手写，有先施工后补资料的情况，但数字化交付系统填补了这个漏洞，资料产生、审批的时间严格按线上操作的时间生成，一旦发生后补资料行为，资料日期会晚于实际施工日期。竣工资料数字化交付会促进行业资料归档的时效性，从过去的追求效率追求速度的粗放型管理模式，向追求质量追求合规性可溯性的精细化管理模式转型。

3 系统存在的问题及优化建议

目前审核流程全部完成的报验资料如发现问题，可点击修改选项，如发生修改行为，对修改操作本身启动审批流程，修改操作审批流程与报验资料审批流程一致，仍需要总包、监理等各单位人员进行确认。建议对审核完成的资料增加修改功能，修改操作审批完成后报验资料日期不变，系统对修改行为进行记录，登录系统后随时可查询历史修改记录。

目前系统生成资料日期为上传资料的操作日期。从现场某个工序施工结束，到将原始记录整理成系统上传用的资料必然存在时间差，上传资料的操作日期晚于实际施工日期是很难避免的。建议上传资料过程增加现场实际发生日期的手动输入栏，生成资料时报审表中各单位日期签字栏显示线上审批时间，资料内容中日期签字栏显示现场实际发生日期。

目前系统在无网络条件下不能操作，考虑到广东石化厂内网络状况，建议新增相关标准表单的离线导入功能，减少表单在线填入工作量，当操作设备联网时自动上传。

部分设备随机资料因压力容器监检证办理周期无法及时随设备到场，建议增加必要的设备、材料紧急放行权限和审批，以免造成材料使用完成、过程资料未报验等情况。

4 结论

竣工资料全数字化交付系统以“过程采集、实时确认、逐日归档、统一组卷”为整体思路，结合炼油化工建设项目特点和竣工资料全数字化交付要求，对建设项目竣工资料进行梳理和分析，确定数字化归档范围，及时、准确、高效的完成整个竣工资料流转流程的进程，提高规范竣工资料的质量、时效性和真实性，对建设、监理、施工的建设项目档案进行分类梳理和结构化处理，统一管理标准、提高使用效率、实现档案移交的价值。

综合效益方面，竣工资料全数字化交付为项目项目管理节省时间和成本，提高沟通和竣工验收效率，EPM 系统成为每天办公必须要用不可或缺的应用系统，无纸化办公、全流程线上沟通扭转，项目管理效率极高，且资料数据永久保存，可追溯性强；节省后期大量的归档时间，提高归档质量，提高竣工验收的效率；便于后期工程审计，大幅提高投资决算完成的时间。

竣工资料全数字化交付在广东石化炼化一体化项目试点推广过程中，总结了一些系统需完善的功能，在试点过程中我单位将这些优化改进建议反馈给业主 EPM 信息系统管理人员，为集团公司后续全面推广，奠定了基础。

竣工资料数字化交付是大势所趋，数字化交付系统根据此次试点总结的改进建议优化后，必定会更适应现场实际需求，为后续全面推广打下坚实的实践基础。

参考文献

[1] 庄运超，唐秀芳，陶磊．机电工程数字化交付方法研究及应用[J]．安装，2022(08)：51-53.

[2] 穆阳．数字化交付与应用意味着什么——石化行业数字化转型实战问道(三)[J]．中国石油和化工产业观察，2022(08)：64-66.

新型三级旋风分离器组合翻转施工技术

王　卓　朱　琦　刘益铭　韩廷檀　姬　莉

（中国石油天然气第一建设公司）

摘　要　本文以广东石化公司360万吨/年催化裂化装置新型三级旋风分离器施工为例，主要介绍了大型催化裂化装置新型三级旋风分离器组合翻转施工技术，详细阐述了新型三级旋风分离器施工过程中的难点及施工工艺。

关键词　三级旋风分离器；组合翻转施工技术；施工难点；施工工艺

在我国炼油工业装置中催化裂化装置占有重要地位。随着我国炼油工艺的不断改进，炼油装置的核心设备都在向大型化和一体化发展，三级旋风分离器是该装置核心设备之一，根据本公司近几十年的催化装置三级旋风分离器施工工程实践中，总结出了一套完整的催化装置三级旋风分离器施工技术，即将壳体、衬里、内件等在异地工厂中深度预制成段、旋风系统用倒装法组装成型、按照正装筒节的原理、选用合适的吊装机具，自下而上组装成形后的施工技术。

本文以广东石化公司360万吨/年催化裂化装置新型三级旋风分离器施工为例，主要论述新型三级旋风分离器施工过程中难点和相关施工工艺等，为同类型设备的现场施工提供可借鉴的经验。

1　概述

广东石化公司360万吨/年催化裂化装置，三级旋风分离器（几何尺寸：Φ7200/Φ5400×19590×28/24/34mm，金属重量187.377t，壳体材质为Q245R），安装顶部标高52000mm。其内部设置分离单元包括旋风分离器24组，外侧旋风组对成对到货共计16组，内侧旋风单组到货共计8组，组成旋风分离系统。

根据厂家生产能力及运输条件等情况，三级旋风分离器采用工厂分段预制，现场组装施工的到货方式：①三级旋风分离器体共计分3段，分段位置见附图；②外侧旋风组对成对到货共计16组，内侧旋风单组到货共计8组；升气筒、中心管、集气室与方箱等均为散件供货。三级旋风分离器主要焊接工作量和附属构件安装量见表1、表2：

表1　三级旋风分离器主要焊接工程量

序号	名称	直径/mm	板厚/mm	环缝/m	备注
1	第一段壳体	Φ7248mm	24	22.8	/
2	第二段壳体	Φ7248mm	24	22.8	/
3	第三段壳体	Φ7248mm	24	22.8	
4	第四段壳体	Φ5400mm	34	17	
5	第五段壳体	Φ5400mm	34	17	/
6	中心管	Φ1992mm	16	18.8	
	合　计		/	60.5	/

表2　三级旋风分离器设备附件表

序号	部件名称	数量	规格	材质	备注
1	波形膨胀节	1个	Φ5480mm	S30409	
2	三旋外圈左旋风分离器	8组	组合件	S30409	
3	三旋外圈右旋风分离器	8组	组合件	S30409	
4	三旋内圈左旋风分离器	8组	组合件	S30409	
5	升气管	24个	Φ520mm、$\delta=12$mm	S30409	

2 施工方法

2.1 技术方案制定

三级旋风分离器从运输能力、经济成本、制造周期、制造顺序等方面，对三级旋风壳体与内件进行规划、采购优先顺序、制造深度、安装界面等方面进行统筹制定方案，中心管上膨胀节由专利商制造完毕后发运至异地化工厂，与在工厂内预制的模块进行预组装后发运至现场，由现场进行组装施工。

三级旋风分离器根据厂家、运输路线。考虑现场实际情况将三级旋风分离器分成三段安装进行异地化工程预制，内件预制成模块整体安装。第一段模块由三级旋风分离器下椎体封头与过渡段下部壳体组成；第二段安装由过渡段壳体、内集气室旋风等组成；第三段安装由封头、过渡段上部壳体与中心管等组成，本次分段模块与传统的模块施工不同，传统的模块施工预制深度不深，而且不带衬里(图 1)。

根据以上对三级旋风分离器的划分，以及现场实际情况，确定三级旋风分离器的施工工艺流程如图 2 所示：

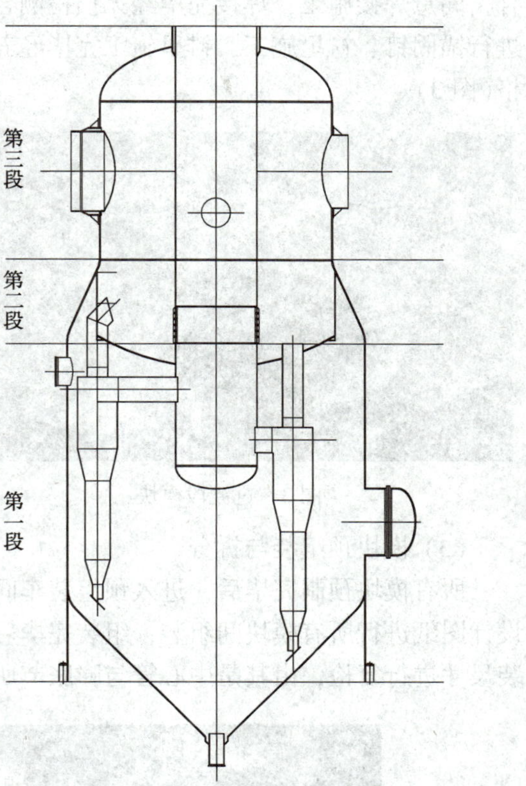

图 1　三级旋风分离器施工划分图

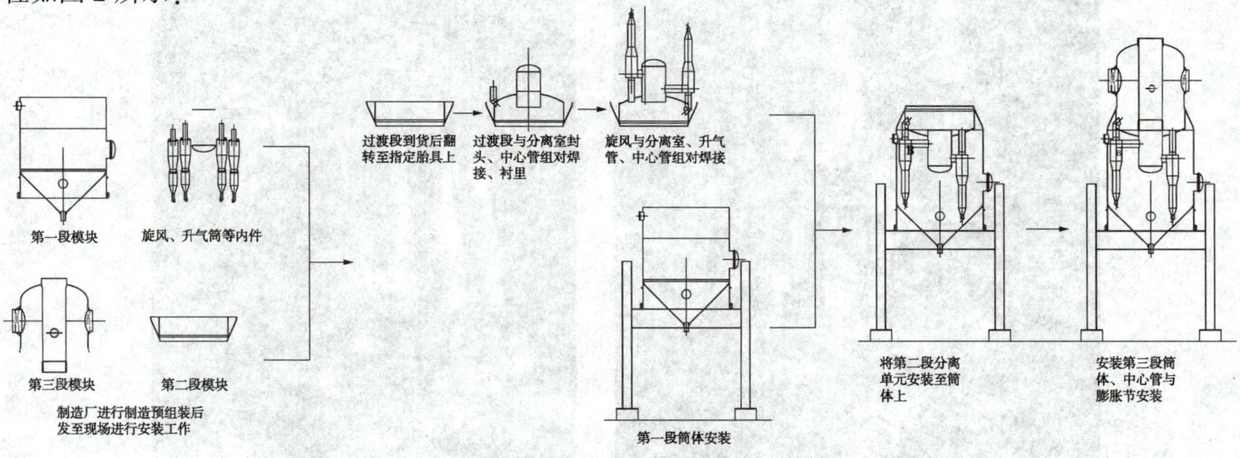

图 2　三级旋风分离器现场安装施工流程图

2.2 异地工厂化分段组焊

(1) 封头与壳体组装

三级旋风分离器壳体与封头在制造厂预制成型，施工计划按平行施工原则，采用正装法将各安装段按吊装顺序进行安装。三级旋风分离器壳体分三大段与内件主要分两段进行安装。具体施工情况如下：

① 封头、壳体按排版图均先预制完成，共计六段，每段在根据三级旋风分离器前期规划在厂家组装成三大段，待所有焊接完毕并无损检测合格后，办理工序交接，进行衬里施工；

② 上部中心管、膨胀节吊装至已经组对完毕第三大段壳体内进行点焊施工，并做好标记，对组对间隙、安装标高、安装方位等尺寸进行复测，复测合格后第三大段进行焊接施工，中心管与膨胀节安装方位等做好标记并进行拆分。

(2) 锥段与集气室组装

锥段焊接完成后吊装至指定胎具上，利于激光水平仪找平找正后与已预制完成的内集气室进行模块组装，对组对间隙、安装标高、安装方位等尺寸进行复测，控制在 2mm 以内，经复测完合格同意焊接施工，焊接完毕经无损检测合格后进行锚固钉、衬里施工，衬里施工完毕经养护合格(图 3)。

图 3　过渡段模块

(3) 模块预组装与拆分

所有模块预制完毕后，进入预组装车间根据设计图纸进行所有模块间组装，组装完毕后对组装尺寸进行复检，由其是中心管与膨胀节所有安装尺寸控制在 1mm 之内，经自检合格后，上部中心管、膨胀节与模块 1 进行组焊，下部中心管与集气室进行组装后，对每个模块组装位置与方位进行标记模块编码等工作，并做好记录后进行拆分装箱，并编制指导书。

2.3　现场分段组焊

(1) 旋风分离器倒装

所有模块到货后，第一段模块吊装至钢结构基础上安装找正，安装精度保证在 5mm 以内，第三段放置在指定位置，第二段模块与旋风分离器到货后运至现场指定的组装平台，过渡段倒置于组装平台上并用激光水准仪进行找平找正后，按照事先编制的作业指导书上将 24 组旋风分离器根据编号与顺序进行组装，组装完毕后对 24 组旋风分离器的直线度、同心度、同轴度等尺寸进行复测，复测合格进行焊接施工，待焊接检验合格，重新复测 24 组旋风分离器的安装尺寸保证安装精度。(图 4)

图 4　旋风分离器倒装施工方法

(2) 过渡段与旋风整体翻转

三级旋风分离器第二段模块倒置组对完成后，采用“单主机抬吊递送法”将其翻转 180°然后吊装就位。在壳体锥段上焊接两个管轴式吊耳为主吊吊点，利用钢管制作焊接吊装加固作为抬尾吊点，放置吊装过程中旋风分离器受力过大发生变形。选用 400t 级履带式起重机一台为主吊吊车，180t 级履带式起重机一台为抬尾吊车，并增加一台 80t 级汽车起重机为翻转提供初始动力，以保证翻转作业的平稳，避免初始翻转不受控产生的冲击力造成抬尾吊车负载超限。正式吊装前 400t 吊车缓慢起升吊钩将设备吊组装 300mm，在空中停留 2 分钟，检查吊装机索具是否有异常情况，然后吊车回钩，将设备重新放置预制平台上，试吊结束进行正式翻转吊装，翻转完成第二段模块吊装就位并组焊施工。

图 5 过渡段模块翻转

(3) 第三段与第二段组装

三级旋风分离器第二段模块组与第一段模块对完成后，对内部旋风分离及中心管进行直线度、同心度、同轴度等尺寸进行复测，复测合格进行焊接施工。焊接完成后，第三段模块与第二段模块进行组装，组装合格后对内部中心管的支线度进行复测，复测合格进行焊接施工。

2.4 衬里施工

三级旋风分离器衬里采用支模浇筑的施工方法，3 段模块分别在异地化工厂衬里浇筑、养护、烘衬，待检查合格后才能预组装。

(1) 衬里施工前，在厂家指导下对衬里材料进行试验，确定材料配比、加水量、缓凝剂等材料用量；确定振捣时间、确定振捣间距、插入深度等工艺参数。

(2) 衬里混凝土拌合用水宜为生活应用水，水温宜为 10℃~25℃。使用其它洁净水时，氯化物的含量不应大于 50mg/L，PH 值宜为 6.5~7.5。

(3) 需衬里的设备壳体及其附件和龟甲网均进行喷砂除锈、除油等；器壁上的管嘴、插管，喷砂前用牛皮纸填实并绑扎牢固，防止砂粒堵塞，对易损坏的部件进行拆除，喷砂后再恢复安装。

2.5 施工质量控制要点

(1) 旋风分离器组对时，应严格控制两级旋风分离器中心线的平行度，其中心偏差不得大于±2mm，旋风分离器中心到旋风分离器主体主轴线距离的偏差不得大于 3mm。旋风分离器安装完毕，中心线应平行于设备中心线，其不平行度最大偏差为 10mm，垂直度允许偏差不大于 5mm，入口标高偏差不得大于±5mm。

(2 三级旋风分离器过渡段翻转施工采用"单主机抬吊递送法" 吊装工艺进行翻转，共需用三台起重机，分别为主吊车，抬尾吊车，提供初始动力吊车。对于异性"偏心"结构，在翻转施工前利用计算机软件建立模型计算出重心位置确定吊点，对整个吊装过程及状态进行模拟计算。

(3) 集气室在锥段衬里前应整体安装，安装后的水平度和与壳体同轴度均为集气室直径的 1.5/1000，且不得不大于 5mm。

(4) 现场组装过程中严格按编制拆装手册内拆分过程与拆分编号进行组装。

(5) 在三级旋风分离分段吊装过程中应注意成品保护，防止衬里在吊装过程中损坏。加固应牢固可靠，临时放置位置应准确以便于组对施工。

(6) 膨胀节的预拉伸或预压缩，应按设计图样要求进行。膨胀节安装状态的预拉伸为 40mm，膨胀节安装时，波纹管膨胀节应与管道保持同轴，不得偏斜，导流筒口朝下，安装就位后应拆除其临时固定设施，保证在设备运行过程中波纹管能自由伸缩。

(7) 组装膨胀节时应对波纹管加以保护，防止电弧烧穿或焊渣飞溅到波纹管上。

3 三级旋风分离器组合翻转施工特点

本施工方法，具有方法新颖、技术先进、质量便于控制、作业条件好，安全便于管理、工期短、成本低的特点。

3.1 缩短施工工期

(1) 三级旋风分离器采用了异地工厂化预制施工技术，将三级旋风分离器整体划分为3段模块，以模块为单位在异地工厂内模块化预制，现场模块化安装，具有专业化施工特点，缩短了施工工期。

(2) 现场模块化安装与传统安装法相比，实现了三级旋风分离器交替作业，避免了旋风分离器壳体、内件、衬里等材料的二次倒运，不需要制作大型预制胎具，缩短了施工工期。

3.2 施工质量高

(1) 三级旋风分离器采用了制造安装工序的模拟、测量、演算技术，充分考虑到每道工序的安装关系，明确了施工顺序，确保施工的科学性，能更好的保证施工质量。

(2) 三级旋风分离器模块化异地工厂化预制技术能更好的从人员、机具、材料、技术、环境、检测等方面进行控制，制造过程中充分重视异地工厂内预组装工序，形成现场作业指导书，为后续现场安装提供质量保障。

(3) 现场组装旋风系统时，采用倒装法，严格按照作业指导书进行组装，组装成整体进行统一的复测，确保每个部件的安装都合格后进行焊接作业。

(4) 采用了异地工厂化预制施工技术彻底消除了现场上封头、过渡段等“仰脸”部位的衬里施工弊病，有利于保证关键部位衬里施工质量。

3.3 施工风险低

(1) 三级旋风分离器将现场施工作业转移在工厂内作业，改善了工人作业条件，节省了人力，有利于安全操作，施工质量易保证，施工安全性大。

(2) 旋风系统组装工作均从高空有限空间内脚手架作业，移到地面的容器外地面作业。更利于保证施工安全。

(3) 大型过渡段翻转技术，采用计算机进行模拟实验，受力计算更加精准，降低了吊装的风险。

3.4 施工成本低

(1) 异地化工厂预制，极大地缩短安装工期，自动化机械的投用，实现了“制造自动化”，降低了施工人员数量，降低施工成本，提高经济效益。

(2) 新型三级旋风分离器组合翻转施工方法与传统安装法相比，减少了脚手架的拆搭量，减少高空作业提高了工作效率，降低了施工成本。

(3) 现场避免了大型预制胎具制作。吊装重量大大减小，避免了大型吊车的使用，机械使用费大大降低。

4 结束语

结合现场实际，对三级旋风分离器进行合理的划分，并且合理安排施工工序，有效的缩短了广东石化公司360万吨/年催化裂化装置新型三级旋风分离器施工工期，更好的保证了三级旋风分离器的施工质量。为同类催化裂化装置三级旋风分离器或类似设备的施工提供了可借鉴的经验。

参 考 文 献

[1] GB 150—2011. 压力容器[S].
[2] SH 3601—2009. 催化裂化装置反应再生系统设备施工技术规程[S].
[3] 马秉骞主编. 炼油设备[M]. 化学工业出版社. 北京

高压隔膜式换热器密封盘检修技术

李志波　郭　杰　彭新凯　荀明跃　董浩杰

（中国石油天然气第一建设有限公司）

摘　要　高压换热器是炼油加氢装置反应系统的重要组成部分，较常见的高压换热器类型有螺纹锁紧环式换热器、隔膜式换热器、Ω环式换热器等。本文以柴油加氢改质装置隔膜式换热器密封盘检修为例，通过介绍高压隔膜式换热器密封构造、工作原理，从管箱盖板拆除、密封盘拆除、密封盘打磨、密封盘焊接、管箱盖板回装等工序详细讲解隔膜式换热器密封盘检修工艺，总结隔膜式换热器密封盘检修要点，形成高压隔膜式换热器密封盘检修施工技术。

关键词　隔膜式换热器；密封盘；管箱盖板；打磨；焊接

隔膜式换热器凭借结构简单、密封可靠、使用寿命较长等优点，应用于加氢装置的高压换热系统。隔膜式换热器与螺纹锁紧环换热器外形相似，不同之处在于管程的密封形式。隔膜式换热器密封为强制密封，利用主螺栓紧固的管箱盖板来承受内压力，通过密封盘与管箱端部的焊接实现密封（见图1），螺纹锁紧环换热器依靠锁紧环上的外螺纹和壳体上的内螺纹咬合使管箱盖板和锁紧环共同承受内压力（见图2）。隔膜式换热器密封盘焊道在生产波动、冷热循环、含氢介质等因素的长期作用下可能产生裂纹、穿孔，造成生产介质泄漏，不仅会给装置生产运行带来影响，严重时可能引发火灾、爆炸甚至是人员伤亡等重大安全事故。因此，总结一种如何快速保质的密封盘检修技术具有重大意义。

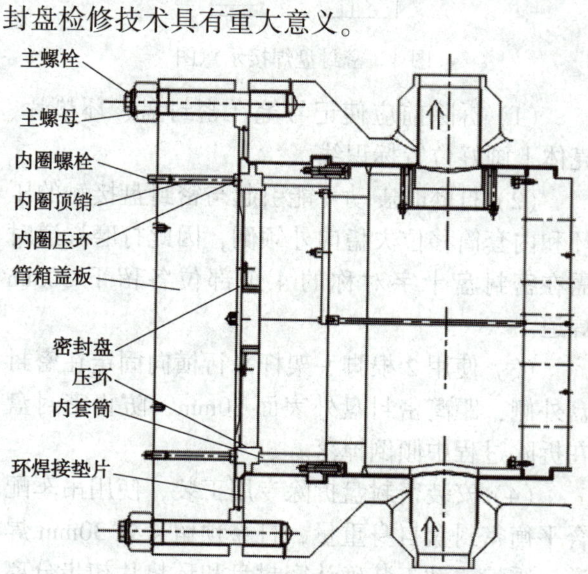

图1　隔膜式换热器管程密封结构

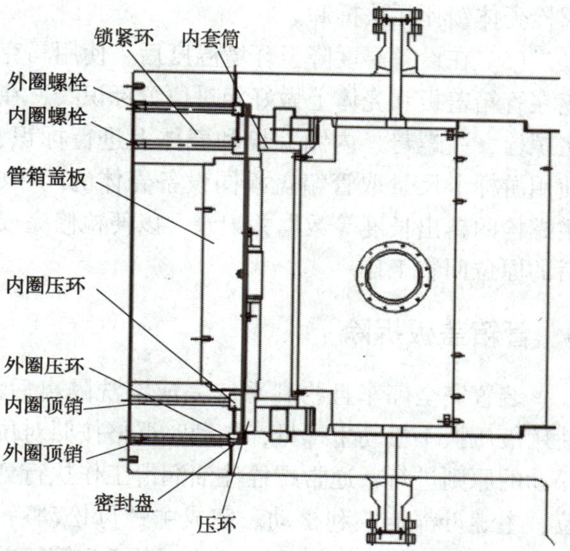

图2　锁紧环换热器管程密封结构

1　概述

某炼厂柴油加氢改质装置的两台隔膜式换热器密封盘与焊接环垫片的焊道产生裂纹造成介质泄漏。几经停工抢修，结果均不理想，每次运行不久都会在附近焊道产生新的漏点。后决定在装置停工检修期间对这两台换热器的密封盘焊道磨除重新进行焊接密封，解决此隐患。

本文以换热器E101为例做介绍，换热器型号DIU1300-13.25/11.55-325-3.7/19-2，密封盘与焊接环垫片材质均为S31603，主螺栓规格M105×3×760mm共32条，管箱法兰重9.13t。鉴于之前抢修的经验此次检修需要将主螺栓拆卸掉以留出足够的空间用来焊接密封盘，检修施工工序：管箱盖板拆除→密封盘拆除→焊接坡口打磨→膜片焊接→管箱盖板回装。

2　准备工作

（1）搭设好脚手架作业平台，拆除换热器管箱盖板上的保温层。

（2）准备调试好检修用的吊车、液压扳手、工装、焊机等工机具，准备好密封盘、焊丝等材料。

（3）规划好管箱盖板、密封盘、主螺栓等零部件的摆放位置，提前摆放好垫设材料。

（4）装置开始停工时需要与车间联系了解装置停工状态，当设备温度降到200℃时，安排施工人员在主螺栓上浇注柴油进行润滑，浇注工作每隔4小时进行一次直至设备完全冷却，避免主螺栓壳体锁死无法拆卸。

（5）在设备温度降至环境温度后，使用马克笔在管箱盖板和壳体上做好相对位置标识线，在主螺栓、主螺母、内圈螺栓和壳体上进行标识，使用游标卡尺量取管箱盖板同设备壳体的间距、主螺栓的露出长度等数据并记录，以便检修完成后的原位回装工作。

3　管箱盖板拆除

装置完全停车且物料系统完成清洗隔离后，使用液压扳手松动主螺母，松动时严格按照对位松动的原则进行，通常螺栓注油润滑工作执行到位，主螺母都能顺利松动。完成主螺母松动后，更换套筒头进行对主螺栓的松动。考虑到管箱盖板的自重达到9.13t，完全由32条主螺栓承受，直接拆卸大盖必然损伤主螺栓的螺纹，而随着主螺栓的数量越来越少，越往后的主螺栓承受的径向力越大，将会影响主螺栓的拆卸工作。为保证主螺栓拆卸顺利进行，拆卸过程采用吊车吊起管箱盖板确保拆除过程中主螺栓不承受管箱盖板的重量。

拆除螺栓时优先拆除换热器最顶部的两条主螺栓，然后安装特制的吊装工具，用吊车平衡管箱盖板自身重量（见图3），保证螺栓拆卸过程不受到盖板重量的影响。由于螺牙上油泥、灰尘堆积，部分螺栓在松动过程中可能卡住，此时可以将螺栓向内旋转半圈，再向外拆卸，可能会反复多次方可顺利取出螺栓。主螺栓长期经受高温高压，第一次松动力矩可能会远高于紧固力矩，使用液压扳手拆卸过程中，可以使用大锤隔木敲击螺栓，通过震动来配合液压扳手松动螺栓。

图3　主螺栓螺栓拆除示意图

4　密封盘拆除

密封盘与焊接环垫片材质为S31603，焊道理论厚度仅有2.5mm（图4），密封盘拆除时禁止采用气刨或气割方式，仅能用磨光机缓慢打磨焊道，慢慢将原有焊缝磨掉。磨除时必须使用不锈钢专用砂轮片。拆除步骤如下：

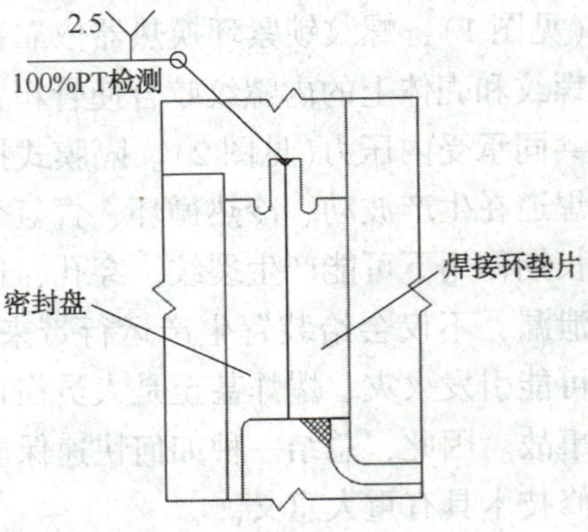

图4　密封盘焊接示意图

（1）拆除前应使记号笔在密封盘、环垫片、壳体上画好位置标识线。

（2）打磨时震动可能引起与密封盘接触的压环和内套筒移位失稳向外倾倒，因此打磨焊道时需在密封盘十字对称的4个部位各留下30mm焊道。

（3）使用2根脚手架杆平行横向固定在密封盘外侧，距离密封盘外表面50mm，防止密封盘在拆除过程中倾倒掉落。

（4）安装密封盘拆除专用工装，使用吊车配合平衡密封盘自身重量，打磨预留4处30mm焊道；缓慢移动工装确认密封盘和环垫片初步分离（距离小于50mm）。

（5）确认压环和内套筒无倾倒风险，拆除防倾倒措施，将密封盘吊装落地（见图5），落地时密封面朝上放置，使用软质材料保护密封面。

图5　密封盘落地

5　密封盘打磨

拆下来的密封盘先进行表面清理，主要清除油污、打磨时飞溅的铁屑等。然后对清理后的密封面依据《承压设备无损检测第5部分：渗透检测》（NB/T 47013.5）进行100%的渗透检测（PT），灵敏度等级3级，合格级别I级。同时对焊接环垫片密封部位按照密封盘清理及检测要求进行检查。

密封盘密封面清理、检测合格后，对密封盘上唇片部位原焊接部位进行打磨，消除原焊接遗留金属，打磨深度不小于3mm（唇片伸出长度可以随之减小）。打磨后修复焊缝焊接坡口，尺寸为3~3.5×45°，具体尺寸见图6。同时对环垫片唇部原焊接区域也进行相同的打磨处理。打磨使用不锈钢专用砂轮片进行，密封盘和焊接环垫片打磨后的坡口及焊接区域进行二次清理，并再次进行渗透检测。

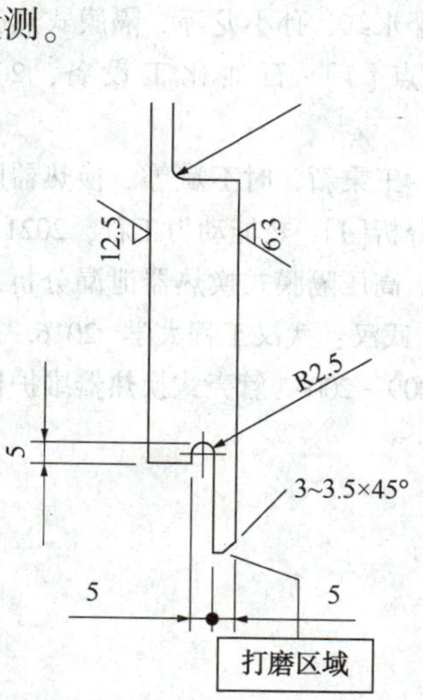

图6　坡口打磨示意图

6　密封盘焊接

密封盘焊接选用氩弧焊进行，避免手工电弧焊焊接形成焊瘤和飞溅无法清理。密封盘自身厚度较小，柔性较大，在焊接时应采取措施防止产生变形，可以通过制作“米”字或者“井”字支架借助壳体固定，使密封盘与焊接环垫片紧密贴合。

按照拆除前做好的定位线原位回装密封盘，密封盘与焊接环垫片贴合紧密后，先在密封盘0°、90°、180°、270°四个方位各焊接5cm长焊缝作为定位焊，固定密封盘，然后安装防形变工装。

正式焊接前使用乙醇和丙酮溶剂清洗坡口，去除焊缝周边的油脂、水分与其他污染物，待焊缝周边充分干燥后开始进行密封盘和环焊接垫片的正式焊接，为避免焊接热量产生的形变，应安排两名焊工从对称部位同时焊接。焊丝选用TGF316L，焊接过程中采用小线能量进行焊接，电流控制在60~90A。焊接分两层完成，第一层根部焊接，应填满坡口，第二层盖面加强，焊缝应覆盖打底焊缝及两侧唇片。收弧焊道必须覆盖起始焊道，焊道收弧时应避免形成弧坑。焊接完成后用小锤轻击焊道周围，释放焊接应力，然后拆除防变形工装并对焊缝表面进行100%渗透（PT）检测，灵敏度3级，I级合格。

7　管箱盖板回装

预先回装4条或6条延圆周均布的主螺栓螺杆以便管箱盖板定位，使用管箱盖板拆除工装和吊车将管箱盖板回装，回装时按照拆除前做好的定位线进行复位。将剩余的主螺栓回装，并将螺帽全部回装初拧到位，初拧过程中通过水平尺和游标卡尺检测管箱盖板和壳体的同心度和平行度。管箱盖板回装时应缓慢，平稳移动，避免剧烈晃动对主螺栓螺纹、密封盘及焊缝造成冲击和损伤。

使用液压工具对主螺栓进行紧固，分四次进行紧固，紧固力矩依次为50%、80%、100%、100%（顺序紧固）。螺栓紧固顺序见图7：

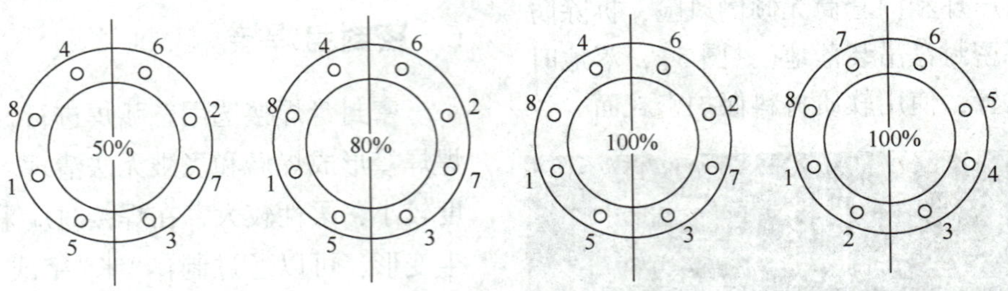

图 7　紧固顺序示意图

紧固力矩依据设计院给定力矩值，螺栓利旧使用进行回装时，考虑螺纹间、螺母与管箱盖板之间存在较大的摩擦力，会对实际紧固力矩造成衰减，紧固时实际力矩值可适当增加至设计力矩的 1.2～1.5 倍。在管箱盖板 0°、90°、180°、270°四个位置设置测量点，正式紧固前，每一次紧固完成后，均要复测管箱盖板同设备壳体的间距，及主螺栓的露出长度(计算每次螺栓紧固时管箱移动距离)，两个数据对照，确保密封盘受压均匀。

管箱盖板上的内圈螺栓回装时应为松态，即手动紧固到位即可，设备运行中出现泄露时可以通过紧固内圈螺栓达到密封作用。

8　检修施工技术要点总结

(1) 停工期间对主螺栓进行充分的注油润滑，有助于后期螺栓顺利拆除。

(2) 拆除前应做好管箱盖板、密封盘定位标识线，确保回装时按原样复位，拆除前做好管箱盖板与壳体之间的尺寸测量和数据记录，用于对比回装后的尺寸，确保回装质量。

(3) 管箱盖板拆卸过程中需注意保护主螺栓螺纹，拆除后对螺栓螺纹，设备螺纹进行清洗，防止杂物遗留影响回装，拆卸密封盘时应注意密封盘内侧的活动部件，防止其拆卸时掉落，造成变形及损坏。

(4) 密封盘拆卸严禁采用气刨、气割对原密封焊缝进行处理，防止将密封盘非焊接部位密封面损坏，造成整个密封盘报废。

(5) 密封盘拆下后，坡口打磨后必须进行密封盘和焊接环垫片的两次表面无损检测，评估密封盘是否可以使用。

(6) 密封盘回装时必须与焊接环垫片紧密贴合，做好防变形措施。

(7) 密封盘焊接采用氩弧焊，两遍成形，同时对称焊接，收弧时应覆盖起始焊道，避免形成弧坑。

(8) 回装紧固管箱盖板时力矩分四次进行，按照顺序对称紧固，每次紧固完成后测量间隙，防止密封盘受力不均匀。

9　结束语

随着使用年限的增加，隔膜式换热器的密封盘出现泄漏的可能性增大，对装置运行形成安全隐患。掌握隔膜式换热器密封盘检修方法，有利于装置设备平稳长周期运行。文中介绍的施工方法经过实际运用检验，效果显著，装置开车一次成功，且平稳运行一个检修周期未发生泄露，充分证明此施工方法可行性。此次将此隔膜式换热器密封盘检修施工方法进行总结，整理成文，分享学习，希望对行业同类型施工有借鉴意义。

参　考　文　献

[1] 方婧，李永红，孙小龙等．隔膜式热交换器结构及制造要点[J]．石油化工设备，2015，44(3)：66-69.

[2] 石成江，王秉新，时丕斌等．换热器隔膜密封盘开裂原因分析[J]．热能动力工程，2021，36(4)：6.

[3] 张盼盼．高压隔膜式换热器泄漏分析及解决方案研究[D]．武汉：武汉工程大学．2016.

[4] SHS 01009—2004. 管壳式换热器维护检修规程[S].

多介质气液两相流态及阻力特性研究

王　斌　商永滨　李欣欣　陈　晨

（长庆工程设计有限公司）

摘　要　为了减少泡沫辅助减氧空气驱地面工程投资成本，提出建立集中站注方法，需要对泡沫辅助减氧空气驱混合物在混合输送过程中不同初始条件下流型以及阻力特性进行研究。根据实验结果，对比不锈钢管道和透明管内获得分层流时的概率密度函数，发现只要保证气液比不变，无论在不锈钢管内还是透明PC管内，其概率密度函数形状基本保持不变；同时，通过对比图像识别结果和概率密度函数，确定了气液比下的流型；同时分别建立了水平管道和向上管内气液两相流动阻力和压降的计算关联式，通过和实验对比，误差结果较小，可以用于预测实际泡沫辅助减氧空气驱流动阻力计算。

关键词　泡沫辅助减氧空气驱；流型；概率密度函数；阻力计算

泡沫辅助减氧空气驱技术将空气驱与泡沫驱有机结合，泡沫作为调剖剂，空气作为驱油剂，“边调边驱”，具有调剖和驱油的双重功能，克服了空气“气窜”的缺点。该技术集空气驱与表面活性剂驱两大技术优势于一体，工艺相对简单，提高采收率效果较明显，成为几年来迅猛发展的一种水驱及聚驱后期重要的接替开发技术。目前大部分泡沫辅助减氧空气驱的研究集中于探究泡沫辅助减氧空气驱进入地下后，受岩石空隙尺寸大小的影响、注入量对采收率的影响等。郎丽媛利用数值模拟的方法研究油层特征及井网对泡沫辅助减氧空气驱油的效果。张洪等发现沉积相控制体系和物性控制体系对泡沫辅助减氧空气驱受效性具有重要影响。吴灿等研究了渗流速度对泡沫封堵能力影响实验。随着油田开采的井口数的增多，如果在每个井口处都布置泡沫辅助减氧空气驱的注入设备，必将增加石油的开采成本，如何降低布置注入设备的成本，又能增加石油开采量成为当前紧要问题。所以长庆油田提出建立集中泵站，将泡沫辅助减氧空气驱注入混合物输送到各个井口，所以需要研究不同初始条件下，泡沫辅助减氧空气驱在地面管线输送过程中的流型与阻力变化特性。目前地面上的研究多集中于油气开采后，油气或者油气水混输过程中的流型以及流动压力、压降研究。本文主要研究泡沫辅助减氧空气驱混合物在地面输送时的不同初始条件下流型和阻力变化特性。

1　实验系统

通过开展不同初始条件下流型的变化规律研究，以及阻力变化特性和不同流型下阻力变化特性等方面室内实验，结合气液两相阻力计算理论和气液两相流动理论研究，提出适应于不同条件下泡沫辅助减氧空气驱气液两相混合关键技术。

实验装置如图1所示，实验中流体采用的介质是在水中加入起泡剂和稳泡剂的混合物和空气，实验段分别进行水平、倾斜向上10°、倾斜向上20°、倾斜向下10°、倾斜向下20°。实验管长3米，为了便于观察管道中的流型，实验管段由PC管构成，同时为了测量较高的管道压力下的阻力，实验管段由不锈钢管构成。

实验中共安装3个动态压力传感器测压点，如图1中的9号测量点，2个差压传感器测量点，如图1中的8号测量点，测量点之间的距离为500mm，管道内径为50mm。实验管路中瞬时压力的采集由3个动态压力传感器完成，测量精度误差为±0.2kPa，以及压差采集采用差压传感器，测量精度为±0.25%。

进行实验时，首先调节液体的入口处的节流阀将液体流量维持在一定数值，然后逐渐增加气体流量，达到需要的实验参数，针对不同的工况记录对应的气液流量、流型、压力参数。改变管道压力时，调节背压阀，增加管道内压力。整个实验中气相折算流速范围为0.212~0.637m/s，液相折算流速范围为0.071~0.141m/s。

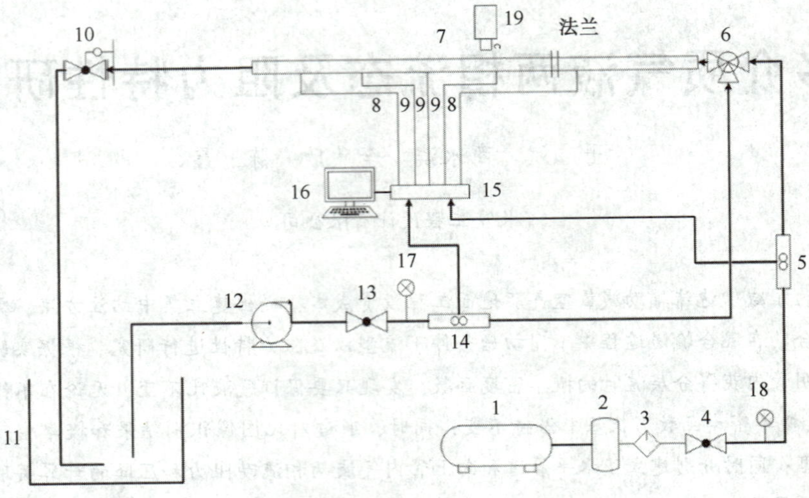

图1 实验装置示意图

2 数据处理

在进行可视化管道实验时，使用高速相机拍摄，同时使用动态压力传感器记录压力波动信号。使用高速摄像机拍摄的照片，使用MATLAB进行图像处理，将气相和液相区分开，以此更加明显的判断流型。同时使用动态压力传感器获得的压力信号使用概率密度函数处理，得到相应的特征图形，根据特有的特征图形来判断流型。

2.1 图像处理

高速摄像法使用高速摄像机获取两相流流动图像，使用数字图像处理技术进行图像处理，通过构建分类器来进行流型辨识。该方法具有可视化、非介入以及瞬时性好等诸多优点。目前的基于高速摄像法的流型辨识研究工作，大多数依赖数字图像处理，提取不同的图像特征。

2.2 概率密度函数(PDF)

概率密度函数理论为：信号的最小值与最大值之间平均分成若干个区间，信号的幅值在每个区间内出现的次数与总的采样点之比作为此区间的概率估计值。概率密度函数表示瞬时幅值落在指定范围的概率，所取范围的幅值不同，函数也将发生变化。

$$P_i=\frac{n_i}{N}$$

式中，P_i为概率密度值，N_i为子样点出现的频数；N为母体中子样点的数目。

3 两相流流型分析

本文研究了含泡沫的气、水两相流流型，在水中加入泡沫剂后的混合物和空气两相在管径为50mm的透明管和不锈钢管内流动，在对水平管、倾斜向上10°、倾斜向上20°的流动进行研究。首先，利用目测法和高速摄像法进行流型识别，获得了水平管和倾斜管内(包括倾斜向上)出现的典型流型。同时，获得高频动态压力传感器信号数据，对比透明管道和不锈钢管道流型，验证概率密度函数方法的可行性和适用性。

3.1 水平管内两相流流型

当实验管道为水平时，在水中按比例加入泡沫剂和稳泡剂，同时调节背压阀，使管道内的压力增加大，在可视化实验中，管道中压力为0.15MPa、0.2MPa。当实验段为不锈钢管道时，管道中的压力为0.2MPa、0.4MPa、0.6MPa；实验中，液体的流量为$1m^3/h$，气体流量为$1.5m^3/h \sim 4m^3/h$。

(1) 图像处理

如表1所示，为水平管下不同管道压力时的流型，当液体流量为$1m^3/h$，气体流量为$1.5m^3/h \sim 4m^3/h$时，此时的流型为层流。图2为0.15MPa下，液体流量$1m^3/h$，气体流量$3m^3/h$时的图像处理后的图片；图3为0.2MPa下，液体流量$1m^3/h$，气体流量$3m^3/h$时的图像处理后的图片；从图2、图3中可以看出，液体在管道底部，液体和气体的界面清晰，流动稳定，为分层流。

表 1 水平管的不同管道压力时的流型

	1.5m³/h	2m³/h	2.5m³/h	3m³/h	3.5m³/h	4m³/h
0.15MPa	层流	层流	层流	层流	层流	层流
0.2MPa	层流	层流	层流	层流	层流	层流
0.4MPa	层流	层流	层流	层流	层流	层流
0.6MPa	层流	层流	层流	层流	层流	层流

图 2 压力为 0.15MPa 时层流图像处理后的图片

图 3 压力为 0.2MPa 时层流图像处理后的图片

(2) 概率密度函数图

实验段为透明管道时，除了拍摄图片外，还使用高频动态压力传感器采集压力信号，采集后的信号使用概率密度函数处理得到概率密度函数图；同时，当实验段为不锈钢管道时，也使用高频动态压力传感器采集压力信号，后使用概率密度函数处理得到概率密度函数图，并与透明管的概率密度函数图进行验证。如图 4 所示，以液体流量为 $1m^3/h$ 和气体流量 $3m^3/h$ 为例，压力为 0.15MPa、0.2MPa 时为透明管得到的概率密度函数图，压力为 0.4MPa、0.6MPa 时为不锈钢管道得到的概率密度函数图。此时不锈钢管道的压力概率密度函数图与可视化管道的压力概率密度函数图相似，证明不锈钢管道的流型也为层流，使用概率密度函数法是可以用来测量流型。

3.2 倾斜向上管内两相流流型

当实验管道为倾斜向上时，实验条件与水平管相同，在可视化实验中，管道中压力为 0.15MPa、0.2MPa。当实验段为不锈钢管道时，管道中的压力为 0.2MPa、0.4MPa、0.6MPa；

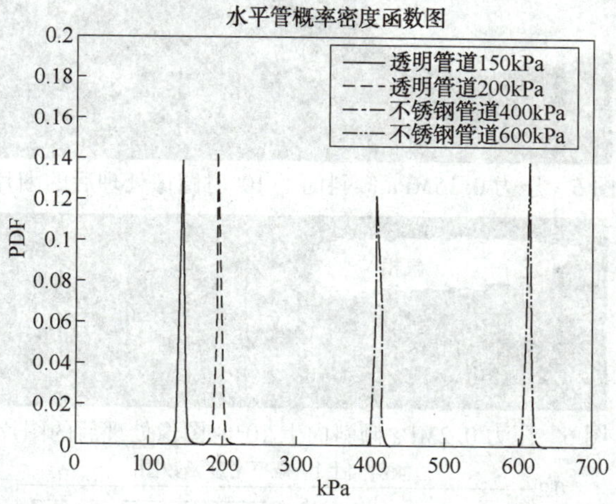

图 4 水平管道时不同压力下概率密度函数图

实验中，液体的流量为 $1m^3/h$，气体流量为 $1.5m^3/h \sim 4m^3/h$。同时，实验管道的倾角度为 10°和 20°。

(1) 倾斜向上 10°

① 图像处理

如表 2 所示，为倾斜向上 10°时不同管道压力时的流型，当液体流量为 $1m^3/h$，气体流量为 $1.5m^3/h$-$4m^3/h$ 时，此时的流型为弹状流。图 5 为 0.15MPa 下，液体流量 $1m^3/h$，气体流量 $3m^3/h$ 时的图像处理后的图片；图 6 为 0.2MPa 下，液体流量 $1m^3/h$，气体流量 $3m^3/h$ 时的图像处理后的图片；从图中可以看出，白色区域为气相所在区，黑色为液相和液弹所在区，所以为弹状流。

② 概率密度函数图

概率密度函数图得到的方式与水平管相同。如图 7 所示，以液体流量为 $1m^3/h$ 和气体流量 $3m^3/h$ 为例，压力为 0.15MPa、0.2MPa 时为透明管得到的概率密度函数图，压力为 0.4MPa、0.6MPa 时为不锈钢管道得到的概率密度函数图。此时不锈钢管道的压力概率密度函数图与可视化管道的压力概率密度函数图相似，证明不锈钢管道内的流型也是弹状流，使用概率密度函数法是可以用来测量流型。

表 2 倾斜向上 10°的不同管道压力时的流型

	1.5m³/h	2m³/h	2.5m³/h	3m³/h	3.5m³/h	4m³/h
0.15MPa	弹状流	弹状流	弹状流	弹状流	弹状流	弹状流
0.2MPa	弹状流	弹状流	弹状流	弹状流	弹状流	弹状流
0.4MPa	弹状流	弹状流	弹状流	弹状流	弹状流	弹状流
0.6MPa	弹状流	弹状流	弹状流	弹状流	弹状流	弹状流

图 5 压力 0.15MPa 倾斜向上 10°时图像处理后的图片

图 6 压力 0.2MPa 倾斜向上 10°时图像处理后的图片

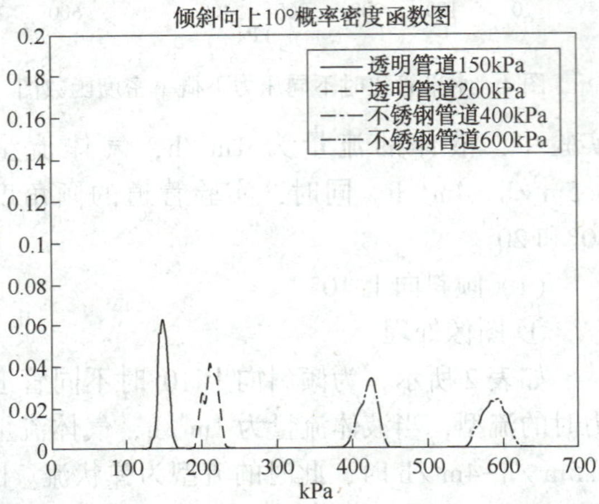

图 7 水平管道时不同压力下概率密度函数图

（2）倾斜向上 20°

① 图像处理

如表 3 所示，为倾斜向上 20°时不同管道压力时的流型，当液体流量为 $1m^3/h$，气体流量为 $1.5m^3/h$-$4m^3/h$ 时，此时的流型为弹状流。图 8 为 0.15MPa 下，液体流量 $1m^3/h$，气体流量 $3m^3/h$ 时的图像处理后的图片；图 9 为 0.2MPa 下，液体流量 $1m^3/h$，气体流量 $3m^3/h$ 时的图像处理后的图片；从图中可以看出，白色区域为气相所在区，黑色为液相和液弹所在区，所以为弹状流。

② 概率密度函数图

概率密度函数图得到的方式与水平管相同。如图 10 所示，以液体流量为 $1m^3/h$ 和气体流量 $3m^3/h$ 为例，压力为 0.15MPa、0.2MPa 时为透明管得到的概率密度函数图，压力为 0.4MPa、0.6MPa 时为不锈钢管道得到的概率密度函数图。此时不锈钢管道的压力概率密度函数图与可视化管道的压力概率密度函数图相似，证明不锈钢管道内的流型也是弹状流，使用概率密度函数法是可以用来测量流型。

表 3 倾斜向上 20°的不同管道压力时的流型

	1.5m³/h	2m³/h	2.5m³/h	3m³/h	3.5m³/h	4m³/h
0.15MPa	弹状流	弹状流	弹状流	弹状流	弹状流	弹状流
0.2MPa	弹状流	弹状流	弹状流	弹状流	弹状流	弹状流
0.4MPa	弹状流	弹状流	弹状流	弹状流	弹状流	弹状流
0.6MPa	弹状流	弹状流	弹状流	弹状流	弹状流	弹状流

图 8 压力 0.15MPa 倾斜向上 20°时图像处理后的图片

图 9 压力 0.2MPa 倾斜向上 20°时图像处理后的图片

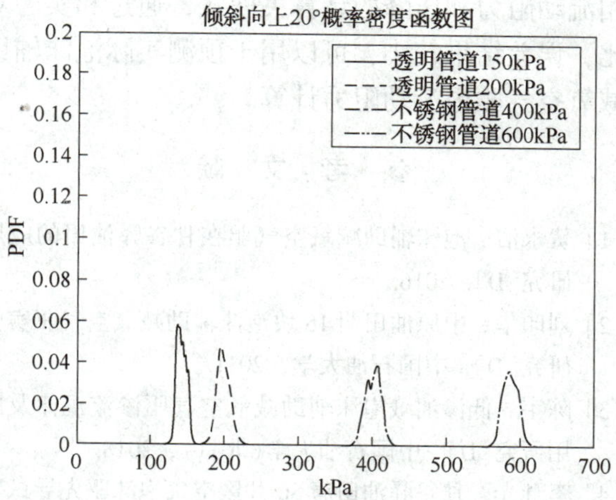

图 10　水平管道时不同压力下概率密度函数图

4　两相流阻力特性

4.1　水平管阻力研究

(1) 不同流量条件下压降变化规律

根据实验数据，绘制不用压力下水平管压降变化曲线，分析研究不同因素对压降变化规律的影响。如图 11 所示，为不同压力、气体流量下压力梯度图，从图中可以看出随着气体流量的增大，压降梯度随气流流量波动，但是波动幅度不大，总体压降随着气体流量的增加而增加。由于气流量的增加，相应的气体流速增加，气体与管道壁面以及气体与液体之间的摩擦阻力增加，所以导致随着气体流量的增加，压降梯度也随之增加。同时由于气体流速大于液体流速，气体与液体之间会有相对速度，此时，气体与液体相界面之间也有摩擦阻力，所有随着气体流量的增加，压降梯度会增大。

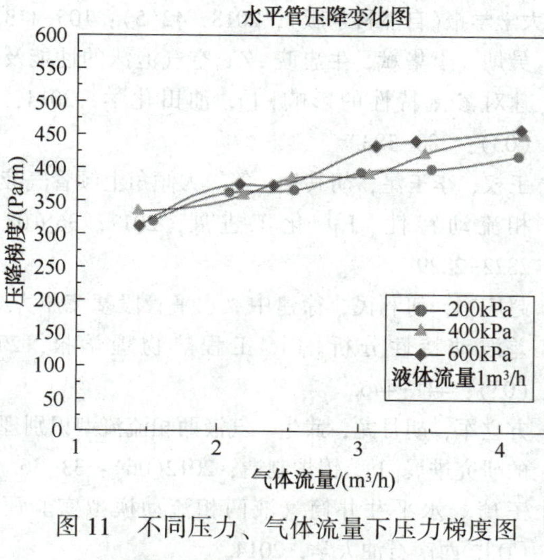

图 11　不同压力、气体流量下压力梯度图

(2) 水平管压降计算模型

基于 Beggs-Brill 压降编程方法，对本文实验的阻力结果进行重新拟合计算，由于水中加入了泡沫剂和稳泡剂，所以摩阻系数发生了改变，利用实验结果，对摩阻系数进行新的计算拟合。利用实验得到的数据代入，对摩擦系数进行新的拟合，得到新的摩擦系数表达式为：

$$\lambda = 3.681\times10^{-10}Re^{2} - 3.169\times10^{-5}Re + 1.096$$

$$-\frac{dp}{dz} = \frac{\rho_l H_l + \rho_g(1-H_l)g\sin\theta + \dfrac{\lambda G v}{2DA}}{1-([\rho_l H_l + \rho_g(1-H_l)]v v_{sg})/P}$$

将实验参数带入上式中，计算得到的结果与实际压降相比，总误差小于 6%，证明此公式适用于当前条件。

4.2　倾斜向上管阻力研究

(1) 不同流量条件下压降变化规律

根据实验，绘制不用压力下倾斜向上管压降变化曲线，分析研究不同因素对压降变化规律的影响。如图 12 所示，为倾斜向上 10°时不同压力、气体流量下压力梯度图，图 13 为倾斜向上 20°时不同压力、气体流量下压力梯度图，从图中可以看出随着气体流量的增大，压降梯度随气流流速增加而减小，同时波动幅度不大，总体压降随着气体流量的增加而减小。

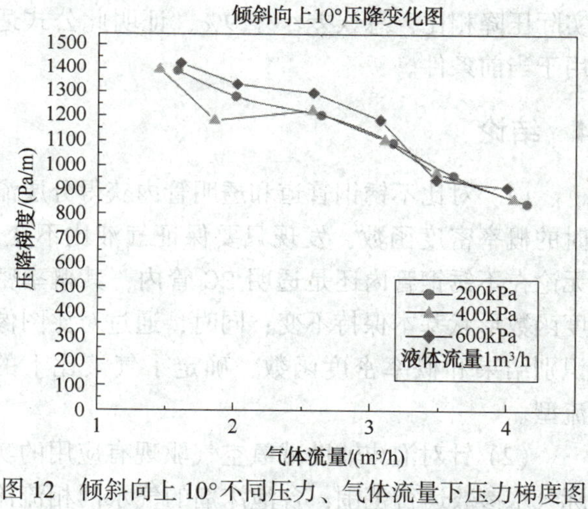

图 12　倾斜向上 10°不同压力、气体流量下压力梯度图

由于管道倾斜向上，受重位压降影响，所以压降很大，随着角度的增大，重位压降影响更大，所以倾斜向上 10°的压降小于倾斜向上 20°的压降。当增大气体流量时，此时倾斜向上的管道内气体含量增大，混合物密度较气体流量小的时候减小，所以压降会减小。增大气体流量时，相应的混合物流动速度加快，但是此时重位压降是主要影响因素，摩擦压降是次要因素。

(2) 倾斜向上压降计算模型

在计算倾斜向上管路压降时，Beggs-Brill 方法的误差较大，且前人研究推荐使用均相流模型。基于均相流模型计算，利用现有的实验数据对摩擦阻力系数和压降公式进行拟合。经过计

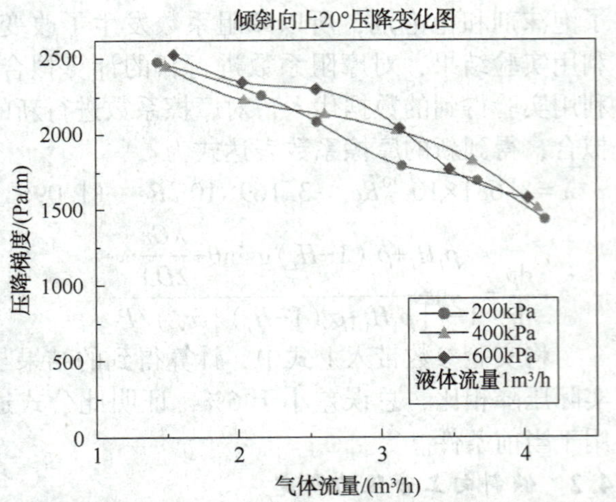

图 13　倾斜向上 20°不同压力、气体流量下压力梯度图

算，得到的新的摩擦系数为：

$$\lambda' = \lambda \times 25.887 - 0.5048$$

除了对摩擦系数的拟合修正外，还需对整个压降公式进行修正拟合，得到的新的计算公式为：

$$-\frac{dp}{dz} = \lambda' \frac{l\rho v^2}{2D} + 1.9\rho g\sin\theta$$

将实验参数带入上式中，计算得到的结果与实际压降相比，总误差小于 9%，证明此公式适用于当前条件。

4　结论

（1）对比不锈钢管道和透明管内获得分层流时的概率密度函数，发现只要保证气液比不变，无论在不锈钢管内还是透明 PC 管内，其概率密度函数形状基本保持不变；同时，通过对比图像识别结果和概率密度函数，确定了气液比下的流型。

（2）针对泡沫辅助减氧空气驱现有应用的实际气水参数运行范围，含泡沫剂的气水两相流流型实验。结果表明：开展了水平管，在实验中液体流量不超过 $1m^3/h$ 和气体流不超过量 $4m^3/h$ 时，此时的流型为分层流。当管道为倾斜向上 10°和 20°时，在实验液体流量不超过 $1m^3/h$ 和气体流不超过量 $4m^3/h$ 时，对应的流型为弹状流。

（3）水平管道时，随着气体流量的增大，压降增大；相同气液流量下，随着管道压力的增加，压降也会增加。管道倾斜向上时，相同压力和气液流量下，随着倾斜角度的增加，压降会增大；相同倾斜角度下，随着压力增大，压降也会增大，随着气体流量的增大，压降会减小。

（4）分别建立了水平管道和向上管内气液两相流动阻力和压降的计算关联式，通过和实验对比，误差结果较小，可以用于预测实际泡沫辅助减氧空气驱内流动阻力计算。

参　考　文　献

[1] 贺永洁．泡沫辅助减氧空气驱在甘谷驿油田的应用研究[D]．2016.

[2] 刘印华．中原油田明 15 块泡沫辅助减氧空气驱实验研究[D]．中国石油大学，2011.

[3] 陈宇．低渗油藏泡沫辅助减氧空气驱渗流规律及应用研究[D]．中国石油大学(北京)，2018.

[4] 李继光，甘谷驿油田唐 80 井区空气泡沫驱先导试验研究[D]．西安，西安石油大学，2015

[5] 尚庆华，王玉霞，杨永超，等．泡沫辅助减氧空气驱适应性模糊综合评价方法及应用[J]．特种油气藏，2017，24(05)：126-130.

[6] Liyuan Lang，Huabin Li，Xiong Wang，Ning Liu，Experimental study and field demonstration of air-foam flooding for heavy oil EOR，Journal of Petroleum Science and Engineering，Volume 185，2020，106659，ISSN 0920-4105.

[7] Pengcheng Liu，Xiaokun Zhang，Yongbin Wu，XiuluanLi，Enhanced oil recovery by air-foam flooding system in tight oil reservoirs：Study on the profile-controlling mechanisms，Journal of Petroleum Science and Engineering，Volume 150，2017，Pages 208-216，ISSN 0920-4105，

[8] 郎丽媛．油层特征对泡沫辅助减氧空气驱油效果影响的数值模拟研究[D]．成都理工大学，2015.

[9] 张洪，张新春，杨兴利，等．长 6 致密油泡沫辅助减氧空气驱注入有效性地质因素研究[J]．中国石油大学学报(自然科学版)，2018，42(5)：105-113.

[10] 吴灿，李华斌，牛忠晓．ZY 空气泡沫的性能及流速对渗流特性的影响[J]．油田化学，2014，31(03)：380-383.

[11] 王权，李玉星，胡其会，等．大倾角上倾管气液两相流动特性[J]．化工进展，2017，36(08)：2822-2829.

[12] 赵庆军，何利民，徐建中．水平管段塞流压力/压差波动特性分析[J]．工程热物理学报，2005(03)：441-446.

[13] 方立军，胡月龙，武生．气液两相流流型识别理论的研究进展[J]．锅炉制造，2012(06)：33-36.

[14] 王琦．水平井井筒气液两相流动模拟实验研究[D]．西南石油大学，2014.

[15] 程阳．水平井气液两相流压降规律研究[D]．长江大学，2019.

无人机在油田环境保护监督工作中的深度应用技术研究

徐春伟　崔心照　赵　曦

（大庆油田有限责任公司）

摘　要　为构筑油田绿色长城，加强生态文明建设，油田将无人机技术应用到环境保护监督领域，旨在提高环保监督效率，全方位对油田区域生态环境进行监督。随着无人机在环保监督领域的深度应用，显现出许多影响监督质量和效率的技术难题，亟需突破解决。通过科学划分飞行网格，开发无人机自主巡航系统，使无人机在规定的网格内按照既定路线自主飞行，结合对原油特殊的光谱技术研究，建立油田光谱特征曲线数据库，无人机携带光谱相机，在自主飞行的基础上自动识别落地油污染物，从而实现无人机的自主监督。通过对污染信息采集、集成、交互技术研究，将环境保护问题多源信息标记在GIS地理信息图层上，构建可视化隐患问题管理平台，推动油田环境保护工作的整体提升。

关键词　无人机；环保监督；光谱特征；自主监督；管理平台

中国的无人机技术起步较晚，但在近年来得到了快速的发展。2005年，中国成功研制出了第一架自主研发的无人机。此后，中国在无人机技术研发、生产和应用方面取得了快速的进展，先后在军事、农业等领域得到广泛应用。2019年开始，无人机开始应用到油田安全环境保护监督领域，油田施工队伍的安全隐患和环境保护隐患查处数量得到大幅度提高，其中，“三违”问题的发现率提升了200%，油田施工队伍的管理水平得到提升。

1　目前存在的问题

无人机在环境保护监督领域应用过程中还存在三方面问题：一是飞手利用遥感设备操控无人机实施现场监督以点线小区域监督为主，由于飞行路线不规律，导致无人机监督存在盲区，不能对整个区域实施全覆盖监督；二是当无人机发现疑似环境保护隐患后，需要监督人员到现场核实隐患问题真伪，由于无人机飞行半径约5公里范围，当环境保护隐患在野外空旷地带、周围缺少参照物的情况下，受植被及沟渠影响，存在人员找不到现场和到不了现场的问题，人员到达现场后，有时发现现场并不是污染问题，无人机预警报送污染信息错误；三是无人机起飞后，仅操作无人机的飞手可以通过操作台观察无人机飞行画面，下发无人机监督计划人员看不到且无法指挥飞行路线，无法实现后台远程遥控指挥。这些问题制约了无人机在环境保护监督工作中的应用，大大降低了监督效率，亟待解决。

2　无人机自主监督

为解决无人机监督过程中存在的实际问题，就要减少人的干预度，若将油田划分成若干个网格，无人机按照指定程序在网格内有规律的自主飞行、自动识别污染物，发现隐患问题后，将问题信息自动存储到网络平台中，同时报送预警，二级单位及时发现和解决环境保护问题。

2.1　无人机监督网格划分

基于油田采油厂、作业区、采油班组三级网格划分，研究三级+无人机监督网格。依托已建成的大庆油田三级网格：一级网格13个采油主体单位、二级网格92个作业区、三级网格519个采油班组，以采油班组区域为基础，以长度4千米、宽度0.2千米为边长的长方形格子作为1个飞行单元，划分原则是保证无人机沿着监督网格飞行时扫描航线在宽度上全覆盖，从起升到电池耗尽前在长度上全覆盖，且填满整个三级网格，确保横向到底，纵向到边。将整个油田划分为10591个无人机监督网格。

2.2　在网格内无人机自主巡航

开发自主巡航系统。该系统由无人机自主飞

行、集群调度、任务管控、智能分析、远程实时测控、数据成果处理、通信数据链网络、地基增强、风险监测等分系统组成，实现无人机按照规定的线路自主飞行、自动返航。

研究能够自动更换电池的无人机智能机巢技术。其核心处理单元主要是 IMATIC－S7－200SMART，系统可依靠光电传感器检测无人机位置，由 PLC 控制做出对应反应，对机械手进行控制，以此操纵电池盒，完成电池的更换，利用 RTK 开展诱导降落干预，实现无人机降落回集。系统设计框图见图 1，RTK 板卡图见图 2。

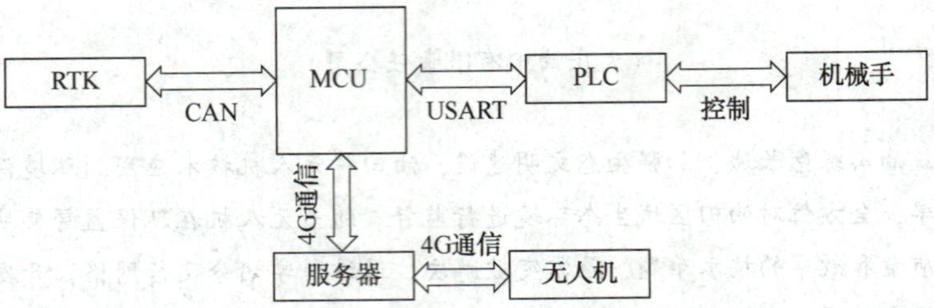

图 1　系统设计框图

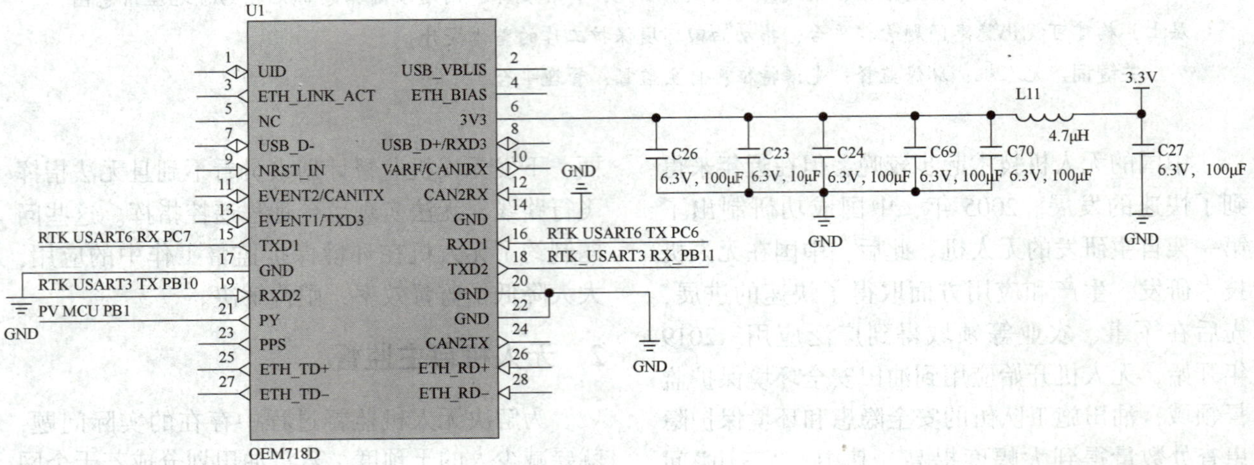

图 2　RTK 板卡图

光谱技术应用到油田烃类污染物识别工作中。以往无人机监督使用可见光遥感成像技术，可见光技术受光线影响大，对烃类污染物区分度低、误报率高。政府部门已在农业、地质勘察等多个领域应用多光谱分析技术，根据每种物质特有的光谱特征曲线，巡查植被、水体、矿山等地表物质分布情况。基于此，对大庆油田不同区块的烃类污染物进行光谱特征曲线研究，建立不同地区烃类污染物的光谱特征曲线数据库。无人机巡查时，调取数据库信息与地表物质光谱曲线特征进行匹配，匹配度最接近的即为烃类污染物，从而实现烃类污染物的自动识别，识别准确性受数据库中隐患信息数量影响，通过计算机训练机制，识别准确率会逐渐提高。

通过系统设定，无人机在划定好的无人机监督网格内进行自主巡航和烃类污染物自动识别，避免了以往无人机飞手现场操控无人机监督出现的飞行路线不规律、监督不覆盖、受光线影响误判污染物的问题。人员在控制室内通过电脑对无人机进行指令操作，让无人机在划定的网格内有规律的自主飞行，飞行画面在后台电脑可视。由于光谱技术应用到油田环境保护监督工作的前期，识别准确率还有待提升，当无人机光谱自动识别出污染物时，报送预警，控制室人员会进行飞行干预，可以 360°调整摄像头对污染物进行甄别确认，当电量不足时可以自主返航、自动更换电池，实现了无人机的自主监督和污染自动识别。

2.3　构建可视化环境保护隐患管理平台

为解决无人机监督发现后，人员无法通过无人机拍摄的隐患问题照片到达现场的问题，油田成立专业研究室，研究污染信息采集、集成、交互技术，数据库自动读取无人机照片的POS经、纬度数据，将巡查结果导入GIS平台，并与GIS系统的实际地理位置进行匹配，利用图层技术，将图片呈现在GIS地图上，利用MongoDB作为数据存储仓库、Cesium三维可视化GIS引擎，基于WebGL技术，开发可视化巡查报告管理模块系统，通过关联无人机隐患影像、文本、位置等多源数据，建立数据库映射关系，实现时间、经度、纬度、高度等信息标记在隐患问题照片中，实现对巡查问题位置、图像、时间等信息的一体化综合管理，通过关联网络，建立环境保护隐患问题管理平台。

隐患管理平台上可视化显示网格内待处理、正处理环境保护问题数量。红色代表查出的问题，绿色代表被认领正处理的问题，处理后的图标会在地图中隐去，但可在系统中调取闭环后的问题图片，查询问题统计表，可进行隐患分级，实现了环境保护问题交互治理管控。环境保护问题交互治理管控图见图3、图4。

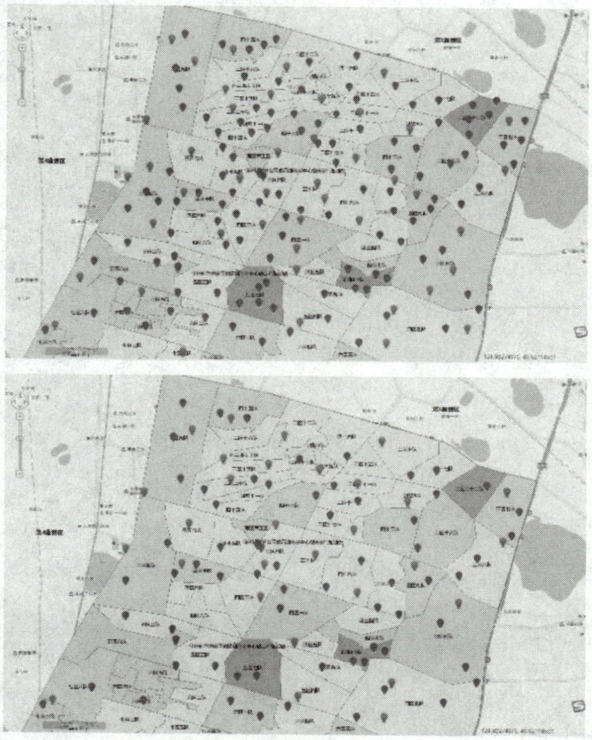

图3、图4　隐患管理平台上环境保护问题交互治理管控图

3　实施效果

以上技术已在大庆油田第一、二、三、四、六、七采油厂进行应用，作业时常72125分钟。通过对无人机在环境保护监督工作中的深度应用技术研究，环境保护监督工作向着数字化、智能化、精细化方向发展，环境保护监督工作质量和效益有显著提升。

一是经济效益得到提升。

（1）环境保护监督成本大大降低。常规1个无人机监督组=2~3名监督员+1无人机飞手+1飞手司机，1个采油班组全覆盖飞行一次需要2个常规无人机监督组(8人)；无人机在环境保护监督工作中深度应用技术研究后，1个无人机自主监督组=1放置、回收无人机人员+1后台视频监督人员+1司机，2个采油班组区域全覆盖飞行一次需要1个无人机自主监督组(3人)。无人机监督效率可提高2~4倍，另外考虑到车辆损耗，每个无人机监督组年节约现场监督综合成本约91万元。年租用一台无人机及配套费用约为65万元，以提高效率2倍计算，每架无人机环境保护监督组年节约成本=91+65=156万元，大庆油田HSE监督总站共有6台无人机专门从事环境保护监督工作，6架无人机年节约成本=156×6=936万元。

（2）环境保护违规处罚风险降低。无人机在油田环境保护监督工作中的深度应用技术研究后，无人机发现的环境保护隐患问题数量明显增多，2021年，无人机发现环境保护隐患198个，2022年，无人机发现环境保护隐患252个，油田进行内部经济处罚793万元，按照政府监管部门对于现场问题的罚款额度约为公司内部处罚的2.5倍计算，年可为油田挽回经济损失至少1982万元。

二是社会效益得到提升。

（1）提高了油田环境保护社会声誉。随着国家和中石油的环境保护重视程度提高，一旦发生突发环境污染事件或生态环境破坏事件，对于企业的社会影响是巨大的，通过无人机在环境保护监督领域深度应用技术研究，环境污染和生态破坏问题逐步降低，一年来，油田未发生较大影响的环境保护事件。

（2）提高了油田全员环境保护意识。随着无人机自动化智能监督水平的提高，环境保护问题尤其是烃类污染类问题无所遁形，得到了各级领导及现场操作人员的高度重视，推动了全员环境保护意识的提升，为油田的绿色发展发挥了积极作用。

4 结束语

总的来说，无人机污染自动识别和环境保护隐患管理平台的建立，对于环境保护工作具有很好的应用价值和极大的推广前景。无人机污染自动识别技术的应用，可以实现油田范围内无人机自主飞行全覆盖监督，环境保护问题多源信息可视化交互治理管控，可以为油田全面构建风险分级管控和隐患排查治理双重预防体系系统，提供必要的技术支撑，最终形成集风险预警、计划管理、问题分析、管理预警、业绩考核、治理闭环等功能于一体的 HSE 管控平台，应用前景十分广阔。

参 考 文 献

[1] 孙丽丽．无人机管理系统的初建与效果分析[J]．中国设备工程，2021，(17)：110-112.

[2] 陈希．无人机在基层采油队生产中的实际应用[J]．全面腐蚀控制，2022，36(05)：28-30.

[3] 刘新军，刘业博．无人机在油田安全监督中的应用研究[J]．现代职业安全，2022，(05)：63-66.

[4] 赵云．守护塔里木河，西北油田有三只眼[J]．中国石油石化，2021，(14)：42-43.

[5] 万里．无人机在海外数字化油田中的应用[J]．数字技术与应用，2021，39(05)：61-63.

[6] 葛发蔚．面向油田巡检的无人机路径规划方法研究[D]．渤海大学，2021.

[7] 王一安．基于无人机的油田巡检动态目标实时追踪方法[D]．渤海大学，2021.

[8] 袁鹏，孙强，薛瑾，马赟，李建平．无人机巡检系统在油田生产领域的应用研究[J]．油气田地面工程，2020，39(04)：66-69.

大庆油田某外扩产能区块高效开发措施方法研究

谷元伟　谢晓辉

（大庆油田有限责任公司）

摘　要　大庆油田外扩某产能区块原油物性具有“三高一低”特点，即含蜡量高、含胶量高、粘度高以及凝固点低。原油物性在垂向上具有分段性，原油粘度具有随深度增加而增大的趋势。外扩产能区块投产初期，抽油杆滞后频发，导致油井时率低，泵况问题井发生率高，影响了产能区块投产初期开发效果。为提高油采收率，保证区块高效开发，针对外扩井原油物性特点，在技术上采用“1+N”技术提高井筒质量，采取“2+2”预防与处理措施治理抽油杆滞后问题，通过试验应用新技术强化井筒质量，加强治理抽油杆滞后问题提高油井时率，保证外扩产能区块高效有效开发。

关键词　原油；外扩；洗井；井筒

1　概况

大庆油田过渡带某产能区块外扩整体探明面积20.73km^2，地质储量531.38×10^4t，平均砂岩厚度4.6m，有效厚度3.1m，平均渗透率143mD。外扩区部署井位385口，建成产能12.85×10^4t，于2022年4月份陆续投产，投产初期，单井平均日产油2.4t，含水81.4%。

受构造特征影响，外扩区厚度发育逐渐变薄，油层发育层数变少，有效厚度以及渗透率逐渐降低变化特点（表1，图1）。

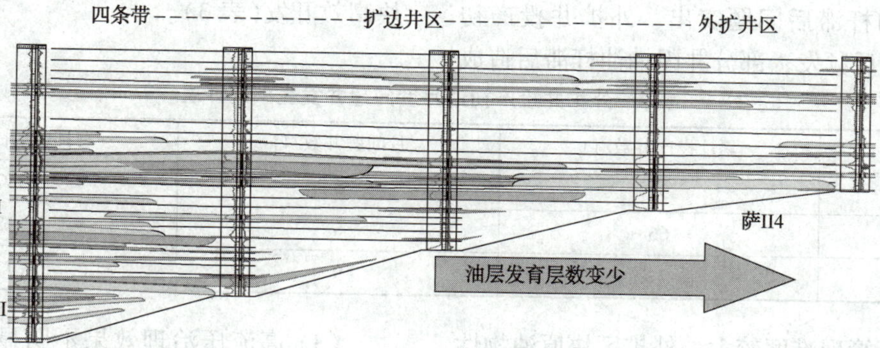

图1

表1　某外扩区发育状况对比表

油层组	四条带				扩边井区				外扩区			
	层数/个	砂岩/m	有效/m	渗透率/mD	层数/个	砂岩/m	有效/m	渗透率/mD	层数/个	砂岩/m	有效/m	渗透率/mD
某I	6.91	5.48	2.38	152	4.66	4.37	1.35	153	5.42	5.05	2.9	121
某II	10.41	17.55	11.41	308	8.66	13.18	7.21	299	2.41	4.83	3.94	165
萨III	2.32	3.02	1.29	222								
合计	19.64	26.05	15.08	276	13.31	17.55	8.56	236	7.82	9.88	6.84	143

外扩区靠近油水界面，原油物性变差，具有密度大、粘度高、含胶量高以及凝固点低“三高一低”的特点，其中原油粘度约是纯油区的8倍（表2、图2）。

表 2 过渡带分条带原油物性表

分类	纯油区	过渡带				
		一条带	二条带	三条带	四条带	外扩
地下原油粘度/(mPa·s)	8.1	13.2	14.1	20.9	40.7	78.4
地面原油粘度/(mPa·s)	23.8	78.1	82.1	95	121.5	211.1

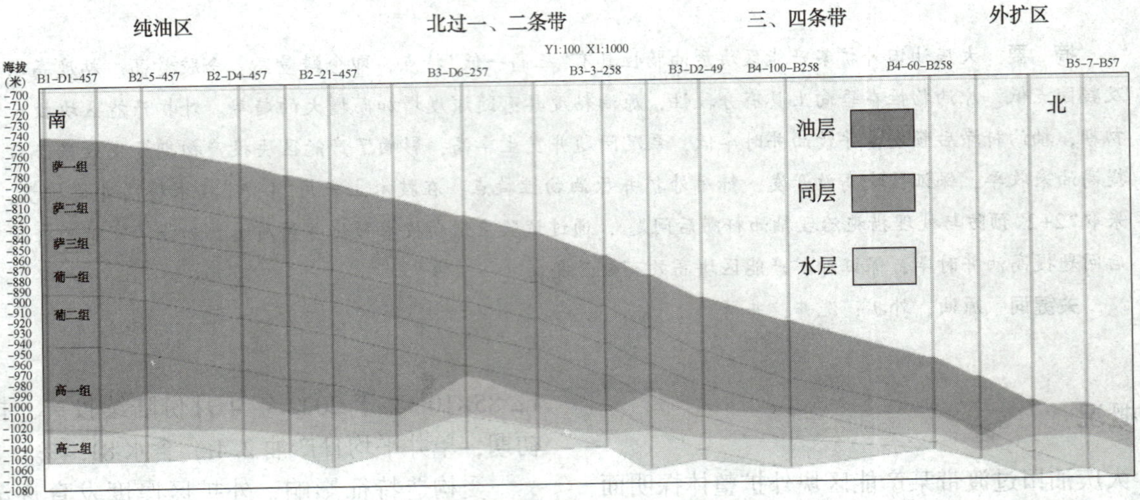

图 2 A 开发区油藏纵剖面图

2 存在主要矛盾

(1) 抽油杆滞后问题突出。外扩井投产初期，抽油杆滞后频发，部分井因抽油杆滞后造成抽油杆弯或卡泵上报问题井待作业队处理，问题井发生率较高，运行时率低，严重制约了产能区块高效开发(表 3)。

表 3 外扩井投产初期月度问题井发生率统计表

时间	累计投产井数/口	月问题井数/口	月问题井发生率/%
2022 年 4 月	35	6	17.1
2022 年 5 月	66	8	12.1
2022 年 6 月	77	9	11.7

(2) 井筒管理难度较大。外扩区块原油物性差，具有密度大、粘度高、含胶量高以及凝固点高的特点，井筒结蜡快，热洗周期短；投产初期采用高温蒸汽车洗井，清防蜡方法单一，且单井差异大，无法实现周期洗井。

(3) 高流压治理效果不明显。受基建施工、线路检维修等因素影响，投产初期，抽油机井频繁停机，油井运行时率低，机采井平均流压 6.76MPa，平均沉没度 645.3m，远高于全厂平均水平(表 4)。

表 4 外扩油井投产初期流压统计表

月份	4 月	5 月	6 月	平均值
平均流压/MPa	6.77	6.64	6.83	6.76
平均沉没度/m	646.3	641.4	651.2	645.3

受采出液粘度影响，上调冲次治理高流压过程中，频繁出现抽油杆滞后问题，导致流压始终保持较高水平。

3 主要措施及效果

3.1 抽油杆滞后主要影响因素分析

(1) 洗井温度测试试验。采用高温蒸汽连续洗井试验，测试井筒洗井前后温度变化，洗井液温度保持75℃以上，井口返回温度达到60℃以上稳定60分钟以上，并在洗井结束30分钟后再次测试温度。(表5)

表5　井温测试试验数据对比表

测试深度/m	50	100	150	200	250	300	350	400	450	500	550	600	650	700
洗井前温度/℃	12.9	15.5	17.8	19.1	20.7	21.3	23.2	25.8	28.8	32.4	35.6	35.9	36.2	36.2
洗井后温度/℃	69.9	67.1	64.3	61.1.	57.8	55.9	53.4	51.2	46.3	42.7	42.5	42.4	40.1	39.6

由测试数据分析，采出液从井下每举升100m，温度下降约5℃；洗井过程中井筒500m以下最高达到约42℃，外扩井原油平均凝固点35.4℃，由此判断，外扩井井筒结蜡段在0~500m。

(2) 停机时长对抽油杆滞后影响试验。统计外扩井不同停机时长恢复情况，外扩井停机2小时开始出现杆滞后现象，停机超4小时发生杆滞后井数上升速度加快，停机超24小时，有54.2%以上的井需要洗井处理(表6)。

表6　不同停机时长抽油杆滞后恢复情况表

分类	停机时间/小时							
	<2	2~4	4~6	6~8	8~10	10~12	12~24	>24
统计井数/口	89	76	83	68	59	66	73	48
杆滞后井数/口	4	5	8	11	14	17	24	26
百分比/%	4.5	6.6	9.6	16.2	23.7	25.8	31.1	54.2

(3) 不同停机时长泵洗处理试验。对停电后无法正常启抽的抽油机井，统计不同停机时长泵洗处理情况(表7)。

表7　不同停机时长泵洗处理效果表

分类	泵洗处理/井次	成功/井次	未成功/口	成功率/%
停机<2小时	23	17	6	73.9
停机2~4小时	29	19	10	65.5
停机6~12小时	24	10	14	41.7
停机12~24小时	17	5	12	29.4
停机>24小时	18	3	15	16.7
合计	111	54	57	48.6

从不同停机时长后泵洗结果看，停机时间越长，泵洗处理难度越大，其中停机超24小时的井，采用热洗泵处理成功的几率约为16.7%。因此，针对外扩井，应尽量减少停机次数或尽量缩短停机时间，抽油杆滞后频次。

由此可见，造成外扩井抽油杆滞后频发得主要因素是井筒结蜡速度快，并且与停机时间长短以及频次有很大关系，因此，为治理抽油杆滞后频发问题，应从提高井筒质量以及强化日常管理上下功夫。

3.2 "1+N"技术提高井筒质量及效果分析

针对外扩井原油物性特点，采取以泵洗为主，采用井下电加热、井口加流改剂以及井口加清防蜡："1+N"技术措施，提高井筒质量，保证开发效果。

(1) 合理洗井周期方法确定

在采油工程管理中，泵洗是井筒治理的主要手段。针对外扩井对洗井温度、压力要求高，经过不断摸索，外扩井需要井口洗井液温度达到75℃以上才能满足洗井条件。

为此，在洗井方法上采取分类洗井法。对洗井温度达到72℃以上满足泵洗条件井纳入泵洗管理；对洗井温度在68~72℃、洗井压力在4MPa以下的井采取泵洗+车洗法；对洗井压力在4MPa以上以及洗井温度在65℃以下的井采取车洗。

外扩井投产后，用高温蒸汽车彻底洗井后，观察抽油机负荷变化和抽油杆出现滞后情况，发现外扩井基本符合含水越高，洗井周期越长的规律，但仍有23%的高含水井洗井周期较短。（表8）

表8　不同含水范围井筒结蜡速度现场试验跟踪表

日期/天	含水/%						合计/口
	>98	95~98	90~95	85~90	80~85	<80	
	统计井数/口						
	6	7	8	6	9	13	43
<5		1	1	2	2	3	9
5~10	1	1	1	1	2	3	10
10~15	1	1			1	4	7
15~20	2		1	1	3	3	10
20~25	1	1	2	2	1		7
25~30	1	2	3				6

选择5口洗井周期短的高含水井，化验含胶量，发现这些井的含胶量高于纯油区6.16个百分点。因此，在制定洗井周期时，要结合单井实际运行情况，因井而异。（表9）

表9　含胶量对井筒结蜡速度影响情况统计表

井号	含水/%	蒸汽车洗井温度/℃	井口返回温度/℃	运行时间	含胶量/%
井1	98.1	100	87	19	25.6
井2	96.8	100	82	14	25.6
井3	98.1	100	84	21	26.3
井4	96.6	100	85	16	25.9
井5	97.2	100	83	14	26.9

依据含水，结合胶质含量，参考日常杆滞后频次，制定洗井周期。含水>95%：周期20~30天，含水<95%：周期10~20天，根据电流及载荷变化相应调整洗井周期每次延长或缩短2~5天。（表10）

表10　外扩井洗井周期制定参考依据

含水/%	胶质含量/%	洗井周期基准/天	调整天数/天
>95	>26	20	±5
	25~26	25	±5
	<25	30	±5
90~95	>26	25	±3
	25~26	20	±3
	<25	15	±3
80~90	>26	15	±2
	25~26	18	±2
	<25	20	±2
<80		15	±2

(2) 应用井下电加热技术应用及效果分析

井下清蜡降粘装置由电热带(发热体)和护槽扎带(保护、固定电热带于油管上)构成。从井口套管内下入加热电缆，通过护槽扎带固定在油管外壁，由地面变压器供电，加热电缆释放的热量通过油管壁释放给油管内采出液，井下加热电缆可根据井筒结蜡段长度下入不同深度，一般下入深度为500m~700m。经测试数据得出，应用电加热后采出液温度可提高7℃，平均洗井周期延长13.2天。(图3、图4、图5)

根据单井产液、产油、含水以及洗井周期，结合井下清蜡降粘装置用电量，优选洗井周期短的6口抽油机井安装井下清蜡降粘装置，分析防蜡效果(表11)。

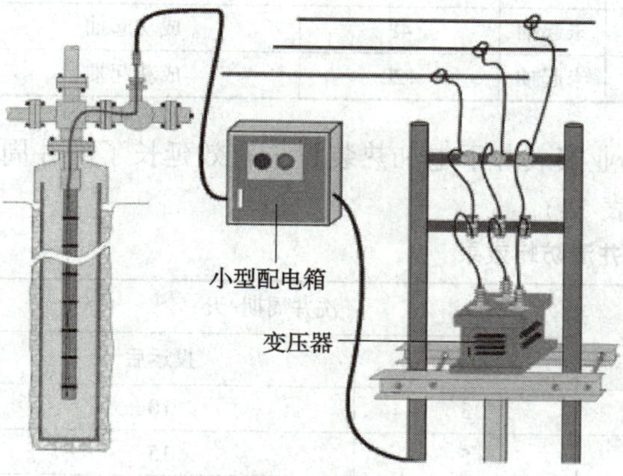

图3　工作原理简图

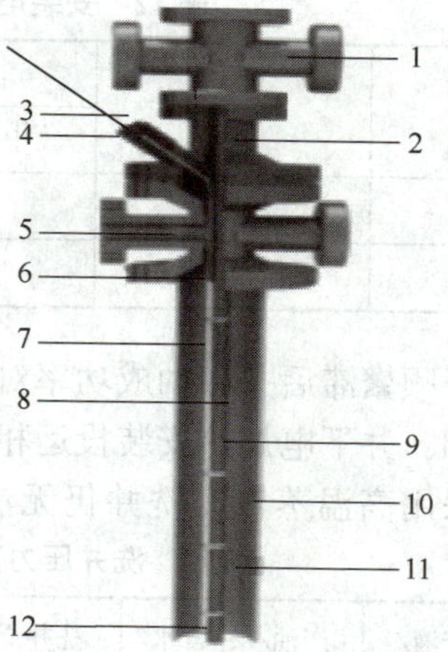

图4　清蜡装置总图

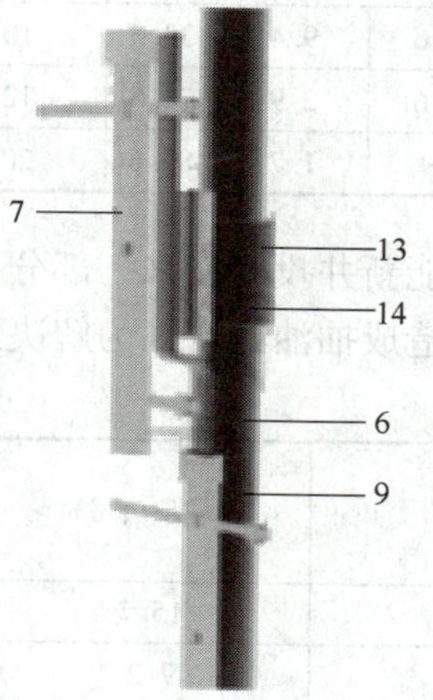

图5　安装示意图

表11　不同产液量应用井下清蜡降粘装置洗井周期延长情况效果对比表

井号	产液/(t/d)	产油/(t/d)	含水/%	洗井周期/d			周期延长百分比/%
				应用前	应用后	差值	
井1	51.2	4.4	91.4	18	23	5	27.8
井2	42.3	3.2	92.4	20	25	5	25
井3	31.4	2	93.6	21	30	9	42.9
井4	27.2	2.1	92.4	16	30	14	87.5
井5	22.4	1.86	91.7	15	30	15	100
井6	14.3	0.94	93.4	12	29	17	141

从试验结果看，不同产液量的井，洗井周期相差较大，其中产液量大于40t/d的井防蜡效果较差，产液量在20t/d的井防蜡效果明显，因此，应用井下清蜡降粘装置应选低产液、洗井周期短的井。

① 井下电加热应用效果分析

统计近年来问题井发生率，安装井下清蜡降粘装置的问题井发生率17.3%，未应用井下清蜡降粘装置问题井发生率是应用井下清蜡降粘装置的1倍以上。(表12)

表 12　安装电加热井与未安装电加热井问题井发生率对比表

分类	井数/口	问题井发生情况/井次				问题井发生率/%
		中西区	外扩一期	外扩二期	合计	
投用/口	98	4	6	7	17	17.3
未投/口	213	21	34	29	84	39.4

抽油杆频繁滞后井启抽成功率对比分析。新井投产初期，井下电加热安装投运相对滞后，部分井即使采用高温蒸汽车洗井仍无法正常启抽，投运电加热 3~5 天后，有 4 口井成功启抽(表 13)。

表 13　洗井压力高无法正常启抽井采用井下电加热处理情况对比表

井号	产液/(t/d)	产油/(t/d)	含水/%	洗井周期/d	洗井压力/MPa	返回温度/℃	处理结果	电加热处理情况	
								运行时间/h	处理结果
A	14.3	0.23	98.4	25	8	67	未起抽	72	成功起抽
B	13.6	9.4	33.3	10	18	73	未起抽	144	成功起抽
C	11.6	2.9	74.5	12	6	69	未起抽	48	成功起抽
D	9.9	1.7	82.6	20	10	71	未起抽	120	成功起抽

外扩产能新井投产以来，部分井因频繁出现抽油杆滞后造成抽油杆弯，为解决此问题，结合作业安装井下电加热装置，有效延长了洗井周期(表 14)。

表 14　抽油杆频繁滞后井清防蜡效果

井号	产液/(t/d)	产油/(t/d)	含水/%	洗井周期/天	
				投运前	投运后
A	15.7	8.3	47.3	3	10
B	7.2	0.2	97.1	5	15
C	8.9	3.8	57.5	3	12

频繁停电启抽情况对比分析。统计线路故障、线路检修频繁造成停机 753 井次，其中无电加热井约 57%以上的井需要洗井，约 85%有电加热井不用洗井可正常起抽(表 15)。

表 15　停电后抽油机启抽恢复情况对比表

区块	井下电加热	停机次数/(井次)	正常起抽/(井次)	洗井处理后起抽/口	起抽成功率/%
外扩一期	有	98	86	12	87.8
	无	217	96	121	44.2
外扩二期	有	154	129	25	83.7
	无	284	123	161	43.3

② 应用井下电加热经济效果评价

电加热装置设备单价为 17.14 万元，现场应用寿命按 2.5 年计算，日启动 24 小时，设定功率 18kW，单井应用电加热装置年投入 18.99 万元(表 16)。

表 16　应用电加热装置年投入成本

一次性投入费用				运行投入
设备单价/(万元/套)	施工费用/(万元/井次)	应用寿命/年	年折旧费/万元	年耗电/万元(18kW 24 小时运行)
17.14	2.5	2.5	7.86	11.13

应用电加热后单井可减少热洗6次，减少热洗扣产影响油5.4吨，预计全年减少小修作业32次，单井应用电加热装置年节约费用10.19万元(表17)。

表17　应用电加热装置年节约费用

热洗节资/万元	热洗扣产少影响油					小修作业及扣产影响				
	热洗扣产天数	影响油/(吨/天)	少热洗次数	油价/(元/吨)	年热洗扣产影响油/万元	小修单价/(万元/井次)	单次作业影响天数	平均躺井时间/天	作业次数	年作业及扣产影响油费用/万元
58.8	1	2.3	6	4784	646.98	2.5	3	11	32	492.94

应用电加热装置年投入1861.02万元，年节约费用1198.72万元，投入产出比为1：0.65。

(3) 应用井筒加降粘剂技术效果分析

① 开展降粘效果试验

针对外扩井原油粘度高的问题，选取低含水、洗井周期短的井，联系药剂厂家，开展了为期半个月的井筒连续加流改剂降粘试验，对比降粘效果(表18)。

表18　A井现场试验降粘情况

井号	日期	厂家		中心化验室	
		50℃粘度/(mPa·s)	降粘率/%	50℃粘度/(mPa·s)	降粘率/%
A井	2023-4-7	455		342	
	2023-4-10	311	31.6	206	39.8
	2023-4-11	253	44.4		
	2023-4-12	292	35.8		
	2023-4-13	275	39.6		

加药制度为10kg/d，加药浓度700ppm，由粘度检测结果来看，700ppm加药浓度下，降粘率可以达到30%以上，加药后平均单井热洗周期将由原来15天延长至30天。

② 经济效益分析

外扩井82口井单井年用药量为2.4吨，年药剂总需求为198.7吨，费用为163.7万元。加药前外扩带全年小修作业30井次，作业比例约为35%，加药后小修作业比率下降50%，加药油井年少作业15井次，通过节省作业费用及减少影响油，预计实现年净增效益约103万元(表19)。

表19　降粘剂加药前后作业费用及增效预测

	加药井数/口	年作业率/%	作业次数/井次	作业费用/(元/井次)	单次作业停产时间/d	单次作业影响油/t	单次作业影响油成本/元	单次作业成本/元	年作业总成本/万元
加药前	82	35%	28.7	27000	3	9.6	46531.2	73531.2	211.1
加药后		18%	14.76						108.5

(4) 应用井筒加清防蜡药剂技术效果分析

针对外扩井含蜡量高的问题，平台4口井安装井口集中加药装置，通过增压泵，将防蜡剂定时定量加入单井套管，实现井筒防蜡。平均洗井周期由21.7天延长到34.7天(表20)。

表20　套管加清防蜡剂辅助延长洗井周期试验效果

井号	产液/(t/d)	产油/(t/d)	含水/%	加药量/(L/d)	洗井周期/天	
					加药前	加药后
B5-5-SB51	12.3	2.6	78.8	10	21	32
B5-5-SB52	18.1	0.76	95.8	10	30	45
B5-6-SB51	8.2	1.2	85.1	10	21	32
B5-6-SB53	14.3	5.5	61.8	10	15	30

根据现场试验的情况，预计加药后平均单井热洗周期将由原来15天延长至30天，单井年减少洗井12井次，单井热洗年少影响油115.2t，平均单井年净增效益56万(表21)。

表21　加药前后平均单井热洗周期及增效预测

	热洗周期/d	年洗井/次	单次洗井费用/元	年洗井费用/元	单次热洗扣产时间/d	单次热洗扣产产量/t	单井热洗年扣产产量/t	吨油价格/(元/t)	年影响油成本/万元
加药前	15	24	800	19200	3	9.6	230.4	4847	111.7
加药后	30	12		4800			115.2		56

3.3　采取“2+2”防治结合法治理抽油杆滞后问题

抽油杆滞后频繁是外扩产能区块的主要问题，不断摸索，总结出了2+2防治结合法，即采取渐进式上调参法+调小冲次起抽法降低因抽油杆滞后造成杆弯作业问题；采取高温蒸汽车洗井+上提抽油杆后洗井法处理抽油杆滞后无法起抽问题，通过减少抽油杆滞后造成问题提高油井时率，提高开发效果。

（1）渐进式上调参法

投产后应稳定生产2个月以后，对高流压高液面井采取渐进式上调参原则，每次上调0.5次，现场观察生产状况，如果当时或2天之内出现抽油杆滞后问题立即调回原冲次，上调冲次后，10~15天之内未发生抽油杆滞后、流压仍然较高的，可进行第二次上调冲次。上调参冲次后，平均流压由6.67MPa下降到5.12MPa。(表22)

表22　外扩井调参效果统计表

分类	调前					调后				
	液/(t/d)	油/(t/d)	含水/%	流压/MPa	沉没度/m	液/(t/d)	油/(t/d)	含水/%	流压/MPa	沉没度/m
合计	275.5	44.9	83.7	6.67	768	395.9	65.2	83.53	5.12	383
平均单井	9.5	1.5	83.7	6.67	768	13.7	2.2	83.53	5.12	383

（2）调小冲次启抽法

外扩井停机超过2小时，再启抽恢复生产时，抽油杆滞后频发，很容易导致抽油杆弯等问题。针对抽油机停电，来电后启机恢复生产过程中，因抽油杆滞后造成抽油杆弯的问题，总结出调小抽油机冲次再启抽，即启机前先把抽油机冲次调到最小，抽油机恢复正常生产稳定10分钟后再把冲次调到原先参数，采取这种工作法以来，降低了长时间停机井因冲次过快造成杆弯的问题。

采取调小冲次启抽法以来，过外扩井89井次停后无法正常启抽井，未造成1口抽油杆问题。

（3）高温蒸汽车洗井处理抽油杆滞后井

抽油杆滞后用热洗泵无法处理井，采用高温蒸汽车处理，通过统计数据分析，洗井初始压力越低启抽成功率越高，当洗就那个压力高于15MPa时，处理成功率仅为33.3%(表23)。

表23　高温蒸汽车洗井处理抽油杆滞后效果

洗井井数/(井次)	初始压力/MPa	初始温度/℃	洗后压力/MPa	洗后温度/℃/℃	成功井数/井次	成功率/%
31	8~10	72~78	3~6	62~70	30	96.8
23	10~15	72~78	3~8	60~68	18	78.3
9	>15	72~78	10~18	55~65	3	33.3

（4）上提抽油杆后洗井法处理抽油杆滞后井

高温蒸汽车洗井压力15MPa以上未成功启抽的井，协调作业队通过活动管柱或活塞提出工作筒，洗井处理4口井，全部成功。截止目前已处理33井次。(表24)

表 24　上提抽油杆洗井处理法效果统计表

井号	处理前高温车处理情况		提杆后高温车处理情况		
	洗井压力/MPa	处理结果	采取措施	洗井压力/MPa	处理结果
A	16	洗井压力不降，返回温度温度 62 度	活动管柱后洗井	10.3	解卡成功
B	16	洗井压力不降，返回温度温度 62 度	活动管柱后洗井	9	解卡成功
C	18	洗井压力不降，温度不返	活塞提出工作筒	13.2	解卡成功
D	20	洗井压力不降，温度不返	活塞提出工作筒	11.3	解卡成功

4　结论及认识

4.1　提高外扩井运行时率的认识

一是外扩油井投产 3~5 天内组织一次彻底洗井，尽快摸索单井洗井周期；二是外扩井投产过程中采取同步投运电加热，可有效减少抽油杆滞后问题的发生；三是外扩井停机，要根据单井生产台账，立即启动应急预案，提高运行时率；四是调整生产参数时，应坚持渐进式上调法，避免参数变大后杆滞后的发生。

4.2　提高外扩井井筒质量的认识

一是外扩井要采取以泵洗为主，泵、车结合，高温蒸汽车洗多种洗井方式保证井筒质量；二是外扩井需要多种辅助手段保时率。受原油粘度高的影响，加流改剂降粘，改善采出液流动性。受原油含蜡量高的影响，外扩井需要电加热、加防蜡剂等手段，辅助延长洗井周期；三是杆滞后问题处理要快。热洗跟不上很快就会转成作业井，作业跟不上很快就会转带压作业，带压作业处理不及时很快就会转成大修。

站库集中监控到智慧化油田的技术发展探索

王　磊

（大庆油田有限责任公司）

摘　要　针对T油田地处偏远、用工总量高、井区分布分散、自动化程度低的现状，系统总结已实施数字化建设的F作业区等数字化技术和应用效果，结合站场工艺优化工艺、精简管理层级、融合视频、通信技术，构建T油田低成本数字化建设模型。“十四五”期间，以降低建设投资、简化管理层级为目标，应用低成本数字化建设模型，调整T油田组织机构，降低用工总量，实现低成本、数字化精益管理。

关键词　无人值守；集中监控；优化；运维

1　油田地面数字化建设概况

T油田1984年5月投入开发，建设区域横跨外围1市、2县、1地区，截至2019年底，管辖油水井＊＊＊＊口，用工总数4206人，生产前线用工2223人。T油田地处偏远，油水井分布“点多面广”、区域内有江河流经，环保要求较高，亟需通过实施数字化建设提高生产效率，降低生产成本。2010年起至今，T油田按照公司推进数字化建设要求，经过系统优化简化，确定数字化建设总量，在数字化建设过程中，进程依次为联合站集中监控-集油配水阀组间数字化-油水井数字化-生产管理中心建设。

本文通过已建联合站及其开发区域的具体案例，总结数字化-数智化技术发展方向。

2　建设过程中的优化技术

2.1　集中监控改造中的技术思路

T油田数字化建设的思路是，首先依托成熟站控建设技术，在此基础上进行整合，创新性地采用集中监控模式。首次建设选择S联合站，S联合站建有转油脱水站、掺水供水站、水质处理站、注水站、锅炉房。担负＊＊余口油井的气液分离及6座转油站含水油的沉降、脱水和输油任务。

2.1.1　S联合站控制系统建设现状

在此前的有限改造中，站内建设了PLC控制单元，但是以监测为主，以分岗控制为主。含机泵岗位设置了变频器，仅可在控制柜上手动调节；重要生产环节如三合一进出口、电脱水器进出口、注水泵出口未设置调节；站内还设置了加热炉控制柜、泄露报警系统、过滤反冲洗处理单元、可燃气体报警器等独立工作的控制单元。电脱水器受电场波动影响较大，本岗位手动操作、操作人员无法离开岗位。

因此，在改造工程中，需要建设一个中心控制单元，有效地将控制单体进行整合、同时还要有效地分散风险。

2.1.2　设置中控室

利旧站内已建化验室，分为中控室、机柜间两部分。建成后的中控岗相距电脱水岗、油岗满足与易爆设施的防火间距。中控岗按全站重要设施和电子计算机房的标准建设，其中中控室内建有卫生间。根据所录取I/O点数设置操作站、集中展示站内工艺。

2.1.3　优化站内工艺

采暖工艺取消已建工艺中室内锅炉供暖方式，改为采用相变式真空加热炉，采暖水处理工艺、泵输方式保留，加热设备设置在室外。相变式加热炉的技术优势是不存在膨胀、爆炸、结垢的危险，安全可靠，设备体积小型化、加之自带控制装置，控制方便便捷，从室内迁移到室外，管理更便捷。

2.1.4　借助调节阀、变频技术，设置调节、连锁单元

机泵单元经工艺进行根据液量预测，经pipephase软件计算，确定采用变频/调节阀方式调节、对于离心式注水泵、外输油泵设置远程停泵；对于密闭容器的液位、压力调节、设置调节阀。对于事故流程，设置紧急泄放或关断阀门。

2.1.5　已建控制系统通过通讯技术或硬连接实现远程控制

设备自带或第三方控制设备应具有开放的通信协议，包括但不限于：RS485：MODBUS RTU或PROFIBUS DP；ETHERNET：MODBUS TCP/IP或DNP3。具体项目的设计技术文件中应规定所采用的通信方式和协议标准及版本。第三方控制设备供应商应提供数据接口条件表，明确将被读取的寄存器地址、参数名称、工程单位等，以便PLC以只读方式获取。

当工艺转动设备采用变频器时，需要将下列信号以硬接线或者通讯的方式传到PLC：变频控制、频率、设备工频/变频运行状态、变频器运行状态、变频器故障报警、变频器启动。原设备如果没有此项功能，则需要生产厂家配合在原设备上加装。

2.1.6　设置视频安防系统

为了建立人员设备安全保障，站内设置了视频监控及报警，重点预防入侵、监视设备是否出现跑冒滴漏的现象。

全站设仪表采集监控2＊＊点，生产过程控制5＊点，视频监控24点，设中控PLC+分岗PLC，合并站内8个生产岗位，2014年起站内生产运行集中监控，目前运行平稳。

2.2　转油站、集油配水单元无人值守改造中技术思路

转油站属中型站场，从设计思路可视为联合站的一个单元，在指挥中心或者联合站的维护队伍距离转油站距离足够处理应急事件的条件下，可设置为无人值守。由于无人值守的风险等级增大，站场数据采集监控点除了在执行油气田地面工程数据采集设计规范相关规定基础上，对无人值守站需通过典型站场HAZOP分析，同时，调研站场各岗位日常操作频次，适当增设自控点位，实现站场相关生产参数自动采集。

在转油站的无人值守设计中，I/O采集仍然采用PLC控制系统、从稳定、抗干扰等角度考虑，仪表的供电和信号传输还是采用有线方式。

集油配水间的改造和大中站场的理念有较大区别，主要体现在工艺流程简单固定，为成套阀组、采集点较少、没有机动设备、工作场所多为野外农地或草原，因此在技术选择方面，需要采用下面的方式：

（1）过程仪表采用无线方式，流量仪表采用总线方式、施工简单，阀组视觉美观；

（2）控制单元采用RTU，发挥其集成度高体积小、布置容易、支持无线通信的技术特点；

（3）数据传输采用无线方式、投资少、组网便捷、避免有线网络布线困难、投资大的问题。

该项技术思路率先在S区域实施，采用mesh组网方式，取得较好效果，共实现33座集油配水阀组和2座转油站无人值守化管理；自此在T等地区进行了推广。

2.3　抽油机、注水井改造中技术思路

从2017年开始，T油田开始探讨油水井数字化的技术方向，由于工作环境转向了室外，需要总体考虑仪表的防爆防低温以及数据传输模式。经过技术考察及比对采用如下思路：

（1）抽油机井口设置用于载荷、位移、冲程采集的一体化无线工况采集单元、油井压力检测单元、设置电流、电压检测。

（2）单干管单井式注水井设置高压流量检测控制装置，设置进出口压力检测和流量计量及调节；电源可取自就近抽油机平台变压器，在无法就近取电的情况下，可以设置太阳能发电装置。

（3）井场的集控装置综合投资及维护等需要，采用DTU技术的无线电参分析控制器（单井、主井）、智能无线电参分析控制模块（从井）；采用更加小型化、智成化的智能采集技术。

（4）考虑T油田井场分散、地处环境移动基站少的情况，无线传输方式采用。

WIAPA技术：是一种专门面向工业过程自动化的工业无线网络技术标准，其特点有低功耗、低数据率、自适应跳频等。无需基站、抗干扰能力强，自组网络内多路径传输井场数据通过仪表内置通信芯片自组网上传至周边小型站场通信网关，WIAPA网关接收井场数据，再通过WIFA网络无线传输至管理中心。

技术优点：仪表及控制器应用普遍、数据的实时性和可靠性高、信息安全可靠、支持mesh网络组网、跳频通信，持断网续传。

技术缺点：没有Zigbee技术应用普遍；投资稍高。

Zigbee技术：是一种使用广泛的无线协议，其特点包括近距离、低复杂度、低功耗、低数据速率等。传输距离100m以内自动组网，从仪表优化、网络传输稳定角度考虑，主从井数量不宜大于8口油井，尤其适用于丛式井。井场数据传输至井场智能综合电参数采集控制器(内含RTU、DTU)，通过DTU上传至公网。

技术优点：①仪表及RTU控制器应用普遍，较早应用于井场数字化建设；②结构简单，接口丰富；③适用多行业领域，产品通用性强。

技术缺点：①仪表电池低温性能一般，抗干扰能力稍差②部分厂商使用自加密协议，通用性差。

技术对比：Zigbee技术在同频干扰、电池耐低温性有待商榷，相较而言使用WIAPA技术构建井、间近场通信网络具备较强的环境适应性，在仪表维修保养方面节省后期成本。

2.4 远距通信技术优选

经前期调研，结合国家相关法规要求，满足传输视频带宽要求的广域通信可选技术方案有自建LTE、无线网桥、租用运营商4G网络、WIAFA技术、ADSS光缆。

按照网络安全规定，生产数据使用公网4G传输必须通过DMZ(进行隔离才能接入办公网络，数据从采集设备到监控终端传输链路长，故障率高，DMZ区点位数量有限，扩容困难。ADSS光缆仅建设费用约3.5万/km，站外井、间全部建成投入高。无线网桥和WF技术传输时要求两点间可视无遮挡。

表1　远距离通信技术对比

序号	技术类别	申请频率	中继点	网管	投资	施工难度	通信费	安全性
1	4G网络	不需要	1~3km	不需要	无	低	10万/年	低
2	自建LTE网	需要	1~3km	需要	极高	较高	无	高
3	无线网桥	不需要	10~30km	需要	较低	较低	无	较高
4	WIAFA技术	不需要	2~3km	需要	较低	较低	无	高
5	ADSS光缆	不需要	无	需要	极高	较低	无	高

通过对比，选用WIAFA技术建设远距离无线通信网络，具有建网投资低，施工难度低，网络安全性较高等技术优势(表1)。

WIA-FA+WIA-PA的方式，发挥其组网能力强、投资经济的特点。即过程仪表设置WIF-PA模块，油水井生产数据先经WIA-PA网络汇聚至所属集油配水间WIA-PA网关，WIA-PA网关通过MESH网络将生产数据传输至所属油田生产管理平台。以此节约增设移动基站以及运行费用。

2.5 构建生产管理中心的技术应用

利用物联网技术，建立油气田井区、计量间、转油站、联合站产数据、设备状态信息在采油采气厂生产指挥中心及生产控制中心集中管理和控制的系统；系统由数据采集与监控子系统、数据传输子系统、生产管理子系统组成，共同形成大型SCADA系统。组成一个采用数据处理和数据分析技术构建的涵盖生产数据实时监测、生产分析、安全预警、运行调度、数据管理等功能的信息管理系统(图1)。

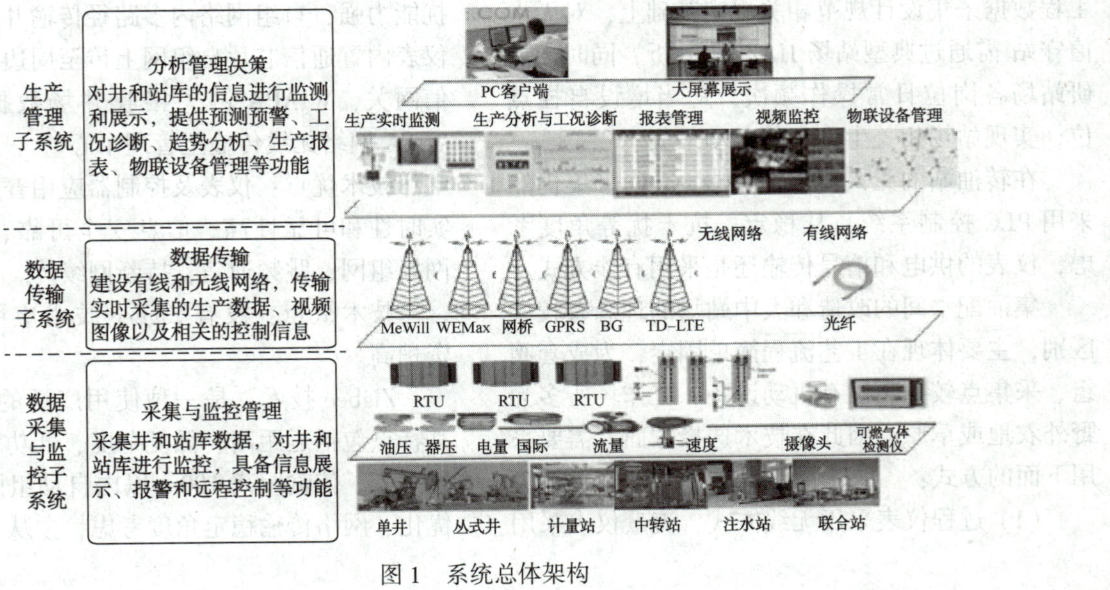

图1　系统总体架构

在这个系统的构建中，有下面主要技术的应用：

（1）数据库技术的应用

总部和油气田公司生产管理子系统的关系数据库应采用总部统一规定的数据库来搭建。作业区的功图关系数据库应采用总部统一规定的数据库来搭建。实时数据库应充分考虑技术的可靠性、开放性、可扩展性等原实时数据库应支持多服务器及服务器集群，支持多 CPU。实时数据库应支持分布式结构，支持分布式数据采集和处理。

实时数据库应采用模块化结构，可以方便地将新的应用模块添加到实时数据库软件。硬件设备应根据各部署点的数据量以及用户访问量进行设计、部署和升级。

（2）网络技术应用

随着生产物联网的建设推进，区别于互联网，物联网有着专业性、安全性的严格要求，需要建设以控制系统中产生的生产数据为主要流量的专用通信网络。T 油田在根据通信业务需求，需要对厂主干传输网络进行升级，采用方案 SDH 光传输+以太网交换机混合组网技术：

结合 T 已建 SDH 光传输网络现状，设计将充分利旧已建的 ZXMPS330 设备，利用光缆线路，将原传输网络结构由链型调整为环型，并同时将干线传输带宽由升级为 2.5G。为满足生产及办公业务接入管理需要，需要在各传输业务节已建 1 套以太网板的基础上再分别扩容 1 套以太网板。1 套以太网板用于接入生产业务，1 套用于接入办公业务。各大、中型站场利旧已建 F2 交换机通过 SDH 光传输系统提供的传输通道组网。

3　技术应用效果分析

应用该模式建设后，实现三个转变：(1)手工操作到全自动处理的转变。(2)断续数据点到连续信息流的转变。(3)经验管理到精细化管理的转变。

3.1　已实施区域应用效果

通过 S 区域建成了工区、作业区两级数字化监控架构，构建区域生产异常工况报警、统计汇总、决策指挥一体化作业区级生产管理中心，区域内 1 座联合站、2 座转油站、32 座计量间生产数据由人工采集变为自动采集，自动生成报表，管理模式由人工周期巡检转变为站间视频巡检，优化前线生产用工 67 人，实现了联合站和转油站集中监控、计量间和配水间无人值守的既定目标。

3.2　推广后应用效果预测

基于数字化生产管理模式，按照地理位置邻近关系，调整、合并矿级生产单位，以区域以大型站场产为中心，将全厂划分为 5 个生产板块，每个板块建设 1 座区域生产管理中心。改造后，预计撤消 4 个矿级生产单位，前线生产用工总数由 2223 人降至 1167 人，减少用工 1056 人，减少幅度达到 47.5%，年节约人力资源成本 1.58 亿元。

4　下一阶段技术应用展望

上述站场的技术应用目前基本成熟，下一步需要解决的问题就是：前线员工操作虽已减少，但巡检工作必不可少，在一定程度上限制了应用效果；因此还需要不断在技术手段上升级，在此我们需要进一步探讨以下技术手段：

4.1　远程动态视频监控，大中型站场应用机器人巡检、小型站场采用无人机巡检

目前，大多数站场设置了视频监控，但是方式静态性较强、属于定点性防御入侵、虽然也应用了云台控制、长焦切换，但是终究监控半径受限。因此，对于大中型站场，可以考虑采用机器人巡检。

巡检机器人可分为轮式机器人和挂轨机器人，对于道路比较平坦，覆盖区域大的站库可选轮式机器人、对于泵房、计量间等可能出现工艺管线阻隔的区域、巡检范围固定的场所则采用挂轨式机器人。机器人可以集视频监控、抄表、报警、远程控制能功能于一身，可监视现场生产状况、也可进行数据回馈、简单操作，是实现数字智能化的有效技术手段。

目前，站场巡检无人机技术日臻成熟，具有高分辨率、高集成性的功能，高分辨率体现在成像的高清晰度，高集成性则是广角、热成像、变焦能力与一身。并且，持续巡航能力可达 4 小时左右，在日常抽油机、长输管道等井场具有极高的适用性。油田目前已经广泛地应用了雷达监测和泄露报警技术，在今后的设计中，可以考虑集中技术提供数据共享、联动进行巡检等工作，真正实现智能化与无人化值守方式。

5 结论

目前，基层操作人员年龄逐渐老化退休，用工日趋紧张；严峻的形势需要将传统管理方式进行优化创新，管理的创新离不开新技术的创新和使用，需要不断地吸收先进设计思想、创新性地进行技术应用，在今后的设计中，先进技术的引入代替人工日常巡检及操作，同时操作人员减少使得设备运维要求更高、需求更大，步将建立完善运维体系，加大数字化专业人才培养力度，有效保障无人值守化站场系统平稳运行。

参 考 文 献

[1] 庞诚，张乃禄，贺安武，等．油田数字化井场建设与施工[J]．油气田地面工程，2011，030(011)：79-80.

[2] 李安琪，吴志宇．油气田数化管理[M]．北京：石油工业出版社，2013：31-32.

[3] 丑世龙，陈万林．长庆油田数字化管理的建立与实践[J]．现代企业教育，2010，000(020)：67-68.

[4] 张朝阳，王艳．长庆油田数字化的建设实践[J]．油气田地面工程，2011，

[5] 唐莉莉．基于 Zigbee 技术的油田数字化井场[J]．油气田地面工程，2013(02)：70-71.

油田井站无人值守建设的技术应用与探讨

张晓羽　胥敬怡　王鑫鑫

（大庆油田有限责任公司）

摘　要　自动化控制系统的运行及配套项目实施，建立油田无人值守井、站。无人值守井、站由PLC控制系统、DCS控制系统、RTU控制系统、WIA-PA技术、网络通信系统、SCADA系统等组成. 通过建立中心站管理模式，结合自动化技术，实现油田井、站的无人值守管理

关键词　自动化；PLC；DCS；RTU；WIA-PA技术；SCADA；无人值守

1　油田无人值守井、站的建设原则

（1）坚持顶层设计、效益优先。通过油田统一规范、统一建设、统一管理，以提高劳动生产率、减少用工总量为优化标准，科学方案设计，降低建设投资，保障数字化整体架构的先进性、适用性、效益性。

（2）坚持总体规划、分期实施。编制油田公司数字化建设总体规划，完成工艺流程优化简化、管理模式转型再造、信息系统整合升级的指导方案。通过试点先行、规模推广、持续优化、深化应用，有序推进数字化建设任务。

（3）坚持把握节奏、有序转型。数字化建设工作要与一线员工总量减少的形势相适应，要与员工操作技能提升和管理模式转型相适应，要与数字化关键技术的攻关与进步相适应，牢牢把握建设节奏，保障油气生产平稳、高效、安全运行。

（4）坚持业务驱动、协同并进。业务部门充分发挥在设计、建设、管理全过程中的主导作用，设计上实现油气生产智能化、地面工艺优化简化；管理上满足优化用工、优化结构的要求。各专业之间相互融合，各有侧重，整体推进。

（5）坚持技术先进、工艺适用。突出市场化运作、标准化设计，以技术先进、质量可靠、价格合理为原则，优选产品供应商；以工艺完善、标准适当、管控合一为原则，优化工艺设备选型，确保智能化操作，确保使用寿命，降低维护成本。

（6）坚持建管并重、运维兼顾。数字化建设水平和运维管理能力相互促进，相互保障。在建设好的同时，实施运维分级管理，专业化服务，提升整体管控能力，保证建设效益。

2　油田无人值守井、站的建设模式及采集方式

2.1　目前大庆油田主要的建设模式为

（1）井场及小型站场采用"区域巡检、无人值守"模式。井场WIA-PA智能电参分析控制器将生产数据汇聚至小型站场（计量间、集油阀组间、配水间）的WIA-PA智能无线网关，油水井、小型站场的网关数据通过WIA-FA主干网络传入附近的大中型站场，再依托光缆通信网络将数据传至作业区生产管理中心实时数据库服务器。

（2）中型站场采用"区域巡检、少人或无人建设"模式。充分利旧现有检测仪表，并增设必要的自控点位检测仪表，对控制系统进行更新或扩容，对转油站、注水站、水质站的仪表系统进行全面改造完善，重要工艺参数全部进入站控系统PLC统一管理，实现转油站"白天少人值守，晚上区域巡检"，注水站、水质站等无人值守、区域巡检。

（3）大型站场采用集中监控、少人值守的数字化建设模式。在中心控制室对工艺生产过程进行监视和控制管理。在利旧现有采集仪表的基础上，根据集中监控设计规定、工艺优化及现场需要，新增和完善相应的过程生产参数检测仪表；建设视频监控系统，对主要公共活动场所及通道、装置重要部位和区域等进行有效的视频监视；根据控制系统建设情况，通过新建、更新、改造或整合等方式，采用PLC或DCS控制系统，

实现重要生产参数(压力、界面、液位、温度等)的全自动测控。

(1) 集油阀组间、计量间、配水间等小型站场及油水井的数字化建设将增加压变、温变及载荷传感器等仪表设备，现场仪表信号传送至井场控制设备，目前大庆油田主要的传输方式是采用WIA-PA无线技术，无需基站，自动组网，抗干扰能力强，自组网络内多路径传输，无线网关覆盖半径视距1~2km，可提供120个节点的数据管理及传输能力。精确对时，实现功图和电流图的同步采集，同步精度低于100μm。井场数据通过仪表内置WIA-PA路由器自组网上传至周边小型站场智能网关，小型站场智能网关接收井场数据与本间数据，再通过WIA-FA上传至所属中型站场。

(2) 大、中型站场数据采集仪表均采用有线仪表，控制系统大都采用PLC控制系统。

伴随着国家工业化、信息化的两化融合，企业信息系统的深化，信息系统的标准化和平台化是企业信息化的关键，而油气田生产现场恶劣，分布点多面广，控制设备和信息化集成厂家众多，而信息化行业的摩尔定律导致系统更迭快，油田信息化建设早期都存在一些以关系数据库+各种开发工具形成的信息系统居多，这些信息化系统在规模扩大后面临着困难。油田现场分为油(气)井和场站两类，油(气)井采用无人值守站的形式，场站采用有人值守站的形式。

油(气)井采用无人值守站的方式，RTU作为无人值守站的数据通信中心，与油(气)井进行数据采集和通信。作业区的采集通信服务器则通过RTU采集油(气)井的数据。

油田的场站包括联合站、接转站、计量站、增压站、注水站等各类站控系统。

站控系统是集数据采集、自动控制和智能分析于一体的综合管理系统，站控系统由负责数据采集的硬件部分和负责分析管理的软件部分构成。

3 油田智能化系统功能

(1) 生产数据采集和通信

数据采集和通信是智能化油田的基本功能，将喷井、抽油机井、电潜泵井、螺杆泵井、注水井、配水间、注水站、油水集输管网、增压站、转油站、集输站、罐区等生产现场的油(气)井和场站的数据采集到数据库中，包括压力、温度、流量、液位、电流、电压、转速、功率、载荷、冲程、冲次以及视频等运行参数数据，以及油(气)井的功图计量数据等，并逐层汇聚，供SCADA和生产指挥系统使用，同时通过通信功能可以实现对现场的远程控制。

(2) 生产数据存储

智能化油田提供生产数据存储功能，构建智能化油田上层应用所依赖的基础数据中心。生产数据归档存储不依赖于第三方关系型数据库，但可以与第三方关系型数据库进行集成，通过ETL转储工具与其进行数据转储交互，共同构建上层应用所依赖的数据中心。

(3) 生产实时监控

油井、供注水系统、增压站、计量站、联合站、管网等现场生产数据通过数据采集技术采集到平台实时数据库中，结合各生产场所的二维或者三维工艺流程图进行组态。操作管理人员可以随时随地的查看现场生产状况。

(4) 生产报警

通过对油(气)井、气井、注水井、集、输、配气站、脱水站、增压站、阀室、处理厂、管网设备装置生产运行状况的实时监视，对发生的任何异常情况，系统平台能及时通过各种报警方式提示通知相关操作管理人员。系统报警方式主要分为：声光、图像、屏幕图标闪烁以及视频监视联动等。

(5) 生产报表

通过表格的形式展示、操作、处理各级生产单位的井站、站场、阀室、净化、管线等生产动态数据，生成各级符合用户业务需求及格式需求的表格。

(6) 功图计量

由实时数据库结合关系数据库共同完成示功图数据监控、设备工况分析及示功图显示，计算油(气)井的产量，判断抽油机的工况状态。通过功图对比与分析功能可以对任意时间段内的历史功图进行查询和分析，供调度人员对所有油(气)井进行工况分析和量油计产，同时和其它生产监控及管理门户进行有效的嵌入和集成，形成统一的数字化调度和管理平台。

(7) 电子巡井

采用计算机替代一个人一天去各个井场巡井，通过视频、抽油机参数、功图工况等信息直接在计算机上显示。

4 油田无人值守井、站的建设技术

(1) 油气田监控和数据采集系统(SCADA)

由区域生产管理中心主计算机通过通信网络与所辖井场、站场、管道的远程终端装置及站场监控系统连接起来，对油气生产过程进行数据采集、远程监控与管理的计算机控制系统。

(2) 分散控制系统(DCS)

控制功能分散、操作显示集中的生产过程控制计算机系统，一般用于大型站场。

(3) 可编程序控制器(PLC)

采用可编程序存储器存储和执行逻辑运算、顺序控制、定时、计数和算术运算等操作指令，并通过数字或模拟输入、输出操作来控制各种机械或生产过程的一种电子系统，一般用于中型站场。

(4) 远程测控单元(RTU)

一种远端测控单元装置，负责对现场信号、工业设备的监测和控制。与常用的可编程控制器PLC相比，RTU通常要具有优良的通信能力和更大的存储容量，适用于更恶劣的温度和湿度环境，提供更多的计算功能。

(5) 数据传输单元(DTU)

专门用于将串口数据转换为IP数据或将IP数据转换为串口数据通过无线通信网络进行传送的无线终端设备。

(6) 传感器(transducer)

能够受规定的被测量并按照一定的规律转换成可用输出信号的器件或装置的总称。是将物理信号转换为电信号的器件。它把非电物理量如温度、压力、液位、物料、气体特性等转换成电信号或把物理量如压力、液位等直接送到变送器。

(7) 变送器(transmitter)

把非标准电信号转换为标准电信号的仪器，是把传感器采集到的微弱的电信号放大以便转送或启动控制元件。或将传感器输入的非电量转换成电信号同时放大以便供远方测量和控制的信号源。根据需要还可将模拟量变换为数字量。

(8) 火灾及气体检测报警系统(F&GS)

由现场探测器件、报警、控制终端设备及逻辑控制单元组成，用于监控火灾和可燃气、有毒气泄漏并具备报警和消防联动功能的安全控制系统。简称火气系统。

(9) 光纤通信系统

以光纤作为传输媒介的一种通信方式，由光缆和光传输设备组成。

(10) 快速环网保护协议(RRPP)

RRPP(Rapid Ring Protection Protocol，快速环网保护协议)是一个专门应用于以太网环的链路层协议。它在以太网环完整时能够防止数据环路引起的广播风暴，而当以太网环上一条链路断开时能迅速恢复环网上各个节点之间的通信通路，具备较高的收敛速度。

(11) 无线通信系统

以电磁波为传输媒介的一种通信方式，由发送设备、接收设备、无线信道组成。

(12) 视频监控系统

在重要生产区域设置摄像机，通过传输媒介将采集的图像传输到控制主机，通过显示终端直观形象地进行安全生产管理。系统由摄像机、传输媒介、控制主机、显示终端、存储设备等组成。

(13) 入侵报警系统

利用传感器技术和电子信息技术探测并指示非法进入或试图非法进入设防区域的行为、处理报警信息、发出报警信息的电子系统。

(14) 大屏幕显示系统

为实时、直观、交互性强的调度指挥显示终端，可从DLP背投拼接、LCD液晶拼接、PDP等离子拼接、LED显示屏、背投无缝幕墙等类型中选择。

(15) WIA-PA无线技术

WIA-PA(Wireless Networks for Industrial Automation Process Automation 面向工业过程自动化的工业无线网络标准技术)标准是中国工业无线联盟针对过程自动化领域制定的WIA子标准，是基于IEEE 802.15.4标准的用于工业过程测量、监视与控制的无线网络系统，WIA-PA标准是具有我国自主知识产权、符合我国工业应用国情的一种无线标准体系。

5 油田无人值守井、站的建设技术应用效果

近几年大庆油田无人值守井、站的建设取得了显著效果，主要由以下几点：

(1) 提供生产依据，提升管理效率。对各类参数变化规律进行分析，及时掌握生产运行工况，及时制定措施，实现精细化生产；对生产情

况、计划、任务、趋势等生产动态进行跟踪，及时提供决策依据。

(2) 整合管理要素，优化管理模式。实现值守、巡检和维保专业化，技术和后勤保障专业化。小队、班组适应信息化模式重组转型，变看护管理为智能化管理。

(3) 优化劳动组织结构，提高管理效率。通过井站一体、电子巡护、远程监控和智能管理运行，实现井场和中小型站场少人值守，大型站场集中监控，达到员工集中管理、运行集中控制、数据集中处理。

6　油田无人值守井、站建设展望

无人值守井、站建设为智能化油田打下基础，符合集团公司的发展方向。智能化油田建设，了解油田动态，油田系统自动控制，优化油田系统管理，用计算机智能管理油田，实现油田生产过程的自动化。目前大庆油田数字化建设按照“以点带面”的原则逐步推广，以建设油井、计量间、联合站、转油站数字化系统为原点，逐步建立工区、矿级生产监控中心，完善数字通信网络建设和生产管理辅助监控系统建设。

7　总结

无人值守井、站建设为智能化油田创造了条件，能使油田企业提高工作效率、提高工作质量、增加企业经济效益和社会效益。建设各个环节应用控制系统进行智能化处理、快速整合。使这些信息资源得到最大限度地共享和有效利用，及时为决策者提供依据，促进企业管理水平和运行效率的提高。使油田管理走向科学化和最优化，使企业业务流程规范化、信息资源共享最大化、制度管理科学化。从而促使企业整体水平的提升，增强石油企业在国际市场的竞争力。系列产品作为基础的自动化软件平台和数据中心管理平台，为油田基础的数据采集与管理发挥了巨大的作用。

参 考 文 献

[1] 李健，任晓峰，冯博研．油田数字化无人值守站建设的探索及实践[J]．自动化应用，2018(000)005.

[2] 张玉恒，范振业，林长波．油气田站场无人值守探索及展望[J]．仪器仪表用户，2020 年 2 月 第 27 卷 第 2 期．

[3] 常文伟，周成龙．自动化仪表在实现数字化油田中的应用[J]．通信电源技术，2020，037(005)：135-136.

[4] 冉新权，朱天寿．油气田数字化管理[M]；石油工业出版社；2011. 11. 1

基于模态分析的超声导波管道缺陷检测方法

刘文才[1] 乔 跃[2] 甘 华[3] 张 昊[3]

(1. 中国石油集团安全环保技术研究院有限公司；2. 中国石油天然气股份有限公司生产经营管理部；3. 中国石油长庆油田公司)

摘 要 为解决专业工业管路状态无损检测等难题，本文设计了基于相控阵激励技术的管道缺陷检测系统，可根据不同应用场景选择在线/离线检测设备，实现了相位延迟计算，超声数据采集及计算结果图形化显示等多种功能。本文主要阐述了相控阵激励技术的原理、检测设备的电路设计及上位机软件整体设计，为工业管路的无损检测提出了一种实际解决方案。

随着我国石油化工产业的飞速发展，对于石油专用管道的常规无损检测需求也在逐步提升。常用的超声波检测方法虽然对气孔、裂缝等缺陷具有较高的检测

灵敏度，但会受到工件结构复杂等影响。因此改善石油管路缺陷检测方法，为维护人员提供丰富、专业工业管路状态检测结果具有深远意义。

为解决上述问题，本文采用了相控阵激励技术对炼化管路进行检测，分别针对不同的应用场景设计了在线检测设备、离线检测设备和检测软件，实现了相控阵相位延迟计算，超声数据采集及计算结果图形化显示等多种功能，为维护人员提供丰富、专业的炼化工艺管路状态检测与设备管理、运行状态和检测结果报告。相关人员依据成像结果图和冲蚀缺陷深度评估结果，可以方便的掌握炼化工艺管路的健康状态。

1 相控阵激励技术

相控阵即相位补偿基阵，基于声波的叠加干涉原理，既可用于接收，也可用于发射。发射模块电路根据一定的延时时序激励各个阵元的晶片，使得声束偏转和聚焦，从而达到对被测物体的扫描检测，具有无需转动传感器件即可探测不同方向等优势。相控阵通过设定延时时序激励各个阵元，使每个阵元所发生的超声信号同时到达待测结构上某位置，从而达到声束偏转的目的。如果各个阵元同时到达某一点，那么这一点的合成能量将会最大，也就实现了波束聚焦的效果。分析可以得出距离焦点 P 远的阵元要先激励，距离焦点 P 近的要后激励。假设阵列水平方向为 x 轴，轴向方向为 y 轴，原点在阵列中点，聚焦点为 P，焦距为 F，因此第 i 个阵元相对于阵列中心的发射时延为：

$$\Delta t_1 = \frac{F-\sqrt{(x-d_1)^2+y^2}}{c}$$

d 为第 i 阵元的 x 轴坐标，c 为超声的声速，如果时间延时为正，表示延迟发射，如果时间延时为负，则表示提前发射。由于阵元的发射延时是相对于阵列中心，所以相当于发射的合成波束是由阵列中心位置发出的(图 1)。

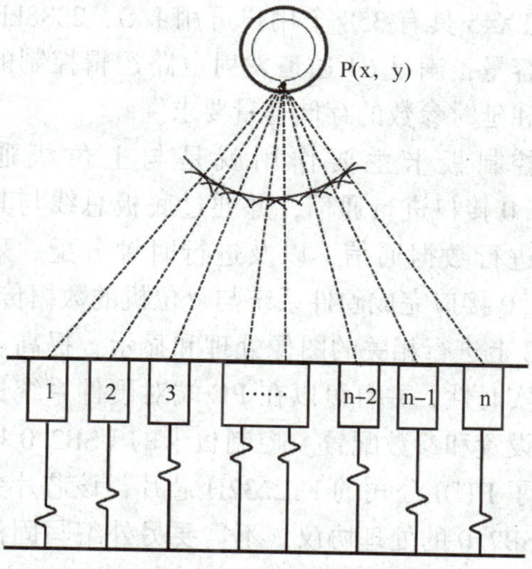

图 1 相控阵声束的聚集

超声检测一般需要对目标件的一定区域进行扫描，通过控制各个阵元的延时使得超声合成波束偏转和聚焦，在检测系统设计中采用扇形扫查，以达到对一定区域进行超声扫描的目的。扇形扫查是通过控制阵列的激励时序，使得合成声

束在扇形区域进行扫描，也就是在扇形检测区域的每条扫描线上都进行聚焦。扇形扫查可以根据探测需要灵活地改变扫描角度范围和聚焦深度，具有探测范围大、配置灵活、对声输入口要求不高等优点。

2　硬件电路设计

本管道缺陷检测系统的设计目标是设计可扩展的多通道相控阵成像系统。通道数越多那么系统的横向分辨率越高，伪像越小，发射的能量更大，可以探测更远的距离。随着阵元数的增加，发射电路的面积也将成比例的增加，将会增加硬件设计和调试的难度，由于发射路随着通道数的增加只是简单的扩展，所以本设计采用了模块化的设计，其中相控阵激励卡的技术流程图如图 2 所示。

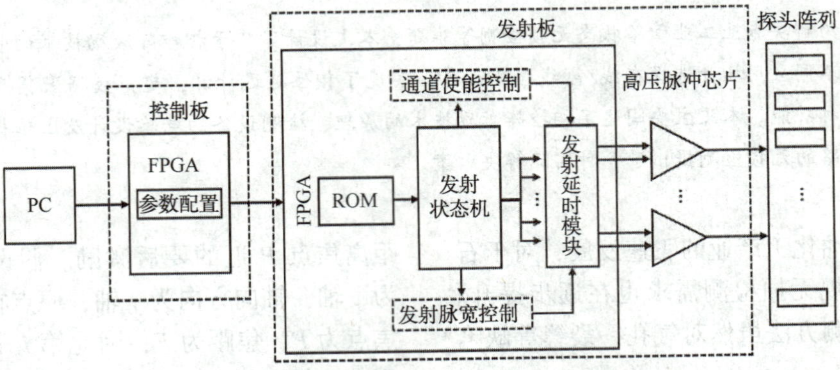

图 2　相控阵激励卡的技术流程

2.1　多通道相控阵控制/发射模块

为了实现高精度的延时时序控制，采用了 Xilinx 公司的型号为 XC6SLX45 的 FGPA 芯片。由于发射延时参数的数据量不大，所以可以存储在 FPGA 的 ROM 资源中。在每次发射聚焦时，FPGA 按照 ROM 中的延时数据控制各个通道的发射时序，以此来达到高精度的延时控制。XC6SLX45 具有 358 个用户可用 I/O，2088kb 的存储容量，满足 64 通道发射电路逻辑控制的管脚数和延时参数的存储容量要求。

控制板卡主要作用就是与上位机通过 USB2.0 接口进行通信，并通过底板总线与其它板卡进行数据通信，以及进行时钟分配。采用 USB2.0 接口完成硬件系统与上位机的数据传输，在 PC 上进行相关的图像处理和显示，提高了成像的实时性，并且可以在 PC 端对硬件系统进行功能设置和参数配置。控制板卡的 USB2.0 接口采用了 FTDI 公司的 FT2232H 芯片，该芯片集成了 USB2.0 的处理协议，不需要另外编写固件程序，可以将多种串行或并行协议转化成 USB2.0 接口协议。FT2232H 包括了两个独立的 UART/FIFO 控制器，可以配置成多协议同步串行接口（MPSSE）、UART 接口或者 FIFO 接口，其中 MPSSE 包括 JTAG、IIC、SPI 和 bit-bang 协议；每一个控制器包含了两个大小为 4KB 的双端口 FIFO，其中 TX 缓冲区存储上位机的数据，并通过 UART/FIFO 控制器使用这些数据，RX 缓冲区存储来自 UART/FIFO 控制器的数据；本系统采用同步 FIFO 模式，此模式的连接简单，与 FPGA 的连接如图 3 所示。

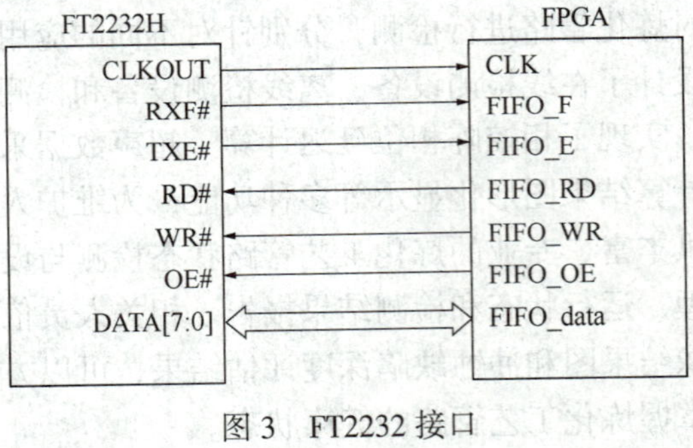

图 3　FT2232 接口

发射模块的每一块发射板卡需要产生 64 通道的高压发射激励信号，为此选择了 Supertex 公司的高集成度的专用高压脉冲产生芯片 HV7350。该芯片单片集成了 8 路的高压通道，只需要 8 片 HV7350 芯片就可以完成 64 通道的超声高压激励信号的产生，最大支持 120V 峰峰值的输出电压和至少 1.0A 的输出电流，可以较好地激励探头。

HV7350 内部结构如图 4，内部模块主要包括逻辑控制接口、电平转换器、线性稳压器、MOS 管驱动器、高功率 PMOS 和 NMOS 管。输入的 3.3V 的 CMOS 电平通过电平转换和 MOS 管驱动器驱动高压 MOS 管，从而产生高压输出去激励超声探头。由于 MOS 管驱动器需要额外的电源驱动，也就是图中的 5V、VPF 和 VNF，而内置的线性稳压器可以节省这 4 个电源，降低了电源设计的复杂度，使得 PCB 的设计更加简单。输入端为差分输入，可以通过 FPGA 编程灵活地产生高压脉冲序列。HV7350 有同步与异步两种输出模式，本系统采用异步模式。

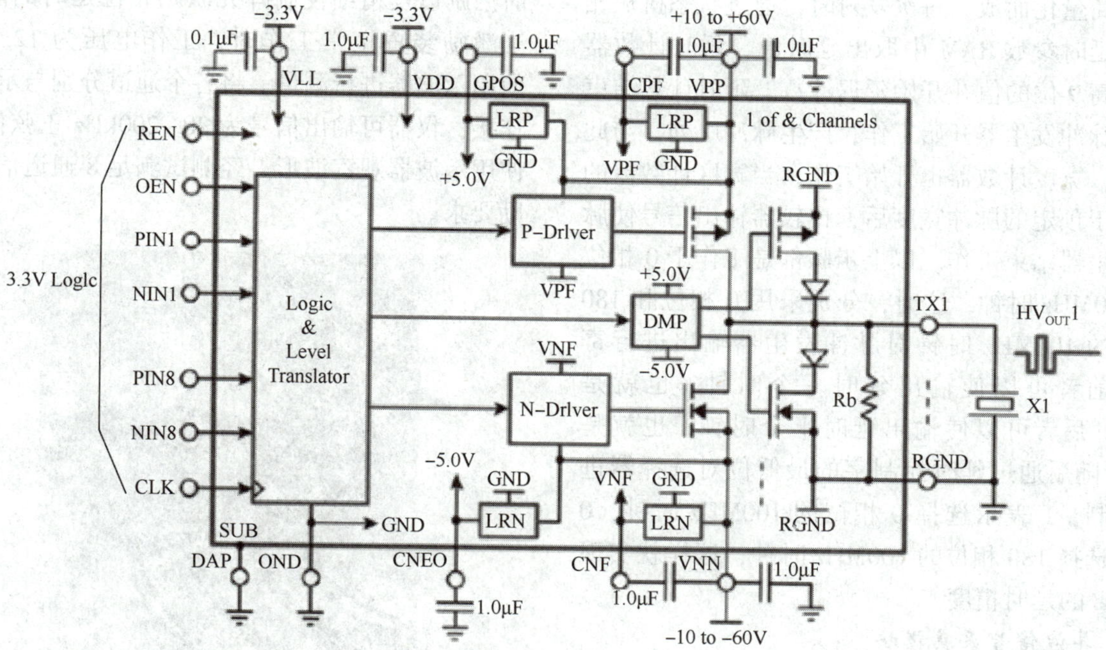

图 4　HV7350 内部结构

2.2　基于 FPGA 实现的发射延时模块

高的延时精度可以提高系统的性能，结合性能分析和工程实现难度，本系统的超声发射采用 5ns 的延时精度。由于发射电路板采用的 FPGA 如果要实现 5ns 的延时，需要工作在 400MHz 的频率，在此频率下，FPGA 较难稳定地进行逻辑控制，所以本设计采用 FPGA 内置的时钟管理模块(CMT)，它可以提供高性能并且可以灵活调节频率、相位的多路时钟输出。发射电路板卡的输入时钟为 50MHz，通过 CMT 中的 DCM 资源可以使输入时钟 2 倍频到 100MHz，并且可以实现 180° 的相位延迟。通过调用 FPGA 的 DCM IP 核，可以产生两个相位相差 180° 的 100MHz 时钟。100MHz 的时钟周期为 10ns，那么 180° 也就是半个周期，所以两个相差 180° 的 100MHz 之间的延时就等于 5ns，利用这两个时钟就可以达到 5ns 的发射延时精度。图 5 是发射延时电路的实现框图。

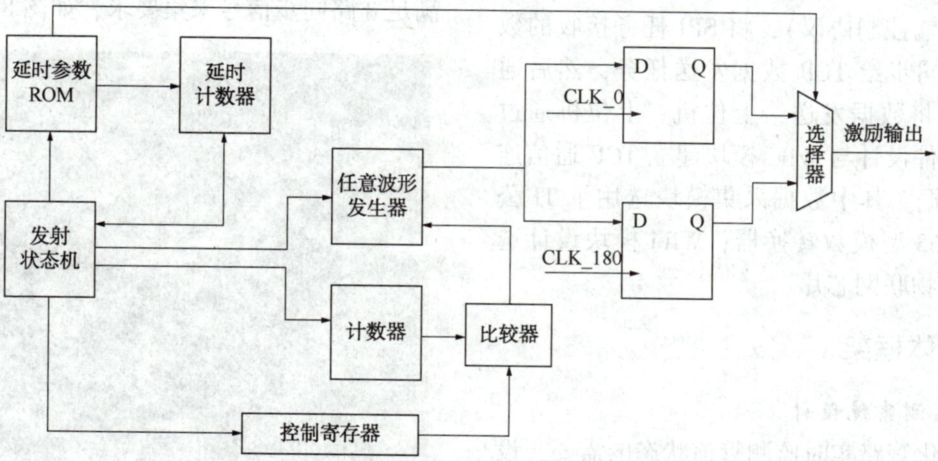

图 5　发射延时电路流程图

具体实现为，首先利用 matlab 计算各通道的延时时间，量化成 10bit 的延时控制字，然后将延时控制字写入 coe 文件并写入 FPGA 的 RAM IP 核中，10bit 控制字是将延时时间除以 5ns 所得的商量化而成。每次发射时，通过状态机从相应的延时参数 RAM 中取出延时值，延时计数器读取高 9 位的值并开始延迟计数。延时计数结束后，脉冲发生器开始工作，产生脉冲序列，与此同时，宽度计数器也开始工作，当宽度计数器的值等于预定的脉冲宽度后，比较器输出信号使脉冲发生器结束工作。以上步骤都是工作于 0 相位的 100MHz 时钟，这时，分别采用 0 相位和 180 相位的 100MHz 时钟对脉冲发生器输出进行寄存，前者可以使输出延时一个时钟，也就是 10ns，后者可以使输出延时半个时钟，也就是 5ns，随后通过延时控制字的最低位对选择器进行控制，1 表示选择 0 相位的 100MHz 时钟，0 表示选择 180 相位的 100MHz 时钟，这样就实现了 5ns 的延时精度。

2.3 导波信号采集模块

导波信号采集模块硬件设计主要分为两个部分，包括数据采集模块和数据无线传输模块。无线数据采集模块获取调理电路信号输出，通过无线通信的方式远程传输到数据接收端。无线数据传输系统总体分为三个模块，主控模块、数据采集模块、无线数据传输模块。主控芯片选用 FPGA 控制 ADC 进行信号采集，完成数据采集后，将接收到的采集数据通过 SPI 协议（Serial Peripheral Interface，串行外围设备接口）发送给 WiFi 模块；WiFi 模块将设立基站模式连接无线网络，创建 TCP 服务器（Transmission Control Protocol，传输控制协议），将 SPI 任务接收的数据通过队列同步给 TCP 数据发送任务，然后通过 TCP 协议将数据发送给上位机；上位机通过 LabVIEW 软件设计与 WiFi 模块建立 TCP 通信连接并接收数据。其中数据采集模块选用了 TI 公司的 ADS8363 型模数转换器；WiFi 模块设计选用了 ESP32 物联网芯片。

3　系统整体框架

3.1 在线监测系统设计

针对炼化管路实时监测管道状态的需要，设计了在线监测设备，设备安装固定于管道固定位置，可定时或人工操作对获取管道信息，系统包括相控阵激励设备，无线数据采集设备及上位机。

相控阵激励设备如图 6 所示。设备内部集成的相控阵激励板卡可满足多种检测需求，具备同时激励以及精细控制阵元激励相位延时的能力。当激励装置正常工作时，工作电压为 12.56V，使用示波器进行测量，将各个通道分别与示波器连接，仪器可输出信号为 20~200kHz 正弦信号，使用示波器观察波形。经测试满足 8 通道信号激励要求。

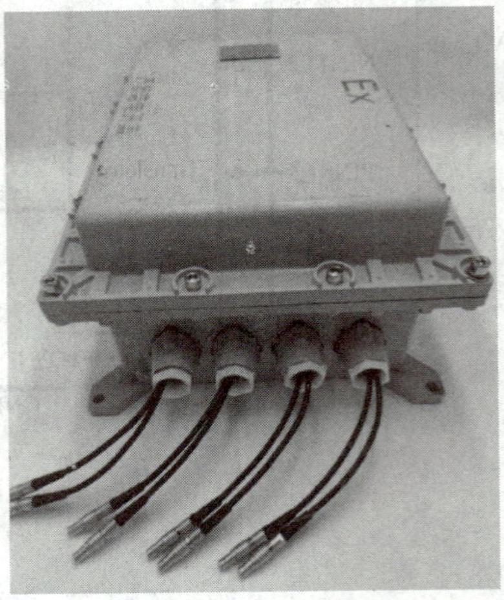

图 6　隔爆激励装置

基于研发的无线数据采集板卡，设计了无线数据采集设备，如图 7 所示。内部的多通道数据采集板卡，可实现多阵元阵列的同步采集，多路数据同步获取，以获得精确的信号到达时间，保证定位精度。设备采用航空接头，作为模拟信号输入接口，内置锂电池电源，使用数字万用表进行测量，采集装置正常工作时，工作电压为 8.10V。8 路信号采集，采集信号稳定。经测试满足 8 路同步信号采集要求，如图 8 所示。

图 7　无线数据采集设备

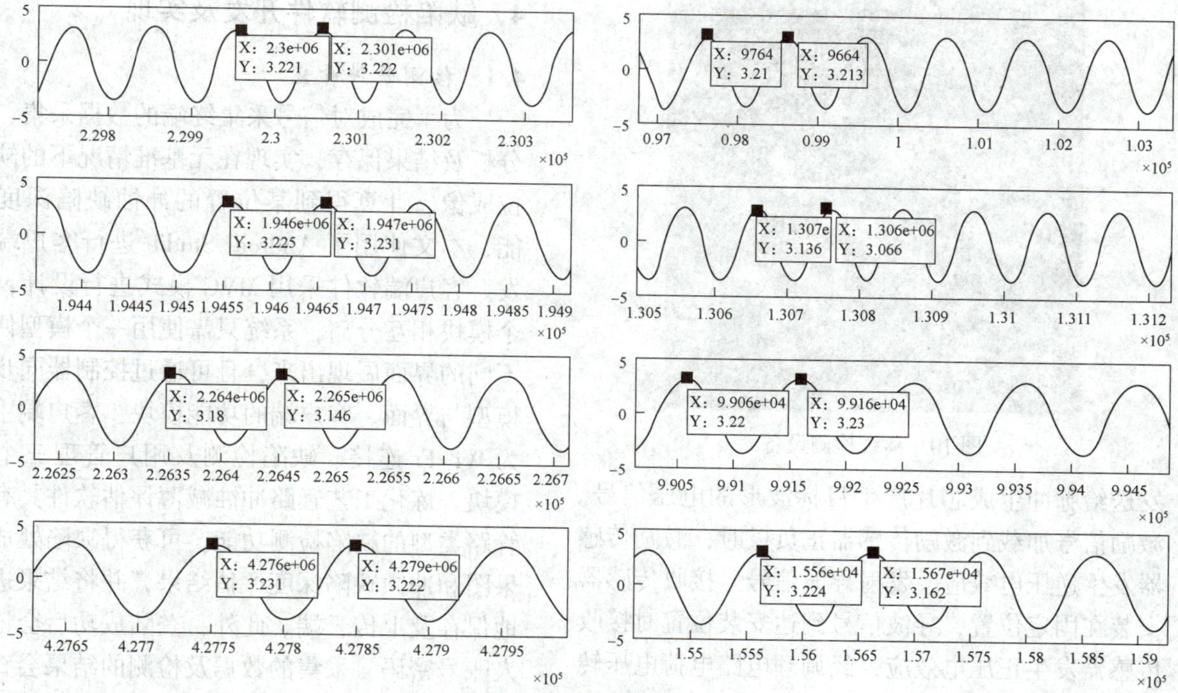

图 8　通道采集波形

在线监测系统工作的整体工作原理如图 9 所示。首先，上位机通过定制的软件将管道和相控阵的各项参数进行计算，得到各阵元的相位和延时。随后通过无线 Wi-Fi 模块将各通道的发射时序发送给控制板卡对相控阵激励系统进行控制。其次，进行相控阵缺陷定位，其中包括管道聚焦扫查、冲蚀缺陷定位和提取缺陷反射。随后，通过无线数据采集设备将采集到的反射波信号进行滤波放大和数模转换等处理，再通过无线传输模块将信号传输给上位机。最后上位机中定制的软件可通过采集到的信号实现缺陷尺寸的反演，最终实现冲蚀 3D 的成像。

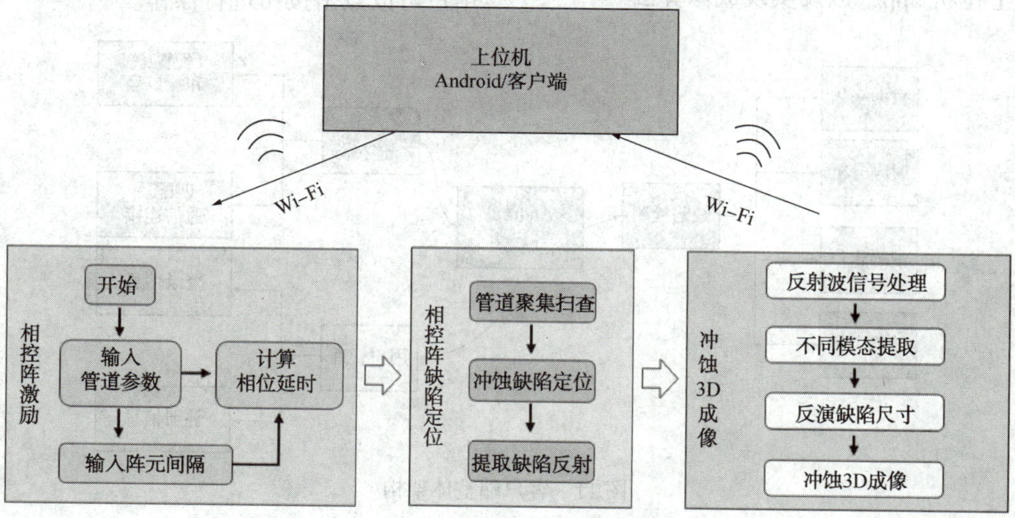

图 9　在线监测系统工作原理图

3.2　离线监测系统设计

针对炼化管路即时检测需要，设计了离线式检测设备，设备集成了运算显示工控机，相控阵激励板卡，多通道同步数据采集板卡，主要功能为完成相控阵激励的相位延迟计算，精确控制数据的下行传输，超声数据回读处理以及计算结果图形化显示。离线式检测设备实物图如图 10 所示。

离线式检测系统工作时，首先通过上位机设定目标波形，将目标波形通过通讯接口下载到检测系统的缓存模块中。系统在需要发射超声导波时，FPGA 读取缓存模块存储的波形数据，将其

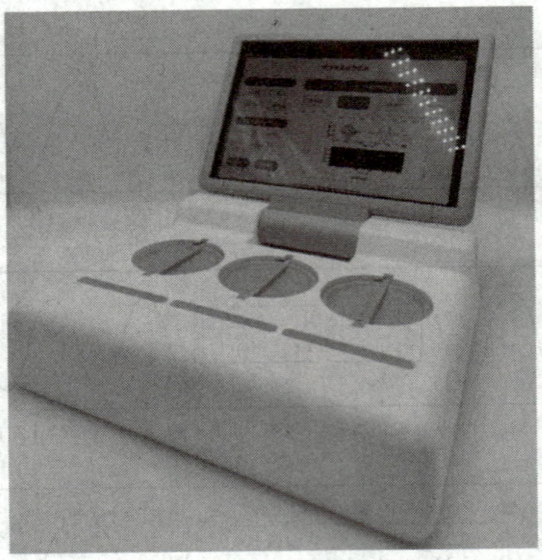

图 10　离线检测设备

发送给脉冲生成芯片产生目标波形的电压信号。激励信号加载到激励传感器正负极时，激励传感器发生逆压电效应，发射导波信号。接收传感器安装在固定位置，导波信号到达安装位置时接收传感器发生正压电效应，经调理电路电荷电压转换以及滤波放大后输出电压信号。电压信号通过线缆传输到检测系统的采集端。通过上位机可以实现定时数据采集，模/数转换器将接收传感器输出的电压信号转换为数字信号，缓存在外部 RAM 内，当接收到上位机的上载指令，FPGA 读取出外部 RAM 内的数据，并通过数据传输模块上载到上位机，进行数据处理。基于 python 语言编写上位机 app，以及实现成像算法。

4　缺陷检测软件开发及实现

4.1　检测软件开发

为了完成对信号采集终端的数据采集、处理分析及结果保存，实现在无基准情况下的缺陷定位成像、计算得到某位置的冲蚀缺陷深度等功能，本文使用了 Android Studio 进行客户端的开发。客户端软件采用 MVC 模式进行设计，将各个模块相互分离，系统只需使用一个模型便能将不同的界面展现出来，且可通过控制器同步运行模型与界面。客户端的功能模块：客户端主要分为 Wi-Fi 连接、缺陷检测及用户管理三个功能模块。炼化工艺管路冲蚀减薄评估软件具有多种管路类型的缺陷检测功能，可获得缺陷处成像结果图和冲蚀缺陷深度评估结果，并将结果进行本地保存及上传云端。此外，登陆成功后会记录个人账号密码，采集的数据及检测的结果会直接和该账号绑定在一起存储到数据库中，更换账号时直接在登陆页面选择不同的账号即可。如图 11 所示，客户端主要包含 3 个界面，分别为登陆界面、注册界面、缺陷分析界面。用户打开 APP 后，需要先登录账号；如果没有账号，需要先行注册，注册成功后会跳转到登陆界面。登陆成功后，会跳转到缺陷分析界面。在缺陷分析界面，用户可以点击按钮进行操作。

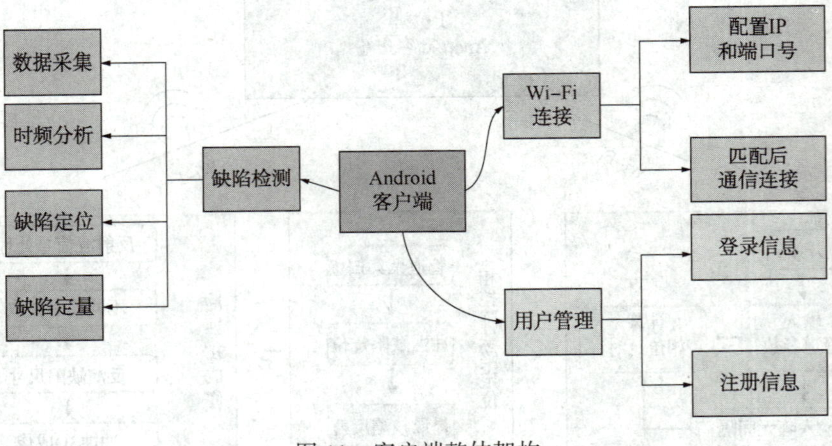

图 11　客户端整体架构

4.2　缺陷检测功能实现

首先，客户通过登录单元进入 APP 的登陆界面。登录界面主要包括了 ImageView、用户名、用户密码、登录、注册。首次登录的用户需要先进行注册，注册主要包括用户名、用户密码、确认密码和确定按钮，注册完成后，点击注册界面中的返回按钮，即可返回登录界面，然后进行正常的用户登录程序，如图 12 所示。

其次，该缺陷检测软件具有多种管路类型的缺陷检测功能，为维护人员提供丰富、专业的炼化工艺管路状态检测与设备管理、运行状态和检测结果报告，相关人员依据成像结果图和冲蚀缺陷深度评估结果，可以方便的掌握炼化工艺管路的健康状态。软件主界面分为以下几个部分：相

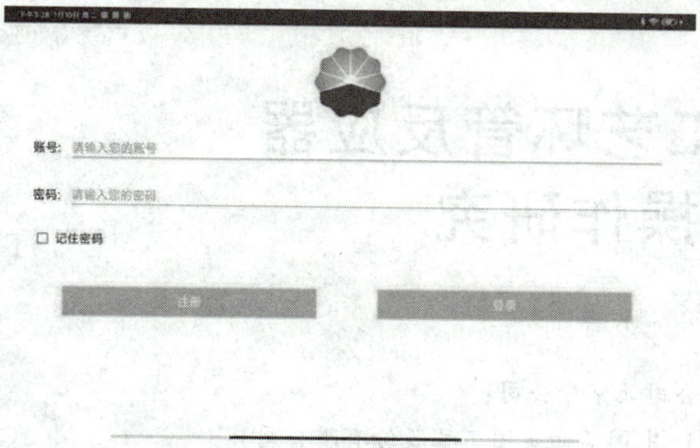

图 12　登录界面

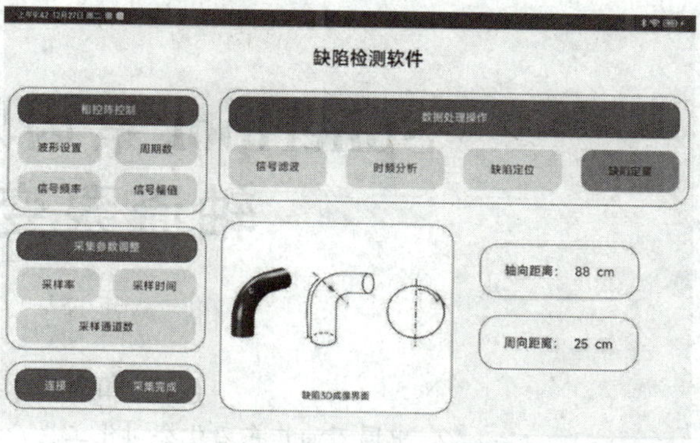

图 14　缺陷定位结果图

控阵控制参数设置区域、采样信号参数调整区域、数据处理区域、波形展示区域、数据结果展示区域和成像区域等区域。在这里主要展示时频分析界面与缺陷定位等主要功能。

时域分析主要是通过监测时域的统计参数，如信号的峰值、均方根值(有效值)等。频域分析也称频谱分析，它通过傅里叶变换得到采集信号的频谱图，然后在频谱图中找到与缺陷相对应的特征频率成分。时频分析提供了时间域与频率域的联合分布信息，清楚地描述了信号频率随时间变化的关系。本客户端采用 Wigner-Ville 分布(WVD)对信号进行时频分析，其结果如图 13 所示。

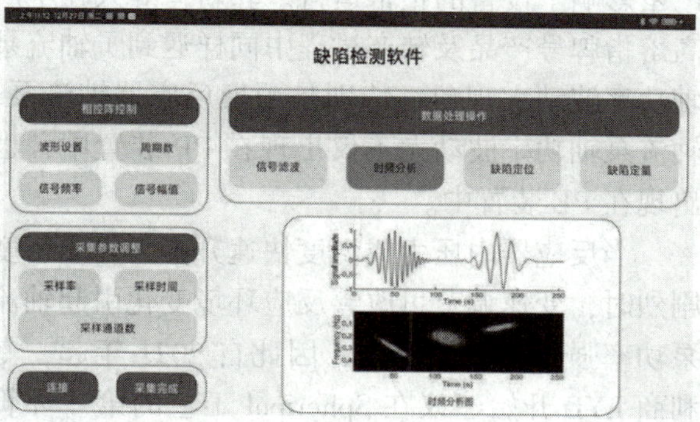

图 13　视频分析界面

根据各传感器路径上的传感器波形差异性，结合概率损伤成像算法，能够实现当前情况下的缺陷定位成像，点击缺陷定位按钮，可以获得缺陷定位成像结果图，点击缺陷定量按钮，即可显示缺陷点坐标。缺陷定位成像结果如图 14 所示。

5　结论

面向炼化管路缺陷检测需求，文中设计了基于相控阵扫查原理的在线监测和离线检测设备。该设备以 FPGA 芯片为核心，可实现对延时时序达到 5ns 的高精度控制，实现了可扩展的多通道相控阵激励技术。此外，该设备集数据采集、数据处理、存储和无线通信功能于一体，可实现通过相控阵扫查实现缺陷定位，析缺陷反射波和获取缺陷尺寸信息。该设备与软件相结合组成完整管路检测设备，可灵活应用于不同的工业生产场景，为炼化工艺管路的缺陷检测问题提出了良好的解决方案。

参　考　文　献

[1] 王郑，吴新团，杨爱萍．超声波加相控阵超声波技术在管道检测中的应用[J]．石油工业技术监督，2021，37(12)：33-35+41.

[2] 王子阁．相控阵超声波检测技术在石油专用管材检测领域的应用[J]．中国石油和化工标准与质量，2021，41(16)：49-50.

[3] 张磊．超声相控阵技术在石油化工领域中的应用进展[J]．化工设计通讯，2020，46(08)：48-59.

[4] 王显海，王腾，徐辉霞等．多通道工业设备远程数据采集系统[J]．自动化仪表，2021，42(07)：73-77，82.

[5] 田登辉．基于 FPGA 的石油管道缺陷的漏磁检测装置的研究与设计[D]．中北大学，2023.

[6] 徐皓胜．基于 FPGA 的相控阵聚焦超声相位控制技术研究[D]．重庆医科大学，2022.

[7] 王舜晓．基于相控阵技术的管道超声内检测技术研究[D]．沈阳工业大学，2023.

[8] 李昊霖．相控阵超声导波管道缺陷检测方法研究[D]．内蒙古科技大学，2022.

[9] 贾潇，赵隆．相控阵超声与射线检测对石油化工管道缺陷检测的对比分析[J]．中国石油和化工标准与质量，2022，42(15)：174-175，178.

Spheripol 聚丙烯工艺环管反应器轴流泵变频操作研究

赵思琦[1]　孙长昕[2]　张馨予[3]

（1. 中国寰球工程有限公司北京分公司；
2. 中国石油广东石化公司化工生产二部；3. 中国石油集团工程股份有限公司）

摘　要　环管反应器轴流泵轴功率波动问题一直受到国内外广泛关注，轴功率波动会引起轴流泵不稳定运行，从而制约生产高熔指产品，严重时会造成装置停车，该设备稳定运行对装置平稳运行生产起到决定性作用。2021 年起，专利商 LyondellBasell 开始建议在 Spheripol 工艺对第一主环管反应器轴流泵 P201 采取变频操作。通过调节 P201 转速改变泵的特性曲线，减少 P201 轴功率波动，降低轴流泵不稳定运行工况给装置带来的风险，实现装置稳定开停车及转产，保证装置在低负荷工况下稳定运行，降低后期改造难度，拓宽聚丙烯产品范围，为今后生产双峰聚丙烯和茂金属聚丙烯创造条件，提高企业经济效益。

关键词　轴流泵；环管反应器；变频；聚烯烃；Spheripol

高产、高活性支持催化剂的发展极大地改变了工艺经济性和环境影响，并极大地扩大了可能生产的共聚物结构的范围。通过诱导液体丙烯中的反应，完全消除稀释剂成为可能，从而创造出所谓的“液相本体”工艺。专利商 LyondellBasell（简称 LYB）的 Spheripol 二代聚丙烯工艺是液相本体法的工艺技术，反应系统核心包括两个串联的环管反应器生产均聚物和无规共聚物，再串联一个气相反应器生产抗冲共聚物，该两步法技术是液相和气相聚合反应的结合，该工艺在国内有很高的市场占有率。环管反应器广泛应用于聚烯烃行业，是生产聚乙烯（PE）、聚丙烯（PP）的主要聚合设备，除 LYB 的 Spheripol 工艺，还有生产高密度聚乙烯（HDPE）的美国 Chevron 公司 Phillips 工艺和 Ineos 公司 INNOVENE S 淤浆双环管工艺，生产 HDPE 及 PP 的 Borealis 公司 Borstar 工艺等等，这些工艺都会在环管反应器底部设置轴流泵，用以将介质混合均匀。

轴流泵轴功率波动较大的问题一直受到国内外广泛关注，林海峰指出大庆炼化公司 30 万吨/年 PP 装置自从开工投产之后，第一环管反应器循环泵轴功率多次出现波动，特别是在生产 Z30S 和 V30G 等高熔指牌号时，轴功率波动范围更大，一般情况下 P201 轴功率波动基本上在 35kW。官书林指出一旦环管的操作条件出现恶劣情况，当环管反应器出现密度过高或带气等恶劣操作条件时，轴流泵功率上升且波动差值加大，最高可达 30kW，装置在转产过程中和生产高熔融指数产品 Z30S 期间均出现过类似情况，严重影响了设备的正常运行。郭新营等人在生产高熔指牌号产品及转产过程中同样遇到了轴流泵轴功率波动大现象，特别是预聚反应器轴流泵。轴流泵轴功率波动大不仅出现在 PP 装置中，也出现在 PE 装置中。

当反应器内压力或温度快速升高、介质密度剧烈时，变速调节可改善反应环境变化引起轴流泵功率强烈波动的情况，因此自 2021 年起，专利商 LYB 开始建议在 Spheripol 工艺的第一环管反应器轴流泵 P201 采用变频调节，变频范围是泵额定点流量对应转速的 70%～100%。本文基于轴流泵运行原理以及实际运行情况，分析轴流泵轴功率波动主要原因以及变频调节对改进 P201 轴功率波动的正面影响。

1　Spheripol 工艺及轴流泵介绍

1.1　Spheripol 工艺简介

Spheripol 反应系统主要由一个预聚合反应器（R200）和两个体积相同的主聚合环管反应器（R201 和 R202）组成，R201 和 R202 依次连在一起，串联的环管反应器生产均聚物和无规共聚物，再串联一个气相反应器生产抗冲共聚物，该两步法技术是液相和气相聚合反应的结合，提供了一个很宽产品范围，具有灵活性，其均聚产品的熔融指数范围为 0.1－200 g/10min。R200、R201 和 R202 底部分别环管反应器循环泵 P200、P201 和 P202。环管反应器循环泵是轴流泵形式，为浆液循环提供动力，帮助浆液在反应器中高速循环、充分混合，达到均匀固体浓度的目的。最终产品的 MI 由 2 个环管的操作条件共同决定。熔融指数（Melt Index，MI）是聚丙烯产品的主要质量指标之一，反映树脂流动性能，决定了树脂的牌号。聚丙烯的树脂牌号繁多，从几种到数百种。一旦轴流泵发生故障停机、在 7 秒之内无法恢复，则装置联锁停车。因此轴流泵的安全稳定运行对装置的生产具有决定性作用，是采用环管工艺 PP、PE 装置的关键设备之一。

以年产 40 万吨的 PP 装置为例，8 寸口径的 P200 位于预聚环管底部，P201 和 P202 是 26 寸口径的轴流浆料循环泵，与反应器形成一个封闭的环管反应器，轴流泵泵体（通常称为“弯管”）作为环管反应器的一部分，设备布置导致轴流泵无法设置备泵，因此轴流泵停止运行将直接导致环管中反应停止，从而导致整个 PP 装置停产。轴流泵与环管反应器直接相连构成聚合工段中反应器系统最重要的部分，也是整个 PP 装置的“心脏”，产品质量取决于聚合过程的设计和控制，因此环管反应器轴流泵的运行状态直接决定聚合过程能否平稳操作和产品质量，从而直接影响装置的稳定运行和产能。聚合工段简易工艺如图 1 所示，三台轴流泵一般均使用定速电机驱动。

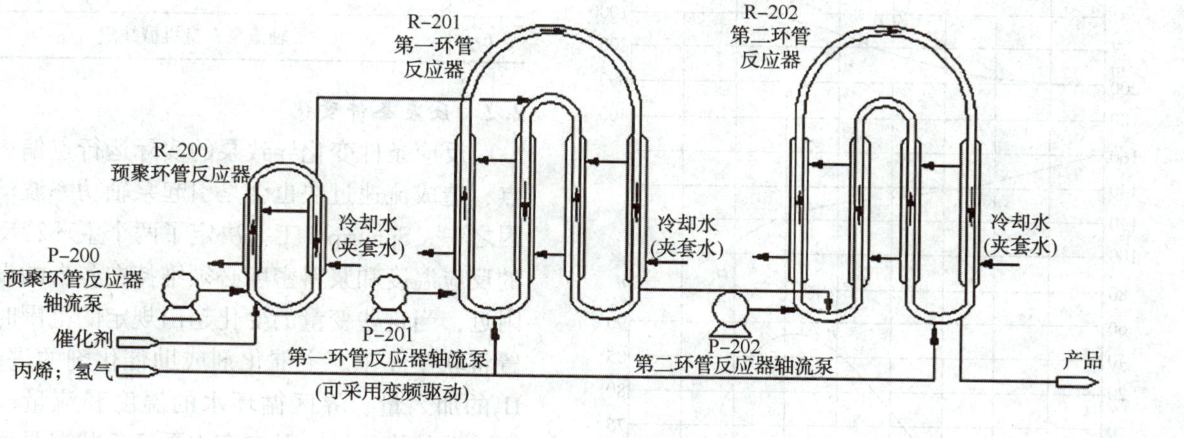

图 1　聚丙烯 Spheripol 工艺聚合工段简化流程图

1.2　轴流泵主要功能及供应商情况

为反应混合物提供的高流速（即 5~7 米/秒）的动力，促进整个环管内反应物介质的流动、混合和循环，为反应组分提供良好返混条件；高湍流流量保证了从反应混合物和夹套内冷却水之间的高传热速率，改善传热效果，减少热点的产生；高流速防止反应器污垢的颗粒沉积在管壁上的内表面，减少粘壁现象。

目前得到 LYB 认可的轴流泵制造商仅有两家，均来自国外，劳伦斯（Lawrence）在 2011 年被福斯（Flowserve）收购，于 2015 年将工厂从美国迁至墨西哥，研发中心保留在美国；磨锐（Envisal-Moret）在 2017 被苏尔寿（Sulzer）收购，于 2021 年将工厂从比利时迁至英国。目前绝大多数项目轴流泵电机仍采用 ABB 或 Siemens 欧洲进口电机，变频器可采用同品牌国产产品。

1.3　轴流泵特性曲线

轴流泵特性曲线（图 2）比离心泵特性曲线（图 3）更陡峭，在小流量区往往出现马鞍形的凹下部分（俗称驼峰），高效工作区在马鞍形凹下部分的右侧，因此相比离心泵，轴流泵的高效区域范围更狭窄。轴功率和压力波动导致轴流泵的实际运行点偏离稳定工况点，造成泵工作不稳定，此时轴流泵和管路可能会出现水击、噪声、振动、倒流等现象。更加陡峭的曲线说明微小的变化都会让轴流泵经历快速而剧烈的功率波动，如果控制不当，泵的功率会迅速达到安全阈值，安全联锁系统会自动关闭反应器，从而造成整个装置生产停止。

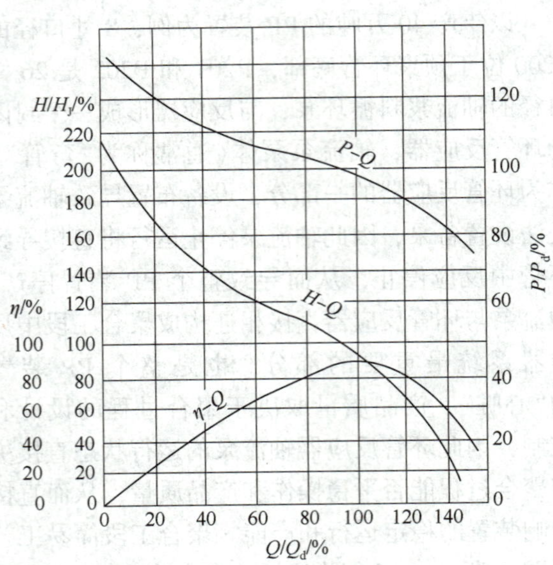

图 2　典型轴流泵特性曲线

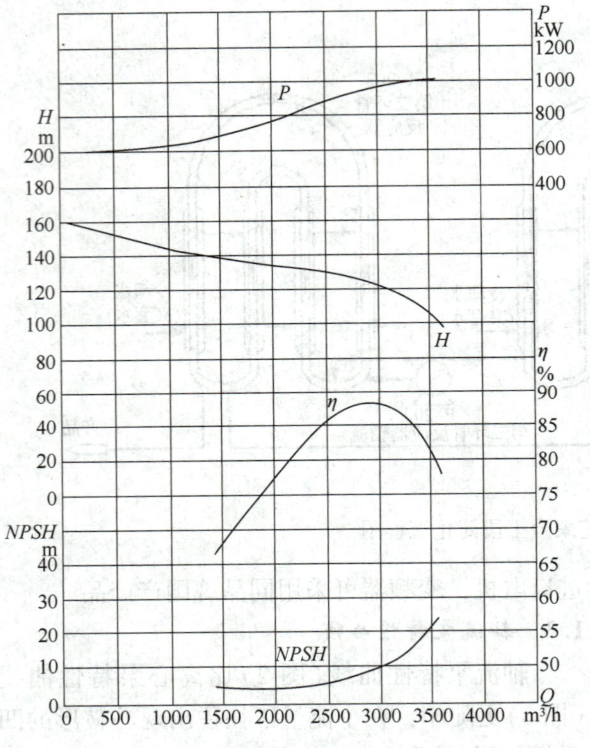

图 3　典型离心泵特性曲线

2　轴流泵轴功率波动分析

2.1　主要原因

循环反应器内的流动环境对泵功率的峰值和标准差有较大的影响。当反应器处于正常平稳运行状态时，轴流泵出口压力的标准差仅为平均值的2.1%。由于块料的存在，轴流泵泵的出口压力峰值比正常工作时增加了约21%。泵出口压力的标准差比正常运行的标准差高出约4倍。由于泵压力输出与泵功耗成正比，轴流泵轴功率也会发生大幅波动。

将国内外相关资料中引起轴流泵功率波动的主要原因整理至表1中，并着重分析几方面原因。

表 1　引起轴流泵轴功率波动主要原因汇总

	主要方面	具体原因
1	环管中气相产生	反应条件中压力和温度的变化
		氢气（H_2）进料影响，尤其是转产高熔融指数牌号时
2	环管中浆料的影响	浆料密度大小
		浆料密度升降快慢
		浆料流速的影响
3	催化剂的影响	催化剂加入量波动
		催化剂反应活性稳定性
4	反应负荷波动	
5	反应器内出现块料	
6	轴流泵自身机械缺陷	

2.2　反应条件变化

反应条件变化导致泵的实际运行点偏离设计点，造成流速过快也会是引起泵轴功率波动的原因之一。Spheripol 工艺决定了两个主环管反应器的反应温度和浆料密度必须维持在各自的设定值附近，当这些变量的变化超出规定的范围时，装置将联锁停车。主催化剂或助催化剂的进料量、H_2的加入量、界区循环水的温度和流量、板式换热器的换热能力及夹套水泵运行状况是影响反应器温度因素中对反应温度影响最为剧烈，一旦发生应及时采取措施，以免发生反应器飞温，造成反应器暴聚等重大事故。

环管反应器中浆液的密度不仅影响试剂的停留时间，而且是轴流泵保护的最重要的控制因素之一。泵的平均轴功率受流动条件的影响不大，主要取决于环管反应器内的固体聚合物的浓度，而固体聚合物的浓度与环管反应器内混合物的密度有直接关系。因此浆料固相浓度越大，输出压力越大，轴功率越大。固体通过轴流泵时，流体和固体颗粒与泵叶轮的相互作用产生了摩擦力，证明了叶轮区摩擦力的强度与固相浓度成正比。不同固体含量的浆液通过叶轮区域时，对叶轮产生不同的摩擦力。为了保持恒定的转速，泵必须提供相应的压力输出，以平衡摩擦力。也就是说，浆料中固体体积分数的变化会导致泵的输出压力出现波动，由于泵的输出压力与泵的功率消耗成正比，因此浆料固相浓度越大，输出压力越大，轴功率越大。生产过程中为了保持催化剂收率和装置负荷，要求浆液密度尽可能高，环管中反应浆液密度过高。浆料固相密度应保持 50-55%wt 不变。反应器中浆料密度受轴流泵能力的限制。

专利商在数据表中要求制造厂在设计选型时将以下三个工况考虑到轴流泵流量中

（1）正常运行：叶轮在非均匀的淤浆下运行。考虑从入口顶部到底部的固体分离；假设顶部的密度为 504kg/m^3，底部的密度为 616kg/m^3，反应器中剩余的淤浆是 570kg/m^3。

（2）反应器非满液相情况下轴流泵启动：叶轮部分低于泵轴线部分在 700kg/m^3 的淤浆密度下工作，上面的部分在 460kg/m^3 的淤浆密度下工作，反应器中剩余的淤浆是 570kg/m^3。

（3）反应器满液相操作下轴流泵启动：整个叶轮在 700kg/m^3 的淤浆密度下工作，在反应器的其余部分考虑相同的淤浆密度。

开工和正常停工过程中以及切换牌号过程中，环管内短时间内介质密度会剧烈变化，如果密度突增或突降，或者密度过高将造成内部浆液循环不均匀，将导致泵的轴功率波动。并且丙烯聚合是一种高度放热的反应，反应器内温度和压力的快速上升，其中压力难以控制，反应器温度和压力的快速上升通常会导致反应器破裂，从而导致易燃液体的泄漏。另外，研究表明，环管浆料密度值为 528kg/m^3，轴流泵电机电流开始出现波动，电流波动幅度随反应器内浆料密度值增加而增大，当密度值达到 540kg/m^3 时，电流最大波动幅度超过 50kW，并有继续增大的趋势。这意味着，在绝大多数情况，轴流泵都或多或少受到功率波动的影响。

此外，由于丙烯聚合反应操作工况变化频繁，切换牌号过程操作的目的是使利润最大化，即根据市场需求来确定上层经济优化目标，由产品牌号切换配方，通过操作变量和控制变量生产所需产品。在最短的切换过渡过程中产生的废料量最少并保证切换过程装置的安全操作是最理想的牌号切换目标之一。实际生产中通常采用“过调”（overshoot）的操作方式缩短牌号切换过渡时间，即对操作变量进行较大调整使 MI 快速到达目标牌号值附近。然而，由于各变量之间存在很强的耦合关系，比如反应器压力会影响聚合速率、进料速率和产品性能，而泵出口压力剧烈波动会导致浆液流速的剧烈波动。因此“过调”操作往往会导致反应温度和浆料密度剧烈波动，从而导致轴流泵功率波动急剧增大，甚至因电流瞬间激增而停车，造成不安全生产。

2.3　生产高熔融指数牌号

聚烯烃产品一般分为通用料和专用料。通用料的生产加工技术难度小，市场竞争激烈，而专用料的生产加工技术难度较大，产品附加值高。目前，我国的 PP 生产企业仍以通用料为主，而国外生产企业主要占据专用料市场，国内高端专用料市场仍大量依赖于进口。PP 装置每月都有转产高 MI 产品任务，产品的 MI 变化范围分布在 30~80g/10min[b]，而国内能生产 MI 超过 30g/10min 的高流动共聚 PP 生产商并不多，生产能力严重不足。高性能、高附加值 PP 专用料牌号之一是具有“高流动性、高结晶、高抗冲击、低挥发性有机物（VOCs）”的“三高一低”PP 产品。高结晶的材料具有更高的刚性，高抗冲击代表材料韧性更强，新国标《乘用车内空气质量评价指南》于 2017 年 1 月 1 日起强制施行后，聚丙烯 VOCs 问题已成为关键指标。因此这类产品又被称为环保型聚丙烯，主要用于汽车改性料，用来生产连续玻纤增强聚丙烯，可用于车门组合件、仪表骨架板、车身门板模块、前端组件、座椅骨架、车顶板、蓄电池的托架及车胎架等。熔指越高则原料流动性越强，不同熔指的环保型车用聚丙烯产品可用于汽车的不同部件。

环管反应器中更高的工作压力会可实现更高的 H_2 浓度，从而扩大产品范围，环管反应器生产率仅由催化剂进给率决定，而产品质量由进料丙烯中 H_2 浓度、催化剂/共催化剂比率决定。转产高熔指牌号时轴流泵轴功率产生波动与 H_2 进气量有关。生产高熔指产品及高氢浓度的薄壁注塑料产品时，P201 轴动率波动较大因为：环管进料 H_2 量较大，大量 H_2 进入环管之后，与催化剂迅速反应，环管聚合反应加剧，并且浆液局部混合不均，对轴流泵造成汽蚀，此时会引起轴功率的波动、泵体振动以及泵性能下降。第一环管换热器 E208 夹套水阀 TV242A 长时间处于全开状态，反应温度难以控制，为将反应热转移至第二环管以维持生产，需要牺牲装置负荷，维持在 92%。

2.4 反应器内块料的影响

Fouarge 等人基于对 PE 聚合工业环管反应器的分析，将因块料存在而轴功率激增的现象称为"泵功率膨胀"（"pump power swelling"）现象。正常运行期间，泵功耗的标准偏差约为 1 至 10kW。一旦形成块料，泵轴功率消耗就会显着增加，功率峰值的标准偏差几乎增加十倍；此外，波动较大的连续峰值之间的间隔不到一分钟。泵功率膨胀对生产过程不利。如果控制不当，泵的功耗会迅速达到安全阈值，安全联锁系统会自动关闭反应器。淤浆工艺生产的 PE 颗粒的典型尺寸为 0.5 毫米，由于 PP 产品的平均粒径远大于 PE，因此 PP 工艺中的块料形成比 PE 工艺中的更严重。环管反应器内大体积块料的运动会导致快速且剧烈的功泵率波动，安全联锁装置可能让整个生产过程停车。目前工业上运行环管反应器停留时间长、固体体积分数高的趋势甚至加剧了块料的发生频率。

3 P201 变频驱动分析

为了解变速驱动的实际的作用，与专利商 LYB 进行交流，LYB 对 P201 改为变频驱动做出如下说明："为第一循环反应器的轴流泵引入变速传动是最新的改进措施。基于最近的一些运行装置的操作经验，我们观察到：当试图将第一环管反应器 R201 中浆料浓度增加至最大操作值时，由于温度波动和轴功率波动，轴流泵会出现一定程度的不稳定的现象，第一反应器在增加料浆浓度达到最大工作值。通过变频操作，可以在通过调整环管反应器内物料的流速，从而实现随时让浆料的固液平衡达到最佳状态。这种方法可以优化反应器内浆料操作条件。我们咨询了主要的轴流泵制造商，他们已经证实，轴流泵变频操作已经在其他专利的类似装置中应用，并且反响良好。"

可以看出，变频驱动调节轴流泵转速主要为消除温度波动和轴功率波动引起轴流泵不稳定现象。根据以上分析，温度波动会引起轴功率波动，从而导致轴流泵工作不稳定。汪怡然通过固液两相流数值计算方法发现：调整泵的转速是降低轴流泵实际运转中轴功率波动的方法之一，因为调整转速从而调整泵的扬程，进而实现调节环管轴流泵的实际工况点。通过调节 P201 转速达到改变泵的特性曲线，进而实现减少环管轴流泵 P201 轴功率波动。虽然温度波动主要受制于聚合反应及撤热设备，但是通过变转速调节仍可改善其对轴流泵不稳定运行情况。

专利商 LYB 虽然没有解释为什么不对第二环管循环泵 P202 采取变频，可是试图从相关资料探寻原因。首先，第二环管 R202 反应过程比第一环管 R201 反应较弱，催化剂和 H2 反应不明显，所以 P202 在较高密度下波动幅度较小。其次，R202 进料更少，其中所带 H2 量比 R201 更少，因此第二环管内部压力冲击对 P202 不是很明显。另外，R202 带连接进料与 P202 入口较近，反应还未太大进行，就已通过 P202。第四，R201 和 R202 以串级方式相连，因此上游反应器反应器内操作条件的变化会影响到下游 R202 各输出变量的变化，从而影响 P202 的运行情况。

3.1 P201 变速调节的积极影响

3.1.1　实现装置稳定开停车及转产

P201 变频操作可以使轴流泵更加平稳适应各个工况，确保在开停车过程中，使浆料速度变化控制在每 10 分钟 5~8kg/m^3，保证开工和正常停工时装置平稳过渡。同时可以在切换高熔指牌号是减少轴流泵的轴功率波动引起的轴流泵不稳定运行情况，降低装置运行风险。

3.1.2　保证装置在低负荷工况下稳定运行

在正常操作工况下，反应器为全液体操作。在 PP 装置中，环管反应器总容积是专利商根据装置产能而定的，两个环管反应器的容积一致，反应器中物料多少与装置产能直接挂钩，因此正常运行情况下，不需要对流量进行调整。然而，目前聚烯烃装置全年开工率并非是 100%，用户会根据市场情况，调节反应负荷；当装置遇到突发事件导致产能降低时，如某设备损坏使装置被迫长期低负荷运转时，装置实际产能将低于 100%。通常专利商对装置的设计操作弹性一般是 60%~110%。当装置在低负荷运行时，环管反应器内不再是全液相操作，此时装置特性曲线改变导致轴流泵的实际运行点偏离稳定工况点。可以通过调节泵的转速，从而调整泵的特性曲线，让轴流泵重回高效区，保证泵和装置稳定运行。

3.1.3　拓宽聚丙烯产品范围

近二十年来，PP 的催化剂不断开发，聚合技术一次又一次取得革命性进展。环管反应器中较高的操作压力可实现氢浓度增大，从而扩大了产品范围。在 1995 年，Spheripol 工艺将操作压力从 3.4MPa 提高至 4.4MPa 极大地拓宽了产品范围。液相本体法和气相法适合生产茂金属聚烯烃，目前 LyondellBasell 使用 Spheripol 工艺已在美国得克萨斯州 38 万吨/年 PP 装置实现茂金属聚丙烯（mPP）工业化生产。mPP 具有附加值高、应用领域广，更好的满足市场对聚丙烯高端产品的需求，拓宽聚丙烯的潜在市场，对现有 Ziegler-Natta 催化剂在新产品和工艺开发方面均是一个有力的补充。此外，使用两台串联的环管反应器减少总体积，在产品范围具有更高的灵活性，并且可以生产双峰产品，以增强产品性能，满足产品刚度高的要求，实现管道牌号产品的高端应用。因此 P201 变频操为树脂生产商今后实现 mPP 和双峰 PP 生产带来更大可能性，比如生产高端医用材料、薄膜材料、管道材料等。由于分子结构不同，茂金属催化剂制备 mPP 发展进程比 mPE 更晚，目前还没有资料显示轴流泵运行不稳定性制约 mPP 聚合，但是已有资料显示，聚合反应不充分会造成 mPE 粒料发黄发色，聚合 mPE 反应器反应温度、压差波动会造成挤压机进料阶段的粉料在输送过程出现“片料”“块料”，造成输送管线堵塞、旋转阀卡停、计量秤失效等，设备联锁造成挤压机停机，影响企业的效益和发展。

3.2 潜在替代方案可行性

根据以上分析，应该通过调节泵的特性曲线或者装置特性曲线，或同时调整两个曲线，将实际工况点调节至稳定运行工况点，从而减少轴流泵不稳定运行的情况，其中最常用方法是调节出口阀门开度、调节转速、切割叶轮外径。轴流泵采用法兰与环管反应器连接，作为反应器的一部分，其进出口尺寸与反应器内环管接口保持一致，并且叶轮浸没在反应器的反应物料中。考虑到工艺及设备结构特点，无法在轴流泵上设置出口阀门。另外，轴流泵叶轮呈机翼形状，为开式叶轮，在性能实验过程中不宜像闭式叶轮的离心泵一样通过切割叶轮直径调整扬程，因此制造厂在选型时会留有一定的余量，保证其通过出厂前的性能测试，满足项目性能要求。设计人员可减少相关设计余量，避免选型过大造成资金浪费。

4 结语与展望

在实际应用中，近两年内国内鲜有业主采纳该建议，据了解，目前国内仅有 1~2 家业主在使用 Spheripol 工艺时对 P201 采用变频驱动。国内外对于这一发展趋势的分析也较为匮乏。通过查询相关资料发现，国内上海石化股份有限公司的 PE 装置采用北欧化工公司（Borealis）的 Bostar 双峰聚乙烯含一台主聚合环管反应器，其底部的环管轴流泵采用中压变频调速方案，工业实践证明使用效果良好。

石化项目机泵设备很多，变速电机需要配变频器、开关柜等电气设备，因此一次投资成本可能会比恒速电机高，对于机泵类设备，虽然选型时经济性排在第一位，但是从价值工程角度计算，P201 改为变频操作后，设备运维成本低，装置停车数量减少及生产高端料会增加企业经济效益，P201 价值更高。也需要有系统的思想，多从工艺本身的条件考虑。如果设备配置与工艺设计搭配不合理，选泵再经济也无意义。

P201 变频调速帮助生产企业更快、更及时地响应市场需求，在不同牌号间快速切换，满足高熔指高端牌号产品生产，提供生产 mPP 的可能性，最大程度减少次品和不合格品的产生，保证装置长期安全稳定运行。高熔指 PP 合格产品不仅制约聚合反应，同样影响挤压造粒。P201 变频调速可在一定程度上改善生产高熔指 PP 粉料的困难，但是最终生产高熔指 PP 合格粒料用于对外销售还需要挤压造粒机共同配合。目前大量资料显示，高熔指 PP 对于挤压造粒影响较大，会出现颗粒不均、拖尾、碎末等现象，特别是在高速档运行高熔指开车时问题较多，比如出现缠刀、垫刀等风险，给装置稳定生产带来极大困难。因此，如果国内生产企业要突破高熔指牌号、双峰 PP 以及 mPP 生产瓶颈，还需要在聚合工艺、催化剂选择、挤压造粒技术等全方面攻关克难，加大投入科研力度，加强上下游联动交流，摆脱当下同质化的困境，实现企业向高端化、差异化、绿色化发展，提高产品附加值，提升企业核心竞争力，提高企业经济效益。

参 考 文 献

[1] Galli P, Haylock J C, Simonazzi T. Manufacturing and properties of polypropylene copolymers[M]. Polypropylene Structure, blends and composites: Volume 2 Copolymers and Blends. Dordrecht: Springer Netherlands, 1995: 1-24. 9.

[2] 林海峰．环管反应器轴流泵轴功率波动的分析[J]．化学工程师，2011，25(06)：57-59.

[3] 官书林．环管反应器轴流泵功率波动原因分析及对策[J]．齐鲁石油化工，2012，40(02)：129-131，134.

[4] 郭新营，潘俊玲，曹圣贤．聚丙烯轴流泵轴功率波动原因分析及对策[J]．云南化工，2018，45(09)：212-213.

[5] 高胜利，王景方，惠珽等．高密度聚乙烯淤浆环管工艺反应器黏壁原因及减缓措施[J]．合成树脂及塑料，2017，34(06)：53-57.

[6] Yang X F，Zheng T，Che L M，et al. A dynamically distributed reactor model for identifying the flow fields in industrial loop propylene polymerization reactors[J]. Journal of applied polymer science，2013，128(6)：4302-4313.

[7] Zheng Z W，Shi D P，Su P L，et al. Steady-state and dynamic modeling of the basell multireactor olefin polymerization process [J]. Industrial & engineering chemistry research，2011，50(1)：322-331.

[8] 季永蕾．聚乙烯装置环管泵连续安全运行设想——中压变频器的工频旁路改造[J]．化工管理，2013(06)：36-37，39.

[9] 王平，田学民，黄德先．双环管聚丙烯反应过程牌号切换优化控制策略[J]．清华大学学报(自然科学版)，2012，52(09)：1236-1243.

[10] 唐震艳．中压变频器在聚乙烯装置上的应用实例[J]．才智，2008(11)：166-167.

[11] Touloupides V，Kanellopoulos V，Pladis P，et al. Modeling and simulation of an industrial slurry-phase catalytic olefin polymerization reactor series[J]. Chemical Engineering Science，2010，65(10)：3208-3222.

[12] Li Y，Ma Y，Reddy R K，et al. CFD investigations of particle segregation and dispersion mechanisms inside a polyolefin 8-leg loop reactor of industrial scale[J]. Powder Technology，2015，284：95-111.

[13] 姬忠礼，邓志安，赵会军．泵和压缩机[M]．第2版北京：石油工业出版社，2015：34，125.

[14] Li Y，Yu J，Reddy R K，et al. Computational study on the effect of slug dynamics on the operation of a polyolefin 8-leg loop reactor of industrial scale[J]. Powder Technology，2017，319：452-462.

[15] 孟令平，范吉全，杨永光等．聚丙烯装置轴流泵轴功率波动分析[J]．化工设备与管道，2022，59(04)：58-63.

[16] 姜兴亮，杨福礼．SPHERIPOL聚丙烯工艺环管反应器温度控制[J]．中国石油和化工标准与质量，2012，32(05)：20.

[17] 莢亮．聚丙烯连续生产过程的牌号切换研究[D]．浙江大学，2006：30-31.

[18] 张金龙，杨廷杰，苟荣恒．挤压造粒机在生产高熔指聚丙烯产品中的优化[J]．化工管理，2023(12)：120-122.

[19] 冯松，徐险峰，李姝等．气相法工艺生产"三高一低"聚丙烯要点及国内开发情况[J]．能源化工，2018，39(04)：9-12.

[20] 刘荣根，赵延庆，张福刚．聚丙烯装置高负荷运行瓶颈分析[J]．浙江化工，2021，52(02)：29-32.

[21] Fouarge L，Lewalle A，Van der Auwera M，et al. Swell control in slurry loop reactor：U. S. Patent 7，329，712[P]. 2008-2-12.

[22] Lee S K，Marissal D，Walworth B R. Slurry phase polymerisation process：U. S. Patent 7，981，983[P]. 2011-7-19.

[23] 李世财，刘光成，赵新．茂金属聚乙烯生产中挤压造粒机故障分析与处理[J]．设备管理与维修，2022(18)：61-62.

[24] 蒋景楠，任瑶飞．化工业VE应用研究[J]．价值工程，1999(S1)：104-107.

[25] 郭力朋．聚丙烯高融指产品挤压机的开车方法[J]．化工设计通讯，2018，44(06)：100.